〈명주보월빙〉연작 3부작 중 제1부작

낙 선 재 본 과 박 순 호 본 을 교 감 주 석 한

교감본

明珠寶月聘

교감본

明珠寶月聘

4

교주

최
길
용

김
영
숙

學古房

이 저서는 2010년도 정부재원(교육부 인문사회연구역량강화사업비)으로 한국연구재단의 지원을 받아 연구되었음(NRF-2010-327-A00283)

This work was supported by the National Research Foundation of Korea Grant funded by the Korean Government(NRF-2010-327-A00283)

서 문

〈명주보월빙〉은 100권 100책으로 된 거질의 대장편소설로, 105권 105책의 〈윤하정삼문취록〉과 30권 30책의 〈엄씨효문청행록〉을 그 속편으로 거느리고 있어, 이들 두 작품과 함께 《명주보월빙 연작》을 구성하고 있으면서, 연작 전체를 하나의 예술적 총체 곧 하나의 작품으로 묶는 중심작의 기능을 하고 있다. 그런데 이 연작은 그 3부작을 합하면 원문 글자 수가 도합 332만3천여 자(〈보월빙〉1,475,000, 〈삼문취록〉1,455,000, 〈청행록〉393,000)에 이를 만큼 방대하여, 세계문학사에서도 그 유례를 찾아볼 수 없는 대장편서사체인 동시에, 1700년대 말 내지 1800년대 초의 조선조 소설문단의 창작적 역량을 한눈에 보여주는 대작이자, 한국고소설사상 최장편소설로 꼽히고 있다.

양식 면에서, 《명주보월빙 연작》은 중국 송나라를 무대로 하여 윤·하·정 3가문의 인물들이 대를 이어 펼쳐가는 삶을 다룬 〈보월빙〉·〈삼문취록〉과, 윤문과 연혼가인 엄문의 인물들이 펼쳐가는 삶을 다룬 〈청행록〉으로 이루어져, 그 외적양식 면에서는 〈보월빙〉-〈삼문취록〉-〈청행록〉으로 이어지는 3부 연작소설이며, 내적양식 면에서는 윤·하·정·엄문이라는 네 가문의 가문사가 축이 되어 전개되는 가문소설이다.

내용면에서 보면, 이 연작에는 모두 787명(〈보월빙〉275, 〈삼문취록〉399, 〈청행록〉113)에 이르는 엄청난 수의 인물들이 등장하여, 군신·부자·부부·처첩·형제·친구 등 다양한 인간관계에서 벌어지는 수많은 사건들을 펼쳐가면서, 충·효·열·화목·우애·신의 등의 주제를 내세워, 인륜의 수호와 이상적인 인간 공동체의 유지, 발전을 위한 善的 價値들을 권장하고 있다. 아울러 주동인물군의 삶을 통해 고귀한 혈통·입신양명·전지전능한 인간·일부다처·오복향수·이상향의 건설 등과 같은 사대부귀족계급의 현세적 이상을 시현해놓고 있다.

이 책 『교감본 명주보월빙』은 〈명주보월빙〉의 두 이본, 곧 100권100책으로 필사된 '낙선재본'과 36권36책으로 필사된 '박순호본'을 原文內校와 異本對校의 2단계 원문교정 과정을 거쳐 각 텍스트의 필사과정에서 생긴 원문의 오자·탈자·오기·연문·결락들을 교정하고, 여기에 띄어쓰기와 한자병기 및 광범한 주석을 가해 편찬한 것이다.

그 목적은, 첫째로는 필사본 텍스트들이 갖고 있는 태생적 오류, 곧 작품의 창작 또는 전사가 手記로 이루어질 수밖에 없었던 한계 때문에, 마땅한 퇴고나 교정 수단이 없음으로 해서 불가피하게 방치해버린, 잘못 쓰고(誤字), 빠뜨리고(脫字), 거듭 쓴(衍字)글자들과, 또 거듭쓰고(衍文) 빠뜨린(缺落) 문장들, 그리고 문법이나 맞춤법·표준어 규정 같은 어문규범이 없었던 시대에, 글쓰기가 전적으로 필사자의 작문능력에 따라 달라질 수밖에 없음으로 해서 생겨난 무수한 비문들과 오기들, 이러한 것들을 텍스트의 이본대교와, 전후 문장이나 문맥, 필사자의 문투나 글씨체, 그리고 고사·성어·속담·격언·관용구·인용구 등을 비교·대조하여 바로잡음으로써, 정확한 원문을 구축하는 데 있다. 또 이러한 교정과정을 일정한 기호를 사용하여 원문에 병기함으로써, 원문을 원표기 그대로 보존하여 보여주는 한편으로, 독자가 그 교정·교주의 타당성을 판단할 수 있게 하는데 있다. 그 이유는, 이렇게 함으로써 텍스트의 불완전성을 극복할 수 있을 뿐만 아니라, 원문의 표기법을 원문 그대로 재현해 놓음으로써 원본이 갖고 있는 문학적·어학적 가치는 물론 그 밖의 여러 인문·사회학적 가치를 훼손함이 없이 보존하고 전승해 갈 수 있다고 믿기 때문이다.

둘째로는 한 작품의 이본들을 교감·주석하여 竝置시켜 보여줌으로써, 그 교정과 주석의 타당성은 물론, 각 이본이 갖고 있는 표현과 서사의 차이를 한눈에 볼 수 있게 하여, 적층문학적 성격을 갖고 있는 한국 필사본 고소설들에[1] 대한 해석학적 지평을 확장하는 데 있다. 나아가 이 연구의 수행을 통해 '原文校訂'이라는 한·중의 오랜 학문적 전통의 하나인 텍스트 교감학[2]의 유용성을 실증하여, 앞으로의 필사본 고소설들의 정리작업[데이터베이스(data base)구축과 출판]의 한 모델을 수립하는데 있다.

셋째로는 정확한 원문구축과 광범한 주석으로 작품의 可讀性을 높이고 해석적 불완전성을 제거하여, 일반 독자들이나 연구자들이 쉽게 원문 자료에 접근할 수 있게 하는데 있다.

넷째로는 이렇게 정리 구축한 교감본을 현대어본 편찬의 저본(底本)으로 활용하기 위함이다. 현대어본 편찬의 선결과제는 정확한 원문텍스트의 구축과 원문에 대한 정확한 주석이다. 이 책은 처음부터 이 현대어본의 저본 구축을 목표로 편찬된 것이기 때문에 이점 곧 정확한 원문텍스트의 구축과 원문에 대한 정확한 주석에 각별한 정성을 쏟았다.

컴퓨터 문서통계 프로그램이 계산해준 이 책의 파라텍스트(para-text)를 제외한 본문 총글자수는 5,389,773자다. 원문 289만5천자(낙본 145만9천자, 박본143만6천자)를 입력하고, 여기에 15,360곳(낙본2,736곳, 박본12,624곳)의 오자·탈자·오기·연문·결락 등에 대한 원문교정과 31만4천자(낙본16만6천자, 박본14만8천자)의 한자병기, 그리고 15,701개(낙본8,240개, 박본7,461개)의 주석이 더해지고, 또 116만 4천 곳(낙본60만2천 곳, 박본56만2천 곳)의 띄어쓰기가 가해져서 이루어진 결과다. 앞서 언급한 것처럼 이 책은 현대어본 출판까지를 계획하고 편찬한 것이다. 따라서 두 이본 중 선본인 '낙선재본'을 현대어로 옮겨 현재 출판 작업이 진행 중이다. 그 분량도 273만자에 이른다. 전자 교감본은 전문 연구자와 국문학도에게 바치는 학술도서로, 후자 현대어본은 일반 독자들에게 드리는 교

---

[1] 여러 이본들을 갖고 있는 한국 필사본 고소설들은 필사자들이 이를 轉寫하는 과정에서 원작의 표현과 서사에 임의적으로 첨삭과 변개를 가한다는 점에서 원작자의 생각에 필사자들의 생각이 보태져서 유통되는 적층문학적 성격을 갖는다.

[2] 고증학의 한 분파로, 경전이나 일반서적을 서로 다른 판본 또는 관련 있는 자료와 대조하여 내용이나 문자·문장의 異同을 밝히고 誤記·誤傳 따위를 찾아 바로잡는 학문이다. 중국 前漢 시대의 학자 劉向에 의해 창시되었으며, 청나라 때 가장 성하였다. 우리나라에서도 고려 때 한림원에 종 9품 校勘을 두었고, 조선시대에는 승문원에 종4품 校勘을 두어 경서 및 외교 문서를 조사하고 교정하는 일을 맡아보게 하였다.

양도서로, 전자는 국배판(A4규격) 3600쪽 5책1질로, 후자는 국판(A5규격) 3400쪽 10책1질로 간행될 예정이다.

그러나 필자의 편찬 작업은 이것으로 끝나는 것이 아니다. 필자는 2010년에 〈명주보월빙〉을, 2011년에는 〈윤하정삼문취록〉을, 그리고 2012년에는 〈엄씨효문청행록〉을 각각 한국연구재단의 연구지원 사업 과제에 지원하여 3회 연속 선정되는 결과를 안았다. 그리하여 지금껏 4년 동안을 필자는 두문불출, 주야불철하며 이 《명주보월빙 연작》의 원문입력과 교정, 주석에 골몰하면서 답답하고 지리한 일상을 보내고 있다. 현재 〈삼문취록〉의 교감본과 현대어본 편찬 작업은 초벌 작업만 마쳐, 출판사에 원고를 넘기기 전의 마지막 교정을 남겨두고 있는 상태다. 〈청행록〉은 교감본 편찬 작업 중 지난해 11월부터 일단 작업을 제쳐둔 채로, 지금 이 책 〈보월빙〉의 교감본과 현대어본의 출판을 위한 마지막 교정에 여념이 없다. 그 교감본은 이제 서문을 넘기게 되니 이달, 곧 2014년 2월 10일자로 간행이 될 것이다. 현대어본은 또 하루에 원문 두 권 분량을 목표로 교정작업을 진행하고 있지만, 그 분량이 100권이나 되니 오는 4월 결과물제출 마감시한을 꼬박 채워서야 발간이 될 것 같다. 〈삼문취록〉은 또 내년인 2015년4월이 제출 마감시한이고, 〈청행록〉은 2016년 4월까지 제출해야 한다. 지금까지의 작업결과로 보아 〈삼문취록〉의 분량은 교감본이 292만2천자, 현대어본이 281만자가 되고, 〈청행록〉은 아직 초벌작업도 마치지 못한 상태이지만 어림잡아 그 분량이 교감본 136만6천자(낙선재본 74만6천자, 고려대본62만자), 현대어본이 74만자(낙선재본)가 되어, 이들을 〈보월빙〉과 같은 형태로 출판을 한다면, 〈삼문취록〉은 교감본 5책, 현대어본 10책, 또 〈청행록〉은 교감본 2책, 현대어본 3책이 될 것이다.

이 3부작을 모두 합하면 교감본 12책, 현대어본 23책이 되어, 23책1질의 현대어본을 단순히 책 수로만 비교한다면 우리 현대소설사상 최장편 소설로 평가되는 20책1질로 출판된 박경리 선생의 〈토지〉를 훌쩍 넘어서는 분량이다. 등장인물 수도 〈토지〉 인물사전에는 600여명이 등장하는 것으로 소개되어 있는데 《명주보월빙 연작》에는 이보다 더 많은 인물이 등장한다. 필자가 작성하여 2007년에 〈한·중 고전소설 인명지명대사전〉 편찬사업팀에 제출한, A4용지 224쪽 분량의 《명주보월빙 연작》 인명사전 원고에는 앞에서 잠깐 언급한 것처럼 787명의 인물이 등장하여 각각 작가가 부여한 작품 속 삶을 펼쳐가고 있다. 필자는 이 등장인물 사전을 현대어본 마지막 권(24권)으로 독자에게 제공할 계획이다.

"인내는 쓰고 열매는 달다"고 하였던가! 과정은 힘들었지만 결과를 이렇게 큰 출판물로, 또 DB화된 기록물로 세상에 내놓게 되니, 한국문학의 위대함을 한 자락 열어 보인 것 같아 여간 기쁘지 않다. 또 하나 이 책의 성과를 든다면, 이본 대교 작업을 통해 낙선재본 결권 '卷之七十八'을 박순호본 가운데서 찾아 복원하였다는 점이다. 이로써 이제 '낙본'은 그간 낙질 상태에 있던 자료적 불완전성을 해소하고 완전한 텍스트로 거듭나게 되어, 완질본으로서의 새로운 지위와 가치를 부여받게 된 것이다.

아무쪼록 이 책의 출판을 계기로 이 연작이 더 많은 독자들과 연구자, 문화계 인사들의 사랑과 관심을 받게 되고, 영화나 TV드라마 등으로 제작되어 민족의 삶과 문화가 더 널리 전파되어 갈 수 있기를 기대한다. 이 작품들 속에 등장하는 앵혈·개용단·도봉잠·회면단·도술·부적·신몽·천경 등의 다양한 상상력을 장착한 소설적 도구들은 민족을 넘어 세계인들의 사랑과 흥미를 이끌어내기에 충분할 것이다. 또 세계문학사적 대작이자 한국고소설사상 최장편소설로 평가되는 이 작품이 국민들의 더 높은 사랑과 관심을 받을 수 있도록 국가 보물로 지정되는 날이 쉬이 오기를 기대해 마지않는다.

  이 책이 결과물제출 마감시한 전에 출판될 수 있게 된 데에는 박순호본 17권부터 36권까지의 원문 입력을 해 준 김영숙 박사의 도움이 컸다. 또 어려운 출판 여건 속에서도 인문학의 위기를 걱정하며 이 책의 출판을 흔쾌히 맡아주신 도서출판 학고방의 하운근 대표님과 편집과 출판을 맡아 애써주신 직원 여러분의 후의를 잊을 수가 없다. 도움을 주신 분들께 이 자리를 빌어 깊은 감사를 드린다.

2014년 설날 아침

최 길 용

(전북대학교 겸임교수)

✳ 일러두기 ✳

　이 책『교감본 명주보월빙』은 〈명주보월빙〉의 두 이본, 곧 100권100책으로 필사된 '낙선재본'과 36권36책으로 필사된 '박순호본'의 입력원문을 서사진행순서에 따라 같은 내용을 같은 지면에다 단락단위로 竝置시켜, 이를 각본의 '원문 내 교정'과 '이본 간 상호대조를 통한 교정'의 2단계 원문교정 과정을 거쳐, 각 텍스트의 필사과정에서 생긴 원문의 誤字·脫字·誤記·衍文·缺落·落張·錯寫들을 교정하고, 여기에 띄어쓰기와 한자병기 및 광범한 주석을 가해 편찬한 것이다.

　이 때문에 이 책은 불가피하게 원문에 대한 많은 교정과 보완이 가해졌다. 따라서 이 책은 이처럼 원문에 가해진 많은 교정·보완 사항들을 일관성 있게 보여주고, 누구나 이를 원문과 쉽게 구별할 수 있게 하기 위해 다음 부호들을 사용하였다.

( )：　한자병기를 나타내는 부호. ( )의 앞에 한글을 적고 속에 한자를 적는다.
　　　　예) 붕성지통(崩城之痛)

[ ]：　원문의 잘못 쓴 글자를 바로잡거나 빠진 글자를 보충해 넣은 부호. 오자·탈자·결락·낙장·마멸자 등의 교정에서 바로잡거나 빠진 글자를 보충해 넣을 때 사용한다.
　　　　예) 번셩ᄒᆞ믠믈], 번셩〇[ᄒᆞ]믈, 번□□[셩ᄒᆞ]믈,

　〇：　원문의 필사 과정에서 생긴 탈자를 표시하는 부호. 3어절 이내, 또는 8자 이내의 글자를 실수로 빠트리고 쓴 것을 교정하는 경우로, 빠진 글자 수만큼 '〇'를 삽입하고 그 뒤에 [ ]를 붙여, [ ] 안에 빠진 글자를 보완해 넣어 교정한다.
　　　　예) 넉넉ᄒᆞ〇〇〇[미 이시]니

{ }：　중복된 글자나 불필요하게 들어간 말을 표시하는 부호. 衍字나 衍文을 교정하는 경우로, 중복해서 쓴 글자나 불필요한 말의 앞·뒤에 '{' 과 '}'를 삽입하여 연자나 연문을 { }로 묶어 중복된 글자이거나 불필요한 말임을 표시한다.
　　　　예) 공이 쳥파의 희연히{희연히} 쇼왈

《∥》：　원문의 필사 과정에서 두 글자 이상의 단어나 구·절 등을 잘못 쓴 오기를 교정하는 부호. 이 때 '∥'의 앞은 원문이고 뒤는 바로잡은 글자를 나타낸다.
　　　　예) 《잠비∥잠미》를 거스리고

〇…결락〇자…〇 :　원문에 3어절 이상의 말을 빠트리고 쓴 것을 보완하여 교정할 때 사용하는 부호. '〇…결락〇자…〇' 뒤에 [ ]를 붙여 보완할 말을 넣고, 빠진 글자 수를 헤아려 결락 뒤의 '〇'를

ix

지우고 결락된 글자 수를 밝힌다.

예) ○…결락9자…○[제손의 혼인을 셔돌식]

○…낙장○자…○ : 원문에 본디 낙장이 있거나, 원본의 책장이 손상되어 떨어져 나간 것을 보완할 때 사용하는 부호. '○…낙장○자…○' 뒤에 'ㅣ '를 붙여 보완할 말을 넣고, 빠진 글자 수를 헤아려 낙장 뒤의 '○'를 지우고 빠진 글자 수를 밝힌다.

예) ○…결락9자…○[제손의 혼인을 셔돌식]

□ : 원본의 글자가 마멸되거나 汚損으로 인해 판독이 불가능한 글자를 표시하는 부호. 오손된 글자 수만큼 '□'를 삽입하고 그 뒤에 'ㅣ '를 붙여, 오손된 글자를 보완해 넣는다.

예) 예) 번□□[셩히]믈,

▌①( ) ▌ : 원문에 필사자가 책장을 잘 못 넘기거나 착오로 쓰던 쪽이나 행을 잘못 인식하여 글의 순서가 뒤바뀐 착사(錯寫; 필사 착오)를 교정하는 부호. 필사착오가 일어난 처음과 끝에 '▌'를 넣어 착오가 일어난 경계를 표시한 후, 순서가 뒤바뀐 부분들을 '( )'로 묶어 순서에 맞게 옮긴 뒤, 각 부분들 곧 '( )'의 앞에 원문에 놓여 있던 순서를 밝혀 두어, 교정 전 원문의 순서를 알 수 있게 한다.

예) 원문의 글이 ▌①( )②( )③( ) ▌의 순서로 쓰여 있는 것이 ②( )-①( )-③( )의 순서로 써야 옳다면, 이를 옳은 순서대로 옮기고, 각 부분들의 앞에는 본래 순서에 해당하는 번호를 붙여 ▌②( )①( )③( ) ▌으로 교정한다.

목 차

- 서 문」 v
- 일러두기」 ix
- 낙선재본과 박순호본의 권채(券次) 대조표」 xii

낙선재본과 박순호본의 권차(券次) 대조표

낙선재본		박순본	
권차	쪽수	쪽수	권차
권디 일	1-68	1-41	권지 일 (103쪽)
권디 이	1-74	41-80	
권디 삼 (70쪽)	1-46	80-103	
	46-70	1-16	권지 이 (89〃)
권디 亽	1-75	16-68	
권디 오 (75〃)	1-33	68-89	
	33-75	1-22	권지 숨 (106〃)
권디 뉵	1-75	23-60	
권디 칠	1-75	60-106	
권디 팔	1-75	1-35	권지 亽 (100〃)
권디 구	1-75	35-64	
권디 십	1-73	64-98	
권디 십일 (75〃)	1- 5	98-100	
	5-75	1-24	권지 오 (93〃)
권디 십이	1-73	24-51	
권디 십삼	1-73	51-83	
권디 십亽 (76〃)	1-27	83-93	
	27-76	1-29	권지 뉵 (103〃)
권디 십오	1-71	29-65	
권디 십뉵	1-71	65-99	
권디 십칠 (73〃)	1-12	99-103	
	12-73	1-34	권지 칠 (95〃)
권디 십팔	1-69	34-69	
권디 십구 (70〃)	1-55	69-95	
	55-70	1-7	권지 팔
권디 이십	1-74	7-40	

낙선재본		박순호본	
권차	쪽수	쪽수	권차
권디이십일	1-73	40-71	권지 팔 (82〃)
권디이십이 (75쪽)	1-30	71-82	
	30-75	1-19	권지 구 (76〃)
권디이십삼	1-75	19-43	
권디이십亽	1-75	43-72	
권디이십오 (75〃)	1-14	72-76	
	14-75	1-38	권지 십 (106〃)
권디이십뉵	1-73	38-77	
권디이십칠 (72〃)	1-55	77-106	
	55-72	1-7	권지 십일 (65〃)
권디이십팔	1-75	7-31	
권디이십구	1-71	31-58	
권디 삼십 (73〃)	1-20	58-65	
	20-73	1-22	권지 십이 (71〃)
권디삼십일	1-75	22-52	
권디삼십이 (73〃)	1-46	52-71	
	46-73	1-12	권지 십삼 (68〃)
권디삼십삼	1-71	12-46	
권디삼십亽 (74〃)	1-44	46-68	
	44-74	1-13	권지 십亽 (60〃)
권디삼십오	1-75	13-41	
권디삽십뉵 (75〃)	1-46	41-60	
	46-75	1-15	권지 십오 (122〃)
권디삼십칠	1-74	15-54	
권디삼십팔	1-73	54-86	
권디삼십구	1-73	86-115	
권디亽십 (74〃)	1-15	115-122	
	15-74	1-43	권지 십육 (152〃)
권디亽십일	1-74	43-99	
권디亽십이	1-73	99-152	

낙선재본		박순호본		낙선재1-본		박순호본	
권차	쪽수	쪽수	권차	권차	쪽수	쪽수	권차
권디ᄉ십삼	1-73	1-51	권지십칠 (152쪽)	권디칠십삼	1-71	1-78	권지이십칠 (187〃)
권디ᄉ십ᄉ	1-73	51-103		권디칠십ᄉ	1-70	79-140	
권디ᄉ십오	1-72	103-152		권디칠십오	1-70	141-187	
권디ᄉ십뉵	1-75	1-49	권지십팔 (157〃)	권디칠십뉵	1-72	1-55	권지이십팔 (163〃)
권디ᄉ십칠	1-75	49-104		권디칠십칠	1-71	55-108	
권디ᄉ십팔	1-73	104-157		권디칠십팔	'박본'복원	108-163	
권디ᄉ십구	1-73	1-61	권지십구 (184〃)	권디칠십구	1-71	1-40	권지이십구 (128〃)
권디오십	1-73	61-122		권디팔십	1-73	40-71	
권디오십일	1-72	122-184		권디팔십일	1-69	71-114	
(74쪽)	72-74	1-2	권지이십 (176〃)	권디팔십이 (71〃)	1-19	114-128	
권디오십이	1-74	2-59			19-71	1-32	권지삼십 (160〃)
권디오십삼	1-70	59-112		권디팔십삼	1-69	32-78	
권디오십ᄉ	1-72	112-176		권디팔십ᄉ	1-69	78-135	
권디오십오	1-75	1-67	권지이십일 (207〃)	권디팔십오 (69〃)	1-36	135-160	
권디오십뉵	1-73	67-137			36-69	1-22	권지삼십일 (137〃)
권디오십칠	1-72	137-207		권디팔십뉵	1-71	22-66	
권디오십팔	1-73	1-64	권지이십이 (196〃)	권디팔십칠	1-71	66-105	
권디오십구	1-73	64-131		권디팔십팔	1-73	105-137	
권디뉵십	1-72	131-196		권디팔십구	1-73	1-50	권지삼십이 (97〃)
권디뉵십일	1-73	1-63	권지이십슴 (188〃)	권디구십 (71〃)	1-70	50-97	
권디뉵십이	1-73	63-124			70-71	1-2	권지삼십삼 (119〃)
권디뉵십삼	1-73	124-188		권디구십일	1-69	2-49	
권디뉵십ᄉ	1-74	1-64	권지이십ᄉ (189〃)	권디구십이	1-70	49-94	
권디뉵십오	1-73	64-124		권디구십삼 (75〃)	1-46	94-119	
권디뉵십뉵	1-74	124-189			46-75	1-19	권지삼십ᄉ (177〃)
권디뉵십칠	1-71	1-66	권지이십오 (185〃)	권디구십ᄉ	1-76	19-96	
권디뉵십팔	1-69	66-126		권디구십오	1-75	96-172	
권디뉵십구	1-76	126-175		권디구십뉵 (70〃)	1-6	172-177	
권디칠십 (74〃)	1-2	175-185			6-70	1-63	권지삼십오 (174〃)
	2-74	1-63	권지이십육 (167〃)	권디구십칠	1-74	63-128	
권디칠십일	1-71	63-114		권디구십팔 (76〃)	1-54	128-174	
권디칠십이	1-71	114-167			54-76	1-21	권지삼십육 (131〃)
				권디구십구	1-71	21-79	
				권디일빅	1-68	79-131	

명듀보월빙 권디뉴십일

　초셜 윤부인이 남후의 말을 드르미 더욱 심신이 추악(嗟愕)ᄒ믈 니긔디 못ᄒ되 십분 강인(强忍)ᄒ여 되왈,

　"쳡의 블민흔 힝ᄉ는 군지 비록 칙디 아니셔도 알거니와, 다만 됴졍 의논이 슉모를 ᄉ디의 모라 너흐려 ᄒ니, 셩군은 이효(以孝)로 티텬ᄒ(治天下)[1]○[ᄒ]시ᄂ니, 슉뫼 쇼쇼 과실이 이시나 국가의 간셥ᄒ미 업고, 조모의 허물을 샤슉(舍叔)의 낫츨 보아 샤ᄒ실딘틴, 슉모의 허물인들 희데의 안면(顔面)을 보아 샤치 못ᄒ리잇가? 이ᄂ 됴졍이 사뎨【1】 등을 ᄯ흔 죽이려 ᄒ미로소이다."

　병뷔 그 낭음봉셩(朗吟鳳聲)[2]을 드르미 회열흔 긔운이 무궁ᄒ되, 위풍을 변치 아녀 날호여 왈

　"부인의 ᄯ즌 뉴시를 위ᄒ여 무ᄉ키를 바라나, 사람마다 그 악악(惡惡)ᄒᄆ를 아니 ᄯᅮ지ᄌ 리 업ᄉ니, 군샹이 브틴 뉴시를 죽이려 ᄒ시면 뉘 구ᄐ여 슬오고져 ᄒ리 이시리오? 싱 ᄀᆺ튼 결증(潔症)잇ᄂᄂ 즈ᄂ 셩샹이 뉴시를 아니 죽이려 ᄒ셔도 간ᄒ리라."

　윤부인이 다시 말을 아니ᄒ더라.

　금계(金鷄)[3] 창효(唱曉)ᄒ미, 금평휘 거댱(車帳)을 출혀 윤시를 다리고 취운산으로 가려 ᄒ니, 윤시 황공ᄒ【2】믈 씌여 고왈,

　"쳡이 어린 소회를 고ᄒ오미 당돌ᄒ오나, 쳡이 녜ᄉ 사람과 ᄀᆺ디 못ᄒ와 샹명이 니이 졀혼(離異絶婚)ᄒᄆᆯ 분명이 ᄒ여 계시니, 이졔 은샤를 엇줍디 못ᄒ여 존부의 도라가오미 황공ᄒᄋᆫ지라. 텬문의 결ᄉ(決事)ᄒ시믈 기다려 취운산으로 가도 늣디 아니 홀가 ᄒᄂ이다."

---

1)이효(以孝) 티텬ᄒ(治天下) : 효(孝)로써 천하를 다스림.
2)낭음봉셩(朗吟鳳聲) : 봉황새의 울음소리처럼 맑은 소리.
3)금계(金鷄) : '닭'의 미칭(美稱). 꿩과에 속한 새.

명쥬보월빙 권지이십ᄉ

　초셜 윤 부인이 ○[남]후의 말을 드르미 불승 추악ᄒ야 되왈,

　"쳡의 블민흔 힝ᄉ는 군지 아르시거니와, 다만 됴졍 의논이 슉모를 ᄉ디의 너흐려 ᄒ니, 슉뫼 비록 쇼쇼 과실이 이시나 국가의 관계ᄒ미 업고, 조모의 허물을 ᄉ슉(舍叔)의 낫츨 보아 ᄉᄒ실진틴, 슉모의 허물도 ᄯᅩ흔 관계ᄒ오리잇가? 이ᄂ 다 쳡의 익운이 다쳡(多疊)ᄒ오미라. 엇지 조모와 슉모의 타시라 ᄒ리잇고?"

　남휘 왈,

　"부인의 ᄯ지 뉴시를 위ᄒ여 무ᄉ키를 바라나, 인인이 그 악악(惡惡)ᄒᄆᆯ 아니 ᄯᅮ지ᄌ 리 업ᄉ니, 군샹이 브틴 뉴시를 죽이려 ᄒ시면, 뉘 구ᄐ【1】여 슬○[오]고ᄌ ᄒ리 이시리오? 싱 ᄀᆺ튼 결증(潔症)잇ᄂ 즈ᄂ 셩샹이 뉴시를 아니 죽이려 ᄒ셔도 간ᄒ리라."

　윤시 두시 말을 아니ᄒ더라.

　금계(金鷄)[1] 창효(唱曉)ᄒ미, 《남휘∥금평휘》 거쟝(車帳)을 출혀 윤시를 드리고 취운산으로 가려 ᄒ니, 윤시 황공ᄒᄆᆯ 씌여 고 왈,

　"쳡이 어린 소회를 고ᄒ오미 당돌ᄒ오나, 쳡이 녜ᄉ 사람과 ᄀᆺ지 못ᄒ여 샹명이 니이 졀혼(離異絶婚)ᄒᄆᆯ 분명이 ᄒ여 계시니, 이졔 은ᄉ를 엇지 못ᄒ여 존부의 도라ᄀ오미 황공ᄒᄋᆫ지라. 텬은의 결ᄉ(決事)ᄒ시믈 기다려 취운산으로 가도 늣지 아닐가 ᄒᄂ이다."

---

1)금계(金鷄) : '닭'의 미칭(美稱). 꿩과에 속한 새.

금평휘 왈,

"현부의 말이 당당ᄒᆞ니 엇디 좃디 아니리오."

인ᄒᆞ여 낙양후를 머므르니 윤시 황공 스샤ᄒᆞ더라.

금평휘 녀의(女醫) 등을 분부ᄒᆞ여 ᄒᆞᆫ가디로 잘 보호ᄒᆞ라 ᄒᆞ고, 남후 등 삼ᄌᆞ를 다리고 도라갈식, 낙양후ᄂᆞᆫ 녀의 등을 다【3】리고 의막(依幕)4)의셔 윤시 상쳐의 약을 의논ᄒᆞ더라

지셜 뎡·딘 이부의셔 졔부인ᄂᆡ 참참ᄒᆞᆫ 흉화를 당ᄒᆞ여, 각각 존구와 가군이 쥬륙을 당ᄒᆞ면 져마다 목숨을 결ᄒᆞ여 뒤흘 좃고져 ᄒᆞ나, 힝혀 텬되 원억을 신셜ᄒᆞ미 이실가 죄오ᄂᆞᆫ 므음이 형상키 어렵고, 쵸젼(焦煎)ᄒᆞᄂᆞᆫ 장위(腸胃) ᄌᆡ 되고져 ᄒᆞᄂᆞ니라. 샹ᄒᆞ노쇼(上下老少) 믈 쓸 둣ᄒᆞ여, 쥬야 하날을 우러러 무ᄉᆞ키를 튝원ᄒᆞ더라.

딘부인이 니·양 두 식부로 더브러 간담이 ᄌᆡ 되기를 면치 못ᄒᆞ나, 태부인긔 경악(驚愕)ᄒᆞᆫ 소식을 미리 고치 못ᄒᆞ여, 셔동으로 가 알나 ᄒᆞ니, 회보 왈,

"딘태우 노【4】야와 흑스 상공이 텬위를 범ᄒᆞ와 텬뇌 딘쳡ᄒᆞ시니, 모역ᄒᆞᄂᆞᆫ 죄ᄂᆞᆫ 즈시 아디 못ᄒᆞ시고, 바로 쳐참(處斬) 효시(梟示)ᄒᆞ라 젼피 ᄂᆞ렷더이다."

딘부인이 니·양 냥 쇼져로 더브러 셔로 보고 하 어이 업ᄉᆞ니, 죵시(終始)를 보아가며 죽기를 결단ᄒᆞ려 ᄒᆞᄂᆞᆫ 고로, 말을 아니ᄒᆞ고 눈물도 나디 아니ᄒᆞ더니, 쥬부인이 창황이 태우의 냥쳐를 다리고 협문으로 니르러 딘부인의 손을 잡고, 실셩 뉴톄 왈,

"영슈와 셰흥을 몬져 참ᄒᆞ라 ᄒᆞᆫ다 ᄒᆞ니, 부인아! 이런 화변과 흉참ᄒᆞᆫ 일을 당ᄒᆞ여 아등이 능히 목숨을 디팅ᄒᆞ여, 남의 업ᄉᆞᆫ디【5】통을 품고 견듸미 올ᄒᆞ냐?"

딘부인이 가슴이 막혀 손으로 하날을 ᄀᆞ르쳐 왈,

"창텬이 뎡·딘 이문의 참화를 나리오시

---

4)의막(依幕) : 막사로 쓰는 천막이나 장막이라는 뜻으로, 임시로 거처하게 된 곳을 이르는 말.

휘 왈,

"ᄎᆞ언이 당당ᄒᆞ니 엇지 좃지 아니리오."
ᄒᆞ더라.

지셜 뎡·딘 이부의셔 졔 부인ᄂᆡ 참참ᄒᆞᆫ 흉【2】화를 당ᄒᆞ여, 각각 존구와 가군이 쥬륙을 당ᄒᆞ면, 져마다 목숨을 결ᄒᆞ여 뒤흘 좃고ᄌᆞ ᄒᆞ나, 힝혀 텬되 원억을 신셜ᄒᆞ미 이실가 죄오ᄂᆞᆫ 므음이 형상키 어렵고, 쵸젼(焦煎)ᄒᆞᄂᆞᆫ 장위(腸胃) ᄌᆡ 되고져 ᄒᆞᄂᆞᆫ지라. 상ᄒᆞ노쇼(上下老少) 믈 쓸 둣ᄒᆞ여, 쥬야 하늘을 우러러 무ᄉᆞ키를 축원ᄒᆞ더라.

진부인이 니·양 두 식부로 더브러 간담이 ᄌᆡ 되기를 면치 못ᄒᆞ나, 티부인게 경악(驚愕)ᄒᆞᆫ 소식을 미리 고치 못ᄒᆞ여, 셔동으로 가 알나 ᄒᆞ니, 회보 왈,

"딘틱우 노야와 흑스 상공이 텬위를 범ᄒᆞ와 텬뇌 진쳡ᄒᆞ시니, 모역ᄒᆞᄂᆞᆫ 죄ᄂᆞᆫ 즈시 아지 못ᄒᆞ시고, 바로 쳐참(處斬) 효시(梟示)ᄒᆞ라 젼피 ᄂᆞ렷더이다."

딘 부인이 니·양 냥 소져【3】로 더브러 셔로 보고, 하 어이 업ᄉᆞ니 죵시(終始)를 보아 가며 죽기를 결단ᄒᆞ려 ᄒᆞᄂᆞᆫ 고로, 말을 아니ᄒᆞ고 눈물도 나지 아니ᄒᆞ더니, 주 부인이 창황이 태우의 냥쳐를 드리고 협문으로 니르러 딘 부인의 손을 줍고 실셩 뉴톄 왈,

"녕슈와 셰흥을 몬져 참ᄒᆞ라 ᄒᆞᆫ다 ᄒᆞ니, 부인아, 니런 화변과 흉참ᄒᆞᆫ 일을 당ᄒᆞ여 아등이 능히 목숨을 지팅ᄒᆞ여, 남의 업슨 지통을 품고 견듸미 올ᄒᆞ냐?"

진부인이 ᄀᆞ숨이 막혀 손으로 하늘을 ᄀᆞ르쳐 왈,

"창텬이 뎡·딘 이문의 참화를 ᄂᆞ리오시니 속졀 업시 손을 묵거 화를 바들 ᄲᆞᆫ이라. 다만 거거(哥哥)와 졔딜의 튱효와 뎡군의

니, 속절 업시 손을 뭇거 화를 바들 쑨이라. 다만 거거(哥哥)와 제딜의 튱효와 뎡군의 튱심으로써, 대역의 일홈을 시러 참혹히 맛츠믈 싱각ᄒ니 간장이 촌촌ᄒ더라. 져져와 쇼뎨 딜부 등과 냥 쇼부로 더브러 몬져 죽으미 올흐이다."

딘태우 냥쳬(兩妻) 실셩 이읍 왈,

"슉모와 존고는 아딕 종시를 보시미 올코, 쳡 등과 양시는 죽으미 가ᄒ니이다."

쥬부인이 가슴을 어로만져 왈,

"현부 등이 우리는 아직 스는 거시 올코【6】양 딜부와 현부 등은 몬져 죽으려 ᄒ니, 내 죽지 아닌 젼은 현부 등도 죽으려 ᄒ디 말나."

태우의 냥 부인이 존고의 말ᄉᆞᆷ을 드르미 몬져 죽디 못ᄒ여, 또 시노 등을 보ᄂ니여 궐듕 쇼식을 듯보라 ᄒ고 망극ᄒ여 ᄒ더니, 시녜 밧그로셔 드러와 고ᄒᄃᆡ,

"에워 밧던 군졸이 졈졈 프러지며 즐겨 니르ᄃᆡ, '어디 니 흥ᄒ고 스오나오 니 망ᄒ믈 일노조ᄎᆞ 알니로다' ᄒ더이다."

쥬부인의 고식(姑媳)이 대경 왈,

"그리면 일이 발셔 볼 것 업다 ᄒ미로다. 뎡·딘 이문의 엇디 스오나온 쟤 이시리오? 쇼인이 오날ᄂᆞᆯ 대화를 당ᄒ믈 즐겨ᄒ미로【7】다. 아모려나 너희 나가 므슴 일 ᄇᆞᆫ 거슬 프는고 므르라."

이리 니르며, 거의 막힐 듯ᄒ니, 양쇼제 외모의 슬픈 빗출 낫타ᄂ디 아니ᄒ더니, 이 말을 듯고 깃거 존고긔 고ᄒᄃᆡ,

"군졸의 믈너가믈 놀나지 마르시고 소식을 아는 거시 올흐니이다. 만일 불ᄒᆡᆼᄒᆞᆫ 변괴 이시면 군졸이 므슴 연고로 허여지리잇고? 쇼쳡은 실노 텬시를 밋고 목금(目今) 화변의 경참(驚慘)ᄒ믈 싱각디 아니ᄒᆞᆸᄂ니, 존고와 슉모는 과도히 심녀를 상ᄒ이오디 마르쇼셔."

뎡언간의 유흥 공지 친국 소식을 알녀 셩ᄂ니의 드러갓다가, 믄득 희칙을 ᄯᅴ여 드러오며 모친긔 고 왈,

"이【8】졔는 근심이 업시 되여시니 텬되

(天道) 쇼연(昭然)ᄒᆞᆷ믈 아올디라. 우리 대인과 삼형이며 외가 졔인이 개셰(蓋世)ᄒᆞᆫ 츙녈노 엇디 대역의 흉참ᄒᆞᆫ 일이 이시리잇고? 오ᄂᆞᆯᄂᆞᆯ 신원ᄒᆞᆷ미 명경(明鏡)을 닥근 ᄃᆞᆺᄒᆞ니, 이 다 윤슈(嫂)의 공이로소이다."

쥬・딘 이부인이 ᄎᆞ언을 드ᄅᆞ미 반신반의(半信半疑)ᄒᆞ여 여취여광(如醉如狂)ᄒᆞ디라. 냥구(良久) 후 문왈,

"엇딘 연고로 윤슈의 공이라 ᄒᆞ며, 근심이 업다 ᄒᆞᄂᆞ뇨?"

공ᄌᆞ 쇼이딕왈(笑而對曰),

"쇼ᄌᆞ 대인의 경계를 심곡의 ᄉᆞᆨ여, 대인이 오ᄅᆡ 누옥의 곤ᄒᆞ시디, 쇼ᄌᆞ 등이 근심ᄒᆞᄂᆞᆫ ᄉᆞ식을 낫토디 못ᄒᆞ고, 왕모를 위ᄒᆞ여 됴흔 ᄃᆞᆺ시 지니더【9】니, 작일의 빅형이 함ᄎᆞ듕(檻車中) 죄인이 되여 잡혀오던 경상을 드ᄅᆞ니, 심장이 여할(如割)ᄒᆞ여 금됴의 나아가 친국 소식을 듯보더니, 처음은 표형과 삼형이 텬노를 촉범ᄒᆞ여 참효(斬梟)ᄒᆞ라 ᄒᆞ시미, 망극ᄒᆞ오미 텬디를 분변치 못ᄒᆞ올너니, 윤쉬 믄득 격고등문(擊鼓登聞)5)ᄒᆞ여 텬뇌 두로혀시믈 듯고, 쇼ᄌᆞ는 깃브미 황홀ᄒᆞ여 미리 나왓ᄂᆞ이다."

쥬・딘 냥부인이 만심 환열(歡悅)ᄒᆞ여, ᄉᆞ싱존망(死生存亡)을 모르던 며느리 완연이 ᄉᆞ라, 격고등문(擊鼓登聞)ᄒᆞ여 참화 구ᄒᆞ믈 드ᄅᆞ미 즐거오미 하날노 오를 ᄃᆞᆺᄒᆞ여, 공ᄌᆞ다려 지삼 므르니, 공ᄌᆞ 딕왈,

"군졸이 셔로 젼ᄒᆞ여 니르는 말【10】을 드ᄅᆞ니, 우리 집을 히ᄒᆞ미 구몽슉의 작악이라 ᄒᆞ더이다."

딘부인 왈,

"앗가 군졸이 여ᄎᆞ여ᄎᆞ 니르고 ᄲᆞᆫ 거슬 헷쳐 몬져 가더라 ᄒᆞ미, 나는 아조 일이 그릇 되엿는 줄노 아라, 놀나옴과 슬프미 형상치 못ᄒᆞ디, 양쇼뷔 실노 깃거ᄒᆞᆫ는 빗치

5)격고등문(擊鼓登聞) : 등문고(登聞鼓)를 울려 임금께 직접 억울한 사정을 아룀. 등문고(登聞鼓); 조선 시대에, 임금이 백성의 억울한 사정을 듣기 위하여 대궐의 문루(門樓)에 매달아 놓았던 북. 태종 원년(1401)에 처음으로 두었다가 이후 '신문고(申聞鼓)'로 이름을 고쳤다.

道) 쇼연(昭然)ᄒᆞᆷ믈 아올지라. 우리 대인과 슴형이며 외가 졔인이 개셰(蓋世)ᄒᆞᆫ 츙녈노 엇지 대역〇[의] 흉참ᄒᆞᆫ 일이 이ᄉᆞ리잇고? 오ᄂᆞᆯ날 신원ᄒᆞᆷ미 명경(明鏡)을 닷근 ᄃᆞᆺᄒᆞ니, 이 다 윤슈(嫂)의 공이로소이다."

쥬・딘 이 부인이 ᄎᆞ언을 드ᄅᆞ미 반신반의(半信半疑)ᄒᆞ여 밋츌 ᄃᆞᆺᄒᆞ지라. 냥구(良久) 후 문왈,

"엇진 연고로 윤슈의 공이라 ᄒᆞ며, 근심이 업다 ᄒᆞᄂᆞ뇨?"

공ᄌᆞ 웃고 딕왈,

"쇼ᄌᆞ 딕인의 경계를 심곡의 ᄉᆞᆨ여 대인이 오ᄅᆡ 누옥의 곤ᄒᆞ시디, 쇼ᄌᆞ 등이 근심ᄒᆞᄂᆞᆫ ᄉᆞ식을 눗토지 못ᄒᆞ고, 대모를 위ᄒᆞ여 됴흔 ᄃᆞᆺ시 지니【7】더니, 작일의 빅형이 함거즁(檻車中) 죄인이 되여 즙혀오던 경상을 드ᄅᆞ미, 심장이 여할(如割)ᄒᆞ여 금됴의 ᄂᆞ아가 친국 소식을 듯보더니, 쳐음은 표형과 슴형이 텬노(天怒)를 촉범ᄒᆞ여 참효(斬梟)ᄒᆞ라 ᄒᆞ시미, 망극ᄒᆞ오미 텬디를 분간치 못ᄒᆞ올너니, 윤쉬 믄득 격고등문(擊鼓登聞)2)ᄒᆞ여 텬뇌 두로혀시믈 듯고, 쇼ᄌᆞ는 깃브미 황홀ᄒᆞ여 이리 나왓ᄂᆞ이다."

쥬・딘 냥 부인이 만심 환녈(歡悅)ᄒᆞ여, ᄉᆞ싱존망(死生存亡)을 모르던 며느리 완연이 ᄉᆞ라, 격고등문(擊鼓登聞)ᄒᆞ여 참화 구ᄒᆞ믈 드ᄅᆞ미 즐거오미 하날노 올은 ᄃᆞᆺᄒᆞ여 공ᄌᆞ드려 지ᄉᆞᆷ 므르니, 공ᄌᆞ 딕왈,

"군졸이 셔로 젼ᄒᆞ여 니르는 말을 드ᄅᆞ니, 우리 집 히ᄒᆞ미 구몽슉의 작악이라 ᄒᆞ더이다."

딘부인 왈,

"앗【8】가 군졸이 여ᄎᆞ여ᄎᆞ 니르고 ᄲᆞᆫ 거슬 헷쳐 몬져 가더라 ᄒᆞ미, 나는 아조 일이 그릇 되여는 줄노 아라, 놀나옴과 슬프미 형상티 못ᄒᆞ디, 양쇼뷔 실노 깃거ᄒᆞ는

2)격고등문(擊鼓登聞) : 등문고(登聞鼓)를 울려 임금께 직접 억울한 사정을 아룀. 등문고(登聞鼓); 조선 시대에, 임금이 백성의 억울한 사정을 듣기 위하여 대궐의 문루(門樓)에 매달아 놓았던 북. 태종 원년(1401)에 처음으로 두었다가 이후 '신문고(申聞鼓)'로 이름을 고쳤다.

이셔 우리를 위로ᄒ더니, 과연 알오미 붉은
디라. 이제ᄂᆞᆫ 져기 ᄆᆞᄋᆞᆷ을 노쾌라."

ᄒ더라.

딘부인이 니·양 이부를 다리고 태원뎐의
드러가, 남후와 닌흥·셰흥 등이 슈히 도라
올 줄을 고ᄒ니, 태부인이 참참ᄒᆞᆫ 변고를
아디 못ᄒ고, 금평후의 도라올 바를 깃거,
딘부인ᄃᆞ려 왈,

"현뷔 금일은【11】 앗츰의 노모를 잠간
보고 죵일토록 드러오디 아니ᄒ니, 노뫼 울
뎍ᄒᆞᆷ믈 니긔디 못ᄒᆞ던 비라. 텬흥 부지 슈
히 도라오면 가듕이 져기 번화ᄒ올가 ᄒ노
라."

딘부인이 샤죄 왈,

"첩이 블초ᄒ와 존고의 울뎍ᄒ시믈 싱각
디 아니ᄒ옵고, 니·양 냥식부로 더부러 가
군의 관복(官服)을 짓더니이다."

태부인 왈,

"현뷔 이제조ᄎᆞ 침션의 괴로오믈 당ᄒᆞᆯ 거
시 아니니, 며나리와 시녀 등을 식이고 브
졀업시 바ᄂᆞᆯ6)을 잡디 말나."

부인이 샤례ᄒ고, 니시를 눈 주어,

"문양궁의 가 공쥬를 보고 회보를 젼ᄒ여
초젼(焦煎)ᄒᄂᆞᆫ 심ᄉᆞ를 눅이라."

ᄒ니, 원【12】닉 딘부인은 윤시 소샤(疏
事)를 아지 못ᄒ고, 신묘랑이 잡혀 드러 공
쥬의 과악을 딕초ᄒᆞᆫ 줄은 몽니(夢裏)의도
싱각지 못ᄒᄂᆞᆫ 고로, 흔갓 공쥬의 초조황황
(焦燥惶惶)ᄒᆞᆫ ᄆᆞᄋᆞᆷ을 위로케 ᄒ니, 원닉 문
양 공쥬 뎍인(敵人)7)으로 위명ᄌᆞ(爲名者)8)
ᄂᆞᆫ 하류쳔창(下流賤娼)이라도 다 죽일 ᄆᆞᄋᆞᆷ
이 이시나, 남후를 위ᄒᆞᆫ 졍셩은 금셕(金石)
의 구드미 이셔, 힝혀 그 ᄆᆞᄋᆞᆷ이 상ᄒ고 병
들가 념녜 무궁ᄒ거늘, ᄒ물며 그 죄명이
참참(慘慘)ᄒ여 흔 일도 범연(凡然)ᄒᆞᆫ 죄명
이 아닌 고로, 그 쥬류(誅戮)이 벅벅ᄒ올9) 바
를 혜아리미, 일신을 분쇄ᄒᆞᆷ ᄀᆞᆺᄐᆞ여, 쥬야로

6)바ᄂᆞᆯ : 바늘.
7)뎍인(敵人) : ①원수. ②남편의 자기 이외의 처(妻)
　나 첩(妾).
8)위명ᄌᆞ(爲名者) : 이름을 붙인 사람. 지목한 사람
9)벅벅ᄒ다 : 틀림없다. 명백하다.

빗치 이셔 우리를 위로ᄒ더니, 과연 알오미
붉은지라. 이제ᄂᆞᆫ 져기 ᄆᆞᄋᆞᆷ을 노쾌라."

ᄒ더라.

진부인이 니·양 이부를 ᄃᆞ리고 태원뎐의
드러가, 남후와 닌·셰흥 등이 슈히 도라올
줄을 고ᄒ니, 틱부인이 참참ᄒᆞᆫ 변고를 아지
못ᄒ고, 금평후의 도라올 바를 깃거 딘부인
ᄃᆞ려 왈,

"현뷔 금일은 앗츰의 노모를 잠간 보고
죵일토록 드러오지 아니니, 노뫼 울젹ᄒᆞᆷ믈
니긔지 못ᄒᆞ던 비라. 텬흥 부지 슈히 도라
오면 가즁이 져기【9】 번화ᄒ올가 ᄒ노라."

진부인이 샤죄 왈,

"첩이 블초ᄒ와 존고의 울젹ᄒ시믈 싱각
지 아니ᄒ옵고, 니·양 냥식부로 더부러 가
군의 관복을 짓더니이다."

틱부인 왈,

"현뷔 이제 조ᄎᆞ 침션의 괴로오믈 당ᄒᆞᆯ
거시 아니어늘, 며ᄂᆞ리와 시녀 등을 식이고
브졀업시 바늘을 줍지 말나."

부인이 ᄉᆞ례ᄒ고 니시를 눈 주어,

"문양궁의 가 공쥬를 보고 회보를 젼ᄒ여
초젼(焦煎)ᄒᄂᆞᆫ 심ᄉᆞ를 눅이라."

ᄒ니, 원닉 딘부인은 윤시 소ᄉᆞ(疏事)를
아지 못ᄒ고, 신묘랑이 ᄌᆞᆸ혀 드러 공쥬의
과악을 직초ᄒᆞᆫ 줄은 몽니(夢裏)의도 싱각지
못ᄒᄂᆞᆫ 고로, 흔ᄀᆞᆺ 공쥬의 초조황황(焦燥惶
惶)ᄒᆞᆫ ᄆᆞᄋᆞᆷ을 위로ᄒ니, 원닉 문양 공쥬
젹인(敵人)3)을 숨키【10】고져 ᄒᄂᆞᆫ ᄆᆞᄋᆞᆷ
이 쳔창(賤娼)이라도 다 죽이고져 ᄒᆞ나, 군
ᄌᆞ(君子)4)를 위ᄒᆞᆫ 졍셩은 금셕(金石)의 구
드미 이셔, 힝혀 그 ᄆᆞᄋᆞᆷ이 상ᄒ고 병들가
넘녀ᄒ여 조심ᄒ거늘, ᄒ물며 그 죄명이
《쳡쳡∥참참(慘慘)》ᄒ여 흔 일도 범연(凡
然)ᄒᆞᆫ 죄명이 아닌 고로, 그 쥬류(誅戮)이
벅벅ᄒ올5) 바를 혜아리미, 일신을 분쇄ᄒᆞᆷ ᄀᆞᆺ

3)뎍인(敵人) : ①원수. ②남편의 자기 이외의 처(妻)
　나 첩(妾).
4)군ᄌᆞ(君子) : 예전에, 아내가 자기 남편을 이르던
　말.
5)벅벅ᄒ다 : 틀림없다. 명백하다.

호읍ᄒ고 식음을 믈니쳐, 상요(牀-)10)의 몸을 【13】바련 디 날이 오리디, 황샹이 뎡가를 흉타ᄒ샤 문양궁 소속을 궐듕의 드리디 아니ᄒ시고, 김귀비는 녁뎍의 ᄯᆯ노 익졍의 가도아시니, 공쥐 어디 가 셜운 졍원(情願)인들 발뵈리오11). 흔갓 황야(皇爺)의 ᄌᆞ이디졍(慈愛之情)이 브죡ᄒ심과, 튱현을 죽이려 ᄒ시믈 원울(寃鬱)ᄒ여 디닐 ᄯᆞ름이러니, 믄득 니부인이 니르러 희보를 젼ᄒ여, 초젼ᄒ는 심장을 위로ᄒ고 화변이 무ᄉ ᄒ믈 니르나, 그 가온디 공쥬의 가ᄉᆞᆷ이 터딜 ᄃᆞᆺ흔 바는, 윤시를 ᄌᆞ고 친히 츄셩디 못ᄉᆡ 너허 죽엿거늘 엇디 ᄉᆞ라 구가의 급흔 화를 구ᄒ여 격고【14】등문ᄒ미 잇는고, 쳔만 가디 투심(妬心)이 ᄉᆡ로이 블 니러나 ᄃᆞᆺᄒ는디라. 스스로 면ᄉᆡᆨ(面色)이 프르며 븕어 오리 말을 못ᄒ더니, 날호여 기리 탄왈,

"윤부인이 격고등문ᄒ여 화를 도로혀 복을 삼으나, 쳡은 놀나온 심장이 딘졍키 어려오니, 아마도 초ᄉᆞᄒ여 죽을가 ᄒᄂᆞ이다."

니시 웃고, 짐즛 ᄭᅮ오디,

"금번 화란이 망극ᄒ믄 측냥 업것마는, 져졔 격고등문ᄒ고 구몽슉이 화의 나아○[가]니, 니른바 ᄌᆞ작지얼(自作之孼)이라. 본셩이 간악흔 뉴는 아모리 굿겨도 잔잉흔 ᄆᆞ음이 업스리로소이다."

공쥐 윤시 믜은 ᄆᆞ음이 금시【15】딜너 죽이고 시븐디라. 분분흔 투악을 형용치 못ᄒ여 머리를 벼개의 더디고 다시 말이 업더니, 믄득 밧기 드레며 위시 최상궁을 잡아 니여 간다 ᄒ니, 공쥬와 최녜 발셔 디은 악ᄉᆞ 만흐므로, 일신이 ᄯᅥᆯ니며 장뷔(臟腑) 쒸노라 아모리 훌 줄 모로다가, 궁인 듕 최녀를 잡아가믈 보고, 경황망극(驚惶罔極)흔 심ᄉᆞ는 김귀비를 황샹이 죽이셔도 이의 더으디 아닐디라.

---

10)상요(牀-) : 침상(寢牀)에 펴 놓은 요라는 듯으로 잠자리를 말함.
11)발뵈다 : '발보이다'의 준말. 무슨 일을 극히 적은 부분만 잠깐 드러내 보이다.

투여, 쥬야로 호읍ᄒ고 식음을 믈니쳐 상뇨(床褥)6)의 몸을 바련 지 날이 오리디, 황샹이 뎡가를 흉타ᄒᆞᆺ 문양궁 소속을 궐즁에 드리지 아니ᄒ시고, 김귀비는 녁뎍의 ᄯᆯ노 익졍의 ᄀᆞ도아시니, 공쥐 어디 ᄀ 셜운 졍원(情願)인들 발뵈리오.7). 흔갓 황야(皇爺)의 ᄌᆞ이지졍(慈愛之情)이 부죡ᄒ심과 튱현을 죽이려 ᄒ시믈 원【11】울(寃鬱)ᄒ여 지닐 ᄯᆞ름이러니, 믄득 니부인이 니르러 희보를 젼ᄒ여 초젼ᄒ는 심장을 위로ᄒ고 화변이 무ᄉᆞᄒ믈 니르나, 그 ᄀᆞ온디 공쥬의 가ᄉᆞᆷ이 터질 ᄃᆞᆺ흔 바는, 윤시를 ᄌᆞ고 친히 츄셩지 못의 너혀 죽엿거늘, 엇지 ᄉᆞ라 구가의 급흔 화를 구ᄒ여 격고 등문ᄒ미 잇는고, 쳔만 ᄀᆞ지 투심(妬心)이 ᄉᆡ로이 블 니러나 ᄃᆞᆺ흔ᄂᆞᆫ지라. 스스로 면ᄉᆡᆨ(面色)이 프르며 븕어 오리 말을 못ᄒ더니, 날호여 기리 탄왈,

"윤 부인이 격고등문ᄒ여 화를 도로혀 복을 숨으나, 쳡은 놀나온 심장이 진졍키 어려오니, 아마도 초ᄉᆞᄒ여 죽을가 ᄒᄂᆞ이다."

니시 웃고 짐즛 ᄭᅮ오디,

"금번 화란이 망극ᄒ믄 측냥 업건마는 져【12】졔 격고등문ᄒ고 구몽슉이 화의 ᄂᆞ아가니, 이 니른바 ᄌᆞ작지얼(自作之孼)이라. 본졍이 간악흔 뉴는 아모리 굿겨도 잔잉흔 ᄆᆞ음이 업스리로소이다."

공쥐 윤시 믜은 ᄆᆞ음이 금시 즐너 죽이고 시븐지라. 분분흔 투악을 형용티 못ᄒ여 머리를 벼기의 더지고 다시 말이 업더니, 믄득 밧기 들네며 위시 최상궁을 줍아 니여 간다 ᄒ니, 공쥬와 최녜 발셔 지은 악ᄉᆞ 만흐므로 일신이 ᄯᅥᆯ니며 장뷔(臟腑) 쒸노라 아모리 훌 줄 모로ᄃᆞᆨ, 궁인 즁 최녀를 잡줍가믈 보고 경황망극(驚惶罔極)흔 심ᄉᆞ는 김 귀비를 황샹이 죽이셔도 이의 더으지 아닐지라.

---

6)상뇨(床褥) : 침상(寢牀)에 펴 놓은 요라는 듯으로 잠자리를 말함.
7)발뵈다 : '발보이다'의 준말. 무슨 일을 극히 적은 부분만 잠깐 드러내 보이다.

명쥬보월빙 권지이십습　박순호본 ▌

니시 공쥬의 초조ᄒᆞᄂᆞᆫ 거동을 보고 심듕의 깃거ᄒᆞᄃᆡ 스식디 아니ᄒᆞ고, 도라와 죤고긔 가마니 고 왈,

"최녜 여ᄎᆞ여ᄎᆞ【16】 잡혀가니, 공쥬의 망극ᄒᆞ미 텬디 어두운 형상이라. 최녀를 국문ᄒᆞᄂᆞᆫ 디경이면, 윤·양 등 삼겨져의 의미ᄒᆞᆷ과 딜ᄋᆞ 등의 거쳐를 알 도리 이실가 ᄒᆞᄂᆞ이다."

부인이 탄왈,

"사ᄅᆞᆷ이 어딘 거슬 먼니ᄒᆞ고 스오나온 거슬 취ᄒᆞ여 현인을 너모 히ᄒᆞ미, 도로혀 제 몸의 유히ᄒᆞᆫ디라. 윤시의 싱존ᄒᆞᆷ믈 볼딘딕 양시도 죽든 아녀실 거시니, 텬흥이 현쳐를 보젼ᄒᆞ려니와, 공쥬의 악시 발각ᄒᆞ여 텬문의 결ᄉᆞ(決事)ᄒᆞ시미 ᄉᆞ졍을 두신족, 그 셩악○[이] 《ᄶᅡ디∥ᄶᅢᆺ디》 아녀 블령디ᄉᆞ(不逞之事)12) 만흘가 근심ᄒᆞ노라."

니【17】시 고왈,

"죤고 말ᄉᆞᆷ이 맛당ᄒᆞ시나, 공쥬 발셔 최녀{녀}를 잡아 가기의 당ᄒᆞ여 형식이 산 사ᄅᆞᆷ ᄀᆞᆺ디 아냐, 그런 교긔(驕氣) ᄒᆞ나토 업더이다."

부인이 다시 말을 못ᄒᆞ여셔 궐졍 소식을 알나 갓던 시노와 금평후 군관의 무리 고ᄒᆞᄃᆡ, 윤부인이 어젼의셔 ᄌᆞ결ᄒᆞ샤 셰샹 ᄇᆞ리시기를 초개(草芥)ᄀᆞᆺ치 ᄒᆞ다 ᄒᆞ니, 부인이 대경(大驚) 참통(慘痛)ᄒᆞ여 실셩호읍(失性號泣) 왈,

"이 엇딘 말이뇨? 하날이 나의 현부를 닉시미 조요(不夭)치 아니케 졔도ᄒᆞ실 빅어늘, 이십 쳥츈의 앗가이 명을 맛ᄎᆞ니, ᄎᆞ셰 다시 그런 ᄉᆞ덕(四德) 셩ᄒᆡᆼ(性行)【18】을 어디 가 어더 보리오."

말노 조ᄎᆞ 비뤼쳔항(悲淚千行)이라. 좌우 시녀와 공ᄌᆞ 등의 슬픈 심식 비홀 ᄃᆡ 업ᄉᆞ나, 태부인이 아ᄅᆞ실가 두려 유흥 공ᄌᆞᄂᆞᆫ 즉시 태원뎐의 드러가고, 딘부인은 참졀이상(慘切哀傷)ᄒᆞᆫ 심ᄉᆞ를 디향치 못ᄒᆞ여 ᄒᆞ더니, 참졍 슌공과 태ᄉᆞ 뎡공이 밧긔 니르러

니시 공쥬의 초조ᄒᆞᄂᆞᆫ 거동을 보고 심즁의 깃거ᄒᆞᄃᆡ 스식지 아니ᄒᆞ고, 도라【13】와 죤고긔 ᄀᆞ마니 고 왈,

"최녜 여ᄎᆞ여ᄎᆞ 즙혀가니 공쥬의 망극ᄒᆞ미 텬디 어두운 형상이라. 최녀를 국문ᄒᆞᄂᆞᆫ 지경이면, 윤·양 등 숨겨져의 의미ᄒᆞᆷ과 딜ᄋᆞ 등의 거쳐를 알 도리 잇실가 ᄒᆞᄂᆞ이다."

부인이 탄왈,

"ᄉᆞ람이 어진 거슬 먼니 ᄒᆞ고 스오나온 거슬 취ᄒᆞ여 현인을 너모 히ᄒᆞ미, 도로혀 제 몸의 유히ᄒᆞᆫ지라. 윤시의 싱존ᄒᆞᆷ믈 볼진딕 양시도 죽든 아닛실 거시니, 텬흥이 현쳐를 보젼ᄒᆞ려니와, 공쥬의 악시 발각ᄒᆞ여 텬문의 결ᄉᆞ(決事)ᄒᆞ시미 ᄉᆞ졍을 두신족, 그 셩악이 《쓰지∥ᄶᅢᆺ지》 아녀 블령지ᄉᆞ(不逞之事)8) 만흘ᄀᆞ 근심ᄒᆞ노라."

니시 고왈,

"죤고 말ᄉᆞᆷ이 맛당ᄒᆞ시나, 공쥬 발셔 최녀를 잡아 가기의 당ᄒᆞ여 형【14】식이 산 사ᄅᆞᆷ ᄀᆞᆺ지 아녀, 그런 교긔(驕氣) ᄒᆞᄂᆞ토 업더이다."

부인이 ᄃᆞ시 말을 못ᄒᆞ여셔 궐졍 소식을 알나 ᄀᆞᆺ던 시노와 금평후 군관의 무리 고ᄒᆞᄃᆡ, 윤부인이 어젼의셔 ᄌᆞ결ᄒᆞᄉᆞ 셰샹 ᄇᆞ리시기를 플ᄀᆞᆺ치 ᄒᆞ다 ᄒᆞ니, 부인이 대경(大驚) 춤통(慘痛)ᄒᆞ여 실셩호읍(失性號泣) 왈,

"이 엇진 말이뇨? 하늘이 나의 현부를 닉시미 조요(不夭)티 아니케 졔도ᄒᆞ실 빅어늘, 이십 쳥츈의 앗가의[이] 명을 맛ᄎᆞ니, ᄎᆞ셰의 ᄃᆞ시 그런 ᄉᆞ덕(四德) 셩ᄒᆡᆼ(性行)을 어디 가 어더 보리오."

말노 조ᄎᆞ 비뤼쳔항(悲淚千行)이라. 좌우 시녀와 공ᄌᆞ 등의 슬픈 심식 비홀 ᄃᆡ 업ᄉᆞ나, 틴부인이 아ᄅᆞ실가 두려 유흥 공ᄌᆞᄂᆞᆫ 즉시 틴원뎐의 드러가고, 진부인【15】은 참졀이상(慘切哀傷)ᄒᆞᆫ 심ᄉᆞ를 지향치 못ᄒᆞ여 ᄒᆞ더니, 참졍 슌공과 틴ᄉᆞ 뎡공이 밧게

---

12)블령디ᄉᆞ(不逞之事) : 원한, 불만, 불평 따위를 품고 어긋나게 저지르는 일.

8)블령지ᄉᆞ(不逞之事) : 원한, 불만, 불평 따위를 품고 어긋나게 저지르는 일.

화란을 딘뎡ᄒᄆᆯ 치하ᄒᆞ고, 윤시 비록 칼노 딜너시나 요힝 빗딜너 아조 죽든 아녀시믈 견ᄒᆞ니, 딘부인이 친히 듕헌의 나와, 슌 · 뎡 이공을 보고 윤시의 곡졀을 므르니, 슌 · 뎡 냥공이 넘슬(斂膝) 티왈,

"쇼싱 등이 윤보 부ᄌᆞ【19】의 당형(當刑)ᄒᆞ믈 ᄎᆞ마 보디 못ᄒᆞ와, 궐문 밧긔셔 소식을 듯보더니, 윤시의 소댱이 여ᄎᆞ여ᄎᆞᄒᆞ여, 뎡 · 딘 이문 급화를 구ᄒᆞ고, 그 조모와 슉모의 과악을 붓그려 칼노 딜너시나 빗딜너시니, 구호키를 극진히 ᄒᆞ면 싱도를 어드리이다."

딘부인이 구호홀 사름이 업ᄉᆞᆯ가 근심ᄒᆞ니, 슌 · 뎡 이공이 태의와 녀의 등이 의막의 모혀심과, 금평후와 삼(三) 딘공이 윤시 의막으로 가믈 견ᄒᆞ여, 부인의 넘녀를 풀고 날이 어두오미 도라가디 못ᄒᆞ여 외헌(外軒)의셔 공ᄌᆞ를 다리고 ᄌᆞ더라.

딘부인이 윤시의 죽디 아녀시믈【20】드르나, 혹ᄌᆞ 술오디 못홀가 초젼ᄒᆞ여 종야토록 잠을 일우디 못ᄒᆞ고, 붉기를 기다려 시녀 등을 도셩의 보ᄂᆡ여 윤시의 ᄉᆞ싱을 아라 오라 ᄒᆞ고, 뎡히 기다릴 즈음의 금평회 삼ᄌᆞ를 다리고 도라오믈 고ᄒᆞ니, 태부인은 곡졀을 모로ᄃᆡ, 평후의 도라오믈 반겨 급히 난함(欄檻)13)의 나와 기다리더니, 금평회 희긔를 ᄯᅴ여 졔ᄌᆞ를 거ᄂᆞ려 드러와, 모친긔 년망(連忙)이14) 졀ᄒᆞ고 그 ᄉᆞ이 존후를 뭇ᄌᆞ올시, 태부인이 금평후의 반갑기는 둘지오, 남후의 만니젼딘(萬里戰陣)의 승젼닙공(勝戰立功)ᄒᆞ여 도라오믈 만심 환열ᄒᆞ니, 반갑고 두굿거온 의【21】식 무궁ᄒᆞ여 손을 잡고 등을 어로만져 왈,

"내 너를 ᄒᆡ북(海北)으로 보ᄂᆡ고 훌연ᄒᆞᆫ 심식 일일 층가ᄒᆞ더니, 그 ᄉᆞ이 국가의 므ᄉᆞᆫ ᄉᆞ괴 잇던디 여부와 닌 · 셰 냥손이 다

니르러 화란을 진뎡ᄒᆞ믈 치하ᄒᆞ고, 윤시 비록 칼노 질너시나 요힝 빗질너 아조 죽던 아녀시믈 견ᄒᆞ니, 딘부인이 친히 즁헌의 ᄂᆞ와, 슌 · 뎡 이공을 보고 윤시의 곡졀을 무르니, 슌 · 뎡 냥공이 《년슬∥넘슬(斂膝)》 티왈,

"쇼싱 등이 《윤부∥윤보》 부ᄌᆞ의 당형(當刑)ᄒᆞ믈 ᄎᆞ마 보지 못ᄒᆞ와, 궐문 밧게셔 소식을 듯보더니, 윤시의 소장이 여ᄎᆞ여ᄎᆞᄒᆞ여 뎡 · 딘 이문 급화를 구ᄒᆞ고 그 조모와 슉모의 과악을 붓그려 칼노 질넛시나 빗질너시니 구호키를 극진이 ᄒᆞ면 싱도를 어드리이다."

진부인이 구호홀 ᄉᆞ람이 업ᄉᆞᆯ가 근【16】심ᄒᆞ니, 슌 · 뎡 이공이 태의와 녀의 등이 의막의 모혓심과 금평후와 삼(三) 진공이 윤시의 의막으로 가믈 견ᄒᆞ여, 부인의 넘녀를 풀고 날이 어두오미 도라가지 못ᄒᆞ여 외헌(外軒)의 공ᄌᆞ를 ᄃᆞ리고 ᄌᆞ니라.

부인이 윤시의 죽지 아녀시믈 드르나, 혹ᄌᆞ 술오지 못홀가 초젼ᄒᆞ여 종야토록 ᄌᆞᆷ을 닐으지 못ᄒᆞ고, 붉기를 기다려 시녀 등을 도셩의 보ᄂᆡ여 윤시의 ᄉᆞ싱을 아라 오라 ᄒᆞ고, 졍히 기다릴 즈음의 금평휘 숨ᄌᆞ를 ᄃᆞ리고 도라오믈 고ᄒᆞ니, 틱부인은 곡졀을 모ᄅᆞ고 평후의 도라오믈 반겨 급히 난간(欄干)9)의 ᄂᆞ와 기다리더니, 금평휘 희긔를 ᄯᅴ여 졔ᄌᆞ를 거ᄂᆞ려 드러와, 모친긔 년망(連忙)이10) 졀【17】ᄒᆞ고 그 ᄉᆞ이 존후를 뭇ᄌᆞ올시, 태부인이 금평후의 반갑기는 둘지오, 남후의 만니젼진(萬里戰陣)의 승젼닙공(勝戰立功)ᄒᆞ여 도라오믈 만심 환열ᄒᆞ니, 반갑고 두굿거온 의식 무궁ᄒᆞ니, 손을 잡고 등을 어로만져 왈,

"내 너를 북ᄒᆡ(北海)로 보ᄂᆡ고 훌연ᄒᆞᆫ 심식 일일 층가ᄒᆞ더니, 그 ᄉᆞ이 국가의 무슨 ᄉᆞ괴 잇던지 여부와 인 · 셰 냥손이 다 궐즁

---

13)난함(欄檻) : 난간(欄干). 층계, 다리, 마루 따위의 가장자리에 일정한 높이로 막아 세우는 구조물. 사람이 떨어지는 것을 막거나 장식으로 설치한다.
14)년망(連忙)이 : 바삐. 급히.

9)난간(欄干) : 난함(欄檻). 층계, 다리, 마루 따위의 가장자리에 일정한 높이로 막아 세우는 구조물. 사람이 떨어지는 것을 막거나 장식으로 설치한다.
10)년망(連忙)이 : 바삐. 급히.

궐듕의 드러가니, 비록 유흥 등이 이시나 노모의 홀연흔 회푀 디향홀 빈 업고, 근일 나의 몽됴(夢兆) 괴이ᄒᆞ여 너의 부지 죄슈의 모양으로 우려ᄒᆞᄂᆞᆫ 거동이 이시니, 힝혀 신상이 블평흔가 근심ᄒᆞ고, 도라오기를 기ᄃᆞ리던 비라. 금일 상경ᄒᆞ여 졀홀 줄 엇디 ᄯᅳᆺᄒᆞ여시리오."

평남휘 노년 조모의 안강ᄒᆞ시미 영합소원(迎合所願)이니, 비록 흉참흔 화란을 디너여시나, 오【22】날ᄂᆞᆯ 즐거오믄 만시 무흠(無欠)ᄒᆞ고, 일헛던 ᄌᆞ녀의 거쳐를 드ᄅᆞ니 다시 므어슬 한ᄒᆞ리오. 딘부인이 심녀를 허비ᄒᆞ미 싱셰후(生世後) 쳐음이라. 금평휘 모친 손을 밧들고, 믄득 탄식 고왈,

"쇼지 금번 화란을 당ᄒᆞ여 만시 텬쉬믈 혜아려 슬프믈 낫토디 아녓습거니와, 다만 ᄌᆞ위를 아득히 속이고, 대리시(大理寺) 누옥(陋獄)의 흉역죄슈(凶逆罪囚) 되미, 신혼셩졍(晨昏省定)을 폐ᄒᆞ와 ᄌᆞ위(慈闈)긔 시봉ᄒᆞ믈 바라디 못ᄒᆞ오니, 여러가디 불효를 무궁이 ᄭᅵ치ᄃᆞ《곡졀∥골졀(骨節)》이 녹ᄂᆞᆫ 둣ᄒᆞ옵더니, 텬되 뎡 · 딘 냥문의 디원극통을 살피샤, 윤현뷔 긔특이 ᄉᆞ라 간인의【23】흉모를 붉히 알고, 격고등문ᄒᆞ여 여ᄎᆞ여ᄎᆞ ᄒᆞ오니, 구몽슉이 죽을 곳의 나아가니 엇디 윤현뷔 뎡 · 딘 이문의 은인이 아니리잇가?"

태부인이 쳥필(聽畢)의 대경ᄒᆞ여 왈,

"노모는 셰상의 이시나 범ᄉᆞ의 아디 못ᄒᆞᆫ 죽으나 다르디 아녀, 너의 부지 그딕도록 참화 둥 이시믈 아디 못ᄒᆞ괘라."

언파의 상연슈루(傷然垂淚)ᄒᆞ니, 금평휘 지삼 위로ᄒᆞ고, 비로소 젼후슈말을 ᄌᆞ시 고ᄒᆞ고 윤시의 셩힝을 ᄀᆞᆺ초 일ᄏᆞᆮᄆᆞ며, 흔가지로 다려오려 ᄒᆞ더니 그 말이 여ᄎᆞ여ᄎᆞ ᄒᆞ여, 텬문의 결ᄉᆞ를 기다려 오고져 ᄒᆞ던 바를 고ᄒᆞ니, 태부인이 젼후 곡졀을 드르미 역【24】비역희(亦悲亦喜)ᄒᆞ여 왈,

"그런 화란을 현뷔 노모의게 ᄉᆞ식디 아니ᄒᆞ고, 날다려 니르 리 업ᄉᆞ니 노모는 아득히 모르ᄂᆞᆫ디라. 이제 필경(畢竟)이 무ᄉᆞᄒᆞ여

의 드러가니, 비록 유흥 등이 이시나 노모의 홀연흔 회푀 지향홀 빈 업고, 근일 나의 몽됴(夢兆) 괴이ᄒᆞ여 너의 부지 죄슈의 모양으로 우려ᄒᆞᄂᆞᆫ 거동이 이시니, 힝혀 신상이 블평흔가 근심ᄒᆞ고, 도라오기를 기ᄃᆞ리던 비라 금일 상경ᄒᆞ여 졀홀 줄 엇지 ᄯᅳᆺᄒᆞ여시리오."

평남휘 노년【18】조모의 안강ᄒᆞ시미 녕합소원(迎合所願)이니, 비록 흉참흔 화란을 지너여시나, 오늘날 즐거으믄 만시 무흠(無欠)ᄒᆞ고, 일헛던 ᄌᆞ녀의 거쳐를 드ᄅᆞ니 다시 므어슬 한ᄒᆞ리오. 진부인이 심녀를 허비ᄒᆞ미 싱셰후(生世後) 쳐음이라. 금평휘 모친 손을 밧들고, 믄득 탄식고 왈,

"쇼지 금번 화란을 당ᄒᆞ여 만시 텬쉬믈 혜아려 슬프믈 낫토지 아녓거니와, 다만 ᄌᆞ위를 아득히 속이고 대리시(大理寺) 누옥(陋獄)의 흉역죄슈(凶逆罪囚) 되미, 신혼셩졍(晨昏省定)을 폐ᄒᆞ여 ᄌᆞ위(慈闈)긔 시봉ᄒᆞ믈 바라지 못ᄒᆞ오니, 녀러ᄀᆞ지 불효를 무궁이 ᄭᅵᆺ치와 골졀(骨節)이 녹ᄂᆞᆫ 둣ᄒᆞ옵더니, 텬되 뎡 · 딘 냥문의 지원 극통을 살피ᄉᆞ, 윤현뷔 긔특이 ᄉᆞ라 간인【19】의 흉모를 붉히 알고, 격고등문ᄒᆞ여 여ᄎᆞ여ᄎᆞ ᄒᆞ오니, 구몽슉이 죽을 곳의 ᄂᆞ아가니 엇지 윤현뷔 뎡 · 딘 이문의 은인이 아니리잇가?"

태부인이 쳥필(聽畢)의 대경ᄒᆞ여 왈,

"노모는 셰샹의 이시나 범ᄉᆞ의 아지 못ᄒᆞᆫ 죽으나 다르지 아녀, 너히 부지 그딕도록 참화 즁 이시믈 아지 못ᄒᆞ괘라."

언파의 상연슈루(傷然垂淚)ᄒᆞ니, 금평휘 지슴 위로ᄒᆞ고, 비로소 젼후 슈말을 ᄌᆞ시 고ᄒᆞ고 윤시의 졀힝을 ᄀᆞᆺ초 닐ᄏᆞᆮᄆᆞ며, 흔가지로 드려오려 ᄒᆞ더니, 그 말이 여ᄎᆞ여ᄎᆞ ᄒᆞ여 텬문의 결ᄉᆞᄒᆞᆷ믈 기드려 오고ᄌᆞ ᄒᆞ던 바를 고ᄒᆞ니, 틴부인이 젼후 곡졀을 드르미 녁비녁희(亦悲亦喜)ᄒᆞ여 왈,

"그런 화란을 현뷔 노모의게 ᄉᆞ식지 아【20】니 ᄒᆞ고, 날ᄃᆞ려 니르 리 업ᄉᆞ니 노모는 아득히 모ᄅᆞᄂᆞᆫ지라. 이제 필경이 무ᄉᆞ

모즈 조손이 웃는 낫츠로 디ᄒᆞ니, 노뢰 셕시(夕死)라도 무한이로다."

셰홍이 조모긔 구몽슉의 초ᄉᆞ로브터 신묘랑 최상궁 셰월 등의 초ᄉᆞ를 외와 드르시게 ᄒᆞ고, 일헛던 딜ᄋᆞ 등이 다 한튱의 집의 이심과, 경 슈(嫂)의 싱존이 분명ᄒᆞ믈 고ᄒᆞ니, 태부인이 딘부인으로 더브러 깃브고 영힝ᄒᆞ미 형언키 어려오나, 태부인의 디극히 어질므로뼈 운영의 잔잉이 죽으믈 불상이 넉이고, 공쥬의 유녀(乳女)【25】로뼈 최형의 쳡즈로 밧고앗던 바를 비로소 알고, 공쥬를 더옥 요악히 넉이며, 공쥬의 유녀 ᄎᆞ즐 길히 업셔, 태부인과 금후 부부의 ᄎᆞ악ᄒᆞ미 측냥 업더라. 남휘 공쥬 다히15) 말을 아니ᄒᆞ나, 유녀를 ᄎᆞ즐 길히 업셔 슬허 ᄒᆞ디 스식지 아니ᄒᆞ더라.

금평휘 모젼(母前)의 고왈,

"금일 텬문의 결ᄉᆞ(決事)ᄒᆞ믈 마디 못ᄒᆞ여 참예케 《ᄒᆡ되》여시니, 셕양의 물너오리이다."

태부인 왈,

"요리의 초ᄉᆞ로 조ᄎᆞ 위·뉴 냥인의 간흉이 그러툿 드러나니, 황상의 쳐결이 엇더ᄒᆞ실디 아디 못ᄒᆞ거니와, 혜쥬의 환쇄홈과 윤낭(郞) 형뎨의게 은샤 나리믈 보디【26】아냐 알니로다."

금평휘 디왈,

"위·뉴 냥인의 죄ᄂᆞᆫ 물시(勿施)ᄒᆞ실 법 잇ᄉᆞᆸ거니와, 녀ᄋᆞ와 셔랑 등의게 샤명 나리믄 덧덧ᄒᆞ리이다."

언파의 삼즈를 다리고 궐졍으로 나아가니라.

초일 만셰 황애 만됴의 됴회를 바드시고, 인ᄒᆞ여 형위(刑威)를 베퍼 죄인 등을 다시 올니라 ᄒᆞ샤, 그 대역 도모ᄒᆞ던 바를 셰셰히 알외라 ᄒᆞ시니, 김후ᄂᆞᆫ 본딕 허박(虛薄)ᄒᆞ고, 듕광은 어린 댱긔(壯氣)를 ᄌᆞ랑턴 바로, 어이 일ᄎᆞ 형댱인들 견디리오. 계오 슈십 장(杖)의 부지 모역ᄒᆞ던 바를 딕초(直招)ᄒᆞ고, 신묘랑을 듕관[광]이 ᄉᆞ괴여 져의 부

───

15)다히 : 쪽, 편, 방향, 닿은 곳, 부근.

ᄒᆞ여 모즈 조손이 웃는 낫츠로 디ᄒᆞ니, 노뢰 셕시(夕死)라도 무한이로다."

셰홍이 조모게 구몽슉의 초ᄉᆞ로븟터 신묘랑 최상궁 셰월 등의 초ᄉᆞ를 외와 드르시게 ᄒᆞ고, 닐헛든 딜ᄋᆞ 등이 다 한튱의 집의 이심과, 경시의 싱존이 분명ᄒᆞ믈 고ᄒᆞ니, 틱부인이 진부인으로 더브러 깃브고 녕힝ᄒᆞ미 형언키 어려오나, 틱부인의 지극히 어질므로뼈 운녕의 잔잉이 죽으믈 불상이 넉이고, 공쥬의 유녀(乳女)로뼈 최형의 쳡으로 밧고왓던 바를 비로소 알고, 공쥬를 더욱 뇨악(妖惡)히 알며, 공쥬의 유녀 ᄎᆞ즐 길히 업셔, 틱부인과 금후 부부의 ᄎᆞ악ᄒᆞ미 측냥 업【21】더라. 평휘 공쥬 다히11) 말을 아니ᄒᆞ나, 유녀를 ᄎᆞ즐 길히 업셔 슬허 ᄒᆞ디 스식지 아니ᄒᆞ더라.

금평휘 모젼(母前)의 고 왈,

"금일 텬문의 결ᄉᆞ(決事)ᄒᆞ믈 마지 못ᄒᆞ여 참닉케 되오니 셕양의 물너오리이다."

틱부인 왈,

"요리의 초ᄉᆞ로 줏ᄎᆞ 위·뉴 냥인의 간흉이 그릿툿 드러나니 황상의 쳐결이 엇더 ᄒᆞ실지 모로거니와, 혜쥬의 환쇄홈과 광텬 형뎨의게 은ᄉᆞ 느리믈 보지 아녀 알니로다."

금평휘 디왈,

"위·뉴 냥인의 죄ᄂᆞᆫ 물시(勿施)ᄒᆞ실 법 잇거니와, 녀ᄋᆞ와 셔랑 등의게 샤명 느리믄 덧덧ᄒᆞ리이다."

언ᄑᆞ의 숨ᄌᆞ를 드리고 궐졍으로 ᄂᆞ아ᄀᆞ니라.

만셰 황애 만됴의 됴회를 바드시고, 인ᄒᆞ여 형위(刑威)를 베퍼 죄인 등을 드시 올니고, 김후【22】부ᄌᆞ도 ᄒᆞᆫ가지로 올니라 ᄒᆞ샤, 그 대역 도모ᄒᆞ던 바를 셰셰히 알외라 ᄒᆞ시니, 김후ᄂᆞᆫ 본딕 허박(虛薄)ᄒᆞ고, 즁관은 어린 장긔(壯氣)를 ᄌᆞ랑턴 바로, 어이 일ᄎᆞ 형장인들 견딕리오. 계오 슈십 장의 부지 모역ᄒᆞ던 바를 직초(直招)ᄒᆞ고, 신묘랑을

───

11)다히 : 쪽, 편, 방향, 닿은 곳, 부근.

명쥬보월빙 권지이십칩 박순호본 ■

즈를 옥듕의셔 구ᄒ【27】여 션경ᄉ로 간 바를 낫낫치 딕초ᄒ니, 샹이 그 간흉ᄒᄆᆯ 더욱 통한ᄒ샤 듕쟝을 더으라 ᄒ시니, 김후ᄂᆫ 반일(半日)이 못ᄒ여 죽고, 듕관[광]은 젼젼 져의 힝ᄉ를 다 고ᄒ여, 윤츄밀의 ᄯᆞᆯ을 취홀가 죄오던 바와, 윤시를 보랴 변복ᄒ고 드러가 윤쇼져를 구경ᄒ여, 그 빅틱쳔광(百態千光)이 황홀ᄒ되, 긴 눈이 셜빈(雪鬢)16)의 다하 남ᄌ의 긔상 ᄀᆞᇀᄆᆯ 잠간 낫비 녀겨, 도로 올 ᄯᅦ의 노변의셔 줏ᄆᆞᄌ ᄒ마 죽을 번흔 바를 쥬ᄒ니, 승샹 조공이 쥬왈,

"신이 젼일 듯ᄌᆞ오니 희텬이 졔 누의 의상(衣裳)을 닙어 김듕관[광]을 뵈고, 그 도라갈 ᄯᅦ의【28】 분노를 니긔디 못ᄒ여 듕관[광]을 두다리다 ᄒᆞᆸ더니, 금일 듕관[광]이 윤시를 드러가 보던 셜화를 듯ᄌᆞ오미, 눈 업ᄉᆞᆫ 듕관[광]이 남녀를 분간치 못ᄒ여 희텬으로뻐 윤시로 아라본 일이 우읍도소이다."

샹이 잠간 우으시고, 하공 부지 뎐폐(殿陛)의 잇다가, 조승샹의 말노 조ᄎᆞ 윤시 얼굴도 듕관[광]을 뵈디 아니믈 ᄀᆞ장 아름다이 녀이더라. 작일(昨日) 하공 부지 튱현을 구ᄒᄆᆯ 일ᄏᆞᄅᄉᆞ, 졔신을 모호시고 죄인의 죄뉼(罪律)을 의논ᄒ시니 승샹 조셕과 녕태ᄉ(領太史) 뎡유 등이 김듕관[광] 구몽슉이며 요리(妖尼)를 홈긔 쳐참ᄒ시믈 쳥ᄒ니, 샹 왈,

"듕관[광]은 대역(大逆)【29】이오, 몽슉은 남을 히ᄒᄂᆞᆫ 요악(妖惡)이니 죄상이 다르도다."

조공과 뎡태시 쥬왈,

"몽슉의 죄악을 혜아리미 듕관[광]의셔 다르미 업스믄, 농포와 옥시를 도젹ᄒ고, 요리로 ᄒ여금 칼홀 주어 거즛 도신 체 ᄒ고 심야의 궐졍을 돌입ᄒ여 텬심을 경동ᄒ니, 그 죄상이 듕관[광]과 다르디 아니ᄒ이다."

샹이 ᄯᅩ한 그러히 녀이샤 죽이고져 ᄒ시ᄂᆞᆫ디라. 평남휘 구몽슉의 그릇 되믈 실노

16)셜빈(雪鬢): 눈처럼 하얀 귀밑털.

듕관이 스피여 졔 부ᄌ를 옥즁의셔 구ᄒ여 션경ᄉ로 간 바를 낫낫치 즉초(直招)ᄒ니, 샹이 그 간흉ᄒᄆᆯ 더욱 통한ᄒᄉ 듕쟝을 더으라 ᄒ시니, 김후ᄂᆫ 반일(半日)이 못ᄒ여 죽고, 듕관은 젼젼 져의 힝ᄉ를 다 고ᄒ여, 윤츄밀의 ᄯᆞᆯ을 취홀가 죄오던 바와, 윤시를 보랴 변복ᄒ고 드러ᄀ 윤쇼져를 구경ᄒ여, 그 빅틱쳔광(百態千光)이 황홀ᄒ되, 긴 눈이 셜【23】빈(雪鬢)12)의 다하 남ᄌ의 긔상 ᄀᆞᇀᄆᆯ 즘간 낫비 녀겨, 도라 올 ᄯᅦ의 노변의셔 줏ᄆᆞᄌ ᄒ미 죽을 번흔 바를 주ᄒ니, 승샹 조공이 주 왈,

"신이 젼일 듯ᄌᆞ오니 희텬이 졔 누의 의상(衣裳)을 닙어 김듕관을 뵈고, 그 도라갈 ᄯᅦ의 분노를 니긔지 못ᄒ여 듕관을 두다리라[다] ᄒᆞᆸ더니, 금일 듕관이 윤시를 드러가 보던 셜화를 듯ᄌᆞ오미, 눈 업슨 듕관이 남녀를 분간치 못ᄒ여 희텬으로뻐 윤시로 아라본 일이 우읍도소이다."

샹이 즘간 우으시고, 하공 부지 젼폐의 잇다가 조승샹의 말노 조ᄎᆞ 윤시 얼굴도 듕관을 뵈지 아니믈 ᄀᆞ장 아름다이 녀이더라. 작일【24】 하공 부지 튱현을 구ᄒᄆᆯ 닐ᄏᆞ르ᄉ, 졔신을 모호시고 죄인의 죄뉼을 의논ᄒ시니, 승샹 조셕과 년[녕]틱ᄉ 뎡유 등이 김듕관 구몽슉이며 뇨리를 홈게 버히시고, 쵀녀와 셰월, 비녕 등을 쳐참ᄒ시믈 쳥ᄒ니, 샹 왈,

"듕관은 대역(大逆)이오 몽슉은 남을 히ᄒᄂᆞᆫ 뇨악(妖惡)이니 죄상이 다르도다."

조공과 뎡태시 주 왈,

"몽슉의 죄악을 혜아리미 듕관의셔 다르미 업스믄, 농포와 옥시를 도젹ᄒ고, 뇨리로 ᄒ여금 칼홀 주어 거즛 도신 체ᄒ고, 심야의 궐졍을 돌입ᄒ여 텬심을 경동ᄒ니, 그 죄상이 듕관과 다르지 아니ᄒ이다."

샹이 ᄯᅩ한 그러히 녀이샤 죽이고ᄌ ᄒ시【25】ᄂᆞᆫ지라. 평남휘 구몽슉의 그릇 되믈

12)셜빈(雪鬢): 눈처럼 하얀 귀밑털.

참혹히 넉이는 비라. 브디 화의 건져닉고져 의식 니러나니, 엇디 묵묵함인(黙黙含忍)[17]ᄒ리오마는, 몽슉의 죄상인즉 당당이 흔 번 버히믈 면치 못ᄒ리【30】라. 즈긔 몽슉을 구ᄒᄂᆞᆫ 거시 남이 교정(驕情)으로 알 거시오, 황샹이 ᄯᅩᄒᆞᆫ 듯디 아니실디라. 됴흔 계교를 싱각다 못ᄒᆞ여 머리를 숙이고 침음(沈吟)ᄒᆞᆯ 즈음의, 샹이 졔신으로 의논ᄒᆞ샤 죄인의 늉을 뎡ᄒᆞ실ᄉᆡ, 김후 부ᄌᆞᄂᆞᆫ 니를 거시 업시 죽이고, 후ᄂᆞᆫ 쟝하의 죽어시나 시신을 ᄭᅳ어 닉여가 머리를 버히고, 듕관[광]도 쳐참ᄒᆞ며, 그 쳐ᄌᆞ를 위로뎡쇽(爲奴定屬)[18]ᄒ고, 몽슉은 죄상이 역젹과 흔가디로ᄃᆡ 오히려 김후 부ᄌᆞ와ᄂᆞᆫ 다르므로, 비록 머리를 버히나 그 쳐ᄌᆞ를 무ᄉᆞ히 두며, 형왕은 몽슉의 쇠오믈 드러 현인을 히ᄒᆞ며, 괴이【31】흔 약뉴로뼈 텬심을 히코져 ᄒᆞ미 ᄉᆞ죄(死罪)로ᄃᆡ, 각별흔 은젼을 드리워 일싱을 본궁의 안치ᄒᆞ여, 황친뉴(皇親類)의나 ᄃᆞᆫ니디 못ᄒᆞ게 ᄒᆞ시고, 신묘랑은 셰샹의 두로 ᄃᆞᆫ니며 흔갓 공쥬와 위·뉴 냥인의 악ᄉᆞ를 도울 ᄲᅢᆫ 아니라, 사름을 만히 샹ᄒᆞ고 뎡·딘 이문을 뭇디르고져 ᄒᆞ미 ᄉᆞ죄오, 김후의 부ᄌᆞ를 다려다가 션경ᄉᆞ의 두고 대역을 도모흔 빈, ᄯᅩᄒᆞᆫ 죄악이 텬디의 관영(貫盈)타 ᄒᆞ샤, 그 머리를 버히고 슈족(手足)을 니(離)ᄒᆞ여 팔방구쥬(八方九州)의 돌니라 ᄒᆞ시고, 셰월 비영 등은 머리를 버히라 ᄒᆞ시고, 최형은 듕형을 더어 원찬(遠竄)【32】ᄒᆞ시고, 윤부 위·뉴 이녀ᄂᆞᆫ 현효(賢孝)흔 ᄌᆞ손을 쳔만 가디로 히ᄒᆞ여 간계 무궁ᄒᆞ니, 뉴녀ᄂᆞᆫ 샤ᄉᆞ(賜死)ᄒ고 위시ᄂᆞᆫ 나히 늙으므로 양쥐의 삼년 뎡비ᄒᆞ고, 김귀비ᄂᆞᆫ 역뎍의 ᄯᆞᆯ일 ᄲᅢᆫ 아니라, 위인모(爲人母)ᄒᆞ여 공쥬를 도도아 윤·양 등을 참혹히 히ᄒᆞ미 통히ᄒᆞᄃᆡ, 은샤(恩赦)를 드리워 목슘을 빌녀 은신궁의 안치(安置)[19]ᄒ여 궐졍의 왕닉치 못ᄒᆞ

실노 참혹히 넉이는 비라. 브디 화의 건져 닉고ᄌᆞ 의식 니러나니, 엇지 묵묵함잉(黙黙含忍)[13]ᄒ리오마는, 몽슉의 죄ᄂᆞᆫ 당당이 흔 번 버히믈 면치 못ᄒ올지라. 즈긔 몽슉을 구ᄒᆞᄂᆞᆫ 거시 남이 교정(驕情)으로 알 거시오, 황상이 ᄯᅩᄒᆞᆫ 듯지 아니실지라. 됴흔 계교를 싱각지 못ᄒᆞ여 머리를 슉이고 침음(沈吟)ᄒᆞᆯ 즈음의, 상이 졔신으로 의논ᄒᆞ샤 죄인의 늉을 졍ᄒᆞ실ᄉᆡ, 김후 부ᄌᆞᄂᆞᆫ 닐을 것 업시 죽이고, 즁관도 쳐참ᄒᆞ며 그 쳐ᄌᆞ를 위로졍쇽(爲奴定屬)[14]ᄒ고, 몽슉은 죄상이 녁젹과 흔 ᄀᆞ지로ᄃᆡ 오히려 김후 부ᄌᆞ와ᄂᆞᆫ 다르니, 비록 머리를 버히나 그 쳐ᄌᆞ를 무【26】ᄉᆞ히 두며, 형왕은 몽슉의 쇠오믈 드러 현인을 히ᄒᆞ며, 괴이흔 약뉴로뼈 텬심을 히코져 ᄒᆞ미 ᄉᆞ죄(死罪)로ᄃᆡ, 각별흔 은젼을 드리워 일싱을 본궁의 안치ᄒᆞ여, 황친뉴(皇親類)의나 ᄃᆞᆫ니지 못ᄒᆞ여, 뼈[15] 거두(擧頭)치 못ᄒᆞ게 ᄒᆞ고, 신묘랑은 셰상의 두로 ᄃᆞᆫ니며 흔갓 공쥬와 위·뉴 냥인의 악ᄉᆞ를 도울 ᄲᅢᆫ 아니라, 스람을 만히 상ᄒᆞ고 뎡·딘 이문을 뭇지르고져 ᄒᆞ미 ᄉᆞ죄오, 김후의 부ᄌᆞ를 ᄃᆞ려ᄀᆞ 션경ᄉᆞ의 두고 대역을 도모흔 빈 ᄯᅩᄒᆞᆫ 죄악이 텬디의 관영(貫盈)타 ᄒᆞ샤, 그 머리를 버히고 슈족(手足)을 니(離)ᄒᆞ여 팔방구치[쥬](八方九州)의 《도ᄅᆞ라 ‖ 돌니라》 ᄒᆞ시고, 셰월 비영 등은 머리를 버히라 ᄒᆞ시고, 최형은 즁형을【27】 더어 원찬(遠竄)ᄒᆞ시고, 윤부 위·뉴 이녀ᄂᆞᆫ 현효(賢孝)흔 ᄌᆞ손을 쳔만 가지로 히ᄒᆞ여 간계 무궁ᄒᆞ니, 뉴녀ᄂᆞᆫ ᄉᆞᄉᆞ(賜死)ᄒ고, 위시ᄂᆞᆫ 나히 늙으므로 양쥐의 삼년 졍비ᄒᆞ고, 김귀비ᄂᆞᆫ 녁젹의 ᄯᆞᆯ일 ᄲᅢᆫ 아니라 위인모(爲人母)ᄒᆞ여 공쥬를 도도아 윤·양 등을 참혹히 히ᄒᆞ미 통히ᄒᆞᄃᆡ, 은ᄉᆞ(恩赦)를 드리워 목숨을 빌녀 은신

---

[17]묵묵함인(黙黙含忍) : 묵묵히 마음속에 넣어 두고 참고 있음.

[18]위로뎡쇽(爲奴定屬) : 예전에 중죄인의 처자를 종을 삼아 벌하던 일.

[19]안치(安置) : 조선 시대에, 죄인을 먼 곳에 보내

---

[13]묵묵함인(黙黙含忍) : 묵묵히 마음속에 넣어 두고 참고 있음.

[14]위로졍쇽(爲奴定屬) : 예전에 중죄인의 처자를 종을 삼아 벌하던 일.

[15]뼈 : 써. '그것을 가지고', '그것으로 인하여'의 뜻을 지닌 접속 부사. 한문의 '以'에 해당하는 말로 문어체에서 주로 쓴다.

게 ᄒ시며, 윤츄밀은 긔한(期限)의 도라오게 ᄒ시고, 임의 간졍(奸情)을 논뎡(論定)ᄒ고, 다시 유공ᄌ(有功者)를 샹(賞)홀ᄉᆡ, 한튱과 한칙을 브르샤 뎡병부의 ᄌ녀 살온 바와 경시 구ᄒ 바를 무르시니, 한튱은 뎡공 【33】 ᄌ 소남미와 운영을 구ᄒ여 졔 집의 머므른 일을 일일히 고ᄒ고, 한칙은 졔 어미 강시 태셤의 의긔 현심을 조츠 경시를 ᄒᆞᆫ 교ᄌ 안히 너허 와 구호ᄒ디 낫디 아니ᄒ거늘, 경참졍을 보고 연유(緣由)를 닐너, 즉시 경시를 그 집 강졍(江亭)으로 다려가 술와ᄂᆡᆷᄅᆞᆯ 쥬ᄒ니, 샹이 탄ᄒ샤 왈,

"공쥬의 작난이 그듸도록 심ᄒ여, 텬흥의 쳐ᄌ식을 히ᄒᆞᄆᆡ 아니 밋츤 곳이 업ᄉ니, 공쥬의게 독약을 보ᄂᆡ여 죽으믈 지쵹ᄒ라."

ᄒ시며, 텬안(天顔)이 ᄀᆞ쟝 츄연(惆然)ᄒ샤 팔치농미(八彩龍眉)[20]의 슈운(愁雲)이 ᄉ집(四集)[21]ᄒ시니, 금평휘 텬의를 짐작ᄒ고, 이의 브복 쥬 왈,
"폐하의 결ᄉ(決事)ᄒᆞ【34】시미 디공무ᄉ(至公無私)ᄒ시니, 엇디 다른 의논이 이시리잇가마는, 그러나 부ᄌᄂᆞᆫ 텬뉸의 듕ᄒᆞ미오, 골육상잔(骨肉相殘)은 변괴라. 공쥐 비록 년쇼 심졍의 최녀의 ᄉ오나온 디휘로ᄡᅥ 투악을 면치 못ᄒ고, 젼후ᄉᆞᆫ 한심ᄒ오나, 최녜 아니면 공쥐 그듸도록디[22] 아녀시리니, 임의 최녀를 버히시미 그 죄를 쇽(贖)ᄒ엿거늘, 공쥬를 마ᄌ ᄉ샤(賜死)ᄒ시면, 텬뉸의 ᄌ이를 버히시고 골육을 잔히(殘害)ᄒ시미라. 셩듀(聖主)의 {호ᄉᆡᆼ의} 호생디덕(好生之德)으로ᄡᅥ 공쥬의 일명을 용셔ᄒ시고, ᄯᅩ 윤슈의 부ᄌ 슉딜을 됴졍의 용납ᄒ려 ᄒ실딘딕, 위시를 뎡빅치 마【35】ᄅᆞ시고 뉴시

궁의 안치(安置)[16]ᄒ여 궐즁의 왕ᄂᆡ치 못ᄒ게 ᄒ시며, 윤츄밀은 긔한(期限)의 도라오게 ᄒ시고, 이의 간졍(奸情)을 논졍(論定)ᄒ시고, 다시 유공ᄌ(有功者)를 샹(賞)홀ᄉᆡ, 한츙과 한칙을 브르ᄉ 뎡병부의 ᄌ녀 살온 바와, 경시 구ᄒ 바를 무르시니, 한츙은 뎡공 ᄌ 소 남미와 운녕을 구ᄒ여 졔 집의 머므 른 일을 일일【28】히 고○○[ᄒ고], 한칙 은 졔 어미 강시 《틱셕∥틱셤》의 의긔 현 심을 ᄌᆞᆺ 추 경시를 ᄒᆞᆫ 교ᄌ 안히 너허 와 구 호ᄒ디, 낫지 아니ᄒ거늘, 경참졍을 보고 년 유(緣由)를 닐너, 즉시 경시를 그 집 강졍으 로 ᄃ려가 술녀ᄂᆡᆷᄅᆞᆯ 쥬ᄒ니, 샹이 탄왈,

"공쥬의 작난이 그듸도록 심ᄒ여 텬흥의 쳐ᄌ를 히ᄒᆞᆷ이 아니 밋츤 곳이 업ᄉ니, 딤 이 불명ᄒ여 그 ᄉ오나믈 금치 못ᄒ니 엇지 익듧지 아니ᄒ리오. 법은 ᄉᆞᆺᆨ 업ᄉ니 공쥬 의게 독약을 보ᄂᆡ여 죽으믈 지쵹ᄒ라."

ᄒ시며, 텬안(天顔)이 ᄀᆞ쟝 츄연(惆然)ᄒ 샤 팔치농안(八彩龍眼)[17]의 슈운(愁雲)이 ᄉ집(四集)[18]ᄒ시니, 금평휘 텬의를 짐작ᄒ 고, 이의 《복복∥부복(俯伏)》 주왈,
"폐하의 《지츠∥결ᄉ(決事)》ᄒ시미 지 공무ᄉ(至公無私)ᄒ【29】시니, 엇지 다른 의논이 이시리잇가마는, 그러나 부ᄌᄂᆞᆫ 텬 뉸의 즁ᄒᆞ미오, 골육상잔(骨肉相殘)은 변괴 라. 공쥐 비록 년쇼 심졍의 최녀의 ᄉ오나 온 지휘로 말미암아 투악을 면티 못ᄒ고, 젼후ᄉᆞᆫ 한심ᄒ오나, 최녜 아니면 공쥐 그러 치 아니시리니, 임의 최녀를 버히시미 그 죄를 쇽(贖)ᄒ엿거늘, 공쥬를 마ᄌ ᄉᄉ(賜 死)ᄒ시면 텬뉸의 ᄌ이를 버히시고, 골육을 잔히(殘害)ᄒ시미라. 셩샹의 호ᄉᆡᆼ지덕(好生 之德)으로ᄡᅥ 공쥬의 일명을 용셔ᄒ시고, ᄯᅩ 윤슈의 부ᄌ 슉딜을 됴졍의 용납ᄒ려 ᄒ실 진딕, 위시를 졍빅치 마르시고 뉴시를 ᄉ샤 치 마르샤, 윤광텬의 형뎨로 ᄒ여금 셩효를

다른 곳으로 옮기지 못하게 주거를 제한하던 일.
　또는 그런 형벌
20)팔치농미(八彩龍眉) : 임금의 아름다운 눈썹.
21)ᄉ집(四集) : 사방에서 모여듦.
22)디 : ~하지. 'ㄱ'으로 끝나는 부사어 뒤에 붙어,
　'하다'의 뜻을 나타내는 보조사.

16)안치(安置) : 조선 시대에, 죄인을 먼 곳에 보내
　다른 곳으로 옮기지 못하게 주거를 제한하던 일.
　또는 그런 형벌
17)팔치농안(八彩龍眼) : 임금의 아름다운 눈.
18)ᄉ집(四集) : 사방에서 모여듦.

를 샤스치 마르샤, 윤광텬의 형뎨로 ᄒ여금 셩효를 온젼케 ᄒ시○[미] 맛당ᄒ온디라. 셩군은 이효(以孝)로 티텬하(治天下) ᄒ시고, 녜의로 만민을 권장ᄒ시ᄂᆞ니, 폐히 비록 뉴시와 희텬으로 파기모ᄌ디의(破棄母子之義)23) ᄒ라 ᄒ시나, 희텬의 효힝이 증삼(曾參)24)과 일뉘(一類)라. 결단ᄒ여 그 양모를 ᄉᆞ샤ᄒ고 제 혼ᄌᆞ 사라 잇디 아니ᄒ오리니, 뉴녀의 ᄉᆞ싱은 블관(不關)ᄒᆞᆸ거니와, 희텬 ᄀᆞ튼 대현을 뉴녀로뻐 앗가이 일흐미 되면, 엇디 국가의 블힝이 아니리잇고? 원(願) 폐하ᄂᆞᆫ 살피샤, 뉴녀ᄂᆞᆫ 윤쉬 도라와 쳐티케 ᄒ쇼셔"

샹이 굴오샤ᄃᆡ,

"경의 쥬시【36】 맛당ᄒ나 위·뉴 이녀와 공쥬의 과악이 믈시(勿施)키 어려온디라. 윤슈의 낫츨 보디 아니면 엇디 위녀를 ᄉᆞᆯ오리오마ᄂᆞᆫ, 윤슈와 광텬의 ᄆᆞ음을 편과져 ᄒᄂᆞᆫ 고로, ᄉᆞ죄(死罪)를 샤ᄒ여 일명을 빌니고, 뉴녀ᄂᆞᆫ 윤슈와 의를 졀ᄒ면 희텬과 남이 되리니, 그 ᄉᆞ싱을 거리낄 거시 업슬 거시어늘, 희텬이 뉴녀를 위ᄒ여 죽도록 ᄒ리오."

초평휘 쥬 왈,

"신의 조강은 윤슈의 녀식이라. 뉴시 본ᄃᆡ 신을 깃거 아냐, 신의 집의 결혼ᄒ기를 슬희여 ᄒ던 바도, 듕관[광] 등이 다 아온 비라. 신이 뉴녀의 ᄉᆞ오나오믈 분완ᄒ미 아니라, 신의게 다【37】만 일ᄆᆡ 이셔 명되 박ᄒ오미, 십일셰의 몽슉의 ᄒᆡ를 닙ᄉᆞ와 금ᄉᆞ강의 닉슈ᄒ여 죽으미 쉬온 거ᄉᆞᆯ, 뎡텬흥의 구ᄒᆞ믈 힘닙어 계오 슈ᄉᆞ믈 면ᄒ여, 텬흥으로 결약남미(結約男妹)ᄒ고 뎡연의 양녜 되여, 십삼셰 된 후ᄂᆞᆫ 윤희텬과 구약(舊約)을 일우니, 신믜(臣妹)의 위인이 셜ᄉᆞ

온【30】 젼케 ᄒ시미 맛당ᄒ온지라. 셩군은 이효(以孝)로 치텬하(治天下)ᄒ시고, 녜의로 만민을 권장ᄒ시ᄂᆞ니, 폐히 비록 뉴녀와 희텬으로 파기모ᄌ지의(破棄母子之義)19) ᄒ라 ᄒ시나, 희텬의 효힝이 증습(曾參)20)과 일뉘(一類)라. 결단ᄒ여 그 양모를 ᄉᆞᄉᆞ하고 제 혼ᄌᆞ 사라 잇지 아니ᄒ오리니, 뉴녀의 ᄉᆞ싱은 불관(不關)ᄒᆞᆸ거니와, 희텬 ᄀᆞ튼 츙현을 뉴녀로뻐 앗가이 일흐미 되면, 엇지 국가의 불힝이 아니리잇고? 원(願) 폐하ᄂᆞᆫ 살피ᄉ 뉴녀ᄂᆞᆫ 윤쉬 도라와 쳐치케 ᄒ쇼셔"

샹이 굴오ᄉᆞᄃᆡ,

"경의 주시 맛당ᄒ나 위·뉴 이녀와 공쥬의 과악이 믈시(勿施)키 어려온지라. 윤슈의 낫츨 보지 아니면 엇지 위녀를 살오리오마ᄂᆞᆫ, 윤【31】슈와 광텬의 ᄆᆞ음을 편과져 ᄒᄂᆞᆫ 고로 ᄉᆞ죄(死罪)를 샤ᄒ여 일명을 빌니고, 뉴녀ᄂᆞᆫ 윤슈와 의를 졀ᄒ면 희텬과 남이 되리니, 그 ᄉᆞ싱을 거리낄 거시 업슬 거시어늘, 희텬이 뉴녀를 위ᄒ여 죽도록 ᄒ리오."

초평휘 주왈,

"신의 조강은 윤수의 녀식이라. 뉴시 본ᄃᆡ 신은 깃거 아냐 신의 집의 결혼ᄒ기를 슬희여 ᄒ던 바도, 즁관 등이 다 아ᄂᆞᆫ 비라. 신이 뉴녀의 ᄉᆞ오나오믈 분완ᄒ미 아니라, 신의게 다만 일ᄆᆡ 잇셔 명되 박ᄒ오미, 십일셰의 몽슉의 ᄒᆡ를 닙ᄉᆞ와 금ᄉᆞ강의 닉슈ᄒ여 죽으미 쉬온 거ᄉᆞᆯ, 뎡텬흥의 구ᄒᆞ믈 힘닙어 계오 수ᄉᆞ(水死)ᄒ믈 면ᄒ여, 텬【32】흥으로 결약남미(結約男妹)ᄒ고 뎡연의 양녜 되여, 십삼셰 된 후ᄂᆞᆫ 윤희텬과 구약(舊約)을 구지 닐오니, 신믜(臣妹)의 위인

---

23) 파기모ᄌ디의(破棄母子之義) : 입양 등으로 의(義)로써 맺은 모자의 관계를 깨어 버림.
24) 증삼(曾參) : 이름은 삼(參), 자는 자여(子輿). 중국 노나라의 유학자. 공자의 덕행과 사상을 조술(祖述)하여 공자의 손자인 자사(子思)에게 전하였다. 후세 사람이 높여 증자(曾子)라고 일컬었으며, 저서에 ≪증자≫, ≪효경≫ 이 있다.

19) 파기모ᄌ디의(破棄母子之義) : 입양 등으로 의(義)로써 맺은 모자의 관계를 깨어 버림.
20) 증삼(曾參) : 이름은 삼(參), 자는 자여(子輿). 중국 노나라의 유학자. 공자의 덕행과 사상을 조술(祖述)하여 공자의 손자인 자사(子思)에게 전하였다. 후세 사람이 높여 증자(曾子)라고 일컬었으며, 저서에 ≪증자≫, ≪효경≫ 이 있다.

불민ᄒ올디라도, 대단이 작죄ᄒᄆ미 업슨 후
ᄂ 그ᄃ도록 못ᄒ오려든, ᄒ믈며 신믜의 현
텰ᄒ오미 흠홀 곳이 업습거늘, 뉴녜 여츠여
츠 두다려 궤듕의 너허 남강의 ᄶ오니, 셰
월 등의 초ᄉ와 ᄀᆺ스온디라. 신이 초국을
멸ᄒ고 도라와 신믜의 거동을 보오니, 인비
셕【38】목(人非石木)이라. 엇디 분ᄒᄆ믈 ᄎᆷ
으리잇고마ᄂ, 오히려 신믜 죽디 아녓ᄉ오
니 희텬으로 부부디의ᄂ 싯츨 일이 업슨 고
로, 희텬의 안면을 싱각ᄒ와 뉴녀의게 분을
프디 못ᄒ오나, 신믜의 일신면모(一身面貌)
를 아니 상히온 곳이 업시 ᄒ 조각 피덩이
를 민드랏던 일을 싱각ᄒ오면, 칼노 흉인을
죽이고져 의ᄉᆞ 잇ᄉ습더니, 간인이 '곳비 길믜
드ᄃᆞ이ᄂ'25) 환(患)을 만나, 그 젼후 악ᄉᆞ
신묘랑 셰월 비영 등의 초ᄉᆞ의 낫타낫ᄉ오
니, 그 죄 쳐참홀 죄상이오, 신의 ᄆᆞ음이 쾌
활ᄒ와 그 죽ᄂ 거동을 보고 시브오디, 다
만 윤희텬의 위인을 혜아리오미, 샹명이 비
록 모ᄌᆞ지의(母子之義)를 끗【39】츠라 ᄒ
시나, 희텬의 뉴녀 향ᄒ 졍은 싯츨 길히 업
습ᄂ니, 뉴시를 샤ᄉᆞᄒ시ᄂ 날은 희텬을 죽
이시ᄂ 작시니, 셩듀의 호ᄉᆡᆼ디덕으로, 희텬
의 목슘을 앗기실딘디 뉴시를 죽이디 마르
샤미 올홀가 ᄒᆞ옵ᄂ니, 원 폐하ᄂ 살피쇼
셔."

금평휘 하원광의 쥬ᄉᆞ 맛당ᄒᆞ믈 쥬ᄒᆞ고,
낙양후 딘광의 형뎨와 승상 조진의 쥬ᄉᆞ 다
뉴녀를 살오시믈 쳥ᄒ니, 샹이 ᄯᅩᄒ 그러히
넉이샤 위시를 뎡빅치 아니ᄒᆞ시고, 뉴녀 ᄉᆞ
샤(賜死)ᄒᄂ 젼디를 거두어 양쥐 뎡빅(定
配)ᄒ라 ᄒ시니, 니부 통디 윤환이 쥬왈,

"뉴녀의 죄상이 죽으미 앗갑디 아니ᄒ고,
그【40】병이 위악ᄒ와도 넘녜로오미 업ᄉ
오디, 희텬은 뉴녀를 위ᄒ와 셩회 동쵹(洞
屬)ᄒ오니, 그 병셰 위악ᄒ 가온디 져의 찬
덕ᄒ 곳의 뎡빅ᄒᆞᄆ믈 드르면, 쥬야로 그 양

이 셜ᄉᆞ 불민ᄒ올지라도 디단이 작죄ᄒᄆ미
업슨 후ᄂ 그ᄃ도록 못ᄒ오려든, ᄒ믈며 신
믜의 현텰ᄒ오미 흠홀 곳이 업습거늘, 뉴네
여츠여츠 두다려 궤즁의 너허 남강의 ᄶ오
니, 셰월 등의 초ᄉ와 ᄀᆺ스온지라. 신이 초
국을 멸ᄒ고 도라와 신믜의 거동을 보오니,
인비셕목(人非石木)이라, 엇지 분ᄒᄆ믈 ᄎᆷ으
리잇고마ᄂ, 오히려 신믜 죽지 아녓ᄉ오니
희텬으로 부부지의ᄂ 싯츨 일이 업슨 고로,
희텬의 안면을 싱각ᄒ와 뉴녀의게 분을 풀
지 못ᄒ오나, 신믜【33】의 일신면모(一身
面貌)를 아니 상히온 곳이 업시 ᄒ 조각 피
덩이를 민드럿던 일을 싱각ᄒ오면, 칼노 흉
인을 죽이고져 의ᄉᆞ 잇ᄉ습더니, 간인이 '곳비
길믜 드ᄃᆞ이ᄂ'21) 화(禍)을 만나, 그 젼후
악ᄉ 신묘랑 셰월 비영 등의 초ᄉ의 낫타낫
ᄉ오니, 그 죄 쳐참홀 죄상이오, 신의 ᄆᆞ음
이 쾌활ᄒ와 그 죽ᄂ 거동을 보고 시브오
디, 다만 윤희텬의 위인을 혜아리오미, 샹명
이 비록 모ᄌᆞ지의(母子之義)를 끗츠라 ᄒ시
나, 희텬의 뉴녀 향ᄒ 졍은 ᄆᆞᆺ츨 길이 업습
ᄂ니, 뉴시를 ᄉᆞᄉᆞᄒ시ᄂ 날은 희텬을 죽이
시ᄂ 작시니, 셩쥬의 호ᄉᆡᆼ지덕으로 희텬의
목슘을 앗기실진디, 뉴시를 죽이지 마르시
미 올【34】흘가 ᄒᆞ옵ᄂ니, 원 폐하ᄂ 슬피
쇼셔."

금평휘 하원광의 주ᄉᆞ 맛당ᄒᆞ믈 주ᄒᆞ고,
낙양후 딘광의 형뎨와 승상 조진의 쥬ᄉᆞ 다
뉴녀를 슬오시믈 쳥ᄒ니, 샹이 ᄯᅩᄒ 그러히
넉이샤 위시를 뎡빅치 아니ᄒ시고 뉴녀 ᄉᆞ
ᄉ(賜死)ᄒᄂ 젼지를 거두어 양쥐 졍비(定
配)ᄒ라 ᄒ시니, 니부총지 윤환이 주왈,

"뉴녀의 죄상이 죽으미 앗갑지 아니코,
그 병이 위악ᄒ와도 넘녜로오미 업ᄉ디, 희
텬은 뉴녀를 위ᄒ와 졍셩이 동쵹(洞屬)ᄒ오
니, 그 병셰 위악ᄒ ᄀ온디 져의 찬젹ᄒ 곳
의 졍비ᄒᆞ믈 드르면, 쥬야로 그 양모를 써

모로 쩌나디 아니려 ᄒᆞ오리니, 폐히 은젼을
ᄡᅳ샤 살오시미 맛당ᄒᆞᆸ고, 뉴녀의 병이 ᄎᆞ
셩치 아닌 젼은 디쳑도 움죽여 갈 길히 업
ᄉᆞᆸᄂᆞ니, 쳥컨딕 뉴녜 병이 잠간 나은 후 가
게 ᄒᆞ쇼셔."

샹이 윤허ᄒᆞ샤, '비록 여러 달이 될디라도
뉴녀의 병이 낫거든 가게 ᄒᆞ라' ᄒᆞ시고, 금
평휘 공쥬의 죄악이 오히려 뉴녀만 못ᄒᆞᄆᆞᆯ
일ᄏᆞ라 ᄯᅩ 샤(赦)ᄒᆞ시믈 쳥ᄒᆞ니, 샹이 탄ᄒᆞ
샤 왈,【41】

"딤이 텬뉸의 ᄌᆞ이로써 문양을 《죽으미
∥죽이미》 엇디 ᄆᆞ음이 편ᄒᆞ리오마는, 극
악ᄒᆞᆫ 힝ᄉᆡ ᄒᆞᆫ 조각도 사ᄅᆞᆷ의 ᄯᅳᆺ이 아니니,
ᄉᆞ졍을 도라보디 못ᄒᆞ여 죽이고져 ᄒᆞ엿더
니, 경의 말이 이 ᄀᆞᆺ고 딤심이 츄연ᄒᆞ니, 그
목숨을 빌니려니와 아조 졔 궁의 안치ᄒᆞ여,
궐졍 왕ᄂᆡ와 경의 집의 ᄃᆞᆫ니는 길홀 ᄉᆞᆫ케
ᄒᆞ고, 궁인 한시의 귀향26)을 프러, 문양궁
의 보ᄂᆡ여 어디리 인도ᄒᆞ게 ᄒᆞ려니와, 텬흥
이 본디 문양과 은졍이 블합ᄒᆞ던딕 그 허다
과악을 듯고 딤이 죽이디 아니믈 한ᄒᆞ리로
다."

금평휘 쥬 왈,

"텬흥이 비록 무상ᄒᆞ오나, 엇디 폐하의
【42】결ᄉᆞ(決事)ᄒᆞ심과 공쥬 살오시믈 한
ᄒᆞ리잇고?"

병뷔 쥬 왈,

"뉴녀와 공쥬의 죄악이 텬디의 관영ᄒᆞ오
딕, 그 죽이미 각각 ᄉᆞ셰 난연ᄒᆞᆫ 고로 별은
젼(別恩典)27)을 ᄡᅳ시니 호싱디덕(好生之德)
이 흡연ᄒᆞ신디라. 신이 엇디 감히 한ᄒᆞ리잇
고? 공쥬의 ᄉᆞ싱유뮈 신의게 간셥디 아니ᄒᆞ
오니, 이졔는 공쥬다히 말ᄉᆞᆷ을 신ᄃᆞ려 니르
디 마르샤믈 원ᄒᆞᆸᄂᆞ니, 다만 참졀ᄒᆞ온 바
는 비록 불관ᄒᆞᆫ 녀식이나, 신의 골육을 기

---

26)귀향 : 귀양. 고려·조선 시대에, 죄인을 먼 시골
   이나 섬으로 보내어 일정한 기간 동안 제한된 곳
   에서만 살게 하던 형벌. 초기에는 방축향리(放逐鄉
   里)의 뜻으로 쓰다가 후세에 와서는 도배(徒配),
   유배(流配), 정배(定配)의 뜻으로 쓰게 되었다.
27)별은젼(別恩典) : 예전에, 나라에서 은혜를 베풀어
   내리던 특별한 혜택.

느지 아니려 ᄒᆞ오리니, 폐히 은젼을 ᄡᅳᄉ
ᄉᆞᆯ오시미 맛당ᄒᆞᆸ고, 뉴【35】녀의 병이
ᄎᆞ셩치 아닌 젼은, 지쳑도 움죽여 갈 길히
업ᄂᆞ니, 쳥컨딕 뉴녜 줌간 병이 나은 후 ᄡᅥ
ᄂᆞ게 ᄒᆞ쇼셔."

상이 윤허ᄒᆞᄉ, '비록 여러 달이 될지라도
뉴녀의 병이 낫거든 가게 ᄒᆞ라' ᄒᆞ시고, 금
평휘 공쥬의 죄악이 오히려 뉴녀만 못ᄒᆞᄆᆞᆯ
닐ᄏᆞ러 ᄯᅩ ᄉᆞ(赦)ᄒᆞ시믈 쳥ᄒᆞ니, 샹이 탄왈,

"딤이 텬뉸의 ᄌᆞ이로써 엇지 문양을 죽으
미 ᄆᆞ음이 편ᄒᆞ리오마는, 극악ᄒᆞᆫ 힝ᄉᆡ ᄒᆞᆫ
조각도 ᄉᆞ람의 ᄯᅳᆺ이 아니니, ᄉᆞ졍을 도라보
지 못ᄒᆞ여 죽이고ᄌᆞ ᄒᆞ엿더니, 경의 말이
이 ᄀᆞᆺ고 딤심이 츄연ᄒᆞ니, 그 목숨을 빌니
려니와 아조 졔 궁의 안치ᄒᆞ여, 궐졍 왕ᄂᆡ
와 경의 집의 ᄃᆞ니는 길을 ᄉᆞᆫ케 ᄒᆞ고, 궁인
한시의【36】귀양22)을 프러 문양궁의 보ᄂᆡ
여, 어지리 인도ᄒᆞ게 ᄒᆞ려니와, 텬흥이 본디
문양과 은졍이 블합ᄒᆞ던 딕 그 허다 과악을
듯고, 딤이 죽이지 아니믈 한ᄒᆞ리로다."

금평휘 주 왈,

"텬흥이 비록 무상ᄒᆞ오나, 엇지 폐하의
결ᄉᆞ(決事)ᄒᆞ심과 공쥬 ᄉᆞᆯ으시믈 한ᄒᆞ리잇
고?"

병뷔 주 왈,

"뉴녀와 공쥬의 죄악이 텬지의 관영ᄒᆞ오
딕, 그 죽이미 각각 ᄉᆞ셰 난연ᄒᆞᆫ 고로 별은
젼(別恩典)23)을 ᄡᅳ시니 호싱지덕(好生之德)
이 흡연ᄒᆞ신지라. 신이 엇지 감히 한ᄒᆞ리잇
고? 공쥬의 ᄉᆞ싱유뮈 신의게 간셥지 아니ᄒᆞ
오니, 이졔는 공쥬다히 말ᄉᆞᆷ을 신ᄃᆞ려 니르
지 마르시믈 원ᄒᆞᆸᄂᆞ니, 다만 참졀ᄒᆞ온 바
는 비록 불관ᄒᆞᆫ 녀식이【37】나, 신의 골육

---

22)귀양 : 고려·조선 시대에, 죄인을 먼 시골이나 섬
   으로 보내어 일정한 기간 동안 제한된 곳에서만
   살게 하던 형벌. 초기에는 방축향리(放逐鄉里)의
   뜻으로 쓰다가 후세에 와서는 도배(徒配), 유배(流
   配), 정배(定配)의 뜻으로 쓰게 되었다.
23)별은젼(別恩典) : 예전에, 나라에서 은혜를 베풀어
   내리던 특별한 혜택.

모로 인호여 아모 곳으로 간 줄 모로오니,
출하리 목젼의셔 죽음만 ス디 못호와, 초악
호믈 니긔디 못호리로소이다."

샹이 남후의 쥬스를 드르【43】시미, 공
쥬 죽디 아녀도 다시 부부의 졍을 바랄 거
시 업스믈 츄연호샤, 구틔여 옥음을 여디
아니시나, 텬안이 공쥬의 일노 우우(憂憂)호
시믈 알니러라.

임의 죄인 등을 쳐티홀시, 병뷔 몽슉을
구홀 도리 업셔 뎡히 쥬져홀 즈음의, 형쥬
와 유쥬 등쳐의 괴이흔 요졍(妖精)이 이셔,
사람을 희호미 빅셩이 니산(離散)호는 뉘
만흐니, 《쳥‖형》·유 냥쳐 즈스 발군(發
軍)호여, 아모리 잡고져 호여도 계괴 업셔
됴졍의 쥬문호니, 샹이 ス장 우려호샤 왈,

"쳥[형]·유 냥쳐는 부요디디(富饒之地)
러니, 요괴의 작난이 이 ス틔여 빅셩을 상
히호미 되니, 뉘 능히 안무스(按撫使)를 호
염【44】즉 호뇨?"
평남휘 디쥬 왈,
"구몽슉의 죄악은 관영호오나, 원간 그
문학과 지조는 츌어범뉴(出於凡類)호온디라.
신이 졀노 더브러 뎍디 아닌 혐극이로딕,
신의 우튱(愚忠)이 본딕 국가를 위호오미
스스를 도라보디 아니호옵느니, 몽슉이 지
죄 비상호여, 공즁의 왕닉호며 요졍을 졔어
(制御)호는 술업(術業)이 이셔 요괴를 졔어
호옵느니, 신의 쇼견은 몽슉의 죄를 물시호
샤 안무샤를 삼으미 맛당홀가 호느이다."

샹이 뎡병부의 위인을 긔특이 넉이샤, 우
어 왈,
"구몽슉이 경의 집을 아조 멸코져 호엿거
놀,【45】경이 엇디 살오기를 이 ス치 호느
뇨?"
병뷔 디쥬 왈,
"신의 스혐을 니를딘딕 몽슉을 죽여 한을
풀고져 호오딕, 국가를 위흔즉 몽슉이 아니
면 가치 아니홀가 호느이다."
샹 왈,

을 그 모로 인호여 아모 곳으로 간 줄 모른
오니, 출하리 목젼의셔 죽음만 ス지 못호와,
초악호믈 니긔지 못호리로소이다."

상이 평후의 주스를 드르시미, 공쥬 죽지
아녀도 다시 부부의 졍을 바랄 거시 업스믈
츄연호샤, 구틔여 옥음을 닉지 아니시나, 텬
안이 공쥬의 일노 우우(憂憂)호시믈 알니러
라.

임의 죄인 등을 쳐치홀시, 병뷔 몽슉을
구홀 도리를 싱각고 졍히 쥬져홀 즈음의,
형쥬와 유쥬 등 쳐의 괴이흔 뇨졍(妖精)이
이셔, 스람을 희호미 빅셩이 이산(離散)호는
지 만흐니, 《쳥‖형》·뉴 냥쳐 즈스 발군
(發軍)호여, 아모리 즙고져 호여도 계교 업
셔 됴졍의 쥬문호엿시니, 상이 【38】ス장
우려호스 왈,
"쳥[형]·뉴 냥쳐는 부요지지(富饒之地)
러니, 뇨괴(妖怪)의 작난이 이 ス틔여 빅셩
을 상히호미 되니, 뉘 능히 안무스(按撫使)
를 호염즉 호뇨?"
평남휘 주 왈,
"구몽슉의 죄악은 관영호오나, 원간 그
문학과 지조는 츌어범뉴(出於凡類)호온지라.
신이 졀노 더브러 젹지 아닌 혐극이로딕,
신의 우츔(愚忠)이 본딕 국가를 위호오미
스스를 도라보지 아니호옵느니, 몽슉이 지
죄 비상호여 궁즁의 왕닉호며 뇨졍(妖精)을
졔어(制御)호는 슐업(術業)이 이셔, 뇨괴를
졔어호옵느니, 신의 쇼견은 몽슉의 죄를 물
시호샤 안무스(按撫使)를 숨으시미 맛당홀
가 호느이다."
상이 뎡병부의 위인을 긔특이 넉이스, 우
어 굴오스【39】딕,
"구몽슉이 경의 집을 아조 멸코자 호엿거
놀, 경이 엇지 슬오기를 이ス치 호느뇨?"

병뷔 디주 왈,
"신의 스혐(私嫌)을 닐을진딕 몽슉을 죽
여 한을 풀고져 호딕, 국가를 위호온즉 몽
슉이 아니면 가치 아니홀가 호느이다."
상 왈,

"경언이 군즈의 대도를 슝상ᄒ미라. 몽슉의 죄상이 아모리 싱각ᄒ여도 샤치 못ᄒ리니, 현마28) 몽슉의 지조만ᄒ 뉴를 못 어드리오."

평남휘 다시 쥬 왈,

"신이 국가를 위ᄒ 말슘이러니, 폐히 임의 호싱디덕을 널니 베프샤 죽이디 아니시니, 쳥컨ᄃ 몽슉을 살오시믈 바라ᄂ이다."

만뇌 다 몽슉 살오기를【46】 불열(不悅)ᄒᄃ, 홀노 낙양후 딘광이 몽슉을 잔잉히 너겨, 살오고져 ᄒᄂ 의ᄉ 뎡병부와 일반이라. 이에 쥬 왈,

"몽슉은 어려셔 부모를 여희고 강근디친(强近之親)도 업순 고로, 신이 그 혈혈무의ᄒ믈 잔잉히 너겨 거두어 양휵(養慉)ᄒ미이시ᄃ, 신의 가르치는 도리 무상ᄒ와, 몽슉으로 ᄒ여금 뎡도의 닐위디 못ᄒ고 간흉ᄒ 곳의 ᄲᆞ디믄 신의 타시라. 몽슉이 신의 부즈 형뎨와 뎡연의 부즈를 히ᄒ미, 신의 어디디 못ᄒ온 연괴니, 몽슉을 버히시미 신의 가르치디 못ᄒ 죄를 다스리○[시]리니, 만일 덕화를 베프시고 인명이 듕【47】대ᄒ믈 싱각ᄒ실진ᄃ, 텬흥의 쥬ᄉ ᄃ로 몽슉을 쳥[형]·유 냥쳐의 안무ᄉ를 삼으샤 일명을 빌니시고, 혹즈 셩공치 못ᄒᄋᆸ거든 즉시 역뉼노뼈 참ᄒ시고, 신과 텬흥을 죄 주샤 망녕도이29) 쳔거ᄒ믈 다스리쇼셔."

샹이 딘후 슉딜의 어딘 말슘을 드르시미, ᄯᅩᄒ 몽슉을 샤코져 ᄒ샤, 도라 만됴ᄃ려 므르샤ᄃ,

"딘경과 텬흥의 쥬시 여ᄎᄒ니 졔경의 ᄠᅳᆺ이 엇더ᄒ뇨?"

태ᄉ 뎡유와 승상 조진 등이 쥬 왈,

"딘광과 뎡텬흥이 몽슉을 구ᄒ믄, 그 의긔현심(義氣賢心)으로 후ᄉ 멸졀ᄒ믈 잔잉히 너이고, ᄯᅩ 현심을 발ᄒ여 브ᄃ 살오고져【48】ᄒ미 아름다오니, 엇디 몽슉의 일명을 빌니셤죽디30) 아니리잇고?"

28)현마 : 셜마. 아무리 하기로.
29)도이 : 되이. 되게.

"경언이 군즈의 대도를 슝상ᄒ미나, 몽슉의 죄상이 아모리 싱각ᄒ여도 샤치 못ᄒ리니, 현마24) 몽슉의 지조만ᄒ 뉴를 못 어드리오."

평남휘 ᄃ시 주 왈,

"신이 국가를 위ᄒ 말슘이러니, 폐히 님의 호싱지덕을 널니 베프ᄉ○○○○○○○[죽이디 아니시니], 몽슉의 일명을 술오시믈 바라ᄂ이다."

만뇌 다 몽슉 술오기를 불열(不悅)ᄒᄃ, 홀노 낙양후 진광이 몽슉을 잔잉히 너겨, 술【40】오고ᄌ ᄒᄂ 의ᄉ 뎡병부와 일반이라. 이에 주 왈,

"몽슉은 어려셔 부모를 녀희고 강근지친(强近之親)이 업순 고로, 신이 그 혈혈무의ᄒᄂ믈 잔잉이 너겨 거두어 구ᄒ미 이시ᄃ, 신의 ᄀᆞᄅ치는 도리 무상ᄒ여 몽슉으로 ᄒ여금 졍도의 닐위지 못ᄒ고, 간흉ᄒ 곳의 ᄲᆞᆫ지믄 신의 타시라. 몽슉이 신의 부즈 형뎨와 뎡연의 부즈를 히ᄒ미, 신의 불현ᄒ 연괴오니, 몽슉을 버히시미 신의 ᄀᆞᄅ치지 못ᄒ 죄를 다스리시리니, 만일 덕화를 베프시고 인명이 즁대ᄒ믈 싱각ᄒ실진ᄃ, 텬흥의 주ᄉᄃ로 몽슉을 쳥[형]·뉴 냥쳐의 안무ᄉ를 ᄉᆞᆷ으샤 인명을 빌니시고, 혹즈 셩공치 못ᄒᄋᆸ거든, 즉시 역뉼노【41】쳐참ᄒ시고, 신과 텬흥을 죄 주ᄉ 망녕되이 쳔거ᄒ믈 다스리쇼셔."

샹이 딘후 슉딜의 어진 말슘을 드르시미, ᄯᅩᄒ 몽슉을 샤코ᄌ ᄒ샤, 도라 만됴ᄃ려 므르ᄉᄃ,

"진광과 텬흥의 주시 여ᄎᄒ니 졔경의 ᄠᅳᆺ이 엇더ᄒ뇨?"

태ᄉ 뎡유와 승상 조진 등이 주 왈,

"진광과 뎡텬흥이 몽슉을 구ᄒ믄, 그 의긔현심(義氣賢心)을 발ᄒ여 브ᄃ 샤(赦)ᄒ고ᄌ ᄒ미 아름다오니, 엇지 몽슉의 일명을 빌니셤죽지25) 아니리잇고?"

24)현마 : 셜마. 아무리 하기로.
25)-지 : ~하지. 'ㄱ'으로 끝나는 부사어 뒤에 붙어, '하다'의 뜻을 나타내는 보조사.

샹이 우으시고 쾌히 몽슉을 샤흐샤 형·유 안무스를 흐이시고, 기여 죄인은 다 버히고 찬츌흐라 흐시고, 문양궁 노(奴) 녀환은 남후의 ᄌ녀를 히흔 일이 업ᄉ딕, 본졍인즉 극악흐니라. 황샹이 그 ᄉ오나오믈 아디 못흐시고 무ᄉ히 노흐시니, 녀환이 흔흔ᄌ득(欣欣自得)흐여, 어린 긔운을 닉다가 오왕의 하리와 벗화, 그 하리를 반싱반ᄉ케 즛두다리니, 오왕이 대로흐여 녀환을 형장 삼츠의 졀도(絶島)의 닉치니라.

샹이 죄인을 죽이시고, 【49】공작(功爵)을 상(賞)ᄒ실ᄉ, 평남휘 북이(北夷)를 평뎡흐고 북방 싱녕(生靈)[31]을 탕화듕(湯火中) 건디고 대국 위엄을 빗닉다 흐샤, 벼슬을 도도시고 대연(大宴)을 주어 그 조모 슌태부인과 금평후 부부를 딘헌(進獻)[32]흐라 흐시고, 윤시는 셩힝(性行) ᄉ덕(四德)이 만고의 희한흐거늘, 그 조모와 슉모의 블인흐므로 심ᄉ 편흐믈 엇디 못흐고, 츌가흐미 공쥬로 인흐여 만상ᄉ변(萬狀事變)을 겻글 ᄲᆫ 아니라, 간인의 흉모를 아라 구가(舅家)의 급화를 구흐미, 격고등문(擊鼓登聞)흐여 녈부(烈婦)의 졀개를 다흐고, 그 한믜 허물을 붓그려 죽고져 흐미 더욱 아름다오니, 각별이 졀효의 렬 【50】현비문(節孝義烈賢妃門)을 셰워 후셰의 젼흐라 흐시고, 쥬영은 쥬인을 도아 뎡·딘 이문을 신빅게 흐믈 긔특다 흐샤 금빅(金帛)을 상샤흐시고, 혜원 니고는 ○○○[현인을] 급화의 건져 신묘랑 요졍을 잡다 흐샤, 법호를 곳쳐 명셩대ᄉ라 흐고, 활인ᄉ를 크게 슈보흐여 혜원의게 광치 잇게 흐고, 금은 필빅을 활인ᄉ의 만히 상샤흐시고, 남후의 직실 양시 공쥬의 히흐믈 바다 윤시와 흔가디로 굿기미 참혹다 흐샤, 뎡부로 도라오는 날 각별 위의를 빗닉여 상샤(賞賜)를 더으라 흐시고, 니·경 등이 다 공쥬로 인흐여 굿기믈 츠셕흐시며,

---

30)-디 : ~하지. 'ㄱ'으로 끝나는 부사어 뒤에 붙어, '하다'의 뜻을 나타내는 보조사.
31)싱녕(生靈) : 생민(生民). 살아 있는 백성.
32)딘헌(進獻) : 헌수(獻壽)를 올림.

샹이 우으시고 쾌히 몽슉을 쳥[형]·뉴 안무스를 슴으시고, 기여 죄인은 다 버히고 찬츌흐라 흐시고, 문양궁 노(奴) 녀환은 평후의 ᄌ녀를 히흔 일이 업ᄉ딕, 본졍인즉 극악흐지라. 황샹이 그 ᄉ오나오믈 아지 못 【42】 흐시고 무ᄉ히 노흐시니, 녀환이 흔흔ᄌ득(欣欣自得)흐여 어린 긔운을 닉다가, 오왕의 하리와 ᄲ화 그 하리를 반싱반ᄉ케 즛두다리니, 오왕이 대로흐여 녀환을 형장 슴츠의 졀도(絶島)의 닉치니라.

샹이 죄인을 죽이시고, 공작(功爵)을 상(賞)ᄒ실ᄉ, 평남휘 북이(北夷)를 평졍흐고 북방 싱녕(生靈)[26]을 탕화즁(湯火中) 건지고 대국 위엄을 빗닉다 흐샤, 벼슬을 도도시고 즉시 대연(大宴)을 주어 그 조모 슌틱부인과 금평후 부부를 《진현∥진헌(進獻)[27]》흐라 흐시고, 윤시는 《셩형∥셩힝(性行)》 ᄉ덕(四德)이 만고의 희한흐거늘, 그 조모와 슉모의 블인흐므로 심ᄉ 편흐믈 엇지 못흐고, 츌가흐미 공쥬로 인흐여 만상ᄉ변(萬狀事變)을 겻글 ᄲᆫ 아니라, 간인의 【43】 흉모를 아라 구가(舅家)의 급화를 구흐미 격고등문(擊鼓登聞)흐여 녈부(烈婦)의 졀기를 다흐고, 그 조모의 허물을 붓그려 죽고ᄌ 흐미 더욱 아름다오니, 각별이 졀효의렬현비문(節孝義烈賢妃門)을 셰워 후셰의 젼흐게 흐라 흐시고, 쥬영은 쥬인을 도아 뎡·딘 이문을 신빅게 흐믈 긔특다 흐샤 금빅(金帛)을 상샤흐시고, 혜원 니고는 현인을 급화의 건져 신묘랑 뇨졍을 줍앗다 흐샤, 법호를 곳쳐 명셩대ᄉ라 흐고, 활인ᄉ를 크게 슈리흐여 혜원의게 광치 잇게 흐고, 금은 필빅을 활인ᄉ의 만히 상ᄉ흐시고, 평후의 직실 양시 공쥬의 히흐믈 바다 윤시와 흔가지로 굿기미 참혹다 흐ᄉ, 뎡부로 도라오는 날 각별 위의를 빗닉 【44】 여 상ᄉ(賞賜)를 더으라 흐시고, 니·경 등이 다 공쥬로 인흐여 굿기믈 츠셕흐시며, 니시의 누명이 윤·양 등과 흔가지로 버셔시니, 쾌히

---

26)싱녕(生靈) : 생민(生民). 살아 있는 백성.
27)딘헌(進獻) : 헌수(獻壽)를 올림.

니시의【51】누명이 윤·양 등과 흔가디로 버셔시니 쾌히 뎡가로 모도라 흐시며, 경시는 비록 허무흔 일이라도 요괴의 히흐믈 밧고, 공쥬의 투악을 인흐여 잔잉히33) 상흐엿던 바를 슬피 넉이샤, 참졍 경침을 블너 기녀의 익회(厄會)를 위로흐시고, 한튬은 뎡우 등을 구호흐며 운〇[영]을 살나닉고 그 현심이 긔특다 흐샤, 좌익댱(左翼將)을 흐이시고, 궁인 태셤과 기여(其餘)34)를 상샤흐시고, 다시 의됴스(誼朝事)35)를 의논흐샤, 뎡·딘 등의 금번 화란의 놀나믈 위로흐시고, 뉘웃는 뜻을 뵈샤, 금평후와 낙양후 삼곤계(三昆季)로브터 쇼년의 니로히 옥비(玉杯)의 향온(香醞)을 반샤(頒賜)흐시며, 금【52】평후는 년흐여 수오 비를 권흐샤 싱디긔즈(生之奇子)36)흐믈 포장(褒獎)흐시고, 윤광텬 형뎨는 그 흉흔 조모와 간악흔 뉴녀의 히흐믈 만나 남·양 이쳐의 뎡비흐미 원억흐믈 니르샤, 윤희텬으로 태즈태부 홍문관 태흑스를 흐이샤 역마(驛馬)37)로 브르시고, 윤광텬은 임의 댱샤를 뎡벌흐는 바의 참모시 되어시니, 아딕 브르디 말고 손확의게 됴셔(詔書)흐샤 됴히 군즁의 죵샤케 흐려 흐시더니, 믄득 댱스(長沙)38)로브터 급흔 쥬문(奏文) 두 댱이 궐졍의 오로니, 손확의 쥬문의 참모스 윤광텬이 파뎍홀 의논을 듯디 아니흐고, 댱샤왕과 동심흐여 황성을 범코져 흐【53】는 간졍이[을] 발각흐니, 엇던 요괴로운 도스와 그 부하의 잇는 님셩각이라 흐는 댱시 광텬과 흔가디로 도망흐믈 쥬흐엿고, 흔댱은 부원슈 댱원의 쥬문이니, 손확이 군졍을 다스리디 아니흐고 탐쥬호식(貪酒好色)흐여 셩식으로 날을 보닉며, 포학(暴虐) 《잔잉‖잔인(殘忍)》흐며[여] 참모

---

33)잔잉히 : 자닝히. 애처롭고 불쌍하게.
34)기여(其餘) : 그 밖의 사람들.
35)의됴스(誼朝事) : 조정(朝廷)의 화합을 꾀하는 일.
36)싱디긔즈(生之奇子) : 기특한 아들을 낳음.
37)역마(驛馬) : 조선 시대에, 각 역참에 갖추어 둔 말. 관용(官用)의 교통 및 통신 수단이었다.
38)댱스(長沙) : 중국 호남성의 동부 곧 동정호(洞庭湖) 남쪽 상강(湘江) 동쪽 하류에 있는 도시. 수륙 교통의 요충지이며 호남성의 성도(省都)이다.

뎡가로 모도라 흐시며, 경시는 비록 허무흔 일이라도 요괴의 히흐믈 밧고, 공쥬의 투악을 인흐여, 잔잉히 상흐엿던 바를 슬피 넉이샤, 참졍 경침을 블너 기녀의 익회를 위로흐시고, 한튬은 뎡우 등을 구호흐며, 윤[운]녕을 살나닉고 그 현심이 긔특다 흐샤 좌익쟝(左翼將)을 흐이시고, 궁인 틱셕[셤]과 기녀(其餘)28)를 상샤흐시고, 다시 의됴스(誼朝事)29)를 의논흐샤, 뎡·딘 등의 금번 화란의 놀나믈 위로흐시고, 뉘웃는 뜻을 뵈샤, 금평후와 낙양후 숨곤계(三昆季)로브터 쇼년의 니르히 옥비(玉杯)의 향온(香醞)을 반【45】샤(頒賜)흐시며, 금평후는 년흐여 수오 비를 권흐샤, 《오믈‖ㅇ들》 즐는 공을 포장(襃奬)흐시고, 윤광텬 형뎨는 간흉흔 조모와 간악흔 뉴녀의 히흐믈 바다 남·양 이쳐의 뎡비흐미 원억흐믈 니르스, 윤희텬으로 태즈 태부 홍문관 틱흑스를 흐이여 역무(驛馬)30)로 브르시고, 윤광텬은 임의 댱스를 졍벌흐는 바의 참모시 되어시니 아직 브르지 말고, 손확의게 됴셔(詔書)흐스 됴히 군즁의 죵스케 흐려 흐시더니, 믄득 댱스(長沙)31)로브터 급흔 쥬문(奏文) 두 댱이 궐졍의 오르니, 손확의 쥬문의 참모스 윤광텬이 파젹홀 의논을 듯지 아니흐고, 댱스왕과 동심흐여 황성을 범코즈 흐는 간졍이[을] 발각흐니, 엇던 뇨괴로운 도스와 그 부하의【46】 잇는 님셩각이라 흐는 쟝시, 광텬과 흔가지로 도망흐믈 쥬흐엿고, 흔쟝은 부원슈 댱원의 쥬문이니, 손확이 군졍을 드스리지 아니흐고 탐쥬황음(貪酒荒淫)흐여 셩식으로 날을 보닉며, 포학(暴虐) 《잔잉‖잔인(殘忍)》흐며[여], 참모스 윤광텬이 간흐고 파젹(破敵)홀 모칙(謀策)을 드리니, 손확이 딕로흐여 닉여 버히려 흐다가

---

28)기여(其餘) : 그 밖의 사람들.
29)의됴스(誼朝事) : 조정(朝廷)의 화합을 꾀하는 일.
30)역마(驛馬) : 조선 시대에, 각 역참에 갖추어 둔 말. 관용(官用)의 교통 및 통신 수단이었다.
31)댱스(長沙) : 중국 호남성의 동부 곧 동정호(洞庭湖) 남쪽 상강(湘江) 동쪽 하류에 있는 도시. 수륙 교통의 요충지이며 호남성의 성도(省都)이다.

스 윤광텬이 간흐고 파뎍(破敵)홀 모척(謀策)을 드리니 손확이 대로흐여 닉여 버히려 흐다가 일코, 군댱샤졸(軍將士卒)이 ᄆᆞ음이 변흐고, 댱샤국 병셰(兵勢) 셩(盛)흐여 댱졸이 무슈히 죽고, 손확이 ᄯᅩ흔 잡힌 빅 되여시믈 쥬흐고, 냥댱(良將) 보닉시믈 쳥흐엿더라. 샹이 남필(覽畢)의 대경흐샤 글오샤딕,

"딤이 블명흐여 손확【54】 ᄀᆞᄐᆞᆫ 신하를 원융(元戎) 듕임을 맛져 대스를 그릇 민들며, 윤광텬 ᄀᆞᄐᆞᆫ 튱효영쥰(忠孝英俊)을 일케 되니, 엇디 앗갑고 츠악디 아니리오. 그러나 광텬은 맛ᄎᆞᆷ닉 딤을 속이지 아니리니, 댱샤 흉역을 뉘 능히 졔어흐리오."

뎡병뷔 텬문의 결ᄉᆞ를 보믹, 맛당흐딕, ᄌᆞ긔 봉공인슈(封公印綬)[39]를 밧디 아니려 흐나, 샹이 블윤흐시고 북평공을 흐이시고, 니르샤딕,

"댱샤왕이 윤광텬의 바린 안희를 다리고 흉역을 쐬흐여, 병을 모라 황셩을 범코져 홀 ᄲᅮᆫ 아니라, 병셰 강댱(強壯)흐여 딕뎍홀 댱쉬 업스니, 경이 아니면 댱스를 파키 어려온디라. 젼일 슈고흐미 만【55】흐나 ᄯᅩ 이번 흉역을 멸흐미 엇더흐뇨?"

북공이 직빅 딕쥬 왈,

"폐히 신으로뻐 댱샤를 파코져 흐시면 신이 엇디 샤양흐리잇고마는, 신의 쇼견은 광텬이 피흐여 ᄃᆞ라나오미 원녜(遠慮) 깁고, 필연 댱샤를 파홀 디략이 가족흐오리니, 아딕 슈삭을 기다려 보시면, 광텬이 반두시 댱샤를 멸흐고 대공을 셰워 도라오리이다."

샹이 오히려 밋디 아니샤 근심흐시ᄂᆞᆫ디라, 금평휘 쥬왈,

"윤광텬의 용녁과 직조는 텬흥의 뉘 아니라. 디뫼 ᄀᆞ즈니 폐흐는 됴셔를 나리오샤, 광텬으로뻐 댱샤를 파흐고 슈히 도라오라 흐쇼셔."

샹이 글오샤딕,

"광텬의【56】 직조는 원융이라도 죡히

일코, 군장ᄉᆞ졸(軍將士卒)이 ᄆᆞ음이 변흐고 당ᄉᆞ국 병셰(兵勢) 셩흐여 장졸이 무슈히 죽고, 손확이 ᄯᅩ흔 잡힌 빅 되여시믈 쥬흐고, 냥장(良將)을 보닉시믈 쳥흐엿더라.

샹이 남필의 딕경흐여 글오샤딕,

"딤이 블명흐여 손확 ᄀᆞ튼 신하를 원융(元戎) 즁임을 맛져 대ᄉᆞ를 그릇 민들며, 윤광텬 ᄀᆞ튼 츙효녕쥰(忠孝英俊)을 일케 되【47】니 엇지 앗갑고 츠악지 아니리오. 그러나 광텬은 맛ᄎᆞᆷ닉 딤을 속이지 아니리니 당ᄉᆞ 흉젹을 뉘 능히 졔어흐리오."

뎡병뷔 텬문의 결ᄉᆞ를 보믹 맛당흐딕, ᄌᆞ긔 봉공인슈(封公印綬)[32]를 밧지 아니려 흐딕, 샹이 블윤흐시고 북평공을 흐이시고, 니르샤딕,

"당ᄉᆞ왕이 윤광텬의 바린 안희를 드리고 흉녁을 쐬흐여, 병을 ○○[모라] 황셩을 범코즈 홀 ᄲᅮᆫ 아니라, 병셰 강장(強壯)흐여 딕젹홀 당쉬 업스니, 경이 아니면 당ᄉᆞ를 파키 어려온지라. 젼일 슈고흐미 만흐나 ᄯᅩ 이번 흉역을 멸흐미 엇더 흐뇨?"

북공이 직빅 딕왈,

"폐히 신으로뻐 당ᄉᆞ를 파코즈 흐시면 신이 엇지 샤양흐리잇고마는, 신의 쇼견은 광텬이 피흐여 ᄃᆞ라나오미【48】 원녜 깁고, 필연 당ᄉᆞ를 파홀 지략이 ᄀᆞ족흐오리니, 아직 슈삭을 기다려 보시면, 광텬이 반두시 당ᄉᆞ를 멸흐고 대공을 셰워 도라오리이다."

샹이 오히려 밋지 아니샤 근심흐시ᄂᆞᆫ지라, 금평휘 주 왈,

"광텬의 농녁과 직조는 텬흥의 뉘 아니라. 지뫼 ᄀᆞ즈니 폐흐는 됴셔를 ᄂᆞ리오ᄉᆞ 광텬으로뻐 당ᄉᆞ를 파흐고 슈히 도라오라 흐쇼셔."

샹이 글오샤딕,

"광텬의 직조는 원융이라도 죡히 당홀 거

---

39)봉공인슈(封公印綬) : 공작(公爵)에 봉작된 표시로 차고 다니던 쇠나 옥으로 된 조각물과 그것을 꿴 끈.

32)봉공인슈(封公印綬) : 공작(公爵)에 봉작된 표시로 차고 다니던 쇠나 옥으로 된 조각물과 그것을 꿴 끈.

당홀 거시로딕, 나히 계오 이팔(二八)이 넘엇고, 제 문듕(門中)의 댱직(將材) 업스니 무예(武藝) 소여(疎如)홀가 호노라."

금평휘 쥬 왈,

"지조란 거슨 년티(年齒) 다쇼(多少)의 잇디 아니호오니 과렴치 마르쇼셔."

샹이 금평후 부즈를 미드시는 고로, 즉시 됴셔를 나리와, 윤광텬으로 평남 대원슈를 삼아 댱샤를 치라 호시니, 북공이 다시 구몽슉으로뼈 형·유 안무스를 삼아 보니시믈 청호니, 샹이 그 현심을 아름다이 넉이샤, 즉시 구몽슉의 죄를 샤호여 닙공쇽죄(立功贖罪)호라 호시니, 몽슉이 쳔만 의외예 낙양후와 북평공의 살오믈 당흐【57】니, 도로혀 괴이흐여 듕장여(重杖餘)의 계오 붓들녀 집으로 도라가딕, 아모도 잔잉히 넉이리 업고, 샹이 태흑스 위현 등을 벼살을 삭(削)흐여 젼니(田里)로 닉치시니라.

이날 듕관[광]으로부터 셰월 비영 등을 다 버히실식, 듕인은 다 구틱여 괴이흔 일이 업스딕, 묘랑을 버힐 졔 흔 덩이 피조각이 화(化)흐여 괴이흔 긔운이 되어, 셔북간(西北間)으로 향흐니, 후릭(後來)의 윤셰린의[이] 직실 녀시를 어더, 가닉를 어즈러이미 츌거(黜去)흐엿더니, 공교히 변용흐여 덩운긔 데오 부빈(副嬪)이 되여, 능히 부부호합(夫婦好合)을 엇디 못흐고, 뎡가의 츌뷔(黜婦) 되엿더니, 필경 궐졍의 드러가 작변흐다가, 【58】악식 발각흐여 또 머리를 보젼치 못흐미 되니, 이 셜화는 삼문즈녀별젼(三門子女別傳)40)의 잇느니라.

이 씩 금평휘 텬문의 결스흐시믈 보고, 날이 느즌 후 샹이 닉뎐(內殿)의 드르시니 만뇌 비로소 퇴흘식, 금평휘 쏘흔 삼즈로 더브러 믈너와 바로 윤시의 햐처(下處)41)로 오니, 쥬영이 녀의(女醫) 등으로 더브러 부인을 뫼셧고, 태의(太醫) 등이 밧긔셔 약을

시로딕, 나히 계오 이팔(二八)이 넘엇고, 졔 문즁(門中)의 댱직(將材) 업스니 무예(武藝) 소여(疎如)홀가 호노라."

금평휘 주 왈,

"지조란 거슨 년○○[치다]쇼(年齒多少)의 잇지 아니호오니, 과렴치 마르쇼셔."

상이 금평후 부즈를 미드시는 고로 즉시 교지를 느리와, 광텬으로 남평 대【49】원슈를 숨아 당스를 치라 호시니, 북공이 드시 구몽슉으로뼈 형·뉴 안무스를 숨아 보닉시믈 쳥호니, 상이 그 현심을 아름다이 넉이샤 즉시 구몽슉의 죄를 샤호여 닙공쇽죄(立功贖罪)호라 호시니, 몽슉이 쳔만의 외의 낙양후와 북평공의 스로믈 당호니, 도로혀 괴이히 넉이고, 상이 태흑스 위형 등을 벼슬을 삭(削)호여 젼니(田里)로 닉치시니라.

이 날 즁관으로부터 셰월, 비영 등을 다 버히실식 즁인은 다 구틱여 괴이흔 일이 업스딕, 묘랑을 버릴 졔 흔 덩이 피조각이 화흐여 괴이흔 긔운이 되여 셔북간(西北間)으로 향흐니, 후릭(後來)의 윤셰린의[이] 직실 녀시를 어더 가닉를 어즈러이미 츌거(黜去)흐엿더니, 공교히 변용흐여 덩운긔 데오 부【50】빈(副嬪)이 되여, {능히 부빈의} 득춍《흔‖흐여》 화합을 엇지 못흐고 뎡가의 츌뷔(黜婦) 되엿더니, 필경 궐졍의 드러가 작변흐다가, 악식 발각흐여 또 머리를 보젼치 못흐니, 이 셜화는 숨문즈녀별젼(三門子女別傳)33)의 잇느니라.

이 씩 금평휘 텬문의 결스흐시믈 보고 날이 느즌 후 상이 닉견(內殿)의 드르시니, 만뇌 비로소 퇴흘식, 금평휘 쏘흔 숨즈로 더브러 믈너와 바로 윤시의 햐쳐(下處)34)로 오니, 쥬영이 녀의(女醫) 등으로 더브러 부인을 뫼셧고, 틱의(太醫) 등이 밧게셔 약을

---

40)삼문즈녀별젼(三門子女別傳) : 본 작품 <명주보월 빙>의 속편인 <윤하정삼문취록>을 말함. 105권 105책으로 된 대장편이다.
41)햐처(下處) : 뉵사처. 손님이 길을 가다가 묵음. 또 는 묵고 있는 그 집

33)숨문즈녀별젼(三門子女別傳) : 본 작품 <명주보월 빙>의 속편인 <윤하정삼문취록>을 말함. 105권 105책으로 된 대장편이다.
34)햐처(下處) : 뉵사처. 손님이 길을 가다가 묵음. 또 는 묵고 있는 그 집

디후ᄒᆞᄂᆞᆫ디라. 금평휘 창외의셔 부인의 먹는 거ᄉᆞᆯ 뭇고 드러가니, 윤시 계오 붓들녀 니러 안거ᄂᆞᆯ, 공이 어로만져 왈,

"텬문의 결ᄉᆞᄒᆞ시미 여ᄎᆞ여ᄎᆞ ᄒᆞ시니, 이졔는 현비 위·뉴 두 부인을 위ᄒᆞ여 넘녀ᄒᆞᆯ 일이 업고, 너의 졀효를 칭찬【59】ᄒᆞ샤 문녀(門閭)42)의 졍표(旌表)43)ᄒᆞ시니, 우리 부지 샤양ᄒᆞ디 텬의 견고ᄒᆞ시니 ᄒᆞᆯ 일 업거니와, 은영이 넘ᄢᅵ미 블안ᄒᆞ도다."

윤시 밋쳐 디치 못ᄒᆞ여셔, 북공이 고 왈,
"금일 분요(紛擾)ᄒᆞᆯ ᄲᅮᆫ 아니라, 몽슉을 ᄉᆞᆯ 오기로 타렴(他念)이 밋디 못ᄒᆞ와, 졍문(旌門)44) 포장(襃奬)이 과도ᄒᆞ시믈 간치 못ᄒᆞ엿ᅀᆞᆸ거니와, 쇼지 명일 졍문 마르시믈 쳥ᄒᆞ여 녀ᄌᆞ의 ᄒᆡᆼ덕이 고요ᄒᆞ게 ᄒᆞ리이다."

공이 답왈,
"네 ᄯᅳᆺ이 그러ᄒᆞ나 셩샹이 허치 아니실가 ᄒᆞᄂᆞ니, 비록 외람(猥濫) 황공(惶恐)ᄒᆞᆫ들 현마 엇디 ᄒᆞ리오."

윤시 존구(尊舅)의 말ᄉᆞᆷ을 드르미, 뉴부인의 찬츌이 오히려 경참ᄒᆞ고, ᄌᆞ긔로ᄡᅥ 졍문 포장ᄒᆞ시믈 블안【60】황공하여 팔ᄌᆞ츈산(八字春山)45)의 유연(幽然)ᄒᆞᆫ 슈ᄉᆡᆨ(愁色)을 ᄯᅴ여시니, 그 긔이ᄒᆞ고 어엿븐 긔딜이 블가 형언(不可形言)이라. 금평후의 이련(愛憐)ᄒᆞ는 졍은 니르디 말고, 낙양후 등이 다 ᄒᆞᆫ가지로 ᄉᆞ랑ᄒᆞ여 친ᄌᆞ부 ᄀᆞᆺ더라.

금휘 뎡46)을 드려 압히 노코 쥬영을 명ᄒᆞ여 쇼져를 붓드러 뎡의 편히 눕게 ᄒᆞ라 ᄒᆞ며, 윤시다려 왈,
"셩괴 여ᄎᆞᄒᆞ시니 현비 다시 블안ᄒᆞᆯ 일이 업ᄂᆞᆫ디라. 모로미 ᄆᆞᄋᆞᆷ을 편히 ᄒᆞ여 다시

<hr/>

42)문녀(門閭) : 동네 어귀에 세운 문. 늑여문(閭門)
43)정표(旌表) : 착한 행실을 세상에 드러내어 널리 알림.
44)정문(旌門) : 충신, 효자, 열녀 들을 표창하기 위하여 그 집 앞에 세우던 붉은 문. 늑작설(綽楔)·홍문(紅門)
45)팔ᄌᆞ츈산(八字春山) : '두 눈 위의 화장한 눈썹'을 비유적으로 나타낸 말. '팔(八)'자는 '두 눈두덩 위에 나 있는 눈썹'의 모양을 나타낸 말.
46)뎡 : 공주나 옹주가 타던 가마.

<hr/>

딕후ᄒᆞᄂᆞᆫ지라. 금평휘 창외의셔 쇼져의 먹ᄂᆞᆫ 거ᄉᆞᆯ 뭇고 드러ᄀᆞ니, 윤시 계오 붓들녀 니러 안거ᄂᆞᆯ, 공이 어로만져 왈,

"텬문의 결ᄉᆞᄒᆞ시미 여ᄎᆞ여ᄎᆞ ᄒᆞ시니, 이졔는 현비 위·뉴 두 부인을 위ᄒᆞ여 넘녀ᄒᆞᆯ 일이【51】 업고, 네 졀효를 표장(表奬)ᄒᆞ샤 문녀(門閭)35)의 졍표(旌表)36)ᄒᆞ시니, 우리 부지 ᄉᆞ양ᄒᆞ디 텬의 견고ᄒᆞ시니 ᄒᆞᆯ일업거니와, 은영이 넘ᄢᅵ미 블안ᄒᆞ도다."

윤시 밋쳐 잡지 못ᄒᆞ여셔, 북공이 고 왈,
"금일 분요(紛擾)ᄒᆞᆯ ᄲᅮᆫ 아니라 몽슉을 ᄉᆞᆯ 오기로 타렴(他念)이 밋지 못ᄒᆞ와 졍문(旌門)37) 포장(襃奬)이 과도ᄒᆞ시믈 간치 못ᄒᆞ엿ᅀᆞᆸ거니와, 쇼지 명일 졍문 셰우지 마ᄅᆞ시믈 쳥ᄒᆞ여 녀ᄌᆞ의 ᄒᆡᆼ적이 고요ᄒᆞ게 ᄒᆞ리이다."

휘 답왈,
"네 ᄯᅳᆺ이 그러ᄒᆞ나 셩샹이 허치 아니실가 ᄒᆞᄂᆞ니, 비록 외람(猥濫) 황공(惶恐)ᄒᆞᆫ들 현마 엇지 ᄒᆞ리오."

윤시 존구(尊舅)의 말ᄉᆞᆷ을 드ᄅᆞ미 뉴부인의 찬츌이 오히려 경츰ᄒᆞ고, ᄌᆞ긔로ᄡᅥ 졍문 포장ᄒᆞ시믈 블안 황공하여 팔ᄌᆞ츈산(八字春山)38)의 유연(幽然)ᄒᆞᆫ 슈ᄉᆡᆨ(愁色)을 ᄯᅴ여시니, 그 긔이【52】ᄒᆞ고 어엿븐 긔딜이 블가 형언(不可形言)이라. 금평후의 이련(愛憐)ᄒᆞ는 졍은 니르지 말고, 낙양후 등이 다 ᄒᆞᆫ가지로 ᄉᆞ랑ᄒᆞ여 친ᄌᆞ부 ᄀᆞᆺ더라.

금휘 뎡39)을 드려 앏히 노코 쥬영을 명ᄒᆞ여 쇼져를 붓드러 뎡의 편히 눕게 ᄒᆞ라 ᄒᆞ며, 윤시 드려 왈,
"셩괴 여ᄎᆞᄒᆞ시니 현비 ᄃᆞ시 블안ᄒᆞᆯ 일이 업ᄂᆞᆫ지라. 모로미 ᄆᆞᄋᆞᆷ을 편히ᄒᆞ여 다시 병

<hr/>

35)문녀(門閭) : 동네 어귀에 세운 문. 늑여문(閭門)
36)정표(旌表) : 착한 행실을 세상에 드러내어 널리 알림.
37)정문(旌門) : 충신, 효자, 열녀 들을 표창하기 위하여 그 집 앞에 세우던 붉은 문. 늑작설(綽楔)·홍문(紅門)
38)팔ᄌᆞ츈산(八字春山) : '두 눈 위의 화장한 눈썹'을 비유적으로 나타낸 말. '팔(八)'자는 '두 눈두덩 위에 나 있는 눈썹'의 모양을 나타낸 말.
39)뎡 : 공주나 옹주가 타던 가마.

병을 일위디 말나."

윤시 다시 므어시라 칭탁ᄒ리오. ᄌ긔의 ᄉᆞ졍을 빗최디 못ᄒ여 뎡의 들미, 금평휘 뎡을 압셰오고 삼ᄌᆞ로 더브러 부듕의 도 【61】 라올ᄉᆡ, 녀의 등과 태의 다 부인의 뒤흘 쓸오고, 허다(許多) ᄒ리(下吏) 길흘 치오니, 그 영광이 일노(一路)의 휘황ᄒᆞᆫ디라. 금평휘 비록 샤치를 원슈ᄀᆞᆺ치 넉이나 ᄌᆞ연 위(位)예 좃촌 츄죵(追從) ᄒ리 가죽ᄒ여 길히 덥히니 뉘 아니 깃거ᄒ리오. 뎡·딘 등의 뒤흘 쓸와 취운산으로 나아오ᄂᆞᆫ 지, 왕공후빅(王公侯伯)이 아니면 진신명ᄉᆞ(縉紳名士)47)라. 이의 힝ᄒᆞ여 운산의 다ᄃᆞ라 낙양후 삼곤계ᄂᆞᆫ ᄌᆞ딜을 거ᄂᆞ려 딘부로 드러가고, 금평후ᄂᆞᆫ 삼ᄌᆞ를 거ᄂᆞ려 윤시의 뎡을 쎠 부문의 들미, 빅관(百官)과 존긱(尊客)이 벌 뭉긔48) 듯 모드니, 인ᄉᆞ의 손을 바리고 안흐로 드러가디 못 【62】 ᄒ여, 다만 윤시의 뎡만 드려 보ᄂᆞᆫ고 ᄌᆞ긔 부ᄌᆞᄂᆞᆫ 청듁헌의셔 빈긱(賓客)을 졉응ᄒᆞᆯᄉᆡ, 허다(許多) 지렬명뉴(宰列名流) 뎡·딘 이부로 갈나 드러가, 젼ᄉᆞ(殿事)를 일ᄏᆞ라 티위(致慰)ᄒᆞ니, 금평후 부ᄌᆞ ᄉᆞ샤(謝辭)ᄒ여 셩샹의 호ᄉᆡᆼ디덕(好生之德)이믈 일ᄏᆞᄅᆞᆯ ᄯᆞᄅᆞᆷ이오. 하긱이 셔로 돌녀드러 뎡부로 왓던 ᄌᆞᄂᆞᆫ 딘부로 들고, 딘부 하긱은 뎡부로 가 날이 어듭기의 니르도록 낙역브절(絡繹不絕)49)ᄒ다가, 동문(東門)이 닷게 되미 각각 도라 가니라.

이 날 딘부인이 슌태부인을 뫼셔 윤시의 상쳐를 뭇고, 쳐소를 션월졍의 뎡ᄒ고, 태부인이 윤시의 좌슈를 잡고 딘부인이 우슈를 잡 【63】 아 방듕의 드러가미, 윤시 십분 강작(強作)50)ᄒ여 알픈 거슬 견듸여 태부인과 존고긔 녜를 맛초니, 태부인이 그 상쳐를

---

47)진신명ᄉᆞ(縉紳名士) : 홀(笏)을 큰 띠에 꽂은 높은 벼슬아치와 이름 있는 선비.
48)뭉긔다 : 뭉기다. 엉겨서 무더기를 이루다.
49)낙역브절(絡繹不絕) : 연락부절(連絡不絕). 왕래가 잦아 발길이나 소식이 끊지 아니함
50)강작(強作) : 억지로 기운을 냄.

을 닐위지 말나."

윤시 ᄃᆞ시 무어시라 칭탁ᄒ리오. ᄌ긔의 ᄉᆞ졍을 빗최지 못ᄒ여 뎡의 들미, 금평휘 뎡을 압셰우고 슴ᄌᆞ로 더브러 부즁의 도라 올ᄉᆡ, 녀의 등과 틔의 다 부인의 뒤흘 쓸오고, 허다(許多) ᄒ리(下吏) 길흘 덥혀 비힝ᄒ니, 그 녕광이 일노(一路)의 휘황ᄒᆞᆫ지라. 금평휘 비록 ᄉᆞ치를 원슈ᄀᆞᆺ치 【53】 넉이나 ᄌᆞ연 위의 좃춘 츄죵(追從) ᄒ리 ᄀᆞ죽ᄒ여 길의 덥히니, 뉘 아니 깃거ᄒ리오. 뎡·딘 등의 뒤흘 ᄯᆞ라 취운산으로 나아오ᄂᆞᆫ 지, 왕공후빅(王公侯伯)이 아니면 《신진∥진신》명ᄉᆞ(縉紳名士)40)라. 이의 힝ᄒᆞ여 운산의 ᄃᆞᄃᆞ라 낙양후 슴곤계《쏘∥ᄂᆞᆫ》 ᄌᆞ딜을 거ᄂᆞ려 딘부로 드러가고, 금평후ᄂᆞᆫ 슴ᄌᆞ를 거ᄂᆞ려 윤시의 뎡을 쎠 부문의 들미, 빅관(百官)과 존긱(尊客)이 벌 뭉킈41) 듯 모드니, 인ᄉᆞ의 손을 바리고 안흐로 드러가지 못ᄒ여, 다만 윤시의 뎡만 드려 보ᄂᆞᆫ고, ᄌᆞ긔 부ᄌᆞᄂᆞᆫ 청듁헌의셔 빈긱(賓客)을 졉응ᄒᆞᆯᄉᆡ, 허다(許多) 지렬명뉴(宰列名流) 뎡·딘 이부로 갈나 드러, 《ᄀᆞ긔∥ᄀᆞ긔》 젼ᄉᆞ(殿事)를 닐ᄏᆞ라 치위(致慰)ᄒ니, 금평후 부ᄌᆞ ᄉᆞᄉᆞ(謝辭)ᄒ여 셩샹의 호ᄉᆡᆼ지덕이믈 닐ᄏᆞᄅᆞ 못니 손ᄉᆞ(遜辭)ᄒᆞᆯ 【54】 ᄯᆞᄅᆞᆷ이오, 하긱이 셔로 돌녀 드러, 뎡부로 왓던 ᄌᆞᄂᆞᆫ 진부로 들고 딘부 하긱은 뎡부로 가, 날이 어듭기의 니ᄅᆞ도록 낙역브절(絡繹不絕)42)ᄒ다가, 동문(東門)이 둣게 되미 각각 도라 가니라.

이 날 딘부인이 슌틔부인을 뫼셔 윤시의 상쳐를 뭇고, 쳐소를 션월졍의 졍ᄒ고, 틔부인이 윤시의 좌슈를 잡고 딘부인이 우즁를 줍아 방즁의 드러가미, 윤시 십분 강작(強作)43)ᄒ여 알픈 거슬 견듸여 틔부인과 존고긔 녜를 맛츠니, 틔부인이 그 상쳐를 보고

---

40)진신명ᄉᆞ(縉紳名士) : 홀(笏)을 큰 띠에 꽂은 높은 벼슬아치와 이름 있는 선비.
41)뭉긔다 : 뭉기다. 엉겨서 무더기를 이루다.
42)낙역브절(絡繹不絕) : 연락부절(連絡不絕). 왕래가 잦아 발길이나 소식이 끊지 아니함
43)강작(強作) : 억지로 기운을 냄.

보고 잔잉히 넉여 능히 말을 못흐고 실셩비읍(失性悲泣)흐니, ᄋ쥬쇼져의 윤부인을 반기며 슬허흐믄 더욱 측냥 업더라. 니쇼졔 ᄯ흔 비쳑흐믈 니긔디 못흐고, 양시는 처음으로 상견흐는 바로디, 윤부인의 텬향월광(天香月光)51)과 슈연염틱(粹然艶態)52)를 구경흐미, 즈긔 우히 오를 ᄉᆡᆨ광긔딜(色光氣質)이 이시믈 ᄭᆡᄃ라, 칭복흐며 경앙흐믈 마디 아니흐더라.

존당과 딘부인이 계오 슬프믈 딘뎡흐고 쇼져를 볼ᄉᆡ, 반ᄃ시 환형쳑골(換形瘠骨)53)흐므로 아랏더니, 뉘 도로혀 【64】풍완(豐婉)흐미 슈삼년 ᄉᆞ이의 더 나아시믈 ᄯᆺ흐여시리오. 윤시 심회 쳔만 가지로 슬프미 동흐디, 승안화긔(承顔和氣)를 일치 아니려 슬프믈 ᄎᆞᆷ고, 삼년 ᄉᆞ이 존후를 못ᄌᆞ오며, 금번 화란의 놀나시믈 일ᄏᆞᆺ고, 활인ᄉᆞ의 이시디 간당을 두려 감히 싱존을 고치 못흐여, 셩녀(聖慮)를 허비흐시게 흐믈 쳥죄훌ᄉᆡ, 옥셩(玉聲)이 낭낭(朗朗)흐여 금반(金盤)의 딘쥬(眞珠)를 구을니고, 봉음(鳳吟)이 화평흐여 텬디의 화긔를 닐월디라. 존당과 고뫼(姑母)54) 지삼 편히 눕기를 니르며, 금번 화란의 격고등문흐여 화를 도로혀 복을 삼으미 현부의 공이라 흐여, 한 업ᄉᆞᆫ ᄉᆞ랑과 무궁흔 졍담이 【65】ᄶᆞᆺ지 아니코, 현긔 등 ᄉᆞᄋᆞ(四兒)의 거쳐를 알며, 윤・양니 다 몸을 보젼흐여시믈 쥬영다려 므러 드르미, 즐겁고 영힝흐미 결을치 못흐니, 대개 쇼져의 위인이 남다른 연괴러라. 날이 어두오미 금평휘 모부인을 뫼셔 드러갈ᄉᆡ, 딘부인은 션월졍의셔 밤을 디니며 쇼져를 구호코져 흐니, 북공이 가치 아니믈 일ᄏᆞ라 왈,

"져의 상쳬 대단흐오나 오히려 ᄉᆞᄉᆡᆼ(死

잔잉히 넉여 능히 말을 못흐고 실셩비읍(失性悲泣)흐니, ᄋ쥬 쇼져의 윤부인을 반기며 슬허흐믄 더욱 측냥 업더라. 니쇼졔 ᄯ흔 비쳑흐믈 니긔지 못흐고, 양시는 처음으로 상【55】견흐는 바로디 윤부인의 텬향월광(天香月光)44)과 슈연염틱(粹然艶態)45)를 구경흐미, 즈긔 우히 오를 ᄉᆡᆨ광긔딜(色光氣質)이 이시믈 ᄭᆡᄃ라 칭복흐며, 경앙흐믈 마지 아니흐더○[라].

존당과 딘부인이 계오 슬프믈 진졍흐고 쇼져를 볼ᄉᆡ, 반ᄃ시 환형쳑골(換形瘠骨)46)흐믈 아랏더니, 뉘 도로혀 풍완(豐婉)흐미 슈슴년 ᄉᆞ이의 더 나아시믈 ᄯᆺ흐엿시리오. 윤시 심회 쳔만 가지로 슬프미 동흐디, 승안화긔(承顔和氣)를 닐치 아니려 슬프믈 ᄎᆞᆷ고 슴년 ᄉᆞ이 존후를 못ᄌᆞ오며, 금번 화란○[의] 놀나시믈 닐ᄏᆞᆺ고, 활인ᄉᆞ의 이시디 간당을 두려 감히 싱존을 고치 못흐여, 셩녀(聖慮)를 허비흐시게 흐믈 쳥죄훌ᄉᆡ, 옥셩(玉聲)이 낭낭(朗朗)흐여 금반(金盤)의 진쥬(眞珠)를 구으니고, 봉음(鳳吟)이 화평흐여 텬디의 화【56】긔를 《닐걸∥닐월》지라. 존당과 고뫼(姑母)47) 지슴 편히 눕기를 닐으며, 금번 화란의 격고등문흐여 화를 도로혀 복을 슴으미 쇼져의 공이라 흐여, 한업ᄉᆞᆫ ᄉᆞ랑과 무궁흔 졍담이 ᄶᆞᆺ지 아니코, 현긔 등 ᄉᆞᄋᆞ(四兒)의 거쳐를 알며, 윤・양이 다 몸을 보젼흐여시믈 쥬영ᄃᆞ려 므러 드르미 즐겁고 녕힝흐미 결을치 못흐니, ᄃᆡ기 쇼져의 위인이 남다른 연괴러라.

날이 어두오미 금평휘 모친을 뫼셔 드러갈ᄉᆡ, 진부인은 션월졍의셔 밤을 지너며 쇼져를 구호코ᄌᆞ 흐니, 북공이 불가흐믈 닐ᄏᆞ라 왈,

"져의 상쳬 대단흐오나 오히려 ᄉᆞᄉᆡᆼ(死

---

51)텬향월광(天香月光) : 기이한 향기와 달빛처럼 빛나는 광채.
52)슈연염틱(粹然艶態) : 꾸밈이 없고 순박한 아름다운 자태.
53)환형쳑골(換形瘠骨) : 모습이 이전과 아주 달라져 몸이 바짝 마르고 뼈가 앙상하게 드러남.
54)고뫼(姑母) : 시어머니.

44)텬향월광(天香月光) : 기이한 향기와 달빛처럼 빛나는 광채.
45)슈연염틱(粹然艶態) : 꾸밈이 없고 순박한 아름다운 자태.
46)환형쳑골(換形瘠骨) : 모습이 이전과 아주 달라져 몸이 바짝 마르고 뼈가 앙상하게 드러남.
47)고뫼(姑母) : 시어머니.

生)을 면흐엿수오니, 원컨디 뎡침으로 도라
가샤이다."

태부인 왈,

"현뷔 윤쇼부를 위흐여 구병코져 흐니,
텬으의 무움을 싱각디 아녀 삼년니졍(三年
離情)을 펴게 아니코, 며나리 겻티셔 슉침
코져 흐미 므슴 쯧이【66】뇨?"

딘부인이 함쇼(含笑) 디왈,

"텬홍이 그 겻티셔 병인을 잘 구호홀 거
시면, 첩이 어이 이곳의 와 밤을 디닉고져
흐리잇고마는, 위인이 종요롭디 못흐오니
그 쳐즈의 구병을 미더 맛디리잇고?"

금평휘 쇼왈,

"텬홍이 비록 종요롭디 못흐나 의술이 고
명흐니, 윤현부의 병을 구호흐미 몸이 편흐
기는, 오히려 부인이 이셔 슉딕흐며 구호흐
느니보다가는 낫게 녁일 둣흐니, 모로미 ㅇ
들의 말을 드르라."

딘부인 쇼이무언(笑而無言)이오, 북공이
관을 숙이며 씌를 도도아 힝혀도 웃는 빗출
낫토디 아니코, 조모를 붓드러 태원뎐의 니
르미, 네부와 혹시 조모의 침【67】금을 포
셜흐고 취침흐시믈 쳥흐니, 태부인 왈,

"윤시의 도라오믈 보고 텬홍이 쪼 승견닙
공(勝戰立功)흐여 필경이 무스흐니, 무음이
즐겁고 디금 셰상의 스랏던 줄이 영힝(榮
幸)흐도라. 너희 화란을 딘뎡흐고 몸이 갓
브리니 일죽이 도라가 즈라."

언파의 옷슬 그르고 상요의 나아가니, 금
평후 부뷔 제즈를 거느려 퇴흘시, 북공으로
윤시의 병을 잘 구호흐라 흐고, 유홍과 필
홍은 청듁헌을 딕희여 군관셔동비(軍官書童
輩)를 다리고 즈라 흐고, 네부는 션즈졍으
로 가라 흐고, 태우는 션삼졍으로 보닉고,
즈긔는 딘부인 침소의셔 즈다.

네부 등이 슈명이퇴(受命而退)【68】흐여
각각 닉실(內室)노 드러가고, 북공은 션월졍
의 니르니, 윤시 비로소 ○○[옷을] 닙은
《지∥치》 상요의 나아갓느디라. 북공이
몸이 곤뇌흐나 닛븐 줄을 아디 못흐고, 윤
시의 상쳐의 약을 가라 븟미, 그 시녀 등을

生)을 면흐엿수오니, 원컨디 졍침으로 도라
가스이다"

틱부인 왈,

"현뷔 윤쇼부를 위【57】흐여 구병코즈
흐니, 텬으의 무움을 싱각지 아녀 슴년니졍
(三年離情)을 펴게 아니코, 며느리 겻티셔
슉침코즈 흐미 무슴 쯧이뇨?"

부인이 함쇼(含笑) 디왈,

"텬홍이 그 겻티셔 병인을 잘 구호홀 거
시면, 첩이 어이 이 곳의 와 밤을 지닉고즈
흐리잇고마는, 위인이 종요롭지 못흐니 그
쳐즈의 구병을 미더 맛기리잇고?"

금평휘 쇼왈,

"텬홍이 비록 종요롭지 못흐나 의술이 고
명흐니, 윤현부의 병을 구호흐미 몸이 편흐
기는, 오히려 부인이 이셔 슉직흐며 구호흐
느니 보다가는 낫게 녁일 둣흐니, 모로미
ㅇ들의 말을 드르라."

진부인이 쇼이무언(笑而無言)이오, 북공이
관을 숙이며 씌를 도도아 힝혀도 웃는 빗출
낫토지 아니코, 조모를 붓드러 【58】태원
뎐의 닐으미, 네부와 혹시 조모의 침금을
포셜흐고 취침흐시믈 쳥흐니, 틱부인 왈,

"윤시의 도라오믈 보고 텬홍이 쪼흔 승쳡
닙공(勝捷立功)흐여 필경이 무스흐니, 무음
이 즐겁고 지금 셰상의 스랏던 줄이 녕힝흔
지라. 너희 화란을 지닉고 몸이 갓브리니
일죽이 도라ㄱ 즈라."

언파의 옷슬 그르고 상뇨(床褥)의 느아가
니, 금평후 부뷔 제즈를 거느려 퇴흘시, 북
공으로 윤시의 병을 잘 구호흐라 흐고, 유
홍과 필홍은 청듁헌을 직희여 군관셔동비
(軍官書童輩)를 드리고 즈라 흐고, 네부는
션즈졍으로 가라 흐고, 틱우는 션슴졍으로
보닉고 즈긔는 딘부인 침소의셔 즈다.

네부 등이 물러나 각각 닉실(內室)노 드
러 【59】가고, 북공은 션월졍의 니르니, 윤
시 비로소 ○○[옷을] 닙은 칙 상뇨(床褥)
의 나아갓느지라. 북공이 몸이 곤뇌흐나 닛
븐 줄을 아지 못흐고, 윤시의 상쳐의 약을
ㄱ라 븟미고, 시녀 등을 장외로 믈니고 잇

당외로 물니고 잇다감 부인이 즈는가 찰시(察視)호니, 윤시 비록 몸이 취운산의 이시나, 모음인즉 옥누항의 도라가 조모의 병을 구호홀 리 업스믈 셜워호며, 야야(爺爺)를 싱각고 슬허 홀 ᄯᅢ 아니라, 즈긔로 인호여 조모와 슉모의 젼젼 과악이 드러나, 구쳔(九泉) 타일의 야야를 뵈오미 불효네 되믈 면치 못홀가, ○○[온가]디로 혜아려도 유ᄉ디심(有死之心)호고 무싱디긔(無生之氣)호ᄃᆡ, 엄【69】구(嚴舅)의 디극호신 당부와, 존당(尊堂) 존고(尊姑)의 양츈혜틱(陽春惠澤)을 갑습지 못호고 즈레 죽지 못호여, 다시 칼흘 드러 디르고져 모음은 곳쳐시나, 셜우미 츙쳡호여 고요히 누어시미 히음업시 흐르는 눈물이 벼개를 젹시고, 읍읍호는 소ᄅᆡ 북밧기를 면치 못호ᄃᆡ, 북공이 셔안의 비겨시미 힝혀 알오미 이실가 호여 향벽호여 누어시나, 북공의 명쾌호므로ᄡᅥ 엇디 그 거동을 모로리오. 그 졍ᄉᆡ 슬허호미 괴이치 아니흐믈 모로디 아니호나, 병심을 요동호여 져ᄀᆞ치 간장을 살오니, 반드시 상쳬 젼도곤 더홀가 그윽이 넘녀호여, 짐즛【70】몸을 움즉이며 겻ᄐᆡ 나아가 그 벼개를 흔가디로 베고져 호미, 물의 잠은 듯호여 즈긔 낫치 졋는디라. 아른 쳬 호미 비편(非便)홀가, 모로는 쳬호고 골오ᄃᆡ,

"부인의 두변(頭邊)55)의셔 허한(虛汗)56)이 어이 이딘도록 흘너 벼개가 다 져졋ᄂᆞ뇨?"

언파의 그 벼개를 ᄲᅢ히고, 즈긔 속옷슬 버셔 뒤마라57) 부인을 베이고, 역시 흔가디로 누어 부인의 옥비셤슈(玉臂纖手)를 잡으며 향싁(香顋)를 졉호미 은졍(恩情)이 여텬디무궁(如天地無窮)58)호여 빅년동쥬(百年同住)를 오히려 낫비 넉이는 모음이 이시ᄃᆡ, 맛춤ᄂᆡ 삼년 ᄉᆞ싱거쳐(死生去處)를 몰나 ᄉᆞ상(思想)호던 졍회를 펴디 아냐, 묵묵뎡슉

55)두변(頭邊) : 머리 근쳐.
56)허한(虛汗) : 몸이 허약하여 나는 땀.
57)뒤말다 : 함부로 마구 말다.
58)여텬디무궁(如天地無窮) : 하늘과 땅처럼 끝이 없음.

ᄃᆞ금 부인이 즈는ᄀᆞ 찰시(察視)호니, 윤시 비록 몸이 취운산의 이시나, 모음인즉 옥누항의 도라가 조모의 병을 구호ᄒᆞ 리 업스믈 셜워호며, 야야(爺爺)를 싱각고 슬허 홀 ᄲᅢ 아니라, 즈긔로 인호여 조모와 슉모의 과악이 드러나, 구쳔 타일의 부친을 뵈오미 불효네 되믈 면치 못홀ᄀᆞ, 온가지로 혜아려도 살 ᄯᅳᆺ이 업스ᄃᆡ, 엄구(嚴舅)의 지극혼 당부와 존당(尊堂) 존고(尊姑)의 양츈혜틱(陽春惠澤)을 갑지 못호고 즈레 죽지 못호여, 다시 칼흘 드러 지ᄅᆞ고즛【60】호는 모음은 곳쳐시나, 셜우미 츙츌호여 고요히 누어시미, 히음업시 흐르는 눈물이 벼기를 젹시고, 읍읍호는 소ᄅᆡ 북밧기를 면치 못호ᄃᆡ, 북공이 셔안의 비겨시미 힝혀 알가호여 향벽호여 누엇시나, 북공의 명쾌호므로 엇지 그 거동을 모로리오. 그 졍ᄉᆞ 슬허 호미 괴이치 아니흐믈 모르지 아니호나, 병심을 요동호여 져ᄀᆞ티 간장을 술오니, 반드시 상쳬 젼도곤 더홀가 그윽이 넘녀호여, 짐즛 몸을 움즉이며 겻ᄐᆡ 나아가 그 벼개를 흔가지로 베고져 호미, 물의 줌은 듯호여 즈긔 낫치 졋는지라. 아른 쳬호면 비편(非便)홀ᄀᆞ 호여, 모ᄅᆞ는 쳬호고 굴오ᄃᆡ,

"부인의 두변(頭邊)48)의셔 허한(虛汗)49)【61】이 어이 이딘도록 흘너 벼기 졋ᄂᆞ뇨?"

언파의 그 벼개를 ᄲᅢ히고 즈긔 속옷슬 버셔 뒤마라50) 부인을 베이고, 역시 흔가지로 누어 쇼져의 옥비(玉臂)를 줍으며 향싁(香顋)를 졉호미, 은졍(恩情)이 무궁(無窮)호여 빅년동쥬(百年同住)를 낫비 {넉}넉이는 모음이 이시ᄃᆡ, 맛춤ᄂᆡ 숨년 ᄉᆞ싱거쳐(死生去處)○[를] 몰나 ᄉᆞ상(思想)호던 졍회를 펴지 아녀, 묵묵 졍슉호미 구츄상텬(九秋霜天)51) ᄀᆞᄐᆞ여 젼일 발양호일(發揚豪逸)호던

48)두변(頭邊) : 머리 근쳐.
49)허한(虛汗) : 몸이 허약하여 나는 땀.
50)뒤말다 : 함부로 마구 말다.

(黙黙靜肅)ᄒᆞ미 구츄상텬(九秋霜天)59) ᄀᆞᆺ
【71】여, 젼일 발양호일(發揚豪逸)ᄒᆞ던 ᄆᆞ
옴이 힝혀도 잇디 아니ᄒᆞ디, 침뎡엄슉(沈
靜嚴肅)ᄒᆞ기ᄂᆞᆫ 더ᄒᆞ엿더라.

윤부인이 그 셩품이 달니 되여시믈 괴이
히 너기나, 금평후긔 삼삭(三朔)을 너치여
회과슈힝(悔過修行)ᄒᆞᆫ 곡졀은 바히 아디 못
ᄒᆞ고, 본디 북공이 사름의 슈우(愁憂)ᄒᆞᆫ 거
동과 쳑비(慽悲)ᄒᆞᆫ 형상 보기를 됴화 아닛
ᄂᆞᆫ 고로, 잠간 강인ᄒᆞ나, 당ᄎᆞ시(當此時)ᄒᆞ
여 죽기도 임의로 못ᄒᆞ고, 위인손녀(爲人孫
女)ᄒᆞ여 그 조모를 희ᄒᆞ며, 슉모의 과악이
드러나믈 각골통졀(刻骨痛切)ᄒᆞ여, ᄌᆞ긔 당
ᄒᆞᆫ 바ᄂᆞᆫ ᄉᆞᄉᆞ(事事)의 유별(有別)ᄒᆞ믈 이들
와 ᄒᆞ미, 그 심녀(心慮)를 니르혀미 믄득 토
혈이 북밧쳐, 형식이 위위(危危)ᄒᆞ여【72】
보기의 ᄎᆞ악(嗟愕) 잔잉ᄒᆞᆫ디라. 북공이 부인
의 젹상(積傷)ᄒᆞᆫ 토혈(吐血)이 이 ᄀᆞᆺᄐᆞ믈 놀
나, 급히 낭듕(囊中)의 약을 너여 입의 드리
오더라.【73】

ᄆᆞ음이 힝혀도 잇지 아니ᄒᆞ디, 침졍엄슉(沈
靜嚴肅)ᄒᆞ기ᄂᆞᆫ 더ᄒᆞ엿더라.

부인이 그 셩품이 달니 되여시믈 괴이히
너기나, 금평후게 숨삭(三朔)을 너치여 회과
슈힝(悔過修行)ᄒᆞᆫ 극졀은 바히 아지 못ᄒᆞ고,
본디 북공이 ᄉᆞ람의 수우(愁憂)ᄒᆞᄂᆞᆫ 거동과
쳑비(慽悲)ᄒᆞᄂᆞᆫ 형상 보기를 됴【62】화 아
닛ᄂᆞᆫ 고로, 잠간 강잉ᄒᆞ나, 당ᄎᆞ시(當此時)
ᄒᆞ여 죽기도 님의로 못ᄒᆞ고, 위인손녀(爲人
孫女)ᄒᆞ여 그 조모를 희ᄒᆞ며, 뉴시의 과악
이 드러나믈 ᄀᆞᆨ골통졀(刻骨痛切)ᄒᆞ여, ᄌᆞ긔
당ᄒᆞᆫ 바ᄂᆞᆫ ᄉᆞᄉᆞ(事事)의 유별(有別)ᄒᆞ믈 이
들와 ᄒᆞ매, 그 심녀(心慮)를 니ᄅᆞ리오. 믄득
토혈이 북밧쳐 인ᄉᆞ를 출히지 못ᄒᆞ니, 보기
의 ᄀᆞ장 늘나온지라. 북공이 되경ᄒᆞ여 낭즁
으로 조ᄎᆞ 환약을 너여 온슈의 화ᄒᆞ여 닙의
흘려느흔즉

설표(說表)60) 북공이 부인의 토혈이 이
ㄱ툿믈 놀나, 급히 히 냥듕의 약을 니여 입
의 드리오니, 이럴스록 공쥬와 위·뉴 통히
ㅎ미 깁흔디라. 이윽고 부인이 졍신을 뎡ㅎ
며 토혈을 긋치니, 북공이 그 믹을 살피고
미우를 삥긔여 왈,

"심녀(心慮)를 과히 ㅎ여 병을 일위려 ㅎ
니 그 엇딘 일이뇨? 냥흉(兩凶)61)을 위흔
졍이 풀 길히 업스니, 출ㅎ리 밧비 죽어 소
요(騷擾)를 깃치디 말나."

부인이 졀노 더브러 심수를 난홀 길 업셔
다만 디왈,

"쳡이 본딕 토혈증이【1】 잇던 비라. 엇
디 병을 임으로 ㅎ리잇고? 군직 죽으믈 지
촉디 아니셔도, 긔괴흔 졍수와 남다른 명도
(命途)를 혜아려 살 뜻이 이시리잇고마는,
대인 명교(明敎)를 져바리옵디 못ㅎ미로소
이다."

북공이 닝쇼 왈,

"대인이 살나 아니시면 죽는 거시 올흐
랴?"

부인이 져두무언(低頭無言)이라.

공이 다시 언(言)치 아니코, 셔안을 비겨
잠을 일우고져 ㅎ나, 즈녀를 다려오디 못ㅎ
여시므로, 날이 붉기를 기다려 한튱의 집의
가 현긔 등을 다려오미 착급ㅎ여 젼젼블미
(輾轉不寐)62)러니, 《아니오‖아이(俄而)
오63)》 계셩(鷄聲)이 악악ㅎ미 관소(盥梳)
후 신셩디녜(晨省之禮)를 맛고,【2】시녀
등과 군관을 명ㅎ여 졔으를 다려오고, 쏘흔
한튱을 브르라 ㅎ니, 태부인 왈,

도로 토ㅎ며 토혈이 긋치지 아니니 북공이
미우를 삥긔여 왈,

"병의 심녀(心慮)를 과도히 ㅎ여 니긔지
못ㅎ니 엇진 일이뇨? 냥흉(兩凶)52)을 위ㅎ
는 졍을 풀 슈 업는지라. 출ㅎ리 밧비 죽어
이런 꼴을 뵈지 말나."

부인이 변싟고 왈,

"내 심수를 스스【63】로 안뉴(安裕)홀 길
이 업스니[미] 이 병을 임으로 못ㅎ느니,
군지 쳡의 죽으믈 직쵹지 아니ㅎ셔도, 긔괴
흔 졍수와 남다른 명도를 혜아려 살 뜻이
이스리잇고마는, 대인 명교를 져브리지 못
ㅎ미로소이다"

공이 닝쇼 왈,

"대인이 슬나 아니시면 죽는 거시 올흐
랴?"

부인이 져두무언(低頭無言)이라.

공이 다시 말을 아니코 셔안을 비겨 줌을
닐우고져 ㅎ나, 즈녀를 드려오지 못ㅎ므로,
날이 붉기를 기드려 한튱의 집의 가 현긔
등을 드려오미 착급ㅎ여 젼젼블미(輾轉不
寐)53)러니, 아이(俄而)오54) 계셩(鷄聲)이 악
악ㅎ미 관소(盥梳) 후 신셩지녜(晨省之禮)를
맛고, 시녀 등과 군관을 명ㅎ여 졔으를 드
려오고 쏘흔 튱을 브르라 ㅎ니, 틱부인 왈,

---

60)설표(說表) : 고소설에서 새로 이야기를 시작할 때
　　쓰는 '화셜(話說)' '화표(話表)' '각셜(却說)' 따위와
　　같은 화두사(話頭詞).
61)냥흉(兩凶) : 두 흉인(凶人), 곧 위태부인과 유부
　　인.
62)젼젼블미(輾轉不寐) : 전전반측(輾轉反側). 누워서
　　몸을 이리저리 뒤척이며 잠을 이루지 못함.
63)아이(俄而)오 : 조금 있다가. 이윽고.

52)냥흉(兩凶) : 두 흉인(凶人), 곧 위태부인과 유부
　　인.
53)젼젼블미(輾轉不寐) : 전전반측(輾轉反側). 누워서
　　몸을 이리저리 뒤척이며 잠을 이루지 못함.
54)아이(俄而)오 : 조금 있다가. 이윽고.

"운영이 그 곳의 잇다 ᄒ니 ᄒᆞᆫ가지로 다려오라."

북공이 ᄃᆡ왈,

"그런 ᄒᆡᆼ추는 밧브디 아니ᄒᆞ오니 아모 제나 ᄎᆞ즈 오스이다."

금휘 왈,

"운영의 오미 급디 아니ᄒᆞ거니와, 한튱의 집의 이시믈 안 후 ᄇᆞ려두미 괴이ᄒᆞ니, 현긔 등을 다리고 ᄒᆞᆫ가디로 오라 니르고, 교즈를 보ᄂᆡ라."

북공이 봉명(奉命)ᄒᆞ여 운영의게 교즈를 보ᄂᆡ며, 금평휘 녜부를 명ᄒᆞ여 거교를 출혀 활인ᄉᆞ의 가 양시를 다려오라 ᄒᆞ고, 급히 시노(侍奴)를 남산의 보ᄂᆡ여 니시의 도라오【3】기를 지촉ᄒᆞ니라. 경참졍이 니르러 금후 부즈를 볼ᄉᆡ, 금평휘 쇼왈,

"쇼뎨는 실노 형을 뇌외ᄒᆞ는 일이 업ᄉᆞ딕, 형은 처음브터 텬흥 동상(東床) 삼기를 쇼뎨를 모로게 ᄒᆞ고, 식부를 참혹히 일허 우리 부지 비졀ᄒᆞᆷ은 니르디 말고, 고당 편친이 과상ᄒᆞ시미 더욱 졀박ᄒᆞ거늘, 형은 식부의 싱존ᄒᆞ믈 쇼뎨다려 니르디 아냐, 여러 일월이 되도록 금초아 두니 그 어인 ᄯᅳᆺ이뇨?"

경공이 쇼왈,

"윤뵈 이런 일을 쇼뎨를 ᄭᅮ짓디 아니ᄒᆞ는 거시 올흐니, 어이 그 ᄯ 스셰를 싱각디 아니ᄒᆞᄂᆞ뇨? 쇼녜(小女) 요졍의 홀녀 궐졍의 드러가, 두발(頭髮)을 【4】업시 ᄒᆞ고, 일신 ᄉᆞ디 셩ᄒᆞᆫ 곳이 업셔 반싱반ᄉᆞ(半生半死)ᄒᆞᆫ 거술, 궁인의 구활ᄒᆞᆫ 은덕으로 한ᄎᆡᆨ의 집의 와시나, 그 참졀ᄒᆞ던 거동을 ᄎᆞ마 ○○[어이] 드르리오. 팔지 괴이ᄒᆞ여 일녀를 두어 사름의 ᄎᆞ마 당치 못ᄒᆞᆯ 경계를 디ᄂᆡ게 ᄒᆞ고, 계오 일명을 보젼ᄒᆞ여 강졍의 금초여시나, 발셔 범의게 놀난 사름이 되어, 셰상의 ᄉᆞ라 이시믈 고치 못ᄒᆞ니, 이런 고로 형의 부즈를 긔이미[64] 되엿고, 금번 형가(兄家) 화란을 쇼녀는 아득히 몰낫ᄂᆞ니, 만○[일]

"운영이 그 곳의【64】 잇다 ᄒ니 ᄒᆞᆫ가지로 ᄃᆞ려오라."

북공이 ᄃᆡ왈,

"그런 ᄒᆡᆼ추는 밧브지 아니ᄒᆞ오니 아모 ᄶᆞ나 ᄎᆞ쳐 오스이다"

금휘 왈,

"운영의 오미 급지 아니ᄒᆞ거니와, 한츙의 집의 이시믈 안 후 ᄇᆞ려두미 괴이ᄒᆞ니, 현긔 등을 ᄃᆞ리고 ᄒᆞᆫ가지로 오라 니르고 교즈를 보ᄂᆡ라"

북공이 봉명(奉命)ᄒᆞ여 운영의게 교즈를 보ᄂᆡ며, 금평휘 녜부를 명ᄒᆞ여 거교를 출혀 활인ᄉᆞ의 가 양시를 ᄃᆞ려오라 ᄒᆞ고, 급히 시노(侍奴)를 남산의 보ᄂᆡ여 니시의 도라오기를 지촉ᄒᆞ니라. 경참졍이 니르러 금후 부즈를 볼ᄉᆡ 금평휘 쇼 왈,

"쇼뎨는 실노 형을 뇌외ᄒᆞ는 일이 업ᄉᆞ딕, 형은 쳐음브터 텬흥 동상 숨기를 쇼뎨를 모로게 ᄒᆞ고, 식【65】부를 춤혹히 닐혀 우리 부지 비졀ᄒᆞᆷ은 니르지 말고, 고당 편친이 과상ᄒᆞ시미 더욱 졀박ᄒᆞ거늘, 형은 식부의 싱존ᄒᆞ믈 쇼뎨ᄃᆞ려 니르지 아냐 녀러 일월이 되도록 금초아 두니, 그 어인 ᄯᅳᆺ이뇨?"

경공이 쇼 왈,

"윤뵈 니런 일을 쇼뎨를 칙지 아닐지라. 어이 그 ᄯᅥ 스셰를 싱각지 못ᄒᆞᄂᆞ뇨? 《쇼뎨∥쇼녜(小女)》 요졍의 홀녀 궐졍의 드러가, 두발(頭髮)을 업시 ᄒᆞ고 일신 ᄉᆞ지 셩ᄒᆞᆫ 곳이 업셔 반싱반ᄉᆞ(半生半死)ᄒᆞᆫ 거술, 궁인의 구활ᄒᆞᆫ 은덕으로 한ᄎᆡᆨ의 집의 와시나, 그 참졀ᄒᆞ던 거동을 츰아 어이 드르리오. 팔지 괴이ᄒᆞ여 일녀를 두어 스람의 츰아 당치 못ᄒᆞᆯ 경계를 지ᄂᆡ게 ᄒᆞ고, 계오 일명을 보젼ᄒᆞ여 강졍의 금초앗【66】시나, 발셔 범의게 놀난 스람이 되어 셰샹의 스라 이시믈 고치 못ᄒᆞ더니, 니런 고로 형의 부즈를 긔이미[55] 되엿고, 금번 형가 화란을 쇼녀는 아득히 몰낫ᄂᆞ니, 만닐 닐너더면 발셔 초스

---

64)긔이다 : 기이다. 어떤 일을 숨기고 바른대로 말하지 않다.

55)긔이다 : 기이다. 어떤 일을 숨기고 바른대로 말하지 않다.

닐엇더면 발셔 초亽(焦思)ᄒᆞ여 그 심장이 남디 아녀실 거시오. 혹즈 복션디니(福善之理)65)를 도망치 못ᄒᆞ여, 형의【5】집이 참망(慘亡)ᄒᆞᄂᆞᆫ 일이 이시면, 쇼뎨 스亽로 녀ᄋᆞ를 죽이려 ᄒᆞ더니라."

금평휘 쇼왈,

"형이 너모 범亽를 궁극히 싱각ᄒᆞ기로 친옹과 녀셔를 다 숨긴 비 되니, 항복되믈 모로노라."

경공 왈,

"쇼뎨는 아모리 궁극ᄒᆞ여도, 형의 집 화란이 밧괴여 도로혀 복이 되고, ᄒᆞ나토 亽망디환(死亡之患)이 업셔, 미셰흔 녀ᄌᆞ들가 다 亽라시니, 윤보의 유복ᄒᆞ미오, 의렬비의 격고등문흔 공이라. 깃브디 아니리오. 챵빅이 이졔는 더욱 젼일과 달나, 윤·양·니 삼부인을 모화 대亽를 가음 알 거시니, 쇼녀 ᄀᆞᆺᄐᆞᆫ 블민흔 뉴는 죽으 니【6】로 아라, 다시 춧디 말고 슬하의 두기를 바라노라."

금평휘 쇼왈,

"텬흥이 안히는 열히라도 쥬쳐 못ᄒᆞ여 형의 집의 둘 거시 아니니, 브졀 업슨 말 말고 도라가 나의 ᄋᆞ부를 슈히 보ᄂᆞ라."

경공이 웃고 북공을 보니, 부젼의 경근ᄒᆞᄂᆞᆫ 녜를 잡아 념슬궤좌(斂膝跪坐)ᄒᆞ여 젼후 말씀의 간예(干預)66)ᄒᆞ미 업亽니, 슉연흔 거동과 뎡대흔 힝디 하ᄌᆞ홀 거시 업ᄂᆞᆫ디라. 경공이 가득이 亽랑ᄒᆞᄂᆞᆫ 졍이 측냥 업셔 손을 잡고, 왈

"네 운남을 뎡벌ᄒᆞ고 도라올시 졀강의 드러 츈긔를 보치여 ᄋᆞ녀와 녜를 일우고, 옥【7】영 등 亽창을 흠긔 유졍ᄒᆞ여, 호긔발양(豪氣發揚)ᄒᆞ고 쥬안(酒顔)이 방타(滂沱)ᄒᆞ더니, 오날놀 단졍ᄒᆞᆷ믄 몽미의도 싱각디 못ᄒᆞ패라. 녕엄의 욕심이 ᄌᆞ손의 다다라도 긋칠 줄 몰나, 챵빅의 흔 몸의 쳐쳡 아오로 열다슷 사름을 모화시니, 쇼녀의 유뮈 므어

65)복션디니(福善之理) : 착한 사람에게 복을 내리는 하늘의 이치. *복션화음(福善禍淫); 착한 사람에게는 복을 주고 악한 사람에게는 재앙을 줌
66)간예(干預) : 간여(干與). 관계하여 참견함.

(焦思)ᄒᆞ여 그 심장이 남지 아녀실 거시오, 혹즈 복션지니(福善之理)56)를 도망치 못ᄒᆞ여, 형의 집이 참망(慘亡)홀 날이 이시면, 쇼뎨 스亽로 녀ᄋᆞ를 죽이려 ᄒᆞ더니라."

금평휘 쇼왈,

"형이 너모 범亽를 궁극히 싱각ᄒᆞ기로 친옹과 녀셔를 다 숨긴 빈 되니, 항복되믈 모ᄅᆞ노라"

경공 왈,

"쇼뎨는 아모리 궁극ᄒᆞ여도, 형의 집 화란이 밧고여 도로혀 복이 되고, ᄒᆞ나토 亽망지환이 업셔 미셰흔 녀ᄌᆞ가지 다 亽라시니,【67】윤보의 유복ᄒᆞ미오, 의렬비의 격고등문흔 공이라, 깃브지 아니리오. 챵빅이 이졔는 더욱 젼일과 달나, 윤·양·니 슴부인을 모화 대亽를 ᄀᆞ음알 거시니, 쇼녀 ᄀᆞᆺᄐᆞᆫ 블민흔 뉴는 죽으 니로 아라, 다시 춧지 말고 슬하의 두기를 ᄇᆞ라노라."

금평휘 쇼왈,

"텬흥이 안히는 널이라도 주체 못ᄒᆞ여 형의 집의 둘 거시 아니니, 브졀 업슨 말 말고 도라ᄀᆞ 나의 ᄋᆞ부를 수히 보ᄂᆞ라"

경공이 웃고 북공을 보니, 부젼의 경근ᄒᆞᄂᆞᆫ 녜를 줍아 념슬궤좌(斂膝跪坐)ᄒᆞ여 젼후 말씀의 간녜(干預)57)ᄒᆞ미 업亽니 슉연흔 거동과 정대흔 힝지 하ᄌᆞ홀 거시 업ᄂᆞᆫ지라. 경공이 ᄀᆞ득히 亽랑ᄒᆞᄂᆞᆫ 졍이 측냥 업셔 손【68】을 줍고, 왈,

"네 운남을 졍벌ᄒᆞ고 도라올시 졀강의 드러 츈긔를 보치여 ᄋᆞ녀와 녜를 닐우고, 옥녕 등 亽창을 흠게 유졍ᄒᆞ여 호긔발양(豪氣發揚)ᄒᆞ고 쥬안(酒顔)이 방타(滂沱)ᄒᆞ더니, 오늘날 단졍ᄒᆞᆷ믄 몽미의도 싱각지 못ᄒᆞ패라. 녕엄이[의] 옥심이 ᄌᆞ손의 다다라도 긋칠 줄 몰나, 챵빅의 흔 몸의 쳐쳡 아오로 열다슷 亽람을 모화시니, 쇼녀의 유뮈 므어

56)복션지니(福善之理) : 착한 사람에게 복을 내리는 하늘의 이치. *복션화음(福善禍淫); 착한 사람에게는 복을 주고 악한 사람에게는 재앙을 줌
57)간예(干預) : 간여(干與). 관계하여 참견함.

시 그디도록 관듕(款重)ᄒᆞ여, 미양 나의 슬
히 뎍막ᄒᆞᆷ믈 싱각디 아니ᄒᆞ고 다려오려 보
치ᄂᆞ뇨? 챵빅은 이제나 나의 졍니(情理)와
ᄉᆞ졍을 슬펴 내 집의 두게 ᄒᆞ라."

북공이 날호여 디왈,

"쇼싱의 무상ᄒᆞ던 힝스는, 쇼싱이 싱각ᄒᆞ
나 한심ᄒᆞᆷ믈 니긔디 못ᄒᆞ옵ᄂᆞ. 악댱은 엇
디【8】쇼싱의 참슈(慙羞)ᄒᆞᆷ믈 도으샤 이러
툿 니르시ᄂᆞ니잇고? 다만 녕녀(令女)를 일
야디ᄂᆡ(一夜之內)에 실니(失離)ᄒᆞ오니, 존당
의 상심비도(傷心悲悼)ᄒᆞ시미 여러 셰월이
되도록 능히 닛디 못ᄒᆞ시ᄂᆞᆫ디라. 녕녜 만일
사ᄅᆞᆷ의 ᄆᆞ음이 이실딘ᄃᆡ 비록 악댱이 긔이
고져 ᄒᆞ시나, 어이 싱존ᄒᆞᆷ믈 싱의 집의 고
치 아념즉 ᄒᆞ리잇고마ᄂᆞᆫ, 맛ᄎᆞᆷᄂᆡ 악댱의 명
을 슌슈ᄒᆞ여 그 몸이 셰샹의 잇ᄂᆞᆫ 바를 긔
이고, 금번 화란의 녀ᄌᆡ 일분이나 구가를
듕히 녁이ᄂᆞᆫ ᄆᆞ음이 이실딘ᄃᆡ, 가히 즉시
니르러 존당을 위로ᄒᆞ며, ᄉᆞ싱을 쇼싱의 되
어가ᄂᆞᆫ 딘로 결코져【9】ᄒᆞ미 당연커ᄂᆞᆯ, 모
로ᄂᆞᆫ 쳬 ᄒᆞ여 화댱의 몸이 편ᄒᆞᆷ믈 홀노 즐
기니, 싱은 실노 그런 녀ᄌᆞ의 유뮈블관(有
無不關)ᄒᆞ니, 악댱이 아니 보닉랴 ᄒᆞ시면
므슴 일 강쳥(强請)ᄒᆞ리잇가마ᄂᆞᆫ, 가친(家
親)이 그 무상(無狀)ᄒᆞᆷ믈 칙디 아니시고 다
려 오고져 ᄒᆞ시ᄂᆞᆫ 뜻을, 악댱이 욕화(慾
火)[67]로 밀위시니, 악댱은 출가ᄒᆞᆫ ᄯᆞᆯ을 미
양 다리고 ᄊᆞ나디 말과져 ᄒᆞ시미 올타 ᄒᆞ리
잇가?"

경공이 금번 화란을 녀ᄋᆞ다려 니르디 아
니키를 잘못ᄒᆞ엿ᄂᆞᆫ디라. 북공의 말을 드르
미 ᄀᆞ장 불안ᄒᆞ여, 웃고 왈,

"챵빅은 나의 일이 괴이ᄒᆞᆯ디언졍, 녀ᄋᆞ의
[ᄀ] 금번 화란【10】을 알고 아니 온 바
로 밀위디 아념즉 ᄒᆞ니라. 졔 실노 아득히
모로ᄂᆞ니 내 탓츨 삼고 녀ᄋᆞ의 죄를 삼디
말나."

금평휘 경공의 언ᄉᆡ 구구(區區)ᄒᆞᆷ믈 면치
못ᄒᆞ니, ᄯᆞᆯ 나흔 ᄌᆞ의 쾌치 못ᄒᆞᆷ믈 씨ᄃᆞ라,

시 그디도록 관듕(款重)ᄒᆞ여 미양 나의 슬
히 젹막ᄒᆞᆷ믈 싱각지 아니ᄒᆞ고, ᄃᆞ려오려 보
치ᄂᆞ뇨? 챵빅은 이졔나 나의 졍니(情理)를
슬펴 내 집의 두게 ᄒᆞ라"

북공이 날호여 디왈,

"쇼싱의 무상ᄒᆞ던 힝수는 쇼싱이 싱각ᄒᆞ
나 한심ᄒᆞᆷ믈 니긔지 못ᄒᆞ옵ᄂᆞ니, 악장은 엇
지 쇼【69】싱의 참슈(慙羞)ᄒᆞᆷ믈 도으샤 니
러툿 니르시ᄂᆞ니잇고? 다만 녕녀를 일야지
ᄂᆡ(一夜之內)에 실니ᄒᆞ오니, 존당의 상심비
도(傷心悲悼)ᄒᆞ시미 여러 셰월이 되도록 능
히 닛지 못ᄒᆞ시ᄂᆞᆫ지라. 녕녜 만닐 사람의
ᄆᆞ음이 이실진ᄃᆡ 비록 악장이 긔이고져 ᄒᆞ
시나, 어이 싱존ᄒᆞᆷ믈 싱의 집의 고치 아념
즉 ᄒᆞ리오마ᄂᆞᆫ, 맛ᄎᆞᆷᄂᆡ 악장의 명을 슌슈ᄒᆞ
여 그 몸이 셰상의 잇ᄂᆞᆫ 바를 긔이고, 금번
화란의 녀지 일분이나 구가를 즁히 녁이ᄂᆞᆫ
ᄆᆞ음이 잇실진ᄃᆡ, 가히 즉시 니르러 존당을
위로ᄒᆞ며 ᄉᆞ싱을 쇼싱의 되여가ᄂᆞᆫ디로 결코
져 ᄒᆞ미 당연커ᄂᆞᆯ, 모로ᄂᆞᆫ 쳬ᄒᆞ여 화댱의
몸이 편ᄒᆞᆷ믈 홀노 즐기니, 악장이 아니 보
닉려 ᄒᆞ시면 무숨 일 강【70】쳥(强請)ᄒᆞ리
잇ᄀᆞ마ᄂᆞᆫ, 가친(家親)이 그 무상(無狀)ᄒᆞᆷ믈
칙지 아니시고 다려 오고져 ᄒᆞ시ᄂᆞᆫ 뜻을,
악장이 욕화(慾火)[58]로 밀위시니, 악장은
출가ᄒᆞᆫ ᄯᆞᆯ을 미양 ᄃᆞ리고 ᄊᆞ나지 말과ᄌᆞ ᄒᆞ
시미 올타 ᄒᆞ리잇ᄀᆞ?"

경공이 금번 화란을 녀ᄋᆞᄃᆞ려 니ᄅᆞ지 아
니키를 잘못ᄒᆞ엿ᄂᆞᆫ지라. 북공의 말을 드르
미 ᄀᆞ장 불안ᄒᆞ여, 웃고 왈,

"챵빅은 나의 일이 고이ᄒᆞᆯ지언졍, 녀ᄋᆞ의
[ᄀ] 금번 화란을 알고 아니 온 바를[로]
닐으지 말나. 졔 실노 아득히 모로ᄂᆞ니, 내
탓츨 숨고 녀ᄋᆞ의 죄를 숨지 말나"

금평휘 공의 언ᄉᆡ 구구(區區)ᄒᆞᆷ믈 면치
못ᄒᆞ니, ᄯᆞᆯ 나흔 ᄌᆞ의 쾌치 못ᄒᆞᆷ믈 씨ᄃᆞ라,

---

67)욕화(慾火) : 무엇을 탐내거나 누리고자 하는 매우
　　강렬한 욕심.

58)욕화(慾火) : 무엇을 탐내거나 누리고자 하는 매우
　　강렬한 욕심.

미쇼 왈,

"으부는 스리를 아는 녀지니, 이번 화란을 아라시면 형이 가지 말나 흘들 엇디 아녀시리오마는, 형의 인식 족히 긔일 듯 흔디라. 셰쇄흔 일을 깁히 칙망흘 거시 아니오, 돈이 비록 노흐나 대스롭디 아니커늘, 형이 엇디 그딕도록 구구흐여 흐느뇨? 모로미 도라가 으부를 슈히 보닉라."

경공이 답쇼 【11】 왈,

"내 엇디 그럴 니 이시리오마는, 쓸 둔 즈와 으들 둔 즈의 몸68) 크기와[가] 곳디 못흐여 구구흐믈 면치 못흐패라."

덩언간(停言間)의, 미화촌 한튱의 집의 갓던 시녀 군관의 무리 운영과 공즈 스남미를 다려오고, 한튱이 쓰라 니르럿는디라.

금평휘 운영을 안흐로 드려 보닉고, 손으 스남미를 압히 나호여 절흐라 흐니, 시의 현긔와 즈염은 오셰오, 운긔는 스셰오, 경시의 유즈는 삼셰라. 네 으히 비상흐미 쇽뉴(俗流)의 비(比)치 못흐고, 신댱이 나흐로조츠 닉도흐여69), 현긔 운긔는 범으의 십셰나 됨 곳고, 경시 유즈는 오뉵셰나 디난 둣흐여, 댱대흔 【12】 구각(軀殼)과 특이흔 긔골이 닌봉(麟鳳)의 품격이라. 운긔와 경시 싱으는 대쇼 다를디언정 완연이 북공의 이목구비와 곳고, 현긔는 텬디강산(天地江山)의 슈츌(秀出)흔 졍화와 일월의 영긔(靈氣)를 오로디 거두어, 묽은 골격과 됴흔 긔품이 수졍(水晶)을 다스린 둣, 놉고 빗난 풍용(風容)이 윤흑스 희텬과 방불흐고, 외조(外祖)의 슉연 긔이흔 품격이 이시딕, 화긔 만면흐여 슈복이 댱원(長遠)흘 상이라. 조부의 명흐시믈 조츠 츠례로 슬젼(膝前)의 비알흐믹, 녜뫼 빈빈흔디라. 금평휘 황홀 긔이흐믈 결을치 못흐여, 경시의 유즈와 즈염을 훔긔 모도 안아 좌우 【13】 슬샹의 안치고, 현·운 냥으를 나호여 므릅 아릭 안기를 명흐여, 그 손을 잡고 머리를 쓰다듬아 웃는 입

68)몸 : 여기서는 '처신', '행동'의 의미.
69)닉도ㅎ다 : 다르다. 판이(判異)하다.

미쇼 왈,

"으부는 스리를 아는 녀지니, 이번 화란을 아라시면 형이 가지 말나 흔【71】들 엇지 오지 아녀흐여시리오마는, 형의 인식 족히 긔일 뜻 흐지라. 셰쇄흔 일을 깁히 칙망흘 거시 아니오, 돈이 비록 노흐나 대스롭지 아니커늘, 형이 엇지 그딕○[도]록 구구흐여 흐느뇨? 모르미 도라가 으부를 슈히 보닉라."

경공이 답쇼 왈,

"내 엇지 그럴 니 이시리오마는 쓸 둔 즈와 으둘 둔 즈의 몸59) 크기와[가] 곳티 못흐여 구구흐믈 면치 못흐패라"

졍언간(停言間)의 미화촌 한총의 집의 갓던 시녀 군관의 무리 운녕과 공즈 스남미를 다려오고, 한총이 쓰라 니릇는지라.

금평휘 운녕을 안흐로 드려 보닉고, 손으 스남미를 앞히 나호여 절흐라 흐니, 시의 현긔와 즈염은 오셰오, 운긔는 스셰오, 경시의 【72】 유즈는 삼셰라. 네 으히 비상흐미 쇽뉴(俗流)의 비(比)티 못흐고, 신댱이 나흐로 조츠 닉도흐여60), 현긔 운긔는 범으의 십셰나 됨 곳고, 경시 뉴즈(幼子)는 오뉵 셰나 지는 둣흐여, 쟝대흔 구각(軀殼)과 특이흔 긔골이 인봉(麟鳳)의 슷기오, 뇽호(龍虎)의 품격이라. 운긔와 경시 싱으는 대쇼 다를지언정 완연이 북공의 이목구비와 곳고, 현긔는 텬긔강산(天地江山)의 슈츌흔 졍홰라. 일월의 졍긔를 오로지 거두어 묽은 골격과 됴흔 긔품이 슈졍(水晶)을 다스린 둣, 놉고 빗난 풍농(風容)이 윤 흑스 희텬과 방불흐고 외조(外祖)의 슉연 긔이흔 품격이 이시딕, 화긔 만면흐여 슈복이 쟝원(長遠)흘 상이라. 조부의 명흐시믈 조츠 츠례 【73】로 슬젼(膝前)의 비알흐미, 녜뫼 빈빈흔지라. 금평휘 황홀 긔이흐여 경시의 유즈와 즈염을 훔게 모도 안아 좌우 슬샹의 안치고, 현·운 냥으를 나호여 슬하의 안기를 명흐여, 그 손을 즙고 머리를 쓰다듬어 웃

59)몸 : 여기서는 '처신', '행동'의 의미.
60)닉도흐다 : 다르다. 판이(判異)하다.

이 스스로 열니믈 씨둣디 못ᄒ고, 깃분 졍이 무궁ᄒ여, 경공을 도라보고 ᄌ랑ᄒ여, 왈,

"쇼뎨의 손ᄋ ᄉ남미 작인이 엇더ᄒ뇨?"
경공이 칭하(稱賀)ᄒ여 왈,

"형의 복녹이 곽영공(郭令公)[70]의 우히라. 챵빅의 오형뎨 ᄀᄐ 긔ᄌ(奇子)를 두고, 이런 손ᄋ를 가득이 두니, 엇디 긔특디 아니리오. 그러나 내 손ᄋ도 졔 외조를 바리디 아니리니, 금일 다리고 도라가 졔 어미를 뵈고 내 슬상의 두리라."

금평휘 머리를 흔드러 왈,

"형이 텬[14]흥을 보너라 ᄒ면, 일슌(一旬)이라도 가 이시○○[라 ᄒ]려니와, 손ᄋ는 금일 쳐음으로 다려와 즉시 형의 집으로 보너디 못ᄒ리니, 되디 못ᄒᆯ 말 말고 도라가 내 ᄌ부를 보너라."

경공이 쇼왈,

"챵빅이 형의 욕심 잇다 ᄒ믈 노ᄒ여 ᄒ거니와, 대개 형의 ᄌ손의ᄂ 무염디욕(無厭之慾)[71]이라. 쇼뎨는 츈긔 부뷔 아딕 소쥐(蘇州)[72]셔 도라오디 못ᄒ엿고, 녀ᄋ를 강졍(江亭)의 금초아 슬하의 흔낫 ᄋ히 업ᄉ니, 딘졍으로 유ᄋ를 다려가고져 ᄒ더니, 막 ᄌ르기를 이ᄀ치 ᄒ니, 쇼뎨 형의 귀흔 손ᄋ를 아ᄉ갈 비 아니라. 모로미 잠간 슬하의 나리와 노ᄒ면 쇼뎨 안아 보[15]고 가리라."

금평휘 대쇼ᄒ고, 경시의 유ᄌ를 경공의 므릅히 언고, 한틍을 갓가이 나아오라 ᄒ여, 은덕을 일ᄏ라 왈,

"나의 손ᄋ ᄉ남미를 군이 살녀 너여시니, 은혜 뫼 ᄀ고 덕이 바다 ᄀᄐ더라. 흔갓 현긔 ᄉ남미 군을 부모 버금으로 디졉ᄒᆯ 쏜 아니라, 내 집 사ᄅᆷ 여러흘 구ᄒ여 너니, 군

---

70)곽영공(郭令公) : 곽자의(郭子儀). 697~781. 중국 당(唐)나라 중기의 무장(武將). 안녹산 사사명의 반란을 평정하고 토번을 쳐 큰 공을 세워 분양왕에 올랐다.
71)무염디욕(無厭之慾) : 만족할 줄 모르는 끝없는 욕심.
72)소쥐(蘇州) : 중국 강소성(江蘇省)에 있는 도시.

ᄂ 닙을[이] 스스로 널니믈 씨둣지 못ᄒ고, 깃분 졍이 무궁ᄒ여, 경공을 도라보고 ᄌ랑ᄒ여 왈,

"쇼뎨의 손ᄋ ᄉ남미 작인이 엇더 ᄒ뇨?"
경공이 칭하(稱賀)ᄒ여 왈,

"형의 복녹이 곽녕공(郭令公)[61]의 우히라. 챵빅의 오형뎨 ᄀᄐ 긔ᄌ를 두고, 또 이런 손ᄋ를 ᄀ득이 두어시니 어이 긔특지 아니ᄒ리오. 그러나 내 손ᄋ도 졔 외조를 ᄇ리지 아니리니, 금일 드리고 도라가 졔 어미를 뵈고 내 슬상의 두리라"【74】

금평휘 머리를 흔드러 왈,

"형이 텬흥을 보너라 ᄒ면 일슌(一旬)이라도 가 넛게 ᄒ려니와, 손ᄋ는 금일 쳐음으로 드려와 즉시 형의 집으로 보너지 못ᄒ리니, 되지 못ᄒᆯ 말 말고 도라가 내 ᄌ부를 보너라."

경공이 쇼왈,

"챵빅이 형의 욕심 잇다 ᄒ믈 노ᄒ여 ᄒ거니와, 대개 형의 ᄌ손의ᄂ 무염지욕(無厭之慾)[62]이라. 쇼뎨는 츈긔 부뷔 아직 소쥐(蘇州)[63]셔 도라오지 못ᄒ엿고, 녀ᄋ를 강졍(江亭)의 금초아 슬하의 흔낫 ᄋ히 업ᄉ니, 진졍으로 뉴ᄋ를 다려가ᄌ ᄒ더니, 막 ᄌ르기를 이ᄀᄐ ᄒ니, 쇼뎨 형의 귀흔 손ᄋ를 아ᄉ갈 비 아니라. 모ᄅ미 ᄌᆷ간 슬상의 ᄂ리와 노ᄒ면 쇼뎨 안아 보고 가리라"

금평휘 대쇼ᄒ고,【75】경 시의 유ᄌ를 경공의 무릅히 언고, 한츙을 갓가이 ᄂ아오라 ᄒ여 은덕을 닐ᄏ라, 왈,

"나의 손ᄋ ᄉ남미를 네 슬녀 너여시니 은혜 뫼 ᄀ고 덕이 바다 ᄀᄐ지라. 흔갓 현긔 ᄉ남미 너를 부모 버금으로 디졉ᄒᆯ ᄲᆫ 아니라, 내 집 ᄉᆞ람 녀러흘 구ᄒ여 너니, 너

---

61)곽영공(郭令公) : 곽자의(郭子儀). 697~781. 중국 당(唐)나라 중기의 무장(武將). 안녹산 사사명의 반란을 평정하고 토번을 쳐 큰 공을 세워 분양왕에 올랐다.
62)무염디욕(無厭之慾) : 만족할 줄 모르는 끝없는 욕심.
63)소쥐(蘇州) : 중국 강소성(江蘇省)에 있는 도시.

을 싱견의 골육ᄀᆞ치 딕졉ᄒᆞ고 ᄉᆞ후(死後)의 결초(結草)73)ᄒᆞ기를 긔약ᄒᆞ리니, '댱부일언(丈夫一言)은 쳔년블개(千年不改)'74)라. 나의 말과 일이 죵시(終始)의 다르미 업스리라."

원닉 한튱의 위인이 비록 아름다오나, 젼ᄌᆞ의는 북공의 군관으로 감히 당샹의 오로디 못ᄒᆞ더니, 금일은 금평후와 【16】북공이 갓가이 오로기를 닐너 겻틱 안치고, 금평휘 이ᄀᆞ치 니르고, 북공이 니어, 쇼왈

"큰 은혜는 일ᄏᆞ를 비 아니라. 다만 그딕 남의 ᄌᆞ녀를 살나ᄂᆞ나, 군은 목젼의 ᄒᆞ낫 ᄌᆞ식을 두디 못하여시니, 하날이 그딕 어딜믈 유의ᄒᆞ여 나의 ᄌᆞ녀를 살오게 ᄒᆞ엿ᄂᆞ니, 오ᄋᆞ 등이 타일의 댱셩ᄒᆞ미, 그딕 은혜를 니즐 거시 아니오, 밧 들기를 극딘히 ᄒᆞ리니, 그딕 부뷔 또흔 현긔 남미를 일시의 ᄶᆞ나기 결연ᄒᆞ리니, 우리 집이 광활ᄒᆞ여 쌴집 ᄀᆞᆺ튼 곳의 빈 방이 만흐니, 모로미 명일이라도 올마와 현긔 등을 ᄶᆞ나는 일이 업게 ᄒᆞ라."

한튱이 【17】 금평후 부ᄌᆞ의 말을 드르미, 황공 감격ᄒᆞ미 넘뼈 빅빅 ᄉᆞ샤(謝辭)ᄒᆞ여 말을 못ᄒᆞᄂᆞ디라. 북공이 직삼 올마 와 살기를 니르니, 한튱이 '블감쳥(不敢請)이언졍 고소원(固所願)이라'75) 엇디 샤양ᄒᆞ리오. 슌슌슈명(順順受命)ᄒᆞ고 슈히 올마 오기를 결(決)ᄒᆞ더라76).

경공이 손ᄋᆞ를 어로만져 깃브믈 니긔디 못ᄒᆞ여, 도로혀 한튱을 보고 츄연 탄식 왈,

를 싱견의 골육ᄀᆞ치 딕졉ᄒᆞ고 ᄉᆞ후의 결초(結草)64)ᄒᆞ기를 긔약ᄒᆞ리니, '댱부일언(丈夫一言)은 쳔년블개(千年不改)'65)라. 나의 말과 일이 죵시 다름이 업스리라"

원닉 한튱의 위인이 비록 아름다오나, 젼ᄌᆞ의는 북공의 군관으로 감히 당샹의 올노지 못ᄒᆞ더니, 금일은 금평후와 북공이 갓ᄀᆞ이 오르기를 닐너 겻틱 안치고, 금평휘 이ᄀᆞ치 니르고, 북공이 니어, 【76】 쇼왈,

"큰 은혜는 닐ᄏᆞ를 비 아니라, 그딕 남의 ᄌᆞ녀를 슬나ᄂᆞ나 그딕는 목젼의 ᄒᆞ낫 ᄌᆞ식을 두지 못하여시니, 하늘이 그딕 어질믈 유의ᄒᆞ여 나의 ᄌᆞ녀를 슬오게 ᄒᆞ엿ᄂᆞ니, 오ᄋᆞ 등이 타일의 댱셩ᄒᆞ미, 그딕 은혜를 니즐 거시 아니오, 밧 들기를 극진이 ᄒᆞ리니, 그딕 부쳬 또흔 현긔 남미를 일시의 ᄶᆞ나기 결연ᄒᆞ리니, 우리 집이 광활ᄒᆞ여 쌴집 ᄀᆞᆺ튼 곳의 빈 방시 만흐니, 모ᄅᆞ미 명일이라도 올마와 현긔 등을 ᄶᆞ나는 일이 업게 ᄒᆞ라"

한튱이 금평후 부ᄌᆞ의 말ᄉᆞᆷ을 드르미, 황공 감격ᄒᆞ미 넘뼈 빅빅 ᄉᆞ사(謝辭)ᄒᆞ여 말을 못ᄒᆞᄂᆞ지라. 북공이 직습 올마 와 슬【77】기를 니르니, 한튱이 블감쳥(不敢請)이언졍 엇지 ᄉᆞ양ᄒᆞ리오. 슌슌슈명(順順受命)ᄒᆞ고 수히 올마 오기를 결(決)ᄒᆞ더라66).

경공이 손ᄋᆞ를 어로만져 깃브믈 니긔지 못ᄒᆞ여, 도로혀 한튱을 보고 츄연 탄식 왈,

"그딕의 의긔 현심이 아닐진딕, 뎡부의 니런 경ᄉᆞ 어이 이시리오. ᄎᆞᄋᆞ는 더욱 난

---

73) 결초(結草) : 결초보은(結草報恩)의 줄임말. 죽은 뒤에라도 은혜를 잊지 않고 갚음을 이르는 말. 중국 춘추 시대에, 진나라의 위과(魏顆)가 아버지가 세상을 떠난 후에 서모를 개가시켜 순사(殉死)하지 않게 하였더니, 그 뒤 싸움터에서 그 서모 아버지의 혼이 적군의 앞길에 풀을 묶어 적을 넘어뜨려 위과가 공을 세울 수 있도록 하였다는 고사에서 유래한다.
74) 댱부일언(丈夫一言) 쳔년블개(千年不改) : 대장부가 한 번 한말은 천년이 지나도 고쳐서는 안된다.
75) 블감쳥(不敢請)이언졍 고소원(固所願)이라 : 어떤 일을 감히 청하지는 못하지만, 마음속으로는 진실로 바라는 바임.
76) 결(決)ᄒᆞ다 : 어떤 일을 결단하거나 결정하다.

---

64) 결초(結草) : 결초보은(結草報恩)의 줄임말. 죽은 뒤에라도 은혜를 잊지 않고 갚음을 이르는 말. 중국 춘추 시대에, 진나라의 위과(魏顆)가 아버지가 세상을 떠난 후에 서모를 개가시켜 순사(殉死)하지 않게 하였더니, 그 뒤 싸움터에서 그 서모 아버지의 혼이 적군의 앞길에 풀을 묶어 적을 넘어뜨려 위과가 공을 세울 수 있도록 하였다는 고사에서 유래한다.
65) 댱부일언(丈夫一言) 쳔년블개(千年不改) : 대장부가 한 번 한말은 천년이 지나도 고쳐서는 안된다.
66) 결(決)ᄒᆞ다 : 어떤 일을 결단하거나 결정하다.

"군의 의긔 현심 곳 아니면 뎡부의 이런 경시 어이 이시리오. 추으는 더욱 난 디 오뉵삭(五六朔)의 일허, 그 스라시믈 《긔억∥긔약(期約)77)》디 못ᄒ폐라."

한듕이 스샤ᄒ여 블감ᄒᄆᄋᆯ 일ᄏ더라. 즉시 니루의셔 연셕(宴席)을 개장(開場)ᄒ고, 윤·양·니 등 제부(諸婦)를 모화 경하(慶賀)ᄒ【18】시, 뎡공이 추환(叉鬟)을 명ᄒ여 현긔 등 스ᄋᆞ를 안흐로 드려 보닌니, 태부인이 스ᄋᆞ를 좌우로 닛그러 슬하의 안치고, 경쇼져의 유ᄌᆞ를 슬상의 언져 좌우로 고면(顧眄)ᄒ니, 닉외 ᄌᆞ손이 곳슈풀을 일웟ᄂ딕, 현긔의 옥모영풍(玉貌英風)과 운긔의 화류미풍(花柳美風)의 발월(發越)ᄒᆫ 긔상이며, ᄌᆞ염의 화옥 ᄀᆞᆺᄐᆫ 퇴도와 요요졍졍(姚姚貞靜)ᄒ여 절염(絶艶)의 싁이 ᄋᆞ시의 낫타나딕, 셩녀(聖女)의 틀이 가ᄌᆞ니, 좌위(左右) 막블대찬(莫不大讚)78)ᄒ고, 태부인이 두굿기는 우음을 쥬리디 못ᄒ여, 제ᄋᆞ를 어로만져 왈,

"스ᄋᆞ(四兒) 하날긔 타난 복녹을 알니로다. 유ᄋᆞ(幼兒) 독슈(毒手)를 무ᄉ히 버셔나믄, 흔갓 한듕의 공【19】일 ᄲᆫ 아녀, 져의 슈복이 하원(遐遠)ᄒ미라."

좌우 빈긱이 태부인 셩언(聲言)이 유리(有理)ᄒ심과 달슈영복(達壽永福)79)이 결비범인(決非凡人)이믈 칭찬ᄒ니, 태부인의 즐김과 딘부인이 환열ᄒ여 만면의 희긔를 ᄯᅴ여시니, 뎡부 닉외의 츈풍이 일웟고, 샹하의 환셩(歡聲)이 여류(如流)80)ᄒ고, 하상(賀觴)이 분분(紛紛)ᄒ니, 곡듕(谷中)의 샤마ᄡᅡᆼ곡(駟馬雙轂)81)이 나렬(羅列)ᄒ고 츄죵(追從)이 구름 ᄀᆞᆺᄐᆞ여, 윤의렬(尹義烈)의 신셩특달(神聖特達)ᄒ미 명쳘보신(明哲保身)ᄒ여 흔

지 오륙삭(五六朔)의 닐허시니, 그 스라시믈 긔약(期約)67)지 못홀지라."

한춍이 스샤ᄒ여 블감ᄒᄆᄋᆯ 닐큿더라. 추시 니루의셔 년셕(宴席)을 ᄀᆡ장(開場)ᄒ고 윤·양·니 등 제부(諸婦)를 모하 경하(慶賀)홀시, 뎡공이 추환(叉鬟)을 명ᄒ여 현긔 등 스으를 안흐로 드려 보닌니, 틱부인이 스으를 좌우로 닛그러 슬【78】하의 안치고, 경쇼져 유ᄌ를 슬상의 언져, 좌우로 고면(顧眄)ᄒ니, 닉외 ᄌ손이 곳슈풀을 닐웟ᄂ딕, 현긔의 옥모영풍(玉貌英風)과 운긔의 화류미풍(花柳美風)의 발월(發越)ᄒᆫ 긔상이며, ᄌ염의 화옥 ᄀᆞᆺᄐᆞ여 요요졍졍(姚姚貞靜)ᄒ여 절염(絶艶)의 식이 으시의 낫타나딕, 셩녀(聖女)의 틀이 ᄀᆞᄌᆞ니, 좌위(左右) 막블대찬(莫不大讚)68)ᄒ고, 틱부인이 두굿기는 우음을 쥬리지 못ᄒ여, 제으를 어로만져 왈,

"스익(四兒) 하늘의 타난 복녹을 알니로다. 유익(幼兒) 독슈(毒手)를 무ᄉ히 버셔나믄, 흔갓 한춍의 공일 ᄲᆫ 아녀, 져의 슈복이 하원(遐遠)ᄒ미라."

좌우 빈긱이 틱부인 셩언(聲言)이 뉴리(有理)ᄒ심과, 다[달]슈영복(達壽永福)69)이 결비 범인(決非凡人)이믈 칭송ᄒ니, 틱부【79】인의 즐거움과 딘부인이 환열ᄒ여 만면의 희긔를 ᄯᅴ여시니, 뎡부 닉외의 츈풍이 닐웟고, 상하의 환셩이 여류(如流)70)ᄒ고, 하상이 분분ᄒ니, 곡즁의 스ᄆ ᄲᅡᆼ곡(駟馬雙轂)71)이 나렬ᄒ고, 츄죵이 구름 ᄀᆞᆺᄐᆞ여, 윤의렬의 신셩특달(神聖特達)ᄒ미 명쳘보신(明哲保身)ᄒ여 흔갓 신여명(身與命)72)이

---

77)긔약(期約) : 어떤 일이 이루어지기를 바라고 기다림. 또는 때를 정하여 약속함.
78)막블대찬(莫不大讚) : 크게 칭찬하여 마지않음.
79)달슈영복(達壽永福) : 길이 수(壽)와 복(福)을 누림.
80)여류(如流) : 물의 흐름과 같음.
81)샤마ᄲᅡᆼ곡(駟馬雙轂) : 네 필의 말이 끄는 수레의 말과 수레를 함께 이르는 말.

67)긔약(期約) : 어떤 일이 이루어지기를 바라고 기다림. 또는 때를 정하여 약속함.
68)막블대찬(莫不大讚) : 크게 칭찬하여 마지않음.
69)달슈영복(達壽永福) : 길이 수(壽)와 복(福)을 누림.
70)여류(如流) : 물의 흐름과 같음.
71)샤마ᄲᅡᆼ곡(駟馬雙轂) : 네 필의 말이 끄는 수레의 말과 수레를 함께 이르는 말.
72)신여명(身與命) ; 몸과 목숨.

갓 신여명(身與命)82)이 구젼(俱全)홀 쁜 아
니라, 문호(門戶)의 亽화(死禍)를 두로혀 복
이 되믈 만구칭션(萬口稱善)83)ᄒ며, 금후의
현부 두믈 하례ᄒ니, 딘시 졔공은 도로혀
감뉘(感淚) 여우(如雨)ᄒ여, 낙【20】양후
등이 다 은인셩혜(恩人盛惠)84)라 ᄒ여 긋디
아니니, 금휘 좌슈우응(左酬右應)85)의 치하
를 승당(承當)86)ᄒ여 화긔(和氣) 츈일(春日)
ᄀ툰니, 금후의 남다른 화홍관대(和弘寬大)
ᄒᆫ 식견(識見)으로 공쥬ᄂᆫ 극악이나, 그 싱
ᄋᆫᄂᆫ 곳 뎡시 골육이어늘, 최형의 쳔ᄋ(賤
兒)로 밧고아 亽싱거쳐(死生去處)를 모로니,
듕심의 참비디심(慘悲之心)이 가득ᄒ더라.

경공이 다시 손ᄋ 다려가믈 쳥ᄒ니, 공이
쇼왈,

"츳이 싱디슈셰(生之數歲)의 내 집의 오
미 처음이라. 흑발ᄌ위(鶴髮慈闈) 쥬야 닛디
못ᄒ시던 빈니, 명일 다려가 잠간 보고 식
부와 ᄒᆞᆫ가지로 보니라."

뎡언간의 녜뷔 활인亽로 좇ᄎ 양부인을
비항(陪行)ᄒ여 도라오니, 금휘 더욱 깃거
졔ᄌ【21】로 졔빈(諸賓)을 졉ᄃᆡ ᄒ라 ᄒ고
닉당으로 드러가니, 츳시 활인亽 혜원법ᄉ
요괴를 잡아 윤부인 노듀(奴主)로 텬위디하
(天威之下)87)의 나아가미, 뎡·딘 냥가의
누얼(陋孼)을 신셜(伸雪)ᄒ니, 곳다온 졀의
와 신명춍혜(神明聰慧)ᄒᆫ 식견이 만셩(滿城)
의 편힝(遍行)ᄒ니, 혜원법ᄉ 쏘ᄒ 텬ᄌ의
은혜와 상샤를 밧ᄌ와 도라와, 양부인과 오
시를 ᄃᆡ호여 궐듕亽(闕中事)를 젼ᄒ고, 말단
(末端)의 윤부인이 ᄌ결ᄒ여 명지슈유(命在
須臾)88)ᄒ미, 우ᄒ로 셩샹이 녈졀(烈節)을

---

82) 신여명(身與命) ; 몸과 목숨.
83) 만구칭션(萬口稱善) : 만구칭찬(萬口稱讚). 많은 사
람이 한결같이 칭찬함.
84) 은인셩혜(恩人盛惠) : 은인이 베풀어 준 가득한 은
혜.
85) 좌슈우응(左酬右應) : 이쪽저쪽으로 부산하게 상대
하고 응함.
86) 승당(承當) : 받아들여 감당함.
87) 텬위디하(天威之下) : 천자(天子)가 집무하는 대궐
의 뜰아래.
88) 명지슈유(命在須臾) : 목숨이 잠깐 사이에 달려 있

구젼(俱全)홀 쁜 아니라, 문호(門戶)의 亽화
(死禍)를 두로혀 복이 되믈 만구칭션(萬口
稱善)73)ᄒ며, 금후의 현부 두믈 하례ᄒ니,
진시 졔공은 도로혀 감뉘(感淚) 여우(如雨)
ᄒ여, 낙양후 등이 다 은인셩혜(恩人盛
惠)74)라 ᄒ여 긋지 아니니, 금휘 좌슈우응
(左酬右應)75)의 치하를 승당(承當)76)ᄒ여
화긔 츈일 ᄀ투니, 금후의 남다른 화홍관대
(和弘寬大)ᄒ 《신견‖시견(識見)》으로 공
쥬【80】ᄂᆫ 극악이나 그녀ᄂᆞ 곳 뎡시 골
육이어늘, 최형의 쳔ᄋ(賤兒)로 밧고아 亽싱
거쳐(死生去處)를 모르니, 줌심의 참비지심
(慘悲之心)이 가득ᄒ더라.

경공이 ᄃᆞ시 손ᄋ 드려가믈 쳥ᄒ니 공이
쇼 왈,

"츳이 싱지슈세(生之數歲)의 내 집의 오
미 처음이라. 학발ᄌ위(鶴髮慈闈) 쥬야 닛지
못ᄒ시던 빈니, 명일 드려ᄀ 즘간 보고 식
부와 ᄒᆞᆫ가지로 보니라"

졍언간의 녜뷔 활인亽로 좇ᄎ 양부인을
비힝(陪行)ᄒ여 도라오니, 금휘 더욱 깃거
졔ᄌ로 졔빈(諸賓)을 졉ᄃᆡ ᄒ라 ᄒ고, 닉당으
로 드러가니, 츳시 활인亽 혜원법ᄉ 요괴를
즙아 윤부인 노쥬를 맛져 텬위지하(天威之
下)77)의 나아가미, 뎡·딘 냥가의 누얼(陋
孼)을 신셜(伸雪)ᄒ니, 곳다온 졀의와 신명
춍혜(神明聰慧)【81】ᄒᆫ 식견이 만셩(滿城)
의 편힝(遍行)ᄒ니 혜원법ᄉ 쏘ᄒ 텬ᄌ의
은혜와 상ᄉ를 밧ᄌ와 도라와, 양부인과 오
시를 ᄃᆡ호여 궐즁亽(闕中事)를 젼ᄒ고, 말단
의 윤부인이 ᄌ결ᄒ여 명직슈유(命在須
臾)78)ᄒ미, 우ᄒ로 셩샹이 녈졀을 앗기시

---

73) 만구칭션(萬口稱善) : 만구칭찬(萬口稱讚). 많은 사
람이 한결같이 칭찬함.
74) 은인셩혜(恩人盛惠) : 은인이 베풀어 준 가득한 은
혜.
75) 좌슈우응(左酬右應) : 이쪽저쪽으로 부산하게 상대
하고 응함.
76) 승당(承當) : 받아들여 감당함.
77) 텬위디하(天威之下) : 천자(天子)가 집무하는 대궐
의 뜰아래.
78) 명직슈유(命在須臾) : 목숨이 잠깐 사이에 달려 있
을 만큼 위태로움.

앗기시고, 힝혀 슉녀를 구치 못홀가 넘녀ㅎ시던 바를 젼ㅎ니, 양·오 이부인이 대경(大驚) 참연(慘然)ㅎ여 양부인이 희허(唏噓) 탄왈(嘆曰),

"윤부인의 슉ᄌ혜딜(淑姿惠質)은 아등이 【22】 감히 바라디 못홀 비라. 하날이 이 ᄀᆺ튼 셩녀(聖女)를 나리오시고 운익(運厄)이 긔구ᄒ여 써를 빌니디 아니시니, 엇디 한홉디 아니리오."

혜원과 오시 역환(亦患)ᄒ더라.

산문이 요란ᄒ며 문 딕흰 쇼리(小尼) 황망이 뎡녜부 노야의 도문(到門)ᄒ믈 고ᄒ고, 쏘 셕부의셔 오시 솔귀(率歸)ᄒ는 위의(威儀) 와시믈 고ᄒ니, 혜원이 산문의 나와 마ᄌ 관ᄃᆡ(款待)ᄒ고, 폐암(弊庵)의 님ᄒ시믈 만구(萬口) 칭샤ᄒ니, 뎡·셕 냥인이 다 당당ᄒ 유문ᄌ뎨(儒門子弟)로 불도(佛道)를 비쳑ᄒ는 비라. 그러나 혜원의 쳥졍고결(淸淨高潔)ᄒ믈 감히 만홀(漫忽)치 못ᄒ여 은근 칭샤ᄒ고, 무슈ᄒ 금빅을 가져 혜원으로브터 졔승(諸僧)을 후히 【23】 샤례ᄒ고, 각각 화교옥뉸(華轎玉輪)으로 오시는 셕부로 도라가고, 양시는 뎡부로 도라올시, 냥인이 별회(別懷) 악연(愕然)ᄒ여 피ᄎ 연연ᄒ미 동긔〇〇〇[를 써남] ᄀᆺ더라. 졔승이 져마다 결연(缺然)ᄒ고, 혜원이 탄식 왈,

"빈승(貧僧)이 부인닉로 더브러 젹은 연분이 이셔, 화란 듕 부인닉를 구ᄒ여 오릭 폐ᄉ(弊寺)의 머므시니, 난심옥딜(蘭心玉質)89)을 조모(朝暮)의 딕ᄒ여, 무식(無色)ᄒ90) 쇼견이 훤츨ᄒ더니91) 이졔 부인닉 길시(吉時)를 만나 도라가시니, 화당고루(華堂高樓)의 복이 졔미(齊美)ᄒ시려니와, 빈승은 어나날 화용셩모(花容聖貌)를 니ᄌ리잇고?"

냥인이 역시 결연 칭샤 왈,

"쳡 등이 ᄉ듕구싱(死中求生)92)ᄒ여 영화

을 만큼 위태로움.
89)난심옥딜(蘭心玉質) : 난(蘭)처럼 맑은 마음과 옥(玉)처럼 깨끗한 자질.
90)무식(無色)ᄒ다 : 부끄럽고 보잘 것 없다.
91)훤츨ᄒ다 : 막힘없이 깨끗하고 시원스럽다.
92)ᄉ듕구싱(死中求生) : 죽을 수밖에 없는 처지에서

고, 힝혀 슉녀를 구치 못홀가 넘녀ᄒ시던 바를 젼ᄒ니, 양·오 이 부인이 대경(大驚) 참연(慘然)ᄒ여 양부인이 《희연∥희허(唏噓)》 희허(唏噓) 탄왈(嘆曰),

"윤부인의 슉ᄌ혜딜(淑姿惠質)은 아등이 감히 바라지 못홀 비라. 하늘이 이 ᄀᆺ튼 셩녀를 나리오시고, 운익(運厄)이 긔구ᄒ여 써를 빌니지 아니ᄒ시니, 엇지 한홉지 아니ᄒ리오."

오시 역탄ᄒ더라.

산문이 요란ᄒ며 문 직흰 쇼리(小尼) 황망이 뎡녜부 노야의 도문(到門)ᄒ믈 고【82】ᄒ고, 쏘 셕부의셔 오시 솔귀(率歸)ᄒ는 위의 이르러시믈 고ᄒ니, 혜원이 산문의 ᄂ와 마ᄌ 관ᄃᆡ(款待)ᄒ고 폐암(弊庵)의 님ᄒ시믈 만구(萬口) 칭사ᄒ니, 뎡·셕 냥인이 다 당당ᄒ 유문ᄌ뎨(儒門子弟)로 불도(佛道)를 비쳑ᄒ므로도, 혜원의 쳥졍고결(淸淨高潔)ᄒ믈 감히 만홀(漫忽)티 못ᄒ여, 은근 칭샤ᄒ고, 무슈ᄒ 금빅을 가져 혜원으로브터 졔승을 후히 ᄉ례ᄒ고, 각각 화교옥뉸(華轎玉輪)으로 오시는 셕부로 도라가고, 양시는 뎡부로 도라올시, 냥인이 별회 악연ᄒ여 피ᄎ 연연ᄒ미 동긔〇[를] 써남 ᄀᆺ더라. 졔승이 져마다 결연(缺然)ᄒ고, 혜원이 탄식 왈,

"빈승(貧僧)이 부인닉로 더브러 져근 연분이 이셔, 화란 즁 구ᄒ여 오릭 폐ᄉ(弊寺)의 머므러【83】시니, 난심옥딜(蘭心玉質)79)을 조모(朝暮)의 딕ᄒ여 무식(無色)ᄒ80) 쇼견이 훤츨ᄒ더니81), 이졔 부인닉 길시를 만나 도라가시니, 화당고루(華堂高樓)의 복이 졔미(齊美)ᄒ시려니와, 빈승은 어느날 화용셩모(花容聖貌)를 니ᄌ리잇고?"

냥인이 역시 결연 칭ᄉ 왈,

"쳡 등이 ᄉ즁구싱(死中求生)82)ᄒ여 영화

79)난심옥딜(蘭心玉質) : 난(蘭)처럼 맑은 마음과 옥(玉)처럼 깨끗한 자질.
80)무식(無色)ᄒ다 : 부끄럽고 보잘 것 없다.
81)훤츨ᄒ다 : 막힘없이 깨끗하고 시원스럽다.
82)ᄉ듕구싱(死中求生) : 죽을 수밖에 없는 처지에서 한 가닥 살길을 찾음.

로이 도라가믄 수부의 대은이라. 싱ᄂᆡ(生來)의 엇디 【24】 ○[니]ᄌᆞ리오. 유원(惟願) 수부ᄂᆞᆫ ᄒᆞᆫ 번 반기믈 긔약ᄒᆞ라."

지삼 당부ᄒᆞ고 분슈(分手)ᄒᆞ여 도라와 존당의 비현ᄒᆞᆯ식, 존당 구괴 밧비 눈을 드러보니, 농슈ᄉᆞ져(龍鬚蛇蹄)[93]ᄂᆞᆫ 그리기를 폐ᄒᆞ연 디 오릴ᄉᆞ록 가월(佳月)의 그림지 몽농(朦朧)ᄒᆞ고, 화용옥딜(花容玉質)은 풍완윤틱(豊婉潤澤)ᄒᆞ여시니, 존당 구괴 황홀(恍惚) 긔이(奇愛)ᄒᆞ고 년이디심(戀愛之心)이 층츌(層出)ᄒᆞ니, 부인이 듕계(中階)의셔 고두 쳥죄(請罪) 왈,

"쇼쳡이 블능누딜(不能陋質)노 셩문(聖門)의 입승(入承)[94]ᄒᆞ매, 힝ᄉᆞ(行使) 블초(不肖)ᄒᆞ와 사름의 믜이믈 밧고, 신명(神明)의 외오 넉이시믈 엇ᄌᆞ와 일신의 누명을 시러 친측(親側)의 도라가오니, ᄯᅩᄒᆞᆫ 셩듀의 관홍ᄒᆞ신 덕음(德蔭)이라. 신기(神祇)[95] 오히려 안거(安居)【25】ᄒᆞ믈 믜이 넉이샤, 무인심야(無人深夜)의 참화를 만나, 윤부인 노듀(奴主)로 더브러 셕혈닝디(石穴冷地)의 죄쉬 되엿더니, 츄셩디 믈의 ᄲᅥ러디미, 쳡 등의 일누잔쳔(一縷殘喘)은 앗갑디 아니커니와,

---

한 가닥 살길을 찾음.

93) 농슈ᄉᆞ져(龍鬚蛇蹄) : '용의 머리에 난 털'과 '뱀의 발굽'을 함께 이르는 말. 여기서는 '여성의 눈썹'을 비유적으로 표현한 말로 보인다. 즉 '용수(龍鬚)'와 '사제(蛇蹄)'는 각각, 용이나 뱀을 그릴 때 꼭 나타내지 않아도 되는 것들인데, 마찬가지로 예전에 여성들이 화장을 할 때 눈썹은 그리기도 하고 그리지 않기도 했기 때문에, 이를 '용수사제'로 비유해 표현한 듯하다. <벽허담관제언록>・<명힝졍의록>・<윤하뎡삼문취록> 등에도 같은 뜻으로 쓰인 표현이 보인다. "아미(蛾眉)를 그리지 아니코 옥안(玉顔)을 슈렴치 아냐시니, 이 이른바 농슈ᄉᆞ져ᄂᆞᆫ 그리지 아닐샤록 ᄶᅡ혀나고 옥부츄영(玉膚秋影)은 다듬지 아닐ᄉᆞ록 더욱 긔이ᄒᆞ니"<벽허담9:9>, "농슈ᄉᆞ져ᄂᆞᆫ 그리지 아냐 셤농(纖濃)ᄒᆞ여 팔치(八彩)의 빗치 아미봉(蛾眉峰)의 ᄲᅢ혀나고"<명힝53:15>, "헛흔 운발(雲髮) 가온디 농슈ᄉᆞ져와 옥부츄영(玉膚秋影)이 더욱 쇄락ᄒᆞ여"<윤하뎡 98:57>

94) 입승(入承) : ①임금에게 아들이 없을 때 왕족 가운데 한 사람이 임금의 대를 잇던 일. ②여자가 혼인하여 시집의 며느리로서의 대(代)를 잇던 일.

95) 신기(神祇) : 천신(天神)과 지기(地祇)를 아울러 이르는 말. 곧 하늘의 신령과 땅의 신령을 이른다.

를 씌여 도라가니, 이는 수부의 대은이라. 싱ᄂᆡ(生來)의 엇지 니ᄌᆞ리오. 복망 수부ᄂᆞᆫ ᄒᆞᆫ 번 반기믈 긔약ᄒᆞ라."

지삼 당부ᄒᆞ고 분슈(分手ᄒᆞ고 도라와 존당의 비현ᄒᆞᆯ식, 존당 구괴 밧비 눈○[을] 드러보니 농슈ᄉᆞ져(龍鬚蛇蹄)[83]ᄂᆞᆫ 그리기를 폐ᄒᆞ연 지 오릴ᄉᆞ록 가월(佳月)의 그림지 몽농(朦朧)ᄒᆞ고, 화용옥딜(花容玉質)은 풍완뉴틱(豊婉潤澤)ᄒᆞ여시니, 존당 구괴 황홀(恍惚) 긔이(奇愛)ᄒᆞ고 년이지심(戀愛之心)이 층츌(層出)ᄒᆞ니, 부인이 즁계(中階)의셔 고두【84】 쳥죄(請罪) 왈,

"쇼쳡이 블능누질(不能陋質)노 뎡문의 닙승(入承)[84]ᄒᆞ매, 힝ᄉᆞ(行使) 블초(不肖)ᄒᆞ와 ᄉᆞ람의 믜이믈 밧고, 신명(神明)의 외오 넉이시믈 엇ᄌᆞ와 일신의 누명을 시러 친측(親側)의 도라ᄀᆞ오니, ᄯᅩᄒᆞᆫ 셩쥬의 관홍ᄒᆞ신 덕음(德蔭)이라. 신기(神祇)[85] 오히려 안거(安居)ᄒᆞ믈 믜이 넉이샤, 무인심야(無人深夜)의 참화를 만나 윤부인 노듀(奴主)로 더브러 셕혈닝지(石穴冷地)의 죄쉬 되엿더니, 츄셩지믈의 ᄲᅥ러져 쳡 등의 일누잔쳔(一縷殘喘)은 앗갑지 아니ᄒᆞ거니와, 존당 구고의 심은혜틱(深恩惠澤)을 져바려 싱ᄉᆞ를 고치

---

83) 농슈ᄉᆞ져(龍鬚蛇蹄) : '용의 머리에 난 털'과 '뱀의 발굽'을 함께 이르는 말. 여기서는 '여성의 눈썹'을 비유적으로 표현한 말로 보인다. 즉 '용수(龍鬚)'와 '사제(蛇蹄)'는 각각, 용이나 뱀을 그릴 때 꼭 나타내지 않아도 되는 것들인데, 마찬가지로 예전에 여성들이 화장을 할 때 눈썹은 그리기도 하고 그리지 않기도 했기 때문에, 이를 '용수사제'로 비유해 표현한 듯하다. <벽허담관제언록>・<명힝졍의록>・<윤하뎡삼문취록> 등에도 같은 뜻으로 쓰인 표현이 보인다. "아미(蛾眉)를 그리지 아니코 옥안(玉顔)을 슈렴치 아냐시니, 이 이른바 농슈ᄉᆞ져ᄂᆞᆫ 그리지 아닐샤록 ᄶᅡ혀나고 옥부츄영(玉膚秋影)은 다듬지 아닐ᄉᆞ록 더욱 긔이ᄒᆞ니"<벽허담9:9>, "농슈ᄉᆞ져ᄂᆞᆫ 그리지 아냐 셤농(纖濃)ᄒᆞ여 팔치(八彩)의 빗치 아미봉(蛾眉峰)의 ᄲᅢ혀나고"<명힝53:15>, "헛흔 운발(雲髮) 가온디 농슈ᄉᆞ져와 옥부츄영(玉膚秋影)이 더욱 쇄락ᄒᆞ여"<윤하뎡 98:57>

84) 입승(入承) : ①임금에게 아들이 없을 때 왕족 가운데 한 사람이 임금의 대를 잇던 일. ②여자가 혼인하여 시집의 며느리로서의 대(代)를 잇던 일.

85) 신기(神祇) : 천신(天神)과 지기(地祇)를 아울러 이르는 말. 곧 하늘의 신령과 땅의 신령을 이른다.

존당 구고의 심은혜틱(深恩惠澤)을 져바려,
싱스를 고치 못ᄒᆞ� 옵고 어복(魚腹)을 치올가
슬허 ᄒᆞ옵더니, 활인스 신승(神僧)의 구ᄒᆞ믈
닙스와 복ᄋ(腹兒)를 완젼ᄒᆞ옵고, 존하의 다
시 뵈오니 셕ᄉᆞ(夕死)나 무한(無恨)이로소이
다."

존당 구괴 블승년이(不勝憐愛)ᄒᆞ여 ᄲᆞᆯ니
당의 오로믈 명ᄒᆞ고, 태부인이 옥슈(玉手)를
나호여 무빈(霧鬢)을 어로만져, 츄연 왈,

"현부 등의 슉뇨혜힝(淑窈慧行)96)으로 초
운(初運)이 다험(多險)ᄒᆞ여, 긔괴ᄒᆞᆫ 누얼을
시러 친당【26】의 도라가니, 노뫼 기시(其
時)의 결연ᄒᆞᆷ믈 측냥ᄒᆞ리오. 연(然)이나 부
운이 거두미 녯날 화긔를 일치 아닐가 ᄒᆞ더
니, 뉘 도로혀 요인의 작히 아니 밋츤 곳이
업셔, 윤현뷔 도듕의 실니ᄒᆞ여 거쳐 존망을
모로고, ᄯᅩ 현뷔마ᄌᆞ 호환(虎患)을 만나 브
디거쳬(不知去處)라 ᄒᆞ니, 엇디 놀납디 아니
리오. 흐갓 노모의 박복ᄒᆞ믈 슬허, 하일(何
日) 하시(何時)의 초창(怊悵)치 아니리오.
텬우신됴(天佑神助)ᄒᆞ여 요인(妖人)이 극셩
죽패(極盛則敗)97)ᄒᆞᄂᆞᆫ 환(患)을 만나 간정
(奸情)이 발각ᄒᆞ미, 져의 당은 도로혀 쥬륙
(誅戮)ᄒᆞᄂᆞᆫ 환이 잇고, 오ᄋ 등은 텬ᄌᆞ의 은
영을 씌여 죽은가 ᄒᆞ던 현부 등이 옥슈신월
(玉樹新月) ᄀᆞᆺᄐᆞᆫ 히ᄋ(孩兒)를 안아 도라오
고, 윤현뷔 ᄉᆞᆺ다【27】온 열의(烈義) 만셩
(滿城)의 빗나니, 엇디 외람치 아니리오. 노
뫼 소부(少婦) 등과 졔ᄋ(諸兒)를 실니ᄒᆞ미,
미양 슈즉다욕(壽則多辱)98)이믈 한ᄒᆞ더니,
금일이 하일(何日)이완ᄃᆡ 손부 등을 보니
댱슈ᄒᆞ믈 깃거 ᄒᆞ노라."

양부인이 옥안이 쳑연ᄒᆞ여 지삼 불효를
샤죄ᄒᆞ더라.

이ᄯᅥ 냥개(兩個) 유ᄋ를 안아 좌듕의 노

못ᄒᆞ옵고 어복(魚腹)의 장(藏)홀가 슬허 ᄒᆞ
옵더니, 활인스 신승(神僧)의 구ᄒᆞ믈 닙스와
복ᄋ(腹兒)를 완젼ᄒᆞ옵고, 존하(尊下)의 ᄃ
시 뵈오니 셕ᄉᆞ(夕死)나 무한(無恨)일가ᄒᆞ나
이다."

존당 구괴 블승년이(不勝憐愛)ᄒᆞ여 ᄲᆞᆯ니
승당ᄒᆞ믈 명ᄒᆞ고, ᄐᆡ부인이 옥슈를 나호여
무【85】빈(霧鬢)을 어로만져 츄연 왈,

"현부 등의 슉뇨혜힝(淑窈慧行)86)으로 초
운(初運)이 다험(多險)ᄒᆞ여, 긔괴ᄒᆞᆫ 누얼을
시러 친당의 도라가니, 노뫼 기시의 《길연
∥결연》ᄒᆞ믈 측냥ᄒᆞ리오. 그러나 부운이
거두미 녯날 화긔를 닐치 아닐ㄱ ᄒᆞ더니,
뉘 도로혀 요인의 작히 아니 밋츤 곳이 업
셔, 윤현뷔 도듕의 실니ᄒᆞ여 거쳐 존망을
모ᄅᆞ고, ᄯᅩ 현뷔마ᄌᆞ 호환(虎患)을 만나 브
지거쳬라 ᄒᆞ니, 엇지 놀납지 아니리오. 흔ᄭᅩ
노모의 박복ᄒᆞ믈 슬허, 하일(何日) 하시(何
時)의 초창(怊悵)티 아니리오. 텬우신됴(天
佑神助)ᄒᆞ여 뇨인이 극셩죽픽(極盛則敗)87)
ᄒᆞᄂᆞᆫ 환(患)을 만나 간졍이 발각ᄒᆞ미, 져히
당은 도로혀 쥬륙(誅戮)ᄒᆞᄂᆞᆫ 환이 잇고, 오
ᄋ 등은 텬ᄌᆞ의 은영을 씌여 죽은가 ᄒᆞ던
현부 등이 옥슈신월(玉樹新月) ᄀᆞᆺᄐᆞᆫ 히ᄋ를
안아 도라오고, 윤현뷔 ᄉᆞᆺ다【86】온 일이
만셩(滿城)의 빗나니, 엇지 외람치 아니리
오. 노뫼 소부 등과 졔ᄋ를 실니ᄒᆞ미, 미양
슈즉다욕(壽則多辱)88)이믈   닐ㅋ랏더니,
《그일∥금일》이 하일이완ᄃᆡ 손부 등을 보
니 댱슈ᄒᆞ믈 깃거 ᄒᆞ노라"

양 부인이 옥안이 쳑연ᄒᆞ여 지습 불효를
ᄉᆞ죄ᄒᆞ더라.

이ᄯᅥ 냥개 유ᄋ를 안아 좌즁의 노ᄒᆞ니,

---

96)슉뇨혜힝(淑窈慧行) : 맑고 고상하며 슬기로운 행
    실.
97)극셩죽패(極盛則敗) : : 몹시 왕성하면 얼마 가지
    못해서 패망함. ≒극셩지패(極盛之敗)
98)슈즉다욕(壽則多辱) : 오래 살수록 그만큼 욕됨이
    많음을 이르는 말. ≪장자≫ <천지편(天地篇)>에
    나오는 말이다.

86)슉뇨혜힝(淑窈慧行) : 맑고 고상하며 슬기로운 행
    실.
87)극셩죽패(極盛則敗) : 몹시 왕성하면 얼마 가지 못
    해서 패망함. ≒극셩지패(極盛之敗)
88)슈즉다욕(壽則多辱) : 오래 살수록 그만큼 욕됨이
    많음을 이르는 말. ≪장자≫ <천지편(天地篇)>에
    나오는 말이다.

흐니 싱디긔년(生之朞年)99)이라. 거름이 샏
르고 언어를 능통ㅎ니. 삽삽(澁澁)100)흔 녹
발(綠髮)이 계오 니마의 덥혀시니 미묘(美
妙) 졀승(絶勝)흔디라. 태부인이 년망이 냥
ᄋ를 나호여 냥 슬하의 가로 안치고, 졔ᄋ
를 슬하의 버리미, 두굿기믈 형용치 못ㅎ여
깃브미 무궁ㅎ나, 일유쇼흠ᄌ(一有所欠
者)101)는 윤의렬의 병셰 위란(危亂)ㅎ미
【28】라. 북공의 곤계 드러오미, 양부인이
마ᄌ 슈슉(嫂叔)이 녜필(禮畢)ㅎ고 부뷔 녜
파(禮罷)의, 북공이 냥ᄋ를 나호여 그 옥모
영풍(玉貌英風)을 크게 ᄉ랑ㅎ더라.

태부인이 졔ᄋ의 명ᄌ(名字) 업ᄉ믈 뭇고,
금후를 명ㅎ여 졔손의 일홈을 디으라 ㅎ니,
금휘 슈명ㅎ고 경시 유ᄌ로 문긔라 ㅎ고,
윤의렬 유ᄌ로 션긔라 ○…결락 10자…○
[ㅎ고, 양시 유ᄌ로 연긔라] ㅎ니, 션·연
냥ᄋ는 오히려 쳘을 모로딕, 경시 유ᄌ는
능히 인ᄉ를 아는디라. 니러 빅샤 왈,

"손이 거의 식ᄉ(識事)ㅎ기의 니르딕 일
홈이 업습더니, 오날 대뷔(大父) 일홈을 주
시니 츠후는 무명디ᄋ(無名之兒)를 면ㅎ리
로소이다. 슈연(雖然)이나, ᄌ모를 엇디 뵈
옵디 못홀소니잇고?"

북공 【29】 왈,

"네 아딕 어려 인ᄉ를 모로니 므어슬 알
니오. 여뫼 모일의 여ᄎ여ᄎ(如此如此) 호환
의 죽어 디금 거체 업ᄉ니, 죽은 어미를 어
딕 가 보리오. 여뫼 비록 죽어시나, 션월졍
윤시와 션향졍 양시 다 너의 ᄌ뫼오, 버거
셔뫼(庶母) 열히라. 죽은 어미를 구틱여 싱
각ㅎ여 므엇 ㅎ리오."

쇼이 쳥파의 별 ᄀᆺ튼 냥안(兩眼)의 비뤼
(悲淚) 은연(隱然)ㅎ여 머리를 숙이고 오열
냥구(嗚咽良久)102)의, 다시 고왈,

"부교(父敎)를 듯ᄌ오니 비록 여러 ᄌ뫼
계시나, 싱모의 싱휵(生慉)ㅎ신 바를 모르니

99)싱디긔년(生之朞年) : 세상에 태어난지 만 일년이
됨.
100)삽삽(澁澁) : 매끄럽지 아니하고 껄껄함.
101)일유쇼흠ᄌ(一有所欠者) : 한 가지 흠이 되는 것.
102)오열냥구(嗚咽良久) : 흐느껴 울기를 오래 함.

싱지긔년(生之朞年)89)이라. 거름이 샏르고
언어를 능통ㅎ니, 삽삽(澁澁)90)흔 녹발이
계오 니마의 덥혀시니, 미묘(美妙) 졀승(絶
勝)흔지라. 틱부인이 년망이 냥ᄋ를 나호여
냥 슬하의 ᄀ로 안치고, 졔ᄋ를 슬하의 버
리미, 두굿기믈 형용치 못ㅎ여 깃브미 무궁
ㅎ나, 일유쇼흠ᄌ(一有所欠者)91)는 윤의렬
의 병셰 위란(危亂)ㅎ미라. 북공의 곤계 드
러오미 양부인이 마ᄌ 슈슉(嫂叔)이 녜필(禮
畢)ㅎ고, 부뷔 녜파(禮罷)의 북 【87】 공이
냥ᄋ를 나호여 그 옥모녕풍(玉貌英風)을 크
게 ᄉ랑ㅎ더라.

틱부인이 졔ᄋ의 명ᄌ(名字) 업ᄉ믈 뭇고,
금후를 명ㅎ여 졔손의 닐홈을 지으라 ㅎ니,
휘 슈명ㅎ고 경시 유ᄌ로 문긔라 ㅎ고, 윤
의렬 유ᄌ로 션긔라 ㅎ고, 양시 유ᄌ로 연
긔라 ㅎ니, 션·연 냥ᄋ는 오히려 쳘을 모
로딕, 경시 유ᄌ는 능히 인ᄉ를 아는지라.
니러 빅ᄉ 왈,

"손이 거의 식ᄉ(識事)ㅎ기의 니르딕, 일
홈이 업습더니 오늘날 일홈을 주시니 츠후
는 무명지ᄋ(無名之兒를 면ㅎ리로소이다.
슈(雖然)연이나 ᄌ모를 엇지 뵈옵지 못홀소
니잇고?"

북공 왈,

"네 아직 어려 인ᄉ를 모로니 므어슬 알
니오. 여뫼 모일의 여ᄎ여ᄎ(如此如此) 호환
의 죽어 지금 거체 업ᄉ니, 죽은 어미를 어
딕 가 보리오. 여뫼 비록 죽으나 【88】 션
월졍 윤시와 션향졍 양시 다 너의 ᄌ뫼오,
버거 셔뫼 녈히라 죽은 어미를 구틱여 싱각
ㅎ여 무엇 ㅎ리오."

쇼이 쳥필(聽畢)의 별 ᄀᆺ튼 냥안의 비뤼
은녕(隱盈)ㅎ여 머리를 숙이고 오열냥구(嗚
咽良久)92)의 다시 고왈.

"부교(父敎)를 듯ᄌ오니 비록 녀러 ᄌ뫼
계시나, ᄌ모의 휵양(慉養)ㅎ신 바를 모르니

89)싱디긔년(生之朞年) : 세상에 태어난지 만 일년이
됨.
90)삽삽(澁澁) : 매끄럽지 아니하고 껄껄함.
91)일유쇼흠ᄌ(一有所欠者) : 한 가지 흠이 되는 것.
92)오열냥구(嗚咽良久) : 흐느껴 울기를 오래 함.

엇디 슬프디 아니리잇고?"

언파의 옥뉘만면(玉淚滿面)ㅎ니, 좌위 더욱 이디(愛之)ㅎ고, 딘부인이 나호여 슬상(膝上)의 언져 머리를 쓰다듬아 위로 왈,

"여【30】뷔 작위 공후(公侯)오, 여러 즈식을 두어 졈지 아니키의 밋쳐시디, 인식(人事) 미거(未擧)ㅎ여103) ㅇ쇼(兒小)의 희롱 즐기믈, 디어(至於) 즈식의 밋쳐 희어(戲語)를 쥬작(做作)ㅎ미니, 너의 아븨 광언(狂言)을 신쳥(信聽)치 말고, 밧긔 너의 외죄(外祖) 계시니 셕양의 왕부(王父)를 쓰라가 여모(汝母)를 보고 모직 흔가디로 오라."

쇼이 비로소 고두(叩頭) 샤례ㅎ더라.

이 씨 양공이 죽은가 흔 녀이 복ㅇ를 보젼ㅎ여 무스히 싱환(生還)ㅎ믈 보고[려] 쏘흔 외당의 니르럿ᄂ디라. 금휘 식부를 명ㅎ여 스침(私寢)의 물너가 양공 부즈를 뵈오라 ㅎ니, 양부인이 양쇼져로 더브러 슈명ㅎ고 션향졍의 도라와 부친을 뵈올 시, 양【31】부인이 하당영디(下堂迎之)ㅎ여 뫼셔 승당(昇堂)ㅎ미, 부친 슬하의 직비ㅎ고, 광슈(廣袖)를 붓드러 부안을 우러러 비희교집(悲喜交集)ㅎ여 불효를 청죄ㅎ미, 능히 말을 못ㅎ니, 양공이 쏘흔 녀ㅇ의 옥슈를 잡고 츄연 위로 왈,

"왕ᄉ(往事)는 이의(已矣)라. 싱각ㅎ미 무익ㅎ나, 출하리 너의 향신(香身)을 디하의 쟝(葬)ㅎ여시면, 슬프미 그디도록 ᄒ리오마는, 요졍(妖精)의 딘가(眞假)는 밋쳐 아디 못ㅎ고, 딘짓 녀ㅇ의 옥골방신(玉骨芳身)을 호표의 복듕의 치온가 상심비도(傷心悲悼)ㅎ나, 사름의 모딜미 쇠호(豺虎)의셔 더ㅎ여, 디우금일(至于今日)의 녀이 싱환ㅎ고 요힝 복ㅇ를 보젼ㅎ니, 인간【32】낙식 이 밧긔 업ᄂ디라. 노부는 즐거오믈 니기디 못ㅎ거늘, 오ㅇ는 엇디 과상(過傷)ㅎ나뇨? 여뫼 너의 싱존ㅎ믈 드르미 누셰(累歲) 셕은 쟝위(腸胃) 당황(唐惶)ㅎ더라. 너는 모로미 수일 후 귀령하여 여모(汝母)를 위로ㅎ라."

103)미거(未擧)ㅎ다 : 철이 없고 사리에 어둡다.

엇지 슬프지 아니리잇고?"

언파의 옥뉘만면(玉淚滿面)ㅎ니, 좌위 더욱 이○[지](愛之)ㅎ고, 딘부인이 나호여 슬상의 언져 머리를 쓰드듬아 위로, 왈.

"여뷔 작위 공후(公侯)의[오], 여러 즈식을 두어 졈지 아니키의 밋쳐시디, 인식 미거(未擧)ㅎ여93) ㅇ쇼(兒小)의 희롱을 즐기므로 즈식의게 밋쳐 희어(戲語)를 쥬작(做作)ㅎ미니, 너의 아븨 광언(狂言)을 신쳥(信聽)치 말고, 밧게 너히 외죄(外祖) 계시니 셕양의 네 왕부(王父)를 쓰라가 여모(汝母)를 보고, 모직 흔가지로 오라"

쇼【89】이 비로소 고두(叩頭) 슈례ㅎ더라.

이 씨 양공이 죽은가 흔 녀이 복ㅇ를 보젼ㅎ여 무스히 싱환(生還)ㅎ믈 보고[려] 쏘흔 외당의 니르럿ᄂ지라. 금휘 식부를 명ㅎ여 스침의 물너가 양공 부즈를 뵈오라 ㅎ니, 양부인이 냥쇼져로 더브러 슈명ㅎ고, 션향졍의 도라와 부친을 뵈올 시, 양부인이 하당영지(下堂迎之)ㅎ여 뫼셔 승당(昇堂)ㅎ미, 부친 슬하의 직비ㅎ고, 광슈(廣袖)를 붓드러 부안을 우러러 비희교집(悲喜交集)ㅎ여 불효를 청죄ㅎ미, 능히 말을 못ㅎ니, 양공이 쏘흔 녀ㅇ의 옥슈를 즙고 츄연 위로 왈,

"왕ᄉ(往事)는 이의(已矣)라. 싱각ㅎ미 무익ㅎ나, 출하리 너히 향신(香身)을 디하의 쟝(葬)ㅎ엿시면 슬프미 그디도록 ᄒ리오마는, 요졍의 진가(眞假)는 밋쳐 아지 못ㅎ고, 진짓 녀ㅇ의 옥골방신(玉骨芳身)을 호표의 복즁의 치온가 상심비【90】도(傷心悲悼)ㅎ나, 스람의 모즐미94) 쇠호(豺虎)의셔 더ㅎ여, 지우금일(至于今日)의 녀이 싱환ㅎ고 뇨힝 복ㅇ를 보젼ㅎ니, 인간 낙식 이 밧게 업ᄂ지라. 노부는 즐거오믈 니기지 못ㅎ거늘, 오ㅇ는 엇지 과상(過傷)ㅎᄂ뇨? 여뫼 너히 싱존ㅎ믈 드르미 누셰(累歲) 셕은 쟝위(腸胃) 당황(唐惶)ㅎ지라. 너는 모로미 슈일

93)미거(未擧)ㅎ다 : 철이 없고 사리에 어둡다.
94)모즐다 : 모질다. 기세가 몹시 매섭고 사납다.

부인이 비이슈루(拜而垂淚)104) 왈,

"블쵸녜(不肖女) 셩회 쳔박ᄒᆞ옵고, 동녈(同列)의 싀긔를 만나고 요인이 챵궐(猖獗)ᄒᆞ오나, 몸이 위디(危地)의 버셔나, 복ᄋᆞ를 무ᄾᅵ히 분산(分産)ᄒᆞ고, 참잔역경(慘殘逆境)을 두로혀 복(福)을 삼아 존하(尊下)의 다시 등비ᄒᆞ오니, 셕ᄉᆞ(夕死)나 무한(無恨)이로소이다."

○○[니어] 제형으로 니회(離懷)를 일ᄏᆞ라 피ᄎᆞ 반기고, 깃브미 샹하(上下)【33】치 아니ᄒᆞ더라. 믄득 뎡당 시녜 운긔 등 냥ᄋᆞ를 다려 니르니, 양공이 손ᄋᆞ를 어로만져 년이ᄒᆞ미 시롭더라. 이윽고 평댱이 졔ᄌᆞ로 더브러 도라가니라.

태부인이 운영을 벳 침소의 도라보ᄂᆞ니, 양부인이 혼뎡(昏定)을 맛고, 니·양 냥쇼져와 ᄋᆞ쥬와 운영으로 더브러 션월졍의 가 윤부인을 문후ᄒᆞᆯᄉᆡ, 윤부인이 상샹(床上)의 언와(偃臥)ᄒᆞ여 통셩(痛聲)이 미미(微微)ᄒᆞ더라. 양시 나아가 금금(錦衾)을 열고 옥슈를 잡아 왈,

"지작(再昨)의 부인을 분슈ᄒᆞᆯ 졔 츈ᄉᆡᆨ(春色)이 의구(依舊)ᄒᆞ시더니 ᄎᆞ하경ᄉᆡᆨ(此何景色)105)이니잇고? 부인의 심회 남달니 ᄎᆞ오(差誤)106)ᄒᆞ【34】나, ᄎᆞ마 스스로 텬명(天命)을 결(決)ᄒᆞ리오. 비록 일시 분두(忿頭)의 ᄉᆞ싱을 경히 넉이나, 뎡당 태부인 상명(喪明)107)을 더ᄒᆞ랴 ᄒᆞ시며, 슬하 유치의 궁텬디통(窮天之痛)108)을 깃치려 ᄒᆞ시ᄂᆞ니잇가?"

윤부인이 뎡히 엄구(嚴舅)와 쇼텬(所天)의 명셩디교(明聖之敎)를 좃ᄎᆞ 일단 회심(回心)

---

104)비이슈루(拜而垂淚) : 절하고 눈물을 흘림.
105)ᄎᆞ하경ᄉᆡᆨ(此何景色) : 이것이 어찌된 일인가?
106)ᄎᆞ오(差誤) : 틀리거나 잘못됨.
107)상명(喪明) : 아들의 죽음을 당함.
108)궁텬디통(窮天之痛) : 하늘에 사무치는 고통이나 설움.

후 귀령ᄒᆞ여 여모(汝母)를 위로ᄒᆞ라."

부인이 비이수명(拜而受命)95) 왈,

"블쵸녜 셩회 쳔박ᄒᆞ옵고, 동녈(同列)의 싀긔를 만나고 요인이 챵궐(猖獗)ᄒᆞ오나, 몸이 위지(危地)의 버셔나, 복ᄋᆞ를 무ᄾᅵ히 분산(分産)ᄒᆞ고, 참잔역경(慘殘逆境)을 두로혀 복(福)을 숨아 존하(尊下)의 다시 등비ᄒᆞ오니, 셕ᄉᆞ(夕死)나 무한이로소이다"

○○[니어] 제형으로 니회(離懷)를 일ᄏᆞ라 피ᄎᆞ 반기고 깃브미 샹하(上下)치 아니ᄒᆞ더니, 믄득 뎡당 시녜 운긔 등 냥ᄋᆞ를 드려 니르니, 양공이 손ᄋᆞ를 어로만져 년이【91】ᄒᆞ미 시롭더라. 이윽고 평장이 졔ᄌᆞ로 더브러 도라가니라.

날이 느즈미 경공이 ᄃᆞ시 손ᄋᆞ ᄃᆞ려감을 쳥ᄒᆞ니, 금휘 틴부인게 품ᄒᆞ고 문긔를 도라 보ᄂᆡ여, 명일 식부와 ᄒᆞᆫ가지로 오믈 니르니 경공이 응낙고 도라가니라.

틴부인이 운녕을 벳 침소의 도라보ᄂᆞ니, 양부인이 혼졍(昏定)을 맛고, 니·양 냥 쇼져와 ᄋᆞ쥬와 운녕으로 더브러 션월졍의 가 윤부인을 문후ᄒᆞᆯᄉᆡ, 윤부인이 상샹(床上)의 언와(偃臥)ᄒᆞ여 통셩이 미미(微微)ᄒᆞ지라. 양시 나아ᄀᆞ 금금(錦衾)을 열고 옥슈를 즙아 왈,

"지작(再昨)의 부인을 분슈ᄒᆞᆯ 졔 츈ᄉᆡᆨ(春色)이 의구(依舊)ᄒᆞ시더니, ᄎᆞ하경ᄉᆡᆨ(此何景色)96)이니잇고? 부인의 심회 남 달니 ᄎᆞ오(差誤)97)ᄒᆞ나, ᄎᆞ마 스스로 텬명(天命)을 결ᄒᆞ리오. 비록 일시 분뒤(忿頭)의 ᄉᆞ싱을 경히 넉이나, 뎡당 틴부인 상명(喪明)98)을 더【92】ᄒᆞ려 ᄒᆞ시며, 슬하 유치의 궁텬지통(窮天之痛)99)을 깃치려 ᄒᆞ시ᄂᆞ니잇고?"

윤부인이 졍히 엄구(嚴舅)와 쇼텬(所天)의 명셩지교(明聖之敎)를 조ᄎᆞ 일단 회심(回心)

---

95)비이슈루(拜而垂淚) : 절하고 눈물을 흘림.
96)ᄎᆞ하경ᄉᆡᆨ(此何景色) : 이것이 어찌된 일인가?
97)ᄎᆞ오(差誤) : 틀리거나 잘못됨.
98)상명(喪明) : 아들의 죽음을 당함.
99)궁텬디통(窮天之痛) : 하늘에 사무치는 고통이나 설움.

이 업디 아니나, 딘실노 주긔 집 변고는 블
가스문어타인(不可使聞於他人)109)이라.   딕
인(對人)홀 낫치 업더니, 초일 양시 도라오
물 드르디 무심무려(無心無慮)ᄒ더니, 믄득
유ᄋ를 다려오고 버거 양시와 운영이 니르
러 문후ᄒ니, 심시 츄연(惆然)ᄒ여 기리 탄
왈,

　"디난 바 역경 참화는 망극흔다. 형셰
만만 【35】 브득(萬萬不得)이　 텬졍(天廷)의
격고(擊鼓)ᄒ여 구가 참화와 아등의 누얼을
신셜(伸雪)ᄒ나, 죄의 나아간 지 그 몃 사름
이뇨? 고인(古人)이 운(云)ᄒ딕, '녕인부아
(寧人負我)언정 무아부인(無我負人)'110)이라
ᄒ니, 쳡이 임의 고인의 경계를 져바려, 사
룸 히흐믄 니르도 말고, 조모와 슉당의 허
믈이 낫타나 죄루(罪累)의 쩌러져시니, 쳡이
싱젼의 블효오, 亽후의 하면목으로 션쳔을
뵈오며, 셜亽(設使) 공쥐 임샤디덕(姙似之
德)111)이 업亽나, 왕회(王姬)의 존(尊)으로
셩샹(聖上)의 쇼교(小嬌)어늘, 쳡으로 말미
암아 심궁(深宮)의 안치(安置)ᄒ여시니, 엇
디 亽셰(事勢) 난쳐(難處)치 아니리오. 시고
(是故)로 주모(慈母)의 단장디극(斷腸之極)
이 타류와 다르실 줄【36】 알오딕, 형셰 브
득이 죽기를 결ᄒ미러니, 완명(頑命)이 디리
(支離)ᄒ여112) 죽디 못ᄒ고, 도로혀 존당
구고의 셩녀(聖慮)를 깃치오니, 불효를 싱각
ᄒ미　 욕亽무디(欲死無地)113)러니,　 부인의
교회(敎誨)114)를 드르니 더욱 참괴(慙愧)토

이 업지 아니나, 진실노 주긔 집 변고는 블
가스문어타인(不可使聞於他人)100)이라.   딕
인(對人)홀 낫치 업더니, 초일 양시 도라오
물 드르딕 무심무려(無心無慮)ᄒ더니, 믄득
유ᄋ를 드려오고 버거 양시와 운녕이 니르
러 문후ᄒ니, 심시 츄연(惆然)ᄒ여 기리 탄
왈,

　"지난 바 녁경 참화는 망극흔지라, 형셰
만만부득(萬萬不得)이 텬졍의 격고(擊鼓)ᄒ
여 구가 츔화와 ᄋ등의 누얼을 신셜(伸雪)
ᄒ나, 죄의 ᄂ아간 지 그 몃 亽람이뇨? 고
인(古人)이　 운(云)ᄒ딕 '녕인부아(寧人負我)
언졍 무아부인(無我負人)'101)이라 ᄒ니, 쳡
이 님의 고인의 경계를 져바려, 亽람 히흐
믄 니르도 말고, 조모와 슉당의 허믈이 나
타나 죄루(罪累)의 쩌러져시니, 쳡이 싱
【93】 젼의 블회오, 亽후의 하면목으로 션
인(先人)을 뵈오며, 셜亽 공쥐 임亽지덕(姙
似之德)102)이 업亽나 왕회의 존으로 셩샹의
쇼교(小嬌)어늘, 쳡으로 말미암아 심궁의 안
치(安置)ᄒ여시니, 엇지 亽셰(事勢) 난쳐(難
處)치 아니ᄒ리오. 시고(是故)로 주모(慈母)
의 단장지극(斷腸之極)이 타류의 더ᄒ실 쥴
알오딕, 형셰 부득이 죽기를 결ᄒ미러니, 완
명(頑命)이 지리(支離)ᄒ여103) 죽지 못ᄒ고,
도로혀 존당 구고의 셩녀(聖慮)를 깃치오니,
불효를 싱각ᄒ미 욕亽무지(欲死無地)104)러
니, 부인의 교회(敎誨)105)를 드르니 더욱
참괴(慙愧)토소이다"

---

109)블가스문어타인(不可使聞於他人) : 남이 알게 할
　　수 없음.
110)녕인부아(寧人負我)언정 무아부인(無我負人) : 차
　　라리 남이 나를 버릴지언정 내가 남을 배반할 수
　　는 없다.
111)임샤디덕(姙似之德) : 중국 주(周)나라 현모양처
　　(賢母良妻)인 문왕의 어머니 태임(太姙)과 그의 비
　　(妃) 태사(太姒)의 덕을 함께 일컫는 말.
112)디리(支離)ᄒ다 : 지루하다. 시간이 오래 걸리거
　　나 같은 상태가 오래 계속되어 따분하고 싫증이
　　나다.
113)욕亽무디(欲死無地) : 죽으려고 하여도 죽을 만
　　한 곳이 없다는 뜻으로, 매우 분하고 원통함을 이
　　르는 말.
114)교회(敎誨) : 잘 가르치고 타일러서 지난날의 잘
　　못을 깨우치게 함.

100)블가스문어타인(不可使聞於他人) : 남이 알게 할
　　수 없음.
101)녕인부아(寧人負我)언정 무아부인(無我負人) : 차
　　라리 남이 나를 버릴지언정 내가 남을 배반할 수
　　는 없다.
102)임샤디덕(姙似之德) : 중국 주(周)나라 현모양처
　　(賢母良妻)인 문왕의 어머니 태임(太姙)과 그의 비
　　(妃) 태사(太姒)의 덕을 함께 일컫는 말.
103)디리(支離)ᄒ다 : 지루하다. 시간이 오래 걸리거
　　나 같은 상태가 오래 계속되어 따분하고 싫증이
　　나다.
104)욕亽무디(欲死無地) : 죽으려고 하여도 죽을 만
　　한 곳이 없다는 뜻으로, 매우 분하고 원통함을 이
　　르는 말.
105)교회(敎誨) : 잘 가르치고 타일러서 지난날의 잘
　　못을 깨우치게 함.

소이다.”

셜파의 옥뉘(玉淚) 환난(汍亂)ᄒᆞ니, 양부인이 그 심회(心懷)를 감동ᄒᆞ여 죵용이 위로ᄒᆞ더니, 날이 어두오미 니·양 냥쇼져와 운영 등이 도라ᄀᆞ되, 양부인이 쵹을 니어 야심토록 말ᄉᆞᆷᄒᆞᆯᄉᆡ, 북공이 존당 부모의 침슈를 살피고 션월졍의 나아가니, 윤부인이 침병(枕屏)115)을 디혀 양시와 말ᄉᆞᆷᄒᆞ더니, 북공을 보고 윤부인은 능【37】히 긔동(起動)치 못ᄒᆞ나, 양시는 니러 마ᄌᆞ 좌뎡ᄒᆞ미, 양부인이 도라가고져 ᄒᆞ거늘, 북공 왈,

“부인이 엇디 싱을 보고 가고져 ᄒᆞ시ᄂᆞ뇨? 윤시 병회(病懷) 민울(悶鬱)ᄒᆞᆫ 듕 싱을 ᄌᆞ못 괴로이 넉이ᄂᆞ니, 두 부인은 ᄉᆞ싱동쳐(死生同處)ᄒᆞ던 졍이 이시니, 금야의 머므러 싱의 슈고를 디ᄒᆞ고 병심을 위로ᄒᆞ쇼셔.”

양시 마디 못ᄒᆞ여 좌의 나아가니, 북공이 윤시를 향ᄒᆞ여 문왈,

“디금은 상쳬 엇더 ᄒᆞ며 긔운이 엇더 ᄒᆞ시뇨?”

부인이 슈용(修容) 되왈,

“상쳬 대단치 아닌 바의, 존당 구고의 은퇵을 닙ᄉᆞ와 졍신이 관겨(關係)치 아닌되, 군지 ᄯᅩ 근노ᄒᆞ시니 쳡심이 도로혀 블안【38】토소이다.”

공이 미쇼 왈,

“싱이 본디 부인 녀ᄌᆞ의 의문치례(懿文致禮)116)ᄒᆞ여 ᄂᆡ외(內外) 교식(矯飾)ᄒᆞᆷ을 괴로이 넉이ᄂᆞ니, 부인은 명쳘(明哲)ᄒᆞᆫ 녀지라. ᄂᆡ이 싱각ᄒᆞ여 신톄발부(身體髮膚)를 듕히 넉이쇼셔.”

언파의 시녀를 분부ᄒᆞ여 부인의 진(進)ᄒᆞᆯ 약을 므러 긔걸ᄒᆞ고117), ᄉᆞᄉᆞ(事事)의 그 ᄆᆞᄋᆞᆷ이[을] 편코져 ᄒᆞ여, 부인을 향ᄒᆞ여 잘 조셥(調攝)ᄒᆞᆷᄋᆞᆯ 니르고, 양부인의 머믈기를 니르고, 외당의 나아가니, 양부인이 초야를 동슉ᄒᆞ니라.

셜파의 옥뉘(玉淚) 환난(汍亂)ᄒᆞ니, 양부인이 그 심회를 감동ᄒᆞ여 죵용이 위로ᄒᆞ더니, 날이 어두오미 니·양 냥 쇼져와 운영 등이 도라ᄀᆞ되, 양부인이 쵹을 니어 야심토록 말ᄉᆞᆷᄒᆞᆯᄉᆡ, 북공이 존당 부모의 침슈를 슬피고 션월졍의 ᄂᆞ아가니, 윤 부인이 침병(枕屏)106)을 지혀 양시와 말ᄉᆞᆷᄒᆞ더니, 북공을 【94】 보고 윤 부인은 능히 긔동(起動)치 못ᄒᆞ나, 양시는 니러 마ᄌᆞ 좌졍ᄒᆞ미, 양부인이 도라가고ᄌᆞ ᄒᆞ거늘, 공이 굴오ᄃᆡ,

“부인이 엇지 싱을 보고 가고져 ᄒᆞ시ᄂᆞ뇨? 윤시 병회(病懷) 민울ᄒᆞᆫ 즁 싱을 ᄌᆞ못 괴로이 넉이ᄂᆞ니, 두 부인은 ᄉᆞ싱동쳐(死生同處)ᄒᆞ던 졍이 잇시니, 금야의 머므러 싱의 슈고를 디ᄒᆞ고 병심을 위로ᄒᆞ쇼셔”

양시 마지 못ᄒᆞ여 좌의 ᄂᆞ아가니, 북공이 윤시를 향ᄒᆞ여 문왈,

“디금은 상쳬 엇더 ᄒᆞ며 긔운이 엇더 ᄒᆞ뇨?”

부인이 슈용(修容) 되왈,

“상쳬 대단치 아닌 바의 존당 구고의 은퇵을 닙ᄉᆞ와 졍신이 관계(關係)치 아닌되, 군지 ᄯᅩ 근노ᄒᆞ시니 쳡심이 도로혀 블안토소이다”

공이 미쇼 왈,

“싱이 본디 부인 녀ᄌᆞ의 의문치례(懿文致禮)107)ᄒᆞ여 ᄂᆡ외교식(內外矯飾)ᄒᆞᆷ을 괴로이 넉이ᄂᆞ니, 부인은 명쳘ᄒᆞᆫ 녀지라. 【95】 ᄂᆡ이 싱각ᄒᆞ여 신톄발부(身體髮膚)를 즁히 넉이쇼셔”

언파의 시녀를 분부ᄒᆞ여 부인의 진ᄒᆞᆯ 약을 무러 긔걸ᄒᆞ고108), ᄉᆞᄉᆞ(事事)의 그 ᄆᆞ음이 편코ᄌᆞ ᄒᆞ여 부인을 향ᄒᆞ여 잘 조셥(調攝)ᄒᆞᆷ을 니르고, 양 부인의 머믈기를 니르고 외당의 ᄂᆞ아가니, 양 부인이 초야를 동슉ᄒᆞ니라.

---

115)침병(枕屏) : 머릿병풍. 머리맡에 치는 병풍. 보통 두 쪽으로 되어 있다.
116)의문치례(懿文致禮) : 아름다운 문장을 꾸며 예를 표하는 것.
117)긔걸ᄒᆞ다 : 당부하다. 시키다.

106)침병(枕屏) : 머릿병풍. 머리맡에 치는 병풍. 보통 두 쪽으로 되어 있다.
107)의문치례(懿文致禮) : 아름다운 문장을 꾸며 예를 표하는 것.
108)긔걸ᄒᆞ다 : 당부하다. 시키다.

츠시 경참정이 천금교즈(千金嬌子)118)의 일싱계활(一生計活)이 어즈러오미, 공연이 참화여싱(慘禍餘生)으로 망명도싱(亡命圖生)119)ᄒ니 종신계활(終身計活)이 아모리 될 줄 몰나 【39】 쥬야 번뇌ᄒ더니, 쳔만 의외의 뎡·딘 냥문이 대역으로 문회(門戶) 망멸케 되니, 참졍 부뷔 황황망극(遑遑罔極)ᄒ여 녀셔(女壻)를 위한 근심이 망디소위(罔知所爲)120)ᄒ더니, 쳔고(千古) 녈부셩녀(烈婦聖女)의 격고등문(擊鼓登聞)ᄒ는 거조로조츠, 뇌졍(雷霆)121)의 위엄을 두로혀 간당이 망멸ᄒ고, 현인이 영광을 씌여 녀ᄋ의 부뷔 복합ᄒ라 ᄒ신 은디(恩旨) 나리시니, 강졍(江亭)의 두미 블가ᄒ디라. 츠일 거교를 출혀 보뉘여 녀ᄋ를 다려오미, 모부인이 뎡부 역경참화(逆境慘禍)를 젼ᄒ니, 비록 디난 빈나 슈루비열(垂淚悲咽)ᄒ믈 마디 아니며, 조초122) 윤의렬의 총명특달(聰明特達)ᄒ미 타류(他流)와 달나,【40】 요괴를 잡아 구가 참화 구ᄒ믈 니르니, 쇼졔 쳥파의 대경ᄒ여 희허(唏噓) 냥구(良久)의 왈,

"쇼녀는 딘실노 셰간(世間)의 이시나 유명(幽明)이 즈음흠123) ᄀᆺ도소이다. 구가의셔 허다 참화를 경녁ᄒᄃᆡ, 쇼녀는 고당화각(高堂畵閣)의 안거(安居)ᄒ여 구연(舊然) 시식(視息)124)ᄒ니, 비록 모로는 듕이나 텬앙(天殃)이 두렵디 아니며, 구고와 뎡군이 화홍관대(和弘寬大)ᄒ여 쇼쇼(小小) 허물을 용셔ᄒ시나, 엇디 붓그럽디 아니리잇고?"

셜파(說罷)의 쳑연(慽然) 슈루(垂淚)ᄒ니, 부인이 탄왈,

"츠역(此亦) 텬얘(天也)라. 네 또 위디(危地)의 십싱구○[ᄉ](十生九死)125)ᄒ 인싱이

츠시 경참졍이 천금교ᄋ(千金嬌兒)109)의 일싱계활(一生計活)이 어즈러오미 공연이 참화여싱(慘禍餘生)으로 망명도싱(亡命圖生)110)ᄒ니 종신계활(終身計活)이 아모리 될 줄 몰나 쥬야 번뇌ᄒ더니, 쳔만 의외의 뎡·딘 냥문이 대역으로 문회(門戶) 망멸케 되니, 참졍 부뷔 황황망극(遑遑罔極)ᄒ여 녀셔(女壻)를 위한 근심이 망지소위(罔知所爲)111)러니, 쳔고(千古) 녈(烈)ᄒ 셩녀(聖女)의 격고등문(擊鼓登聞)ᄒ는 거조로조츠, 뇌졍(雷霆)112)의 위엄을 두로혀 간당이 망멸 【96】 ᄒ고, 현인이 녕광을 씌여 녀ᄋ의 부뷔 복합ᄒ라 ᄒ신 은지(恩旨) 나리시니, 강졍(江亭)의 두미 블가ᄒ지라. 츠일 거교를 출혀 보뉘여 녀ᄋ를 드려오미, 모부인이 뎡부 녁경참화(逆境慘禍)를 젼ᄒ니, 비록 지난 빈나 슈루비열(垂淚悲咽)ᄒ믈 마지 아니며, 조초113) 윤의렬의 총명특달(聰明特達)ᄒ미 타류와 달나, 요괴를 잡아 구가 참화 구ᄒ믈 니르니, 쇼졔 쳥파의 대경ᄒ여 희허(唏噓) 냥구의 왈,

"쇼녀는 진실노 셰간(世間)의 이시나 유명이 지음흠114) ᄀᆺ도소이다. 구가의셔 허다 춤화를 경녁ᄒᄃᆡ 쇼녀는 고당화각(高堂畵閣)의 안거(安居)ᄒ여 구연(舊然) 시식(視息)115)ᄒ니, 비록 모로는 즁이나 텬앙이 두렵지 아니며, 구고와 뎡군이 화홍관대(和弘寬大)ᄒ여 쇼쇼 허물을 용셔ᄒ시나, 엇지 붓그럽디 아니리잇고?"

셜파(說罷)의 【97】 쳑연(慽然) 슈루(垂淚)ᄒ니 부인이 탄왈,

"츠역(此亦) 텬얘(天也)라. 네 또 위지의 십싱구ᄉ(十生九死)116)ᄒ 인싱이라. 스람이

---

118)쳔금교즈(千金嬌子) : 매우 귀하고 예쁜 딸.
119)망명도싱(亡命圖生) : 망명하여 삶을 꾀함.
120)망디소위(罔知所爲) : 어찌해야 할 바를 알지 못함.
121)뇌졍(雷霆) : 뇌정벽력(雷霆霹靂). 천둥과 벼락이 격렬하게 침. 또는 그런 천둥과 벼락.
122)조초 : 따라. 뒤따라. 좇아.
123)즈음ᄒ다 : 지음치다. 가로막다. 사이에 두다. 격(隔)하다.
124)시식(視息) : 눈 뜨고 살아 숨 쉬고 있음.

109)쳔금교즈(千金嬌子) : 매우 귀하고 예쁜 딸.
110)망명도싱(亡命圖生) : 망명하여 삶을 꾀함.
111)망디소위(罔知所爲) : 어찌해야 할 바를 알지 못함.
112)뇌졍(雷霆) : 뇌정벽력(雷霆霹靂). 천둥과 벼락이 격렬하게 침. 또는 그런 천둥과 벼락.
113)조초 : 따라. 뒤따라. 좇아.
114)지음ᄒ다 : 지음치다. 가로막다. 사이에 두다. 격(隔)하다. =즈음ᄒ다.
115)시식(視息) : 눈 뜨고 살아 숨 쉬고 있음.

라. 사룸이 알가 망명구싱(亡命苟生)호니, 뎡후 부지 엇디 칙망을 과도히 흐리오. 연(然)이나 고딘 【41】 감니(苦盡甘來)라 흐니, 뎡문의 영홰 쳡쳡호니 엇디 긔특지 아니리오. 디금 한튱의 부뷔 뎡ᄋᆞ 등을 구흐여 도라오다 흐니, 샹공이 손ᄋᆞ를 보며 겸흐여 화변(禍變)을 치위(致慰)흐려 가신디라. 셩샹이 문양 공쥬를 심궁(深宮)의 폐거셔인(廢居庶人)126)흐시고, 윤·양·니 삼인과 녀ᄋᆞ를 다시 뎡가로 복합흐라 흐시니, 시고(是故)로 너를 다려오미라."

쇼졔 역시 유ᄌᆞ(幼子)의 싱존흐믈 드르미 깃거흐더라.

셕양의 참졍이 문긔를 다려오니 부인과 쇼졔 반기미 측냥 업고, 쇼이 ᄯᅩ흔 유져(乳底)를 어로만져 ᄌᆞ안(慈顔)을 반기며, 모ᄌᆞ의 연연흔 졍이 샹하(上下)치 아니흐더라. 공이 금후 부ᄌᆞ의 말 【42】을 다 젼흐고 ᄉᆞ졍이 졀박흐나, 녀ᄋᆞ의 부도를 폐치 못흐리니, 명일 나아가 존당 구고긔 비현흐믈 니르니, 부인은 타렴(他念)업시 묵연흐디, 쇼졔 슬하 ᄯᅥ나믈 슬허 흐더라.

초야의 공이 부뷔 녀ᄋᆞ 모ᄌᆞ를 겻틱 누여 회리(懷裏)의 익이(溺愛)흐여 강보영ᄋᆞ(襁褓嬰兒) ᄀᆞᆺ더라.

쇼졔 심녜 번다흐여 젼젼블미(輾轉不寐)러니, 이윽고 효계창효(曉鷄唱曉)127)흐미, 부인 모녜 조반을 흔당의셔 파흐고, 평명(平明)의 뎡부로조ᄎᆞ 유홍 공지 태부인 명으로 화교(華轎)를 ᄀᆞᆺ초아 니르러 쇼져를 쳥흐니, 참졍 부뷔 결연흐나 녀ᄌᆞ유힝(女子有行)은 원부모형뎨(遠父母兄弟)128)라, ᄉᆞ졍을 엇디 발뵈리오. 쇼졔 부모를 빅샤(拜辭)129)흐고 【43】 유ᄌᆞ로 더브러 취운산으

알가 망명(亡命)호니, 뎡후 부지 엇지 칙망을 과도히 흐리오. 그러나 고진감닉(苦盡甘來)라 흐니, 뎡문의 녕홰 쳡쳡호니 엇지 긔특지 아니리오. 지금 한튱의 부뷔 뎡ᄋᆞ 등을 구흐여 도라오라 흐니, 상공이 손ᄋᆞ를 보며 겸흐여 화변(禍變)을 위로흐려 가신지라. 셩상이 문양 공쥬를 심궁(深宮)의 폐거셔인(廢居庶人)117)흐시고, 윤·양·니 숨인과 녀ᄋᆞ를 ᄃᆞ시 뎡가로 복합흐라 흐시니, 시고(是故)로 너를 다려오미라.

쇼졔 역시 유ᄌᆞ(幼子)의 싱존흐믈 드르미 깃거흐더라.

셕양의 참졍이 문긔를 ᄃᆞ려 도라오니 부인과 쇼졔 반기미 측냥 업고, 쇼이 ᄯᅩ흔 유져(乳底)를 어로만져 ᄌᆞ안(慈顔)을 반기며, 모ᄌᆞ의 연연흔 졍이 상 【98】 하치 아니터라. 공이 금후 부ᄌᆞ의 말을 다 젼흐고, 지금 녀ᄋᆞ 부도를 폐티 못흐리니, 명일 나아가 존당 구고긔 비현흐믈 니르니, 부인은 타렴 업시 묵연흐디 쇼졔 슬하 ᄯᅥ나믈 슬허 흐더라.

초야의 공이 부뷔 녀ᄋᆞ 모ᄌᆞ를 겻틱 누이여, 회리(懷裏)의 닉이(溺愛)흐여 ○○[강보]녕ᄋᆞ(襁褓嬰兒)로 ᄃᆞ릿지 아니터라.

쇼졔 심녜 번다흐여 젼젼블미(輾轉不寐)러니, 이윽고 효계창효(曉鷄唱曉)118)흐미 부인 모녜 죠반을 흔당의셔 파흐고, 평명(平明)의 뎡부로조ᄎᆞ 유홍 공지 틱부인 명으로 화교(華轎)를 ᄀᆞᆺ초아 니르러 쇼져를 쳥흐니, 참졍 부뷔 결연흐나 '녀ᄌᆞ 유힝은 원부모형뎨(遠父母兄弟)'119)라. ᄉᆞ졍을 엇지 발뵈리오. 쇼졔 부모를 빅샤(拜辭)120)흐고 유ᄌᆞ로 더브러 취운산으로 나아가다.

---

125)십싱구ᄉᆞ(十生九死) : 아홉 번 죽고 열 번 살아 나다는 뜻으로,, 위태로운 지경에서 겨우 벗어남을 이르는 말
126)폐거셔인(廢居庶人) : 벼슬이나 신분적 특권을 빼앗아 서민으로 살게 함.
127)효계창효(曉鷄唱曉) : 새벽닭이 새벽을 알림.
128)녀ᄌᆞ유힝(女子有行) 원부모형제(遠父母兄弟) : 여자는 부모형제를 떠나 살아야 함.
129)빅샤(拜辭) : 절하여 하직함.

116)십싱구ᄉᆞ(十生九死) : 아홉 번 죽고 열 번 살아 나다는 뜻으로,, 위태로운 지경에서 겨우 벗어남을 이르는 말
117)폐거셔인(廢居庶人) : 벼슬이나 신분적 특권을 빼앗아 서민으로 살게 함.
118)효계창효(曉鷄唱曉) : 새벽닭이 새벽을 알림.
119)녀ᄌᆞ유힝(女子有行) 원부모형제(遠父母兄弟) : 여자는 부모형제를 떠나 살아야 함.
120)빅샤(拜辭) : 절하여 하직함.

로 나아가다.

경시 치교(彩轎)를 바로 뎡당의 노코, 쇼제 교즁(轎中)의 나려 감히 승당치 못호고, 관잠(冠簪)을 샌히고 당하의 청죄 왈,

"쇼쳡이 블혜누딜(不慧陋質)노 존당 구고의 혜틱을 져바리옵고, 구구히 일명을 투싱(偸生)호오나, 스싱을 은휘(隱諱)호여 허다 셩녀를 깃치옵고, 엄구와 가뷔 위경(危境)의 님호시믈 망미(茫昧)130)호고, 금누화당(金樓華堂)의 안과(安過)호여 비환(悲患)을 참예치 못호옵고, 윤부인 신셩명달(神聖明達)호시므로 화를 두로혀 복이 되며, 가니 화평호여 디어(至於) 여음(餘蔭)이 쇼쳡의게 밋즈와 망명호는 구츠호믈 면호오미, 다 윤부인 셩덕【44】이라. 존당 구괴 비록 셩은을 드리워 블효를 칙디 아니시나, 엇디 난연슈괴(赧然羞愧)호미 업스리잇고? 복원 존당은 쇼쳡의 블민(不敏)호 죄를 다스리시믈 바라느이다."

언파의 이뤼(哀淚) 딘딘(津津)호니 존당이 블승이련호여 승당호믈 명호여, 니·양 냥쇼져로 셔로 보게 호니, 삼쇼졔 피츠 녜필의 눈을 드러 옥면화용(玉面花容)을 보고 피츠 이경(愛敬)호믈 마디 아니호더라. 이윽고 문긔 경부로조ᄎ 와 존당의 비알호고, 좌하의 쑤러 야릐 존후를 뭇즈오니 아름다온 얼골이 우희염죽호여131), 완연이 동즈(童子)의 톄○[를] 일웟고, 은은흔 녜뫼 노스숙유(老士宿儒)132)를 압두(壓頭)홀 디라. 【45】존젼의 문후호기를 맛고 믈너 모친 슬하의 시좌호니, 경근디되(敬謹之道) 조금도 쇼ᄋ의 미딘(未盡)호미 업스니, 좌둥이 블승칭찬호고 태부인의 두굿기믄 긔록디 못홀너라.

태부인 왈,

"죽은가 슬허호던 졔부졔손(諸婦諸孫)이

경시 치교(彩轎)를 바【99】로 졍당의 노코, 쇼졔 교즁(轎中)의 나려 감히 승당치 못호고, 관잠(冠簪)을 샌히고 하당의 청죄 왈,

"쇼쳡이 블혜누질(不慧陋質)노 존당 구고의 혜틱을 져바리고, 구구히 일명을 투싱(偸生)호오나, 스싱을 은휘(隱諱)호여 허다 셩녀를 씻치오고, 엄구와 가뷔 위경의 님호시믈 망미(茫昧)121)호고, 금누화당(金樓華堂)의 안거호여 비환(悲患)을 춤예치 못호옵고, 윤부인 신셩명달(神聖明達)호시므로 화를 두로혀 복이 되어, 가니 화평호여 지어(至於) 여음(餘蔭)이 쇼쳡의게 밋즈와 망명호는 구츠호믈 면호오미, 다 윤부인 셩덕이라. 존당 구괴 비록 셩은을 드리워 블효를 칙지 아니시나, 엇지 난연슈괴(赧然羞愧)호미 업스리잇고? 복원 존당은 쇼쳡의 블민(不敏)혼 죄를 다스리쇼셔.

언파의 이체(哀涕)【100】진진(津津)호니, 존당이 블승이련호여 승당호믈 명호여, 니·양 냥쇼져로 셔로 보게 호니, 슴쇼졔 피ᄎ 녜필의 눈을 드러 옥면화용(玉面花容)을 보고, 피ᄎ 이경호믈 마지 아니호더라. 이윽고 문긔 경부로조ᄎ 존당의 비알호고, 좌하의 쑤러 야릐 존후를 뭇즈오니, 아름다운 얼골이 우희염죽호여122), 완연이 동즈(童子)의 톄○[를] 닐웟고, 은은흔 녜뫼 노스숙유(老士宿儒)123)를 압두홀지라. 존젼의 문후호기를 맛고, 믈너 모친 슬하의 시좌호니, 좌즁이 블승칭찬호고, 틱부인의 두굿기믄 측양치 못홀너라.

틱부인 왈,

"죽은가 슬허호던 졔부졔손(諸婦諸孫)이

---

130)망미(茫昧) : ①까마득히 모름. ②경험 따위가 적어 세상 물정에 아주 어두움.
131)우희다 : 움키다. 움켜잡다. 손가락을 우그리어 물건 따위를 놓치지 않도록 힘 있게 잡다.
132)노스숙유(老士宿儒) : 학식이 많고 덕망이 높은 나이 많은 선비.

121)망미(茫昧) : ①까마득히 모름. ②경험 따위가 적어 세상 물정에 아주 어두움.
122)우희다 : 움키다. 움켜잡다. 손가락을 우그리어 물건 따위를 놓치지 않도록 힘 있게 잡다.
123)노스숙유(老士宿儒) : 학식이 많고 덕망이 높은 나이 많은 선비.

맛춤ᄂᆡ 완전여구(完全如舊)ᄒᆞ니, 셰간의 이ᄀᆞᆺᄐᆞᆫ 희경(喜慶)이 어ᄃᆡ 이시리오마ᄂᆞᆫ, 공쥐 극악이나 기경(其情)인즉 가련ᄒᆞᆫ디라. 텬ᄋᆞ의 풍치 남다른 고로 구듕텬궐(九重天闕)의 금디옥엽(金枝玉葉)이 반계곡경(盤溪曲徑)[133]으로 하가(下嫁)ᄒᆞᄆᆡ, 가부를 과도히 ᄉᆞ랑ᄒᆞ여 툥이(寵愛)를 독당(獨當)코져 ᄒᆞ다가, 간정이 발각ᄒᆞᄆᆡ 심궁 기인(棄人)이 되니, 슈악(雖惡)이나 엇디 가련치 아니며, 더옥 그 싱ᄒᆞᆫ 바 골육【46】은 뎡시 혈육이어날, 최형의 쳔츌(賤出)과 밧고와 그 아모ᄃᆡ 간 줄 모ᄅᆞ니, 엇디 어엿ᄇᆞ디 아니리오."

셜파의 기리 탄식ᄒᆞ니, 좌위 태부인 덕화를 감오ᄒᆞ더라. 태부인이 우왈(又曰),

"녜브터 '○○[고릭] ᄡᅡ홈의 싀오 죽ᄂᆞᆫ다'[134] ᄒᆞ니, 요인의 작ᄒᆡ○[의] 디어(至於) 텬ᄋᆞ의 쳡《이‖의도》 멸(滅)ᄒᆞᆫ 지 업ᄂᆞᆫ디라. 졔부 졔손과 운영가디 도라와시나, 오히려 구챵이 못 도라왓ᄂᆞᆫ디라. 구챵이 ᄯᅩᄒᆞᆫ 텬ᄋᆞ의 풍물(風物)[135]을 밧든 연고로 ᄉᆞ화를 만나니, 기간의 별유ᄉᆞ고(別有事故)ᄒᆞ여 하부의 피화ᄒᆞ다 ᄒᆞ니, 비록 불관(不關)ᄒᆞ나 의(義)예 ᄇᆞ리디 못ᄒᆞᆫ즉 엇디 거두디 아니리오. 불너 일퇵의 머물고 윤현부로 임샤(姙似)의【47】교화를 빗ᄂᆡ게 ᄒᆞ라."

금휘 구챵을 블관이 넉이나, ᄉᆞ셰 그러ᄒᆞ고 친의를 역디 못ᄒᆞ여 구챵을 브르니, 슈유(須臾)의 니르러 당하의셔 비알ᄒᆞ고, 각각 셩의(聖意)를 감격ᄒᆞ여 감뉘(感淚) 여우(如雨)ᄒᆞ니, 태부인이 그 옥안화미(玉顔華美)와 냥션ᄌᆞ혜(良善慈慧)ᄒᆞᆷ을 ᄉᆞ랑ᄒᆞ여, 말셕의

맛춤ᄂᆡ 완전여구(完全如舊)ᄒᆞ니, 셰간의 이ᄀᆞᆺᄐᆞᆫ 희경(喜慶)이 어ᄃᆡ 이시리오마ᄂᆞᆫ, 공쥐 극악이나 기정인즉 가련ᄒᆞᆫ지라. 텬ᄋᆞ의 풍치【101】남다른 고로 구즁텬궐(九重天闕)의 금지옥엽(金枝玉葉)이 반계곡경(盤溪曲徑)[124]으로 하가ᄒᆞᄆᆡ, 가부를 과도히 ᄉᆞ랑ᄒᆞ여 춍이를 독당코ᄌᆞ ᄒᆞ다가, 간정이 발각ᄒᆞᄆᆡ 심궁 기인(棄人)이 되니, 악지나 엇지 가련치 아니며, 더욱 그 싱ᄒᆞᆫ 바 골육은 뎡시 혈육이어늘, 최평[형]의 쳔츌(賤出)과 밧고와, 그 아모ᄃᆡ로 간 줄 모ᄅᆞ니, 엇지 가셕지 아니ᄒᆞ리오"

셜파의 기리 탄식ᄒᆞ니, 좌위 틱부인 덕화를 감오ᄒᆞ더라. 틱부인이 우왈(又曰),

"녜브터 '고릭 ᄡᅡ홈의 싀오 죽ᄂᆞᆫ다'[125] ᄒᆞ니, 요인(妖人)의 작ᄒᆡ○[의] 지어(至於) 텬ᄋᆞ의 쳡《이‖의도》 멸(滅)ᄒᆞᆫ 지 업ᄂᆞᆫ지라. 졔부 졔손과 운녕ᄀᆞ지 도라와시ᄃᆡ, 오히려 구챵이 못 도라왓ᄂᆞᆫ지라. 구녜 ᄯᅩᄒᆞᆫ 텬ᄋᆞ의 풍물(風物)[126]을 밧든 연고로 ᄉᆞ화를 만나니, 기간의 별유ᄉᆞ고(別有事故)ᄒᆞ【102】여 하부의 피화ᄒᆞ다 ᄒᆞ니, 비록 불관(不關)ᄒᆞ나 《의례‖의에》 ᄇᆞ리지 못ᄒᆞᆫ즉, 엇지 거두지 아니ᄒᆞ리오. 불너 일퇵의 머물고 윤현부로 님ᄉᆞ(姙似)의 교화를 빗ᄂᆡ게 ᄒᆞ라."

금휘 구챵을 블긴(不緊)이 넉이나, ᄉᆞ셰 그러ᄒᆞ고 친의를 넉지 못ᄒᆞ여 구챵을 브르니, 슈유(須臾)의 니르러 당하의셔 비알ᄒᆞ고, 각각 셩의(聖意)를 감격ᄒᆞ여 감뉘(感淚) 여우(如雨)ᄒᆞ니, 틱부인이 그 옥안화미(玉顔華美)와 냥션ᄌᆞ혜(良善慈慧)ᄒᆞᆷ을 ᄉᆞ랑ᄒᆞ여,

---

133)반계곡경(盤溪曲徑) : 서려 있는 계곡과 구불구불한 길이라는 뜻으로, 일을 순서대로 정당하게 하지 아니하고 그릇된 수단을 써서 억지로 함을 이르는 말.

134)고릭 ᄡᅡ홈의 싀오 죽ᄂᆞᆫ다 : =고래 싸움에 새우 등 터진다. 강한 자들끼리 싸우는 통에 아무 상관도 없는 약한 자가 중간에 끼어 피해를 입게 됨을 비유적으로 이르는 말.

135)풍물(風物) : 『음악』풍물놀이에 쓰는 악기를 통틀어 이르는 말. 꽹과리, 태평소, 소고, 북, 장구, 징 따위이다.

124)반계곡경(盤溪曲徑) : 서려 있는 계곡과 구불구불한 길이라는 뜻으로, 일을 순서대로 정당하게 하지 아니하고 그릇된 수단을 써서 억지로 함을 이르는 말.

125)고릭 ᄡᅡ홈의 싀오 죽ᄂᆞᆫ다 : =고래 싸움에 새우 등 터진다. 강한 자들끼리 싸우는 통에 아무 상관도 없는 약한 자가 중간에 끼어 피해를 입게 됨을 비유적으로 이르는 말.

126)풍물(風物) : 『음악』풍물놀이에 쓰는 악기를 통틀어 이르는 말. 꽹과리, 태평소, 소고, 북, 장구, 징 따위이다.

좌를 주고 경계 왈,

"여등이 비록 노류장화(路柳墻花)나 손으를 위호여 슈졀신고(守節辛苦)호미 귀(貴)혼디라. 이에 퇵상(宅上)의 안신(安身)호여 녀군의 교화를 어즈러이디 말나."

졔녜 고두슈명(叩頭受命)호더라.

이 날 경부인이 양부인을 처음으로 보미, 피치 못니 스랑호여 졍의 상됴(相照)호더라. 태부인 왈,

"경쇼뷔 텬으의 쳐실이 되연【48】디 오릭나, 가변이 층츌(層出)호기로 윤현부의 안면을 모로니, 디금 니·양 등 졔 손뷔 맛당이 경시로 더브러 션월졍의 가, 윤시와 상견호게 호라."

냥인이 승명호고 경부인과 션월졍의 니르러 몬져 시녀로 통호니, 윤시 강인호여 졔인을 졉딕홀식, 경쇼졔 윤부인을 향호여 지빅호니, 윤부인이 동신(動身) 답녜호미 디극 겸손호더라. 경시 윤부인을 보니 각별이 품슈혼 바 일월졍치(日月精彩)라. 흐억 찬난호여 귀복(貴福)이 당당호고, 인즈공검(仁慈恭儉)호미 외모의 낫타나니, 피치 심복(心腹) 긔딕호미 젼일 아던 바 굿더라. 이 날 구창의 쳐소를 각각 뎡호니【49】구창이 블승 영희(不勝榮喜)호더라.

북공이 윤부인 병셰 츠경의 밋춘 후 비로소 양시를 츠즈 구정을 니르며, 경시를 츠즈 환난디시(患亂之時)의 안거본부(安居本府)호여 망연브디(茫然不知)호믈 일장대칙(一場大責)호고 흔갈궃치 호니, 경시 비록 원민호나 홀 일 업더라. 츠후 가닉 화평호고 규문이 딩슈(澄水) 굿트니, 존당 부뫼 두굿기고 칭찬호더라.

말셕의 좌를 주고 경계 왈,

"여등이 비록 노류장화(路柳墻花)나, 졀기를 직히여 다른딕 가지 아니호고, 병부스마를 즉히여 슈졀 부인의 니르니, 긴장 아름답도다. 모르미 숨 부인을 줄 셤기고 거스라미 업게 호라"

호고, 각각 쳐소를 졍호여 주니, 구창이 각【103】각 슈명호고 방소로 가니라.

이 씨 병뷔 닙궐호엿드가 스진(仕進)[127]호고, 즉시 도라와 틱원뎐의 드러가 문후호고, 즉시 부젼의 니르러 문후호니, 금평휘 굴오딕,

"가즁은 화슌호미 졔일이니, 졔가를 줄호여 녹(辱)이 션조게 밋지 말게 호라."

병뷔 슈명호고 셔실노 도라와 닉부 등으로 더부러 셔로 한담호며, 궐즁스를 대강 니르고, 인호여 구창을 츠져 그 스이 슈졀호믈 닐쿳고, 경시 {구가를} 도라오다[믈]○…결락19자…○[듯고 츠즈 일장(一場)을 대칙(大責)혼 후 흔갈궃치 딕호니], 츠후 가닉 화평호고 규문이 거울 굿트니 존당 구괴 두

127)스진(仕進) : 벼슬아치가 규정된 시간에 근무지로 출근함

북공이 일념의 구몽슉의 간악ᄒ믈 아모조
록 션도(善道)의 나아가게 졔도코져, 그 ᄉ
망디화(死亡之禍)를 녁구(力救)ᄒ여 형・유
안무ᄉ를 쳔거ᄒ여시나, 몽슉의 ᄌ긔를 벅
벅이 의심홀 줄 알고, 흔 번 틈을 어더 져
곳의 나아가 히유(解諭)코져 ᄒ더니, 일야의
밤이 깁고【50】 월식이 명낭ᄒ믈 인ᄒ여,
가비야온 미복(微服)으로 초초(草草)히136)
ᄒ여 몽슉의 집의 니르니, 추시 몽슉이 듕
형디하(重刑之下)의 남은 목슘이 당당이 흔
번 죽기를 면치 못홀 비어늘, 의외 뎡・딘
냥인이 힘뼈 구ᄒ믈 닙어, 하날 위엄을 면
ᄒ여 몽슉의 일누(一縷)를 빌녀, 형・유 냥
쳐를 안무ᄒ라 ᄒ시니, 몽슉이 져의 직죄
아모리 긔특흔들, 허다흔 요졍을 어이 딘뎡
ᄒ리오. 의긔군ᄌ(義氣君子)의 깁흔 뜻을 아
디 못ᄒ고, ᄌ긔 뎡듁쳥과 낙양후의 허다
대은을 닛고, 대역의 흉모로 모라 너허 비
은망덕이 남은 싸히 업ᄉ니, 져 부ᄌ슉딜이
므스 일 두호(斗護)ᄒ리【51】오. 샹명이
쳐참ᄒ라 ᄒ시고, 역뎍과 다르니 쳐ᄌ와 뎍
몰(籍沒)137)은 말나 ᄒ신디라. 졔뎡(諸鄭)이
일노뼈 블쾌히 넉여, 형・유의 딘무(鎭撫)ᄒ
여 공을 못 일우면 화를 밧게 ᄒ미라 ᄒ여,
샤양코져 ᄒ나, 더욱 ᄉ죄를 더울가 ᄒ여
못ᄒ고 옥듕을 버셔나니, 강근디친이 업ᄉ
미 뉘 위로홀 지 이시리오. 다만 기쳐(其妻)
양시 울며 구호ᄒ여 거교(車轎)의 시러 집
의 도라와, 의약으로 티료ᄒ여 슈히 샹명을
슌슈ᄒ라 ᄒ니, 몽슉이 울며 죽기를 ᄌ분ᄒ
고 져 곳의 가믈 원치 아니ᄒ니, 무고(無故)
흔 분한이 현인군ᄌ의게 도라가, 교아졀치
(咬牙切齒)ᄒ여, 당당이 죽어 악귀 되【5
2】여 뎡・딘 냥문을 삼키기를 밍셰ᄒ니,
가히 별물악죵(別物惡種)이라.
　이날도 괴로이 신음ᄒ여 야심ᄒ디 잠을

---

136)초초(草草)ᄒ다 : ①몹시 간략하다. ②갖출 것을
　다 갖추지 못하여 초라하다. ③바쁘고 급하다.
137)뎍몰(籍沒) : 중죄인(重罪人)의 재산을 몰수하고
　가족까지도 처벌하던 일.

굿기고 층찬ᄒ더라.
　북공이 일념의 구몽슉의 간악ᄒ믈 아못조
록 션도(善道)의 ᄂ아가게 졔도코ᄌ ᄒ고,
ᄯᅩ 그 ᄉ망지화(死亡之禍)를 녁구(力救)ᄒ여
형・유 안무ᄉ를 쳔거ᄒ여시나, 몽슉이 ᄌ
긔를 벅벅이【104】 의심홀 줄 알고, 흔 번
틈을 어더 져 곳의 나아가 히유(解諭)코져
ᄒ더니, 일야의 밤이 깁고 월식이 명낭ᄒ믈
인ᄒ여 몽슉의 집의 니르니, 추시 몽슉이
즁형지하(重刑之下)의 남은 목슘이 당당이
흔 번 죽기를 면치 못홀 비어늘, 의외 뎡・
딘 냥인이 힘뼈 구ᄒ믈 힘닙어, 하늘 위엄
을 면ᄒ여 몽슉의 일누(一縷)를 빌녀, 형・
유 냥쳐를 안무ᄒ라 ᄒ시니, 몽슉이 져의
직죄 아모리 긔특흔들 허다흔 요졍을 어이
진졍ᄒ리오. 의긔군ᄌ(義氣君子)의 깁흔 뜻
을 아지 못ᄒ고, ᄌ긔 뎡듁쳥과 낙양후의
허다 대은을 닛고, 디역의 흉모로 모라 너
허 빅[비]은망덕이 남은 싸히 업ᄉ니, 져
부ᄌ 슉딜이 므스 일 구호(救護)ᄒ리오. 샹
【105】명이 쳐참ᄒ라 ᄒ시고, 녁젹과 다르
니 쳐ᄌ와 젹몰(籍沒)128)은 말나 ᄒ신지라.
졔뎡(諸鄭)이 일노뼈 블쾌히 넉여 형・뉴의
안무(按撫)ᄒ여 공을 못 닐우면 화를 밧게
ᄒ미라 ᄒ여, 샤양코ᄌ ᄒ나, 더욱 ᄉ죄를
더을가 ᄒ여 못ᄒ고 옥즁을 버셔나니, 강근
지친이 업ᄉ미 뉘 위로홀 지 이시리오. 다
만 기쳐(其妻) 양시 울며 구호ᄒ여 거교(車
轎)의 시러 집의 도라와 의약으로 치료ᄒ여
쥬며, 샹명을 슌수ᄒ라 ᄒ니, 몽슉이 울며
죽기를 ᄌ분ᄒ고 져 곳의 가믈 원치 아니
니, 무고흔 분한이 현인군ᄌ의게 도라가, 교
아졀치(咬牙切齒)ᄒ여 당당이 죽어 악귀 되
여 뎡・딘 냥문을 숨키기를 밍셰ᄒ니, 가히
별물악죵(別物惡種)이라.

　이날도 괴로이 신음ᄒ여 야심ᄒ디【10
6】줌을 닐오지 못ᄒ고 분긔 쳘골(徹骨)ᄒ
더니, 믄득 문 밧긔 ᄉ람이 와 가인(家人)을

---

128)젹몰(籍沒) : 중죄인(重罪人)의 재산을 몰수하고
　가족까지도 처벌하던 일.

일우지 못ㅎ고 분긔 쳘골(徹骨)ㅎ더니, 믄득 문 밧긔 사룸이 와 가인을 브르니, 셔동이 문을 열고 므른듸, 북공 왈,

"내 약간 의슐을 ㅎ더니, 구상공 창쳬 대단타 ㅎ미 흔 번 보아 냥약(良藥)을 시험코져 ㅎ노라."

가동(家僮)이 닉당의 드러가 양시긔 고ㅎ 듸, 양시 깃거 즉시 피ㅎ고 쳥ㅎ니, 북공이 바로 몽숙의 와상(臥床)의 나아가 금금(錦 衾)을 열미, 그 의형이 초고(憔枯)[138]ㅎ믄 블문가디(不問可知)라. 디극던 의(誼)로 츄연ㅎ여 손을 잡고 불너 왈,

"형이 날을 아는다?"

몽숙이 그 소리 귀【53】의 닉으믈 대경 ㅎ여 슉시ㅎ니, 이 곳 평싱 딜오(嫉惡)ㅎ여 브듸 히코져 ㅎ던 뎡듁쳥이라. 대경 황홀ㅎ 여 번연(翻然) 역식(易色) 왈,

"그듸 아니 뎡챵빅이냐? 반드시 나의 고 단ㅎ고 병셰 깁흐믈 혜아리고 스원(私怨)을 갑흐려 듕야(中夜)의 오도다. 블연즉 므슴 일 오리오."

북공이 쳥파의 그 샤곡(邪曲)흔 넘녀 두 믈 어히업셔 미쇼ㅎ고, 이의 뎡식 왈,

"쇼뎨 평일 그듸로써 총명지스(聰明之士) 로 아랏더니, 원닉 블통무식ㅎ미 만고의 무 빵ㅎ도다. 군즈는 익즈디원(睚眦之怨)[139]을 필보(必報)치 아닛ㄴ니, 싱이 비록 불학무식 ㅎ여 군즈를 밋디 못ㅎ나, 엇디 샤곡(邪曲) 흔 의시 이시리오. 형을 죽이랴 ㅎ면【54】 당당흔 왕법(王法)이 잇거늘, 구틱여 듕야 (中夜)의 와 남 모로게 히ㅎ여, 반싱 슈힝으 로 간악(奸惡) 암밀(暗密)ㅎ기의 밋츠리오. 그듸 쏘흔 고셔를 박남(博覽)ㅎ여 녯 말을 알니니, 한소렬(漢昭烈)[140]의 니른 바, '어

브르니, 셔동이 문을 열고 므른듸, 북공 왈,

"내 약간 의슐을 ㅎ더니, 구상공 창쳬 대단타 ㅎ미 흔 번 보아 냥약(良藥)을 시험코 즈 ㅎ노라"

가동(家僮)이 닉당의 드러가 양시긔 고ㅎ 듸, 양시 깃거 즉시 피ㅎ고 쳥하니, 북공이 바로 몽숙의 와상(臥床)의 ᄂ아가 금금(錦 衾)을 널미, 그 의형이 초고(憔枯)[129]ㅎ믄 블문가지(不問可知)라. 즈별(自別)ㅎ던 의를 츄연ㅎ여 손을 즙고 불너 왈,

"형이 날을 아는다?"

몽숙이 그 소리 귀의 닉으믈 디경ㅎ여 슉 시ㅎ니, 이 곳 평싱 질오ㅎ여 브듸 히코즈 ㅎ던 뎡듁쳥이라. 대경 황홀ㅎ여 번연(翻然) 녁식(易色) 왈,

"그듸 아니 뎡챵빅【107】이냐? 반드시 나의 고단ㅎ고 병셰 깁흐믈 혜아리고 스원 (私怨)을 갑흐려 즁야(中夜)의 니ᄅ도다. 블 연즉 무슴 일 오리오."

북공이 쳥파의 그 스곡(邪曲)흔 넘녜 여츠 ㅎ믈 보미 어히업셔, 이의 미쇼ㅎ고 졍식 왈,

"쇼뎨 평일 그듸로써 총명지스(聰明之士) 로 아랏더니, 원닉 블통무식ㅎ미 만고의 무 빵ㅎ도다. 군즈는 익즈지원(睚眦之怨)[130]을 필보(必報)치 아닛ㄴ니, 싱이 비록 불학무식 ㅎ여 군즈를 밋지 못ㅎ나, 엇지 스곡흔 의 시 이시리오. 형을 죽이려 ㅎ면 당당흔 왕 법(王法)이 잇거늘, 굿튀여 즁야의 와 남 모 로게 히ㅎ여, 반싱 슈힝(修行)으로 간악(奸 惡) 암밀(暗密)ㅎ기의 밋츠리오. 그듸 쏘흔 고셔를 박남(博覽)ㅎ여 녯 말을 알니니, 한 쇼열(漢昭烈)[131]의 니른 바, '어진 일이 젹

---

138)초고(憔枯) : 몸이 몹시 야위어 뼈만 앙상함.

139)익즈디원(睚眦之怨) : 한번 흘겨보는 정도의 원망이란 뜻으로 아주 작은 원망을 말함.

140)한소렬(漢昭烈) : 중국 삼국시대 촉한의 제1대 황제유비(劉備 : 161~223). 자는 현덕(玄德). 황건적을 쳐서 공을 세우고, 후에 제갈량의 도움을 받아 오나라의 손권과 함께 조조의 대군을 적벽(赤

129)초고(憔枯) : 몸이 몹시 야위어 뼈만 앙상함.

130)익즈디원(睚眦之怨) : 한번 흘겨보는 정도의 원망이란 뜻으로 아주 작은 원망을 말함.

131)한쇼열(漢昭烈) : 중국 삼국시대 촉한의 제1대 황제유비(劉備 : 161~223). 자는 현덕(玄德). 황건적을 쳐서 공을 세우고, 후에 제갈량의 도움을 받아 오나라의 손권과 함께 조조의 대군을 적벽(赤

딘 일이 젹다 ᄒ고 바리디 말며, 수오나온 일이 젹다 ᄒ고 힝치 말나'141) ᄒ니, 그딕의 총명으로 엇디 혜아리기를 잘 못ᄒ여, 군ᄌ의 힝의(行義)를 먼니 ᄒ고, 쇼인의 졍틱(情態)를 습복(習服)ᄒ여 은악양션(隱惡佯善)ᄒ며 투현질능(妬賢嫉能)ᄒ여 스스로 죄의 나아가리오. 녜브터 군ᄌ 셩현이 시명(時命)이 긔박ᄒ나, 맛춤ᄂᆡ 일홈이 아름답고 도흑이 빗나며, 난신덕지(亂臣賊子) 일시 득의ᄒ나 나죵이 엇더【55】며 후셰 미명이 그 엇더 ᄒ뇨? 사ᄅᆞᆷ이 스스로 알 니 업다 ᄒ고, 함인히믈(含忍害物)142)ᄒ여 악ᄉᆞ를 힝ᄒ나, 텬디신명(天地神明)은 속이디 못ᄒ느니, 엇디 간졍이 ᄒᆞᆫ 번 발각디 아니리오. 젼두(前頭)143) 모계(謀計) 패루(敗漏)ᄒ면 화급기신(禍及其身)ᄒᆞᆷ은 니ᄅᆞ도 말고, 앙급문호(殃及門戶)ᄒ며 욕급조션(辱及祖先) ᄒ리니, 슬프다 악ᄉᆞ를 힝ᄒᆞᄆᆡ 일신 참화ᄂᆞᆫ ᄌᆞ작지얼(自作之孽)이어니와, 조션졀ᄉᆞ(祖先絶祀)ᄂᆞᆫ 엇디 ᄒ리오. 이졔ᄂᆞᆫ 형·유 냥쳐의 요얼이 셩ᄒ여 졔어키 어렵다 ᄒ나, 이 ᄯᅩ 형의 조션이 복이 놉하 졀ᄉᆞ치 아닐 ᄯᅥ라. 형의 지죄 젹은 요졍을 근심치 아니ᄒᆞᆯ 거시오, 쳐음이 그르나 개과칙션(改過責善)은 셩인의 허ᄒᆞ신 비라. 엇【56】디 셜셜(屑屑)이 초우(焦憂)ᄒ여 ᄌᆞ멸기명(自滅其名)ᄒ여 조션의 불효디죄(不孝之罪) 막대(莫大)ᄒ리오."

셜파의 팔홀 나호여 슈어(數語)를 니르고, 낭듕으로 조ᄎᆞ 쥬필부작(朱筆符籍)과 졔요

다 ᄒ고【108】바리지 말며, 수오나온 일이 젹다 ᄒ고 힝치 말나'132) ᄒ니, 그딕의 총명으로 엇지 혜아리기를 줄 못ᄒ여, 군ᄌ의 힝의(行義)를 먼니 ᄒ고, 쇼인의 졍틱(情態)를 습복(習服)ᄒ여 은악양션(隱惡佯善)ᄒ며 투현딜능(妬賢嫉能)ᄒ여 스스로 죄의 ᄂᆞ아가리오. 녜브터 군ᄌ 셩현이 시명(時命)이 긔박ᄒ나, 맛춤ᄂᆡ 일홈이 아름답고 도학이 빗나며, 난신젹지(亂臣賊子) 일시 득의ᄒ나 나죵이 엇더ᄒ며 후셰 미명(罵名)이 그 엇더 ᄒ뇨? 사람이 스스로 알 니 업다 ᄒ고, 함인히믈(含忍害物)133)ᄒ여 악ᄉᆞ를 힝ᄒ나, 텬디신명(天地神明)은 속이지 못ᄒᆞ느니, 엇지 간졍이 ᄒᆞᆫ 번 발각되지 아니리오. 젼두(前頭)134) 모계(謀計) 픽루(敗漏)ᄒ면 화급기신(禍及其身) ᄒᆞᆫ은 니ᄅᆞ도 말고, 앙급문호(殃及門戶) ᄒ며 욕급됴션(辱及祖先)ᄒ리니, 슬프다 악ᄉᆞ를 힝ᄒᆞᄆᆡ 일【109】신 참화ᄂᆞᆫ ᄌᆞ작지얼(自作之孽)이어니와, 됴션졀ᄉᆞ(祖先絶祀)ᄂᆞᆫ 엇지 ᄒ리오. 이졔ᄂᆞᆫ 형·뉴 냥쳐의 뇨얼(妖孽)이 셩ᄒ여 졔어키 어렵다 ᄒ나, 이 ᄯᅩ 형의 조션이 복이 놉하 졀ᄉᆞ티 아닐 ᄯᅥ라. 형의 지죄 젹은 뇨졍을 근심치 아니 ᄒᆞᆯ 거시오, 쳐음이 그르나 기과칙션(改過責善)은 셩인의 허ᄒᆞ신 비라. 엇지 셜셜(屑屑)이 초우(焦憂)ᄒ여 ᄌᆞ멸기명(自滅其名)ᄒ여 조션의 불효지죄(不孝之罪) 막대(莫大)ᄒ리오"

셜파의 팔을 나호여 슈어(數語)를 닐우고 낭즁으로 조ᄎᆞ 쥬필부작(朱筆符籍)과 졔요

壁)에서 격파하였다. 후한이 망하자 스스로 제위에 오르고 성도(成都)를 도읍으로 삼았다. 재위 기간은 3년(221~223)이다.

141)어딘 일이 젹다 ᄒ고 바리디 말며, 수오나온 일이 젹다 ᄒ고 힝치 말나 : 『소학(小學)』의 '勿以善小而不爲(물이선소이불위)하고 勿以惡小而爲之(물이악소이위지)하라'를 번역한 말. 곧 착한 일은 그것이 아무리 사소한 것이라 해도 반드시 해야 하며, 악한 일은 그것이 아무리 사소한 것이라고 해도 해서는 안 된다는 말.

142)함인히믈(含忍害物) : 잔인한 마음을 품고 남을 해함.

143)젼두(前頭) : 앞 또는 앞쪽.

壁)에서 격파하였다. 후한이 망하자 스스로 제위에 오르고 성도(成都)를 도읍으로 삼았다. 재위 기간은 3년(221~223)이다.

132)어진 일이 젹다 ᄒ고 바리지 말며, 수오나온 일이 젹다 ᄒ고 힝치 말나 : 『소학(小學)』의 '勿以善小而不爲(물이선소이불위)하고 勿以惡小而爲之(물이악소이위지)'를 번역한 말. 곧 착한 일은 그것이 아무리 사소한 것이라 해도 반드시 해야 하며, 악한 일은 그것이 아무리 사소한 것이라고 해도 해서는 안 된다는 말.

133)함인히믈(含忍害物) : 잔인한 마음을 품고 남을 해함.

134)젼두(前頭) : 앞 또는 앞쪽.

특샤(制妖祝辭)를 닉여 주며, 형·유 냥쳐 안무홀 모칙을 낫낫치 가른치미, 언언이 밍변쥬론(孟辯朱論)[144]이오, 즈즈히 금옥디언(金玉之言)이라. 쇼인의 투현딜능ᄒ미나 엇디 감복디 아니리오. 몽슉이 어린 듯, 흔굿 그 낫츨 보며 그 말을 듯기를 맛츠미, 본딕 소통영오(疏通穎悟)ᄒ디라. 황연(晃然) 대오(大悟)ᄒ여 샐니 병톄(病體)를 움죽여 고두 뉴쳬 왈,

"고어의 운(云)ᄒ딕, '타인유심(他人有心)을 여촌탁디(予忖度之)라'[145] ᄒ니, 몽슉이 딘실노 우미(愚迷)ᄒ여 대군즈의 여촌 셩 【57】 심덕화(誠心德化)를 모로고 젼후의 비은망덕흔 죄 만스유경(萬死猶輕)이라. '싱아즈(生我者)는 부뫼오, 디아즈(知我者)는 포지(鮑子)라' ᄒ니[146], 금일 현형을 니르미로다. 현형의 하날 굿튼 덕홰 흔갓 몽슉을 스디의 건질 ᄲᆞᆫ 아니라, 문호를 보젼케 ᄒ시니, 츠는 스골부흑디은(死骨扶慉之恩)[147]이라. 몽슉이 비록 대악이나 형의 덕화를 져바리면, 텬디(天地) 각별이 혹벌(酷罰)을 나리오시리니, 싱젼은 ᄏᆞ니와[148] 스후의 난망지은(難忘之恩)을 결초보은(結草報恩)ᄒ리로다."

셜파의 감누여우(感淚如雨)ᄒ여 말을 못ᄒ니, 북공이 져의 딘졍을 보고 대희ᄒ여 년망이 붓드러 위로ᄒ고, 지삼 셩언대도(聖言大道)를[로] 경계ᄒ고 도라갈ᄉᆡ, 님별의 【58】 년년(戀戀) 왈,

---

144)밍변쥬론(孟辯朱論) : 맹자와 주자의 변론이란 뜻으로, 논리 정연하여 설득력 있는 변론을 말함. 맹자(B.C.372~289.중국 전국 시대의 유학자)나 주자(1130-1200, 중국 송나라의 유학자)는 둘 다 변론에 매우 능했다.
145)타인유심(他人有心) 여촌탁디(予忖度之) : 다른 사람의 마음을 내가 헤아려 안다.
146)싱아즈(生我者)는 부뫼오, 디아즈(知我者)는 포지(鮑子)라 : '나를 낳아준 이는 부모요, 나를 알아준 이는 포숙(鮑叔)이다'는 말. 사마천(司馬遷), 『사기(史記)』〈관안열전(管晏列傳)〉에 나온다.
147)스골부흑디은(死骨扶慉之恩) : 죽은 사람을 살려 길러준 은혜.
148)ᄏᆞ니와 : 커니와. '하거니와'가 줄어든 말. 조건을 나타내는 어미 뒤에 쓰여 '모르거니와'라는 뜻을 나타낸다.

축스(制妖祝辭)를 닉여 주며, 형·뉴 냥쳐 안무홀 모칙을 낫낫치 ᄀᆞᄅ치미, 언언이 밍변쥬론(孟辯朱論)[135]이오, 즈즈히 금옥지언(金玉之言)이라. 쇼인의 투현딜능ᄒ미나 엇지 감격지 아니ᄒ리오. 몽슉이 어린 듯ᄒ 【110】 굿 그 낫츨 보며, 그 말을 듯기를 맛츠미, 본딕 소통영오(疏通穎悟)ᄒ지라. 황연딕오(晃然大悟)ᄒ여 샐니 병톄(病體)를 움죽여 고두 뉴쳬 왈,

"고어의 운(云)ᄒ딕 '타인유심(他人有心)을 녀촌탁지(予忖度之)라'[136] ᄒ니, 몽슉이 진실노 우미(愚迷)ᄒ여 대군즈의 여촌 셩심덕화(誠心德化)를 모로고, 젼후의 비은망덕흔 죄 만스유경(萬死猶輕)이라. '싱아즈(生我者)는 부뫼오 지아즈(知我者)는 포지(鮑子)라'[137] ᄒ니, 금일 현형을 니른미로다. 현형의 하늘 굿튼 덕홰 흔굿 몽슉을 스디의 건질 ᄲᆞᆫ 아니라, 문호를 보젼케 ᄒ시니, 츠는 스골부흑지은(死骨扶慉之恩)[138]이라. 몽슉이 비록 딕악이나 형의 덕화를 져ᄇ리면 텬디(天地) 각별 혹벌(酷罰)을 ᄂᆞ리오시리니, 싱젼은 커니와[139] 스후의 난망지은(難忘之恩)을 결초보은(結草報恩) ᄒ리로【111】다"

셜파의 감뉘여우(感淚如雨)ᄒ여 말을 못ᄒ니, 북공이 져의 진졍을 보고 딕희ᄒ여 년망이 붓드러 위로ᄒ고, 지숨 명언딕도(明言大道)로 경계흔 후 도라갈ᄉᆡ, 님별의 연연(戀戀) 왈,

---

135)밍변쥬론(孟辯朱論) : 맹자와 주자의 변론이란 뜻으로, 논리 정연하여 설득력 있는 변론을 말함. 맹자(B.C.372~289.중국 전국 시대의 유학자)나 주자(1130-1200, 중국 송나라의 유학자)는 둘 다 변론에 매우 능했다.
136)타인유심(他人有心) 여촌탁디(予忖度之) : 다른 사람의 마음을 내가 헤아려 안다.
137)싱아즈(生我者)는 부뫼오, 디아즈(知我者)는 포지(鮑子)라 : '나를 낳아준 이는 부모요, 나를 알아준 이는 포숙(鮑叔)이다'는 말. 사마천(司馬遷), 『사기(史記)』〈관안열전(管晏列傳)〉에 나온다.
138)스골부흑디은(死骨扶慉之恩) : 죽은 사람을 살려 길러준 은혜.
139)커니와 : 커니와. '하거니와'가 줄어든 말. 조건을 나타내는 어미 뒤에 쓰여 '모르거니와'라는 뜻을 나타낸다.

"쇼뎨 쳬면(體面)의 다시 형을 교외의 작별치 못ᄒ리니, 모로미 병이 낫기를 기다려 슈히 힝공ᄒ면 셩상이 인견(引見)ᄒ시리니, 다시 은샤를 닙어 뎨향(帝鄕)의 도라 오리라."

ᄒ고 냥약(良藥)을 젹어 일지(一劑)149)○ [를] 복(服)ᄒ라 ᄒ고 도라가니, 몽슉이 쳔만 감샤ᄒ여 능히 갑흘 바를 아디 못ᄒ더라.

북공이 도라간 후 양시 그 텬일디위(天日之威)와 인ᄌ셩심(仁慈聖心)을 블승감탄(不勝感歎)ᄒ여, 몽슉을 딕ᄒ여 휘루(揮淚) 강개(慷慨) 왈,

"군지 져 ᄀᆺ튼 대현을 져바려 비은망덕ᄒ니, 만난 비 죄 듕ᄒ고 벌이 경ᄒ더라. 이졔나 개과슈신(改過修身)ᄒ여 현인의 디교(指敎)를 욕디 아니시랴?"

몽슉이 탄왈,【59】

"싱이 현쳐의 닉조홈과 듁쳥의 칙션을 져바려 젼후 악시 호대(浩大)ᄒ니, 뉘읏ᄎ나 밋ᄎ랴!"

이의 힘뼈 병을 됴리ᄒ니, 월여의 ᄎ복(差復)ᄒ미, 국가 듕슈(重囚)로 오릭 연곡디하(輦轂之下)150)의 잇기 블안ᄒ므로, 힝니를 출혀 예궐(詣闕) 하딕ᄒ고, 쳐ᄌ를 거느려 몬져 형쥐로 가니, 비록 일홈이 ᄉ죄인(死罪人)이나 안무ᄉ 위의 이시니, 디나는 바의 형셰 쇠잔ᄒᆞᆷ은 업더라.

이 ᄯᅥ 텬문의 결시 나려, 요얼(妖孽)을 소청(掃淸)ᄒ미, 뉴금외(金吾) 바야흐로 녀ᄋ의 죽디 아냐시믈 알고, 비록 불통(不通)ᄒ나 일단 녜의념치(禮義廉恥)는 아는 고로, 기미(其妹)의 죄악과ᄂ 텬디 현격ᄒ고, 모든 뉴싱은 어진 션빈라, ᄎᄉ【60】를 알미 대경 참괴ᄒ며, 젼일 금계 죽어실 졔 윤어ᄉ의 말을 싱각고, 그 션견디명을 탄복ᄒ며, 슉모의 교ᄉ(狡邪)홈과 기미(其妹)의 음힝을 각골 분히ᄒ나, 홀일업더라.

---

149)일지(一劑) : 1제. 1제는 탕약 20첩을 이름.
150)연곡디하(輦轂之下) : 왕성(王城). 왕도(王都). 왕궁이 있는 도성.

"쇼뎨 쳬면(體面)의 ᄃ시 형을 교외의 작별치 못ᄒ리니, 모로미 병이 낫기를 기드려 슈히 힝공ᄒ면, 셩상이 인견(引見)ᄒ시리니, 다시 은ᄉ를 닙어 뎨힝[향](帝鄕)의 도라 오리라."

ᄒ고 양약(良藥)을 젹어 일지(一劑)140)○ [를] 복(服)ᄒ라 ᄒ고 도라가니, 몽슉이 쳔만 감ᄉᄒ여 능히 갑흘 바를 아지 못ᄒ더라.

북공이 도라간 후 양시 그 텬일지위(天日之威)와 인ᄌ셩심(仁慈聖心)을 블승감탄(不勝感歎)ᄒ여 몽슉을 딕ᄒ여 휘루(揮淚) 강기(慷慨) 왈,

"군지 져 ᄀᆺ튼 딕현을 져브려 비은망덕ᄒ니, 만난 비 죄 즁ᄒ고 벌이 경ᄒ【112】지라. 이졔나 기과슈신(改過修身)ᄒ여 현인의 지교(指敎)를 욕지 아니시랴?"

몽슉이 탄왈,

"싱이 현쳐의 닉조홈과 듁쳥의 칙션을 져브려 젼후 악시 호딕(浩大)ᄒ니, 뉘읏ᄎ나 밋ᄎ랴!"

이의 힘뼈 병을 됴리ᄒ니, 월여의 ᄎ복(差復)ᄒ미, 국가 즁슈로 오릭 넌곡지하(輦轂之下)141)의 닛기 블안ᄒ므로, 힝니를 출혀 녜궐(詣闕) 하직ᄒ고, 쳐ᄌ를 거느려 몬져 형쥐로 가니, 비록 일홈이 ᄉ죄인(死罪人)이나 안무ᄉ 위의 이시니, 지나는 바의 힝식이 쇠잔ᄒᆞᆷ은 업더라.

이 ᄯᅥ 텬문의 결시 나려 요얼(妖孽)을 소청(掃淸)ᄒ미, 뉴금외(金吾) 바야흐로 《기미∥기녀(其女)》의 죽지 아녀시믈 알고, 비록 불통ᄒ나 일단 녜의념치(禮義廉恥)는 아ᄂ 고로, 기미(其妹)의 죄악《은∥과ᄂ》 텬디{의} 《ᄀ득∥현격》ᄒ【113】고, 모든 뉴싱은 어진 션빈라, ᄎᄉ를 알미 대경 참괴ᄒ며, 젼일 《금시의∥금계》 죽어실 ○ [졔] {번 ᄒ 거ᄉᆞᆯ} 윤어ᄉ의 《간ᄒ던∥ᄒ던》 말을 싱각고, 슉모의 교ᄉ(狡邪)홈과

---

140)일지(一劑) : 1제. 1제는 탕약 20첩을 이름.
141)연곡디하(輦轂之下) : 왕성(王城). 왕도(王都). 왕궁이 있는 도성.

뉴금외 옥누항의 니르러 누의를 보고 대언(大言)ᄒ여 블인간악(不仁奸惡)을 대척ᄒ고 도라가니, 이 쩍 뉴시 만신(滿身) 창질이 셩농(成膿)ᄒ여 괴롭기 심흔 듕, 젼젼악싀(前前惡事) 발각ᄒ여 셰월 비영이 쳐ᄉ(處死)ᄒ니, 우익이 ᄉᆞᆾ쳐디고 가싥 젹탕(籍蕩)151)ᄒ니, 긔한(飢寒)이 심ᄒ거늘, 거거(哥哥)의 허다 칙언을 드르니, 져의 죄악은 모로고, 도로혀 동긔의 박졍(薄情)ᄒᄆᆞᆯ 원(怨)ᄒ여, 악악흔 즐언(叱言)이 긋디 아니ᄒ더니, 궐듕의 잡혀 갓던【61】복부(僕夫) 츠환(叉鬟)이 방셕(放釋)ᄒᄆᆞᆯ 닙어 도라와 졔인의 초ᄉ(招辭)를 젼ᄒᄆᆡ, 위・뉴 냥인의 창딜(瘡疾)이 다 태복 군셕 등의 져쥬(詛呪) 빌미라 ᄒ니, 냥인이 드르ᄆᆡ 냥노(兩奴)의 흉완(凶頑)ᄒᄆᆞᆯ 대로ᄒ나 무가ᄂᆡ하(無可奈何)152)라. ᄯᅩ 샹명이 디엄ᄒ샤 위시ᄂᆞᆫ 양쥐의 찬뎍(竄謫)ᄒ고 뉴시ᄂᆞᆫ ᄉᆞᄉ(賜死)ᄒ려 ᄒ시다가, 뎡・딘・하 삼공이 극간ᄒ여 츄밀의 낫ᄎᆞᆯ 보아, 위시 뎍거(謫居)ᄂᆞᆫ 풀고 뉴시ᄂᆞᆫ 양쥐 뎡비ᄒᄃᆡ, 셩ᄂᆡ의 두디 말고 문외의 머므러 병이 나은 후 샹명을 슌슈ᄒ라 ᄒ신다 ᄒ고, 윤시 죵족이 모다 교디를 젼ᄒ고, 위・뉴 냥부인을 강졍 별쳐의 옴기니, 냥흉(兩凶)이 교아졀치(咬牙切齒) 왈,

"아등의 뎍년 모계(謀計) 패루(敗漏)ᄒᆞᆷ은 다 명【62】ᄋᆞ의 요괴로운 쇠라. 요녀를 업시ᄎᆡ치 못ᄒ여 오날늘 대화를 취ᄒ미라."

ᄒ고, ᄉᆡ로이 삼키고져 ᄒ나 홀 일 업ᄂᆞᆫ디라. 위・뉴 냥인이 흔 번 강졍(江亭)의 잠기이ᄆᆡ, 우익이 ᄉᆞᆾ쳐디고, 슈듕의 직물이 업고, 신샹괴딜(身上怪疾)이 일일 침듕ᄒ여 괴롭고 알프미 심ᄒ나, 그러나 위흉은 냥목(兩目)이 어두어 보ᄂᆞᆫ 거시 명명치 아니ᄒ나 듯ᄂᆞᆫ 거시 명명ᄒ니, 풍편의 들ᄂᆞᆫ 말마다 부쾌153) 넘노라, 태우 형뎨와 명ᄋᆞ를

151)젹탕(籍蕩) : 집안의 재산을 다 써서 없앰.
152)무가ᄂᆡ하(無可奈何) : 어찌할 도리가 없음.
153)부화 : 부아. 노엽거나 분한 마음.

기ᄆᆡ(其妹)의 음ᄒᆡᆼ을 극골 분히ᄒ나, 홀일업더라.

뉴금외 옥누항의 니르러 누의를 보고 딕언(大言)ᄒ여 블인간악(不仁奸惡)을 딕척ᄒ고 도라가니, 이쩍 뉴시 만신(滿身) 창질(瘡疾)이 셩농(成膿)ᄒ여 괴롭기 심흔 즁, 젼젼악싀(前前惡事) 발각ᄒ여 셰월 비영이 쳐ᄉ(處死)ᄒ니, 우익이 ᄉᆞᆾ치고 가싥 《쳑탕∥젹탕(籍蕩)142)》ᄒ니, 긔한(飢寒)이 심ᄒ거늘, 거거(哥哥)의 허다 칙언을 드르니, 져의 죄악은 생각지 아니코, 도로혀 동긔의 박졍(薄情)ᄒᄆᆞᆯ 원(怨)ᄒ여, 악악흔 즐언(叱言)이 긋지 아니ᄒ더니, 궐즁의 즙혀【114】갓던 복부(僕夫) 츠환(叉鬟)이 방셕(放釋)ᄒᄆᆞᆯ 닙어 도라와 졔인의 초ᄉ(招辭)를 젼ᄒᄆᆡ, 위・뉴 냥인의 창질이 다 틱복 군셕 등의 져쥬(詛呪) 빌미라 ᄒ니, 냥인이 드르ᄆᆡ 냥노의 흉완ᄒᄆᆞᆯ 딕로ᄒ나 무가ᄂᆡ하(無可奈何)143)라. ᄯᅩ 상명이 지엄ᄒ샤 위시ᄂᆞᆫ 양쥐의 찬젹(竄謫)ᄒ고 뉴시ᄂᆞᆫ ᄉᆞᄉ(賜死)ᄒ려 ᄒᄃᆞ가, 뎡・딘・하 ᄉᆞᆷ공이 극간ᄒ여 츄밀의 낫ᄎᆞᆯ 보아, 위시 젹거(謫居)ᄂᆞᆫ 양쥐로 졍비ᄒᄃᆡ, 셩ᄂᆡ의 두지 말고 문외의 머므러 병이 나은 후 상명을 슌슈ᄒ라 ᄒ신다 ᄒ고, 윤시 죵족이 모다 교지를 젼ᄒ고, 위・뉴 냥부인을 강졍 별쳐의 옴기니, 냥인(兩人)이 교아졀치(咬牙切齒) 왈,

"아등의 젹년 모계 픠루(敗漏)ᄒᆞᆷ은 다 명ᄋᆞ의 요괴로운 쇠라. 요녀를 업시【115】치 못ᄒ여 오날날 대화를 취ᄒ미라."

ᄒ고, ᄉᆡ로이 삼키고져 ᄒ나 홀 일 업ᄂᆞᆫ지라. 위・뉴 냥인이 강졍(江亭)의 흔 번 줌기이ᄆᆡ 우익이 ᄉᆞᆾ쳐지고 슈즁의 직물이 업고 신샹괴딜(身上怪疾)이 일일 침즁ᄒ여 괴롭고 알픔미 심ᄒ나, 그러나 위흉은 냥목(兩目)이 어두어 보ᄂᆞᆫ 거시 변변치 아니ᄒᄂᆞᆫ 듯ᄂᆞᆫ 거슨 명명ᄒ니, 풍편의 들ᄂᆞᆫ 말마다 부쾌144) 넘노라, 태우 형뎨와 명ᄋᆞ를

142)젹탕(籍蕩) : 집안의 재산을 다 써서 없앰.
143)무가ᄂᆡ하(無可奈何) : 어찌할 도리가 없음.
144)부화 : 부아. 노엽거나 분한 마음.

업시치 못호믈 각골분한(刻骨憤恨)호고, 뉴시는 귀먹어 아라듯디 못호나 보는 거슨 명명호거늘, 만신 창질이 괴로이 알히고 쓸히믜, 곳곳이 성농호여 악취 딘【63】동호니, 더욱 괴로오미 측냥업더라.

이 씨 하쇼졔 이 소식을 듯고, 간당을 소청(掃淸)호고 태우와 학시 누명을 신원호믈 깃거호나, 디현디효(至賢至孝)혼 무음의 존당과 존고의 위딜이 참혹호믈 드르믜, 대경호여 이의 부모긔 뵈오니, 하공과 됴부인이 허다 셜화를 니르고 윤의렬의 녈졀상힝(烈節霜行)154)을 곳초 젼호니, 쇼졔 탄식 쥬왈

"존당과 고뫼(姑母) 병셰 고극(苦劇)155)다 호니, 쇼녜 감히 물너 이시리잇고? 나아가 구호호믈 고호느이다."

공의 부뷔 미급답(未及答)의 초휘 말뉴왈,

"현미 엇디 이런 말을 호느뇨? 위·뉴 냥흉은 텬디간 별물대악(別物大惡)이라. 엇디 현미를 고이 보리오. 잠간 부【64】도의 어긋날디라도, 타일 수빈 형뎨 오거든 가면 혹즈 수망디홰(死亡之禍) 업스려니와, 이제 드러간즉, 결단코 독슈를 닙으리니, 망녕된 의수를 닉디 말나."

쇼졔 뎡식 왈,

"거게(哥哥) 식니지상(識理宰相)으로 언수의 과격홈과 셩졍의 블통호믜 이 굿투시뇨? 남녜유별(男女有別)호고, 젼일 엄구의 셩심을 싱각호며, 윤군의 낫출 보아도 블경호시믄 만만 블가호시니, 힝신(行身)의 휴손(虧損)홈과 언수의 무식호믈 삼가쇼셔. 며느리 즈식이라 쇼믜 본디 블초호니, 존당과 존괴 엇디 경계치 아니시리오. 즈부의 도리의 셕수를 함원호오며, 위환디시(危患之時)의 안연【65】이 물너이셔, 타일 엄구와 가부를 디홀 낫치 업스리니, 거거는 괴이혼 말을 마르쇼셔."

154)녈졀상힝(烈節霜行) : 곧고 강한 절개와 추상같은 행실.
155)고극(苦劇) : 너무 심하거나 지독함.

업시치 못호믈 극골통분(刻骨痛憤)호고, 뉴시는 귀 먹어 아라듯지 못호나 보는 거슨 명명호거늘, 만신 창질이 괴로이 알프고 쓰리매 곳곳이 성농호여 악취 진동호니, 더욱 괴로오미 측냥업더라.

이쩍 하 쇼졔 이 소식을 듯고, 간당을 소청(掃淸)호고 틱우와 학【116】시 누명을 신원호믈 깃거호나, 지현지효(至賢至孝)혼 무음의 존당과 존고의 위질이 춤혹호믈 드르믜, 대경호여 이의 부모게 뵈오니, 하공과 됴 부인이 허다 셜화를 니르고 윤의렬의 녈졀상힝(烈節霜行)145)을 굿초 젼호니, 쇼졔 탄식 주왈,

"존당과 고뫼(姑母) 병셰 고극(苦劇)146)다 호니, 쇼녜 감히 물너 이시리잇고? 나아ᄀ 구호호믈 고호느이다"

공의 부뷔 미급답(未及答)의 초휘 말뉴왈,

"현미 엇지 니런 말을 호느뇨? 위·뉴 냥흉은 텬디간 별물대악(別物大惡)이라. 엇지 현미를 고이 보리오. 줌간 부되의 엇긋날지라도, 타일 수빈 형뎨 오거든 가면 혹즈 수망지화(死亡之禍) 업스려니와, 이제 드러근즉, 결단코 독슈를 닙으리니, 망녕된【117】의수를 닉지 말나"

쇼졔 정식 왈,

"거게(哥哥) 식이지상(識理宰相)으로 언수 과격홈과 셩졍이 블통호믜 이 굿투시뇨? 남녜유별(男女有別)호고, 젼일 엄구의 셩심을 싱각호며, 윤군의 낫출 보아도 블경호시믄 만만 블가호시니, 힝신(行身)의 휴손(虧損)홈과 언두(言頭)의 무식호믈 숨가쇼셔. 며느리 즈식 되여 쇼믜 본디 블초호니, 존당과 존괴 엇지 경계치 아니시리오. 즈부의 도리의 셕수를 은원(恩怨)호오며, 위환지시(危患之時)의 안연이 물너이셔, 타일 엄구와 가부를 디홀 낫치 업스리니, 거거는 괴이혼 말을 마르쇼셔"

145)녈졀상힝(烈節霜行) : 곧고 강한 절개와 추상같은 행실.
146)고극(苦劇) : 너무 심하거나 지독함.

초휘 닝쇼 왈,

"현미 내 말을 밋디 아니ᄒ거니와, 져 곳의 가만 보라. 엇던 익을 만낫 줄 알니오. 아모리 녀지 구구ᄒ들 현미ᄀᆞ치 셰쇄(細瑣)[156]ᄒ리오. 우형이 녀지 되여 현미 ᄀᆞᄐ 경계를 당ᄒ면, 그런 악종의 싀한미와 간악ᄒ 양(養)싀어미 므슴 대시라 병 구완 가ᄌ ᄒ랴. 타일 가뷔 와 아모 말이나 ᄒ거든 내 알픠 멀거ᄒ니[157] 므슴 말을 못ᄒ리오. 싱심(生心)코[158] 못가리라."

쇼졔 변식 왈,

"ᄉ싱이 다 명이라. 거거는 셰쇄ᄒ 호의(狐疑)를 두디 마르쇼셔."

공【66】의 부뷔 녀ᄋ의 언ᄉ를 두굿겨 니르듸,

"위·뉴 냥부인이 쳐음은 잘못ᄒ여시나 현마 이졔야 뉘웃디 아니리오."

쇼졔 부모의 명을 듯ᄌ오미 굿이 갈 ᄯᅳᆺ을 뎡ᄒ니, 초휘 닝쇼 왈

"현미 브듸 가랴 ᄒ니, 어듸 보ᄌ."

ᄒ더라. 쇼졔 초초히 거교를 ᄀᆞᆺ초아 윤부 강졍으로 나아가니, 미디하여(未知何如)[159]오.

션시(先時)의 한상궁이 공쥬의 악시 패루ᄒ여 폐치(廢置)ᄒ며, 귀비 익궁(掖宮)[160]의 갓치이며, 여당(與黨)이 폐멸(廢滅)ᄒ고, 최녀 남미 능디쳐참(陵遲處斬)ᄒ니, 공쥬의 우익이 긋쳐지고 형셰 고단ᄒᄆᆞᆯ 드르니, 디극ᄒ 튱의로뼈 슬프고 익셕ᄒ【67】믈 니긔디 못ᄒ여, 이의 교ᄌ를 ᄀᆞᆺ초아 문양궁의 나아가 공쥬를 보니, 공쥐 폐(廢)ᄒ 아미(蛾眉)와 무식ᄒ 의상으로, 쥬야 침상의 바려 호읍(號泣)으로 날을 보ᄂᆞ니, 므슴 모양이 이시리오. 옥안이 초췌ᄒ고 화틱(花態) 니우

초휘 닝쇼 왈,

"현미 내 말을 밋지 아니ᄒ거니와, 져 곳의 가만 보라. 엇던 익을 만낫 줄 알니오. 아모리 녀【118】지 구구ᄒ들 현미ᄀᆞ치 셰쇄(細瑣)[147]ᄒ리오. 우형이 녀지 되여 현미 ᄀᆞᄐ 경계를 당ᄒ면, 그런 악종의 한미와 간악ᄒ 양(養)싀어미 무슴 대시라 병 구완 가ᄌ ᄒ랴. 타일 가뷔와 아모 말이나 ᄒ거든, 닉 알픠 멀거ᄒ니[148] 무슴 말을 못ᄒ리오. 싱심(生心)코[149] 못가리라"

쇼졔 변식 왈,

"ᄉ싱이 다 명이라. 거거는 셰쇄ᄒ 호의(狐疑)를 두지 마ᄅᆞ쇼셔."

공의 부뷔 녀ᄋ의 언ᄉ를 두굿겨 니ᄅᆞ듸,

"위·뉴 냥 부인이 쳐음은 줄 못ᄒ여시나 현마 이졔야 뉘웃지 아니리오."

쇼졔 부모의 명을 듯ᄌ오미 굿이 갈 ᄯᅳᆺ을 졍ᄒ니, 초휘 닝쇼 왈,

"현미 브듸 가랴 ᄒ니 어듸 보ᄌ."

ᄒ더라. 쇼졔 초초이 거교를 ᄀᆞᆺ초아 윤부 강졍【119】으로 나아가니 미지하여(未知何如)[150]오.

션시(先時)의 한 상궁이 공쥬의 악시 픽루ᄒ여 폐치(廢置)ᄒ며, 귀비 익궁(掖宮)[151]의 갓치이며, 여당(與黨)이 졔멸(除滅)ᄒ고, 최녀 남미 능지쳐참(陵遲處斬)ᄒ니, 공쥬의 우익이 긋쳐지고 형셰 고단ᄒᄆᆞᆯ 드르니, 지극ᄒ 튱의로뼈 슬프고 익셕ᄒᄆᆞᆯ 니긔지 못ᄒ여, 이의 교ᄌ를 ᄀᆞᆺ초아 문양궁의 ᄂᆞ아가 공쥬를 보니, 공쥐 폐(廢)ᄒ 아미(蛾眉)와 무식ᄒ 의상으로, 쥬야 침상의 바려 호읍(號泣)으로 날을 보ᄂᆞ니, 무슴 모양이 이시리오. 옥안이 초췌ᄒ고 화틱(花態) 이우

---

156)셰쇄(細瑣): 시시하고 자질구레함.
157)멀거ᄒ다: ①멀겋다. 깨끗하게 맑지 아니하고 약간 흐린 듯하다. ②멀쩡하다. 지저분한 것이 없고 아주 깨끗하다.
158)싱심(生心)코: ('못하다' 따위의 부정어와 함께 쓰여) 감히 마음대로. 마음속으로도. 어떤 경우에도 절대로.
159)미디하여(未知何如): 어떻게 될지 알지 못함.
160)익궁(掖宮): 궁중(宮中).

147)셰쇄(細瑣): 시시하고 자질구레함.
148)멀거ᄒ다: ①멀겋다. 깨끗하게 맑지 아니하고 약간 흐린 듯하다. ②멀쩡하다. 지저분한 것이 없고 아주 깨끗하다.
149)싱심(生心)도: ('못하다' 따위의 부정어와 함께 쓰여) 감히 마음대로. 마음속으로도. 어떤 경우에도 절대로.
150)미디하여(未知何如): 어떻게 될지 알지 못함.
151)익궁(掖宮): 궁중(宮中).

러161) 쇠흔 풀과 디는 곳 ᄀᆞ트디라. 한상궁이 이 거동을 보미, 비록 ᄌᆞ작지죄(自作之罪)나 잔잉 참담ᄒᆞᄆᆞᆯ 니긔디 못ᄒᆞ여, 븟들고 실성 뉴쳬ᄒᆞ니, 공쥐 다만 비읍(悲泣)ᄒᆞᆯ ᄯᅸᆫ이라. 냥구반향(良久半晑)162)의 누슈(淚水)를 거두고 허다 화란을 티위(致慰)ᄒᆞ고 귀비 읙궁(掖宮)의 슈계(囚繫)ᄒᆞ여 고초ᄒᆞ시ᄆᆞᆯ 일ᄏᆞ라, 슬허ᄒᆞ미 혈심딘졍(血心眞情)이라. 상연(傷然) 슈루(垂淚) 왈,【68】

"이는 다 옥쥬의 친쇼인원현인(親小人遠賢人)ᄒᆞ여 이러틋 ᄒᆞ미니, ᄎᆞ녀 간인은 디흉(至凶)ᄒᆞ여 불의(不義) 패도(悖道)로 옥쥬의 만니 젼졍을 그릇 돕거ᄂᆞᆯ, 옥쥐 친디신지(親之信之) ᄒᆞ시므로 신셰(身勢) 계활(計活)을 판단ᄒᆞ시니, 개심슈덕(改心修德)은 셩교의 허ᄒᆞ신 빈라. 왕ᄉᆞ(往事)는 이의(已矣)니, 닐너 ᄡᅳᆯ 디 업ᄉᆞ니, 복원(伏願) 옥쥬는 이후나 회과ᄎᆡᆨ션(悔過責善)ᄒᆞ시고 개심슈덕ᄒᆞ샤 션도의 나아가쇼셔."

공쥐 묵연 참괴ᄒᆞ여 탄식 브답ᄒᆞ더라. 한상궁이 ᄎᆞ후로 쥬야 공쥬를 뫼셔 졍셩이 동쵹(洞屬)ᄒᆞ며, 어딘 말ᄉᆞᆷ으로 그 심ᄉᆞ를 위로ᄒᆞ미, ᄌᆞ연 ᄒᆡᆼᄉᆞ(行事)의 보익(補益)ᄒᆞ미 만터라. 비록 듯고져【69】 아니나 ᄌᆞ연 뎡부의 소식이 귀예 들니고, 윤·양 등 ᄉᆞ부인과 운영이며 구챵과 현긔 등 졔이 다 도라와, ᄂᆡ외 화평ᄒᆞ여 즐긴다 ᄒᆞᄂᆞᆫ디라. 공쥐 듯는 말마다 이들오미 병츌(竝出)ᄒᆞ니, ᄎᆞᆯ하리 죽어 듯디 말고져 ᄒᆞᄂᆞᆫ디라. 한상궁이 그 조협(躁狹)ᄒᆞᄆᆞᆯ 민망ᄒᆞ여 지삼 위로 권면ᄒᆞᄆᆞᆯ 마디 아니ᄒᆞ더라.

ᄎᆞ시 윤의렬이 젼언으로 조ᄎᆞ 조모와 슉뫼 옥누항을 ᄡᅥ나시믈 듯고, 또 병이 듕ᄒᆞ시믈 드ᄅᆞ미, 심담이 ᄎᆡ졀(摧折)ᄒᆞ나 감히 나아갈 싱의(生意)를 못ᄒᆞ더라.

ᄎᆞ시 하쇼졔 강졍의 니ᄅᆞ니, ᄎᆞ환복쳡(叉鬟僕妾) 등이 죽은 줄노 아던 하쇼졔 싱환【70】ᄒᆞᄆᆞᆯ 블승환열(不勝歡悅)ᄒᆞ여 보보젼

___

려152) 쇠흔 풀과 지는 곳 ᄀᆞ튼지라. 한상궁이 이 거동을 보미, 비록 ᄌᆞ작지죄(自作之罪)나 잔잉 츰담ᄒᆞᄆᆞᆯ 니긔지 못ᄒᆞ여, 븟들고 실셩 뉴쳬ᄒᆞ니, 공쥐 다【120】만 비읍(悲泣)ᄒᆞᆯ ᄯᅸᆫ이라. 한 상궁이 누슈를 거두고 허다 화란을 치위(致慰)ᄒᆞ고 귀비 익궁(掖宮)의 슈계(囚繫)ᄒᆞ여 고초ᄒᆞ시믈 닐ᄏᆞ라, 슬허 ᄒᆞ미 혈심진졍(血心眞情)이라. 상연(傷然) 수루(垂淚) 왈,

"이는 다 옥쥬의 친쇼인원현인(親小人遠賢人)ᄒᆞ여 니러틋 ᄒᆞ미니, ᄎᆞ녀 간인을 신지(信之)ᄒᆞ시므로 신셰(身勢) 계활(計活)을 판단ᄒᆞ시니, 기심슈덕(改心修德)은 셩교의 허ᄒᆞ신 비라. 왕ᄉᆞ(往事)는 이의(已矣)라. 닐너 ᄡᅳᆯ 디 업ᄉᆞ니, 복원(伏願) 옥쥬는 ᄎᆞ후나 기심슈덕(改心修德)ᄒᆞᄉᆞ 션도의 나아가쇼셔"

공쥐 묵연 츰괴ᄒᆞ여 탄식 브답이러라. 한 상궁이 ᄎᆞ후 쥬야로 공쥬를 뫼셔 졍셩이 동쵹(洞屬)ᄒᆞ며, 어진 말ᄉᆞᆷ으로 그 심ᄉᆞ를 위로ᄒᆞ미, ᄌᆞ연 ᄒᆡᆼᄉᆞ(行事)의 보익(補益)ᄒᆞ미 만터라. 비록 듯고【121】져 아니나 ᄌᆞ연 뎡부의 소식이 귀에 들니고, 윤·양 등 ᄉᆞ부인과 운녕 구챵과 현긔 등 졔이 〇[다]도라와, 가ᄂᆡ 화평ᄒᆞ여 지닌다 ᄒᆞᄂᆞᆫ지라. 공쥐 듯는 말마다 이들오미 병츌(竝出)ᄒᆞ니, ᄎᆞᆯ하리 죽어 듯지 말고ᄌᆞ ᄒᆞᄂᆞᆫ지라. 한 상궁이 그 조협(躁狹)ᄒᆞᄆᆞᆯ 민망ᄒᆞ여 지삼 위로 권면ᄒᆞ더라.

의렬이 젼언으로 조ᄎᆞ 조모와 슉뫼 옥누항을 ᄡᅥᄂᆞ시믈 듯고, 또 병이 즁ᄒᆞ시믈 드르미, 《심각∥심담》이 쳬졀(悴絶)ᄒᆞ나 감히 나아갈 싱의(生意)를 못ᄒᆞ더라.

ᄎᆞ시 하 쇼졔 강졍의 니ᄅᆞ니 ᄎᆞ환복쳡(叉鬟僕妾) 등이 죽은 줄노 아던 하쇼졔 싱환ᄒᆞᄆᆞᆯ 블승환열(不勝歡悅)ᄒᆞ여 보보젼경(步步顚傾)153)ᄒᆞ여 ᄂᆡ당의 고ᄒᆞ니, 위·뉴 냥

___

161)니울다 : 이울다. 시들다. 점점 쇠약하여지다.
162)냥구반향(良久半晑) : 시간이 오래 되어 반나절 쯤이나 지나서.

152)니울다 : 이울다. 시들다. 점점 쇠약하여지다.
153)보보젼경(步步顚傾) : 놀라거나 다급하여 걸음마

경(步步顚傾)163)ᄒ여 닉당의 고ᄒ니, 위·
뉴 냥흉이 하부인 셰즈를 드르니, 청텬의
벽녁이 일신을 분쇄ᄒ는 둣ᄒ더니, 하쇼제
승당 녜알(禮謁)ᄒ고 고두쳥죄(叩頭請罪)ᄒ
니, 위흉이 귀는 붉아 하시의 옥음낭셩(玉
音朗聲)을 드를디언졍 그 향신(香身)과 그
졀이(絶異)ᄒ 얼골은 보디 못ᄒ여, ᄒ갓 믜
온 ᄆ음이 밍츌(猛出)ᄒ미 흉셩(胸聲)으로
ᄯ짓고, 뉴시는 귀먹어 말을 듯디 못ᄒ나
눈은 붉은디라. 그 옥모화용(玉貌花容)과 난
즈혜질(蘭姿蕙質)164)이 여구(如舊)ᄒ믈 분
한졀치(憤恨切齒)ᄒ여, 고딕 죽이고져 시브
나 엇디 밋츠리오. 창질(瘡疾)노 만신을 움
죽이디 못ᄒ고, 믄득 일계를 싱각【71】고,
왈,

"왕ᄉ는 이의(已矣)라. 내 병이 듕ᄒ니 그
딕는 맛당이 갓가이 나아와 병셰를 보라."

쇼제 쳥파의 존고의 극악으로 그리 슈히
개과홀 니는 업슬 줄 알오딕, 그 흉계를 모
로고 이의 슬하의 나아가 비시(陪侍)ᄒ니,
뉴시 일셩 포악의 독안을 브릅쓰고 벽상의
걸닌 장도(粧刀)165)를 ᄲᅡ혀 쇼져를 지르니,
쇼제 무망(無妄)166)의 이 변을 만난디라.
경혈(頸血) ᄒ 줄기 닉 ᄲᅩ아 뉴시의 낫과
의복의 ᄲᅳ리고, 쇼제 신싴이 변ᄒ여 업더디
니, 하부 모든 복쳡과 윤부 비즈 등이 대경
실싴ᄒ여 급히 붓드러 닉니, 쇼제 호흅이
쳔쵹(喘促)167)ᄒ고 아관(牙關)168)이 긴급ᄒ
다라. 졔【72】시이(侍兒) 황황망극(遑遑罔
極)ᄒ여 실셩비읍(失性悲泣)ᄒ더니, 믄득 초
휘 만면 노긔로 드러와, 쇼믹를 붓드러 교

---

163)보보젼경(步步顚傾) : 놀라거나 다급하여 걸음마
　　다. 넘어지고 구르고 하며 허둥지둥 걸음.
164)난즈혜질(蘭姿蕙質) : 여자의 아름다운 자태와
　　뛰어난 자질을 난초(蘭草)·혜초(蕙草)와 같은 아
　　름답고 향기로운 꽃에 비유하여 이르는 말.
165)장도(粧刀) : 주머니 속에 넣거나 옷고름에 늘
　　차고 다니는 칼집이 있는 작은 칼. 칼집과 자루는
　　금, 은, 밀화(蜜花), 대모(玳瑁), 뿔, 나무 따위로
　　장식을 한다.
166)무망(無妄) : 별 생각이 없이 있는 상태.
167)쳔쵹(喘促) : 숨을 몹시 가쁘게 쉬며 헐떡거림.
168)아관(牙關) : 입속 양쪽 구석의 윗잇몸과 아랫잇
　　몸이 맞닿는 부분.

흉이 하부인 셰즈를 드르니, 쳥텬의 벽
【122】녁이 일신을 분쇄ᄒ는 듯 ᄒ더니,
하 쇼제 승당 녜알(禮謁)ᄒ고 고두쳥죄(叩
頭請罪)ᄒ니, 위흉이 귀는 붉ᄋ 하시의 옥
셩낭음(玉音朗聲)을 드를지언졍 그 향신(香
身)과 그 졀이(絶異)ᄒ 얼골은 보지 못ᄒ여,
ᄒ갓 믜운 ᄆ음이 밍츌(猛出)ᄒ미 흉셩으로
ᄯ짓고, 뉴시는 귀 먹어 말을 듯지 못ᄒ나
그 옥안화용(玉貌花容)이 의구ᄒ믈 분한졀
치(憤恨切齒)ᄒ여, 고딕 죽이려 ᄒ나 엇지
밋츠리오. 창질노 몸을 움죽이지 못ᄒ고, 믄
득 일계를 싱각고, 왈,

"왕ᄉ는 이의(已矣)라. 닉 병이 즁ᄒ니 그
딕는 맛당이 ᄀᆺᄀ이 와 병셰를 보라."

쇼제 쳥파의 존고의 극악으로 그리 슈히
기과홀 니는 업슬 줄 알되, 흉계를 모로고
이의 슬하의 비시(陪侍)ᄒ니, 뉴시 일셩 포
악의 독안을 ᄲᅳᆯ읍쓰고 벽【123】상의 걸니
[닌] 장도(粧刀)154)를 ᄲᅡ혀 쇼져를 지르니,
쇼제 무망(無妄)155)의 이 변을 만난지라.
경혈 ᄒ 줄기 닉 ᄲᅩ아 뉴시의 낫과 의복의
ᄲᅳ리고, 쇼제 신싴이 변ᄒ여 업더지니, 하부
모든 복쳡과 윤부 비즈 등이 대경실싴ᄒ여
급히 붓드러 닉니, 쇼제 호읍이 쳔쵹(喘
促)156)ᄒ고 아관(牙關)157)이 긴급(緊急)ᄒ
지라. 졔 시이(侍兒) 황황망극(遑遑罔極)ᄒ
여 실셩비읍(失性悲泣)ᄒ더니, 믄득 초휘 만
면 노긔로 드러와 쇼믹를 붓드러 교즙의 너
허 ᄲᆯ니 도라가딕, 위·뉴를 아른 쳬 아니
니, 위시는 지각(知覺)이 블명(不明)ᄒ딕, 뉴
시는 무류코 노ᄒ여 초후와 쇼져를 무슈 즐

　　다. 넘어지고 구르고 하며 허둥지둥 걸음.
154)장도(粧刀) : 주머니 속에 넣거나 옷고름에 늘
　　차고 다니는 칼집이 있는 작은 칼. 칼집과 자루는
　　금, 은, 밀화(蜜花), 대모(玳瑁), 뿔, 나무 따위로
　　장식을 한다.
155)무망(無妄) : 별 생각이 없이 있는 상태.
156)쳔쵹(喘促) : 숨을 몹시 가쁘게 쉬며 헐떡거림.
157)아관(牙關) : 입속 양쪽 구석의 윗잇몸과 아랫잇
　　몸이 맞닿는 부분.

등의 너허 셜니 도라가딕, 위·뉴를 아른 체 아니니, 위시는 디각(知覺)이 블명(不明) ᄒᆞ딕, 뉴시는 무류코 노ᄒᆞ여 초후와 《녀ᄋ ᅵ쇼져》를 무슈 즐믜(叱罵)ᄒᆞ더라.

  시시의 초휘【73】

믜(叱罵)ᄒᆞ더라.

츠셜 시시의 초휘 미즈(妹者)의 강졍 힝거ᄒᆞ믈 방심치 못ᄒᆞ여, 뒤흘 조ᄎᆞ 강졍의 나아가 듕헌의셔 닉당 소식을 탐쳥(探聽)ᄒᆞ더니, 아이오, 쇼졔 임의 악인의 독슈의 셩명이 급ᄒᆞ믈 드르미, 디극ᄒᆞᆫ 효우로 분뇌 튱격(衝擊)ᄒᆞ여 즉긱의 뉴녀를 박살코져 ᄒᆞ나, 두로 원네 잇셔 인분(忍憤)ᄒᆞ여 다만 쇼져를 구ᄒᆞ여 도라오니, 쇼져의 거교를 바로 듕당의 노ᄒᆞ니, 하공 부뷔 경아(驚訝) 문왈,

"하고(何故)로 녀이 즉시 도라 오뇨?"

윤시는 필유ᄉᆞ고(必有事故)ᄒᆞ믈 알고 의 둘나 묵연이러니,【1】졔 시비 ᄉᆞ연을 고ᄒᆞ니, 하공 부뷔 대경 실식ᄒᆞ고 초휘 만면 노식(怒色)으로 드러와, 쇼미를 붓드러 모친 협실의 누이고, 병장(屛帳)을 둘너 촉상(觸傷)169)ᄒᆞ믈 방비ᄒᆞ고, 회싱단(回生丹)을 삼다(蔘茶)의 화ᄒᆞ여 닙의 드리오고, 금창약(金瘡藥)170)을 상쳐의 발나 깁으로 ᄡᆞ미고, 피 무든 옷슬 가라 상의 편히 누이고, 졔녀를 디휘ᄒᆞ여 힘뼈 구호ᄒᆞ라 ᄒᆞ고, 부모긔 드른 바로뼈 고ᄒᆞ미, 분긔 엄익(奄碨)ᄒᆞ여 뉴시 대간대악을 졀치부심(切齒腐心)ᄒᆞ니, 윤부인이 초경을 목도(目睹)ᄒᆞ미, 모친의 젼젼 과악은 니르도 말고, 금일ᄉᆞ(今日事) 츠마 사ᄅᆞᆷ의 홀 비 아니라. 초후의 허다 참욕이 불가승쉬(不可勝數)나 그르다【2】못홀디라. 외뫼 타연ᄌᆞ약(泰然自若)ᄒᆞ나, 기심이 각골비상(刻骨悲傷)ᄒᆞ여 의171) 니울기172)의 밋쳐시니, 구괴 그윽이 슷치고 어엿비 넉여, 비록 뉴시의 힝악을 통완ᄒᆞ나 말을 아니ᄒᆞ고, 하공 부뷔 녀ᄋᆞ의 회도(回

시시의 초휘 미즈(妹者)의 강졍 힝거(行車)ᄒᆞ믈 방심치 못ᄒᆞ여, 뒤흘 조ᄎᆞ 강졍의 ᄂᆞ아가 즁헌의셔 닉당 소【124】식을 탐쳥(探聽)ᄒᆞ더니, 아이오, 쇼졔 임의 악인의 독슈의 셩명이 급ᄒᆞ믈 드르미, 지극ᄒᆞᆫ 효우로 분뇌 《흉격∥츙격(衝擊)》ᄒᆞ여 즉긱의 박살코져 ᄒᆞ나, 두루 원네 잇셔, 인분(忍憤)ᄒᆞ여 ᄃᆞ만 쇼져를 구ᄒᆞ여 도라오니, 쇼져의 거교를 바로 즁당의 노ᄒᆞ니, 하공 부뷔 경아(驚訝) 문왈,

"하고(何故)로 녀이 즉시 오뇨?"

윤시는 필유ᄉᆞ고(必有事故)ᄒᆞ믈 알고 의 둘나 묵연이러니, 졔 시비 ᄉᆞ연을 고ᄒᆞ니, 하공 부뷔 대경 실식ᄒᆞ고 초휘 만면 노식으로 드러와, 쇼미를 붓드러 모친 협실의 누이고 병장(屛帳)을 둘너 촉상(觸傷)158)ᄒᆞ믈 방비ᄒᆞ고, 회싱단(回生丹)을 삼다(蔘茶)의 화ᄒᆞ여 닙의 드리오고 금창약(金瘡藥)159)을 상쳐의 발나 깁으로 ᄡᆞ미고, 피 무든 옷슬 가라 상의 편【125】히 누이고, 졔녀를 지휘ᄒᆞ여 힘뼈 구호ᄒᆞ라 ᄒᆞ고, 부모게 쇼경ᄉᆞ(所經事)160)를 고ᄒᆞ미, 분긔 엄익(奄碨)ᄒᆞ여 뉴시 대간대악을 졀치부심(切齒腐心)ᄒᆞ니, 윤부인이 초경을 목도(目睹)ᄒᆞ미, 모친의 젼젼 과악은 니르도 말고, 금일식 츠마 사ᄅᆞᆷ의 홀 비 아니라. 초후의 허다 참욕이 불가승쉬(不可勝나 그르다 못홀지라. 외뫼 타연ᄌᆞ약(泰然自若)ᄒᆞ나, 기심이 극골비상(刻骨悲傷)ᄒᆞ여 의161) 니울기162)의 밋쳐시니, 《구기∥구괴(舅姑)》 그윽이 슷치고 어엿비 넉여, 비록 뉴시의 힝악을 통완ᄒᆞ나 말

---

169)촉상(觸傷) : 찬 기운이 몸에 닿아서 병이 일어남. 늑촉감(觸感).
170)금창약(金瘡藥) : 칼, 창, 화살 따위로 생긴 상처에 바르는 약. 석회를 나무나 풀의 줄기와 잎에 섞어 이겨서 만든다.
171)의 : 애. 창자. 쓸개. 마음 속.
172)니울다 : 이울다. 시들다. 스러지다.

158)촉상(觸傷) : 찬 기운이 몸에 닿아서 병이 일어남. 늑촉감(觸感).
159)금창약(金瘡藥) : 칼, 창, 화살 따위로 생긴 상처에 바르는 약. 석회를 나무나 풀의 줄기와 잎에 섞어 이겨서 만든다.
160)쇼경ᄉᆞ(所經事) : 겪어 지내 온 일.
161)의 : 애. 창자. 쓸개. 마음 속.
162)니울다 : 이울다. 시들다. 스러지다.

棹)173)ᄒᆞ믈 보고 블승영힝ᄒᆞ여, 직삼 어로 만져 병회(病懷)를 위로ᄒᆞ나, 말ᄉᆞᆷ이 위·뉴 의 밋디 아니ᄒᆞ고, 하시 비록 초후와 골육 남미나 심히 무안ᄒᆞ여 ᄒᆞ더라.

쇼졔 창체 보기의 듕난ᄒᆞ나, 뉴시 긔력이 밋디 못ᄒᆞ여 빗질ᄂᆞ여시미 깁히 상치 아닌 디라. 부뫼 디셩(至誠) 완호(援護)ᄒᆞ미 쇼졔 ᄯᅩᄒᆞᆫ 존고의 누덕(累德)을 깃치디 아니랴 힘뻐 조셥(調攝)【3】ᄒᆞ므로, 병셰 슈히 ᄎᆞ경(差境)의 잇ᄂᆞᆫ디라.

ᄎᆔ운산 뎡부의셔 이 소식을 듯고 시로이 흥히 넉이며, 윤의렬은 그 슉모의 과악이 가지록 더ᄒᆞ믈 보미, 가란을 슈히 딘뎡치 못ᄒᆞᆫ죽 두 아174)의 평싱 빅우(百憂)175)를 풀닐 날이 업슬가 우례 간졀ᄒᆞ더라.

어ᄉᆞ의 은ᄉᆡ(恩赦) ᄉᆞ쳐(四處)의 ᄂᆞ려시나 왕반(往返)이 머러, 혹ᄉᆞ의 소식이 졀연(絕緣)ᄒᆞ고, 댱샤(長沙)176) 일읍(一邑)의 슉녈(淑烈)의 거쳐를 심방ᄒᆞ미, 병혁(兵革)이 막혀시니 소식이 아으라 ᄒᆞᆫ더라. 뎡부 상히 근심ᄒᆞᆷ믈 마디 아니며, 텬지 ᄯᅩ 윤참모의 거쳐 업ᄉᆞᆷ믈 우려ᄒᆞ샤, 슉침좌와(宿寢坐臥)의 농위(龍憂) 간졀ᄒᆞ시더니, 【4】믄득 댱샤로 조ᄎᆞ 변뵈 눈 날니ᄃᆞᆺ ᄒᆞ여, 손확이 대패ᄒᆞ여 뎍딘의 싱금(生擒)ᄒᆞ이미, 부원슈 댱운이 계오 빅여 패잔군을 거ᄂᆞ려 남영관의 숨엇더니, 윤참뫼 도ᄉᆞ의 구ᄒᆞ믈 닙어 망명ᄒᆞ엿다가, 단신으로 운몽관 댱슈 영흠을 죽여 관(關)을 앗고, 월산셩 슈댱(首將)을 항복바다, 다시 댱원슈로 합병ᄒᆞ여 젼필승공필ᄎᆔ(戰必勝功必取)177)ᄒᆞ여 다 윤참모의 신긔묘산(神技妙算)으로 쇼과(所過)의 무뎍(無

173)회도(回棹) : 가던 배가 돛대를 돌리는 것 같다 는 뜻으로, 병이 차차 나음을 이르는 말.
174)아 : 아우. 동생.
175)빅우(百憂) : 온갖 근심.
176)댱샤(長沙) : 중국 호남성의 동부 곧 동정호(洞庭 湖) 남쪽 상강(湘江) 동쪽 하류에 있는 도시. 수륙 교통의 요충지이며 호남성의 성도(省都)이다.
177)젼필승공필ᄎᆔ(戰必勝功必取) : 싸우면 반드시 이 기고 공을 반드시 취함.

을 아니ᄒᆞ고, 하공 부뷔 녀ᄋᆞ의 회소(回蘇) ᄒᆞ믈 보고 블승영힝ᄒᆞ여, 직삼 어로만져 병 회(病懷)를 위로ᄒᆞ나, 말ᄉᆞᆷ이 위·뉴의 밋지 아니ᄒᆞ고 하 시 비록 초후와 골육형뎨나 심 히 무안ᄒᆞ여 ᄒᆞ더라

쇼졔 창체 보기의【126】즁난ᄒᆞ나, 뉴시 긔력이 밋지 못ᄒᆞ여 빗질 ᄂᆞ여시미 깁히 상 치 아니ᄒᆞ엿ᄂᆞᆫ지라. 부뫼 지셩 완호(援護)ᄒᆞ 미 쇼졔 ᄯᅩᄒᆞᆫ 존고의 누덕(累德)을 낫토지 아니려, 힘뻐 조셥(調攝)ᄒᆞ므로 병셰 수히 ᄎᆞ경(差境)의 잇ᄂᆞᆫ지라.

ᄎᆔ운산 뎡부의셔 이 소식을 듯고 시로이 흥히 넉이며, 윤의렬은 그 슉모의 과악이 가지록 더ᄒᆞ믈 보미, 가란을 슈히 진졍치 못홀지라. 그런즉 두 아이163) 평싱 빅우(百 憂)164)를 풀닐 날이 업슬ᄀᆞ 우례 근졀ᄒᆞ더 라.

어ᄉᆞ의 은ᄉᆡ(恩赦) ᄉᆞ쳐(四處)의 ᄂᆞ려시나 왕반(往返)이 머러, 학ᄉᆞ의 소식이 졀연(絕 緣)ᄒᆞ고, 댱ᄉᆞ(長沙)165) 일읍의 슉녈의 거쳐 를 심방ᄒᆞ미, 병혁(兵革)이 막혀시니 소식이 아으라 ᄒᆞᆫ지라. 뎡부 상히(上下) 근심ᄒᆞ믈 마지 아니며, 텬지 ᄯᅩ 윤참모의 거쳐 업ᄉᆞ 【127】믈 우려ᄒᆞᆫᄉᆞ 《슉심침좌∥슉침좌와 (宿寢坐臥)》의 농위(龍憂) 근졀ᄒᆞ시더니, 믄득 댱ᄉᆞ로 좃ᄎᆞ 변뵈(變報) 눈 날니덧 ᄒᆞ 여, 손확이 디픽ᄒᆞ여 젹진의 싱금(生擒)ᄒᆞ이 미 부원슈 장운이 계오 빅여 픽잔군을 거ᄂᆞ 려 남영관의 숨엇더니, 윤참뫼 도ᄉᆞ의 구ᄒᆞ 믈 닙어 망명ᄒᆞ엿다ᄀᆞ, 단신으로 운몽관 댱 슈 녕흠을 죽여 관을 앗고, 월산셩 슈장을 항복 바다 다시 당원슈로 합병ᄒᆞ여 젼필승 공필ᄎᆔ(戰必勝功必取)166) ᄒᆞ니, 이는 다 윤 참모의 신긔묘산(神技妙算)으로 쇼과(所過) 의 무젹(無敵)이라 ᄒᆞ여, 쳡셰(捷書) ᄌᆞ로

163)아이 : 아우. 동생.
164)빅우(百憂) : 온갖 근심.
165)댱샤(長沙) : 중국 호남성의 동부 곧 동정호(洞庭 湖) 남쪽 상강(湘江) 동쪽 하류에 있는 도시. 수륙 교통의 요충지이며 호남성의 성도(省都)이다.
166)젼필승공필ᄎᆔ(戰必勝功必取) : 싸우면 반드시 이 기고 공을 반드시 취함.

敵)이라 ᄒᆞ여, 쳡셰(捷書) ᄌᆞ로 뇽졍(龍廷)의 오ᄅᆞ니, 텬ᄌᆡ 대경대희(大驚大喜)ᄒᆞ샤 듕샤(中使)를 댱샤의 보ᄂᆡ샤, 윤광텬의 신무대략(神武大略)을 칭찬ᄒᆞ샤 대원슈를 비ᄒᆞ시고, 금빅(金帛)을 나【5】리와 삼군을 호상(犒賞)178)ᄒᆞ라 ᄒᆞ시니, 샤명(使命)179)이 황디(皇旨)를 밧드러 쥬야 달녀 댱샤로 가니라.

셔셜(先說)180) 태우 윤광텬과 흑ᄉᆞ 희텬이 쳔고(千古) 원앙(寃怏)ᄒᆞᆫ 누얼을 므릅뻐, 남·양 이쥐(二州) 슈졸(戍卒)이 되니, 이 본ᄃᆡ 쳔균대량(千鈞大量)181)과 하ᄒᆡ지심(河海之心)이라. 도라 가ᄉᆞ(家事)를 싱각건ᄃᆡ, 계부ᄂᆞᆫ 교디(交趾)182)의 계샤 환가ᄒᆞ실 긔약이 아득ᄒᆞᆫᄃᆡ, ᄌᆞ가 형뎨마ᄌᆞ 집을 써나미, 완노(頑奴) 강비(强婢)의 작악(作惡)과 흉험ᄒᆞᆫ 위·뉴 냥부인이 긔탄 업시 므ᄉᆞᆫ 악ᄒᆡᆼ이[을] 《이실∥지을》 줄 알니오. 반ᄃᆞ시 문호를 망ᄒᆞᆯ디라. 두로 심녜 번다ᄒᆞ여, 계오 일일을 형뎨 동ᄒᆡᆼᄒᆞ여 가다가 분슈ᄒᆞᆯ식, 태위 반ᄃᆞ시 간인의【6】흉계 다시 이실 줄 아ᄂᆞᆫ디라. ᄌᆞ긔ᄂᆞᆫ 죡히 근심치 아니나, 아의 쳥슈미딜(清秀美質)을 넘녀ᄒᆞ여, 님별(臨別)의 가마니 혜쥰 등 냥노(兩奴)를 당부ᄒᆞ여, 공ᄎᆞ(公差) 블냥ᄒᆞ니 일시도 상공 좌하의 써나디 말나 ᄒᆞ니, 냥뇌 쳥녕(聽令)ᄒᆞ고 믈너나미, 형뎨 다시 휘루(揮淚)ᄒᆞ여 각각 비소로 향ᄒᆞ니라.

흑ᄉᆞ를 압녕(押領)ᄒᆞ여 가는 공ᄎᆞ 뉴시의 회뢰(賄賂)를 밧고, 브ᄃᆡ 흑ᄉᆞ를 죽이랴 ᄒᆞ여 ᄰᅥ를 여으ᄃᆡ, 혜쥰 등이 눈츼를 알고 ᄯᅩ

뇽졍의 오ᄅᆞ니, 텬ᄌᆡ 대경대희(大驚大喜)ᄒᆞᆺ 즁슈(中使)를 당ᄉᆞ의 보ᄂᆡ여, 윤광텬의 신무대략(神武大略)을 칭찬ᄒᆞ샤 대원슈를 ᄒᆞ이시고, 금빅을 ᄂᆞ리와 숨군을 호상(犒賞)167)ᄒᆞ라 ᄒᆞ시니, ᄉᆞ명(使命)168)이 황지(皇旨)를 밧드러【128】쥬야 돌녀 당ᄉᆞ로 가니라.

셔셜(先說)169) 틱우 윤광텬과 흑ᄉᆞ 희텬이 쳔고(千古) 원앙(寃怏)ᄒᆞᆫ 누얼을 므릅뻐, 남양 이쥐 《소졸∥슈졸(戍卒)》이 되니, 이 본ᄃᆡ 쳔균대량(千鈞大量)170)과 하ᄒᆡ지심(河海之心)이라. 도라 가ᄉᆞ(家事)를 싱각건ᄃᆡ, 계부ᄂᆞᆫ 교지(交趾)171)의 계샤 환가ᄒᆞ실 긔약이 아득ᄒᆞᆫᄃᆡ, ᄌᆞ가 형뎨마ᄌᆞ 집을 써나미 완노(頑奴) 강비(强婢)의 작악(作惡)과 흉험ᄒᆞᆫ 위·뉴 냥부인이 긔탄 업시 므ᄉᆞᆫ 악ᄒᆡᆼ이 이실 줄 알니오. 반ᄃᆞ시 문호를 망ᄒᆞᆯ지라. 두로 심녜 번다ᄒᆞ여, 계오 일일을 형뎨 동ᄒᆡᆼᄒᆞ여 가ᄃᆞ가 분슈ᄒᆞᆯ식, 틱위 반ᄃᆞ시 간인의 흉계 ᄃᆞ시 이실 줄 아ᄂᆞᆫ지라. ᄌᆞ긔ᄂᆞᆫ 죡히 근심치 아니나, 아의 쳥슈미질(清秀美質)을 넘녜ᄒᆞ여, 님별(臨別)의 ᄀᆞ만니 혜쥰 등 냥【129】노를 당부ᄒᆞ여, 공ᄎᆞ 블냥ᄒᆞ니 일시도 상공 좌하의 써나지 말나 ᄒᆞ니, 냥뇌 쳥녕ᄒᆞ고 믈너나미, 형뎨 ᄃᆞ시 휘루(揮淚)ᄒᆞ여 각각 비소로 향ᄒᆞ니라.

흑ᄉᆞ를 압녕(押領)ᄒᆞ여 가는 공ᄎᆞ 뉴시의 회뢰를 밧고 브ᄃᆡ 흑ᄉᆞ를 죽이랴 ᄒᆞ여 ᄰᅥ를 녀으ᄃᆡ, 혜쥰 등이 눈츼를 알고 ᄯᅩ 충근영

---

178) 호상(犒賞) : 군사들에게 음식을 차려 먹이고 상을 주어 위로함.
179) 샤명(使命) : 명령을 받은 사신.
180) 셔셜(先說) : 고소설에서 장면을 바꿔 앞에서 진행되었던 이야기를 이어 시작할 때 쓰는 화두사(話頭詞).
181) 쳔균대량(千鈞大量) : 천균(千鈞)이나 될 만큼 도량이 크다. 1균은 30근
182) 교지(交趾) : 중국 한(漢)나라 때에, 지금의 베트남 북부 통킹, 하노이 지방에 둔 행정 구역. 전한(前漢)의 무제가 남월(南越)을 멸망시키고 설치하였다.

167) 호상(犒賞) : 군사들에게 음식을 차려 먹이고 상을 주어 위로함.
168) 샤명(使命) : 명령을 받은 사신.
169) 셔셜(先說) : 고소설에서 장면을 바꿔 앞에서 진행되었던 이야기를 이어 시작할 때 쓰는 화두사(話頭詞).
170) 쳔균대량(千鈞大量) : 천균(千鈞)이나 될 만큼 도량이 크다. 1균은 30근
171) 교지(交趾) : 중국 한(漢)나라 때에, 지금의 베트남 북부 통킹, 하노이 지방에 둔 행정 구역. 전한(前漢)의 무제가 남월(南越)을 멸망시키고 설치하였다.

튱근(忠勤) 영니(怜悧)ᄒᆞ미 '개ᄌᆞ츄(介子推)의 할고디튱(割股之忠)'[183]이 잇ᄂᆞᆫ디라. 쥬야 혹ᄉᆞ를 뫼셔 슉식침좌(宿食寢坐)의 일시 ᄯᅥ나디 아니니, 공치 홀 일 업셔 히ᄒᆞᆷ믈 싱의치 못ᄒᆞ【7】고, 혹시 일노(一路)의 무ᄉᆞ히 득달ᄒᆞ여 뎍소의 니르니, ᄌᆞᄉᆞ 슌공이 그 쇼년 쳥망을 흠모ᄒᆞ던 고로, 그 일시 운익이 괴이ᄒᆞ여 찬뎍ᄒᆞᆷ믈 놀나 먼니 나와 마ᄌᆞ, 극진히 관딕ᄒᆞ며 졍(靜)ᄒᆞᆫ 하쳐(下處)의 안둔(安屯)ᄒᆞ고, 공치를 보닐ᄉᆡ 혹시 금빅을 은근이 샤례ᄒᆞ니, 공치 비록 무식하나 감복ᄒᆞ여, 힝도의 블공ᄒᆞ미 져의 본심이 아니라 셰월 비영 등의 쳥쵹이믈 고ᄒᆞ고, 무슈 샤죄ᄒᆞ니, 혹시 일가의 평셔(平書)[184]를 붓치다.

ᄎᆞ시 태우ᄂᆞᆫ 혹ᄉᆞ를 분슈ᄒᆞ고 남쥐로 나아가더니, 슈일을 힝ᄒᆞ여 상쳬 심히 덧나 셩농(成膿)ᄒᆞ니, 알프믈 니긔디 못ᄒᆞ여 긱【8】졈의 일쯕 드럿더니, 이젹의 ᄌᆞ긱 님셩각은 본딕 유문ᄌᆞ뎨(儒門子弟)로 초운(初運)이 다험ᄒᆞ여 조상부모(早喪父母)ᄒᆞ고 죵션형뎨(終鮮兄弟)ᄒᆞ며 무타죵족(無他宗族)ᄒᆞ니, ᄌᆞ쵀 ᄉᆞ히의 표탕(飄蕩)ᄒᆞᆫ디라. 우우냥냥(踽踽佯佯)[185]ᄒᆞ여 아니 밋ᄎᆞᆫ 곳이 업ᄉᆞ나, 텬싱작인(天生作人)이 비범ᄒᆞ여 잠미봉안(蠶眉鳳眼)[186]과 호비쥬슌(虎鼻朱脣)[187]이오, 팔쳑경뉸(八尺徑輪)[188]이며, 겸ᄒᆞ여

ᄂᆡᄒᆞ미 '개ᄌᆞ츄(介子推)의 할고지츙(割股之忠)'[172]이 잇ᄂᆞᆫ지라. 쥬야 혹ᄉᆞ를 뫼셔 슉식침좌(宿食寢坐)의 일시 ᄯᅥ느지 아니니, 공치 홀 일 업셔 히ᄒᆞᆷ믈 싱의치 못ᄒᆞ고 혹시 일노(一路)의 무ᄉᆞ히 득달ᄒᆞ여 젹소의 니르니, ᄌᆞᄉᆞ 슌공이 그 쇼년 쳥망을 흠모ᄒᆞ던 고로, 그 일시 운익ᄒᆞ여 찬젹ᄒᆞ믈 놀나, 먼니 나와 마ᄌᆞ 극진이 관딕ᄒᆞ며, 졍(靜)ᄒᆞᆫ 하【130】쳐(下處)의 안돈(安屯)ᄒᆞ고, 공치를 보닐ᄉᆡ 혹시 금빅으로 은근이 샤례ᄒᆞ니, 공치 비록 무식ᄒᆞ나 감복ᄒᆞ여, 힝도의 블공ᄒᆞ미 져의 본심이 아니라 셰월 비영 등의 쳥쵹이믈 고ᄒᆞ고, 무슈 샤죄ᄒᆞ니, 《하시∥학식》 쳥파의 졍식 왈,

"여등이 엇지 이목을 ᄀᆞ리오ᄂᆞ뇨? 다시 니ᄅᆞ지 말나."

공치 등이 황공ᄒᆞ여 ᄉᆞ례ᄒᆞ고 도라가니 학식 일가의 평셔(平書)[173]를 붓치다.

ᄎᆞ시 티우ᄂᆞᆫ 혹ᄉᆞ를 분슈ᄒᆞ고 남쥐로 나아가더니, 슈일을 힝ᄒᆞ여 상쳬 심히 쩟[덧]나 셩농(成膿)ᄒᆞ니, 알픔을 니긔지 못ᄒᆞ여 긱졈의 일쯕 드럿더니, 이젹의 ᄌᆞ긱 님셩각은 본딕 유문제ᄌᆞ(儒門弟子)로 초운(初運)이 다험ᄒᆞ여, 조상부모(早喪父母)ᄒᆞ고 죵션형뎨(終鮮兄弟)ᄒᆞ며 무【131】타죵족(無他宗族)ᄒᆞ니, ᄌᆞ쵀 ᄉᆞ히의 표탕(飄蕩)ᄒᆞᆫ지라. 우우양양(踽踽佯佯)[174]ᄒᆞ여 아니 밋ᄎᆞᆫ 곳이 업ᄉᆞ나, 쳔싱작인(天生作人)이 비범ᄒᆞ여 잠미봉안(蠶眉鳳眼)[175]과 호비쥬슌(虎鼻朱脣)[176]이오, 팔쳑경뉸(八尺徑輪)[177]이며, 겸

---

183) 개ᄌᆞ츄(介子推)의 할고디튱(割股之忠) : 중국 춘추시대 개자추가 진나라 문공을 섬겨 19년 동안 함께 망명생활을 하던 중, 문공이 굶주리자 자신의 넓적다리 살을 베어서 바쳤다는 고사를 일컫은 말.
184) 평셔(平書) : 늑평신(平信). 무사한 소식.
185) 우우냥냥(踽踽佯佯) : 홀로 외로이 세상을 떠돎.
186) 잠미봉안(蠶眉鳳眼) : 누에 같은 눈썹과 봉황의 눈.
187) 호비쥬슌(虎鼻朱脣) : 호랑이 코와 주사(朱砂)처럼 붉은 입술.
188) 팔쳑경뉸(八尺徑輪) : 팔척이나 되는 키와 그 몸 둘레를 함께 이르는 말. 경륜(徑輪)은 사물의 지름과 둘레를 함께 이르는 말.

172) 개ᄌᆞ츄(介子推)의 할고디튱(割股之忠) : 중국 춘추시대 개자추가 진나라 문공을 섬겨 19년 동안 함께 망명생활을 하던 중, 문공이 굶주리자 자신의 넓적다리 살을 베어서 바쳤다는 고사를 일컫은 말.
173) 평셔(平書) : 늑평신(平信). 무사한 소식.
174) 우우냥냥(踽踽佯佯) : 홀로 외로이 세상을 떠돎.
175) 잠미봉안(蠶眉鳳眼) : 누에 같은 눈썹과 봉황의 눈.
176) 호비쥬슌(虎鼻朱脣) : 호랑이 코와 주사(朱砂)처럼 붉은 입술.
177) 팔쳑경뉸(八尺徑輪) : 팔척이나 되는 키와 그 몸 둘레를 함께 이르는 말. 경륜(徑輪)은 사물의 지름과 둘레를 함께 이르는 말.

디략이 겸젼(兼全)ㅎ니 한신(韓信)[189] 쥬아부(周亞夫)[190]의 위뮈(威武) 잇ᄂ니라. 일즉 태운딘인(泰運眞人) 화도스를 만나 무예 병법과 뉵예(六藝)[191]를 ᄀᆞᆺ초 가ᄅ치니. 셩각이 총명영오(聰明穎悟)ㅎ여 각별 슈고 아냐 무불통디(無不通知)ㅎ더라.

일일은 도시 셩각을 불너 왈,

"네 ᄋᆞ시의 명되 궁ㅎ여 나의 뎨【9】지 되어시나, 나ᄂᆞᆫ 곳 산야비인(山野鄙人)으로 ᄌᆞ최 고운야학(孤雲野鶴) ᄀᆞᆺ고, 너ᄂᆞᆫ 딘연(塵緣)이 만하, 명니(名利)의 쳐ㅎ리니, 쳥운(靑雲)과 빅운(白雲)이 길이 다른다라. 임의 연분이 긋쳐시니, 맛당이 ᄉᆞ방의 오유(遨遊)ㅎ여 디긔(志氣)를 소챵(消暢)ㅎ고, 시셰를 혜려 현인 군ᄌᆞ의 화익(禍厄)을 건져 ᄉᆞ싱(死生)의 좃ᄎᆞ면, 반ᄃᆞ시 복녹(復祿)이 챵셩(昌盛)ㅎ리라."

셩각이 ᄉᆞ부의 신명ㅎ믈 아ᄂᆞᆫ 고로, 슌슌슈명(順順受命)ㅎ고, 드듸여 산둥을 쩌나 뎡쳐 업시 단니다가, 우연이 경샤의 니르러 구몽슉을 만나 ᄉᆞ괴미, 몽슉이 윤태우의 블효브뎨(不孝不悌) ㅎ믈 니르고, 브듸 죽여 달나 ㅎ니, 셩각이 분연 왈,

"대댱뷔 쳐셰(處世)ㅎ미 엇디【10】져런 강상패륜디인(綱常悖倫之人)을 머므ᄅ리오. 명공은 념녀 말나. 내 당당이 윤광텬의 머리를 버히리라."

몽슉이 대희ㅎ여 쳔만 당부ㅎ고, 빅금(百金)으로뼈 주니, 셩각 왈,

"대댱뷔 블인(不人)을 죽이미 엇디 갑슬 바드리오. 샤양ㅎ여 밧디 아니ㅎ고 개연이 삼쳑검을 씨고 남쥬로 향홀시, 도쳐(到處)의 태우의 힝도(行道)를 므르니, 만셩스셔(萬姓

ㅎ여 디략이 겸젼(兼全)ㅎ니 한신(韓信)[178] 쥬아부(周亞夫)[179]의 위뮈(威武) 잇ᄂ니지라. 일즉 틱운진인(泰運眞人) 화도스를 만나 무예 병법과 뉵예(六藝)[180]를 ᄀᆞᄅ치니, 셩각이 총명녕오(聰明穎悟)ㅎ여 각별 슈고 아녀 무불통지(無不通知)라.

일일은 도시 셩각을 불너 왈,

"네 ᄋᆞ시의 명되 궁ㅎ여 나의 뎨지 되어시나, 나ᄂᆞᆫ 곳 산야비인(山野鄙人)으로 ᄌᆞ최 고운야학(孤雲野鶴) ᄀᆞᆺ고, 너ᄂᆞᆫ 진연(塵緣)이 만하, 명니(名利)의 쳐ㅎ리니, 쳥운(靑雲)과 빅운(白雲)이 길이 다른지라. 님의 년분이 긋쳐시니 맛당이 ᄉᆞ방의 오유(遨遊)ㅎ여 지긔(志氣)를 소챵(消暢)ㅎ고 시셰를【132】혜려 현인 군ᄌᆞ의 화익(禍厄)을 건져 ᄉᆞ싱(死生)의 좃ᄎᆞ면 반ᄃᆞ시 복녹이 챵셩(昌盛)ㅎ리라"

셩각이 ᄉᆞ부의 신명ㅎ믈 아ᄂᆞᆫ 고로, 슌슌슈명(順順受命)ㅎ고, 드듸여 산즁을 쩌나 졍쳐 업시 ᄃᆞ니ᄃᆞ가, 우연이 경스의 니ᄅ러 구몽슉을 만나 ᄉᆞ괴미, 몽슉이 윤태우의 블효부졔(不孝不悌)ㅎ믈 니르고 브듸 죽여 ᄃᆞᆯ나 ㅎ니, 셩각이 분연 왈,

"딕댱뷔 쳐셰ㅎ미 엇지 져런 픾류강상지인(悖倫綱常之人)을 두어 셰상의 머믈니오. 명공은 념녜 말나. 내 당당이 윤광텬의 머리를 버히리라"

몽슉이 딕희ㅎ여 쳔만 당부ㅎ고 빅금(百金)으로뼈 주니 셩각 왈,

"대장뷔 블인(不人)을 죽이미 엇지 갑슬 바드리오. ᄉᆞ양ㅎ여 불수(不受)ㅎ고 ᄀᆞ연이 ᄉᆞᆷ쳑검【133】을 씨고 남쥐로 향ㅎᆯ시, 도쳐(到處)의 틱우의 힝도(行道)를 므르니, 만셩

189) 한신(韓信) : ? ─ BC196. 중국 한(漢)나라 때의 무장(武將). 한 고조를 도와 조(趙)·위(魏)·연(燕)·제(齊)나라를 멸망시키고 항우를 공격하여 큰 공을 세웠다

190) 쥬아부(周亞夫) : 중국 전한(前漢) 전기의 무장, 정치가. 오초칠국(吳楚七國)의 난을 평정해 공을 세웠고 승상에 올랐다.

191) 뉵예(六藝) : 고대 중국 교육의 여섯 가지 과목. 예(禮), 악(樂), 사(射), 어(御), 서(書), 수(數)를 이른다.

178) 한신(韓信) : ? ─ BC196. 중국 한(漢)나라 때의 무장(武將). 한 고조를 도와 조(趙)·위(魏)·연(燕)·제(齊)나라를 멸망시키고 항우를 공격하여 큰 공을 세웠다

179) 쥬아부(周亞夫) : 중국 전한(前漢) 전기의 무장, 정치가. 오초칠국(吳楚七國)의 난을 평정해 공을 세웠고 승상에 올랐다.

180) 뉵예(六藝) : 고대 중국 교육의 여섯 가지 과목. 예(禮), 악(樂), 사(射), 어(御), 서(書), 수(數)를 이른다.

士庶)192)의 ㅇ동쥬졸(兒童走卒)193)이 다 윤태우 형데의 효의를 일쿳느니라. 성각이 져의 쇼문과 다르믈 의괴ᄒ여, 흔 번 져의 위인을 살펴 의심을 결(決)코져 ᄒ여, 이 날 태우의 일힝이 촌졈(村店)의 들믈 보고, 밤들기를【11】기다려 칼홀 안고 ᄀ마니 긱졈(客店)의 드러가 창하(窓下)의셔 규시(窺視)ᄒ니, 윤태위 빅의소ᄃᆡ(白衣素帶)194)로 죄인의 복식을 ᄒ여시나, 화풍경운(和風慶雲)이 늠연쇄락(凜然灑落)ᄒ여 농미봉안(龍眉鳳眼)이며 연함호뒤(燕頷虎頭)195)오 월면단슌(月面丹脣)196)이니, 하안(何晏)197)이 ᄌᆡ셰(再世)ᄒ고 반악(潘岳)198)이 죽디 아녀시니, 딘승상(晉丞相)199)의 관옥디모(冠玉之貌)200)와 두샤인(杜舍人)201)의 투귤디풍(投橘之風)202)을 아으랴203), 싁싁흔 위의와 츄

ᄉ셔(萬姓士庶)181)의 ㅇ등주졸(兒童走卒)182)이 다 윤태우 형뎨를 츙효지인(忠孝之人)으로 닐ᄏᆞᆺᄂ지라. 성각이 져의 문견과 다ᄅᆞ믈 의괴ᄒ여, 흔 번 져의 위인을 슬펴 의심을 결(決)코즈 ᄒ여, 이 날 태우의 일힝이 촌졈(村店)의 들믈 보고, 밤들기를 기ᄃᆞ려 칼홀 안고 ᄀ마니 졈의 드러가 창하(窓下)의셔 규시ᄒ니, 윤태위 빅의소ᄃᆡ(白衣素帶)183)로 죄인의 복식을 ᄒ여시나, 화풍경운(和風慶雲)이 늠연쇄락(凜然灑落)ᄒ여 농미봉안(龍眉鳳眼)이며 연함호뒤(燕頷虎頭)184)오 월면단슌(月面丹脣)185)이니, 하안(何晏)186)이 지셰ᄒ고 반악(潘岳)187)이 죽디 아녀시니, 진승상(晉丞相)188)의 관옥지모(冠玉之貌)189)와 두ᄉ인(杜舍人)190)의 투귤지풍(投橘之風)191)을 아으랴192), 싁【13

---

192)만셩ᄉ셔(萬姓士庶) : 온갖 성씨, 사대부·서민 할 것 없이 모든 사람을 일컫는 말.
193)ㅇ동쥬졸(兒童走卒) : 철없는 아이들과 어리석은 사람들을 아울러 이르는 말. *주졸(走卒); 남의 심부름을 하면서 여기저기 바쁘게 돌아다니는 사람.
194)빅의소ᄃᆡ(白衣素帶) : 흰 옷과 흰 띠를 함께 이르는 말로 벼슬이 없는 사람의 옷차림을 말함.
195)연함호두(燕頷虎頭) : 제비 비슷한 턱과 범 비슷한 머리라는 뜻으로, 먼 나라에서 봉후(封侯)가 될 상(相)을 이르는 말.
196)월면단슌(月面丹脣) : 달처럼 환하게 잘생긴 얼굴에 붉고 고운 입술을 가짐.
197)하안(何晏) : 중국 삼국 시대 위(魏)나라의 학자. 자는 평숙(平叔). 벼슬은 시중상서에 이르렀으며, 청담을 즐겨 그것이 유행하는 계기를 만들고 경학을 노장풍(老莊風)으로 해석하였다. 저서에 ≪논어집해≫가 있다. 얼굴에 분을 발라 멋을 부려, 미남자로도 이름이 높았다.
198)반악(潘岳) : 247~300. 중국 서진(西晉)의 문인(文人). 자는 안인(安仁). 승상을 지냈고 미남자의 대명사로 쓰인다.
199)딘승상(晉丞相) : 중국 서진(西晉)의 미남자 반악(潘岳)을 달리 이르는 말.
200)관옥디모(冠玉之貌) : 관옥처럼 아름다운 모습. 관옥은 관(冠)을 꾸미는 옥.
201)두샤인(杜舍人) : 중국 만당(晚唐)때 시인 두목지(杜牧之). 이름은 두목(杜牧). 중서사인(中書舍人)에 올랐고, 중국의 대표적 미남자로 꼽힌다.
202)투귤디풍(投橘之風) : 투귤(投橘)은 귤을 던진다는 뜻으로, 예전에 두목지는 용모가 준수하고 글을 잘 지어 부녀자들 사이에 인기가 대단했는데, 그가 거리에 나서면 부녀자들이 앞 다투어 귤을 던져 그의 관심을 끌고자 했다 한다. 투귤지풍이

181)만셩ᄉ셔(萬姓士庶) : 온갖 성씨, 사대부·서민 할 것 없이 모든 사람을 일컫는 말.
182)ㅇ동쥬졸(兒童走卒) : 철없는 아이들과 어리석은 사람들을 아울러 이르는 말. *주졸(走卒); 남의 심부름을 하면서 여기저기 바쁘게 돌아다니는 사람.
183)빅의소ᄃᆡ(白衣素帶) : 흰 옷과 흰 띠를 함께 이르는 말로 벼슬이 없는 사람의 옷차림을 말함.
184)연함호두(燕頷虎頭) : 제비 비슷한 턱과 범 비슷한 머리라는 뜻으로, 먼 나라에서 봉후(封侯)가 될 상(相)을 이르는 말.
185)월면단슌(月面丹脣) : 달처럼 환하게 잘생긴 얼굴에 붉고 고운 입술을 가짐.
186)하안(何晏) : 중국 삼국 시대 위(魏)나라의 학자. 자는 평숙(平叔). 벼슬은 시중상서에 이르렀으며, 청담을 즐겨 그것이 유행하는 계기를 만들고 경학을 노장풍(老莊風)으로 해석하였다. 저서에 ≪논어집해≫가 있다. 얼굴에 분을 발라 멋을 부려, 미남자로도 이름이 높았다.
187)반악(潘岳) : 247~300. 중국 서진(西晉)의 문인(文人). 자는 안인(安仁). 승상을 지냈고 미남자의 대명사로 쓰인다.
188)딘승상(晉丞相) : 중국 서진(西晉)의 미남자 반악(潘岳)을 달리 이르는 말.
189)관옥지모(冠玉之貌) : 관옥처럼 아름다운 모습. 관옥은 관(冠)을 꾸미는 옥.
190)두ᄉ인(杜舍人) : 중국 만당(晚唐)때 시인 두목지(杜牧之). 이름은 두목(杜牧). 중서사인(中書舍人)에 올랐고, 중국의 대표적 미남자로 꼽힌다.
191)투귤지풍(投橘之風) : 투귤(投橘)은 귤을 던진다는 뜻으로, 예전에 두목지는 용모가 준수하고 글을 잘 지어 부녀자들 사이에 인기가 대단했는데, 그가 거리에 나서면 부녀자들이 앞 다투어 귤을 던져 그의 관심을 끌고자 했다 한다. 투귤지풍이

슈(秋水) ᄀᆞᄐᆞᆫ 졍신이니, 쳥텬빅일(靑天白日)은 노예 하쳔도 역디기명(亦知其明)204)이오, 황혼흑야(黃昏黑夜)205)는 비금듀슈(飛禽走獸)206)라도 아는 비라. 셩각의 식안(識眼)으로 엇디 군ᄌᆞ 영걸을 모로리오. 냥구(良久) 쳠망(瞻望)의 스스로 소ᄅᆡ 나믈 ᄭᆡᄃᆞᆺ디 못ᄒᆞ여 딘실노 대현 군ᄌᆞ로다【12】ᄒᆞ는 소ᄅᆡ의, 태위 개창(開窓) 경문(驚問)ᄒᆞ니, 일개 댱식 풍치 웅위ᄒᆞ고 골격이 비범ᄒᆞ되, 셔리 ᄀᆞᄐᆞᆫ 칼흘 안고 팔쳑 댱신을 굽혀 창하의 잇다가, 태우의 므르믈 보고 응셩(應聲) ᄎᆞᆯ 왈,

"나는 ᄉᆞ히(四海)의 무가긱(無家客)이오, 텬하의 호걸이라. 사름의 블인(不仁)ᄒᆞᆷ믈 드르면, 협긔(俠氣) 퇴과(太過)ᄒᆞ여 브듸 죽이랴 ᄒᆞ며, 현인의 셩화(聲華)를 드르면 블원쳔니(不遠千里) ᄒᆞ여 교도를 밋고져 ᄒᆞᄂᆞ니, 내 일즉 공의 블의(不義)를 듯고 혈긔 강개ᄒᆞ여, 삼쳑 비슈(匕首)207)로 그ᄃᆡ의 머리를 버히려 왓더니, 이졔 그ᄃᆡ를 보니 외모 풍신이 져러ᄒᆞ고, 결연이 대악 블의ᄂᆞᆫ 아닐 ᄃᆞᆺᄒᆞ여, ᄯᅩ 쳥츈【13】이 잔잉ᄒᆞᆫ디라, 내 ᄎᆞ마 햐슈(下手)208)치 못ᄒᆞ노라."

태위 그 긔상의 비범ᄒᆞᆷ과 긔운의 웅댱ᄒᆞ므로 길흘 그릇 드러시믈 앗겨, 블변안ᄉᆡᆨ ᄒᆞ고 탄왈,

"고어의 왈, 날을 ᄭᅮ딧ᄂᆞ 니는 은인이오 기리ᄂᆞ 니는 원쉬라 ᄒᆞ니, 나의 반셩 ᄒᆡᆼ신을 칙션(責善)ᄒᆞ 리 업더니, 금야의 댱ᄉᆞ를 만나 나의 블효브뎨(不孝不悌)를 붉히니, 가히 댱쟈(長者)라 ᄒᆞ리로다. 군이 임의 사름의 소쳥을 듯고 와시면, 쾌히 내 머리를 버

란 이처럼 여자들이 귤을 던질 정도로 아름다운 남자의 풍채를 비유적으로 이르는 말이다.
203)아오라다 : 아우르다. 합치다. 여럿을 모아 한 덩어리나 한 판이 되게 하다
204)역디기명(亦知其明) : 또한 그 밝음을 안다.
205)황혼흑야(黃昏黑夜) : 해가 지고 어스름해질 때나 칠흑처럼 캄캄한 밤.
206)비금듀슈(飛禽走獸) : 날짐승과 길짐승을 함께 이르는 말.
207)비슈(匕首) : 날이 예리하고 짧은 칼.
208)햐슈(下手) : 손을 대어 사람을 죽임.

4】ᄉᆡᆨᄒᆞᆫ 위의와 츄슈(秋水) ᄀᆞᄐᆞᆫ 졍신이니, 쳥텬빅일(靑天白日)은 노예 하쳔도 녁지기명(亦知其明)193)이오, 황혼흑야(黃昏黑夜)194)는 비금주수(飛禽走獸)195)라도 아는 비라. 셩각의 식안(識眼)으로 엇지 군ᄌᆞ 녕걸을 모로리오. 냥구(良久) 쳠망(瞻望)의 스스로 소ᄅᆡ 나믈 ᄭᆡᄃᆞᆺ지 못ᄒᆞ여, '진실노 대현군ᄌᆞ로다' ᄒᆞ는 소ᄅᆡ의, 태위 기창(開窓) 경문(驚問)ᄒᆞ니, 일기 쟝식 풍치 웅위ᄒᆞ고 골격이 비범ᄒᆞ되, 셔리 ᄀᆞᄐᆞᆫ 칼을 안고 팔쳑 댱신을 구펴 창하의 잇ᄃᆞᄀᆞ, 티우의 무ᄅᆞᆷ믈 보고 응셩(應聲) ᄎᆞᆯ 왈,

"나는 ᄉᆞ히(四海)의 무가긱(無家客)이오 텬하의 호걸이라. ᄉᆞ람의 블인(不仁)ᄒᆞᆷ믈 드ᄅᆞ면, 협긔(俠氣) 퇴과(太過)ᄒᆞ여 브듸 죽이려 ᄒᆞ며, 현인의 셩화(聲華)를 드ᄅᆞ면 블원쳔니(不遠千里)ᄒᆞ여 교도【135】를 밋고ᄌᆞ ᄒᆞᄂᆞ니, 내 일즉 공의 블의(不義)를 듯고 혈긔 강긔ᄒᆞ여 슴쳑 비슈(匕首)196)로 그ᄃᆡ의 머리를 버히려 왓더니, 이졔 그ᄃᆡ를 보니 외모 풍신이 져러ᄒᆞ고 결연이 대악 블의ᄂᆞᆫ 아닐 ᄃᆞᆺᄒᆞ여, ᄯᅩ 쳥츈 이 잔잉ᄒᆞᆫ지라, 내 ᄎᆞ마 햐슈(下手)197)치 못ᄒᆞ노라."

태위 그 긔상이 비범ᄒᆞᆷ과 긔운이 웅쟝ᄒᆞ므로 길흘 그릇 드러시믈 앗겨, 블변안ᄉᆡᆨ(不變顔色)ᄒᆞ고 탄왈,

"고어의 왈, 날을 ᄭᅮ딧ᄂᆞ 니는 은인이오, 기리는 이는 원쉬라 ᄒᆞ니, 나희 반셩 ᄒᆡᆼ신을 칙션(責善)ᄒᆞ리 업더니, 금야의 쟝소를 만나 나희의 블효부뎨(不孝不悌)를 붉히니 가히 댱쟈(長者)라 ᄒᆞ리로다. 군이 님의 ᄉᆞ람의 쇼쳥을 듯고 와시면, 쾌히 내 머리를

란 이처럼 여자들이 귤을 던질 정도로 아름다운 남자의 풍채를 비유적으로 이르는 말이다.
192)아오라다 : 아우르다. 합치다. 여럿을 모아 한 덩어리나 한 판이 되게 하다
193)역디기명(亦知其明) : 또한 그 밝음을 안다.
194)황혼흑야(黃昏黑夜) : 해가 지고 어스름해질 때나 칠흑처럼 캄캄한 밤.
195)비금듀슈(飛禽走獸) : 날짐승과 길짐승을 함께 이르는 말.
196)비슈(匕首) : 날이 예리하고 짧은 칼.
197)햐슈(下手) : 손을 대어 사람을 죽임.

혀 후흔 금빅을 엇고, 블연죽 사룸이[의] 허믈을 남의게 밀위미 녹녹(碌碌)디 아니랴?"

기인이 칼흘 더디고 비읍(悲泣) 왈,

"명공은 금세 군지라. 쇼싱 님셩각이 눈이 이시나【14】태산을 몰나보니, 뎡히 망울을 쌘혀 디감(知鑑) 업스믈 샤례코져 ᄒᆞ거늘, 엇디 다시 범ᄒᆞ리오. 쇼싱이 비록 스족이나 조상부모ᄒᆞ고 죵션형뎨ᄒᆞ니 ᄌᆞ최 녕졍(零丁)ᄒᆞ여209) 스히의 오유(遨遊)ᄒᆞ더니, 어려셔 운화딘인의 뎨지 되여 뉵도삼냑(六韜三略)210)과 무예를 비호다가, 스뷔 날노 딘연(塵緣)이 이시니 문달(聞達)을 구ᄒᆞ라 ᄒᆞ시니, 일노 조ᄎᆞ 스싱을 하딕ᄒᆞ고 스히의 방낭ᄒᆞ더니, 모일의 경샤의 니르러 샹셔 구몽슉을 만나니, 여ᄎᆞ여ᄎᆞ 스괴여 감언미셜(甘言美說)노 명공의 블효브뎨를 ᄀᆞᆺ초 일ᄏᆞ라 죽여달나 ᄒᆞ니, 싱이 협긔 과도흔 고로 그 말을【15】 고디 듯고, 명공의 뒤흘 조차오며 그 위인을 살피니, 군ᄌᆞ 덕힝이 가죽ᄒᆞ다라. 엇디 ᄎᆞ마 현인을 히ᄒᆞ리오. 쾌히 구가 튝싱(畜生)을 죽여 현인 함히흔 죄를 뎡히 ᄒᆞ고, 다시 와 명공의 취211)를 잡아 셤기리라."

언파의 분연이 닐더나거늘212) 태위 급히 말뉴 왈,

"군은 혈긔디분(血氣之憤)을 과히 말고 안ᄌᆞ 내 말을 드르라."

셩각이 나아 안ᄌᆞ 문기고(問其故)ᄒᆞᄃᆡ, 태위 츄연 왈,

"대댱뷔 쳐셰ᄒᆞ미 슈신힝도(修身行道)를 광풍제월(光風霽月)213)ᄀᆞᆺ치 ᄒᆞ리니, 그ᄃᆡ

버혀 후흔 금빅을【136】엇고, 블연죽 스람이 허믈을 남의게 밀위미 녹녹(碌碌)지 아니랴"

기인이 칼흘 더지고 비읍(悲泣) 왈,

"명공은 금세 군지라. 쇼싱 님셩각이 눈이 이시나 태산을 몰나보니, 졍히 망울을 쌘혀 지감(知鑑) 업슴믈 스례코ᄌᆞ ᄒᆞ거늘, 엇지 다시 범ᄒᆞ리오. 쇼싱이 비록 스족이나 조상부모ᄒᆞ고 죵션형뎨ᄒᆞ니, ᄌᆞ최 녕졍(零丁)ᄒᆞ여198) 스히의 오유(遨遊)ᄒᆞ더니, 어려셔 운화진인의 뎨지 되여 뉵도슴냑(六韜三略)199)과 무예를 비호드ᄀᆞ, 스뷔 날노 진연(塵緣)이 이시니 문달(聞達)을 구ᄒᆞ라 ᄒᆞ시니, 일노 조ᄎᆞ 스승을 하직ᄒᆞ고 스히의 방낭ᄒᆞ더니, 모일의 경ᄉᆞ의 니르러 샹셔 구몽슉을 만나니, 여ᄎᆞ여ᄎᆞ 스괴여 감언미셜(甘言美說)노 명【137】공의 블효부졔를 닐ᄏᆞ라 죽여돌나 ᄒᆞ니, 싱이 협긔 과도흔 고로 그 말을 고지 듯고, 명공의 뒤흘 좃ᄎᆞ오며 그 위인을 슬피니, 군ᄌᆞ 덕힝이 가죽흔지라. 엇지 ᄎᆞ마 현인을 히ᄒᆞ리오. 쾌히 구가 츅싱(畜生)을 죽여 현인 함히(陷害)흔 죄를 졍히 ᄒᆞ고, 드시 와 명공의 취200)를 잡아 셤기리라."

언파의 분연이 닐써나거늘201) 태위 급히 말뉴 왈,

"군은 혈긔지분(血氣之憤)을 과히 말고 안ᄌᆞ 내 말을 드르라."

셩각이 나아 안ᄌᆞ 문기고(問其故)ᄒᆞᄃᆡ, 태위 츄연 왈,

"대댱뷔 쳐셰ᄒᆞ미 슈신힝도(修身行道)를 광풍졔월(光風霽月)202)ᄀᆞᆺ치 ᄒᆞ리니, 그ᄃᆡ

---

209)녕졍(零丁)ᄒᆞ다 : 세력이나 살림이 보잘것없이 되어서 의지할 곳이 없다

210)뉵도삼냑(六韜三略) : 중국의 오래된 병서(兵書). ≪육도(六韜)≫와 ≪삼략≫을 아울러 이르는 말.

211)취 : 가마, 평교자, 들것 따위의 앞뒤로 양옆에 대서 메거나 들게 되어 있는 긴 나무 막대기

212)닐더나다 : 벌떡 일어나다.

213)광풍졔월(光風霽月) : 비가 갠 뒤의 맑게 부는 바람과 밝은 달이란 뜻으로, 마음이 넓고 쾌활하여 아무 거리낌이 없는 인품을 비유적으로 이르는 말. 황정견이 주돈이의 인품을 평한 데서 유래한

198)녕졍(零丁)ᄒᆞ다 : 세력이나 살림이 보잘것없이 되어서 의지할 곳이 없다

199)뉵도슴냑(六韜三略) : 중국의 오래된 병서(兵書). ≪육도(六韜)≫와 ≪삼략≫을 아울러 이르는 말.

200)취 : 가마, 평교자, 들것 따위의 앞뒤로 양옆에 대서 메거나 들게 되어 있는 긴 나무 막대기

201)닐더나다 : 벌떡 일어나다.

202)광풍졔월(光風霽月) : 비가 갠 뒤의 맑게 부는 바람과 밝은 달이란 뜻으로, 마음이 넓고 쾌활하여 아무 거리낌이 없는 인품을 비유적으로 이르는 말. 황정견이 주돈이의 인품을 평한 데서 유래한

긔상이 창하(窓下)의 골몰홀 지 아니라. 가
히 이 ズ툰 암밀디힝(暗密之行)을 바리고,
뎡도(正道)의 도라가 닙신현달(立身顯達)ᄒ
【16】면, 반ᄃ시 댱좌디임(將座之任)²¹⁴의
나아가 일홈이 쳥ᄉ(靑史)의 빗나려니와, 죵
시 ᄉ쳐의 방낭ᄒ여 무륜협ᄉ(無倫俠士)로
ᄌ임(自任)ᄒ면, 블힝흔즉 화급기신(禍及其
身)ᄒ고 욕급조션(辱及祖先)홀 거시오, 요힝
션죵(善終)ᄒ나 일홈이 초목과 ᄀ치 스러지
고 후ᄉ이(後嗣) 멸ᄒ리니, 사름이 처음 그르
나 후의 뉘웃ᄎᄆᆫ 셩교(聖敎)의 허ᄒ신 비
라. 싱이 비록 식안(識眼)이 업ᄉ나, 군의
긔상을 보니 님하(林下)의 골몰ᄒᄆᆯ 앗기ᄂ
니, 군이 만일 내 말을 드러 뎡도의 도라가
면, 흔갓 일신이 쾌홀 ᄲᅥᆫ 아니라, 문회(門
戸) 한쳔(寒賤)ᄒᄆᆯ 면홀 거시오. ᄯᅩ 악인이
각별 은원(恩怨)이 업슨 바로 날을 히ᄒ랴
【17】ᄒ나, 이 ᄯᅩ 나의 힝신이 용녈ᄒ여
동뉴(同類)를 믜이미라. 져를 결워 죽이믄
디ᄌ(智者)의 일이 아니라. 망녕된 의ᄉ를
긋쳐 ᄎ후 블의디ᄉ(不義之事)를 힝치 말고
뎡도의 도라가 쇠문(衰門)을 현달ᄒ라.”
  셜파의 안식이 늠연(凜然)ᄒ니, 셩각이 그
풍신(風神) 언ᄉ(言事)를 암암 칭디(稱之)ᄒ
고, 츈몽이 처음으로 씬 ᄃᆺᄒ여, 년망이 계
슈 ᄌᆡ비 왈,
  “쇼싱이 싱셰 이십년의 딘짓 디긔(知己)
를 만나디 못ᄒ여 무륜협객(無倫俠客) 되기
를 면치 못ᄒ엿더니, 금일이 하일(何日)이완
ᄃᆡ 대군ᄌ(大君子)를 만나 어디리 교회(敎
誨)ᄒ시믈 닙으니, 셰강말속(世降末俗)²¹⁵의
셩각을 알 니 업더니, 명공이 알오미【18】
븕으니 디아ᄌ(知我者)는 공(公)이라. 금일
이후는 맛당이 치를 잡아 뫼시리이다.”
  태위 져의 씨ᄃᆞ르믈 깃치ᄒ나, ᄯᅩ흔 셩되
(性度) 광활뇌락(廣闊磊落)ᄒᄆᆯ 깃거 머믈기
를 허ᄒ니, 님싱이 대회ᄒ여 텬디를 가ᄅ쳐

───────────
다.
214)댱좌디임(將座之任) : 장수(將帥)의 직임(職任).
215)셰강말속(世降末俗) : 세상이 타락하여 말세의
   사악(邪惡)한 풍속에 빠짐.

긔상이 창하(窓下)의 골몰홀 지 아니라. 가
히 이 ズ툰 암밀지힝(暗密之行)을 ᄇ리고
【138】정도(正道)의 도라가 닙신현달(立身
顯達)ᄒ면, 반ᄃ시 장좌지임(將座之任)²⁰³의
나아가 일홈이 쳥ᄉ(靑史)의 빗나려니와, 죵
시 ᄉ쳐의 방낭ᄒ여 무륜협ᄉ(無倫俠士)로
ᄌ임(自任)ᄒ면, 블힝흔즉 화급기신(禍及其
身)ᄒ고 욕급조션(辱及祖先)홀 거시오, 요힝
션죵(善終)ᄒ나 일홈이 초목과 ᄀᆺ티 슬혀지
고 후셰의 민멸흔 비 되리니, 스람이니 쳐
음 그르나 후의 뉘웃ᄎᄆᆫ 셩교(聖敎)의 허
ᄒ신 비라. 싱이 비록 식안(識眼)이 업ᄉ나
군의 긔상을 보니, 님하(林下)의 골몰ᄒᄆᆯ
앗기ᄂ니, 군이 만닐 내 말을 드러 정도의
도라가면, 흔갓 일신이 쾌홀 ᄲᅥᆫ 아니라 문
회 한쳔(寒賤)ᄒᄆᆯ 면홀 거시오, ᄯᅩ 악인이
각별 은원(恩怨)이 업슨 바로 날을 히ᄒ랴
ᄒ나, 이 ᄯᅩ【139】 나의 힝신이 용녈ᄒ여
동뉴(同類)를 믜이미라. 져를 결워 죽이믄
지ᄌ(智者)의 일이 아니라. 망녕된 거슬 ᄭᅥᆺ
쳐 ᄎ후 블의지ᄉ(不義之事)를 힝치 말고
정도의 도라가 쇠문(衰門)을 현달ᄒ라”
  셜파의 안식이 늠연(凜然)ᄒ니, 셩각이 그
풍신(風神) 언ᄉ(言事)를 암암 칭지(稱之)ᄒ
고, 츈몽이 처음으로 씬 ᄃᆺᄒ여, 년망이 계
슈 ᄌᆡ비 왈,
  “쇼싱이 싱셰 이십 년의 진짓 지긔(知己)
를 만나지 못ᄒ여 무륜협긱(無倫俠客) 되기
를 면치 못ᄒ엿더니, 금일이 하일(何日)이완
ᄃᆡ 대군ᄌ(大君子)를 만나 어지리 교회(敎
誨)ᄒ시믈 닙으니, 셰강말속(世降末俗)²⁰⁴의
셩각을 알 니 업더니, 명공이 알미 븕으니
지아ᄌ(知我者)는 공이라. 금일 이후는 맛당
이 치를 즙아 뫼시리이다.”
  태위 져희 《깃치믈∥깃치믈²⁰⁵》 깃거
【140】ᄒ나, ᄯᅩ흔 셩되 광활뇌락(廣闊磊
落)ᄒᄆᆯ 깃거 머믈기를 허ᄒ니, 님싱이 대

───────────
다.
203)댱좌디임(將座之任) : 장수(將帥)의 직임(職任).
204)셰강말속(世降末俗) : 세상이 타락하여 말세의
   사악(邪惡)한 풍속에 빠짐.
205)깃치다 : 깨치다. 일의 이치 따위를 깨달아 알다.

밍셰ᄒ여 ᄉ싱디ᄑ(死生之交) 되기를 긔약
ᄒ더라.

명일 말을 너디, 경샤 고위(故友) 맛츰 남
줘로 가는 길히러니 동힝ᄒ다 ᄒ니, 공ᄎ
(公差) 그러히 넉이더라. 태위 스스로 ᄌ긔
병근(病根)을 헤아려 냥약(良藥)으로 상쳐를
됴ᄒ니, 오라디 아냐 하리미 깃거ᄒ더라.
태위 셩각으로 더브러 ᄒ 상의 밥 먹으며,
잠ᄌ미 ᄒ 탑(榻)216)의 ᄒ니, 졍의(情誼) 상
득(相得)ᄒ 【19】 여 동긔(同氣) ᄀ더라.

일노(一路)의 무ᄉ히 힝ᄒ여 남줘 니르니,
ᄌ스 니회ᄂ 고명군ᄌ(高名君子)라. 먼니 나
와 마ᄌ 그 외모 풍신을 대경 흠복ᄒ여 혜
오ᄃ,

"윤태우ᄂ 인셰(人世) 쇽인(俗人)이 아니
어늘, 죄명이 강상(綱常)의 범ᄒ여 이의 찬
뎍ᄒ니, 기간 ᄉ고를 모로거니와, ᄎ인이 결
단코 죄범강상(罪犯綱常)치 아니리니, 반ᄃ
시 증삼(曾參)의 살인(殺人)217) ᄀ도다."

ᄒ고, 햐쳐(下處)를 잡아 안둔ᄒ고 디졉이
관곡(款曲)ᄒ니, 태위 니공의 후의를 칭샤ᄒ
고, 범ᄉ의 풍비ᄒ믈 샤양ᄒ여, 쒸벼개218)
와 뵈니블219)노 죄인의 거쳐를 극딘히 ᄒ
니, ᄌ식 크게 탄복ᄒ고, 향듕(鄕中) ᄉ태위
(士大夫) 그 어딘 일홈을 듯고 셔로 모다
와 슈 【20】 학ᄒ니, 태위 극딘히 튱효로 권
댱ᄒ미, 일읍이 ᄎᄎ 젼파ᄒ여 닌읍의 ᄌᄌ
(藉藉)ᄒ더라.

공ᄎ 도라갈ᄉ 태위 본부의 샹셔ᄒ니, 만
편(滿篇)의 영모디회(永慕之懷) 간졀ᄒ믈 베
퍼시니, 식ᄌ(識者)의 감읍ᄒ 비로딘, 위ㆍ
뉴 냥인은 텬디간 별물악죵(別物惡種)이라.
도로혀 그 죽디 아니믈 한ᄒ니 군ᄌ슉녀의

---

216)탑(榻) : 길고 좁게 만든 평상.
217)증삼(曾參)의 살인(殺人) : 헛소문, 또는 잘못된
　　소문. 증자의 어머니가 증자가 사람을 죽였다는
　　헛된 소문을 듣고 베 짜던 북을 던지고 사건 현장
　　으로 달려갔다는 고사 곧 '증모투저(曾母投杼)에서
　　유래된 말.
218)쒸벼개 : 띠베개. 풀베개. 짚이나 띠 따위를 엮거
　　나 꼬아서 만든 베개.
219)뵈니블 : 베이불. 베로 만든 이불.

회ᄒ여 텬디를 ᄀ르쳐 밍셰ᄒ여 ᄉ싱지ᄑ
(死生之交) 되기를 긔약ᄒ더라.

명일 말을 너디 경ᄉ 고위(故友) 맛츰 남
줘로 가는 길히러니 동힝ᄒ다 ᄒ니, 공ᄎ
(公差) 그러히 넉이더라. 틔위 스스로 ᄌ긔
병근(病根)을 혀아려 냥약(良藥)으로 상쳐를
됴ᄒ니, 오라지 아냐 하리미 깃거ᄒ더라
셩각이 태우로 더브러 ᄒ 상의 밥 먹으며
즘ᄌ미 ᄒ 탑(榻)206)의 ᄌ니, 졍의 상득(相
得)ᄒ여 동긔(同氣) ᄀ더라.

《널노∥일로(一路)》의　무ᄉ히　힝ᄒ여
남줘의 니르니, ᄌᄉ 니회ᄂ 고명군ᄌ(高名
君子)라. 먼니 ᄂ와 마ᄌ 그 외모 풍신을
대경 흠복ᄒ여 혜오딘,

"윤태우ᄂ 인셰 쇽인이 아니어늘 죄명이
뉸긔(倫紀)의 범ᄒ여 【141】 이의 찬젹ᄒ
니, 기간 ᄉ고를 모로거니와, ᄎ인이 결단코
죄범강상(罪犯綱常)의 니ᄅ지 아니리니, 아
니리니 반ᄃ시 증삼(曾參)의 살인(殺人)207)
ᄀ도다"

ᄒ고, 햐쳐(下處)를 잡아 안둔ᄒ고 디졉이
관곡(款曲)ᄒ니, 태위 니공의 후의를 칭샤ᄒ
고, 범ᄉ의 풍비ᄒ믈 ᄉ양ᄒ여, 쒸벼기208)
와 뵈니블209)노 죄인의 거쳐를 극진히 ᄒ
니, ᄌ식 크게 탄복ᄒ고, 향니 ᄉ태위(士大
夫) 그 어진 닐홈을 듯고 셔로 모다 와 슈
학ᄒ니, 태위 극진히 츙효로 권장ᄒ니, 일읍
이 ᄎᄎ 젼파ᄒ여 닌읍의 ᄌᄌ(藉藉)ᄒ더라.

공ᄎ 도라갈ᄉ 태위 본부의 샹셔ᄒ니, 만
편(滿篇)의 녕모지회(永慕之懷) 근졀ᄒ믈 베
퍼시니, 식ᄌ의 감읍ᄒ 비로딘, 위ㆍ뉴 냥인
은 텬디간 별물악죵(別物惡種)이라. 도로혀
【142】 그 죽지 아니믈 한ᄒ니, 군ᄌ슉녀

---

206)탑(榻) : 길고 좁게 만든 평상.
207)증삼(曾參)의 살인(殺人) : 헛소문, 또는 잘못된
　　소문. 증자의 어머니가 증자가 사람을 죽였다는
　　헛된 소문을 듣고 베 짜던 북을 던지고 사건 현장
　　으로 달려갔다는 고사 곧 '증모투저(曾母投杼)에서
　　유래된 말.
208)쒸벼기 : 띠베개. 풀베개. 짚이나 띠 따위를 엮거
　　나 꼬아서 만든 베개.
209)뵈니블 : 베이불. 베로 만든 이불.

명박(命薄)ᄒ미 여ᄎᄒ더라. ᄯᅩ 옥화산 모친긔 샹셔ᄒ여 무ᄉᄒ 뎍소의 오믈 고ᄒ니, 효ᄌ의 영모디회(永慕之懷) 그음 업더라. 금빅으로 공치를 후상ᄒ니 공치 무슈 칭샤ᄒ고 환경ᄒ니라.

시시의 윤태위 ᄒ 번 뎨향(帝鄕)을 하딕ᄒ미, 광음이 뉴슈 ᄀᆞᆺ트여 얼프시 츈츄를 【21】 뒤이ᄌᆞ니220), ᄐᆞᆼ신 효ᄌ의 샤군샤○[친]디회(事君事親之懷) 날노 층가ᄒ니, 화됴월셕(花朝月夕)의 모텬(暮天)을 창망(悵望)221)ᄒ여, 우흐로 북당(北堂) 편친(偏親)의 외로오시믈 삼상(參商)ᄒ미222). 태ᄒᆡᆼ산(太行山)223) 흰 구름을 됴문(眺問)224)ᄒ니, 댱부웅심이 셜셜(屑屑)ᄒ믈225) 면ᄒ리오. ᄌᆞ긔 형뎨 남달니 궁ᄒ미, ᄌᆞ모의 복듕(腹中)을 써나디 아냐셔 엄친이 귀텬(歸天)ᄒ시디, ᄯᅩ 능히 가국(家國)의 안거(安居)히 ᄉᆞ(死)ᄒ믈 엇디 못ᄒ고, 만니이역(萬里異域)의 비명원ᄉᆞ(非命寃死)ᄒ샤, 톄빅(體魄)이 계오 고국의 도라오니, 아름다온 튱졀은 만딕의 뉴젼(遺傳)ᄒ나, 가간(家間)의 험ᄒᆞᆫ 조모와 간악ᄒᆞᆫ 슉뫼 ᄌᆞ딜을 ᄎᆞ마 견디디 못ᄒ게 ᄒ여, 뎡·딘·하·댱 ᄀᆞᆺ튼 【22】 슉녀명완(淑女明婉)을 앗가이 맛고, ᄌᆞ가 형뎨를 강상대죄(綱常大罪)로 밀위여, 남·양 이쳐의 뉴락(流落)게 ᄒ니, 목금 형셰를 싱각건디, 가셔 아모리 되여시믈 모로니 심회 창감(愴感)ᄒᆞᆫ디라.

연이나 태우의 셩되 웅위활디(雄威豁大)ᄒ여 쇼쇼디ᄉᆞ(小小之事)의 거리ᄭᅧ 분변ᄒ미 업ᄂᆞᆫ 고로, 그 심위(心憂) 듕ᄒ믈 남이

의 명박(命薄)ᄒ미 여ᄎᄒ더라. ᄯᅩ 옥화산 모친게 샹셔ᄒ여 무ᄉᄒ 젹소의 오믈 고ᄒ니, 효ᄌ의 녕모지회(永慕之懷) 그음 업더라. 금빅으로 공치를 후상ᄒ니, 공치 무슈 칭ᄉᆞᄒ고 환경ᄒ니라.

시시의 윤틱위 ᄒᆞᆫ번 뎨향(帝鄕)을 하직ᄒ미, 광음이 뉴슈 ᄀᆞᆺ트여 얼프시 츈츄를 뒤이ᄌᆞ니210), 화됴월셕(花朝月夕)의 모텬(暮天)을 창망(悵望)211)ᄒ여 우흐로 북당(北堂) 편친(偏親)의 외로오시믈 《심상∥삼상(參商)》ᄒ미212). 틱ᄒᆡᆼ산녕(太行山嶺)213) 죠운(朝雲)을 됴문(眺問)214)ᄒ니, 댱부웅심이 셜셜(屑屑)ᄒ믈215) 면ᄒ리오. ᄌᆞ긔 형뎨 남달니 궁ᄒ미, ᄌᆞ모의 복즁을 써ᄂᆞ지 아냐셔 엄친이 귀텬(歸天)ᄒ시디, ᄯᅩ 능히 가국(家國)의 안거(安居)히 ᄉᆞ(死)ᄒ믈 엇지 못ᄒ고, 만니이역(萬里異域)의 비【143】명원ᄉᆞ(非命寃死)ᄒ여 쳬빅(體魄)이 계오 고국의 도라오니, 아름다온 츙졀은 만딕의 유젼(遺傳)ᄒ나, 가간의 험ᄒᆞᆫ 조모와 간악ᄒᆞᆫ 슉뫼 ᄌᆞ딜을 ᄎᆞ마 견지 못ᄒ게 ᄒ여, 뎡·진·하·댱 ᄀᆞᆺ튼 슉녀명완(淑女明婉)을 앗가이 맛고, ᄌᆞ가 형뎨를 강상대죄(綱常大罪)로 밀위여, 남·양 이쳐의 유락(流落)게 ᄒ니, 목금 형셰를 싱각건디, 가되(家道) 아모리 되여시믈 모ᄅᆞ니 심회 창감(愴感)ᄒᆞᆫ지라.

연이나 태우의 셩되 웅위활대(雄威豁大)ᄒ여 쇼쇼지ᄉᆞ(小小之事)의 거리ᄭᅧ 분변ᄒ미 업슨 고로, 그 심위 즁ᄒ믈 남이 모ᄅᆞᄂᆞᆫ

---

220)뒤이ᄌᆞ다 : 뒤잇다. 뒤집히다. 바뀌다.
221)창망(悵望) : 시름없이 바라봄.
222)삼상(參商)ᄒ다 : 그리워하다. 삼성(參星)과 상성(商星)이 동서(東西)로 멀리 떨어져 있는 데서 유래한다.
223)태ᄒᆡᆼ산(太行山) : 중국 동북부에 위치하여 산서성(山西省), 하북성(河北省), 하남성(河南省) 3개성(省)에 걸쳐 있으며, 중심의 대협곡(大峽谷)은 빼어난 경치를 자랑하고 있다. 해발 1840m.
224)됴문(眺問) : 멀리서 부모가 계신 곳을 바라보며 안부를 물음.
225)셜셜(屑屑)ᄒ다 : 자잘하게 굴다, 구구(區區)하다.

210)뒤이ᄌᆞ다 : 뒤잇다. 뒤집히다. 바뀌다.
211)창망(悵望) : 시름없이 바라봄.
212)삼상(參商)ᄒ다 : 그리워하다. 삼성(參星)과 상성(商星)이 동서(東西)로 멀리 떨어져 있는 데서 유래한다.
213)태ᄒᆡᆼ산(太行山) : 중국 동북부에 위치하여 산서성(山西省), 하북성(河北省), 하남성(河南省) 3개성(省)에 걸쳐 있으며, 중심의 대협곡(大峽谷)은 빼어난 경치를 자랑하고 있다. 해발 1840m.
214)됴문(眺問) : 멀리서 부모가 계신 곳을 바라보며 안부를 물음.
215)셜셜(屑屑)ᄒ다 : 자잘하게 굴다, 구구(區區)하다.

모로는디라. 군친을 스렴흔 여가의, 아의226) 청슈미딜(淸秀美質)노 덕디간고(謫地艱苦)를 싱각ㅎ미 잔잉ㅎ믈227) 니긔디 못ㅎ고, 잇다감 청됴(靑鳥)228)의 신(信)을 어더 피츳 슈적(手迹)229)은 반기나, 화풍셩모(和風聲貌)를 상상ㅎ고 광금댱침(廣衾長枕)의 힐지항디(頡之頏之)230)ㅎ던 바를 싱각ㅎ니, 【23】몽혼(夢魂)이 경경(耿耿)ㅎ여 뎌향을 쑴꾸는디라.

일일은 셩각이 태우긔 권ㅎ여 왈,

"모츈(暮春)231) 초슌이라. 경치 화챵ㅎ고 믈식이 아룸다오니, 이의 온 후 흔 번 문 밧글 나미 업스니, 엇디 남즈의 풍되리오. 싱이 본딕 텬하의 오유ㅎ던 협스(俠士)로, 명공을 조츠 방듕을 딕희연 디 오릭니, 금일 텬긔 화챵ㅎ고 경믈이 아룸다오니, 원컨딕 공으로 더브러 흔 번 유람ㅎ여 울뎍흔 심회를 위로코져 ㅎᄂᆞ이다."

태위 심회(心懷) 쳡다(疊多)ㅎ니 어나 결을의 풍경을 완상ᄒᆞᆯ 뜻이 이시리오마는, 님 싱의 말을 듯고 미우(眉宇)를 빈튝(嚬蹙) 왈,

"과연 츠쳐 경치 승【24】졀(勝絶)ㅎ믈 드러시딕, 심위 남다른 고로, 흔 번 완경(玩景)ㅎ미 업더니, 금일은 우회(憂懷)를 소견(消遣)ㅎ리라."

ㅎ고, 낭인이 듁장초혜(竹杖草鞋)로 셔로 닛그러 쇠비의 나미, 동즈로 쥬호(酒壺)를 들녀 남영산 풍경을 유완ㅎᆯᄉᆡ, 쳔쳑빙이(千尺砕崖)232)와 만장폭쾌(萬丈瀑布) 즈못 긔

지라. 군친을 스렴ㅎ여 ㅎ는 즁 아이216) 청슈미질(淸秀美質)노 적디간고(謫地艱苦)를 싱각ㅎ미 잔잉ㅎ믈217) 니긔지 못ㅎ고, 잇ᄃᆞ감 청됴(靑鳥)218)의 신(信)을 어더 피츳 슈적(手迹)219)은 반기나,【144】화풍셩모(和風聲貌)를 상상ㅎ고 광금댱침(廣衾長枕)의 힐지항지(頡之頏之)220)ㅎ던 바를 싱각ㅎ니, 몽혼(夢魂)이 경경(耿耿)ㅎ여 졔향을 쑴꾸는지라.

일일은 셩각이 태우긔 권ㅎ여 왈,

"츠시 모츈(暮春)221) 초슌이라. 경치 화챵ㅎ고 믈식이 아룸다오니, 이의 온 후 흔 번 문 밧글 나미 업스니, 엇지 남즈의 풍이리오. 싱이 본딕 텬하의 오유ㅎ여 흔업시 ᄃᆞ니던 협스(俠士)로, 명공을 조츠 방즁을 직희연 지 오라니, 금일 텬긔 화챵ㅎ고 경믈이 아룸다오니, 원컨딕 공으로 더브러 흔 번 유람ㅎ여 울젹흔 심회를 위로코즈 ㅎᄂᆞ이다."

틱위 심위(心憂) 쳡다(疊多)ㅎ니 어느 결을의 풍경을 완상ᄒᆞᆯ 뜻이 이시리오마는, 님 싱의 말을 듯고 미우(眉宇)를 빈츅(嚬蹙), 왈

"과【145】연 츠쳐 경치 승졀(勝絶)ㅎ믈 드러시딕, 심위 남다른 고로 흔 번 완경ㅎ미 업더니, 금일은 우회(憂懷)를 소견(消遣)ㅎ리라"

ㅎ고, 낭인이 죽장초혜(竹杖草鞋)로 셔로 닛그러 쇠비의 나미, 동즈로 쥬호(酒壺)를 들녀 남녕산 풍경을 유완ᄒᆞᆯᄉᆡ, 쳔쳑빙이(千尺砕崖)222)와 만장폭쾌(萬丈瀑布) 즈못 긔

---

226)아의 : 아우. 동생.

227)잔잉ㅎ다 : 자닝하다. 애처롭고 불쌍하여 차마 보기 어렵다.

228)청됴(靑鳥) : 반가운 사자(使者)나 편지를 이르는 말. 푸른 새가 온 것을 보고 동방삭이 서왕모의 사자라고 한 한무(漢武)의 고사에서 유래한다.

229)슈적(手迹) : 손수 쓴 글씨나 그린 그림. 또는 손수 만든 물건에 남은 자취나 흔적.

230)힐지항디(頡之頏之) : 새가 날면서 오르락내리락 함. 형제가 서로 정답게 노는 모양을 말함.

231)모츈(暮春) : ①늦봄. ②음력 3월을 달리 이르는 말.

232)쳔쳑빙이(千尺砕崖) : 일천척(一千尺)이나 되는

216)아이 ; 아우. 동생.

217)잔잉ㅎ다 : 자닝하다. 애처롭고 불쌍하여 차마 보기 어렵다.

218)청됴(靑鳥) : 반가운 사자(使者)나 편지를 이르는 말. 푸른 새가 온 것을 보고 동방삭이 서왕모의 사자라고 한 한무(漢武)의 고사에서 유래한다.

219)슈적(手迹) : 손수 쓴 글씨나 그린 그림. 또는 손수 만든 물건에 남은 자취나 흔적.

220)힐지항디(頡之頏之) : 새가 날면서 오르락내리락 함. 형제가 서로 정답게 노는 모양을 말함.

221)모츈(暮春) : ①늦봄. ②음력 3월을 달리 이르는 말.

222)쳔쳑빙이(千尺砕崖) : 일천척(一千尺)이나 되는

이(奇異)ᄒᆞ여, 발이 니르는 곳마다 화려ᄒᆞᆫ디라. 윤·님 냥인이 등나(藤蘿)를 잡아 긔구(崎嶇)ᄒᆞᆫ 산노(山路)를 힝ᄒᆞ여, 무궁ᄒᆞᆫ 승경(勝景)을 칭찬ᄒᆞ며, 종일 유완(遊玩)ᄒᆞ다가 낙일(落日)이 셔산의 걸니니, 슉뫼(宿鳥) 투림(投林)[233]ᄒᆞᄂᆞᆫ디라. 태우는 은닌옥쳑(銀鱗玉尺)[234]을 낙가 버들가디의 쎄여 들고, 셩각은 치근을 키여 광쥬리의 담아 녑히 씨고, 햐쳐(下處)의 도【25】라와, 쓰든 나물과 낙근 고기로 식찬을 삼고, 탄식 왈,

"아등이 당당ᄒᆞᆫ 팔쳑댱부(八尺丈夫)로 ᄌᆞ신지칙(資身之策)[235]이 능치 못ᄒᆞ여, 이역(異域)의 뉴락(流落)ᄒᆞ니 엇디 슬프디 아니리오."

언파의 츄연 감회ᄒᆞᄆᆞᆯ 니긔디 못ᄒᆞ더라. 태위 가향을 써난 디 임의 슈년이 되니, 뎍거 긔한이 ᄎᆞᆺᄂᆞᆫ디라. 쥬쥬야야(晝晝夜夜)의 황도(皇都)를 쳠망ᄒᆞ여 희보를 현망(懸望)ᄒᆞ더니, 홀연 드르니, 댱샤왕이 모반ᄒᆞ여 각쳐 변뵈 눈 날니듯 ᄒᆞ고, 인언(人言)이 ᄌᆞᄌᆞᆫ디라. 태위 번왕의 작난이 여ᄎᆞᄒᆞᄆᆞᆯ 분완(憤惋)ᄒᆞ더니, ᄯᅩ 드르니 대댱군 손확이 부원슈 댱운으로 황디(皇旨)를 밧ᄌᆞ와 남방을 뎡벌ᄒᆞ【26】다 ᄒᆞ더니, 과연 오라디 아냐 듕시 니르러 샤명(赦命)을 젼ᄒᆞ니, 태위 대열ᄒᆞ여 향안을 비셜ᄒᆞ고 됴셔를 밧ᄌᆞ오니, ᄌᆞ긔로뻐 군듕 참모ᄉᆞ(參謀師)를 삼아 손확의 막하의 종군ᄒᆞ여 닙공반샤(立功班師)ᄒᆞ라 ᄒᆞ신디라.

태위 북향 ᄉᆞ비 후 듕샤를 관디(款待)ᄒᆞ고, 본쥐 ᄌᆞᄉᆞ(刺史)와 디현(知縣) 방빅(方伯)이 다 니르러 환쇄(還刷)ᄒᆞᄆᆞᆯ 티하ᄒᆞ고, ᄯᅩ 손확의 샤지(使者) 댱녕(將令)을 바다 참모의게 군댱긔계(軍裝器械)와 융복(戎服)을 가져와, 군졍(軍丁)[236]이 급어셩화(及於成

낭떠러지. 빙애(砯厓); 낭떠러지. 벼랑.
233)투림(投林) : 숲에 듦.
234)은닌옥쳑(銀鱗玉尺) : 은빛 비늘을 가지 한 자쯤 되는 아름다운 물고기.
235)ᄌᆞ신지칙(資身之策) : 자기 한 몸의 생활을 꾀하는 계책.
236)군졍(軍丁) : 군졸.

이ᄒᆞ여, 발이 니르는 곳마다 화려ᄒᆞ지라. 윤·님 냥인이 등나(藤蘿)를 즙아 긔구(崎嶇)ᄒᆞᆫ 산노를 힝ᄒᆞ여, 무궁ᄒᆞᆫ 승경을 칭찬ᄒᆞ며, 종일 유완ᄒᆞ다가 낙일(落日)이 셔산의 걸니니, 슉뫼(宿鳥) 투림(投林)[223]ᄒᆞᄂᆞᆫ지라. 태우는 은인옥쳑(銀鱗玉尺)[224]을 낡가[225] 버들가지의 쎄여 들고, 셩각은 치근(菜根)을 키여 광쥬리의 담아 녑히 씨고, 햐쳐(下處)의 도라와 쓰든 나물과 낡근 고기로 식찬을 슴고, 탄식 왈,

"아등이 당당【146】ᄒᆞᆫ 팔쳑댱부(八尺丈夫)로 ᄌᆞ신지칙(資身之策)[226]이 능치 못ᄒᆞ여, 니역(異域)의 뉴락(流落)ᄒᆞ니 엇지 슬프지 아니리오"

언파의 츄연 감회ᄒᆞᄆᆞᆯ 니긔지 못ᄒᆞ더라. 태위 가향을 써난 지 님의 슈년이 되니, 젹거 긔한이 ᄎᆞᆺᄂᆞᆫ지라. 쥬쥬야야(晝晝夜夜)의 황도를 쳠망ᄒᆞ여 희보를 현망ᄒᆞ더니, 홀연 드르니, 댱ᄉᆞ왕이 모반ᄒᆞ여 각쳐 변뵈 눈 날니듯 ᄒᆞ고, 인언(人言)이 ᄌᆞᄌᆞᆫ지라. 태위 번왕의 작난이 이 ᄀᆞᄐᆞᄆᆞᆯ 분완(憤惋)ᄒᆞ더니, ᄯᅩ 드르니 대댱군 손확이 부원슈 댱운으로 황지(皇旨)를 밧ᄌᆞ와 남방을 졍벌ᄒᆞᆫ다 ᄒᆞ더니, 과연 오라지 아냐 즁시 니르러 샤명(赦命)을 젼ᄒᆞ니, 태위 대열ᄒᆞ여 향안을 비셜ᄒᆞ고 됴셔를 밧ᄌᆞ오니, ᄌᆞ긔로뻐 군즁 참모ᄉᆞ(參謀師)를 슴아 손확의 막하【147】의 종군ᄒᆞ여 닙공반ᄉᆞ(立功班師)ᄒᆞ라 ᄒᆞ신지라.

틱위 북향 ᄉᆞ비 후 즁ᄉᆞ를 관디(款待)ᄒᆞ고, 본쥐 ᄌᆞᄉᆞ(刺史)와 지현(知縣) 방빅(方伯)이 다 니르러 환쇄(還刷)ᄒᆞᄆᆞᆯ 치하ᄒᆞ고, ᄯᅩ 손확의 ᄉᆞ지(使者) 댱녕(將令)을 바다 참모의게 군댱긔계(軍裝器械)와 융복(戎服)을 가져와 군졍(軍丁)[227]이 급어셩화(及於成

낭떠러지. 빙애(砯厓); 낭떠러지. 벼랑.
223)투림(投林) : 숲에 듦.
224)은닌옥쳑(銀鱗玉尺) : 은빛 비늘을 가지 한 자쯤 되는 아름다운 물고기.
225)낡다 : 낚다. 낚시로 물고기를 잡다.
226)ᄌᆞ신지칙(資身之策) : 자기 한 몸의 생활을 꾀하는 계책.

▌낙선제본 명듀보월빙 권디뉵십삼   74   명쥬보월빙 권지이십습 박순호본 ▌

火)[237]ᄒᆞ니, 참뫼 심하의 ᄌᆞ긔 신셩영무(神聖英武)로 손확 무부(武夫)의 졀졔를 감심ᄒᆞᆯ 바를 개탄ᄒᆞ나, 스식디 아니코, 슈일 티힝(治行)ᄒᆞ여 길히 오를【27】ᄉᆡ, 셩각이 ᄒᆞᆫ가디로 죵ᄉᆞ(從事)ᄒᆞ니, 일향 션비와 촌민부뢰(村民父老) ᄶᅥ나믈 년년ᄒᆞ여, 미찬(美饌) 쥬과(酒果)로 젼별ᄒᆞᄂᆞᆫ 뉘 브디기쉬(不知其數)러라. 태위 향민부로(鄕民父老)의 니ᄅᆞ히 은근 작별ᄒᆞᄆᆡ, 태위 셩각으로 더브러 댱샤로 가니라.

각셜, 뎡동대원슈(征東大元帥) 손확이 황디를 밧ᄌᆞ와, 쳔원밍댱(千員猛將)과 십만대군(十萬大軍)을 거ᄂᆞ려 호호탕탕(浩浩蕩蕩)이 댱샤로 나아가니, 군용이 엄슉ᄒᆞ고 졍긔(旌旗) 폐일(蔽日)ᄒᆞ니 위엄이 엄슉ᄒᆞ더라.

월여의 대군이 댱샤 디계(地界)의 니르니, 임의 뎍셰(敵勢) 호대(浩大)ᄒᆞ여 운봉과 셜산셩이 다 뎍의 함몰ᄒᆞᆫ 비 된다라. 샤슈관 슈댱(首將)이 대군을 마ᄌᆞ 셩ᄂᆡ의 안둔【28】ᄒᆞ고, 손확이 ᄯᅩᄒᆞᆫ 댱졸을 쉬오며, 셩상(城上)의 대원슈 긔치를 셰워 텬병이 와시믈 알게 ᄒᆞ고, 범ᄉᆞ를 뎡졔(整齊)ᄒᆞᄆᆡ, 확이 본ᄃᆡ 디혜 브죡ᄒᆞ나, 댱좌디엽(將座枝葉)이라. 군용이 엄위ᄒᆞ니, 향민(鄕民) 부로(父老)와 관군이 다 깃거 니ᄅᆞ디,

"이졔야 웅호(雄豪) 대댱(大將)이 와시니 반셕 ᄀᆞᆺ다."

ᄒᆞ더라. 본읍 ᄌᆞᄉᆞ(刺史) 디현(知縣)이 모다 손원슈긔 뵈고, 뎍진(敵陣) 긔미(幾微)를 고ᄒᆞᆯᄉᆡ, 댱ᄉᆞ 대○[장](大將) 영신 형급 등의 무용이 졀뉸(絕倫)ᄒᆞᆷ과, 왕비의 요술이 이상ᄒᆞ여 봉예(鋒銳)를 ᄃᆡ뎍기 어려오믈 니르니, 손확이 미쇼 왈,

"승패는 병가의 상ᄉᆞ(常事)라. 댱쉬 되여 엇디 조고만 역뎍을 두리리오. 공 등은 너모【29】겁흔 고로 패흔 비 되니, 내 당당이 일젼의 광뎍(狂賊)을 잡으리라."

火)[228]ᄒᆞ니, 참뫼 심하의 ᄌᆞ긔 신셩녕무(神聖英武)로 손확 무부(武夫)의 졀졔를 감심ᄒᆞᆯ 바를 기탄ᄒᆞ나, 스식지 아니코 슈일 치힝ᄒᆞ여 길히 올을시 셩각이 ᄒᆞᆫ가지로 죵ᄉᆞ(從事)ᄒᆞ니, 일향 션비와 촌민부뢰(村民父老) ᄶᅥ나믈 연연ᄒᆞ여, 미찬쥬과(美饌酒果)로 젼별ᄒᆞᄂᆞᆫ 뉘 만터라. 태위 향민부로(鄕民父老)의 니ᄅᆞ히 은근 작별ᄒᆞᄆᆡ, 태위 셩각으로 더브러 댱ᄉᆞ로 가니라.

각셜 졍동대원슈(征東大元帥) 손확이 황지를 밧ᄌᆞ와, 쳔원【148】밍장(千員猛將)과 십만대군(十萬大軍)을 거ᄂᆞ려 호호탕탕(浩浩蕩蕩)이 댱ᄉᆞ로 나아가니, 군용이 엄슉ᄒᆞ고 졍긔(旌旗) 폐일(蔽日)ᄒᆞ니 위엄이 엄슉ᄒᆞ더라.

월여의 대군이 장ᄉᆞ 디계(地界)의 니르니 임의 젹셰(敵勢) 호대(浩大)ᄒᆞ여 운봉관과 셜산셩이 다 젹의 함몰흔 비 된지라. ᄉᆞ슈관 슈댱(首將)이 대군을 마ᄌᆞ 셩ᄂᆡ의 안둔ᄒᆞ고, 손확이 ᄯᅩᄒᆞᆫ 댱졸을 쉬오며, 셩샹(城上)의 대원슈 긔를 셰워 텬병이 왓시믈 알게 ᄒᆞ고, 범ᄉᆞ를 졍졔ᄒᆞ니 확이 본ᄃᆡ 지혜 부죡ᄒᆞ나 댱좌지엽(將座枝葉)이라. 군용이 엄위ᄒᆞ니 향민(鄕民) 부로(父老)와 관군이 다 깃거 니ᄅᆞ디,

"이졔야 웅호(雄豪) 대장(大將)이 와시니 반셕 ᄀᆞᆺ다."

ᄒᆞ더라. 본읍 ᄌᆞᄉᆞ(刺史) 지현(知縣)이 모다 손원슈게 뵈고, 젹진(敵陣) 긔미(幾微)를 고ᄒᆞᆯᄉᆡ, 【149】댱ᄉᆞ 개[대]○[장](大將) 영신 형급 등의 무용이 졀뉸(絕倫)ᄒᆞᆷ과 왕비의 뇨술이 이상ᄒᆞ여 봉예(鋒銳)를 ᄃᆡ젹기 어려오믈 니르니, 손확이 미쇼 왈,

"승픽는 병가의 상ᄉᆞ(常事)라. 댱쉬 되여 엇지 조고만 녁젹을 두리리오. 공 등은 너모 다겁(多怯)흔 고로 픽흔 비 되니, 내 당당이 일젼의 광뎍(狂賊)을 즙으리라."

---

237)급어셩화(及於成火) : 셩화(成火)를 부리기에 이름.

227)군졍(軍丁) : 군졸.
228)급어셩화(及於成火) : 셩화(成火)를 부리기에 이름.

ᄒᆞ고, 댱졸을 쉬온 후 격셔를 보ᄂᆞ니라.

이ᄯᅦ 댱샤왕이 왕비 교오로 더브러 대역을 ᄭᅬᄒᆞ미, 영신으로 대댱을 삼고 형급으로 부댱을 삼고, 녀셩으로 션봉을 삼아, 장ᄎᆞ 병무를 훈련ᄒᆞ여 드ᄃᆡ여 승승댱구(乘勝長驅)ᄒᆞ니, 제댱(諸將) ᄉᆞ졸(士卒)의 용ᄆᆡᆼᄒᆞ미 아니라, 교오의 요술 변화 측냥 업ᄉᆞ미라. 임의 산관(山關)과 슈관(水關)이며 운용관 월산셩을 다 아ᅀᆞ니, 슈월디ᄂᆡ(數月之內)의 덕셰 대딘(大振)ᄒᆞ여, 병(兵)이 님ᄒᆞᄂᆞᆫ 바의 ○[다] 니긔니, 댱샤왕이 흔흔열열(欣欣悅悅)ᄒᆞ여, 장ᄎᆞ 날을 혜아려 댱안(長安)²³⁸을 취ᄒᆞᆯ ᄯᅳᆺ이 잇더니, 【30】 홀연 셰작(細作)이 보(報)ᄒᆞᄃᆡ, 텬됴(天朝)의셔 대댱군 손확이 웅병 밍댱을 거ᄂᆞ려 뎡벌ᄒᆞ려 니르럿다 ᄒᆞ거ᄂᆞᆯ, 댱샤왕이 급히 문무 졔신을 모화 샹의ᄒᆞ니, 대댱군 영신이 분연이 츌반(出班) 쥬왈,

"뎐하는 근심치 마르쇼셔. 신이 죡히 손확 필부를 버혀 탑하(榻下)의 헌(獻)ᄒᆞ리이다."

졔댱이 일시의 졔셩(齊聲)ᄒᆞ여,

"영댱군의 말이 올흐니, 낭낭의 신긔묘산과 영댱군의 무용으로ᄡᅥ 원노구치(遠路驅馳)ᄒᆞᆫ 군ᄉᆞ를 당치 못ᄒᆞ리잇고?"

왕이 대희ᄒᆞ더라. ᄯᅩ 보왈(報曰),

"텬됴의셔 참모ᄉᆞ는 젼임 태듕태우 남쥐 죄뎍ᄒᆞ엿던 윤광텬을 샤ᄒᆞ여 군듕 참모ᄉᆞ를 ᄒᆞ이다【31】ᄒᆞᄂᆞ이다"

왕이 쇼왈,

"윤광텬은 ᄒᆞᆫ 어린 ᄋᆞ희라. 므어슬 두리리오."

교이 윤광텬 셰ᄌᆞ를 드르미, 이들오미 병츌(竝出)ᄒᆞ여 브ᄃᆡ 져를 죽여 ᄌᆞ최를 업시ᄒᆞ랴 ᄒᆞ더라.

젼셔(戰書)를 올니니, 댱졸(將卒)이 보니, 셔(書)의 왈,

"남뎡 대원슈 손모와 부원슈 댱모 등은 글을 댱샤왕의게 붓치ᄂᆞ니, 셩텬지 본ᄃᆡ 신

ᄒᆞ고, 댱졸을 쉬온 후 격셔를 보ᄂᆞ니라.

이ᄯᅦ 댱ᄉᆞ왕이 왕비 교오로 더브러 대역을 ᄭᅬᄒᆞ미, 영신으로 대장을 ᄉᆞᆷ고 형급으로 부장을 ᄉᆞᆷ고, 녀셩으로 션봉을 삼아, 장ᄎᆞ 병무를 훈련ᄒᆞ여 드ᄃᆡ여 승승장구(乘勝長驅)ᄒᆞ니, 졔댱 ᄉᆞ졸의 용ᄆᆡᆼᄒᆞ미 아니라, 교오의 뇨술 변화 측냥 업ᄉᆞ미라. 님의 산관(山關)과 슈관(水關)이며 운봉관 월산셩【150】을 다 아ᅀᆞ니, 슈월지ᄂᆡ(數月之內)의 젹셰 딕진(大振)ᄒᆞ여, 병(兵)이 님ᄒᆞᄂᆞᆫ 바의 ○[다] 니긔니, 댱ᄉᆞ왕이 흔흔열열(欣欣悅悅)ᄒᆞ여 장ᄎᆞ 날을 혜아려 댱안(長安)²²⁹을 취ᄒᆞᆯ ᄯᅳᆺ이 잇더니, 홀연 셰작이 보ᄒᆞᄃᆡ, 텬됴(天朝)의셔 대댱군 손확이 웅병 ᄉᆞ졸을 거ᄂᆞ려 졍벌ᄒᆞ려 니르럿다 ᄒᆞ거ᄂᆞᆯ, 댱ᄉᆞ왕이 급히 문무 졔장을 모화 샹의ᄒᆞ니, 대댱군 《년신∥녕신》이 분연이 츌반(出班) 쥬왈,

"뎐하는 근심치 마르쇼셔. 신이 죡히 손확 머리를 버혀 탑하(榻下)의 헌(獻)ᄒᆞ리이다."

졔장이 일시의 졔셩(齊聲)ᄒᆞ여,

"연[영]장군의 말이 올흐니, 낭낭의 신긔묘산과 영장군의 무용으로ᄡᅥ 원노구치(遠路驅馳)ᄒᆞᆫ 군ᄉᆞ를 당치 못ᄒᆞ리잇고?"

왕이 딕희ᄒᆞ더라 ᄯᅩ 보왈(報曰),

"텬됴【151】의셔 ○[참]모ᄉᆞ는 젼임 틱듕틱우 남쥐 죄젹ᄒᆞ였던 윤광텬을 샤(赦)ᄒᆞ여 군즁참모ᄉᆞ를 ᄒᆞ이다 ᄒᆞᄂᆞ이다"

왕이 쇼 왈,

"광텬은 ᄒᆞᆫ 어린 ᄋᆞ희라. 무어슬 두리리오"

교이 윤광텬 셰ᄌᆞ를 드르미, 이들오미 병츌(竝出)ᄒᆞ여 브ᄃᆡ 져를 죽여 ᄌᆞ최를 업시ᄒᆞ랴 ᄒᆞ더라.

젼셔(戰書)를 올니니 댱졸(將卒)이 보니, 셔(書)의 왈,

"남뎡 대원슈 손모와 부원슈 댱모 등은 글을 댱ᄉᆞ왕의게 붓치ᄂᆞ니, 셩텬지 본ᄃᆡ 신

---

238)댱안(長安) : 수도라는 뜻으로, '서울'을 이르는 말.

229)댱안(長安) : 수도라는 뜻으로, '서울'을 이르는 말.

성영무(神聖英武)ᄒᆞ샤 덕홰 텬하의 가득ᄒᆞ여, 초왕의 반역년좌(叛逆緣坐)로[를] 왕의게 쓰디 아니시니, 이 곳 왕의 엇디 못홀 영홰라. 이졔 믄득 망녕되이 텬시를 아디 못ᄒᆞ고, 역텬무도(逆天無道)ᄒᆞ여 간과(干戈)를 니르혀 싱민을 도탄ᄒᆞ니, 그 죄 블용쥬(不容誅)라. 텬뇌 딘쳡ᄒᆞ여 쟝ᄎᆞ 흥샤(興師)[239]문【32】죄코져 ᄒᆞᄂᆞ니, 왕은 닉이 싱각ᄒᆞ여 일즉 허물을 뉘웃쳐 항복ᄒᆞ면, 텬디 오히려 골육디친(骨肉之親)이믈 유렴(留念)ᄒᆞ샤 일분 은젼이 이시려니와, 블연즉(不然則) 일방(一邦) 싱녕(生靈)이 위틱ᄒᆞ리니, 왕은 살피라."

ᄒᆞ엿더라. 왕이 견필의 대로ᄒᆞ여 젼셔를 믜치고, 샤ᄌᆞ(使者)를 박튝(迫逐)ᄒᆞ여 크게 밍타(猛打)ᄒᆞ여 도라보니며, 왈,

"과인이 너를 죽여 위엄을 뵐 거시로ᄃᆡ, 손확 필부의게 말을 ᄌᆞ시 젼코져 ᄒᆞᄂᆞ니, 너는 모로미 도라가 ᄌᆞ셔히 젼ᄒᆞ라. 초왕이 본ᄃᆡ 죄 업거늘 혼군이 무신불의(無信不義)ᄒᆞ여 녕신(佞臣)의 간참(姦讒)을 고디듯고, 죵족의 졍을 도라보디 아냐 극벌(極罰)을 쓰니, 이는 【33】 포악무도ᄒᆞ미 하걸(夏桀)[240]과 은쥬(殷紂)[241]의 일뉴(一類)라. 비록 내 아니나 숑됴강산(宋朝江山)이 어나 곳의 도라갈 줄 알니오. 시고(是故)로 과인이 흥병용ᄉᆞ(興兵勇士)ᄒᆞ여, 조종긔업(祖宗基業)을 타인의게 보ᄂᆡ디 아니려 ᄒᆞᄂᆞ니, 한광무(漢光武)[242]의 듕흥대업(中興大業)을 효측ᄒᆞ려 ᄒᆞ노라. 과인이 ᄯᅩᄒᆞᆫ 됴시(趙氏)

성녕무(神聖英武)ᄒᆞ샤 덕홰 텬하의 ᄀᆞ득ᄒᆞ여, 초왕의 반역년좌(叛逆緣坐)로 왕의게 쓰지 아니시니, 이 곳 왕의 엇지 못홀 녕홰라. 이졔 믄득 망녕도이 텬시를 아지 못ᄒᆞ고, 녁텬무도(逆天無道)ᄒᆞ여 간과(干戈)를 니르혀 싱【152】민을 도탄ᄒᆞ니, 그 죄 블용쥬(不容誅)라. 텬의 진쳡(震疊)ᄒᆞ여 쟝ᄎᆞ 병을 니르혀 문죄코ᄌᆞ ᄒᆞᄂᆞ니, 왕은 닉이 싱각ᄒᆞ여 닐즉 허물을 뉘웃쳐 항복ᄒᆞ면, 텬지 오히려 골육지친(骨肉之親)을 유렴(留念)ᄒᆞ샤 일분 은젼이 이시려니와, 블연즉(不然則) 일방(一邦) 싱녕이 위틱ᄒᆞ리니, 왕은 슬피라."

ᄒᆞ엿더라. 왕이 견필의 대로ᄒᆞ여 젼셔를 밀치고, ᄉᆞ쟈(使者)를 박튝(迫逐)ᄒᆞ여 크게 밍타(猛打)ᄒᆞ여 도라보니며 왈,

"과인이 너를 죽여 위엄을 뵐 거시로ᄃᆡ, 손확 필부의게 말을 ᄌᆞ시 젼코ᄌᆞ ᄒᆞ므로 그치{치}나니 모로미 도라가 이ᄃᆡ로 젼ᄒᆞ라"

---

239)흥샤(興師) : 긔병(起兵). 흥병(興兵). 군사를 일
   으킴.
240)하걸(夏桀) : 중국 하나라의 마지막 왕. 성은 사
   (姒). 이름은 이계(履癸). 은나라의 탕왕에게 멸망
   하였다. 은나라의 주왕과 더불어 동양 폭군의 전
   형으로 불린다.
241)은쥬(殷紂) : 중국 은나라의 마지막 임금. 이름은
   제신(帝辛). 주(紂)는 시호(諡號). 지혜와 체력이
   뛰어났으나, 주색을 일삼고 포학한 정치를 하여
   인심을 잃어 주나라 무왕에게 살해되었다
242)한광무(漢光武) : B.C.6-A.D.57. 중국 후한(後漢)
   의 제1대 황제. 본명은 유수(劉秀). 왕망의 군대를
   무찔러 한나라를 다시 일으키고 낙양에 도읍하였
   다. 재위 기간은 25~57년이다

라. 텬하의 쥬(主) 되미 맛당ᄒᆞ니, 일죽이 항복ᄒᆞ라."

샤쟈(使者) 무류(無聊)히 도라와 고ᄒᆞᆫ딕, 손원쉬 대로ᄒᆞ여 졉견ᄒᆞ여 승부를 결ᄒᆞ려 ᄒᆞ더라.

믄득 참모스 윤광텬이 명쳡(名帖)을 드리고 댱젼(將前)의 비알ᄒᆞ니, 보건딕 방면대이(方面大耳)243)와 잠미봉안(蠶眉鳳眼)이며 연함호두(燕頷虎頭)의 늠늠 쇄락ᄒᆞᆫ 영풍(英風)이 삼군(三軍)의 소스나고, 흉듕(胸中)의 【34】 경텬위디(經天緯地)ᄒᆞᆯ 지조를 금초앗ᄂᆞᆫ디라. 손확이 ᄒᆞᆫ 번 보고 크게 ᄭᅵ려 냥구 묵연이러니, 먼ᄂᆞᆯ셔 오믈 티위ᄒᆞ고 아딕 나가 쉬라 ᄒᆞᆫ딕, 참뫼 믈너 당듕(堂中)의 도라오다.

명됴의 냥딘이 군용을 싁싁이 ᄒᆞ여 딕딘(對陣)ᄒᆞᆯ시, 숑딘 댱졸이 뎍딘을 바라보니, 문긔(門旗) 열니ᄂᆞᆫ 곳의 댱샤왕이 ᄌᆞ금익션관(紫金翼善冠)244)의 홍금망농포(紅錦蟒龍袍)245)를 닙고, 허리의 통텬셔(通天犀)ᄯᅴ246)를 ᄯᅴ고, 만니부운총(萬里浮雲驄)247)을 ᄐᆞ시니, 풍신이 호상(豪爽)ᄒᆞᆫ 듯ᄒᆞ나, 냥목이 블냥(不良)ᄒᆞ고 면간(面間)이 블길(不吉)ᄒᆞ여 영죵디상(令終之相)248)이 아니오, 좌우의 영신 협합 등 슈십 원(員) 빙댱이 댱챵(長槍) 대검(大劍)을 잡아 버러시니, 군

---

243)방면대이(方面大耳) : 네모 난 얼굴과 큰 귀.
244)ᄌᆞ금익션관(紫錦翼善冠) : 왕과 왕세자가 평상복인 곤룡포를 입고 집무할 때에 쓰던 검붉은 빛의 사(紗) 또는 나(羅)로 두른 관. 앞 꼭대기에 턱이 져서 앞이 낮고 뒤가 높은데, 뒤에는 두 개의 뿔을 날개처럼 달았다.
245)홍금망농포(紅錦蟒龍袍) : 붉은 빛의 비단으로 지은 임금의 정복. 가슴과 등과 어깨에 용의 무늬를 수놓았다. 곤룡포(袞龍袍)를 망룡포(蟒龍袍)라고도 한다.
246)통텬셔ᄯᅴ : 무소의 뿔을 가공하여 만든 띠. 통천서(通天犀); 무소의 뿔. 뿔의 길이는 24cm가 넘고 물이 잘 묻지 않으며 단도의 손잡이나 약제로 쓰인다.
247)만니부운총(萬里浮雲驄) : 말의 이름. 갈기와 꼬리가 파르스름한 백마(白馬)인 청총마(靑驄馬)의 일종.
248)영죵디상(令終之相) : 타고난 수명을 다 누리고 편안히 죽을 관상(觀相). 영종(令終); 고종명(考終命).

ᄒᆞ니, ᄉᆞ쟤(使者) 도라와 고ᄒᆞᆫ딕, 손원쉬 듯기를 다ᄒᆞ미 불승분연(不勝憤然) ᄒᆞ더라.

믄득 참모스 윤광텬이 명쳡(名帖)을 드리고 【153】 장젼(將前)의 비알ᄒᆞ니, 보건딕 방면디이(方面大耳)230)와 잠미봉안(蠶眉鳳眼)이며 연함호두(燕頷虎頭)의 늠늠 쇄락ᄒᆞᆫ 녕풍(英風)이 숨군(三軍)의 소스나고, 흉즁의 경텬위지(經天緯地)ᄒᆞᆯ 지조를 금초앗ᄂᆞᆫ지라. 손확이 ᄒᆞᆫ 번 보고 크게 ᄭᅵ려 냥구 묵연이러니, 먼ᄂᆞᆯ셔 오믈 치위ᄒᆞ고 아직 나가 쉬라 ᄒᆞᆫ딕, 참뫼 믈너 장즁의 도라오다.

명됴의 냥진이 군뇽(軍容)을 싁싁이 ᄒᆞ여 딕진(對陣)ᄒᆞᆯ시, 숑진 댱졸이 젹진을 바라보니 문긔(門旗) 열니ᄂᆞᆫ 곳의 댱ᄉᆞ왕이 ᄌᆞ금닉션관(紫金翼善冠)231)의 망농포(蟒龍袍)232)를 닙고 허리의 통텬셔딕(通天犀帶)233)를 ᄯᅴ고, 만니부운총(萬里浮雲驄)234)을 ᄐᆞ시니, 풍신이 호상(豪爽)ᄒᆞᆫ 듯ᄒᆞ나 냥목(兩目)이 블냥(不良)ᄒᆞ고 면간(面間)이 블길(不吉)ᄒᆞᆯ 긔운이 잇고, 좌우의 녕신 협합 등 슈십 원(員) 【154】 빙장이 댱챵(長槍) 대검(大劍)을 잡아 버러시니, 군용이 싁싁ᄒᆞ고 병미 강장(强壯)ᄒᆞ더라.

---

230)방면대이(方面大耳) : 네모 난 얼굴과 큰 귀.
231)ᄌᆞ금닉션관(紫錦翼善冠) : 왕과 왕세자가 평상복인 곤룡포를 입고 집무할 때에 쓰던 검붉은 빛의 사(紗) 또는 나(羅)로 두른 관. 앞 꼭대기에 턱이 져서 앞이 낮고 뒤가 높은데, 뒤에는 두 개의 뿔을 날개처럼 달았다.
232)망농포(蟒龍袍) : 비단으로 지은 임금의 정복. 가슴과 등과 어깨에 용의 무늬를 수놓았다. 곤룡포(袞龍袍)를 망룡포(蟒龍袍)라고도 한다.
233)통텬셔딕(通天犀帶) : 무소의 뿔을 가공하여 만든 띠. 통천서(通天犀); 무소의 뿔. 뿔의 길이는 24cm가 넘고 물이 잘 묻지 않으며 단도의 손잡이나 약제로 쓰인다.
234)만니부운총(萬里浮雲驄) : 말의 이름. 갈기와 꼬리가 파르스름한 백마(白馬)인 청총마(靑驄馬)의 일종.

용(軍容)이 싁싁ᄒ【35】고 병미(兵馬) 강댱(强壯)ᄒ더라.

ᄉᆼ딘 듕의셔 대원슈 손확이 머리의 황금관(黃金冠)을 쓰고, 몸의 황나의(黃羅衣)를 닙고, 허리의 션화보ᄃᆡ(鮮華寶帶)249)를 ᄯᅴ고, 발의 무우리(無憂履)250)를 신고, 손의 대도(大刀)를 들고 도화ᄆᆞ(桃花馬)251)를 ᄐᆞ시니, 얼골이 웅위ᄒᆞ고 긔상이 참엄(斬嚴)ᄒ여 댱무디ᄌᆡ(將武之才)252) 잇더라. 제댱이 방위를 ᄎᆞ례로 버럿고, 참모ᄉᆞ 윤광텬이 융복(戎服)을 션명이 ᄒ고, 후ᄃᆡ(後隊)의 조ᄎᆞ시니, 영풍이 동인ᄒ고 영웅이 개셰ᄒ니, 댱샤 군히(群下)253) 일견 쳠망의 대경(大驚) 대찬(大讚)ᄒ더라.

댱샤왕이 산호편(珊瑚鞭)을 드러 손확을 가ᄅ쳐 왈,

"오날 댱군을 보니 구면(舊面)이 의회(依俙)ᄒ다라254). 댱군이 션셰로브터 ᄉᆼ됴 명댱 후예라, 영뮈(英武) 개【36】셰(蓋世)ᄒ니 텬니를 알디라. 텬하ᄂᆞᆫ 일인의 텬히 아니라 유덕ᄌᆞ(有德者)의 그릇시니, 이졔 ᄉᆼ황(宋皇)이 무도ᄒᆞ미 긔 쉬(數)255) 임의 딘ᄒ여시니, 과인이 엇디 강산의 님지 못 되리오. 댱군이 시무(時務)를 알거든 타일 귀히 되믈 싱각ᄒ여 항(降)ᄒ라."

손확이 무식ᄒ나 일단 튱의ᄂᆞᆫ 이시므로, 이 말을 드르미 대로ᄒ여 녀셩 대즐(大叱)

---

249) 션화보ᄃᆡ(鮮華寶帶) : 보옥(寶玉)으로 장식한 선명하고 화려한 띠.
250) 무우리(無憂履) : 조선 시대, 궁중 무용인 망선문(望仙門)을 출 때 신던 여자 신의 하나. 홍전(紅氈)으로 신울을 만들고 꽃무늬를 수놓았으며, 신코에는 구름무늬를 놓고 상모(象毛)를 달아 아름답게 장식하였다. 여기서는 무리 모양의 신을 말함인 듯.
251) 도화ᄆᆞ(桃花馬) : 흰색 털 가운데 붉은 점이 있는 말로 명마(名馬)의 하나. 성호 이익은 "누런 털과 흰 털이 섞인 말을 '비(駓)'라고도 하고, 도화마(桃花馬)라고도 한다고 했다.
252) 댱무디ᄌᆡ(將武之才) : 무장의 재능.
253) 군히(群下) : 군하(群下). 많은 신하들 또는 많은 부하들.
254) 의회(依俙)ᄒ다 : 거의 비슷하다.
255) 쉬(數) : 운수(運數). 미리 정하여져 사람의 힘으로는 어쩔 수 없는 길흉화복의 운수

ᄉᆼ진 듕즁셔 대원슈 손확이 머리의 황금관(黃金冠)을 쓰고, 몸의 황나의(黃羅衣)를 닙고, 허리의 션화보ᄃᆡ(鮮華寶帶)235)를 ᄯᅴ고, 발의 무우리(無憂履)236)를 신고 손의 ᄃᆡ도(大道)를 들고, 도화ᄆᆞ(桃花馬)237)를 ᄐᆞ시니, 얼골이 웅위ᄒᆞ고 긔상이 쳠엄(斬嚴)ᄒ여 댱무지ᄌᆡ(將武之才)238) 잇더라. 제장이 방위를 ᄎᆞ례로 버럿고 ᄎᆞᆷ모ᄉᆞ 윤광텬이 융복(戎服)을 션명이 ᄒ고, 후ᄃᆡ(後隊)의 조ᄎᆞ시니, 녕풍이 동인ᄒ고 영웅이 기셰ᄒ니 댱ᄉᆞ 군히(群下)239) 일견 참망의 대경(大驚) ᄃᆡ찬(大讚)ᄒ더라.

댱ᄉᆞ왕이 산호편(珊瑚鞭)을 드러 손확을 ᄀᆞᄅ쳐 왈,

"오늘 댱군을 보니 구면(舊面)이 의회(依俙)ᄒ미라240).【155】 댱군이 션셰로브터 ᄉᆼ됴 명장 후예라. 영뮈(英武) 기셰(蓋世)ᄒ니 텬니를 ᄯᅩ흔 알지라. 텬하ᄂᆞᆫ 일인의 텬히 아니라 유덕ᄌᆞ(有德者)의 그르시니, 이졔 ᄉᆼ황(宋皇)이 무도ᄒᆞ미, 시쉬(時數)241) 님의 진ᄒᆞ여시니, 과인이 엇지 강산의 님지 못 되리오. 댱군이 시무(時務)를 알거든 타일 귀히 되믈 싱각ᄒ여 항(降)ᄒ라"

손확이 무식ᄒ나 일단 츙의ᄂᆞᆫ 이시무로 이 말을 드ᄅ미 대로ᄒ여 녀셩 대질(大叱)왈,

---

235) 션화보ᄃᆡ(鮮華寶帶) : 보옥(寶玉)으로 장식한 선명하고 화려한 띠.
236) 무우리(無憂履) : 조선 시대, 궁중 무용인 망선문(望仙門)을 출 때 신던 여자 신의 하나. 홍전(紅氈)으로 신울을 만들고 꽃무늬를 수놓았으며, 신코에는 구름무늬를 놓고 상모(象毛)를 달아 아름답게 장식하였다. 여기서는 무리 모양의 신을 말함인 듯.
237) 도화ᄆᆞ(桃花馬) : 흰색 털 가운데 붉은 점이 있는 말로 명마(名馬)의 하나. 성호 이익은 "누런 털과 흰 털이 섞인 말을 '비(駓)'라고도 하고, 도화마(桃花馬)라고도 한다고 했다.
238) 댱무디ᄌᆡ(將武之才) : 무장의 재능.
239) 군히(群下) : 군하(群下). 많은 신하들 또는 많은 부하들.
240) 의회(依俙)ᄒ다 : 거의 비슷하다.
241) 시쉬(時數) : 시운(時運). 시대나 그때의 운수.

왈,

"반젹(叛賊)이 엇디 이딕도록 무례ᄒ리오. 좌우는 날을 위ᄒ여 져 도젹을 잡으라."

언미필의 션봉 양흠·연경 냥댱이 츌마ᄒ니, 댱샤왕이 ᄯᅩᄒᆫ 대로ᄒ여 영신·형급 등을 명ᄒ여 졉젼ᄒ라 ᄒ니, ᄉ댱이 교봉(交鋒) 오십여 합의 블분승뷔(不分勝負)러【37】니, 형급·영신이 패쥬(敗走)어ᄂᆯ 댱흠·연경 이댱이 급히 ᄯᅩᆯ오더니, 영신이 ᄆᆞᆯ을 도로혀 ᄒᆞᆫ 살노 양션봉의 읜 엇게를 맛치니, 양흠이 번신(翻身) 낙마ᄒ니, 연경이 급히 구ᄒ여 본딘으로 도라오니, 덕이 승셰ᄒ여 크게 엄살ᄒ니, 텬병이 대패ᄒ여 죽은 지 무슈ᄒ더라. 손확이 징쳐 군을 거두고 댱딕(將臺)256)의 도라와 졔댱을 딕ᄒ여 굴오ᄃᆡ,

"오날 패ᄒ믄 뎍을 너모 업슈히 넉이미라. 약간 댱졸이 상ᄒ여시나 현마 엇디 ᄒ리오. 션봉은 됴리ᄒ고 명일은 윤참뫼 나○[가] ᄡᅡ호라."

졔댱이 쳣 딘을 패ᄒ니, 아니 실망ᄒ 리 업ᄂᆞᆫ디라. 묵묵ᄒ고, 참뫼 명일 ᄡᅡ홈이【38】니치 아니믈 혜아려, 간왈(諫曰),

"블가ᄒ이다. 이졔 뎍군은 촌토(寸土)를 써나디 아냐 병강마장(兵强馬壯)ᄒ고, 우리는 원노(遠路)의 구치(驅馳)ᄒ여 졍녁이 피곤ᄒ니, 피폐ᄒᆫ 군ᄉ로ᄡᅥ 강ᄒᆫ 뎍군을 딕뎍ᄒ미 엇디 패치 아니리오. 더옥 일긔 훈열(薰熱)ᄒ여 샤졸이 상ᄒᆫ 지 만흔더라. 쳣 딘(陣)의 션봉이 상ᄒ고, 군심이 뎡히 황황ᄒ거늘, 명일 ᄯᅩ 졉젼ᄒ미 블가ᄒ니 쳥컨딕 원슈는 상찰(詳察)ᄒ쇼셔."

댱원쉬 ᄯᅩ 간왈,

"참모의 의논이 올ᄒ니이다."

손확이 노왈,

"내 슈듕의 인검(引劍)257)이 이시니 뉘

"반젹(叛賊)이 엇지 이딕도록 무례ᄒ리오"

이의 좌우를 도라보아 왈,

"날을 위ᄒ여 져 도젹을 줍으라."

언미필의 션봉 양흠·년경 냥댱이 츌마ᄒ니, 댱ᄉ왕이 ᄯᅩᄒᆫ 대로ᄒ여 영신·형급 등을 명ᄒ여 졉젼ᄒ라 ᄒ니, ᄉ댱【156】이 교봉(交鋒) 오십여 합의 블븐승뷔(不分勝負)러니, 형급·영신이 픠쥬(敗走)어ᄂᆯ 양흠·연경 이댱이 급히 ᄯᅩ로더니, 영신이 말을 도로혀 ᄒᆞᆫ 살노 양션봉의 왼편 엇게를 맛치니 양흠이 번신(翻身) 낙ᄆᆞᄒ니, 연경이 급히 구ᄒ여 본진으로 도라오니, 젹이 승셰ᄒ여 크게 엄살ᄒ니, 텬병이 딕픠(大敗)ᄒ여 죽은 지 무슈ᄒᆫ지라. 손확이 징쳐 군을 거두고 댱딕(將臺)242)의 도라와 졔댱을 딕ᄒ여 굴오딕,

"오늘 픠ᄒ믄 우리 젹을 너므 업슈히 넉이미라. 약간 댱졸이 상ᄒ여시나 현마 엇지 ᄒ리오. 션봉은 됴리ᄒ고 명일은 윤참뫼 나ᄀ 싸호라"

졔장이 쳣 진을 픠ᄒ니 아니 실망ᄒ 리 업ᄂᆞᆫ지라, 묵묵ᄒ고, 참뫼 명일 싸홈【157】이 블니ᄒᆞᆷ믈 혜아려 간왈(諫曰),

"블가ᄒ이다. 이졔 젹군은 촌토(寸土를 써ᄂᆞ니 아냐 병강마장(兵强馬壯)ᄒ고, 우리는 원노(遠路)의 구치(驅馳)ᄒ여 졍녁이 피곤ᄒ니, 피폐ᄒᆫ 군ᄉ로ᄡᅥ 강ᄒᆫ 젹군을 딕젹ᄒ미 엇지 픠치 아니ᄒ리오. 더옥 일긔 훈열(薰熱)ᄒ여 ᄉ졸이 상ᄒᆫ 지 만흔지라. 쳣 진의 션봉이 상ᄒ고, 군심이 졍히 황황ᄒ거늘, 명일 ᄯᅩ 졉젼ᄒ미 블가ᄒ니 쳥컨딕 원슈는 상찰(詳察)ᄒ쇼셔"

댱원쉬 ᄯᅩ 간 왈,

"참모의 의논이 올ᄒ니이다"

손확이 노왈,

"내 슈즁의 인검(引劍)243)이 이시나 뉘

256)댱딕(將臺) : 장수가 올라서서 명령·지휘하던 대. 성(城), 보(堡) 따위의 동서 양쪽에 돌로 쌓아 만들었다

242)댱딕(將臺) : 장수가 올라서서 명령·지휘하던 대. 성(城), 보(堡) 따위의 동서 양쪽에 돌로 쌓아 만들었다

감히 거역ᄒ리오. 위령ᄌ는 군법을 힝ᄒ리라."

댱원쉬 다시 간치 못ᄒ고, 윤참뫼 통히ᄒ나【39】 간언이 무익ᄒ여 믈너오니, 님셩각이 졀치분미(切齒憤罵) 왈,

"명공의 경뉸대ᄌᆡ(經綸大才)로 엇디 손확무부의 슈하의 종군ᄒ여 여ᄎᆞ 고경을 만날 줄 엇디 알니오."

참뫼 탄식ᄒ여 굴오ᄃᆡ,

"ᄎ역 명이라 현마 엇디 ᄒ리오. 다만 화복(禍福)이 관슈(關數)ᄒ니 종시를 볼 ᄯᆞ름이라. 그ᄃᆡᄂᆞᆫ 협긔(俠氣)로뼈 다셜(多說)치 말나."

셩각이 다시 말을 아니ᄒ나 돌돌 분개ᄒ믈 니긔디 못ᄒ더라.

명묘의 댱샤왕의 대댱 영신·형급이 딘젼의 나와 ᄡᅡ홈을 도도거늘, 손확이 호령을 나리와 윤참모로 나 ᄡᅡᄒᆞ라 ᄒ니, 참뫼 다시 샤양치 아니코, 갑쥬를 뎡제ᄒ고 대완ᄆᆞ(大宛馬)258)를 ᄐᆞ고, 대도(大刀)를 들고 딘젼의 니ᄃᆞ르니, 늠늠【40】ᄒᆞᆫ 풍치와 웅위ᄒᆞᆫ 골격이 창히(蒼海)의 츌몰ᄒᆞᄂᆞᆫ 뇽이라.

ᄎ시 뎍딘 댱졸이 바라보고 대경 칭찬ᄒ더라. 참뫼 뎍댱과 교젼 십여 합의 뎍댱이 임의 계ᄑᆡ 잇ᄂᆞ디라. 마두(馬頭)를 도로혀 ᄃᆞ라나거늘 참뫼 간샹(奸狀)이 잇ᄂᆞᆫ 줄 씨ᄃᆞ라 ᄯᅩ로디 아니려 ᄒ니, 손확의 부댱 경담이 급히 웨여 왈,

"뎍댱을 셜니 ᄯᅩᆯ오라. 내 당당이 협녁ᄒ리라."

셜파의 손확이 먼니셔 북을 울니며 긔를 둘너 나아가거늘, 참뫼 홀일업셔 믈을 노화 뎍댱을 ᄯᅩᆯ오더니, 발셔 ᄉᆞ오 리를 힝ᄒᆞ미, 믄득 좌우 산곡 간으로셔 포셩이 대딘ᄒ며,

257)인검(引劍) : 임금이 병마를 통솔하는 장수에게 주던 검. 명령을 어기는 자는 보고하지 않고 죽일 수 있는 권한을 주었다.

258)대완ᄆᆞ(大宛馬) : 일명 한혈마(汗血馬). 피땀을 흘릴 정도로 매우 빨리 달리는 말이라는 뜻으로, 한혈마(汗血馬)라 불리기도 하며, 아라비아 대완국(大宛國)에서 나는 말이라 하여 대완마(大宛馬)라 불리기도 한다. 하루에 천리를 간다고 하는 명마.

감히 거역ᄒ리오. 위령ᄌ는 군법을 힝ᄒ리라."

댱원쉬 다시 간치 못ᄒ고, 윤참뫼 통히ᄒ나 간언이 무닉ᄒ여 믈너오니, 님셩각이【158】 졀치분미(切齒憤罵) 왈,

"명공의 경뉸대ᄌᆡ(經綸大才)로 엇지 손확무부의 슈하의 종군ᄒ여 여ᄎᆞ 고경을 만날 줄 엇지 알니오"

참뫼 탄식ᄒ여 왈,

"ᄎ역 명이라 현마 엇지 ᄒ리오. 다만 화복(禍福)이 관슈(關數)ᄒ니 종시를 볼 ᄯᆞ름이라. 그ᄃᆡᄂᆞᆫ 협긔(俠氣)로뼈 다셜(多說)치 말나"

셩각이 다시 말을 아니ᄒ나 돌돌 분개ᄒ믈 니긔지 못ᄒ더라.

명묘의 댱ᄉ왕의 대장 영신·형급이 진젼의 ᄂᆞ와 ᄡᅡ홈을 도도거늘, 손확이 호령을 ᄂᆞ리와 윤참모로 나 ᄡᅡᄒᆞ라 ᄒ니, 참뫼 다시 ᄉ양치 아니코 갑쥬를 정제ᄒ고 대완ᄆᆞ(大宛馬)244)를 ᄐᆞ고 대도를 들고 진젼의 니ᄃᆞ르니, 늠늠ᄒᆞᆫ 풍치와 웅위ᄒᆞᆫ 골격이 창히의 츌몰ᄒᆞᄂᆞᆫ 뇽이라.

ᄎ【159】시 젹진 댱졸이 바라보고 대경 칭찬ᄒ더라. 참뫼 젹장과 교젼 십여 합의 젹장이 님의 계ᄑᆡ 잇ᄂᆞ지라. 마두(馬頭)를 도로혀 ᄃᆞ라나거늘, 참뫼 간샹(奸狀)이 잇ᄂᆞᆫ 줄 씨ᄃᆞ라 ᄯᅩ로지 아니려 ᄒ니, 손확의 부장 경담이 급히 웨여 왈,

"젹댱을 셜니 ᄯᅩᆯ오라 내 당당이 ᄯᅩᆯ오리라."

셜파의 손확이 먼니셔 북을 울니며 긔를 둘너 나아가거늘, 참뫼 홀일업셔 말을 노화 젹군을 ᄯᅩᆫ ᄯᅩᆯ오더니, 발셔 ᄉᆞ오 리를 힝ᄒᆞ미, 믄득 좌우 산곡 간으로셔 포셩이 대

243)인검(引劍) : 임금이 병마를 통솔하는 장수에게 주던 검. 명령을 어기는 자는 보고하지 않고 죽일 수 있는 권한을 주었다.

244)대완ᄆᆞ(大宛馬) : 일명 한혈마(汗血馬). 피땀을 흘릴 정도로 매우 빨리 달리는 말이라는 뜻으로, 한혈마(汗血馬)라 불리기도 하며, 아라비아 대완국(大宛國)에서 나는 말이라 하여 대완마(大宛馬)라 불리기도 한다. 하루에 천리를 간다고 하는 명마.

냥노 복병【41】이 즛쳐 니드르니, 참뫼 임의 짐작흔 비 잇고, 즈긔 평싱 디모로 조고만 도덕을 족히 두려ᄒ리오. 무용(武勇)을 분발ᄒ여 동셔로 좌퉁우돌(左衝右突)ᄒ여 번 디를 능히 버셔나니, 허다 덕군이 밀밀층층(密密層層)ᄒ여, 즈긔 계오 위디를 버셔나시나, 거나린 샤졸이 다만 이십여 긔(騎)오, 손확의 부댱 경담이 난군(亂軍) 듕의셔 죽엇더라.

덕댱이 처음은 윤춈모의 빅면셔싱(白面書生)이믈 바히 업슈히 넉여 경덕(輕敵)ᄒ다가, 져회 댱졸이 그 용긔를 분발ᄒ므로 조ᄎ, 여러히 츄풍낙엽의 ᄲ러디는 나모입ᄀ치 ᄲ러져 죽으니, 능히 경덕디 못홀 위인이라. 대경ᄒ여 다만 도라갈 길【42】홀 막고 쇠초(柴草)를 운젼ᄒ여 블을 노흐니, 참뫼 블승분에(不勝憤恚)ᄒ나, 홀일업셔 평탄흔 길흘 바리고 쇼로를 ᄎᄌ 필ᄆ로 본딘의 도라오니, 날이 장ᄎᆺ 시기의 밋더라. 참뫼 비록 튱텬댱긔(衝天壯氣)이시나, 일쥬야(一晝夜)를 작슈(勺水)를 블을ᄒ고, 덕군의 신고(辛苦)ᄒ니 엇디 피곤ᄒ디 아니리오. 계오 본영의 니르니 군듕이 덕뇨(寂廖)흔디, 님셩각이 홀노 딘 밧긔 나와 방황ᄒ다가 크게 반겨 마ᄌ, 딘듕의 드러가 조션(朝膳)을 나와 긔갈(飢渴)을 위로ᄒ고, 손확을 뵈○[려]고 ᄒ니, 손확이 용심이 윤참모의 무ᄉ히 면ᄉ(免死)ᄒ믈 엇더케 넉이며, 참모의 셩명이 엇디 된고, 하회를 보라.【43】

ᄎ시 손확이 참모를 핍박ᄒ여 덕딘의 모라녀코, 짐ᄌᆺ 북을 울녀 퇴군치 못ᄒ게 ᄒ고, 져의259) 죽어 도라오디 아니키를 ᄀ장 죄오더니, 명효(明曉)의 댱○[디]하(將臺下)의 북을 쳐 ᄉ졸을 모흘식, 믄득 참모ᄉ 윤

진ᄒ며, 냥노 복병이 즛쳐 니드르니, 참뫼 님의 짐작흔 비 잇고, 즈긔 평싱 지모로 조고만 도젹을 족히 두려ᄒ리오. 무용(武勇)을 【160】분발ᄒ여 동셔로 좌우츙돌(左衝右突)ᄒ여 번 디를 계오 버셔나니, 허다 젹군이 밀밀층층(密密層層)ᄒ여, 즈긔 계오 버셔나시나 거나린 ᄉ졸이 다만 이십여 긔오, 손확의 부쟝 경담이 난군(亂軍) 즁의셔 죽엇더라.

젹댱이 쳐음은 윤츔모의 빅면셔싱(白面書生)이믈 바히 업슈히 넉여 경젹(輕敵)ᄒ다ᄀ, 져회 댱졸이 그 용긔를 분발ᄒ므로 조ᄎ 녀러히 츄풍낙엽의 ᄲ러지는 나무닙 ᄀ치 ᄲ러져 죽으니, 능히 경젹치 못홀 위인이라. 대경ᄒ여 다만 도라갈 길흘 막고 쇠초(柴草)를 운젼ᄒ여 블을 노흐니, 참뫼 블승에분(不勝恚恚憤)ᄒ나, 홀일업셔 평탄흔 길흘 ᄇ리고 쇼로를 ᄎᄌ 필마로 본딘의 도라오니, 날이 장ᄎᆺ 시기의 밋쳐【161】시니, 참뫼 비록 튱텬댱긔(衝天壯氣)이시나 일쥬야를 작슈(勺水)를 블입구(不入口)ᄒ고, ○…결락25자…○[덕군의 신고(辛苦)ᄒ니 엇디 피곤ᄒ디 아니리오. 계오 본영의 니르니] 군즁이 젹뇨(寂廖)흔디 님셩각이 홀노 진 밧긔 ᄂ와 방황ᄒ다가 크게 반겨 마ᄌ, 진즁의 드러가 조션(朝膳)을 ᄂ와 긔갈을 위로ᄒ고, 손확을 뵈려 ᄒ니, 손확이[의] 용심이 윤참모의 무ᄉ히 면ᄉ(免死)ᄒ믈 민망히 넉이니, 참모의 셩명이 엇지 된고 하회를 보라.

ᄎ시 손확이 참모를 핍박ᄒ여 젹진의 모라넛코, 지슴 북을 울녀 퇴군티 못ᄒ고 져히245) 죽어 도라오지 아니키를 ᄀ장 죄오더니, 명효(明曉)의 쟝○[디]하(將臺下)의 ○○[북을] 울녀 ᄉ졸을 모홀식, 믄득 참모ᄉ

---

259)져의 : '져(대명사)+의(주격조사)'의 형태. 제가. *져; 저. 앞에서 이미 말하였거나 나온 바 있는 사람을 도로 가리키는 삼인칭 대명사. 예) 훈은 **져**도 모르게 벌떡 일어섰다. *의; 옛말에서 사람을 나타내는 대명사 뒤에 쓰여 주격조사 '가'의 기능을 하기도 한다. 예)뎡가 노즈를 져주디 아녀셔 져**의** 아 는 바는 다 딕고ᄒ오니<명주보월빙57권:25쪽>

245)져히 : '져(대명사)+히(주격조사)'의 형태. 제가. *져; 저. 앞에서 이미 말하였거나 나온 바 있는 사람을 도로 가리키는 삼인칭 대명사. 예) 훈은 **져**도 모르게 벌떡 일어섰다. *히; 사람을 나타내는 대명사 뒤에 쓰여 주격조사 '가'의 기능을 하기도 한다. 예) 져히 ᄒ는 ᄃ로 ᄇ려 두노라<명주보월빙72권:51쪽>

광텬이 스스로 수술을 씌고 댱하(將下)의
나아와 어제 패군훈 죄를 청흐거늘, 손확이
발연(勃然) 대로(大怒)흐여 고성 대즐 왈,
"광텬 쇼튝이 엇디 듕임을 맛타 뎍딘 긔
미를 아디 못흐고, 첫 빠홈의 샤졸을 남으
니 업시 다 죽이고, 하면목(何面目)으로 날
을 보리오. 군법이 패군댱은 용샤치 못흐느
니, 황명이 날노뼈 션참후계흐라 흐여 계시
니, 용샤치 못흐리라."
　무스를 명흐여,【44】
"윤광텬을 쎨니 원문 밧긔 닉여 버혀, 머
리로뼈 삼군을 호령흐라."
　흐니, 듕댱이 대경흐여 일시의 간흐나, 확
이 임의 평계를 어더 브티 죽이려 흐니, 엇
디 샤흐리오. 종시 듯디 아니흐고 죽이기를
직촉흐니, 님셩각이 쳔만 인걸흐나 듯디 아
니니, 도부쉬(刀斧手)260) 참모를 미러 원문
밧긔 나아갈시, 참뫼 우러러 건샹(乾象)261)
을 보니, 즈긔 쥬셩(主星)이 슈운(愁雲)이
미만(彌滿)흐고 흑뮈(黑霧) 가득흐여시나,
졍긔(精氣) 당당흐여 조금도 살긔(殺氣) 업
는다라. 심하의 텬긔를 알기 어려오믈 추탄
흐고, 즈가의 명되 쇼시로브터 즈로 궁험흐
믈 탄식흐여, 만일 이 변을 버셔나디【45】
못흘딘딕, 고당 편친긔 불효와 외로온 디통
(至痛)이며, 규리홍안(閨裏紅顔)의 붕셩디통
(崩城之痛)262)을 므어시 비흐리오. 비록 영
웅디긔(英雄之氣)와 댱부웅심(丈夫雄心)이
나, 추시를 당흐여는 뎡히 아모라타263) 업
는다라.
　다만 님셩각이 뒤히 조초오며 황황망극흐
믈 딘뎡치 못흐더니, 장추 듕군(中軍)의 북
이 우러 시긱을 보흐고, 무시 장찻 버히기
의 님흐엿더니, 믄득 일위 신션 굿튼 도시

윤광텬이 스스로 수술을 씌고 댱하(將下)의
나아와 어제 픽군훈 죄를 청흐거늘, 손확이
발연(勃然) 딕로흐여 고성 대즐 왈,【162】
"광텬 쇼튝이 엇지 즁임을 맛타 젹진 긔
미를 아지 못흐고, 첫 싸홈의 스졸을 남으
니 업시 다 죽이고, 하면목(何面目)으로 날
을 보리오. 군법이 픽군댱은 용수치 못흐느
니, 황명이 날노뼈 션참후계흐라 흐여 계시
니, 용수치 못흐리라."
　무스를 호령흐여,
"윤광텬을 쎨니 원문의 닉여 버혀 머리로
뼈 삼군을 호령흐라."
　흐니, 즁댱이 대경흐여 일시의 간흐나, 확
이 님의 평계를 어더 브티 죽이려 흐니 엇
지 스흐리오. 종시 듯지 아니흐고 죽이기를
직촉흐니, 님셩각이 쳔만 인걸흐나 듯지 아
니니, 도부쉬(刀斧手)246) 참모를 밀어 미러
원문 밧긔 느아갈시, 참뫼 우러러 건샹(乾
象)247)을 보니 즈긔 쥬셩(主星)이 슈운(愁
雲)이 미만(彌滿)흐【163】고 흑뮈(黑霧)
가득흐여시나, 졍긔 당당흐여 조금도 살긔
(殺氣) 업는지라. 심하의 텬슈를 알기 어려
오믈 추탄흐고, 즈가의 명되 쇼시로브터 즈
로 궁흐믈 탄식흐여, 만일 이 변을 버셔나
지 못흘진딕, 고당 편친긔 불효와 홍안규
리(紅顔閨裏)의 붕셩지통(崩城之痛)248)을
무어시 비흐리오. 비록 녕웅지긔(英雄之氣)
와 댱부웅심(丈夫雄心)이나, 추시를 당흐여
는 졍히 아모라타249) 못흘지라.

　다만 님셩각이 뒤히 조초오며 황황 망극
흐믈 진졍치 못흐더니, 장추 즁군의 북이
우러 시긱을 보흐고 무시 장찻 버히기의 님
흐엿더니, 믄득 일위 신션 굿튼 도시 빅셜

---

260)도부쉬(刀斧手) : 큰 칼과 큰 도끼로 무장한 군사.
261)건샹(乾象) : 하늘의 현상이나 일월성신(日月星辰)이 돌아가는 이치.
262)붕셩디통(崩城之痛) : 성이 무너질 만큼 큰 슬픔이라는 뜻으로, 남편이 죽은 슬픔을 이르는 말
263)아모라타 : 아무렇다. 구체적으로 정하지 않은 어떤 상태나 조건에 놓여 있다. 여기서는 '아무런 할 일도'의 의미.

246)도부쉬(刀斧手) : 큰 칼과 큰 도끼로 무장한 군사.
247)건샹(乾象) : 하늘의 현상이나 일월성신(日月星辰)이 돌아가는 이치.
248)붕셩디통(崩城之痛) : 성이 무너질 만큼 큰 슬픔이라는 뜻으로, 남편이 죽은 슬픔을 이르는 말
249)아모라타 : 아무렇다. 구체적으로 정하지 않은 어떤 상태나 조건에 놓여 있다. 여기서는 '아무런 할 일도'의 의미.

빅셜쳔니운(白雪千里雲)264)을 나는 두시 모라오며, 쏘 뒤히 비룡(飛龍) 궃튼 물을 모라와, 참모의 스싱이 급흐믈 보고, 소리를 놉혀 웨여 왈,

"빈되 스부의 교령(敎令)으로 윤참모를 구흐라 와시니, 님댱군은 썰니 참【46】모를 구흐여 이 물을 흔가디로 트면, 족히 쳔니를 슌식(瞬息)의 가리라."

셩각이 망디쇼우[위]듕(罔知所爲中)265) 추언을 듯고, 대경대희(大驚大喜)흐여 년망(連忙)이 분용(憤湧)흐여 도부슈를 박추 것구로치고266) 참모를 거두쳐 옥셜마(玉雪馬)를 틔오고 치를 흔 번 치니, 냥미(兩馬) 크게 소리흐고 네 굽을 모화 밧비 쮜여 슌식간의 가기를 살궂치 흐는디라. 졔군이 대경흐여 급히 군스로 뒤흘 쏘라가고, 일변 댱젼(將前)의 고흔디, 손확이 대경흐여,

"급히 잡으디 요괴로온 도스조차 잡으라."

흐니, 졔군이 쳥녕(聽令)흐고 취우(驟雨) 궃치 쏠오나, 도스와 참모의 튼 말이 발셔 강변의 니르러, 비의 올나 슌풍의 듕뉴(中流)흐여, 님【47】셩각이 션두(船頭)의셔 대호(大呼)흐여 무슈히 손확을 슈욕(數辱)흐니, 졔군이 흘 일 업셔 도라와 이디로 고흐니, 손확이 심히 분흐여 돈족(頓足)흐디 흘 일 업셔, 이에 됴졍의 샹표(上表)흐여 추스를 쥬문(奏聞)흐디, 만언소(萬言疏)267) 듕의 윤참모의 블의무상흔 죄과를 가득이 일크라, 망명도쥬(亡命逃走)흐여 댱녕(將令)을 범흐믈 궃초 베퍼, 윤광텬을 텬하구쥬(天下九州)의 구식(求索)흐여 잡아다가 버히시믈 쥬흐여시니, 샤의(辭意) 극악흐여 윤참뫼 만일 이궃치 되여던디 죄당만시(罪當萬死)

---

264)빅셜쳔니운(白雪千里雲) : 작자가 명명한 흰 말의 이름.
265)망디쇼위듕(罔知所爲中) : 당황하여 어찌해야 할지를 알지 못하는 가운데.
266)것구로치다 : 거꾸러뜨리다. 거꾸로 넘어지거나 엎어지게 하다.
267)만언소(萬言疏) : 만언(萬言)에 이르는 장편의 상소문(上疏文).

쳔니운(白雪千里雲)250)을 나는 두시 달녀오며, 쏘 뒤히 비룡(飛龍) 궃튼 말을 모라 와, 참모의 스싱이【164】급흐믈 보고 소리를 놉혀 웨여 왈,

"빈되 스부의 교령(敎令)으로 윤참모를 구흐라 와시니, 님장군은 썰니 참모를 구흐여 이 말을 흔 가지로 트면 족히 쳔니를 슌식간의 가리라"

셩각이 망지쇼우[위]즁(罔知所爲中)251) 추언을 드르미, 대경딕희(大驚大喜)흐여 년망(連忙)이 분용(憤湧)흐여 도부슈를 박추 것구로치고252), 춤모를 거두쳐 옥셜마(玉雪馬)를 쎠253) 트고 치를 흔 번 치니, 냥미(兩馬) 크게 소리흐고 네 굽을 모화 밧비 쮜여 슌식간의 가기를 살궂티 흐는지라. 졔군이 대경흐여 급히 쏘라고고, 일변 장젼(將前)의 고흔디, 손확이 대경흐여,

"급히 즙으라."

흐디, 졔군이 풍우궃치 쏘르나, 도스와 춤모의 튼 말이 발셔 강변의 니르러, 비의 올나 슌풍의 즁뉴(中流)흐여, 님셩【165】각이 션두(船頭)의셔 대호(大呼)흐여 무슈히 손확을 슈욕(數辱)흐니, 졔군이 흘일업셔 도라와 이딕로 고흐니, 손확이 심히 분흐여 돈족(頓足)흐디 흘일업셔, 이에 됴졍의 샹표(上表)흐여 추스를 쥬문(奏聞)흐디, 만언소(萬言疏)254) 즁의 윤참모의 블의무상흔 죄과를 궃득이 일크라, 망명도쥬(亡命逃走)흐여 댱녕을 범흐믈 궃초 베퍼, 윤광텬을 텬하구쥬(天下九州)의 구식(求索)흐여 잡아다 궃 버히시믈 쥬흐여시니, 스의 극악흐여 윤참뫼 만닐 이궃치 되여실진디 죄당만식(罪當萬死)로디, 흐물며 빅옥무하(白玉無瑕)흐

---

250)빅셜쳔니운(白雪千里雲) : 작자가 명명한 흰 말의 이름.
251)망디쇼위듕(罔知所爲中) : 당황하여 어찌해야 할지를 알지 못하는 가운데.
252)것구로치다 : 거꾸러뜨리다. 거꾸로 넘어지거나 엎어지게 하다.
253)쎠다 : 껴안다. 두 팔로 감싸서 품에 안다.
254)만언소(萬言疏) : 만언(萬言)에 이르는 장편의 상소문(上疏文).

로딕, ᄒᆞ물며 빅옥무하(白玉無瑕)ᄒᆞ미[니], 댱원슈 이하로 삼군ᄉᆞ졸(三軍士卒)이 뉘 아니 손확의 용심을 블측히 넉이○○○[지 아니]며, 윤참모의 원억ᄒᆞ믈 아니 칭원(稱冤)ᄒᆞ리 업더라.

손확이 바야흐로 군ᄉᆞ를 쉬워 다시 교젼ᄒᆞ랴 ᄒᆞᆯ시, 이 긔별을 댱샤왕이 듯고 크게 깃거, 왕이 교ᄋᆞ다려 닐오딕,

"광텬은 인듕뇽(人中龍)이라. 호걸(豪傑)이 츌듕ᄒᆞ고 영웅(英雄)이 개세(蓋世)ᄒᆞ니, 내 깁히 근심ᄒᆞ고 념녀ᄒᆞᄂᆞᆫ 빈라. 손확의 독슈의 출하리 맛더면 쾌홀 거ᄉᆞᆯ, 도쥬ᄒᆞ엿다 ᄒᆞ니 이 젹은 근심이 아니라. 윤광텬이 업스니 손확 필부(匹夫)야 엇디 죡히 근심ᄒᆞ리오."

교이 왈,

"대왕은 셜니 계교를 베퍼 손확을 싱금ᄒᆞ고, 숑군을 즛불아 황셩을 함몰ᄒᆞ고, 텬하를 혼일(混一)[268]케 ᄒᆞ쇼셔."

왕이 올히 넉여 【49】 날마다 숑진의 군ᄉᆞ를 보닉여 ᄡᅡ홈을 지촉ᄒᆞ니, 손확이 바야흐로 군ᄉᆞ를 닉니, 냥딘이 고각(鼓角)[269]이 텬디를 움죽이며, 션봉 영신 녀셩 등 십원 대댱이 피갑(被甲) 샹마(上馬)ᄒᆞ니, 숑됴 연 션봉과 거긔댱군 경무와 좌익댱군 영환과 표긔댱군 문회 등 슈십여 원으로 더브러 셔로 교봉(交鋒)ᄒᆞ니, 냥딘 고각 함셩이 텬디 딘동ᄒᆞ며 살긔(殺氣) 년텬(連天)ᄒᆞᆫ디라. 졔 댱이 각각 빅여 합의 블분승뷔러니, 교이 딘듕의셔 바라보다가 요슐(妖術)을 힝ᄒᆞ여, 입으로 딘언(眞言)을 념ᄒᆞ며 부작(符作)을 더디니, 믄득 비운(飛雲)이 참참(參參)[270]ᄒᆞ고, 음【50】풍이 ᄉᆞ긔(四起)ᄒᆞ며 텬디 혼흑(昏黑)[271]ᄒᆞ여, 딕쳑을 분변치 못ᄒᆞᄂᆞᆫ딕, 비ᄉᆞ쥬셕(飛沙走石)[272]ᄒᆞ며, 숑딘 댱졸이

므로, 댱원슈 이하로 숨군ᄉᆞ졸(三軍士卒)이 뉘 아니 손확의 용심을 블측히 넉이○○○[지 아니]며 윤참모의 원억ᄒᆞ믈 칭원(稱冤)치 아니리 업더라.

손확이 바야흐로 군ᄉᆞ를 쉬여 다시 교젼【166】ᄒᆞ랴 ᄒᆞᆯ시, 이 긔별을 댱ᄉᆞ왕이 듯고 크게 깃거, 왕이 교ᄋᆞ다려 닐오딕,

"광텬은 인즁뇽(人中龍)이라. 호걸(豪傑)이 츌즁ᄒᆞ고 영웅(英雄)이 개셰(蓋世)ᄒᆞ니, 내 《급히∥깁히》 근심ᄒᆞ고 념녀ᄒᆞᄂᆞᆫ 빈라. 손확의 독슈의 출하리 맛츠면 쾌홀 거ᄉᆞᆯ, 도쥬ᄒᆞ엿다 ᄒᆞ니 이 젹은 근심이 아니라. 윤광텬이 업스니 손확 필부(匹夫)야 엇지 죡히 근심ᄒᆞ리오"

교이 왈,

"대왕은 셜니 《지교ᄋᆡ∥계교》를 베퍼 손확을 싱금ᄒᆞ고, 숑군을 즛바라 황셩을 함몰ᄒᆞ여 텬하를 혼일(混一)[255]케 ᄒᆞ쇼셔"

왕이 올히 넉여 날마다 숑진의 군ᄉᆞ를 보닉여 ᄡᅡ홈을 지촉ᄒᆞ니, 손확이 바야흐로 군ᄉᆞ를 닉니, 냥진이 고각(鼓角)[256]이 텬디를 움죽이며 션봉 녕신 녀셩 등 십원 딕장이 피갑상【167】마(被甲上馬)ᄒᆞ니, 숑됴 션봉과 거긔장군 셩무와 좌익댱군 녕환과 표긔댱군 문회 등 슈십녀(數十餘) 원(員)으로 더브러 셔로 교봉(交鋒)ᄒᆞ니, 졔장이 각각 빅여 합의 블분승뷔(不分勝負)러니, 교이 진즁의셔 바라보듯가 뇨슐(妖術)을 힝ᄒᆞ여 닙으로 진언(眞言)을 념ᄒᆞ며 부작(符作)을 더지니, 믄득 비운(飛雲)이 참참(參參)[257]ᄒᆞ고 음풍(陰風)이 ᄉᆞ긔(四起)ᄒᆞ며, 텬지 혼흑(昏黑)[258]ᄒᆞ여 지쳑을 분변치 못ᄒᆞᄂᆞᆫ딕, 비ᄉᆞ쥬셕(飛沙走石)[259]ᄒᆞ며, 숑진 댱졸이 눈을

---

268)혼일(混一) : 한데 섞어서 하나로 만듦
269)고각(鼓角) : 군중(軍中)에서 호령할 때 쓰던 북과 나발.
270)참참(參參) : 나란히 빼곡히 들어선 모양.
271)혼흑(昏黑) : 어둡고 몹시 캄캄함.
272)비ᄉᆞ쥬셕(飛沙走石) : 양사주석(揚沙走石). 모래가 날리고 돌멩이가 구른다는 뜻으로, 바람이 세

---

255)혼일(混一) : 한데 섞어서 하나로 만듦
256)고각(鼓角) : 군중(軍中)에서 호령할 때 쓰던 북과 나발.
257)참참(參參) : 나란히 빼곡히 들어선 모양.
258)혼흑(昏黑) : 어둡고 몹시 캄캄함.
259)비ᄉᆞ쥬셕(飛沙走石) : 양사주석(揚沙走石). 모래가 날리고 돌멩이가 구른다는 뜻으로, 바람이 세차게 붊을 이르는 말.

눈을 쓰디 못ᄒ고 황황이 분찬(奔竄)273)ᄒ여 셔로 즛불아274) 죽는 지 브디기쉬(不知其數)오. 또 신병(神兵)이 살츌(殺出)ᄒ니, 졔댱이 ᄡᅩ홀 ᄆᆞ음이 업셔 개갑(介甲)을 버셔 바리며, 도창(刀槍)을 노코 ᄉᆞ산분궤(四散奔潰)275)ᄒ니, 뎍댱이 승승댱구ᄒ여 크게 엄살(掩殺)ᄒ니 숑딘 댱졸 《죽은 거시∥죽엄이 쉬(數)》업더라.

손확이 일딘(一陣)을 대패(大敗)ᄒ미, 스스로 대황대겁(大惶大怯)ᄒ여 급히 징(錚)쳐 군을 거두나, 졔군 ᄉᆞ졸이 밋쳐 슈미(首尾)를 분간치 못ᄒ여, 동셔로 분찬ᄒ여, 날이 져믄 후 비로소 본영의 도라오니,【51】 손확이 졔군을 슈습ᄒ여 졈고(點考)ᄒ미, 댱슈 죽은 지 삼십여 원이오, 상흔 지 슈십이오, ᄉᆞ졸 죽은 지 만여 명이오, 상흔 주는 슈쳔여 인이라. 군듕의 곡셩이 창텬(漲天)ᄒ니, 손확이 비로소 부원슈의 간언을 싱각고 구연(懼然)ᄒ고, 또 댱졸이 만히 상ᄒ니 주못 번뇌ᄒ더라.

이 날 댱샤왕이 대쳡(大捷)ᄒ고 본딘의 도라오니, 교이 마즈 호쥬셩찬(好酒盛饌)으로 하례홀ᄉᆡ, 왕이 친히 잔을 잡아 교ᄋᆞ를 주고, 칭샤 왈,

"금일 ᄡᅩ홈을 니긔믄 다 현비(賢妃)의 신긔묘술(神技妙術)이라 엇디 긔특디 아니리오."

교이 흔흔이 잔을 바다 잉슌(櫻脣)의 졉ᄒ고, 또 일빅를 브어【52】 왕긔 드리고, 치하 왈,

"이는 다 뎐하의 홍복(鴻福)이라. 쳡의 디혜 ᄯᆞ름276)이리오. 슈연(雖然)이나 쳡의 쇼견은 금야의 숑딘을 겁쳑(劫寨)277)ᄒ여 뭇디르고, 손확을 싱금(生擒)ᄒ미 엇더 ᄒ니잇

<hr>

차게 붊을 이르는 말.
273)분찬(奔竄) : 바삐 달아나 숨음.
274)즛불다 : 짓밟다.
275)ᄉᆞ산분궤(四散奔潰) : 사산분주(四散奔走). 사방으로 흩어져 달아남.
276)ᄯᆞ름 : 따름. 뿐. 오로지 그것뿐이고 그 이상은 아님을 나타내는 말.
277)겁쳑(劫寨) : 적의 소굴을 위협하거나 힘으로 빼앗음.

쓰지 못ᄒ고, 황황이 분찬(奔竄)260)ᄒ여 셔로 즛바라261) 죽는 지 브지기쉬(不知其數)오. 또 신병(神兵)이 살츌(殺出)ᄒ니, 졔장이 ᄡᅩ홀 마음이 업셔 개갑(介甲)을 버셔 바리며, 도창(刀槍)을 노코 ᄉᆞ산분궤(四散奔潰)262)ᄒ니, 젹댱이 승승장구ᄒ여 크게 엄살(掩殺)ᄒ니, 숑진 댱졸 죽엄이 쉬 업더라.

손확이 일진(一陣)을 대【168】픠(大敗)ᄒ미 스스로 대황대겁(大惶大怯)ᄒ여 급히 징(錚)쳐 군을 거두나, 졔군 ᄉᆞ졸이 밋쳐 슈미(首尾)를 분간치 못ᄒ여, 동셔로 분찬(奔竄)ᄒ여 날이 져믄 후 비로소 본영의 도라오니, 손확이 졔군을 슈습ᄒ여 졈고(點考)ᄒ미, 댱슈 죽은 지 슴십여 원이오, 상흔 지 슈십이오, ᄉᆞ졸 죽은 지 만여 명이오, 상흔 주는 슈쳔여 ○[인]이라. 군즁의 곡셩이 창텬(漲天)ᄒ니, 손확이 비로소 부원슈의 간언을 싱각고 구연(懼然)ᄒ고, 또 댱졸이 만히 상ᄒ니 주못 번뇌ᄒ더라.

이 날 댱ᄉᆞ왕이 대쳡(大捷)ᄒ고 본진의 도라오니, 교이 마즈 호쥬졍[셩]찬(好酒盛饌)으로 하례홀ᄉᆡ, 왕이 친히 잔을 잡아 교ᄋᆞ를 주고 칭샤 왈'

"금일 ᄡᅩ홈을 니긔믄 다 현비(賢妃)의 신긔묘술(神技妙術)이라. 엇지 긔특지 아니리오"

교이 흔흔이 잔【169】을 바다 잉슌(櫻脣)의 졉ᄒ고, 또 일빅를 부어 왕게 드리고, 치하 왈,

"이는 다 뎐하의 홍복(鴻福)이라. 엇지 지혜 ᄯᆞ름263)이리오. 슈연(雖然)이나 쳡의 쇼견은 금야의 숑진을 겁쳑(劫寨)264)ᄒ여 뭇지르고 손확을 싱금(生擒)ᄒ미 엇더 ᄒ니잇

<hr>

260)분찬(奔竄) : 바삐 달아나 숨음.
261)즛바라다 : 짓밟다.
262)ᄉᆞ산분궤(四散奔潰) : 사산분주(四散奔走). 사방으로 흩어져 달아남.
263)ᄯᆞ름 : 따름. 뿐. 오로지 그것뿐이고 그 이상은 아님을 나타내는 말.
264)겁쳑(劫寨) : 적의 소굴을 위협하거나 힘으로 빼앗음.

고?"

왕이 흔연 쇼왈,

"현비의 말이 당셰(當世) 냥평(良平))[278] 이오 녀듕 영웅이라. 범시 현비의 계교 밧 긔 나디 아니리니, 삼가 ᄀᆞ릇치ᄂᆞᆫ 딕로 ᄒᆞ 리라."

ᄒᆞ고 즉시 졔댱을 모화 약속을 굿게 ᄒᆞ 고, 당야(當夜) 삼경(三更)의 삼군(三軍)[279] 을 거나려 왕이 교아로 더브러 후군이 되여 숑딘의 니르니, 딘듕이 고요ᄒᆞ고 북소릭 어 즈럽거늘, 일시의 고함(高喊)ᄒᆞ고 ᄉᆞ문(四 門)으로 살입(殺入)ᄒᆞ니, 숑딘 댱졸【53】이 무망(無妄)의 변을 만나 아모리 홀 바를 몰 나, 다만 셔로 줏불아 죽ᄂᆞ니 무슈ᄒᆞ며, 닉[280]와 블을 므릅쓰고 어즈러온 시석(矢 石)아릭 황황분찬(遑遑奔竄)ᄒᆞ여, 일야디간 의 빅만 군졸이 편갑도 남디 못ᄒᆞ니, 슬픈 곡셩은 텬디의 ᄉᆞ못고 살벌(殺伐) 소릭 딘 동ᄒᆞ니, 피 흘너 닉히 되고 죽엄 ᄲᅡ힌 거슨 뫼 ᄀᆞᆺ더라. 부원슈 댱운은 형셰 니치 아니 믈 보고, 죽기로뼈 계오 ᄣᅮᆫ 딕를 헤치고 몸 을 버셔나니, 슈하의 빅여 긔 남앗ᄂᆞ딕라. 이의 남영관으로 다라나고, 손확은 이 날 술을 미란이 취ᄒᆞ고 댱듕(堂中)의 언와(偃 臥)ᄒᆞ여 혼혼블셩(昏昏不醒)이어늘, 영신이 대회ᄒᆞ【54】여 댱듕의 돌입ᄒᆞ여 싱금(生 擒)ᄒᆞ여 도라가니라.

댱샤왕 군히(群下)[281] 일군(一軍)[282]을 최촉(催促)ᄒᆞ여 일야디간의 숑딘을 뭇디르 니, 삼경으로브터 붉도록 ᄲᅡ호미 편갑(片甲) 도 남디 아냐시니, 가히 슬프다. 허다 졔댱 군졸이 다 쳥츈 댱년(壯年)으로 손확 무부 의 그릇 브리믈 닙어, 만니 이국의 비명 참 ᄉᆞᄒᆞ여, 삼혼(三魂)[283]이 소산(消散)ᄒᆞ고 칠

고?"

왕이 흔연 쇼왈,

"현비의 말이 당셰(當世) 냥평(良平))[265] 이오, 녀즁 녕웅이라. 범시 현비의 계교 밧 긔 나지 아니리니, 슴가 ᄀᆞ릇치ᄂᆞᆫ 딕로 ᄒᆞ 리라"

ᄒᆞ고 즉시 졔댱을 모화 낙속을 굿게 ᄒᆞ 고, 당야(當夜) 슴경(三更)의 대소 슴군(三 軍)[266]을 거ᄂᆞ려 왕이 교ᄋᆞ로 더브러 후군 이 되여 숑진의 니르니, 진즁이 고요ᄒᆞ고 북소릭 어즈럽거늘, 일시의 고함(高喊)ᄒᆞ고 ᄉᆞ문(四門)으로 살입(殺入)ᄒᆞ니, 숑진 댱졸 이 무망(無妄)의 변을 만나 아모리 홀 줄 몰나, ᄃᆞ【170】만 셔로 줏바라 죽ᄂᆞ 니 무 슈ᄒᆞ며, 닉[267]와 블을 무릅쓰고 어즈러온 시석 아릭 황황분찬(遑遑奔竄)ᄒᆞ여, 일야지 간의 빅만 군졸이 편갑도 남지 못ᄒᆞ니, 슬 픈 곡셩은 텬디의 ᄉᆞ못고 살벌(殺伐) 소릭 진동ᄒᆞ니, 피 흘너 닉히 되고 죽엄 ᄡᅵᆫ 거 슨 뫼 ᄀᆞᆺ더라. 부원슈 댱운은 형셰 니치 아 니믈 보고, 죽기로뼈 계오 ᄣᅮᆫ 딕를 헤치고 몸을 버셔나니, 슈하의 빅여 긔 남앗ᄂᆞ지라. 이의 남녕관으로 다라나고 손확은 이 날 술 을 미란이 취ᄒᆞ고, 댱즁(堂中)의 언와(偃臥) ᄒᆞ여 혼혼블셩(昏昏不醒)이어늘, 녕신이 대 회ᄒᆞ여 댱즁의 돌입ᄒᆞ여 싱금ᄒᆞ여 도라가니 라.

댱ᄉᆞ왕 군히(群下)[268] 일군(一軍)[269]을 최촉(催促)ᄒᆞ여 일야지간의 숑진을 뭇지르 니, 슴경으로브【171】터 붉도록 ᄊᆞ호미 편 갑(片甲)도 남지 아녀시니, 가히 슬프다. 허 다 졔댱 군졸이 다 쳥츈 댱년(壯年)으로 손 확 무부의 그릇 브리믈 닙어, 만니 이국의 비명 참ᄉᆞᄒᆞ여, 삼혼(三魂)[270]이 소산(消散)

---

278) 냥평(良平) : 중국 한(漢)나라 고조의 책사(策士) 장량(張良)과 진평(陳平)을 함께 이르는 말.
279) 삼군(三軍) : 예전에 전군(前軍)·중군(中軍)·후 군(後軍)의 삼군, 또는 좌군(左軍)·중군(中軍)·우 군(右軍)의 삼군을 통틀어서 이르던 말로, 군 전체 를 뜻하는 말.
280) 닉 : 내. 연기.
281) 군히(群下) : 많은 신하. 또는 많은 부하.
282) 일군(一軍) : 온 군대. 전군(全軍)

265) 냥평(良平) : 중국 한(漢)나라 고조의 책사(策士) 장량(張良)과 진평(陳平)을 함께 이르는 말.
266) 삼군(三軍) : 예전에 전군(前軍)·중군(中軍)·후 군(後軍)의 삼군, 또는 좌군(左軍)·중군(中軍)·우 군(右軍)의 삼군을 통틀어서 이르던 말로, 군 전체 를 뜻하는 말.
267) 닉 : 내. 연기.
268) 군히(群下) : 많은 신하. 또는 많은 부하.
269) 일군(一軍) : 온 군대. 전군(全軍)

빅(七魄)284)이 표탕(飄蕩)ᄒ여 운소간(雲霄間)의 늣기고, 혈육이 ᄉ댱(沙場)의 바리여 오작(烏鵲)의 밥이 되니, 부모 쳐직 이시나 흔 조각 형톄를 거두어 풍딘(風塵)의 댱(葬)치 못ᄒ며, 각각 가국(家國)을 쩌날 젹의 인인이 승전개가(勝戰凱歌)로 도라오기를 원ᄒ니, 빅슈 노【55】부모는 등을 두다리고 손을 잡아 함누(含淚) 니별ᄒ고, 홍안쇼쳐(紅顔少妻)는 강보치ᄌ(襁褓稚子)를 안고 눈물을 먹음어 분슈ᄒ기를 늣기니, 가국을 임의 하딕ᄒ미 일월이 임염(荏苒)285)ᄒ니, 혜건딘 학발고당(鶴髮高堂)은 화됴월셕(花朝月夕)의 태항산(太行山) 안개를 바라며, ᄌ식 그리는 눈물은 망ᄌ산(望子山)286)의 어롱져 쵹원(囑願)287)의 이를 {이를} 씃고, 기ᄌ(其子)의 니슬지졍(離膝之情)288)은 빅만군듕(百萬軍中)의 창틱를 베고 시셕(矢石)을 므릅뻐 아으라히 황셩을 바라며, ᄉ친영모(思親永慕)와 공규홍안(空閨紅顔)을 슬허ᄒ니, '쳑피창혜(陟彼嵢兮)여 쳠망부혜(瞻望父兮)'289)와 모혜국아(母兮鞠我)290)여 단장감회(斷腸感懷)ᄒ여, 댱부(丈夫)의 웅심(雄

ᄒ고 칠빅(七魄)271)이 표탕(飄蕩)ᄒ여 운소간(雲霄間)의 늣기고, 혈육이 ᄉ장(沙場)의 ᄇ리여 오작(烏鵲)의 밥이 되니, 부모 쳐직 이시나 흔 조각 형톄를 거두어 풍진(風塵)의 장(葬)치 못ᄒ며, 각각 《가군∥가국(家國)》을 쩌날 젹의 인인이 승젼개가(勝戰凱歌)로 도라오기를 원ᄒ니, 빅슈 노부모는 등을 두다리고 손을 잡아 함누(含淚) 니별ᄒ고, 홍안쇼져(紅顔小姐)는 강보치ᄌ(襁褓稚子)를 안고 눈물을 먹음어 분슈ᄒ기를 늣기니, 가국을 임의 하직ᄒ미 일월이 님염(荏苒)272)ᄒ니, 혜건딘 학【172】발고당(鶴髮高堂)은 화됴월셕(花朝月夕)의 틱항산(太行山) 안개를 바라며, ᄌ식 그리는 눈물은 망ᄌ산(望子山)273)의 어롱져 쵹원(囑願)274)의 이를 씃고, 기ᄌ(其子)의 니슬지졍(離膝之情)275)은 빅만군즁(百萬軍中)의 창씩를 베고 시셕(矢石)을 므릅뻐 아오라히 황셩을 바라며, ᄉ친영모(思親永慕)와 공규홍안(空閨紅顔)을 슬허ᄒ니, 관산(關山)이 쳡쳡(疊疊)ᄒ여 이각(涯角)276)을 즈음치니277), 쳑피창혜(陟彼嵢兮)여 쳠망부혜(瞻望父兮)278)와 모혜국아여(母兮鞠我)279) 단장감회(斷腸

---

283) 삼혼(三魂) : 『불교』 대승기신론에 나오는 세 가지 미세한 정신 작용. 업상(業相), 전상(轉相), 현상(現相)이다.

284) 칠빅(七魄) : 『불교』 죽은 사람의 몸에 남아 있는 일곱 가지의 정령(精靈). 귀, 눈, 콧구멍이 각기 둘이고 입이 하나임을 가리킨다.

285) 임염(荏苒) : 차츰 세월이 지나감. 또는 일이 되어감.

286) 망ᄌ산(望子山) : 집 가까이에 있는 동산 따위의 어버이가 집나간 자식이 돌아오기를 기다리는 산.

287) 쵹원(囑願) : 소원이나 요구를 들어주기를 부탁하고 원함.

288) 니슬지졍(離膝之情) : 자식이 객지에서 어버이를 그리워하는 정.

289) 쳑피창혜(陟彼嵢兮) 쳠망부혜(瞻望父兮) : 『시경(詩經)』 <위풍(魏風)> 척호(陟岵)편에 나오는 시구(詩句). 척피호혜(陟彼岵兮; 산위에 올라) 첨망부혜(瞻望父兮; 아버님 계신 곳 바라보네). 이 시는 군역(軍役)에 나간 병사가 고향에 있는 가족을 그리는 정을 노래한 시다.

290) 모혜국아(母兮鞠我) : 『시경(詩經)』 <소아(小雅)> 요아(蓼莪)편에 나오는 시구(詩句). 부혜생아(父兮生我; 아버님 날 낳으시고) 모혜국아(母兮鞠我; 어머님 날 기르셨네). 이 시는 효자가 어버이를 봉양하지 못하는 일을 한탄하는 내용의 시다.

270) 삼혼(三魂) : 『불교』 대승기신론에 나오는 세 가지 미세한 정신 작용. 업상(業相), 전상(轉相), 현상(現相)이다.

271) 칠빅(七魄) : 『불교』 죽은 사람의 몸에 남아 있는 일곱 가지의 정령(精靈). 귀, 눈, 콧구멍이 각기 둘이고 입이 하나임을 가리킨다.

272) 임염(荏苒) : 차츰 세월이 지나감. 또는 일이 되어감.

273) 망ᄌ산(望子山) : 집 가까이에 있는 동산 따위의 어버이가 집나간 자식이 돌아오기를 기다리는 산.

274) 쵹원(囑願) : 소원이나 요구를 들어주기를 부탁하고 원함.

275) 니슬지졍(離膝之情) : 자식이 객지에서 어버이를 그리워하는 정.

276) 이각(涯角) : 멀리 떨어져 있어 외지고 먼 땅.

277) 즈음치다 : 가로막히다. 격(隔)하다.

278) 쳑피창혜(陟彼嵢兮) 쳠망부혜(瞻望父兮) : 『시경(詩經)』 <위풍(魏風)> 척호(陟岵)편에 나오는 시구(詩句). 척피호혜(陟彼岵兮; 산위에 올라) 첨망부혜(瞻望父兮; 아버님 계신 곳 바라보네). 이 시는 군역(軍役)에 나간 병사가 고향에 있는 가족을 그리는 정을 노래한 시다.

279) 모혜국아(母兮鞠我) : 『시경(詩經)』 <소아(小雅)> 요아(蓼莪)편에 나오는 시구(詩句). 부혜생아

心)이 소삭(消索)ㅎ고 영【56】웅의 눈물이 삼삼(滲滲)ㅎ여291), 굴디계일(屈指計日)ㅎ여 슈히 멸토벌뎍(滅土伐敵)292)ㅎ고 영화로이 승젼가곡(勝戰歌曲)으로 즐거이 환향(還鄕)ㅎ여, 부모 쳐ᄌ를 반기고 됴졍의 후록(厚祿)을 어더, 영현조션(榮顯祖先)293)ㅎ며 이현부모(以顯父母)294)ㅎ여, 일홈이 옥셔(玉署)295)의 오로고 쳥ᄉ(靑史)의 뉴젼(留傳)ㅎ기를 바랏더니, 살운(殺運)이 참혹ㅎ고 시운(時運)이 브졔(不齊)ㅎ며 샹댱(上將)을 그릇 만나므로, 쳥츈댱년(靑春壯年)의 만잉시셕(萬刃矢石)296) 아리 명(命)을 바리니, 엇디 슬프고 앗갑디 아니리오.

평원광야(平原廣野)의 혈뉴셩쳔(血流成川)ㅎ고 젹시여산(積屍如山)ㅎ니, 이 날 죵일토록 일광이 흑쇠(黑色)ㅎ고 텬긔 음음(陰陰)ㅎ며 쳐위(凄雨)297) 몽몽(濛濛)ㅎ니298), 빅만 원빅(寃魄)이 브르디디ᄂ 듯ㅎ더라.

날이 붉으【57】미, 댱샤왕이 교아로 더부러 댱듕의 놉히 안ᄌ, 졔댱의 공을 바들ᄉ, 숑딘 빅만 ᄉ졸이 편갑(片甲)도 남디 아냐시니, 죽은 ᄌᄂ 브디기쉬(不知其數)오, 항ᄌᄂ 계오 만여 명이오, 상흔 지 무슈ㅎ더라. 댱샤왕이 댱듕의 승젼연(勝戰宴)을 크게 빈셜ㅎ고, 잔을 잡아 교아의 공을 치하ㅎ고, 졔댱의 공을 바들ᄉ, 댱슈의 슈급(首級)을 드리는 지 무슈ㅎ고, 대댱군 영신이 손확을 미여 댱젼의 쑬니니, 댱샤왕이 쑤디

感懷)ㅎ여, 댱부의 웅심이 소삭(消索)ㅎ고 녕웅의 눈물이 삼삼(滲滲)ㅎ여280), 굴지계일(屈指計日)ㅎ여 슈히 멸토젹벌(滅土伐敵)281)ㅎ고 녕화로이 승젼가곡(勝戰歌曲)으로 즐거이 환향ㅎ여, 부모 쳐ᄌ를 반기고 됴졍의 후록을 어더, 영현조션(榮顯祖先)282)ㅎ며 이현부모(以顯父母)283)ㅎ여, 일홈이 옥셔(玉書)284)【173】의 오로고 쳥ᄉ(靑史)의 뉴젼(留傳)ㅎ기를 바랏더니, 살운(殺運)이 참혹ㅎ고 시운(時運)이 부졔(不齊)ㅎ며, 상댱(上將)을 그릇 만나므로 쳥츈장년(靑春壯年)의 만잉시셕(萬刃矢石)285) 아리 명을 바리니, 엇지 슬프고 앗갑지 아니리오.

평원광야(平原廣野)의 혈뉴셩쳔(血流成川)ㅎ고 젹시여산(積屍如山)ㅎ니, 이 날 죵일토록 일광이 흑쇠(黑色)ㅎ고 텬긔 음음(陰陰)ㅎ며 쳐위(凄雨)286) 몽몽(濛濛)ㅎ니287), 빅만 원빅(寃魄)이 브릇지지ᄂ 듯ㅎ더라.

날이 붉으미 댱ᄉ왕이 교ᄋ로 더부러 댱즁의 놉히 안ᄌ 졔장의 공을 《드릴‖바들》ᄉ, 승젼연을 크게 빈셜ㅎ고, 잔을 즙아 교아의 공을 치하ㅎ고, 졔장의 공을 《바들ᄉ‖바드니》 댱슈의 슈급을 드리는 지 무슈ㅎ고, 대댱군 녕신○[이] 손확을 미여 댱젼의 쑬니고[니], 왕이 쑤지져 왈,

(父兮生我; 아버님 날 낳으시고) 모혜국아(母兮鞠我; 어머님 날 기르셨네). 이 시는 효자가 어버이를 봉양하지 못하는 일을 한탄하는 내용의 시다.

---

291) 삼삼(滲滲)ㅎ다 : 축축하다. 축축하다. 물에 젖어 물기를 머금고 있다.
292) 멸토벌뎍(滅土伐敵) : 땅을 점령하고 적을 정벌함.
293) 영현조션(榮顯祖先) : 조상을 빛내 영화롭게 함.
294) 이현부모(以顯父母) : 부모를 세상에 드러냄.
295) 옥셔(玉署) : 조선시대의 홍문관(弘文館)을 달리 이르는 말. 궁중의 서책 문서 따위를 관리하고 임금의 자문에 응하는 일을 맡아보았다. 본문의 '옥서에 이름이 오른다'는 말은 사책(史冊)에 이름이 오르는 것을 뜻하는 말이다.
296) 만잉시셕(萬刃矢石) : 수많은 칼날이 맞부딪치고 화살과 돌이 어지럽게 날고 구름.
297) 쳐위(凄雨) : 찬 비.
298) 몽몽(濛濛)ㅎ다 : 비, 안개, 연기 따위가 자욱하다.

280) 삼삼(滲滲)ㅎ다 : 축축하다. 축축하다. 물에 젖어 물기를 머금고 있다.
281) 멸토벌뎍(滅土伐敵) : 땅을 점령하고 적을 정벌함.
282) 영현조션(榮顯祖先) : 조상을 빛내 영화롭게 함.
283) 이현부모(以顯父母) : 부모를 세상에 드러냄.
284) 옥셔(玉署) : 조선시대의 홍문관(弘文館)을 달리 이르는 말. 궁중의 서책 문서 따위를 관리하고 임금의 자문에 응하는 일을 맡아보았다. 본문의 '옥서에 이름이 오른다'는 말은 사책(史冊)에 이름이 오르는 것을 뜻하는 말이다.
285) 만잉시셕(萬刃矢石) : 수많은 칼날이 맞부딪치고 화살과 돌이 어지럽게 날고 구름.
286) 쳐위(凄雨) : 찬 비.
287) 몽몽(濛濛)ㅎ다 : 비, 안개, 연기 따위가 자욱하다.

져 왈,

"필뷔 모일의 과인을 디흐여 큰 말 흐더니, 엇디 헛도이 잡혀 왓느뇨? 네 만일 항복흐면 죽이디 아니리라."

손확이 머리를 숙이고 탄왈,

"오날 이에 니르【58】믄 댱운의 간언을 듯디 아닌 연괴라. 스스로 용녈흐니 슈한슈원(誰恨誰怨)이리오. 그러나 머리 업순 댱군은 이시나 항복흔 댱군은 업다 흐니, 다만 죽을 쓰룸이라."

왕이 노흐여 미러니여 버히라 흐거늘, 교이 말녀 왈,

"져런 용녈흔 필부○[를] 죽이미 므어시 밧브리잇고. 아딕 군듕의 가도아 두엇다가 댱운을 마즈 잡거든 흔가디로 버혀, 긔(旗)예 제(祭)흐고 위엄을 빗니미 올흐니이다."

왕이 쇼왈,

"현비는 녀듕 제갈(諸葛)299)이라. 스스의 디족다모(知足多謀)흐니 당당이 현비의 ᄀᆞ르친 디로 흐리라."

흐고 손확을 함거(檻車)의 가도아 군듕의 구류(拘留)흐라 흐니, 영신 등【59】제댱이 다 왕후의 신긔묘산을 일ᄏᆞ라 하례흐니, 왕이 더욱 깃거흐고, 교아는 예긔(銳氣) 비비(倍倍)흐여 응당 뎨도(帝都)를 뭇디르고, 져히 부뷔 뎨후(帝侯)의 부귀와 만승디귀(萬乘之貴)를 어들 듯 환희ᄌᆞ락(歡喜自樂)흐더라.

댱샤 군신이 셔로 잔을 드러 공을 하례흐고, 상을 논품흐여 죵일 연낙홀시, 교이 믄득 잔을 잡고 아미를 숙여 은은이 싱각는 빗치 잇거늘, 왕이 괴이히 넉여 문왈,

"오날 승젼(勝戰) 연음(宴飲)흐미 가히 국가의 경시어늘, 현비 엇디 즐기디 아니흐느

299)제갈(諸葛) : 제갈량(諸葛亮). 181~234. 중국 삼국 시대 촉한의 정치가. 자(字)는 공명(孔明). 시호는 충무(忠武). 뛰어난 군사 전략가로, 유비를 도와 오(吳)나라와 연합하여 조조(曹操)의 위(魏)나라 군사를 대파하고 파촉(巴蜀)을 얻어 촉한을 세웠다. 유비가 죽은 후에 무향후(武鄕侯)로서 남방의 만족(蠻族)을 정벌하고, 위나라 사마의와 대전 중에 병사하였다

"너【174】 필뷔 모일의 과인을 디흐여 큰 말 흐더니, 엇지 헛도이 잡혀 왓느뇨? 네 만일 항복흐면 죽이지 아니리라"

손확이 머리를 숙이고 탄왈,

"오늘 이의 니ᄅᆞ믄 댱운의 간언을 듯지 아닌 연괴라. 스스로 농녈흐니 슈한슈원(誰恨誰怨)이리오. 그러나 머리 업순 댱군은 이시나 항복흔 쟝군은 업다 흐니, 다만 죽을 쓰룸이라."

왕이 노흐여 미러니여 버히라 흐거늘, 교이 말녀 왈,

"져런 농녈흔 필부 죽이미 므어시 밧브리오. 아직 군즁의 가도아 두엇ᄃᆞᄀ 댱운을 마즈 졉거든 흔가지로 버혀, 긔(旗)예 제(祭)흐고 위엄을 빗니미 올흐니이다."

왕이 쇼왈,

"현비는 녀즁 제갈(諸葛)288)이라 스스의 지족다모(知足多謀)흐니 당【175】당이 현비의 ᄀᆞ르친디로 흐리라"

흐고 손확을 함거의 가도아 군즁의 구류흐라 흐니, 녕신 등 제댱이 다 왕후의 신긔묘산을 닐ᄏᆞ라 하례흐니, 왕이 더욱 깃거흐고 교ᄋᆞ는 예긔(銳氣) 비비(倍倍)흐여 응당 뎨도(帝都)를 뭇지르고, 져히 부뷔 뎨후(帝侯)의 부귀와 만승지귀(萬乘之貴)를 어들 듯 환희ᄌᆞ약[락](歡喜自樂)흐더라.

댱ᄉᆞ 군신이 셔로 잔을 드러 공을 하례흐고, 상을 논품흐여 죵일 년낙홀시, 교이 믄득 잔을 졉고 아미를 숙여 은은이 싱각는 빗치 잇거늘, 왕이 고이히 넉여 문왈,

"오늘 승젼(勝戰) 년음(宴飲)흐미 가히 국가의 경시어늘, 현비 엇지 즐기지 아니흐느

288)제갈(諸葛) : 제갈량(諸葛亮). 181~234. 중국 삼국 시대 촉한의 정치가. 자(字)는 공명(孔明). 시호는 충무(忠武). 뛰어난 군사 전략가로, 유비를 도와 오(吳)나라와 연합하여 조조(曹操)의 위(魏)나라 군사를 대파하고 파촉(巴蜀)을 얻어 촉한을 세웠다. 유비가 죽은 후에 무향후(武鄕侯)로서 남방의 만족(蠻族)을 정벌하고, 위나라 사마의와 대전 중에 병사하였다

뇨?"

교이 빈미(嚬眉) 디왈,

"오날늘 승젼ᄒ기는 손확의 디혜 업고 용널ᄒ미라. 텬됴의 사롬이 만코【60】인지셩다 ᄒ니, 만일 디용모ᄉ(智勇謀士)를 만나면, 졸연이 대업을 일우기 어려올 ᄃᆺᄒ고, 첩이 ᄯᅩ 젼일 황도의 이실 졔 윤광텬의 집이 장원(牆垣)이 격ᄒ고, 비복(婢僕)이 셔로 왕ᄂᆡᄒ므로 문견이 셔의(齟齬)치 아닌 고로, 광텬의 비상ᄒᆫ 지덕을 ᄌᆞ시 아ᄂᆞ니라. 광텬이 이졔 손확의 히를 버셔나 도망ᄒ여시니, 만일 먼니 도망ᄒ여시면 됴ᄒ려니와, 이졔 오히려 댱운이 패잔병을 거ᄂᆞ려 다ᄅᆞ는 ᄉᆞ이니, 광텬이 어딕 숨엇다가 댱운을 만나 패잔군을 슈습ᄒ여 결젼ᄒᆞᆫ즉, 이ᄂᆞᆫ 댱샤 졔댱의 덕쉬 아니라. 승패를 혜아리기 어려오니【61】첩의 근심ᄒᄂᆞᆫ 바ᄂᆞᆫ 이를 위ᄒ미라."

왕이 놀나 니르딕,

"이 ᄀᆞᆺᄐ면 엇디 ᄒ리오. 현비의 신츌귀몰ᄒᄂᆞᆫ 지조로 윤광텬을 업시치 못ᄒ리오?"

교이 침음ᄒ다가 왈,

"대왕은 놀나디 마르쇼셔. 첩이 일계 잇ᄂᆞ니, 혜건딕 광텬이 밋쳐 먼니 도망치 못ᄒ고 근쳐 산간의 숨엇기 괴이치 아닐 ᄃᆺ시브니, 대왕이 급히 군ᄉᆞ를 ᄉᆞ쳐(四處)의 홋터, 녀항(閭巷) 촌가와 심산궁곡의 방방곡곡이 츄심(推尋)ᄒ여, 광텬을 잡아 죽이면 근심이 업스리이다."

왕이 본딕 교아의 말인즉 언쳥계용(言聽計用)300)ᄒ여 디록위마(指鹿爲馬)301)라 ᄒ여도 고디 듯ᄂᆞ니라. ᄀᆞ장 올히 녁여 즉시 군댱ᄉᆞ졸(軍將士卒)【62】을 불너 교아의 말딕로 하령(下令)ᄒ니, 졔댱이 니르딕,

---

뇨"

교이 빈미(嚬眉) 디왈,

"오늘날 승젼ᄒ기는 손확의 지【176】혜 업고 용널ᄒ미라. 텬됴의 ᄉᆞ람이 만코 인지셩다 ᄒ니, 만닐 지용모ᄉ(智勇謀士)를 만나면 졸연이 대업을 닐우기 어려올 ᄃᆺᄒ고, 첩이 ᄯᅩ 젼일 황도의 이실 졔 윤광텬의 집이 장원(牆垣)이 격ᄒ고, 비복(婢僕)이 셔로 왕ᄂᆡᄒ므로 문견이 셔의(齟齬)치 아닌 고로, 광텬의 비상ᄒᆫ 지덕을 ᄌᆞ시 아ᄂᆞ지라. 광텬이 이졔 손확의 히를 버셔나 도망ᄒ여시니, 만닐 먼니 도망ᄒ여시면 됴ᄒ려니와, 이졔 오히려 댱운이 픽장[잔]군(敗殘軍)을 거ᄂᆞ려 다ᄅᆞ난 ᄉᆞ이니, 광텬이 어딕 숨엇다가 댱운을 만나 픽잔군 슈습ᄒ여 결젼ᄒᆞᆫ즉, 이ᄂᆞᆫ 댱ᄉᆞ 졔댱의 젹쉬(敵手) 아니라. 승픽를 혜아리기 어려오니 첩이 근심ᄒᄂᆞᆫ【177】바ᄂᆞᆫ 이를 위ᄒ미라"

왕이 놀나 닐오딕,

"이 ᄀᆞᆺᄐᆯ진딕 장ᄎᆞᆺ 엇지 ᄒ리오. 현비의 신츌귀몰ᄒᄂᆞᆫ 지조로 윤광텬을 업시치 못ᄒ리오?"

교이 침음ᄒ다가 왈,

"대왕은 놀나지 마ᄅᆞ쇼셔. 첩이 일계 잇ᄂᆞ니, 혜건딕 광텬이 밋쳐 먼니 도망치 못ᄒ고 근쳐 산간의 숨엇기 괴이치 아닐 ᄃᆺ시브니, 대왕이 급히 군ᄉᆞ를 ᄉᆞ쳐(四處)의 홋터, 《녕항∥녀항(閭巷)》 촌가와 심산궁곡의 방방곡곡이 츄심(推尋)ᄒ여 광텬을 잡아 죽이면 근심이 업스리이다"

왕이 본딕 교아의 말인즉 언쳥계용(言聽計用)289)ᄒ여 지록위마(指鹿爲馬)290)라 ᄒ여도 고지 듯ᄂᆞ지라. ᄀᆞ장 올히 녁여 즉시 군댱ᄉᆞ졸(軍將士卒)을 불너 교ᄋᆞ의 말딕로【178】하령(下令)ᄒ니, 졔장이 닐ᄋᆞ딕,

---

300)언쳥계용(言聽計用) : 말을 받아들이고 계략을 채택하여 씀.

301)디록위마(指鹿爲馬) : 윗사람을 농락하여 권세를 마음대로 함을 이르는 말. 중국 진(秦)나라의 조고(趙高)가 자신의 권세를 시험하여 보고자 황제 호해(胡亥)에게 사슴을 가리키며 말이라고 한 데서 유래한다.

289)언쳥계용(言聽計用) : 말을 받아들이고 계략을 채택하여 씀.

290)지록위마(指鹿爲馬) : 윗사람을 농락하여 권세를 마음대로 함을 이르는 말. 중국 진(秦)나라의 조고(趙高)가 자신의 권세를 시험하여 보고자 황제 호해(胡亥)에게 사슴을 가리키며 말이라고 한 데서 유래한다.

낙선제본 명듀보월빙 권디뉵십삼   91   명쥬보월빙 권지이십삼 박순호본

"왕후 낭낭의 {낭낭의} 신긔묘산으로 손확의 빅만지듕(百萬之衆)도 일야디간(一夜之間)의 뭇딜넛거든, 구상유취(口尙乳臭)302) 마르디 아닌 윤광텬 ᄀᆞᆺ튼 거슬 근심ᄒᆞ리잇가?"

왕이 골오ᄃᆡ,

"ᄂᆡ뎐(內殿)303)이 니르ᄃᆡ, 일즉 윤가의 집과 년장ᄃᆡ문(連墻大門)ᄒᆞ여 그 ᄌᆞ조를 붉히 아더니라 ᄒᆞ고, 브ᄃᆡ 츠인을 몬져 죽여야 대ᄉᆞ를 일우고 후환이 업스리라 ᄒᆞᄂᆞ니, 너희 졔신은 범연이 아디 말고, 방방곡곡이 심방ᄒᆞ여 브ᄃᆡ 윤광텬의 슈급을 어더 드리면, 쳔금상(千金賞)과 만호후(萬戶侯)를 앗기디 아니ᄒᆞ리라."

ᄒᆞ니, 졔댱이 ᄯᅩᄒᆞᆫ 왕비 알기를 텬신ᄀᆞᆺ치 아【63】ᄂᆞ 고로, 일시의 쳥녕(聽令)ᄒᆞ고 물너나, 군졸을 일쳐의 슈십 명식 뎡ᄒᆞ여 십여 쳐의 훗터, 윤참모의 종뎍을 심방ᄒᆞ라 ᄒᆞ니, 졔군이 다 후ᄒᆞᆫ 작상을 엇고져 ᄒᆞ여, 져마다 용약ᄒᆞ여 심산궁곡이며 산촌야졈(山村野店)304)의 방방곡곡이 은밀ᄒᆞᆫ ᄌᆞ최를 심방ᄒᆞ여 아니 밋춘 곳이 업고, 왕과 교아이 ᄯᅩ ᄉᆞ문의 방 붓쳐 구식(求索)ᄒᆞ니, 일읍이 딘경ᄒᆞ여 너비 구식ᄒᆞᆷ를 마디 아니ᄒᆞ니, 만일 종뎍이 심밀치 못ᄒᆞᆫ죽 면키 어렵더라. 댱샤왕의 역텬무도(逆天無道)홈과 교아의 비부실졀(背夫失節)ᄒᆞᆫ 음부(淫婦)의 용심을 하날이 엇디 벌치 아니시리오.

댱샤왕이 숑딘을 파ᄒᆞ고 손확【64】을 싱금ᄒᆞᄆᆡ, 의긔 더욱 호활(豪活)ᄒᆞ여 군ᄉᆞ를 훈련ᄒᆞ며 병마를 뎡졔ᄒᆞ여, 퇴일ᄒᆞ여 슈히 황셩으로 향ᄒᆞ랴 ᄒᆞᄂᆞ디라. 쳬탐이 보왈,

"부원슈 댱운이 패잔여병(敗殘餘病)을 거ᄂᆞ려 남영관의 머르러 안병브동(按兵不動)305)ᄒᆞ고 텬됴의 구완306)을 기다린다 ᄒᆞ

---

302) 구상유취(口尙乳臭) : 입에서 아직 젖내가 난다는 뜻으로, 말이나 행동이 유치함을 이르는 말.
303) ᄂᆡ뎐(內殿) : =중궁전(中宮殿). 왕비가 거처하던 궁전으로, '왕비(王妃)'를 높여 이르던 말.
304) 산촌야졈(山村野店) : 산간의 시골에 있는 객점.
305) 안병브동(按兵不動) : 진군하던 군대를 한곳에

"왕후 낭낭의 신긔묘산으로 손확의 빅만지즁(百萬之衆)도 일야지간(一夜之間)의 뭇 질넛거든, 구상유취(口尙乳臭)291) 마르지 아닌 윤광텬 ᄀᆞᆺ튼 거슬 근심ᄒᆞ리잇가?"

왕이 골오ᄃᆡ,

"ᄂᆡ뎐(內殿)292)이 닐으ᄃᆡ, 일즉 윤가의 집과 년장ᄃᆡ문(連墻大門)ᄒᆞ여 그 ᄌᆞ조를 붉히 아더니라 ᄒᆞ고, 브ᄃᆡ 츠인을 몬져 죽여야 대ᄉᆞ를 닐우고 후환이 업스리라 ᄒᆞᄂᆞ니, 너히 졔신은 범연이 아지 말고 방방곡곡 심방ᄒᆞ여, 브ᄃᆡ 윤광텬의 슈급을 어더 드리면, 쳔금상(千金賞)과 만호후(萬戶侯)를 앗기지 아니ᄒᆞ리라."

ᄒᆞ니, 졔댱이 ᄯᅩᄒᆞᆫ 왕비 알기를 텬신ᄀᆞᆺ치 아ᄂᆞ 고로, 일시의 쳥녕ᄒᆞ고 물너나 군졸을 일쳐의 슈십 명식【179】 뎡ᄒᆞ여 십여 쳐의 흐터, 윤참모의 종젹을 심방ᄒᆞ라 ᄒᆞ니, 졔군이 다 후ᄒᆞᆫ 작상을 엇고져 ᄒᆞ여, 져마다 용약ᄒᆞ여 심산 궁곡이며 산촌야졈(山村野店)293)의 방방곡곡이 은밀ᄒᆞᆫ ᄌᆞ최를 심방ᄒᆞ여 아니 밋춘 곳이 업고, 왕과 교아이 ᄯᅩ ᄉᆞ문의 방 붓쳐 구식ᄒᆞ니, 일읍이 진경ᄒᆞ여 너비 구식ᄒᆞᆷ를 마지 아니ᄒᆞ니, 만일 종젹이 심밀치 못ᄒᆞᆫ죽 면키 어렵더라. 댱ᄉᆞ왕의 녁텬무도(逆天無道)홈과 교ᄋᆞ의 비부실졀(背夫失節)ᄒᆞᆫ 용심을 하늘이 엇지 벌치 아니시리오.

댱ᄉᆞ왕이 숑진을 파ᄒᆞ고 손확을 싱금ᄒᆞᄆᆡ, 의긔 더욱 호활(豪活)ᄒᆞ여 군ᄉᆞ를 훈련ᄒᆞ며 병마를 정졔ᄒᆞ여, 퇴일ᄒᆞ여 슈히 황셩으로 향ᄒᆞ려【180】ᄒᆞᄂᆞ지라. 쳬탐이 ○○ [보왈],

"부원슈 댱운이 픽잔여병(敗殘餘病)을 거ᄂᆞ려 남영관의 머므러 안병부동(按兵不動)294)ᄒᆞ고, 텬됴의 구완295)을 기다린다 ᄒᆞ

---

291) 구상유취(口尙乳臭) : 입에서 아직 젖내가 난다는 뜻으로, 말이나 행동이 유치함을 이르는 말.
292) ᄂᆡ뎐(內殿) : =중궁전(中宮殿). 왕비가 거처하던 궁전으로, '왕비(王妃)'를 높여 이르던 말.
293) 산촌야졈(山村野店) : 산간의 시골에 있는 객점.
294) 안병브동(按兵不動) : 진군하던 군대를 한곳에

거늘, 댱샤왕이 호긔 비비(倍倍)ᄒᆞ여시ᄆᆡ,
쇼왈

"손확 용녈ᄒᆞᆫ 거시 님군의 명을 바다 니
르러, 쳔원 빙댱과 빅만 웅병을 몰슈히 젼
망(戰亡)ᄒᆞ고, 졔 ᄯᅩ 과인의게 슬오잡힌 빅
되어시니, 문무 됴신의 듯ᄂᆞ 직 뉘 아니 놀
나리오. 엇던 담 큰 지 엇디 감히 츠쳐의
나아와 승부를 닷토며, 죽기를 ᄌᆞ취(自取)ᄒᆞ
리【65】오. 과인이 임의 부유ᄉᆞ힌(富有四
海)307)ᄒᆞ고 귀위텬ᄌᆞ(貴爲天子)308)홀 복이
잇ᄂᆞᆫ 고로, 닉궁의 태샤(太姒)309) ᄀᆞᆺᄐᆞᆫ 뎡
궁이 이셔 냥평(良平)310)의 디혜 잇고, 밧
그로 영신 형급 ᄀᆞᆺᄐᆞᆫ 대댱이 이셔, 졔갈(諸
葛)311)의 슬긔와 한신(韓信)312) 쥬아부(周
亞夫)313)의 용뮈(勇武) 이시니, 비록 텬댱
(天將)이 강님(降臨)ᄒᆞ고 신병(神兵)이 니른
들 므어시 두리오리오."

ᄒᆞ고, ᄯᅩ 댱슈를 날마다 남영관의 보ᄂᆡ여
ᄡᅡ홈을 도도며, 군ᄉᆞ로 ᄒᆞ여금 만단슈욕(萬
端數辱)ᄒᆞ여, 댱원쉬 격분ᄒᆞ여 나 ᄡᅡ호거든
계교로 슬오잡으려 ᄒᆞ나, 댱원쉬 종시 쳥이
블문(聽而不聞)ᄒᆞ여 셩문을 굿이 닷고 나디
아니ᄒᆞ고, 샤ᄌᆞ를 황도의 보ᄂᆡ고 굴디계일
ᄒᆞ여 완병314)을 기다리며, 뎍군의 무슈ᄒᆞᆫ
욕셜을 당ᄒᆞ【66】ᄆᆡ, 분완 통히ᄒᆞᄆᆞᆯ 니긔
디 못ᄒᆞ여 ᄉᆞᄉᆞ의 손확의 용녈ᄒᆞᄆᆞᆯ 이둘니

거늘, 댱ᄉᆞ왕이 호긔 비비ᄒᆞ여시ᄆᆡ, 쇼왈,

"손확 뇽녈ᄒᆞᆫ 거시 님군의 명을 바다 니
르러, 쳔원 빙댱과 빅만 웅졸이 몰수히 젼
망(戰亡)ᄒᆞ고, 졔 ᄯᅩ 과인의게 ᄉᆞ로잡힌 빅
되여시니, 문무 됴신의 듯ᄂᆞ 직 뉘 아니 놀
나리오. 엇던 담 큰 지 엇지 감히 츠쳐의
ᄂᆞ아와 승부를 둣토며 죽기를 ᄌᆞ취ᄒᆞ리오.
과인이 임의 부유ᄉᆞ힌(富有四海)296)ᄒᆞ고 귀
위텬ᄌᆞ(貴爲天子)297)홀 복이 잇ᄂᆞᆫ 고로, 닉
궁의 ᄐᆡᄉᆞ(太姒)298) ᄀᆞᆺᄐᆞᆫ 졍궁이 이셔 냥평
(良平)299)의 지혜 잇고, 밧그로 녕신 형급
ᄀᆞᆺᄐᆞᆫ 대장이 이셔 졔갈(諸葛)300)의 슬긔와
한【181】신(韓信)301) 쥬아부(周亞夫)302)의
용뮈(勇武) 이시니, 비록 텬댱(天將)이 강님
(降臨)ᄒᆞ고 신병(神兵)이 니른들 무어시 두
리리오"

ᄒᆞ고, ᄯᅩ 댱슈를 날마다 남녕관의 보ᄂᆡ여
ᄡᅡ홈을 도도며, 군ᄉᆞ로 ᄒᆞ여금 만단슈뉵(萬
端數辱)ᄒᆞ여, {댱원쉬} 댱원쉬 격분ᄒᆞ여 나
ᄡᅡ호거든 계교로 ᄉᆞ로잡아 엄살코ᄌᆞ ᄒᆞ나,
댱원쉬 {동시} 동시 쳥이불문(聽而不聞)ᄒᆞ
여 셩문을 구지 닷고 나지 아니ᄒᆞ고, ᄉᆞᄌᆞ
를 황도의 보ᄂᆡ고 굴지계일ᄒᆞ여 완병303)을
기다리며, 젹군의 무슈ᄒᆞᆫ 욕셜을 당ᄒᆞᄆᆡ 분
완 통히ᄒᆞᄆᆞᆯ 니긔지 못ᄒᆞ여 ᄉᆞᄉᆞ의 손확의

멈추어 두고 움직이지 않음.
306)구완 : 구원(救援). 어려움이나 위험에 빠진 사람
    을 구하여 줌.
307)부유ᄉᆞ힌(富有四海) : 천하의 부(富)를 수중(手中)
    에 둠.
308)귀위텬ᄌᆞ(貴爲天子) : 천자가 되어 그 귀(貴)를
    누림.
309)태샤(太姒) : 중국 주나라 문왕의 비.
310)냥평(良平) : 중국 한(漢)나라 때의 책사(策士) 장
    량(張良)과 진평(陳平)을 함께 이르는 말.
311)졔갈(諸葛) : 중국 삼국 시대 촉한의 정치가 제
    갈량(諸葛亮; 181-234).
312)한신(韓信) : 중국 전한의 무장(武將). 한(漢) 고
    조를 도와 조(趙)·위(魏)·연(燕)·제(齊)나라를
    멸망시키고 항우를 공격하여 큰 공을 세웠다.
313)쥬아부(周亞夫) : 중국 전한(前漢) 전기의 무장,
    오초칠국(吳楚七國)의 난을 평정해 공을 세웠고
    승상에 올랐다.
314)완병 : 원병(援兵). 구원하기 위하여 파견하는 군
    대나 병사.

멈추어 두고 움직이지 않음.
295)구완 : 구원(救援). 어려움이나 위험에 빠진 사람
    을 구하여 줌.
296)부유ᄉᆞ힌(富有四海) : 천하의 부(富)를 수중(手中)
    에 둠.
297)귀위텬ᄌᆞ(貴爲天子) : 천자가 되어 그 귀(貴)를
    누림.
298)ᄐᆡᄉᆞ(太姒) : 중국 주나라 문왕의 비.
299)냥평(良平) : 중국 한(漢)나라 때의 책사(策士) 장
    량(張良)과 진평(陳平)을 함께 이르는 말.
300)졔갈(諸葛) : 중국 삼국 시대 촉한의 정치가 제
    갈량(諸葛亮; 181-234).
301)한신(韓信) : 중국 전한의 무장(武將). 한(漢) 고
    조를 도와 조(趙)·위(魏)·연(燕)·제(齊)나라를
    멸망시키고 항우를 공격하여 큰 공을 세웠다.
302)쥬아부(周亞夫) : 중국 전한(前漢) 전기의 무장,
    오초칠국(吳楚七國)의 난을 평정해 공을 세웠고
    승상에 올랐다.
303)완병 : 원병(援兵). 구원하기 위하여 파견하는 군
    대나 병사.

넉이고, 졔댱ᄉ졸(諸將士卒)의 전망(戰亡)ᄒ 믈 불승이감(不勝哀感)ᄒ여 신셕(晨夕)의 우 탄(憂嘆)ᄒ며, 강뎍(强敵)의 흉녕ᄒ믈 근심 ᄒ여, 힝혀 셩듀의 디우(知遇)를 져ᄇ려 싱 녕을 탕화의 건디디 못ᄒᆯ가 쥬야 졀민(切 憫)ᄒ더니, 안병 슌여(旬餘)의 쳬탐의 보ᄒ 믈 조ᄎ 깃븐 소식이 몬져 니르니, 이 다르 미 아니라 망명도쥬ᄒ여 거쳐를 모른다 ᄒ 던 윤참뫼라. 댱원쉬 대경대희ᄒ여 딘뎍ᄒ 회보를 기다리더니, 과연 윤참모의 샤인(使 人)이 니르러 참모의 셔신을 올니니, 패잔 여군(敗殘餘軍)을 슈습ᄒ여 월산셩의 니르 러 셔로 보미,【67】반기고 깃브미 형언치 못ᄒ여 골육 동긔 써낫다가 맛남 ᄀ더라. 셔로 디난 바를 니를ᄉᆡ 피ᄎ 졍의 샹득ᄒ 여, 댱원슈는 윤참모 구ᄒ 도인을 은혜로 일ᄏ고, 참모는 손원슈의 병파신망(兵破身 亡)ᄒ미 국가의 불힝이믈 일ᄏ라 셜홰 탐탐 ᄒ더라.

원닉 윤참모를 구ᄒ 바 도인은 하인야(何 人也)오? 아디 못게라.

화셜, 션시의 뎡슉녈이 만만 브득이 규리 (閨裏)의 ᄌ최로뼈, 남의(男衣)를 개챡(改着) ᄒ미, 흉인의 엿보는 화를 두려 공연이 망 명디인(亡命之人)이 되어, 비ᄌ 홍션으로 더 브러 고고흔 ᄌ최, 텬히 너르나 일신 쥬챡 (住着)315)이 업고, 집이 이시나 능히 갈 곳 이 업셔, 뎡쳐 업슨 가온【68】디 일신 쥬 챡도 어렵거늘, 남쇼져의 목젼 ᄉ화(死禍)를 아니 구치 못ᄒ여, 의긔현심(義氣賢心)으로 남희쥬의 방신(芳身)을 ᄉ디의 구활ᄒ여, 결 약ᄌ미(結約姉妹)ᄒ여 타일 '황녕(皇英)의 셩ᄉ(盛事)'316)를 입닉ᄂ고져317) ᄒ여 졍의 골육 ᄀ트니, 니른바 이신일심(二身一心)이 라. 거취를 ᄒᆞ가디로 ᄒᆞᆯ ᄯᅳᆺ이 이시나, 다만 안뎡ᄒ 쳐소를 엇디 못ᄒ여 민울ᄒ더니, 의

용녈을 이돌니 넉이고, 졔댱ᄉ졸(諸將士卒) 의 젼ᄉ(戰死)ᄒ믈 불승이감(不勝哀感)ᄒ여, 신셕(晨夕)의 우탄(憂嘆)ᄒ며, 강뎍의 효용 (驍勇)ᄒ믈 근심ᄒ여, 힝혀 셩【182】쥬의 지우(知遇)를 져ᄇ려 싱녕을 탕화의 건지지 못ᄒᆯ가 쥬야 졀민(切憫)ᄒ더니, 안병 슌여 (旬餘)의 쳬탐의 보ᄒ믈 조ᄎ 깃븐 소식이 몬져 니르니, 이 드라미 아니라 망명도쥬ᄒ 여 거쳐를 모른다 ᄒ던 윤참뫼라. 댱원쉬 딕경딕희ᄒ여 진젹흔 회보를 기다리더니, 과연 윤참모의 ᄉ인(使人)이 니르러 참모의 셔신을 올니니, 픽잔여군(敗殘餘軍)을 슈습 ᄒ여 월산셩의 니르러 셔로 보미, 반기고 깃브미 형언치 못ᄒ여 골육 동긔 써낫ᄃ가 맛남 ᄀ더라. 셔로 지난 바를 닐을ᄉᆡ 피ᄎ 졍의 샹득ᄒ여, 댱원슈는 윤참모 구ᄒ 도인 을 은혜로 닐ᄏ고, 참모는 손원【183】슈의 병파신망(兵破身亡)ᄒ미 국가의 불힝이믈 닐ᄏ라 셜홰 탐탐ᄒ더라.

원닉 윤참모를 구ᄒ 바 도인은 하쳐츌(何 處出)인고? 아지 못게라, ᄎᆞ간(且看) 하회 (下回) ᄒ라.

화셜, 션시의 뎡슉녈이 만만 부득이 규리 (閨裏)의 ᄌ최로뼈 남의(男衣)를 기챡(改着) ᄒ미, 흉인의 넛보는 화를 두려 공연이 망 명지인(亡命之人)이 되어, 비ᄌ 홍션으로 더 브러 고고흔 ᄌ최 텬히 너르나 일신 쥬챡 (住着)304)이 업고, 집이 이시나 능히 갈 곳 이 업셔, 졍쳐 업슨 ᄀ온딕 일신 쥬챡도 어 렵거늘, 남쇼져의 목젼 ᄉ화(死禍)를 아니 구치 못ᄒ여, 의긔현심(義氣賢心)으로 남희 쥬의 방신(芳身)을 ᄉ지의 구활ᄒ여, 결약ᄌ 미(結約姉妹)ᄒ여 셕일 '황녕(皇英)의 셩ᄉ (盛事)'305)를 닙【184】닉ᄂ고ᄌ306) ᄒ여 졍의 골육 ᄀ트니, 니른바 이신일심(二身一 心)이라. 거취를 흔가지로 ᄒᆞᆯ ᄯᅳᆺ이 이시나, 다만 안졍흔 쳐소를 엇지 못ᄒ여 민울ᄒ더

---

315)쥬착(住着) : 일정한 곳에 머물러 있음.
316)황영(皇英)의 셩ᄉ(盛事) : 중국 요(堯)임금의 두 딸인 아황(娥皇)과 여영(女英)이 함께 순(舜)에게 시집 가, 서로 화목하며 순임금을 섬겼던 일.
317)입닉ᄂ다 : 흉내 내다.

304)쥬착(住着) : 일정한 곳에 머물러 있음.
305)황영(皇英)의 셩ᄉ(盛事) : 중국 요(堯)임금의 두 딸인 아황(娥皇)과 여영(女英)이 함께 순(舜)에게 시집 가, 서로 화목하며 순임금을 섬겼던 일.
306)입닉ᄂ다 : 흉내 내다.

외 화공을 만나믹, 평댱(平章)318)이 일안의
그 옥모영풍(玉貌英風)을 크게 스랑흐고, 또
비셔(秘書) 샤어(辭語)를 조ᄎᆞ, 쇼녀(小女)의
텬연이 윤가의 이시믈 혜려, 뎡·남 이
쇼져를 간졀이 쳥흐여, 본부의 도라와 친ᄉᆞ
를 뇌뎡흐여, 뎡쇼져로 동상(東床)의 교긱
(嬌客)319)을【69】삼아, 녀ᄋᆞ로 더브러 화
쵹의 깃드리ᄂᆞᆫ 즈미를 일우믹, 부부의 긔화
(奇花) 명월(明月) ᄀᆞᆺ튼 긔질을 만분 닉이
(溺愛)흐여, 년셩디벽(連城之璧)320)과 됴승
디쥬(趙城之珠)321) ᄀᆞᆺ트니, 뎡쇼졔 화공 부
부의 은혜를 깁히 감샤흐며, 화쇼져의 교연
션미(嬌然善美)홈과 단일셩댱(端壹誠壯)322)
흐믈 딕흐즉, 흔연 이셕(愛惜)흐미 현어외모
(顯於外貌)흐나, 미양 동상(東床)은 쳔니 ᄀᆞᆺ
트니, 화공과 쥬부인은 군즈 슉녜오, 화쇼졔
또흔 쳥한유미(淸閑幽美)흐니 ᄉᆞ침디졀(私
寢之節)을 각별 근심흐미 업더라.

뎡쇼졔 이의 머물믹 의식의 넘녜 업고,
일신이 한가흐여 낫이면 취벽누의 머므러
남쇼져로 심ᄉᆞ를 논문흐고, 밤이면 화쇼져
로 고금 녜악(禮樂)을【70】논문(論問)흐여
일월을 보닉나, 쥬쥬야야(晝晝夜夜)의 데향
을 쳠망흐믹, 망운영모디○[회](望雲永慕之
懷)323) 구곡(九曲)이 촌단(寸斷)흐고 몽혼

318)평댱(平章) : 문하평장사(門下平章事). 고려 시대
　에, 중서문하성에 둔 정이품 벼슬.
319)교긱(嬌客) : 사위를 친근하게 이르는 말.
320)년셩디벽(連城之璧) : 화씨지벽(和氏之璧)을 달리
　이르는 말. 화씨지벽은 전국 때 변화씨(卞和氏)라
　는 사람이 형산(荊山)에서 돌 위에 봉황이 깃들이
　는 것을 보고 얻었다는 천하의 이름난 옥을 말하
　는데, 후대에 진(秦)나라 소양왕(昭襄王)이 이 옥
　을 탐내, 당시 이 옥을 가지고 있던 조(趙)나라 혜
　문왕(惠文王)에게 진나라 15개의 성(城)과 바꾸자
　는 제안을 했다는 데서, '연성지벽(連城之璧)'이라
　는 이름이 붙게 되었다고 한다.
321)됴승디듀(趙城之珠) : 조(趙)나라에 있는 구슬이
　라는 뜻으로 화씨지벽(和氏之璧)을 이르는 말. 주
　301)의 연성지벽(連城之璧)과 같은 구슬을 말하고
　있으나, 그것을 갖고자 하고 아끼는 주체가 진(秦)
　나라 소양왕(昭襄王)과 조나라 혜문왕(惠文王)이라
　는 사실이 다르다.
322)단일셩댱(端壹誠壯) : 한결같고 성실하고 장중함.
323)망운영모디회(望雲永慕之懷) : 자식이 객지에서

니, 의외 화공을 만나믹, 평장(平章)307)이
일안의 그 옥모{녕모}녕풍(玉貌英風)을 크
게 ᄉᆞ랑흐고, 또 비셔(秘書) ᄉᆞ어(辭語)를
조ᄎᆞ, 쇼녀(小女)의 텬연이 윤가의 이시믈
혜려, 뎡·남 이 쇼져를 간졀이 쳥흐여
본부의 도라와 친ᄉᆞ를 뇌졍흐여, 뎡쇼져로
동상의 교긱(嬌客)308)을 ᄉᆞᆷ아, 녀ᄋᆞ로 더브
러 화쵹의 깃드리ᄂᆞᆫ 즈미를 닐우믹, 부부의
긔화(奇花) 명월(明月) ᄀᆞᆺ튼 긔질을 만분 닉
이(溺愛)흐여, 년셩디벽(連城之璧)309)과 됴
승지쥬(趙城之珠)310) ᄀᆞᆺ흐니, 뎡쇼졔 화공
부부의 은혜를 깁히 감샤흐며, 화쇼져의 교
연션【185】미(嬌然善美) 홈과 단일셩장(端
壹誠壯)311)흐믈 딕흐즉, 흔연 이셕(愛惜)흐
미 현어외모(顯於外貌)흐나, 미양 동상(東
床)은 쳔니 ᄀᆞᆺ튼니, 화공과 쥬부인은 군즈
슉녜오, 화쇼졔 또흔 쳥한유미(淸閑幽美)흐
니 ᄉᆞ심지졍(私心之情)을 각별 근심흐미
더라.

뎡쇼졔 이의 머물믹 의식의 넘녜 업고,
일신이 한ᄀᆞ흐여 나지면 취벽누의 머므러
남쇼져로 심ᄉᆞ를 논문흐고, 밤이면 화쇼져
로 고금 녜악(禮樂)을 논문흐여 일월을 보
닉나, 쥬쥬야야(晝晝夜夜)의 데향을 쳠망흐
믹, 망운녕모지회(望雲永慕之懷)312) 구곡(九

307)평댱(平章) : 문하평장사(門下平章事). 고려 시대
　에, 중서문하성에 둔 정이품 벼슬.
308)교긱(嬌客) : 사위를 친근하게 이르는 말.
309)년셩지벽(連城之璧) : 화씨지벽(和氏之璧)을 달리
　이르는 말. 화씨지벽은 전국 때 변화씨(卞和氏)라
　는 사람이 형산(荊山)에서 돌 위에 봉황이 깃들이
　는 것을 보고 얻었다는 천하의 이름난 옥을 말하
　는데, 후대에 진(秦)나라 소양왕(昭襄王)이 이 옥
　을 탐내, 당시 이 옥을 가지고 있던 조(趙)나라 혜
　문왕(惠文王)에게 진나라 15개의 성(城)과 바꾸자
　는 제안을 했다는 데서, '연성지벽(連城之璧)'이라
　는 이름이 붙게 되었다고 한다.
310)됴승지쥬(趙城之珠) : 조(趙)나라에 있는 구슬이
　라는 뜻으로 화씨지벽(和氏之璧)을 이르는 말. 주
　301)의 연성지벽(連城之璧)과 같은 구슬을 말하고
　있으나, 그것을 갖고자 하고 아끼는 주체가 진(秦)
　나라 소양왕(昭襄王)과 조나라 혜문왕(惠文王)이라
　는 사실이 다르다.
311)단일셩댱(端壹誠壯) : 한결같고 성실하고 장중함.
312)망운녕모지회(望雲永慕之懷) : 자식이 객지에서
　고향에 계신 어버이를 생각하는 마음. 늑망운지정

(夢魂)이 경경(耿耿)ㅎ여, '척피창혜(陟彼嶈兮) 첨망부혜(瞻望父兮)'324)와 모혜국아(母兮鞠我)325)의, 옥장(玉腸)326)이 촌촌(寸寸)ㅎ고, 빅년 가군의 위란흔 형셰와 강보치주(襁褓稚子)의 싱소를 상상ㅎ미, 위·뉴 냥인의 극악 흉포ㅎ미 벅벅이 태우 형뎨를 《괴이∥고이》 두디 아닐 줄 혜아리미, 금심(金心)327)이 산난(散亂)ㅎ여 화됴월셕(花朝月夕)의 모텬(暮天)을 창망(悵望)ㅎ여, 다만 화공 부부와 화시를 디ㅎ면 일단 화긔 아연(藹然)ㅎ나, 고요히 남쇼져를 디흔죽 슈회만단(愁懷萬端)ㅎ여 봉황미(鳳凰眉)를 뗑고고 쳐식(悽色)이 은은ㅎ니, 남쇼졔 디셩관위(至誠寬慰)ㅎ【71】여 낭낭흔 청아(淸雅)328)로 환쇠(歡笑) 주약ㅎ나, 뎡·남 냥인의 남다른 비원(悲願)은 일긱의 닛기 《어려온디라∥어렵더라》.

뎡쇼졔 미양 앗춤마다 쥬역(周易)을 피열(披閱)ㅎ고 팔과(八卦)를 버려, 태우 형뎨의 츄슈(推數)329)를 졈복(占卜)ㅎ더니, 믄득 졈패 크게 블길ㅎ니 フ마니 근심ㅎ더니, 풍편(風便)의 드르니, 윤태우 형뎨 인뉸의 대변을 만나 남쥐의 찬덕ㅎ고, 윤흑시 쏘흔 양쥐의 죄뎍(罪謫)ㅎ다 ㅎ니, 부인이 듯고 실식 대경ㅎ나, 감히 듕목소시(衆目所視)의 낫타닉디 못ㅎ여, 심시 척비ㅎ믈 금치 못ㅎ여, 취벽누의 니르러 남시와 홍션을 디ㅎ여 츄

曲)의 촌단(寸斷)ㅎ고 몽혼(夢魂)이 경경(耿耿)ㅎ여, '척피창혜(陟彼嶈兮) 첨망부혜(瞻望父兮)'313)와 모혀[혜]국아(母兮鞠我)314)의, 옥장(玉腸)315)이 촌촌(寸寸)ㅎ고, 빅년 가군의 위란흔 형셰와 강보치주(襁褓稚子)의 졍소(情事)를 상상ㅎ미, 위·뉴【186】냥인의 극악 흉포ㅎ미 벅벅이 태우 형뎨를 고이 두지 아닐 줄 혜아리미, 근[금]신(金心)316)이 산난(散亂)ㅎ여 화됴월셕(花朝月夕)의 노텬(露天)317)을 창망(悵望)ㅎ여, 다만 화공 부부와 화시를 디ㅎ면 일단 화긔 아연(藹然)ㅎ나, 고요히 남쇼져를 디흔죽 슈회만단(愁懷萬端)ㅎ여 봉황미(鳳凰眉)를 뗑고고, 쳐식(悽色)이 울울ㅎ니, 남쇼졔 지셩관위(至誠寬慰)ㅎ여 낭낭흔 청음(淸音)318)으로, 환쇠(歡笑) 주약ㅎ나, 뎡·남 냥인의 남다른 비원(悲怨)은 일긱의 닛기 《어려온지라∥어렵더라》.

뎡쇼졔 미양 아춤마다 쥬역(周易)을 피열(披閱)ㅎ고 팔패(八卦)를 버려 티우 형뎨의 츄슈(推數)319)를 졈복ㅎ더니, 믄득 졈패 크게 블길ㅎ니 가마니 근심ㅎ더니, 풍편(風便)의 드른죽, 윤티우 형뎨 인뉸의 디변을 만나 남쥐의 찬젹ㅎ고, 윤학【187】시 쏘흔 양쥐의 죄젹(罪謫)ㅎ다 ㅎ니, 부인이 듯고 실식 디경ㅎ나, 감히 즁목소시(衆目所視)의 낫타닉지 못ㅎ여, 심시 척비ㅎ믈 금치 못ㅎ

고향에 계신 어버이를 생각하는 마음. 늑망운지정(望雲之情)
324)척피창혜(陟彼嶈兮) 첨망부혜(瞻望父兮) : 『시경(詩經)』<위풍(魏風)> 척호(陟岵)편에 나오는 시구(詩句). 척피호혜(陟彼岵兮; 산위에 올라) 첨망부혜(瞻望父兮; 아버님 계신 곳 바라보네). 척피창혜(陟彼嶈兮)는 척피호혜(陟彼怙兮)의 이표기(異表記).
325)모혜국아(母兮鞠我) : 『시경(詩經)』<소아(小雅)> 요아(蓼莪)편에 나오는 시구(詩句). 부혜생아(父兮生我; 아버님 날 낳으시고) 모혜국아(母兮鞠我; 어머님 날 기르셨네).
326)옥장(玉腸) : '옥처럼 맑은 창자'라는 뜻으로, '마음'을 비유적으로 이르는 말.
327)금심(金心) : 쇠처럼 굳은 마음.
328)청아(淸雅) : 청아한 음성.
329)츄슈(推數) : 닥쳐올 운수를 미리 헤아려 앎.

(望雲之情)
313)척피창혜(陟彼嶈兮) 첨망부혜(瞻望父兮) : 『시경(詩經)』<위풍(魏風)> 척호(陟岵)편에 나오는 시구(詩句). 척피호혜(陟彼岵兮; 산위에 올라) 첨망부혜(瞻望父兮; 아버님 계신 곳 바라보네). 척피창혜(陟彼嶈兮)는 척피호혜(陟彼怙兮)의 이표기(異表記).
314)모혜국아(母兮鞠我) : 『시경(詩經)』<소아(小雅)> 요아(蓼莪)편에 나오는 시구(詩句). 부혜생아(父兮生我; 아버님 날 낳으시고) 모혜국아(母兮鞠我; 어머님 날 기르셨네).
315)옥장(玉腸) : '옥처럼 맑은 창자'라는 뜻으로, '마음'을 비유적으로 이르는 말.
316)금심(金心) : 쇠처럼 굳은 마음.
317)노텬(露天) : 사방, 상하를 덮거나 가리지 아니한 집 바깥의 하늘.
318)청음(淸音) : 청아한 음성.
319)츄슈(推數) : 닥쳐올 운수를 미리 헤아려 앎.

연(憮然) 뉴톄(流涕) 왈,

"만시 텬명이어니와, 가변【72】이 여츳 참극ᄒ나, 내 능히 가부를 조ᄎᆞ ᄉᆞᆼ 거취를 일체로 못ᄒ니, 엇디 졀부의 붓그럽디 아니리오."

셜파의 익연타루(哀然墮淚)ᄒ믈 ᄭᅵᆺ둣지 못ᄒ니, 홍션이 ᄯᅩ흔 위・뉴의 궁흉흔 형상을 싱각고 역시 슬허 말을 못ᄒ니, 남쇼졔 위ᄒ여 창감(愴感)ᄒ여 만단 위로ᄒ더라.

뎡슉녈이 이후로 심시 블낙ᄒ여 동방(洞房)의 화쇼져를 디흘 뜻도 업더라.【73】

여 취벽누의 니르러 남시와 홍션을 디ᄒ여, 츄연(憮然) 뉴체(流涕) 왈,

"만시 텬명이어니와 가변이 여츳 참극ᄒ나, 내 능히 가부를 조ᄎᆞ ᄉᆞᆼ 거취를 일체로 못ᄒ니, 엇지 졀부의 붓그럽지 아니리오"

셜파의 익연타루(哀然墮淚)ᄒ믈 ᄭᅵᆺ둣지 못ᄒ니, 홍션이 ᄯᅩ흔 위・뉴의 궁흉흔 형상을 싱각고 넉시 슬허 말을 못ᄒ니, 남쇼졔 위ᄒ여 창감(愴感)ᄒ며 빅단(百端)으로 위로ᄒ더라.

뎡슉녈이 이후로 심시 블낙ᄒ여 동방(洞房)의 화쇼져를 디흘 뜻도 업더라. 추쳥 하회ᄒ라【188】

화셜 뎡슉녈이 이후로 심시 불낙ᄒ여 동방의 화쇼져 듸홀 ᄯᅳᆺ이 업고, 식음(食飮)이 무미ᄒ여 아모리 혜아려도 간당의 무리 덕소의도 고이 두디 아닐디라. 위틱홀 순[330) 가군과 슉슉이라. 간당의 무리 고이 두디 아닐 줄 혜아리딕, 이 ᄯᅥᆨ의 ᄉᆞᆼ존망이 엇디 되믈 아디 못ᄒ니, 녀ᄌᆞ의 위부디심(爲夫之心)이 장ᄎᆞᆺ 엇더ᄒ며, 존고의 무고ᄒᆫ 망명도싱(亡命圖生)으로, 옥화산 친당의 머므러 희한ᄒᆫ 가변을 삼상(參商)ᄒ여[331) 촌장(寸腸)이 요요(擾擾)ᄒ실 바를 혜아리니, ᄌᆞ개 비록 【1】 금의옥식(錦衣玉食)의 ᄲᅥᆺ혀시나 므어시 즐거오리오. 향인(向人)ᄒ여 화긔 여일ᄒ나 좌왜(坐臥) 죵용ᄒᆫ ᄯᅥᆨ와 등야의 엇디 슉식이 편ᄒ리오.

일일은 심시 울울ᄒ여 칭병ᄒ고 늣도록 니디 아니ᄒ니, 화공이 경녀ᄒ여 친히 문병ᄒ니, 뎡시 마지 못ᄒ여 금니(衾裏)를 믈니치고 의건을 슈습ᄒ여 니러 마ᄌᆞ니, 공이 보건딕 녹빈방쳔(綠鬢方天)[332)의 흑건(黑巾)이 기울고, 옥안(玉顔)을 소하(梳下)[333)치 아냐시나, 윤틱 광염이 조금도 병식이 업ᄉ니, 공이 경문왈,

"현셰(賢壻) 츈식이 의구ᄒ니 각별 병셰 업순가 ᄒ노라."

슉녈 왈,

"쇼셔의 영모디회(永慕之懷)ᄂᆞᆫ 므러 아르실 비 아니어니와, 쇼셰 위인ᄌᆞ(爲人子)

---

330)순 : '사(事)ᄂᆞᆫ'의 줄임말.
331)삼상(參商)ᄒ다 : 그리워하다. 삼셩(參星)과 상셩(商星)이 동서(東西)로 멀리 떨어져 있는 데서 유래한다.
332)녹빈방쳔(綠鬢方天) : 푸른빛이 도는 귀밑머리와 이마의 양 옆 가장자리에 난 머리털을 함께 이르는 말. 녹빈(綠鬢); 푸른 빛이 도는 고운 귀밑머리. 방쳔(方天); 방천극(方天戟) 중앙 날 양 옆에 붙여놓은 두 개의 초승달 모양의 날[이것을 월아(月牙)라 함]을 말하는 것으로, 여기서는 이마의 양 옆 가장자리의 머리를 뜻한다.
333)소하(梳下)ᄒ다 : 빗질하다.

ᄎᆞ셜 뎡슉녈이 이후로 심시 불낙ᄒ여 동방의 화쇼져 듸홀 ᄯᅳᆺ이 업고, 식음(食飮)이 무미ᄒ여 아모리 혜아려도 간당의 무리 젹소의도 고이 두지 아닐지라. 위틱홀 순[320) 가군과 슉슉이라. 이 ᄯᅥᆨ의 ᄯᅳᆺ흔 ᄉᆞᆼ존망이 엇지 되믈 아지 못ᄒ니, 녀ᄌᆞ의 위부지심(爲夫之心)이 장ᄎᆞᆺ 엇더ᄒ며, 존고의 무고ᄒᆫ 망명도싱(亡命圖生)으로, 옥화산 친당의 머므러 희한ᄒᆫ 가변을 삼상(參商)ᄒ여[321) 촌장(寸腸)이 ᄉᆞ라질 바를 혜아리니, ᄌᆞ개 비록 금의옥식(錦衣玉食)의 ᄲᅥᆺ혀시나 므어시 즐거오리오. 《함잉∥향인(向人)》ᄒ여 화긔 여일ᄒ나 좌왜(坐臥) 죵용ᄒᆫ ᄯᅥᆨ와 됴셕의 엇지 편ᄒ리오.

일 【1】 일은 심시 울울ᄒ여 칭병ᄒ고 늣도록 니지 아니ᄒ니, 화공이 경녀ᄒ여 친히 문병ᄒ니, 뎡시 마지 못ᄒ여 금니(衾裏)를 믈니치고 의건을 슈습ᄒ여 니러 마ᄌᆞ니, 공이 보건딕 녹빈방쳔(綠鬢方天)[322)의 흑건이 기울고, 옥안을 소하(梳下)[323)치 아니ᄒ여시나, 윤틱 광염이 조금도 병식이 업ᄉ니 공이 경문왈,

"현셰(賢壻) 츈식이 의구ᄒ니 각별 병셰 업순가 ᄒ노라"

슉녈 왈,

"쇼셰 녕모지회(永慕之懷) 무궁ᄒ믈 드러 아르실 비 아니나, 쇼셰 위인ᄌᆞ(爲人子)

---

320)순 : '사(事)ᄂᆞᆫ'의 줄임말.
321)삼상(參商)ᄒ다 : 그리워하다. 삼셩(參星)과 상셩(商星)이 동서(東西)로 멀리 떨어져 있는 데서 유래한다.
322)녹빈방쳔(綠鬢方天) : 푸른빛이 도는 귀밑머리와 이마의 양 옆 가장자리에 난 머리털을 함께 이르는 말. *녹빈(綠鬢); 푸른 빛이 도는 고운 귀밑머리. *방쳔(方天); 방천극(方天戟) 중앙 날 양 옆에 붙여놓은 두 개의 초승달 모양의 날[이것을 월아(月牙)라 함]을 말하는 것으로, 여기서는 이마의 양 옆 가장자리의 머리를 뜻한다.
323)소하(梳下)ᄒ다 : 빗질하다.

【2】ᄒᆞ여 몸이 스류의 버셔나고, 쳑신(隻身)334)이 텬하의 득죄ᄒᆞ여 몸이 ᄒᆞᆫ 번 경샤를 ᄽᅥ나미, 관산(關山)335)이 첩첩ᄒᆞ고 이각(涯角)336)이 즈음쳐337) 가향(家鄕)이 아으라 ᄒᆞ니, 청죄(靑鳥) 불닉ᄒᆞ고, 어안(魚雁)338)이 돈졀(頓絶)ᄒᆞ여 몽혼이 경경ᄒᆞ니, 쇼셰 비록 싱텰디심(生鐵之心)이나 엇디 슬프디 아니리잇고? 고요히 싱각건ᄃᆡ, 셰월의 홀홀ᄒᆞ미 여러 넘냥(炎凉)339)을 뒤이졋ᄂᆞᆫ디라. 쇼셔의 샤친 영모디심이 엇디 침식간의 안연ᄒᆞ리잇고? 시고로 각별 딜양이 업소오ᄃᆡ, 만ᄉᆞ의 흥황(興況)이 돈무(頓無)ᄒᆞ여 금일 늣도록 긔거치 못ᄒᆞ엿ᄉᆞᆸ더니, 악댱 악모의 셩녀를 깃치오니 불민ᄒᆞ이다. 본ᄃᆡ 신【3】상은 관계치 아니ᄒᆞ니 물우ᄒᆞ쇼셔."

셜파의 가월(佳月)을 빈튝ᄒᆞ미, 한아슈앙(閑雅秀昂)ᄒᆞᆫ 풍용이 졀승ᄒᆞ여, 표연(飄然)이 '약소월(若素月)이 운니명(雲裏明)'340)이라. 공이 볼ᄉᆞ록 년이ᄒᆞ여 흔연 위로 왈,

"녜브터 영웅호걸이 시명(時命)이 긔박ᄒᆞ니, 공ᄌᆞ 대셩이샤ᄃᆡ '진ᄎᆡ(陳蔡)의 곤(困)ᄒᆞ시니'341), 현셔의 츌범ᄒᆞᆷᄋᆞ로 엇디 ᄒᆞᆫ 번 환난을 면ᄒᆞ며, 일시 운건(運蹇)342)ᄒᆞ미 괴이ᄒᆞ리오. 반ᄃᆞ시 부운(浮雲)의 옹폐(擁蔽)343)ᄒᆞ미 오라디 아니리니, 연즉 현셔의 셩덕(聖德) 문명(文名)으로 ᄒᆞᆫ 번 과갑(科

ᄒᆞ여 몸이 스류의 버셔나고, 쳑신(隻身)324)이 텬하의 득죄ᄒᆞ여 몸이 ᄒᆞᆫ 번 {경ᄉᆞ를} 경ᄉᆞ를 ᄽᅥᄂᆞ미, 관산(關山)325)이 첩첩ᄒᆞ고 이각(涯角)326)이 즈음쳐327) 가향이 아으라 ᄒᆞ니, 청죄(靑鳥) 불닉ᄒᆞ고 어안(魚雁)328)이 돈졀ᄒᆞ여 몽혼(夢魂)이 경경ᄒᆞ니, 【2】 쇼셰 비록 싱쳘지심(生鐵之心)이나 엇지 슬프지 아니리잇고? 고요이 싱각건ᄃᆡ, 셰월의 홀홀ᄒᆞ미 녀러 넘냥(炎凉)329)을 뒤이졋ᄂᆞᆫ지라. 쇼셔의 ᄉᆞ친 영모지심이 엇지 침셕간의 안연ᄒᆞ리잇고? 시고로 각별 질양이 업ᄉᆞᄃᆡ, 심긔 황홀ᄒᆞ여 금일 늣도록 긔거를 아녓ᄉᆞᆸ더니, 악댱 악모의 셩녀를 씻치오니 불민ᄒᆞ니이다. 본ᄃᆡ 신상은 불령치 아니ᄒᆞ오니 물우ᄒᆞ쇼셔."

셜파의 가월(佳月)을 츅합ᄒᆞ미, 한아슈앙(閑雅秀昂)ᄒᆞᆫ 풍용이 졀승ᄒᆞ여, 표연(飄然)이 '약소월(若素月)이 운니명(雲裏明)'330)이라. 공이 볼ᄉᆞ록 년이ᄒᆞ여 흔연 위로 왈,

"녜브터 영웅호걸이 시명(時命)이 긔박ᄒᆞ니, 공ᄌᆞ 대셩이ᄉᆞᄃᆡ '진ᄎᆡ(陳蔡)의 곤(困)ᄒᆞ시니'331), 현셔의 츌범ᄒᆞᆷᄋᆞ로 엇지 ᄒᆞᆫ 번 화란을 면ᄒᆞ며,【3】 일시 운건(運蹇)332)ᄒᆞ미 괴이ᄒᆞ리오. 반ᄃᆞ시 부운(浮雲)의 옹폐(擁蔽)333)ᄒᆞ미 오릭지 아니리니, 연즉 현셔의 셩덕(聖德) 문명(文名)으로 ᄒᆞᆫ 번 과갑의

---

334)쳑신(隻身) : 홀몸. 배우자나 형제가 없는 사람.
335)관산(關山) : 국경이나 주요 지점 주변에 있는 산.
336)이각(涯角) : 멀리 떨어져 있어 외지고 먼 땅.
337)즈음치다 : 가로막히다. 격(隔)하다.
338)어안(魚雁) : 물고기와 기러기라는 뜻으로, 편지나 통신을 이르는 말. 잉어나 기러기가 편지를 날랐다는 데서 유래한다.
339)넘냥(炎凉) : 더위와 서늘함. '해(늑年)'를 달리 이르는 말.
340)약소월(若素月) 운니명(雲裏明) : 하얀 달이 구름 속에서 빛남 같음.
341)진ᄎᆡ(陳蔡)의 곤(困)ᄒᆞ시니 : 공자(孔子)가 초(楚)나라 소왕(昭王)의 초빙을 받고 초나라로 가던 중 진(陳)나라와 채(蔡)나라의 접경지역에서 진·채의 군사들에게 포위된 채, 양식이 떨어져 7일 동안을 굶으며 고난을 겪었던 고사를 이른 것. 이를 진채지액(陳蔡之厄)이라 한다.
342)운건(運蹇) : 운수가 막힘.
343)옹폐(擁蔽) : 보이지 않도록 숨김.

324)쳑신(隻身) : 홀몸. 배우자나 형제가 없는 사람.
325)관산(關山) : 국경이나 주요 지점 주변에 있는 산.
326)이각(涯角) : 멀리 떨어져 있어 외지고 먼 땅.
327)즈음치다 : 가로막히다. 격(隔)하다.
328)어안(魚雁) : 물고기와 기러기라는 뜻으로, 편지나 통신을 이르는 말. 잉어나 기러기가 편지를 날랐다는 데서 유래한다.
329)넘냥(炎凉) : 더위와 서늘함. '해(늑年)'를 달리 이르는 말.
330)약소월(若素月) 운니명(雲裏明) : 하얀 달이 구름 속에서 빛남 같음.
331)진ᄎᆡ(陳蔡)의 곤(困)ᄒᆞ시니 : 공자(孔子)가 초(楚)나라 소왕(昭王)의 초빙을 받고 초나라로 가던 중 진(陳)나라와 채(蔡)나라의 접경지역에서 진·채의 군사들에게 포위된 채, 양식이 떨어져 7일 동안을 굶으며 고난을 겪었던 고사를 이른 것. 이를 진채지액(陳蔡之厄)이라 한다.
332)운건(運蹇) : 운수가 막힘.
333)옹폐(擁蔽) : 보이지 않도록 숨김.

甲)의 나아가면, 텬싱아지(天生雅才)로 단계(丹桂)344)를 썩고, 옥계(玉階)의 어향(御香)을 밧즈와, 뇽닌(龍麟)을 밧들고 봉익(鳳翼)을 츄(推)ᄒ미345), 즈포【4】오ᄉ(紫袍烏紗)346)로 상간(上間)347)을 압두어348) 셩군을 돕ᄉ와 요슌(堯舜)의 티졍(治政)을 닐위고 효즈빵봉(孝子雙奉)349)의 튱회 완젼치 못홀가 근심ᄒ리오. 이러툿 풍운의 길시를 만나면 쇼녀 ᄀ툰 봉비ᄒ쳬(葑菲下體)350)로뼈 말광(末光)351)의 참예ᄒ여, 군즈의 유신ᄒ믈 바라ᄂ 비라. 엇디 일시 불평ᄒ므로 심우(心憂)를 과우(過憂)ᄒ며 쳔금디구(千金之軀)를 상히오리오."

슉녈이 묵연 탄식ᄒ고 블감ᄉ샤(不堪謝辭)ᄒ더라. 공이 인ᄒ여 지삼 관위ᄒ고 우왈(又曰),

"현셰 너모 규방의 깃드려 뎍막ᄒ기로 슈회 더옥 만단ᄒ미니, 츠후ᄂ 고의(高意)를 져기 굴ᄒ여 닌니의 교우를 일우며, 잇다감 방외(方外)의 소유(逍遊)ᄒ【5】여 근쳐 경물을 관답(觀踏)ᄒ여 디긔(志氣)를 소창(消暢)352)ᄒ라."

---

344)단계(丹桂) : 붉은 계수나무. 조선시대에 임금이 과거 급제자에게 계수나무 꽃을 수놓은 푸른 적삼을 하사하였다.

345)뇽닌(龍麟)을 밧들고 봉익(鳳翼)을 츄(推)ᄒ미 : 용이나 봉황으로 상징되는 '임금'을 받들며 공명을 이루는 일을 표현한 말.

346)즈포오ᄉ(紫袍烏紗) : 자줏빛 도포와 검은 사(紗)로 만든 모자를 함께 이르는 말로, 조선 시대 벼슬아치들의 관복과 모자.

347)상간(上間) : 윗간. 윗자리.

348)압두다 : 압두(壓頭)하다. 압도(壓倒)하다.

349)효즈빵봉(孝子雙奉) : 효자가 정성을 다해 양친을 받들어 섬김.

350)봉비하쳬(葑菲下體) : '무의 밑 둥'이란 뜻으로 못생긴 사람의 비유로 쓰인다. 『시경』<패풍(邶風)> 곡풍(谷風)편의 "채봉채미 무이하쳬(採葑採菲無以下體; 무를 뽑을 때 밑 둥만 보고 뽑지 말라)"에서 온 말로, 무를 뽑을 때 무의 밑 둥이 비록 잘 생기지 못하였을지라도 맛이 좋을 수도 있고 또 잎을 요긴하게 쓸 수도 있는 만큼, 겉만 보고, 또는 부분만 보고, 전체를 평가하지 말라는 말. '봉(葑)', '비(菲)'는 둘 다 무의 일종.

351)말광(末光) : ①희미한 빛. ②여광(餘光). 해나 달이 진 뒤 남은 은은한 빛. 여기서는 '끝자리' '말석(末席)' 정도의 의미.

나아가면, 텬싱아직(天生雅才)로 단계(丹桂)334)를 썩고, 옥계(玉階)의 어향(御鄕)을 밧즈와, 뇽닌을 밧들고 봉닉(鳳翼)을 츄(推)ᄒ미335), 즈포오ᄉ(紫袍烏紗)336)로 상간(上間)337)을 압두(壓頭)ᄒ여338) 셩군을 돕ᄉ와 요슌(堯舜)의 티졍(治政)을 닐위고, 효즈빵봉(孝子雙奉)339)의 츙회냥젼(忠孝兩全)치 못홀가 근심ᄒ리오. 니럿툿 풍운의 길시를 만나면 쇼녀 ᄀ툰 봉비ᄒ쳬(葑菲下體)340)로뼈 《말관‖말광(末光)341)》의 참녜ᄒ여, 군즈의 유신ᄒ믈 ᄇ라ᄂ 비라. 엇지 일시 불평ᄒ므로 심우(心憂)를 과우(過憂)ᄒ며 쳔금지구(千金之軀)를 상히오리오."

슉녈이 가연342) 탄식ᄒ고 블감ᄉ샤(不堪謝辭)ᄒ더라. 공이 인ᄒ여 지슴 관위ᄒ고 우왈,

"현셰 너모 규방의 깃드려 젹막ᄒ기로【4】슈회 더옥 만흔 듯ᄒ니, 츠후란 고의(高意)를 져기 굴ᄒ여 닌니의 교우를 닐우

---

334)단계(丹桂) : 붉은 계수나무. 조선시대에 임금이 과거 급제자에게 계수나무 꽃을 수놓은 푸른 적삼을 하사하였다.

335)뇽닌(龍麟)을 밧들고 봉익(鳳翼)을 츄(推)ᄒ미 : 용이나 봉황으로 상징되는 '임금'을 받들며 공명을 이루는 일을 표현한 말.

336)즈포오ᄉ(紫袍烏紗) : 자줏빛 도포와 검은 사(紗)로 만든 모자를 함께 이르는 말로, 조선 시대 벼슬아치들의 관복과 모자.

337)상간(上間) : 윗간. 윗자리.

338)압두(壓頭)ᄒ다 : 압도(壓倒)하다.

339)효즈빵봉(孝子雙奉) : 효자가 정성을 다해 양친을 받들어 섬김.

340)봉비하쳬(葑菲下體) : '무의 밑 둥'이란 뜻으로 못생긴 사람의 비유로 쓰인다. 『시경』<패풍(邶風)> 곡풍(谷風)편의 "채봉채미 무이하쳬(採葑採菲無以下體; 무를 뽑을 때 밑 둥만 보고 뽑지 말라)"에서 온 말로, 무를 뽑을 때 무의 밑 둥이 비록 잘 생기지 못하였을지라도 맛이 좋을 수도 있고 또 잎을 요긴하게 쓸 수도 있는 만큼, 겉만 보고, 또는 부분만 보고, 전체를 평가하지 말라는 말. '봉(葑)', '비(菲)'는 둘 다 무의 일종.

341)말광(末光) : ①희미한 빛. ②여광(餘光). 해나 달이 진 뒤 남은 은은한 빛. 여기서는 '끝자리' '말석(末席)' 정도의 의미.

342)가연ᄒ다 : ①개연(介然)하다. 결연(決然)하다. 확고하다. 마음가짐이나 행동에 있어 태도가 움직일 수 없을 만큼 확고하다. ②개연(慨然)하다. 억울하고 분하다. ③흔연(欣然)하다. 흔쾌하다.

숙녈이 면강(勉強) 샤왈,

"쇼셔는 본셩이 우용졸딕(愚庸拙直)ᄒ여 세샹 번화(繁華)를 블구(不求)ᄒ고, 셰렴이 수연(索然)ᄒ와 명니의 버셔나니, 타일 비록 누얼을 신셜ᄒ오나 결연이 부귀의 뜻이 업ᄂ니, 만일 북당(北堂)353) 썅친이 아니시면, 피셰도은(避世逃隱)ᄒ여 셕탑(石塔) 풍녕(風鈴)354)의 빅셜가(白雪歌)355)를 외오고, 원학미록(苑鶴麋鹿)356)의 벗이 되어, 삼은(三隱)357) 수호(四皓)358)의 고덕을 됴문ᄒ고[며], 긔산(箕山)359) 영슈(穎水)360)의 소허(巢許)361)의 후뎍(後跡)을 똘오고져 ᄒᄂ니,

숙녈이 면강(勉強) 수왈,

"쇼셔는 본딕 셩딜이 우용즐딕(愚庸拙直)ᄒ여 세샹 번화(繁華)를 블구(不求)ᄒ고, 셰렴이 수연(索然)ᄒ와, 명니(名利)의 버셔나니, 타일 비록 누얼을 신셜ᄒ오나 결연이 부귀의 뜻이 업ᄂ니, 만일 북당(北堂)344) 썅친이 아니시면, 피셰도은(避世逃隱)ᄒ여 셕탑(石塔) 풍녕(風鈴)345)의 빅셜가(白雪歌)346)를 외오고, 원학미록(苑鶴麋鹿)347)의 벗이 되여 숨은(三隱)348) 수호(四皓)349)의 고젹을 됴문ᄒ고[며], 긔산(箕山)350) 녕슈(穎水)351)의 소허(巢許)352)의 후젹(後跡)을

---

352)소창(消暢): 심심하거나 답답한 마음을 풀어 후련하게 함.

353)북당(北堂): 집안의 북쪽에 있는 당(堂)이란 뜻으로, 집안의 주부가 이곳에 거처하였기 때문에 '어머니'를 지칭하는 말로 쓰였다. 나아가 어머니가 거처하는 곳엔 아버지도 함께 있기 때문에 부모가 계시는 곳을 북당이라 이르기도 한다. 여기서는 부모님이 계시는 당(堂)이란 뜻.

354)풍녕(風鈴): 풍경(風磬). 처마 끝에 다는 작은 종. 속에는 붕어 모양의 쇳조각을 달아 바람이 부는 대로 흔들리면서 소리가 난다.

355)빅셜가(白雪歌): 늙음을 한탄하는 노래류를 이르는 말.

356)원학미록(苑鶴麋鹿): 산속의 학(鶴), 고라니, 사슴을 아울러 이르는 말.

357)삼은(三隱): 중국 천태산(天台山)에 은거(隱居)하였던 한산(寒山), 습득(拾得), 풍간(豊干) 세 선사(禪師)를 일컫는 말.

358)수호(四皓): 늑상산사호(商山四皓). 중국 진시황 때에 난리를 피하여 섬서성(陝西省) 상산(商山)에 들어가서 숨은 네 사람. 동원공, 기리계, 하황공, 녹리선생(甪里先生)을 이른다. 호(皓)란 본래 희다는 뜻으로, 이들이 모두 눈썹과 수염이 흰 노인이었다는 데서 유래한다.

359)긔산(箕山): 중국 하남성(河南省)에 있는 산. 고대 중국의 은자 소부(巢父)와 허유(許由)가 요(堯)임금으로부터 왕위 선위 제안을 뿌리치고, 이 산에 숨어 은거했다는 고사로 유명한 산이다.

360)영슈(穎水): 중국 하남성(河南省)을 흐르는 강. 고대 중국의 은자 소부(巢父)와 허유(許由)가 요(堯)임금으로부터 왕위를 맡아달라는 제안을 받고, 자신의 귀가 더러워졌다며 이 강에서 귀를 씻고, 또 귀를 씻어 더러워진 물을 소에게 먹이는 것조차 포기하고 기산(箕山)에 들어가 숨었다는 고사가 전한다.

343)소창(消暢): 심심하거나 답답한 마음을 풀어 후련하게 함.

344)북당(北堂): 집안의 북쪽에 있는 당(堂)이란 뜻으로, 집안의 주부가 이곳에 거처하였기 때문에 '어머니'를 지칭하는 말로 쓰였다. 나아가 어머니가 거처하는 곳엔 아버지도 함께 있기 때문에 부모가 계시는 곳을 북당이라 이르기도 한다. 여기서는 부모님이 계시는 당(堂)이란 뜻.

345)풍녕(風鈴): 풍경(風磬). 처마 끝에 다는 작은 종. 속에는 붕어 모양의 쇳조각을 달아 바람이 부는 대로 흔들리면서 소리가 난다.

346)빅셜가(白雪歌): 늙음을 한탄하는 노래류를 이르는 말.

347)원학미록(苑鶴麋鹿): 산속의 학(鶴), 고라니, 사슴을 아울러 이르는 말.

348)삼은(三隱): 중국 천태산(天台山)에 은거(隱居)하였던 한산(寒山), 습득(拾得), 풍간(豊干) 세 선사(禪師)를 일컫는 말.

349)수호(四皓): 늑상산사호(商山四皓). 중국 진시황 때에 난리를 피하여 섬서성(陝西省) 상산(商山)에 들어가서 숨은 네 사람. 동원공, 기리계, 하황공, 녹리선생(甪里先生)을 이른다. 호(皓)란 본래 희다는 뜻으로, 이들이 모두 눈썹과 수염이 흰 노인이었다는 데서 유래한다.

350)긔산(箕山): 중국 하남성(河南省)에 있는 산. 고대 중국의 은자 소부(巢父)와 허유(許由)가 요(堯)임금으로부터 왕위 선위 제안을 뿌리치고, 이 산에 숨어 은거했다는 고사로 유명한 산이다.

351)영슈(穎水): 중국 하남성(河南省)을 흐르는 강. 고대 중국의 은자 소부(巢父)와 허유(許由)가 요(堯)임금으로부터 왕위를 맡아달라는 제안을 받고, 자신의 귀가 더러워졌다며 이 강에서 귀를 씻고, 또 귀를 씻어 더러워진 물을 소에게 먹이는 것조차 포기하고 기산(箕山)에 들어가 숨었다는 고사가 전한다.

텬품이 여ᄎᄒ니 엇디 교우(交友)ᄒᆞᆯ 의ᄉᆞ
이시리잇고?"

공이 ᄌᆡ삼 위로【6】ᄒᆞᄆᆞᆯ 마디 아니ᄒᆞ더
라.

ᄎᆞ후 뎡시 것ᄎᆞ로 화긔를 작위ᄒᆞ나, 미양
미위(眉宇) 슈집(愁集)ᄒᆞᄆᆞᆯ 씌ᄃᆞ디 못ᄒᆞ니,
화쇼져ᄂᆞᆫ 총명 영오ᄒᆞᆫ 녀지라. 윤싱의 남다
른 심우를 믄득 씌ᄃᆞ라, 일일은 좌위 고요
ᄒᆞ고 밤이 임의 깁도록, 냥인이 셔로 ᄃᆡᄒᆞ
여 문답이 죵용ᄒᆞ더니, 화쇼졔 싱다려 심곡
소회를 뭇고져 ᄒᆞ나, 맛ᄎᆞᆷ닉 이셩(二姓)의
친(親)ᄒᆞ미 흡연치 못ᄒᆞᆫ 고로 심히 슈습ᄒᆞ
나, 담을 크게 ᄒᆞ고 믄득 피셕(避席) 념용
(斂容) 왈,

"첩이 당돌이 군ᄌᆞ긔 고ᄒᆞᆯ 말ᄉᆞᆷ이 이시니
능히 ᄎᆡ랍(採納)ᄒᆞ시리잇가?"

뎡시 흔연 문왈,

"ᄌᆞ(子)의 교회(敎誨)【7】ᄒᆞᄂᆞᆫ 비 반ᄃᆞ시
그르디 아니리니, ᄒᆞᆫ 번 듯고져 ᄒᆞᄂᆞ이다."

화시 옥면이 잠간 취홍ᄒᆞ여 념임 ᄃᆡ왈,

"첩의 비박지딜(卑薄之質)노ᄡᅥ 감히 군ᄌᆞ
힝의를 논폄(論貶)ᄒᆞ여, 외람이 간예(干預)
ᄒᆞ미 아니로ᄃᆡ, 고어의 왈, '텬ᄌᆞ도 필부디
언을 ᄎᆡ랍ᄒᆞ시니', 첩이 비록 우미ᄒᆞ오나 엇
디 군ᄌᆞ를 ᄃᆡᄒᆞ여 심수를 은닉ᄒᆞ리잇고? ᄌᆞ
고로 위궁실(爲宮室)362)ᄒᆞ미, 남ᄌᆞᄂᆞᆫ 거외
(居外)ᄒᆞ고 부인은 거ᄂᆡ(居內)ᄒᆞ여, 각각 소
임을 일치 아닛ᄂᆞᆫ다 ᄒᆞ오니, 군ᄌᆞ 일셰를
광거(廣居)363)ᄒᆞᆯ 당당ᄒᆞᆫ 대댱부로, 이 곳의
오신 후ᄂᆞᆫ 미양 고요ᄒᆞᆫ 쳐소를 딕희샤 군ᄌᆞ
톄면을 휴손(虧損)ᄒᆞ시ᄂᆞ니잇고?"

슉녈【8】이 흔연 ᄉᆞ샤 왈,

"싱이 엇디 이를 아디 못ᄒᆞ리오마ᄂᆞᆫ, 실노
본셩이 우졸(愚拙)ᄒᆞ고 번화히 졉인(接人)ᄒᆞ
미 슬흔 연괴라. 엇디 규방의 잠기ᄆᆞᆯ 감심
ᄒᆞᆯ 비리오."

----

361)소허(巢許) : 고대 중국의 은자 소부(巢父)와 허
유(許由)를 아울러 일컫는 말.
362)위궁실(爲宮室) : 집을 지음.
363)광거(廣居) : ①넓은 처소. ②맹자가 가르친 인
(仁)의 길을 비유적으로 이르는 말.

ᄊᆞ락고져 ᄒᆞᄂᆞ니, 텬품이 여ᄎᆞᄒᆞ니 엇지 교
우(交友)ᄒᆞᆯ 의ᄉᆞ 이시리잇고?"

공이 ᄌᆡ슴 위로ᄒᆞᄆᆞᆯ 마지 아니ᄒᆞ더라.

ᄎᆞ후 뎡시 것ᄎᆞ로 화긔를 작【5】위ᄒᆞ나,
미양 미위(眉宇) 슈집(愁集)ᄒᆞᄆᆞᆯ 씌ᄃᆞ지 못ᄒᆞ니,
화쇼져ᄂᆞᆫ 총명 영오ᄒᆞᆫ 녀지라. 《뎡싱∥윤
싱》의 남다른 심우를 믄득 씌ᄃᆞ라, 일일은
좌위 고요ᄒᆞ고 밤이 님의 깁도록, 냥인이
셔로 ᄃᆡᄒᆞ여 문답이 죵용ᄒᆞ더니, 화쇼졔 싱
ᄃᆞ려 심곡 소회를 뭇고져 ᄒᆞ나, 맛ᄎᆞᆷ닉 이
셩의 금슬이 흡연치 못ᄒᆞᆫ 고로 심히 슈습ᄒᆞ
나, 담을 크게 ᄒᆞ고 믄득 피셕 념용(斂容)
왈,

"첩이 당돌이 군ᄌᆞ긔 고ᄒᆞᆯ 말ᄉᆞᆷ이 이시니
능히 ᄎᆡ랍(採納)ᄒᆞ시리잇가?"

뎡시 흔연 왈,

"ᄌᆞ(子)의 교회(敎誨)ᄒᆞᆯ 비 반ᄃᆞ시 그르지
아니리니, ᄒᆞᆫ 번 듯고ᄌᆞ ᄒᆞᄂᆞ이다."

화시 옥면이 즘간 취홍ᄒᆞ여 념임 ᄃᆡ왈,

"첩의 비박지질(卑薄之質)노ᄡᅥ 감히 군
ᄌᆞ 힝의를 논폄(論貶)ᄒᆞ여, 외람이 간예(干
預)ᄒᆞ미 아니로ᄃᆡ, 고어의 왈, '텬ᄌᆞ도 필부
지언을【6】 ᄎᆡ랍ᄒᆞ시니', 첩이 비록 우미
ᄒᆞ오나 엇지 군ᄌᆞ를 ᄃᆡᄒᆞ여 심수를 은닉ᄒᆞ
리잇고? ᄌᆞ고로 위궁실(爲宮室)353)ᄒᆞ미 남
ᄌᆞᄂᆞᆫ 거외(居外)ᄒᆞ고 부인은 거ᄂᆡ(居內)ᄒᆞ여
각각 소임을 일치 아닛ᄂᆞᆫ다 ᄒᆞ오니, 군ᄌᆞ
일셰를 광거(廣居)354)ᄒᆞᆯ 당당ᄒᆞᆫ 대댱부로,
이 곳의 오신 후ᄂᆞᆫ 미양 고요ᄒᆞᆫ 쳐소를 직
희샤 군ᄌᆞ 톄면을 휴손(虧損)ᄒᆞ시ᄂᆞ니잇
고?"

슉녈이 흔연 ᄉᆞ사 왈,

"쇼싱이 엇지 이를 아지 못ᄒᆞ리오마ᄂᆞᆫ,
실노 본셩이 우졸(愚拙)ᄒᆞ고 번화히 졉인
(接人)ᄒᆞ미 슬흔 연괴라. 엇지 규방의 줌기
ᄆᆞᆯ 감심ᄒᆞᆯ 비리오."

----

352)소허(巢許) : 고대 중국의 은자 소부(巢父)와 허
유(許由)를 아울러 일컫는 말.
353)위궁실(爲宮室) : 집을 지음.
354)광거(廣居) : ①넓은 처소. ②맹자가 가르친 인
(仁)의 길을 비유적으로 이르는 말.

화쇼졔 묵연 무어(無語)ᄒ고, 화공 부부는 윤싱의 남즈 긔샹이 낫ᄇ믈 괴이히 넉일디언졍, 나히 어려 셰스를 경녁디 못ᄒ여시므로 ○○○○○[그러ᄒ미라 ᄒ고], 남즈 ᄀ온ᄃ 이 ᄀᆺᄐ 옥인미남(玉人美男)이 이시믄, 홀노 텬디의 일믹(一脈)과 건곤의 됴홰 윤싱의 모다시믈 아라, 더욱 긔특이 넉이미, 화부 샹하의 긔경션ᄃᆡ(起敬善待)ᄒ며, 녜샤 빙악의 더으더라.

뎡쇼졔 이후는 날마다 념녜 방하(放下)치 못ᄒ여, 시시【9】로 쥬역팔과(周易八卦)364)를 궁구ᄒ여, 태우의 젼두 길흉을 츄졈ᄒ더니, 이러구러 광음이 신속ᄒ여 염냥(炎凉)이 ᄌ로 뒤이져 슈년의 밋츠니, 초하(初夏) 념간(念間)의 니르러, 남풍이 훈열(薰熱)ᄒ고 월식이 여쥬(如晝)ᄒ며 텬긔(天氣) 명낭ᄒ니, 쇼졔 근일은 미양 츄슈(推數)ᄒ미 심히 블길ᄒ미 만흔 고로, 초야의 잠이 업고 인덕이 굿ᄎ믈 기다려, ᄀ마니 홍션으로 더브러 밧긔 나와 앙관텬샹(仰觀天象)365)ᄒ니, 부공(父公)과 졔형(諸兄)의 쥬셩(主星)366)이 살긔(殺氣) 미만(彌滿)ᄒ여, 문호의 대익(大厄)이 당젼(當前)ᄒ여시믈 못디 아냐 알디라.

쇼졔 일견쳠망(一見瞻望)의 대경실식ᄒ여 지견(再見) 텬궁(天宮)ᄒ니, 이윽고 흑뮈(黑霧) 홋【10】 터디고 듕셩(衆星)이 광치 낭낭(朗朗)ᄒ며 졍긔 빈빈(倍倍)ᄒ여 녜도곤 ᄉᆡ로온디라. 쇼졔 대열(大悅)ᄒ여 ᄯᅩ 태우의 쥬셩(主星)을 보니, 살셩(殺星)367)이 가득ᄒ고 비운(否運)368)이 참참(參參)ᄒ여, 슈일

화쇼졔 묵연 무어(無語)ᄒ고 화공 부부는 윤싱의 남즈 긔샹이 낫부믈 괴이히 넉일지언졍, 나히 어려 셰스를 경녁지 못ᄒ여시므로 ○○○○○[그러ᄒ미라 ᄒ고], 남즈되여 ○○○[이 ᄀᆺᄐ] 옥인미남(玉人美男)이 이시믄, 홀노 텬디의【7】《딜믹‖일믹(一脈)》과 건곤의 됴홰 ○○○○[윤싱의게]모도○[엿]{너허}시믈 ○○[아라], 더욱 긔특이 넉이미, 화부 샹하의 긔경션ᄃᆡ(起敬善待)ᄒ며, 녜스 빙악의 더으더라.

뎡쇼졔 이후로는 날마다 념녜 방하치 못ᄒ여, 시시로 쥬연[역]팔괘(周易八卦)355)를 궁구ᄒ여, 틱우의 젼후 길흉을 츄졈ᄒ더니, 니러구러 광음이 신속ᄒ여 념냥(炎凉)이 ᄌ로 뒤이져 슈년의 밋츠니, 초하(初夏) 념간(念間)의 니르러 남풍이 훈열ᄒ고 월식이 여쥬(如晝)ᄒ며 텬긔(天氣) 명낭ᄒ니, 쇼졔 근일은 미양 츄슈(推數)ᄒ미 심히 블길ᄒ미 만흔 고로, 초야의 밤이 깁고 인젹이 ᄉᆞᆽᄎ믈 기다려, ᄀ만이 홍션으로 더브러 밧긔 나와 앙관텬샹(仰觀天象)356)ᄒ니, 부형과 졔형의 쥬셩(主星)357)이 살긔(殺氣) 미만(彌滿)ᄒ여, 문호의 대익(大厄)이 당젼(當前)ᄒ여시믈 못지 아녀 알지라.

쇼졔【8】 일견쳠망(一見瞻望)의 대경실식ᄒ여 지견(再見) 텬궁(天宮)ᄒ니, 이윽고 흑뮈(黑霧) 흐터지고 즁셩(衆星)이 광치 당당ᄒ며 졍긔 빈빈(倍倍)ᄒ여 녜도곤 ᄉᆡ로온지라. 쇼졔 대열(大悅)ᄒ여 ᄯᅩ 태우의 쥬셩(主星)을 보니, 살셩(殺星)358)이 ᄀ득ᄒ고 비운(否運)이 춤춤(參參)ᄒ여, 슈일 ᄂᆡ의 디

---

364)쥬역팔과(周易八卦) : <주역>에서 세상의 모든 현상을 음양을 겹치어 여덟 가지의 상으로 나타낸 ☰[건(乾)], ☱[태(兌)], ☲[이(離)], ☳[진(震)], ☴[손(巽)], ☵[감(坎)], ☶[간(艮)], ☷[곤(坤)]을 이른다.

365)앙관텬샹(仰觀天象) : 하늘의 현상이나 일월성신이 돌아가는 이치를 우러러 살핌.

366)쥬셩(主星) : 점성술에서, 어떤 사람의 운명을 맡고 있다고 생각하는 별.

367)살셩(殺星) : 사람의 운명과 수명을 맡아 그 사람을 빨리 죽게 한다는 흉한 별.

355)쥬역팔과(周易八卦) : <주역>에서 세상의 모든 현상을 음양을 겹치어 여덟 가지의 상으로 나타낸 ☰[건(乾)], ☱[태(兌)], ☲[이(離)], ☳[진(震)], ☴[손(巽)], ☵[감(坎)], ☶[간(艮)], ☷[곤(坤)]을 이른다.

356)앙관텬샹(仰觀天象) : 하늘의 현상이나 일월성신이 돌아가는 이치를 우러러 살핌.

357)쥬셩(主星) : 점성술에서, 어떤 사람의 운명을 맡고 있다고 생각하는 별.

358)살셩(殺星) : 사람의 운명과 수명을 맡아 그 사람을 빨리 죽게 한다는 흉한 별.

닉의 대익이 오느니라. 쇼제 대경 실식ᄒ여 냥구쳠망(良久瞻望)ᄒ나, 계폐 업셔 묵연이 도라와, 츠야의 희미ᄒᆫ 일몽을 어드니, 일위 신인(神人)이 황건도의(黃巾道衣)로 나아와 니르디,

"윤광텬의 ᄉ화(死禍)를 부인이 친히 가디 아니면 반ᄃ시 손확의 독슈의 맛ᄎ리니, 부인은 더듸디 말고 밧비 힝ᄒ여 가부의 급화를 구ᄒ라."

ᄒ거ᄂᆞᆯ, 경동(驚動) 홀각(忽覺)ᄒ니 남가일몽(南柯一夢)369)이라. 몽ᄉᆞ ᄌᆞ못 명【11】빅ᄒ니, 쇼제 개연이 텬의를 씨ᄃᆞ라 ᄒᆫ 번 ᄠᅳᆺ을 결ᄒᆞ미, 엇디 다시 호의(狐疑)370)ᄒ리오. 츠ᄉᆞ를 남시와 홍션으로 상의ᄒ니, 남시 ᄯᅩ ᄒᆫ가디로 가믈 원ᄒ거ᄂᆞᆯ 뎡시 허락ᄒ고, 츠됴(此朝)의 닉당의 드러가 화공 부부와 화쇼져를 보고 한담ᄒ다가, 믄득 니르디,

"쇼셰(小壻) 블민ᄒᆫ 지덕으로 악댱의 디우를 닙ᄉᆞ와, 동상의 모쳠ᄒᆞ와 셰월을 보ᄂᆞ니, 일신의 안거(安居)ᄒᆞᆷ믄 친측의 머므나 이의셔 더으리잇고마ᄂᆞᆫ, 일단 울읍(鬱邑)371)ᄒᆞ미 가향(家鄕) 소식이 졀원(絶遠)372)ᄒᆞ미라. 요ᄉᆞ이 문견을 듯ᄌᆞ오니, 냥샤왕이 모반ᄒᆞ미 대병이 니르러 뎡벌ᄒᆞ다 ᄒ오니, 일즉 쇼셔의 연혼(連婚) 인【12】친디죡(姻親之族)의 문무디용(文武智勇)이 겸젼(兼全)ᄒ니 만ᄉᆞ온디라. 혹ᄌᆞ 이 가온디 《죵ᄉᆞᄒᆞ미 혹 쇼친ᄌᆞ의 괴이치‖쇼친ᄌᆞ(所親者)의 죵ᄉᆞᄒᆞ미 잇지》 아닐가 ᄒ읍ᄂᆞ니, 쇼셰 이제 잠간 츌유(出遊)ᄒ여 친당 소

368)비운(否運) : ①막혀서 어려운 처지에 이른 운수. ②불행한 운명 *否; 막힐 비.
369)남가일몽(南柯一夢) : 꿈과 같이 헛된 한때의 부귀영화를 이르는 말. 중국 당나라의 순우분(淳于棼)이 술에 취하여 홰나무의 남쪽으로 뻗은 가지 밑에서 잠이 들었는데 괴안국(槐安國)의 부마가 되어 남가군(南柯郡)을 다스리며 20년 동안 영화를 누리는 꿈을 꾸었다는 데서 유래한다.
370)호의(狐疑) : 여우가 의심이 많다는 뜻으로, 매사에 지나치게 의심함을 이르는 말.
371)울읍(鬱邑) : 수심에 찬 상태에 있음.
372)절원(絶遠) : 늑격원(隔遠). 동떨어지게 멂.

익이 오ᄂᆞ지라. 쇼제 대경실식ᄒ여 냥구쳠망(良久瞻望)ᄒ나, 계폐 업셔 침소를 도라와, 츠야의 일몽을 어드니, 일위 신인이 황건도의(黃巾道衣)로 나아와 굴오디,

"윤광텬의 ᄉ화(死禍)를 부인이 친히 가지 아니면, 반ᄃ시 손확의 독슈의 맛ᄎ리니, 부인은 더듸디 말고 밧비 힝ᄒ여 가부의 급화를 구ᄒ라"

ᄒ거ᄂᆞᆯ, 경동(驚動) 홀각(忽覺)ᄒ니 남가일몽(南柯一夢)359)이라. 몽ᄉᆞ ᄌᆞ못 명빅ᄒ니, 쇼제 ᄀᆞ연이 텬의를 씨ᄃᆞ라, ᄒᆫ 번 ᄠᅳᆺ을 결ᄒᆞ미 엇【9】지 ᄃ시 호의(狐疑)360)ᄒ리오. 츠ᄉᆞ를 남시와 홍션으로 상의ᄒ니, 남시 ᄯᅩ ᄒᆫ가지로 가기를 원ᄒ거ᄂᆞᆯ, 뎡시 허락ᄒ고, 츠됴의 닉당의 드러ᄀᆞ 화공 부부와 화쇼져를 보고 한담ᄒ다가, 믄득 닐오디,

"쇼셰(小壻) 블민ᄒᆫ 지덕으로 악장의 지우를 닙ᄉᆞ와, 동상의 모쳠ᄒᆞ와 셰월을 보ᄂᆞ니, 일신의 안거ᄒᆞ믄 친측의 머므나 이의셔 더으리잇고마ᄂᆞᆫ, 일단 울읍(鬱邑)361)ᄒᆞ미 가향(家鄕) 소식이 졀원(絶遠)362)ᄒᆞ미라. 요ᄉᆞ이 문견을 듯ᄌᆞ오니, 냥샤왕이 모반ᄒᆞ여 대병이 니르러 졍벌ᄒᆞ다 ᄒ오니, 일즉 쇼셔의 년혼(連婚) 인친지디족(姻親之族)의 문무지용(文武智勇)이 겸젼(兼全)ᄒ니 만ᄉᆞ온지라. 혹ᄌᆞ 이 가온디 《죵ᄉᆞᄒᆞ미 혹 쇼친ᄌᆞ의 괴이치‖쇼친ᄌᆞ(所親者)의 죵ᄉᆞᄒᆞ미 잇지》 《아니‖아닐가》 ᄒ오니, 쇼셰 이제 잠간 츌뉴(出遊)ᄒ여 친가(親家) ᄉᆞ(事)를 알【10】고, 근쳐 경치를 뉴람ᄒ고 슈월 후 도라오리이다"

359)남가일몽(南柯一夢) : 꿈과 같이 헛된 한때의 부귀영화를 이르는 말. 중국 당나라의 순우분(淳于棼)이 술에 취하여 홰나무의 남쪽으로 뻗은 가지 밑에서 잠이 들었는데 괴안국(槐安國)의 부마가 되어 남가군(南柯郡)을 다스리며 20년 동안 영화를 누리는 꿈을 꾸었다는 데서 유래한다.
360)호의(狐疑) : 여우가 의심이 많다는 뜻으로, 매사에 지나치게 의심함을 이르는 말.
361)울읍(鬱邑) : 수심에 찬 상태에 있음.
362)절원(絶遠) : 늑격원(隔遠). 동떨어지게 멂.

식을 알고, 근쳐 경치를 유람ᄒᆞ고 슈일 후 도라오리이다."

화공 부뷔 져의 울뎍ᄒᆞ믈 근심ᄒᆞ다가, 방외(方外)의 쇼유(逍遊)ᄒᆞ련다 ○○[ᄒᆞᄂᆞᆫ] 말을 ᄀᆞ장 깃거 흔연 허락ᄒᆞ고, ᄯᅩᄒᆞᆫ 슈월이나 ᄯᅥ나믈 결연ᄒᆞ여 슈히 도라오믈 원ᄒᆞ니, 쇼졔 흔연 비샤ᄒᆞ고 익일 발힝ᄒᆞᄆᆞᆯ 고ᄒᆞ고 도라와, 화시를 작별ᄒᆞᆯ시, 화공 부부로브터 잠간 스이나 니회 결연ᄒᆞ더라.

뎡쇼졔 화공 부부를 비샤(拜辭)ᄒᆞ고, 화시를 향ᄒᆞ여 댱읍【13】왈,

"셩혼삼지(成婚三載)의 일일도 ᄯᅥ난 젹이 업스니, 악댱이 도로혀 싱의 힝ᄉᆞ를 굼거이 넉이시고, 지 날노뼈 미양 머리를 ᄂᆞ실의 움치고 이시믈 괴로이 넉이더니, 금일 마디 못ᄒᆞ여 나가미 슈삭(數朔)을 긔약ᄒᆞ리니, 모로미 그 스이 악부모를 뫼셔 무양ᄒᆞ쇼셔."

화시 아미를 낫초아 졀ᄒᆞ고 답언이 업스니, 화공이 쇼왈,

"현셔는 우리 부녀의 말을 그릇 넉이디 말고, 금일 노샹(路上)의셔 산경(山景)을 살펴 디긔(志氣)를 소챵(消暢)ᄒᆞ라."

뎡시 잠쇼, 되왈,

"명산대쳔(名山大川)의 완유(玩遊)ᄒᆞ미 만ᄉᆞ오니, 그 스이 텬디 환작(換作)디 아니ᄒᆞᆯ 엿습ᄂᆞᆫ디라. ᄒᆞᆫ 번 본 후 다시 볼 ᄯᅳᆺ이 업ᄉᆞᆯ거니와, 악댱【14】이 쇼셔 ᄀᆞᆺᄐᆞᆫ 졸셔(拙壻)를 넉여 보ᄂᆡ시고 쇠흰이 넉이리로소이다."

공이 대쇼 왈,

"현셔는 아심(我心)의 먹디 아닌 말을 말나. 그ᄃᆡ 엇디 증셔(憎壻)리오. 다만 디극ᄒᆞᆫ 졍이 과도ᄒᆞᄆᆞ로, 그ᄃᆡ 너모 침엄단듕(沈嚴端重)ᄒᆞ고 쳥졍개결(淸靜介潔)ᄒᆞ여 어름과 슈졍 ᄀᆞᆺᄐᆞ니, 혹ᄌᆞ 슈한의 히로올가 우려ᄒᆞ여, 두로 단녀 여러 벗을 스괴여 져기 ᄆᆞ음을 딘속(塵俗)의 머므러 무들과져373) 바라ᄂᆞᆫ 비로ᄃᆡ, 텬셩의 놉흔 픔도(品度)를 엇디

───────
373)무들다 : 물들다. 어떤 환경이나 사상 따위를 닮아 가다.

화공 부뷔 져의 울울ᄒᆞᄆᆞᆯ 근심ᄒᆞ다ᄀᆞ, 방외(方外)의 쇼유(逍遊)ᄒᆞ련다 ○○[ᄒᆞᄂᆞᆫ] 말을 ᄀᆞ장 깃거 흔연 허락ᄒᆞ고, ᄯᅩᄒᆞᆫ 슈월이나 ᄯᅥ나믈 결연ᄒᆞ여 슈히 도라오믈 원ᄒᆞ니, 쇼졔 흔연 비샤ᄒᆞ고, 익일 발힝ᄒᆞᄆᆞᆯ 고ᄒᆞ고 이의, 화시를 작별ᄒᆞᆯ시, 화공 부부로브터 잠간 스이나 니회 결연ᄒᆞ더라.

뎡쇼졔 화공 부부를 비샤(拜辭)ᄒᆞ고, 화시를 향ᄒᆞ여 댱읍 왈,

"셩혼삼지(成婚三載)의 일일도 ᄯᅥ난 젹이 업스니, 악댱이 도로혀 싱의 힝ᄉᆞ를 궁거이 넉이시고, 지 ᄯᅩᄒᆞᆫ 날노뼈 미양 머리를 ᄂᆞ실의 움치고 이시믈 괴로이 넉이더니, 금일 마지 못ᄒᆞ여 나가매 슈삭(數朔)을 긔약ᄒᆞ리니, 모로미 그 스이 악부모를【11】 뫼셔 무양ᄒᆞ쇼셔"

화시{를} 아미를 낫초아 졀ᄒᆞ고 답언이 업스니, 화공이 쇼왈,

"현셔는 우리 부녀의 말을 그릇 넉이지 말고, 금일 노샹(路上)의셔 산경(山景)을 술펴 지긔(志氣)를 소챵(消暢)ᄒᆞ라."

뎡시 줌쇼 되왈,

"명산되쳔(名山大川)의 완뉴(玩遊)ᄒᆞ미 만ᄉᆞ오니, 그 스이 텬디 환작(換作)지 아니ᄒᆞᆯ 엿습ᄂᆞᆫ지라. ᄒᆞᆫ 번 본 후 ᄃᆞ시 볼 ᄯᅳᆺ이 업ᄉᆞᆯ거니와, 악댱이 쇼셔 ᄀᆞᆺᄐᆞᆫ 졸셔(拙壻)를 넉여 보ᄂᆡ시미 쇠흰이 넉이리로소이다"

공이 대쇼 왈,

"현셔는 아심(我心)의 먹지 아닌 말을 말나. 내 엇지 현셔를 믜워 ᄇᆞ리오. 다만 지극ᄒᆞᆫ 졍이 과도ᄒᆞᄆᆞ로, 그ᄃᆡ 너모 침엄단즁(沈嚴端重)ᄒᆞ고 졍졍기결(貞靜介潔)ᄒᆞ여 어름과 슈졍 ᄀᆞᆺᄐᆞ니, 혹ᄌᆞ 슈한의 히로올가 우려ᄒᆞ여, 두로 단녀 여러 벗을 스괴여 져【12】기 ᄆᆞ음을 진속(塵俗)의 머므러 무들과져363) 바라ᄂᆞᆫ 비로ᄃᆡ, 텬셩의 놉흔 픔도

───────
363)무들다 : 물들다. 어떤 환경이나 사상 따위를 닮아 가다.

바릴 길히 이시리오."

뎡시 웃고 스샤 왈,

"쇼싱이 므슴 사룸이완디 악댱의 디극ㅎ
신 셩괴 이 굿투시니, 엇디 감은치 아니리
잇가? 연이나 쇼싱이 남을【15】조ᄎ 변심
ᄒᆞᆯ 니 업고, 잡뉴를 스필 뜻은 종시 업스ᄂᆞ
니, 경샤 소식을 듯보아 친당 평문을 안 후
ᄂᆞᆫ 즉시 도라오리이다."

언필의 신을 끄어 나가니, 공의 부뷔 그
ᄉᆞ이나 일흔 거시 잇는 둣, 훌연ᄒᆞ믈 니긔
디 못ᄒᆞ더라. 뎡시 남시와 홍션을 다리고
남복이 신샹을 ᄀᆞ리와시믈 미더, 앙연(盎
然)374)이 믈긔 오로나, 그윽이 심회 블평ᄒᆞ
여 여러 힝긱(行客)을 피ᄒᆞ여, 산곡간 유벽
ᄒᆞᆫ 길흘 글히여 힝ᄒᆞᆯ시, 화○[부] 노미(奴
馬) 즈긔와 남시를 시러 동셔로 가는 곳은
다 ᄯᅡ라 단니믈 민망ᄒᆞ여, 슈일을 힝ᄒᆞ미
임의 손확의 칙칙(砦柵)375)이 바라 뵈이는
디【16】라. 뎡시 남시를 쥬쳐(住處)치 못
ᄒᆞ엿고, ᄯᅩ 화부 노즈를 괴로이 넉여, 아딕
즈긔 근본을 알디 아니려, 화가 노즈를
도라 보닉여, 왈,

"내 이에 와시니 친쳑을 좃ᄎ 즉시 갈 거
시오. 쳔연ᄒᆞᄂᆞᆫ 일이 잇셔도 너의 날을 좃
ᄎ 머믈미 무익ᄒᆞ니, 모로미 도라가라."

노즈 등이 디왈,

"상공 말숨이 맛당ᄒᆞ시나 노애 분부ᄒᆞ샤,
상공이 아모디로 가실디라도 뫼셔 단녀, 환
가ᄒᆞ실 써 ᄒᆞᆫ가디로 뫼셔 오믈 당부ᄒᆞ여 계
시니, 쇼복 등이 즈레 도라간죽, 죄칙이 이
실가 두리ᄂᆞ이다."

쇼졔 미쇼 왈,

"내 임의 너희 도라보닉믈 셔스의 고ᄒᆞ엿
ᄂᆞ니 여등은【17】슈죄(受罪)ᄒᆞᆯ가 근심치
말나."

노지 바야흐로 슈명ᄒᆞ여 글월을 맛타 도
라가미, 믈을 가져 다시 뫼시기를 알외니,

374)앙연(盎然) : 사물이나 감정 따위가 넘쳐 있음.
375)칙칙(砦柵) : 울짱. 말뚝 따위를 죽 잇따라 박아
　　만든 울타리.

를 엇지 바릴 길히 이시리오"

뎡 시 웃고 스샤 왈,

"쇼싱이 무슴 스람이라 악댱의 지극ᄒᆞ신
셩괴 여ᄎᆞᄒᆞ시니잇고? 연이나 소졔 남을 조
ᄎᆞ 변심ᄒᆞᆯ 니 업고, 잡뉴를 스필 뜻은 종시
업습ᄂᆞ니, 경샤 소식을 듯보아 친당 평문을
안 후ᄂᆞᆫ 즉시 도라오리이다"

언필의 신을 쯔어 나아가니, 공의 부뷔
그 ᄉᆞ이나 일흔 거시 잇는 둣, 훌연ᄒᆞ믈 니
긔지 못ᄒᆞ더라. 뎡시 남시와 홍션을 다리고
남복이 신샹을 나리와시믈 미더, 앙연(盎
然)364)이 말계 오ᄅᆞ나 그윽이 심회 불평ᄒᆞ
여, 여러 힝긱(行客)을 피ᄒᆞ여 산곡간 유벽
ᄒᆞᆫ 길흘 굴히여 힝ᄒᆞᆯ시, 화부 노미(奴馬) 즈
긔와【13】남시를 시러 동셔로 가는 곳은
○[다] ᄯᅡ라 ᄃᆞ니믈 민망ᄒᆞ여, 《슈월‖슈
일》을 힝ᄒᆞ미 임의 손확의 칙칙(砦柵)365)
이 보이는지라. 뎡시 남시를 쥬쳐(住處)치
못ᄒᆞ여 ᄒᆞ는 즁, ᄯᅩ 화부 노즈를 괴로이 넉
여 아직 즈긔 근본을 알지 아니려, 화가
노즈를 도라 보닉여, 왈,

"내 이의 와시니 친쳑을 좃ᄎ 즉시 갈 거
시오, 쳔연ᄒᆞᄂᆞᆫ 일이 이셔도 너히 《이‖
나》를 좃ᄎ 머믈미 무익ᄒᆞ니, 모로미 도라
가라"

노즈 등이 디왈,

"상공 말숨이 맛당ᄒᆞ시나 노애 분부ᄒᆞ샤,
상공이 아모디로 가실지라도 뫼셔 단녀, 환
가ᄒᆞ실 써 ᄒᆞᆫ가지로 뫼셔 오믈 당부ᄒᆞ여 계
시니, 쇼복 등이 즈레 도라간죽 죄칙이 이
실가 두리ᄂᆞ이다"

쇼졔 미쇼 왈,

"내 임의 너희 도라보닉믈 셔스【14】의
고ᄒᆞ엿ᄂᆞ니, 여등은 슈죄(受罪)ᄒᆞᆯ가 근심치
말나"

노지 바야흐로 슈명ᄒᆞ여 글월을 맛타 도
라가며, 다시 뫼시기를 알외니, 쇼졔 왈,

364)앙연(盎然) : 사물이나 감정 따위가 넘쳐 있음.
365)칙칙(砦柵) : 울짱. 말뚝 따위를 죽 잇따라 박아
　　만든 울타리.

쇼졔 왈,

"내 도라갈 쩌면 즈연 인모를 어더 가리
니 다시 오디 말나."

졔뇌 슈명 후 도라가니라.

뎡시 남시 머물 곳을 엇고져 ᄒ여 홍션으
로 ᄒ여금 암즈와 도관(道觀)을 듯보니, 사
름이 니르ᄃᆡ,

"슈년 젼의 태운도인 화션싱이라 ᄒᆞᄂᆞ니,
녕션강을 건너와 ᄒᆞᆫ 암즈를 일우고, 뎨즈를
거ᄂᆞ려 복거ᄒᆞ여, 사름의 팔즈를 츄졈ᄒᆞ시
기와 미릭 과거스를 모를 일이 업다."

ᄒᆞᆷ을 듯고, 홍션이 쇼져의 길스(吉事)를
뭇고져 ᄒ여 그 곳을 므르니, 닐【18】오
ᄃᆡ,

"사름이 왕뉘ᄒᆞ믈 괴로와 뎨즈를 다리고
문을 난 디 슈일이로ᄃᆡ, 도라오디 아○[니]
코, 쳥총옥셜마(靑驄玉雪馬)[376] 두 필을 두
고 가시므로, 션싱을 츠즈라 갓던 지 믈을
가디고져 ᄒ여, 너여 닛근즉 냥미(兩馬) 쒸
노라 사름이 감히 갓가이 나아가디 못ᄒᆞ게
ᄒᆞᄂᆞᆫ 고로, 아모 댱식라도 가져갈 의스를
못ᄒ니, 그런 이상ᄒᆞᆫ 일이 어ᄃᆡ 이시리오."

ᄒᆞ거늘, 뎡시 남시와 홍션으로 더브러 길
흘 ᄎᆞᆺ 여러 날만의 녕션강의 다ᄃᆞ르니,
큰 믈이 빗겨[377] ○○[이셔], 힝션ᄒᆞᄂᆞᆫ 도
리 업거늘, 뎡시 션으로 ᄒ여금 힝인ᄃᆞ려
문왈,

"이 믈 건너기를 빈를 브리디 아니ᄒᆞᄂᆞ
냐?"

힝인이 【19】 쇼왈,

"녕션강이 비록 상강(湘江)[378]을 밋디 못

"내 도라갈 쩌는 즈연 인마를 어더 가리
니 ᄃᆞ시 오지 말나"

졔뇌 슈명ᄒᆞ고 도라가다.

뎡 시 남시 머물 곳을 엇고져 ᄒ여 홍션
으로 ᄒ여금 암즈와 도관을 듯보라 ᄒ니,
스람이 닐오ᄃᆡ,

"슈년 젼의 틱운도인 화션싱이라 ᄒᆞᄂᆞ니
녕션강을 건너○[와] ᄒᆞᆫ 암즈를 닐우고, 졔
즈를 거ᄂᆞ려 복거ᄒ여, 스람의 팔즈를 츄졈
ᄒ기와, 과거 미릭스를 모를 일이 업다."

ᄒᆞᄂᆞᆫ지라, 홍션이 쇼져의 길스(吉事)를 뭇
고져 ᄒ여 그 곳을 무르니, 닐오ᄃᆡ,

"스람이 왕뉘ᄒᆞ물 괴로와 졔즈를 ᄃᆞ리고
문을 난 지 슈일이로ᄃᆡ, 【15】 도라오자 아
니코, ᄃᆞ만 쳥총옥셜마(靑驄玉雪馬)[366]를
두 필 두고 가시므로, 션싱을 츠지라 갓던
지 믈을 가지고져 ᄒ여, 너여 잇근즉 냥미
(兩馬) 쒸노라 스람이 감히 갓ᄀᆞ이 나아가
지 못ᄒᆞ게 ᄒᆞᄂᆞᆫ 고로, 아모 장식라도 가져
굴 의스를 못ᄒ니, 그런 니상ᄒᆞᆫ 일이 어ᄃᆡ
이시리오."

ᄒᆞ거늘 뎡시 남시와 홍션으로 더브러 길
흘 ᄎᆞ쳐 녀러 날만의 녕션강의 다ᄃᆞ르니,
큰 믈이 빗겨[367] 힝션ᄒᆞᄂᆞᆫ 도리 업거늘, 뎡
시 션으로 ᄒ여금 힝인ᄃᆞ려 무○[러], 왈,

"이 믈 건너기를 빈를 브리지 아니ᄒᆞᄂᆞ
냐?"

힝인이 쇼왈,

"녕션강이 비록 상강(湘江)[368]을 밋지 못

---

376)청총옥셜마(靑驄玉雪馬) : 옥이나 눈처럼 하얀
　　청총마(靑驄馬). 청총마는 털이 흰 백마(白馬)로,,
　　갈기와 꼬리부분이 파르스름한 빛을 띠고 있다.
377)빗기다 : 가로지르다.
378)상강(湘江) : 소상강(瀟湘江). 중국 호남성(湖南
　　省)에서 발원한 소수(瀟水)와 광서성(廣西省)에서
　　발원한 상강(湘江)여 호남성에 있는 동정호(洞庭
　　湖)에서 만나 이루어진 강. 주로 호남성 동정호 지
　　역을 일컫는 말로 경치가 아름답고 소상반죽(瀟湘
　　班竹)과 황릉묘(黃陵廟) 등 아황(娥皇) 여영(女英)
　　의 이비전설(二妃傳說)이 전하는 곳으로 유명하다.

366)청총옥셜마(靑驄玉雪馬) : 옥이나 눈처럼 하얀
　　청총마(靑驄馬). 청총마는 털이 흰 백마(白馬)로,,
　　갈기와 꼬리부분이 파르스름한 빛을 띠고 있다.
367)빗기다 : 가로지르다.
368)상강(湘江) : 소상강(瀟湘江). 중국 호남성(湖南
　　省)에서 발원한 소수(瀟水)와 광서성(廣西省)에서
　　발원한 상강(湘江)여 호남성에 있는 동정호(洞庭
　　湖)에서 만나 이루어진 강. 주로 호남성 동정호 지
　　역을 일컫는 말로 경치가 아름답고 소상반죽(瀟湘
　　班竹)과 황릉묘(黃陵廟) 등 아황(娥皇) 여영(女英)
　　의 이비전설(二妃傳說)이 전하는 곳으로 유명하다.

ᄒ나 깁회 쟝ᄒ니 엇디 ᄇᆡ를 아니 ᄇᆞ리리
오. 젼ᄌᆞ의 어ᄇᆡ 희믈을 시러 왕ᄂᆞᆨᄒᆞ노라
ᄇᆡ를 ᄇᆞ리더니, 태운도인 화션싱이 낙쳥산
의 복거ᄒᆞ므로, 그 ᄒᆞᆫ낫 치션이 이셔 풍일
(風日)이 블슌ᄒᆞ여도 근심 업시 사ᄅᆞᆷ을 건
네게 ᄒᆞ니, 어ᄇᆡ 져의 좀379) ᄇᆡ ᄇᆞ리기 브
졀업셔 다 ᄇᆞ리고, 원ᄂᆞ 낙쳥산 하의 ᄃᆞᆫ니
ᄂᆞᆫ 사ᄅᆞᆷ이 셩치 아냐 호환과 지란을 만나
리 만흔 고로, 다 피ᄒᆞ여 올마 가고, 어ᄇᆡ
희믈을 시러 가도 스리 업ᄂᆞᆫ 고로, 금년브
터ᄂᆞᆫ 힝션ᄒᆞᆫ 일이 업셔, 사ᄅᆞᆷ이 낙쳥산의
ᄃᆞᆫ니디 아니커니【20】와, 힝혀 화도인 주
최를 ᄎᆞᆺ고져 ᄒᆞᄂᆞ니도, 브ᄃᆡ 쇼션을 믿ᄃᆞ라
잇다감 ᄃᆞᆫ니더니, 댱샤왕 병난이 급흔 고로
다 피란을 바야380), 도관을 유완치 못ᄒᆞ
니, 이졔ᄂᆞ ᄇᆡ를 어들 길 업셔 영션강을 건
너디 못ᄒᆞᄂᆞ니라.”

    뎡시 ᄎᆞ언을 듯고 낙막(落寞)ᄒᆞ여, 날이
져므도록 믈가의셔 방황홀 ᄲᅮᆫ이러니, 홀연
먼니셔 퉁소 소ᄅᆡ 한가ᄒᆞ니, 귀를 기우려
그 소ᄅᆡ를 드르니[나] 아모ᄃᆡ셔 나ᄂᆞᆫ 줄 아
디 못ᄒᆞ더니, 야심 후 강샹의 ᄒᆞᆫ 치션이 살
ᄀᆞᆺ치 뎡쇼져 안즌 언덕으로 나아오며, 션듕
의 일위 도인이 두어 동ᄌᆞ를 다리고 퉁소를
한가히 불며,【21】젹은듯381) ᄇᆡ를 평디의
다히고 ᄒᆞᆫ 번 몸을 ᄲᅱ여 언덕의 오ᄅᆞ니, 뎡
시 등 삼인이 ᄇᆡ를 보고 깃브나, 도인이 남
지니 심야의 샹ᄃᆡᄒᆞ미 블안 민박(憫迫)ᄒᆞ여,
머리를 숙여 그 얼골을 보디 아니ᄒᆞ더니,
뎡시 날호여 담을 크게 ᄒᆞ고, 도인을 향ᄒᆞ
여 졀ᄒᆞ고 ᄀᆞᆯ오ᄃᆡ,

    “쇼싱은 텬하의 오유ᄒᆞᄂᆞᆫ 무가긱(無家客)
이라. ᄎᆞ디의 니르러 태운도인 화션싱 도ᄒᆡᆼ
이 고셰(高世)ᄒᆞ믈382) 흠앙ᄒᆞ여, 일ᄎᆞ 비견
(拜見)을 바라는 고로, 영션강을 건너 도관
으로 나아가고져 ᄒᆞᄃᆡ, 슈샹(水上)의 ᄒᆞᆫ낫
ᄇᆡ를 엇디 못ᄒᆞ여 뎡히 우민ᄒᆞ더니, 쳔만

379)좀 : 조금. 여간.
380)바야다 : 재촉하다. 서두르다.
381)젹은듯 : 져근듯. 잠시, 잠깐. 잠깐사이.
382)고셰(高世)ᄒᆞ다 : 세상에 드러날 정도로 능력이
    나 명망이 뛰어나다.

ᄒ나 깁회 쟝ᄒ니, 엇지 ᄇᆡ를 아니 부리리
오. 젼ᄌᆞ의 어ᄇᆡ 희믈을 시러 왕ᄂᆞᆨᄒᆞ노라
ᄇᆡ를【16】 부리더니, 틱운도인 화션싱이
낙쳥산의 복거ᄒᆞ므로, 그 ᄒᆞᆫ낫 치션이 이셔
풍일이 불슌ᄒᆞ여도 근심 업시 스람을 건네
게 ᄒᆞ니, 어ᄇᆡ 져의 좀369) ᄇᆡ 부리기 브졀
업셔 다 ᄇᆞ리고, 원ᄂᆞ 낙쳥산 하의 ᄃᆞᆫ니ᄂᆞᆫ
스람이 셩치 아냐 호환과 지란을 만나 리
만흔 고로, 다 《틱군 녀흘을 막앗고∥피ᄒᆞ
여 올마 가고》, 어ᄇᆡ 희믈을 시러가도 스
ᄂᆞ니 업ᄂᆞᆫ 고로, 금년 붓터ᄂᆞᆫ 힝션ᄒᆞᄂᆞᆫ 일
이 업셔, 스람이 낙쳥산의 ᄃᆞᆫ니지 아니커
와, 힝혀 화도인 ᄎᆞᆺ고져 ᄒᆞᄂᆞ니도 브ᄃᆡ 쇼
션을 믿ᄃᆞ라 잇ᄃᆞ감 ᄃᆞᆫ니더니, 댱ᄉᆞ왕 병난
이 급흔 고로 다 피란 ᄒᆞ랴 ᄒᆞ고, 도관을
유완(遊玩)치 못ᄒᆞ니, 이졔ᄂᆞ ᄇᆡ를 어들 길
업셔【17】녕션강을 건너지 못ᄒᆞᄂᆞ이다.”

    뎡시 ᄎᆞ언을 듯고 낙막ᄒᆞ여 날이 져므도
록 믈ᄀᆞ히셔 방황홀 ᄲᅮᆫ이러니, 홀연 먼니셔
퉁소 소ᄅᆡ 한가ᄒᆞ니, 귀를 기우려 그 소ᄅᆡ
를 드르니, 아모ᄃᆡ셔 나ᄂᆞᆫ 줄 모ᄅᆞ더니 야
심 후 강샹으로셔 ᄒᆞᆫ 치션이 살ᄀᆞᆺ치 뎡쇼져
안즌 언덕으로 나아오며, 션즁의 일위 도인
이 두어 동ᄌᆞ를 ᄃᆞ리고 퉁소를 한ᄀᆞ히 불며
져근듯370) ᄇᆡ를 평디의 다히고, ᄒᆞᆫ 번 몸을
ᄲᅱ여 언덕의 오ᄅᆞ니, 뎡시 등 숨인이 ᄇᆡ를
보고 깃브나, 도인이 남지니 심야의 샹ᄃᆡᄒᆞ
미 불안 민박ᄒᆞ여, 머리를 숙여 그 얼골을
보지 아니ᄒᆞ더니, 뎡시 날호여 담을 크게
ᄒᆞ고 도인을【18】향ᄒᆞ여 졀ᄒᆞ고, 왈,

    “쇼싱은 텬하의 오유ᄒᆞᄂᆞᆫ 믈외긱(物外客)
이라. ᄎᆞ디의 니르러 틱운도인 화션싱 도ᄒᆡᆼ
이 고명(高名)ᄒᆞ믈 {희황ᄒᆞ여} 흠앙ᄒᆞ여, 일
ᄎᆞ 비현(拜見)코ᄌᆞ ᄒᆞᄂᆞᆫ 고로 녕션강을 건
너 도관으로 ᄂᆞ아가고져 ᄒᆞᄃᆡ, 슈샹(水上)의
ᄒᆞᆫ낫 ᄇᆡ를 엇지 못ᄒᆞ여 졍히 우민ᄒᆞ더니,
쳔만 의외 션싱을 만나니 힝혀 깃브믈 니긔
지 못ᄒᆞ옵ᄂᆞ니, 아지 못게이다, 틱운도인이

369)좀 : 조금. 여간.
370)젹은둣 : 져근듯. 잠시, 잠깐. 잠깐사이.

의외 션ᄉᆡᆼ을 만나니 힝열ᄒᆞ믈【22】니긔지 못ᄒᆞᆸᄂᆞ니, 태운도인이 아니시니잇가?"

그 도ᄉᆡ 팔흘 드러 공경 답네 왈,

"ᄉᆡᆼ은 태운도인 동뉴(同類)러니 도인을 ᄎᆞᆺ고져 낙청산 도관의 가니, 황연ᄒᆞ고 도인이 ᄌᆞ최 업ᄉᆞ니 훌훌ᄒᆞ믈 니긔디 못ᄒᆞ여 ᄉᆡᆼ의 도관으로 가더니, 귀인을 ᄇᆡ견ᄒᆞᄆᆡ 가히 영힝타 ᄒᆞ리로소이다."

언에 청상ᄒᆞ고 긔상이 고결ᄒᆞ여 딘쇽의 무들미 업고, 션단(仙丹)을 맛보며 녕약을 삼켜, 완연ᄒᆞᆫ 션풍옥골이 옥쳥샹션(玉淸上仙)383)이라. 그 비상ᄒᆞ믈 디긔ᄒᆞ고 다시 ᄇᆡ왈(拜曰),

"비록 태운도인이 아니 계셔도 쇼ᄉᆡᆼ이 그 거쳐ᄒᆞ시던 관듕이나 보고져 ᄒᆞᆸᄂᆞ니, 션ᄉᆡᆼ의 은덕【23】으로 져 물을 건너게 ᄒᆞ시리잇가?"

도인이 브복 공경 왈,

"귀인의 니ᄅᆞ시ᄂᆞᆫ ᄇᆡ 도인을 쇽이시미 만흐시나, 쇼ᄉᆡᆼ이 엇디 밧드디 아니리잇고? 다만 남네유별(男女有別)ᄒᆞ고 ᄂᆡ외(內外) 격졀(隔絶)ᄒᆞ니, 부인의 당ᄒᆞᆫ ᄇᆡ 쇼쇼 넘치를 도라보디 못ᄒᆞ시려니와, 몸 우히 남의로ᄡᅧ 빈도 ᄀᆞᆺ트니를 은닉ᄒᆞᄂᆞᆫ ᄇᆡ라. 남쇼져의 계실 곳을 뎡치 못ᄒᆞ여 브ᄃᆡ 도관을 ᄎᆞᆺ고져 ᄒᆞ시미오. 굿ᄐᆞ여 태운도관을 ᄇᆡ견ᄒᆞ실 졍셩이 업ᄂᆞ니, 빈되 암ᄆᆡᄒᆞ나 엇디 모로리오. 연이나 두 쇼져를 뫼셔 쇼ᄉᆡᆼ의 ᄐᆞᆫ ᄇᆡ의 오로미, ᄒᆞᆫ갓 쇼ᄉᆡᆼ의 ᄆᆞ음이 블안ᄒᆞᆯ ᄲᅮᆫ 아니라, 두 쇼졔 졀민ᄒᆞ실디니, 쳥컨ᄃᆡ【24】몬져 션창(船窓) 안흐로 드러셔든, 쇼ᄉᆡᆼ이 션창 밧긔셔 동ᄌᆞ로 ᄇᆡ를 져어 물을 건너시게 ᄒᆞ리이다."

뎡·남 이쇼졔 쳥필의 경참(驚慘)ᄒᆞ미 낫치 달호이믈 ᄊᆡ둣디 못ᄒᆞ나, 뎡쇼져ᄂᆞᆫ 실노 쇼쇼 넘치를 도라보디 못ᄒᆞᆯ디라. 몸을 굽혀 샤례 왈,

"쇼쳡 등의 졍ᄉᆞ를 션ᄉᆡᆼ이 듯디 아니셔도

383)옥쳥샹션(玉淸上仙) : 옥청궁(玉淸宮)에 사는 신선. 옥청궁; 도교 삼청궁(三淸宮)의 하나로, 원시천존(元始天尊)이 사는 곳이라 함.

아니시니잇가?"

그 도ᄉᆡ 팔흘 드러 공경 답네, 왈,

"ᄉᆡᆼ은 태운도인 동뉴(同類)러니, 도인을 ᄎᆞᆺ고져 낙청산 도관의 가니, 황연ᄒᆞ고 도인이 ᄌᆞ최 업ᄉᆞ니 훌훌ᄒᆞ믈 니긔지 못ᄒᆞ여 ᄉᆡᆼ의 도관으로 가더니, 귀인을 ᄇᆡ【19】견ᄒᆞᄆᆡ 가히 영힝타 ᄒᆞ리로소이다."

언에 청상ᄒᆞ고 긔상이 고결ᄒᆞ여 진쇽의 무들미 업고, 션단(仙丹)을 맛보며 녕약(靈藥)을 숨켜, 완연ᄒᆞᆫ 션풍옥골이 옥쳥샹션(玉淸上仙)371)이라. 그 비상ᄒᆞ물 지긔ᄒᆞ고 다시 ᄌᆡᄇᆡ(再拜), 왈,

"비록 ᄐᆡ운도인이 아니 계셔도 쇼ᄉᆡᆼ이 그 거쳐ᄒᆞ시던 관즁이라도 보고ᄌᆞ ᄒᆞᆸᄂᆞ니, 션ᄉᆡᆼ의 은덕으로 져 물을 건너게 ᄒᆞ시리잇가?"

도인이 부복 공경 왈,

"귀인의 니ᄅᆞ시ᄂᆞᆫ ᄇᆡ 도인을 쇽이시미 만흐나, 쇼ᄉᆡᆼ이 엇지 밧드지 아니리잇고? 다만 남네유별(男女有別)ᄒᆞ고 ᄂᆡ외(內外) 격졀(隔絶)ᄒᆞ니, 부인의 당ᄒᆞᆫ ᄇᆡ 쇼쇼 넘치를 도라보지 못ᄒᆞ시려니와, 몸 우히 남의로ᄡᅧ 빈도 ᄀᆞᆺᄐᆞ 니를 은닉【20】ᄒᆞ시ᄂᆞᆫ ᄇᆡ라. 남쇼져의 계실 곳을 졍치 못ᄒᆞ여 브ᄃᆡ 도관을 ᄎᆞᄌᆞ시미오, 굿ᄐᆞ여 ᄐᆡ운도인을 ᄇᆡ견ᄒᆞ실 졍셩이 업ᄂᆞ니, 빈되 암ᄆᆡᄒᆞ나 엇지 모로리오. 그러나 두 쇼져를 뫼셔 쇼ᄉᆡᆼ의 ᄐᆞᆫ ᄇᆡ의 오로미, ᄒᆞᆫ갓 쇼ᄉᆡᆼ의 ᄆᆞ음이 블안ᄒᆞᆯ ᄲᅮᆫ 아니라, 두 쇼졔 졀민ᄒᆞ실지니, 쳥컨ᄃᆡ 몬져 션창 안흐로 드ᄅᆞ셔든, 쇼ᄉᆡᆼ이 션창 밧긔셔 동ᄌᆞ로 ᄇᆡ를 져어 물을 건너시게 ᄒᆞ리이다."

뎡·남 이 쇼졔 쳥필의 경참(驚慘)ᄒᆞ미 낫치 달호이믈 ᄊᆡ둣지 못ᄒᆞ나, 뎡쇼져ᄂᆞᆫ 실노 쇼쇼 넘치를 도라보지 못ᄒᆞᆯ지라. 몸을 굽혀 ᄉᆞ례 왈,

"쇼쳡 등의 졍ᄉᆞ를 션ᄉᆡᆼ이 듯지 아니셔도

371)옥쳥샹션(玉淸上仙) : 옥청궁(玉淸宮)에 사는 신선. 옥청궁; 도교 삼청궁(三淸宮)의 하나로, 원시천존(元始天尊)이 사는 곳이라 함.

션견디명(先見之明)이 이러툿 쾌ᄒᆞ시니, 고ᄒᆞᆯ 말ᄉᆞᆷ이 업ᄂᆞ디라. 태평셩딕의 혼ᄌᆞ 난니를 만나 규리(閨裏)의 ᄌᆞ최 낫 가리오는 녜를 바리고, 간ᄉᆞ히 음양을 밧고와 이목을 속이미 만ᄒᆞ니, 신명의 믜이 넉이미 반둣ᄒᆞ리로소이다.”

도인이 미미히 우어 왈,

“부인의 당ᄒᆞ【25】신 화란이 ᄀᆞ쟝 이상ᄒᆞ니, 만일 이러툿 피화치 아니신죽 엇디 보젼ᄒᆞᄆᆞᆯ 어드리오. ᄒᆞ물며 의긔 현심이 남쇼져 급화를 구ᄒᆞ여 평싱을 동노(同老)코져 긔약ᄒᆞ고, 화쇼져를 취ᄒᆞ여 윤참모긔 쳔거코져 ᄒᆞ시니, 타일 동녈의 번화홈과 퇴샹의 화열ᄒᆞ미[믈] 뭇디 아녀 알디라. 윤참모 종군ᄒᆞᄆᆞᆯ 위틱히 넉이샤, 급히 그 딘듕 ᄉᆞ셰(事勢)를 ᄉᆞᆯ피고져 ᄒᆞ시니, 쇼싱이 비록 여견만니(如見萬里)ᄒᆞᄂᆞᆫ 디식이 업ᄉᆞ나, 참모의 익화를 거의 짐작ᄒᆞᄂᆞ니, 이후 십ᄉᆞ일이 디나면 손확이 참모를 미러 너여 버히라 ᄒᆞᆯ 거시니, 부인이 낙쳥산 도관의 믜인 두 필 믈【26】을 가져, ᄒᆞ나흔 스스로 ᄐᆞ고 ᄒᆞ나흔 븬 말노 모라가, 참모를 구ᄒᆞ여 퇴와 오딕, 요란이 쇼문을 듯보디 말고, 모일 인시(寅時)384)의 져 ᄇᆡ를 ᄐᆞ고 이 믈을 건너, 날 져물기를 기드려 유시(酉時)385)의 드러가 참모를 구ᄒᆞ여 더브러 도라오딕, 손확이 ᄶᅩᆯ을 거시니 밧비 비를 건너 죽기를 면ᄒᆞᆫ죽, 임의 위디(危地)를 버셔 낫ᄂᆞ디라. 다시 익경(厄境)이 업고 대길ᄒᆞ리이다.”

뎡쇼졔 샤례ᄒᆞ고 왈,

“션싱이 쇼쳡의 어리고 아득ᄒᆞᆫ 심폐를 ᄉᆞ못ᄎᆞ샤, 이ᄀᆞᆺ치 명교를 나리오시니 감은각골(感恩刻骨)ᄒᆞᄆᆞᆯ 니긔디 못ᄒᆞᆯ소이다. 연이나 남시ᄂᆞᆫ 참모로 더브러 남이라, 일시도 상딕ᄒᆞ미 어【27】려오니, 남시○[ᄂᆞᆫ] 도관의 두고, 참모를 ᄯᅩ 구ᄒᆞ여 도관으로 가미 가치 아닐가 ᄒᆞᄂᆞ이다.”

션견지명(先見之明)이 니러툿 쾌ᄒᆞ【21】시니, 고ᄒᆞᆯ 말ᄂᆞᆫ지라. 퇴평셩딕의 혼ᄌᆞ 난니를 만나 규리(閨裏)의 ᄌᆞ취 낫 ᄀᆞ리오는 녜를 바리고, 간ᄉᆞ히 음양을 밧고와 니목을 속이미 만ᄒᆞ니, 신명의 믜이 넉이미 반둣ᄒᆞ리로소이다”

도인이 미미히 우어 왈,

“부인의 당ᄒᆞ신 화란이 ᄀᆞ쟝 이상ᄒᆞ니, 만닐 이러툿 피화치 아니신죽 엇지 보젼ᄒᆞᄆᆞᆯ 어드리오. ᄒᆞ물며 의긔 현심이 남쇼져 급화를 구ᄒᆞ여 평싱 지긔를 숨고져 긔약ᄒᆞ고, 화쇼져를 취ᄒᆞ여 윤참모긔 쳔거코ᄌᆞ ᄒᆞ시니, 타일 동녈의 번화홈과 퇴샹의 화열ᄒᆞ미[믈] 뭇지 아녀 알지라. 윤참모 종군ᄒᆞᄆᆞᆯ 위틱히 넉이ᄉᆞ 급히 그 진즁 ᄉᆞ셰를 ᄉᆞᆯ피고ᄌᆞ【22】 ᄒᆞ시니, 쇼싱이 비록 여견만니(如見萬里)ᄒᆞᄂᆞᆫ 지식이 업ᄉᆞ나, 참모의 익화를 거의 짐작ᄒᆞᄂᆞ니, 이후 십ᄉᆞ 일이 지나면 손확이 참모를 미러너여 버히라 ᄒᆞᆯ 거시니, 부인이 낙쳥산 도관의 믜인 두 필 말을 가져, ᄒᆞ나흔 스스로 ᄐᆞ고 ᄒᆞ나흔 븬 말노 모라가, 춤모를 구ᄒᆞ여 퇴와 오딕, 요란이 쇼문을 듯보지 말고, 모일 인시(寅時)372)의 져 비를 ᄐᆞ고 이 믈을 건너, 날 져믈기를 기드려 유시(酉時)373)의 드러가 참모를 구ᄒᆞ여 도라오딕, 손확이 ᄶᅩᆯ을 거시니 밧비 비를 건너 죽기를 면ᄒᆞᆫ죽, 님의 위지(危地)를 버셔 낫ᄂᆞᆫ지라. 두시ᄂᆞᆫ 익경(厄境)이 업고 딕길ᄒᆞ리이다.”

뎡쇼졔 ᄉᆞ례ᄒᆞ고 왈,

“션싱이 쇼쳡의 어리고【23】 아득ᄒᆞᆫ 심폐를 ᄉᆞ못ᄎᆞᄉᆞ, 이ᄀᆞᆺ티 명교를 나리오시니, 감은각골(感恩刻骨)ᄒᆞᄆᆞᆯ 니긔지 못ᄒᆞ리로소이다. 그러나 남시ᄂᆞᆫ 참모로 더브러 남이라. 일시도 상딕ᄒᆞ미 어려오니, 남시를 도관의 두고 참모를 ᄯᅩ 구ᄒᆞ여 도관으로 가미 가치 아닐ᄀᆞ ᄒᆞᄂᆞ이다.”

---

384)인시(寅時) : 십이시(十二時)의 셋째 시. 오전 세 시에서 다섯 시까지이다.

385)유시(酉時) : 십이시(十二時)의 열째 시. 오후 다섯 시부터 일곱 시까지이다.

372)인시(寅時) : 십이시(十二時)의 셋째 시. 오전 세 시에서 다섯 시까지이다.

373)유시(酉時) : 십이시(十二時)의 열째 시. 오후 다섯 시부터 일곱 시까지이다.

도시 희미히 우어 왈,

"부인 말숨이 녜의예 맛당ᄒ신다라. 남쇼제 타일은 윤가 사름이 되려니와 아딕은 블가ᄒ니, 낙쳥산 오리허(五里許)386)의 농슈암이란 쇼찰(小刹)이 이셔 녀승 슈십여 인이 머므니, 그 곳의 남쇼져를 두어, 일삭 후의 강참졍이 남경태수를 ᄒ여 이 앞흘 디나다가 다려가리라."

뎡시 도스의 디교(指敎)ᄒ믈 쳔만 샤례ᄒ고, 남시와 홍션을 닛그려 션챵 안히 들믹, 도시 쌍개(雙個) 동조로 더브러 션챵 밧긔셔 한가히 비를 져어, 얼픗 ᄉ이 강을 건너【28】낙쳥산의 다드르니, 도인이 도관을 가르쳐 알게 ᄒ고, 팔흘 드러 두 쇼져긔 녜ᄒ고 굴오ᄃᆡ,

"쇼싱이 임의 냥위 쇼져를 뫼셔 비를 건너게 ᄒ엿ᄂ니, 이졔는 본 도관으로 가ᄂ이다."

이 쇼졔 비샤ᄒ여 지삼 후은(厚恩)을 일ᄏᆞᄅ니, 도시 쇼왈,

"부인과 쇼졔 빈도의 은덕을 칭ᄒ실 니(理)도 업ᄂ니, 브졀업슨 말을 마르시고, 뎡부인은 모일 야(夜)의 참모의 급화를 잘 구ᄒ쇼셔."

뎡시 감은ᄒ믈 니긔디 못ᄒ나, 도시 조최표홀(飄忽)ᄒ여 조긔 등을 평디의 나리온 후, 쳥의쌍동(靑衣雙童)으로 더브러 동녁흐로 ᄉ오 보(步)를 옴기더니, 운뮈 조옥ᄒ여 간 바를 아디 못【29】ᄒᄂ디라. 남시 슉녈을 도라보아 왈,

"이 반ᄃ시 속셰 도인이 아니오, 옥쳥샹션(玉淸上仙)이라. 텬힝으로 아둥이 영션강을 건너 댱신홀 곳을 뎡케 ᄒ니, 도스의 은혜 젹디 아니ᄒ도소이다."

뎡시 왈,

"도인이 우리를 딕ᄒ여 거줏 화션싱 동뉘라 ᄒ나, 이 딘짓 태운도인이라. 내 젼일 화도시라 ᄒ리 엄구 명쳔공과 졍분이 디극ᄒᆞ 친위시나, 쳥운과 빅운이 길히 달나 져는 산님 도시 되고, 존구는 농누봉각(龍樓鳳閣)

386)오리허(五里許) : 오리 쯤 되는 곳.

"도시 미쇼 왈,

부인 말숨이 녜의의 맛당ᄒ신지라. 남쇼제 타일은 윤가 스람이 되려니와 아직은 불가ᄒ니, 낙쳥산 오리허(五里許)374)의 농슈암이란 쇼찰(小刹)이 이셔 녀승 슈십여 인이 머므니, 그 곳의 남쇼져를 두어 일삭 후의 강참졍이 남경틱수를 ᄒ여 이 앞흘 지나다가 ᄃᆞ려가리라"

뎡시 도스의 지교(指敎)ᄒ믈 쳔만 스례ᄒ고, 남시와 홍션을 닛그려 션【24】챵 안히 들믹, 도시 쌍(雙) 동조로 더브러 션챵 밧긔셔 한가히 비를 져어, 얼픗 ᄉ이 강을 건너 낙쳥산의 다드르니, 도인이 도관을 ᄀᆞ르쳐 알게 ᄒ고, 팔을 드러 두 쇼져게 녜ᄒ고 굴오ᄃᆡ,

"쇼싱이 임의 냥위 쇼져를 뫼셔 비를 건너게 ᄒ엿ᄂ니, 이졔는 본 도관으로 가ᄂ이다."

이 쇼졔 비샤ᄒ여 지삼 후은(厚恩)을 닐ᄏᆞᄅ니, 도시 쇼 왈,

"부인과 쇼졔 빈도의 은덕을 칭ᄒ실 비 아니니, 브졀업슨 말 마ᄅ시고 뎡부인은 모일 야(夜)의 참모의 급화를 줄 구ᄒ쇼셔"

뎡시 감은ᄒ믈 니긔지 못ᄒ나, 도시 조최표홀(飄忽)ᄒ여 조긔 등을 평디의 ᄂᆞ리온 후 쳥의쌍동(靑衣雙童)으로 더브러 동녁흐로 ᄉ오 보(步)를 옴【25】기더니, 운뮈 조옥ᄒ여 간 바를 아지 못ᄒᄂ지라. 남시 뎡시를 도라보아 왈,

"이 반ᄃ시 속셰 도인이 아니오, 옥쳥샹션(玉淸上仙)이라. 텬힝으로 아둥이 녕션강을 건너 장신홀 곳을 졍케 ᄒ니, 도스의 은혜 젹지 아니ᄒ도소이다"

뎡시 왈,

"도인이 우리를 딕ᄒ여 거줏 화션싱 동뉘라 ᄒ나, 이 진짓 틱운도인이라. 내 젼일 화도시라 ᄒ리 엄구 명쳔공과 졍분이 지극ᄒᆞ 친위시나, 쳥운과 빅운이 길히 달나 져는 산님 도시 되고, 존구는 농누봉각(龍樓鳳閣)

374)오리허(五里許) : 오리 쯤 되는 곳.

의 지렬(宰列)이 되시니, 디취(志趣) 빈뷔
(貧富) 닉도ᄒᆞ시나, 화션싱이 셩이 고결ᄒᆞ고
품딜이 쳥상ᄒᆞ여, 부귀를 헌 신ᄀᆞᆺ치 바리고
샤환분【30】쥬(仕宦奔走)ᄒᆞ나니를 우이 넉
여, 엄귀(嚴舅) 지경(在京)ᄒᆞ신 쩌는 ᄎᆞᆺ는
일이 업다가, 혹ᄌᆞ 하향(下鄕)ᄒᆞ신 쩐죽, 스
스로 니르러 셔로 반기시며, 신셩통달ᄒᆞ미
과거 미릭스를 보는 ᄃᆞ시 아라, 미양 엄구
의 부귀ᄒᆞ시미 깃브디 아닌 줄을 니르며,
국ᄉᆞ를 인ᄒᆞ여 몸을 맛츠실 바를 일콧다가,
존귀 금국으로 향ᄒᆞ시믈 당ᄒᆞ여, 도듕의셔
존구를 니별ᄒᆞ샤 능히 싱환치 못ᄒᆞᆯ 줄 아
나, 존구의 얼굴을 그려 가시니, 그 후 화션
싱을 만나디 못ᄒᆞ고, 윤군 곤계(昆季) 그 말
을 드른즉 더욱 비도(悲悼)ᄒᆞ여, 거쳐 모로
는 화도ᄉᆞ를 브딕 ᄎᆞᆺ ᄌᆞ 존구 화상을 뫼셔
오랴 ᄒᆞᆯ 거시므로,【31】 가엄이 윤군 형제
통상ᄒᆞᆫ 심ᄉᆞ를 더으디 못ᄒᆞ샤, 화상디ᄉᆞ(畫
像之事)를 아르시ᄃᆡ 윤군다려는 니르디 아
니시고, 일죽 날다려 니르시미 듯ᄌᆞ온 비라.
앗가 그 션싱이 분명 태운도인이니, 일노조
ᄎᆞ 윤군이 그 ᄌᆞ최를 심방ᄒᆞᆫ즉 엄구 화상을
ᄎᆞ즐 도리 이실가 ᄒᆞ노라.”

남시 도인의 신명ᄒᆞ믈 듯고, ᄌᆞ긔 외귀
남경 태슈로 나려오미 이실가 절박히 기다
리더라.
덩시 남시와 홍션으로 더브러 낙쳥산 도
관의 드러가니, 황연이 뷘 집이 인덕이 긋
쳐시나, 마구(馬廐)387)의 두 필 ᄆᆞᆯ이 미이
여 쇼져를 보고 님ᄌᆞ를 만난듯 반기니, 비
록 말을 못ᄒᆞ나 쇠리를 치며 소리를 놉
【32】혀 현현(顯顯)이 즐겨ᄒᆞ는 거동이 이
시니, 덩시 도ᄉᆞ의 말이 마ᄌᆞᄆᆞᆯ 힝회ᄒᆞ여,
흐르는 물을 쎠 믈을 주고 ᄎᆞ야를 도관의셔
디닉고, 명일 농슈암을 ᄎᆞᄌᆞ 가니, 과연 암
직 정소ᄒᆞ고 슈십 녀승이 이시ᄃᆡ, 상뫼 고
긔(古奇)388)ᄒᆞ고 풍치 단아ᄒᆞ여, 딘욕(塵慾)

387)마구(馬廐) : 마구간.
388)고긔(古奇) : 예스럽고 기이하다.

의 지렬(宰列)이 되시니, 귀쳔빈뷔(貴賤貧
富) 닉도ᄒᆞ시나, 화션싱이 셩이 고결ᄒᆞ고
품딜이 쳥상ᄒᆞ여, 부귀를 헌 신ᄀᆞᆺ치 바리고
ᄉᆞ환분쥬(仕宦奔走)ᄒᆞᄂᆞ니【26】를 우이 넉
여, 엄귀(嚴舅) 지경(在京)ᄒᆞ신 쩌는 ᄎᆞᆺ는
일이 업ᄃᆞ가, 혹ᄌᆞ 하향(下鄕)ᄒᆞ신 쩐죽, 스
스로 니르러 셔로 반기시며, 신셩통달ᄒᆞ미
과거 미릭스를 보는 ᄃᆞ시 아라, 미양 엄구
의 부귀ᄒᆞ시미 깃브지 아닌 줄을 니르며,
국ᄉᆞ를 인ᄒᆞ여 몸을 맛츠실 바를 닐콧ᄃᆞᄀᆞ,
존귀 금국으로 향ᄒᆞ시믈 당ᄒᆞ여, 도즁의셔
존구를 니별ᄒᆞᄉᆞ, 능히 싱환치 못ᄒᆞᆯ 줄
《아나∥아라》, 존구의 얼굴을 그려 가시
니 그 후 화션싱을 만나지 못ᄒᆞ고, 윤군 곤
계 그 말을 《즉시 듯고 불븐 도로 ᄒᆞ고 거쳐
모ᄅᆞᆫ는 화도ᄉᆞ를 ᄎᆞᆺ고져 ᄒᆞ믄 존구 화상을 뫼
셔 오려 ᄒᆞ미라 시고로 아랏ᄂᆞ니∥드른즉 더욱
비도(悲悼)ᄒᆞ여, 거쳐 모로는 화도ᄉᆞ를 브딕 ᄎᆞᆺ
ᄌᆞ 존구 화상을 뫼셔 오랴 ᄒᆞᆯ 거시므로, 가엄이
윤군 형제 통상ᄒᆞᆫ 심ᄉᆞ를 더으디 못ᄒᆞ샤, 화상
디ᄉᆞ(畫像之事)를 아르시ᄃᆡ 윤군다려는 니르디
아니시고, 일죽 날다려 니르시미 듯ᄌᆞ온 비라.》
앗ᄀᆞ 그 션싱이 분명 틱운도인이【27】니,
일노조ᄎᆞ 윤군이 그 ᄌᆞ최를 심방ᄒᆞᆯ진ᄃᆡ 존
구 화상을 ᄎᆞ즐 도리 이실가 ᄒᆞ노라”
남시 도인의 신명ᄒᆞ믈 듯고, ᄌᆞ긔 외귀
남경 틱슈로 ᄂᆞ려오미 이실가 절박히 기ᄃᆞ
리더라.
덩시 남시와 홍션으로 더브러 낙쳥산 도
관의 드러가니, 황연이 뷘 집이 인젹이 긋
쳐시나 마구(馬廐)375)의 두 필 말이 미이여
쇼져를 보고 님ᄌᆞ를 만난듯 반기니, 비록
말을 못ᄒᆞ나 쇠리를 치며 소리를 놉혀 현현
이 즐겨ᄒᆞ는 거동이 이시니, 덩시 도ᄉᆞ의
니ᄅᆞ든 말이 마ᄌᆞᄆᆞᆯ 힝회ᄒᆞ여, 흐르는 물을
쎠 말을 주고 ᄎᆞ야를 도관의셔 ᄌᆞ고, 명일
용슈암을 ᄎᆞ져 가니, 과연 암직 정소(淨掃)
ᄒᆞ고 슈십 녀승이 이시ᄃᆡ,【28】상뫼 고긔
(古奇)376)ᄒᆞ고 풍치 단아ᄒᆞ여, 진욕의 잡마

375)마구(馬廐) : 마구간.
376)고긔(古奇) : 예스럽고 기이하다.

의 잡무음을 씻춘 뉘라. 쇼제 슈승(首僧) 묘원을 디흐여 왈,

"아등은 산경을 유완흐는 션빅러니, 샤뎨 맛춤 유딜흐여 도로의 힝치 못흐게 되어시니, ᄋ의 셩픔이 분요(紛擾)흔 곳을 즐겨 아니흐니, 남승의 산수는 유학흐는 션빅 분분이 만흔 고로, 브득이 초암의 안졍흐믈 듯고 ᄎᄌ 니르럿느니, 법스는 혐의치 말고 일【33】간(一間) 방샤(房舍)를 빌녀 됴호케 흐믈 바라노라."

묘원이 흔연 디왈,

"귀인이 이ᄀᆺ치 니르디 아니셔도 발셔 태운도스의 명을 밧ᄌ왓느니, 엇디 거역흐리잇고? 별당을 셔르져 기다리느이다."

언파의 냥쇼져를 인도흐여 별당의 드리고 ᄎᄅ 드리며, 홀연 우어 왈,

"빈되 블명흐나 냥위 쇼제 상모로 조ᄎ 남지 아니시믈 아읍느니, 흐고로 태명셩디(太明聖代)의 뉴리실소(流離失所)[389]흐샤, 녀화위남(女化爲男)을 달게 넉이시나니잇가?"

뎡쇼제 묘원의 신명흐믈 보고 긔이디 못흐여, 잠간 졍수(情事)를 베퍼 니르고, 화부의셔 츌혀 준 바 냥미찬션(糧米饌膳)을 다 남시를 주고, 날이 느즈므로 도관으로 도라올시, 남시【34】를 집슈 탄왈,

"우리 상봉 삼지(三載)의 졍원즉 골육의 감치 아니코, 피ᄎ 심회는 ᄌ연 닐너 알 비 아니라. 일일 니별이 결울흐여 그딕를 외로이 더디고 써나미 참연흐나, 스셰 이의 밋춘 후는 홀 일 업셔 가느니, 모로미 무음을 널니 흐여 그 스이 무양흐라."

남시 쳬뤼(涕淚) 산산(潸潸)흐고 회푀 암암(暗暗)흐여, 오릭 말을 못흐다가, 날호여 굴오딕,

"져졔 임의 쇼데를 초암(此菴)의 안신케 흐시니, 쇼데는 반셕 ᄀᆺ튼 비나 져져를 그 스이 써나미 비결(悲缺)[390]흔 심시 디향치

389)뉴리실소(流離失所) : 거처할 곳을 잃고 떠돌아 방황함.

음을 씻춘 뉘라. 쇼제 슈승(首僧) 묘원을 딕흐여 왈,

"아등은 산경을 유완흐는 션빅러니, 스데 맛춤 뉴딜흐여 도로의 힝치 못흐게 되어시니, 《나의∥ᄋ의》 셩픔이 분요(紛擾)흔 곳을 즐겨 아니흐니, 남승의 산수는 유학흐는 션빅 분분흔 고로, 브득이 초암의 안져[졍](安靜)흐믈 듯고 ᄎ져 니르럿느니, 법스는 혐의치 말고 일(一) 방스(房舍)를 빌녀 됴호케 흐믈 바라노라."

묘원이 흔연 딕왈,

"귀인이 이ᄀᆺ치 니ᄅ○[지] 아니흐셔도 발셔 틱운도스의 명을 밧ᄌ왓느니, 엇지 거역흐리잇고? 별당을 셔ᄅ져 기두리느이다"

언파의 냥 쇼져를 인도흐여 별당의 드리고 ᄎᄅ 드리며,【29】홀연 우어 왈,

"빈되 블명흐나 냥 쇼제 상모로 조ᄎ 남지 아니시믈 아읍느니, 흐고로 틱령셩디(太平聖代)의 뉴리실소(流離失所)[377]흐샤 녀화위남(女化爲男)을 달게 넉이시ᄂ니잇고?"

뎡쇼제 묘원의 신긔(神奇) 묘상(妙相)[378]흐믈 보고 긔이지 못흐여, 줌간 졍수(情事)를 베퍼 니ᄅ고, 화부의셔 츌혀 준 바 냥미찬션(糧米饌膳)을 다 남시를 주고, 날이 느즈므로 도관으로 도라올시, 남시를 집슈 탄왈,

"우리 상봉 숨지(三載)의 졍원즉 골육의 감치 아니코 피ᄎ 심회는 ᄌ연 닐너 알 비 아니라. 일일 니별이 결울흐여 그딕를 외로이 더지고 써ᄂ미 춤연흐나, 스셰 이의 밋춘 후는 홀일업셔 가느니, 모로미 무음을 널니 흐여 그 스이 무양흐라."

남시 톄【30】뤼(涕淚) 산산(潸潸)흐고 회푀 악악(愕愕)흐여[379] 오릭 말을 못흐다ᄀ, 날호여 굴오딕,

"져졔 임의 쇼뎨를 초암(此菴)의 안신케

377)뉴리실소(流離失所) : 거처할 곳을 잃고 떠돌아 방황함.
378)묘상(妙相) : 기이한 상모
379)악악(愕愕)흐다 : 갑작스러운 일을 당해 몹시 놀라거나 감정이 벅차오르다.

못홀디라. 원컨디 져져는 도관의 나아가 셩휘(聖候)를 안강(安康)ᄒ샤 딜양을 닐위디 마르시고, 도소의 니르던 바와 ᄀᆞ치【35】옥셜ᄆᆞ(玉雪馬)를 가져 쇼원을 일우쇼셔."

뎡시 답왈,
"현뎨는 날을 념녀 말고 스스로 몸을 보호ᄒ여, 슈슌디닉(數旬之內)의 무ᄉ히 이시라."

남시 크게 슬허 ᄒᆞᆯ믈 니긔디 못ᄒ더라. 뎡시 홍션을 다리고 도관의 도라와 십여일을 머므디, 다시 도소를 보디 못ᄒ고, 오딕 니르던 말을 싱각ᄒ여, 십삼일의 옥셜ᄆᆞ를 모라 영션강의 다ᄃᆞ라, 언덕의 미인 치션(彩船)을 글너 강슈의 ᄯᅴ오고져 ᄒᆞ디, 비 졋기 어려워 쥬져ᄒ더니, 믄득 도인을 좃ᄎᆞᆲ던 청의 ᄲᅡᆼ동이 산곡으로 표연이 나려와, 쇼져긔 절ᄒ고 고왈,

"스뷔 쇼동으로 ᄒᆞ여금 비를 져어 드리라 ᄒ시더이다."

쇼졔 깃【36】거 샤례ᄒ고 비의 오를시, 홍션이 두 물을 모라 ᄯᅩᄒᆞᆫ 비의 올니고, 도동이 비를 졋ᄂᆞᆫ디로 힝ᄒ여 영션강을 건너미, 도동이 ᄒᆞᆫ 벌 도의를 밧드려[러], 왈,

"스부계셔 이 도의는 ᄉᆡ 거시니, 부인긔 드려 개착(改着)ᄒ시고 손원슈 딘문 알패 나아가시게 ᄒ라. ᄒ시더이다."

뎡시 도소의 명디로 고요ᄒᆞᆫ 곳의 가 도의를 ᄌᆞ긔 옷 우희 ᄲᅥ닙고, 도건(道巾) 혁디(革帶)를 뎡히 ᄒ고, 도동을 향ᄒ여 션싱의 후은을 ᄌᆡ삼 샤례ᄒ며, 날이 어둡기를 기다려 옥셜ᄆᆞ 일필을 ᄌᆞ긔 ᄐᆞ고, 일필은 알패 모라, 손확의 딘문을 향홀시, 홍션이 쑐오고져 ᄒ거ᄂᆞᆯ 쇼졔 왈,

"너는【37】물ᄐᆞ기 날과 ᄀᆞᆺ디 못ᄒᆞ리니, 조ᄎᆞ오디 말고 비를 딕희라."

션이 실노 ᄆᆞ샹(馬上)의 닉디 못ᄒ고, 소져는 만ᄉᆞ의 신명 긔이ᄒ여 사룸의 의ᄉᆞ 밧 아름다오미 이시며, 녀ᄌᆞ의 당치 못홀 거시

390)비결(悲缺) ; 슬프고 섭섭함.

ᄒ시니, 쇼뎨는 반셕 ᄀᆞ튼 비나, 져져를 그ᄉᆞ이 쩌나미 비결(悲缺)380)ᄒᆞᆫ 심식를 측냥치 못홀지라. 원컨딘 져져는 도관의 ᄂᆞ아가 셩휘(聖候)를 안강(安康)ᄒᆞᄉᆞ 딜양을 닐위지 마르시고, 도ᄉᆞ의 니ᄅᆞ든 바와 ᄀᆞ치 옥셜마(玉雪馬)를 가져 쇼원을 닐우쇼셔"

뎡시 답왈,
"그딘는 날을 물우(勿憂)ᄒᆞ고 스스로 몸을 보호ᄒᆞ여 슈슌지닌(數旬之內)의 무ᄉᆞ히 이시라."

남시 크게 슬허ᄒᆞᆷ믈 니긔지 못ᄒᆞ더라. 뎡시 홍션을 ᄃᆞ리고 도관의 도라와 십여 일을 머므디, 다시 도ᄉᆞ를 보지 못ᄒᆞ고 오직 니ᄅᆞ던 말을 싱각ᄒᆞ여, 십숨 일의 옥셜마를【31】모라 녕션강의 다ᄃᆞ라, 언덕의 미인 치션을 글너 강슈의 ᄯᅴ이고ᄌᆞ ᄒᆞ디, 비 졋기 어려워 졍히 주져ᄒᆞ더니, 믄득 도인을 좃ᄎᆞᆲ던 청의 ᄲᅡᆼ동이 산곡으로 표연이 ᄂᆞ려와, 쇼져긔 절ᄒᆞ고 고왈,

"스뷔 쇼동으로 ᄒᆞ여금 비를 져어 드리라 ᄒᆞ시더이다"

쇼졔 깃거 스례ᄒᆞ고 비의 오를시, 홍션이 두 말을 모라 ᄯᅩᄒᆞᆫ 비의 올니고, 도동이 비를 졋ᄂᆞᆫ디로 힝ᄒᆞ여 녕션강을 건너미, 도동이 ᄒᆞᆫ 벌 도의를 밧드려 왈,

"스부계셔 이 도의는 ᄉᆡ 거시니 부인게 드려 기착(改着)ᄒᆞ시고, 손원슈 진문 알픠 나아가게 ᄒᆞ라 ᄒᆞ시더이다."

뎡시 도ᄉᆞ의 명디로 고요ᄒᆞᆫ 곳의 가 도의를 ᄌᆞ긔 옷 우희 ᄲᅥ닙【32】고, 도건(道巾)381) 혁디(革帶)를 졍히 ᄒᆞ고, 도동을 향ᄒᆞ여 션싱의 후의을 ᄌᆡ삼 스례ᄒᆞ며, 날이 어둡기를 기ᄃᆞ려 옥셜말 일필을 ᄌᆞ긔 ᄐᆞ고, 일필은 알픠 모라, 손확의 진문을 향홀시, 홍션이 쑐오고져 ᄒᆞ거늘 쇼졔 왈,

"너는 말ᄐᆞ기 날과 ᄀᆞᆺ지 못ᄒᆞ리니, 좃ᄎᆞ오지 말고 비를 잘 직희라."

션이 실노 마상(馬上)이 닉지 못ᄒᆞ고, 소져는 만ᄉᆞ의 신명 긔이ᄒᆞ여 스람의 의ᄉᆞ 밧

380)비결(悲缺) ; 슬프고 섭섭함.
381)도건(道巾) : 도사가 쓰는 두건(頭巾)

라도 어려이 넉이미 업스니, 흔갓 물 틋는
지죄 효용흔 남즈는 니르디 말고, 샤법(射
法) 검슐(劍術)과 냥국(兩國) 교병(交兵)391)
의 빅젼빅승(百戰百勝)홀 모략()謀略이 졔갈
무후(諸葛武侯)392)라도 밋디 못흐니, 홍션
이 엇디 쇼져의 강밍흐믈 바라리오. 웃고
왈,

　　"쇼비는 인가쳥의(人家靑衣)로 쳔누(賤陋)
히 즈라나듸, 오히려 도로의 닉디 못흐여
미양 너머질 둣흐듸, 쇼져는 능히 물 틋며
단니기를 어려워 아니시니, 쥬루화각(朱樓
畵閣)의 금슈나릉(錦繡羅綾)【38】을 무거
이 넉이시고, 팔딘경장(八珍瓊漿)393)을 넘
(厭)흐실 즈음의, 가듕 비복도 간듸로 보디
아니시더니, 화란을 당흐시미 권도(權度)와
곡녜(曲禮)를 싱각흐샤 쳐신흐시미 이러툿
흐시니, 쇼비 영힝흐믈 니긔디 못흐ᄂ이다."
　　쇼졔 시긱이 어긜가 착급흐여 브답흐고,
셜니 물을 모라 손확의 딘문(陣門)의 다드
르니, 무시 바야흐로 윤참모를 닉여 참코져
흐ᄂ디라. 창황 망극흐여 소릐를 놉혀, 참모
를 구흐라 와시믈 니르니, 님셩각이 응셩
(應聲)흐여, 밧비 참모를 거두쳐 쇼져와 흔
가디로 영션강의 다드르미, 도동(道童)이 금
스쵹농(錦絲燭籠)을[의] 두어 빵【39】 불을

391)교병(交兵) : 교전(交戰). 서로 병력을 가지고 전
　　쟁을 함.
392)졔갈무후(諸葛武侯) : 제갈량(諸葛亮). 181~234.
　　중국 삼국 시대 촉한의 정치가. 자(字)는 공명(孔
　　明). 시호는 충무(忠武). 뛰어난 군사 전략가로, 유
　　비를 도와 오(吳)나라와 연합하여 조조(曹操)의 위
　　(魏)나라 군사를 대파하고 파촉(巴蜀)을 얻어 촉한
　　을 세웠다. 유비가 죽은 후에 무향후(武鄕侯)로서
　　남방의 만족(蠻族)을 정벌하고, 위나라 사마의와
　　대전 중에 병사하였다.
393)팔딘경장(八珍瓊漿) : 팔진지미(八珍之味)와 옥액
　　경장(玉液瓊漿)을 함께 이르는 말로, 아주 잘 차린
　　음식상에나 갖춘다고 하는 여덟 가지 진귀한 음식
　　과, 맑고 고운 빛깔과 좋은 향을 갖추어 신선들이
　　마신다고 하는 술을 뜻한다. *팔진지미는 순모(淳
　　母), 순오(淳熬), 포장(炮牂), 포돈(炮豚), 도진(擣
　　珍), 오(熬), 지(漬), 간료(肝膋)를 이르기도 하고
　　용간(龍肝), 봉수(鳳髓), 토태(兎胎), 이미(鯉尾), 악
　　적(鶚炙), 웅장(熊掌), 성순(猩脣), 수락(酥酪)을 이
　　르기도 한다.

아름다오미 이시며, 녀즈의 당치 못홀 거시
라도 어려이 넉이미 업스니, 흔갓 말틋는
지죄 효용흔 남즈는 닐오지 말고, ᄉ법(射
法) 검슐(劍術)과 냥국(兩國) 교병(交兵)382)
의 빅젼빅승(百戰百勝)홀 모략(謀略)이 졔갈
무후(諸葛武侯)383)라도 밋지 못흐니, 홍션
이 엇지 쇼져【33】의 강밍흐믈 바라리오.
웃고 왈,

　　"쇼비는 인가쳥의(人家靑衣)로 쳔누히
즈라나듸, 오히려 도로의 닉지 못흐여 미양
너머질 둣흐듸, 쇼져는 능히 말트며 ᄃ니기
를 어려워 아니시니, 쥬루화각(朱樓畵閣)의
금슈나릉(錦繡羅綾)을 무거이 넉이시고, 팔
진셩찬(八珍盛饌)384)을 넘(厭)흐실 즈음의,
가듕 비복도 간듸로385) 보지 아니시더니,
화란을 당흐시미 권도(權道)와 곡녜(曲禮)를
싱각흐ᄉ 쳐신흐시미 니러툿 흐시니, 쇼비
영힝흐믈 니긔지 못흐ᄂ이다"
　　쇼졔 시긱이 어긜가 착급흐여 부답흐고,
셜니 말을 모라 손확의 진문(陣門)의 다드
르니, 무시 바야흐로 윤참모를 닉여 참코져
흐ᄂ지라. 창황 망극흐여 소릐를 놉혀 춤모
를 구【34】흐라 와시믈 니르니, 님셩각이
응셩흐여, 밧비 참모를 거두쳐 쇼져와 흔가
지로 녕션강의 다드르미, 도동(道童)이 금스
쵹농(錦絲燭籠)을[의] 두어 빵 불을 션창
좌우로 꼿고, 비를 언덕 우희 믹고, 도라가

382)교병(交兵) : 교전(交戰). 서로 병력을 가지고 전
　　쟁을 함.
383)졔갈무후(諸葛武侯) : 제갈량(諸葛亮). 181~234.
　　중국 삼국 시대 촉한의 정치가. 자(字)는 공명(孔
　　明). 시호는 충무(忠武). 뛰어난 군사 전략가로, 유
　　비를 도와 오(吳)나라와 연합하여 조조(曹操)의 위
　　(魏)나라 군사를 대파하고 파촉(巴蜀)을 얻어 촉한
　　을 세웠다. 유비가 죽은 후에 무향후(武鄕侯)로서
　　남방의 만족(蠻族)을 정벌하고, 위나라 사마의와
　　대전 중에 병사하였다
384)팔진셩찬(八珍盛饌) : 팔진지미(八珍之味), 곧 여
　　덟 가지의 진귀한 음식을 갖추어, 아주 잘 차린
　　음식상을 말한다. *팔진지미는 순모(淳母), 순오(淳
　　熬), 포장(炮牂), 포돈(炮豚), 도진(擣珍), 오(熬),
　　지(漬), 간료(肝膋)를 이르기도 하고 용간(龍肝),
　　봉수(鳳髓), 토태(兎胎), 이미(鯉尾), 악적(鶚炙), 웅
　　장(熊掌), 성순(猩脣), 수락(酥酪)을 이르기도 한다.
385)간듸로 : 쉽사리, 마음대로, 함부로

션창 좌우로 쏫고 비를 언덕 우히 미고 도
라가며, 홍션다려 니르딕,

"부인과 참모를 빅의 올녀 슈샹의 평안이
가시믈 보고 갈 거시로딕, 님셩각이란 당신
참모를 뫼셔올 거시니 무스히 가실디라. 다
시 넘네 업스니 우리는 도라가노라."

ᄒ고, 오던 길노 가거늘, 홍션이 비를 딕
회엿다가 믈이 급히 달녀오믈 보고, 황홀ᄒ
여 눈을 들민, 쇼졔 압셔고 참뫼 지후ᄒ여
엇던 댱식 호숑ᄒ여 오ᄂᆫ디라. 션이 도동의
니르고 가믈 듯고, 쇼져긔 비 져을 사름이
업스믈 고ᄒ【40】더니, 언미(言未)의 셩각
이 응셩 왈,

"내 과연 님셩각이라. 빅 졋기를 본딕 아
ᄂᆞ니, 그 도동이 나의 이시믈 알미로다."

언필의 물긔 나려 비를 다히고, 도인과
참모를 쳥ᄒ며, 손확의 쓸오미 급ᄒ믈 니르
니, 츠시 윤참뫼 만일 일도(一道)를 딕회여
댱녕을 준봉(遵奉)ᄒ즉, 엇디 일명을 보젼ᄒ
며, 손확이 결단코 대스를 일우디 못홀 줄
알고, 식휜이 스딕를 버셔나 도인을 조초
오딕, 그 얼굴을 ᄌᆞ시 보디 못ᄒ여시니, 뎡
신 줄 모로다가, 션창의 드러 잠간 눈을 들
민 일월광휘(日月光輝)와 츄슈향년(秋水香
蓮)이 쇄락ᄒ여, 미【41】우의ᄂᆞᆫ 팔치셔광
(八彩瑞光)이 녕녕(盈盈)ᄒ고, 안모(顔貌)의
ᄂᆞᆫ 오식이 현요(眩耀)ᄒ여, 빅틱쳔광(百態千
光)이 도의도건(道衣道巾) 아릭 봉관(鳳冠)
뼛던 뎡슉녈 굿ᄐᆞ여, 아모리 살펴도 다르미
업스니, 엇디 반가온 졍과 황홀흔 므음이
업스리오마ᄂᆞᆫ, 쇼졔 발셔 건복으로 짐줏 남
ᄌᆞ의 강장밍녈(强壯猛烈)흔 형상을 작위ᄒ
여, 녀ᄌᆞ의 셤약흔 거동을 굽초ᄂᆞᆫ 비라. 젼
일보다가ᄂᆞᆫ 힝뵈(行步) 다르고, 온유 나죽ᄒ
여 빵미셩안(雙眉星眼)을 힝혀도 놉히 쓰디
아니턴 바로 닉도ᄒ여, 원산(遠山)을 그리던
봉황미(鳳凰眉) 망건(網巾)의 츄파(秋波)를
놉히 쓰니 영치(映彩) 더옥 됴요(照耀)흔디
라.

참뫼 분명이 뎡시믈 짐【42】작ᄒ나 셰
시 긔괴ᄒ미 만코, 계오 션창의 오로며 도

며 홍션ᄃᆞ려 닐우딕,

"부인과 참모를 빅의 올녀 슈샹의 평안이
가시믈 보고 갈 거시로딕, 님셩각이란 장식
참모를 뫼셔올 거시니, 무스히 가실지라. 다
시 넘네 업스니 우리는 도라ᄀᆞ노라."

ᄒ고, 오던 길노 가거늘, 홍션이 비를 즉
회엿ᄃᆞᄀᆞ 말이 급히 들녀오믈 보고, 황홀ᄒ
여 눈을 들매, 쇼졔 압셔고 참뫼 지후ᄒ여
엇던 댱식 호숑ᄒ여 오ᄂᆞᆫ지라. 션이 도동의
ᄒ던 말을 고ᄒ고, 비 져을 ᄉᆞ【35】람이
업스믈 고ᄒ더니, 언미필(言未畢)의 셩각이
응셩 왈,

"닉 과연 님셩각이라. 비 졋기를 내 아ᄂᆞ
니 그 도동이 나의 이시믈 알미로다."

언필의 말게 ᄂᆞ려 비를 ᄃᆞ히고, 도인과
참모를 쳥ᄒ며, 손확의 ᄯᆞ로미 급ᄒ믈 니르
니, 츠시 윤참뫼 만닐 일도(一道)를 직회여
댱녕을 준봉(遵奉)ᄒ즉, 엇지 일명을 보젼ᄒ
며, 손확이 결단코 대스를 닐우지 못홀 줄
알고, 식휜이 스딕를 버셔나 도인을 조초
오딕, 그 얼굴을 ᄌᆞ시 보지 못ᄒ여시니, 뎡
신 줄 모ᄅᆞᄃᆞ가, 션창의 드러 잠간 눈을 들
민 일월광치(日月光彩)와 츄슈향년(秋水香
蓮)이 쇄락ᄒ여, 미우의ᄂᆞᆫ 팔치셔광(八彩瑞
光)이 녕녕(盈盈)ᄒ고, 안모(顔貌)의ᄂᆞᆫ 오식
이 현요(眩耀)ᄒ여, 【36】 빅틱쳔광(百態千
光)이 도의도건(道衣道巾) 아릭 봉관(鳳冠)
뼛던 뎡슉녈 굿ᄐᆞ여, 아모리 슬펴도 다르미
업스니, 엇지 반ᄀᆞ온 졍과 황홀흔 므음이
업스리오마ᄂᆞᆫ, 쇼졔 발셔 건복으로 짐줏 남
ᄌᆞ의 강장밍녈(强壯猛烈)흔 형상을 작위ᄒ
여, 녀ᄌᆞ의 셤약흔 거동을 굽초ᄂᆞᆫ 비라. 젼
일보다ᄀᆞᆫ 힝뵈(行步) 다르고, 온유 ᄂᆞ죽ᄒ
여 빵미셩안(雙眉星眼)을 힝혀도 놉히 쓰지
아니턴 바로 닉도ᄒ여, 원산(遠山)을 그리던
봉황미(鳳凰眉) 망건(網巾)의 츄파(秋波)를
놉히 쓰니 영치(映彩) 더욱 됴요(照耀)흔지
라.

참뫼 분명이 뎡시 줄 짐작ᄒ나 셰시 긔괴
ᄒ미 만코, 계오 션창의 오로며 도인의 모

인의 모양으로뻐 주긔 부인이라 ᄒᆞ미 너모 급ᄒᆞ고, 그 좃ᄎᆞᆫ 바 도동을 도라보니, 비록 남의를 닙어시나, 빅안(白顔)이 교교(皎皎)ᄒᆞ고, 홍슌(紅脣)이 《모질고∥모지고394)》, 가는 눈이 그린 ᄃᆞᆺ ᄒᆞᆫ 형상이 홍션이 아니오 뉘리오. 쳔만 ᄯᅮᆺ밧긔 뎡시를 만나미 힝회(幸喜) 쾌열(快悅)ᄒᆞ미 망외(望外)라. 주긔 삼년을 남줘 이시ᄃᆡ 쇼져의 싱존을 듯디 못ᄒᆞ미, 슬프미 미양 댱부의 쳘셕댱심(鐵石腸心)395)을 녹이니, 비록 그 복덕이 완젼디상이믈 미드나, 힝혀 약딜이 보젼치 못ᄒᆞ엿ᄂᆞᆫ가 의심 궁극긔의 밋쳐ᄂᆞᆫ, 참연 비상ᄒᆞᄆᆞᆯ【43】니긔디 못ᄒᆞ던 빅어ᄂᆞᆯ, 부인의 힝식 사ᄅᆞᆷ의 싱각디 못ᄒᆞᆯ 의식며, 주긔 급화를 구ᄒᆞ미 조각의 맛ᄂᆞᆫ디라. 엇디 아름답고 감격ᄒᆞ믈 니긔리오마ᄂᆞᆫ, 남셩각이 비를 겨으니 츌발(出拔)ᄒᆞᆫ ᄉᆞ덕을 드러ᄂᆡ미 블가ᄒᆞ여, 짐즛 쇼져 답언을 듯고져 ᄒᆞ여, 팔흘 드러 녜ᄒᆞ고 칭샤 왈,

"싱이 죵군ᄒᆞ여 긔괴ᄒᆞᆫ 화를 만나 검하경혼(劍下驚魂) 되기를 면치 못ᄒᆞᆯ 빅어ᄂᆞᆯ, 션싱의 구활(救活)○[흔] 대은을 닙으니 감은ᄒᆞ믈 니긔디 못ᄒᆞ거니와, 다만 싱이 도ᄉᆞ로 더브러 일면브디(一面不知)라. 므슴 졍의로 싱의 급화를 구ᄒᆞ시ᄂᆞ뇨?"

쇼제 참모의 총【44】명영긔(聰明靈氣)를 아ᄂᆞᆫ디라. 일안(一眼)의 ᄒᆞᆫ 번 본 사ᄅᆞᆷ도 닛디 아닛ᄂᆞᆫ 총명이어ᄂᆞᆯ, 엇디 주가를 모로고 이 말을 ᄒᆞ리오. 짐즛 주긔 답언을 듯고져 ᄒᆞ믈 디긔(知機)ᄒᆞ고 붓그러온 낫ᄎᆡ 달호여 옥면이 취홍(醉紅)ᄒᆞ니, ᄒᆞᆫ 덩이 홍옥(紅玉)이 빅깁의 ᄲᅡᆫ ᄃᆞᆺ, 년홰(蓮花) 광풍을 당ᄒᆞᆫ ᄃᆞᆺ, 어리로운 ᄐᆡ도와 졍졍(淨淨)ᄒᆞᆫ 용안(容顔)이 보고 곳쳐 볼ᄉᆞ록 긔이ᄒᆞ믈 결ᄎᆡ 못ᄒᆞᆯ지라. 참뫼 냥안을 옴기디 아니ᄒᆞ고 쇼져 신상을 ᄲᅩ아시며, 쇼져ᄂᆞᆫ 참안 황괴ᄒᆞ미 몸 둘 곳이 업셔 고개를 숙여 능히 말을 못ᄒᆞ고 창황(悄怳)ᄒᆞᆯ ᄎᆞ의, 셩각은 션창 밧긔

양으로뻐 주긔 부인이라 ᄒᆞ미 너모 급ᄒᆞ고, 그 좃ᄎᆞᆫ【37】바 도동을 도라보니, 비록 남의를 닙어시나 빅안(白顔)이 교교(皎皎)ᄒᆞ고 홍슌(紅脣)이 《모질고∥모지고386)》, ᄀᆞ는 눈이 그린 ᄃᆞᆺᄒᆞᆫ 형상이 홍션이 아니오 뉘리오. 쳔만 ᄯᅮᆺ밧게 뎡시를 만나미 힝회(幸喜) 쾌열(快悅)ᄒᆞ미 망외(望外)라. 주긔 슈년을 남줘 이시ᄃᆡ 쇼져의 싱존을 듯지 못ᄒᆞ미, 슬프미 미양 댱부의 쳘셕장심(鐵石腸心)387)을 녹이니, 비록 그 복덕 완젼지상을 미드나, 힝혀 약딜이 보젼치 못ᄒᆞ엿ᄂᆞᆫ가 의심 궁극긔의 밋쳐ᄂᆞᆫ, 참연 비상ᄒᆞᄆᆞᆯ 니긔지 못ᄒᆞ던 빅어ᄂᆞᆯ, 부인의 힝식 사ᄅᆞᆷ의 싱각지 못ᄒᆞᆯ 의식며, 주긔 급화를 구ᄒᆞ미 조각의 맛진지라. 엇디 아람답고 감격ᄒᆞ믈 모로리요마ᄂᆞᆫ, 셩각이 비를 져【38】으니 츌발(出拔)ᄒᆞᆫ ᄉᆞ젹을 드러ᄂᆡ미 블가ᄒᆞ여, 짐짓 쇼져 답언을 듯고져 ᄒᆞ여, 팔을 드러 녜ᄒᆞ고 칭샤 왈,

"싱이 죵군ᄒᆞ여 긔괴ᄒᆞᆫ 화를 만나 검하경혼(劍下驚魂) 되기를 면치 못ᄒᆞᆯ 빅어ᄂᆞᆯ, 션싱의 구활 대은을 닙으니 감은ᄒᆞ믈 니긔지 못ᄒᆞ거니와, 다만 싱이 도ᄉᆞ로 더브러 일면브디(一面不知)라. 무슴 졍의로 싱의 급화를 구ᄒᆞ시ᄂᆞ뇨?"

쇼제 참모의 총명영긔(聰明靈氣)를 아ᄂᆞᆫ지라. 일안(一眼)의 ᄒᆞᆫ 번 본 사ᄅᆞᆷ도 닛지 아닛ᄂᆞᆫ 총명이어ᄂᆞᆯ, 엇지 주가를 모로고 이 말을 ᄒᆞ리오. 짐즛 주긔 답언을 듯고ᄌᆞ ᄒᆞ믈 지긔(知機)ᄒᆞ고 붓그러온 낫ᄎᆡ 달호여 옥면이 취홍(醉紅)ᄒᆞ니, ᄒᆞᆫ 덩이 홍옥(紅玉)이 빅깁【39】의 ᄲᅡᆫ ᄃᆞᆺ, 년홰(蓮花) 광풍을 당ᄒᆞᆫ ᄃᆞᆺ, 어리로운 ᄐᆡ도와 졍졍(淨淨)ᄒᆞᆫ 용안(容顔)이 보고 곳쳐 볼ᄉᆞ록 긔이ᄒᆞ믈 결ᄎᆡ 못ᄒᆞᆯ지라. 참뫼 냥안을 옴기지 아니ᄒᆞ고 쇼져 신상을 ᄲᅩ아시며, 쇼져ᄂᆞᆫ 참안(慙顔) 황괴(惶愧)ᄒᆞ미 몸 둘 곳이 업셔, 고개를 숙여 능히 말을 못ᄒᆞ고 창황(悄怳)ᄒᆞᆯ ᄎᆞ

---

394)모지다 : 모양이 둥글지 않고 모가 나 있다.
395)쳘셕댱심(鐵石腸心) : 쇠와 돌 같이 굳은 마음.
  장심(腸心); 심장(心腸). 마음.

386)모지다 : 모양이 둥글지 않고 모가 나 있다.
387)쳘셕댱심(鐵石腸心) : 쇠와 돌 같이 굳은 마음.
  장심(腸心); 심장(心腸). 마음.

셔 손확의 살흘 개개【45】히 칼노 쳐바리며 확을 욕호고, 빈젼을 두다려 노리 불너 즐기믈 니긔디 못호니, 참모 부부의 슈작을 듯디 못호더라. 참뫼 쇼안(笑顏)이 미미호여, 우왈(又曰),

"싱이 션싱 은덕을 종신토록 닛디 못호리니, 청컨디 존셩(尊姓)과 대명(大名)을 아라 쳔니 밧긔 써나미 이셔도, 일싱(一生) 일츳(一次) 상견을 폐치 아니리라."

쇼제 더욱 붓그려 날호여 탄식 왈,

"몸이 인셰의 머므나, 냥가 친당 존문과 일가 졔족의 소식을 모로미 유명을 격홈 곳트니, 군직(君子) 남줘 찬뎍호시믈 드르나 칠팔일 졍되라도, 피츳 셩식(聲息)396)을 통홀 길히 업셔 싱존을 고치 못호더니,【46】다힝이 긔특흔 도인을 만나 명공의 급화를 니르고 믈을 주어 군주를 구호라 홀식, 쳡이 비록 암용(暗庸)호나, 군의 츳악흔 화를 모로는드시 호기는 츳마 못호여, 브득이 도스의 디교(指敎) 디로, 녀주의 주최 번거호믈 술피디 못호고 군주의 위급디시를 흔가디로 당코져 호미러니, 임의 흉디(凶地)를 버셔나샤 션듕의 오로시니, 손학의 쏠오는 화를 면호시려니와, 군주 명감으로 쳡의 음양을 변호여 이목(耳目) 가리오믈 거의 짐작호시리니, 엇디 참황슈괴(慙惶羞愧)호믈 더으시느니잇고?"

옥셩(玉聲)이 낭낭호고 봉음(鳳吟)이 화평호여 텬디 화긔를 일울더라. 빅【47】만염용(百萬艷容)이 쇄연호여 비길 곳이 업스니, 도건 아리 더욱 쳥상(淸爽)흔 풍치 션풍옥골(仙風玉骨)이라. 참모의 바라는 눈과, 쾌호고 깃븐 졍신이 측냥 업스니, 스스로 몸이 동(動)호믈 씌둣디 못호여 나아가 그 손을 잡으미, 옥인의 십디셤쉬(十指纖手) 슈졍(水晶)을 삭엿시며, 이향(異香)이 만신(滿身)호니, 풍뉴댱부(風流丈夫)의 은이 츈풍의 나련호여397) 빅만 근심을 술오는디라. 이윽이

의, 셩각은 션창 밧긔셔 손확의 살을 개개히 칼노 쳐바리며, 확을 욕호고 빈젼을 두다려 노리 불너 즐기믈 니긔지 못호니, 참모 부부의 슈작을 듯지 못호지라. 참뫼 쇼안(笑顏)이 미미호여, 우왈(又曰),

"싱이 션싱 은덕을 종신토록 닛지 못호리니, 청컨디 존셩과 대명을 아라 쳔니 밧긔 써느미 이셔【40】도, 일싱(一生) 일츳(一次) 상견을 폐치 아니리라."

쇼제 더욱 붓그려 날호여 탄식 왈,

"몸이 인셰의 머므나 냥가 친당 존문과 일가 졔족의 소식을 모로미 유명을 격홈 곳트니, 군직 남줘 찬젹호시믈 드르나 칠팔일 졍되라도, 피츳 셩식(聲息)388)을 통홀 길히 업셔 싱존을 고치 못호더니, 다힝이 긔특흔 도인을 만나 명공의 급화를 니르고, 믈을 주어 군주를 구호라 홀식, 쳡이 비록 암용(暗庸)호나 군주의 츳악흔 화를 모로는 드시 호기는 츳마 못호여, 부득이 도스의 지교(指敎) 디로, 녀주의 주최 번거호믈 술피지 못호고 군주의 위급지시를 흔가지로 당코주 호미러니, 임의 흉지(凶地)를 버【41】셔나샤 션즁의 오로시니, 손학의 쓰르는 화를 면호시려니와, 군주 명감으로 쳡의 음양을 변호여 이목(耳目) ᄀ리오믈 거의 짐죽호시리니, 엇지 참황슈괴(慙惶羞愧)호믈 더으시느니잇고?"

옥셩(玉聲)이 낭낭호고 봉음(鳳吟)이 화평호여 텬디 화긔를 닐을지라. 빅만념용(百萬艷容)이 쇄연호여 비길 곳이 업스니, 도건 아리 더욱 쳥상(淸爽)흔 풍치 션풍옥골(仙風玉骨)이라. 참모의 바라는 눈과, 쾌호고 깃븐 졍신이 측냥 업스니, 스스로 몸이 동호믈 씌둣지 못호여 나아가 그 손을 줍으미, 옥인의 십지셤쉬(十指纖手) 슈졍(水晶)을 삭엿시며, 이향(異香)이 만신(滿身)호니, 풍뉴댱부(風流丈夫)의 은이 츈풍의 나련호여389) 빅만 근심을 술오는지라. 이【42】윽

---

396)셩식(聲息) : 소식(消息). 멀리 떨어져 있는 사람의 사정을 알리는 말이나 글.
397)나련호다 : ①날연(茶然)하다. 피곤하여 기운이

388)셩식(聲息) : 소식(消息). 멀리 떨어져 있는 사람의 사정을 알리는 말이나 글.
389)나련호다 : ①날연(茶然)하다. 피곤하여 기운이

말을 못ᄒᆞ더니, 날호여 굴오ᄃᆡ,

"우리 부뷔 ᄎᆞ쳐의 공교히 상봉ᄒᆞᆷ은 쳔만 긔약디 못ᄒᆞᆯ 비라. 다만 지 댱샤의 뎍거(謫居) 삼지(三載)의 즉시 죽으믈 칭ᄒᆞ고, 관을 시러 보ᄂᆡ고 아득히 ᄌᆞ최를 금초니, 표홀(飄忽)ᄒᆞᆫ 【48】 죵뎍이 평초(萍草)와 낙엽 ᄀᆞᆺᄐᆞ여, 소식을 알 길히 업ᄂᆞᆫ디라. 싱이 남쥐 ᄂᆞ려온 후 엇디 ᄌᆞ의 거쳐를 심방코져 아니리오마ᄂᆞᆫ, 실노 만시 무렴(無念)ᄒᆞ여 쳐실의 ᄆᆞᄋᆞᆷ이 밋디 못ᄒᆞᄂᆞᆫ 고로 ᄎᆞ줌도 업거니와, 지 엇디 싱존을 통치 아냐 아득히 모로게 ᄒᆞ뇨? 싱을 급화의 구ᄒᆞᆷ은 감샤ᄒᆞᄃᆡ, 삼지를 죽은ᄃᆞ시 숨어 싱으로 ᄒᆞ여금 참연ᄒᆞᆫ ᄆᆞᄋᆞᆷ을 허비케 ᄒᆞᆷ은 만히 미흡ᄒᆞ도다."

쇼졔 유화(柔和)히 ᄃᆡ왈,

"쳡슈블민(妾雖不敏)이나 싱존을 통ᄒᆞ여 유익ᄒᆞ미 되고 히로오미 업ᄉᆞᆯ딘ᄃᆡ, 엇디 ᄌᆞ최를 숨겨 죽으므로 칭ᄒᆞ리잇고마ᄂᆞᆫ, 기간 곡졀이 이 【49】 셔 쳡을 믜워ᄒᆞᄂᆞᆫ 지 곳곳이[의] 잇ᄂᆞᆫ디라. 혹즉 싱존을 안ᄌᆞ 블측디환(不測之患)이 이실디라. 번거히 싱존ᄒᆞ믈 낫토디 못ᄒᆞ고, 일이 만만블가(萬萬不可)ᄒᆞ믈 알오ᄃᆡ 구ᄎᆞ히 투싱(偸生)을 도모ᄒᆞ미, 마디 못ᄒᆞ여 변복건의(變服巾衣)398)ᄒᆞ고 이목을 속이나, 녀ᄒᆡᆼ(女行)의 어긘 죄인으로, 빅희(伯姬)399)의 졀(節)을 싱각ᄒᆞ미 참괴ᄒᆞ미 욕ᄉᆞ무디(欲死無地)로소이다."

참괴 본ᄃᆡ 녀ᄌᆞ로 댱셜(長說)ᄒᆞ여 셰쇄ᄒᆞᆫ 곡셜을 다 펴디 아니ᄒᆞᄂᆞᆫ 셩품이라. 오딕 쇼져를 위ᄒᆞ여 안심케 ᄒᆞ고, 잇던 곳을 므르니, 쇼졔 언언(言言)이 몽농이 ᄃᆡ답ᄒᆞ여, 계오 일명을 보젼ᄒᆞ나 누쳔니(累千里) 타향

이 말을 못ᄒᆞ더니, 날호여 굴오ᄃᆡ,

"우리 부뷔 ᄎᆞ쳐의 공교히 상봉ᄒᆞᆷ은 쳔만 긔약지 못ᄒᆞᆯ 비라. 다만 지 젹거(謫居) 숨지(三載)의 즉시 《죽지 못ᄒᆞ믈∥죽으믈》 칭ᄒᆞ고 관을 시러 보ᄂᆡ고, 아득히 ᄌᆞ최를 금초니 표홀(飄忽)ᄒᆞᆫ 졍젹이 평초(萍草)와 낙엽 ᄀᆞᆺᄐᆞ여, 소식을 알 길히 업ᄂᆞᆫ지라. 싱이 남쥐 ᄂᆞ려온 후 엇지 ᄌᆞ의 거쳐를 심방코ᄌᆞ 아니리오마ᄂᆞᆫ, 실노 만시 무렴(無念)ᄒᆞ여 쳐실의 ᄆᆞᄋᆞᆷ이 밋지 못ᄒᆞᄂᆞᆫ 고로 ᄎᆞ줌도 업거니와, 지 엇지 싱존을 통치 아냐 아득히 모로게 ᄒᆞ뇨? 싱을 급화의 구ᄒᆞᆷ은 감ᄉᆞᄒᆞᄃᆡ, 숨지를 죽은 ᄃᆞ시 숨어 싱으로 ᄒᆞ여금 참연ᄒᆞᆫ ᄆᆞᄋᆞᆷ을 허비케 ᄒᆞᆷ은 만히 미흡ᄒᆞ도다"

쇼졔 뉴화(柔和)히 ᄃᆡ왈,

"쳡슈블민(妾雖不敏)이나 싱 【43】 존을 통ᄒᆞ여 유익ᄒᆞ미 되고 히로오미 업ᄉᆞᆯ진ᄃᆡ, 엇지 ᄌᆞ최를 숨겨 죽으므로 칭ᄒᆞ리잇고마ᄂᆞᆫ, 기간 곡졀이 이셔 쳡을 믜워ᄒᆞᄂᆞᆫ 지 곳곳이 잇ᄂᆞᆫ지라. 혹즉 싱존을 안ᄌᆞ 블측지환(不測之患)이 이실지라. 번거히 싱존을 ᄂᆞᆺ토지 못ᄒᆞ고, 일이 만히 블가ᄒᆞᆷ을 알오ᄃᆡ 구ᄎᆞ히 투싱ᄒᆞ미, 마지 못ᄒᆞ여 변복건의(變服巾衣)390)ᄒᆞ고, 이목을 속이나 녀ᄒᆡᆼ(女行)의 어긘 되인으로 빅희(伯姬)391)의 졀을 싱각ᄒᆞ미, 참괴ᄒᆞ미 욕ᄉᆞ무지(欲死無地)로소이다."

참괴 본ᄃᆡ 녀ᄌᆞ로 장셜(長說)ᄒᆞ여 셰쇄ᄒᆞᆫ 곡셜을 다 펴지 아닛ᄂᆞᆫ 셩품이라. 오직 쇼져를 위ᄒᆞ여 안심케 ᄒᆞ고, 잇던 곳을 무르니 쇼졔 언언(言言)이 몽농이 ᄃᆡ답ᄒᆞ여, 겨오 일명을 보젼ᄒᆞ나 누쳔니(累千里) 타향의

없다. ②나른하다. 힘이 없이 보드랍다. 맥이 풀리거나 고단하여 기운이 없다.

398)변복건의(變服巾衣) : 남복(男服)을 입어 변장함.

399)빅희(伯姬) : 중국 춘추시대 魯(노)나라 宣公(선공)의 딸. 송나라 恭公(공공)에게 시집갔다가 10년 만에 홀로 됐다. 궁궐에 불이 났을 때 관리가 피하라고 했으나 부인은 한밤에 보모 없이 집을 나설 수 없다고 고집해서 결국 불속에서 타 죽었다. 『열녀전(烈女傳)』<정순전(貞順傳)>'송공백희(宋恭伯姬)' 조(條)에 기사가 보인다.

없다. ②나른하다. 힘이 없이 보드랍다. 맥이 풀리거나 고단하여 기운이 없다.

390)변복건의(變服巾衣) : 남복(男服)을 입어 변장함.

391)빅희(伯姬) : 중국 춘추시대 魯(노)나라 宣公(선공)의 딸. 송나라 恭公(공공)에게 시집갔다가 10년 만에 홀로 됐다. 궁궐에 불이 났을 때 관리가 피하라고 했으나 부인은 한밤에 보모 없이 집을 나설 수 없다고 고집해서 결국 불속에서 타 죽었다. 『열녀전(烈女傳)』<정순전(貞順傳)>'송공백희(宋恭伯姬)' 조(條)에 기사가 보인다.

의 스고무친(四顧無親)ᄒᆞ니, 혈혈무의(孑孑無依)ᄒᆞ여, 천【50】만 브득이 화가의 머므나 스리(事理)○[의] 블가ᄒᆞᆫ 일이 무궁ᄒᆞ고, 도인은 영션강 알패셔 만나디 셩명을 니르디 아니던 바를 젼ᄒᆞ니, 참뫼 쇼져의 말을 유심(有心)히 듯디 못ᄒᆞᄆᆞ로, 화가의 녀화위남(女化爲男)ᄒᆞ여 머물미 비편(非便)ᄒᆞᆫ 줄노 알고, 화시를 취ᄒᆞ며 남시를 구ᄒᆞ여 농슈암의 둔 바야, 어이 알니오. 흔갓 그 몸이 ᄉᆞ망디화(死亡之禍)를 면ᄒᆞ여, 부뷔 긔특이 상봉ᄒᆞᆷ을 영ᄒᆡᆼ 환열○○[ᄒᆞ여], 스스로 쾌희(快喜)ᄒᆞᆷ을 ᄂᆞ늣디 못ᄒᆞ되, 손확의 위인을 근심ᄒᆞ여 국가듕ᄉᆞ(國家重事) 그릇 될가 넘녀ᄒᆞ더라.

님셩각이 젹은덧 비를 져어 낙쳥산 언덕의 다히고, 비로소 참모를 붓드러 평디의 나리고,【51】홍션을 보아 왈

"이 치션이 의심업시 우리 스부 화도ᄉᆞ의 ᄐᆞ고 단니시던 비오, 옥셜마 두 필이 ᄯᅩᄒᆞᆫ 스부의 ᄆᆞᆯ이라. 존시 아니 태운도인과 친ᄒᆞ시냐? 그ᄃᆡᄂᆞᆫ 존ᄉᆞ의 셔동(書童)이라 반ᄃᆞ시 알니로다."

션이 미급답(未及答)의 참뫼 웃고 왈,

"이 도인은 셩졍이 괴려(乖戾)ᄒᆞ여 근본과 셩명을 니르디 아니ᄒᆞ니, 그ᄃᆡᄂᆞᆫ 구ᄐᆡ여 뭇디 말나."

셩각이 괴이히 넉이나 다시 뭇디 못ᄒᆞ고, 오딕 ᄆᆞᆯ과 치션을 보미 반기믈 ᄂᆞ기디 못ᄒᆞ여 스부의 소식을 드를가 영ᄒᆡᆼᄒᆞ더라. 뎡쇼졔 비의 나려 ᄆᆞᆯ을 모라 당션(當先)ᄒᆞ여 몬져 도관으로 나아가니, 셩각과 참모ᄂᆞᆫ ᄶᆞᆯ와 도관의 니르미, 뎡시 방샤를【52】뎡ᄒᆞ여 초야를 디닐ᄉᆡ, 셩각은 딘짓 도인만 넉여 참모 구활디은(救活之恩)을 샤례코져 ᄒᆞ되, 참뫼 ᄆᆞᆯ녀 왈,

"그 도인이 품셩이 사ᄅᆞᆷ과 슈작ᄒᆞᆷ을 딘졍으로 괴로와 ᄒᆞ니, 그ᄃᆡᄂᆞᆫ 잡말ᄒᆞ여 져의 슬희여 ᄒᆞᆷ믈 닐위디 말나."

셩각이 쇼왈,

"싱이 일쟉 도관의셔 ᄌᆞ라 도인의 셩졍이 고요ᄒᆞ고 풍용(風容)이 졍실(正實)ᄒᆞ여 속셰

범인과 다른 줄 알거니와, 추 도인은 실노 일월명광(日月明光)이오, 츄슈졍신(秋水淨身)이라. 싱이 싱각건디 슈연미려(粹然美麗)ᄒᆞ여 화옥(花玉)의 빗난 거슬 압두(壓頭)ᄒᆞ는 사름은 명공밧긔 보디 못ᄒᆞ엿더니, 금ᄌᆞ(今者) 도인을 보니 묽으며 고은 거시 명공긔 비나 더ᄒᆞ고, 묘ᄒᆞ며 연연ᄒᆞ미 인간 【53】 만물의 버셔난디라. 녀ᄌᆞ 듕(中)도 그런 쉭은 업스니, 결단코 샹션(上仙)이 하강(下降)ᄒᆞ여 명공(明公)을 구ᄒᆞ미라. ᄒᆞ물며 그 셩졍이 사름을 간디로 디코져 아니ᄒᆞ미, 딘쇽(塵俗) 용우(庸愚)ᄒᆞᆫ 박멸디인(薄滅之人)400)을 더러이 넉이미라. 쇼싱 ᄀᆞᆺ튼 경박(輕薄) 무ᄒᆡᆼ지(無行者) 엇디 그 면젼의 얼프시401)나 ○[디]ᄒᆞ리오."

참뫼 미쇼 왈,

"그디는 텬하 독보ᄒᆞᆫ 호걸이라. 심산의 오졸(迂拙)ᄒᆞᆫ 도인을 져디도록 칭찬홀 비 아니로디, 그디 도관의셔 ᄌᆞ란 바로 도스의 뉴는 다 긔특ᄒᆞᆫ 줄노 알거니와, 맛춤니 도스의 뉴 허망ᄒᆞ미 업디 아니ᄒᆞ니, 엇디 군ᄌᆞ대도(君子大道)와 영쥰의 강밍ᄒᆞᆫ 긔상 ᄀᆞᆺ 트리오. 나는 그 도의 긔특ᄒᆞᆷ믈 실노 모로노라." 【54】

셩각이 쇼왈,

"명공은 도스의 무리를 비쳑ᄒᆞ시나, 도인의 뉴는 그 신셩명달(神聖明達)ᄒᆞᆷ믈 스스로 긔특이 넉이고, 샤환(仕宦)의 분쥬ᄒᆞ는 ᄌᆞ를 우이 넉여, 스희로 집을 삼고, 텬하 명승디디로 유완(遊玩)ᄒᆞ는 졍ᄌᆞ(亭子)를 삼아, 셰샹 괴로오믈 물외(物外)의 더디니, ᄯᅩᄒᆞᆫ 즐거오미 그 ᄀᆞᆺ트니 이시리오."

윤참뫼 쇼왈,

"그디 말도 올커니와, 텬ᄒᆞ 억만 인민이 다 도시 될딘디, 샤군찰임(事君察任)의 안민보국(安民保國)ᄒᆞ며 니음양슌ᄉᆞ시(理陰陽順四時)402)ᄒᆞ는 지상이 뉘 이시리오. 나는 본

---

400)박멸디인(薄滅之人) : 박명지인(薄命之人). 수명이 짧은 사람.
401)얼프시 : 어렴풋이.
402)니음양슌ᄉᆞ시(理陰陽順四時) : 음양(陰陽)을 바르게 하고 사계절(四季節)의 흐름을 순조롭게 함. 즉

實)ᄒᆞ여 속세 범인과 다른 줄 알거니와, 이 도인은 실노 일월명광(日月明光)이오, 츄슈졍신(秋水淨身)이라. 싱이 싱각건디 슈연미려(粹然美麗)ᄒᆞ여 화옥의 빗난 거슬 압두ᄒᆞ는 스람은 명공밧게 보지 못ᄒᆞ엿더니, 금ᄌᆞ 도인을 보니 맑으며 고은 거시 명공게 비나 더ᄒᆞ고, 묘ᄒᆞ며 연연ᄒᆞ미 인간 만물의 버셔난지라. 녀ᄌᆞ 즁(中)도 그런 쉭은 업스니, 결단코 텬션(天仙)이 하강ᄒᆞ여 명공(明公)을 구ᄒᆞ미라. ᄒᆞ물며 그 셩졍이 스람을 간디로 디코ᄌᆞ 아니【47】ᄒᆞ미, 진쇽(塵俗) 용우(庸愚)ᄒᆞᆫ 박멸지인(薄滅之人)392)을 더러이 넉이미라. 쇼싱 ᄀᆞᆺ튼 경박(輕薄) 무ᄒᆡᆼ지(無行者) 엇지 그 면젼의 얼프시393)나 ○[디]ᄒᆞ리오"

참뫼 미쇼 왈,

"그디는 텬하 독보ᄒᆞᆫ 호걸이라. 심산의 오졸(迂拙)ᄒᆞᆫ 도인을 져디도록 칭찬홀 비 아니어늘, 그디 도관의셔 ᄌᆞ란 바로 도스의 뉴는 다 긔특ᄒᆞᆫ 줄노 알거니와, 맛춤니 도스의 뉴 허망ᄒᆞ미 업지 아니ᄒᆞ니, 엇지 군ᄌᆞ디도(君子大道)와 녕쥰의 강밍ᄒᆞᆫ 긔상 ᄀᆞᆺ 트리오, 나는 그 도의 긔특ᄒᆞᆷ믈 실노 모로노라"

셩각이 쇼 왈,

"명공은 도스의 무리를 비쳑ᄒᆞ시나, 도인의 뉴는 그 신셩명달(神聖明達)ᄒᆞᆷ믈 스스로 긔특이 넉이고, ᄉᆞ환(仕宦)의 분쥬ᄒᆞ는 ᄌᆞ를 우이 넉여, ᄉᆞ희(四海)로 집을 숨고, 텬하 명승지로 유완(遊玩)ᄒᆞ는 졍ᄌᆞ(亭子)를 숨아, 세【48】상 괴로오믈 물외(物外)의 더지니, ᄯᅩᄒᆞᆫ 즐거오미 그 ᄀᆞᆺ 튼 니 이시리오."

윤참뫼 쇼 왈,

"그디 말도 올커니와, 텬하 억만 인민이 다 도시 될딘디 ᄉᆞ군찰임(事君察任)의 안민보국(安民保國)ᄒᆞ며 니음양슌ᄉᆞ시(理陰陽順四時)394)ᄒᆞ는 지상이 뉘 이시리오. 나는 본

---

392)박멸지인(薄滅之人) : 박명지인(薄命之人). 수명이 짧은 사람.
393)얼프시 : 어렴풋이.
394)니음양슌ᄉᆞ시(理陰陽順四時) : 음양(陰陽)을 바르게 하고 사계절(四季節)의 흐름을 순조롭게 함. 즉

딕 도스의 무리를 괴로이 넉이노라."

셩각 왈,

"이러나 져러나 도인 곳 아니면 명공의 급화를 면【55】키 ᄀ장 어려오니, 싱은 도인을 감격ᄒ미 살홀 헐고 머리털홀 버혀도 앗가온 뜻이 업ᄂ이다."

참뫼 다시 말을 아니나, 셩각의 디극흔 졍셩이 뎡시를 도인으로 아라, ᄌ긔 구ᄒ믈 각골감은ᄒ여 ᄒ믈 보고, 평싱의 셩각을 범연이 듸졉홀 뜻이 업더라.

도관의셔 슈삼일 머므디 쇼져의 방의 구 트여 드러가디 아녓더니, 뎨ᄉ일(第四日)의 참뫼 셩각으로 더브러 낙텬산상의 올나 건샹(乾象)을 보니, 손원슈의 쥬셩(主星)이 ᄌ리를 뎡치 못ᄒ여 황황(遑遑)ᄒ고, 댱샤딘(長沙陣) 살기 임의 숑딘(宋陣)을 쎄쳐, 발셔 ᄉ졸이 슈 업시 죽고 숑딘이 파ᄒ여 다시【56】니를 거시 업셔시딕, ᄌ긔 쥬셩은 흑무를 버셔나 한 업슨 광치 남토(南土)를 븕혓ᄂ디라. 셩각이 박장(拍掌) 낙희(樂喜) 왈,

"건샹(乾象) 셩슈(星數)를 보아는 손확의 그릇 되믈 보디 아냐 알디라. 일노조츠 명공이 승젼닙공(勝戰立功)ᄒ실 소이다."

참뫼,

"엇디 이런 말을 ᄒᄂ뇨? 확이 셜ᄉ 블인ᄒ나 국가 막듕대시 다 확의게 맛디시니, 삼만 졍병과 십원 명댱의 ᄉ싱이 다 확의 댱니(掌裏)의 이실 ᄲᆞᆫ 아니라, 흔 ᄲᆞ홈의 국가 안위와 만민의 ᄉ싱이 달녀시니, 져의 패ᄒ믈 엇디 깃거 ᄒ리오. 졔 날을 믜워 짐 줏 그 셔간403)을 믄드라 죄를 얽어 죽이려

음양의 도와 자연의 질서에 맞게 정치를 베풂

403)손확이 서간을 만들어 윤광천을 죄를 얽어 죽이려 하였다는 본문 내용은 앞에서 진행된 서사내용과 다르다. 즉 앞 63권 38-46쪽에서 진행된 손확과 윤광천의 갈등은 손확의 출전명령을 윤광천이 군사들의 장거리 원정에 따른 피로 누적과 전날싸움의 패전으로 인한 사기 저하로 싸움이 불리함을 들어 재고를 요청함으로써 촉발되었을 뿐, 서간 관련 사건은 이 싸움 어디에도 나타나지 않는다. 그리고 그 결과도 손확이 윤광천의 요청을 받아들이지 않고 출전케 하여 패전을 유도한 후, 그

딕 도스의 무리를 괴로이 넉이노라"

셩각 왈,

"니러나 져러나 도인 곳 아니면 명공의 급화를 면키 가장 어려오니, 싱은 도인을 감격ᄒ미 살을 헐고 머리털을 버혀도 앗가온 뜻이 업ᄂ이다."

틱위 ᄃ시 말을 아니나 셩각의 지극흔 졍셩이 뎡시를 도인으로 아라, ᄌ긔 구ᄒ믈 각골감은ᄒ여 ᄒ믈 보고, 평싱의 셩각을 범연이 듸졉홀 뜻이 업더라.

도관의셔 슈슘 일 머므딕 쇼져의 ○○[방의] 구【49】트여 드러가지 아녓더니, 졔ᄉ일(第四日)의 참뫼 셩각으로 더브러 낙쳥산상의 올나 건샹(乾象)을 보니, 손원슈의 쥬셩(主星)이 ᄌ리를 졍치 못ᄒ여 황황(遑遑)ᄒ고, 댱ᄉ진(長沙陣) 살기 임의 숑진(宋陣)을 쎄쳐, 발셔 ᄉ졸이 슈 업시 죽고 숑진이 파(破)ᄒ여 다시 니를 거시 업셔시딕, 참모의 쥬셩은 흑무를 버셔나 한 업슨 광치 남토(南土)를 븕혓ᄂ지라. 셩각이 박장(拍掌) 낙희(樂喜) 왈,

"건샹(乾象) 셩운(星運)를 보ᄂ 확의 그릇 되믈 보지 아녀 알지라. 일노조츠 명공이 승젼닙공(勝戰立功) 홀이이다"

틱위 탄왈,

"그딕 엇지 니런 말을 ᄒᄂ뇨? 확이 셜ᄉ 블인ᄒ나 국가 막듕대시 《라ǁ다》 확의게 맛지시니, 슴만 졍병과 십원 명댱의 ᄉ싱이 다 확【50】의 댱니(掌裏)의 이실 ᄲᆞᆫ 아니라, 흔 ᄊᆞ홈의 국가 안외[위](安危)와 만민의 ᄉ싱이 둘녀시니, 져의 픽ᄒ믈 엇지 깃거 ᄒ리오. 졔 날을 믜워 짐잣 그 셔간395)

음양의 도와 자연의 질서에 맞게 정치를 베풂.

395)손확이 서간을 만들어 윤광천을 죄를 얽어 죽이려 하였다는 본문 내용은 앞에서 진행된 서사내용과 다르다. 즉 앞 63권 38-46쪽에서 진행된 손확과 윤광천의 갈등은 손확의 출전명령을 윤광천이 군사들의 장거리 원정에 따른 피로 누적과 전날싸움의 패전으로 인한 사기 저하로 싸움이 불리함을 들어 재고를 요청함으로써 촉발되었을 뿐, 서간 관련 사건은 이 싸움 어디에도 나타나지 않는다. 그리고 그 결과도 손확이 윤광천의 요청을 받아들이지 않고 출전케 하여 패전을 유도한 후, 그

【57】호나, 나는 져의 슈하댱(手下將)이라.
올흔 도리로 훌딘딕 슌히 그 녕을 조츠 죽
으미 맛당호딕, 도소의 구호믈 인호여 스디
를 버셔나 이곳의 곰최여시나, 승부를 아디
못호니 뎡히 민박홀 즈음이라. 이졔 건샹셩
운(乾象星運)을 보아는 우리 딘이 반드시
패호엿느니, 국가 불힝이 그 엇더 흐리오.
실노 경악호믈 니긔디 못호노라. 그딕 엇디
이곳치 즐겨 호느뇨?"

각이 쏘흔 그러히 넉여 다시 말을 아니
나, 참모 쥬셩의 광치 됴요(照耀)호믈 심히
힝회호는디라. 참뫼 이윽이 건샹을 앙견(仰
見)호다가, 야심 후 셩각을 몬져 슉소로 보
닉고, 완완이 뫼히 나려 쇼져 쳐【58】소로
드러가니, 쇼졔 홍션으로 더브러 쵹하의셔
고셔(古書)를 보다가 니러 맛는디라. 참뫼
팔 미러 동셔로 좌흔 후, 참뫼 블쾌흔 스식
으로 굴오딕,
"즈의 스싱 존망을 모로다가 긔특이 샹봉
호믈 어드니 가히 영힝호나, 싱의 므음이
절민흔 비 만흔다. 웃듬은 손확 굿튼 무
덕블인지(無德不仁者) 삼군(三軍)을 통녕(統
領)호미, 용병(用兵)호는 도리를 모로니, 그
반드시 패망호믈 보디 아냐 알디라. 버거는
우리 형뎨 니가삼직(離家三載)오, 계뷔(季
父) 교디(交趾)의셔 밋쳐 환가치 못호여 계
시리니, 대모(大母)를 봉양호리 업슬 뿐 아
니라, 봉스디졀(奉祀之節)을 아조 폐호여 무
고히 조션(祖先) 신【59】위예 스시(四時)
향화(香火)를 긋츠니 엇디 슬프디 아니리오.
싱이 건샹을 앙견호니 결단코 손확이 패군
호여실 듯호니, 내 추마 안연이 잇디 못홀

을 믿드라 죄를 얽어 죽이려 호나, 나는 져
의 슈하쟝(手下將)이라 올흔 도리로 훌진딕
그 지휘를 조츠 죽으미 맛당호나, 도소의
구호믈 인호여 스지를 버셔나 이 곳의 곰초
여시나, 승부를 아지 못호니 뎡히 민박홀
즈음이라. 이졔 건샹셩운(乾象星運)을 보아
는 우리 진이 반드시 픽호엿느니, 국가 불
힝이 그 엇더 흐리오. 실노 경악호믈 니긔
지 못호노라. 그딕 엇지 이곳티 즐겨 흐느
뇨?"

각이 쏘흔 그러히 넉여 다시 말을 아니
나, 참모 쥬셩의 광치 됴요(照耀)호믈 심히
힝회호는지라. 참【51】뫼 이윽이 건샹을
앙견(仰見)호다가, 야심 후 셩각을 몬져 슉
소로 보닉고, 완완이 뫼히 느려 쇼져 쳐소
로 드러가니, 쇼졔 홍션으로 더브러 쵹하의
셔 고셔(古書)를 보다가 니러 맛는지라. 참
뫼 팔 미러 동셔로 좌흔 후, 참뫼 블쾌흔
스식으로 왈,
"즈의 스싱 존망을 모르다ㄱ 긔특이 샹봉
호믈 어드니 가히 영힝호나, 싱의 므음이
절민흔 비 만흔지라. 웃듬은 손확 굿튼 무
덕블인지(無德不仁者) 숨군을 통녕호미, 용
병호는 도리를 모로니, 그 반드시 픽망호믈
보지 아녀 알지라. 버거는 우리 형뎨 니가
삼직(離家三載)오, 계뷔 교디의셔 밋쳐 환가
치 못호예 계시리니, 대모(大母)를 봉양호리
업슬 뿐 아니라, 봉스지졀(奉祀之節)을 아조
폐【52】호여 무고히 조션(祖先) 신위예 스
시(四時) 향화를 긋츠니 엇지 슬프지 아니
리오. 싱이 건샹을 앙견호니 결단코 확이
픽군호여실 듯호니, 내 추마 안연이 닛지
못홀지라. 명일은 소식을 듯보아 확의 승픽

책임을 윤광천에게 전가하여 참형에 처하는데, 참
형 직전 부인 정혜주가 도복차림으로 형장에 나가
구해왔을 뿐이다. 따라서 본문의 '서간관련 서술'
은 명백한 서사오류다. 이러한 오류가 발생한 원
인은 필사자가 원전에 있던 '서간 관련 사건'을 생
략하고 전사를 하였거나, 저자가 착오를 일으켜
잘못된 서사를 하였거나, 둘 중 하나일 것인데, 교
주자는 전자일 가능성이 높다고 생각한다. 왜냐하
면 소설은 인과적 서사체이고 소설의 작자는 이에
충실할 수밖에 없기 때문이다.

책임을 윤광천에게 전가하여 참형에 처하는데, 참
형 직전 부인 정혜주가 도복차림으로 형장에 나가
구해왔을 뿐이다. 따라서 본문의 '서간관련 서술'
은 명백한 서사오류다. 이러한 오류가 발생한 원
인은 필사자가 원전에 있던 '서간 관련 사건'을 생
략하고 전사를 하였거나, 저자가 착오를 일으켜
잘못된 서사를 하였거나, 둘 중 하나일 것인데, 교
주자는 전자일 가능성이 높다고 생각한다. 왜냐하
면 소설은 인과적 서사체이고 소설의 작자는 이에
충실할 수밖에 없기 때문이다.

디라. 명일은 소식을 듯보아 확의 승패간(勝敗間) 본딘(本陣)으로 가려 ᄒᆞᄂᆞ니, ᄌᆞ는 브졀업시 도관을 딕희디 말고, 화가의 가 이시라."

쇼졔 화시 취ᄒᆞᆷ믈 죵시 긔이디 못ᄒᆞ여, ᄌᆞ시 니른 후 참뫼 뉵녜로 화시를 취케 홀디라. 아딕 참뫼 만시 긔황(夔惶)404)ᄒᆞ여 ᄒᆞᆷ믈 보미, 깃브디 아닌 소식을 젼ᄒᆞ여 ᄌᆞ긔 힝ᄉᆞ를 넘나게 넉일가 져두묵연(低頭黙然)의, 날호여 ᄃᆡ왈,

"쳡이 구ᄎᆞ히 투ᄉᆡᆼ(偸生)키를 도모ᄒᆞ여 ᄒᆞᆫ갓 음양을 변ᄒᆞᆯ ᄲᅮᆫ【60】 아니라, 힝식 남 들념죽디 아니니, 쳡이 맛ᄎᆞᆷ닉 부도의 어귄 죄인으로, 국개 찬덕을 프르시나 녜ᄉᆞ 사ᄅᆞᆷ과 ᄀᆞᆺ디 못ᄒᆞ니, 져 화가는 친족도 아니어ᄂᆞᆯ, 거ᄌᆞᆺ 일홈을 디어 그 집 슬하 ᄌᆞ셔항(子壻行)의 참예ᄒᆞ여 후은을 바드니, ᄎᆞ싱의 다 갑디 못ᄒᆞᆯ 비로ᄃᆡ, 녀ᄌᆞ의 몸으로 미양 남의 식긱(食客)이 되여 엇디 괴이치 아니리잇가?"

참뫼 ᄌᆞ상(仔詳)치 못ᄒᆞᆫ 셩졍으로, 뎡시의 취쳐홀 ᄉᆞ단(事端)은 몽니(夢裏)의도 싱각디 못ᄒᆞ고, 그 말이 이 ᄀᆞᆺ틈믈 드르ᄃᆡ 씨쳐 못디 아니ᄒᆞ고, 답왈,

"화가 식긱(食客)이 된들 그 ᄌᆞ셔항(子壻行)의 참예홀 일이 어이 이시리오. 고딘【61】 감닉(苦盡甘來)라 ᄒᆞ니, 지(子) 사ᄅᆞᆷ의 당치 못홀 화란을 만히 경녁ᄒᆞ여시니, 엇디 ᄒᆞᆫ 번 길운을 만나디 못ᄒᆞ리오. 금년 샹원일(上元日)405)의 우리 형뎨 부부의 명슈(命數)를 츄졈(推占)ᄒᆞ니 금년은 익회(厄會) 믈 프러디ᄃᆞᆺ ᄒᆞ고 시로온 복경(福慶)이 니러나리니, 결단코 밍하(孟夏)406)를 당ᄒᆞᆫ즉 됴흔 쇼식이 이실가 ᄒᆞᄂᆞ니, 화가 식긱

<hr/>

404)긔황(夔惶) : 조심하고 두려워 함.
405)샹원일(上元日) : 대보름날. 음력 정월 보름날을 명절로 이르는 말. 새벽에 귀밝이술을 마시고 부럼을 깨물며 약밥, 오곡밥 따위를 먹는다
406)밍하(孟夏) : 초여름. 음력 4월을 달리 이르는 말.

간(勝敗間) 본진(本陣)으로 가려 ᄒᆞᄂᆞ니, ᄌᆞ는 부졀업시 도관을 직희지 말고 화가의 가 이시라"

쇼졔 화시 취ᄒᆞᆷ믈 죵시 긔이지 못ᄒᆞ여, ᄌᆞ시 니른 후, 참뫼 뉵녜로 화시를 취케 홀지라. 아직 참뫼 만시 긔황(夔惶)396)ᄒᆞ여 ᄒᆞᆷ믈 보미, 깃브지 아닌 소식을 젼ᄒᆞ여 ᄌᆞ긔 힝ᄉᆞ를 넘나게 넉일가 져두묵연(低頭黙然)의 날호여 ᄃᆡ왈,

"쳡이 구ᄎᆞ히 투ᄉᆡᆼ키를 도모ᄒᆞ여 ᄒᆞᆫ갓 음양을 변ᄒᆞᆯ ᄲᅮᆫ 아니라, 힝식 남 들념죽지 아니【53】니, 쳡이 맛ᄎᆞᆷ닉 부도의 어귄 죄인으로, 국개 찬젹을 프르시나 녜ᄉᆞ 스람과 ᄀᆞᆺ지 못ᄒᆞ니, 져 화가는 친족도 아니어늘 거ᄌᆞᆺ 일홈을 지어 그 집 슬하 ᄌᆞ셔항(子壻行)의 《니ᄅᆞ지 못ᄒᆞ며 쳡이 본닉 ᄉᆞ문 규녀로 흥진을 밟기를 산슈간의 노라 신상 고익이 측냥홀 슈 업ᄉᆞ와 쥬야불미ᄒᆞ고 무한ᄒᆞᆫ 고힝을 지닉미라∥참예ᄒᆞ여 후은을 바드니, ᄎᆞ싱의 다 갑디 못홀 비로ᄃᆡ, 녀ᄌᆞ의 몸으로 미양 남의 식긱(食客)이 되여 엇디 괴이치 아니리잇가?》."

춤뫼 답왈,

"화가 식긱(食客)이 된들 그 ᄌᆞ셔항(子壻行)의 참녜홀 일이 어이 이시리오. 고진감닉(苦盡甘來)라 ᄒᆞ니, 지 스람의 당치 못홀 바를 만히 경녁ᄒᆞ여시니, 엇지 ᄒᆞᆫ 번 길운을 만나지 못ᄒᆞ리오. 금년 샹원일(上元日)397)의 우리 형뎨 부부의 명슈(命數)를 츄졈(推占)ᄒᆞ니 금년은 익화(厄禍) 믈 프러지ᄃᆞᆺ ᄒᆞ고 시로온 복【54】경(福慶)이 니러ᄂᆞ리니, 결단코 밍하(孟夏)398)를 당ᄒᆞᆫ즉 됴흔 쇼식이 이실가 ᄒᆞᄂᆞ니, 화가 식긱인들

<hr/>

396)긔황(夔惶) : 조심하고 두려워 함.
397)샹원일(上元日) : 대보름날. 음력 정월 보름날을 명절로 이르는 말. 새벽에 귀밝이술을 마시고 부럼을 깨물며 약밥, 오곡밥 따위를 먹는다
398)밍하(孟夏) : 초여름. 음력 4월을 달리 이르는 말.

인들 언마 오라리오."

쇼제 참모의 쁘리쳐407) 답ᄒᄆᆯ 듯고, 다시 화시 췩ᄒᄆᆯ 니르미 너모 급흔 고로, 오딕 참모의 승젼을 기다려 ᄒ리라 ᄒ고, 이의 굴오ᄃᆡ,

"군지 명일 손원슈의 승패를 보려 ᄒ시니, 만일 승젼ᄒ여신죽 깃브려니와 혹ᄌ 【62】 패흔죽 엇디려 ᄒ시ᄂᆞ니잇가?"

참뫼 왈,

"신지 몸을 국가의 허ᄒᄆᆡ ᄉᆞᄉᆞ를 도라보디 못ᄒᄂᆞ니, 손확의 패군ᄒᄆᆯ 발셔 짐작ᄒ엿ᄂᆞ니, 죽기를 그음ᄒ여 뎍딘을 쎄쳐 드러가 흉뎍을 버히고져 ᄒ노라."

쇼제 옷깃슬 념의고 ᄃᆡ왈,

"병긔ᄂᆞᆫ 남ᄌᆞ도 어려이 넉이ᄂᆞ니, 쳡이 엇디 간예ᄒ며, 쳡의 금ᄎᆞ 힝도ᄂᆞᆫ 쳔만 브득이 ᄒᄆᆡ오, 비록 허탄타 ᄒ나, 도인의 가르치미 명명ᄒ니, 엇디 태운도인의 디교흔 덕이 아니리잇고?"

참뫼 탄왈,

"만시(萬事) 텬야(天也)오, 명야(命也)라. 도인의 은혜 뎍디 아니커니와, ᄯᅩᄒᆫ 싱의 명완(命頑)ᄒ미라. 북당편위(北堂偏闈)408)예 상명 【63】 디탄(喪明之嘆)409)을 슬허 ᄒᄆᆡ오, 우리 부뷔 만ᄉᆞ여싱(萬死餘生)410)으로 고원(故園)411)의 갈 날을 뎡치 못ᄒ니, 영웅의 댱심(壯心)이나 엇디 이둛디 아니리오."

쇼제 념용(斂容) 탄왈,

"인싱 쳐셰(處世)의 반ᄃᆞ시 화복(禍福)이 유슈(有數)ᄒ고, 궁달(窮達)이 지텬(在天)ᄒ니, 셜셜이 슬허ᄒ미 무익도소이다. ᄒᄆᆯ며 쳡은 규듕약딜(閨中弱質)노 존당(尊堂)과 친측(親側)을 니슬(離膝)ᄒ여, 만니의 망명 뉴

---
407)쁘리치다 : 쓸어 모으다. 한데 뭉뚱그리다.
408)북당편위(北堂偏闈) : '편모(偏母)'를 달리 이르는 말.
409)상명디탄(喪明之嘆) : 아들을 잃은 탄식. 옛날 중국의 자하(子夏)가 아들을 잃고 슬피 운 끝에 눈이 멀었다는 데서 유래한다
410)만ᄉᆞ여싱(萬死餘生) : 여러 번 죽을 고비를 넘기고 살게 된 목숨.
411)고원(故園) : 고향.

언마 오릐리오."

쇼제 참모의 쓰리쳐399) 답ᄒᄆᆯ 듯고, 다시 화시 췩ᄒᄆᆯ 니르미 너모 급흔 고로, 오직 참모의 승젼을 기ᄃᆞ려 권ᄒ리라 ᄒ고, 이의 왈,

"군지 명일 손원슈의 승핀를 보려 ᄒ시니, 만일 승젼ᄒ여신죽 깃브려니와 혹ᄌ 핀흔죽 엇지려 ᄒ시ᄂᆞ니잇ᄀᆞ?"

참뫼 왈,

"신지 몸을 국가의 허ᄒᄆᆡ ᄉᆞᄉᆞ를 도라보지 못ᄒᄂᆞ니, 손확의 핀군ᄒᄆᆯ 발셔 짐작ᄒ엿ᄂᆞ니, 죽기를 그음ᄒᆞ여 젹진을 겟쳐 드러가 흉녁(凶逆)을 버히고ᄌ ᄒ노라."

쇼제 옷기슬 념의고 ᄃᆡ왈,

"병긔ᄂᆞᆫ 남ᄌᆞ도 어려이 넉이ᄂᆞ니, 쳡이 엇지 간예ᄒ 【55】 며, 쳡의 금ᄎᆞ 힝도ᄂᆞᆫ 쳔만 부득이 ᄒᄆᆡ오, 비록 허탄타 ᄒ나 도인의 가르치미 명명ᄒ니, 엇지 틱운도인의 ᄀᆞ르친 덕이 아니리잇고?"

참뫼 탄왈,

"만시(萬事) 텬야(天也) 명애(命也)라. 도인의 은혜 젹지 아니커니와, ᄯᅩᄒᆫ 싱의 명완(命頑)ᄒ미라. 북당편위(北堂偏闈)400)의 상명지탄(喪明之嘆)401)을 슬허 ᄒᄆᆡ오, 우리 부뷔 만ᄉᆞ여싱(萬死餘生)402)으로 고원(故園)403)의 갈 날을 졍치 못ᄒ니, 녕웅의 장심(壯心)이나 엇지 이둛지 아니리오"

쇼제 념용(斂容) 탄왈,

"인싱 쳐셰(處世)의 반ᄃᆞ시 화복(禍福)이 유슈(有數)ᄒ고, 궁달(窮達)이 지텬(在天)ᄒ니, 셜셜이 슬허 ᄒᄆᆡ 무익도소이다. ᄒᄆᆯ며 쳡은 규즁약질(閨中弱質)노 존당(尊堂)과 친측(親側)을 니슬(離膝)ᄒ여, 만니의 망명 뉴

---
399)쓰리치다 : 쓸어 모으다. 한데 뭉뚱그리다.
400)북당편위(北堂偏闈) : '편모(偏母)'를 달리 이르는 말.
401)상명디탄(喪明之嘆) : 아들을 잃은 탄식. 옛날 중국의 자하(子夏)가 아들을 잃고 슬피 운 끝에 눈이 멀었다는 데서 유래한다
402)만ᄉᆞ여싱(萬死餘生) : 여러 번 죽을 고비를 넘기고 살게 된 목숨.
403)고원(故園) : 고향.

락ᄒᆞ미 되니, 비록 겨즌 죄 업스나 살인 죄명이 한심ᄒᆞ니, 엇디 은식(恩赦) 슈히 나리믈 바라리잇고? ᄒᆞ물며 명되 긔구ᄒᆞ여 누천 니 원뎍(遠謫)도 보젼치 못ᄒᆞ여, 공교히 죽으믈 칭ᄒᆞ고, 남의 문하긱(門下客)이 되여 망측ᄒᆞᆫ 거죄 업디 못ᄒᆞ【64】니, 더욱 신명의 외오 넉이믈 어들가 ᄒᆞᄂᆞ이다."

참뫼, ○[왈]

"경샤의셔는 혹즈 부인을 희코져 ᄒᆞ리 이실 ᄃᆞᆺᄒᆞ거니와, 이곳의 뽤와 니르러 히ᄒᆞ리는 실노 싱각디 못ᄒᆞᄂᆞ니, 즈는 알오미 잇ᄂᆞ냐?"

쇼제 교아의 일을 모로디 아니나, 교익 댱샤왕의게 개뎍ᄒᆞ믈 젼ᄒᆞ미 괴이ᄒᆞ므로 ○○[모로]는 쳬ᄒᆞ고, 경샤 소식을 뭇고, 유ᄋᆞ의 싱스를 므르니, 참뫼 탄왈,

"즈위 부인의 찬뎍ᄒᆞ믈 과도히 비익(悲哀)ᄒᆞ시던 바의, 우리 형뎨 남·양 이쳐(二處)의 분찬(分竄)ᄒᆞ니, 여러 셰월의 그 참비(慘悲)ᄒᆞ시믈 듯디 아녀 알니니, 다시 젼ᄒᆞᆯ 말이 업고, 대뫼 노년의 ᄒᆞᆫ 즈손도 시봉ᄒᆞ리 업【65】스니, 감디온닝(甘旨溫冷)의 맛초리 업스믈 슬허ᄒᆞ거늘, 부인이 댱샤의 찬뎍(竄謫)ᄒᆞᆫ 후 날이 오라디 아녀셔, 유ᄋᆞ를 실니ᄒᆞ여 디금 ᄉᆞᆼ존망을 아디 못ᄒᆞᄂᆞ디라. 오딕 겨의 작인을 밋ᄂᆞᆫ 빈나, 엇디 ᄉᆞ라시믈 미드리오. ᄋᆞ등의 명되(命途) 박ᄒᆞ여 옥 ᄀᆞᄐᆞᆫ 긔린을 쳐음으로 어더, 그 작인이 비범ᄒᆞ던 바를 싱각ᄒᆞ미, 앗가오믈 니긔디 못ᄒᆞᄂᆞ이다."

쇼제 발셔 ᄋᆞᄌᆞ를 보젼치 못ᄒᆞ여시믈 혜아리고 슬허ᄒᆞ나, 오히려 분명ᄒᆞᆫ 소식을 몰낫다가 ᄎᆞ언을 드르미, 흉장(胸臟)이 ᄐᆞᄂᆞᆫ ᄃᆞᆺ 방셩통곡(放聲痛哭)고져 시브나, 참모의 어즈러온 ᄆᆞᄋᆞᆷ을 요동치 아니려 {ᄒᆞ고} 참졀익상(慘切哀傷)ᄒᆞᆫ 빗【66】출 금초나, 즈연이 빵안의 츄슈징패(秋水澄波) 요동ᄒᆞ니, 참뫼 지삼 위로ᄒᆞ며, 집슈 왈,

"우리 부부의 당ᄒᆞᆫ 바 익회 ᄉᆞ졍을 결ᄒᆞ여 니를 ᄡᅥ 아니나, 부인의 남복을 보미 싱이 실노 불쾌ᄒᆞ여 밧비 복식을 곳치과져

락ᄒᆞ미 되니, 비록 겨진 죄 업스나 살인 죄명이 한【56】심ᄒᆞ니, 엇지 은식(恩赦) 슈히 나리믈 바라리잇고? ᄒᆞ물며 명되 긔구ᄒᆞ여 누천 니 원젹(遠謫)도 보젼치 못ᄒᆞ여, 공교히 죽으믈 칭ᄒᆞ고, 남의 문하긱(門下客)이 되여 망측ᄒᆞᆫ 거죄 업지 못ᄒᆞ니, 더욱 신명의 그릇 넉이믈 어들ᄀᆞ ᄒᆞᄂᆞ이다."

참뫼, ○[왈]

"경ᄉᆞ의셔는 혹즈 부인을 희코즈 ᄒᆞ리 잇실 ᄃᆞᆺᄒᆞ나, 이곳의 ᄯᅡ라 니르러 히ᄒᆞ리는 실노 싱각지 못ᄒᆞ니, 즈는 아름이 잇ᄂᆞ냐?"

쇼제 교아의 일을 모르지 아니나, 교익 장ᄉᆞ왕의게 긔젹ᄒᆞ믈 젼ᄒᆞ미 괴이ᄒᆞ므로 ○○[모로]는 쳬ᄒᆞ고, 경ᄉᆞ 소식을 뭇고, 유ᄋᆞ의 싱ᄉᆞ를 무르니, 참뫼 탄왈,

"즈위 부인의 찬젹ᄒᆞ믈 과도히 비익(悲哀)ᄒᆞ시던 바의, 우리 형뎨 남·양 이쳐(二處)의 분젹(分謫)ᄒᆞ니【57】녀러 셰월의 그 참비(慘悲)ᄒᆞ시믈 듯지 아녀 알니니, 다시 젼ᄒᆞᆯ 말이 업고, 대뫼 노년의 ᄒᆞᆫ 즈손도 봉시ᄒᆞ 리 업스니 감지온닝(甘旨溫冷)의 밧들이 업스믈 슬허 ᄒᆞ거늘, 부인이 댱ᄉᆞ의 찬젹(竄謫)ᄒᆞᆫ 후 날이 오릭지 아녀셔, 유ᄋᆞ를 실니ᄒᆞ여 지금 ᄉᆞᆼ존망을 아지 못ᄒᆞᄂᆞ지라. 오직 겨의 작인을 밋ᄂᆞᆫ 빈나 엇지 ᄉᆞ랏시믈 미드리오. 아등의 명이 박ᄒᆞ여 옥 ᄀᆞᆺᄐᆞᆫ 긔린을 쳐음으로 어더, 그 작인이 비범ᄒᆞ던 바를 싱각ᄒᆞ미, 익셕ᄒᆞ믈 니긔지 못ᄒᆞᄂᆞ이다"

쇼제 발셔 ᄋᆞᄌᆞ를 보젼치 못ᄒᆞ여시믈 혜아리고 슬허ᄒᆞ나, 오히려 분명ᄒᆞᆫ 소식을 몰낫드가 ᄎᆞ언을 드르미, 흉장(胸臟)이 ᄐᆞᄂᆞᆫ ᄃᆞᆺ 방셩통곡(放聲痛哭)고즈 시브나, 참모의【58】어즈러온 ᄆᆞᄋᆞᆷ을 요동치 아니려 참졀익상(慘切哀傷)ᄒᆞᆫ 빗츨 금초나, 즈연 빵안의 츄슈(秋水) 어룽지니, 참뫼 직삼 위로ᄒᆞ며 집슈 위로 왈,

"우리 당ᄒᆞᆫ 바 익회 부부의 ᄉᆞ졍을 결ᄒᆞ여 닐을 거시 아니나, 부인의 남복을 보미 싱이 실노 불쾌ᄒᆞ여이다."

ᄒᆞ딕, 화가의 의디ᄒᆞ여 임의 남ᄌᆞ로 쳐신ᄒᆞ
미, 아딕 녀복을 개착기 어려올노다."

쇼졔 탄왈,

"쳡이 브득이 남복을 변착(變着)ᄒᆞ여시나,
엇디 불안 황괴ᄒᆞ미 업스리잇가?"

참뫼 명일은 군듕으로 가려 ᄒᆞ므로 부인
을 ᄯᅥ나미 결연ᄒᆞ딕, 그 쳐실노 더브러 은
이를 베플 ᄯᅥ 아니라, 졍을 쥬리잡고412) 날
호여 니러날ᄉᆡ, 홍션다려 문왈,

"너의 쥬【67】모를 히ᄒᆞ리 댱샤의 잇다
ᄒᆞ니 뉘라 ᄒᆞ더뇨? ○[네] 거의 알니로다."

션이 교오의 일을 모로디 아닛ᄂᆞᆫ디라. 엇
디 은휘ᄒᆞ리오. 이에 고ᄒᆞ딕,

"쇼뉴시 반ᄃᆞ시 개덕ᄒᆞ여 댱샤 왕비 되엿
ᄂᆞᆫ가 시브오니, 경샤의셔 믜워ᄒᆞ던 한을 프
디 못ᄒᆞ여 디금 부인을 히코져 ᄒᆞ미니이
다."

참뫼 쳥파의 분연 통히ᄒᆞᆷ믈 니긔디 못ᄒᆞ
여, 우문(又問) 왈,

"뉴녜 개덕ᄒᆞ여 댱샤왕의게 오믈 네 엇디
아ᄂᆞ뇨?"

션이 ᄃᆡ왈,

"쇼비 엇디 ᄌᆞ시 알니잇고마는, 그 ᄯᅥ 궁
녀를 잡아 므르미 ᄃᆡ답이 여ᄎᆞ여ᄎᆞ ᄒᆞ고,
그 형용을 옴겨 니르는 비, 분명이 뉴신가
시브더이다."

참뫼 부인을 도라보아 왈,

"ᄌᆞ는 엇디 이 말을 니르디【68】아니ᄒᆞ
시뇨?"

뎡시 ᄃᆡ왈,

"사름이 친히 보디 못흔 바를[로] 듕대흔
말을 ᄒᆞ미 괴이ᄒᆞ여, 군ᄌᆞ긔 젼치 못ᄒᆞ이
다."

싱이 도로혀 우어 왈,

"나의 상법(相法)이 결단ᄒᆞ여 그르디 아
닐 거시니, 발뷔(潑婦) 엇디 와셕죵신(臥席
終身)413)홀 상격이리오. 댱샤 왕비 요슐 지

──────────
412)쥬리잡다 : 줄여 잡다. 줄잡다. 다잡다. 들뜨거나
어지러운 마음을 가라앉혀 바로잡다.
413)와셕죵신(臥席終身) : 졔명을 다하고 편안히 자
리에 누워서 죽음.

쇼졔 탄왈,

"쳡이 부득이 남복을 변측(變着)ᄒᆞ여시나,
엇지 불안 황괴ᄒᆞ미 업스리잇ᄀᆞ?"

참뫼 명일은 군즁으로 가려 ᄒᆞ므로 부인
을 ᄯᅥ나미 결연ᄒᆞ딕, 그 쳐실노 더브러 은
이를 펼 ᄯᅥ 업시리오. 졍을 쥬리줍404) 날
호여 니러날ᄉᆡ 홍션ᄃᆞ려 문왈,

"너희 쥬모를 히ᄒᆞ 리 댱ᄉᆞ의 잇다 ᄒᆞ니
뉘라 ᄒᆞ더뇨? ○[네] 거의 알니로다"

션이 교오의 일을 모로지 아닌 지【59】
라. 엇지 은휘ᄒᆞ리오. 이의 고ᄒᆞ딕,

"쇼뉴시 반ᄃᆞ시 기젹ᄒᆞ여 댱ᄉᆞ 왕비 되어
계신가 시브니, 경ᄉᆞ의셔 믜워ᄒᆞ던 한을 프
지 못ᄒᆞ여 지금 부인을 히코ᄌᆞ ᄒᆞᄂᆞ이다."

참뫼 쳥파의 분연 통히ᄒᆞᆷ믈 니긔지 못ᄒᆞ
여 우문(又問) 왈,

"뉴녜 기젹ᄒᆞ여 댱ᄉᆞ왕의게 오믈 엇지 아
ᄂᆞ뇨?"

션이 ᄃᆡ왈,

"쇼비 엇지 ᄌᆞ시 알니잇고마는, 그 ᄯᅥ 궁
녀를 잡아 무르미 ᄃᆡ답이 여ᄎᆞ여ᄎᆞ ᄒᆞ고,
그 형용을 옴겨 니르는 비 분명이 뉴신가
시버이다"

참뫼 부인을 도라보아 왈,

"ᄌᆞ는 엇지 이 말을 아니ᄒᆞ시뇨?"

뎡시 ᄃᆡ왈,

"스람이 친히 보지 못흔 바로 즁대흔 말
을 ᄒᆞ미 괴이ᄒᆞ여, 군ᄌᆞ게 고치 못ᄒᆞ이다"

싱이 도로혀 우어 왈,

"나의 상법(相法)이 결단코 그르지 아니
니, 발뷔 엇【60】지 와셕죵신(臥席終
身)405) ᄒᆞ리오. 댱ᄉᆞ 왕비 요슐 직죄 고이

──────────
404)쥬리잡다 : 줄여 잡다. 줄잡다. 다잡다. 들뜨거나
어지러운 마음을 가라앉혀 바로잡다.
405)와셕죵신(臥席終身) : 졔명을 다하고 편안히 자
리에 누워서 죽음.

죄 괴이타 ᄒᆞ더니, 이 반ᄃᆞ시 뉴네 내 칼희 죽고져 ᄒᆞ미로다."

드듸여 슉소의 도라와 편히 ᄌᆞ니, 뎡시ᄂᆞᆫ 홍션의 경셜(輕說)ᄒᆞᄆᆞᆯ 칙ᄒᆞ더라.

명일 님셩각을 다리고 영션강을 건너 딘듕으로 가려 ᄒᆞᆯ식, 쇼져를 디ᄒᆞ여 ᄒᆞᆫ가디로 물을 건너가믈 니ᄅᆞ니, 쇼졔,

"농슈암의 가 아딕 남시와 ᄒᆞᆫ가디로 이실 거시니, 군ᄌᆞᄂᆞᆫ 몬져 힝ᄒᆞ쇼셔"【69】

참뫼 왈,

"화가의 임의 잇던 비니 엇디 시로이 이실 곳을 뎡ᄒᆞ시ᄂᆞ뇨?"

쇼졔 왈,

"농슈암이라 ᄒᆞᄂᆞᆫ 암ᄌᆞ의 ○[남]경포졍소(南京布政使) 남슌의 녀지 머므럿ᄂᆞ니, 쳡이 남시를 ᄉᆞ괴여 디극ᄒᆞᆫ 졍이 잇ᄂᆞᆫ 고로, 도인이 니ᄅᆞ기를, 일삭 후면 그 외구(外舅) 강공이 남경 태슈로 갈 적 다려 가리라 ᄒᆞ여시니, 도인의 말이 다 맛ᄂᆞᆫ디라, 쳡이 남시와 ᄒᆞᆫ가디로 잇다가 쩌나려 ᄒᆞᄂᆞ이다."

참뫼 쇼왈,

"원ᄂᆡ 지의 다ᄉᆞᄒᆞ미 남다르도다. 져의 용화긔딜이 엇더 ᄒᆞ뇨?"

뎡시 왈,

"남시ᄂᆞᆫ 셰샹의 드문 녀지니이다."

참뫼 쇼왈,

"연즉 남공이 도라오거든 싱이 특별이 삼쳬(三娶)를 구ᄒᆞ리라."

쇼졔 ᄌᆞ긔 ᄯᅳᆺ과 ᄀᆞᆺ틈【70】믈 힝열(幸悅)ᄒᆞ나, 텬셩이 침묵ᄒᆞ므로 다시 말을 아니ᄒᆞ고, 홍션으로 몬져 도관을 쩌나 농슈암의 나아가니, 남시 반기고 깃거ᄒᆞ미 비길 ᄃᆡ 업더라.

윤참뫼 님셩각으로 더브러 영션강을 건너 십여 리를 힝ᄒᆞ더니, 놉흔 언덕의 올나 보미, 발셔 딘이 패ᄒᆞ고 피란(避亂)ᄒᆞᄂᆞᆫ 뉴(類), 셔로 우러 왈,

"참뫼 윤광텬은 댱샤왕과 므슨 원쉬완딕, 그딕도록 못 ᄎᆞᄌᆞ 방방곡곡이 다 뒤여, 깁흔 바회 틈과 험쥰ᄒᆞᆫ 뫼 ᄉᆞ이로 아니 보는 딕 업ᄉᆞ니, ○○[우리] 윤참모 ᄎᆞᆺᄂᆞᆫ 난군

타 ᄒᆞ더니, 이 반ᄃᆞ시 뉴네 내 알픠셔 죽고져 ᄒᆞ미로다."

드듸여 슉소의 도라와 편히 ᄌᆞ니, 뎡시ᄂᆞᆫ 홍션의 경셜(輕說)ᄒᆞᄆᆞᆯ 칙ᄒᆞ더라.

명일 님셩각을 드리고 녕션강을 건너 진즁으로 가려 ᄒᆞᆯ식, 쇼져를 디ᄒᆞ여 ᄒᆞᆫ가지로 물을 건너가믈 니ᄅᆞ니, 쇼졔,

"용슈암의 가 아직 남시와 ᄒᆞᆫ가지로 이실 거시니, 군ᄌᆞᄂᆞᆫ 몬져 힝ᄒᆞ쇼셔."

참뫼 왈,

"화가의 님의 잇던 비니 엇지 시로이 이실 곳을 졍ᄒᆞ시ᄂᆞ뇨?"

쇼졔 왈,

"농슈암이라 ᄒᆞᄂᆞᆫ 암ᄌᆞ의 ○[남]경포졍소(南京布政使) 남슌의 녀지 머므럿ᄂᆞ니, 쳡이 남시를 ᄉᆞ괴여 지극ᄒᆞᆫ 졍이 잇ᄂᆞᆫ 고로, 도인이 닐으기를 일삭 후면 그 외구(外舅) 강공이【61】남경 틱슈로 갈 적 드려 ᄀᆞ리라 ᄒᆞ여시니, 도인의 말이 다 맛ᄂᆞᆫ지라. 쳡이 남시와 ᄒᆞᆫ가지로 잇ᄃᆞᆨ 쩌ᄂᆞ려 ᄒᆞᄂᆞ이다."

참뫼 쇼왈,

"원ᄂᆡ 지의 다ᄉᆞᄒᆞ미 남다ᄅᆞ도다. 져희 용화긔질이 엇더 ᄒᆞ더뇨"

뎡시 왈,

"남시ᄂᆞᆫ 셰샹의 드문 녀지니이다"

참뫼 쇼왈,

"연즉 남공이 도라오거든 싱이 특별이 숨취(三聚)를 구ᄒᆞ리라."

쇼졔 ᄌᆞ긔 ᄯᅳᆺ과 ᄀᆞᆺ틈믈 힝열(幸悅)ᄒᆞ나, 텬셩이 침묵ᄒᆞ므로 다시 말을 아니ᄒᆞ고, 홍션으로 몬져 도관을 쩌나 농슈암의 나아가니, 남시 반기고 깃거ᄒᆞ미 비길 ᄃᆡ 업더라.

춤뫼 님셩각으로 더브러 녕션강을 건너 십여 리를 힝ᄒᆞ더니, 놉흔 언덕의 올나 보매 발셔 진이 폐ᄒᆞ고 피란(避亂)ᄒᆞᄂᆞᆫ 뉴, 셔로 우러 왈,

"참뫼 광【62】텬은 댱슈왕과 무슨 원쉬완딕, 그딕도록 못 ᄎᆞ져 방방곡곡이 다 뒤여 깁흔 바회 틈과 험쥰ᄒᆞᆫ 뫼 ᄉᆞ이로 아니 보ᄂᆞᆫ 딕 업ᄉᆞ니, ○○[우리] 윤참모 ᄎᆞᆺ

(亂軍)의게 이굿치 상(傷)ㅎ니, 윤개 어듸로 간고 알면, 잡아 밧치고 히나 면ㅎ노다.”

참뫼 그 형상을 보고 추악비졀(嗟愕悲絶)ㅎ여, 즉시 물긔 나려【71】왈,

“내 과연 참모 윤광텬이니, 여등(汝等)이 잡아 댱사왕의게 드리고 급화를 면ㅎ라.”

졔민(諸民)이 참모를 보미, 용모긔상(容貌氣像)이 만고의 회한ㅎ여, 텬일(天日)이 외외(巍巍)ㅎ고 태산(泰山)이 암암(巖巖)ㅎ여, 비록 금슈디심(禽獸之心)이나 엇디 히홀 쯧이 이시리오.

일시의 꾸러 왈,

“댱군이 이디도록 긔특ㅎ시믈 모르고, 댱샤왕의 구식(求索)이 날노 심ㅎ여, 졔민이 살 길히 업셔 앗가 우연이 흔 말이라. 댱군을 보오미 태산의 의디를 어든 듯, 거의 태평일월(太平日月)을 볼가 ㅎ느니, 엇디 히홀 쯧이 이시리오. 댱군이 쇼민 등을 밋디 아니실딘디, 면젼의셔 주문이ᄉ(自刎而死)ㅎ여 이셕댱군디의(以釋將軍之疑)[414]ㅎ리이다.”

참뫼 졔인의 이 굿ᄐ믈 보고, 더옥 츄연(惆然)【72】왈,

“내 머리를 버혀 주어 여등이 히를 면ㅎ딘디 엇디 앗기리오마ᄂᆞᆫ, 댱샤왕의 ᄆᆞ음이 졈졈 방ᄌᆞㅎ여 졔민(諸民)을 탕화(湯火)의 너흘 ᄲᆞᆫ 아니라, 덕심(賊心)을 곳츨 길히 업ᄉᆞ므로, 무익히 머리를 주디 못ㅎ나, 날노 ㅎ여금 졔민의 굿기믈 더옥 참연(慘然)○[게] ㅎ노라. 너히 날을 ᄯᅡ라온즉, 비록 태평을 즉시 보디 못ㅎ나 죽든 아니리라.”

피란 군이 대열(大悅)ㅎ여 고두칭션(叩頭稱善)ㅎ고, 일시의 참모를 ᄯᆞ로거늘, 참뫼, 님셩각 다려 왈,

“우리 치척(砦柵)○[을] 일우믄 어려오니, 몬져 관익(關阨)을 취ㅎ리라.”

셩각 왈,

“예셔 삼십니만 가면 운봉관이 잇고 월산

는 난군(亂軍)의게 이굿치 상(傷)ㅎ니, 윤개 어듸로 간고 알면, 줍아 밧치고 죄나 면ㅎ노다.”

참뫼 그 형상을 보고 추악비졀(嗟愕悲絶)ㅎ여, 즉시 말게 ᄂᆞ려 왈,

“내 과연 참모 윤광텬이니 여등(汝等)이 줍아 댱슈왕의게 드리고 급화를 면ㅎ라.”

졔민(諸民)이 틱우를 보미 용모긔상(容貌氣象)이 만고의 회한ㅎ여, 텬일(天日)이 외외(巍巍)ㅎ고 틱산(泰山)이 암암(巖巖)ㅎ여 비록 금슈지심(禽獸之心)이나 엇지 히홀 쯧을 두리오.”

일시의 꾸러 왈,

“댱군이 이디도록 긔특ㅎ시믈 모르고, 댱슈왕의 구식(求索)이 날노 심ㅎ여, 졔민이 슬 길히 업셔 앗【63】가 우연이 흔 말이라. 댱군을 보오미 틱산의 의지ᄅᆞᆯ 어든 듯, 거의 틱평일월(太平日月)을 볼가 ㅎ느니, 엇지 히홀 쯧이 이시리잇고? 댱군이 쇼민(小民) 등을 밋지 아니실딘디, 면젼의셔 주문이ᄉ(自刎而死)ㅎ여 이셕댱군지의(以釋將軍之疑)[406]ㅎ리이다”

참뫼 졔인의 이 굿ᄐ믈 듯고, 더옥 츄연 왈,

“내 머리를 버혀 주어 여등의 히를 면홀 진디 엇지 앗기리오.”

414)이셕댱군디의(以釋將軍之疑) : 장군의 의심을 풀게 하여 안심케 함.

406)이셕댱군디의(以釋將軍之疑) : 장군의 의심을 풀게 하여 안심케 함.

셩이 이시니, 아스미 올흘【73】가 ㅎᄂᆞ이
다."
　참뫼 쇼왈,
　"연(然)타."
　ㅎ고, 나아가 셩 치기를 급히 ㅎ더라.
【74】

어시의 윤참뫼 나아가 셩 치기를 급히 ᄒ
니, 슈관댱(守關將)이 나와 마즈 ᄡᆞ화 슈합
(數合)의 님셩각의 버힌 빅 되ᄂ라. 졔댱 군
졸이 참모의 신위(神威)와 용밍을 당치 못
ᄒ여 다 항복ᄒᄂ니라. 참뫼 셩언현어(聖言
賢語)로 위로ᄒ고, 관(關)으로 드러가 안민
(安民)ᄒ고 샤졸을 거ᄂ려 월산셩을 아ᄉ랴
ᄒ니, 산셩(山城) 슈댱(守將)이 윤참뫼 운봉
관 취ᄒ믈 듯고 문을 여러 항(降)ᄒ거ᄂᆞᆯ, 참
뫼 셩의 드러 안민ᄒ고, 댱운이 일빅 군
을 거ᄂ려 남영관의 이시믈 알고 글월을 붓
쳐 도라오믈 쳥【1】ᄒ니, 댱원쉬 윤참모의
글을 보고 인ᄒ여 군을 거ᄂ려 운봉관의 니
르니, 참뫼 계(階)의 ᄂ려 마즈, 당의 올나
한휜필(寒暄畢)의 손원슈의 존망을 므르니,
댱원쉬 답왈,

"나도 드르니 손원쉬 뎍군의게 잡히다 ᄒ
더이다."

참뫼 탄왈,

"내 텬문을 보니 원슈의 쥬셩(主星)이 ᄌ
리를 뎡치 못ᄒ여 황황(遑遑)ᄒ나 죽든 아
니 ᄒᆫ가 ᄒᄂ이다."

댱운 왈,

"댱군의 말ᄉᆞᆷ이 뎡논이라. 졀노 인ᄒ여
인명이 무슈히 상ᄒ믈 흔ᄒ노라."

참뫼 왈,

"승패ᄂᆞᆫ 병가(兵家)의 상ᄉᆞ(常事)로ᄃᆡ, 텬
됴 위엄을 쇼방(小邦)의 손(損)ᄒ믈 한ᄒᄂ
니, 댱군은 회슈(淮水)를 건너 댱샤【2】궁
듕이 허(虛)ᄒ믈 타, 불 디르고 빅화셩을 취
ᄒ미 엇더ᄒᄂ뇨?"

댱원쉬 왈,

"댱군의 신츌귀몰(神出鬼沒)ᄒᆫ 지조와 디
혜를 엇디 좃디 아니리오."

ᄒ고, 가니라.

참뫼 관문을 여러 피란ᄒᄂᆞᆫ 빅셩을 드려
안무(按撫)ᄒ고 뎍셰(敵勢)를 탐쳥ᄒ더라.

어시의 댱샤 왕비 뉴교이 윤참모를 ᄎᄌ

초시의 윤참뫼 나아가 셩지를 ᄉᆞᆯ펴보니,
슈관장(守關將)이 ᄂᆞ와 마즈 ᄡᆞ화 슈합의
님셩각의 버힌 빅 되지라. 졔장 군졸이 참
모의 신위와 용밍을 당치 못ᄒ여 나아 와
머리를 조아 항복ᄒᄂᆞᆫ지라. 참뫼 관의 드러
ᄀᆞ 군민(軍民)을 안무(按撫)ᄒ고 남녕관의
글월을 븟치니, 댱원쉬 듸군을 거ᄂ려 운봉
관의【64】니ᄅᆞ니, 참뫼 계의 ᄂ려 마즈 승
당ᄒ여 한휜(寒暄)을 맛고, 손원슈의 존망을
무르니 답왈,

"나ᄂ 드르니 손원쉬 젹군의 줍혀 갓노라
○○○○[ᄒ더이다]."

참뫼 탄식고 왈,

"쇼장이 텬문을 보니 손원슈의 쥬셩(主
星)이 ᄌ리를 졍치 못ᄒ여 황황(遑遑)ᄒ나,
죽든 아닐가 ᄒᄂ이다."

댱원쉬 왈,

"장군의 말이 그러ᄒ나 졀노 인ᄒ여 인명
이 무슈히 상ᄒ믈 흔ᄒ노라.

참뫼 왈,

"승픽(勝敗)ᄂᆞᆫ 병가(兵家)의 상ᄉᆞ(常事)
로ᄃᆡ, 텬됴 위엄이 손상홀가 한ᄒᄂ니, 장군
은 모르미 회슈(淮水)를 건너, 댱ᄉᆞ 궁즁을
불지ᄅᆞ고 빅화졍[셩]을 취ᄒ미 엇더 ᄒ뇨?"

댱원쉬 왈,

"장군의 신츌귀몰(神出鬼沒)ᄒᆫ 지조와 지
혜를 엇지 쓰지 아니【65】ᄒ리오."

ᄒ고, 위로 ᄒ더라.

어시의 댱ᄉᆞ국 뉴교이 윤참모를 ᄎ쳐 죽

죽이랴 발분망식(發憤忘食)ᄒ기의 니르니, 영신 등이 교아의 쇼힝을 아디 못ᄒ고, 다만 윤광텬 다라나미 심상치 아니믈 근심ᄒ여 심방(尋訪)ᄒ믈 엄히 ᄒ더니, 믄득 참모 구식ᄒ던 사룸이 다 도라와, 고ᄒ여 굴오딕,

"윤광텬이 님셩각이란 댱【3】ᄉ를 다리고 운봉관 월산셩을 탈취ᄒ니, 월산 슈댱은 ᄌ항(自降)ᄒ고 운봉 슈댱은 죽이다 ᄒᄂ이다."

교이 대경ᄒ여, 왕을 혼동 왈,

"손확의 삼만 졍병과 십원 졔댱 파키는 여반장(如反掌)이어니와, 윤광텬 잡기는 대ᄒᆡ(大海)의 비룡(飛龍) ᄀᆺᄐ니, 첩이 대국의 이실 젹 잠간 드르니, 광텬의 지죄 만인 듕 쒸여나다 ᄒ던 비니, 초인을 범연이 딕뎍ᄒᆫ 즉 패ᄒ기 쉬오리니, 대왕은 《졍‖영》댱군과 슈만 병을 거나려 운봉으로 나아가셔든, 첩이 후웅이 되여 승젼케 ᄒ리이다."

왕이 쇼왈,

"현비 슈고로이 오디 아녀도 과인이 영【4】신을 다리고 가면, 광텬이 감히 당치 못ᄒ리라."

교이 왈,

"대왕이 오히려 광텬의 비상ᄒ믈 모로시나, 광텬은 인듕뇽(人中龍)이오, 금듕봉황(禽中鳳凰)이라. 우흐로 텬문(天文)을 통ᄒ고 아리로 디리(地理)를 아라, 운쥬유악디듕(運籌帷幄之中)[415]의 결승쳔니디외(決勝千里之外)[416]ᄒᄂ 지죄 당셰 일인이라. 만흔 군병을 거나려 ᄡ화도 능히 니길가 시브디 아니ᄒ이다."

왕 왈,

"현비 엇디 광텬의 직조만 너모 기리ᄂ뇨? 항우(項羽)[417]의 용녁으로도 텬명을 엇

이랴 발분망식(發憤忘食)ᄒ기의 니르니, 녕신 등이 교으의 쇼힝을 아지 못ᄒ고, 다만 윤광텬 다라나미 심상치 아니믈 근심ᄒ여 심방(尋訪)ᄒ믈 엄히 ᄒ더니, 믄득 참모 구식ᄒ던 스람이 도라와 고ᄒ여 굴오딕,

"윤광텬이 님셩각이란 댱ᄉ를 드리고 운봉관 월산셩을 탈취ᄒ니, ○○[월산] 슈댱(戌將)은 귀항(歸降)ᄒ고 운봉 슈장은 죽이다 ᄒᄂ이다"

교이 디경ᄒ여 왕을 혼동 왈,

"손확이[의] 숨만 졍병과 십원 졔댱 파키는 여반장(如反掌)이어니와, 윤광텬 줍기는 대ᄒᆡ(大海)의 비룡(飛龍) ᄀᆺᄐ니, 첩이 대국의 이실 젹 잠간 드르니, 광텬의 지죄 만닌 즁 쒸【66】여나다 ᄒ던 비니, 초인을 범연이 딕뎍ᄒᆫ즉 픠ᄒ기 쉬오리니, 대왕은 《졍‖영》댱군과 슈만 병을 거ᄂ려 운봉으로 나아가셔든, 첩이 후웅이 되여 승젼케 ᄒ리이다"

왕이 쇼왈,

"현비 슈고로이 오지 아녀도 과인이 녕신을 드리고 나가면 광텬이 감히 당치 못ᄒ리라"

교이 왈,

"대왕이 오히려 광텬의 비상ᄒ믈 모로시나, 광텬은 인즁뇽(人中龍)이오, 금즁봉(禽中鳳)이라. 우흐로 텬문을 통ᄒ고 아릭로 디리를 아라, ○○○○○○[운쥬유악디즁(運籌帷幄之中)[407]]의 결승쳔니(決勝千里)[408]ᄒᄂ 지죄 당셰 일인이라. 만흔 군병을 거ᄂ려 ᄡ호[화]도 능히 니길가 시브지 아니ᄒ이다."

왕 왈,

"현비 엇지 광텬의 직조만 너모 기릭ᄂ뇨? 항우(項羽)[409]의 뇽녁(勇力)으로도 텬

---

415)운쥬유악디듕(運籌帷幄之中) : 장막(帳幕) 안에서 주판을 놓듯이 이리저리 궁리하고 계획함.
416)결승쳔니디외(決勝千里之外) : 교묘한 꾀를 써서 천리 밖의 먼 곳에서 일어나는 싸움의 승리를 결정함.
417)항우(項羽) : B.C.232~202. 중국 진(秦)나라 말기의 무장. 이름은 적(籍). 우는 자(字)이다. 숙부

407)운쥬유악디즁(運籌帷幄之中) : 장막(帳幕) 안에서 주판을 놓듯이 이리저리 궁리하고 계획함.
408)결승쳔니(決勝千里) : 교묘한 꾀를 써서 천리 밖의 먼 곳에서 일어나는 싸움의 승리를 결정함.
409)항우(項羽) : B.C.232~202. 중국 진(秦)나라 말기의 무장. 이름은 적(籍). 우는 자(字)이다. 숙부 항량(項梁)과 함께 군사를 일으켜 유방(劉邦)과 협

디 못흔 후는 오강(烏江)418)의 즈문(自刎)
ᄒᆞ엿ᄂᆞ니, 광텬이 하등디인(何等之人)이완ᄃᆡ
아국을 당ᄒᆞ리오."

교이 왈,

"첩【5】이 대국의 이실 제 그 직조를 닉
이 아ᄂᆞ니, 대왕은 첩의 종군ᄒᆞ여 교전ᄒᆞ랴
ᄒᆞᄆᆞᆯ 막디 마르쇼셔."

왕 왈,

"만일 그러ᄒᆞ면 엇디 막으리오. 우명일
(又明日) 힝군ᄒᆞ려 ᄒᆞ니, 현비도 밧비 의갑
(衣甲)을 출히라."

교이 대열ᄒᆞ여 갑쥬를 ᄀᆞᆺ초더라.

윤참뫼 운봉관의셔 군민을 안무ᄒᆞ더니,
홀연 흔 점괘를 어드니 댱샤왕이 슈일ᄂᆡ(數
日內) 와 ᄡᆞ화, 즈긔 닙공(立功)이 반ᄃᆞᆺ 홀
줄 혜아리고, 대희ᄒᆞ여 문꾕으로 월산셩을
딕희오고, 셩각으로 더브러 급히 운봉으로
오니, 참뫼 왈,

"갑즈일(甲子日)이 우리게 길흔 날이니,
갑즈일【6】을 기다려 ᄡᆞ호면 반ᄃᆞ시 젼승
(全勝)ᄒᆞᄆᆞᆯ 어드리라."

셩각이 쇼왈,

"문꾕의 말을 드르니, 왕비의 변홰 불측
ᄒᆞ여 풍우를 브르고, 공듕의 즈힝(自行)ᄒᆞ여
뎍댱(敵將)의 머리 버히믈 낭듕취믈(囊中取
物)ᄀᆞᆺ치 흔다 ᄒᆞ니, 댱군은 그 요슐을 방비
ᄒᆞ쇼셔."

참뫼 쇼왈,

"군즈의 곳의ᄂᆞᆫ 요괴로운 일이 업ᄂᆞ니,
댱샤 왕비 비록 요슐이 이시나 넘녀홀 비
아니니, 군은 두려 말나."

셩각이 역쇼ᄒᆞ더라.

참뫼 ᄉᆞ졸을 명ᄒᆞ여 죵일 풀흘 븨여 초인
(草人)을 ᄆᆡᆫᄃᆞᆯᄉᆡ, 갑옷슬 닙혀 날이 어둡기

명을 엇지 못흔 후는【67】 오강(烏江)410)
의 즈문(自刎)ᄒᆞ엿ᄂᆞ니, 광텬이 무슨 ᄉᆞ람이
완ᄃᆡ 아국을 당ᄒᆞ리오."

교이 왈,

"첩이 ᄃᆡ국의 이실 제 그 직조를 닉이 아
ᄂᆞ니, 왕은 첩의 종군ᄒᆞ여 교전ᄒᆞ랴 ᄒᆞᄆᆞᆯ
막지 마ᄅᆞ쇼셔"

왕 왈,

"만닐 그러ᄒᆞ면 엇지 막으리오. 우명일
(又明日) 힝군ᄒᆞ려 ᄒᆞ니 비도 밧비 의갑(衣
甲)을 출히라."

교이 ᄃᆡ열ᄒᆞ여 갑쥬를 ᄀᆞᆺ초더라.

윤참뫼 운봉관의셔 군민을 안무ᄒᆞ더니,
홀연 흔 점괘를 어드니 댱ᄉᆞ왕이 슈일ᄂᆡ 와
ᄡᆞ화 즈긔 닙공(立功)이 반ᄃᆞᆺ 홀 줄 혜아리
고, ᄃᆡ희ᄒᆞ여 문꾕으로 월산셩을 직희오고,
셩각으로 더브러 급히 운봉으로 오니, 참뫼
왈,

"갑즈일(甲子日)이 우리게 《긴‖길》흔
날이니, 갑즈일을 기ᄃᆞ려 ᄡᆞ호면 반ᄃᆞ시 니
긔리라."

셩각이【68】쇼왈,

"뭉[문]꾕의 말을 드르니 왕비의 변홰
불측ᄒᆞ여 풍우를 브르고, 공즁의 즈힝ᄒᆞ여
젹장의 머리 버히믈 낭즁취믈(囊中取物) ᄀᆞᆺ
치 흔다 ᄒᆞ니, 댱군은 그 요슐을 방비ᄒᆞ쇼
셔"

참뫼 쇼왈,

"군즈의 곳의ᄂᆞᆫ 요괴로운 일이 업ᄂᆞ니,
댱ᄉᆞ 왕비 비록 요슐이 이시나 넘녀홀 비
아니니, 그ᄃᆡᄂᆞᆫ 우려 말나."

셩각이 녁쇼ᄒᆞ더라.

참뫼 ᄉᆞ졸을 명ᄒᆞ여 죵일 풀흘 븨여 초인
을 ᄆᆡᆫᄃᆞᆯᄉᆡ, 갑옷슬 닙혀 날이 어둡기를 그
음ᄒᆞ여411), ᄉᆞ졸노 ᄒᆞ여금 ○○[들녀] 계령

항량(項梁)과 함께 군사를 일으켜 유방(劉邦)과 협
력하여 진나라를 멸망시키고 스스로 서초(西楚)의
패왕(霸王)이 되었다. 그 후 유방과 패권을 다투다
가 해하(垓下) 오강(烏江)에서 포위되어 자살하였
다.
418)오강(烏江) : 중국 양자강(揚子江)의 지류(支流).
　　귀주고원(貴州高原)에서 시작하여 중경(重慶) 동쪽
　　을 거쳐 양자강으로 흘러든다

력하여 진나라를 멸망시키고 스스로 서초(西楚)의
패왕(霸王)이 되었다. 그 후 유방과 패권을 다투다
가 해하(垓下) 오강(烏江)에서 포위되어 자살하였
다.
410)오강(烏江) : 중국 양자강(揚子江)의 지류(支流).
　　귀주고원(貴州高原)에서 시작하여 중경(重慶) 동쪽
　　을 거쳐 양자강으로 흘러든다

를 그음ᄒ여419), 스졸노 ᄒ여금 ○○[들녀] 계령산의 올나가니, 【7】 원ᄂᆡ 계령산은 운봉관 뒤히오, 회슈(淮水)420) 압히라. 층암졀벽(層巖絶壁)이 험쥰ᄒ여 사름이 오로기 어려오나, 참뫼 긔구산노(崎嶇山路)를 평디ᄀᆞᆺ치 왕ᄂᆡᄒ여, 초인을 나모 칼과 방패를 손의 들녀 산상의 셰오고, 긔치(旗幟)를 졍히 베퍼 완연이 대병을 둔취(屯聚)ᄒᆫ ᄃᆞ시 ᄒ엿더라.

셩각이 쇼왈,

"뎍군이 명공의 얼굴을 알니 업거니와 초댱을 본즉 의심 업시 명공으로 알소이다."

참뫼 쇼왈,

"뎍딘의셔 알니 업스나 왕비 알니니, 초댱(草將)을 뎨일봉의 안쳐 두면, 뎍군이 분명이 날노 아라 산샹으로 오로리라."

셩샤 왕비 참【8】모의 얼굴 아ᄂᆞᆫ 곡졀을 므른ᄃᆡ, 참뫼 왈,

"뭇디 말고, 초인을 셰오고 야심 후 관의 드러와, 댱원슈로 계교를 ᄀᆞᆫᄅ쳐 여ᄎᆞ여ᄎᆞ ᄒ라."

ᄒ고, ᄯᅩ 손원슈를 구ᄒ라 ᄒ니, 댱운이 졈두(點頭) 응낙고, 회슈를 건너 깁흔 산곡간의 숨어, 댱샤왕의 운봉관 향키를 기다리더라. 참뫼 댱원슈를 보ᄂᆡ고 님셩각 ᄃ려 왈,

"만셩 슈댱 형합이 호위댱 형급의 아이라. 그ᄃᆡ 만창의 가 형합을 보고 여ᄎᆞ여ᄎᆞ 다리여, 형급의 ᄆᆞ음을 변케 ᄒ라."

셩각 왈,

"만창이 예셔 빅여 리(里)라. ᄲᆞᆯ니 힝ᄒ리이다."

ᄒ고, 옥셜마(玉雪馬)를 치쳐 가니, 날이 오히려 붉【9】디 아녓더라. 셩각이 관문 밧긔셔 소ᄅᆡ를 놉혀 왈,

산의 올나가니, 원ᄂᆡ 계령산은 운봉관 뒤히오, 회슈(淮水)412) 압히라. 층암졀벽(層巖絶壁)이 험쥰ᄒ여 스람이 오르기 어려오나, 참뫼 긔구산노(崎嶇山路)를 평디ᄀᆞᆺ치 왕ᄂᆡᄒ여, 초인을 【69】 나모 칼과 방픠를 손의 들녀 산상의 셰오고, 긔치(旗幟)를 졍졔히 베퍼 완연이 대병을 둔취(屯聚)ᄒᆫ ᄃᆞ시 ᄒ엿더라.

셩각이 쇼왈,

"젹군이 명공의 얼굴을 알니 업거니와 《쇼장∥초댱(草將)》을 본즉 의심 업시 명공으로 알소이다."

참뫼 쇼 왈,

"젹진의셔 알 니 업스나 왕비 알니니, 초댱을 뎨일봉의 안쳐 두면, 젹군이 분명이 날노 아라 산상으로 오로리라"

셩각이 댱ᄉ 왕비 참모의 얼굴 아ᄂᆞᆫ 곡졀을 무른ᄃᆡ, 참뫼 왈,

"뭇지 말고 초인을 셰우고 야심 후 관의 드러와 댱원슈를 ᄀᆞᆫᄅ쳐 여ᄎᆞ여ᄎᆞ 힝계ᄒ라."

ᄒ고, ᄯᅩ 손원슈를 구ᄒ라 ᄒ니, 운이 졈두(點頭) 응낙고, 회슈를 건너 깁흔 산곡간의 숨어 댱ᄉ왕의 운봉관 향키 【70】 를 기드리더라. 참뫼 댱원슈를 보ᄂᆡ고 님셩각 ᄃ려 왈,

"만창 슈장 형합을 보고 여ᄎᆞ여ᄎᆞ 다리라"

ᄒ니, 셩각이 옥셜마(玉雪馬)를 치쳐 힝ᄒ니, 만창이 예셔 빅여리라. 밤을 혀지 아니코 ᄲᆞᆯ리 ᄂᆞ아가니, 날이 오히려 밝지 아니ᄒ엿더라. 셩각이 관문 밧긔셔 소ᄅᆡ를 놉혀

---

419)그음ᄒ다 : 한정하다. 작정하다. 때가 되기를 기다리다.

420)회슈(淮水) : 중국 북부에 있는 강. 황하(黃河)와 양자강(揚子江) 사이에 있는 화북(華北) 평원의 물이 이 강으로 흘러든다. 총길이 1,100km.

411)그음ᄒ다 : 한정하다. 작정하다. 때가 되기를 기다리다.

412)회슈(淮水) : 중국 북부에 있는 강. 황하(黃河)와 양자강(揚子江) 사이에 있는 화북(華北) 평원의 물이 이 강으로 흘러든다. 총길이 1,100km.

"당군의 놉흔 덕을 듯고 불원쳔니(不遠千里)ᄒ고 왓노라."

ᄒ니, 합이 듯고 즉시 쳥ᄒ여 셔로 보고 녜홀신, 셩각의 상뫼 쥰슈ᄒ고 풍치 헌앙(軒昻)ᄒ믈 보고, 므러 왈,

"죡히(足下)421) 날노 더브러 일면디분(一面之分)이 업ᄂ디라. 하고로 셔로 춧ᄂ뇨?"

셩각이 합의 겻티 사름 업ᄉ믈 보고, 믄득 나아안ᄌ 왈,

"싱이 당군을 ᄎᄌ믄 다른 일이 아니라, 브듸 므를 일이 잇ᄂ니, 아디 못게라 당군의 조션(祖先)이 어나 나라 사름이뇨?"

합이 변식 왈,

"내 일즉 군으로 ᄉ괸 일이 업고, 셩명도 통치 아녀셔, 어나 나라 사름이믈 므르믄 엇디오?"【10】

셩각이 우어(于於) 왈,

"당군이 님셩각을 모르시ᄂ냐? 당군의 존셩대명을 니르디 아니시나, 내 임의 붉히 아라 그 덕화를 흠앙ᄒ여 브러 와 보미라. 괴이히 넉이디 말고, 형가(兄家) 조션이 어나 나라 사름인고 셜니 니르라."

합이 셩각의 언ᄉ 거동이 츌뉴ᄒ믈 아름다이 넉여, ᄯ오ᄒ 웃고, 왈,

"다만 우리 조션은 숑나라 신ᄌ(臣子)로셔 션인이 연왕(燕王)422) ᄉ뷔(師父)시니, 우리 형뎨 당샤왕을 조ᄎ 쇼국의 와 살미라. 죡히(足下) 므르믄 엇디오?"

셩각 왈,

"녕션대인(令先大人)이 연왕 ᄉ뷔시면 연왕을 간ᄒ시던 도리 엇더ᄒ시더뇨?"

합 왈,

"션인 덕화ᄂ 흔갓 번국(藩國)의 유명

421)죡히(足下) : 같은 또래 사이에서, 상대편을 높여 이르는 말. 흔히 편지를 받아 보는 사람의 이름 아래에 쓴다.

422)연왕(燕王) : 중국 송(宋)나라 태조 조광윤의 장자 조덕소(趙德昭)의 봉호(封號). 태조 사후(死後) 태조의 아우이자 덕소의 숙부가 되는 조광의(趙光義)가 제위를 계승하여 태종(太宗) 황제에 오르고 덕소는 연왕(燕王)에 피봉되어 있던 중, 태종 2년 자결하였다.

왈,

"당군의 놉흔 덕을 듯고 불원쳔니(不遠千里)ᄒ고 왓노라."

ᄒ니, 합이 듯고 즉시 쳥ᄒ여 셔로 보고 녜홀식, 셩각의 상뫼 쥰슈ᄒ고 풍치 헌앙(軒昻)ᄒ믈 보고, 문왈,

"죡하(足下)413)로 더브러 일면지분(一面之分)이 업ᄂ지라. 하고로 셔로 춧ᄂ뇨?"

셩각이 합의 겻히 사람이 업ᄉ믈 보고 믄득 나아 안ᄌ 왈,

"싱이 당군을 ᄎᄌ믄 다른 일이 아니라 부듸 무【71】를 일이 잇ᄂ니 아지 못게라, 당군의 죠션(祖先)이 어늬 나라 ᄉ람이뇨?"

합이 변식 왈,

"내 일즉 군으로 ᄉ괸 일이 업고, 셩명도 통치 아녀셔 어늬 나라 ᄉ람이믈 무르믄 엇지미뇨?"

"셩각이 우어(于於) 왈,

"당군이 님셩각을 모르시ᄂ냐? 당군의 존셩디명을 니르지 아니셔도, 내 님의 붉히 아라 그 덕화를 흠앙ᄒ여 브러 와 보미라. 괴이히 넉이지 말고 형가(兄家) 죠션이 어늬 나라 ᄉ람인고 셜니 니르라."

합이 셩각의 언ᄉ 거동이 츌뉴ᄒ믈 아름다이 넉여 ᄯ오ᄒ 웃고, 왈,

"다만 우리 조션은 숑나라 신ᄌ(臣子)로셔 션인이 년왕(燕王)414) ᄉ뷔(師父)시니, 우리 형뎨 당ᄉ왕을 조ᄎ 쇼국의 와 슬미라. 죡히(足下) 므르믄 엇지미뇨?"

셩각 왈,

"녕션디인(令先大人)【72】이 년왕 ᄉ뷔시면 연왕을 간ᄒ신 도리 엇더 ᄒ더뇨?"

합 왈,

"션인 덕화ᄂ 흔ᄀ 번국의 유명홀 ᄲᆫ 아

413)죡히(足下) : 같은 또래 사이에서, 상대편을 높여 이르는 말. 흔히 편지를 받아 보는 사람의 이름 아래에 쓴다.

414)연왕(燕王) : 중국 송(宋)나라 태조 조광윤의 장자 조덕소(趙德昭)의 봉호(封號). 태조 사후(死後) 태조의 아우이자 덕소의 숙부가 되는 조광의(趙光義)가 제위를 계승하여 태종(太宗) 황제에 오르고 덕소는 연왕(燕王)에 피봉되어 있던 중, 태종 2년 자결하였다.

【11】홀 쑨 아니라, 텬됴의 모로리 업수니, 군이 듯디 못호엿느냐?"

셩각 왈,

"나는 듯디 못호여시나[니], 녕션인(令先人)이 연왕을 인도호시던 바를 니르라."

합 왈,

"션인이 연왕 셤기시미 네 아니면 힝치 아니코, 덕이 아니면 쓰디 못호시던 빈라. 이러므로 연왕이 황친뉴의 웃듬이시러니라.

셩각이 쇼왈,

"댱샤왕이 연왕과 엇더호뇨?"

합이 머리를 흔드러 왈,

"연왕은 튱현디인(忠賢之人)이오, 초왕과 댱샤왕은 블냥디인(不良之人)이라. 엇디 연왕의 비호리오."

셩각 왈,

"초왕이 패망호미 군의 무음의 엇더 호뇨?"

합 왈,

"졍의(情誼)를 니를딘디 엇디 범연호리오마는, 주긔 죄【12】로 망호니, 현마 어이호리오."

셩각 왈,

"댱샤왕이 초왕과 굿치 망호면 댱군의 무음이 엇더 호리오."

합이 변식 왈,

"국군(國君)이 초왕굿치 망홀 니 업수니, 군이 엇던 말이뇨?"

셩각이 쇼왈,

"댱군이 도디기일(徒知其一)이오 미디기이(未知其二)423)로다. 디금 댱샤왕이 패망홀 긔틀을 딧디 아니호느냐?"

합 왈,

"초왕은 초의 브졀업시 튱현을 히호미 그르고, 위시(衛士) 나명(拿命)을 젼호디 응치 아니미 올치 아니커놀, 쏘 지략과 용밍이 브죡호여 하원광의게 죽은 빈 되니, 그 이 돌오미 엇디 비홀 곳이 이시리오. 이제 댱

---

423)도디기일(徒知其一) 미디기이(未知其二) : 다만 하나만 알고 둘은 모른다.

니라 텬됴의 모로 리 업수니, 군이 듯지 못호엿느냐?"

셩각 왈,

"나는 듯지 못호여시니 녕션인(令先人)이 년왕을 인도호시던 바를 니르라."

합 왈,

"션인이 년왕 셤기시미 네 아니면 힝치 아니시고, 덕이 아니면 쓰지 못호시던 빈라. 니러무로 년왕이 황친뉴의 웃듬이시러니라."

셩각이 쇼왈,

"댱스왕이 년왕과 엇더 호뇨"

합이 머리를 흔드러 왈,

"년왕은 츙현지인(忠賢之人)이오 초왕과 댱스왕은 블냥지인(不良之人)이라. 엇지 년왕의 비호리오."

셩각 왈,

"초왕이 픽망호미 군의 무음의 엇더 호【73】뇨?"

합 왈,

"졍의(情誼)를 니를진디 엇지 범연호리오마는 주긔 죄로 망호니, 현마 어이호리오"

셩각 왈,

"댱스왕이 초왕과 굿치 망호면 댱군의 무음이 엇더호뇨?"

합이 변식 왈,

"국군(國君)이 초왕굿치 망홀 니 업수니 군이 엇던 말니오."

셩각이 쇼왈,

"댱군이 ○[도]지기일(徒知其一)이오 미지기이(未知其二)415)라 지금 댱스왕이 픽망홀 긔틀을 짓지 아니호느냐?"

합 왈,

"초왕은 초의 브졀업시 츙현을 히호미 그르고, 위시(衛士) 나명(拿命)을 젼호디 응치 아니미 올치 아니커놀, 쏘 지략과 용밍이 부죡호여 하원광의게 죽은 빈 되니, 그 이 돌오미 엇지 비홀 곳이 이시리오. 이제 댱

---

415)도디기일(徒知其一) 미디기이(未知其二) : 다만 하나만 알고 둘은 모른다.

샤왕은 병혁(兵革)을 니르혀미 구투여 텬됴를 반 【13】 코져 ᄒ미 아니오, 디방을 널녀 위엄을 빗닉고져 ᄒ미어늘, 텬됴(天朝) 브졀업시 손환 ᄀ튼 용녈ᄒᆫ 댱슈를 보닉여 패망을 취ᄒ니 엇디 우읍디 아니리오."

각이 탄왈,

"댱군의 말을 드르니 블승한심(不勝寒心)ᄒᄂ니, 군의 식견이 엇디 이러툿 무거(無據)ᄒ뇨? 셕즈의 녕션인이 연왕을 도와 덕화를 빗닉고, 연군을 블의의 ᄲᆞ지지 아니케 ᄒ미, 녕션대인의 어디리 인도ᄒ미라. 댱군의 형뎨 댱샤왕을 어디리 셤기미 올커늘, 블튱블의를 도와 대국디계를 탈취ᄒ고, 왕비는 요졍이어늘, 왕이 어리고 미혹ᄒ여 그 간샤ᄒᆷ믈 모로고, 군 등이 ᄯᅩᄒᆫ 씨둣디 못ᄒ여 【14】 인의(仁義)로 간ᄒᄂ 일이 업ᄉ니, 댱샤국이 언마ᄒ여 망ᄒ리오. 추셕ᄒᄂ 바는 군의 형뎨라. 근본이 대국 신즈(臣子)로 외국의 와 동심ᄒ여 텬됴를 범ᄒ니, 그 죄역이 ᄒᆫ 번 버히믈 면치 못홀디라. 금슈(禽獸)424)도 퇴목(擇木)425)ᄒ거든, 군의 형뎨는 져 금슈만 못ᄒ여 흉덕을 셤기고져 ᄒ니, 엇디 우읍디 아니리오. 내 과연 윤참모의 심복이라. 이졔 댱군을 간샤ᄒᆫ 말노 다릭미 아니라, 윤참모의 지죄 츌뉴(出類)ᄒ여 필마단창(匹馬單槍)426)으로 운봉관을 취ᄒ여, 녕흠을 죽이고 군ᄉ 만여 명을 어드미 뉘 감히 디젹ᄒ리오. ᄒ물며 댱군은 텬됴 대신의 즈손으로 ᄒᆫ 번 길흘 【15】 그릇 드러, 블인디국(不仁之國)의 와 참혹히 죽을 바를 앗겨, 날노뻐 니릭로 다릭미니 댱군은 닉이 싱각ᄒ라."

합이 발연 대로 즐왈,

"네 간샤ᄒᆫ 말노 내 ᄆᆞ음을 변코져 ᄒ미니, 내 엇디 고디드르리오."

ᄒ고, 칼흘 ᄲᆞ혀 디르랴 ᄒ니, 셩각이 블

ᄉ왕은 병혁을 니르혀미 굿투여 【74】 텬됴를 반코즈 ᄒ미 아니오, 디방을 널녀 위엄을 빗닉고져 ᄒ미어늘, 텬됴(天朝) 브졀업시 손확 ᄀ튼 용녈ᄒᆫ 댱슈를 보닉여 픠망을 취ᄒ니, 엇지 우읍지 아니리오."

각이 탄왈,

"댱군의 말을 드르니 블승한심(不勝寒心)ᄒᄂ니, 군이[의] 식견이 엇지 니럿툿 무거ᄒ뇨? 셕즈의 녕션인이 년왕을 도와 덕화를 빗닉고, 년군을 블의의 ᄲᆞ지지 아니케 ᄒ미 녕션대인의 어지리 간ᄒ미라. 댱군의 형뎨 장ᄉ왕을 어지리 셤기미 올커늘, 블튱블의를 도와 대국지계를 탈취ᄒ고, 왕비는 요졍이어늘, 왕이 어리고 미혹ᄒ여 그 간ᄉᄒᆷ믈 모로고, 군 등이 ᄯᅩᄒᆫ 씨닷지 못ᄒ여 인의로 간ᄒᄂ 일 【75】 이 업ᄉ니, 댱ᄉ국이 언마ᄒ여 망ᄒ리오. 추셕ᄒᄂ 바는 군의 형뎨라. 근본이 디국 신즈로 외국의 와 동심ᄒ여 텬됴를 범ᄒ니, 그 죄역이 ᄒᆫ 번 버히믈 면치 못홀지라. 금슈(禽獸)416)도 퇴목(擇木)417)ᄒ거든, 군의 형뎨는 져 금슈만 못ᄒ여 흉적을 셤기고져 ᄒ니 엇지 우읍지 아니ᄒ리오. 내 과연 윤참모의 심복이라. 이졔 댱군을 간ᄉᄒᆫ 말노 달닉미 아니라, 윤참모의 지죄 츌뉴(出類)ᄒ여 필마단창(匹馬單槍)418)으로 운봉관을 취ᄒ여, 녕흠을 죽이고 군ᄉ 만여 명을 어드미 뉘 감히 디젹ᄒ리오. ᄒ물며 댱군은 텬됴 대신의 즈손으로, ᄒᆫ 번 길흘 그릇 드러 블인지국(不仁之國)의 와 춤혹히 죽을 바를 앗 【76】 겨, 날노뻐 니릭로 다릭미니, 장군은 닉이 싱각ᄒ라"

합이 발연(勃然) 디로(大怒) 즐왈, ,

"네 간샤ᄒᆫ 말노 내 마음을 변코즈 ᄒ미니, 내 엇지 고지드릭리오."

ᄒ고 칼흘 ᄲᆞ혀 지르려 ᄒ니, 셩각이 블

---

424) 금슈(禽獸) : 날짐승. 조류(鳥類).
425) 퇴목(擇木) : 새 따위가 나무를 가려 둥지를 틂.
426) 필마단창(匹馬單槍) : 한 필의 말과 한 자루의 창이란 뜻으로, 혼자 간단한 무장을 하고 한 필의 말을 타고 감을 이르는 말. 또는 그렇게 하는 사람.

416) 금슈(禽獸) : 날짐승. 조류(鳥類).
417) 퇴목(擇木) : 새 따위가 나무를 가려 둥지를 틂.
418) 필마단창(匹馬單槍) : 한 필의 말과 한 자루의 창이란 뜻으로, 혼자 간단한 무장을 하고 한 필의 말을 타고 감을 이르는 사람.

변안싴고 닝쇼 왈,

"댱군이 무식호 무뷔나 텬니(天理) 모로미 이디도록 호뇨? 모로미 그듸 비셔(祕書)를 보디 못호엿느냐?"

합이 비셔(祕書)라 말을 듯고 괴이히 녁여, 문왈,

"비셔는 엇디 니름고?"

○○○[셩각 왈,]

"댱샤국 희쥬 바회 밋틱셔 흔 둙이 비셔를 어드니. 다른 말이 아니라 댱샤국왕이 망홀 바를 긔록호여시【16】니, 그듸 드러보라."

○○[호고], 윤참모의 디교(指敎) 딕로 니르니, 합이 머리를 숙여 말을 아니커놀, 셩각이 우어 왈,

"댱군이 비록 댱샤왕긔 딘튱(盡忠)코져 호나, 왕이 댱군을 의심호여 급히 죽일가 호노라."

합 왈,

"그 엇딘 말이뇨?"

셩각 왈,

"왕이 곳곳이 긔찰(譏察)을 두어 우리 군이 왕닉를 통치 못호게 호엿다 호니, 내 이리 올 졔 규찰군(窺察軍)을 맛는다라. 댱샤왕이 이 말을 드르면 댱군을 의심호여 죽이고져 아니리오. 호믈며 녕빅(令伯)으로 대당을 삼을 거시로듸, 근본이 텬됴 사룸일 쓴 아니라, 녕빅의 닉권(內眷)이 남쥐 이시믈 의심호여, 맛춤닉 가신(可信)호는 일이 업【17】다 호니, 이 일을 내 문평의게 주시 드럿노라."

합의 형뎨 용밍과 직죄 영신의 아릭 아니나, 왕이 영신을 딕당을 삼고 형급은 호위댱을 삼으니, 합이 그윽이 블쾌호 뜻이 잇던 비라. 호믈며 문평은 월산 쥬댱(主將)으로 영신의 표죵뎨(表從弟)니 댱샤왕의 일을 붉히 알 듯호므로, 져희를 의심호여 대당 삼디 아니믈 분앙(憤怏)호여, 낫출 붉혀 왈,

"군이 왕의 일을 엇디 주시 아느뇨?"

셩각이 쇼왈,

변안싴고 닝쇼 왈,

"쟝군이 무식호 무뷔나, 텬니(天理)를 모르미 이디도록 호뇨? 그듸 비셔를 보지 못호엿느냐?"

합이 비셔란 말을 듯고 괴이히 녁여, 문왈,

"비셔는 엇지 니름고?"

셩각 왈,

"댱슈국 회쥬 바회 밋티셔, 흔 줌이 비셔를 어더닉니, 다른 말이 아니라 댱슈국왕이 망홀 바를 긔록호여시니, 그듸 드러보라"

호고, 인호여 윤참모의 ᄀᆞᄅ치던 말을 젼호니, 합이 머리를 숙이고 말을 아니【77】호니, 셩각이 우어 골오듸,

"댱군이 비록 댱슈왕을[긔] 진츙(盡忠)코즈 호나, 왕이 쟝군을 의심호여 그 스이 긔찰(譏察)을 두어, 군이 왕닉를 통치 못호게 호엿다 호니, 내 니리 올 졔 순찰군(巡察軍)을 맛난지라. 댱슈왕이 ᄎ언을 드르면 쟝군을 의심호여 죽이고즈 아니호리오? 호믈며 녕빅(令伯)으로 딕댱을 숨을 거시로듸, 근본이 텬됴 사룸일 쓴 아니라, 녕빅의 닉권(內眷)이 남쥐 이시믈 의심호여, 맛춤닉 가신(可信)호는 일이 업다 호믈, 내 문평의게 ᄌ시 드럿노라."

합의 형뎨 용밍 직죄 녕신의 아릭 아니나, 왕이 녕신을 딕쟝을 숨고 형급은 호위쟝을 숨으니, 합이 그윽히 【78】블쾌호 뜻이 잇던 빅라. 호믈며 문평은 월산 쥬쟝(主將)으로 영신의 표죵뎨(表從弟)니, 쟝슈왕의 일을 붉히 알 듯흔 고로 져희를 의심호여 대댱 삼지 아니믈 분앙호는 ᄆᆞᆷ이 업지 아닛는지라. 이의 낫출 붉혀 왈,

"군이 왕의 일을 엇지 ᄌ시 아느뇨?"

셩각이 쇼왈,

"ᄌ연 드른 빈니 엇디 모로리오. 나는 슈고로이 야힝(夜行)ᄒ여 그듸를 위ᄒ여 구코져 ᄒ더니, 그듸 내 말을 초개(草芥)ᄀᆞᆺ치 넉이니, 내 엇디 오릭 머물니오."

언필의 니【18】러 가려 ᄒ니, 합이 그 거동이 쇄락ᄒᄆᆞᆯ 보고 그릇ᄒᄆᆞᆯ 샤죄ᄒ고, 므음이 변ᄒ여 밧비 그 형의게 글을 붓쳐 반ᄒᄆᆞᆯ 쇠ᄒ니, 형급이 합을 ᄉᆞ랑ᄒᄆᆡ 남다른 우이(友愛)라. 엇디 듯디 아니리오. 즉시 ᄌᆞᆺᄎᆞ니, 셩각이 하딕고 본딘의 도라와 ᄌᆞ시 고ᄒ니라.

댱샤왕이 대군을 거ᄂᆞ려 회슈를 건너려 ᄒᄂᆞᆫ디라. 참뫼 셩각을 도라보아 왈,

"그듸ᄂᆞᆫ 일빅 군을 거ᄂᆞ려 관문(關門)을 구디 닷고 나의 도라오믈 기ᄃᆞ리라."

ᄒ고, 급히 ᄆᆞᆯ긔 올나 빅여 긔를 거ᄂᆞ려 ᄎᆔ령산으로 가니라.

댱샤왕이 영신 등 졔댱을 거ᄂᆞ려 회슈를 건너, ᄎᆔ령산【19】압히 와 군ᄉᆞ를 쉬오더니, 운슈산 좌우 젼면의 함셩이 대진ᄒᄀᆞ늘, 왕이 교ᄋᆞ로 더브러 음쥬ᄒ다가, 고셩을 듯고 대경ᄒ여 관의 나가 살펴보니 아모도 업ᄂᆞᆫ디라. 이러키를 ᄉᆞ오ᄎᆞ를 ᄒ니, 왕과 교ᄋᆡ 놀나 의혹ᄒ여, 교ᄋᆡ 요술을 힝ᄒ여 몸을 소소아 공듕의셔 ᄌᆞ시 살피니, 이 ᄣᅥ 발셔 효신(曉晨)이 되엿더라. 교ᄋᆡ 왈,

"이 분명 귀신의 됴홰니 두릴 거시 업ᄂᆞᆫ디라. 잠간 쉴 거시라."

ᄒ고, ᄌᆞ리의 나아가 ᄌᆞ고, ᄉᆞ졸도 곤핍ᄒ여 줌이 깁헛더라.

참뫼 운슈산의 숨엇더니, 뎍군이 잠든 ᄣᅥ를 타 영션관 뒤히 불을 노코 도로 운슈산【20】의 숨으니, 댱샤왕이 잠결의 이 변을 만낫ᄂᆞᆫ디라. 아모란 줄 모로고 급히 ᄆᆞᆯ긔 올나 관문을 ᄂᆡᄃᆞ라 보니, 군ᄉᆞ의 죽은 지 그 슈를 아디 못ᄒᆞᆯ너라. 교ᄋᆡ 불과 포셩을 의심ᄒ여, 참모의 비상ᄒᆞᆫ 직조를 닉이 아는 고로, 당치 못ᄒᄂᆞᆫ 즈음의 남평빅이 ᄶᅩ라 도으믈 듯고 계령산으로 닷더니, 참뫼 발셔 계산의 웅거ᄒ여시믈 보고 운봉관을 ᄎᆔᄒ라 나아가니, 셩각이 구디 딕희고 나디 아니니,

"ᄌᆞ연 드른 빈니 엇지 모로리오. 나는 슈고로이 야힝ᄒ여 그듸를 위ᄒ여 구코즈 ᄒᆞ미러니, 그듸 내 말을 초기ᄀᆞᆺ치 넉이니 내 엇지 오릭 머물니오."

언필의 니러 가려 ᄒ니, 합이 그 거동이 쇄락ᄒᄆᆞᆯ 보고 그릇ᄒᄆᆞᆯ ᄉᆞ죄ᄒ고, 므음이 변ᄒ여 밧비 그 형의게 글을 붓쳐 반ᄒᄆᆞᆯ 쇠ᄒ니, 형급이 합을 ᄉᆞ랑ᄒᄆᆡ 남다른 우의【79】라, 엇지 듯지 아니리오. 즉시 ᄌᆞᆺᄎᆞ니 셩각이 하직고 본진의 도라와 ᄌᆞ시 고ᄒ니○[라].

ᄎᆞ시 댱ᄉᆞ왕이 대군을 거ᄂᆞ려 회슈를 건너랴 ᄒᄂᆞᆫ지라. 참뫼 셩각을 도라보아 왈,

"그듸ᄂᆞᆫ 일빅 군을 거ᄂᆞ려 관문을 구지 닷고 나의 도라오믈 기ᄃᆞ리라."

ᄒ고 급히 ᄆᆞᆯ게 올나 빅여긔를 거ᄂᆞ려 ᄎᆔ령산으로 가니라.

댱ᄉᆞ왕이 녕신 등 졔장을 거ᄂᆞ려 회슈를 지나 ᄎᆔ령산 알픠와 군ᄉᆞ를 쉬오더니, 운슈산 좌우 젼면의 함셩이 딘진ᄒᄀᆞ늘, 왕이 교ᄋᆞ로 더브러 음쥬ᄒᆞ다가, 고셩을 듯고 대경ᄒ여 관의 ᄂᆞ가 슬펴보니 아모도 업ᄂᆞᆫ지라. 니러키를 ᄉᆞ오ᄎᆞ를 ᄒ니 왕과 교ᄋᆡ 놀나고 의혹ᄒ여,【80】교ᄋᆡ 요술을 힝ᄒ여 몸을 소소아 ᄌᆞ시, 슬피니, 이ᄣᅥ 효신(曉晨)이 되엿더라 교ᄋᆡ 왈,

"이 분명 귀신의 됴홰니 두릴 거시 업ᄂᆞᆫ지라, 줌간 쉴 거시라"

ᄒ고, ᄌᆞ리의 ᄂᆞ아가 ᄌᆞ고, ᄉᆞ졸도 곤핍ᄒ여 줌이 깁헛더라.

참뫼 운슈산의 숨엇더니, 젹군이 줌든 ᄣᅥ를 타 녕션관 뒤히 불을 노코 도로 운슈산의 숨으니, 댱ᄉᆞ왕이 줌결의 ᄎᆞ변을 만난지라. 아모란 줄 모로고 급히 ᄆᆞᆯ게 올나 관문을 ᄂᆡᄃᆞ르니, 군병의 죽은 지 그 슈를 아지 못ᄒᆞᆯ너라. 교ᄋᆡ 불과 포셩을 의심ᄒ여 참모의 비상ᄒᆞᆫ 직조를 닉이 아는 고로 당치 못ᄒᄂᆞᆫ 즈음의, 남평빅이 ᄶᅩ라 도으믈 듯고 계령산으로 닷더니, 참뫼 발셔 계산의 웅거【81】ᄒ여시믈 보고 운봉관을 ᄎᆔᄒ라 ᄂᆞ아가니, 셩각이 구지 직희고 나지 아니니,

왕이 훌○[일] 업셔 계령산으로 가고져 ᄒ
거늘, 영신 왈,

"ᄉ졸이 피곤ᄒ여 힝키 어려울가 ᄒᄂ이
다."

왕이 셩되 급훌 ᄲᆫ 아니라, 【21】교이 윤
참모의 계산의 이시믈 듯고 믜온 듯 반가온
듯, 참모의 텬일디표(天日之表)와 뇽봉지지
(龍鳳之姿) 미양 안듕의 삼삼ᄒ며
[믜], 보고시븐 ᄆᆞ음도 이시되, 져의 쇼힝을
참뫼 안죽, 누셜ᄒ여 왕의게도 용납디 못훌
디라. 출하리 참모를 급히 죽여 걸닌 넘녀
를 업시코져 ᄒ여, 왕을 혼동 왈,

"군시 비록 피곤ᄒ여시나, 엇디 편훌 ᄰ
ᄀᆞ치 ᄒ리오. 원 대왕은 ᄉ졸을 직촉ᄒ여
ᄲᆯ니 계산으로 나아가 윤광텬을 버히게 ᄒ
쇼셔."

왕이 교ᄋᆞ의 말인죽 다 긔특이 넉이는 고
로, 군ᄉ를 거나려 계산으로 셩화(星火)ᄀᆞ치
올나갈시, 산뇌(山路) 험악ᄒ여 블븟【22】
치기 어려오나, 왕으로 더브러 슈만 군졸이
올나가나, 초댱(草將) 초병(草兵)이 엇디 움
죽일 니 이시리오. 박힌ᄃᆞ시 셔셔 조금도
요동치 아니니, 왕의 군신(君臣)이 의심ᄒ더
니, 교이 갓가이 가 윤참모라 ᄒᄂ 초댱을
바라보니, 비록 얼프시 ᄀᆞᄐᆫ 곳이 만흐나
엇디 평싱 싱각던 윤태우의 튤뉴ᄒᆫ 풍광을
모로리오. 분명이 아니믈 ᄭᆡᄃᆞ라 칼홀 들고
나아가 ᄒᆫ 번 소리ᄒ고 버히믹, 초인의 머
리 ᄯᆞ히 써러디거늘, 교이 급히 왕다려 왈,

"좌우 군이 다 사롬이 아니오 초인(草人)
이라. 광텬이 짐줏 우리로 ᄒ여금 이 산의
오로게 ᄒ미니, 우리【23】그릇 쇠의 ᄲᅢ져
시니 ᄲᆯ니 나려가샤이다.

왕 왈

"과인이 초의 샤졸을 거나려 이 뫼히 잠
간 쉬고져 ᄒ더니, 좌우 군시 실노 초인일
딘틴 더욱 근심 업ᄉ니, 츠야를 머므러 쉬
고 명일 운봉관을 치리라."

ᄒ니, 형급이 본틴 패망ᄒᆞ믈 죄오ᄂᆞ디라.
믄득 고왈,

왕이 훌일업셔 계령산으로 가고즈 ᄒ거늘,
녕신 왈,

"ᄉ졸이 피곤ᄒ여 힝키 어려울가 ᄒᄂ이
다"

왕이 셩되 급훌 ᄲᆫ 아니라, 교이 윤참모
의 계산의 이시믈 듯고 믜온 듯 반가온 듯,
참모의 텬일지직(天日之表)와 뇽봉지직(龍
鳳之姿) 미양 안줌의 삼삼ᄒ매, 보고시븐
ᄆᆞ음도 이시되, 져히 쇼힝을 참뫼 알진틴
누셜ᄒ여 왕의게도 용납지 못훌지라. 출하
리 참모를 급히 죽여 걸닌 넘녀를 업시코즈
ᄒ여, 왕을 혼동 왈,

"군시 비록 피곤ᄒ여시나, 엇지 편훌 ᄰ
ᄀᆞ치 ᄒ리오. 원 틱왕은 ᄉ졸을 직촉ᄒ여
ᄲᆯ니 계산으로 나아ᄀ 광텬을 버히게 ᄒ쇼
셔."

왕이 교ᄋᆞ【82】의 말닌죽 다 긔특이 넉
이ᄂᆞ 고로, 군ᄉ를 거ᄂ려 계산으로 셩화ᄀᆞ
치 올나갈시, 산뇌(山路) 험악ᄒ여 발 븟치
기 어려오나, 왕이 슈만 군졸을 거ᄂ려 올
나가나, 초장(草將) 초병(草兵)이 엇지 움죽
일 니 잇시리오. 박힌ᄃᆞ시 셔셔 조금도
《용동∥요동(搖動)》치 아니니, 왕의 군신
(君臣)이 의심ᄒ더니, 교이 ᄀᆞᄀ이 가 윤참
모라 ᄒᄂᆞ 초장을 바라보니, 비록 얼프시
ᄀᆞᄐᆫ 곳이 만흐나, 엇지 평싱 싱각던 윤태
우의 튤뉴ᄒᆫ 풍광으로 ᄀᆞ트리오. 분명이 아
니믈 ᄭᆡᄃᆞ라 칼홀 들고 나아ᄀ ᄒᆫ 번 소리
ᄒ고 버히믹, 초인의 머리 ᄯᆞ히 써러디거늘,
교이 급히 왕ᄃᆞ려 왈,

"좌우 군이 다 스람이 아니오 초인(草人)
이라. 광텬이 짐줏 우리로 ᄒ여금 이 산의
오로게 ᄒ미니, 우리 그릇 쇠의 ᄲᅢ져시니
ᄲᆯ니 ᄂ려가ᄉ이다."

왕 왈,

"과인이 초의【83】ᄉ졸을 거ᄂ려 이 뫼
히 좀간 쉬고져 ᄒ더니, 좌우 군시 실노 초
인일진틴 더욱 근심 업ᄉ니, 츠야를 머므러
쉬고 명일 운봉관을 치리라."

ᄒ니, 형급이 본틴 픽망ᄒᆞ믈 죄오ᄂᆞ지라
믄득 고왈,

"이 뫼히 압흐로 회슈를 당ᄒᆞ여 본국으로 도라가미 쉽고, 산곡이 그윽ᄒᆞ여 군병을 머르럼즉 ᄒᆞ니, 윤광텬이 짐즛 초당을 버려 우리 군ᄉᆡ 올나오디 못ᄒᆞ게 ᄒᆞ미니, 그 ᄯᅳᆺ을 맛쳐 이 산을 바리고 엇디 다른 ᄃᆡ로 가리오. 아딕 이곳의 둔취(屯聚)ᄒᆞ미 올흘가 ᄒᆞᄂᆞ이다."

왕이 형급의 말【24】을 올히 넉여 영신다려 왈,

"형댱군의 말이 올흐니 댱군의 ᄯᅳᆺ이 엇더ᄒᆞ뇨?"

영신이 ᄯᅩ 험쥰ᄒᆞᆫ 산곡의 나려가기를 슬희 넉여, 어렴프시 ᄃᆡ왈,

"형공의 말도 그르디 아니ᄒᆞ니 아모커나 금야란 이 곳의셔 디ᄂᆡ고, 명일 숑딘 소식을 탐쳥ᄒᆞ여, 형댱군 말과 ᄀᆞᆺ거든 인ᄒᆞ여 이곳의 머므러, ᄉᆞ셰를 보아 승부를 결ᄒᆞ샤이다."

왕이 나려갈 의ᄉᆞ를 아니ᄒᆞ고 산듕의셔 ᄉᆞ졸을 쉬올ᄉᆡ, 교ᄋᆞᄂᆞᆫ 블쾌히 넉이ᄃᆡ, 윤참모의 계괴 아모란 줄 모로고, 계산을 ᄲᅥ나기를 욱이지 못ᄒᆞ더라.

윤참뫼 뎍군이 계산의 오르믈 듯고 ᄲᆞᆯ니 도라오니, 셩【25】각이 셩문을 여러 참모를 마ᄌᆞ 갓던 곳을 므르니, 참뫼 왈,

"나의 갓던 곳은 녕션관 뒤히 취령산이라. 여ᄎᆞ여ᄎᆞ 뎍군을 요동ᄒᆞ고 영션관을 불딜너 업시 ᄒᆞ여시니, 댱샤왕이 계궁녁딘(計窮力盡)427)ᄒᆞ여 계령산으로 갓ᄂᆞᆫ디라. 이 ᄣᅵ를 가히 어긔오디 못ᄒᆞ리니, 관을 잠간 븨오고, 그ᄃᆡ와 ᄒᆞᆫ가디로 계령산으로 가리라."

ᄒᆞ고, 군을 쉬워 계산으로 올나가니, 댱샤왕 군신이 뫼흘 의디ᄒᆞ여 잠이 깁헛더니, 숑군의 즛쳐 드러오믈 잠결의 듯고 놀나, 급히 니러나 군ᄉᆡ 밋쳐 창검을 ᄎᆞᆺ디 못ᄒᆞ고 ᄆᆞᆯ긔 안장(鞍裝)을 짓디 못ᄒᆞ엿ᄂᆞᆫ디라. 계오 졍신을 출【26】혀 숑군을 ᄃᆡ뎍ᄒᆞᆯᄉᆡ, 참뫼

427)계궁녁딘(計窮力盡) : 꾀가 다하고 힘을 모두 써 버렸다는 뜻으로, 더 이상 어찌할 도리가 없게 됨을 이르는 말.

"이 뫼히 압흐로 회슈를 당ᄒᆞ여 본국으로 도라가미 쉽고, 산곡이 그윽ᄒᆞ여 군병을 머르럼즉 ᄒᆞ니, 윤광텬이 짐즛 초장을 버려 우리 군ᄉᆡ 나오지 못ᄒᆞ게 ᄒᆞ미니, 그 ᄯᅳᆺ을 맛쳐 이 산을 바리고 엇지 다른 ᄃᆡ로 가리오. 아직 이 곳의 둔취ᄒᆞ미 올흘ᄀᆞ ᄒᆞᄂᆞ이다."

왕이 형급의 말을 올히 넉여 영신ᄃᆞ려 왈,

"형댱군의 말이 올으니 댱군의 ᄯᅳᆺ이 엇더ᄒᆞ뇨?"

녕신이 ᄯᅩ 험쥰ᄒᆞᆫ 산곡의 나려가기를 슬희 넉여, 어렴프시 ᄃᆡ왈,

"형급의 말도 그르지 아니ᄒᆞ니 아모커나 금야란 이【84】곳의셔 지ᄂᆡ고, 명일 숑진 소식을 탐쳥ᄒᆞ여 형댱군 말과 ᄀᆞᄒᆞᆯ진ᄃᆡ, 인ᄒᆞ여 이 곳의 머므러 ᄉᆞ셰를 보아 승부를 결ᄒᆞᄉᆞ이다"

왕이 ᄯᅩᄒᆞᆫ ᄂᆞ려ᄀᆞᆯ 의ᄉᆞ를 아니ᄒᆞ고 산즁의셔 ᄉᆞ졸을 쉬올ᄉᆡ, 교ᄋᆞᄂᆞᆫ 블쾌이 넉이ᄃᆡ, 윤참모의 계괴 아모란 줄 모ᄅᆞ고, 계산을 ᄲᅥᄂᆞ기를 욱이지 못ᄒᆞ더라.

윤참뫼 젹군이 계산의 오ᄅᆞ믈 듯고 ᄲᆞᆯ니 도라오니 셩각이 셩문을 여러 참모의[를] ○○[마ᄌᆞ] 갓던 곳을 무르니, 참뫼 왈,

"나의 갓던 곳은 《녕산관∥녕션관》 뒤히 취령산이니, 여ᄎᆞ여ᄎᆞ 뎍군을 요동ᄒᆞ고 녕션관을 불 질너 업시 ᄒᆞ여시니, 댱ᄉᆞ왕이 셰궁녁진(勢窮力盡)419)ᄒᆞ여 계령산으로 갓ᄂᆞᆫ지라. 이 ᄣᅵ를 가히 어긔오지 못ᄒᆞ리니, 관을 즘간 븨오고 그ᄃᆡ와 ᄒᆞᆫ ᄀᆞ지로 계령산으로 가리라."

ᄒᆞ고, 군【85】을 쉬여 계산으로 올나ᄀᆞ니, 댱왕 군신이 뫼흘 의지ᄒᆞ여 즘이 깁헛더니, 숑군의 즛쳐 드러오믈 즘결의 듯고 놀ᄂᆞ, 급히 니러ᄂᆞ 군ᄉᆡ 밋쳐 창검을 ᄎᆞᆺ지 못ᄒᆞ고, ᄆᆞᆯ게 안장을 짓지 못ᄒᆞ엿ᄂᆞᆫ지라. 계오 졍신을 출혀 숑군을 ᄃᆡ젹ᄒᆞᆯᄉᆡ, 참뫼 님

419)셰궁녁딘(勢窮力盡) : 기세가 꺾이고 힘이 다 빠져 꼼짝할 수 없게 되었다는 뜻으로, 더 이상 어찌할 도리가 없게 됨을 이르는 말.

님셩각으로 더브러 눕흔 되히 올나, 녀셩(厲聲) 왈,

"역텬무도흔 댱샤왕은 믈긔 나려 항ᄒᆞ라."

ᄒᆞᄂᆞᆫ 소리 텬디딘동ᄒᆞ며 젼후 좌우로 즛치니, 뎍군이 밋쳐 손을 놀니디 못ᄒᆞ고, 왕과 영신이 계교의 ᄲᅡ딘 줄 분완ᄒᆞ여, 모다 형급의 탓슬 삼ᄂᆞᆫ디라. 급히 발연(勃然) 노식으로 창을 드러 동뉴를 무슈히 죽이고, 고셩 왈,

"댱샤왕이 블인무도(不仁無道)ᄒᆞ여 텬됴를 반ᄒᆞ여 병혁을 니르혀 빅셩을 살히ᄒᆞ니, 그 망ᄒᆞ미 됴셕의 잇ᄂᆞᆫ디라. 내 엇디 번국(藩國) 역신(逆臣)을 도아 멸망키를 ᄌᆞ취(自取)ᄒᆞ리오."

ᄒᆞ고, 댱샤군을 즛치니, 【27】 참뫼 칼흘 드러 영신을 참ᄒᆞ니, 왕이 좌튱우돌 ᄒᆞ여 ᄲᅡᆫ 거슬 버셔나디 못ᄒᆞ미, 창황망극(惝怳罔極)ᄒᆞ여 교ᄋᆞ를 붓들고, 통곡 왈,

"현비 엇디 이런 ᄲᅥ의 직조를 쓰디 아니ᄒᆞᄂᆞ뇨?"

교이 먼니 셔셔 윤참모의 비상흔 용녁과 특이흔 직조를 보니, 감히 결을428) 의ᄉᆞ를 못ᄒᆞ고 그 풍광을 ᄉᆡ로이 탐혹ᄒᆞ여, 그 뎨삼 부빈(副嬪)을 ᄌᆞ구(自求)ᄒᆞ엿다가 죵시 부부디락을 모로고, 댱샤왕의게 개뎍ᄒᆞ미 도로혀 참모 믜오미 구슈(仇讐) ᄀᆞᆺ트여 밧비 죽이고져 ᄒᆞ다가, 오날놀 다시 보미 어린 듯 ᄎᆔᄒᆞᆫ 듯 반가오믈 니긔디 못ᄒᆞ여, 요술도 감히 힝치 못ᄒᆞ고 ᄀᆞ마니 혜오ᄃᆡ,【28】

"광텬은 쳘셕지심(鐵石之心)이니 나의 근본을 알ᄉᆞ록 죽이고져 홀 ᄲᅳᆫ이오, 죵시 부부디락을 유렴(留念)홀 위인이 아니라. 나의 형셰 아모리 ᄒᆞ여도 댱샤왕은 바리디 못ᄒᆞ리니, 죽기를 그음ᄒᆞ여 왕을 구ᄒᆞ여 도라갈 거시라."

ᄒᆞ고, 졍신을 뎡(整)ᄒᆞ여 입으로 딘언(眞言)을 념ᄒᆞ며 요술을 힝ᄒᆞ니, 경긱의 운뮈ᄉᆞ식(雲霧四塞)ᄒᆞ며 비린 바람이 니러나, 비

---

428)결으다 : 겨루다. 서로 버티어 승부를 다투다.

셩각으로 더브러 눕흔 되히 올나, 녀셩(厲聲) 왈,

"녁텬무도흔 장ᄉᆞ왕은 말게 ᄂᆞ려 항ᄒᆞ라."

ᄒᆞᄂᆞᆫ 소리 텬디 진동ᄒᆞ며 젼후 좌우로 즛치니, 젹군이 밋쳐 손을 놀니지 못ᄒᆞ고, 왕과 영신이 계교의 ᄲᅡ진 줄 분완ᄒᆞ여 모다 형급의 탓슬 숨ᄂᆞᆫ지라. 급히 발연(勃然) 노식으로 창을 드러 동뉴를 무슈히 죽이고 고셩 왈,

"댱ᄉᆞ왕이 블인무도(不仁無道)ᄒᆞ여 텬도를 반ᄒᆞ미[여] 병혁을 니르혀 빅셩을 술히ᄒᆞᄂᆞᆫ【86】지라. 그 망ᄒᆞ미 됴셕의 잇시니, 내 엇지 번국(藩國) 녁신(逆臣)을 도아 멸망키를 ᄌᆞ취(自取)ᄒᆞ리오."

ᄒᆞ고 댱ᄉᆞ군을 즛치니, 참뫼 칼흘 드러 녕신을 참ᄒᆞ니, 왕이 좌츙우돌 ᄒᆞ여 ᄲᅡᆫ 거슬 버셔나지 못ᄒᆞ미, 창황망극(惝怳罔極)ᄒᆞ여 교ᄋᆞ를 붓들고, 통곡 왈,

"현비 엇지 니런 ᄲᅥ의 직조를 쓰지 아니ᄒᆞᄂᆞ뇨?"

교이 먼니 셔셔 윤참모의 비상흔 용녁과 특이흔 직조를 보니, 감히 결을420) 의ᄉᆞ를 못ᄒᆞ고 그 풍광을 볼ᄉᆞ록 탄복ᄒᆞ여, 그에삼 부빈(副嬪)을 ᄌᆞ구(自求)ᄒᆞ엿ᄃᆞ가 죵시 부부지락을 모르고, 장왕의게 기젹ᄒᆞ미 도로혀 참모 믜오미 구수 ᄀᆞᆺ트여 밧비 죽이고져 ᄒᆞᄃᆞ가, 오늘날 ᄃᆡ시 보미 어린 듯 ᄎᆔᄒᆞᆫ 듯 반ᄀᆞ오믈 니기지 못ᄒᆞ여, 요술도 감히 힝치 못ᄒᆞ고 ᄀᆞ마니 혜【87】오ᄃᆡ,

"광텬은 쳘셕지심(鐵石之心)이니, 나의 근본을 알ᄉᆞ록 죽이고ᄌᆞ 홀 ᄲᅮᆫ이오, 죵시 부부지락을 유렴홀 위인이 아니라. 나의 형셰 아모리 ᄒᆞ여도 댱ᄉᆞ왕은 바리지 못ᄒᆞ리니 죽기를 그음ᄒᆞ여 왕을 구ᄒᆞ여 도라갈 거시라."

ᄒᆞ고 졍신을 졍(整)ᄒᆞ여 닙으로 진언을 념ᄒᆞ며 요술을 힝ᄒᆞ니, 경긱의 운뮈ᄉᆞ식(雲霧四塞)ᄒᆞ며 비린 바룸이 니러나, 비ᄉᆞ쥬셕

---

420)결으다 : 겨루다. 서로 버티어 승부를 다투다.

샤쥬셕(飛沙走石)429)ᄒ거늘, 참뫼 금션(錦扇)을 드러 운무를 쓰리치니430), 교이 착급ᄒ여 정신 흐리는 법을 쓰니, 과연 아니쇼은 닉음시 송딘의 뽀이고, 누른 긔운이 송군의 머리를 쏠히는431) ᄃᆺᄒ니, 참뫼 긔【29】를 둘너 누른 긔운을 쓰리치니 군졸이 졍신을 출히는더라. 참뫼 봉안을 기우려 교ᄋ를 보니, 비록 젼복(戰服)을 ᄀᆺ쵸와시나 공교히 고음과 미우(眉宇)의 살긔 등등ᄒ니, 엇디 몰나보리오. 온 가지로 요슐을 브려 ᄌ긔와 결오랴 ᄒᆯ믈 더욱 분히ᄒ여, 몬져 왕을 버히려 급히 췩ᄒ니, 교이 왕의 스디 못홀 줄 알고, 혹ᄌ 참모의 도라보믈 어들가 담을 크게 ᄒ고 닉다라, 참모를 향ᄒ여 졀ᄒ고, 왈,

"명공이 쳡을 아르시나냐?"

참뫼 교ᄋ의 셩음을 드르미 노긔 쳘텬ᄒ고 통히ᄒ미 극ᄒ여, 딘목(瞋目) 즐왈(叱曰),

"비부난뉸(背夫亂倫)혼 발뷔(潑婦) 엇디 감【30】히 군ᄌ 면젼의 므슨 요악혼 말을 ᄒ려 ᄒᄂ뇨?"

교이 웃고, 샤죄 왈,

"내 죄를 공이 니르디 아니나 모로리오. 연이나 셕의 딘승상부인(陳丞相夫人)432)이 다ᄉᆺ 번 개가(改嫁)ᄒ디 딘평(陳平)의 후디 ᄒᆯ믈 바드니, 내 비록 졀힝이 더러온 계집이 되여시나 일쯕 공을 히흔 일은 업스니, 군이 만일 화홍관ᄌ(和弘寬慈)홀딘딘 구ᄐ여 쳡을 이ᄀᆺ치 아넘즉 ᄒ니, 부부는 오륜듕ᄉᆞ(五倫重事)오, 남녀 졍욕은 흔가디어늘,

---

(飛沙走石)421)ᄒ거늘, 참뫼 금션(錦扇)을 드러 운무를 쓰리치니422), 교이 착급ᄒ여 졍신 흐리는 법을 쓰니, 과연 아니쇼은 닉음시 송진의 뽀이고, 누른 긔운이 송군의 머리를 쏘리는423) ᄃᆺᄒ니, 참뫼 긔를 둘너 누른 긔운을 쓰리치니 군졸이 졍신을 출히는지라. 참뫼 봉안을 기우려 교ᄋ를 보니, 비록 젼복을 ᄀᆺ쵸와시나 공교히 고음과【88】미우의 살긔 등등ᄒ니, 엇지 몰나 보리오. 온 가지로 요슐을 브려 ᄌ긔와 결오려 ᄒᆯ믈 더욱 분히ᄒ여, 몬져 왕을 버히려 급히 췩ᄒ니, 교이 왕의 ᄉᆞ지 못홀 줄 알고, 혹ᄌ 참모의 도라보믈 어들가 담을 크게 ᄒ고 닉ᄃᆞ라, 참모를 향ᄒ여 졀ᄒ고, 왈,

"명공이 쳡을 아르시ᄂ냐?"

참뫼 교ᄋ의 셩음을 드르미 노긔 쳘텬ᄒ고 통히ᄒ미 극ᄒ여, 진목(瞋目) 즐왈(叱曰),

"비부난뉸(背夫亂倫)혼 발뷔(潑婦) 엇지 감히 군ᄌ 면젼의 무슨 요악혼 말을 ᄒ려 ᄒᄂ뇨?"

교이 웃고, ᄉᆞ죄 왈,

"내 죄를 공이 니르지 아니나 모로리오. 연이나 셕의 진승상부인(陳丞相夫人)424)이 다ᄉᆺ 번 개가ᄒ디 진평(陳平)의 후디ᄒ믈 바드니, 내 비록 졀힝이 더러온 계집이 되여시나 일쯕 공을 히흔 일은 업스니, 군이 만일 화【89】홍관ᄌ(和弘寬慈) 홀진디 구ᄐ여 쳡을 이ᄀᆺ치 아니홀지니, 부부는 오륜듕ᄉᆞ(五倫重事)오 남녀 졍욕은 남과 ᄀᆺ치

---

429)비샤쥬셕(飛沙走石) : 양사주석(揚沙走石). 모래가 날리고 돌멩이가 구른다는 뜻으로, 바람이 세차게 붊을 이르는 말.

430)쓰리치다 : 쓸어버리다. 뿌리치다.

431)쏠히다 : 때리다. 무엇으로 딱딱 치는 듯한 아픈 느낌이 들다.

432)딘승상부인(陳丞相夫人) : 중국 전한(前漢) 혜제(惠帝) 때의 좌승상(左丞相) 진평(陳平)의 아내 장씨(張氏). 그녀는 부잣집 딸이었으나 박복하여 다섯 번이나 시집을 갔지만, 그때마다 남편이 갑자기 죽어 아무도 그녀에게 장가들려 하지 않았다. 당시 가난한 총각이었던 진평이 그녀를 아내로 맞아, 부(富)를 얻고 출세하여 벼슬이 승상에 이르렀다.

---

421)비샤쥬셕(飛沙走石) : 양사주석(揚沙走石). 모래가 날리고 돌멩이가 구른다는 뜻으로, 바람이 세차게 붊을 이르는 말.

422)쓰리치다 : 쓸어버리다. 뿌리치다.

423)쏠히다 : 때리다. 무엇으로 딱딱 치는 듯한 아픈 느낌이 들다.

424)딘승상부인(陳丞相夫人) : 중국 전한(前漢) 혜제(惠帝) 때의 좌승상(左丞相) 진평(陳平)의 아내 장씨(張氏). 그녀는 부잣집 딸이었으나 박복하여 다섯 번이나 시집을 갔지만, 그때마다 남편이 갑자기 죽어 아무도 그녀에게 장가들려 하지 않았다. 당시 가난한 총각이었던 진평이 그녀를 아내로 맞아, 부(富)를 얻고 출세하여 벼슬이 승상에 이르렀다.

공이 날 ᄀᆞᆺ튼 졀싁가인(絶色佳人)을 무고히 박딕ᄒᆞ여, 일호(一毫) 부부의 졍의 업ᄼᆞ니, 내 비록 일 녀ᄌᆡ나 ᄯᅳᆺ인즉 빅만듕(百萬衆)을 호령ᄒᆞᄂᆞᆫ 공후댱샹(公侯將相)의 ᄆᆞ【31】음이 이시니, 엇디 녹녹히 일도를 딕회여 쳥츈을 고요히 디ᄂᆡ리오. ᄉᆈ 브득이 댱샤왕을 좃ᄎᆞᆫ 빅나, 텬하ᄂᆞᆫ 일인의 텬히 아니오, 당당이 텬명이 도라가ᄂᆞᆫ 직 텬하 님ᄌᆡ 되ᄂᆞ니, 딘죵(眞宗)433)이 셩명디쥐(聖明之主) 아닌 고로 왕을 권ᄒᆞ여 병혁을 니ᄅᆞ혀나, 왕도 ᄯᅩᄒᆞᆫ 부유ᄉᆞ히(富有四海) ᄒᆞ고 귀위텬ᄌᆞ(貴爲天子) ᄒᆞᆯ 샹쐬 아니라, 쳡의 ᄯᅳᆺ이 미딘ᄒᆞ더니, 금일 싀로이 군을 보니 텬일디표(天日之表)와 농봉디지(龍鳳之材)434) 딘짓 뎨왕의 긔샹이라. 견일의도 명공이 대귀ᄒᆞᆯ 줄 아던 빅오, 이졔 공교히 쎠를 어더시니, 공은 쇼쇼ᄒᆞᆫ 튱졀을 거리끼디 말고 큰 일을 도모코져 ᄒᆞᆯ【32】딘딕, 쳡이 즉긱의 왕의 머리를 버힐 거시니, 명공은 빅셩을 안무ᄒᆞ고 ᄉᆞ졸(士卒)을 모화 댱샤국을 아샤 텬위(天位)를 뎡ᄒᆞᆫ 후, 군신의 됴하(朝賀)를 밧고, 버거 대군을 거ᄂᆞ려 황셩을 쳐드러가면, 텬하 인민이 단샤호댱(簞食壺漿)435)으로 마ᄌᆞ리니, 쳡슈암용(妾雖暗庸)이나, ᄯᅩᄒᆞᆫ 공의 일비디력(一臂之力)436)을 도아 통일텬하ᄒᆞᄂᆞᆫ 즐거오믈 닐월디라. 원컨딕 공은 쳡의 젹은 허물을 닛고 대ᄉᆞ를 일우미 엇더 ᄒᆞ뇨?"

언필의 쳔교만틱(千嬌萬態)를 디어 참모를 농낙고져 ᄒᆞᄂᆞ디라. 참쐬 어히업셔 분긔

ᄒᆞᄀᆞ지어늘, 공이 날 ᄀᆞᆺ튼 졀싁가인을 무고히 박딕ᄒᆞ여, 일호(一毫) 부부의 졍이 업ᄼᆞ니, 너 비록 일 녀ᄌᆡ나 ᄯᅳᆺ인즉 빅만즁(百萬衆)을 호령ᄒᆞᄂᆞᆫ 공후댱샹(公侯將相)의 ᄆᆞ음이 이시니, 엇지 녹녹히 일도를 직회여 쳥츈을 고요히 지니리오. ᄉᆈ 부득이 댱왕을 좃ᄎᆞᆫ 빅나, 텬하ᄂᆞᆫ 일인의 텬히 아니오, 당당이 텬명이 도라가ᄂᆞᆫ 직 텬하 님ᄌᆡ 되ᄂᆞ니, 진죵(眞宗)425)이 셩명지쥐(聖明之主) 아닌 고로, 왕을 권ᄒᆞ여 병혁을 니ᄅᆞ혀나, 왕도 ᄯᅩᄒᆞᆫ 부유ᄉᆞ히(富有四海) ᄒᆞ고 귀위텬ᄌᆞ(貴爲天子)ᄒᆞᆯ 샹쐬 아니라. 쳡의 ᄯᅳᆺ이 미진ᄒᆞ더니 금일 싀로이 군을 보니, 텬일지표(天日之表)와 농봉지지(龍鳳之材)426) 진짓 뎨왕의 긔【90】샹이라. 견일의도 명공이 대귀ᄒᆞᆯ 줄 아던 빅오, 이졔 공교히 쎠를 어더시니, 공은 쇼쇼ᄒᆞᆫ 츙졀을 거리끼지 말고 큰 일을 도모코즈 ᄒᆞᆯ진딕, 쳡이 즉긱의 왕의 머리를 버혀 올 거시니, 명공은 빅셩을 안무ᄒᆞ고 ᄉᆞ졸(士卒)을 모화 댱ᄉᆞ국을 아ᄉᆞ 텬위(天位)를 졍ᄒᆞᆫ 후, 군신의 됴하를 밧고 버거 대군을 거ᄂᆞ려 황셩을 쳐드러가면, 텬하 인민이 단ᄉᆞ호댱(簞食壺漿)427)으로 마ᄌᆞ리니, 쳡슈암용(妾雖暗庸)이나 ᄯᅩᄒᆞᆫ 공의 일비지역(一臂之力)428)을 도아 통일텬하ᄒᆞᆯ 거시오니, 원컨딕 공은 쳡의 젹은 허물을 닛고 대ᄉᆞ를 닐우미 엇더ᄒᆞ뇨?"

언필의 쳔만교틱(千嬌萬態)를 지어 참모를 농낙고즈 ᄒᆞᄂᆞ지라. 참쐬 어히업셔 분긔

---

433)딘죵(眞宗) : 중국 송(宋)나라의 제3대 황제(698-1022). 이름은 조항(趙恒). 태종의 셋째 아들로, 1004년 요나라가 쳐들어왔을 때에 직접 싸웠으나 굴욕적인 '전주(澶洲)의 맹(盟)'을 맺고 화의하였다. 재위 기간은 997~1022년이다
434)농봉지지(龍鳳之材) : 용(龍)과 봉(鳳) 곧 임금의 재목(材木).
435)단샤호댱(簞食壺漿) : ①대나무로 만든 밥그릇에 담은 밥과 병에 넣은 마실 것이라는 뜻으로, 넉넉하지 못한 사람의 거친 음식을 이르는 말. ②백성이 군대를 환영하기 위하여 갖춘 음식.
436)일비디력(一臂之力) : 한 팔의 힘이라는 뜻으로, 남을 도와주는 작은 힘을 이르는 말. ≒일편지력(一鞭之力).

425)딘죵(眞宗) : 중국 송(宋)나라의 제3대 황제(698-1022). 이름은 조항(趙恒). 태종의 셋째 아들로, 1004년 요나라가 쳐들어왔을 때에 직접 싸웠으나 굴욕적인 '전주(澶洲)의 맹(盟)'을 맺고 화의하였다. 재위 기간은 997~1022년이다
426)농봉지지(龍鳳之材) : 용(龍)과 봉(鳳) 곧 임금의 재목(材木).
427)단샤호댱(簞食壺漿) : ①대나무로 만든 밥그릇에 담은 밥과 병에 넣은 마실 것이라는 뜻으로, 넉넉하지 못한 사람의 거친 음식을 이르는 말. ②백성이 군대를 환영하기 위하여 갖춘 음식.
428)일비지력(一臂之力) : 한 팔의 힘이라는 뜻으로, 남을 도와주는 작은 힘을 이르는 말. ≒일편지력(一鞭之力).

(憤氣) 빅댱(百丈)이나 놉하 경긱의 육장(肉醬)을 민들고져 ㅎ니, 엇디 그 말【33】을 디답ㅎ리오.

이에 왕을 쑤디져 왈,

"네 아모리 반국뎍신(叛國賊臣)인들 두 눈이 이시리니, 엇디 미달(妹妲)437) 녀무(呂武)438)의 세 번 더은 계집을 봉ㅎ여 왕비를 삼고, 쏘 딘듕(陣中)의 다리고 단니니 엇디 망(亡)치 아니리오."

왕이 교이의 쇼힝을 처음으로 드르미, 경심골히(驚心骨駭)ㅎ고 티신무디(置身無地)ㅎ여 앙텬(仰天) 탄왈,

"쳔쟝슈셰(千丈水勢)ᄂᆞ 아라도 삼쳑인심(三尺人心)은 모른다439) ㅎ미 뎡히 이를 니르미로다."

교이 대로ㅎ여 칼홀 들고 왕의게 다라드니, 셩명이 엇디된고 분셕 하회ㅎ라.

화셜 윤혹시 양쥐 찬뎍ㅎ연 디 얼프시 삼년 츈을 당ㅎ미, 학시의 사친ㅎᄂᆞ 회푀 쥬야 촌장(寸腸)440)이【34】 녹을 샌이라. 즈긔 형뎨 집을 써난 디 오라고 부공이 교디의셔 도라오디 못ㅎ여 계시니, 가스를 살피리 업고, 즈모를 봉양ㅎ 리 업스며, 조션(祖先) 신위예 졔향을 아조 쯧쳐시믈 싱각건디, 흉장(胸臟)이 믜ᄂᆞ 듯, 싱모부인의 쥬야 참통 비졀ㅎ믈 싱각ㅎ면 더욱 슬프믈 니긔디 못홀디라. 쎠쎠 흐르는 눈물이 마를 쎡 업고 가듕스셰(家中事勢) 비록 보디 아니나 어이 모로리오. 조모와 양푀 ㅎᄂᆞ 빅 다 불의라. 필경이 엇디 될고 근심이 간졀ㅎ니, 어나 결을의 즈긔 뎍디(謫地) 간고를 슬허

(憤氣) 빅쟝(百丈)이나 놉하 경긱의 뉵장(肉醬)을 민들고져 ㅎ니, 엇지 그 말을 ᄃᆡ답ㅎ리오.

이의【91】 왕을 쑤지져 왈,

"네 아모리 만국젹신(蠻國賊臣)인들 두 눈이 이실지니,, 익[미]달(妹妲)429) 녀무(呂武)430)의 세 번 더은 계집을 봉ㅎ여 왕비를 슴고, 쏘 진즁(陣中)의 ᄃᆞ리고 ᄃᆞ니니 엇지 망치 아니리오"

왕이 교이의 쇼힝을 처음으로 드르미, 경심골히(驚心骨駭)ㅎ고 치신무지(置身無地)ㅎ여 앙텬(仰天) 탄왈,

"쳔장슈셰(千丈水勢)ᄂᆞ 아라도 숨쳑인심(三尺人心)은 모른다431) ㅎ미 졍히 이를 니르미라"

교이 대로ㅎ여 칼홀 들고 왕의게 다라드니 셩명이 엇지된고 분셕 하회ㅎ라"

화셜 윤학시 양쥐 찬젹ㅎ연 지 얼프시 숨년 츈(春)을 당ㅎ미, 혹시의 스친ㅎᄂᆞ 회푀 쥬야 촌장(寸腸)432)을 술오미, 즈긔 형뎨 집을 써난 지 오릭고 부공이 교지의셔 도라오지 못ㅎ여 계시니, 가스를 슬피 리 업고 즈모를 봉【92】양ㅎ 리 업스미[며], 쓰ᄒ 됴션 신위의 졔향을 아조 쯧쳐시믈 싱각건디, 흉장(胸臟)이 믜여지ᄂᆞ 듯, 싱모 부인의 쥬야 츔통 비졀ㅎ믈 싱각ㅎ면 더욱 슬프믈 니긔지 못홀지라. 쎠쎠 흐르는 눈물이 마를 젹이 업고 가즁스셰(家中事勢) 비록 보지 아니나 어이 모릭리오. 조모와 양푀 ㅎᄂᆞ 빅 다 불의라. 필경이 엇지 될고 근심이 근졀ㅎ니, 어느 결을의 즈긔 젹거(謫居)

---

437)미달(妹妲) : 중국의 대표적인 악녀(惡女)인 하(夏)나라 걸(桀)의 비(妃)인 매희(妹喜)와 주(周)나라 주(紂)의 비(妃) 달기(妲己)를 함께 이르는 말.

438)녀무(呂武) : 중국의 대표적인 여성권력자인 한(漢)나라 고조(高祖)의 황후 여후(呂后) 여치(呂雉?-BC108)와 당(唐)나라 고종의 황후 측천무후(則天武后) 무조(武曌 : 624-705).

439)쳔장슈셰(千丈水勢)ᄂᆞ 아라도 삼쳑인심(三尺人心)은 모른다 : ᄂᆞ"천 길 물속은 알아도 한 길 사람의 속은 모른다". 사람의 속마음을 알기란 매우 힘듦을 비유적으로 이르는 말.

440)촌장(寸腸) : 마디마디의 창자. 마음.

429)미달(妹妲) : 중국의 대표적인 악녀(惡女)인 하(夏)나라 걸(桀)의 비(妃)인 매희(妹喜)와 주(周)나라 주(紂)의 비(妃) 달기(妲己)를 함께 이르는 말.

430)녀무(呂武) : 중국의 대표적인 여성권력자인 한(漢)나라 고조(高祖)의 황후 여후(呂后) 여치(呂雉?-BC108)와 당(唐)나라 고종의 황후 측천무후(則天武后) 무조(武曌 : 624-705).

431)쳔장슈셰(千丈水勢)ᄂᆞ 아라도 삼쳑인심(三尺人心)은 모른다 : ᄂᆞ"천 길 물속은 알아도 한 길 사람의 속은 모른다". 사람의 속마음을 알기란 매우 힘듦을 비유적으로 이르는 말.

432)촌장(寸腸) : 마디마디의 창자. 마음.

ᄒ리오. 됴운모우(朝雲暮雨)441)의 경샤【3
5】를 쳠망ᄒ여 쳔슈만비(千愁萬悲)442) 만
복(滿腹)ᄒ고, 혜쥰 등이 교디를 왕니ᄒ미
일년 일츤를 폐치 아냐, 야야의 안부를 혹
알오미 이시나, 츄밀이 ᄌ딜을[의] 긔괴ᄒᆫ
죄루(罪累)와 쳔니 찬츌을 드른 후ᄂᆫ, 츠악
(嗟愕) 경심(驚心)ᄒ미 슉식이 편치 못ᄒ고
가변을 넘녀ᄒ미 아니 밋춘 곳이 업수나,
오히려 뉴시의 악착ᄒ미 그디도록 이상ᄒᄆᆯ
아디 못ᄒ니, 이ᄂᆫ 그 텬셩이 소활ᄒᆫ 연괴
라.

윤혹시 뎍샹(積傷)ᄒᆫ 병이 토혈이 긋칠
ᄉᆡ이 업고, 일신골졀(一身骨節)을 아니 알ᄂᆫ
디 업더니, 금년 밍츈(孟春)을 당ᄒ여 병셰
더욱 위즁ᄒ니, 혜츈 등이【36】초조 졀민
ᄒ여 몸으로ᄡᅥ 디코져 ᄒ나 능히 밋디 못ᄒ
고, 슌ᄌ시 ᄌ로 나와 보고 증셰 위악ᄒᄆᆯ
크게 우려ᄒ여, 향니의 유명ᄒᆫ 의ᄌ를 모화
의약을 힘쓰ᄃᆡ, 빅최 무효ᄒ여 병셰 졈졈
더으니, 혜쥰 등이 망극 초조ᄒ고, 슌ᄌ시
그 딘ᄒ여 가ᄂᆫ 거동을 ᄎ마 보디 못ᄒᄂᆫᄃᆡ
라. 눈물을 흘녀 혜쥰 등다려 왈,

"네 상공의 딜환이 이졔ᄂᆫ 만무회두(萬無
回頭)443)ᄒ니, 초종졔구(初終祭具)444)를 출
힐 밧 다른 모칰이 업거니와, 나의 참담 비
졀(悲絶)ᄒᆫ 타ᄉᆡ 아니라, 네 상공의 남다
른 튱효지덕으로ᄡᅥ 망측ᄒᆫ 죄루의 걸녀, 쳔
【37】니 타향의 뎡비 죄쉬 되미, 그 위딜
을 당ᄒ여 태우형이 붓드러 의약을 졍셩으
로 못ᄒ고, 형뎨 낭인의 우공ᄒᄂᆫ 뜻이 타

441)됴운모우(朝雲暮雨) : 아침의 구름과 저녁의 비
라. 여기서는 '아침저녁' 정도의 의미로 쓰였으나,
이 말은 본래 남녀의 정교(情交)를 이르는 말이다.
즉 중국 초나라의 회왕(懷王)이 꿈속에서 어떤 부
인과 잠자리를 같이했는데, 그 부인이 떠나면서
자기는 아침에는 구름이 되고 저녁에는 비가 되어
양대(陽臺) 아래에 있겠다고 했다는 고사에서 유
래한다.
442)쳔슈만비(千愁萬悲) ; 천 가지의 근심과 만 가지
의 슬픔.
443)만무회두(萬無回頭) : 회복할 길이 전혀 없음. *
회두(回頭)ᄒ다; 회복하다. 차도가 있다.
444)초종졔구(初終祭具) : 초상이 난 뒤부터 졸곡 때
까지 치르는 모든 제례에 쓰는 기구와 물품.

간고를 슬허 ᄒ리오. 됴운모우(朝雲暮
雨)433)의 경ᄉᆞ를 쳠망ᄒ여 쳔슈만비(千愁萬
悲)434) 만복(滿腹)ᄒ고, 혜쥰 등이 교지를
왕니ᄒ미 일년 일츠를 폐치 아녀, 양부(養
父) 존문(存問)을 혹 알오미 이시나, 츄밀이
ᄌ딜을 긔괴ᄒᆫ 죄루(罪累)와 쳔니 찬츌을
드른 후ᄂᆫ, 츠악(嗟愕) 경심(驚心)ᄒ미 슉식
이 편치 못ᄒ고, 가변을 넘녀ᄒ미 아니 밋
【93】춘 곳이 업수나, 오히려 뉴시의 악착
ᄒ미 그디도록 이상ᄒᄆᆯ 아지 못ᄒ니, 이ᄂᆫ
그 텬셩이 소활(疎豁)ᄒᆫ 연괴라.

윤혹시 젹샹(積傷)ᄒᆫ 병이 토혈이 긋츨
ᄉᆡ이 업고, 일신골졀(一身骨節)을 아니 알ᄂᆫ
곳이 업더니, 금년 밍츈(孟春)을 당ᄒ여 병
셰 더욱 위즁ᄒ니, 혜쥰 등이 초조 졀민ᄒ
여 몸으로ᄡᅥ 디코져 ᄒ나 능히 밋지 못ᄒ
고, 슌ᄌ시 ᄌ로 나와 보고 증셰 위악ᄒᄆᆯ
크게 우려ᄒ여, 향니의 유명ᄒᆫ 의ᄌ를 모화
의약을 힘쓰ᄃᆡ, 빅최(百草) 무효ᄒ여 병셰
졈졈 더으니, 혜쥰 등이 망극 초조ᄒ고, 슌
ᄌ시 그 진ᄒ여 가ᄂᆫ 거동을 ᄎ마 보지 못
ᄒᄂᆫ지라. 눈물을 흘녀 혜쥰 등 ᄃᆞ려 왈,

"네 상공의 질환이 이졔ᄂᆫ 만무회두(萬無
回頭)435)ᄒ니, 초종졔구(初終祭具)436)를 출
힐 밧 다른 모칰이【94】업거니와, 나의 참
담 비졀ᄒᆫ 타ᄉᆡ 아니라, 네 상공의 남다
른 츙효지덕으로ᄡᅥ 망측ᄒᆫ 죄루의 걸녀, 쳔
니 타향의 졍비 죄쉬 되미, 그 위딜을 당ᄒ
여 태우 형이 붓드러 의약을 졍셩으로 못ᄒ
고, 형뎨 낭인의 우공ᄒᄂᆫ 뜻이 타인의 곤

433)됴운모우(朝雲暮雨) : 아침의 구름과 저녁의 비
라. 여기서는 '아침저녁' 정도의 의미로 쓰였으나,
이 말은 본래 남녀의 정교(情交)를 이르는 말이다.
즉 중국 초나라의 회왕(懷王)이 꿈속에서 어떤 부
인과 잠자리를 같이했는데, 그 부인이 떠나면서
자기는 아침에는 구름이 되고 저녁에는 비가 되어
양대(陽臺) 아래에 있겠다고 했다는 고사에서 유
래한다.
434)쳔슈만비(千愁萬悲) ; 천 가지의 근심과 만 가지
의 슬픔.
435)만무회두(萬無回頭) : 회복할 길이 전혀 없음. *
회두(回頭)ᄒ다; 회복하다. 차도가 있다.
436)초종졔구(初終祭具) : 초상이 난 뒤부터 졸곡 때
까지 치르는 모든 제례에 쓰는 기구와 물품.

인의 곤계(昆季)로 닉도ᄒᆞ거늘, 네 상공의
얼골을 태위 보디 못ᄒᆞ고 쳔니 뎍소의셔 흉
음을 드르면, 결단ᄒᆞ여 수원이 스디 못홀
거시오, 태위 죽는 날은 윤개 망ᄒᆞᄂᆞᆫ 날이
니, 이제 가히 남쥬로 나아가 혹ᄉᆞ의 위딜
(危疾)이 ○[위]독ᄒᆞ믈 태우기 고○○[ᄒᆞ
라]. 내 일변(一邊)445) 관인(官人)을 경샤의
보니여 조부와 뎡·하 냥부의 소식을 통ᄒᆞ
여 네 상공 친쳑 듕 ᄒᆞ나히 와 초상을 보게
ᄒᆞ리라."

혜쥰이 【38】 쳬읍 딕왈,
"노야 말슴이 맛당ᄒᆞ시나, 우리 노애 쳔
만 당부ᄒᆞ샤 남쥬 딜환 소식을 통치 말나
ᄒᆞ시니, 이ᄂᆞᆫ 태우 노애 셩녀를 우려ᄒᆞ샤
ᄎᆞᆷ디 못ᄒᆞ시는 거죄 이실가 념녀ᄒᆞ시미니,
남쥬 급고ᄒᆞᄂᆞᆫ 거시 유익디 아닐가 ᄒᆞ옵ᄂᆞ
니, 경샤의는 십여일 젼 댱ᄉᆞ마딕 노지 왓
거늘, 상공 환휘 위듕ᄒᆞ시믈 낫낫치 긔별ᄒᆞ
여 취운산과 옥화산의 통ᄒᆞ라 ᄒᆞ여시니, 오
라디 아냐 조·뎡·하 삼부의셔 ᄒᆞᆫ 상공이
나오시리이다."

슌ᄌᆞ시 혜쥰의 말을 그러히 넉이나, 흔갓
답답이 넉여 초조홀 ᄲᅳᆫ이러니, 일이 【39】
괴이ᄒᆞ여 모부인 딜환이 듕(重)타 ᄒᆞ여 슌
부 노지 망쥬야(罔晝夜)446)ᄒᆞ여 양쥬 니르
니, ᄌᆞ시 심혼(心魂)이 비월(飛越)ᄒᆞ여 ᄌᆞᆺ
인슈(印綬)를 샹ᄉᆞ(上司)의 젼ᄒᆞ고, ᄲᅡᆯ니 경
샤로 나아갈ᄉᆡ, 님ᄒᆡᆼ(臨行)의 혹ᄉᆞ를 와 보
니 능히 아라보디 못ᄒᆞ고, 말을 되츠디447)
못ᄒᆞᄂᆞᆫ디라. 슌ᄌᆞ시 초상입념긔구(初喪入殮
器具)448)를 일일히 혜쥰을 맛디고 쳔만 당
부ᄒᆞ여, 혹ᄉᆞ를 맛ᄎᆞᆷᄂᆡ 구치 못ᄒᆞ거든 상녜
셔(喪禮書)를 보아가며 입념디녜(入殮之
禮)449)를 극딘히 ᄒᆞ라 ᄒᆞ고, 급히 샹경ᄒᆞ니,

---

445)일변(一邊) : 한편.
446)망쥬야(罔晝夜) : 밤낮을 가리지 아니하고 부지
　런히 어떤 일을 함.
447)되츠다 : 알아채다. 알아차리다. 알아듣는다. 소리
　를 분간하여 듣는다.
448)초상입념긔구(初喪入殮器具) : 사람이 죽은 때로
　부터 시신을 씻겨 수의를 갈아입히고 염포(殮布)
　로 묶어서 관(棺)에 넣을 때까지 사용할 모든 기
　구와 물품.

계(昆季)로 닉도ᄒᆞ니, 네 상공의 얼골을 틱
위 보지 못ᄒᆞ고 쳔니 젹소의셔 흉음을 드르
면, 결단코 수원이 ᄉᆞ지 못홀 거시오; 틱위
죽는 날은 윤개 망ᄒᆞᄂᆞᆫ 날이니, 이졔 가히
남쥬로 나아ᄀᆞ 학ᄉᆞ의 위딜(危疾)이 위독ᄒᆞ
믈 틱우게 고ᄒᆞ고[라]. 내 일변(一邊)437)으
로 관인을 경ᄉᆞ의 보니여 조부와 뎡·하 냥
부의 소식을 통ᄒᆞ여 네 상공 친쳑 즁 ᄒᆞ나
히 와 초상을 보게 ᄒᆞ리라."

혜쥰이 쳬읍 딕왈,
"노야 【95】 말슴이 맛당ᄒᆞ시나, 우리 노
애 쳔만 당부ᄒᆞ샤 남쥬 딜환 소식을 통치
말나 ᄒᆞ시니, 이ᄂᆞᆫ 틱우 노야 셩녀를 우려
ᄒᆞ샤 ᄎᆞᆷ지 못ᄒᆞ시는 거죄 이실가 념녀ᄒᆞ시
미니, 남쥬 급고ᄒᆞᄂᆞᆫ 거시 유익지 아닐ᄀᆞ
ᄒᆞ옵ᄂᆞ니, 경ᄉᆞ의는 십여일 젼 댱ᄉᆞ마딕 노
지 왓거늘, 상공 환휘 위즁ᄒᆞ시믈 낫낫치
긔별ᄒᆞ여 취운산과 옥화산의 통ᄒᆞ라 ᄒᆞ여시
니, 오라지 아냐 조·뎡·하 슴부의셔 ᄒᆞᆫ
상공이 ᄂᆞ오시리이다."

슌ᄌᆞ시 혜쥰의 말을 그러히 넉이나, 흔갓
답답이 넉여 초조홀 ᄲᅳᆫ이러니, 일이 괴이ᄒᆞ
여 모부인 질환이 즁(重)타 ᄒᆞ여 슌부 노지
망쥬야(罔晝夜)438)ᄒᆞ여 양쥬 니르니, ᄌᆞ시
심혼(心魂)이 비월(飛越)ᄒᆞ여 ᄌᆞᄉᆞ 인슈(印
綬)를 상ᄉᆞ(上司)의 젼ᄒᆞ고, ᄲᅡᆯ니 경소로 ᄂᆞ
아갈ᄉᆡ, 【96】 님ᄒᆡᆼ(臨行)의 혹ᄉᆞ를 와 보니
능히 아ᄅᆞ보지 못ᄒᆞ고, 말을 되치지439) 못
ᄒᆞᄂᆞᆫ지라. 슌ᄌᆞ시 초상납념긔구(初喪入殮器
具)440)를 일일히 혜쥰을 맛기고 쳔만 당부
ᄒᆞ딕, 학ᄉᆞ를 맛ᄎᆞᆷᄂᆡ 구치 못ᄒᆞ거든 상녜셔
(喪禮書)를 보아가며 납념지녜(入殮之
禮)441)를 극진히 ᄒᆞ라 ᄒᆞ고, 급히 샹경ᄒᆞ니,

---

437)일변(一邊) : 한편.
438)망쥬야(罔晝夜) : 밤낮을 가리지 아니하고 부지
　런히 어떤 일을 함.
439)되치다 : 알아채다. 알아차리다.
440)초상납념긔구(初喪入殮器具) : 사람이 죽은 때로
　부터 시신을 씻겨 수의를 갈아입히고 염포(殮布)
　로 묶어서 관(棺)에 넣을 때까지 사용할 모든 기
　구와 물품.
441)입념지녜(入殮之禮) : 상례(喪禮)에서 입관(入棺)

혜쥰 등이 ᄌᆞᄉᆞ를 마즈 써나미 홀연이 의디홀 곳이 업셔, 더욱 슬프믈 니긔디 못ᄒᆞ고, 양쥐 닌읍 쥬【40】현(隣邑州縣)과 복거(伏居) ᄉᆞ태우(士大夫)450) 등이 윤흑ᄉᆡ 쳥명ᄌᆡ덕(淸名才德)을 공경ᄒᆞ여, 그 유딜ᄒᆞᆷ믈 아니 공경ᄒᆞ리 업ᄉᆞ나, 슌ᄌᆞᄉᆞ도 온가디로 곳치려 ᄒᆞ다가 못ᄒᆞ니, 뉘 ᄌᆞᄉᆡ 졍셩만 ᄒᆞ니 이시리오. 다만 문병ᄌᆡ(問病者) 죵일브졀(終日不絶)ᄒᆞ더라.

션시의 댱쇼졔 칼히 딜니인 명빅이 겨오 니어 셜쳐ᄉᆞ 집의 곰초여 옥 ᄀᆞᄐᆞᆫ 긔린을 싱ᄒᆞ미, ᄋᆞ희 용모와 골격이 완연이 부친으로 ᄒᆞᆫ 판의 박은 둣ᄒᆞ니, 댱시 화란여ᄉᆡᆼ(禍亂餘生)으로 ᄋᆞᄌᆡ 비상ᄒᆞᆷ믈 힝열ᄒᆞ여 심ᄉᆞ를 위로ᄒᆞᄂᆞᆫ 빈 되어시ᄃᆡ, 흑ᄉᆡ 찬츌 후로 더욱 넘녀ᄒᆞ【41】는 밧ᄌᆞᄂᆞᆫ 그 ᄃᆡᆨ상ᄒᆞᆫ 증이 가비압디 아니턴 바를 근심ᄒᆞ여, 노ᄌᆞ 듕셕을 양쥐 보ᄂᆡ여 소식을 아라오ᄃᆡ, 구ᄐᆞ여 흑ᄉᆞ긔 ᄉᆞ라시믈 통치 아니코 슌슌이 댱ᄉᆞ마의 셔간으로써 평부를 뭇더니, 일일은 듕셕이 바로 셜부의 나와 흑ᄉᆡ 환휘 듕ᄒᆞᆷ믈 고ᄒᆞ여, 혜쥰 등이 통읍(慟泣)ᄒᆞ여 이 소식을 취운산 옥화산의 통ᄒᆞ라 ᄒᆞ던 바를 알외니, 댱시 쳥필의 ᄎᆞ악ᄒᆞ여 어린ᄃᆞ시 말을 못ᄒᆞ다가, 날호여 몸을 움죽여 협ᄉᆞ(篋笥)의 두어 필 깁을 어더 남의를 짓게 ᄒᆞ고, 뎡·ᄒᆞ·조 삼부의 통치 아니니, ᄲᅡᆼ셤【42】이 뭇ᄌᆞ오ᄃᆡ,

"쇼졔 쥬군의 환휘 위듕ᄒᆞ시믈 삼부(三府)의 긔별치 아니ᄒᆞ시ᄂᆞ니잇가?"

쇼졔 탄왈,

"조부의 이 소식을 통ᄒᆞ미 존고의 참통ᄒᆞ신 심식 오죽ᄒᆞ시며, 하부와 뎡부의셔 아라도 유익ᄒᆞᆫ 일이 업ᄉᆞ니, 브졀업시 통ᄒᆞ리오. 다만 너와 내 남의(男衣)를 변착(變着)ᄒᆞ고 쳔니마(千里馬) 일필(一匹)식 어드면 양쥐로

---
449)입념디녜(入殮之禮) : 상례(喪禮)에서 입관(入棺)과 염습(殮襲)에 따르는 모든 의례.
450)ᄉᆞ태우(士大夫) : 사대부(士大夫). 선비(士)와 대부(大夫)를 아울러 이르는 말. 문무 양반(文武兩班)을 일반 평민층에 상대하여 이르는 말이다. *태우; 대부(大夫)의 옛말.

혜쥰 등이 ᄌᆞᄉᆞ를 마즈 써나미 홀연이 의지홀 곳이 업셔, 더욱 슬프믈 니긔지 못ᄒᆞ고, 양쥐 닌읍쥬현(隣邑州縣)과 복거(伏居) ᄉᆞ티위(士大夫)442) 윤학ᄉᆡ 현명ᄌᆡ덕(賢名才德)을 공경ᄒᆞ여, 그 유질ᄒᆞᆷ믈 아니 넘녀ᄒᆞ리 업ᄉᆞ나, 슌ᄌᆞᄉᆞ도 온가지로 곳치려 ᄒᆞ드ᄀᆞ 못ᄒᆞ니, 뉘 ᄌᆞᄉᆡ 졍셩만 ᄒᆞ리 이시리오. 다만 문병지 죵일부졀(終日不絶)ᄒᆞ더라.

션시의 댱쇼졔 칼의 질니인 명빅이 겨오 니어, 셜쳐ᄉᆞ 집의 감초여【97】옥 ᄀᆞᄐᆞᆫ 긔린을 싱ᄒᆞ미, ᄋᆞ희 용모와 골격이 완연이 부친으로 ᄒᆞᆫ 판의 박은 둣ᄒᆞ니, 《댱싱∥댱시》 화란여ᄉᆡᆼ(禍亂餘生)으로 ᄋᆞᄌᆡ 비상ᄒᆞᆷ믈 힝녈ᄒᆞ여 심ᄉᆞ를 위로ᄒᆞᄂᆞᆫ 빈 되어시ᄃᆡ, 학ᄉᆡ 찬츌 후로 더욱 넘녀ᄒᆞᄂᆞᆫ 바는 그 젹상ᄒᆞᆫ 증이 ᄀᆞ비얍지 아니턴 바를 근심ᄒᆞ여, 노ᄌᆞ 즁셕을 양쥐 보ᄂᆡ여 소식을 아라오ᄃᆡ, 구ᄐᆞ여 학ᄉᆞ게 ᄉᆞ랏시믈 통치 아니코, 슌슌이 댱ᄉᆞ마의 셔간으로써 평부를 뭇더니, 일일은 즁셕이 바로 셜부의 ᄂᆞ와 학ᄉᆡ 환휘 즁ᄒᆞᆷ믈 고ᄒᆞ여, 혜쥰 등이 통읍ᄒᆞ여 이 소식을 취운산 옥화산의 통ᄒᆞ라 ᄒᆞ던 바를 알외니, 댱시 쳥필의 ᄎᆞ악ᄒᆞ여 어린둣시 말을 못ᄒᆞᄃᆞ가【98】날호여 몸을 움죽여 협ᄉᆞ의 두어 필 깁을 어더 남의를 짓고, 뎡·하·조 숨부의 통티 아니니, ᄲᅡᆼ셤이 뭇ᄌᆞ오ᄃᆡ,

"쇼졔 쥬군의 환휘 위즁ᄒᆞ시믈 삼부의 긔별치 아니ᄂᆞ니잇ᄀᆞ?"

쇼졔 탄왈,

"조부의 이 소식을 젼ᄒᆞ면 존고의 참통ᄒᆞ신 심식 오작ᄒᆞ시며, 하부와 뎡부의셔 아라도 유익ᄒᆞᆫ 일이 업ᄉᆞ니, 부졀업시 통ᄒᆞ리오. 다만 너와 내 남의(男衣)를 변착(變着)ᄒᆞ고 쳔니마(千里馬) 일필(一匹)식 어드면, 양쥐로 가미 더디지 아닐가 ᄒᆞ노라."

과 염습(殮襲)에 따르는 모든 의례.
442)ᄉᆞ태우(士大夫) : 사대부(士大夫). 선비(士)와 대부(大夫)를 아울러 이르는 말. 문무 양반(文武兩班)을 일반 평민층에 상대하여 이르는 말이다. *태우; 대부(大夫)의 옛말.

가미 더듸디 아닐가 ᄒ노라."

ᄒ고, 남의를 디으며 썅셤을 지촉ᄒ여 져닙을 거슬 디으라 ᄒ고, 셜쳐ᄉ를 쳥ᄒ여 하딕 왈,

"쇼딜이 슉부 퇵상의 머므러 윤부 ᄉ긔 되여 가믈 보고져 ᄒ더니, 【43】이제 윤군의 질양이 위독ᄒᄆᆞᆯ 드르미, 져의 유병ᄒᆫ 곳이 쳔니 타향의 원뎍죄슈(遠謫罪囚)로 ᄒᆞᆫ 낫 권당(眷黨)이 업ᄉ니, 비록 망극ᄒᆫ 일이 이셔도 무식ᄒᆫ 노지 ᄉ리를 모로니, 그 시슈(屍首)를 즉시 거두어 소장(素帳)451) 입념(入殮)452)도 녜(禮)딕로 못ᄒ올디라. 쇼딜의 ᄉ싱고락(死生苦樂)이 져의게 달녀시니, 졔 만일 ᄉ망디환(死亡之患)이 업ᄉ딘딕, 구텬(九天)이 잔명을 슬펴 쇼딜(小姪)이 죽디 아닐 거시오, 혹ᄌ 악착ᄒᆫ 일이 이셔 화변을 당ᄒᆯ디라도, 쇼딜이 그 시톄를 입념ᄒ여 초상이나 무한(無恨)이 츌ᄒ고, 그 뒤흘 좃ᄂ 거시 올ᄒ니, 이런 ᄣᆞ를 당ᄒ여 적은 념치(廉恥), 규문(閨門)의 낫 가【44】리오ᄂ 녜를 츌히디 못ᄒ올디라. 이 말ᄉᆞᆷ을 부모긔 고ᄒ면 반ᄃ시 망녕되믈 최ᄒ시고, 화교옥뉸(華轎玉輪)의 위의를 츌히샤 보닉시리니, 쇼딜이 날개 업셔 나디 못ᄒᆞᆯ 슬허ᄒᆞᄂ 무음으로, 어이 즐거온 사름ᄀᆞᆺ치 쳔쳔이 ᄒᆡᆼᄒ리잇고? 임의 남의를 일윗ᄂ니 금일이 비록 져므러시나, 명일 효신(曉晨)을 기다리디 못ᄒ여 하딕을 고ᄒ옵ᄂ니, 슉부ᄂ 기리 안강ᄒ시고 쇼딜의 유ᄌ(乳子)를 아딕 이 곳의 두쇼셔."

쳐ᄉ 대경 왈,

"현딜이 이 엇딘 말이뇨? ᄉ빈의 딜양을 념녀ᄒ여 양줘로 가고져 홀딘딕 내라도 호ᄒᆡᆼᄒ리니, 쳥【45】츈 약질이 남복으로 쳔니발셥(千里跋涉)453)을 무ᄉ히 ᄒ리오. 결

---

451) 소장(素帳) : 장사 지내기 전에 궤연(几筵) 앞에 치는 하얀 포장.

452) 입념(入殮) : 입관(入棺)과 습(襲)·염(殮)을 말함. 곧, 초상이 났을 때, 시신을 씻긴 뒤 수의를 갈아 입혀 베로 싸 묶고 관(棺) 속에 넣는 상례절차.

453) 쳔니발셥(千里跋涉) : 천리나 되는 먼 길을 산을

ᄒ고, 남의를 지으며 썅셤을 지촉ᄒ여 져닙을 거슬 지으라 ᄒ고, 셜쳐ᄉ를 쳥ᄒ여 하직 왈,

"쇼딜이 슉부 퇵상의 머므러 윤부 ᄉ긔 되여 가믈 보고ᄌ ᄒ【99】더니, 이제 윤군의 질양이 위독ᄒᄆᆞᆯ 드르미, 져의 유병ᄒᆫ 곳이 쳔니 타향의 원젹죄슈(遠謫罪囚)로 ᄒᆞᆫ 낫 권당(眷黨)이 업ᄉ니, 비록 망극ᄒᆫ 일이 이셔도 무식ᄒᆫ 노지 ᄉ리를 모로니, 그 시슈(屍首)를 즉시 거두어 소장(素帳)443) 닙념(入殮)444)도 녜(禮)딕로 못ᄒ올지라. 쇼딜의 ᄉ싱고락(死生苦樂)이 져의게 달녀시니, 졔 만닐 ᄉ망지환(死亡之患)이 업ᄉᆯ진딕, 구텬(九天)이 잔명을 슬펴 쇼딜이 죽지 아닐 거시오, 혹ᄌ 악착ᄒᆫ 화변이 이셔도, 쇼딜이 그 시톄를 닙념ᄒ여 초상이나 무한(無恨)이 츌ᄒ고, 그 뒤흘 좃ᄂ 거시 올ᄒ니, 니런 ᄠᆞ를 당ᄒ여 적은 념치(廉恥), 규문(閨門)의 ᄂᆺ ᄀᆞ리오ᄂ 녜를 츌히지 못ᄒ올지라. 이 말ᄉᆞᆷ을 부모긔 고ᄒ면 반ᄃ시 망녕되믈 칙ᄒ시고, 화교【100】옥뉸(華轎玉輪)의 위의를 츌히ᄉ 보닉시리니, 쇼딜이 날개 업셔 나지 못ᄒᆞᆯ 슬허 ᄒᆞᄂ 무음으로, 어이 즐거온 ᄉ람ᄀᆞᆺ치 쳔쳔이 ᄒᆡᆼᄒ리잇고? 님의 남의를 닐윗ᄂ니 금일이 비록 져므러시나, 명일 효신(曉晨)을 기ᄃ리지 못ᄒ여 하직을 고ᄒ옵ᄂ니, 슉부ᄂ 기리 안강ᄒ시고 쇼딜의 유ᄌ(乳子)를 아직 이 곳의 두쇼셔."

쳐ᄉ 대경 왈,

"현딜이 이 엇진 말이뇨? ᄉ빈의 질양을 념녀ᄒ여 양줘로 가고져 홀진딕 니라도 호ᄒᆡᆼᄒ리니, 청츈 약질이 남복으로 쳔니발셥(千里跋涉)445)을 무ᄉ히 ᄒ리오. 결단코 되

---

443) 소장(素帳) : 장사 지내기 전에 궤연(几筵) 앞에 치는 하얀 포장.

444) 닙념(入殮) : 입관(入棺)과 습(襲)·염(殮)을 말함. 곧, 초상이 났을 때, 시신을 씻긴 뒤 수의를 갈아 입혀 베로 싸 묶고 관(棺) 속에 넣는 상례절차.

445) 쳔니발셥(千里跋涉) : 천리나 되는 먼 길을 산을

단코 되디 못홀 의논인가 ᄒ노라."

쇼졔 창황(悵怳)이 니러, 졀ᄒ여 왈,

"ᄎᄒ힝은 일시도 더디디 못ᄒ오리니, 슉부의 명을 위월코져 ᄒ미 아니라, 텬ᄌ 명픽 계셔도 이 일의ᄂ 가히 밧드디 못ᄒ리로소이다."

쳐시 능히 개유치 못홀 줄 알고, 급히 쳔니ᄆ를 주고, 셔뎨(庶弟) 셜강으로 쇼져를 ᄡ라 양쥐가지 다려다 주고 오라 ᄒ니, 셜강이 슈명ᄒ여 황혼의 셜부를 ᄯ여날ᄉᆡ, 쇼졔 운환(雲鬟)454)을 프러 운고(雲-)455)를 ᄇᆞᆺ고, 쳥포(靑袍) 흑건(黑巾)456)을 ᄀᆞ초와 슉부를 비별ᄒ고, 유모를 당부ᄒ여 유ᄌ【46】를 조심 보호ᄒ라 ᄒ고, 창황이 믈고 오로니, ᄬᅡᆼ셤이 역시 남복으로 ᄯᅩᆯ오고, 셜강이 알플 당ᄒ여 양쥐로 갈ᄉᆡ, 쇼졔 셜강을 위ᄒ여 밤마다 졈샤(店舍)의 드러 ᄌᄂ 쳬ᄒ나, 즉시 도로 ᄭᆡ여 쥬야 ᄒᆡᆼᄒ여 양쥐 니르니, ᄎᄉᆞ 윤흑ᄉ의 병셰 날노 위악(危惡)ᄒᆫ디라, 노ᄌ 등이 슌ᄌᄉ의 출혀준 바 초종 졔구(初終諸具)를 닉여 상변(喪變)을 ᄃᆡ후(待候)ᄒᄂ니라. 흔 술 믈이 목을 넘디 못ᄒ연 디 오일이니, 목 우희 실낫 ᄀᆞᆺᄐᆫ 명ᄆᆡᆨ이 ᄎᆞ 슷디 아녀시므로 시신이라 칭오디 못ᄒ나, 슈죡(手足)과 일신(一身)의 흔 조각 온 긔 업ᄉ니, 슈혹ᄒ던 ᄋᄋ동 십여인【47】이 날마다 모다 ᄉ부(師父)의 딜환이 위극ᄒ믈 슬허 ᄒ고, 좁은 집의 닌니 향당이 가득이 모혀 참연ᄒ믈 마디 아니ᄒ더니, 댱쇼졔 이에 다ᄃᆞ라, 셜강을 보아 왈,

"딜(姪)의 쳐신이 심히 번거ᄒᆞᆫ디라. 아딕 윤군의 노ᄌ 등도 알뇌고져457) 아닛ᄂᆞ니,

─────────────

넘고 믈을 건너 길을 감.
454)운환(雲鬟) : 여자의 탐스러운 쪽 찐 머리.
455)운고(雲-) : 남자의 구름처럼 아름다운 상투머리.
  *고: 남자가 상투를 틀 때 머리털을 고리처럼 되도록 감아 넘긴 것.
456)흑건(黑巾) : 복건(幞巾). 도복(道服)에 갖추어서 머리에 쓰던 건(巾). 검은 헝겊으로 위는 둥글고 삐죽하게 만들었으며, 뒤에는 넓고 긴 자락을 늘어지게 대고 양옆에는 끈이 있어서 뒤로 돌려 매게 되어 있다.
457)알뇌다 : 알리다. 아뢰다.

지 못홀 의논인가 ᄒ노라."

쇼졔 창황(悵怳)이 니러 졀ᄒ여 왈,

"ᄎᄒ힝은 일시도 더디지 못ᄒ리니, 슉부의 명을【101】위월코즈 ᄒ미 아니라, 텬ᄌ 명픽 계셔도 ᄎᄉ의ᄂ 가히 밧드지 못ᄒ리로소이다"

쳐시 능히 기유치 못홀 줄 알고, 급히 쳔니ᄆ를 주고 셔뎨 셜강으로 댱시를 ᄡ라 양쥐ᄀᆞ지 ᄃᆞ려다 두고 오라 ᄒ니, 셜강이 슈명ᄒ여 황혼의 셜부를 ᄯ여날ᄉᆡ, 쇼졔 운환(雲鬟)446)을 프러 운고(雲-)447)를 졍히 ᄇᆞᆺ고, 쳥포(靑袍) 흑건(黑巾)448)을 ᄀᆞ초와 슉부를 비별ᄒ고, 유모를 당부ᄒ여 유ᄌ를 조심 보호ᄒ라 ᄒ고, 창황이 믈게 오르니, ᄬᅡᆼ셤이 역시 남복으로 ᄯᅩᆯ오고, 셜강이 압흘 당ᄒ여 양쥐로 갈ᄉᆡ, 쇼졔 셜강을 위ᄒ여 밤마다 쥬인(住人)449)의 드러 ᄌᄂ 쳬ᄒ나, 즉시 도로 ᄭᆡ여 쥬야 ᄒᆡᆼᄒ여 양쥐 니르니, ᄎᄉᆞ 윤학ᄉ의 병셰 날노 위악(危惡)ᄒ니 노ᄌ 등이 슌ᄌᄉ의【102】출혀준 바 초종 ○○[졔구](初終諸具)을 닉여 상변(喪變)을 ᄃᆡ후ᄒᄂ지라. 흔 술 믈이 목을 넘지 못ᄒ연 지 오일이라, 목 우희 실낫 ᄀᆞᆺᄐᆫ 목숨이 ᄎᆞ 슷지 아녀시므로 시신이라 칭오지 못ᄒ나, 슈죡(手足)과 일신(一身)의 흔 조각 온 긔 업ᄉ니, 슈학ᄒ던 ᄋᄋ동 십여 인 날모다 모다 ᄉ부(師父)의 딜환이 위극ᄒ믈 슬허 ᄒ고, 좁은 집의 닌니 향당이 ᄀᆞ득이 모혀 참연ᄒ믈 마지 아니ᄒ더니, 댱쇼졔 이에 다ᄃᆞ라 셜강을 보아 왈,

"나의 쳐신이 심히 번거ᄒᆞᆫ지라. 아직 윤

─────────────

넘고 믈을 건너 길을 감.
446)운환(雲鬟) : 여자의 탐스러운 쪽 찐 머리.
447)운고(雲-) : 남자의 구름처럼 아름다운 상투머리.
  *고: 남자가 상투를 틀 때 머리털을 고리처럼 되도록 감아 넘긴 것.
448)흑건(黑巾) : 복건(幞巾). 도복(道服)에 갖추어서 머리에 쓰던 건(巾). 검은 헝겊으로 위는 둥글고 삐죽하게 만들었으며, 뒤에는 넓고 긴 자락을 늘어지게 대고 양옆에는 끈이 있어서 뒤로 돌려 매게 되어 있다.
449)쥬인(住人) : 객점(客店). 숙소(宿所). 집을 떠난 사람이 임시로 묵는 집.

숙시(叔氏)의 거동을 보고 우리 노쥬의 거동을 보면, 혜쥰은 영오ᄒᆞᆫ다라 모로디 아닐 둧ᄒᆞ니, 쳥컨딕 숙시ᄂᆞᆫ 타쳐(他處)를 뎡ᄒᆞ여 머믈면, 딜은 ᄲᆞᆼ셤을 다리고 바로 드러가리라."

셜강이 딕왈,
"원간 나의 외개(外家) 츠쳐 삼십니 졍(程)의 이시니, 쇼져ᄂᆞᆫ 윤혹ᄉᆞ 환후를 각별 조심 구호ᄒᆞ여 회소디경(回蘇之境)【48】을 보쇼셔."

댱쇼졔 탄왈,
"인졍이 이러코져 아니리오마ᄂᆞᆫ, 사ᄅᆞᆷ의 ᄉᆞ싱이 지텬ᄒᆞ니 아모리 될 줄 모로리로소이다."

셜강이 탄식고 즉시 그 외가로 가거ᄂᆞᆯ, 댱쇼졔 ᄲᆞᆼ셤으로 혜쥰을 불너 압ᄒᆡ 니르믹, 이에 ᄀᆞᆯ오딕,
"우리ᄂᆞᆫ 호쥐 사ᄅᆞᆷ으로셔, 맛ᄎᆞᆷ 이 곳을 디나더니, 도듕의셔 드르니, '윤혹시 츠쳐의 찬덕ᄒᆞ여 병셰 위악다' ᄒᆞ니, 내 윤혹ᄉᆞ로 더브러 일면디분(一面之分)이 업ᄉᆞ딕, 인심의 츄연ᄒᆞ여 ᄒᆞᆫ 번 증후를 보고져 ᄒᆞᄂᆞ니, 너희 허락ᄒᆞ랴?"

혜쥰이 댱시의 풍치 쇄연ᄒᆞ고 용뫼 슈려ᄒᆞᄆᆞᆯ 보믹, 【49】 져의 쥬모(主母) 댱부인은 발셔 셰상을 바린 디 삼년이므로, 댱신줄 싱각디 못ᄒᆞ고, 텬션이 하강ᄒᆞ여 혹ᄉᆞ를 살오려 ᄒᆞᄂᆞᆫ가 희츌망외(喜出望外)ᄒᆞ여, 년망(連忙)이 머리를 두다려 샤례ᄒᆞ고, 인도ᄒᆞ여 병소의 드러오니, 댱시 갓가이 나아가 니불을 열고 보니, 년화(蓮花) ᄀᆞᆺᄐᆞᆫ 얼굴의 혈식이 돈감ᄒᆞ여 찬 옥 ᄀᆞᆺ고, 셜(雪膚)부의 빙골(水骨)만 남아 딘ᄒᆞ여 가는 거동이 위틱ᄒᆞ여, 상요(床褥)458)의 아조 몸을 바려 희미히 숨 잇는 시신이 되엿ᄂᆞᆫ디라. 쇼졔 초경을 당ᄒᆞ여ᄂᆞᆫ 눈물이 압셔기를 면치 못ᄒᆞ나, 혜쥰 등이 괴이히 넉일가, ᄀᆞ마니 졔어(制御)ᄒᆞ고 【50】 이윽이 겻틱 셧시딕, 혹시 아

군의 노ᄌᆞ 등도 알뇌고ᄌᆞ450) 아닛ᄂᆞ니, 숙시(叔氏)의 거동을 보고 우리 노쥬의 거동을 보면, 혜쥰은 영오ᄒᆞᆫ지라 모로지 아닐 둧ᄒᆞ니, 쳥컨딕 숙시ᄂᆞᆫ 타쳐를 졍ᄒᆞ여 머믈면, 딜(姪)은 ᄲᆞᆼ셤을 드리고 ᄇᆞ로【103】드러가리라"

셜강이 딕왈,
"원간 나의 외개 츠쳐 삼십 니 졍의 이시니 쇼져ᄂᆞᆫ 윤학ᄉᆞ 병을 각별 구호ᄒᆞ여 회소지경(回蘇之境)을 보쇼셔"

"댱시 탄왈,
"인졍이 이러코져 아니리오마ᄂᆞᆫ, ᄉᆞ람의 ᄉᆞ싱이 지텬ᄒᆞ니 아모리 될 줄 모로리로라"

셜강이 탄식고 즉시 그 외가로 가거ᄂᆞᆯ, 댱쇼졔 ᄲᆞᆼ셤으로 혜쥰을 불너 알픽 니르믹, 이의 ᄀᆞᆯ오딕,
"우리ᄂᆞᆫ 호쥐 ᄉᆞ람으로 맛ᄎᆞᆷ 이 곳을 지나더니, 도즁의셔 드러니 윤학시 츠쳐의 찬젹ᄒᆞ여 병이 위악다 ᄒᆞ니, 내 윤학ᄉᆞ로 일면지분(一面之分)이 업ᄉᆞ딕, 인심의 츄연ᄒᆞ여 ᄒᆞᆫ 번 증후를 보고ᄌᆞ ᄒᆞᄂᆞ니, 너희 허락ᄒᆞ랴?"

혜쥰이 댱시의 풍치 쇄연ᄒᆞ고 용뫼 슈려ᄒᆞᄆᆞᆯ 보믹, 져의 쥬모(主母) 댱부인은 【104】셰상을 바린 지 숨년이므로, 댱신줄 싱각 못ᄒᆞ고, 텬션이 하강ᄒᆞ여 학ᄉᆞ를 술오려 ᄒᆞᄂᆞᆫ가 희츌망외(喜出望外)ᄒᆞ여, 년망(連忙)이 머리를 두다려 ᄉᆞ례ᄒᆞ고, 인도ᄒᆞ여 병소의 드러오니, 댱시 ᄀᆞᆺᄀᆞ이 ᄂᆞ아가 니불을 널고 보니, 년화 (蓮花)ᄀᆞᆺᄐᆞᆫ 얼굴의 혈식이 돈감ᄒᆞ여 츤 옥 ᄀᆞᆺ고, 셜부의 빙골(水骨)만 남아 진ᄒᆞ여 가는 거동이 위틱ᄒᆞ여, 상뇨(床褥)451)의 아조 몸을 ᄇᆞ려 희미히 숨 잇는 시신이 되엿ᄂᆞᆫ지라. 쇼졔 초경을 당ᄒᆞ여ᄂᆞᆫ 눈물이 압셔기를 면치 못ᄒᆞ나, 혜쥰 등이 괴이히 넉일가 ᄀᆞ만니 졔어(制御)ᄒᆞ고

---

458)상요(床褥) : 침상에 편 요라는 뜻으로, '잠자리'를 말함.

450)알뇌다 : 알리다. 아뢰다.
451)상뇨(床褥) : 침상에 편 요라는 뜻으로, '잠자리'를 말함.

모란 줄 모로 는니라. 쇼졔 헤오디 윤군이
츌텬셩효(出天誠孝)와 슉슉(肅肅)혼 덕홰며
빈빈혼 녜졀이 공밍(孔孟) 이후 일인이라.
안회(顏回)[459] 디현(至賢)호샤디 조요(夭夭)
호시고, 공지(孔子) 대셩(大聖)이샤디 빅셰
를 누리디 못호샤, 츈츄난셰(春秋亂世)[460]
의 텰환ᄉ방(轍環四方)[461]호샤, 상가디구(喪
家之狗)[462]의 비기는 욕(辱)을 보아 계시니,
슈요궁달(壽夭窮達)[463]이 그 사름으로 가지
아니나, 윤군의 상뫼 오복(五福)[464]이 관비
(寬備)호며 슈한(壽限)이 댱원(長遠)홀 닷혼
디라. 엇디 십칠 쳥츈의 비명원ᄉ(非命冤死)
홀 윤군이리오. 내 져를 위호여 원근을 혜
디 말고 긔특혼 의ᄌ(醫者)를 만나, 혹 【5
1】ᄌ 약효를 보면 만힝이오, 그러치 못호
여 맛춤닉 ᄌ리의 니디 못홀 거뢰 이실지라
도, 나의 졍셩을 다호여 남은 한이 업ᄉ 후
져를 좃촘미 쏘혼 늣디 아니라 호여, 혜쥰
다려 므러 왈,

"이 곳의 는 의지 업 느냐?"

혜쥰이 디왈,

"젼후의 쓴 약이 무슈호오나 촌회(寸效)
업고, 상공이 금일가지 보젼호미 도로혀
《이상호믈‖이상호여이다》."

{알외니} 당시 ○○○[닷건디] 언언이 슬
프믈 니긔디 못호나, 쳔만 강인호여 화평이
닐오디,

"너의 상공의 환후를 보아는 실노 회소디
경(回蘇之境)을 보미 어려오나, 텬니인ᄉ(天

니욱히 겻히 셧시디, 학ᄉ 아모란 줄 모ᄅ
는지라. 쇼졔 혜오디 윤군이 츌텬셩효(出天
誠孝)와 슉슉(肅肅)혼 덕홰며 빈빈혼 녜졀
【105】이 공밍(孔孟) 이후 일인이라. 안회
(顏回)[452] 지현(至賢)호샤디 조요(夭夭)호시
고, 공지 대셩(大聖)이샤디 빅셰를 누리지
못호샤, 츈츄난셰(春秋亂世)[453]의 쳘환텬하
(轍環天下)[454]호샤, 상가지구(喪家之狗)[455]
의 비기는 욕을 보시니, 슈요궁달(壽夭窮
達)[456]이 그 스람으로 가지 아닛느니, 윤군
의 상뫼 오복(五福)[457]이 완비호며, 슈한(壽
限)이 장원(長遠)홀 닷 혼지라. 엇지 십칠
쳥츈이 비명원ᄉ(非命冤死홀 윤군이리오.
내 져를 위호여 원근을 혜지 말고 긔특혼
의ᄌ(醫者)를 만나, 혹ᄌ 약효를 보면 만힝
이오, 그러치 못호여 맛춤닉 ᄌ리의 니지
못홀 거뢰 잇실지라도, 나의 졍셩을 다호여
남은 한이 업ᄉ 후 져를 조츠미 쏘혼 늣지
아니타 호여, 이의 혜쥰ᄃ려 므러 왈,

"이 곳의 는 의지 업 느냐?"

혜쥰【106】이 디왈,

"젼후의 쓴 약이 무슈호오나 촌회(寸孝)
업고 학ᄉ 금일가지 보젼호미 도로혀 니상
호여이다."

당시 닷건디 언언이 슬픔을 니긔지 못호
나, 쳔만 강잉호여 화평이 닐오디,

"너히 상공의 환후를 보아는 실노 회소지
경(回蘇之境)을 보기 어려오나, 텬니인ᄉ(天

---

459) 안회(顏回) : 안자(顏子). 공자의 제자. 십철(十
哲) 가운데 한 사람.
460) 츈츄난셰(春秋亂世) : 중국 주나라가 동쪽으로
도읍을 옮긴 기원전 770년부터 기원전 403년까지
약 360년간의 전란 시대.
461) 텰환ᄉ방(轍環四方) : 수레를 타고 사방을 돌아
다님.
462) 상가디구(喪家之狗) : 상갓집 개라는 뜻으로 행
색이 남루하여 형편없는 사람을 비속하게 이르는
말.
463) 슈요궁달(壽夭窮達) : 오래 삶과 일찍 죽음 그리
고 빈궁(貧窮)과 영달(榮達)을 아울러 이르는 말.
464) 오복(五福) : 유교에서 이르는 다섯 가지의 복. 보
통 수(壽), 부(富), 강녕(康寧), 유호덕(攸好德), 고
종명(考終命)을 이른다.

452) 안회(顏回) : 안자(顏子). 공자의 제자. 십철(十
哲) 가운데 한 사람.
453) 츈츄난셰(春秋亂世) : 중국 주나라가 동쪽으로
도읍을 옮긴 기원전 770년부터 기원전 403년까지
약 360년간의 전란 시대.
454) 텰환ᄉ방(轍環天下) : 수레를 타고 천하를 두루
돌아다님.
455) 상가디구(喪家之狗) : 상갓집 개라는 뜻으로 행
색이 남루하여 형편없는 사람을 비속하게 이르는
말.
456) 슈요궁달(壽夭窮達) : 오래 삶과 일찍 죽음 그리
고 빈궁(貧窮)과 영달(榮達)을 아울러 이르는 말.
457) 오복(五福) : 유교에서 이르는 다섯 가지의 복. 보
통 수(壽), 부(富), 강녕(康寧), 유호덕(攸好德), 고
종명(考終命)을 이른다.

理人事) 그딕도록 《도상∥됴상(早喪)》홀
니 업스니, 나는 실【52】노 깁흔 넘녀를
두지 아닛느니, 여등이 흔 씌도 써나디 말
고 좌우의 딕회여시라."

혜쥰 등이 눈물을 쓰려 왈,

"상공 말솜이 맛당ᄒ시나, 우리 노애 젹
샹ᄒ시기를 남달니 ᄒ여 계신디라. 이번 딜
환이 블의예 어드심과 달나 본병이 깁흐시
던 거시니, 어이 회소ᄒ시기를 바라리잇
고?"

댱시 다시 말을 아니코 밧긔 나와, ᄀ마
니 쥬역《팔과∥팔패(八卦)》를 인ᄒ여 흑
ᄉ 병후의 길흉을 졈복(占卜)홀시, 댱쇼졔
본딕 녀ᄌ의 쒸여난 지죄 이셔 의슐 졈법을
히득ᄒ니, 비록 처음 위악ᄒ나 나죵은 회소
【53】디경(回蘇之境)을 볼 비오, 즈긔 남
으로 이빅니(二百里)를 힝흔죽 이인(異人)을
만나, 흑ᄉ의 병근(病根)을 다 업시 ᄒ고 부
부의 익운이 딘ᄒ며 길운이 올디라. 듕심의
환희ᄒ여 초일의 흔 술 셕반(夕飯)을 나오
디 아니코, 쌍셤으로 더브러 향남(向南)ᄒ여
갈식, 혜쥰다려 슈일 닉 다시 오믈 니르고
덩쳐 업시 나가니, 쌍셤 왈,

"쇼졔 경샤를 써나신 후 흔 그릇 듁음을
나오디 아니시고, 쳥슈로 년명ᄒ시니 반ᄃ
시 큰 질환을 닐위실디라. 쇼졔마ᄌ 병와
(病臥)ᄒ시면, 쥬군의 환후를 뉘 구완ᄒ리잇
고? 쳥컨딕 촌졈(村店)의 드러가 식반을 ᄉ
요긔【54】ᄒ쇼셔."

쇼졔 은젼을 닉여 셤을 주어 밥을 사 요
긔(療飢)ᄒ라 ᄒ고, 탄왈,

"나는 비록 먹디 아니나 관계치 아니니,
너는 브졀업시 넘녀 말나."

쌍셤이 쇼져의 딘식디 아니믈 보고 혼ᄌ
먹고져 ᄯᆞᆺ이 업셔, 눈물을 흘니고 밥이 목
을 넘디 아냐 술을 ᄉ 요긔ᄒ고, 쇼져를 뫼
셔 밤식도록 남으로 힝ᄒ니, 긔구산곡(崎嶇
山谷)465)의 무셔온 회포(虎豹)와 흉흔 독사
(毒蛇) 좌우의 가득ᄒ여, 사롬의 ᄌ최를 보
고 히코져 ᄒ여 달녀드다가도, 쇼졔 흔 번

理人事) 그딕도록 조요(早夭)홀 니 업스니,
나는 실노 깁흔 넘녀를 두지 아닛느니, 여
등이 흔 씌도 써느지 말고 좌우의 직회엿시
라."

혜쥰 등이 눈물을 쓰려 왈,

"상공 말숨이 맛당ᄒ시나 우리 노애 젹샹
ᄒ시기를 남달니 ᄒ여 계신지라. 이번 딜환
이 블의예 어드심과 달나 본병이 깁흐시던
거시니 어이 회츈ᄒ시물 바라리잇고?"

댱시 두시 말을【107】아니코 밧긔 ᄂ와,
ᄀ만니 쥬역(周易) 팔패(八卦)를 인ᄒ여 학
ᄉ 병후의 길흉을 졈복(占卜)홀시, 댱쇼졔
본딕 녀ᄌ의 쒸여난 직죄 잇셔, 의슐·졈슐
을 히득ᄒ니, 비록 처음 위악ᄒ나 나죵은
회소지경(回蘇之境)을 볼 거시오, 즈긔 남으
로 이빅니(二百里)를 힝흔죽, 이인(異人)을
만나 학ᄉ의 병근(病根)을 다 업시 ᄒ고, 부
부의 익운이 진ᄒ며 길운이 올지라. 즁심의
환희ᄒ여 초일의 흔 술 셕반(夕飯)을 나오
지 아니코, 쌍셤으로 더브러 향남(向南)ᄒ여
갈식, 혜쥰드려 슈일 닉 다시 오믈 니르고
덩쳐 업시 ᄂ가니, 《장셤∥쌍셤》 왈,

"쇼졔 경샤를 써나신 후 흔 그릇 죽음을
나오지 아니시고, 쳥슈로 년명ᄒ시니 반ᄃ
시 큰 질환을 닐위실지라.【108】쇼졔 마ᄌ
병와(病臥)ᄒ시면 쥬군의 환후를 뉘 구완ᄒ
리잇고? 쳥컨딕 촌졈(村店)의 드러가 식반
을 ᄉ 요긔ᄒ쇼셔"

쇼졔 은젼을 닉여 셤을 주어 밥을 ᄉ 뇨
긔(療飢)ᄒ라 ᄒ고, 탄왈,

"나는 비록 먹지 아니나 관계치 아니니
너는 부졀업시 넘녀 말나."

쌍셤이 쇼져의 진식지 아니믈 보고, 혼ᄌ
ᄉ 먹고져 ᄯᆞᆺ이 업셔 눈물을 흘니고, 밥이
목을 넘지 아냐 술을 ᄉ 뇨긔(療飢)ᄒ고, 쇼
져를 뫼셔 밤식도록 남으로 힝ᄒ니, 긔구산
곡(崎嶇山谷)458)의 무셔온 호표(虎豹)와 흉
흔 독사 좌우의 ᄀ득ᄒ여, ᄉ람의 ᄌ최를
보고 히코ᄌ 달녀드다ᄀ도, 쇼졔 흔 번 소

---

465)긔구산곡(崎嶇山谷) : 험한 산골짜기.

458)긔구산곡(崎嶇山谷) : 험한 산골짜기.

소릭를 눕혀 즐퇴(叱退)흐죽 감히 범치 못ᄒᆞᄂᆞ디라.

임의 밤이 딘ᄒᆞ고 날이 식여 반【55】오(半午)의 밋쳐ᄂᆞᆫ ᄲᅡᆼ셤이 쇼져긔 고ᄒᆞ딕,

"쇼졔 다만 남으로 힝ᄒᆞ여 이 곳의 오시니, 아디 못게이다, 므어슬 바라ᄂᆞᆫ 일이 잇ᄂᆞ니잇고?"

쇼졔 탄왈,

"엇디 바라ᄂᆞᆫ 일이 이시리오마는, 대인이 젼ᄌᆞ 양쥐 안찰ᄉᆞ를 ᄒᆞ여 계실 졔 드르니, 읍져(邑底)466)의셔 이빅니(二百里) 밧긔 남악산이 잇고, 데일봉의 향운딕란 누(樓)를 일워, 동셔(東西)로 불ᄉᆞ(佛舍)와 유도(儒道)를 분ᄒᆞ여 동누(東樓)의ᄂᆞᆫ 녁딕 셩ᄌᆞ(聖者) 명현(名賢)의 화상을 봉안ᄒᆞ고, 셔루(西樓)의ᄂᆞᆫ 허다ᄒᆞᆫ 불상을 ᄎᆞ례로 안쳐, 츈츄로 크게 두 곳의 졔향ᄒᆞ고, 사름이 졀박ᄒᆞᆫ 일이 이셔 분향 특원ᄒᆞ면 혹 녕험(靈驗)【56】이 잇다 ᄒᆞ던 비라. 나의 졍니 궁극(窮極)ᄒᆞ여 힝ᄒᆞ혀 향운딕의 비러 효험을 볼가 바라노라."

이리 니르며 남악산을 ᄎᆞᆺ즈 니르미, 산형이 슈려ᄒᆞ며 경물이 졀승ᄒᆞ여 봉만(峰巒)이 샏혀나고 긔화이최(奇花異草) 셩ᄒᆞ여 향긔로온 너 옹비(擁鼻)ᄒᆞ니, 딘실노 별유셰계(別有世界)오, 봉닉방장(蓬萊方丈)467)이라. 쇼졔 향운딕 딕휜 도ᄉᆞ를 불너 분향 특원홀 긔구를 출히라 ᄒᆞ고, 은젼(銀錢)을 주미, 이윽고 슈호(守護)군468)이 나와 다 가ᄌᆞ시믈469) 고ᄒᆞ고, 딕듕(臺中)의 드르시믈 쳥ᄒᆞ니, 댱시 몸 우희 이의 남복이 이시믈 미더

---

466)읍져(邑底) : 읍내(邑內).

467)봉닉방장(蓬萊方丈) : 봉래산(蓬萊山)과 방장산(方丈山)을 함께 이르는 말. 각각 중국 전설에 나오는 영산(靈山)인 삼신산(三神山) 가운데 하나로, 진시황과 한무제가 불로불사약을 구하기 위하여 동남동녀 수천 명을 보냈다고 한다. 이 이름을 본떠 우리나라의 금강산을 봉래산, 지리산을 방장산이라고도 하며, 또 한라산을 중국 삼신산 가운데 하나인 영주산이라 이르기도 한다.

468)슈호(守護)군 : 수호(守護)꾼. 지키고 보호하여 주는 사람. *-군; -꾼. '어떤 일을 잘하는 사람'의 뜻을 더하는 접미사.

469)가ᄌᆞ다 : 갖추다. 가지런하다.

릭를 눕혀 즐퇴흐죽 감히 범치 못ᄒᆞᄂᆞᆫ지라.

임의 밤【109】이 진ᄒᆞ고 날이 식여 반오의 밋쳐ᄂᆞᆫ ᄲᅡᆼ셤이 쇼져게 고ᄒᆞ딕,

"쇼졔 ᄃᆞ만 남으로 힝ᄒᆞ여 이 곳의 오시니, 아지 못게이다, 무어슬 바라ᄂᆞᆫ 일이 잇ᄂᆞ니잇고?"

쇼졔 탄왈,

"엇지 바라ᄂᆞᆫ 일이 이시리오마는, 딕인이 젼ᄌᆞ 양쥐 안찰ᄉᆞ를 ᄒᆞ여 계실 졔 드르니, 읍져(邑底)459)의셔 이빅니(二百里) 밧긔 남악산이 잇고, 데일봉의 향운딕란 누(樓)를 일워, 동셔로 불ᄉᆞ(佛舍)와 유도(儒道)를 분ᄒᆞ여 동누(東樓)의ᄂᆞᆫ 녁딕 셩ᄌᆞ명현(聖者名賢)의 화상(畫像)을 봉안ᄒᆞ고, 셔루(西樓)의ᄂᆞᆫ 허다ᄒᆞᆫ 불상을 ᄎᆞ례로 안쳐, 츈츄로 두 곳의 크게 졔ᄒᆞ고, 스람이 졀박ᄒᆞᆫ 일이 이셔 분향 축원ᄒᆞ면, 혹 녕험(靈驗)이 잇다 ᄒᆞ던 비라. 나의 졍니 궁극(窮極)ᄒᆞ여 힝ᄒᆞ혀 혀 향운딕의 빌면 효험을 볼가 바라노【110】라."

니리 니르며 《암악산∥남악산》을 ᄎᆞ져 니르미, 산형이 슈려ᄒᆞ며 경물이 졀승ᄒᆞ여 봉만(峰巒)이 샏혀나고 긔화니최(奇花異草) 셩ᄒᆞ여 향긔로온 너 옹비(擁鼻)ᄒᆞ니, 진실노 별유셰계(別有世界)오 봉닉방장(蓬萊方丈)460)이라. 쇼졔 향운딕 직휜 도ᄉᆞ를 불너 분향 축원홀 긔구를 출히라 ᄒᆞ고, 은젼(銀錢)을 주매 이윽고 슈호(守護)군461)이 ᄂᆞ와 다 ᄀᆞᄌᆞ시믈462) 고ᄒᆞ고, 딕즁(臺中)의 드르시믈 쳥ᄒᆞ니, 댱시 몸 우희 이의 남복이 이

459)읍져(邑底) : 읍내(邑內).

460)봉닉방장(蓬萊方丈) : 봉래산(蓬萊山)과 방장산(方丈山)을 함께 이르는 말. 각각 중국 전설에 나오는 영산(靈山)인 삼신산(三神山) 가운데 하나로, 진시황과 한무제가 불로불사약을 구하기 위하여 동남동녀 수천 명을 보냈다고 한다. 이 이름을 본떠 우리나라의 금강산을 봉래산, 지리산을 방장산이라고도 하며, 또 한라산을 중국 삼신산 가운데 하나인 영주산이라 이르기도 한다.

461)슈호(守護)군 : 수호(守護)꾼. 지키고 보호하여 주는 사람. *-군; -꾼. '어떤 일을 잘하는 사람'의 뜻을 더하는 접미사.

462)가ᄌᆞ다 : 갖추다. 가지런하다.

앙연(盎然)이[470] 거러 드러가, 몬져 녁디 제현 화상의 비【57】현ᄒ고, 인ᄒ여 초과(茶菓)를 베퍼 분향 튝원홀시, 말노뼈 일ᄏ른즉 혹즈 드르리 이실가 ᄒ여, 낭듕(囊中)의 디필(紙筆)을 너여 윤혹스의 슈를 빌며 복을 청ᄒ여 화상 알패 노코, 고두비튝(叩頭拜祝)ᄒ기를 맛ᄎ미, 튝샤(祝辭)를 즉시 촉화(燭火)의 살오고, 다시 셔루의 드러가 ᄯ 깅반(羹飯)을 버리고, 셕가여릭(釋迦如來)와 제불(諸佛) 나한(羅漢)[471]의 빅비빈튝(百拜頻祝)[472]ᄒ여 윤혹스의 병을 거두고 슈복(壽福)을 빌미, 졍셩이 텬디신명이 감동홀 비라. 날이 셕양의 비로소 쳥튝(請祝)ᄒ기를 긋치고 긱당으로 나아오더니, 믄득 밧그로셔 일인이 츄포갈건(麤袍葛巾)[473]으로 구유장(杖)[474]을 집고 긱당으【58】로 드러오니, 의픠(儀表) 탈속(脫俗)ᄒ여 학골봉형(鶴骨鳳形)이오 션풍도골(仙風道骨)이라. 댱쇼졔 혹스의 병을 위ᄒ미, 쇼쇼념치(小小廉恥)와 잔 붓그러오믈 도라보디 못ᄒᄂ니라. 츠인의 거동이 결단ᄒ여 쇽뉴(俗流) 아니믈 알고, 혹스의 병을 뵈고져 ᄒ므로 흠신 공경ᄒ여 네필(禮畢) 좌뎡(坐定)의, 쇼졔 몬져 몸을 굽혀 왈,

"쇼싱이 절박ᄒ 스졍을 인ᄒ여 금일 향운뒤의 분향 튝원코져 니르럿더니, 쳔만 의외 션싱을 비견(拜見)ᄒ니 결단ᄒ여 딘셰(塵世) 쇽뉴(俗流)를 더러이 넉이실디라. 그윽이 싱각건디, 진황(秦皇)[475] 한무(漢武)[476]의 위엄으로도 맛ᄎ뉘 신션을 만나디 못ᄒ엿거【59】늘, 쇼싱은 년쇼 필부로 우연이 향운

시믈 미더 앙연(盎然)이[463] 거러 드러가, 몬져 녁디 제현 화상의 비현ᄒ고, 인ᄒ여 초과(茶菓)를 베퍼 분향 축원홀시, 말노뼈 닐ᄏ룬즉 혹즈 드르리 이실가 ᄒ여, 낭즁(囊中)의 지필(紙筆)을 너여 윤학스의 슈를 빌며 복을 청ᄒ여 화상 알【111】픠 노코, 고두비축(叩頭拜祝)ᄒ기를 맛ᄎ미, 축스(祝辭)를 즉시 촉하의 술오고, 다시 셔루의 드러ᄀ ᄯ 깅반을 버리고, 셕가여릭(釋迦如來)와 졔불(諸佛) 나한(羅漢)[464]의 빅비빈축(百拜頻祝)[465]ᄒ여 윤학스의 병을 거두고 슈복(壽福)을 빌미, 졍셩이 텬디신명이 감동홀 비라. 날이 셕양의 비로소 쳥축(請祝)ᄒ기를 긋치고 긱당으로 나아오더니, 믄득 밧그로셔 일인이 츄포갈건(麤袍葛巾)[466]으로 구유장(杖)[467]을 집고 긱당으로 드러오니, 의픠(儀表) 탈속(脫俗)ᄒ여 학골봉형(鶴骨鳳形)이오 션풍도골(仙風道骨)이라. 댱쇼졔 학스의 병을 위ᄒ매, 쇼쇼념치(小小廉恥)와 준 붓그러오믈 도라보지 못ᄒᄂ지라. 츠인의 거동이 결단코 쇽뉴(俗流) 아니믈 알고, 학스의 병을 뵈고ᄌ ᄒ므로 흠신 공경【112】ᄒ여 네필(禮畢) 좌졍(坐定)의, 쇼졔 몬져 몸을 굽혀 왈,

"쇼싱이 절박ᄒ 스졍이 이셔 금일 향운뒤의 분향 축원코ᄌ 니르럿더니, 쳔만 의외 션싱을 비현ᄒ니 결단ᄒ여 진셰(塵世) 쇽뉴(俗流)를 더러이 넉이실지라. 그윽히 싱각건디 진황(秦皇)[468] 한무(漢武)[469]의 위엄으로도 맛ᄎ뉘 신션을 만나지 못ᄒ엿거늘, 쇼싱은 년쇼 필부로 우연이 향운뒤의 와 존션

---

470)앙연(盎然)이 : 당당(堂堂)히. 사물이나 감정 따위가 넘쳐 있는 모양.
471)나한(羅漢) : 아라한(阿羅漢). 생사를 이미 초월하여 배울 만한 법도가 없게 된 경지의 부처.
472)빅비빈튝(百拜頻祝) : 백번을 절하여 소원을 빔.
473)츄포갈건(麤袍葛巾) : 거친 베로 지은 두루마기를 입고 갈포(葛布)로 만든 두건을 쓴 차림.
474)구유장(구유장) : 미상. 지팡이의 일종.
475)진황(秦皇) : 진시황(秦始皇). BC259~210. 중국 진(秦)나라 시황제(始皇帝). 재위 BC246~210.
476)한무(漢武) : 한무제(漢武帝). B.C.156~87. 중국 전한(前漢) 제7대 황제. 재위 BC141-87.

463)앙연(盎然)이 : 당당(堂堂)히. 사물이나 감정 따위가 넘쳐 있는 모양.
464)나한(羅漢) : 아라한(阿羅漢). 생사를 이미 초월하여 배울 만한 법도가 없게 된 경지의 부처.
465)빅비빈튝(百拜頻祝) : 백번을 절하여 소원을 빔.
466)츄포갈건(麤袍葛巾) : 거친 베로 지은 두루마기를 입고 갈포(葛布)로 만든 두건을 쓴 차림.
467)구유장(杖) : 미상. 지팡이의 일종.
468)진황(秦皇) : 진시황(秦始皇). BC259~210. 중국 진(秦)나라 시황제(始皇帝). 재위 BC246~210.
469)한무(漢武) : 한무제(漢武帝). B.C.156~87. 중국 전한(前漢) 제7대 황제. 재위 BC141-87.

딕의 와 존션(尊仙)을 구경홀 쪄라. 이 ᄀ장 범연치 아닌 일이니, 엇디 쇼싱의 비루ᄒᆞ믈 붓그려 션싱의 ᄒᆞᆫ 번 교회(敎誨)ᄒᆞ시믈 청치 아니리잇고? 아디 못게이다, 고성대명(高姓大名)을 어더 드ᄋᆞ[르]리잇가?"

기인이 희미히 웃고, ᄯᅩ 공경 왈,

"비인(鄙人)은   산야우밍(山野愚氓)이라. 감히 문달(聞達)을 바라디 못ᄒᆞ고, 텬하의 오유(遨遊)ᄒᆞ여 앗춤의 북ᄒᆡ상(北海上)의 놀고 져녁의 동졍호(洞庭湖)를 ᄎᆞᄌᆞ니, ᄌᆞ최낙낙(落落)ᄒᆞ여 셩명을 니를 거시 업고, 법회(法號) 업ᄉᆞ니 다만 산야비인(山野鄙人)이라. 이제 귀인으로 더브러 초면(初面)으로 딕ᄒᆞ나, 귀인의 당ᄒᆞ신 바 우환【60】이 가장 비상ᄒᆞ시믈 아ᄂᆞ니, 넉디 셩현과 불상 압히 분향 특원ᄒᆞᄂᆞᆫ 졍셩이 ᄯᅩ흔 텬디신기(天地神祇) 감동홀 비니, 비인의 젹은 환약(丸藥)이 아니라도 윤흑ᄉᆞ의 회소지경(回蘇之境)은 넘녀 업ᄉᆞ려니와, 연(然)이나 본병(本病)의 근위(根位)[477] 심상치 아니니, 병을 곳치미 초두(初頭)[478] 상흔 거슬 업시 ᄒᆞ여야, 빅병이 스스로 스러지게 ᄒᆞ리니, 귀인은 이 약을 가져가 흑ᄉᆞ의 입의 가라 드리오쇼셔."

이의 ᄉᆞ매 안흐로조ᄎᆞ 셰 낫 환약을 닉니, 모양이 대명쥬(大明珠) ᄀᆞᆺ고, 빗치 찬난ᄒᆞ여 셰상 환약과 닉도ᄒᆞ더라. 쇼졔 쳔만 싱각 밧 이인(異人)을 만나 녕약(靈藥)을 어드미, 쳔만 샤【61】례ᄒᆞ니, 도인이 어셔 도라가믈 지쵹ᄒᆞ고 인ᄒᆞ여 간 곳이 업ᄂᆞ더라. 쇼졔 크게 신긔히 넉여 밧비 도라 오니, 이곳이 이빅니(二百里) 졍되(程道)[479]라, 엇디 일일지닉(一日之內)의 도라 오리오. 작일(昨日) 셕양의 남악산으로 힝ᄒᆞ여 우명일(又明日) 조됴(早朝)의 도라오니, 이ᄂᆞᆫ 밤을 혜지 아냐 힝ᄒᆞ미라.

이날은 흑ᄉᆞ의 병셰 위급ᄒᆞ여 계명시(鷄

(尊仙)을 구경홀 쪄라. 이 ᄀ장 범연치 아닌 일이니, 엇지 쇼싱의 비루ᄒᆞ믈 붓그려 션싱의 ᄒᆞᆫ 번 교회(敎誨)ᄒᆞ시믈 쳥치 아니리잇고? 아지 못게이다, 고셩대명(高姓大名)을 어더 드르리잇ᄀᆞ?"

기인이 희미히 웃고 ᄯᅩ 공경 왈,

"비인은 산야우밍(山野愚氓)이라. 감히 문달(聞達)을 바라지 못【113】ᄒᆞ고, 텬하의 오유(遨遊)ᄒᆞ여 아춤의 북ᄒᆡ상(北海上)의 놀고 져녁의 동졍호(洞庭湖)를 ᄎᆞᄌᆞ니, ᄌᆞ최낙낙(落落)ᄒᆞ여 셩명을 니를 거시 업고, 법회(法號) 업ᄉᆞ니 다만 산야비인(山野鄙人)이라. 이제 귀인으로 더브러 초면으로 딕ᄒᆞ나, 귀인의 당ᄒᆞ신 바 우환이 ᄀ장 비상ᄒᆞ시믈 아ᄂᆞ니, 넉디 셩현과 불상 압히 분향 축원ᄒᆞᄂᆞᆫ 졍셩이 ᄯᅩ흔 텬디신기(天地神祇) 감동홀 비니, 비인의 젹은 환약(丸藥)이 아니라도 윤학ᄉᆞ의 회소지경(回蘇之境)은 넘녜 업ᄉᆞ려니와, 그러나 본병의 근위(根位)[470] 심상치 아니니, 병을 곳치미 초두(初頭)[471] 상흔 거슬 업시 ᄒᆞ여야, 빅병이 스스로 스러지게 ᄒᆞ리니, 귀인은 이 약을 가져가 학ᄉᆞ의 닙의 ᄀᆞ라 너흐쇼셔."

ᄒᆞ고 이의 ᄉᆞ【114】ᄆᆡ 안흐로셔 셰 낫 환약을 닉니, 모양이 디명주(大明珠) ᄀᆞᆺ고 빗치 찬난ᄒᆞ여 셰상 환약과 닉도ᄒᆞ지라. 쇼졔 쳔만 싱각 밧 이인(異人)을 만나 녕약(靈藥)을 어드미, 쳔만 ᄉᆞ례ᄒᆞ니, 도인이 어셔 도라가믈 지쵹ᄒᆞ고 인ᄒᆞ여 간 곳이 업ᄂᆞ지라. 쇼졔 크게 신긔히 넉여 밧비 도라 오니, 이곳이 ᄋᆞ[이]빅니(二百里) 졍되(程道)[472]라. 엇지 일일지닉의 도라 오리오. 작일 셕양의 남악산으로 힝ᄒᆞ여 우명일(又明日) 조됴(早朝)의 도라오니, 이ᄂᆞᆫ 밤을 혜지 아냐 힝ᄒᆞ미라.

이 날은 학ᄉᆞ의 병셰 위급ᄒᆞ여 계명시(鷄

---

477)근위(根位) : 근본이 되는 것이 자리 잡고 있는 위치.
478)초두(初頭) : 늑애초. 맨 처음.
479)졍되(程道) : 노정(路程). 목적지까지의 거리. 또는 목적지까지 걸리는 시간.

470)근위(根位) : 근본이 되는 것이 자리 잡고 있는 위치.
471)초두(初頭) : 늑애초. 맨 처음.
472)졍되(程道) : 노정(路程). 목적지까지의 거리. 또는 목적지까지 걸리는 시간.

鳴時)의 엄홀흔 거술, 날이 붉도록 씌디 못
ᄒ고 아조 혈빅이 것치니480), 혜○[쥰] 굿
튼 튱의 노지, 그 쥬인의 절명코져 ᄒ는 거
동을 디ᄒ여 엇지 망극디 아니리오. 가슴을
두다려 이읍(哀泣)ᄒ고, 닌니(隣里) 졔인이
잠간 드러가 보고 홀 일 업다 ᄒ여, 초혼
(招魂)481)【62】 졔구(諸具)를 디령ᄒ더니,
댱쇼졔 급히 혜쥰을 불너 므르디,

"네 상공 딜환이 그 ᄉ이 엇더 ᄒ시뇨?"
혜쥰이 망극ᄒ여 뉴쳬(流涕) 디왈,
"시방은 홀 일 업ᄉᆞᆫ니 초혼홀 긔구를
출히ᄂᆞ이다."
댱시 이인의 주던 약을 밋고 왈,
"네 상공을 내 다시 드러가 보고 쁠 약이
이시니, 잡사룸을 병소의 드러오게 말며, 여
러히 디져괴디482) 말나."

혜쥰이 슈명ᄒ여 여러 사룸을 치오고, 댱
쇼졔 드러가 혹ᄉ를 보니 만무싱되(萬無生
道)오, 딘ᄒᆞᆫ는 명이 경긱의 급ᄒ니, 비록 회
싱약(回生藥)을 어더 와시나 망망(茫茫)흔
텬슈(天數)를 오히려 다 아디 못ᄒ고, 창황
망극(愴惶罔極)흔 심ᄉ를 어이 비홀 거시
이【63】 시리오마는, 쯧을 뎡ᄒ여 윤혹ᄉᆡ
ᄉ디 못ᄒᆞᆫ는 날이면, 즈긔 흔가지로 목슘을
긋쳐 궁텬극통(窮天極痛)을 모로려 ᄒᆞᆫ는 고
로, 도로혀 흉금(胸襟)이 쳘옥(鐵玉)이 되엿
ᄂᆞᆫ디라. 밋쳐 삼다(蔘茶)도 달혀오디 못ᄒ
여, 도인의 주던 환약을 쳥슈(淸水)의 화ᄒ
여 혹ᄉ의 입의 드리오니, 젼일은 혹시 흔
술 물이라도 목을 넘기면 도로 거ᄉ려 능히
먹디 못ᄒ더니, 이날은 약믈이 년쇽ᄒᆞ되 거
ᄉ리ᄂᆞᆫ 일이 업셔 슌히 드러가ᄂᆞᆫ디라. 혜쥰

---

480)것치다 : ①그치다. 계속되던 일이나 움직임이
멈추거나 끝나다. ②걷히다. '걷다'의 피동사. 구름
이나 안개 따위가 흩어져 없어지다.

481)초혼(招魂) : 사람이 죽었을 때에, 그 혼을 소리
쳐 부르는 일. 죽은 사람이 생시에 입던 윗옷을
갖고 지붕에 올라서거나 마당에 서서, 왼손으로는
옷깃을 잡고 오른손으로는 옷의 허리 부분을 잡은
뒤 북쪽을 향하여 '아무 동네 아무개 복(復)'이라
고 세 번 부른다.

482)디져괴다 : 지저귀다. 새 따위가 계속하여 소리
내어 울다.

鳴時)의 엄홀흔 거술, 날이 붉도록 씌지 못
ᄒ고 아조 혈빅이 것치니473), 혜쥰 굿튼 츙
의 노지 그 쥬인의 절명코즈 ᄒ는 거동을
디ᄒ여, 엇지 망극지 아니리오. 가슴【11
5】을 두다려 이읍(哀泣)ᄒ고, 닌이(隣里)
졔인이 잠간 드러가 보고 홀일업다 ᄒ여,
초혼(招魂)474) 졔구(諸具)를 디령ᄒ더니, 댱
쇼졔 급히 혜쥰을 불너 무르디,

"너히 상공 질환이 그 ᄉ이 엇더 ᄒ뇨?"
혜쥰이 망극ᄒ여 뉴쳬 디왈,
"시방은 할 일 업ᄉ니 초혼홀 긔구를 출
히ᄂᆞ이다"
댱시 이인의 주던 약을 《밀고∥밋고》왈,
"네 상공을 두시 드러가 보고 쁠 약이 이
시니, 줍인을 병소의 드리지 말며 녀러히
지져괴지475) 말나"

혜쥰이 슈명ᄒ여 여러 사람을 다 치오고
댱쇼졔를 인도ᄒ여 드러가 보니, 만무싱
되(萬無生道)오, 진ᄒᆞᆫ는 명이 경긱의 급ᄒ
니, 비록 회싱단(回生丹)을 어더 왓시나 망
망(茫茫)흔 텬슈(天數)를 아지 못ᄒ고, 창
황망극(愴惶罔極)흔 심ᄉ를 어이 비홀 거시
이시리오마【116】는, 쯧을 뎡ᄒ여 윤학ᄉᆡ
ᄉ지 못ᄒᆞᆫ는 날이면 즈긔 흔가지로 목슘을
긋쳐 궁텬지통(窮天之痛)을 모로려 ᄒᆞᆫ는 고
로, 도로혀 흉금(胸襟)이 쳘옥(鐵玉)이 되엿
ᄂᆞᆫ지라. 밋쳐 슘다(蔘茶)도 들여 오지 못ᄒ
여 도인의 주던 환약을 쳥슈(淸水)의 화ᄒ
여 학ᄉ의 닙의 드리오니, 젼일은 혹시 흔
술 물이라도 목을 넘기면 도로 거ᄉ려 능히
먹지 못ᄒ더니, 이날은 약믈이 년쇽ᄒᆞ되 거
ᄉ리ᄂᆞᆫ 일이 업셔 슌히 드러가ᄂᆞᆫ지라. 혜쥰

---

473)것치다 : ①그치다. 계속되던 일이나 움직임이
멈추거나 끝나다. ②걷히다. '걷다'의 피동사. 구름
이나 안개 따위가 흩어져 없어지다.

474)초혼(招魂) : 사람이 죽었을 때에, 그 혼을 소리
쳐 부르는 일. 죽은 사람이 생시에 입던 윗옷을
갖고 지붕에 올라서거나 마당에 서서, 왼손으로는
옷깃을 잡고 오른손으로는 옷의 허리 부분을 잡은
뒤 북쪽을 향하여 '아무 동네 아무개 복(復)'이라
고 세 번 부른다.

475)디져괴다 : 지저귀다. 새 따위가 계속하여 소리
내어 울다.

은 창틈으로 여어보고 반드시 홀일업시 되여시므로, 젼일 거스려 토ᄒ던 긔운도 업는가 녀여 더욱 통졀ᄒ더라.

당쇼졔 셰 낫 환약을 프러 입의 드【64】리오며, 흑ᄉ의 얼굴을 ᄌᆞ시 살피미 졈졈 구술 ᄀᆞᆺ튼 ᄯᆞᆷ이 면모(面貌)의 가득ᄒ여 벼개의 흐르고, 어름 ᄀᆞᆺ튼 일신의 잠간 온긔 펴디고, 찬 옥 ᄀᆞᆺ튼 입시욹이 은연이 븕은 빗치 니러나니, 당시 만분 힝열ᄒ여 ᄲᅡᆼ셤을 다리고 벼개 가의 안ᄌᆞ, 하날을 우러러 흑ᄉ의 회두(回頭)ᄒ기를 그윽이 빈튝(頻祝)ᄒ고, 혜쥰 등은 창외의 셔셔 반일이 디나도록 아조 운명ᄒ미 업ᄉᄆᆞᆯ 도로혀 괴이히 녀여, 흑ᄌ 스경을 면홀가 죄오는 ᄆᆞ음이 대한(大旱)의 운예(雲霓)로 비홀 빈 아니라. 날이 져모도록 흑시 몸을 움죽이는 빈 업고, 온긔 시긱으로 조ᄎ 낫는 듯ᄒ더니, 밤【65】든 후 믄득 흑시 몸을 소소쳐 놀나는 사ᄅᆞᆷ ᄀᆞᆺ더니, 홀연 탄셩 비읍ᄒ여 흐르는 눈물이 오월댱슈(五月長水)483) ᄀᆞᆺ튀니, ᄲᅡᆼ셤이 겻튀 안ᄌᆞᆺ다가 블승경힝(不勝慶幸)484)ᄒ고, 쇼졔 소ᄅᆡ를 화(和)히 ᄒ여 왈,

"명공(明公)485)이 므슨 연고로 이디도록 비이(悲哀)ᄒ여 병톄를 샹히오시ᄂᆞ뇨?"

흑시 아모의 소ᄅᆡ를 ᄭᆡ돗디 못ᄒ여 희미히 답왈,

"ᄭᅮᆷ이 상시(常時) ᄀᆞᆺ디 못ᄒ여 ᄭᆡ미 허ᄉᆞ(虛事)니, 엇디 슬프디 아니리오. 내 평싱 엄안(嚴顔)을 모로오미[민], 골졀의 ᄉᆞᄆᆞᆺ는 슬프미 궁텬디통(窮天之痛)이러니, 금일이 하일(何日)이완ᄃᆡ, ᄭᅮᆷ이 넉슬 인ᄒ여 우리 션야야(先爺爺)의 존안(尊顔)을 반기뇨?"

언필의 병듕 심시 약ᄒ므로 조ᄎ 셜운 거ᄉᆞᆯ 능히 춤【66】디 못ᄒ여, 소ᄅᆡ를 늬ᄎ486) 통곡기를 마디 아니니, 혜쥰 등이 창

483)오월댱슈(五月長水) : 오월의 장맛비.
484)블승경힝(不勝慶幸) : 기쁘고 다행함을 이기지 못함.
485)명공(明公) : 듣는 이가 높은 벼슬아치일 때, 그 사람을 높여 이르던 이인칭 대명사.
486)늬ᄎ다 : 내차다. 앞이나 밖을 향하여 힘껏 차내다.

은 창 틈으로 녀어보고 반드시 홀일업시 되여시므로 젼일 거스려 토ᄒ던 긔운도 업는 ᄀᆞ 녀여 더욱 통졀ᄒ더라.

당쇼졔 셰 낫 환약을 프러 입의 드리오며, 흑ᄉ의 얼굴을 ᄌᆞ셔히 슬피미【117】졈졈 구술 ᄀᆞᆺ튼 ᄯᆞᆷ이 면모(面貌)의 가득ᄒ여 벼기의 흐르고, 어름 ᄀᆞᆺ튼 일신의 잠간 온긔 펴지고, 츤 옥 ᄀᆞᆺ튼 닙시욹이 은연이 븕은 빗치 니러나니, 당시 만분 힝녈ᄒ여 ᄲᅡᆼ셤을 드리고 벼개 ᄀᆞᄒᆡ 안ᄌᆞ, 하ᄂᆞᆯ을 우러러 흑ᄉ의 회두(回頭)ᄒ기를 그윽이 빈츅ᄒ고, 혜쥰 등은 창외의 셔셔 반일이 지나도록 아조 운명ᄒ미 업ᄉᄆᆞᆯ 도로혀 괴이히 녀여, 흑ᄌ 스경을 면홀ᄀᆞ 죄오는 ᄆᆞᄋᆞᆷ이 ᄃᆡ한(大旱)의 운예(雲霓)로 비홀 빈 아니라. 날이 져무도록 흑시 몸을 움죽이는 빈 업고, 온긔 시긱으로 조ᄎ ᄂᆞ는 듯ᄒ더니, 밤든 후 믄득 흑시 몸을 소소쳐 놀나는 스람 ᄀᆞᆺ더니, 홀연 탄셩 비읍ᄒ여 흐르는 눈물이 오월댱슈(五月長水)476)【118】ᄀᆞᆺ튀니, ᄲᅡᆼ셤이 겻튀 안ᄌᆞᆺ다ᄀᆞ 블승경힝(不勝慶幸)477)ᄒ고, 쇼졔 소ᄅᆡ를 화(和)히 ᄒ여 왈,

"명공(明公)478)이 무슴 연고로 이디도록 비이(悲哀)ᄒ여 셩톄를 샹히오시ᄂᆞ뇨?"

흑시 아모의 소ᄅᆡ를 ᄭᆡ돗지 못ᄒ여 희미히 답왈,

"ᄭᅮᆷ이 상시(常時) ᄀᆞᆺ지 못ᄒ여 ᄭᆡ미 허ᄉᆞ(虛事)니, 엇지 슬프지 아니리오. 내 평싱 엄안(嚴顔)을 모로오미[민], 골졀의 ᄉᆞᄆᆞᆺ는 슬프미 궁텬디통(窮天之痛)이러니, 금일이 하일(何日)이완ᄃᆡ ᄭᅮᆷ이 넉슬 인ᄒ여 우리 션인(先人)479)의 존안을 반기뇨?"

언필의 병듕 심시 약ᄒ므로 조ᄎ 셜운 거ᄉᆞᆯ 능히 춤지 못ᄒ여, 소ᄅᆡ를 늬ᄎ480) 통곡

476)오월댱슈(五月長水) : 오월의 장맛비.
477)블승경힝(不勝慶幸) : 기쁘고 다행함을 이기지 못함.
478)명공(明公) : 듣는 이가 높은 벼슬아치일 때, 그 사람을 높여 이르던 이인칭 대명사.
479)션인(先人) : 선친(先親). 남에게 돌아가신 자기 아버지를 이르는 말.
480)늬ᄎ다 : 내차다. 앞이나 밖을 향하여 힘껏 차내다.

밧긔셔 듯다가 큰 경수를 당훈 듯, 거지(擧止) 실조(失調)ᄒ믈 면치 못ᄒ여, 셔로 하날을 우러러 샤례 왈,

"우리 노애 상셕(床席)의 엄엄(奄奄)히 몸을 바리샤 말숨을 일우디 못ᄒ션 디 월여(月餘)러니, 오날늘 슬허 통곡ᄒ시믈 보건디 반ᄃ시 나으시미 분명토다."
이러틋 깃거 방듕의 드러와 흑ᄉ긔 문후ᄒ려 ᄒ거늘, 빵셤이 디게 알패 나아가 막아 왈,
"우리 상공이 본디 고요훈 거슬 취ᄒ시ᄂ니, 브졀업시 디져괴디 말고 밧긔 이시라. 우리 상공이 ᄌ연 낫게 ᄒ시리라."
혜쥰 등이 욱이디 못ᄒ여 드러가디 못 【67】ᄒ나, 원간 흑ᄉ를 구ᄒᄂ 상공의 셩명도 모로고, 반ᄃ시 신션이 하강ᄒ여 구ᄒ민가 ᄒ더라.
흑시 쳐졀(凄切) 이곡(哀哭)ᄒ믈 긋디 아니ᄒ니, 댱쇼졔 흑ᄉ로 더브러 셩혼 ᄉ년이나 셔어ᄒ미 남 ᄀᆺᄐ여, 윤부의 이실 제도 태부인과 뉴시를 두려 흑ᄉ로 은졍이 졀ᄎ(絶遮)ᄒ미 되엿고, 또 태부인긔 딜니여 본부로 도라간 후ᄂ, 조금도 ᄉ라날가 넉이디 아니ᄒ고, 당시 싱존을 통치 아니ᄒ고 남과 다르미 업ᄉ니, 어이 친후(親厚)훈 ᄠᅳ시 이시리오. ᄒᆯ며 흑시 녜를 잡으미 남다르므로, ᄌ긔 남복으로 디(對)ᄒ여 그 병이 인ᄉ를 모를 졔도 붓그러운 ᄠᅳ시 업디 아니턴 바로, 그 졍신을 출 【68】 히기의 밋쳐ᄂ 참괴ᄒ여, 져의 신명ᄒ미 괴이ᄒᆫ디라, 혹ᄌ ᄌ가를 아라보ᄂᆫ가 크게 블안ᄒ여, 그 통곡이 디리(支離)ᄒ여 긋치디 아니ᄒᆷᄋᆞᆯ 졀민ᄒ여, 붓들고 위로 왈,
"몽시 비록 그러ᄒ여 심회 참졀(慘切)ᄒ시나, 엇디 무고히 통곡ᄒ여 사룸의 괴이히 넉이믈 취ᄒ며, 병회를 그디도록 손상케 ᄒ시ᄂ니잇가? 쳥컨디 믈비관억(勿悲寬抑)[487]ᄒ쇼셔."
흑시 그 말노조ᄎ 통곡을 긋치나, 쳬읍

---

487)믈비관억(勿悲寬抑) : 슬픔을 참고 억제함.

기를 마지 아니니, 혜쥰 등이 창 외의셔 듯ᄃᄀ 큰 경수를 당훈 듯, 거지(擧止) 실조(失調)ᄒ믈 면치 못ᄒ여, 셔로 하【119】늘을 우러러 샤례 왈,
"우리 노애 상셕(床席)의 엄엄(奄奄)이 몸을 바리ᄉ 말숨을 닐우지 못ᄒ션 지 월여(月餘)러니, 오늘날 슬허 통곡ᄒ시믈 보건디 반ᄃ시 나으시미 분명토다."
니러틋 깃거 방즁의 드러와 학ᄉ게 문후ᄒ려 ᄒ거늘, 빵셤이 지게 압히 ᄂ아가 막아 왈,
"우리 상공이 ᄌ연 낫게 ᄒ시리라"

혜쥰 등이 욱이지 못ᄒ여 드러가지 못ᄒ나, 원간 학ᄉ를 구ᄒᄂ 상공의 셩명도 모로고 반ᄃ시 신션이 하강ᄒ여 구ᄒ민가 ᄒ더라.
학시 쳐졀(凄切) 이곡(哀哭)ᄒ믈 마지 아니ᄒ니, 댱쇼졔 학ᄉ로 더브러 셩혼 ᄉ년이나 셔어ᄒ미 남 ᄀᆺᄐ여, 윤부의 이실 제도 틱부인과 뉴시를 두려 학ᄉ로 은졍이 졀【120】ᄎ(絶遮)ᄒ미 되엿고, 또 태부인게 질니여 본부로 도라간 후ᄂ 조금도 ᄉ라나지 아닐가 넉이지 아니ᄒ고, 당시 싱존을 통치 아니코 남과 드르미 업ᄉ니, 어이 친후훈 ᄠᅳ시 이시리오. ᄒᆯ며 학시 녜를 줍으미 남 다르므로, 딕ᄒ여 그 병이 인ᄉ를 모르을 졔도 붓그러운 ᄠᅳ시 업지 아니턴 바로, 그 졍신을 ᄎ리기의 밋쳐ᄂ 참괴ᄒ여, 져의 신명ᄒ미 괴이ᄒᆫ지라. 혹ᄌ ᄌ가를 아라보ᄂᆫ가 크게 블안ᄒ여, 그 통곡이 지리(支離)ᄒ여 긋치지 아니ᄒᆷᄋᆞᆯ 졀민ᄒ여, 붓들고 위로 왈,
"몽시 비록 그러ᄒ여 심회 참졀ᄒ나, 엇지 무고히 통곡ᄒ리오. ᄉ람의 괴이히 넉이믈 취ᄒ며, 병회를 그【121】디도록 손상케 ᄒ시ᄂ니잇가? 쳥컨디 믈비관억(勿悲寬抑)[481]ᄒ쇼셔."
학시 그 말노조ᄎ 통곡을 긋치나, 쳬읍

---

481)믈비관억(勿悲寬抑) : 슬픔을 참고 억제함.

(涕泣)ᄒᆞᄆᆞᆯ 마디 아니코, 구트여 방듕의 잇
ᄂᆞᆫ 사ᄅᆞᆷ을 출혀488) 보디 아니터니, 날호여
향벽(向壁)ᄒᆞ여 누으며 기리 늣겨 왈,

"ᄎᆞ신(此身)이 언제 죽어 앗가 몽혼ᄀᆞᆺ치
션야야(先爺爺)를 뫼시리오.【69】비록 몽
듕이나 우리 대인의 블초○[를] ᄉᆞ랑ᄒᆞ여,
어로만져 무이ᄒᆞ심과 보젼키를 경계ᄒᆞ시던
바는 ᄒᆞᆫ 일도 희미치 아니딕, 다만 당시 내
병을 위ᄒᆞ여 남악산 졔현(諸賢) 졔불(諸佛)
의 분향(焚香) 빈튝(頻祝)ᄒᆞ여 오명(吾命을
닛게 흠과, 태운 도인을 만나 회싱약을 어
더 오고 구호ᄒᆞᆷᄂᆞᆫ 허ᄉᆞ(虛事)라. 옥인이 날
ᄀᆞᆺᄐᆞᆫ 박덕 필부를 만난 연고로 비명원ᄉᆞ(非
命寃死)ᄒᆞ여 이칠쳥츈(二七靑春)의 앗가이
맛츤 디 삼년이라. 내 사ᄅᆞᆷ을 져바리미 아
니 밋츤 곳이 업ᄉᆞ니, 셩녜(成禮) 긔년(朞
年)의 돈연이 졍의를 펴본 일 업고, 그 죽
으ᄆᆞᆯ 당ᄒᆞ딕 ᄆᆞᄋᆞᆷ과 ᄀᆞᆺ치 통곡을 쾌히 못ᄒᆞ
고, ᄯᅩ 관(棺)의 나아가 영결치 못ᄒᆞ여 이
곳【70】의 죄뎍(罪謫)ᄒᆞ고, 초긔(初忌)489)
를 거년의 디나디 그 녕연(靈筵)의 셜졔(設
祭)ᄒᆞᆷᄆᆞᆯ 참예(參與)치 못ᄒᆞ며, 금년의 ᄯᅩ 대
긔(大朞)490)를 참예홀 도리 업ᄉᆞ니, 싱젼
ᄉᆞ후의 그 셩힝슉덕(聖行淑德)을 ᄒᆞᆫ 조각이
나 어이 갑흐미 이시리오."

언파의 상연(傷然) 오읍(嗚泣)ᄒᆞ다가, ᄯᅩ
희허(唏噓) 탄왈(嘆曰),

"시금(時今)의 경샤(京師) 형세를 혜아리
미, 대인이 교디(交趾)의셔 도라오디 못ᄒᆞ시
고, 우리 형뎨 남·양 이쳐(二處)의 분찬(分
竄)ᄒᆞ여 가ᄉᆞ를 가음알니 업ᄉᆞ니, 대모와
양모를 봉양ᄒᆞ리 업ᄂᆞᆫ디라. 노년 조모와 외
로오신 양뫼 탕잔(蕩殘)491)ᄒᆞᆫ 《가ᄉᆞ(家事)
∥ 가산(家産)》의 므ᄋᆞ스로ᄡᅥ 의식디졀(衣
食之節)을 ᄶᅵ의 밋ᄎᆞ리오. ᄒᆞᆯᄆᆞᆯ며 싱ᄌᆞ위(生

488)출히다 : 차리다. 기운이나 정신 따위를 가다듬
   어 되찾다.
489)초긔(初忌) : 사람이 죽은 지 1년이 되는 날.
490)대긔(大朞) : 대상(大祥). 사람이 죽은 지 두 돌
   만에 지내는 제사.
491)탕잔(蕩殘) : 늑탕진(蕩盡). 재물 따위를 다 써서
   없앰.

ᄒᆞᄆᆞᆯ 마지 아니코, 구트여 방즁의 잇ᄂᆞᆫ ᄉᆞ
람을 술펴지 아니터니, 날호여 향벽ᄒᆞ여 누
으며 기리 늣겨 왈,

"ᄎᆞ인(此人)482)이 언제 죽어 앗가 몽혼ᄀᆞᆺ
치 션야○[야](先爺爺)를 뫼시리오. 비록 몽
즁이나 우리 대인의 블초를 ᄉᆞ랑ᄒᆞ여 어로
만져 무이ᄒᆞ심과 보젼키를 경계ᄒᆞ시던 바
ᄂᆞᆫ, ᄒᆞᆫ 일도 희미치 아니딕, 다만 당시 내
병을 위ᄒᆞ여 남악산 졔현(諸賢) 졔불(諸佛○
의 분향(焚香) 빈츅(頻祝)ᄒᆞ여 오명(吾命)을
닛게 흠과, 틱운 도인을 만나 회싱약을 어
더 오고 구호ᄒᆞᆷᄂᆞᆫ 《예사∥허ᄉᆞ(虛事)》라.
옥인이 날 ᄀᆞᆺᄐᆞᆫ 박덕 필부를 만난 연고로,
【122】비명원ᄉᆞ(非命寃死)ᄒᆞ여 이칠쳥츈
(二七靑春)의 앗가이 맛츤 지 숨년이라. 내
ᄉᆞ람을 져바리미 아니 밋츤 곳이 업ᄉᆞ니,
셩녜(成禮) 긔년(朞年)의 돈연이 부부지졍을
펴본 일이 업고, 그 죽으ᄆᆞᆯ 당ᄒᆞ딕 ᄆᆞᄋᆞᆷ과
ᄀᆞᆺ치 통곡을 쾌히 못ᄒᆞ고, ᄯᅩ 관(棺)의 ᄂᆞ아
가 영결치 못ᄒᆞ여 이곳의 피젹(被謫)ᄒᆞ고,
초긔(初忌)483)를 거년의 지나딕 그 녕연의
셜졔ᄒᆞᆷᄆᆞᆯ 참예치 못ᄒᆞ며 금년의 ᄯᅩ 대긔(大
朞)484)를 참예홀 도리 업ᄉᆞ니, 싱젼 ᄉᆞ후의
그 셩힝슉덕(聖行淑德)을 ᄒᆞᆫ 조각이나 어이
갑흐미 이시리오."

언파의 상연(傷然) 오읍(嗚泣)ᄒᆞ다ᄀᆞ, ᄯᅩ
희허(噫噓) 탄왈(嘆曰),

"시금(時今)의 경ᄉᆞ(京師) 형세를 혜아리
미, 대인이 교지(交趾)의셔 도라오지 못ᄒᆞ시
고, 우리 곤계(昆季) 《남쥐∥남·양》 이쳐
(二處)의 분찬(分竄)ᄒᆞ여 외ᄉᆞ(外事)를 ᄀᆞ음
알【123】니 업ᄉᆞ며, 대모와 양모를 봉양ᄒᆞ
리 업ᄂᆞᆫ지라. 노년 조모와 외로오신 양뫼
탕잔(蕩殘)485)ᄒᆞᆫ 가산(家産)의 무어스로ᄡᅥ
의식지졀(衣食之節)을 ᄶᅵ의 밋ᄎᆞ리오. ᄒᆞᆯᄆᆞᆯ
며 싱모(生母)의 참통(慘痛)ᄒᆞ신 심ᄉᆞ와, 우

482)ᄎᆞ인(此人) ; 이 사람.
483)초긔(初忌) : 사람이 죽은 지 1년이 되는 날.
484)대긔(大朞) : 대상(大祥). 사람이 죽은 지 두 돌
   만에 지내는 제사.
485)탕잔(蕩殘) : 늑탕진(蕩盡). 재물 따위를 다 써서
   없앰.

慈闈) 참통호신 심스와 우리 형댱의【71】 남겨셔 아으라히 쳔슈 만한(千愁萬恨)으로 촌장(寸腸)을 녹이시미 사람의 참디 못홀 슬프미라. 내 팔지 궁험긔박(窮險奇薄)호여, 셰샹의 나미 부안(父顔)을 모로는 사람이 되고, 가변이 불가스문어타인(不可使聞於他人)이라. 졀졀이 가스를 혜아리미 실노 살 쯧이 업스니, 어나 결을의 쳐실(妻室)의 참스호믈 비졀(悲絶)호리오. 그러나 복ᄋ(腹兒)를 분산치 못호여, 훈 사람이 죽으미 모즈 이인이 목습을 끗는 작시오, 그 원혼이 쳔딕(泉臺)[492]의 프러디디 아니리니, 싱각 홀스록 참담흐더라. 아디 못게라, 하시는 싱 남지후(生男之後) 기리 무스흐믈 어덧【72】는가. 산 사람은 즈연 회합(會合)이 쉬 오려니와, 스즈(死者)는 블가부싱(不可復生)이니, 훈갓 쳔양디하(泉壤之下)의 셔로 보믈 원흐나, 내 므슨 낫츠로 녕빅(靈魄)인들 보리오.”

이처로 일크라 슬허 흐믈 마디 아니호더라.

화셜, 댱쇼졔 그 병심이 허약【73】

리 형댱의 남겨셔 아으라이 쳔슈만한(千愁萬恨)으로 촌장을 녹이시미, 스람의 참지 못홀 슬프미라. 내 팔지 궁험 긔박(窮險奇薄)호여 셰샹의 나미, 《부모‖부안(父顔)》 을 모로는 스람이 되고, 가변이 불가스문어타인(不可使聞於他人)이라. 졀졀이 가스를 혜아리미 실노 살고져 쯧이 업스니, 어늬 결을의 쳐실(妻室)을 싱각호며 참스(慘死)호믈 비졀(悲絶)호리오. 그러나 복ᄋ를 보전흔가.”

이쳐럼 닐크라 슬허흐물 마지 아니니,

---

492)쳔딕(泉臺) : 저승.

명듀보월빙 권디뉵십뉵

어시의 댱쇼졔 그 병심이 허약ᄒᆞᄆᆞᆯ 인ᄒᆞ
여 이럿툿 ᄒᆞᄆᆞᆯ 보미, 그윽이 민박(憫迫)ᄒᆞ
나, 져의 싱되 이셔 위증(危症)이 잠간 업ᄉᆞ
믈 본 후ᄂᆞᆫ, ᄌᆞ긔 즉시 도라가려 ᄒᆞᄆᆞ로 다
시 말을 아니〇[코], ᄡᅡᆼ셤으로 미듁(糜粥)을
식여 온닝(溫冷)을 맛초와, 날이 붉은 후 흑
ᄉᆞ의 딘식(進食)ᄒᆞ기를 쳥ᄒᆞ니, 흑시 비로소
머리를 드러 방듕을 살피며, 혜쥰을 블너
ᄌᆞ긔 몸을 잠간 붓드러 안치라 ᄒᆞ니, 댱쇼
졔 혜쥰 등과 일방의 안디 아니려 ᄒᆞ여, 즉
시 몸을 움죽여 가려 ᄒᆞ니, 흑【1】시 눈을
드러 댱시를 잠간 보미, 놀납고 괴이ᄒᆞᄆᆞᆯ
니긔디 못ᄒᆞ여, 도로혀 혜쥰을 드러오디 말
나 ᄒᆞ고, 냥안(兩眼)을 뎡히 ᄒᆞ여 슉시ᄒᆞ기
를 이윽이 ᄒᆞ디, 그 몸 우히 건복(巾服)이
잇고, 댱시 본디 신댱이 뉵쳑을 디나며, 녀
ᄌᆞ 뉴의ᄂᆞᆫ 잠간 크던 고로, 남복 ᄀᆞ온디 ᄀᆞ
장 녜ᄉᆞ로와, 일분도 쇼쇼(小小) ᄋᆞ녀ᄌᆞ의
용용졸약(庸庸拙弱)ᄒᆞᆫ 거동이 업셔, 영호특
이(英豪特異)ᄒᆞ미 남ᄌᆞ 등의도 호걸이 될디
라, ᄒᆞ믈며 댱시 단검(短劍)의 딜니인 시신
이 되어, 그 부형이 최여(輻輿)의 시러가믈
ᄌᆞ긔 눈으로 ᄌᆞ셔히 보앗고, 습넘(襲殮)의
친히 살피디 아냐시【2】나, 입관(入棺) 셩
복디시(成服之時)의ᄂᆞᆫ 모다 디니여시니, 평
싱의 단듕ᄒᆞ미 사ᄅᆞᆷ을 궁극히 의심치 아니
ᄒᆞ고 댱공의 슬허 ᄒᆞᄆᆞᆯ 보앗던 고로, 댱시
를 최우쳐493) ᄉᆞ랏다 ᄒᆞ기를 못ᄒᆞ여, 져 유
싱이 ᄯᅩ 용모 긔딜이 댱시와 쳑호리(尺毫
釐)494)도 다른 일이 업ᄂᆞᆫ 고로, 쳔만 의아
ᄒᆞ고 측냥치 못ᄒᆞ여 침음ᄒᆞ기를 마지 아니
ᄒᆞ다가, 날호여 댱시를 향ᄒᆞ여 굴오〇[디],
"싱이 병듕 졍신이 혼미ᄒᆞ여 현ᄉᆞ로 더브

댱 쇼졔 그 병심이 허약ᄒᆞᄆᆞᆯ 인ᄒᆞ여 니러
툿 ᄒᆞᄆᆞᆯ 보미, 불승【124】비감ᄒᆞ미 즉시
도라가려 ᄒᆞᄆᆞᆯ 닐큿지 못ᄒᆞ고, ᄡᅡᆼ셤으로 죽
음(粥飲)을 밧드러 학ᄉᆞ의게 나아오니, 진식
ᄒᆞᆫ 후 머리를 드러 방듕을 ᄉᆞᆯ피며, 혜쥰을
블너 ᄌᆞ긔 몸을 잠간 붓드러 안치라 ᄒᆞ니,
댱쇼졔 즉시 니러 가려 ᄒᆞ니 학시 눈을 드
러 댱시를 보미 놀납고 괴이ᄒᆞᄆᆞᆯ 니긔지 못
ᄒᆞ여, 도로혀 혜쥰 등을 드러오지 말나 ᄒᆞ
고, 냥안(兩眼)을 졍히 ᄒᆞ여 슉시ᄒᆞ미, 그
몸 우히 건복이 이시나 남쥼의도 진짓 호걸
이 될지라. ᄒᆞᄆᆞᆯ며 장시 단검(短劍)의 질니
닌 시신이 되어, 그 부친이 최여(輻輿)의 시
러ᄀᆞ믈 ᄌᆞ긔 눈으로 보미 잇고, 습넘(襲殮)
의 친히 슬피지 아냐시나, 닙관(入棺) 셩복
지시(成服之時)의 모다 지니여 보아시니, 평
싱의【125】단즁ᄒᆞ미 남다른 고로 장공의
슬허ᄒᆞᄆᆞᆯ 목도ᄒᆞ여시니, 이제 댱시를 최우
쳐486) ᄉᆞ랏다 못ᄒᆞᆯ지라. 두만 져 유싱이 용
모 긔질이 장시와 일호(一毫) 다르미 업ᄉᆞ
미, 쳔만 의아ᄒᆞ고 측냥치 못ᄒᆞ여 가장 침
음ᄒᆞ기를 마지 아니타ᄀᆞ, 날호여 댱시를 향
ᄒᆞ여 왈,

---

493)최우치다 : 치우치다. 균형을 잃고 한쪽으로 쏠
리다.
494)쳑호리(尺毫釐) : 자(尺)의 눈금. 매우 적은 분량
을 비유적으로 이르는 말. *호리(毫釐); 길이의 단
위. 1호는 1리(釐)의 10분의 1로 약 0.303mm에
해당한다.

"싱이 이졔 병즁 져상(沮喪)ᄒᆞᆫ 졍신이 혼
미ᄒᆞᄆᆞᆯ 면치 못ᄒᆞ여, 현ᄉᆞ로 더브로 젼일의
닉이 보던 안면과 다ᄅᆞ지 아니ᄒᆞ디, 능히
아뫼 줄 아지 못ᄒᆞᆯ지라. 쳥컨디 현ᄉᆞᄂᆞᆫ 션

---

486)최우치다 : 치우치다. 균형을 잃고 한쪽으로 쏠
리다.

로 젼일의 닉이 보던 안면 ᄀᆞᆺ트디, 의회(依俙)ᄒᆞ여495) 아뢴 줄 아디 못ᄒᆞᄂᆞ니, 쳥컨디 현ᄉᆞᄂᆞᆫ 고셩대명(高姓大名)을 닐너 싱【3】의 답답ᄒᆞ믈 업게 ᄒᆞ쇼셔."

당쇼졔 나가랴 ᄒᆞ다가 마디 못ᄒᆞ여 도로 안ᄌᆞ, 짐줏 소ᄅᆡ를 크게 ᄒᆞ여 답ᄒᆞ디,

"쇼싱은 일즉 부모를 실니ᄒᆞ여 디금 셩명을 브디(不知)ᄒᆞ니, 사ᄅᆞᆷ의 뭇기를 당ᄒᆞ여 디답ᄒᆞᆯ 거시 업ᄂᆞᆫ디라. 향녀의 침몰ᄒᆞ여 우믱(愚氓)으로 벗ᄒᆞ니, 엇디 젼ᄌᆞ의 명○[공]으로 상견ᄒᆞ미 이시리오. 비루ᄒᆞᆫ ᄌᆞ최 명공의 병소의 니르미 블가ᄒᆞ디, 공의 환휘 위악(危惡)ᄒᆞᆷ을 듯고, 젹은 의슐노뼈 일분디효(一分之效)496)나 이실가 이의 니르럿더니, 명공의 긔운이 지작일(再昨日)보다 잠간 나으미 계시니, 힝심ᄒᆞᆷ믈 니긔디 못【4】ᄒᆞ리로소이다."

흑시 쳥파의 그 셩음이 웅위ᄒᆞᆫ ᄀᆞ온디 당시의 음셩 ᄀᆞᆺ트믈 더옥 경희ᄒᆞ여, 졍신이 황홀ᄒᆞ미 어린 ᄃᆞ시 쇼져를 바라보고 말을 못ᄒᆞ더니, ᄀᆞ장 오란 후의 입을 여러 의긔 현심을 샤례코져 ᄒᆞ다가, 디게 압히 셧ᄂᆞᆫ 셔동의 얼골이 완연이 ᄲᅡᆼ셤이라. 비록 남의를 개착ᄒᆞ여시나 어이 모로리오. 번연(翻然) 대경(大驚)ᄒᆞ며 듕심의 혜오디,

"내 긔운이 약ᄒᆞ고 듕심이 허ᄒᆞ여 빅쥬(白晝)의 귀신이 현영(現影)ᄒᆞ여, 이ᄀᆞᆺ치 쥬작(做作)ᄒᆞ미 잇ᄂᆞᆫ가? 당시ᄂᆞᆫ 비록 죽어시나 ᄲᅡᆼ셤이 마ᄌᆞ 죽어실 니 업스니, 귀신【5】이라 닐너도 노쥬(奴主) 남복(男服)으로 이의 오디 아닐 거시오, 싱인(生人)으로 니를딘디 당시ᄂᆞᆫ 스라실 니 만무ᄒᆞ고, 쳔니 애각(涯角)의 관산(關山)이 가리오고 히쉬(海水) 막히니, 내 병이 듕ᄒᆞᆷ을 경ᄉᆞ의셔 아득히 모를다라. 가히 측냥치 못ᄒᆞ며 아디 못ᄒᆞᆯ 일이로다."

이러ᄐᆞᆺ ᄉᆞ량ᄒᆞ여 ᄆᆞᄋᆞᆷ을 잡디 못ᄒᆞ니, 믁

495)의회(依俙)ᄒᆞ다 : 거의 비슷하다.
496)일분디효(一分之效) : 아주 젹은 효험. *일분(一分); 아주 젹은 양. 사소한 부분.

디명ᄌᆞ(先代名字)를 닐너 싱의 답답ᄒᆞᆫ 마음을 풀게 ᄒᆞ쇼셔."

당 쇼졔 ᄂᆞ가려 ᄒᆞ다가 마지 못ᄒᆞ여 도로 안져 소ᄅᆡ를 크게 ᄒᆞ여 답ᄒᆞ디,

"쇼싱은 일즉 부모를 실니【126】ᄒᆞ여 지금 셩명을 부지(不知)ᄒᆞ니, 미양 사람의 뭇기를 당ᄒᆞ면 능히 답ᄒᆞᆯ 말슴이 업ᄂᆞᆫ지라. 향녀(巷閭)의 침몰ᄒᆞ미 혹ᄌᆞ 스괴ᄂᆞ니 우믱(愚氓)으로 벗을 ᄒᆞ니, 엇지 젼ᄌᆞ를 명공으로 상견ᄒᆞ미 이시리오. 이제 비루ᄒᆞᆫ ᄌᆞ최로 명궁의 병소의 나아오미 진실노 블가ᄒᆞ물 알디, 공의 환휘 위악(危惡)ᄒᆞᆷ을 듯고 ᄆᆞ음의 ᄀᆞ장 참상(慘傷)ᄒᆞ여 젹은 의슐노뼈 일분지효(一分之效)487)나 이실가 이의 니르럿더니, 상공의 긔운이 좀간 나흐미 계시니 힝심ᄒᆞᆷ믈 니긔지 못ᄒᆞ리로소이다"

학시 쳥파의 그 셩음이 웅위ᄒᆞᆫ ᄀᆞ온디, ᄯᅩᄒᆞᆫ 낭낭ᄒᆞ여 당시의 음셩과 ᄀᆞᆺ트믈 더옥 경희ᄒᆞ여, 졍신이 황홀ᄒᆞ미 어【127】린 ᄃᆞ시 쇼져를 바라보고 말을 닐오지 못ᄒᆞ더니, 냥구 후 닙을 녀러 말을 ᄒᆞ고져 ᄒᆞ더니, 지게 압히 셧ᄂᆞᆫ 셔동의 얼굴이 완연이 ᄲᅡᆼ셤이라. 비록 남의를 긔착ᄒᆞ여시나 어이 모른리오. 번연(翻然) 디경ᄒᆞ여 줌심의 혜아리디,

"내 긔운이 약ᄒᆞ고 심즁이 허ᄒᆞ여 빅쥬의 귀신이 현셩(現成)ᄒᆞ여 이ᄀᆞᆺ치 쥬작(做作)ᄒᆞ미 잇ᄂᆞᆫ가? 당시ᄂᆞᆫ 비록 죽어시나 ᄲᅡᆼ셤이 마ᄌᆞ 죽엇실 니 업스니, 귀신이라 홀지라도 노쥬 남복으로 이의 ᄀᆞᆺ트여 오지 아녀실 거시오, 사람으로 닐을진디 당시ᄂᆞᆫ 스라실 니 만무ᄒᆞ고, 경ᄉᆞ의셔 아직 아지 못홀지라. 가히 측냥치 못ᄒᆞ리로라."

니러ᄐᆞᆺ ᄉᆞ랑ᄒᆞ여 ᄆᆞ음을 잡지 못ᄒᆞ【128】니, 믁믁침음(黙黙沈吟)ᄒᆞ여 이윽도록

487)일분디효(一分之效) : 아주 젹은 효험. *일분(一分); 아주 젹은 양. 사소한 부분.

믁침음(默默沈吟)ᄒ여 이윽{도}록 말을
못ᄒ니, 댱쇼졔 져 거동을 보고 블평흔 의
ᄉᆞᆨ이 가득ᄒ나 ᄉᆞ식디 아니코, 빵셤을 명ᄒ여
흑ᄉᆞ를 븟드러 안게 ᄒ고, 듁 그릇슬 드러
권ᄒ니, 흑ᄉᆡ 믄득 ᄉᆞ식디념(事食之念)이 나
ᄂᆞᆫ디라. 져의 권ᄒᄂᆞᆫ【6】 디로 딘식(盡食)
ᄒ고 머리를 두로혀 셔동을 이윽이 보다○
[ㄱ] 아모리 ᄒ여도 빵셤 밧긔 나디 아니믈
ᄊᆡᄃᆞ라, 이의 미우를 식식이 ᄒ고 문왈,

"비ᄌᆡ(婢子) 므슴 연고로 변복ᄒ고 이 곳
의 왓ᄂᆞ뇨? 곡졀을 바로 고ᄒ라."

빵셤이 흑ᄉᆞ의 안광이 제 낫치 찬난이 빗
최여, 황공젼늉(惶恐戰慄)ᄒ미 찬 ᄯᆞᆷ이 옷시
스믓기를 면치 못ᄒ여, 디은 죄 업시 구숑
(懼悚)ᄒ기를 니ᄀᆡ디 못ᄒ더니, 이ᄀᆞ치 므르
믈 당ᄒ니 어이 긔망홀 ᄯᅳᆺ이 이시리오. 황
망이 디왈,

"부인을 뫼셔 일시 ᄯᅥ나디 아니ᄒ옵더니,
부인이 노야의 환휘 위듕ᄒ【7】시믈 드르
시고, 밋쳐 거교(車轎)를 출히디 못ᄒ여 남
복으로 발힝ᄒ시니, 쇼비 ᄯᅡ라 니르럿ᄂᆞ이
다."

흑ᄉᆡ 쳥파의 쾌활ᄒ믈 니ᄀᆡ디 못ᄒ여 ᄒ
나, 평ᄉᆡᆼ 침듕(沈重)ᄒ미 희로(喜怒)를 가비
야이 동치 아닛ᄂᆞᆫ디라. 즐거온 ᄆᆞ음을 주리
잡아 다시 말을 아니ᄒ고, 벼개를 취ᄒ여
누으니, 댱쇼졔 빵셤의 경셜(輕說)ᄒ믈 인ᄒ
여 ᄌᆞ긔 졍젹(情迹)이 패루(敗漏)ᄒ믈 그윽
이 이들와, 흑ᄉᆡ 아디 못ᄒ여셔 도라가려
ᄒ던 거시 그릇 되믈 한ᄒ나, ᄉᆞ식디 아니
ᄒ고 흑건을 숙여 믁연 단좨러니, 흑ᄉᆡ 고
요히 누어【8】댱시를 바라볼 ᄯᆞᆫ이러니, 능
히 무궁흔 졍을 금치 못ᄒ여 댱쇼져를 나아
오믈 쳥ᄒ고, 므러 왈,

"경샤로브터 나려와실딘틴 옥누항 소식을
모로디 아니리니, 대모와 ᄌᆞ당의 존후를 ᄌᆞ
시 아라 싱의게 젼홀 ᄃᆞᆺᄒ딘, 어이 믁믁블
언(黙黙不言)ᄒ여 싱의 우민(憂悶)흔 심ᄉᆞ를
도라보디 아니시ᄂᆞ뇨?"

쇼졔 양쥐로 나려올 졔 창황ᄒ여 옥누항
옥화산 소식을 듯보디 아녀시나, 셜부 츠환

말을 못ᄒ니, 댱쇼졔 져 거동을 보고 불평
흔 의ᄉᆞᆨ 가득ᄒ나 ᄉᆞ식지 아니코, 빵셤을
명ᄒ여 학ᄉᆞ를 붓드러 《관셰‖안게》ᄒ고,
쥭 그릇슬 드러 권ᄒ니, 학ᄉᆡ 믄득 ᄉᆞ식지
염(事食之念)이 나ᄂᆞᆫ지라. 져히 권ᄒᄂᆞᆫ 디로
진식(盡食)ᄒ고 ᄯᅩ 머리를 두로혀 셔동을
니윽히 보드ᄀᆞ, 아모리 ᄒ여도 빵셤 밧게
나지 아니믈 ᄊᆡᄃᆞ라, 이의 미우를 씍씍이
ᄒ고 문왈,

"비ᄌᆡ 무슴 연고로 변복ᄒ고 이 곳의 왓
ᄂᆞ뇨? 곡졀을 바로 고ᄒ라."

빵셤이 학ᄉᆞ의 안광이 졔 낫치 찬치 빗
최여, 황극[공]젼늉(惶恐戰慄)ᄒ미 찬 ᄯᆞᆷ이
옷시 스믓기를 면치 못ᄒ여, 지은 죄 업시
구숑(懼悚)ᄒ기를 니ᄀᆡ지 못ᄒ더니, 이ᄀᆞ티
므르믈【129】당ᄒ니, 어이 긔망홀 일이 이
시리오. 황망이 디왈,

"부인을 뫼셔 일시 ᄯᅥᄂᆞ지 아니ᄒ옵더니,
부인이 노야의 환휘 위즁(危重)ᄒ시믈 드르
시고, 밋쳐 거교(車轎)를 출히지 못ᄒ여 남
복으로 발힝ᄒ시니, 쇼비 ᄯᅡ라 니르럿ᄂᆞ이
다"

학ᄉᆡ 쳥파의 쾌활ᄒ믈 니ᄀᆡ지 못ᄒ나, 평
ᄉᆡᆼ 침즁ᄒ미 희로를 ᄀᆞ비야이 동치 아닛ᄂᆞᆫ
지라. 즐거온 ᄆᆞ음을 주리잡아 다시 말을
아니ᄒ고 벼개를 취ᄒ여 누으니, 댱쇼졔 빵
셤의 경셜(輕說)ᄒ믈 인ᄒ여 ᄌᆞ긔 졍젹(情
迹)이 픽루(敗漏)ᄒ믈 그윽히 이들으며, 도
라가려 ᄒ던 거시 그릇 되믈 한ᄒ나, ᄉᆞ식
지 아니ᄒ고 흑건을 숙여 믁연 단좨러니,
학ᄉᆡ 고요히 누어 댱시를 바라볼 ᄯᆞᆫ이러니,
능히 무궁【130】흔 졍을 금치 못ᄒ여 댱
쇼져를 나아오믈 쳥ᄒ고, 므러 왈,

"경샤로브터 나려와실진틴 옥누항 소식을
모로지 아니리니, 대모와 ᄌᆞ당의 존후를 아
라 싱의게 젼홀 ᄃᆞᆺᄒ딘, 어이 믁믁불언(黙
黙不言)ᄒ여 싱의 우민흔 심ᄉᆞ를 도라보지
아니시ᄂᆞ뇨?"

쇼졔 양쥐로 나려올 졔 창황ᄒ여 옥누항
옥화산 소식을 듯보지 아녀시나, 셜부 츠환

소옥의 어미 옥누항의 이시므로, ᄌ연 윤부 소식을 ᄌ로 드ᄅᄂ디라. 흑ᄉ의 ᄆᄋᆞᆷ을 경동 치 아니려 【9】ᄒᄆᆞ로 나죽이 ᄃᆡ왈,

"쳡이 구구히 투ᄉᆡᆼᄒᆞ여 오날ᄂᆞᆯ가디 세상 의 머믈미 실노 완(頑)ᄒᆞᆫ디라. 노ᄌᆞ 듕셕의 견ᄒᆞᄆᆞ로 조ᄎᆞ 명공의 환희 위악ᄒᆞ시믈 듯 고, 밋쳐 위의를 출히디 못ᄒᆞ여 사ᄅᆞᆷ의 이 목을 ᄀᆞ리와 남의로 쳔리를 발셥(跋涉)ᄒᆞ니, 쳡의 ᄒᆡᆼ신이 비루ᄒᆞᆷ믄 빅희(伯姬)[497]의 죄 인이라. 실노 군ᄌᆞ긔도 뵈올 안면이 업ᄉᆞ니 가히 근본을 바로 고치 못ᄒᆞ고, 군ᄌᆞ의 딜 환이 ᄎᆞ경ᄒᆞ시믈 기ᄃᆞ려 도라가고져 ᄒᆞᄂᆞᆫ 고로, 옥누항 옥화산 존문을 젼치 못ᄒᆞ니 블초ᄒᆞᆫ 허믈이 더욱 크도소이다."

인【10】ᄒᆞ여, 조부인 ᄐᆡ휘 안강ᄒᆞ심과 태부인 뉴부인이 무ᄉᆞ히 디닉므로ᄡᅥ 평부를 니를 ᄉᆞᆫᄃᆡ라. 흑시 댱시의 ᄉᆞ라시믈 측냥치 못ᄒᆞ디 곡졀을 굿ᄐᆞ여 뭇디 아니ᄒᆞ고, 다만 몽식 마ᄌᆞᆷ 이상이 넉이고, 부안(父顔)을 [이] 삼삼ᄒᆞ여[498] 비로소 시로온 회포를 억 졔치 못ᄒᆞᄂᆞᆫ디라. 원간 흑시 병듕(病中) 인 ᄉᆞ를 모로ᄂᆞᆫ ᄀᆞ온디도, 부안을 아디 못ᄒᆞᄂᆞᆫ 디통이 돌ᄌᆞᆺ치 밋쳣더니, 작야의 ᄭᅮᆷ을 인ᄒᆞ 여 그 부공의 한업시 ᄌᆞ이ᄒᆞ시믈 밧고, 댱 시의 ᄉᆞ라시믈 닐너 향운디의 분향 특원ᄒᆞᆷ 과, 태운도인을 만【11】나 회ᄉᆡᆼ약(回生藥) 을 어더 오믈 보ᄂᆞᆫ ᄃᆞ시 일ᄏᆞᆺ고, 익운이 졈 졈 딘ᄒᆞ고 길운이 갓가오믈 니르며, 몸을 보호ᄒᆞ여 옥ᄌᆞᆺ치 ᄒᆞ믈 당부ᄒᆞ미 강보젹ᄌᆞ (襁褓赤子)를 년이(憐愛)홈 ᄀᆞᆺᄐᆞ여, 텬뎡(天 定)ᄒᆞᆫ 운슈와 팔ᄌᆞ를 도망치 못ᄒᆞ니, ᄌᆞ긔 일죽 세상을 ᄇᆞ림과, 흑ᄉ 형뎨 《와∥다》 부안을 모로미 텬쉬(天數)믈 일ᄏᆞ라 슬허

소옥의 어미 옥누항의 이시므로 ᄌᆞ연 윤부 소식을 ᄌ로 드ᄅᆞᆫ디라. 학ᄉ의 ᄆᄋᆞᆷ을 경동 치 아니려 ᄒᆞᄆᆞ로 나죽이 ᄃᆡ왈,

"쳡이 구구히 투ᄉᆡᆼᄒᆞ여 오늘날가지 세상 의 머믈미 실노 완(頑)ᄒᆞᆫ지라. 노ᄌᆞ 즁셕의 견ᄒᆞᄆᆞ로 조ᄎᆞ 명공의 환희 위악ᄒᆞ시믈 듯 고, 밋쳐 위【131】의를 출히지 못ᄒᆞ여 사 람의 니목(耳目)을 ᄀᆞ리와 남의로 쳔리를 발셥(跋涉)ᄒᆞ니, 쳡의 ᄒᆡᆼ신이 비루ᄒᆞᆷ믄 빅희 (伯姬)[488]의 죄인이라. 실노 군ᄌᆞ게 뵈올 안면이 업ᄉᆞ니 가히 근본을 바로 고치 못ᄒᆞ 고, 군ᄌᆞ의 딜환이 ᄎᆞ경ᄒᆞ시믈 기ᄃᆞ려 도라 가고져 ᄒᆞᄂᆞᆫ 고로, 옥누항 옥화산 존문을 젼치 못ᄒᆞ니, 블초ᄒᆞᆫ 허믈이 더욱 크도소이 다"

인ᄒᆞ여 조부인 ᄐᆡ휘 안강ᄒᆞ심과 틱부인 뉴부인이 무ᄉᆞ히 지닉므로ᄡᅥ 평부를 니르 니, 학시 댱시의 ᄉᆞ라시믈 측냥치 못ᄒᆞ디 곡졀을 굿ᄐᆞ여 뭇지 아니ᄒᆞ고, 다만 몽식 마ᄌᆞᆷ 이상이 넉이고, 부안(父顔)을[이] 슴 슴ᄒᆞ여[489] 비로소 시로온 회포를 억졔치 못 ᄒᆞᄂᆞᆫ지라. 원간 학시 병즁 인ᄉᆞ를 모로ᄂᆞᆫ ᄀᆞ【132】온디도, 부안을 아지 못ᄒᆞᄂᆞᆫ 지통 이 돌ᄌᆞᆺ치 밋쳣더니, 작야의 ᄭᅮᆷ을 인ᄒᆞ여 그 부친의 한업시 ᄌᆞ이ᄒᆞ시믈 밧고, 당시의 ᄉᆞ라시믈 닐너 향운디의 분향 츅원홈과, 태 운도인을 만나 회ᄉᆡᆼ약(回生藥)을 어더 오믈 보ᄂᆞᆫ ᄃᆞ시 닐ᄏᆞᆺ고, 익운이 졈졈 진ᄒᆞ고 길 운이 ᄌᆞᆺ가오믈 니르며, 몸을 보호ᄒᆞ여 옥ᄌᆞᆺ 치 ᄒᆞ믈 당부ᄒᆞ미 강보젹ᄌᆞ(襁褓赤子)를 년 이(憐愛)홈 ᄀᆞᆺᄐᆞ여, 텬정ᄒᆞᆫ 운슈와 팔ᄌᆞ를 도망치 못ᄒᆞ니, ᄌᆞ긔 일죽 세상을 ᄇᆞ림과 학ᄉ 형뎨 다 부안을 모ᄅᆞ미 텬쉬(天數)믈 닐ᄏᆞ라 슬허ᄒᆞ니, 학시 야야를 붓들고 호읍

---

497)빅희(伯姬) : 중국 춘추시대 魯(노)나라 宣公(선 공)의 딸. 송나라 恭公(공공)에게 시집갔다가 10년 만에 홀로 됐다. 궁궐에 불이 났을 때 관리가 피 하라고 했으나 부인은 한밤에 보모 없이 집을 나 설 수 없다고 고집해서 결국 불속에서 타 죽었다. 『열녀전(烈女傳)』<정순전(貞順傳)>'송공백희(宋 恭伯姬)' 조(條)에 기사가 보인다.
498)삼삼ᄒᆞ다 : 또렷하다.

488)빅희(伯姬) : 중국 춘추시대 魯(노)나라 宣公(선 공)의 딸. 송나라 恭公(공공)에게 시집갔다가 10년 만에 홀로 됐다. 궁궐에 불이 났을 때 관리가 피 하라고 했으나 부인은 한밤에 보모 없이 집을 나 설 수 없다고 고집해서 결국 불속에서 타 죽었다. 『열녀전(烈女傳)』<정순전(貞順傳)>'송공백희(宋 恭伯姬)' 조(條)에 기사가 보인다.
489)삼삼ᄒᆞ다 : 또렷하다.

ᄒᆞ니, 흑시 야야를 붓들고 오읍ᄒᆞ다가 ᄭᆡᄃᆞ
ᄅᆞ미, 인ᄒᆞ여 병셰 잠간 나은디라. 스스로
일신이 경쾌ᄒᆞᆫ 듯ᄒᆞ나, 여러 가디 근심과
부안을 영모ᄒᆞᄂᆞᆫ 슬프믈 어이 비홀 곳이 이
시리오. 댱시를 죽어시므로 아랏다가 오날
늘 쾌히 【12】 싱존ᄒᆞ믈 보민, 여텬디무궁
(如天地無窮)ᄒᆞᆫ 듕졍으로ᄡᅥ, 그 깃브며 즐거
오미 ᄯᅩᄒᆞᆫ 모양홀 거시 업고, ᄌᆞ긔를 위ᄒᆞᆫ
졍셩을 그윽이 감샤ᄒᆞ여, 혜오ᄃᆡ,

"셰간의 어늬 녀ᄌᆡ 가부를 범연이 알니오
마ᄂᆞᆫ, 댱시의 힝ᄉᆞ ᄀᆞᆽ기ᄂᆞᆫ ᄀᆞ장 쉽디 아니
ᄒᆞ니, 내 엇디 슈하(手下) 쳐ᄌᆡ(妻子)라 ᄒᆞ
여 그 은혜를 아디 못ᄒᆞ고, 음양을 변체ᄒᆞ
여 도로의 분쥬(奔走)ᄒᆞᄂᆞᆫ 바를 칙ᄒᆞ리오."

의식 이의 밋쳐ᄂᆞᆫ 댱시를 향ᄒᆞᆫ 졍이 더옥
은근 위곡(委曲)ᄒᆞᄃᆡ, 그 ᄉᆞ랑난 곡졀을 못
디 아니ᄒᆞᆷ믄, 단검의 몸을 샹히오던 일이
다시 언두(言頭)의 오로미 되어, 조모의 패
【12】 덕을 드노흘가 두리므로, 그 다히499)
말을 힝혀도 아니ᄒᆞ고, 다만 닐오ᄃᆡ,

"인졍이 친측(親側)500) 존문(存問)을 안
후ᄂᆞᆫ 버거 ᄌᆞ식의 유무를 알고져 시븐디라.
견일의 부인이 회잉(懷孕)의 경ᄉᆡ 잇더니,
월슈를 혜아린즉 ᄋᆞ히 발셔 셰상의 나미 일
월이 오랄 듯ᄒᆞ니, 남녀간 ᄉᆞ망디홰(死亡之
禍)나 업ᄂᆞ니잇가?"

댱시 ᄃᆡ왈,

"유ᄋᆞᄂᆞᆫ 거의 돌술501) 디닉엿고, 져의 작
인이 범범(凡凡) 용속(庸俗)기를 잠간 면ᄒᆞ
여 대단이 유흠(有欠)ᄒᆞᆫ 곳은 업술가 ᄒᆞᄂᆞ
이다."

흑시 ᄋᆞ히 긔특ᄒᆞᆫ 말을 드르ᄃᆡ, 댱시 남
녀를 ᄌᆞ셔히 니르디 아니니, 다시 므러 왈,

"ᄋᆞ히를 【13】 칭찬ᄒᆞ나 남녀를 분명이
니르디 아니니 어이 이ᄀᆞᆺ치 몽농ᄒᆞ시뇨?"

댱시 잠간 웃고, 비로소 남ᄌᆞ믈 젼ᄒᆞ니,
흑시 듕심의 흔열ᄒᆞ미 가득ᄒᆞ여 부ᄌᆞ의 텬
눈ᄌᆞ익(天倫慈愛)로ᄡᅥ 보고져 졍이 급ᄒᆞ나,

ᄒᆞᄃᆞᆼ ᄭᆡᄃᆞᄅᆞ미, 인ᄒᆞ여 병셰 좀간 나은지
라. 스스로 일신이 경쾌ᄒᆞᆫ 듯ᄒᆞ나, 녀러 가
【133】 지 근심과 부안을 녕모ᄒᆞᄂᆞᆫ 슬프믈
어이 《피홀∥비홀》 곳이 이시리오. 댱시
를 죽엇시므로 아랏ᄃᆞ가 오늘날 쾌히 싱존
ᄒᆞ믈 보민, 여텬디무궁(如天地無窮)ᄒᆞᆫ 즁졍
으로ᄡᅥ, 그 깃브며 즐거오미 ᄯᅩᄒᆞᆫ 모양홀
거시 업고, ᄌᆞ긔를 위ᄒᆞᆫ 졍셩을 그윽이 감
ᄉᆞᄒᆞ여, 혜오ᄃᆡ,

"셰간의 어늬 녀ᄌᆡ 가부를 범연이 알니오
마ᄂᆞᆫ, 댱시의 힝ᄉᆞ ᄀᆞᆽ기ᄂᆞᆫ ᄀᆞ장 쉽지 아니
ᄒᆞ니, 내 엇지 슈하(手下) 쳐ᄌᆡ(妻子)라 ᄒᆞ
여 그 은혜를 아지 못ᄒᆞ고, 음양을 변체ᄒᆞ
여 도로의 분쥬(奔走)ᄒᆞᄂᆞᆫ 바를 칙ᄒᆞ리오."

의식 이의 밋쳐ᄂᆞᆫ 댱시를 향ᄒᆞᆫ 졍이 더옥
은근 위곡(委曲)ᄒᆞᄃᆡ, 그 ᄉᆞ랑난 곡졀을 못
지 아니ᄒᆞᆷ믄, 단검의 몸을 샹히오던 일이
[을] ᄃᆞ시 언두의 올녀, 조모의 픠덕【13
4】을 드노흘가 두려, 그 다이490) 말을 힝
혀도 아니ᄒᆞ고, 다만 니르ᄃᆡ,

"인졍이 친측(親側)491) 존문(存問)을 안
후ᄂᆞᆫ, 버거 ᄌᆞ식의 유무를 알고져 시븐지라.
견일의 부인이 회잉(懷孕)의 경ᄉᆡ 잇더니,
월슈를 혜아린즉 ᄋᆞ히 발셔 셰상의 나미 일
월이 오릴 듯ᄒᆞ니, 남녀간 ᄉᆞ망지환(死亡之
患)이나 업ᄂᆞ니잇가?"

댱시 ᄃᆡ왈,

"유ᄋᆞᄂᆞᆫ 거의 돌술492) 지낫고, 져히 위인
이 범범용속(凡凡庸俗)기를 좀간 면ᄒᆞ여, 대
단이 유흠ᄒᆞᆫ 곳은 업술가 ᄒᆞᄂᆞ이다."

흑시 ᄋᆞ히 긔특ᄒᆞᆫ 말을 드르ᄃᆡ, 댱시 남
녀를 ᄌᆞ셔히 니르지 아니니, 다시 무러 왈,

"ᄋᆞ히를 칭찬ᄒᆞ나 남녀를 분명이 니르지
아니니 어이 이ᄀᆞᆺ치 몽농ᄒᆞ시뇨?

댱시 좀간 웃고 비로소 남ᄌᆞ믈 젼ᄒᆞ니,
학【135】ᄉᆞ 즁심의 흔열(欣悅)ᄒᆞ미 ᄀᆞ득ᄒᆞ
여 부ᄌᆞ의 텬눈ᄌᆞ익(天倫慈愛)로ᄡᅥ 보고져

---

499)다히 : 쪽. 방향을 가리키는 말
500)친측(親側) : 어버이. 부모.
501)돌술 : '돐+ 올'의 연철표기.

490)다히 : 쪽. 방향을 가리키는 말
491)친측(親側) : 어버이. 부모.
492)돌술 : '돐+ 올'의 연철표기.

도뢰 험조(險阻)ᄒ니 엇디 다려올 길히 이
시리오. 다만 당시 겻틱 이시미 므슨 듕보
(重寶)를 어든 둣 병심을 만히 위로ᄒ미 되
ᄂᆞᆫᄃᆞ라. 주연이 죵일 문답ᄒ여 부부의 긔식
이 유열 화평ᄒᄃᆡ, 흔 주 블법(不法)의 말이
잇디 아니ᄒ고, 흔 조각 음황(淫荒)ᄒᆞᆫ 뜻이
잇디 아냐, 쳥졍(淸淨) 개결(介潔) ᄒ미 딘
짓 명셩ᄒᆞᆫ 군ᄌᆞ와 텰부【14】셩녜 ᄣᅡᆼ 디으
미 맛당ᄒ더라.

이러구러 수오 일이 디나믹, 흑ᄉᆞ의 딜양
이 졈졈 초셩(差成)ᄒ여 토혈을 긋치니, 당
쇼졔 션단(仙丹)의 효험이 만분 신이ᄒ믈
영ᄒᆞ여, 도ᄉᆞ의 대은을 심곡의 삭이나, 그
셩명도 아디 못ᄒ니 그 덕을 갑흘 길히 업
ᄉᆞ믈 이ᄃᆞᆯ나 ᄒᄃᆡ, 흑ᄉᆞ는 몽ᄉᆞ로 좃ᄎ 붉
히 알오미 이시나 굿ᄐᆞ여 당시다려 뭇디 아
니ᄒ고, 일일은 문왈,

"진 이의 완 디 여러 날이로ᄃᆡ 의복을 곳
치는 일이 업ᄉᆞ니 그 어인 뜻이뇨?"

당시 ᄃᆡ왈,

"군ᄌᆞ의 환휘 오히려 소셩(蘇醒)홀 날이
머럿고, 쳡이 이 곳의 오릭 머믈 일이 업슬
ᄲᅦᆫ【15】아니라, 구완디졀의 주연이 결을치
못ᄒ여 옷슬 곳치디 못ᄒ엿ᄂᆞ이다."

흑ᄉᆡ 당시의 ᄉᆞ라 이의 와시믈 쳔만 힝심
ᄒ며 환열ᄒ여 형상홀 곳이 업ᄉᆞ나, 주긔
듕병디여의 초셩홀 날이 아딕 머럿고, 당시
남복으로 이시니 그윽이 블쾌ᄒ여 부부의
여산듕졍(如山重情)을 편 일이 업더니, 언에
미양 도라갈 뜻을 빗최믈 깃거 아냐, 굴오
ᄃᆡ,

"싱이 이 곳의 찬빅(竄配)ᄒ미 흔 낫 친
쳑이 업고, 슌ᄌᆞ시 관아의 이실 ᄯᆡ는 오히
려 붕우의 졍이 동긔의 감치 아니ᄒ니, 일
분이나 외로운 회포를 위로【16】홀 곳이
잇더니, 당ᄎᆞ시 ᄒ여는 슌ᄌᆞ시 그 모친 병
환으로 아조 샹경ᄒ엿고, 친졀흔 지 업ᄉᆞ니,
지 임의 싱의 병을 구ᄏᆞ져 나려와실딘ᄃᆡ,
급급히 도라갈 일이 아니라. 싱의 뎡빅 긔
한이 다만 금년 쓴이니, 아딕 샹경치 말고
머므다가 싱이 환쇄(還刷)ᄒ는 ᄯᆡ 흔가디로

졍이 급ᄒ나, 도리 험조(險阻)ᄒ니 엇지 ᄃ
려올 길히 이시리오. 다만 당시 겻틱 이시
미 무슨 즁보(重寶)를 어든 둣 병심을 만히
위로ᄒ미 되는지라. 주연이 죵일 문답ᄒ여
부부의 긔식이 유열 화평ᄒᄃᆡ, 흔 마딕 블
법(不法)의 말이 잇지 아니ᄒ고, 흔 조각 음
황(淫荒)ᄒᆞᆫ 뜻이 잇지 아냐, 쳥졍(淸淨) 개
결(介潔)ᄒ미 진짓 명셩ᄒᆞᆫ 군ᄌᆞ와 쳘부 셩
녜 ᄣᅡᆼ 지으미 맛당ᄒ더라"

니러구러 수오 일이 지나믹 흑ᄉᆞ의 질양
이 졈졈 초셩(差成)ᄒ여 토혈을 긋치니, 당
쇼졔 션단(仙丹)의 효험이 신니ᄒ믈 만분
녕ᄒᆞ여 도ᄉᆞ의 대은을 심곡의 삭이나, 그
셩명도 아지 못ᄒ니,【136】그 덕을 갑흘
길히 업ᄉᆞ믈 이ᄃᆞᆯ나 ᄒᄃᆡ, 흑ᄉᆞ는 몽ᄉᆞ로
좃ᄎ 붉히 알미 이시나, 굿ᄐᆞ여 당시 ᄃᆞ려
뭇지 아니ᄒ고, 일일은 문왈,

"진 이의 완 지 여러 날이로ᄃᆡ, 의복을
곳치는 일이 업ᄉᆞ니 그 어인 뜻이뇨?"

당시 ᄃᆡ왈,

"군ᄌᆞ의 환휘 오히려 소셩(蘇醒)홀 날이
머럿고, 쳡이 이 곳의 오릭 머믈 일이 업슬
ᄲᅦᆫ 아니라, ○○○○○[구완지졀의] 주연
결을치 못ᄒ여, 옷슬 곳치지 못ᄒ엿ᄂᆞ이다."

흑ᄉᆡ 당시의 ᄉᆞ라 이의 왓시믈 쳔만 힝심
ᄒ며 환열ᄒ여, 형상홀 곳이 업시[ᄉ]나, 주
긔 즁병지여의 초셩홀 날이 아직 머럿고,
당시 남복으로 이시니 그윽이 블쾌ᄒ여 부
부의 여산즁졍(如山重情)을 편 일이 업더니,
언에 미양 도라갈 뜻을 빗최믈 깃거 아
【137】냐 굴오ᄃᆡ,

"싱이 이 곳의 침병ᄒ미 흔 낫 친쳑이 업
고, 슌ᄌᆞ시 관아의 이실 ᄯᆡ는 오히려 붕우
의 졍이 동긔의 감치 아니ᄒ니, 일분이나
외로운 회포를 위로 홀 곳이 잇더니, 당ᄎᆞ
시 ᄒ여는 슌ᄌᆞ시 그 모친 병환으로 아조
샹경ᄒ엿고, 친졀흔 지 업ᄉᆞ니, 지 님의 싱
의 병을 구ᄏᆞ져 나려와실진ᄃᆡ 급급히 도라
갈 일이 아니라. 싱의 뎡빅 긔한이 다만 금
년 쓴이니, 아직 샹경치 말고 머므다가, 싱
이 환쇄(還刷)ᄒ는 ᄯᆡ 흔가지로 올나가미

올나가미 올흘가 ᄒᆞᄂᆞ니, ᄌᆞᄂᆞ 다시 싱각ᄒᆞ
여 보라."

당쇼졔 뎡금(整襟) 디왈,

"군ᄌᆞ의 말슴이 맛당ᄒᆞ시나, 쳡이 존당의
득죄ᄒᆞᆫ 사ᄅᆞᆷ으로, '군ᄌᆞ 뎍소의 흔가디로 가
이시라' 명녕이 업슨 후 이리 나려와 오릭
머믈미 죄 우히 죄를 더으는 작시오, 유ᄋᆞ
ᄂᆞ 표슉(表叔)의 집의 바【17】리고 와시
니, 스셰 아니 가디 못홀가 ᄒᆞᄂᆞ이다."

흑시 쳥파의 미쇼 왈,

"당초의 ᄌᆞ를 아조 죽은 줄노 아라실 젹
도 통상ᄒᆞᆫ 심회를 춤고 견딕여시니, 이졔
산 낫ᄎᆞ로 셔로 보고, 비의 드럿던 ᄋᆞ히 거
의 말을 비호ᄂᆞ 디경의 이시믈 ᄌᆞ시 아라시
니, ᄌᆡ 비록 즉시 도라간들 결연ᄒᆞ여 못 견
딜 바ᄂᆞ 아니로딕, 싱이 외로온 심시 극ᄒᆞ
여 머믈고져 ᄒᆞ미러니, 존당 명녕이 아니믈
칭탁ᄒᆞ여 브딕 도라가고져 홀딘딕, 어이 막
으리오. 다만 존당이 ᄌᆞ의 싱존을 몰나 계
시니, ᄌᆡ 이곳의 오며 아니 오믈 어이 명ᄒᆞ
시리오. 말이 되디 못ᄒᆞᆫ【18】곳의ᄂᆞ 싱이
실노 실쇼ᄒᆞᄂᆞ니, ᄌᆡ 범ᄉᆞ를 존당 쳐분딕로
ᄒᆞ미 잇ᄂᆞ니잇가?"

언필의 안뫼 싁싁ᄒᆞ고 ᄉᆡ긔 널슉ᄒᆞ여 다
시 말의 ᄯᅳᆺ이 업ᄉᆞ니, 당쇼졔 가장 블안ᄒᆞ
여 능히 말을 못ᄒᆞ고, 급히 도라가믈 임의
로 못ᄒᆞ믈 이돌나 ᄒᆞ더라.

초일 오후의 셜강이 니르러 《힝ᄉᆞǁ흑
ᄉᆞ》의 환휘 위경을 면ᄒᆞᆷ믈 만분 힝심ᄒᆞ고,
명일 도라가려 ᄒᆞᆷ믈 닐너 쇼져의 힝거를 의
논ᄒᆞ니, 흑ᄉᆞᄂᆞ 일언을 아니ᄒᆞ고 쇼져ᄂᆞ 유
유(儒儒)502) 난연(赧然)ᄒᆞ여 아모리 홀 줄
을 모로ᄂᆞ 거동이라. 셜강이 ᄀᆞ장 괴이히
넉여 흑ᄉᆞ긔 고왈,

"쇼싱이 명일 샹코져 ᄒᆞ더니 쇼져의 거취
【19】를 엇디 ᄒᆞ리잇가?"

흑시 날호여 답왈,

"군이 당시다려 므러 아모리나 ᄒᆞ고 날다
려 뭇디 말나."

___
502)유유(儒儒) : 모든 일에 딱 잘라 결정을 내리지
  못하고 어물어물한 데가 있다.

올흘가 ᄒᆞᄂᆞ니, ᄌᆞᄂᆞ 다시 싱각ᄒᆞ라."

댱 쇼졔 졍금(整襟) 디왈,

"군ᄌᆞ의 말슴이 맛당ᄒᆞ시나, 쳡이 존당의
득죄ᄒᆞᆫ 스람으로 군ᄌᆞ 젹소의 흔가지로 가
이시라 명녕이【138】업슨 후, 이리 나려
와 오릭 머믈미 죄 우히 죄를 더으는 작시
오, 유ᄋᆞᄂᆞ 표슉의 집의 바리고 와시니 ᄉᆞ
셰 아니 가지 못홀가 ᄒᆞᄂᆞ이다."

흑시 쳥파의 미쇼 왈,

"당초의 ᄌᆞ를 아조 죽은 줄노 아라실 젹
도 통상ᄒᆞᆫ 심회를 춤고 견딕여시나, 이졔
산 낫ᄎᆞ로 셔로 보고, 비의 드럿던 ᄋᆞ히 거
의 말을 비호ᄂᆞ 지경의 이시믈 ᄌᆞ시 아라시
니, ᄌᆡ 비록 즉시 도라간들 결연ᄒᆞ여 못 견
딜 바ᄂᆞ 아니로딕, 싱이 외로온 심시 극홀
지니 엇지 진졍ᄒᆞ리오. ᄌᆡ 부딕 존당 명녕
이 업스믈 칭탁ᄒᆞ고 도라ᄀᆞ고져 홀진딕 어
이 막으리오. 다만 존당이 ᄌᆞ의 싱존을 몰
나 계시니, ᄌᆡ 이곳의 오며 아니 오믈 어이
명ᄒᆞ시리오. 말이 되지【139】못홀 곳의ᄂᆞ
싱이 실노 실쇼ᄒᆞᄂᆞ니, ᄌᆡ 범ᄉᆞ를 존당 쳐
분딕로 ᄒᆞ미 잇ᄂᆞ냐?"

언필의 안뫼 썩썩ᄒᆞ고 ᄉᆡ긔 녈슉ᄒᆞ여 다
시 말의 ᄯᅳᆺ이 업ᄉᆞ니, 댱쇼졔 가장 불안ᄒᆞ
여 능히 말을 못ᄒᆞ고, 급히 도라가믈 님의
로 못ᄒᆞ믈 이돌와 ᄒᆞ더라.

《초후 오일ǁ초일 오후》의 셜강이 니르
러 흑ᄉᆞ의 환휘 위견[경](危境)을 면ᄒᆞᆷ믈
만심 힝열ᄒᆞ고, 명일 도라갈 바를 고ᄒᆞ고
쇼져의 힝거를 의논ᄒᆞ니, 흑ᄉᆞᄂᆞ 일언을 아
니ᄒᆞ고 쇼져ᄂᆞ 뉴뉴(儒儒)493) 난연ᄒᆞᆫ 빛을
ᄯᅴ여 아모리 홀 바을 모로ᄂᆞ지라. 강이 ᄀᆞ
장 고이히 너겨 흑ᄉᆞ게 고왈,

"쇼싱이 명일 샹경ᄒᆞ려 ᄒᆞᄂᆞ니 쇼져의
진퇴를 엇지 ᄒᆞ리잇고?"

학시 날호【140】여 답왈,

"군이 댱시ᄃᆞ려 거취를 물어 아모리나 ᄒᆞ
고 날ᄃᆞ려 뭇지 말나."

___
493)유유(儒儒) : 모든 일에 딱 잘라 결정을 내리지
  못하고 어물어물한 데가 있다.

셜강이 흑스의 말이 몽농ᄒ여 결단치 아니믈 보고, 쇼져를 향○[ᄒ여] 왈,

"상공 환휘 오히려 소셩ᄒ실 날이 머러시니 쇼져는 급히 도라가디 못ᄒ실디라. 청컨디 댱부의 셔간을 이 쯧으로 ᄒ시고, 아딕 이 곳의 머므르쇼셔."

댱시 마디 못ᄒ여 부모와 표 슉긔 셔간을 올니고, 셜강을 송별ᄒ여 '쳔니댱졍(千里長程)의 무ᄉ히 득달ᄒ라' ᄒ니, 셜강이 흔연 ᄉ샤ᄒ고 명일 효신의 발힝ᄒ니라.

댱쇼졔 셔슉(庶叔)을 보니고 비로소 일습(一襲) 녀의(女衣)를 일워 쳥【20】ᄉ포(靑紗袍)503)와 흑ᄉ건(黑紗巾)504)을 벗고, 상토를 플쳐 운환(雲鬟)을 쒸오고, ᄌ라상(紫羅裳)505)과 쳥나삼(靑羅衫)506)을 개착ᄒ여, 단장(丹粧)의 ᄭ우민 거시 업고 보믈(寶物)이 업셔, 쳐연(凄然)이 검소흔 가온디 쇄락흔 용안(容顏)이 더옥 슈려ᄒ여, 츄월이 옥누(玉樓)의 붉아시며, 금분화왕(金盆花王)507)이 됴로(朝露)를 쩰친 듯, 풍완호딜(豊婉好質)과 셜부옥틱(雪膚玉態) 사롬의 졍신을 황홀케 ᄒ는디라. 흑스의 침엄뎡대(沈嚴正大) ᄒ므로도 댱쇼져 션풍이딜(仙風異質)을 딕ᄒ미는 은졍이 십솟 둧, 희긔(喜氣) 츈풍의 알연(戛然)ᄒ고508) 이경ᄒ는 의식 무궁ᄒ여 와잠봉미(臥蠶鳳眉)의 경운화긔(慶雲和氣)를 동ᄒ고, 단ᄉ빅옥(丹砂白玉)509)이 녕농(玲瓏)ᄒ여 왈,

"건복이 댱구(長久)치 못【21】ᄒ여 도로 녀의를 츳ᄌ니, 녀ᄌ 되미 쾌치 못ᄒ리로

---

503)쳥ᄉ포(靑紗袍) : 푸른 비단으로 지은 도포(道袍). 도포는 예전에 예복으로 입던 남자의 겉옷.
504)흑ᄉ건(黑紗巾) : 검은 비단으로 만든 당건. 당건은 예전에 중국에서 쓰던 관(冠)의 하나로, 당나라 때에는 임금이 많이 썼으나, 뒤에는 사대부들이 사용하였다.
505)ᄌ라상(紫羅裳) : 자주색 비단치마.
506)쳥나삼(靑羅衫) : 푸른색 비단 저고리.
507)금분화왕(金盆花王) : 금빛 화분 속에 피어 있는 모란꽃. 화왕(花王)은 모란꽃을 말함.
508)알연(戛然)ᄒ다 : 소리가 맑고 은은하다.
509)단ᄉ빅옥(丹砂白玉) : 붉은 입술과 하얀 치아를 이르는 말.

셜강이 쳥파의 흑스의 말이 몽농ᄒ여 결단치 못ᄒ믈 보고, 쇼져를 딕ᄒ여 왈,

"상공 환휘 오히려 소셩ᄒ실 날이 머러 계시니, 쇼져는 급히 도라가시지 못ᄒ올지라. 쳥컨딕 댱부의 이 쯧으로 셔간을 붓치시고, 아직 이 곳의 머므러 계시미 맛당ᄒ올 가 ᄒᄂ이다"

댱 시 마지 못ᄒ여 그 말을 좃ᄎ 부모와 슉시 게 셔간을 올니고, 셜강을 송별ᄒ니라.

차시의 댱시 이의 머믈을 시, 셜부옥틱(雪膚玉態) 사람의 졍신을 황홀케 ᄒ는지라. 학스의 침엄졍대(沈嚴正大)ᄒ므로도 댱쇼져 션풍이질(仙風異質)을 딕ᄒ미는 은졍이 식음 솟 둧, 희긔(喜氣) 츈【141】풍의 나련(戛然)ᄒ고494) 이졍ᄒ는 의식 무궁ᄒ여 와줌봉미(臥蠶鳳眉)의 경운화긔(慶雲和氣)를 동ᄒ고 단ᄉ빅옥(丹砂白玉)495)이 녕농(玲瓏)ᄒ여 왈,

"건복이 댱구(長久)치 못ᄒ여 도로 녀의를 츳ᄌ니 녀ᄌ 되미 쾌치 못ᄒ리로다"

---

494)알연(戛然)ᄒ다 : 소리가 맑고 은은하다.
495)단ᄉ빅옥(丹砂白玉) : 붉은 입술과 하얀 치아를 이르는 말.

다."

쇼졔 미쇼 왈,

"형셰 위급ᄒᆞ믈 당ᄒᆞ여 잠간 남의를 개착
ᄒᆞᆫ 비나 엇디 댱구히 남ᄌᆞ로 쳐신ᄒᆞ리잇
가?"

흑시 우음을 ᄯᅴ여 좌우를 도라보니, ᄲᅡᆼ셤
이 댱외(堂外)의 이실 ᄯᆞᆫ이오. 방듕이 고요
ᄒᆞ여 댱시 밧 타인이 업고, 병이 잠간 덜니
므로브터 년쇼 부뷔 일방(一房)의 상ᄃᆡᄒᆞ여
엇디 범연ᄒᆞ리오. 이의 벼개를 밀고 금금
(錦衾)을 믈니쳐, 단의침건(單衣寢巾)으로
댱시의 손을 닛그러 므릅흘 년ᄒᆞ고 향싀(香
顋)를 졉ᄒᆞ미, 은졍이 므르녹아 도로혀 황
홀ᄒᆞ믈 니긔디 못ᄒᆞ니, 댱쇼졔 딘실노 블안
결민ᄒᆞ여 급히 옥슈를【22】ᄲᅢ혀고져 ᄒᆞ
ᄃᆡ, 듕병디여(重病之餘)의 긔운이 약ᄒᆞ나 오
히려 강밍ᄒᆞᆫ 용녁이 업디 아니ᄒᆞ니, 녀ᄌᆞ의
연연약딜노ᄡᅥ 엇디 흑슈를 당ᄒᆞ리오. 오딕
옥면이 취홍ᄒᆞ며 거디(擧止) 황황(遑遑)ᄒᆞ
여, ᄀᆞ마니 굴오ᄃᆡ,

"군지 듕병디여의 긔뷔(肌膚) 슈약(瘦弱)
ᄒᆞ샤 보기의 졀민커ᄂᆞᆯ, 몸을 이ᄀᆞᆺ치 닛비ᄒᆞ
샤 도로 위증(危症)을 어드려 ᄒᆞ시ᄂᆞ니잇
가?"

흑시 잠쇼 왈,

"내 근녁을 혜아려 이러ᄐᆞᆺ ᄒᆞ여도 관계치
아닐 줄 알오ᄃᆡ, ᄌᆞ의 남복이 심히 블쾌ᄒᆞ
여 졍을 펴디 못ᄒᆞ엿ᄂᆞ니, ᄌᆞ는 엇디 날노
ᄡᅥ 고승(高僧) ᄀᆞᆺ기를 바라ᄂᆞ뇨?"

댱쇼졔 크게 민울ᄒᆞ나 홀 일 업더니, 야
심ᄒᆞ미 댱시를 붓드러 상요(床褥)의【23】
나아가니, 쇼졔 쳔만 가디로 막ᄌᆞ르ᄃᆡ, 흑시
맛참ᄂᆡ 듯디 아니ᄒᆞ고 일침디하의 연니디락
(連理之樂)510)을 펼ᄉᆡ, 츈풍이 화란(和暖)ᄒᆞ
미 미개화(未開花) 븟치이믈 면치 못ᄒᆞ니,
댱쇼졔 녀ᄌᆞ ᄀᆞ온ᄃᆡ 강밍(强猛)ᄒᆞᄃᆡ 능히
윤흑슈의 용녁을 밋츨 길히 이시리오. 부뷔

---

510)연니디락(連理之樂) : 부부가 화합하는 즐거움.'연
　리(連理)'는 연리지(連理枝) 곧 두 나무의 가지가
　서로 맞닿아서 결이 서로 통한 것을 뜻하여 화목
　한 부부나 남녀의 사이를 비유적으로 이르는 말.

쇼졔 미쇼 왈,

"형셰 위급ᄒᆞ믈 당ᄒᆞ여 즘간 남의를 긔착
ᄒᆞᆫ 비나 엇지 댱구히 남ᄌᆞ로 쳐신ᄒᆞ리잇
가?"

학시 우음을 ᄯᅴ여 좌우를 도라보니 ᄲᅡᆼ셤
이 장외의 이실 ᄯᆞᆫ이오, 방즁이 고요ᄒᆞ여
댱시 밧 타인이 업고, 병이 즘간 덜니므로
브터 년쇼 부뷔 일방(一房)의 상ᄃᆡᄒᆞ여 엇
지 범연ᄒᆞ리오. 이의 벼기를 밀고 금금(錦
衾)을 믈니쳐 단의침건(單衣寢巾)으로 댱시
의 손을 닛그러 므릅흘 년ᄒᆞ고, 향싀(香顋)
를 졉ᄒᆞ미, 은졍이 므릇녹【142】아 도로혀
황홀ᄒᆞ믈 니긔지 못ᄒᆞ니, 댱쇼졔 진실노 블
안 졀민ᄒᆞ여 급히 옥수를 ᄲᅢ히고져 ᄒᆞᄃᆡ,
즁병지여(重病之餘)의 긔운이 약ᄒᆞ나 오히
려 강밍ᄒᆞᆫ 용녁이 업지 아니ᄒᆞ니, 녀ᄌᆞ의
연연약딜노ᄡᅥ 엇지 학슈를 당ᄒᆞ리오. 오직
옥면이 취홍ᄒᆞ여[며] 거지 황황ᄒᆞ여 급히
굴오ᄃᆡ,

"군지 즁병지여의 긔뷔(肌膚) 슈약(瘦弱)
ᄒᆞᄉᆞ 보기의 졀민커ᄂᆞᆯ, 몸을 니ᄀᆞᆺ치 닛비ᄒᆞ
ᄉᆞ 도로 위증(危症)을 더으려 ᄒᆞ시ᄂᆞ니잇
가?"

학시 잠쇼 왈,

"내 근녁을 혜아려 니러ᄐᆞᆺ ᄒᆞ여도 관계치
아닐 줄 알오ᄃᆡ, ᄌᆞ의 남복이 상(常)히496)
블쾌ᄒᆞ여 졍을 펴지 못ᄒᆞ엿ᄂᆞ니 ᄌᆞ는 엇지
날노ᄡᅥ 고승 ᄀᆞᆺ기를 바라ᄂᆞ뇨"

댱쇼졔 크게 민울ᄒᆞ나 홀 일【143】업더
니, 야심ᄒᆞ미 댱시를 붓드러 상뇨(床褥)의
나아가니, 쇼졔 쳔만 가지로 막ᄌᆞ르ᄃᆡ, 흑시
맛참ᄂᆡ 듯지 아니ᄒᆞ고 일침지하의 년니지락
(連理之樂)497)을 펼ᄉᆡ, 츈풍이 화란ᄒᆞ미 미
긔화(未開花) 븟치이믈 면ᄒᆞ지 못ᄒᆞ니라.

ᄎᆞ후 학시 년야(連夜)ᄒᆞ여 화합ᄒᆞ미 관져
시를 읇ᄒᆞ니, ᄲᅡᆼ셤이 크게 힝열ᄒᆞ고, 혜쥰

---

496)상(常)히 : 늘상(常). 늘. 계속하여 언제나.
497)연니디락(連理之樂) : 부부가 화합하는 즐거움.'연
　리(連理)'는 연리지(連理枝) 곧 두 나무의 가지가
　서로 맞닿아서 결이 서로 통한 것을 뜻하여 화목
　한 부부나 남녀의 사이를 비유적으로 이르는 말.

구정(舊情)을 니으미 은이(恩愛) 교칠(膠漆)의 디난디라. 추후 혹시 년야(連夜)ᄒ여 화합ᄒ미 관져(關雎)의 시를 디엄즉 ᄒ니, 쌍셤이 크게 힝열ᄒ고, 혜쥰 등이 비로소 혹ᄉ를 구ᄒ던 사ᄅᆷ이 남지 아니오 그 쥬뫼믈 씨ᄃ라, 즐기믈 형용치 못ᄒ더라.

혹ᄉ의 병휘(病候) 잠간 회두(回頭)ᄒ니, 혹시 뎡비 죄인의 거체 요란ᄒᄆᆞᆯ 깃거 아녀 ᄒ뒤,【24】근읍(近邑) 쥬현(州縣)이 글을 보뉘여 하례ᄒ더라.

혹ᄉ긔 슈혹ᄒᄂᆞᆫ ᄋᆞ히 듕 일개 영걸긔동(英傑奇童)이 이시니 셩명은 한희린이라. 방년(方年)이 십일셰의 그 풍광이 동탕ᄒ고 용뫼 슈려ᄒ여 댱유(張兪)511)의 묽은 거슬 압두(壓頭)ᄒ고 니빅(李白)의 호풍(好風)을 묘시(藐視)ᄒ뒤, 그 년긔(年紀) 구셰가디ᄂᆞᆫ '텬(天)'·'디(地)' 두 ᄌᆞ를 모로ᄂᆞᆫ 바로, 발양(發揚)ᄒ 긔운만[을] 것잡디 못ᄒ여, 마을 쇼ᄋᆞ들과 ᄡᅩ호며 욕ᄒ기를 일삼던 비라. 희린의 부친의 명은 슌이오, ᄌᆞᄂᆞᆫ ᄌᆞ청이니, 승상 한유(韓愈)512)의 일ᄌᆞ로 문장 도힝이 ᄉᆞ림(士林)의 츄앙ᄒ미 되어시뒤, 고집이 괴이ᄒ여 공명 현달을 구치 아니ᄒ고, 본향 양쥐의 은거ᄒ여 고요히 셰월을【25】보뉘뒤, 한승상이 쳥빅니(淸白吏)로 유명ᄒ 지상이라. ᄒ 낫 ᄋᆞ들의 가업(家業)을 넘녀ᄒᄂᆞᆫ 일이 업셔, 그 집이 동ᄒᆡ슈(東海水)로 브션513)ᄃᆞ시ᄒ여, 한슌의 계활(計活)이 ᄀᆞ장 넉넉디 못ᄒ뒤, 효렴이 안빅낙도(安貧樂道)ᄒ여 ᄌᆡ물을 흙ᄀᆞ치 넉이고, 작녹(爵祿)을 부운ᄀᆞ치 아라 ᄠᅳᆺ이 놉흐뒤, 그 쳐 곽시ᄂᆞᆫ 듕무소듀(中無所主)ᄒ 위인이라. 《허락∥허랑(虛

---

511) 댱유(張兪) : 중국 송나라 때의 시인. 자를 소우(少愚), 호를 백운선생(白雲先生)이라 하였고, <잠부(蠶婦)>라는 시가 유명하다. 저서에 『白雲集』이 있다.
512) 한유(韓愈) : 중국 당나라의 문인·정치가(768~824). 자는 퇴지(退之). 호는 창려(昌黎). 당송 팔대가의 한 사람으로, 변려문을 비판하고 고문(古文)을 주장하였다. 시문집에 ≪창려선생집≫이 있다.
513) 브ᄉᆡ다 : 부시다. 그릇 따위를 씻어 깨끗하게 하다

등이 비로소 학ᄉ를 구ᄒ던 사람이 남치 아니오 그 쥬뫼(主母)를 씨ᄃ라 즐거오믈 씨닷지 못ᄒ더라.

혹ᄉ의 병휘(病候) 줌간 회두(回頭)ᄒ니 학시 졍비 죄인의 거체 가장 소요ᄒᄆᆞᆯ 깃거 아녀 ᄒ뒤, 근읍 쥬현이 글월을 보뉘여 하례ᄒ더라.

혹ᄉ긔 슈혹ᄒᄂᆞᆫ ᄋᆞ히 즁 일개 녕걸긔동(英傑奇童)이 이시니 셩명은 한희린이라. 방년이 십【144】일 셰의 그 풍치 동탕ᄒ고 용뫼 슈려ᄒ여, 년이 구셰가지ᄂᆞᆫ '텬(天)·디(地)' 두 ᄌᆞ를 모로ᄂᆞᆫ 바로, 발양(發揚)ᄒᄂᆞᆫ 긔운을 것줍지 못ᄒ여, 미양 남을 욕ᄒ며 ᄡᅡ흐기를 일숨ᄂᆞᆫ지라. 그 부친의 명은 슌이오, ᄌᆞᄂᆞᆫ ᄌᆞ청이니, 승상 유의 일ᄌᆞ로 문장 도힝이 ᄉᆞ림(士林)의 츄앙ᄒ미 되어시뒤, 고집이 고이ᄒ여 공명 현달을 구치 아니ᄒ고, 본향 양쥐의 은거ᄒ여 고요히 셰월을 보닐시, 한승상이 유명ᄒ 지상이라. 쳥빅(淸白)ᄒ기로 가계 빈한ᄒ나, 슌이 안빈낙도(安貧樂道)ᄒ니 ᄌᆡ물을 흙ᄀᆞ치 넉이고, 작녹(爵祿)을 부운ᄀᆞ치 아라 ᄠᅳᆺ이 ᄀᆞ장 놉흐뒤, 그 쳐 곽시ᄂᆞᆫ 즁무소쥬(中無所主)ᄒ 위인으로, 본뒤 허랑ᄒ미 심ᄒ고, 남의 부【145】요(富饒)ᄒ믈 본즉 앙시(仰視)ᄒ기를 텬샹 옥경ᄀᆞ치 넉이ᄂᆞᆫ지라. 공이 그 인믈의 망측ᄒᄆᆞᆯ 긔괴히 넉이나, 조강결발(糟糠結髮)498)의 대륜을 폐치 아녀, 강잉ᄒ여 부부지낙(夫婦之樂)을 닐우나 늦도록 ᄌᆞ녀를 싱산ᄒᄂᆞᆫ 일이 업ᄉᆞ니, 공이 미양 텬디신명(天地神明)게 축원ᄒ니, ᄒ 낫 ᄌᆞ식을 어더 조션후ᄉ(祖先後嗣)를 멸치 아니믈 쳥ᄒ더니, 수십 후 곽시 틱신(胎娠)의 경시 이셔 일기 녀ᄋᆞ를 낫코, ᄯᅩ 명년의 희린을 나흐니 ᄌᆞ녀의 비상 특이ᄒ미, 히즁명월쥐(海

---

498) 조강결발(糟糠結髮) : 고생을 함께 해온 아내와 관례(冠禮)를 행하고 처음 맞은 아내를 함께 이르는 말로, '본처(本妻)'를 비유적으로 표현한 말.

浪)》 부박(浮薄)흐미 심흐고, 부귀와 권세를 크게 흠모흐는 고로, 셩졍이 극히 구추흐여, 미양 사룸을 만난즉 아모 거시라도 엇고져 흐며, 달나 흐기를 즐기고, 비록 텬션 갓튼 사룸이라도 빈한흔즉 돈견(豚犬)갓치 넉이고, 우밍(愚氓)갓치 용녈(庸劣)흔 위인이라○[도] 부요(富饒)흔즉 놉히 보기를 텬【26】샹 옥황갓치 흐는디라. 한슌이 그 인물의 망측흐믈 긔괴히 넉이나, 조강결발(糟糠結髮)514)의 대륜(大倫)을 폐치 아녀, 강인(强忍)흐여 부부디낙(夫婦之樂)을 일우디 늣도록 즈녀를 싱산치 못흐니, 한슌이 미양 텬디신명(天地神明)긔 튝원흐여 흔 낫 영주를 어더 조션후수(祖先後嗣)를 졀치 아니믈 쳥흐더니, 수십 후 곽시 틱신(胎身)의 경시 이셔 일개 녀우를 나코, 쏘 명년의 희린을 나흐니, 즈녀의 비상 특이흐미 히듕명월쥐(海中明月珠)라. 한슌이 무주(無子)흐믈 슬허 흐다가 옥녀(玉女) 긔동(奇童)을 어드니, 환힝희열(歡幸喜悅)흐미 비홀 곳이 업더니, 셰월이 ‘빅구(白駒)의 틈 디남’515)갓투여, 녀우 희쥐 십셰오, 우주 희린은 구셰라.【27】한슌이 상법을 알므로 우들과 쏠을 비록 갈르치디 아녀도, 지조와 문댱이 텬하의 문인지수를 압두홀 거시오, 오복(五福)516)이 완젼흔 상뫼라 흐여, 나히 더 추기를 기다려 교흑(敎學)흐려 흐더니, 블힝흐여 홀연 한공이 독딜을 어더 상요(床褥)의 위돈(委頓)흐니517), 스스로 니디 못홀 줄 알고, 희린을 압히 나호여 경계 왈,

“네 아비 명박흐여 두 낫 즈녀의 셩혼을

中明月珠)라. 공이 무즈(無子)흐믈 슬허 허드가 옥녀 긔동을 어드니 환힝희열(歡幸喜悅)흐미 비홀 곳이 업더니, 셰월이 ‘빅구(白駒)의 틈 지남’499) 갓투여 녀우 희쥐 십셰오,【146】우즈 희린은 구셰라. 공이 상법(相法)을 아는지라. 우들과 쏠을 비록 글즈를 갈르치지 아녀도, 지조와 문장이 텬하의 문인(文人) 지수(才士)를 압두홀 거시오, 오복(五福)500)이 완젼흔 상뫼라 흐여, 나히 더 추기를 기드려 교학(敎學)흐려 흐더니, 불힝흐여 공이 독딜(毒疾)을 어더 상뇨의 위돈(危頓)흐니, 스스로 니지 못홀 줄 알고 희린을 알픠 느호여 경계 왈,

“네 아비 명박흐여 두 낫 즈녀의 셩혼을 보지 못흐고 황양길(黃壤-)501)을 바야니502), 내 목숨은 족히 앗갑지 아니딕, 너

---

514)조강결발(糟糠結髮) : 고생을 함께 해온 아내와 관례(冠禮)를 행하고 처음 맞은 아내를 함께 이르는 말로, ‘본처(本妻)’를 비유적으로 표현한 말.

515)빅구(白駒)의 틈 디남 : 백구과극(白駒過隙). 흰 망아지가 빨리 달리는 것을 문틈으로 본다는 뜻으로, 인생이나 세월이 덧없이 빨리 흘러감을 이르는 말.

516)오복(五福) : 유교에서 이르는 다섯 가지의 복. 보통 수(壽), 부(富), 강녕(康寧), 유호덕(攸好德), 고종명(考終命)을 이른다.

517)위돈(委頓)흐다 : 힘이 빠지다. 기진(氣盡)하다. 자리에 쓰러져 있다.

499)빅구(白駒)의 틈 디남 : 백구과극(白駒過隙). 흰 망아지가 빨리 달리는 것을 문틈으로 본다는 뜻으로, 인생이나 세월이 덧없이 빨리 흘러감을 이르는 말.

500)오복(五福) : 유교에서 이르는 다섯 가지의 복. 보통 수(壽), 부(富), 강녕(康寧), 유호덕(攸好德), 고종명(考終命)을 이른다.

501)황양길(黃壤-) : 황천길(黃泉-). 저승길. 죽어서 저승으로 가는 길.

502)바야다 : 재촉하다. 보채다.

보디 못호고 황양길(黃壤-)518)홀 바야
니519), 내 목슘은 죡히 앗갑디 아니호딕,
너희 남미의 졍니를 싱각호면 참졀호디라.
네 모친이 본딕 형상 업슨 위인이니 대쇼
범스의 네 스스로 혜아려 힝호고, 어미【2
8】다려 뭇디 말며, 쏘 사름이 흑문을 모로
면 금슈와 다르디 아니니, 어딘 스부를 어
더 유학(儒學)을 힘쓰고, 누의를 고문벌열
(高門閥閱)의 져와 굿튼 쌍을 어더 빅필을
삼고, 향니 촌부의게 결혼치 말나."

　쏘 쇼져를 당부 왈,

　"내 이졔 죽으미 네 모친이 쥬흔 쇼견이
다만 남의 부귀를 블워홀 쓰름이라. ᄋ들은
졔 스스로 굴히여 비필을 구호여도 붓그럽
디 아니호거니와, 너의 신셰 가히 위틱롭디
아니호랴. 삼가고 삼가며 조심호여 비록 어
믜 말이라도 블스(不似)흔520) 곳의 다드라
는 괴로이 간호여 듯디 말나."

　쇼져와 공지 야야의 유교(遺敎)를 듯고
실셩(失性) 운졀(殞絶)하여 인스를 출히디
【29】못호니, 공이 스스로 어로만져 씌와
딘졍케 호고, 흔 번 탄식의 두 번 늣겨 눈
믈을 나리오고 엄연 댱셔(長逝)호니, 희린
남미의 궁텬디통(窮天之痛)이야 어이 니를
거시 이시리오마는, 집의 흔 냥 은ᄌ와 흔
필 깁이 업스니, 므어스로 초상입념디구(初
喪入殮之具)521)를 출히리오. 희린 공지 산
발흔 머리를 거두어 미고, 흑당의 가 션비
를 쳥호여 디필을 주며 문권(文券)을 민드
라 달나 호니, 그 경식과 언시 참참(慘慘)흔
디라. 흑교 졔인이 위호여 몸을 파라 념장
(殮葬)522)코져 호믈, 눈믈을 흘니고 문권을
민다라 주니, 희린이 문권을 가져 읍져(邑

518) 황양길(黃壤-) : 황천길(黃泉-). 저승길. 죽어서
　　저승으로 가는 길.
519) 바야다 : 재촉하다. 보채다.
520) 블스(不似)ᄒ다 : 닮지 않다. 격에 맞지 않다.
521) 초상입념디구(初喪入殮之具) : 사람이 죽은 때로
　　부터 시신을 씻겨 수의를 갈아입히고 염포(殮布)
　　로 묶어서 관(棺)에 넣을 때까지 사용할 모든 기
　　구와 물품.
522) 념장(殮葬) : 염장(殮葬). 시체를 염습하여 장사
　　를 지냄.

희 남미의 졍니를 싱각호면 참졀흔지라. 네
모친이 본딕 형상 업슨 위인이니 대쇼 범스
를 네 스스로 혜아려 힝호고, 어미드려 뭇
지 말며, 쏘 스【147】람이 흑문을 모르면
금슈와 다르지 아니니, 어딘 스부를 어더
유학을 힘쓰고, 누의를 고문벌열(高門閥閱)
의 져와 굿튼 쌍을 어더 빅필을 숨고, 향니
촌부의게 결혼치 말나"

　쏘 쇼져를 당부 왈,

　"네 아비 죽으미 네 모친이 주흔 쇼견이,
다만 남의 부귀를 블워홀 쓰름이라. ᄋ들은
졔 스스로 굴히여 비필을 구호여도 붓그럽
지 아니호거니와, 너히 신셰 가히 위틱롭지
아니호랴. 숨가고 숨가며 조심호여, 비록 어
미 말이라도 블스(不似)흔503) 곳의 다드라
는 괴로이 간호여 듯지 말나."

　쇼져와 공지 야야의 유교(遺敎)를 듯고
실셩(失性) 운졀(殞絶)하여 인스를 출히지
못호니, 공이 스스로 어로만져 씌와 진졍케
【148】호고, 흔 번 탄식의 ᄌ연 늣겨 눈믈
을 ᄂ리오고, 엄연(奄然) 장셔(長逝)호니, 희
린 남미의 궁텬디통(窮天之痛)을 엇지 다
측냥호리오마는, 집의 흔 냥 은ᄌ와 흔 필
깁이 업스니, 므어스로 초상님념지구(初喪
入殮之具)504)를 출히리오.. 희린 공지 산발
흔 머리를 거두어 미고, 흑당의 가 션비를
쳥호여 지필을 주며 문권(文券)을 민드라
둘나 호니, 그 경식과 언시 참참(慘慘)흔지
라. 학교 졔인이 위호여 낙누치 아니리 업
더라. ○○[이의] 몸을 파라 념장(殮葬)505)
흐는 문권을 민다라 주니, 희린이 문권을
가지고 읍져(邑底)의 ᄂ아가, 스문의 죵일
다라506) 졔 몸을 풀고ᄌ 흐딕, 뉘 한승상의

503) 블스(不似)ᄒ다 : 닮지 않다. 격에 맞지 않다.
504) 초상님념지구(初喪入殮之具) : 사람이 죽은 때로
　　부터 시신을 씻겨 수의를 갈아입히고 염포(殮布)
　　로 묶어서 관(棺)에 넣을 때까지 사용할 모든 기
　　구와 물품.
505) 념장(殮葬) : 염장(殮葬). 시체를 염습하여 장사
　　를 지냄.

底)의 와 ᄉ문(四門)의 죵일 다라523) 제 몸을 팔【30】고져 ᄒ되, 뉘 한승샹의 죵손(宗孫)을 죵 삼으리오. 그 졍경을 듯ᄂ 니 슬피 넉이나, 문권 ᄉ어(辭語)를 실쇼(失笑)524)ᄒ여 아모도 ᄉ 리 업스니, 한공지 죵일 두로 도라 ᄒ 냥 은ᄌ를 엇디 못ᄒ고, 망극ᄒ미 텬디 어둡기를 면치 못ᄒ여, 우연이 윤혹ᄉ 머므는 곳의 나아가 문권을 드리니, 혹ᄉ 치525) 보도 아니ᄒ고 즉시 문권을 소화ᄒ고, 희린을 븟드러 그 심ᄉ를 위로ᄒ며, 경샤의셔 뎡·하·셕 삼인이 혹ᄉ의 삼년 덕거의 디닐 거슬 혜아려, 은ᄌ 슈빅 냥 쥰 거시 오히려 잇더니, 다 니여 한공ᄌ를 주어 쟝ᄉ 디니라 ᄒ니, 희린의 감은ᄒ미 골슈(骨髓)의 ᄉ못ᄎ, 머리를 두다려 은【31】덕을 빅비 칭샤ᄒ되, 혹ᄉ 탄왈,

"내 그되를 쳐음으로 보나 졍ᄉ 참혹ᄒ다라. 엇디 슈빅 냥 은ᄌ를 앗겨 녕엄(令嚴) 샹댱(喪葬)을 씌의 못ᄒ게 ᄒ리오. 모로미 급히 도라가 입념디구(入殮之具)를 출혀 셩복(成服)을 디니고, 비록 쟝월(葬月)526)이 다닷디527) 못ᄒᆯ디라도, 밧비 양녜(襄禮)528)를 디니고 내게로 도라오면, 내 결단ᄒ여 그되로 ᄒ여곰 블의예 ᄡ디디 아니케 ᄒ리라."

희린이 쳬읍 샤례ᄒ며 언언이 슈명ᄒ고 샐니 도라갈ᄉᆡ, 혹ᄉ 그 샹모의 비샹홈과 위인의 츌뉴(出類)ᄒ믈 흠이(欽愛)ᄒ여, 맛춤ᄂᆡ 닛디 아닐 ᄯ을 두어, 혜쥰을 한부의 보ᄂᆡ여 초상입념디졀(初喪入殮之節)을 도【32】으라 ᄒ니, 한공이 원ᄂᆡ 오되독신(五代獨身)으로 ᄒᆞᆫ낫 ᄆᆡᄌ(妹者)도 업ᄂᆞᆫ디라.

523)달다 : 물건을 일정한 곳에 걸거나 매어 놓다.
524)실쇼(失笑) :어처구니가 없어 저도 모르게 웃음이 툭 터져 나옴. 또는 그 웃음.
525)치 : 채. 미처. 어떤 상태나 동작이 다 되거나 이루어졌다고 할 만한 정도에 아직 이르지 못한 상태를 이르는 말.
526)쟝월(葬月) : 장례에 알맞은 달. 죽은 사람의 사주를 따른다.
527)다닷다 : 다닫다. 다다르다. 어떤 수준이나 한계에 미치다.
528)양녜(襄禮) : 장례(葬禮). 장사를 지내는 일.

종손을 죵 숨으리오. 그 졍경을 듯ᄂ 니 슬피 넉이나, 【149】문권 ᄉ의(辭意)를 《질쇼‖실쇼(失笑)507)》ᄒ여 아모도 ᄉ리 업스니, 한공지 죵일 두루 도라 ᄒ 냥 은ᄌ를 엇지 못ᄒ고, 망극ᄒ미 텬디 어둡기를 면치 못ᄒ여, 우연이 윤혹ᄉ 머므는 곳의 ᄂᆞ아가 문권을 드리니, 학ᄉ 치508) 보도 아니코 즉시 문권을 소화ᄒ고, 희린을 붓드러 그 심ᄉ를 위로ᄒ며, 경ᄉ의셔 뎡·하·셕 삼인이 혹ᄉ의 숨년 젹거의 지닐 거슬 혜아려 은ᄌ 슈빅 냥 쥰 거시 오○[히]려 잇더니, 다 ᄂᆡ여 한공ᄌ를 주어 쟝ᄉ를 지니라 ᄒ니, 희린의 굼은ᄒ미 골슈(骨髓)의 ᄉ못쳐 머리를 두다려 은덕을 빅비 층ᄉᄒ되 학ᄉ 탄왈,

"내 그되를 쳐음으로 보나 졍ᄉ 춤혹ᄒ지라. 엇지 슈빅 냥 은ᄌ를【150】 앗겨 녕엄 샹장(喪葬)을 씌의 못ᄒ게 ᄒ리오. 모로미 급히 도라가 입념지구(入殮之具)를 출혀 셩복(成服)을 지니고, 비록 쟝월(葬月)509)이 다닷지510) 못ᄒᆯ지라도, 밧비 댱ᄉ(葬事)를 지니고 내게로 도라오면, 《싱이‖내》 결단ᄒ여 그되로 ᄒ여곰 블의에 ᄡ지게 아니ᄒ리라"

희린이 쳬읍 ᄉ례ᄒ며 언언이 슈명ᄒ고 ᄉᆯ니 도라갈ᄉᆡ, 학ᄉ 그 샹모의 비샹홈과 위인의 츌뉴(出類)ᄒ믈 흠이(欽愛)ᄒ여, 맛춤ᄂᆡ 닛지 아닐 ᄯ을 두어, 혜쥰을 한부의 보ᄂᆡ여 초상념녑지구(初喪入殮之具)를 도으라 ᄒ니, 한공이 원ᄂᆡ 오되독신(五代獨身)으로 ᄒᆞᆫ낫 ᄆᆡᄌ도 업ᄂᆞᆫ지라. 강근지친(强近之親)이 업고 셩졍이 고결 단엄ᄒᄆ로 향촌의

506)달다 : 물건을 일정한 곳에 걸거나 매어 놓다.
507)실쇼(失笑) :어처구니가 없어 저도 모르게 웃음이 툭 터져 나옴. 또는 그 웃음.
508)치 : 채. 미처. 어떤 상태나 동작이 다 되거나 이루어졌다고 할 만한 정도에 아직 이르지 못한 상태를 이르는 말.
509)쟝월(葬月) : 장례에 알맞은 달. 죽은 사람의 사주를 따른다.
510)다닷다 : 다닫다. 다다르다. 어떤 수준이나 한계에 미치다.

강근디친(强近之親)이 업고 셩졍이 고결(高潔) 단엄(端嚴)ᄒᆞ므로, 향촌의 우밍디뉴(愚氓之類)를 스괴ᄂᆞᆫ 일이 업스니, 초상 셩복을 다 ᄂᆞ나 아모도 드리미러 보리 업고, 다만 윤흑ᄉᆡ 극딘히 고렴(顧念)ᄒᆞ여 그 녕궤(靈几)를 붓드러 향딘(鄕塵)529)의 안장(安葬)케 ᄒᆞ니, 희린 남믹의 각골감은(刻骨感恩)ᄒᆞᆷ은 니르도 말고, 곽부인의 상(常)업ᄉᆞᆫ530) 인믈이로ᄃᆡ 윤흑ᄉᆡ의 은혜ᄂᆞᆫ 감격ᄒᆞ여, 함호결초(含琥結草)531)ᄒᆞᆯ ᄯᅳᆺ이 잇ᄂᆞᆫ디라. 희린이 집을 ᄯᅥ나 상측(喪側)의 잇디 못ᄒᆞᆷ믈 슬허 ᄒᆞ나, 흑문을 아디 못ᄒᆞᆷ이 큰 근심이 될 ᄲᅮᆫ 아니라, 윤흑ᄉᆡ 여러 번 브르미 어긔오디 못【33】ᄒᆞ여, 장후(葬後) 즉시 흑ᄉᆞ의 곳의 니르니, 흑ᄉᆡ 디셩으로 교흑(敎學)ᄒᆞ여 ᄀᆞᄅᆞ치ᄂᆞᆫ 도리 ᄉᆞ랑ᄒᆞᄂᆞᆫ ᄋᆞ오ᄀᆞᆺ치 ᄒᆞ여, 흔갓 문ᄌᆡ(文才) 필법(筆法) ᄲᅮᆫ 아니라 일신빅ᄒᆡᆼ(一身百行)의 흔 일도 무심히 보ᄂᆞᆫ 빅 업셔, 네 아니면 그 귀예 들니디 아니ᄒᆞ고, 덕이 아니면 언두(言頭)의 올니디 아니ᄒᆞ여, 한공ᄌᆞ의 과격(過激)ᄒᆞ며 발양(發揚)흔 거동 곳 보면, 뎡식ᄒᆞ고 쥰졀이 칙ᄒᆞ여 온듕뎡대(穩重正大)ᄒᆞ기를 당부ᄒᆞ니, 한공ᄌᆡ 윤흑ᄉᆞ와 ᄉᆞ뎨디도(師弟之道)를 미ᄌᆞ, 디극흔 졍은 니르도 말고 희린이 흑ᄉᆞ를 바라고 미드미 젹ᄌᆞ 즈모를 우럼 ᄀᆞᆺ고, 두리고 공경ᄒᆞᆷ이 엄흔 부형 ᄀᆞᆺᄐᆞ여, 날노 흑문을 힘쓰고 ᄒᆡᆼ실을 슈【34】련ᄒᆞᆷ이, 신긔흔 직죄 슈년디닉의 만권셔를 가슴의 장흔 빅 되어, '칠보(七步)의 쇽ᄌᆡ(俗才)'532)를 우으며 팔딘도(八陣圖)533)를 묘시ᄒᆞᄂᆞᆫ, 문필을

우밍【151】지뉴(愚氓之類)를 스괼 일이 업스니, 초상 셩복을 다 ᄂᆞ나 아모도 드리미러 보리 업고, 다만 윤학ᄉᆡ 극진이 고렴(顧念)ᄒᆞ여 그 녕궤(靈几)를 붓드러 《션형‖션령(先塋)》의 편히 장케ᄒᆞ니, 희린 남믹의 ᄀᆞᆨ골감은(刻骨感恩)ᄒᆞᆷ은 니르도 말고, 곽부인의 상(常)업ᄉᆞᆫ511) 인믈이로ᄃᆡ 윤흑ᄉᆡ의 은혜를 감격ᄒᆞ여 함호결초(含琥結草)512)ᄒᆞᆯ ᄯᅳᆺ이 잇ᄂᆞᆫ지라. 희린이 집을 ᄯᅥ나 상측(喪側)의 잇지 못ᄒᆞᆷ믈 슬허 ᄒᆞ나, 흑문을 아지 못ᄒᆞᆷ이 큰 근심이 될 ᄲᅮᆫ 아니라, 윤학ᄉᆡ 여러 번 부ᄅᆞ미 어긔오지 못ᄒᆞ여, 장후(葬後) 즉시 학ᄉᆞ의 곳의 니르니, 학ᄉᆡ 지셩으로 교흑(敎學)ᄒᆞ여 ᄀᆞᄅᆞ치ᄂᆞᆫ 도리 ᄉᆞ랑ᄒᆞᄂᆞᆫ 아이ᄀᆞᆺ치 ᄒᆞ여, 흔갓 문ᄌᆡ(文才) 필법(筆法) ᄲᅮᆫ 아니【152】라 일신빅ᄒᆡᆼ(一身百行)의 흔 일도 무심이 보ᄂᆞᆫ 빅 업셔, 네 아니면 그 귀의 들니지 아니ᄒᆞ고, 덕이 아니면 언두(言頭)의 올니지 아니ᄒᆞ여, 한공ᄌᆞ의 과격(過激)ᄒᆞ며 발양(發揚)흔 거동 곳 보면, 졍식ᄒᆞ고 쥰졀이 칙ᄒᆞ여 은즁졍대(穩重正大)ᄒᆞ기를 당부ᄒᆞ니, 한공ᄌᆡ 윤학ᄉᆞ와 ᄉᆞ뎨지도(師弟之道)를 미ᄌᆞ 지극흔 졍은 니르도 말고, 희린이 학ᄉᆞ를 바라고 미드미 젹지(赤子) 즈모(慈母)를 우럼 ᄀᆞᆺ고, 두리고 공경ᄒᆞᆷ이 엄흔 부형 ᄀᆞᆺᄐᆞ여, 날노 학문을 힘쓰고 ᄒᆡᆼ실을 슈련ᄒᆞᆷ이, 신긔흔 직죄 슈년지닉의 만권셔(萬卷書)를 ᄀᆞ슴의 장흔 빅 되어, 칠보시(七步詩)513)를 우으며, 팔진도(八陣圖)514)를 묘시ᄒᆞᄂᆞᆫ, 문필을 겸ᄒᆞ여 강하

---

529) 향딘(鄕塵) : 고향 땅.

530) 상(常)업다 : 상(常)없다. 보통의 이치에서 벗어나 막되고 상스럽다

531) 함호결쵸(含琥結草) : 늑결초보은(結草報恩). 죽어서 풀을 맺어 은혜를 갚는다는 뜻. 함호(含琥)는 반함(飯含)과 같은 뜻으로, 상례(喪禮)에서 염습할 때에 죽은 이의 입에 쌀이나 구슬을 물리는 것을 말한다. 따라서 함호는 '입에 구슬을 머금고 있다'는 말로 '죽은 사람'을 뜻한다.

532) 칠보(七步)의 쇽ᄌᆡ(俗才) : 일곱 걸음 만에 시를 지어 죽음을 면했다는 중국 위(魏)나라의 시인 조식(曹植 : 192~232)의 재주를 말함.

533) 팔딘도(八陣圖) : 중국 삼국시대 촉한(蜀漢)의 정

511) 상(常)업다 : 상(常)없다. 보통의 이치에서 벗어나 막되고 상스럽다

512) 함호결쵸(含琥結草) : 늑결초보은(結草報恩). 죽어서 풀을 맺어 은혜를 갚는다는 뜻. 함호(含琥)는 반함(飯含)과 같은 뜻으로, 상례(喪禮)에서 염습할 때에 죽은 이의 입에 쌀이나 구슬을 물리는 것을 말한다. 따라서 함호는 '입에 구슬을 머금고 있다'는 말로 '죽은 사람'을 뜻한다.

513) 칠보시(七步詩) : 위(魏)나라 조조(曹操)의 아들 조식(曹植 : 192~232)이 일곱 걸음 만에 시를 지어 죽음을 모면하였다는 고사가 담긴 시. 자(字)는 자건(子建).

514) 팔진도(八陣圖) : 중국 삼국시대 촉한(蜀漢)의 정치가 제갈량(諸葛亮; 181-234)이 창안했다고 하

겸호여 강하의 훤츨훈 긔량과 츈양의 화긔를 가져, 엄상(嚴喪)의 슬픈 거슬 관억(寬抑)호고, 윤혹스를 의앙호여 평싱의 써나디 말고져 호는디라. 혹스를 미양 스뷔(師父)라 호니, 혹시 희린의 나히 즈가의 뉵년 아린 고로 스뷔라 브르디 ○○[말고] 스형(師兄)이라 호라 호니, 희린이 혹스의 명을 조츠 스형이라 호더라.

곽시 희린을 근심 업시 윤혹스긔 보니고 회쥬로 더브러 됴셕증상(朝夕蒸嘗)534)을 계오 니으나, 간고훈 형셰 심호여 동딕셔걸(東貸西乞)535)을 면치 못하고,【35】훈낫 오히 비지(婢子)이셔 흐르는 믈을 써 오면, 됴셕 음식을 의디호여 닉이는 비라. 싀비(柴扉)도 졈졈 허러디고 초옥(草屋)은 허소(虛疏)호여 스통오달(四通五達)하니 능히 몸을 구리오디 못하는디라.

회쥬 쇼졔 향촌 강한(强悍)훈 인심을 두리는 고로, 일간 방샤의 고요히 쳐호여, 극열(極熱)을 당호여도 연고 업시 머리를 니왓디 아니하니, 닌니향당(隣里鄕黨)이 한공이 쓸이 이시믈 드르딕 얼골을 구경훈 사롬이 업더니, 한공의 초긔(初忌) 날 회쥬 모친과 희린으로 더브러 날이 붉도록 통곡호미, 닌가 최츄관의 비지 잠간 구경하고, 졍신이 황홀호여 졔【36】집의 돌아가 만구 칭션하니, 최츄관 즈는 본딕 향니의 쳔비(賤鄙)훈 가문이라[나], 용녁과 무예 타류의셔 잠간 나으므로 요힝 년무쳥(鍊武廳)의 참예호여 무과(武科)를 응하나, 엇디 즉시 벼슬의 나아가믈 어드리오마는, 최음의 집이 호부(豪富)호여 누만 금을 밧핫는 고로, 경샤의 탐직(貪財)하는 직상가의 금빅을 드리고 작딕(爵職)을 도모호여 계오 항쥐 츄관(秋

─────────

치가 제갈량(諸葛亮; 181-234)이 창안했다고 하는 진법(陣法).

534)됴셕증상(朝夕蒸嘗) : 아침저녁으로 올리는 제사. 증상(蒸嘗)은 제사(祭祀)를 뜻하는 말로, '증(蒸)'은 겨울제사를, '상(嘗)'은 가을제사를 말한다.

535)동딕셔걸(東貸西乞) : 동에서 꾸고 서에서 빈다는 뜻으로, 여러 곳에서 빚을 짐을 이르는 말. 늑 동추서대(東推西貸)·동서대취(東西貸取)·동취서대(東取西貸).

─────────

의 훤츨【153】훈 긔상과 츈양의 화긔를 가져 엄상(嚴喪)의 슬픈 거슬 관억(寬抑)호고, 윤학스를 의앙호여 평싱의 써나지 말고져 호는지라. 학스를 미양 스뷔(師父)라 호니, 학싱 희린의 나히 즈긔의 뉵년 아린 고로, 스뷔라 부르지 말고 스형(師兄)이라 ○○[호라] 호니, 희린이 혹스의 명을 조츠 스형이라 호더라.

곽시 희린을 근심 업시 윤학스게 보니고, 회쥬로 더브러 됴셕상식(朝夕上食)515)을 계오 니으나, 간고훈 형셰 심호여 동딕셔걸(東貸西乞)516)을 면치 못하고, 훈낫 오히 비지(婢子) 잇셔 흐르는 믈을 써 오면, 됴셕 음식을 의지호여 닉히는 비라. 시비(柴扉)도 졈졈 허여지고 초옥(草屋)은 《하소‖虛疏》호여 스통오달(四通五達) 하니 능히 몸을 구리오지 못하는지라.

회쥬 쇼【154】졔 향촌 강한(强悍)훈 인심을 두리는 고로, 일간 방스의 고요히 쳐호여, 극녈(極熱)을 당호여도 연고 업시 머리를 니왓지 아니니, 닌니향당(隣里鄕黨)이 한공이 쓸 잇시믈 알딕, 얼골을 구경훈 스람이 업더니, 한공의 초긔(初忌) 날 회쥬 모친과 희린으로 더브러 날이 붉도록 통곡호미, 인가 최츄관의 비지 줌간 구경하고, 졍신이 황홀호여 졔 집의 돌아가 만구 칭션하니, 최츄관 즈는 본딕 향니의 쳔비(賤卑)훈 가문이라. 용녁과 무예 타류의셔 줌간 나흔 고로 요힝 년무쳥(鍊武廳)의 참녜호여 무과를 응하나, 엇지 즉시 벼슬의 느아구믈 어드리오마는, 《쳐음‖최음》의 집이【155】호부호여 누만 금을 쏘핫는 고로, 경스의 탐직(貪財)하는 직상가의 금빅을 드리고 작직(爵職)을 도모호여, 계오 항쥐 츄관(秋官)517)을 지니고, 년긔 슘십의 훈 낫 즈네

─────────

는 진법(陣法).

515)됴셕상식(朝夕上食) : 초상이 났을 때 아침저녁으로 올리는 제사.

516)동딕셔걸(東貸西乞) : 동에서 꾸고 서에서 빈다는 뜻으로, 여러 곳에서 빚을 짐을 이르는 말. 늑 동추서대(東推西貸)·동서대취(東西貸取)·동취서대(東取西貸).

官)536)을 디니고, 년긔 삼십의 흔 낫 ᄌ녜 업시 금현(琴絃)이 단절ᄒ니, 최음이 져의 문회 나즈믈 싱각디 아니ᄒ고, 흔굿 은금을 ᄌ셰(藉勢)ᄒ여 후취를 구ᄒᄂ 뜻이 명문거 죡의 식덕이【37】겸비흔 녀ᄌ를 구ᄒᄂᆫ디 라. 어나 집이 쳔금 옥녀로뼈 최음 굿튼 무 부(武夫)로 ᄣᅡᆼ디으리오. 져마다 구혼홈 곳 드르면 실쇼(失笑)ᄒ믈 마디 아니ᄒ고 허혼 치 아니ᄒ니, 최음이 져와 굿튼 가문의ᄂ 입장(入丈)치 아니려 ᄒᄂ 고로, 여러 셰월 을 쳔연ᄒ더니, 져의 시녜 한쇼져 칭찬ᄒ믈 듯고 외람흔 의식 그윽이 니러나, 한승상의 손셰(孫壻) 되고져 ᄒᄂ 고로, 양쥐 읍져(邑 底) 남문 안히 잇ᄂ 미파 오츈낭을 블너, 금은옥보(金銀玉寶)로 한부 곽부인의게 가 득이 보니고, 온 가디로 곽시를 다리여 허 혼을 바드라 ᄒ니, 츈낭이 본ᄃ 말슴이 흐 르ᄂ 듯ᄒ여, 사롬을 어【38】로 녹이537)ᄂ 디라. 딘쥬보옥(珍珠寶玉)과 금은필빅(金銀 疋帛)을 무거이 가져와 곽부인긔 드리고, 최츄관의 여옥디모(如玉之貌)와 여류풍신 (如柳風神)을 일ᄏ르며, 금은딘보(金銀珍寶) 를 믈굿치 쓰며 노비 젼틱이 슈를 혜디 못 ᄒ며, 부귀 공후 귀틱의셔 더ᄒ믈 흐뭇거 이538) 고ᄒ여, 한공의 삼긔(三朞)539) 디나 기를 기다려 쇼져로뼈 최가의 속현(續絃)ᄒ 믈 쳥ᄒ니, 곽시 금은의 넉슬 일코 미파의 뉴슈디변(流水之辯)이 무궁히 일ᄏᄂ 말의 졍신이 현난ᄒ여, 블워ᄒᄂ 춤이 마를 듯, 하 깃브고 긔특ᄒ니, 엇디 그 문디비쳔(門 地卑賤) ᄒ믈 몽니(夢裏)의나 싱각ᄒ리오. 반ᄃ시 한공의 졍녕(精靈)540)이【39】도아 녀ᄋ를 최가 굿튼 일부(一富)541)의게 인연 을 일우게 ᄒ믈 혜아려, 흔연이 금쥬보옥

업시, 금현(琴絃)이 단절ᄒ니, 최음이 져히 문회(門戶) 나즈믈 싱각지 아니ᄒ고, 흔굿 은금을 ᄌ셰(藉勢)ᄒ여 후취(後娶)를 구ᄒᄂ 쓴이 명문거족의 식덕이 겸비흔 녀ᄌ를 구 ᄒᄂ지라. 어느 집이 쳔금 옥녀로뼈 최음 굿튼 무부로 ᄣᅡᆼ을 지으리오. 져마다 구혼홈 곳 드르면 실쇼(失笑)ᄒ믈 마지 아니ᄒ고 흔 곳도 허혼치 아니ᄒ니, 최음이 져와 굿 튼 가문의ᄂ 납장(入丈)치 아니려 ᄒᄂ 고 로 녀러 셰월을 쳔연ᄒ더니, 졔 시녜 한 쇼 【156】져 칭찬ᄒ믈 듯고, 외람흔 의식 니 러나 한승상의 손셰(孫壻) 되고ᄌ ᄒᄂ 고 로, 양쥐 읍져(邑底) 남문 안히 잇ᄂ 미파 오츈낭을 불너, 금은옥보(金銀玉寶)로 한부 곽부인의게 가득이 보니고, 온 가지로 곽 시를 다리여 허혼을 바드라 ᄒ니, 츈낭이 본ᄃ 말슴이 흐르ᄂ 듯ᄒ여, ᄉ람을 아로 녹이518)ᄂ지라. 진쥬보옥(珍珠寶玉)과 금은 필빅(金銀疋帛)을 무거이 가져와 곽부인게 드리고, 최츄관의 여옥지모(如玉之貌)와 여 류풍신(如柳風神)을 닐ᄏ르며 금은진보(金 銀珍寶)를 믈굿티 쓰며, 노비(奴婢) 젼틱(田 宅)이 슈를 혀지 못ᄒ며, 부귀 공후딕틱(公 侯大宅)의셔 더ᄒ믈 흐뭇거이519) 고ᄒ여, 한공의 슴긔(三朞)520) 지니기를 기드려 쇼 져로뼈 최【157】가의 속현ᄒ믈 쳥ᄒ니, 곽 시 금은의 넉슬 일코 미파의 뉴슈지변(流水 之辯)으로 무궁히 닐ᄏᄂ 말의 졍신이 현난 ᄒ여, 블워ᄒᄂ 춤이 마를 듯, 하 깃부고 긔 특ᄒ니, 엇지 그 문지비쳔(門地卑賤)ᄒ믈 몽 니(夢裏)의나 싱각ᄒ리오. 반ᄃ시 한공의 졍 녕(精靈)521)이 도아 녀ᄋ를 최가 굿튼 일부 (一富)522)의게 인연을 닐우게 ᄒ믈 혜아려, 흔연이 금쥬보옥(金珠寶玉)을 밧고 일어의

536)츄관(秋官) ; 형조(刑曹)를 달리 이르는 말.
537)어로녹이다 : 얼러 녹이다. 그럴듯한 말로 꾀어 마음을 움직이다. '어로다+녹이다'의 형태. *어로 다; 어르다. 어떤 일을 하도록 사람을 구슬리다
538)흐뭇겁다 : 흐뭇하다. 마음에 흡족하여 매우 만 족스럽다
539)삼긔(三朞) : '삼년상(三年喪)'을 달리 이르는 말.
540)졍녕(精靈) : 죽은 사람의 영혼.
541)일부(一富) : 갑부(甲富). 첫째가는 큰 부자.

517)츄관(秋官) ; 형조(刑曹)를 달리 이르는 말.
518)아로녹이다 : 얼러 녹이다. 그럴듯한 말로 꾀어 마음을 움직이다. '아로다+녹이다'의 형태. *아로 다; 어르다. 어떤 일을 하도록 사람을 구슬리다
519)흐뭇겁다 : 흐뭇하다. 마음에 흡족하여 매우 만 족스럽다
520)슴긔(三朞) : '삼년상(三年喪)'을 달리 이르는 말.
521)졍녕(精靈) : 죽은 사람의 영혼.
522)일부(一富) : 갑부(甲富). 첫째가는 큰 부자.

(金珠寶玉)을 밧고 일어의 쾌허ᄒ여, 직긔(再忌)542) 디난 후 셩녜(成禮)ᄒ믈 니르니, 미패 대열ᄒ여 즉시 도라가 최음의게 회보하니, 츄관이 대열ᄒ여 미파를 상샤ᄒ여 도라보ᄂ니라.

곽시 금보를 가디고 드러와 녀ᄋ를 보고 형상 업시 즐기미 밋칠 듯ᄒ니, 희쥐 대경 츠악ᄒ여 눈물을 쓰리고 스리로 간ᄒ나 곽시 드를 니 업셔, 금빅의 심혼을 다 ᄲᆫ디오고 손을 곱아 한공의 직긔 여러 둘 가려시믈 근심ᄒ니, 쇼졔 한심ᄒ여 급히 희린을 블너와 ᄎᄉ○[를] 니르니, 【40】 공지 역경ᄒ여 쳔만 가디로 간ᄒ여, 모친을 븟들고 최음의 근본이 쳔흉과 부친 삼긔 젼 혼인 의논이 블가ᄒᆷ믈 고ᄒ니, 곽시 쳐음은 못 된 셩을 닉여 ᄌ녀를 줏두다리며,

"너희 날을 죽이고 임의로 ᄒ라."

ᄒ더니, 희린과 쇼졔 스스로 죽고져 ᄒ니, 그 둘의 좀쇠를 싱각고 공ᄌ와 쇼져의 말을 올히 넉여 듯는ᄃ시,

"최가의 금은을 도로 보닉고 퇴혼ᄒ엿노라."

ᄒ니, 희린 남미 깃거 ᄒᄂᆫ디라. 곽시 최부 양낭(養娘)543)을 블너 ᄀ마니 져의 심ᄉ를 니르고, 혼인을 결단ᄒ여 디니려 ᄒᄃᆡ 아딕 ᄌ녀의 말을 옥이디 못ᄒᆷ믈 일쿳고, 한공의 삼긔 후 츄관【41】이 무디모야(無知暮夜)의 허다 가졍을 거느려 녀ᄋ를 급히 다려가면, 슌히 닉여 주마 ᄒ고, 공ᄌ와 쇼져 듯는 ᄃᆡ는 퇴혼ᄒ는 ᄉ어(辭語)로 금빅을 주어 보닉니, 희린은 비로소 ᄆ음을 노하 윤혹ᄉᄀᆡ로 가고, 쇼져는 모친의 잔쇠 업ᄉᆷ믈 아는 고로 여ᄎ 무상ᄒᆫ 계교를 모로고, 흉덕의 환(患)을 넘녀치 아니ᄒ더니, 최음이 원닉 후취ᄒ미 홀니544) 밧븐 고로, 곽부인의 계교로 조ᄎ 혼야(昏夜)의 삼ᄉ십 가졍을 다리고, 횃블을 낫ᄀᆞᆺ치 붉히고 창검

<hr/>

542)직긔(再忌): 사람이 죽은 지 2년이 되는 날.
543)양낭(養娘): 시녀(侍女).
544)홀니: 하루가. *홀; 하루.

쾌허ᄒ여, 직긔(再忌)523) 지난 후 셩녜(成禮)ᄒ믈 니르니, 미픠 대열ᄒ여 즉시 도라ᄀ 최음의게 회보ᄒ니, 츄관이 대열ᄒ여 미파를 상ᄉᄒ여 도라보ᄂ니라.

곽시 금보를 가지고 드러와 녀ᄋ를 보고 형상 업시 즐기미 미칠 듯ᄒ니, 희쥐 대경 츠악ᄒ여 눈【158】물을 쓰리고 스리로 간ᄒ나, 곽시 들을 니 니시리오. 금빅의 심혼을 다 ᄲᆫ지오고 손을 곱아 한공의 직긔(再忌) 여러 둘 ᄀ려시믈 근심ᄒ니, 쇼졔 한심ᄒ여 급히 희린을 블너와 ᄎᄉ를 니르니, 희린이 녁경ᄒ여 쳔만 가지로 간ᄒ여, 모친을 븟들고 최음의 근본이 쳔흉과, 부친 슴긔 젼 혼인 의논이 블가ᄒᆷ믈 고ᄒ니, 곽시 쳐음은 못 된 셩을 닉여 ᄌ녀를 줏두다리며 왈.

"너희 날을 죽이고 임의로 ᄒ라."

ᄒ더니, 희린과 쇼졔 스스로 죽고져 ᄒ니, 그 줌의 좀쇠를 싱각고 공ᄌ와 쇼져의 말을 올히 넉여 듯는ᄃ시,

"최가의 금은을 도로 보닉고 퇴혼ᄒ엿노라."

ᄒ니, 희린 남미 깃거 ᄒ【159】는지라. 곽시 최부 양낭(養娘)524)을 블너 ᄀ마니 져히 심ᄉ를 니르고, 혼인을 결단ᄒ여 지니려 ᄒᄃᆡ, 아직 ᄌ녀의 말을 우기지 못ᄒ고 한공의 슴긔(三忌) 후 츄관이 무지모야(無知暮夜)의 허다 가졍을 거느려 와 녀ᄋ를 급히 ᄃ려가면 슌히 닉여 주마 ᄒ고, 《공쥬 ‖ 공ᄌ》와 쇼져 듯는 ᄃᆡ는 퇴혼ᄒ는 ᄉ어로 금빅을 주어 보닉니, 희린은 비로소 ᄆ음을 노하아 윤학ᄉ게로 가고, 쇼져는 모친의 잔쇠 이시믈 아는 고로 의심이 업지 아니터라. 최음이 원닉 후취ᄒ미 홀니525) 밧븐 고로, 곽부인의 계교로 조ᄎ 혼야(昏夜)의 숨ᄉ십 가졍을 ᄃ리고, 횃불을 낫ᄀᆞᆺ치 붉히고 창검을 각각 손의 드러, 최음은 도

<hr/>

523)직긔(再忌): 사람이 죽은 지 2년이 되는 날.
524)양낭(養娘): 시녀(侍女).
525)홀니: 하루가. *홀; 하루.

을 각각 손의 드러, 최음은 도덕인 쳬 ᄒ고 한부 쇠문을 쎄쳐 드러가니, 곽시ᄂ 맛츤 일이라 놀나디 아니ᄒ고, 오시녀 년환이 쇼져 겻틱【42】 누엇더니, 함셩을 듯고 전일 부인이 최부 시녀와 맛츤 일을 드럿ᄂ 고로, 웃고 굴오딕,

"반ᄃ시 최츄관이 쇼져를 뫼시라 오ᄂ도 다."

ᄒ거늘 쇼졔 이 날 맛츰 옷슬 닙은 지 누 엇더니, 츠언을 듯고 심혼이 산비(散飛)ᄒ여 밋쳐 연유를 뭇디 못ᄒ고, 흔 번 뒷문을 열 치미 몸을 쒸여 ᄂ드르니, 곽시 극흔 둔골 (鈍骨)이라 녀ᄋ를 능히 잡디 못ᄒ고, 얼픗 흔 ᄉ이 쇼졔 허러진 담 틈으로 나가니, 곽 시 힝혀 녀의 죽을가 망극ᄒ고, 쏘 최음이 쇼져를 다리라 왓다가 공환(空還)흘가 크게 이둘나, 소릭를 놉혀 니르딕,

"녀의 뒷문으로 ᄂ다라 도망ᄒ여시니 쏄 니 츠즈 오라."

최음이 츠언을 듯고 오【43】히려 밋디 아녀, 안ᄒ로 드러가 후정가디 셰셰히 술핀 후, 가정을 명ᄒ여 일시의 산곡과 암혈(巖 穴)가디 아니 뒤여본 곳이 업ᄉ디, 맛춤ᄂ 한쇼져의 그림즈도 보디 못ᄒ니, 크게 실망 ᄒ여 밤이 딘토록 츳다가 못ᄒ여, 홀일업셔 졔 집의 도라가 시녀를 보ᄂ여 곽부인을 사 룸 속인 죄로 욕ᄒ라 ᄒ니, 최음의 비지 본 딕 한공의 집이 측냥 업시 빈한ᄒ믈 업슈히 넉이ᄂ디라. 여러히 무리 디어 한부의 나아 가 곽시를 욕ᄒ딕,

"늙은 과뫼(寡母) 음흉ᄒ여 쏠을 거즛 다 른 곳의 두고, 우리 딕 직물을 취ᄒ려 노야 의게 청ᄒ여, 무디모야(無知暮夜)의 셰츤 가 【44】정을 다리고 드러와 쏠을 다려 가라 ᄒ더니, 그 쇼졔 어딕로 가뇨? 이졔 어더닉 면 모로거니와 그러치 아니면, 관졍(官廷)의 고쟝(告狀)가디 ᄒ여도 곽부인을 굿기도록 ᄒ리라."

ᄒ니, 곽시ᄂ 분흔 줄도 모로고 졔 잘못 ᄒ여 쏠을 일흐니, 혹즈 이런 일을 남이 알 가 두려 셜움과 참졀ᄒ믈 다 닛고 화슌히

덕인 쳬ᄒ고 한부 닉문【160】을 쎄쳐 드 러가니, 곽시ᄂ 맛츤 일이라 놀나지 아니코 오시녀 년환이 쇼져 겻희 누엇더니, 함셩을 듯고 전일 부인이 최부 시녀와 맛츤 일을 드럿ᄂ 고로, 웃고 굴오딕,

"반ᄃ시 최츄관이 쇼져를 뫼시라 오ᄂ도 다"

ᄒ거늘 쇼졔 이 날 맛츰 옷술 닙은 지 누 엇더니 츠언을 듯고 심혼이 산비(散飛)ᄒ여 밋쳐 년유를 뭇지 못ᄒ고, 흔 번 뒷문을 열 치미 몸을 쒸여 ᄂ드르니, 곽시 극흔 둔골 (鈍骨)이라 녀ᄋ를 능히 줍지 못ᄒ고, 얼픗 흔 ᄉ이 쇼졔 허러진 담 틈으로 나가니, 곽 시 힝혀 녀의 죽을가 망극ᄒ고, 쏘 최음이 쇼져를 드리라 왓ᄃᄀ 공환흘ᄀ 크게 이둘 나, 소릭를 놉혀 니르딕,

"녀의 뒷문으로 ᄂ드라 도망ᄒ여시니 【161】쏄니 츠져 오라."

최음이 츠언을 듯고 오히려 밋지 아녀, 안ᄒ로 드러ᄀ 후정가지 셰셰히 술핀 후, 가졍을 명ᄒ여 일시의 산곡과 암혈가지 아 니 뒤여본 곳이 업ᄉ디, 맛츰ᄂ 한쇼져의 그림즈도 보지 못ᄒ니, 크게 실망ᄒ여 밤이 진토록 츳다가 못ᄒ여, 홀일업셔 졔 집의 도라가 시녀를 보ᄂ여 곽 부인을 스람 속인 죄로 욕ᄒ라 ᄒ고, 분긔를 니기지 못ᄒ니, 최음의 비지 본딕 한공의 집이 측냥 업시 빈한ᄒ믈 업슈히 넉이ᄂ지라. 녀러히 무리 지어 한부의 ᄂ아가 곽시를 욕ᄒ딕,

"늙은 과뫼 음흉ᄒ여 쏠을 거즛 다른 곳 의 두고, 우리 딕 직물을 취ᄒ려 노야게 청 ᄒ여, 무지모야(無知暮夜)의 셰츤 가졍을 다 리고 드【162】러와 쏠을 드려 가라 ᄒ더 니, 그 쇼졔 어딕로 가뇨? 이졔 어더닉면 모로거니와, 그러치 아니면 관졍(官廷)의 고 쟝(告狀)ᄀ지 ᄒ여도 곽 부인을 굿기도록 ᄒ리라."

ᄒ니, 곽 시ᄂ 분흔 줄도 모로고 졔 잘못 ᄒ여 쏠을 닐흐니, 혹즈 니런 일을 남이 알 가 두려 셜움과 참졀ᄒ믈 잇고 화슌히

비러, 실노 뜰을 다른 디 판 일이 업스믈
발명ᄒᆞ니, 그 거동이 가쇼로온디라. 최가 비
즈들이 욕셜을 긋디 아니타가, 듕심의 우
웁기를 마디 아니ᄒᆞ여 이윽고 도라가니, 곽
시 희린다려도 ᄎᆞ마 바로 니르디 못ᄒᆞ여 다
만 야릭(夜來)의 도덕이 들믜, 녀이 급히 피
코져 뒷문으【45】로 닉닷더니 간 곳이 업
다 ᄒᆞ니, 희린 공지 창황이 집의 도라와 곡
졀을 ᄌᆞ시 알고, 몸소 두로 ᄎᆞ즈 보려 ᄒᆞ디,
곽시 맛ᄎᆞᆷ니 곡졀을 니르디 아니ᄒᆞ고, 흔갈
ᄀᆞᆺ치 은닉ᄒᆞ니, 공지 아모란 줄 모로고 통
상ᄒᆞᄆᆞᆯ 니긔디 못ᄒᆞ여, 원근을 블계(不計)ᄒᆞ
고 쇼져를 ᄎᆞ즈 보려 ᄒᆞ더니, 곽시 뜰을 일
코 이돕고 뉘웃브믈 니긔디 못ᄒᆞ여 용심(用
心)ᄒᆞᄆᆞᆯ 과히 ᄒᆞ믜, 셩딜(成疾)ᄒᆞ여 증셰 비
경ᄒᆞ니, 희린이 능히 누의를 춧디 못ᄒᆞ고
모병을 구호ᄒᆞ여 히 밧긔이디, 곽시 ᄎᆞ셩
(差成)치 못ᄒᆞ고, 희쥬 ᄉᆡᆼ싱 존망을 알 길히
업스니, 희린이 역시 심녀를 허비ᄒᆞ여 의형
이 환탈ᄒᆞ고 풍광이 슈약(瘦弱)ᄒᆞ며[여], 옷
슬 니【46】긔디 못ᄒᆞᆯ 듯ᄒᆞ니, 곽시 ᄋᆞ들의
위틱ᄒᆞᄆᆞᆯ 겁ᄒᆞ믜 스스로 참통ᄒᆞᄆᆞᆯ 춤고, 계
오 식음을 나와 병이 하리기를 바라디, 능
히 몸을 움죽이디 못ᄒᆞ고, 녀ᄋᆞ의 화용월퇴
(花容月態) 안듕(眼中)의 삼삼ᄒᆞ며, 낭음봉
셩(朗音鳳聲)이 이변(耳邊)의 머므러, 쥬야
칼흘 삼킨 듯ᄒᆞᄆᆞᆯ 니긔디 못ᄒᆞ나, 공ᄌᆞ 보
ᄂᆞᆫ 디ᄂᆞᆫ 됴흔 ᄉᆞ식을 작위ᄒᆞ더라.

한쇼져 희쥐 최덕을 피ᄒᆞ여 혈혈일신(孑
孑一身)이 디향 업시 산샹으로 치다라, 희
미ᄒᆞᆫ 월하의 길흘 춧디 못ᄒᆞ더니, 흔 낫 녀
승이 푸개545)를 메고 청녀장(靑藜杖)을 집
허 바회 우히 셧다가 한시를 보고, 우어 굴
오디,

“빈되 이곳의셔 쇼져를 기다린【47】디
오란디라. 쳥컨디 내 등의 잠간 업히쇼셔.”

한시 만시 슉셩(夙成)ᄒᆞ나, 나힌족 십삼
튱년이라. 일즉 방 밧글 나는 일이 업다가
블의예 고봉산노(高峰山路)의 간신이 오로
며, 니고(尼姑)를 만나니, 힝혀 사롬이 아니

비러, 실노 뜰을 다른 디 판 일이 업스믈
발명ᄒᆞ니, 그 거동이 가쇼로은지라. 최음이
비즈드리 욕셜을 긋치지 아니ᄒᆞᄃᆞ가, 즁심
의 우웁기를 마지 아냐 이의 도라가니, 곽
시 희린드려도 니르지 못ᄒᆞ여, 다만 야릭
(夜來)의 도젹이 들믜, 녀이 급히 피코즈 뒷
문으로 닉닷더니 간 곳이 업다 ᄒᆞ니, 희린
공지 급히 집의 도라와 곡졀을 ᄌᆞ시 뭇고
몸소 두로 츠【163】지려 ᄒᆞ나, 곽시 맛ᄎᆞᆷ
니 곡졀을 니르지 아니ᄒᆞ고 흔굴ᄀᆞ치 은닉
ᄒᆞ니, 공지 아모란 줄 모르고 통상ᄒᆞᄆᆞᆯ 니
긔지 못ᄒᆞ여, 원근을 불계(不計)ᄒᆞ고 쇼져를
츠겨 보려 ᄒᆞ더니, 곽시 뜰을 일코 뉘웃고
이돌워 셩질ᄒᆞ믜 증셰 심상치 아니ᄒᆞ니, 희
린이 누의를 춧지 못ᄒᆞ고, 모병을 구호ᄒᆞ여
히 밧긔이디, 과[곽]시 ᄎᆞ경(差境)치 못ᄒᆞ고
희쥬 싱ᄉᆞ존망(生死存亡)을 알 길이 업스니,
희린이 녁시 심녀를 허비ᄒᆞ여 의형이 환탈
ᄒᆞ고 풍광이 슈약(瘦弱)ᄒᆞ여, 옷슬 니긔지
못ᄒᆞᆯ 듯ᄒᆞ니, 곽시 ᄋᆞ들의 위악ᄒᆞᄆᆞᆯ 보고
크게 근심ᄒᆞ믜, 스스로 뜰을 《일허∥일
혼》 춤통ᄒᆞᄆᆞᆯ 춤고, 계오 식음을 나와 병
이 슈히 낫기를 바라디 능히 운동치 못ᄒᆞᄂᆞᆫ
즁, 희쥬의 화용월뫼(花容月貌) 안【164】
즁(眼中)의 삼삼ᄒᆞ며, 낭음봉셩(朗音鳳聲)이
니변(耳邊)의 머므러, 쥬야 칼흘 숨킨 듯ᄒᆞ
믈 니긔지 못ᄒᆞ나, 공ᄌᆞ 보는 디ᄂᆞᆫ 됴흔 ᄉᆞ
식을 작위ᄒᆞ더라.

한쇼져 희쥐 최젹을 피ᄒᆞ여 혈혈일신(孑
孑一身)이 지향 업시 산상으로 치ᄃᆞ라, 희
미ᄒᆞᆫ 월하의 길흘 춧지 못ᄒᆞ더니, 흔 낫 녀
승이 프개526)를 메고 쳥녀장(靑藜杖)을 집
허 바회 우히 셧ᄃᆞ가, 한시를 보고 우어 굴
오디,

“빈되 이곳의셔 쇼져를 기ᄃᆞ린지 오린지
라. 쳥컨디 닉 등의 줌간 업히쇼셔.”

한시 만시 슉셩(夙成)ᄒᆞ나 나힌족 십삼
춤년이라. 일즉 방 밧글 나는 일이 업ᄃᆞ가,
블의에 고봉산노(高峰山路)의 간신이 오르
며 니고를 만나니, 힝혀 ᄉᆞ람이 아니오 귀

---

545)푸개 : 포개(鋪蓋). 짐보따리. 중국어차용어.

526)푸개 : 포개(鋪蓋). 짐보따리. 중국어차용어.

오 귀신인가 ᄀ장 놀나 말을 못ᄒ니, 니괴
웃고 쇼져를 두로쳐 업으며, 블이 ᄯᅴ히 붓
디 아니케 다르니, 쇼제 놀랍고 두리오믈
니긔디 못ᄒ여 졍신을 출히디 못ᄒ더니, 흔
곳의 다ᄃᆞ르며 원촌(遠村)의 계셩(溪聲)이
들니고 흉흉(凶凶)ᄒᆞᆫ 강쉬(江水) 압홀 님ᄒᆞ
엿ᄂᆞ니라. 니괴 비를 언덕의 ᄆᆡ엿다가 쇼져
를 업은 지546) 션듕(船中)의 오르며, 션인
(船人)을 지쵹ᄒ여 비를 져으라 ᄒ니,【48】쇼제 비로 사롬인 줄 ᄭᆡᄃᆞ라 ᄌᆞ긔를 다
려가는 연고를 므르니, 니괴 ᄃᆡ왈,

"빈도는 경샤 남문 밧 벽화산 취월암 월
쳥 니괴러니, 슈부 혜원이 양쥐 틱상[싱]
(胎生)이라. 년년(年年)의 그 싱일 곳 당ᄒ
면 뎨지 돌녀가며 양쥐 나려가, 향운ᄃᆡ라
ᄒᆞᄂᆞᆫ 딕 분향 튝원ᄒ여 ᄂᆡ셰(來世)를 졔불
(諸佛)긔 닥는 비러니, 금년이 ᄎᆞ례 빈도의
게 당ᄒ여 이리 나려올 졔, 슈뷔 당부ᄒ여
ᄒᆞᆫ쇼져를 구ᄒ여 산스로 오라 ᄒ니, 빈되
향운ᄃᆡ의 단녀오는 길히 쇼져를 뫼셔 가려
이 바회 우희 낫브터 셧더니이다."

한시 비록 일시 뎍화를 피ᄒ여 최가의 욕
을 면코져 ᄒ나, 아조 먼니 갈 의ᄉᆞᄂᆞᆫ 업ᄂᆞᆫ
디라. 슈졍을【49】 벼혀 모친의 혈혈 비졀
ᄒᆞᆫ 졍스와, ᄌᆞ긔 부친 삼년 안히 먼니 갈
의ᄉᆡ 업스니, 도로 집으로 가기를 쳥ᄒᆞᆫᄃᆡ,
월졍이 개유 왈,

"쇼졔 텬의를 모로시ᄂᆞ니잇가? 이졔 만일
도로 드러가시면 대화를 만나시리니, 뎍은
슈졍을 춤고 길운을 기다리쇼셔. 빈되 결단
ᄒᆞ여 쇼져긔 히로온 사롬이 아니오, 슈뷔
운화산 활인스로 옴고, 취월암의 빈도와 동
뉴 슈십인이 이시니, 잠간 가 머므르신족
뉴광(流光)547)이 훌훌ᄒ니 슈삼년 츈츄를
언마 보ᄂᆞ리오."

한시 크게 슬허 ᄒ나 훌일업셔 월쳥을 ᄯᆞ
라 취월암의 니르러 고요히 머믈식, 월쳥의

<hr>

546)지 : 채. 이미 있는 상태 그대로 있다는 뜻을 나
타내는 말.

547)뉴광(流光) : 흐르는 물과 같이 빠른 세월을 비
유적으로 이르는 말. 뉵유수광음(流水光陰).

신인가 ᄀ장 놀나 말을 못ᄒ니, 니괴 웃고
쇼져를【165】두루쳐 업으며, 발이 ᄯᅴ히 붓
지 아니케 다ᄅᆞ니, 쇼제 놀랍고 두리오믈
니긔지 못ᄒ여 졍신을 출히지 못ᄒ더니, 흔
곳의 다ᄃᆞ르며 원촌(遠村)○[의] 계셩(鷄聲)
이 들니고 흉흉(凶凶)ᄒᆞᆫ 강쉬(江水) 님ᄒ엿
ᄂᆞᆫ지라. 니괴 비를 언덕의 ᄆᆡ엿드가 쇼져를
업은 지527) 션즁의 오르며, 션인을 지쵹ᄒ
여 비를 져으라 ᄒ니, 쇼졔 비로소 스룸인
줄 ᄭᆡᄃᆞ라 ᄌᆞ긔를 ᄃᆞ려가는 연고를 무르니,
니괴 ᄃᆡ왈,

"빈도는 경ᄉᆞ 남문 밧 벽화산 취월암 월
쳥 니괴러니, 슈부 혜원이 양쥐 틱상[싱]
(胎生)이라. 년년(年年)이 그 싱일 곳 당ᄒ
면 뎨지 돌녀가며 양쥐 나려가, 향운ᄃᆡ라
ᄒᆞᄂᆞᆫ 딕 분향 축원ᄒ여 ᄂᆡ셰를 졔낙게 닥는
비러니, 금년의 ᄎᆞ례 빈도【166】의게 당ᄒ
여 이리 나려올 졔, 슈뷔 당부ᄒ여 한 쇼져
를 구ᄒ여 산스로 오라 ᄒ니, 빈되 향운ᄃᆡ
의 ᄃᆞ녀오는 길히 쇼져를 뫼셔 가려 이 바
회 우희 낫브터 셧더니이다."

한시 비록 일시 젹화를 피ᄒ여 최가의 욕
을 면코져 ᄒ나, 아조 먼니 갈 의ᄉᆞᄂᆞᆫ 업ᄂᆞᆫ
지라, 슈졍을 벼혀 모친의 혈혈 비졀흔 졍
스와 ᄌᆞ긔 부친 슴년 안의 먼니 갈 의싀
{이} 업스니, 도로 집으로 가기를 쳥ᄒᆞᆫᄃᆡ,
월졍이 개유 왈,

"쇼졔 텬의를 모ᄅᆞ시ᄂᆞ니잇가? 이졔 만일
도로 드러가시면 대화를 만나시리니, 젹은
슈졍을 춤고 길운을 기다리쇼셔. 빈되 결단
ᄒᆞ여 쇼져게 히로온 스람이 안이오, 슈뷔
운화산 활인스로 옴고, 취월【167】암의 빈
도와 동뉴 슈십 인이 이시니, 줌간 가 머므
르신족, 뉴광(流光)528)이 훌훌ᄒ니 슈슴년
츈츄를 언마 보ᄂᆞ리오."

한시 크게 슬허 ᄒ나 훌일업셔 월쳥을 ᄯᆞ
라 취월암의 니르러 고요히 머믈식, 월쳥의

<hr>

527)지 : 채. 이미 있는 상태 그대로 있다는 뜻을 나
타내는 말.

528)뉴광(流光) : 흐르는 물과 같이 빠른 세월을 비
유적으로 이르는 말. 뉵유수광음(流水光陰).

딕졉이 극딘ᄒᆞ고 암【50】듕(庵中)의 만권
셔 이셔, 월쳥은 박고통금(博古通今)548) ᄒᆞ
ᄂᆞᆫ[고] 문지유여(文才有餘)ᄒᆞᆫ 고로, 한쇼져
를 가ᄅᆞ쳐 ᄉᆞ오월이 못ᄒᆞ여셔, 한시 문당이
강하(江河) ᄀᆞᆺ고 직죄 긔이ᄒᆞ여 《쇼ᄉᆞ‖쵸
ᄉᆞ(楚辭)549)》의 공교ᄒᆞᄆᆞᆯ 우ᄉᆞ니, 원간 침
션슈치(針線繡致)와 녀공디ᄉᆞ(女工之事)의
션능(善能) 긔묘(奇妙)ᄒᆞᆷ은 그 모친의 ᄀᆞᄅᆞ
치지 아냐시나, 남의 졔작을 보아 스스로
씨다른 빈오, 문학은 월쳥의게 비화 노ᄉᆞ슉
유(老士宿儒)를 압두ᄒᆞᆯ 비라. 의시 환열ᄒᆞ여
셰렴을 씃ᄎᆞ딕, 영친(寧親)550) ᄉᆞ모디졍(思
慕之情)이 간졀ᄒᆞ여 됴운셕월(朝雲月夕)의
참참ᄒᆞᆫ 비회를 비홀 곳이 업고, 산ᄉᆞ의셔
히를 밧고와, 부친 삼긔(三朞)551)를 디닉지
못ᄒᆞᄆᆞᆯ 더옥 통졀ᄒᆞᆫ 비로딕, 관억ᄒᆞᄆᆞᆯ 위
쥬ᄒᆞ여 셰월을 보닉고,【51】니고의 의식을
허비치 아니려 슈치(繡緻)를 착실이 ᄒᆞ여
{시}샹(市上)의 화미(貨賣)ᄒᆞᆫ즉 갑슬 만히
바드니, 월쳥은 ᄀᆞ장 민망ᄒᆞ여 쇼져의 슈고
로오ᄆᆞᆯ 일ᄏᆞ라, 쳔금 약질을 넛브게 말나
ᄒᆞ더라.

ᄎᆞ시 샹명이 윤흑ᄉᆞ의 찬덕을 프르시고
태ᄌᆞ쇼부(太子少傅)로써 홍문관태흑ᄉᆞ(弘文
館太學士)를 겸ᄒᆞ여 급히 브르시ᄂᆞᆫ 은식(恩
賜) 나리시민, 양쥐 일읍이 딘동ᄒᆞ고, 젼유
(傳諭)ᄒᆞᄂᆞᆫ 샤관이 흑ᄉᆞ의 도라가는 위의를
ᄀᆞᆺ초와 뎍소의 니르니, 윤흑시 오히려 상요
를 써나디 못ᄒᆞ여 긔거를 못ᄒᆞᄂᆞᆫ 즈음이러
니, 뎡비를 프르시는 샤명이 계심과 태ᄌᆞ쇼
부로 징소(徵召)ᄒᆞ샤 밧비 오ᄆᆞᆯ 직쵹ᄒᆞ시ᄂᆞᆫ
샤관을 보닉【52】여 계시ᄆᆞᆯ 드ᄅᆞ민, 번연
대경ᄒᆞ여 신식(神色)이 찬 지 ᄀᆞᆺᄐᆞᄆᆞᆯ 면치

딕졉이 극진ᄒᆞ고 암즁(庵中)의 만권 셔 이
셔, 월쳥은 박고통금(博古通今)529) ᄒᆞᄂᆞᆫ 문
지 유여(文才有餘)ᄒᆞᆫ 고로, 한 쇼져를 ᄀᆞᄅᆞ
쳐 ᄉᆞ오 일이 못ᄒᆞ여셔 한시 문장이 바다
ᄀᆞᆺ고 직죄 긔이ᄒᆞ여 쵸ᄉᆞ(楚辭)530)의 공교
ᄒᆞᄆᆞᆯ 우ᄉᆞ니, 원간 침션슈치(針線繡致)와 녀
공지ᄉᆞ(女工之事)의 션능 긔묘ᄒᆞᆷ은 그 모친
의 ᄀᆞᄅᆞ치지 아니나, 남의 졔작을 보아 스
스로 씨닷ᄂᆞᆫ 비오, 문학은 월쳥의게 비화
노ᄉᆞ슉유(老士宿儒)를 압두홀지라. 의시 환
녈ᄒᆞ여 셰렴(世念)을 씃ᄒᆞ딕,【168】녕친
(寧親)531) ᄉᆞ모지졍(思慕之情)이 근졀ᄒᆞ여
됴운셕월(朝雲夕月)의 참참ᄒᆞᆫ 비회를 억졔
홀 곳이 업고. 산ᄉᆞ의셔 히를 밧고와 부친
습긔(三朞)532)를 지닉지 못ᄒᆞᄆᆞᆯ 더옥 통졀
ᄒᆞᄂᆞᆫ 비로딕, 관억ᄒᆞᄆᆞᆯ 위쥬ᄒᆞ여 셰월을 보
닉고, 니고의 의식을 허비치 아니려 슈치
(繡緻)를 착실이 ᄒᆞ여, 시상(市上)의 화미
(和賣)ᄒᆞᆫ즉 갑슬 만니 바드니, 월쳥은 ᄀᆞ장
민망ᄒᆞ여 쇼져의 슈고로오믈 닐ᄏᆞ라 쳔금
약질을 넛브게 말나 ᄒᆞ더라.

ᄎᆞ시 샹명이 윤학ᄉᆞ의 찬젹을 프ᄅᆞ시고
태ᄌᆞ쇼부(太子少傅)로써 홍문관태흑ᄉᆞ(弘文
館太學士)를 겸ᄒᆞ여 급히 브ᄅᆞ신ᄂᆞᆫ 은식 ᄂᆞ
리시민, 양쥐 일읍이 진동ᄒᆞ고 젼유(傳諭)ᄒᆞ
ᄂᆞᆫ ᄉᆞ관이 흑ᄉᆞ의 도라가는 위의를 ᄀᆞᆺ초와
젹소의 니르니, 윤학시 오히려 상요를 써ᄂᆞ
지【169】못ᄒᆞ여 긔거를 못ᄒᆞᄂᆞᆫ 즈음의,
졍비를 프ᄅᆞ시ᄂᆞᆫ ᄉᆞ명이 계심과 태ᄌᆞ쇼부로
징소ᄒᆞᄉᆞ 밧비 오믈 직쵹ᄒᆞ시ᄂᆞᆫ ᄉᆞ관이 니
ᄅᆞ믈 드ᄅᆞ민, 번연 딕경ᄒᆞ여 신식(神色)이
ᄎᆞᆫ 지 ᄀᆞᆺᄐᆞᆯ 면치 못ᄒᆞ니, 이ᄂᆞᆫ ᄌᆞ긔 졍비

---

548) 박고통금(博古通今) : 고금(古今)을 널리 통하여
앎.
549) 쵸ᄉᆞ(楚辭) : 중국 초나라 굴원(屈原)의 사부(辭
賦)를 주로 하고, 그의 작풍을 이어받은 그의 제자
및 후인의 작품을 모아 엮은 책. 전한의 유향(劉
向)이 16권으로 편집하였다고 하며, 후한 때에 왕
일(王逸)의 〈구사(九思)〉를 더하여 모두 17권이
되었다.
550) 영친(寧親) : 부모를 뵙기 위해 고향집에 돌아감.
551) 습긔(三朞) : 사람이 죽은 지 3년이 되는 날.

529) 박고통금(博古通今) : 고금(古今)을 널리 통하여
앎.
530) 쵸ᄉᆞ(楚辭) : 중국 초나라 굴원(屈原)의 사부(辭
賦)를 주로 하고, 그의 작풍을 이어받은 그의 제자
및 후인의 작품을 모아 엮은 책. 전한의 유향(劉
向)이 16권으로 편집하였다고 하며, 후한 때에 왕
일(王逸)의 〈구사(九思)〉를 더하여 모두 17권이
되었다.
531) 영친(寧親) : 부모를 뵙기 위해 고향집에 돌아감.
532) 습긔(三朞) : 사람이 죽은 지 3년이 되는 날.

못ᄒᆞ니, 이ᄂᆞᆫ 즈긔 뎡비 긔한이 금년가디어ᄂᆞᆯ, 즈레 샤ᄒᆞ시미 필유묘믹(必有妙脈)ᄒᆞ믈 혜아려, 혹ᄌᆞ 양모(養母)의 패도(悖道)와 악ᄒᆡᆼ이 발각ᄒᆞ민가 놀나믈 결치 못ᄒᆞ니, 심신을 뎡치 못ᄒᆞᄂᆞᆫ디라. 댱쇼졔 민망ᄒᆞ여 나ᄌᆞᆨ이 위로 왈,

"이졔 샤명이 ᄂᆞ려시니 군지 거리ᄭᅵᆫ 일이 업셔, 슈히 환경ᄒᆞ샤 존당과 ᄌᆞ안(慈顔)의 봉비(奉拜)ᄒᆞ시미 구ᄒᆞ여 엇고져 ᄒᆞ여도 쉽디 못ᄒᆞᆯ 경시어ᄂᆞᆯ, 하고(何故)로 이디도록 실싁ᄒᆞ시ᄂᆞ뇨?"

혹ᄉᆡ 탄왈,

"인졍이 졔 몸이 영귀ᄒᆞᄂᆞᆫ 거슬 아니 즐기리 업고, 뎍니고쵸(謫裏苦楚)를 깃거ᄒᆞᆯ 비이시리오마ᄂᆞᆫ, 싱의 남 다른 심【53】ᄉᆞᄂᆞᆫ 흉억(胸臆)의 밋첫ᄂᆞ니, 이졔 셩쥬의 샤명과 외람ᄒᆞᆫ 쟉딕(爵職)으로 브르시미 계셔도 실노 깃브믈 아디 못ᄒᆞᄂᆞᆫ 밧ᄌᆞᄂᆞᆫ, 아등의 블초 무상ᄒᆞ미 조모와 ᄌᆞ당의 한 업슨 블효를 깃쳐, 아등으로ᄡᅥ 대모와 ᄌᆞ졍이 무궁ᄒᆞᆫ 심녀를 허비ᄒᆞ시고, 너른 집의 외로이 머므샤 ᄒᆞᆫ 낫 ᄌᆞ손이 시봉ᄒᆞᆯ 지 업다가, 아등이 은샤를 닙ᄉᆞ와 긔한 젼의 도라가미, 범연이 니를딘디 흔ᄒᆡᆼ(欣幸)타 ᄒᆞᆯ 거시로디, 그 가온디 반ᄃᆞ시 묘믹(妙脈)이 이셔 괴이ᄒᆞᆫ 누얼이 ᄌᆞ모와 대모긔 도라가리니, 싱의 ᄆᆞ음이 어이 편ᄒᆞ리오."

언파의 계오 몸을 니러 관소(盥梳)ᄒᆞ고 향안을 비셜ᄒᆞ여 교디를 듯ᄌᆞ오미, 샤【54】관을 쳥ᄒᆞ여 셔로 볼ᄉᆡ, 혹ᄉᆞ의 슈패(瘦敗)ᄒᆞ미 옥부(玉膚)의 빙골(氷骨)만 남아, 슈졍 ᄀᆞᆺ튼 격됴(格調)와 셰류(細柳) ᄀᆞᆺ튼 신치 더옥 쇄연(灑然) 쳥고(淸高)ᄒᆞ여 풍편의 붓치일 ᄃᆞᆺ, 묽고 고은 거시 태과(太過)ᄒᆞ여 반졈 딘틱(塵態)의 무든 거시 업ᄉᆞ니, 샤관(使官)은 신딘명ᄉᆞ 님찬이라. 젼일 윤혹ᄉᆞ를 본 일이 업던 고로, 그 션풍이딜(仙風異質)을 항복ᄒᆞ여, 이의 샹교를 젼ᄒᆞ여 밧비 오믈 지쵹ᄒᆞ시던 바를 젼ᄒᆞ고, 명일이라도 발졍(發程)ᄒᆞ믈 고ᄒᆞ니, 혹ᄉᆡ 부복ᄒᆞ여 듯ᄌᆞᆸ고 분향 비례ᄒᆞᆫ 후, ᄉᆞ관을 디ᄒᆞ여 굴오디,

긔한이 금년가지어ᄂᆞᆯ, 즈레 샤ᄒᆞ시미 필유묘믹(必有妙脈)ᄒᆞ믈 혜아려, 혹ᄌᆞ 양모(養母)의 픽도(悖道)와 악ᄒᆡᆼ이 발각ᄒᆞ민가 놀나믈 결치 못ᄒᆞ니, 심신을 졍치 못ᄒᆞ미라. 댱쇼졔 민망ᄒᆞ여 나ᄌᆞᆨ이 위로 왈,

"이졔 ᄉᆞ명이 ᄂᆞ리시니 군지 거리ᄭᅵᆫ ᄂᆡᆯ이 업셔, 슈히 환경ᄒᆞᄉᆞ 존당과 ᄌᆞ안(慈眼)의 봉비(奉拜)ᄒᆞ시미 구ᄒᆞ여 엇고ᄌᆞ ᄒᆞ여도 쉽지 못ᄒᆞᆯ 경시어ᄂᆞᆯ, 하고(何故)로 이디도록 실싁ᄒᆞ시ᄂᆞ뇨?"

학ᄉᆡ 탄왈,

"인졍이 졔 몸이 녕귀ᄒᆞᄂᆞᆫ 거슬 아니 즐길 이 업고 젹니고【170】쵸(謫裏苦楚)를 깃거ᄒᆞᆯ 비리오마ᄂᆞᆫ, 싱의 남 다른 심ᄉᆞᄂᆞᆫ 흉억(胸臆)의 밋첫ᄂᆞ니, 이졔 셩쥬의 샤명과 외람ᄒᆞᆫ 쟉직(爵職)으로 브르시매 실노 깃브믈 아지 못ᄒᆞᄂᆞᆫ 바ᄂᆞᆫ, 아등의 블초 무상ᄒᆞ미 조모와 ᄌᆞ당의 한 업슨 블효를 깃쳐 아등으로ᄡᅥ 대모와 ᄌᆞ졍이 무궁ᄒᆞᆫ 심녀를 허비ᄒᆞ시고, 너른 집의 외로이 머므ᄉᆞ ᄒᆞᆫ 낫 ᄌᆞ손이 시봉ᄒᆞᆯ 지 업ᄃᆞ가, 아등이 은사를 닙ᄉᆞ와 긔한 젼의 도라가미, 범연이 니를진디 흔ᄒᆡᆼ타 ᄂᆡᆯ을 거시로디, 그 가온디 반ᄃᆞ시 묘믹이 이셔 괴이ᄒᆞᆫ 누얼이 ᄌᆞ모와 대모긔 도라가리니, 싱의 ᄆᆞ음이 어이 편ᄒᆞ리오."

언파의 계오 몸을 니러 관셰(盥洗)ᄒᆞ고 향안을 비셜ᄒᆞ여 교지를 듯ᄌᆞ오며, ᄉᆞ관을 쳥ᄒᆞ여 셔로 볼ᄉᆡ, 학ᄉᆞ의 슈픽(瘦敗)ᄒᆞ미 옥【171】부(玉膚)의 빙골(氷骨)만 남아 슈졍 ᄀᆞᆺ튼 격됴(格調)와 셰류(細柳) ᄀᆞᆺ튼 신치 더옥 쇄연(灑然) 쳥고(淸高)ᄒᆞ여, 풍편의 붓치일 ᄃᆞᆺ 맑고 고은 거시 태과(太過)ᄒᆞ여 반졈 진틱(塵態)의 무든 거시 업ᄉᆞ니, ᄉᆞ관(使官)은 신진 명ᄉᆞ 님찬이라. 젼일 윤학ᄉᆞ를 본 일이 업던 고로, 그 《션풍(仙風)이믈∥션풍이질(仙風異質)을》 항복ᄒᆞ여, 이의 샹교를 젼ᄒᆞ여 밧비 오믈 지쵹ᄒᆞ시던 바를 젼ᄒᆞ고, 명일이라도 발졍(發程)ᄒᆞ믈 고ᄒᆞ니, 혹ᄉᆡ 부복ᄒᆞ여 듯ᄌᆞᆸ고 분향 비례ᄒᆞᆫ 후, ᄉᆞ

"누인(陋人)의 뎡비 긔한이 금년가디어늘, 셩은이 여텬ᄒᆞ샤 즈례 뎡비를 프르시고 청현화딕(清顯華職)으로써 징소(徵召)ᄒᆞ시니, 누【55】인이 블승황공 ᄒᆞ여 아모리 ᄒᆞᆯ 바를 아디 못ᄒᆞ오니, 명공이 누인을 위ᄒᆞ여 비록 슌셜(脣舌)이 슈고로오나, 텬문의 은ᄉᆞ 급히 나리신 연고를 니르라."

원닉 교디(教旨) 닉의 다만 양쥬 찬뎍이 원억ᄒᆞ며, 누명이 억미(抑昧)ᄒᆞᄆᆞᆯ 베퍼실 ᄯᆞᆫ이오, 전후 곡딕을 일쿳디 아냐 계시고, 뉴시로뼈 양쥬의 뎡비ᄒᆞᄆᆞᆯ 니르디 아냐 계신 고로, 혹시 기간 ᄉᆞ고를 아디 못ᄒᆞ여 샤관(使官)다려 이ᄀᆞ치 므르미라. 샤관이 몸을 굽혀, 딕왈,

"쇼싱은 오딕 샹교를 밧ᄌᆞ와 이의 나려오니, 명공의 누명 신셜ᄒᆞ신 곡졀은 ᄌᆞ시 아디 못ᄒᆞ딕, 다만 됴보(朝報)를 인ᄒᆞ여 잠간 알미, 의렬현비 윤부인이 뎡·딘 이【56】부 참화를 구ᄒᆞ샤, 여ᄎᆞᄎᆞ 격고등문ᄒᆞ시미, 뎡·딘 이부 화란이 밧괴여 복경이 되고, 간인의 악ᄉᆞ 발각ᄒᆞ미 구몽슉 등이 죄의 나아가고, 신묘랑이란 요괴를 잡아 엄형츄문(嚴刑推問)ᄒᆞ미, 명공 곤계 누얼이 옥ᄀᆞ치 버셔진가 ᄒᆞᄂᆞ이다."

혹시 청파의 ᄌᆞ긔 혜아린 바와 ᄀᆞᆺᄐᆞᆯ, 더옥 경희(驚駭) 츠악(嗟愕)ᄒᆞᄆᆞᆯ 니긔디 못ᄒᆞᄂᆞᆫ디라. 즉시 홍문관 하리를 블너 년일 됴보를 다 드리라 ᄒᆞ딕, 하리 딕왈,

"쇼인 등이 됴보를 다 가져오려 ᄒᆞ옵더니 샹○[의] 위명(威命)이 계샤 됴보를 가져가디 말나 ᄒᆞ시고, 다만 셔간만 맛디시더이다."

혹시 즉시 셔간을 ᄎᆞᄌᆞ 보니, 삼위 표【57】슉의 셔찰이라. 대개 굴와시딕,

"미뎨 일양 무양ᄒᆞ여 괴로운 딜병이 업스

관을 딕ᄒᆞ여 굴오딕,

"누인(陋人)의 졍비 긔한이 금년 가지어늘, 셩은이 여텬ᄒᆞ샤 즈례 졍비를 프르시고 청현화직(清顯華職)으로써 증소(徵召)ᄒᆞ시니, 누인이 블승황공 ᄒᆞ여 아모리 ᄒᆞᆯ 바를 아지 못ᄒᆞ오니, 명공이 누인을 위ᄒᆞ여 비록 슌셜(脣舌)이 슈고로오나, 텬문【172】의 은ᄉᆞ 급히 ᄂᆞ리신 연고를 니르라."

원닉 교지(教旨) 닉의 다만 양쥬 찬젹이 원억ᄒᆞ며, 누명이 이미ᄒᆞ믈 베퍼실 ᄯᆞᆫ이오, 전후 곡직을 닐쿳지 아녀 계시고, 뉴시로써 양쥬의 졍비ᄒᆞ믈 니르지 아녀 계신 고로, 학시 기간 ᄉᆞ고를 아지 못ᄒᆞ여, ᄉᆞ관(使官)드려 이ᄀᆞ치 므르미라 ᄉᆞ관이 몸을 굽혀 딕왈,

"쇼싱은 오직 상교를 밧ᄌᆞ와 이의 ᄂᆞ려오니, 명공의 누명 신셜ᄒᆞ신 곡졀은 ᄌᆞ시 아지 못ᄒᆞ딕, 다만 됴보(朝報)를 줌간 알미, 의렬 현비 윤부인이 뎡·진 이부 참화를 구ᄒᆞ샤, 여ᄎᆞ여ᄎᆞ 격고등문 ᄒᆞ시매 뎡·진 이부 화란이 밧괴여 복경이 되고 간인의 악ᄉᆞ 발각ᄒᆞ매, 구몽슉 등이 죄의 ᄂᆞ아가고 신묘랑이란 요괴를 줍아 엄형츄【173】문(嚴刑推問)ᄒᆞ미 명공 곤계 누얼이 옥ᄀᆞ치 버셔진가 ᄒᆞᄂᆞ이다."

학시 청파의 ᄌᆞ긔 혜아린 바와 ᄀᆞᆺᄐᆞᆯ 더옥 경희(驚駭) 츠악(嗟愕)ᄒᆞ믈 니긔지 못ᄒᆞᄂᆞᆫ지라. 즉시 홍문관 하리를 블너 년일 됴보를 다 드리라 ᄒᆞ딕, 하리 딕왈,

"쇼인 등이 됴보를 다 ᄀᆞ져오려 ᄒᆞ옵더니, 상○[의] 위명(威名)이 계샤 됴보를 가져가지 말나 ᄒᆞ시고, 다만 셔간만 맛지시더이다."

학시 즉시 셔간을 ᄎᆞ져 보니, 슘 표슉의 셔찰이라. 대개 굴와시딕,

"미뎨 일양 무양ᄒᆞ여 괴로운 질병이 업스니, 현딜의 만힝이라. ᄒᆞ믈며 셩은이 빗기

---

552)억미(抑昧) : 억울(抑鬱)하고 애매(曖昧)함.

553)됴보(朝報) : 조선 시대에, 승정원에서 재결 사항을 기록하고 서사(書寫)하여 반포하던 관보. 조칙, 장주(章奏), 조정의 결정 사항, 관리 임면, 지방관의 장계(狀啓)를 비롯하여 사회의 돌발 사건까지 실었다.

533)됴보(朝報) : 조선 시대에, 승정원에서 재결 사항을 기록하고 서사(書寫)하여 반포하던 관보. 조칙, 장주(章奏), 조정의 결정 사항, 관리 임면, 지방관의 장계(狀啓)를 비롯하여 사회의 돌발 사건까지 실었다.

니 현딜의 만힝이라. 흐믈며 셩은이 빗기더으샤 현딜 등의 누명이 거울ᄀᆞᆺ치 버셔디고, 청현화딕으로 젼유샤관(傳諭使官)을 보닉시니 인신의 감은골슈(感恩骨髓)홀 비라. 모로미 밧비 도라와 우흐로 셩은을 갑습고, 아릭로 미뎨의 바라믈 위로ᄒᆞ라."

ᄒᆞ엿고, 금평후 부ᄌᆞ와 하공 부ᄌᆞ의 셔간이 와시딕, 다만 옥누항 죤문을 일ᄏᆞᆺ디 아냐, 흑ᄉᆞ의 환쇄ᄒᆞᆷ믈 깃거 슈히 샹경ᄒᆞᆷ믈 기다리노라 ᄒᆞ여실 ᄯᆞ룸이라. 흑시 여러 셔찰을 보나 조모와 두 ᄌᆞ졍의 일【58】ᄌᆞ 셔찰을 못 어더보니, 울울흔 심회 측냥 업셔 하리ᄃᆞ려 무르딕,

"여등의 도리 날을 다리라 오미 본부 셔찰을 맛다 오미 올커늘, 옥누항의 이리 오믈 고치 아냐, 일ᄌᆞ 셔찰을 맛다 오미 업ᄉᆞ니 어인 도리뇨?"

하리 황공 딕왈,

"조승상 노애 관부의셔 분부ᄒᆞ시딕, 옥누항의 양쥐 나려가믈 비록 고ᄒᆞ여도 급히 셔간을 뼈 주리 업고, 힝거를 일시도 더딕디 못ᄒᆞ리니 바로 가라. ᄒᆞ시므로 일죵(一終)554) 상위(上位) 명딕로 ᄒᆞ엿ᄂᆞ이다."

흑시 심니의 표슉의 쳐ᄉᆞ를 이둘나 ᄒᆞ나, 능히 홀일업셔 ᄒᆞ리의 죄를 삼디 못ᄒᆞ고, 옥누항 소식【59】을 알 길히 업셔 졀민ᄒᆞ여, 샤관ᄃᆞ려 굴오딕,

"누인이 명공을 딕ᄒᆞ여 친당 소식을 므르미 가치 아니ᄒᆞ딕, 쳔니 관산(關山)의 애각(涯角)이 ᄀᆞ리이고 히슈(海水) ᄌᆞ음치니555) 피ᄎᆞ 셩식(聲息)556)을 ᄌᆞ로 통치 못ᄒᆞ고, 싱이 여러 둘 듕병의 인ᄉᆞ를 바려 경샤의 노복을 보닌 일이 업는 고로, 조모와 ᄌᆞ모의 평부를 졀연이 모로ᄂᆞ니, 명공 존틱(尊宅)이 옥누항과 디근흔디라. 혹ᄌᆞ 쇼싱의 집 소식을 드르미 잇ᄂᆞ냐?"

샤관이 뉴부인 뎡비 마련홈과 그 딜양이

554)일죵(一終) : 한결같이. 끝까지 변함없이.
555)ᄌᆞ음치다 : 격(隔)하다. 사이를 두다. 가로막히다.
556)셩식(聲息) : 소식(消息). 멀리 떨어져 있는 사람의 사정을 알리는 말이나 글.

더으샤 현딜 등의 누명이 거울ᄀᆞᆺ치 버져지고, 청현화직으로 젼유ᄉᆞ관(傳諭使官)을 보닉시니, 인신의 감은골슈(感恩骨髓)홀 비라. 모르미 밧비 도라와 우【174】흐로 셩은을 갑습고, 아릭로 미뎨의 바라믈 위로ᄒᆞ라."

ᄒᆞ엿고, 금평후 부ᄌᆞ와 하공 부ᄌᆞ의 셔간이 와시딕, 다만 옥누항 죤문을 닐ᄏᆞᆺ지 아냐, 학ᄉᆞ의 환쇄ᄒᆞᆷ믈 깃거 슈히 샹경ᄒᆞᆷ믈 기드리노라 ᄒᆞ여실 ᄯᆞ룸이라. 학시 여러 셔찰을 보나 조모와 두 ᄌᆞ졍의 일ᄌᆞ 셔찰을 못 어더보니, 울울흔 심회 측냥 업셔 하리ᄃᆞ려 무르딕,

"너희 등 도리 날을 ᄃᆞ리라 오미 본부 셔찰을 맛타 오미 올커늘, 옥누항의 이리 오믈 고치 아냐, 일ᄌᆞ 셔찰을 맛타 오미 업ᄉᆞ니 이 무슴 도리뇨?"

하리 황공 딕왈,

"조승상 노애 관부의셔 분부ᄒᆞ시딕, 옥누항의 양쥐 나려가믈 비록 고ᄒᆞ여도 급히【175】셔간을 뼈주리 업고, 힝거를 일시도 더딕지 못ᄒᆞ리니 바로 가라 ᄒᆞ시므로, 일죵(一終)534) 상위(上位) 명딕로 ᄒᆞ엿ᄂᆞ이다."

학시 심니의 표슉의 쳐ᄉᆞ를 이둘나 ᄒᆞ나, 능히 홀일업셔 ᄒᆞ리의 죄를 숨지 못ᄒᆞ고, 옥누항 소식을 알 길이 업셔 졀민ᄒᆞ여, ᄉᆞ관ᄃᆞ려 굴오딕,

"누인이 명공을 딕ᄒᆞ여 친당 소식을 무르미 가치 아니ᄒᆞ딕, 쳔니 관산(關山)의 이각(涯角)이 ᄀᆞ리이고 히슈(海水) ᄌᆞ음치니535) 피ᄎᆞ 셩식(聲息)536)을 ᄌᆞ로 통치 못ᄒᆞ고, 싱이 여러 둘 즁병의 인ᄉᆞ를 바려 경ᄉᆞ의 노복을 보닌 일이 업는 고로, 조모와 ᄌᆞ모의 평부를 졀연이 모로ᄂᆞ니, 명공 존틱(尊宅)이 옥누항과 지근흔지라. 혹ᄌᆞ 쇼싱의 집 소식을 드르미 잇ᄂᆞ냐?"

ᄉᆞ관이 뉴부【176】인 졍비 마련홈과 그

534)일죵(一終) : 한결같이. 끝까지 변함없이.
535)ᄌᆞ음치다 : 격(隔)하다. 사이를 두다. 가로막히다.
536)셩식(聲息) : 소식(消息). 멀리 떨어져 있는 사람의 사정을 알리는 말이나 글.

위악ᄒ믈 알오ᄃᆡ, 윤혹ᄉ의 ᄆᆞ음을 경동치 아니려 다만 몸을 굽혀 ᄃᆡ왈,

"쇼관이 우미ᄒᆞ여 명공【60】ᄯᅳᆺ을 아디 못ᄒᆞ고, 옥누항 ᄌᆞ셔ᄒᆞᆫ 소식을 아라다가 젼치 못ᄒᆞ니, 뵈오미 심히 무안(無顔)토소이다. 녕존당 태부인과 ᄌᆞ위 부인의 평문(平聞)은 우연이 알미, 근간 딜환이 써나디 아니시다 ᄒᆞ더이다."

혹ᄉᆡ 더옥 경황ᄒᆞ여 몸이 경긱의 나라 조모와 ᄌᆞ졍의 비알ᄒᆞ고, 그 환후의 증셰를 슬펴 약의 당졔(當劑)557)를 닐위여, 소셩(蘇醒)ᄒᆞ시믈 보고져 시븐 ᄆᆞ음이 모양ᄒᆞ여 견즐 곳이 업ᄉᆞ니, 셩샹이 비록 젼유샤관을 보ᄂᆡ디 아니셔도 도라갈 ᄯᅳᆺ이 급ᄒᆞᆫ디라. 샤관을 ᄃᆡᄒᆞ여 굴오ᄃᆡ,

"누인이 텬문의 은샤를 어든 후 이의 디류(遲留)ᄒᆞᆯ 연괴 업고, 친환(親患)이 계시믈 드르니 몸【61】이 날개 업셔 일일디ᄂᆡ(一日之內)의 샹경치 못ᄒᆞ믈 한ᄒᆞᄂᆞ니, 엇디 여러 날 쳔연ᄒᆞ여 발힝치 아니리오. 명일 오후의 써나고져 ᄒᆞ노라. 누인이 블초 죄인으로 허믈이 호대ᄒᆞ고, 디은 죄 듕ᄒᆞᆫ디라. 비록 셩쥬의 후은을 닙어 죄를 샤ᄒᆞ시나, 싱이 념티(廉恥)의 고관화직(高官華職)을 ᄯᅴ여 금의(錦衣) 인신(印信)을 더러이디 못ᄒᆞ리니, ᄉᆞ관은 홍문하리(弘文下吏)558)와 쇼ᄉᆞ부(少師部) 하리(下吏)를 거나려 명일 됴신(早晨)의 힝ᄒᆞ쇼셔."

샤관이 ᄃᆡ왈,

"쇼싱이 셩교를 밧ᄌᆞ와 이의 니르럿ᄂᆞ니 브ᄃᆡ 명공으로 ᄒᆞᆫ가디로 갈소이다."

혹ᄉᆡ 왈,

"누인이 아니 가려 ᄒᆞ면 명공 말이 올커니와 내 ᄯᅳᆺ이 샹경키의 다ᄃᆞ라ᄂᆞᆫ 일일이 여삼츄(如三秋)니 어이 셩【62】교를 디완ᄒᆞ리오. 다만 외람ᄒᆞᆫ 작위를 황공ᄒᆞ여 밧드디 못ᄒᆞᄂᆞ니, ᄉᆞ관은 몬져 힝ᄒᆞ라."

님한님이 말노뻐 윤혹ᄉ의 ᄆᆞ음을 도로혀

질양이 위악ᄒᆞ믈 알의ᄃᆡ, 윤학ᄉ의 ᄆᆞ음을 경동치 아니랴, 다만 몸을 굽혀 ᄃᆡ왈,

"쇼관이 우미ᄒᆞ여 명공 ᄯᅳᆺ을 아지 못ᄒᆞ고, 옥누항 ᄌᆞ셔ᄒᆞᆫ 소식을 아라드가 젼치 못ᄒᆞ니, 뵈오미 심히 무안(無顔)토소이다. 녕존당 태부인과 ᄌᆞ위 부인의 평문은 우연이 알매, 근간 딜환이 써나지 아니시다 ᄒᆞ더이다"

학ᄉᆡ 더옥 경황ᄒᆞ여 몸이 경긱의 나라 조모와 ᄌᆞ졍의 비알ᄒᆞ고, 그 환후의 증셰를 슬펴 약의 당졔(當劑)537)를 닐위여, 소셩(蘇醒)ᄒᆞ시믈 보고져 시븐 ᄆᆞ음이 모양ᄒᆞ여 견즐 곳이 업ᄉᆞ니, 셩샹이 비록 젼유ᄉ관을 보ᄂᆞ지 아니셔도 도라갈 ᄯᅳᆺ이 급ᄒᆞᆫ지라. ᄉᆞ관을 ᄃᆡᄒᆞ여 굴오ᄃᆡ,

"누인이 쳔【177】문의 은ᄉ를 어든 후 이의 지류(遲留)ᄒᆞᆯ 연괴 업고, 친환(親患)이 계시믈 드르니 몸이 날기 업셔 일일지ᄂᆡ(一日之內)의 상경치 못ᄒᆞ믈 한ᄒᆞᄂᆞ니, 엇지 녀러 날 쳔연ᄒᆞ여 발힝치 아니리오. 명일 오후의 써나고져 ᄒᆞ노라. 누인이 블초 죄인으로 허믈이 호대ᄒᆞ고, 지은 죄 즁ᄒᆞᆫ지라. 비록 셩쥬의 후은을 닙어 죄를 ᄉᆞᄒᆞ시나, 싱이 넘치의 고관화직(高官華職)을 ᄯᅴ여 금의 인신(印信)을 더러이지 못ᄒᆞ리니, ᄉ관은 홍문하리(弘文下吏)538)와 쇼ᄉ부하리(少師部下吏)를 거ᄂᆞ려 명일 됴신(早晨)의 힝ᄒᆞ쇼셔"

ᄉ관이 ᄃᆡ왈,

"쇼싱이 셩교를 밧ᄌᆞ와 이의 니르럿ᄂᆞ니 브ᄃᆡ 명공으로 ᄒᆞᆫ가지로 갈소이다"

학ᄉᆡ 왈,

"누인이 아니 가려 ᄒᆞ면 명공 말이 올커니와 내 ᄯᅳᆺ이 상경키【178】의 다ᄃᆞ르는 일일이 여슴츄(如三秋)니 어이 셩교를 지완ᄒᆞ리오. 다만 외람ᄒᆞᆫ 작위를 황공ᄒᆞ여 밧드지 못ᄒᆞᄂᆞ니, ᄉ관은 몬져 힝ᄒᆞ라."

님한님이 말노뻐 윤학ᄉ의 ᄆᆞ음을 도로혀

---

557)당졔(當劑) : 어떤 병에 딱 들어맞는 약.
558)홍문하리(弘文下吏) : 홍문관에 소속된 이직(吏職; 아전) 구실아치.

537)당졔(當劑) : 어떤 병에 딱 들어맞는 약.
538)홍문하리(弘文下吏) : 홍문관에 소속된 이직(吏職; 아전) 구실아치.

디 못홀 줄 ○[알]고, 하딕고 몬져 읍져로 드러가니, 이 날이야 시 즈스 《풍신∥홍신》이 처음으로 도임ᄒ엿ᄂ더라. 즉시 윤흑스긔 나아와 뵈고 팔딘경찬(八珍瓊饌)559)과 난양호쥬560)로써 큰 상을 밧드러 흑스긔 햐져(下箸)ᄒ믈 쳥ᄒ니, 흑시 과도히 딕졉ᄒᄂ 바를 깃거 아냐, 두어 가디 과실을 맛보고 술을 졉구(接口)치 못ᄒ믈 일ᄏᆞ라 즉시 상을 믈니고, 즈스를 공경ᄒ미 디극ᄒ니, 즈시 도로혀 블안ᄒ여 오리 안줏디 못ᄒ고, 즉시 도라가니, 흑시 즈스를 보니고 혜쥰으로 ᄒ여【63】곰 한공즈를 블너 오라 ᄒ니, 희린이 누의를 일코 모병이 듕ᄒᄆ로 젼일ᄀᆞ치 흑스 곳의 못 잇고 집의 도라왓더니, 이 날 혜쥰이 니르러 흑스의 명으로 급히 브르믈 듯고 총총이 흑스긔 비견ᄒ미, 흑시 집슈 왈,

"우연이 그듸를 스괴여 피츠 졍의 골육동긔 아니믈 씨듯디 못ᄒ여, 평싱의 써날 ᄠᅳᆺ이 업ᄂ더라. 내 이제 텬문의 은샤를 닙스와 환경ᄒ니, 그윽이 싱각건듸 그듸 비록 녕션대인 삼긔를 디니디 못ᄒ여시나, 이곳의 맛춤너 잇셤즉디 아니코, 그듸 긔상이 향니의 침몰ᄒ여 창하의 울젹ᄒᆫ 셔싱이 되디 아닐 ᄃᆞᆺᄒ니, 만일 그듸 ᄠᅳᆺ이 날을 써나디 말고져 ᄒ거든, 녕【64】즈당 부인을 뫼셔 날과 ᄒᆞᆫ가디로 샹경ᄒ미 하여오."

희린이 윤흑스를 좃ᄎ 쳔만니 애각이라도 쓸올 ᄠᅳᆺ이 잇고, 써날 ᄆᆞ옴이 힝혀도 업던 바의, 흑시 ᄒᆞᆫ가디로 샹경ᄒ믈 니르니 블감쳥(不敢請)이언졍 고소원(固所願)애라. 년망이 비샤 왈,

"쇼뎨 스형댱(師兄丈) 밧 바라ᄂ 사람이 업ᄂ더라. 쇼뎨 외롭고 슬픈 인싱이 스형 우러오미 틱산븍두(泰山北斗) ᄀᆞᆺ튼니, 스형이 비록 쓸오디 말나 ᄒ셔도, 쇼뎨 ᄯᆞ라가믈 이고(哀告)홀 형셰라. 이러틋 니르시미

지 못홀 줄 알고 하직고 몬져 읍져로 드러가니, 이 날이야 시 즈스 홍신이 처음으로 도임ᄒ엿ᄂ지라. 즉시 윤학스게 ᄂᆞ아와 뵈고 팔진경찬(八珍瓊饌)539)과 난양호쥬(蘭釀壺酒)540)로써 큰 상을 밧드러 학스게 햐져(下箸)ᄒ믈 쳥ᄒ니, 학시 과도히 딕졉ᄒᄂ 바를 깃거 아냐 두어 가지 과실을 맛보고 술을 졉구치 못ᄒ믈 닐ᄏᆞ라 즉시 상을 믈니고 즈스를 공경ᄒ미 지극ᄒ니 즈시 도로혀 불안ᄒ여 오리 안줏지 못ᄒ고 즉시 도라가니 학시 즈스를 보니고 혜쥰【179】으로 ᄒ여곰 한공즈를 불너 오라 ᄒ니 희린이 누의를 일코 모친 병이 즁ᄒᄆ로 젼일ᄀᆞᆺ치 흑스 곳의 못 잇고 집의 도라왓더니 초일 혜쥰이 니르러 학스의 명으로 급히 브르믈 듯고 총총이 흑스긔 비견ᄒ미 흑시 집슈 왈,

"우연이 그듸를 스괴여 피츠 졍의 골육동긔믈 씨듯지 못ᄒ여 평싱의 써날 ᄠᅳᆺ이 업ᄂ지라 내 이제 텬문의 은스를 닙스와 환경키를 당ᄒ니 그윽히 싱각건듸 그듸 비록 녕션대인 삼긔를 지니 못ᄒ여시나 이 곳의 맛춤너 잇셤즉지 아니코 그듸 긔상이 향니의 침몰ᄒ여 창하의 울젹ᄒᆫ 셔싱이 되지 아닐 ᄃᆞᆺᄒ니 만닐 그듸 ᄠᅳᆺ이 날을 써나지 말고져 ᄒ거든 녕즈당 부【180】인을 뫼셔 날과 ᄒᆞᆫ가지로 샹경ᄒ미 하여오."

희린이 윤학스를 좃ᄎ 쳔만 니 이각이라도 쓸올 ᄠᅳᆺ이 잇고 써날 ᄆᆞ옴이 힝혀도 업던 바의 흑시 ᄒᆞᆫ가지로 샹경ᄒ믈 니르니 블감쳥(不敢請)이언졍 고소원(固所願)애라 년망이 비스 왈,

"쇼뎨 스형댱(師兄丈) 밧 바라ᄂ 스람이 업ᄂ지라. 쇼뎨 외롭고 슬픈 인싱이 스형 우러오미 틱산븍두(泰山北斗) ᄀᆞᆺ튼니, 스형이 비록 쓸오지 말나 ᄒ셔도, 쇼뎨 ᄯᆞ라ᄀᆞ믈 이고홀 《혜셰∥형세》라. 이러틋 니르

---

559)팔딘경찬(八珍瓊饌) : 아주 잘 차린 음식상에나 갖춘다고 하는 여덟 가지 진귀한 음식.

560)난양호쥬(蘭釀壺酒) : 난 꽃을 넣어 담근 병술. *난양주(蘭釀酒) : 난 꽃을 넣어 담근 술. *병술; 병에 담은 술.

539)팔진경찬(八珍瓊饌) : 아주 잘 차린 음식상에나 갖춘다고 하는 여덟 가지 진귀한 음식.

540)난양호쥬(蘭釀壺酒) : 난 꽃을 넣어 담근 병술. *난양주(蘭釀酒) : 난 꽃을 넣어 담근 술. *병술; 병에 담은 술.

쇼데의 심폐를 붉히 살피시미나, 다만 흔 푼 노지(路資) 업고 일필 물이 업스니, 므슨 긔구로 쳔니 댱졍(長程)의 발힝ᄒ리잇가?"

흑시 왈,

"내 임의 그ᄃᆡ 형세를 모로디 아니니 엇【65】디 힝거를 그ᄃᆡ다려 츌ᄒ라 ᄒ리오. 오딕 녕당 태부인긔 명일 발힝ᄒᆞᆯ 바를 고ᄒ고, 녕션인(令先人) 송츄(松楸)561)를 슈호(守護)ᄒᆞᆯ 사ᄅᆞᆷ을 어더 ᄉ시향화(四時香火)를 의탁고 가게 ᄒ라."

희린이 슌슌 슈명ᄒ고, 하루(下淚) 왈,

"누의를 일헌 디 ᄒᆡ 밧괴여시나, 맛참ᄂᆡ ᄉ성 존망을 모로고, 이졔 고향을 ᄯᅥ날딘ᄃᆡ 누의를 싱젼의 상봉키 어려올가 ᄒᆞᄂᆞ이다."

흑시 탄왈,

"그ᄃᆡ 경ᄉ 여러 가디로 비상ᄒ거니와, 익회 괴이ᄒ여 녕ᄆᆡ(令妹)를 실니ᄒ니, 이 ᄯᅩ 슬허 ᄒ여 밋츨 거시 아니라. 화복이 지텬(在天)ᄒ니 인력으로 못ᄒᆞᆯ 비라. 비록 이 곳을 ᄯᅥ나나 경샤는 사ᄅᆞᆷ이 못ᄂᆞᆫ 곳이니, 혹ᄌ 녕ᄆᆡ 소식을 어더 드르미【66】이곳도곤 나을가 ᄒᆞᄂᆞ니 그ᄃᆡ는 무익ᄒᆞᆫ 넘녀를 허비치 말나."

희린이 샤례ᄒ고 즉시 집의 도라와 곽부인긔 샹경ᄒᆞᆯ 바를 고ᄒ니, 곽시 윤흑스의 말인즉 ᄉ디라도 거스릴 ᄯᅳᆺ이 업셔, 울며 왈,

"윤흑스는 우리 모ᄌ의게 텬디 ᄀᆞᄐᆞᆫ 은혜를 씻쳐 디셩으로 살 도리를 디휘ᄒ니, 그 명녕을 엇디 거역ᄒ리오마는, 다만 녀ᄋ의 거쳐를 모로고, 이 곳을 ᄯᅥ난즉 더옥 ᄎᆞ줄 길히 업술가 슬허 ᄒ노라."

공ᄌ 위로 왈,

"쇼ᄌ 미져를 실니ᄒᆞᆫ 후 즉시 ᄎᆞᆺ고져 ᄒ딕, 태태 환후로 슬하를 ᄯᅥ나디 못ᄒ여 누월의 쳔연ᄒᆞ미 된디라. 다만 져져의 복녹완젼디상(福祿完全之相)이 슈화듕(水火中)도

561)송츄(松楸) : ①'무덤'을 비유적으로 이르는 말. ②산소 둘레에 심는 나무를 통틀어 이르는 말. 주로 소나무와 가래나무를 심는다.

시미 쇼데의 심폐를 밝히시〇[미]나, 다만 흔 푼 노지(路資) 업고 일필 말이 업스니, 무슨 긔구로 쳔니 장졍(長程)의 등졍(登程)ᄒ리잇ᄀ?"

학시 왈,

"내 님의 그ᄃᆡ 형세를 모ᄅᆞ지 아니니 엇지 힝거를 그ᄃᆡ다려 츌ᄒ라 ᄒ리오. 오직 녕【181】당(令堂) 태부인게 명일 발힝ᄒᆞᆯ 바를 고ᄒ고, 녕션인 송츄(松楸)541)를 슈호ᄒᆞᆯ 사람을 어더 ᄉ시향화(四時香火)를 부탁고 가게 ᄒ라"

희린이 슌슌 슈명ᄒ고 하루(下淚) 왈,

"누의를 싱젼의 상봉키 어려울가 ᄒᆞᄂᆞ이다"

학시 탄왈,

"그ᄃᆡ 경ᄉ 여러 ᄀ지로 비상ᄒ거니와 익회 괴이ᄒ여 녕ᄆᆡ(令妹)를 실니ᄒ니, 슬허 ᄒᆞᆫ들 밋츨 거시 아니라. 화복이 지텬ᄒ니 인력으로 못ᄒᆞᆯ 비라. 비록 이 곳을 ᄯᅥ나나 경ᄉ는 사람이 못ᄂᆞᆫ 곳이니, 혹ᄌ 녕ᄆᆡ 소식을 어더 드르미 이곳도곤 나을가 ᄒᆞᄂᆞ니, 그ᄃᆡ는 무익ᄒᆞᆫ 넘녀를 허비치 말나"

희린이 샤례ᄒ고 즉시 집의 도라와 과[곽]부인게 상경ᄒᆞᆯ 말을 고ᄒ니, 곽시 윤학스의 말인즉 ᄉ지라도 거스릴 ᄯᅳᆺ이 업【182】셔 울며 왈,

"윤학스는 우리 모ᄌ의게 텬디 ᄀᆞᄐᆞᆫ 은혜를 씻쳐 지셩으로 살 도리를 지휘ᄒ니, 그 명녕을 엇지 거역ᄒ리오마는, 다만 녀ᄋ의 거쳐를 모ᄅᆞ고 이 곳을 ᄯᅥ난즉 더옥 ᄎᆞ질 길이 업술가 슬허 ᄒ노라"

공ᄌ 위로 왈,

"쇼ᄌ 미져를 실니ᄒᆞᆫ 후 즉시 ᄎᆞᆺ고져 ᄒ딕, 틱틱 환후로 슬하를 ᄯᅥ나지 못ᄒ여 누월의 쳔연ᄒᆞ미 된지라. 다만 져져의 복녹완젼지상(福祿完全之相)이 슈화즁(水火中)도

541)송츄(松楸) : ①'무덤'을 비유적으로 이르는 말. ②산소 둘레에 심는 나무를 통틀어 이르는 말. 주로 소나무와 가래나무를 심는다.

위틱ᄒ미 업술 거시니, 길운【67】을 만나면 ᄌ연 상봉홀 도리 이실가 ᄒᄂ이다."

곽시 쥬견 업손 인믈이라. ᄋ들의 위로ᄒᄂ 말을 ᄯ호 그러히 넉일 ᄯᆫ 아니라, 본딕 경샤의셔 싱댱훈 비라. 향촌 간고를 견디디 못ᄒ다가, 윤흑시 샹경홀 거마를 츌혀 훈가디로 가기를 결단ᄒᆷ를 만심 환희ᄒ더라.

윤흑시 댱쇼져와 의논ᄒ여 샹경홀 힝니를 츌힐시, 희린의 모ᄌ를 다려가며 한효렴의 목쥬를 ᄯ호 경샤로 옴기려 ᄒ민, 힝냥(行糧)과 노미(路馬) 젹디 아닐 거시로딕, 쇼져와 ᄲᅡᆼ섬 등의 ᄐ고 온 믈이 이실디언졍, 일냥 은ᄌ도 업ᄉ니 아모리 홀 줄 아디 못ᄒ여, 댱쇼졔 ᄀ마니 일필(一匹) 능나(綾羅)를 어더【68】 칙싁을 난만이 취ᄒ여, 셔왕모(西王母)562) 요디연(瑤池宴)563)을 모양ᄒ여 그리며, 한고조(漢高祖)의 낙양(洛陽)564) 남궁연(南宮宴)565)을 ᄯ호 형용ᄒ여 그리민, 화법의 신긔ᄒ미 만고무가뵈(萬古無價寶)라. 뎡히 그리기를 맛ᄎ ᄲᅡᆼ섬을 주어 읍져 근처의 호부훈 집의 가 파라 오라 홀 즈음의, 흑시 드러와 그림을 아ᄉ 보고, 화법의 비상훔과 지조의 신이ᄒ미 실노 ᄌ긔라도 이의 더을 거시 업ᄉ니, 심하의 아름다이 넉이믈 마디 아니딕 ᄉ식디 아니코, 미쇼 왈,

"싱의 싱계 궁박훈 연고로 지 궁극히 싱각ᄒ도다. ᄌ의 화법은 비상ᄒ거니와 녀ᄌ

562)서왕모(西王母) : 중국 신화에 나오는 신녀(神女)의 이름. 불사약을 가진 선녀라고 하며, 음양설에서는 일몰(日沒)의 여신이라고도 한다
563)요디연(瑤池宴) : 중국 전설상의 선계(仙界)인 요지(瑤池)라는 못에서 열린다는 신선들의 연회.
564)낙양(洛陽) : 중국 하남성(河南省) 서북부에 있는 성 직할시. 화북평야(華北平野)와 위수(渭水) 강 분지를 잇는 요지로, 농해철도(隴海鐵道)가 지난다. 광산 기계·트랙터·방적 따위의 공업이 활발하며, 부근에서 목화가 많이 나고 석탄·금속 자원도 풍부하다. 예로부터 여러 왕조의 도읍지로 번창하여 명승고적이 많다
565)남궁연(南宮宴) : 남궁(南宮)에서의 잔치. 한 고조가 천하를 통일한 한 후 공신들을 모아 논공행상(論功行賞)을 행하고 잔치를 베푼 곳. 낙양(洛陽)에 있다.

위틱ᄒ미 업술 거시니, 길운을 만나면 ᄌ연 상봉홀 도리 잇실가 ᄒᄂ이다."

곽시는 쥬견 업손 인믈이라. ᄋ들의 위로ᄒᄂ 말을 ᄯ호 그러히 넉일 ᄯᆫ 아니라, 본딕 경ᄉ의셔 싱장훈 비라. 향촌 간고【183】를 견디지 못ᄒᄃ가, 윤학시 상경홀 거마를 츌혀 훈가지로 가기를 결단ᄒᆷ를 만심 환희ᄒ더라.

윤학시 댱 쇼져와 의논ᄒ여 상경홀 힝니를 츌힐시, 희린의 모ᄌ를 드려가며 한효렴의 목쥬를 ᄯ호 경ᄉ로 옴기려 ᄒ민, 힝냥(行糧)과 노미(路馬) 젹지 아닐 거시로딕, 쇼져와 ᄲᅡᆼ섬 ᄐ고 온 말이 이실지언졍 일냥 은ᄌ도 업ᄉ니 아모리 홀 줄 아지 못ᄒ여, 댱쇼졔 ᄀ만니 일필(一匹) 능나(綾羅)를 어더 칙싁을 난만이 취ᄒ여, 셔왕모(西王母)542) 뇨지연(瑤池宴)543)을 모양ᄒ여 그리며, 한고조(漢高祖)의 낙양(洛陽)544) 남궁연(南宮宴)545)을 ᄯ호 형용ᄒ여 그리민, 화법의 신긔ᄒ미 만고무가뵈(萬古無價寶)라. 졍히 그리기를 맛ᄎ ᄲᅡᆼ섬을 주어 읍져 근처의【184】호부훈 집의 가 ᄑ라 오라 홀 즈음의, 흑시 드러와 그림을 아ᄉ 보고, 화법의 비상훔과 지조의 신니(神異)ᄒ미 실노 ᄌ긔라도 이의 더을 거시 업ᄉ니, 심하의 아름다이 넉이믈 마지 아니ᄒ딕 ᄉ식지 아니코, 미쇼 왈,

"싱의 싱계 궁박훈 연고로 지 궁극히 싱각ᄒ엿도다. ᄌ의 화법은 비상ᄒ거니와 녀

542)서왕모(西王母) : 중국 신화에 나오는 신녀(神女)의 이름. 불사약을 가진 선녀라고 하며, 음양설에서는 일몰(日沒)의 여신이라고도 한다
543)요디연(瑤池宴) : 중국 전설상의 선계(仙界)인 요지(瑤池)라는 못에서 열린다는 신선들의 연회.
544)낙양(洛陽) : 중국 하남성(河南省) 서북부에 있는 성 직할시. 화북평야(華北平野)와 위수(渭水) 강 분지를 잇는 요지로, 농해철도(隴海鐵道)가 지난다. 광산 기계·트랙터·방적 따위의 공업이 활발하며, 부근에서 목화가 많이 나고 석탄·금속 자원도 풍부하다. 예로부터 여러 왕조의 도읍지로 번창하여 명승고적이 많다
545)남궁연(南宮宴) : 남궁(南宮)에서의 잔치. 한 고조가 천하를 통일한 한 후 공신들을 모아 논공행상(論功行賞)을 행하고 잔치를 베푼 곳. 낙양(洛陽)에 있다.

의 슈덕(手迹)을 방외(方外)의 너미 블안토
다. 싱이 셩샹의 작덕을 밧【69】줍디 아니
려 흐기로, 각읍 영숑(迎送)을 밧디 아니미,
부인과 희린의 힝되 범스의 심히 구간(苟
艱)흐도다."

쇼졔 일겻566) 넌즈시 흐랴 흔 거시 혹스
의 보믈 심히 붓그려, 다만 딕답흐딕,

"힝둥의 냥지 곤핍흐기로 인흐여 미흔 지
조를 시험흐미로소이다."

이의 빵셤이 가디고 동닌(洞隣)의 단니며
팔녀 흐니 인연흐여 스리 업더니, 맛춤 양
쥐 동닌의 기딕(棄職) 복거(伏居)흔 셜시랑
이 이시니, 슈셰 된 일 쇼픠 잇셔 긔화명월
(奇花明月)ᄀᆞᆺ치 귀듕흐더니, 텬하의 일홈난
보비와 긔딘이보(奇珍異寶)의 희귀흔 것과
디어 명화(名畵)부치567)의 거시라도 다 스
는 고로 동닌의 유명흐더니, 이 날【70】빵
셤이 그림을 가디고 팔 곳을 엇디 못흐여
뎡히 민망흐더니, 셜시랑 집 양낭(養娘)568)
이 디나다가 보고 탐혹히 반겨, 빵셤을 다
리고 드러가 져회 부인긔 고흐니, 그 부인
이 그림을 가져 오라 흐여 보고 과혹(過惑)
흐여, 슈셰 녀ᄋᆞ의 보기를 위흐여 지보를
앗기디 아니흐고 빅금을 주고 스거늘, 셤이
갑슬 바다 가디고 도라와 셜시랑이 녀ᄋᆞ를
주려 스던 바를 고흐니, 쇼졔 혜쥰을 주어
날이 붉기를 기다려 무필을 스고, 힝냥을
츌흐라 흐니, 쥰이 슈명이퇴(受命而退)흐여,
동뉴를 딕흐여 쇼왈,

"우리 노얘 홍문관태혹스(弘文館太學士)
와 태ᄌᆞ쇼ᄉᆞ(太子少師)를 겸흐시니 작위 슝
고흐신다. 샹명이【71】샤관을 보닉샤 역
마(驛馬)로 도라오믈 직쵹흐시니, 힝게(行
車) 향흐시ᄂᆞᆫ 바의 각읍 쥬현이 십니 밧긔
와 영숑(迎送)홀 거시어늘, 노얘 고집흐시미
벼살을 샤양흐시고, 졔읍이 힝냥을 도아도
일졀 밧디 아니시니, 부인이 능히 부영쳐귀

ᄌᆞ의 슈젹(手迹)을 방외(方外)의 너미 블안
토다. 싱이 셩샹의 작직을 밧줍지 아니려
흐기로, 각읍 영숑(迎送)을 밧지 아니미, 부
인과 희린의 힝되 범스의 구간(苟艱)흐도
다"

쇼졔 닐것546) 넌즈시 흐려 흔 거시 학스
의 보믈 심히 붓그려, ᄃᆞ만 딕답흐딕,

"힝줌의 냥지 곤핍흐기로 인흐여 미흔 지
조로써 시험흐미로소이다."

이의 빵셤이【185】가지고 동닌(洞隣)의
ᄃᆞ니며 팔녀 흐니 인연흐여 스리 업더니,
맛춤 양쥐 동닌의 기직(棄職) 복거(卜居)흔
셜시랑이 이시니, 슈셰 된 일 쇼픠 잇셔 긔
화명월(奇花明月)ᄀᆞᆺ치 귀즁흐더니, 텬하의
일홈난 보비와 긔진이보(奇珍異寶)의 희귀
흔 것과 지어 명화(名畵)부치547)의 거시라
도 다 스는 고로, 동닌의 유명흐더니, 이 날
빵셤이 그림을 ᄀᆞ지고 팔 곳을 엇지 못흐여
졍히 민망흐더니, 셜시랑 집 냥낭(養娘)548)
이 지나ᄃᆞ가 보고 탐혹히 반겨, 빵셤을 드
리고 드러가 져회 부인게 고흐니, 그 부인
이 그림을 가져 오라 흐여 보고 과혹(過惑)
흐여, 슈셰 녀ᄋᆞ의 보기를 위흐여 지보를
앗기지 아니흐고 빅금을 주고 스거늘, 셤이
갑슬 바다 가지고 도라와 셜시랑이 녀ᄋᆞ를
주려 흐여【186】스던 바를 고흐니, 쇼졔
혜쥰을 주어 명일 마필(馬匹)을 스고 힝냥
(行糧)으로 보틱라 흐니, 쥰이 슈명이퇴(受
命而退)흐여, 동뉴를 딕흐여 쇼왈,

"우리 노얘 홍문관틱혹스(弘文館太學士)
와 틱ᄌᆞ쇼부((太子少師))를 겸흐시니, 작위
슝고흐신지라. 샹명이 스관을 보닉샤 녁모
(驛馬)로 도라오믈 직쵹흐시니, 힝게(行車)
향흐시ᄂᆞᆫ 바의 각읍 쥬현이 십니 밧게 와
녕숑(迎送)홀 거시어늘, 노얘 고집흐ᄉᆞ 벼슬
을 스양흐시고, 졔읍이 힝냥을 도아도 일졀
밧지 아니시니, 부인이 능히 부영쳐귀(夫榮

---

566)일겻 : 일껏. 모처럼 애써서.
567)부치 : -붙이. 어떤 물건에 딸린 같은 종류라는
뜻을 더하는 접미사
568)양낭(養娘) : 여자 종. 주로 혼인한 여종을 일컫
는다.

546)일것 : 일껏. 모처럼 애써서.
547)부치 : -붙이. 어떤 물건에 딸린 같은 종류라는
뜻을 더하는 접미사
548)냥낭(養娘) : 여자 종. 주로 혼인한 여종을 일컫
는다.

(夫榮妻貴)를 아디 못ᄒ샤, 미양 간고를 면치 못ᄒ시니 엇디 이둛디 아니리오."

ᄒ더라.

명일 샤관이 여러 {날} 하리를 거ᄂ려 역무를 디후(待候)ᄒ여 흑ᄉ의 발ᅘᅵᆼᄒᄆᆯ 지쵹ᄒ고, 본읍 ᄌ시 연셕을 여러 윤흑ᄉ를 뎐별려 ᄒ실시, 흑시 혜쥰의 믈 ᄉ오믈 기다려 능히 자긔가디 탈 믈이 이시므로 역【72】무(驛馬)를 샤양ᄒ고, ᄒᆫ 낫 시동으로 믈 곳비를 들녀 초초히 길히 오로고, 댱부인 거교와 한공ᄌ 모ᄌᆡ 힝게 일시의 발ᄒ되, 위의 ᄀᆞ장 소조(蕭條)ᄒ여 부려영요(富麗榮耀)ᄒᆫ 거시 업슬 ᄲᆞᆫ 아니라, 희린 모ᄌᆞ는 효렴의 송츄(松楸)를 하딕ᄒ며, 희쥬의 ᄉ싱을 디금 아디 못ᄒ고 고향을 써나, 윤흑ᄉ의 출혀주는 거마의 실니여 누ᄃᆡ ᄉ위(嗣位)를 뫼셔 샹경ᄒ는 심ᄉᆡ 크게 비창ᄒᆫ디라.

희린 모지 냑간 뎐토로뻐 닌니(隣里)를 아조 맛져 조선 묘뎐의 향화를 아조 ᄭᅵᆺ디 말나 ᄒ고, 윤흑ᄉ를 ᄯᆞ라 가는 ᄆᆞ옴이 범연ᄒᆫ 남으로 아디 아냐, 친형뎨 골육과 ᄀᆞᆺ더라.

츠셜 윤흑【73】ᄉ긔 슈학ᄒ던 ᄋᆞ동 슈십인과 졔읍 쥬현(州縣)으로브터 닌니 향당(鄉黨)이 십니 밧긔 와 흑ᄉ를 젼별ᄒ믜, 져마다 눈믈이 ᄯᅥ러져 ᄉ매 젹시믈 면치 못ᄒ더라.【74】

妻貴)를 아지 못ᄒᄉ, 미양 간고를 면치 못ᄒ시니 엇지 이둛지 아니리오."

ᄒ더라.

명일 ᄉ관이 여러 하리를 거ᄂ려 녁무를 디후(待候)ᄒ여 학ᄉ게 츌ᅘᅵᆼᄒ시믈 지쵹ᄒ고, 본【187】읍 ᄌ시 연셕을 녀러 윤학ᄉ를 젼별ᄒ려 ᄒ실시, 학시 혜쥰의 말 ᄉ오믈 기ᄃ려 능히 자긔가지 탈 믈이 이시므로 역무(驛馬)를 ᄉ양ᄒ고, ᄒᆫ 낫 시동으로 믈 곳비를 들녀 초초히 길의 오로고, 댱부인 거교와 한공ᄌ 모ᄌᆡ 힝게 일시의 발ᄒ되, 위의 ᄀᆞ장 소조(蕭條)ᄒ여 부려녕요(富麗榮耀)ᄒᆫ 거시 업슬 ᄲᆞᆫ 아니라, 희린 모ᄌᆞ는 효렴의 송츄(松楸)를 하직ᄒ며, 희쥬의 ᄉ싱을 지금 아지 못ᄒ고 고향을 써나 윤학ᄉ의 출혀주는 거ᄆᆞ의 실니여, 누ᄃᆡ 목주(木主)를 뫼셔 샹경ᄒ는 심ᄉᆡ 크게 비창ᄒᆫ지라.

희린 모지 약간 뎐토로뻐 닌니(隣里)를 아조 맛져 조선 묘뎐의 향화를 아조 ᄭᅵᆺ지 말나 ᄒ고, 윤학ᄉ를 ᄯᆞᆯ아 가는【188】ᄆᆞ음이 범연ᄒᆫ 남으로 아지 아녀 친형뎨 골육과 ᄀᆞᆺ더라.

츠셜 윤학ᄉ의게 슈학ᄒ던 ᄋᆞ동 슈십 인이라 졔읍 쥬현으로브터 닌니 향당이 십 니 밧긔 ᄂᆞ아 와 학ᄉ를 젼별ᄒ매, 져마다 눈믈이 ᄯᅥ러지더라. 츠하를 분석ᄒ라 【189】

명듀보월빙 권디뉵십칠

초셜 윤흑스긔 슈흑ᄒ던 ᄋ동 슈십인과 졔읍 듀현으로브터 닌니 향당이 십니 밧긔 나와 흑스를 젼별ᄒᄆᆡ, 져마다 결연흔 눈물이 ᄯᅥ러질 ᄯᆞᆫ 아니라, 슈흑ᄒ던 뉴는 톄읍 타루(涕泣墮淚)ᄒ여 부형을 니별홈 ᄀᆞᆺ투니, 학ᄉᆡ 그 졍ᄉᆞ를 어엿비 넉여 졔ᄋᆞ를 어로만져 됴히 이시라 ᄒ고, 기듕(其中) 부모와 강근디친(强近之親)이 업셔 혈혈무의(孑孑無依)ᄒ여, 타문의 잔잉히 의식(衣食)ᄒᄂᆞᆫ 아동 뉵인을 거나려 가ᄃᆡ, 마필이 업슨 고로 근신흔 노ᄌᆞ를 명ᄒ여 션노(船路)로 다리고 오라 ᄒ고, 졔【1】읍 듀현과 닌니 향당을 ᄃᆡᄒ여 먼니 와 숑별ᄒᄂᆞᆫ 후의를 칭샤홀ᄉᆡ, 홍ᄌᆞᄉᆞ는 연셕 긔구를 베퍼 아듕(衙中)으로 흑스를 쳥ᄒᄃᆡ 드러오디 아니므로, 십니 외 션듕(船中)의 ᄎᆞ장(遮帳)을 ᄀᆞ리오고, 금슈포진(錦繡鋪陳)을 일워 잔치를 빈셜ᄒ고 풍악을 딘쥬(進奏)ᄒ며, 일등 미창으로 가무를 식여 흔 번 윤흑스의 즐기믈 요구ᄒ고, 쇼읍(所邑)569) 듀현(州縣)570)과 향당 ᄉᆞ태우(士大夫)는 분분이 잔을 날녀, 각각 취키의 니르러 져마다 홍장긔녀(紅粧妓女)로 병좌ᄒ여 유희 낭ᄌᆞᄒᄃᆡ, 윤흑스는 긔운이 싁싁ᄒ며 안뫼 뎡엄ᄒ여, 옥 ᄀᆞᆺ튼 용화는 츄월(秋月)의 광치를 거두어 상풍(霜風)이 녈녈흔 거슬 ᄯᅴ엿고, 일신 위【2】의는 늠늠이 셩현 여풍이 이셔, 일쇼일어(一笑一語)와 힝동거디 녜의를 심ᄉᆞ(深思)ᄒ니, 창녀의 음악흔 교틱와 탕ᄌᆞ의 경박흔 취홍을 긔피히 넉이ᄂᆞᆫ디라. 슉연이 므릅흘 ᄯᅳᆯ고 홍ᄌᆞᄉᆞ를 향ᄒᆞᆯᄉᆞ,

"쇼싱은 블초 죄인이어ᄂᆞᆯ, 요힝 텬문의 은샤를 어듬도 싱각디 못흔 빅라. 긔한 견환쇄키를 당ᄒ여 황공 젼뉼ᄒᆞᆷ믈 니긔디 못

---

569)쇼읍(所邑) : 해당 지역을 관할하는 읍(邑). 또는 해당지역이 속속되어 있는 읍(邑). 여기서는 해당 읍을 다스리는 수령 곧 지방관을 말한다.

570)듀현(州縣) : 주(州)와 현(縣)의 수령 곧 지방관을 말함.

명쥬보월빙 권지이십오

초셜 윤학스긔 슈학ᄒ던 ᄋ동 슈십인과 졔읍 쥬현으로브터 닌니 향당이 십니 밧긔 나와 흑스를 젼별ᄒᄆᆡ, 져마다 결연흔 눈물이 ᄯᅥ러질 ᄯᆞᆫ 아니라, 슈흑ᄒ던 뉴는 쳬읍 타루(涕泣墮淚)ᄒ여 부형을 니별홈 ᄀᆞᆺ투니, 학ᄉᆡ 그 졍ᄉᆞ를 어엿비 넉여 졔ᄋᆞ를 어로만져 됴히 이시라 ᄒ고, 기즁 부모와 강근지친(强近之親)이 업셔 혈혈무의(孑孑無依)ᄒ여, 타문의 잔잉이 의식ᄒᄂᆞᆫ 아동 뉵인을 거느려 가ᄃᆡ, 마필이 업슨 고로 근신흔 노ᄌᆞ를 명ᄒ여 션노(船路)로 드리고 오라 ᄒ고, 졔읍 쥬현과 닌니 향당을 ᄃᆡᄒ여 먼【1】니 와 숑별ᄒᄂᆞᆫ 후의를 칭ᄉᆞ홀ᄉᆡ, 홍ᄌᆞᄉᆞ는 연셕 긔구를 베퍼 아즁(衙中)으로 쳥ᄒᄃᆡ 드러오지 아니므로, 십니의 빅를 잡아 션즁의 ᄎᆞ장(遮帳)을 ᄀᆞ리오고, 금슈포진(錦繡鋪陳)을 닐워 잔치를 빈셜ᄒ고 풍악을 진쥬(進奏)ᄒ며, 일등 미창으로 가무를 식여 흔 번 윤학스의 즐기믈 요구ᄒ고, 쇼읍(所邑)549) 쥬현(州縣)550)과 향당 ᄉᆞ티우(士大夫)는 분분이 잔을 날녀, 각각 취키의 니르러 져마다 홍장지녀(紅粧之女)로 병좌ᄒ여 유희 낭ᄌᆞᄒᄃᆡ, 윤학스는 긔운이 씩씩ᄒ며 안뫼 졍엄ᄒ여, 옥 ᄀᆞᆺ튼 용화는 츄월(秋月)의 광치를 거두어 상풍(霜風)이 녈녈흔 거슬 ᄯᅴ엿고, 일신 위의는 늠늠이 셩현 여풍이 이셔 일쇼일어(一笑一語)와【2】힝동 거지 녜의를 심ᄉᆞ(深思)ᄒ니, 창녀의 음악흔 교틱와 탕ᄌᆞ의 경박흔 취홍을 긔피히 넉이ᄂᆞ지라. 슉연이 므릅흘 ᄯᅳᆯ고 홍ᄌᆞᄉᆞ를 향ᄒᆞᆯᄉᆞ,

"쇼싱은 블초 죄인이어ᄂᆞᆯ, 요힝 텬문의 은ᄉᆞ를 어듬도 싱각지 못흔 빅라. 긔한 견환쇄키를 당ᄒ여 황공 젼뉼ᄒᆞᆷ믈 니긔지 못

---

549)쇼읍(所邑) : 해당 지역을 관할하는 읍(邑). 또는 해당지역이 속속되어 있는 읍(邑). 여기서는 해당 읍을 다스리는 수령 곧 지방관을 말한다.

550)쥬현(州縣) : 주(州)와 현(縣)의 수령 곧 지방관을 말함.

ᄒᆞᄂᆞᆫ 바의, 디듀(知州)571)의 과도ᄒᆞᆫ 후정이 누인을 견별ᄒᆞᄂᆞᆫ 거죄 이ᄀᆞᆺ치 요란ᄒᆞ니, 싱이 더옥 블안ᄒᆞᆷᄋᆞᆫ 니르도 말고, 텬셩이 오졸(迂拙)572)ᄒᆞ여 창악을 딕ᄒᆞ미 ᄉᆞ갈(蛇蝎) ᄀᆞᆺᄐᆞ니라. 이졔 댱녀(壯麗)○[ᄒᆞᆫ] 풍뉴와 공교ᄒᆞᆫ 노리 싱의 ᄆᆞ음을 어【3】ᄌᆞ러일 ᄲᅥᆫ이오, 즐거온 줄 아디 못ᄒᆞ니, ᄌᆞᄉᆞᄂᆞᆫ 싱의 오졸ᄒᆞᆷ믈 웃디 말고, 풍악을 믈니치라.

여러 창녜 쳔교만ᄐᆡ(千嬌萬態)로 각각 지조를 다ᄒᆞ여, 흑ᄉᆞ의 션풍옥골을 우러러 ᄒᆞᆫ 번 가ᄎᆞᄒᆞ기나 바라ᄂᆞᆫ ᄆᆞ음이 대ᄒᆞᆫ(大旱)의 운예(雲霓)573) ᄀᆞᆺ더니, 이 말을 듯고 아연 실망ᄒᆞ여 변싴 패흥ᄒᆞ고, 홍ᄌᆞ시 흑ᄉᆞ의 단엄 뎡대ᄒᆞᆷ믈 더옥 항복ᄒᆞ여 풍악을 믈니치며, 창녀를 다리고 즐기ᄂᆞᆫ 흥이 빅장이나 놉핫던 무리 개용(改容) 치경(致敬)ᄒᆞ여 의관을 바로ᄒᆞ며, 쥬비(酒杯)를 샤양ᄒᆞ여 다만 흑ᄉᆞ를 죵용이 니별ᄒᆞᄂᆞᆫ 회포를 펼 ᄲᅥᆫ이라.

흑시 힝게(行車) 밧브믈 일ᄏᆞ라 졔인을 작별ᄒᆞ고,【4】총총이 샹마(上馬)ᄒᆞ니, 시동이 곳비를 잡으ᄃᆡ 홍문관 하리와 쇼ᄉᆞ부 하리 흑ᄉᆞ의 명을 위월치 못ᄒᆞ여, 갓가이 나아오믄 못ᄒᆞ나 ᄉᆞ이를 ᄯᅴ워 호위ᄒᆞ고, 샤관이 영광을 도으며, 졔읍 쥬현이 샹교를 밧드러 디영디숑(祗迎祗送) ᄒᆞ니, 일노(一路)의 영광은 사ᄅᆞᆷ이 구디브득(求之不得)이로ᄃᆡ, 흑시 딘졍으로 각읍의 영숑(迎送)ᄒᆞᄂᆞᆫ 추담(茶啖)574)을 드리나, 언언이 블효 죄인이믈 일ᄏᆞ라 일믈을 밧디 아니ᄒᆞ고, 힝역(行役)의 구티(驅馳)ᄒᆞ미 본ᄃᆡ 쾌소(快蘇)치 못ᄒᆞᆫ 증셰 발ᄒᆞ여, 일일 먹ᄂᆞᆫ 거시 슈죵 미음이라. 샤관긔 쳥ᄒᆞ여 길흘 쳔쳔이 가믈 니르고, 쇼졔 발힝 후로 곽시와 쏜 졈의 드러 상견치 못ᄒᆞ고, 흑ᄉᆞᄂᆞᆫ 존【5】당 환후

ᄒᆞᄂᆞᆫ 바의, 지쥬(知州)551)의 과도ᄒᆞᆫ 후정이 이 누인을 견별ᄒᆞᄂᆞᆫ 거죄 이ᄀᆞᆺ치 요란ᄒᆞ니, 싱이 더옥 불안ᄒᆞᆷ믈 니르도 말고 텬셩이 오졸(迂拙)552)ᄒᆞ여 창악을 딕ᄒᆞ미 ᄉᆞ갈(蛇蝎) ᄀᆞᆺᄐᆞ지라. 이졔 장녀ᄒᆞᆫ 풍뉴와 공교ᄒᆞᆫ 노릭 싱의 ᄆᆞ음을 어즈러일 ᄲᅥᆫ이오, 즐거온 줄 아지 못ᄒᆞ니, ᄌᆞᄉᆞᄂᆞᆫ 싱의 오졸ᄒᆞ【3】믈 웃지 말고 풍악을 물니치라”

녀러 창녜 쳔교만ᄐᆡ(千嬌萬態)로 각각 지조를 다ᄒᆞ여, 학ᄉᆞ의 션풍옥골을 우러러 ᄒᆞᆫ 번 가ᄎᆞᄒᆞ기나 바르ᄂᆞᆫ ᄆᆞ음이 대ᄒᆞᆫ(大旱)의 운예(雲霓)553) ᄀᆞᆺ더니, 이 말을 듯고 아연 실망ᄒᆞ여 변싴 픠흥ᄒᆞ고, 홍ᄌᆞ시 흑ᄉᆞ의 단엄 졍대ᄒᆞᆷ믈 더옥 항복ᄒᆞ여 풍악을 물니치며, 창녀를 드리고 즐기ᄂᆞᆫ 흥이 빅장이나 놉핫던 무리 기용(改容) 치경(致敬)ᄒᆞ여 의관을 바로ᄒᆞ며, 쥬비(酒杯)를 ᄉᆞ양ᄒᆞ여 다만 흑ᄉᆞ를 죵용이 니별ᄒᆞᄂᆞᆫ 회포 결연ᄒᆞᆯ ᄲᅥᆫ이라.

학식 힝게 밧브믈 닐ᄏᆞ라 졔인을 작별ᄒᆞ고 총총이 샹마(上馬)ᄒᆞ니, 시동이 곳비를 즙으ᄃᆡ 홍문관 하리와 쇼ᄉᆞ부 하리 흑ᄉᆞ의【4】명을 위월치 못ᄒᆞ여, 갓ᄀᆞ이 나아오든 못ᄒᆞ나 ᄉᆞ이를 ᄲᅴ워 호위ᄒᆞ고, ᄉᆞ관이 녕광을 도으며 졔읍 쥬현이 샹교를 바ᄃᆞ러 지영지숑(祗迎祗送) ᄒᆞ니, 일노의 녕광은 스람이 구지부득(求之不得)이로ᄃᆡ 학식 진졍으로 각읍의 녕숑ᄒᆞᄂᆞᆫ 추담(茶啖)554)을 드리나 언언이 블효롤 닐ᄏᆞ라 일믈을 밧지 아니ᄒᆞ고, 죄인의 모양으로 힝녁(行役)의 구치(驅馳)ᄒᆞ여, 본ᄃᆡ 쾌소(快蘇)치 못ᄒᆞᆫ 증셰 발ᄒᆞ여, 일일 먹ᄂᆞᆫ 거시 슈죵 미음이라. ᄉᆞ관게 쳥ᄒᆞ여 길흘 쳔쳔이 가믈 쳥ᄒᆞ고, 쇼졔 발힝 후로 곽시와 쏜 졈의 드러 상면치 못ᄒᆞ고, 학ᄉᆞᄂᆞᆫ 존당 환후로 심녀ᄒᆞ여 밧비 샹

---

571)디듀(知州) : 중국 송나라·청나라 때에 둔 주(州)의 으뜸 벼슬아치
572)오졸(迂拙) : 우졸(迂拙/愚拙) 어리석고 못남.
573)운예(雲霓) : ①구름과 무지개를 아울러 이르는 말. ②비가 올 징조.
574)추담(茶啖) : 손님을 대접하기 위하여 내놓은 다과(茶菓) 따위.

551)지쥬(知州) : 중국 송나라·청나라 때에 둔 주(州)의 으뜸 벼슬아치
552)오졸(迂拙) : 우졸(迂拙/愚拙) 어리석고 못남.
553)운예(雲霓) : ①구름과 무지개를 아울러 이르는 말. ②비가 올 징조.
554)추담(茶啖) : 손님을 대접하기 위하여 내놓은 다과(茶菓) 따위.

로 심녀ㅎ여 밧비 샹경코져 ㅎ나, 근력이 븟치여 힝홀 길히 업셔, ㅎ로 슈십니(數十里)식 힝홀 젹이 만터라.

익셜 만셰 황애 댱샤왕의 강장흔 셰를 념녀ㅎ샤, 흉덕의 작난이 어나 디경의 갈 줄 몰나, 손확이 패군ㅎ믈 드르시고 농톄 슉식의 편치 못ㅎ샤, 윤광텬으로 대원슈를 삼아 흉덕을 멸ㅎ라 ㅎ여 계시나, 광텬이 십칠 쇼년으로 니두(李杜)575)를 묘시ㅎ는 문장 지홰 독보ㅎ나, 군녀디ᄉ(軍旅之事)는 소여(疏如)홀가 깁히 념녀ㅎ시더니, 댱샤로 조초 쳡음이 여러 슌 오로니, 광텬이 단독 일신으로 손확의게 슈화를 피ㅎ엿다가, 신긔흔 지조【6】와 너른 덕화로뻐 피란흔 빅셩을 모화 슈졸을 삼고, 디혜로 흉덕을 쥬멸ㅎ고 쳔고 요음발부(妖淫潑婦)576)를 촌참ㅎ믈 드르시미, 텬심이 만심 환희ㅎ시더라.

셜표(說表), 션시의 뉴교이 댱샤왕의 말을 듯고 분연이 칼흘 춤추며 왕의게 다다드러, 대미(大罵) 왈,

"내 므슴 일 무륜(無倫)타 ㅎᄂ뇨?"

ㅎ고, 칼흘 번득이는 곳이 댱샤왕의 머리 마하(馬下)의 ᄸ러디는디라. 윤참뫼 마샹의 교ᄋ의 싀부난뉸(弑夫亂倫)ㅎ믈 보미 영웅 댱부디심(英雄丈夫之心)이나 도로혀 무셔워 므음이 셔늘흔디라. 이의 교이 머리를 도로혀 윤참모를 향ㅎ여, 닐오디,

"역츄(逆酋) 광텬아, 네 져기나 인【7】심일딘디 나의 옥모화용을 무심ㅎ기로, 댱샤왕의게 개덕ㅎ여 은이 교칠 ᄀᆺ튼디, 그 흔 말이 분ㅎ여 파리ᄀᆺ치 죽엿ᄂ니, ㅎ믈며 너 ᄀᆺ튼 놈을 니르랴. 아모 졔라도 네 머리는 내 손의 버히기를 면치 못ㅎ리라."

참뫼 그 말을 더옥 통완ㅎ여, 목젼의 왕을 버히믈 보니, ᄌ긔 비록 왕을 버히려 ㅎ던 빈나, 계집의 독쉬 그디도록 흉참ㅎ믈 분히ㅎ여, 급히 보궁(寶弓)의 비젼(飛箭)을

---

575)니두(李杜) : 중국 당나라 때 시인 이백(李白: 701-762)과 두보(杜甫: 712~770)
576)요음발부(妖淫潑婦) : 요사스럽고 음란하며 무지막지한 여자.

경코ᄌ ㅎ나, 근력이 븟치여 힝홀 길히 업셔 ㅎ로 슈십니(數十里)식 힝홀 젹이 만【5】터라.

닉셜 만셰 황애 댱ᄉ왕의 강장흔 셰를 념녀ㅎᄉ, 흉젹의 작난이 어느 지경의 갈 줄 몰나, 손확이 픽군ㅎ믈 드르시고 농톄 슉식의 편치 못ㅎᄉ, 윤광텬으로 대원슈를 삼습 흉젹을 멸ㅎ라 ㅎ여 계시나, 광텬이 십칠 쇼년으로 니두(李杜)555)를 묘시ㅎᄂ 지홰 독보ㅎ나, 군졍ᄉ(軍政事)는 소여홀ᄀ 깁히 시름ㅎ시더니, 장ᄉ로 조초 쳡음이 여러 슌 오로니, 광텬이 단독 일신으로 손확의게 슈화를 피ㅎ엿ᄃᄀ, 신긔흔 지조와 너른 덕화로뻐 피란흔 빅셩을 모화 슈졸을 습고, 지혜로 흉젹을 쥬멸ㅎ고 쳔고 요악발부(妖惡潑婦)556)를 촌참ㅎ믈 드르시미, 텬심이 만심 환희ㅎ시더라.

셜표(說表), 션시의【6】 뉴교이 댱ᄉ왕의 말을 듯고 분연이 칼을 춤추며 왕의게 ᄃ라드러, 대미(大罵) 왈,

"내 무슴 일 무륜타 ㅎᄂ뇨?"

ㅎ고, 칼을 번득이는 곳이 댱ᄉ왕의 머리 마하의 ᄸ러지는지라. 뉴참뫼 마샹의셔 교ᄋ의 싀부{ㅎᄂ}난뉸(弑夫亂倫)ㅎ믈 목도ㅎ미, 녕웅장부지심(英雄丈夫之心)이나 도로혀 무셔워 므음이 셔늘흔지라. 이의 교이 머리를 도로혀 윤참모를 향ㅎ여 닐오디,

"녁츄(逆酋) 광텬아 네 져기나 인심일진디 나의 옥모화용을 무심ㅎ기로, 댱ᄉ의 긔젹ㅎ여 은이 교칠 ᄀᆺ튼디, 그 흔 말이 분ㅎ여 파리ᄀᆺ치 죽엿ᄂ니, ㅎ믈며 너 ᄀᆺ튼 놈을 니르랴. 아모 졔라도 네 머리는 내 손의 버히기를 면치 못ㅎ리라."【7】

참뫼 그 말을 더옥 통완ㅎ여 목젼의 왕을 버히믈 보니, ᄌ긔 비록 왕을 버히려 ㅎ던 빈나, 계집의 독쉬 그디도록 흉참ㅎ믈 분히ㅎ여, 급히 보궁(寶弓)의 비젼(飛箭)을 먹여

---

555)니두(李杜) : 중국 당나라 때 시인 이백(李白: 701-762)과 두보(杜甫: 712~770)
556)요악발부(妖惡潑婦) : 요사스럽고 악하며 무지막지한 여자.

먹여 교이 다라나는 곳을 향호여 쏘민, 가슴을 맛춘 살히 걸닌577) 지, 공듕의셔 나려디거늘, 참뫼 그 죄상을 니르며 개덕호던 연유를 뭇고져 호디, 그 닙으로 조초【8】숙모의 패덕이 드러날 바를 짐작고, 혜오디,

"극악 발부를 잡아 죽임도 만군이 다 보는 빈니 나 혼주 알미 아니라. 츠녜 댱샤왕긔 개덕호고 죽디 아냐시므로, 뎡시 이미호믄 어름이 틔 업스며 옥이 됴흠 굿트리니, 가히 신셜홀 조각이 되는디라. 뉴녀를 요란이 다스려는 조모와 숙모의 흔극(釁隙)578)을 낫토는 작시니, 츌하리 급히 죽여 제 죄를 뎡히 흐리라."

의시 이의 밋쳐는, 교으의 머리를 버히고, 스졸노 흐여곰 그 슈족을 버혀 왕의 머리와 흔가디로 도듕의 둘나 흐고, 뎍군을 분부왈,

"여등이 블힝흐여 흉뎍의 거나린 빈 되어시【9】나 기실은 남도 빅셩이니, 우리 셩쥬의 신지라. 싱녕의 도륙이 잔잉흐여 너희 죄를 샤흐느니, 임의 뎍의 부쳬 다 죽엇는디라. 남토를 딘졍흔 작시니 다시 병혁을 근심홀 빈 아니라. 모로미 안심흐고 각각 집을 츳주 부모 쳐주를 반기고, 금년은 발셔 어긔엿거니와, 명년이나 농업을 다스려 싱업을 착실이 흐라."

허다 군졸이 머리를 두다려 셩덕을 칭송흐고, 댱샤왕의 패망흐믈 츄연흐리 업스니, 그 인심 일흐믈 알니러라.

참뫼 일젼(一戰)의 댱샤국 댱슈와 스졸 죽인 거시 만여 명이라. 피 흘너 닉히【10】되고 죽엄이 쏘혀 뫼흘 일윗는디라. 초의 숑둔 군졸 죽인 보슈(報讐) 죡흐고, 평싱 졀치 통완흐던 교으를 친히 죽이미, 무음이 쾌활흐여, 셕양의 셩각으로 더브러 운봉관의 나려와 '안민(安民)' 두 즈를 뼈 셩문의 붓치고, 형급을 위흐여 형합과 흔가디로 만

교이 다르나는 곳을 향호여 쏘민, 가슴을 마즈살이 걸닌557) 치 공즁의셔 쩌러지거늘, 참뫼 그 죄상을 니르며 기젹흐던 년유를 뭇고즈 흐디, 그 닙으로 조촛 슉모의 픠덕이 드러날 바를 짐작고 혜오디,

"극악 발부를 잡아 죽엄도 만군이 다 보는 빈니 나 혼주 알미 아니라. 츠녜 댱슈왕의게 기젹흐고 죽지 아냐시므로, 뎡시 이미흐믄 어름이 틔 업스며, 옥이 됴흠 굿트리니, 가히 《신셕∥신셜(伸雪)》홀 조각이 되는지라. 뉴녀를 뇨란이 다스려는【8】 조모와 슉모의 《흠극∥흔극(釁隙)558)》을 낫토는 작시니, 츌하리 급히 죽여 제 죄를 졍히 흐리라."

의시 이의 밋쳐 교으의 머리를 버히고 스졸노 흐여곰 그 슈족을 버혀 왕의 머리와 흔가지로 도즁의 둘나 흐고, 젹군을 분부왈,

"여등이 블힝흐여 흉젹의 거나린 빈 되어시나, 기실은 남도 빅셩이니 우리 셩쥬의 신지라. 싱녕의 도륙이 잔잉흐여 너희 죄를 스흐느니, 임의 젹의 부쳬 다 죽엇는지라. 남토를 진졍흔 작시니 다시 병혁을 근심홀 빈 아니라. 모로미 안심흐고 각각 집을 츠져 부모 쳐주를 반기고, 금년은 발셔 어긔엿거니와, 명년이나 농업을 힘뼈 싱업을 칙실이 흐라."

허다 【9】군졸이 머리를 두다려 셩덕을 칭송흐고, 댱왕의 픠망흐믈 츄연흐리 업스니, 그 인심 닐흐믈 가히 알니러라.

참뫼 일젼의 댱슈국 댱슈와 스졸 죽인 거시 만여 명이라. 피 흘너 닉히되고 죽엄이 쏘혀 뫼흘 닐웟더라. 초의 숑진 군졸 죽인 보슈(報讐) 죡흐고, 평싱 졀치 통완흐던 교으를 친히 죽이미 무음이 쾌활흐여, 셕양의 셩각으로 더브러 운봉관의 느려와 '안민(安民)' 두 즈를 뼈 셩문의 붓치고, 형급을 위유흐여 형합과 흔가지로 만창셩의 가 잇시

---

577)걸니다 : 걸리다. '걷다'의 사동사. 풀어지거나 자빠지지 않도록 서로 어긋매끼게 끼거나 걸치다.
578)흔극(釁隙) : 흠극(欠隙). 흠. 틈.

557)걸니다 : 걸리다. '걷다'의 사동사. 풀어지거나 자빠지지 않도록 서로 어긋매끼게 끼거나 걸치다.
558)흔극(釁隙) : 흠극(欠隙). 흠. 틈.

창셩의 가 이시라 ᄒᆞ고, 스졸을 무이ᄒᆞ여 편히 쉬게 ᄒᆞ니, 덕이 널니 힝ᄒᆞ여 간악 쇠포흔 무리라도 감격디 아니 리 업ᄉᆞᆫ디라. 스졸이 참모 바라미 각각 부모를 위흔 졍셩 ᄀᆞᆺ고, 그 덕화를 감은골슈ᄒᆞ여, 셔로 니르디,

"부모는 여희고 살녀니와 이번 젼【11】ᄉᆞ는 윤참뫼 아니런들 아등이 속졀 업시 죽어실디라. 참모의 은덕을 싱셰의는 다 갑흘 길 업ᄉᆞ니 디하의 함호결초(衔環結草)[579]ᄒᆞ리라."

ᄒᆞ여, 숑셩(頌聲)이 날노 더으더라. 윤참뫼 손확의 명을 역ᄒᆞ여 도망ᄒᆞ엿던 바를 샹소 쳥죄ᄒᆞ고, 쏘 댱샤(長沙)를 탕멸(蕩滅)ᄒᆞᆷ믈 쥬ᄒᆞ여, 스졸 슈인을 황셩으로 보닉고, 님셩각으로ᄡᅥ 남토 관익(關阨)을 다 취ᄒᆞ여 각각 딕회○○[게 ᄒᆞ]고, 슌히 항ᄒᆞᄂᆞᆫ ᄌᆞ는 샤ᄒᆞ고 항치 아니면 벌죄(伐罪)ᄒᆞ여, 위엄과 덕해 날노 시로오니, 남토 인심이 흡연(翕然) 귀슌ᄒᆞ여 참모의 위덕을 감열(感悅)치 아니 리 업ᄉᆞ니, 슈고로이 병혁을 동【12】치 아녀 오십여 셩과 뉵십여 관을 엇고, 남쥐 츄관 오셰웅을 참ᄒᆞ니, 원닉 오셰웅이 댱샤왕으로 더브러 블궤디심(不軌之心)[580]이 잇고, 친쳑의 졍분이 각별흔 고로, 반역을 도모ᄒᆞ미 쾌히 버히고, 대군을 거ᄂᆞ려

라 ᄒᆞ고, 스졸을 무이ᄒᆞ여 편히 쉬게 ᄒᆞ니, 덕이 널니 힝ᄒᆞ여 간악 쇠포흔 무리와 불현(不賢)흔 뉘라도 감격지 아니리 업ᄉᆞᆫ지【10】라. 스졸이 참모 바라미 각각 부모를 위흔 졍셩 ᄀᆞᆺ고, 그 덕화를 감은골슈ᄒᆞ고, 셔로 닐으디,

"부모는 여희고 슬녀니와 이번 젼ᄉᆞ의는, 윤참뫼 아니런들 아등이 속졀 업시 죽엇슬지라. 참모의 은덕을 싱셰는 다 갑흘 길 업ᄉᆞ니, 《긔하‖디하》의 함호결초(衔環結草)[559] ᄒᆞ리라"

ᄒᆞ니, 숑셩(頌聲)이 날노 더으더라. 윤참뫼 손확의 명을 넉ᄒᆞ여 도망ᄒᆞ엿던 바를 샹소 쳥죄ᄒᆞ고, 쏘 댱ᄉᆞ(長沙)를 탕멸(蕩滅)ᄒᆞᆷ믈 쥬ᄒᆞ여, 스졸 슈인을 황셩으로 보닉고, 님셩각으로ᄡᅥ 남토 관익(關阨)을 다 취ᄒᆞ여 각각 직회○○[게 ᄒᆞ]고, 슌히 항ᄒᆞᄂᆞᆫ ᄌᆞ는 ᄉᆞᄒᆞ고 항치 아니면 벌죄(罰罪)ᄒᆞ여, 위엄과 직덕이 날노 시로오니, 남토 인심이 흡연 귀【11】슌ᄒᆞ여 참모의 위덕을 감녈(感悅)치 아니 리 업ᄉᆞ니, 슈고로이 병혁을 동치 아녀 뉵십여 관을 엇고, 남쥐 츄관 오셰웅을 춤ᄒᆞ니, 원닉 오셰웅이 댱ᄉᆞ왕으로 더브러 《블인지심‖블궤디심(不軌之心)[560]》이 ᄀᆞᆺ고, 친쳑의 졍분이 각별흔 고로 반녁을 도모ᄒᆞ미 쾌히 버히고, 딕군을 거ᄂᆞ려 《희

---

[579] 함호결초(衔環結草) : '남에게 입은 은혜를 꼭 갚는다' 의미를 가진 '함환이보(衔環以報)'와 '결초보은(結草報恩)'이라는 두 개의 보은담(報恩譚)을 아울러 이르는 말로, '남에게 받은 은혜를 살아서는 물론 죽어서까지도 꼭 갚겠다'는 보다 강조된 의미가 담긴 뜻으로 쓰인다. 두 보은담의 유래를 보면, '함환이보'는 중국 후한 때 양보(楊寶)라는 소년이 다친 꾀꼬리 한 마리를 잘 치료하여 살려 보낸 일이 있었는데, 후에 이 꾀꼬리가 양보에게 백옥환(白玉環)을 물어다 주어 보은했다는 남북조 시기 양(梁)나라 사람 오균(吳均)이 지은 『續齊諧記』의 고사에서 유래하였다. 또 '결초보은'은 중국 춘추 시대에, 진나라의 위과(魏顆)가 아버지가 세상을 떠난 후에 서모를 개가시켜 순사(殉死)하지 않게 하였더니, 그 뒤 싸움터에서 그 서모 아버지의 혼이 적군의 앞길에 풀을 묶어 적을 넘어뜨려 위과가 공을 세울 수 있도록 하였다는 『춘추좌전』〈선공(宣公)〉15년 조(條))의 고사에서 유래한 말이다.

[580] 블궤디심(不軌之心) : 반역을 꾀하는 마음.

[559] 함호결초(衔環結草) : '남에게 입은 은혜를 꼭 갚는다' 의미를 가진 '함환이보(衔環以報)'와 '결초보은(結草報恩)'이라는 두 개의 보은담(報恩譚)을 아울러 이르는 말로, '남에게 받은 은혜를 살아서는 물론 죽어서까지도 꼭 갚겠다'는 보다 강조된 의미가 담긴 뜻으로 쓰인다. 두 보은담의 유래를 보면, '함환이보'는 중국 후한 때 양보(楊寶)라는 소년이 다친 꾀꼬리 한 마리를 잘 치료하여 살려 보낸 일이 있었는데, 후에 이 꾀꼬리가 양보에게 백옥환(白玉環)을 물어다 주어 보은했다는 남북조 시기 양(梁)나라 사람 오균(吳均)이 지은 『續齊諧記』의 고사에서 유래하였다. 또 '결초보은'은 중국 춘추 시대에, 진나라의 위과(魏顆)가 아버지가 세상을 떠난 후에 서모를 개가시켜 순사(殉死)하지 않게 하였더니, 그 뒤 싸움터에서 그 서모 아버지의 혼이 적군의 앞길에 풀을 묶어 적을 넘어뜨려 위과가 공을 세울 수 있도록 하였다는 『춘추좌전』〈선공(宣公)〉15년 조(條))의 고사에서 유래한 말이다.

[560] 블궤디심(不軌之心) : 반역을 꾀하는 마음.

회슈(淮水)를 건너 댱샤국의 드러가니, 부원슈 댱운이 참모의 계교로 궁실의 블디르고, 빅화성을 취하며, 손확을 구하여 옥듕을 면케 하엿는디라. 참뫼 몬져 성문의 안민(安民)하는 방을 븟쳐 황황한 인심을 딘뎡하고, 국듕 옥니(獄裏)의 누년(累年) 죄인 삼빅여 인을 다 샤하여, 죄의 유무를 다시 뭇디 아니코, 다만 인의녜디(仁義禮智)를 가르쳐 【13】 작죄치 말나 하며, 부고(府庫)의 쎡는 지물과 미곡을 니여, 농업을 폐하여 긔황(饑荒)한 빅셩을 딘휼(賑恤)하며, 각각 싱업을 권댱하여 명년 농장(農場)과 종즈를 다 주고, 져즈를 버려 미미케 하나 길거리의 요란이 빗호는 일이 업게 하고, 블인포악(不仁暴惡)한 뉴를 다 모화 현언(賢言)으로 교유하민, 인인이 다 그 덕화를 탄복 감열하여 블효지(不孝子) 효슌하며, 형뎨 블목지(不睦者) 쯧을 곳쳐 형우뎨공(兄友弟恭)하고, 부뷔 상힐(相詰)하던 무리 힝실을 슈련하여 부화쳐슌(夫和妻順)하며, 남녀 각각 쇼임을 출혀 션비 학(學)을 힘쓰고, 전야 농부와 강촌 어뷔 각각 소임을 출히고, 부녀들은 침션방덕(針線紡績)하여 구【14】고를 봉효하고 승슌가부(承順家夫)하며 즈녀를 거두어 긔한(飢寒)의 괴롭기를 면하고, 인심이 슌후하여 흐갓 동긔 친척을 돈목(敦睦)홀 쌘 아니라, 빈곤즈를 즈뢰(資賴)하고, 닌니상화(隣里相和)하여 밤의 문을 닷디 아니코, 드른581) 거슬 줍디 아니터라.

참뫼 《유화졍∥유화성》의셔 숑군 전망한 댱졸의 시신을 츠즐 길 업셔 츄연하여, 셩각으로 하여곰 빅여 군을 거나려 뉴화성의 가 들히 바렷는 빅골을 거두어 삿기 빗 무드라 하니, 젼망(戰亡)한 스졸 슈쳔여 인 머리와 몸이 뫼ᄀᆞᆺ치 빗혀시니, 셩각이 그 빅골을 다 됴흔 뫼히 뭇기를 칠팔일의 맛고, 참뫼 빅화성의 드러가 손확을 보고 【15】 쳥죄하여, 댱녕을 어긔워 도쥬하믈 《사

581)드르다 : 들리다('듣다'의 사동사). 흘리다. 부주의로 물건 따위를 엉뚱한 곳에 떨어뜨린다.

쥬∥회슈(淮水)》를 건너 댱슈국의 드러가니, 부원슈 댱운이 참모의 계교로 궁실의 블지르고 빅화성을 취하여, 손확을 구하여 옥줍을 면케 하엿는지라. 참뫼 몬져 성문의 안민(安民)하는 방을 븟쳐 황황한 인심을 졍하고, 국줍 옥니(獄裏)의 누년(累年) 죄인 삼빅여 인을 다 수하여, 죄의 유무를 다시 뭇지 아니코, 다만 인의녜【12】지(仁義禮智)를 ᄀᆞᄅᆞ쳐 작죄치 말나 하며, 부고(府庫)의 쎡는 지물과 미곡을 니여 농업을 폐하여 긔황(饑荒)한 빅셩을 진휼(賑恤)하며, 각각 싱업을 권장하여 명년 농장(農場)과 종즈를 다 주고, 져지를 버려 미미케 하되 길거리의 요란이 빗호는 일이 업게 하가 하고, 블인포악(不仁暴惡)한 뉴를 다 모화 션언(善言)으로 교유하민, 인인이 다 그 덕화를 탄복 금녈하여 블효지(不孝子) 효슌하며, 형뎨 블목지(不睦者) 쯧을 곳쳐 혜[형]우뎨공(兄友弟恭)하고, 부뷔 상힐(相詰)하던 무리 힝실을 슈련하여 부화쳐슌(夫和妻順)하며, 남녜 각각 쇼임을 출혀, 션비 혹(學)을 힘쓰고 전야 농부와 강촌 어뷔 각각 소임을 출히고, 부녀드른 침션【13】방젹(針線紡績)하여 구고를 봉효하고, 승슌가부(承順家夫)하며, 즈녀를 거두어 긔한(飢寒)의 괴롭기를 면하고, 인심이 슌후하여 흐갓 동긔 친척을 돈목홀 쌘 아니라, 빈곤즈를 즈뢰(資賴)하고 닌니상화(隣里相和)하여 밤의 문을 닷지 아니하고, 길히 《들∥드른561)》 거슬 줍지 아니터라.

참뫼 뉴화셩의셔 숑군 전망한 장졸의 시신을 츠즐 길이 업셔 츄연하여, 셩각으로 하여곰 빅여 군을 거느려 뉴화셩의 가 《덜∥들》의 바렷는 빅골을 거두어 삿기 쓰 무드라 하니, 젼망(戰亡)한 스졸 슈쳔여 인 머리와 몸이 뫼ᄀᆞᆺ치 쓰혀시니, 셩각이 그 빅골을 다 됴흔 뫼히 뭇기를 칠팔일의 맛고, 참뫼 빅화셩의 드【14】러가 손확을 보고 쳥죄하여, 장녕을 어긔워 도쥬하믈 스죄(謝

561)드르다 : 들리다('듣다'의 사동사). 흘리다. 부주의로 물건 따위를 엉뚱한 곳에 떨어뜨린다.

례∥사죄(謝罪)》학니, 확이 토목(土木)이나 제 용병을 그릇학고[여] 스졸을 무슈히 죽이고, 패군학여 뎍딘의 싱금(生擒)학이믈 보고, 국가 대스를 그릇 민드라거늘, 참모는 일신을 쒸여 니드라, 일젼(一戰)의 뎍을 탕멸학고, 인심을 딘뎡학여 위덕이 남토의 덥혀시니, 져는 듕년(中年) 무부(武夫)로 용밍혼 일홈을 어덧던 비, 져 십칠셰 쇼년을 감히 앙망치 못학믈 참괴학미 욕스무디(欲死無地)학고, 참모를 죽이려 학던 일이 비로소 뉘웃브미 측냥 업셔, 도로혀 참모 알패 머리를 두다려 그릇학믈 칭죄(稱罪)학며, 감히 대원쉬 쳬를 못학여 참모를 샹댱(上將) 셤기듯【16】학고, 즈긔는 작죄혼 사람 ᄀᆞᆺ티니, 참뫼 확을 붓드러 블감학믈 지삼 일ᄏᆞᆺ고, 초의 숑군이 목슘을 보젼혼 즈는 투항학엿던 고로, 두로 츠즈 손원슈를 뫼시라 학고, 회슈를 건너 뉴화셩의 니르러 졔젼(祭奠)을 ᄀᆞᆺ초와 젼망 댱스 군졸의게 제문 디어 셜졔(設祭)학니, 기문(其文)의 쳐졀비황(凄切悲況)학미 인심을 감동학더라.

졔파(祭罷)의 참뫼 운봉관의셔 잠간 졉목학미, 젼망 댱스 군졸이 모다 은덕을 칭샤학여, 빅골이 뫼히 뭇치이믈 엇고 졔젼을 흠향학여 원이 플니이믈 일ᄏᆞᆺᄂᆞ니, 참뫼 호언으로 위로학미, 댱스 군졸이 다 하딕학여 구쳔야듸(九泉夜臺)582)의 보은홀【17】바를 일ᄏᆞᆺᄂᆞᆫ 소리의, 스스로 놀나 씨미 일몽이라.

참뫼 농슈암의 가 뎡쇼져를 보고져 학여 위의를 쩌르치고, 두어 하리로 더브러 영션강을 건너 도관의 드러가 두로 살펴, 도인의 거쳐를 보고져 학나 그림지 묘연학니, 홀일업셔 농슈암의 나아가니, 뎡시 남시로 더브러 편히 이시나, 화가의셔 기다릴 바를 싱각고 민망학여, 홍션을 보닉여 긴급흔 스고로 도라가디 못학니 슈삼삭 후 가믈 긔별학미, 화공 부뷔 결연학나 위력으로 다려오디 못학여, 다만 냥찬(糧饌)만 풍비히 출혀

582)구쳔야듸(九泉夜臺) : '땅 속 무덤'이라는 말로 죽은 뒤 넋 돌아가는 곳을 이르는 말.

罪)학니, 확이 토목(土木)이나 제 용병을 그릇학고[여] 픠군학여 젹진의 싱금(生擒)학믈 당학고, 국가 딕스를 그릇 민드럿거늘, 참모는 일신을 쒸여 니드라 혼 번의 젹을 탕멸학고, 인심을 진졍학여 덕과 위엄이 남토의 덥히시니, 져는 즁년 무부로 용밍혼 일홈을 어더든 바로, 져 십칠셰 쇼년을 감히 앙망치 못학믈 참괴학미 욕스무지(欲死無地)학고, 참모를 죽이려 학던 일이 비로소 뉘웃브미 측냥 업셔, 도로혀 참모 알픠 머리를 두다려 그릇학믈 칭죄학며, 감히 대원쉰 쳬를【15】못학여, 참모를 상장(上將) 셤기듯 학고, 즈긔는 작죄혼 스람 ᄀᆞᆺ티니, 참뫼 확을 붓드러 블감학믈 지삼 일ᄏᆞᆺ고, 초의 숑군이 목슘을 보젼혼 즈는 투항학엿던 고로, 두로 츠즈 손원슈를 뫼시라 학고, 회슈를 건너 유화셩의 니르러 졔젼(祭奠)을 ᄀᆞᆺ초와 젼망 장스 군졸의게 제문 지여 셜졔(設祭)학니, 기문(其文)의 쳐졀비황(凄切悲況)학미 인심을 감동학더라.

졔파(祭罷)의 참뫼 운봉관의셔 잠간 졉목학미, 젼망 장스 군졸이 모다 은덕을 칭스학여, 빅골이 뫼히 뭇치이믈 엇고 졔젼을 흠향학여 원이 플니이믈 닐ᄏᆞ르니, 참뫼 호언으로 위로학니, 장스 군졸이 다 하직학여, 구쳔야【16】듸(九泉夜臺)562)의 보은홀 바를 닐ᄏᆞᆺᄂᆞᆫ 소리의, 스스로 놀나 씨매 일몽이라.

참뫼 용슈암의 가 뎡쇼져를 보고즈 학여 위의를 쩌르치고, 두어 하리로 더브러 녕션강을 건너 도관의 드러ᄀᆞ 두로 슬펴, 도인의 거쳐를 보고즈 학나 그림지 묘연학니, 홀일업셔 농슈암의 ᄂᆞ아가니, 《뎡심∥뎡시》 남시로 더브러 편히 이시나, 화가의셔 기드릴 바를 싱각고 민망학여, 홍션을 보닉여 긴급흔 스고로 도라가지 못학니 슈숨 삭 후 가믈 긔별학미, 화공 부뷔 결연학나 위력으로 드려오지 못학여, 다만 냥찬(糧饌)만

562)구쳔야듸(九泉夜臺) : '땅 속 무덤'이라는 말로 죽은 뒤 넋 돌아가는 곳을 이르는 말.

보닉고 슈히 도라오믈 당부ᄒ여시니, 뎡시
남시【18】ᄃ려 왈,

"내 이졔ᄂ 농슈암의 이실 일이 업ᄉᄃᆡ
현뎨를 위ᄒ여 강공을 기다리미라."

남시 왈,

"쇼뎨 도인의 말을 밋고 바라나 슉뮈 긔
쳑이 업ᄉ니 괴이토소이다."

뎡언간(停言間)의 참뫼 밧긔 니르러 홍션
을 브르니, 뎡시 남시를 잠간 츼오고 참모
를 쳥ᄒ여, 녜필의 몬져 승패를 므르니, 참
뫼 흥뎍 탕멸ᄒ믈 니르고, 문왈,

"지 이곳의 머믈미 강참졍이 남경 태슈로
나려오믈 기다린다 ᄒ더니, 일망 젼 강공이
남경 태슈로 이곳을 디낫거늘, 엇디 남쇼져
를 아니 보닉고 암즈의 머므시ᄂ뇨?"

쇼뎨 ᄃᆡ왈,

"강공의 힝ᄎᆡ 이 곳 디나믈 일일 영ᄃᆡ(令
待)583)ᄒᄃᆡ, 죵닉【19】소식을 듯디 못ᄒ고
발셔 디나다 ᄒ니, 이졔ᄂ 남시의 바라미
긋쳐졋ᄂ디라, 브득이 도로 화부로 갈소이
다."

참뫼 그 아디 못ᄒ여 ᄯ라가디 못ᄒ믈 익
들니 넉여, ᄒ리(下吏)로 ᄒ여곰 남경 태슈
힝ᄎᆡ 어ᄃᆡ가디 갓ᄂ고 운교역의 가 소식을
아라 오라 ᄒ니, 이윽고 회보 왈,

"강태슈 유딜(有疾)ᄒ여 즉금 운교역의
그져 계시더이다."

뎡시 쳥필의 대열ᄒ여 남시긔 젼ᄒ고, 밧
비 농슈암의 머므는 소유를 고ᄒ라 ᄒ니,
남시 급히 셔간을 닷가 홍셤을 운교역으로
보닉니, 윤참뫼 강태슈 산ᄉ(山寺)로 올 줄
알고, 즈긔 즈최 산ᄉ의 니른 바를 알게 아
니려 즉시 도라갈ᄉᆡ, 뉴교ᄋ【20】죽인 바
를 지삼 일ᄏ라, 부인의 살인 누명을 쾌히
버스믈 힝희(幸喜)ᄒ니, 뎡쇼뎨 그 악착히
죽으믈 흥히 넉이더라.

ᄶ의 남경 태슈 강공이 유딜ᄒ여 운교역
의셔 됴병(調病)ᄒ더니, ᄒ리 일봉 셔간을
드려 왈,

<hr>

583)영ᄃᆡ(令待) : 기다리게 함.

풍비히 출혀 보닉고, 슈히 도라오믈 당부ᄒ
여시니, 뎡시 남시 드려 왈,

"쳡이 이졔【17】ᄂ 농슈암의 이실 일이
업ᄉᄃᆡ 그ᄃᆡ를 위ᄒ여 강공을 기다리미라."

남시 왈,

"쇼뎨 도인의 말을 밋고 바라나 슉뮈 긔
쳑이 업ᄉ니 괴이토소이다."

뎡언간의 참뫼 밧긔 니르러 홍션을 브르
니, 뎡시 남시를 즘간 츼오고 참모를 쳥ᄒ
여, 녜필의 몬져 승피를 무르니, 참뫼 흉젹
탕멸ᄒ믈 니르고 문왈,

"지 이곳의 머므르미 강참졍이 남경 틱슈
로 나려오믈 기ᄃ린다 ᄒ더니, 일망 젼 강
공이 남경 틱슈로 이 곳을 지낫거늘, 엇지
남 쇼져를 아니 보닉고 암즈의 머므시ᄂ
뇨?"

쇼뎨 ᄃᆡ왈,

"강공의 힝ᄎᆡ 이 곳 지나믈 일일 녕ᄃᆡ(令
待)563)ᄒᄃᆡ, 죵닉 소식을 듯지 못ᄒ고 발셔
지낫다 ᄒ니, 이졔ᄂ 남시의 바라미 ᄭᆞᆺ쳐졋
【18】ᄂ지라, 부득이 도로 화부로 갈소이
다."

참뫼 그 아지 못ᄒ여 ᄯ라가지 못ᄒ믈 익
들아 ᄒ야, ᄒ리(下吏)로 ᄒ여곰 남경 틱슈
힝ᄎᆡ 어ᄃᆡ가지 갓ᄂ고 운교역의 가 소식을
아라 오라 ᄒ니, 이윽고 회보 왈,

"강 틱슈 유질ᄒ여 즉금 운교역의 그져
계시더이다."

뎡시 쳥필의 대열ᄒ여 남시게 젼ᄒ고, 밧
비 농슈암의 머므는 소유를 고ᄒ라 ᄒ니,
남시 급히 셔간을 닷ᄀ 홍셤을 운교역으로
보닉니, 윤참뫼 강틱슈 산ᄉ로 올 줄 알고,
즈긔 즈최 산ᄉ의 니른 바를 알게 아니려
즉시 도라갈ᄉᆡ, 뉴교ᄋ 죽인 바를 지슴 일
ᄏ라 부인의 살인 누명을 쾌히 버스믈 힝희
(幸喜)ᄒ니, 뎡쇼뎨 그 악착히 죽으믈 흥이
【19】넉이더라.

ᄎᄉᆡ 남경 틱슈 유질ᄒ여 운교역의셔 됴
병(調病)ᄒ더니, ᄒ리 일봉 셔간을 드리거
늘,

<hr>

563)영ᄃᆡ(令待) : 기다리게 함.

"밧긔 흔 셔동이 니르러 이 셔간을 노야긔 드리라 ᄒᆞ더이다."

강공이 바다 피봉을 보믹 '딜녀 샹셔'라 ᄒᆞ엿고, 필획이 회쥬의 슈뎍이라. 반갑고 슬프믈 결을치 못ᄒᆞ여 밧비 써혀 본즉, 만편의 슬픈 셜홰 쳡쳡ᄒᆞ여, 니가(離家) 삼년이로딕 그 부친이 도라오디 아녓는 고로, 감히 ᄉᆞ라시믈 고치 못ᄒᆞ여 즉금 산문(山門)의 뉴우(留寓)ᄒᆞ여시믈 고ᄒᆞ【21】엿는디라. 강공이 회쥬를 즈긔 집의셔 길너닉여, 각별흔 졍이 친녀의 감치 아녀 미양 닛디 못ᄒᆞ더니, 남경으로 올 적 남부를 디나는 고로 딜녀를 보고져, 남부의 드러 시녀를 블너 므르니, 노비 위시 강포를 두리는 고로, 다만 일야간(一夜間) 쇼져를 실니(失離)ᄒᆞ여 아모리 ᄎᆞᄌᆞ도 간 곳을 아디 못ᄒᆞ믈 딕ᄒᆞ니, 강태쉬 분완 통히ᄒᆞ믈 니긔디 못ᄒᆞ나, 즈긔 미랑(妹娘)이 셰샹을 바련 디 오릭고, 위부인만 이시니 타문의 와 요란이 노비를 다ᄉᆞ려 간졍을 뭇디 못ᄒᆞ고, 분을 춤고 즉시 운교역으로 향ᄒᆞᆯ식, 영니흔 하리 십여 인을 명ᄒᆞ여 방방곡곡이 사름【22】을 만나거든 셕졍 포졍슈(布政使) 남공의 일녀 남쇼져 거쳐를 므르라 ᄒᆞ딕, 남쇼졔 화부의 이실 적 ᄎᆞ디 아녀, 영션강을 건너 깁흔 암ᄌᆞ의 이시므로, 강공의 ᄎᆞ는 하리를 만나디 못ᄒᆞ미러라.

태쉬 운교역의셔 일망(一望)을 머므러 죵시 딜녀의 거쳐를 듯디 못ᄒᆞ니, 참졀 비상흔 회포를 형상치 못ᄒᆞ여, 미양 탄식 왈,

"회쥬의 싱존을 내 싱젼 아디 못ᄒᆞ면 구쳔타일(九泉他日)584)의 미뎨를 볼 낫치 업고, 흉듕의 빗친 슬프미 죽어도 명목(瞑目)디 못ᄒᆞ리로다."

ᄒᆞ더니, 회쥬 쇼져의 ᄉᆞ랏는 셔간을 보믹 깃브미 망외(望外)라. 신샹 딜양이 경긱의 업슨 듯 환열 쾌희(快喜)【23】ᄒᆞ믈 모양치 못ᄒᆞ여, 즉시 셔간 가져온 셔동을 브르라 ᄒᆞ니, 홍션이 딘젼(進前)ᄒᆞ믹 문왈,

584)구쳔타일(九泉他日) : 죽은 훗날.

강공이 바다 피봉을 보믹, '딜녀 상셰'라 ᄒᆞ엿고, 필획이 회쥬의 슈젹이라. 반갑고 슬프믈 결을치 못ᄒᆞ여 밧비 써혀 본즉, 만편의 슬픈 셜홰 쳡쳡ᄒᆞ여, 니가(離家)흔 지 숨년이로딕 그 부친이 도라오지 아녓는 고로, 감히 ᄉᆞ라시믈 고치 못ᄒᆞ여 지금 산문(山門)의 유우(留寓)ᄒᆞ여시믈 고ᄒᆞ엿는지라. 강공이 회쥬를 즈긔 집의셔 길너닉여 각별흔 졍이 친녀의 감치 아녀 미양 닛지 못ᄒᆞ더니, 남경으로 올 적 남부를 지낫[나]는 고로, 딜녀를 보고ᄌᆞ 남부의 드러 시녀를 블너 무【20】르니, 노비 위시 강포를 두리는 고로, 다만 일야간(一夜間) 쇼져를 실니(失離)ᄒᆞ여 아모리 ᄎᆞ져도 간 곳을 아지 못ᄒᆞ므로 딕ᄒᆞ니, 강틱쉬 분완 통히ᄒᆞ믈 니긔지 못ᄒᆞ나, 즈긔 미랑이 셰샹을 바련 디 오릭고 위부인만 이시니 타문의 와 노비를 뇨란이 다ᄉᆞ려 간졍을 뭇지 못ᄒᆞ고, 분을 춤고 즉시 운교역으로 향ᄒᆞᆯ식, 녕니흔 하리 십여 인을 명ᄒᆞ여 방방곡곡이 ᄉᆞ람을 만나거든 셕졍 포졍슈(布政使) 남공의 일녀 남쇼져 거쳐를 므르라 ᄒᆞ딕, 남쇼졔 화부의 잇실졔 ᄎᆞ지 아녀, 녕션강을 건너 깁흔 암ᄌᆞ의 이시므로 강공의 ᄎᆞ는 하리를 만나지 못ᄒᆞ○[미]러라.

틱쉬 운교역의셔 일망(一望)을 머므러 죵시 딜녀의 거쳐를 듯【21】지 못ᄒᆞ니, 참졀 비상흔 회포를 형상치 못ᄒᆞ여 미양 탄식 왈,

"회쥬의 싱존을 내 싱젼 아지 못ᄒᆞ면 구쳔타일(九泉他日)564)의 미뎨를 볼 낫치 업고 흉즁의 빗친 슬프미 죽어도 명목지 못ᄒᆞ리리라."

ᄒᆞ더니, 회쥬 쇼져의 ᄉᆞ랏는 셔간을 보믹 깃브미 망외(望外)라. 신샹 딜양이 경긱의 업슨 듯 환열 쾌히ᄒᆞ믈 모양치 못ᄒᆞ여, 즉시 셔간 ᄀᆞ져온 셔동을 브르라 ᄒᆞ여, 홍션이 진젼(進前)ᄒᆞ믹 문왈,

564)구쳔타일(九泉他日) : 죽은 훗날.

"너는 뉘 집 셔동이며, 남쇼졔 무양ㅎ
냐?"

션이 디왈,

"쇼인은 경샤 윤태우 딕 셔동이오. 남쇼
져는 우리 쥬인 뎡부인과 ᄒᆞ가디로 계신 삼
년의 대단ᄒᆞᆫ 딜괴 업시 디닉시ᄂᆞ이다."

공이 쇼져 보고져 ᄆᆞᄋᆞᆷ이 일시 급ᄒᆞ여,
병톄를 붓들녀 수리585)의 올나 뇽슈암을 향
ᄒᆞᆯ시, 홍션을 압셔 길흘 인도ᄒᆞ라 ᄒᆞ고, 하
리를 직쵹ᄒᆞ여 술위를 밧비 모라 영션강을
건닐시, 하리를 명ᄒᆞ여 일승(一乘) 치교(彩
轎)를 가져 오라 ᄒᆞ고, ᄲᆞᆯ니 뇽슈암의 니르
러 산ᄉᆞ로 드러가니, 쇼졔 표슉의 니르시믈
듯고 반【24】가온 졍이 과ᄒᆞ여, 비회 ᄉᆞ로
이 요동ᄒᆞᄆᆡ 슈루(垂淚)ᄒᆞ믈 ᄭᆡᆺ듯디 못ᄒᆞ니,
뎡쇼졔 위로 왈,

"현데 갈 곳을 뎡치 못ᄒᆞ여 쥬야 비졀(悲
絶)ᄒᆞ다가, 이제 녕슉이 니르러 관샤로 다
려가고져 ᄒᆞ시니 딘실노 영힝ᄒᆞᆫ디라. 엇디
지난 바를 싱각고 과도히 슬허 ᄒᆞ리오."

언파의 몸을 니러 다른 방으로 옴고, 강
공을 쳥ᄒᆞ여 남시를 보게 ᄒᆞᆯ시, 슉딜이 딕
ᄒᆞ여 피ᄎᆞ 반가오미 죽엇던 사름○[을] 봄
ᄀᆞᆺ고, 쇼져의 비창ᄒᆞᆫ 심ᄉᆞ 형언ᄒᆞᆯ 거시 업
셔, 녜필의 슉부 옷ᄌᆞ락을 붓드러 오열톄읍
(嗚咽涕泣)ᄒᆞ니, 공이 쇼져의 슬허 ᄒᆞ믈 딕
ᄒᆞ여, 망ᄆᆡ(亡妹)를 싱각고 참상ᄒᆞ믈 니긔디
못ᄒᆞᆯ ᄯᆞᆫ 아니라, 쇼졔 변【25】복ᄒᆞ여 교교
미려(嬌嬌美麗)ᄒᆞ던 회쥬 밧괴여 풍치 쇄연
ᄒᆞᆫ 남지 되어시믈 ○○[보고] 경문왈,

"니가(離家) 삼년의 뉴리(流離)ᄒᆞ여 규녀
의 ᄌᆞ최 산문의 머므는 형셰는 뭇디 아녀
알녀니와, 변복ᄒᆞ여 녀화위남(女化爲男)ᄒᆞᆫ
하ᄉᆞ(何事)오?"

쇼졔 톄읍 디왈,

"쇼딜의 명되 긔구ᄒᆞ여 어려서 ᄌᆞ모를 여
희고 슉부모 은양(恩養)을 힘닙ᄉᆞ와 계오
보젼ᄒᆞ믈 어덧더니, ᄒᆞᆫ 번 당샤의 나려오미
오셰웅 뎍ᄌᆞ의 흉ᄒᆞᆫ 욕이 급ᄒᆞᄆᆞ로, 마디
못ᄒᆞ여 집을 ᄯᅥ나게 되어시ᄃᆡ, 심규약녜(深

585)수리 : 수레.

"너는 뉘 집 셔동이며, 남쇼졔 무양ㅎ
냐?"

션이 디왈,

"쇼인은 경ᄉᆞ 윤틱우 딕 셔동이오, 남쇼
져는 우리 주인 뎡부인과 ᄒᆞᆫ 가지로 계신
지 슘년의, 대단ᄒᆞᆫ 질괴 업시 지닉ᄂᆞ이다"

공이 쇼져 보고져 ᄆᆞᄋᆞᆷ이 일시 급ᄒᆞ여,
병톄를 붓들【22】녀 수리565)의 올나 용슈
암을 향ᄒᆞᆯ시, 홍션을 압셔 길흘 ᄀᆞᄅᆞ치라
ᄒᆞ고, 하리를 직쵹ᄒᆞ여 술위를 밧비 모라
녕션강을 건닐시, 하리 슈명ᄒᆞ여 일승 치교
를 가져 오라 ᄒᆞ고, ᄲᆞᆯ니 뇽슈암의 니르러
산ᄉᆞ로 드러가니, 쇼졔 표슉의 니르믈 듯고
반ᄀᆞ온 졍이 과ᄒᆞ여, 비회 ᄉᆞ로이 요동ᄒᆞᄆᆡ
수루(垂淚)ᄒᆞ믈 ᄭᆡᆺ듯지 못ᄒᆞ니, 뎡쇼졔 위로
왈,

"현데 갈 곳을 졍치 못ᄒᆞ여 쥬야 비월(悲
越)ᄒᆞ다가, 이제 녕슉이 니르러 관ᄉᆞ로 ᄃᆞ
려가고ᄌᆞ ᄒᆞ시니 진실노 영힝ᄒᆞᆫ지라. 엇지
지난 바를 싱각고 과도히 슬허 ᄒᆞ리오"

언파의 몸을 니러 다른 방으로 옴고, 강
공을 쳥ᄒᆞ여 남시를 보게 ᄒᆞᆯ시, 슉딜이 딕
ᄒᆞ여 피ᄎᆞ 반【23】ᄀᆞ오미 죽엇던 ᄉᆞ람 봄
ᄀᆞᆺ고, 쇼져의 비창ᄒᆞᆫ 심ᄉᆞ 형언ᄒᆞᆯ 거시 업
셔, 녜필의 슉부 옷깃ᄉᆞᆯ 붓드러 오열쳬읍
(嗚咽涕泣)ᄒᆞ니, 공이 쇼져의 슬허 ᄒᆞ믈 딕
ᄒᆞ여, 망ᄆᆡ를 싱각고 참상ᄒᆞ믈 니기지 못ᄒᆞᆯ
ᄯᆞᆫ 아니라, 쇼졔 변복ᄒᆞ여 《포로?∥교교》
미례(嬌嬌美麗)ᄒᆞ던 회쥬 밧고여 풍치 쇄연
ᄒᆞᆫ 남지 되어시믈, 경문 왈,

"니가(離家) 슘년의 뉴리(流離)ᄒᆞ여 규녀
의 ᄌᆞ최 산문의 머므는 형셰는 뭇지 아녀
알녀니와, 변복ᄒᆞ여 녀화위남(女化爲男) ᄒᆞ
믄 하시오?"

쇼졔 쳬읍 디왈,

"쇼딜의 명되 긔구ᄒᆞ와 어려셔 《조모∥
ᄌᆞ모》를 녀희고, 슉부모 은양을 힘닙ᄉᆞ와
계오 보젼ᄒᆞ믈 어덧더니, ᄒᆞᆫ 번 댱ᄉᆞ의 나
려오미 오셰웅 젹ᄌᆞ의 흉ᄒᆞᆫ 욕이 급ᄒᆞᄆᆞ로,
마지 못ᄒᆞ여【24】집을 ᄯᅥ나게 되어시ᄃᆡ,

565)수리 : 수레.

閨弱女) 동셔를 블분호니, 어딕를 향홀 곳이 이시리잇고? 뎡히 착급홀 즈음의 뎡슉녈 ᄀᆞᆺ튼 은인을 만나, 구활 대은을 닙어 능히 일명을 솟디 아【26】니코, 규문의 낫가리오ᄂᆞᆫ 네를 문허바려시므로 음양을 변톄ᄒᆞ엿ᄂᆞ이다."

태쉬 오셰웅의 욕이 급ᄒᆞ던 바를 므르며, 뎡슉녈이 뉜고 므른딕, 쇼졔 계모의 극악 간흉턴 바를 딕고치 못ᄒᆞ여, 다만 오셰웅이 위력으로 ᄌᆞ긔를 다려가려 ᄒᆞ거늘, 계모다려 니르디 아니코 밤을 당ᄒᆞ여 집문을 닉다르미, 공교히 금평후 뎡공의 녀ᄋ 뎡슉녈을 만나, 셔로 의디ᄒᆞ여 삼년을 화부의셔 디닌 바를 고ᄒᆞ며, ᄯᅩ 뎡쇼졔 녀화위남(女化爲男)ᄒᆞ여 화공의 녀셔 되믈 일ᄏᆞᆺ디 아니터라. 공이 쇼져의 말을 드르미, 어이 위시의 흉심을 싱각디 못ᄒᆞ리오. 분연ᄒᆞ【27】믈 니긔디 못ᄒᆞ나, 남의 부녀를 즐욕디 못ᄒᆞ여 말을 아니코, 날호여 탄왈,

"누를 한ᄒᆞ며 므어슬 탓ᄒᆞ리오. 도시 미데 일즉 셰상을 바려 두 낫 골육으로 ᄒᆞ여곰 '뇨아(蓼莪)의 통(痛)'586)을 깃치니, 싱각홀ᄉᆞ록 엇디 통상치 아니리오. 연이나 네 보젼ᄒᆞ믈 어더 목슘을 솟지 아니미 만힝이라. 이제 우슉(愚叔)이 남경으로 향ᄒᆞᄂᆞᆫ 길히 밧브니, 너를 금일 운교역으로 다려가, 슈일 후 내 강딜ᄒᆞ여 관샤(官司)로 갈디라. 이제 치ᄑᆡ 오리니 남복이 블가ᄒᆞ나 밋쳐 옷슬 곳치디 못홀 거시니, 운교역의 가 녀복을 개착ᄒᆞ리니 도라가게 ᄒᆞ라."

쇼졔 뎡쇼져 써나미 결연ᄒᆞ나, 미양 흔【28】가디로 잇디 못홀 거시오. 당ᄎᆞ디시(當此之時)ᄒᆞ여 뎡쇼졔 ᄌᆞ가를 아모리 쥬쳐홀587) 줄 몰나 ᄒᆞᄂᆞᆫ 비라. ᄌᆞ긔 겨를 ᄯᅡ라 그 심녀 깃치미 무궁흔 고로, 호언으로 셔로 심회를 닐너시므로, 슉부긔 고왈,

심규약녜(深閨弱女) 동셔를 불분호니, 어딕를 향ᄒᆞ리잇고? 졍히 착급홀 즈음의 뎡슉녈 ᄀᆞᆺ튼 은인을 만나, 구활 대은을 닙어 능히 일명을 보젼ᄒᆞ여, 규문의 낫ᄀᆞ리오ᄂᆞᆫ 네를 문허바려시므로, 음양을 변톄ᄒᆞ엿ᄂᆞ이다"

틱쉬 오셰웅의 녹이 급ᄒᆞ던 바를 므르며, 뎡슉녈이 뉜고 므른딕, 쇼졔 ᄎᆞ마 계모의 극악 간흉턴 바를 직고치 못ᄒᆞ여, 다만 오셰웅이 위력으로 ᄌᆞ긔를 드려가려 ᄒᆞ거늘, 계모드려 니르지 아니코 밤을 당ᄒᆞ여 집문을 닉다르미, 공교히 금평후 뎡공의 녀ᄋ 뎡슉녈을 만나, 셔로 의지ᄒᆞ여 슴년을 화부의셔 지닌 바를 고ᄒᆞ며, ᄯᅩ 뎡쇼졔【25】녀화위남(女化爲男)ᄒᆞ여 화공의 녀셔 되믈 닐크지 아니터라. 공이 쇼져의 말을 드르매 어이 위시의 흉심을 싱각지 못ᄒᆞ리오. 분연ᄒᆞ믈 니긔지 못ᄒᆞ나, 남의 부녀를 즐욕지 못ᄒᆞ여 말을 아니코 날호여 탄왈,

"누를 한ᄒᆞ며 무어슬 탓ᄒᆞ리오. 도시 미데 일즉 셰상을 바려 두 낫 골육으로 ᄒᆞ여곰 '뇨아(蓼莪)의 통(痛)'566)을 깃치니, 싱각홀ᄉᆞ록 엇지 통상치 아니리오. 연이나 네 슉딜을 만나 목슘을 솟지 아니미 만힝이라. 이졔 우슉(愚叔)이 남경으로 향ᄒᆞᄂᆞᆫ 길이 밧브니, 너를 금일 운교역으로 드려두ᄀᆞ, 수일 후 내 강질ᄒᆞ여 관ᄉᆞ(官司)로 갈지라. 이졔 치ᄑᆡ 오리니 남복이 블가ᄒᆞ나 밋쳐 옷슬 곳치지 못홀 거시니, 운교역의 가 녀복을 기착ᄒᆞ리【26】니 도라가게 ᄒᆞ라"

쇼졔 뎡쇼져 써나미 결연ᄒᆞ나, 미양 흔 가지로 잇지 못홀 거시오, 당ᄎᆞ지시(當此之時)ᄒᆞ여 뎡쇼졔 ᄌᆞ가를 아모리 쥬쳐홀567) 줄 몰나 ᄒᆞᄂᆞᆫ 비라. ᄌᆞ긔 겨를 ᄯᅡ라 그 심녀 깃치미 무궁흔 고로, 호언으로 셔로 심회를 닐너시므로, 슉부긔 고왈,

---

586)뇨아지통(蓼莪之痛) : 어버이가 이미 돌아가시어 봉양할 길이 없는 효자의 슬픔. 『시경(詩經)』《소아(小雅)》편 <곡풍(谷風)>장 가운데 있는 '륙아(蓼莪)'시에서 온 말.
587)쥬쳐ᄒᆞ다 : 주체하다. 짐스럽거나 귀찮은 것을 능히 처리하다.

566)뇨아지통(蓼莪之痛) : 어버이가 이미 돌아가시어 봉양할 길이 없는 효자의 슬픔. 『시경(詩經)』《소아(小雅)》편 <곡풍(谷風)>장 가운데 있는 '륙아(蓼莪)'시에서 온 말.
567)쥬쳐ᄒᆞ다 : 주체하다. 짐스럽거나 귀찮은 것을 능히 처리하다.

"쇼딜이 슉부의 남경 태슈로 나려가신다 말슴을 듯즙고 기다리던 고로 산수의 와 잇는다라. 화부의셔는 맛춤닉 쇼딜이 녀직믈 아디 못ᄒ엿ᄂ니, 슉뷔 화공으로 교계(交契) 심후ᄒ시나, 쇼딜의 근본을 니르디 마르쇼셔."

강공 왈,

"화평댱을 발셔 츠ᄌ 보아 일야를 디녀여시니 다시 가 볼 일도 업거니와, 엇디 규녀의 말을 외인다려 니르리오."

남쇼졔 샤례【29】ᄒ고, 강공이 이윽흔 후 암듕(庵中) 외실노 나가며, 왈,

"이졔 치픠 올 거시니 비록 힝니(行李)를 출힐 거시 업ᄉ나, 금일 갈 줄 알나."

쇼졔 슈명ᄒ고, 공이 나가며 즉시 치픠 왓다 ᄒ는디라. 남쇼졔 뎡쇼져로 더브러 눈믈을 쓰리며, 뎡부인 손을 잡고 왈,

"쇼뎨 금일가디 보젼ᄒ엿다가 표슉을 만나 도라가믄 져져의 대은이니, 니른바 싱아ᄌ(生我者)는 부뫼시고 구싱ᄌ(救生者)는 져졔라. 싱셰의 이 은혜를 다 갑흘 길 업ᄉ니, 심시 버히는 둣ᄒ도소이다."

뎡쇼졔 남쇼져를 집슈(執手) 탄왈,

"우연이 셔로 만나 ᄒ가디로 이션 디 삼년의, 심담(心膽)이 상됴(相照)ᄒ여 말을 발치 아냐도 ᄆᆞ음【30】을 모를 빅 아니라. 쳡의 어린 뜻이 그듸로 더브러 평싱 써나고져 아닛ᄂ니, 날을 ᄉ랑ᄒ여 바렴즉디 아니커든, 댱니라도 날과 동녈이 되여 일싱을 ᄒ가디로 이셔, 형뎨디의를 밋고져 ᄒ느니, 녕표슉(令表叔)도 결단ᄒ여 남경의 오리 계시디 아닐 거시오. 녕대인이 금명년간(今明年間)의 셔경으로셔 도라 오시리니, 쳡이 그 ᄉᆞ이 혹ᄌ 환쇄ᄒ는 일이 이셔도, 쇼져의 죵신대ᄉ(終身大事)588)를 도모ᄒ여 녕대인 허락을 엇고 말니니, 후회(後會) 업디 아닌디라. 쇼져는 쳡을 괴이히 넉이디 말나."

남쇼졔 뎡쇼져의 뜻을 아랏ᄂ디라. 말이 이의 밋쳐는 머리를【31】슉이고 능히 답

---

588)죵신대ᄉ(終身大事) : 평생에 관계되는 큰일이라는 뜻으로, '결혼'을 이르는 말.

"쇼딜이 슉부의 남경 틱슈로 나려가신다 말슴을 듯즙고 기드리던 고로, 산수의 와 잇는지라. 화부의셔는 맛춤닉 쇼딜이 녀직믈 아지 못ᄒ엿ᄂ니, 슉뷔 화공으로 교계(交契) 심후ᄒ시나, 쇼딜의 근본을 니ᄅ지 마ᄅ쇼셔"

강공 왈,

"화평장을 발셔 츠져 보아 일야를 지니여시니 두시 가 볼 일도 업거니와, 엇지 규녀의 말을 외인다려 니ᄅ리오."

남쇼졔 ᄉ례ᄒ고, 강공이 이윽흔 후 암즁(庵中) 외실노 나가며 왈,【27】

"이졔 치픠 올 거시니 비록 힝니(行李)를 출힐 거시 업ᄉ나 금일 갈 줄 알나."

쇼졔 슈명ᄒ고 공이 나가며 즉시 치픠 왓다 ᄒ는지라. 남쇼졔 뎡쇼져로 더브러 눈믈을 쓰리며 뎡부인 손을 줍고,

"쇼뎨 금일ᄀ지 보젼ᄒ엿다가 표슉을 만나 도라가믄 져져의 대은이니, 니른바 싱아ᄌ(生我者)는 부뫼시고 구싱ᄌ(救生者)는 져졔라. 싱셰의 이 은혜를 다 갑흘 길 업ᄉ니 심시 버히는 둣ᄒ도소이다."

뎡쇼졔 남쇼져를 집슈 탄왈,

"우리 셔로 만나 ᄒ가지로 이션 지 숨년의, 심담이 상조ᄒ여 말을 발치 아녀도 ᄆᆞ음을 모를 빅 아니라. 쳡의 어린 뜻이 그듸로 더브러 평싱 써나고져 아닛ᄂ니, 나를 ᄉ랑ᄒ여 ᄇ렴즉지 아니커든, 장니라도 날【28】과 동녈이 되여 일싱을 ᄒ가지로 이셔, 형뎨지의를 밋고져 ᄒ느니, 녕표슉(令表叔)도 결단ᄒ여 남경의 오릭 계시지 아닐 거시오, 녕대인이 금명년간(今明年間)의 셔경으로셔 도라 오시리니, 쳡이 그 ᄉᆞ이 혹ᄌ 환쇄ᄒ는 일이 이셔도, 쇼져의 죵신대ᄉ(終身大事)568)를 도모ᄒ여 녕듸인 허락을 엇고 말니니, 후회(後會) 업지 아닌지라. 쇼져는 쳡을 괴이히 넉이지 말나."

남쇼졔 뎡쇼져의 뜻을 아랏ᄂ지라. 말이 이의 밋쳐는 머리를 슉이고 능히 답지 못ᄒ

---

568)죵신대ᄉ(終身大事) : 평생에 관계되는 큰일이라는 뜻으로, '결혼'을 이르는 말.

디 못ᄒᆞ나, 평ᄉᆡᆼ을 뎡부인과 ᄒᆞᆫ가디로 디니믈 그윽이 원ᄒᆞ더라.

공이 날이 느ᄌᆞ믈 닐너 쇼져의 도라가믈 지쵹ᄒᆞ니, 남시의 ᄯᅥ나ᄂᆞᆫ 졍과 뎡시의 보ᄂᆞ 졍이 피ᄎᆞ ○○○[다르미] 업셔, 님별의 두 쇼졔 셔로 손을 잡고 쥬뤼(珠淚) 년낙(連落)ᄒᆞ여 동긔를 샹니(相離)ᄒᆞᆷ과 다르디 아니코, 암둥 니고 등이 뎡·남 이쇼져의 남복을 보나, 묘원의 붉으므로 조ᄎᆞ 녀진믈 아라, 그 션풍이딜(仙風異質)을 흠앙(欽仰) 션복(羨福)ᄒᆞ다가, 도라가믈 훌훌ᄒᆞ여 일흔 거시 잇ᄂᆞᆫ ᄃᆞᆺᄒᆞ고, 태쉬 묘원을 블너 은금 오십 냥과 빅깁 슈삼 필을 주어, 비록 월여디간(月餘之間)이나 남쇼져를【32】머믈게 ᄒᆞ믈 일ᄏᆞᄅᆞ니, 묘원이 빅비 고두(叩頭)ᄒᆞ여 쥬 왈,

"빈승이 쇼져의 텬향 옥딜을 앗겨 오릐 뫼시믈 원이로ᄃᆡ, 이졔 영화로이 도라가시나 결연ᄒᆞᆷ믈 다 못 알외옵ᄂᆞᆫᄃᆡ, 이 ᄀᆞᆺᄌᆞᆫ 샹급을 밧ᄌᆞ오니 황공ᄒᆞ와 고ᄒᆞᆯ 바를 아디 못ᄒᆞᄂᆞ이다."

공이 ᄯᅩ 홍션을 명ᄒᆞ여 왈,

"네 범ᄉᆞ를 딘심ᄒᆞ여 딘짓 비ᄌᆞᄀᆞᆺ치 쇼져 밧드ᄂᆞᆫ 공이 젹디 아닌디라. 므어ᄉᆞ로 너의 공을 갑흐리오. 딜녜 죵ᄂᆡ(終乃)의 닛디 아니리니, 약쇼ᄒᆞ나 아딕 의ᄌᆞ(衣資)나 도으라"

ᄒᆞ고 황금 십여 량과 쵹단 슈삼 필을 주니, 션이 황감ᄒᆞ여 감히 샤양치 못ᄒᆞ여 밧고 샤례ᄒᆞ더라.

강태【33】쉬 쇼져의 치교를 압세워 운교역의 도라와, 슈일 머므러 남경으로 갈ᄉᆡ, 쇼졔 비로소 홍군ᄎᆔ삼(紅裙翠衫)[589]으로 녀복을 곳쳐 슉부를 ᄯᅩᆯ와 남경으로 가니라.

이젹의 뎡시 남쇼져를 니별ᄒᆞ고 화부로 도라오니, 화공이 반겨 쇼왈,

"현셔로ᄡᅥ 동상을 삼안 디 삼ᄌᆡ(三載)의 ᄒᆞ로도 ᄯᅥ난 젹이 업다가, 금번의 슈슌(數旬)을 긔약ᄒᆞ고 나가, 믄득 ᄒᆞᆫ 번 가미 슈

───────────
[589]홍군ᄎᆔ삼(紅裙翠衫) : 붉은 색 치마와 비취색 저고리.

나, 평ᄉᆡᆼ을 뎡부인과 ᄒᆞᆫ 가지로 지니믈 그윽히 원ᄒᆞ더라.

공이 날이 느ᄌᆞ믈 닐너 쇼져의 도라가믈 지쵹ᄒᆞ니, 남시의 ᄯᅥ나ᄂᆞᆫ 졍과 뎡시의 보ᄂᆞ 졍이 피ᄎᆞ 한가지라. 님별의 두【29】쇼졔 셔로 손을 즙고 쥬뤼(珠淚) 년낙(連落)ᄒᆞ여 동긔를 샹니(相離)ᄒᆞᆷ과 다르지 아니ᄒᆞ고, 암즁 니고 등이 뎡·남 이 쇼져의 남복○[을] 보나, 묘원은 녀진믈 아라 그 션풍니질(仙風異質)을 흠앙(欽仰) 션복(羨福)ᄒᆞ다ᄀᆞ, 도라가믈 훌훌ᄒᆞ여 니른 거시 잇ᄂᆞᆫ ᄃᆞᆺᄒᆞ고, 강틴쉬 묘원을 불너 은금 오십 냥과 빅깁 십 필을 주어, 비록 월여지간(月餘之間)이나 남 쇼져를 머믈게 ᄒᆞ믈 닐ᄏᆞ르니, 묘원이 빅비 고두(叩頭)ᄒᆞ여 주 왈,

"빈승이 쇼져의 텬향 옥딜을 앗겨 오릐 뫼시미 원이로ᄃᆡ, 이졔 녕화로이 도라가시나 결연ᄒᆞᆷ믈 다 못 알외옵ᄂᆞᆫᄃᆡ, 이 ᄀᆞᆺᄐᆞᆫ 샹급을 밧ᄌᆞ오니 황공ᄒᆞ와 고ᄒᆞᆯ 바를 아지 못ᄒᆞᄂᆞ이다."

공이 ᄯᅩ 홍션을 명ᄒᆞ여 왈,

"네 범ᄉᆞ【30】를 진심ᄒᆞ여 진짓 비ᄌᆞᄀᆞᆺ치 쇼져 밧들믈 졍셩으로 ᄒᆞᆫ 공이 젹지 아닌지라. 무어ᄉᆞ로 너의 공을 갑흐리오. 딜녜 죵ᄂᆡ(終乃)의 《거ᄂᆞ리지∥져ᄇᆞ리지》 아니리니, 야속ᄒᆞ나 아직 의ᄌᆞ(衣資)나 도으라."

ᄒᆞ고 황금 십여 냥과 쵹단 슈십 필을 주니, 션이 황공ᄒᆞ여 감히 ᄉᆞ양치 못ᄒᆞ여 밧고 ᄉᆞ례ᄒᆞ더라.

강틴쉬 쇼져의 치교를 압세워 운교역의 도라와, 슈일 머무러 남경으로 갈ᄉᆡ, 쇼졔 비로소 홍군ᄎᆔ삼(紅裙翠衫)[569]으로 녀복을 곳쳐 슉부를 ᄯᅩᆯ와 남경으로 가니라.

이젹의 뎡시 남쇼져를 니별ᄒᆞ고 화부로 도라오니, 화공이 반겨 쇼왈,

"현셔로ᄡᅥ 동상을 슴은 지 삼년의 ᄒᆞ로도 ᄯᅥ난 젹이 업다ᄀᆞ, 금번의 슈슌(數旬)을 긔약ᄒᆞ고 나가, 믄득 ᄒᆞᆫ 번 가매【31】슈월을

───────────
[569]홍군ᄎᆔ삼(紅裙翠衫) : 붉은 색 치마와 비취색 저고리.

명쥬보월빙 권지이십오 박순호본 ┃

월을 즈음치니, 우리 부부의 훌훌 결연턴 심식 어이 측냥ᄒᆞ리오. 아디 못게라, 손확의 죵군ᄒᆞᆫ 뉴의 친쳑을 만나 녕당 존문을 ᄌᆞ셔히 알오미 잇ᄂᆞ냐? 손확이 용병을 무상히 ᄒᆞ여 허다 군댱 ᄉᆞ졸이 도륙ᄒᆞᄆᆡ, ᄒᆞᆫ ᄡᅡ홈【34】의 대패ᄒᆞ엿더니, 윤광텬의 지뫼 비상ᄒᆞ고 덕홰(德化) 슉슉(肅肅)ᄒᆞ여, 흉뎍(凶賊)을 쾌히 탕멸ᄒᆞ고 남토를 딘뎡ᄒᆞ여, ᄇᆡᆨ셩의 숑덕ᄒᆞᄂᆞᆫ 소ᄅᆡ 가득ᄒᆞ니, 딘짓 남ᄋᆞ의 ᄉᆞ업이라. 윤광텬의 풍뉴 신광과 문댱 지홰 셰ᄃᆡ의 독보타 ᄒᆞᄃᆡ, 내 이 곳의 뎍거ᄒᆞ연 지 여러 일월인 고로, 윤광텬의 등양젼(登揚前)이라 그 얼골을 보디 못ᄒᆞ엿ᄂᆞ니, 현셔의 셩명이 졀노 더브러 형뎨항 ᄀᆞᄐᆞᆫ디라 친쳑이냐?"

뎡쇼졔 화공의 이ᄀᆞᆺ치 므르믈 당ᄒᆞ니, 듕심의 우읍기를 니긔디 못ᄒᆞᄃᆡ ᄉᆞᆨ디 아니코, ᄃᆡ왈,

"윤참모ᄂᆞᆫ 쇼ᄉᆡᆼ의 친족이라 금번의 셔로 만나ᄆᆡ, 졔 쇼ᄉᆡᆼ을 칙ᄒᆞ여【35】머리를 움치고 아모ᄃᆡ도 나단니디 아니믈 일ᄏᆞ라, 경샤 소식을 져ᄂᆞᆫ 남쥐셔 ᄌᆞ로 드르미 잇ᄂᆞᆫ 고로, 윤참모의 젼언을 인ᄒᆞ여 친당이 안강ᄒᆞ심과 일개 무ᄉᆞᄒᆞ믈 잠간 알패이다."

화공이 쇼왈,

"현셔의 도혹은 윤광텬이 아모리 긔특ᄒᆞ고 안고(眼高)ᄒᆞ여도 나모라 ᄒᆞᆯ 일 업거니와, 대개 너모 단듕ᄒᆞ여 일분도 댱부의 쾌활 호방ᄒᆞᆫ 픔되 업ᄉᆞ니, 광텬 ᄀᆞᄐᆞᆫ ᄌᆞᄂᆞᆫ 반ᄃᆞ시 츌발(出拔)ᄒᆞ고 쾌대(快大)ᄒᆞᆯ디라. 현셔의 남달니 고요ᄒᆞ믈 답답이 넉이미 괴이치 아니리라."

ᄒᆞ고, 인ᄒᆞ여 손확의 패군ᄒᆞᆷ과 참모의 승젼ᄒᆞ믈 일ᄏᆞ라, 윤참모를 ᄒᆞᆫ 번 구경코져 ᄒᆞᄂᆞᆫ디라. 뎡쇼져ᄂᆞᆫ 다만 드를 ᄯᆞ름이오, 구ᄐᆞ【36】여 여러 말 아니코, 참모의 풍신 지덕도 각별 칭찬치 아녀, 아모 졔라도 참뫼 도라가디 아닌 젼 화부의 올 거시므로, 화공이 그 긔특ᄒᆞ믈 황홀이 넉여, 댱부 위풍과 영쥰 긔습이 ᄌᆞ긔 뉘 아닌 줄 흠복게 ᄒᆞ여, 타일 《병화∥빙화》쇼져로 그 ᄇᆡᆨ필

즈음치니, 우리 부부의 훌훌 결연ᄒᆞᆫ 심식 어이 측냥ᄒᆞ리오. 아지 못게라, 손확의 죵군ᄒᆞᆫ 뉴의 친쳑을 만나 녕당 존문을 ᄌᆞ셔히 아ᄅᆞ미 잇ᄂᆞ냐? 손확이 용병을 무상이 ᄒᆞ여 허다 군댱 ᄉᆞ졸이 도륙ᄒᆞᄆᆡ, ᄒᆞᆫ ᄊᆞ홈의 대픽ᄒᆞ엿더니, 윤광텬의 지뫼 비상ᄒᆞ고 덕홰(德化) 슉슉(肅肅)ᄒᆞ여 흉젹을 쾌히 탕멸ᄒᆞ고 남토를 진졍ᄒᆞ여, ᄇᆡᆨ셩의 숑덕ᄒᆞᄂᆞᆫ 소ᄅᆡ 가득ᄒᆞ니, 진짓 남ᄋᆞ의 ᄉᆞ업이라. 윤광텬의 풍뉴 신광과 문장 지홰 셰ᄃᆡ의 독보타 ᄒᆞᄃᆡ, 내 이 곳의 젹거ᄒᆞ연 지 여러 《일원∥일월(日月)》인 고로, 윤광텬의 등양젼(登揚前)이라. 그 얼골을 보지 못ᄒᆞ엿ᄂᆞ니, 현셔의 셩명이 졀노 더브러 형뎨항 ᄀᆞᄐᆞᆫ지라, 친【32】쳑이냐?"

뎡쇼졔 화공의 이ᄀᆞᆺ치 므ᄅᆞ믈 당ᄒᆞ니, 즁심의 우읍기를 마지 아니ᄃᆡ ᄉᆞᆨ지 아니코, ᄃᆡ왈,

"윤참모ᄂᆞᆫ 쇼ᄉᆡᆼ의 친족이라. 금번의 셔로 만나매, 졔 쇼ᄉᆡᆼ을 칙ᄒᆞ여 머리를 움치고 아모ᄃᆡ○[도] 나ᄃᆞᆫ니지 아니믈 닐ᄏᆞ라, 경ᄉᆞ 소식을 져ᄂᆞᆫ 남쥐셔 ᄌᆞ로 드ᄅᆞ미 잇ᄂᆞᆫ 고로, 윤참모의 젼언을 닌ᄒᆞ여 친당이 안강ᄒᆞ심과 일개 무ᄉᆞᄒᆞ믈 즘간 알패이다"

화공이 쇼왈,

"현셔의 도학은 윤광텬이 아모리 긔특ᄒᆞ고 안고(眼高)ᄒᆞ여도 나모라 ᄒᆞᆯ 일 업거니와, 대개 너모 단즁ᄒᆞ여 일분도 댱부의 쾌활 호방ᄒᆞᆫ 픔되 업ᄉᆞ니, 광텬 ᄀᆞᄐᆞᆫ ᄌᆞᄂᆞᆫ 반ᄃᆞ시 츌발(出拔)ᄒᆞ고 쾌대(快大)ᄒᆞᆯ지라. 현셔의 남달니 고요ᄒᆞ믈 답답이 넉이미【33】고이치 아니리라."

ᄒᆞ고, 인ᄒᆞ여 손확의 픽군ᄒᆞᆷ과 참모의 승젼ᄒᆞ믈 닐ᄏᆞ라 윤참모를 ᄒᆞᆫ 번 귀경코ᄌᆞ ᄒᆞᄂᆞᆫ지라. 뎡쇼져ᄂᆞᆫ 다만 드를 ᄯᆞᄅᆞᆷ이오, 구ᄐᆞ여 여러 말 아니코, 참모의 풍신 지덕도 각별 충찬치 아녀, 아모 졔라도 참뫼 도라ᄀᆞ지 아닌 젼 화부의 올 거시므로, 화공이 그 긔특ᄒᆞ믈 황홀이 넉여, 댱부 위풍과 녕쥰 긔습이 ᄌᆞ긔 뉘 아닌 줄 흠복게 ᄒᆞ여, 타일 빙화쇼져로 그 ᄇᆡᆨ필을 ᄉᆞᆷ아도, 화공 부뷔

을 삼아도, 화공 부븨 그 셔랑의 츌인 비범ᄒᆞᆷ을 깃그미, ᄌᆞ긔를 셔랑으로 알 적도곤 더으게 ᄒᆞ려 ᄒᆞ미러라.

이러구러 ᄯᅩ 일삭이나 되고, 윤참모의 어딘 덕과 특이ᄒᆞᆫ 지죄 남토를 딘뎡ᄒᆞ미, 빅셩이 태평 일월을 다시 보아 즐기믈 마디아니며, 참모를 숑덕ᄒᆞ여 우러는 졍셩이 효지 부모를 바람 ᄀᆞᆺ【37】고, 참모의 슈복을 튝원ᄒᆞ미, 져마다 그 ᄌᆞ손이 만당ᄒᆞ며 복녹이 구젼(俱全)ᄒᆞ여 쳔셰를 누리라 ᄒᆞ더라.

홀연 황셩으로 조ᄎᆞ 됴셰(詔書) 계샤, 윤참모의 긔특ᄒᆞ미 만고의 회한ᄒᆞ므로, 투현딜능(妬賢嫉能)ᄒᆞᄂᆞᆫ 쇼인의 당이 믜이 넉여, 구몽슉 간인(奸人)이 손확 블인(不人)을 ᄭᅬ와 윤참모를 히ᄒᆞ라 ᄒᆞᆫ 연고로, 손확이 참모를 죽이려 ᄒᆞ다가 일흠이 되여시니, 방방곡곡이 그 ᄌᆞ최를 심방ᄒᆞ여 남뎡 대원슈를 탁빅(擢拜)ᄒᆞ시ᄂᆞᆫ 명을 젼ᄒᆞ고, 대댱(大將) 금인(金印)을 주어 댱샤 흉덕을 탕멸케 ᄒᆞ라 ᄒᆞ시고, ᄯᅩ 윤참모긔 각별이 위유(慰諭)ᄒᆞ시ᄂᆞᆫ 글을 나리오샤, 젼일 그 블효 죄명《으로ᄅ의을》 쾌히 신빅ᄒᆞ믈 닐너 계시며, 남【38】쥐 삼년 찬젹이 원굴(寃屈)ᄒᆞ믈 일ᄏᆞᄅᆞ샤, 손확의 망측블인(罔測不仁)ᄒᆞ믈 ᄉᆡᆼ각디 말고, 댱샤왕으로 졉젼ᄒᆞ여 덕신(賊臣)을 쥬멸(誅滅)ᄒᆞ고 대공을 셰워 개가승젼곡(凱歌勝戰曲)으로 도라오라 ᄒᆞ샤, 군신디간 엄ᄒᆞᆫ 거슬 바리고 가인부ᄌᆞ(家人父子)ᄀᆞᆺ치 은혜를 베프시고, 황금 인쉬(印綬) 남뎡대원슈제로도총병(南征大元帥諸路都總兵) 윤광텬이라 삭여 교디와 홈긔 니르니, 참뫼 향안을 비셜ᄒᆞ여 됴셔를 듯ᄌᆞ온 후, 북향 샤은ᄒᆞ고, 오히려 대원슈 인신을 밧디 아니니, 부원슈 댱운과 댱졸이 다, 참모의 지조로뼈 샹댱(上將)이 되디 못ᄒᆞ믈 이둘나 ᄒᆞ던 비라, 금번 특별ᄒᆞᆫ 셩의(聖意) 계샤 윤참모긔 은영을 뵈시고, 대【39】원슈 금인을 보ᄂᆡ여 계시믈 만심 쾌열ᄒᆞ여, 댱원쉬 금인을 밧드러 참모긔 츠긔를 쳥ᄒᆞ여 왈,

"손원쉬 임의 패군댱(敗軍將)이 되여 죄듕의 복(伏)ᄒᆞ고, 명공이 흔 낫 군ᄉᆞ를 거나

| 그 셔랑의 츌인 비범ᄒᆞᆷ을 깃그미, ᄌᆞ긔를 셔랑으로 알 《져ᄇᆡ젹》도곤 더으게 ᄒᆞ미러라.

니러구러 ᄯᅩ 일삭이나 되고, 윤참모의 어진 덕과 특이ᄒᆞᆫ 지죄 남토를 진졍ᄒᆞ미, 빅셩이【34】태평 일월을 다시 보아 즐기믈 마지아니며, 참모를 숑덕ᄒᆞ여 우럿ᄂᆞᆫ 졍셩이 효지 부모를 바람 ᄀᆞᆺ고, 참모의 슈복을 튝원ᄒᆞ미, 져마다 그 ᄌᆞ손이 만당ᄒᆞ며 복녹이 구젼ᄒᆞ여 쳔셰를 누리라 ᄒᆞ더라.

홀연 황셩으로 조ᄎᆞ 교지(敎旨) 계샤, 윤참모의 긔특ᄒᆞ미 만고의 회한ᄒᆞ므로, 투현질능(妬賢嫉能)ᄒᆞᄂᆞᆫ 쇼인의 당이 믜이 넉여, 구몽슉 간인(奸人)이 손확 블인(不人)을 ᄭᅬ와 윤참모를 히ᄒᆞ라 ᄒᆞᆫ 연고로, 손확이 참모를 죽이려 ᄒᆞ다ᄀᆞ 일흠이 되여시니, 방방곡곡이 그 ᄌᆞ최를 ᄎᆞ져 남졍 대원슈를 탁빅(擢拜)ᄒᆞ시ᄂᆞᆫ 명을 젼ᄒᆞ고, 대장(大將) 금닌(金印)을 주어 댱ᄉᆞ 흉젹을 탕멸케 ᄒᆞ라 ᄒᆞ시고, ᄯᅩ 윤참모게 각별이 효유ᄒᆞ시ᄂᆞᆫ 글을 ᄂᆞ리오ᄉᆞ, 젼일【35】그 블효 죄명을 쾌히 신빅ᄒᆞ믈 닐너 계시며, 남쥐 숨년 찬젹이 원통ᄒᆞ믈 닐ᄏᆞᄅᆞᄉᆞ, 손확의 망측블인(罔測不仁)ᄒᆞ믈 ᄉᆡᆼ각지 말고, 댱ᄉᆞ왕으로 졉견ᄒᆞ여 젹신(賊臣)을 쥬멸(誅滅)ᄒᆞ고 대공을 셰워 개가승젼곡(凱歌勝戰曲)으로 도라오라 ᄒᆞᄉᆞ, 군신지간 엄ᄒᆞᆫ 거슬 바리고 가인부ᄌᆞ(家人父子)ᄀᆞᆺ치 은혜를 베프시고, 황금 인쉬(印綬) 남졍ᄃᆡ원슈제로도총병(南征大元帥諸路都總兵) 윤광텬이라 삭여 교지와 홈게 니ᄅᆞ니, 참뫼 향안을 비셜ᄒᆞ여 됴셔를 듯ᄌᆞ온 후 북향 ᄉᆞ은ᄒᆞ고, 오히려 대원슈 닌을 밧지 아니니, 부원슈 댱운과 군졸이 미양 참모의 지조로뼈 샹댱이 되지 못ᄒᆞ믈 이둘나 ᄒᆞ던 비라. 금일 특별ᄒᆞᆫ 셩의 계샤 윤참모게 은영을 뵈【36】시고, 대원슈 금닌을 보ᄂᆡ여 계시믈 만심 쾌열ᄒᆞ여, 댱원쉬 금닌을 밧드러 참모게 츠긔를 쳥ᄒᆞ여 왈,

"손원쉬 님의 픽군댱(敗軍將)이 되여 죄즁의 복(伏)ᄒᆞ고, 명공이 흔 낫 군ᄉᆞ를 거ᄂᆞ

리미 업시 스스로 덕화(德化)로 인ᄒᆞ여 약
간 ᄉᆞ졸이 모힌 비 되어, 흥덕의 간담을 썩
거 쾌히 파덕ᄒᆞ니, 명공의 신무(神武)와 덕
망(德望)이 남토 빅셩을 탕화의 건져닉고,
우흐로 셩듀의 침좌간(寢坐間) 근심을 더러,
국가의 대공을 셰워시니, 비록 셩디 아니
계셔도 명공의 웅지대략(雄才大略)으로 미
양 참모ᄉᆞ의 나즌 작위 바드믈, 삼군 ᄉᆞ졸
의 ᄆᆞ음이 블쾌ᄒᆞ믈 니긔【40】디 못ᄒᆞ던
비라. 이졔 샹명이 명공으로ᄡᅥ 대원슈를 빅
(拜)ᄒᆞ샤, 금인을 보닉여 계시니, 명공이 샹
명을 슌슈ᄒᆞ고 ᄉᆞ졸의 ᄆᆞ음을 도라보아, 인
슈를 밧비 ᄎᆞ고 복식을 곳치미 맛당ᄒᆞ거늘,
어이 더딕시ᄂᆞ뇨?"

참뫼 금인을 공경ᄒᆞ여 바다 상 우히 노
코, ᄀᆞᆯ오딕,

"댱군의 니르ᄂᆞᆫ 비 맛당ᄒᆞ시나, 싱이 발
셔 흥덕을 쥬멸ᄒᆞ엿고, 승패ᄂᆞᆫ 병가의 상ᄉᆞ
라. 손원쉬 비록 일시 용병을 그릇ᄒᆞ여 패
ᄒᆞ여시나, 이 ᄯᅩ 국개 블힝ᄒᆞ여 앗가온 댱
졸을 만히 죽이실 ᄯᅥ니, 홀노 손원슈의 탓
시라 못홀 거시오, ᄉᆞ죄의 모라 너흐미 가
치 아니니, 손원슈를 두【41】고 내 엇디
대댱 인슈를 ᄎᆞ리오."

댱원쉬 참모의 말ᄉᆞᆷ이 겸퇴(謙退)ᄒᆞ믈 쥬
(主)ᄒᆞ미나 ᄉᆞ리의 만만 가치 아니믈 일ᄏᆞ
고, ᄉᆞ졸이 년셩 왈,

"우리 댱군이 쳔고 무빵ᄒᆞᆫ 지조로ᄡᅥ 대공
을 셰오시딕, 미양 참모ᄉᆞ의 나즌 인슈를
요하의 빗기시니, 뵈올 젹마다 익돌온 ᄆᆞ음
이 극ᄒᆞ미, 덩히 텬문의 격고(擊鼓)ᄒᆞ여 참
모의 공뇌를 쥬ᄒᆞ고, 대원슈 금인을 원ᄒᆞ연
디 오라더니, 텬지 붉히 살피샤 우리 쥬공
(主公)이 흥덕을 탕멸홀 줄 모로시딕, 샹댱
인슈를 보닉샤 ᄉᆞ졸을 총녕(總領)케 ᄒᆞ시니,
엇디 대원슈 금인 ᄎᆞ시믈 일시나 디완(遲
緩)ᄒᆞ실【42】 비리잇고?"

참뫼 댱원슈와 군졸의 말이 이 ᄀᆞᆺᄐᆞᆯ 보
미, ᄌᆞ긔 대원슈 인을 ᄎᆞ지 아니미 짐짓 겸
퇴ᄒᆞᄂᆞᆫ 덕을 낫토고져 ᄒᆞᄂᆞᆫ ᄃᆞᆺᄒᆞ여 됴치 아
닌 고로, 부원슈와 군졸을 디ᄒᆞ여 왈,

리미 업시 스스로 덕화(德化)로 인ᄒᆞ여 약
간 ᄉᆞ졸이 모힌 비 되어, 흉젹의 간담을 썩
거 쾌히 파젹ᄒᆞ니, 명공의 지조와 덕망이
남토 빅셩을 탕화의 건져닉고, 우흐로 셩샹
의 침좌 간 근심을 더러 국가의 대공을 셰
워시니, 비록 셩지 아니 계셔도 명공의 웅
지대략(雄才大略)으로 미양 참모ᄉᆞ의 나즌
작위 바드믈, 슴군 ᄉᆞ졸의 ᄆᆞ음이 블쾌ᄒᆞ믈
니긔지 못ᄒᆞ던 비라. 이졔 샹명이 명공으로
ᄡᅥ 딕원슈를 빅(拜)ᄒᆞᄉᆞ 금닌【37】을 보닉
여 계시니, 명공이 샹명을 슌슈ᄒᆞ고 ᄉᆞ졸의
ᄆᆞ음을 도라보아, 인슈를 밧비 ᄎᆞ고 복식을
곳치미 맛당ᄒᆞ거늘 어이 더딕시ᄂᆞ뇨?"

참뫼 금닌을 공경ᄒᆞ여 바다 상 우히 노코
ᄀᆞᆯ오딕,

"댱군의 니르ᄂᆞᆫ 비 맛당ᄒᆞ시나, 싱이 발
셔 흉젹을 주멸ᄒᆞ엿고, 승픽ᄂᆞᆫ 병가의 상ᄉᆞ
라 손원쉬 비록 일시 용병을 그릇ᄒᆞ여 픽ᄒᆞ
여시나 이 ᄯᅩ 국개 블힝ᄒᆞ여 앗가온 댱졸을
만히 죽이실 ᄯᅥ니 홀노 손원슈의 탓시라 못
홀 거시오 ᄉᆞ죄의 모라 너흐미 가치 아니니
손원슈를 두고 내 엇지 대장 닌슈를 ᄎᆞ리
오"

댱원쉬 참모의 말ᄉᆞᆷ이 겸퇴ᄒᆞ믈 주ᄒᆞ미나
ᄉᆞ리의 만만 가치 아니믈 일ᄏᆞᆺ고 ᄉᆞ졸이 년
셩 왈,

"우리 장군이 쳔고 무쌍ᄒᆞᆫ【38】 지조로
ᄡᅥ 대공을 셰우시딕, 미양 참모ᄉᆞ의 나즌
인슈를 요하의 빗기시니 뵈올 젹마다 익돌
온 ᄆᆞ음이 극ᄒᆞ매, 졍히 텬문의 격고ᄒᆞ여
참모의 공뇌를 쥬ᄒᆞ고 대원슈 금닌을 원ᄒᆞ
연 지 오릭더니, 텬지 붉히 슬피ᄉᆞ 우리 쥬
공(主公)이 흉젹을 탕멸혼 줄 모릭시딕, 샹
댱닌슈를 보닉ᄉᆞ ᄉᆞ졸을 총녕(總領)케 ᄒᆞ시
니, 엇지 대원슈 금닌 ᄎᆞ믈 일신들 더딕리
잇고?"

참뫼 댱원슈와 군졸의 말이 이 ᄀᆞᆺᄐᆞᆯ 보
미, ᄌᆞ긔 대원슈 인을 ᄎᆞ지 아니미, 짐줏 겸
퇴ᄒᆞᄂᆞᆫ 덕을 낫토고즈 ᄒᆞᄂᆞᆫ ○[ᄃᆞᆺ]ᄒᆞ여 됴
치 아닌 고로, 부원슈와 군졸을 디ᄒᆞ여 왈,

"내 댱샤를 탕멸ᄒᆞᆫ 쳡음(捷音)을 넌ᄒᆞ여 쥬문ᄒᆞ고, 댱녕(將令)을 어긔워 도쥬ᄒᆞ여시믈 쳥죄ᄒᆞ여시니, 슈삼일디닉(數三日之內)의 다시 셩피 계시리니, 텬문의 광명 뎡대ᄒᆞᆫ신 샹명을 보아, 죄직(罪者) 벌을 밧고 공직(功者) 샹을 밧ᄌᆞ오리니, 슈삼일 잠간 춤으미 므어시 어려오리오. 하믈며 댱녕(將令)의 엄슉ᄒᆞᆷ믄 군명(君命)의 더으거늘, 내 댱녕을 어즈러인 비라.【43】죄를 혜아리미 아모리 파뎍(破敵)ᄒᆞ여셔도 샤문(赦文)을 엇디 못ᄒᆞ○○[여시]니, 엇디 대원슈 금인을 밧ᄌᆞ오리오."

원슈와 ᄉᆞ졸이 참모의 ᄯᅳᆺ이 이 ᄀᆞᆺ투믈 보고, 다시 셩피 ᄂᆞ리시믈 기다리고 말을 아니터라.

윤참뫼 초일이야 비로소 경샤 소식과 됴보를 보믹, 뎡·딘 이부의셔 참화의 ᄲᅢ졋던 바를 경희(驚駭)ᄒᆞ나, 필경이 무ᄉᆞᄒᆞ여 그 져져(姐姐)의 격고등문(擊鼓登聞) ᄒᆞᆫ 공으로 ᄡᅥ 화를 도로혀 복을 삼아시니, 다시 넘녀 업ᄉᆞᄃᆡ, 다만 흉쟝(胸臟)이 ᄶᅱ노ᄂᆞᆫ ᄃᆞᆺ 만심이 ᄎᆞ악ᄒᆞᆫ 바는, 타ᄉᆞ(他事) 아니라. 셰월 비영과 신묘랑의 초ᄉᆞ로ᄡᅥ, 조모와 슉모의 한 업ᄉᆞᆫ 과악(過惡)【44】이 셰셰히 드러나믈 드르믹, 댱부의 쳘셕심쟝(鐵石心腸)과 듕산디듕(重山之重)으로도 붓그럽고 ᄋᆡᄃᆞᆯ오미 낫출 ᄭᆞᆰ고져 시븐디라. 긔운이 블평ᄒᆞ믈 일ᄏᆞᆯ라, 초일 셕식(夕食)을 밧디 아니코, 일죽 누어 히읍 업시 가변을 슬허 눈믈이 벼개의 ᄉᆞ못ᄎᆞ믈 면치 못ᄒᆞ고, 태복과 군셕이 져쥬를 힝ᄒᆞ여, 조모와 슉뫼 참혹ᄒᆞᆫ 병인이 되여시믈 비영 등의 초ᄉᆞ(招辭)의 고ᄒᆞ여시니, 더옥 초조황민(焦燥惶憫)ᄒᆞ여 즉금은 그 환휘 엇더ᄒᆞ시며, 뉘 이셔 시탕(侍湯)을 가음 알니오 ᄒᆞ여, 쳔 가디 슬픔과 만 가디 근심이 일신을 태산으로 디즈른590) ᄃᆞᆺᄒᆞ여, 능히 톄읍ᄒᆞ믈 춤디 못【44】ᄒᆞ니, 어나 결을의 뎡슉녈의 신누(身累) 버슴과 ᄌᆞ긔 형뎨 블효 죄루(罪累) 버슨 깃븐 의식 나리오. 죵야 흔 줌을 일우디 못ᄒᆞ고 누쉬 벼개의 괴

"내 댱ᄉᆞ를 탕멸ᄒᆞᆫ 쳡음(捷音)을 넌ᄒᆞ여 주ᄒᆞ고, 댱녕을 어긔워 도쥬ᄒᆞ여시믈 쳥죄ᄒᆞ엿【39】시니, 슈삼일지닉(數三日之內)의 다시 셩피 계시오나, 텬문의 광명 정대ᄒᆞᆫ신 샹명을 보와 죄직(罪者) 벌을 밧고 공직(功者) 샹을 밧ᄌᆞ오리니, 슈삼일 즘간 춤으미 무어시 어려오리오. 하믈며 댱녕의 엄슉ᄒᆞᆷ믄 군명(君命)의 더으거늘, 내 쟝녕을 어즈러인 비라. 죄를 혜아리미 아모리 파젹(破敵)ᄒᆞ엿셔도 ᄉᆞ문(赦文)을 엇지 못ᄒᆞ○○[엿시]니, 엇지 대원슈 금닌을 밧ᄌᆞ오리오"

부원슈와 ᄉᆞ졸이 참모의 ᄯᅳᆺ이 이 ᄀᆞᆺ투믈 보고, ᄃᆞ시 셩피 ᄂᆞ리시믈 기ᄃᆞ리고 말을 아니터라.

윤참뫼 초일이야 비로소 경ᄉᆞ 소식과 됴보를 보매, 뎡·진 이부의셔 참화의 ᄲᅢ졋던 바를 경괴(驚怪)ᄒᆞ나, 필경이 무ᄉᆞᄒᆞ여 그 져져의 격고등문(擊鼓登聞)ᄒᆞᆫ 공으로ᄡᅥ 화를 도로혀 복을【40】 숨아시니, 다시 넘녀 업ᄉᆞᄃᆡ, 다만 흉쟝(胸臟)이 ᄶᅱ노ᄂᆞᆫ ᄃᆞᆺ 만심(滿心)이 ᄎᆞ악ᄒᆞᆫ 바는 타ᄉᆞ(他事) 아니라. 셰월 비영과 묘랑의 초ᄉᆞ로ᄡᅥ 조모와 슉모의 한 업ᄉᆞᆫ 과악(過惡)이 셰셰히 드러나믈 드르믹, 댱부의 쳘셕심쥼(鐵石心腸)과 틱산지줌(泰山之重)으로도 붓그럽고 ᄋᆡᄃᆞᆯ오미 낫출 ᄲᅡᆨ고ᄌᆞ 시븐지라. 긔운이 블평ᄒᆞ믈 닐ᄏᆞᆯ라 초일 셕식을 밧지 아니코, 일죽 누어 히음 업시 가변을 슬허 눈믈이 벼기의 젹시믈 면치 못ᄒᆞ고, 틱복과 군셕이 져쥬를 힝ᄒᆞ여, 조모와 슉뫼 참혹ᄒᆞᆫ 병인(病人)이 되여시믈 비영 등의 초ᄉᆞ(招辭)의 고ᄒᆞ여시니, 더옥 초조황민(焦燥惶憫)ᄒᆞ여, 즉금은 그 환휘 엇더ᄒᆞ시며 뉘 이셔 시탕(侍湯)을 ᄀᆞ음【41】 알니오 ᄒᆞ여, 쳔 가지 슬픔과 만 ᄀᆞ지 근심이 일신을 틱산으로 지즌570) ᄃᆞᆺᄒᆞ여, 능히 체읍ᄒᆞ믈 춤지 못ᄒᆞ니, 어느 결을의 뎡슉녈의 신누(身累) 버슴과 ᄌᆞ긔 형뎨 불효 죄루(罪累) 신빅ᄒᆞ신 은ᄉᆞ(恩赦)의 깃븐 의식 나리오. 죵야불믹(終夜不寐)ᄒᆞ고

590)디즐다 : 지지르다. 무거운 물건으로 내리누르다.

570)지즐다 : 지지르다. 무거운 물건으로 내리누르다.

이더니, 신됴의 댱원쉬 드러와 병을 뭇고 그 심ᄉᆞᆯ 디긔ᄒᆞ여 효의를 감탄ᄒᆞᄃᆡ, 그런 일을 알은 양ᄒᆞ여 외인의 니를 비 아닌 고로, 다만 니르ᄃᆡ,

"뉴시 댱샤왕의게 개뎍(改籍)ᄒᆞ여 사름의 ᄉᆡᆼ각디 못ᄒᆞᆯ 흉역을 도모ᄒᆞ미, 그 죄상이 만ᄉᆡ(萬死)라도 쇽디 못ᄒᆞᆯ디라. 임의 명공의 칼 아ᄅᆡ 그 머리를 버히미, 일노 조ᄎᆞ 뎡부인의 살인 누명이 거울ᄀᆞᆺ치 버셔디믈 아랏거니와, 그 젼의 경샤의셔 뎡부인 누명을 신셜(伸雪)ᄒᆞ여 【45】 이졔 텬ᄌᆞ 됴명을 ᄂᆞ리오샤 댱샤 일도(一道)591)의 두로 ᄎᆞᄌᆞ 만일 ᄉᆡᆼ존ᄒᆞ미 잇거든, 각읍이 그 ᄒᆡᆼᄎᆞ를 영숑(迎送)ᄒᆞ여 경샤가디 올나 오게 ᄒᆞ라 ᄒᆞ시니, 명공이 아니라도 각읍이 딘경(盡慶)ᄒᆞ여 뎡부인 거쳐를 듯보려니와, 댱군이 엇디 무심ᄒᆞ미 이 ᄀᆞᆺ트여 뎡부인 ᄉᆡᆼ존을 알녀 아니ᄒᆞᄂᆞ뇨?"

참뫼 댱탄(長歎) 왈,

"아등은 블효 죄인이라. 텬하(天下)의 무블시져부뫼(無不是底父母)592)어늘, 샤뎨 슉모를 감화치 못ᄒᆞ고, ᄉᆡᆼ이 ᄯᅩ흔 노년 조모를 디셩 효도치 못ᄒᆞ여 허다 변괴를 닐위니, 딘실노 ᄆᆞᆰ은 셰샹의 텬일을 니고 ᄂᆞ디 못ᄒᆞᆯ 붓그러오미라. 댱군은 쇼뎨 집으로 년혼디긔(連婚之家) ᄲᅢᆫ 아니라, 외【46】람이 아등을 디긔(知己)로 허ᄒᆞ믈 닙어 금난디괴(金蘭之交)593) 잇ᄂᆞᆫ《다‖지라》. 쇼뎨 등의 블초 무상ᄒᆞᆷ믈 모로디 아니ᄂᆞ니, 이러므로 쇼뎨 심곡의 ᄉᆞ졍을 고ᄒᆞᄂᆞᆫ 비라. 쇼뎨 조뫼 혹ᄌᆞ 목강(穆姜)594)의 인ᄌᆞ흔 덕이 잇디 아니실디라도, 아등이 현효(賢孝)ᄒᆞ면 어이 가변이 그디뎡의 밋ᄎᆞ리오. 도시 쇼뎨

누쉬 벼기의 괴이더니, 신됴의 댱원쉬 드러와 병을 뭇고 그 심ᄉᆞᆯ 지긔ᄒᆞ여 효의를 감탄ᄒᆞᄃᆡ, 그런 일을 아란 냥ᄒᆞ여 외인을 ᄃᆡᄒᆞ여 니를 말이 안닌 고로, 다만 니르ᄃᆡ,

"뉴시 댱ᄉᆞ왕의게 개젹ᄒᆞ여 ᄉᆞ람의 ᄉᆡᆼ각지 못ᄒᆞᆯ 흉역을 도모ᄒᆞ미, 그 죄 만ᄉᆞ유경(萬死猶輕)이라. 님의 명공의 칼 아ᄅᆡ 그 머리를 버히미, 일노 조ᄎᆞ 뎡부인의 살인 누명이 거울ᄀᆞᆺ치 버셔지믈 아랏거니와, 그 젼【42】의 경ᄉᆞ의셔 뎡부인 누명을 신셜ᄒᆞ여, 이졔 텬ᄌᆞ 됴명을 ᄂᆞ리오샤 댱ᄉᆞ 일도(一道)571)의 두로 ᄎᆞ져 만닐 ᄉᆡᆼ존ᄒᆞ미 잇거든, 각읍이 그 ᄒᆡᆼᄎᆞ를 녕숑(迎送)ᄒᆞ여 경ᄉᆞ가지 올나 오게 ᄒᆞ라 ᄒᆞ시니, 명공이 아니라도 각읍이 진경(盡慶)ᄒᆞ여 뎡부인 거쳐를 듯보려니와, 댱군이 엇지 무심ᄒᆞ미 이 ᄀᆞᆺ트여 뎡부인 ᄉᆡᆼ존을 알녀 아니ᄒᆞᄂᆞ뇨?"

참뫼 장탄(長歎) 왈,

"아등은 불효 죄인이라. 텬하(天下)의 무블시져부뫼(無不是底父母)572)어늘, ᄉᆞ뎨 슉모를 감화치 못ᄒᆞ고, ᄉᆡᆼ이 ᄯᅩ흔 노년 조모를 지셩 효도치 못ᄒᆞ여 허다 변괴를 닐위니, 진실노 ᄆᆞᆰ은 셰샹의 텬일을 니고 나지 못ᄒᆞᆯ 붓그러오미라. 댱군은 쇼뎨 집으로 년혼지걜(連婚之家) ᄲᅢᆫ 아니라, 외람이 아등을 지【43】긔(知己)로 허ᄒᆞ믈 닙어 '금난(金蘭)에 괴(交)'573) 잇ᄂᆞᆫ지라. 쇼뎨 등의 불초 무상ᄒᆞᆷ믈 모ᄅᆞ지 아니ᄂᆞ니, 니러므로 쇼뎨 심곡의 ᄉᆞ졍을 고ᄒᆞᄂᆞᆫ 비라. 쇼뎨 조뫼 혹ᄌᆞ 목강(穆姜)574)의 인ᄌᆞ흔 덕이 아니 계실지라도, 아등이 현효ᄒᆞ면 어이 가변이 그 지경의 밋ᄎᆞ리오. 도시 쇼뎨 등의 무상ᄒᆞ미

---

591)일도(一道) : 행정 구역의 하나인 도(道)의 전부.
592)텬하(天下) 무블시져부뫼(無不是底父母) : 천하에 옳지 않은 부모는 없다. 『小學』〈嘉言〉편에 나오는 말.
593)금난디괴(金蘭之交) : 친구 사이의 매우 두터운 정을 이르는 말.
594)목강(穆姜) : 중국 진(晉)나라 정문구(程文矩)의 아내. 성은 이(李)씨, 자(字)는 목강(穆姜). 전처 소생의 네 아들을 자신이 낳은 두 아들보다 더 사랑하여 훌륭하게 키웠다.

571)일도(一道) : 행정 구역의 하나인 도(道)의 전부.
572)텬하(天下) 무블시져부뫼(無不是底父母) : 천하에 옳지 않은 부모는 없다. 『小學』〈嘉言〉편에 나오는 말.
573)금난지괴(金蘭之交) : 친구 사이의 매우 두터운 정을 이르는 말.
574)목강(穆姜) : 중국 진(晉)나라 정문구(程文矩)의 아내. 성은 이(李)씨, 자(字)는 목강(穆姜). 전처 소생의 네 아들을 자신이 낳은 두 아들보다 더 사랑하여 훌륭하게 키웠다.

등의 무상ᄒᆞ미어늘 셰샹이 간샤(奸邪)ᄒᆞ여, 일이 되여ᄀᆞᄆᆞᆯ 보아 형셰 구든 ᄌᆞ를 븟들고 잔폐ᄒᆞᆫ ᄌᆞ를 더옥 히ᄒᆞᄂᆞᆫ디라. 만일 블측ᄒᆞᆫ 비비(婢輩)의 무복(誣服)을 실히와, 조모와 슉모로뼈 간험ᄒᆞᆫ 곳의 밀위여, 집의 편히 머므디 못ᄒᆞ게 ᄒᆞᄂᆞᆫ 일이 이신즉, 이ᄂᆞᆫ 아등이 조모【47】를 히ᄒᆞᄂᆞᆫ 작시라. 그 ᄉᆞ이 ᄉᆞ긔 아모리 될 줄 모로고, 텬문의 결ᄉᆞ(決事)를 치 아디 못ᄒᆞ니, 이 심ᄉᆞ를 어이 비ᄒᆞᆯ ᄃᆡ 이시리오."

언파의 상연(傷然) 타루(墮淚)ᄒᆞᄆᆞᆯ 마디 아니니, 댱원쉬 위ᄒᆞ여 츄연ᄒᆞᄆᆞᆯ 니긔디 못ᄒᆞ여, 낫빗츨 곳치고 츌텬대효를 탄복ᄒᆞ여, 위로 왈,

"형등의 탈쇽디ᄒᆡᆼ(脫俗之行)과 츌텬디효(出天之孝)ᄂᆞᆫ 하날이 감동ᄒᆞᆯ 비라. 어이 가변을 딘뎡치 못ᄒᆞᆯ가 근심ᄒᆞ리오. 형의 집 비ᄌᆞ의 초ᄉᆡ 비록 녕존당 태부인과 뉴부인긔 유히ᄒᆞ나, 셰샹이 형과 ᄉᆞ빈의 츌텬대효를 아ᄂᆞᆫ 비라. 결단ᄒᆞ여 무샹ᄒᆞᆫ 비ᄌᆞ의 초ᄉᆞ를 실히와 태부인【48】과 뉴부인을 조곰도 히코져 아니리니, 형은 훤츌ᄒᆞᆫ595) 대댱뷔라 쇼쇼 곡졀을 다 싱각ᄒᆞ여 셜셜(屑屑)이596) ᄉᆞ러 말나."

참뫼 톄읍 브답이러니, 님셩각이 월산셩의 갓다가 도라와 참모의 ᄉᆞ러 ᄒᆞᄆᆞᆯ 보고, ᄀᆞ마니 댱원슈ᄃᆞ려 므러 경샤 쇼식을 알고, 비록 참모의 통졀ᄒᆞᄆᆞᆯ 민망이 너기나, 그 블효 누얼(陋孼)을 쾌히 신빅ᄒᆞᄆᆞᆯ 영ᄒᆡᆼᄒᆞ여 ᄒᆞ더라.

첩음(捷音)을 보ᄒᆞ라 갓던 사ᄅᆞᆷ이 쥬야를 혜디 아냐 쵹ᄒᆡᆼ(促行)ᄒᆞ여, 윤참뫼 홍덕을 탕멸ᄒᆞ여, 빅셩을 덕화로 교유ᄒᆞ여 남퇴(南土) 크게 딘뎡ᄒᆞᄆᆞᆯ 쥬ᄒᆞ니, 샹이 대열ᄒᆞ샤 금ᄌᆞ 어필(金字御筆)노 됴셔를 나【49】리오샤, 윤원슈의 직덕을 크게 칭찬ᄒᆞ시고, 인심을 딘뎡ᄒᆞᆫ 후 밧비 도라오믈 지쵹ᄒᆞ시며, '뎡슉녈의 거쳐를 ᄎᆞ즈 원슈 회군디시(回軍

어늘 셰샹이 간ᄉᆞ(奸邪)ᄒᆞ여, 일이 되여가믈 보아 형셰 구든 ᄌᆞ를 븟들고, 잔폐ᄒᆞᆫ ᄌᆞ를 더욱 히ᄒᆞᄂᆞᆫ지라. 만닐 불측ᄒᆞᆫ 비비(婢輩)의 무복(誣服)을 실히와, 조모와 슉모로뼈 간험ᄒᆞᆫ 곳의 닐위여, 집의 편히 머므지 못ᄒᆞ게 ᄒᆞᄂᆞᆫ 일이 이신즉, 이ᄂᆞᆫ 아등이 조모를 히ᄒᆞᄂᆞᆫ 쌕시라. 그 ᄉᆞ이 ᄉᆞ긔 아모리 될 줄 모로고, 텬문의 결ᄉᆞ(決事)를 치 아지 못ᄒᆞ니, 이 심ᄉᆞ를【44】 어이 비ᄒᆞᆯ ᄃᆡ 이시리오"

언파의 상연(傷然) 타루(墮淚)ᄒᆞᄆᆞᆯ 마지 아니니, 댱원쉬 위ᄒᆞ여 츄연ᄒᆞᄆᆞᆯ 마지 아녀, 낫빗츨 곳치고 츌텬디효를 탄복ᄒᆞ여, 위로 왈,

"형등의 탈쇽지ᄒᆡᆼ(脫俗之行)과 츌텬지효(出天之孝)ᄂᆞᆫ 하늘이 감동ᄒᆞᆯ 비라. 어이 가변을 진졍치 못ᄒᆞᆯ가 근심ᄒᆞ리오. 형의 집 비ᄌᆞ의 초ᄉᆡ 비록 녕존당 틱부인과 뉴부인게 유히ᄒᆞ나, 셰샹이 형과 ᄉᆞ빈의 츌텬대효를 아ᄂᆞᆫ 비라. 결단ᄒᆞ여 무샹ᄒᆞᆫ 비ᄌᆞ의 초ᄉᆞ를 실히와 틱부인과 뉴부인을 조곰도 히코ᄌᆞ 아니리니, 형은 훤츌ᄒᆞᆫ575) 대댱뷔라 쇼쇼 곡졀을 다 싱각ᄒᆞ여 셜셜(屑屑)이576) ᄉᆞ러 말나."

참뫼 쳬읍 부딕(不對)러니, 님셩각이 월산셩【45】의 갓ᄃᆞ가 도라와 참모의 ᄉᆞ러 ᄒᆞᄆᆞᆯ 보고, 가마니 댱원슈ᄃᆞ려 무러 경ᄉᆞ 쇼식을 알고, 비록 참모의 통졀ᄒᆞᄆᆞᆯ 민망이 너기나, 그 불효 누얼(陋孼)을 쾌히 신빅ᄒᆞᄆᆞᆯ 녕ᄒᆡᆼᄒᆞ여 ᄒᆞ더라.

첩음(捷音)을 보ᄒᆞ라 갓던 ᄉᆞ람이 쥬야를 혜지 아냐 급ᄒᆡᆼ(急行)ᄒᆞ여, 윤참뫼 홍젹을 《탈멸‖탕멸》ᄒᆞ여, 빅셩을 덕화로 교유ᄒᆞ여 남퇴(南土) 크게 진졍ᄒᆞᄆᆞᆯ 쥬ᄒᆞ니, 샹이 대열ᄒᆞ샤 금ᄌᆞ어필(金字御筆)노 즉셔(卽書)를 ᄂᆞ리오샤, 윤원슈의 직덕을 크게 칭찬ᄒᆞ시고 인심을 진졍ᄒᆞᆫ 후 밧비 도라오믈 지쵹ᄒᆞ시며, '뎡슉녈의 거쳐를 ᄎᆞ져 원슈 회군지

---

595) 훤츌ᄒᆞ다 : 훤칠하다. 성질이나 일 처리가 반듯하고 야무지다.
596) 셜셜(屑屑)이 : 자잘하게, 구구하게.

575) 훤츌ᄒᆞ다 : 훤칠하다. 성질이나 일 처리가 반듯하고 야무지다.
576) 셜셜(屑屑)이 : 자잘하게, 구구하게.

之時)의 흔가디로 오딕, 각읍이 그 부부의 힝츠를 영송(迎送)흐여 도로의 광치를 뵈라.' 흐시고, 뉴녀의 죄상이 텬디의 관영(貫盈)흐여 흔 번 죽으미 그 죄를 쇽디 못흐믈 니르시며, 윤원슈긔 상댱(上將) 복식을 보닉시며, '처음 손원슈 가졋던 청농검(靑龍劍)을 츠즈, 부원슈 이하의 위령즈를 션참후계(先斬後啓) 흐라.' 흐시고, '님셩각의 공뇌 듕흐므로써 회군디시의 디휘스(指揮使)를 삼앗다가, 황셩의 올나와 다시 【50】 샹작을 밧게 흐라.' 흐시고, 황야의 쥐여 계시던 즈금션의 옥션츄를 달닌 지[597] 보닉샤, '윤원슈를 쥐라.' 흐시며, 손확은 용병을 그릇흐여 패군댱이 될 쁜 아니라, 초의 윤원슈를 죄의 모라 너허 죽이려 흐던 용심이 극악흐니, 맛당이 그 곳의셔 쳐참 효시홀 거시로딕, 윤원슈의 현심으로써 당샤의셔 죽이믈 츄연하여 홀 거시니, '함거의 시러 와 텬문의 죄를 온젼케 흐{리}라.' 흐시고, 참모를 구흐여 갓던 도스를 츠즈 국가 쥬셕(柱石) 고굉디신(股肱之臣)을 술온 공을 갑게, '셩명을 아라 드리라.' 흐여 계시니, 댱샤 군졸이 즐기지 아【51】니 리 업고, 부원슈와 님셩각이 샹댱(上將) 복식과 금인을 밧드러, 흠긔 참모의 닙기를 쳥흐니, 참뫼 샤양흐미 가치 아녀, 브득이 샹〇[댱] 융복을 ᄀᆞ초고 대원슈 금인을 요하의 츠미, 부원쉬 지비흐니, 부당이 샹댱긔 뵈는 녜를 츌히고, 스졸이 흔흔 대열흐여 셔로 니르딕,

"이졔야 우리 쥬공의 벼슬이 지덕의 츠다."

흐여, 쾌활흐믈 마디 아니터라.

윤원쉬 임의 남토를 딘뎡흐미 오릭 머믈 일이 업셔 슈히 도라가려 홀식, 조모와 슉모의 환후를 넘녀흐여 몸이 당샤의 이시나 ᄆᆞ음인즉 경샤의 다 가, 일시나 류흐미 졀박흔디라. 밧비 회군홀 날을 【52】 굴히여, 계오 십여 일이 격흐미, 화부의 가 흔 번 화공을 보고 쏘 뎡슉녈을 보아 도라가믈 지

─────────

597)지 : 채. 이미 있는 상태 그대로 있다는 뜻을 나타내는 말.

시(回軍之時)의 흔가지로 오딕, 각읍이 그 부부의 힝츠를 녕송(迎送)흐여 도로의 광치 【46】 를 뵈라' 흐시고, 뉴녀의 죄상이 텬디의 관영(貫盈)흐여 흔 번 죽으미 그 죄를 쇽지 못흐믈 니르시며, 윤원슈게 상장(上將) 복식을 보닉시며, 처음 '손원슈 가졋던 청농검(靑龍劍)을 츠쳐 부원슈 이하의 위령즈를 션참후계(先斬後啓) 흐라' 흐시고, '님셩각의 공뇌 즁흐므로써 회군지시의 지휘스(指揮使)를 슴앗ᄃᆞ가, 황셩의 올나와 ᄃᆞ시 상작을 밧게 흐라.' 흐시고, 황야의 쥐시던 즈금션의 옥션초를 돌닌 지[577] 보닉스, 윤원슈를 쥐라 흐시며, 손확은 용병을 그릇흐여 픽군당이 될 쁜 아니라, 초의 윤원슈를 죄의 모라 너허 죽이려 흐던 용심이 극악흐니, 맛당이 그 곳의셔 쳐참 효시홀 거시로딕, 윤원슈의 【47】 현심으로써 당스의셔 죽이믈 츄연하여 홀 거시니, '함거의 시러 와 텬문의 죄를 논졍(論定)케 흐{리}라 흐시고, 참모를 구흐여 갓던 도스를 츠쳐 국가 괴공지신(股肱之臣)을 술온 공을 갑게, '셩명을 아라 드리라' 흐여 계시니, 당스 군졸이 즐기지 아니리 업고, 부원슈와 님셩각이 상장 복식과 금닌을 밧드러 흠게 참모의 닙기를 쳥흐니, 참뫼 스양흐미 가치 아녀 부득이 상당 《윤복∥융복》을 ᄀᆞ초고 대원슈 금닌을 요하의 빗기 츠미, 부원쉬 지비흐니 부장이 상당긔 뵈는 녜를 츌히고, 스졸이 흔흔 디열흐여 셔로 닐으딕,

"이졔야 우리 쥬공의 벼슬이 덕(德)의 츠다."

흐여, 쾌활흐믈 마지 아【48】 니터라.

윤원쉬 임의 남토를 진졍흐미 오릭 머믈 일이 업셔 슈히 도라가려 홀식, 조모와 슉모의 환후룰 넘녀흐여 몸이 당스의 이시나 ᄆᆞ음인즉 경스의 이시니, 일시 지류흐미 졀박흔지라. 밧비 회군홀 날을 굴히여 계오 십여 일이 격흐미, 화부의 가 화공을 흔 번 보고, 쏘 뎡슉녈을 보아 도라가믈 지촉흐고

─────────

577)지 : 채. 이미 있는 상태 그대로 있다는 뜻을 나타내는 말.

ᄎᆞᆨᄒᆞ고, 셩은의 과도ᄒᆞ시믈 젼코져 ᄒᆞᆯᄉᆡ, 운봉관의셔 화뷔 슈삼일졍(數三日程)되니, 화부로 가ᄂᆞᆫ 길ᄒᆡ 월츌산이란 뫼히 이시ᄃᆡ, 산형이 슈려하고 풍경이 졀승타 ᄒᆞᄂᆞᆫ디라. 원쉬 잠간 월츌산 경치를 유완코져 ᄒᆞ여 위의를 다 ᄯᅥᆯ치고, 유ᄉᆡᆼ의 복ᄉᆡᆨ으로 두어 셔동을 다리고 일필 쳥녀를 빗기 모라 월츌산으로 향ᄒᆞᆯᄉᆡ, 님셩각다려 왈,

"내 화평당을 잠간 가 보고 가려 ᄒᆞᄂᆞ니, 가ᄂᆞᆫ 길ᄒᆡ 월츌산 풍경이 긔특다 ᄒᆞ니, ᄒᆞᆫ 번 유완ᄒᆞ여 쳐황ᄒᆞᆫ 심ᄉᆞ를 붓치【53】고져 ᄒᆞᄂᆞ니, 그ᄃᆡᄂᆞᆫ 모로미 뒤흘 조ᄎᆞ 오라."

셩각이 ᄃᆡ왈,

"쇼ᄉᆡᆼ은 봉계셩의 잠간 단녀, 원슈 뒤흘 조ᄎᆞ 반일을 ᄉᆞ이 ᄯᅴ여 가리니, 원슈ᄂᆞᆫ 몬져 ᄒᆡᆼᄒᆞ쇼셔."

원쉬 즉시 쳥녀를 ᄎᆡ쳐, 냥 셔동을 다리고 쇽ᄒᆡᆼ(速行)ᄒᆞ여 월츌산으로 나아가ᄆᆡ, 과연 산형이 ᄲᅢ혀나고 긔이ᄒᆞ여, 화목숑듁(花木松竹)과 긔화이최(奇花異草) 이셔, 은연ᄒᆞᆫ 향ᄂᆡ 옹비(擁鼻)[598]ᄒᆞᄂᆞᆫ디라. 원쉬 쳥녀의 나려 고봉 산노를 거러 올나갈ᄉᆡ, 뎨일봉 남녁ᄒᆡ 큰 바회 평상(平床) ᄀᆞᆺ고, 완연ᄒᆞᆫ 셕침(石枕)이 이셔 사ᄅᆞᆷ이 누어 쉴 곳이오, ᄯᅩ 북녁 숑하(松下)의 ᄇᆡᆨ옥 ᄀᆞᆺᄐᆞᆫ 바회 이셔, 집ᄎᆡ만ᄒᆞᆫ 바회 우ᄒᆡ ᄒᆞᆫ 사ᄅᆞᆷ이 옷술 것고로【54】닙고, 다리를 거두츄고[599] 솔가디를 썩거 뒤뭉쳐 벼개를 삼아 누어시니, 그 거동이 누연(陋然)ᄒᆞ여[600] 걸인 ᄀᆞᆺ고, 그 바회 험악ᄒᆞ여 남녁 바회와 ᄂᆡ도ᄒᆞ여, 사ᄅᆞᆷ이 누어시ᄃᆡ 견시ᄌᆞ(見視者)로 ᄒᆞ여곰 심히 괴롭고 편치 아냐 뵈ᄃᆡ, 기인이 괴로온 줄 모로고 코노ᄅᆡ를 간간이 브르며, ᄉᆞ이ᄉᆞ이 옷술 훔쳐 긔슬(蟣虱)[601]을 잡아 죽이고, ᄌᆞ로 머리를 긁젹여 주을든[602] 형상이 심ᄒᆞ더니, 이윽ᄒᆞ여 잠을 깁히 드ᄂᆞᆫ ᄃᆞᆺ ᄒᆞᆫ디라. 두

598)옹비(擁鼻) : 향기 따위가 물씬 코를 찌름.
599)거두츄다 : 거두추다. 걷어들다. 추켜들다.
600)누연(陋然)ᄒᆞ다 : 더럽다.
601)긔슬(蟣虱) : 서캐와 이를 아울러 이르는 말.
602)주을들다 : 잔병이 많아 잘 자라지 못하거나 주접 들다.

셩은의 과도ᄒᆞ시믈 젼코ᄌᆞ ᄒᆞᆯᄉᆡ, 운봉관의셔 화뷔 슈ᄉᆞᆷ일졍(數三日程)되니, 화부로 가ᄂᆞᆫ 길ᄒᆡ 월츌산이란 뫼히 이시ᄃᆡ, 산형이 슈려하고 풍경이 졀승타 ᄒᆞᄂᆞᆫ지라. 원쉬 ᄌᆞᆷ간 월츌산 경치를 유완코ᄌᆞ ᄒᆞ여 위의를 다 ᄯᅥᆯ치고, 유ᄉᆡᆼ의 복ᄉᆡᆨ【49】으로 두어 셔동을 ᄃᆞ리고 일필 쳥녀를 빗기 모라 월츌산으로 향ᄒᆞᆯᄉᆡ, 님셩각ᄃᆞ려 왈,

"내 화평장을 ᄌᆞᆷ간 가 보고 가려 ᄒᆞᄂᆞ니, 가ᄂᆞᆫ 길ᄒᆡ 월츌산 풍경이 긔특다 ᄒᆞ니, ᄒᆞᆫ 번 뉴완ᄒᆞ여 쳐황ᄒᆞᆫ 심ᄉᆞ를 붓치고ᄌᆞ ᄒᆞᄂᆞ니, 그ᄃᆡᄂᆞᆫ 모로미 뒤흘 조ᄎᆞ 오라"

셩각이 ᄃᆡ○[왈],

"쇼ᄉᆡᆼ은 봉계산의 ᄌᆞᆷ간 ᄃᆞᆫ녀 원슈 뒤흘 조ᄎᆞ 반일을 ᄉᆞ이 ᄯᅴ여 가리니, 원슈ᄂᆞᆫ 몬져 ᄒᆡᆼᄒᆞ쇼셔."

원쉬 즉시 쳥녀(靑驢)를 ᄎᆡ쳐 냥 셔동을 ᄃᆞ리고 쇽ᄒᆡᆼ(速行)ᄒᆞ여 월츌산으로 나아가ᄆᆡ, 과연 산형이 슈려ᄒᆞ고 긔이ᄒᆞ여 화목숑쥭(花木松竹)과 긔화이최(奇花異草), 은연ᄒᆞᆫ 향ᄂᆡ 옹비(擁鼻)[578]ᄒᆞᄂᆞᆫ지라. 원쉬 쳥녀의 ᄂᆞ려 고봉 산노를 거러 올나갈ᄉᆡ, 뎨일봉 남녁희【50】 큰 바회 평상(平床) ᄀᆞᆺ고 완연ᄒᆞᆫ 셕침(石枕)이 이셔 ᄉᆞ람이 누어 쉬ᄂᆞᆫ 곳이오, ᄯᅩ 북녁 숑하(松下)의 ᄇᆡᆨ옥 ᄀᆞᆺᄐᆞᆫ 바회 이셔, 집ᄎᆡ만ᄒᆞᆫ 바회 우ᄒᆡ ᄒᆞᆫ ᄉᆞ람이 옷술 것고로 닙고, ᄃᆞ리를 거두추고[579] 솔가지를 썩거 뒤뭉쳐 벼ᄀᆡ를 ᄉᆞᆷ아 누어시니, 그 거동이 누연(陋然)ᄒᆞ여[580] 걸인 ᄀᆞᆺ고, 그 바회 험악ᄒᆞ여 남녁 바회와 ᄂᆡ도ᄒᆞ여 ᄉᆞ람이 누어시ᄃᆡ, 견시ᄌᆞ(見視者)로 ᄒᆞ여곰 심히 괴롭고 편치 아냐 뵈ᄃᆡ, 기인이 괴로온 줄 모로고 코노ᄅᆡ를 간간이 불며, ᄉᆞ이 ᄉᆞ이 옷술 훔쳐 긔슬(蟣虱)[581]을 ᄌᆞᆸ아 죽이고, ᄌᆞ로 머리를 긁젹여 조을든[582] 형상이 심ᄒᆞ더니, 니윽ᄒᆞ여 ᄌᆞᆷ을 깁히 드ᄂᆞᆫ ᄃᆞᆺ ᄒᆞᆫ

578)옹비(擁鼻) : 향기 따위가 물씬 코를 찌름.
579)거두추다 : 걷어들다. 추켜들다.
580)누연(陋然)ᄒᆞ다 : 더럽다.
581)긔슬(蟣虱) : 서캐와 이를 아울러 이르는 말.
582)조을들다 : 잔병이 많아 잘 자라지 못하거나 주접 들다.

셔동이 바라보고 그 누악(陋惡)혼 형상을 대쇼흐거늘, 원쉬 긔구(崎嶇)혼 바회 우히셔 셰류(細柳) 가디를 베고, 잠을 닉이 드는 줄 이상이 넉여, 겻틱 나아가 즈시 보미 긔인이 낫 우히 더【55】러온 즌흙으로 거머케 칠흐고, 발발창창(--蒼蒼)혼603) 누덕이를 것구로 닙어시나, 그 용모와 모양이 아모리 보아도 딘셰인(塵世人)과 굿디 아냐 크게 비상흐딕, 헌 옷술 닙고 긔슬이 편만(遍滿)흐여 낫 우히 긔여 오로는디라. 원쉬 나아가 안즈 그 낫치 오로는 긔슬 스오십 개를 잡아 짜히 더디고, 그 씨기를 기다리더니, 이윽고 즈던 사룸이 씨여 눈을 써 보다가, 원쉬 겻틱 안즈 낫치 긔는 긔슬을 잡아 바리믈 알고, 믄득 발연(勃然) 대로(大怒)흐여 몸을 뒤틀며 듕어려 쑤디즈딕,

"나는 잠잘 졔 아모나 겻틱 와 집달흔604) 즉, 본딕 화즁 나 못 견딕거늘, 엇던 못 삼긴 즈식이 와셔 날【56】을 졔 아비라 흐고, 즈는 겻틱 와 어리게 낫출 만디는다? 사룸이 오리 스니 방귀삐605) 굿튼 거동도 보리로다. 원쉬 그 쑤딧는 말이 이 굿투디 조곰도 노(怒)치 아니코 반두시 이인(異人)이믈 씨두라, 그 누은 알패 공슌히 네흐고 골오딕,

"쇽직(俗子) 용우흐여 눈이 이셔도 태산을 아라보디 못흐엿는디라. 션싱 면모의 누슬(陋蝨)606)이 침노흐믈 보고, 망녕도이 슉침하시는 바의 나아와 긔슬(蟣蝨)을 잡아 업시 흐미 그릇흐엿거니와, 션싱이 쇼년을 만나 어디리 굴르치디 아니시고, 엇디 이딕

603)발발창창(--蒼蒼)흐다 : '발발흐다'와 '창창(蒼蒼) 흐다'를 합친 말. 옷 따위가 심히 낡아 갈기갈기 찢겨지고 거무튀튀하여 더럽다. *발발흐다; 헝겊 따위가 삭아 손대기가 무섭게 절로 찢어지다. *창창(蒼蒼)흐다; 빛이 어둑하다. 거무튀튀하다.
604)집달흐다 : '집다'와 '달흐다'가 합친말. 몸에 손을 대고 부드럽게 어루만지다. *집다; 손으로 이마나 머리 따위를 가볍게 눌러 대다. *달흐다; 다루다. 매만지다. 부드럽게 어루만지다.
605) 방귀삐 : 방귀와 똥을 함께 이르는 말로, 더러운 행동이나 물건을 낮잡아 일컫는 말. *삐; 찌. 어린아이의 말로, '똥'을 이르는 말.
606)누슬(陋蝨) : 더러운 이(蝨).

지라. 두 셔동이 바라보고 그 누악(陋惡)흔 형상을 딕쇼흐거늘,【51】 원쉬 긔구(崎嶇)흔 바회 우히셔 셰류(細柳) 가지를 《메고∥베고》 줌을 닉게 드는 줄 이상이 넉여, 겻틱 느아가 즈시 보믹 긔인이 낫 우히 더러온 즌흙으로 거머케 칠흐고, 발발창창(--蒼蒼)흔583) 누덕이를 것구로 닙어시나, 그 용모 모양이 아모리 보아도 셰상 사룸과 굿지 아녀 크게 비상흐딕, 헌 옷술 닙고 긔슬이 편만(遍滿)흐여 낫구지 긔어 오로는지라. 원쉬 느아가 안즈 그 낫치 오로는 긔슬 스오십 기를 줍아 짜히 더지고, 그 씨기를 기드리더니, 이윽고 즈던 스람이 씨여 눈을 써 보다구, 원쉬 겻틱 안즈 낫치 긔는 긔슬을 줍아 바리믈 알고, 믄득 발연(勃然) 딕로(大怒)흐여, 몸을 뒤틀며 줌어려 쑤지즈딕,

"나는 줌잘 졔 아모나 겻히 와 집달흔 즉584), 본【52】딕 화즁 나 못 견딕거늘 엇던 못 슴긴 즈식이 와셔 날을 졔 아비라 흐고, 즈는 겻틱 와 어리게 낫출 만지는가? 스람이 오릭 스니 방귀삐585) 굿튼 거동도 보리로다. 원쉬 그 쑤짓는 말이 이 굿투딕 조곰도 노(怒)치 아니코, 반두시 이인(異人)이믈 씨두라, 그 누은 알픽 느아구 공슌히 네흐고 굴오딕,

"쇽직(俗子) 용우흐여 눈이 이셔도 태산을 아라보지 못흐엿는지라. 션싱 면모의 누슬(陋蝨)586)이 침노흐믈 보고 망녕도이 슉침하시는 바의 나아와 긔슬(蟣蝨)을 줍아 업시 흐미 그릇흐엿거니와, 션싱이 쇼년을 만나 어지리 굴르치 아니흐고, 엇지 이딕도

583)발발창창(--蒼蒼)흐다 : '발발흐다'와 '창창(蒼蒼) 흐다'를 합친 말. 옷 따위가 심히 낡아 갈기갈기 찢겨지고 거무튀튀하여 더럽다. *발발흐다; 헝겊 따위가 삭아 손대기가 무섭게 절로 찢어지다. *창창(蒼蒼)흐다; 빛이 어둑하다. 거무튀튀하다.
584)집달흐다 : '집다'와 '달흐다'가 합쳐진 말. 몸에 손을 대고 부드럽게 어루만지다. *집다; 손으로 이마나 머리 따위를 가볍게 눌러 대다. *달흐다; 다루다. 매만지다. 부드럽게 어루만지다.
585) 방귀삐 : 방귀와 똥을 함께 이르는 말로, 더러운 행동이나 물건을 낮잡아 일컫는 말. *삐; 찌. 어린아이의 말로, '똥'을 이르는 말.
586)누슬(陋蝨) : 더러운 이(蝨).

도록 칙ᄒᆞ시ᄂᆞ뇨?"

기인이 눈을 도로혀 ᄀᆞᆷ고 ᄀᆞᆯ오ᄃᆡ,

"어리고 《반짓반것 ‖ 반짓반짓607)》도 삼겻도다. 내 널노 더브러 일면디분(一面之分)이 업거ᄂᆞᆯ, 뉘【57】셔 압히 와 졀ᄒᆞ라 ᄒᆞ관ᄃᆡ, 브졀 업ᄉᆞᆫ 녜ᄇᆡ(禮拜)를 슈고로이 ᄒᆞ며, 므어ᄉᆞᆯ 어디리 가ᄅᆞ치라 ᄒᆞᄂᆞ뇨? 셰인(世人)이 져마다 부훈모교(父訓母敎)를 드러 ᄌᆞ라ᄂᆞ니, 너ᄂᆞᆫ 여뷔 ○○○[어ᄃᆡ로] ᄧᅩᆺ겨가 죽엇관ᄃᆡ 날을 네 아비라 ᄒᆞ고 너를 가ᄅᆞ치라 ᄒᆞᄂᆞᆫ다?"

원쉬 그 욕셜이 참혹ᄒᆞ믈 듯고, 탄왈,

"쇼ᄉᆡᆼ이 존젼의 당돌이 나아오기를 그릇ᄒᆞ여시나, 엇디 션ᄉᆡᆼ이 사ᄅᆞᆷ의 부모를 드노화 즐욕ᄒᆞ기를 이ᄀᆞᆺ치 ᄒᆞᄂᆞ뇨?"

기인이 홀연 대쇼 왈,

"너ᄂᆞᆫ 네 아비 듕ᄒᆞᆫ 줄 알관ᄃᆡ, 거친 즐욕ᄒᆞ믈 슬히 넉이ᄂᆞᆫ다? 원간 네 뉘 ᄌᆞ식이며 네 아비 ᄉᆞ랏ᄂᆞ냐?"

원쉬 그 말이 ᄒᆡ괴ᄒᆞ믈 한심ᄒᆞᄃᆡ,【58】결단ᄒᆞ여 범범(凡凡) 쇽인이 아니믈 알고, 고개를 숙이고 다시 말을 아니니, 기인이 니러 안ᄌᆞ며 문왈,

"내 앗가 네 아비 유무를 므럿거ᄂᆞᆯ 엇디 답디 아닛ᄂᆞ뇨? 원간 너ᄂᆞᆫ 아비를 모로ᄂᆞᆫ 거ᄉᆞ로 부ᄌᆞ텬뉸을 뎡치 못ᄒᆞ엿ᄂᆞᆫ다? 그러커든 날노ᄡᅧ 호부ᄒᆞ여라."

원쉬 하 어히업셔 날호여 ᄀᆞᆯ오ᄃᆡ,

"만히 취ᄒᆞ여 계시니 술이 ᄭᆡ시거든 말ᄒᆞ샤이다."

기인이 귀 먹은 쳬ᄒᆞ고 ᄀᆞᆯ오ᄃᆡ,

"날다려 술 ᄭᆡ거든 아비로 말ᄒᆞ마 ᄒᆞ니, 텬하의 아비 못 어더 궁극ᄒᆞᆫ 인ᄉᆡᆼ도 잇도다. 나ᄂᆞᆫ 가난ᄒᆞ고 쥬을드러608), 비록 내 ᄌᆞ식이 잇다 닐너도 부ᄌᆞ의 졍을 펼 길히【59】업ᄉᆞ니, 네 날다려 아비라 말고, 당샤 부요디지(富饒之地)의 부요ᄒᆞᆫ 집이 만흐

607)반짓반짓 : 반질반질. 빤질빤질. 성품이 매우 빤빤스럽고 유들유들한 모양.

608)쥬을들다 : 주을 들다. 주접들다. 잔병이 많아 잘 자라지 못하거나, 옷차림이나 몸치레가 초라하고 너절하다.

록 칙ᄒᆞ시ᄂᆞ뇨?"

기인이 눈을 도로혀 ᄀᆞᆷ고 ᄀᆞᆯ오ᄃᆡ,

"어리고 《반지바른 것 ‖ 반짓반짓587)》도 ᄉᆞᆷ겻도다.【53】내 널노 더브러 일면지분(一面之分)이 업거ᄂᆞᆯ, 뉘셔 압히와 졀ᄒᆞ라 ᄒᆞ관ᄃᆡ, 브졀 업ᄉᆞᆫ 녜ᄇᆡ(禮拜)를 슈고로이 ᄒᆞ며, 므어ᄉᆞᆯ 어지리 ᄀᆞᄅᆞ치라 ᄒᆞᄂᆞ뇨? 셰인(世人)이 져마다 부훈모교(父訓母敎)를 드러 ᄌᆞ랏ᄂᆞ니, 너ᄂᆞᆫ 여뷔 어ᄃᆡ로 ᄧᅩ겨가 죽엇관ᄃᆡ 너를 ᄀᆞᄅᆞ치지 못ᄒᆞ고, 날을 네 아비라 ᄒᆞ고 너를 ᄀᆞᄅᆞ치라 ᄒᆞᄂᆞᆫ다?"

원쉬 그 녹셜이 참혹ᄒᆞ믈 듯고, 탄왈,

"쇼ᄉᆡᆼ이 존젼의 당돌ᄒᆞ나 ᄀᆞᆷ히 말ᄉᆞᆷ ᄒᆞ거니와, 엇지 션ᄉᆡᆼ이 ᄉᆞ람의 부모를 드노화 즐욕ᄒᆞ기를 이ᄀᆞᆺ치 ᄒᆞᄂᆞ뇨?"

기인이 홀연 대쇼 왈,

"너ᄂᆞᆫ 네 아비 즁ᄒᆞᆫ 줄 알관ᄃᆡ, 거친 즐욕ᄒᆞ믈 슬히 넉이ᄂᆞᆫ다? 원간 네 뉘 ᄌᆞ식이며 네 아비 ᄉᆞ랏ᄂᆞ냐?"

원쉬 그【54】말이 ᄒᆡ괴ᄒᆞ믈 한심ᄒᆞ나, 결단코 범인이 아니믈 알고, 고ᄀᆡ를 숙이고 다시 말을 아니니, 기인이 안ᄌᆞ며 문왈,

"내 앗가 네 아비 유무를 무럿거ᄂᆞᆯ 엇지 답지 앗니ᄂᆞ뇨? 원간 너ᄂᆞᆫ 아비를 모로ᄂᆞᆫ 놈이라, 부ᄌᆞ 텬뉸을 졍치 못ᄒᆞ엿ᄂᆞᆫ다? 그러커든 날노ᄡᅧ 호부ᄒᆞ여라."

원쉬 하 어히업셔 날호 ᄀᆞᆯ오ᄃᆡ,

"만히 취ᄒᆞ여 계시니 술이 ᄭᆡ시거든 말ᄒᆞᄉᆞ이다."

"기인이 귀 먹은 쳬 ᄒᆞ고 ᄀᆞᆯ오ᄃᆡ,

"날다려 술 ᄭᆡ거든 아비로 말ᄒᆞ○[리]라 ᄒᆞ니, 텬하의 아비 못 어더 궁극ᄒᆞᆫ 인ᄉᆞ도 잇도다. 나ᄂᆞᆫ 가난ᄒᆞ고 졸588)이드러 비록 내 ᄌᆞ식이 잇다 닐너도 부ᄌᆞ의 졍을 펼 길이 업ᄉᆞ니, 네【55】날ᄃᆞ려 아비라 말고 댱ᄉᆞ 부요지지(富饒之地)의 부요ᄒᆞᆫ 집이 만

587)반짓반짓 : 반질반질. 빤질빤질. 성품이 매우 빤빤스럽고 유들유들한 모양.

588)졸 : 조을. 주을. 주접. *주접; 잔병이 많아 잘 자라지 못하거나, 옷차림이나 몸치레가 초라하고 너절함.

니, 네 눈으로 갈히여 이졋흔609) 사룸을 어
더 아비로 칭호고 둔니라."

원쉬 그 언수를 망측호여 다만 굴오듸,

"사룸이 내 부모를 공경호느니는 남의 부
모를 즐욕디 아닛느니, 션싱이 엇디 히참흔
욕셜을 긋치디 아니시느니잇가?"

기인이 미쇼 왈,

"원간 너도 부모 듕흔 줄 아느냐? 또 뭇
느니 네 아비 귀터냐? 네 안히 더 듕터냐?"

원쉬 그 언식 괴흐믈 더옥 측냥 업시 넉
여, 듸왈,

"텬하 만믈의 부즈듕의(父子重義)는 비홀
거시 업거니와, 션싱도 부모와 닉상(內
相)610)이 계실 거시니, 경듕을【60】가히
의논호리러니잇가?"

기인이 눈을 드러 원슈를 이윽이 보다가
쇼왈,

"그 깐611)의 말만 잘 비화 제 한아비 굿
튼 어룬을 착612) 밧칠613) 줄○[은] 잘 안
다. 이러나 져러나 네 아비 얼골은 엇더 흐
며, 네 안히 용모는 엇더 흐관듸, 아비 보고
시븐 줄은 모로고 안히는 그리 못 니져 보
고져 흐는다?"

원쉬 추언의 다드라는 옥면의 가득이 슬
픈 빗츨 쯰여, 굴오듸,

"션싱이 비록 온 가디로 쇼싱을 욕흐시나
노호온 줄 아디 못흐고, 말숨이 부형의 얼
골 므르시미 당흐여는, 쇼싱의 심담(心膽)이
붕녈(崩裂)흐믈 씌둣디 못흐느니, 추신(此
身)이 어셔 죽어 디하의 션인을 뫼시고져
흔들 밋츠【61】리잇가?"

기인이 쇼왈,

"죽으면 여부(汝父)를 볼가 시브냐? 그러

609)이졋흐다 : 의젓하다. 말이나 행동 따위가 점잖
　고 무게가 있다.
610)닉상(內相) : 아내를 달리 이르는 말.
611)깐 : 깐. 일의 형편 따위를 속으로 헤아려 보는
　생각이나 가늠.
612)착 : 책(責). 책망(責望).
613)밧치다 : 바치다. 신이나 웃어른에게 정중하게
　드리다.

흐니 네 눈으로 갈히여 이졋흔589) 스람을
어더 아비로 칭호고 둔니라."

"스람이 내 부모를 공경호느 니는 남의
부모를 즐욕지 아닛느니, 션싱이 엇지 히참
흔 녹셜을 긋치지 아니시느니잇고?"

기인이 미쇼 왈,

"원간 너도 부모 즁흔 줄 아느냐? 또 뭇
느니 네 아비 귀흐더냐? 네 안히 더 즁흐더
냐?"

원쉬 그 언식 괴이흐믈 더옥 측냥 업시
넉여 듸왈,

"텬하 만믈의 부즈즁의(父子重義)는 빈
(配)홀 거시 업거니와, 션싱도 부모와 닉상
(內相)590)이 계실 거시니, 경즁을 가히 의
논흐리러니잇가?"

기인이 눈을 드러 원【56】슈를 이윽이
보다가 쇼 왈,

"그 깐591)의 말만 즐 비화 제 한아비 굿
튼 어룬을 칙망홀 줄○[은] 줄 아는다. 니
러나 져러나 네 아비 얼골은 엇더 흐며 네
안히 용모는 엇더 흐관듸, 아비 보고 시븐
줄은 모로고 안히는 그리 못 니져 보고즈
흐는다?"

원쉬 추언의 다드라는 옥면의 ᄀ득이 슬
픈 빗츨 쯰여, 굴오듸,

"션싱이 비록 온 가지로 욕흐시나 노흐
온 줄 아지 못흐고, 말숨이 부형의 얼골을
무르시미 당흐여는, 쇼싱의 심담(心膽)이 붕
녈(崩裂)흐믈 씌닷지 못흐느니, 추신이 어셔
죽어 지하의 션인을 뫼시고즈 흔들 밋츠리
잇가?"

기인이 쇼왈,

"죽으면 여부(汝父)를 볼가 시브냐? 그러
커든 내 칼을 주리니 즈문이스(自刎而死)
흐【57】여 여부를 반기라."

589)이졋흐다 : 의젓하다. 말이나 행동 따위가 점잖
　고 무게가 있다.
590)닉상(內相) : 아내를 달리 이르는 말.
591)깐 : 깐. 일의 형편 따위를 속으로 헤아려 보는
　생각이나 가늠.

커든 내 칼흘 주리니 즈문이스(自刎而死)ᄒ
여 여부(汝父)를 반기라."

이리 니르며 호호히 웃다가, 글오ᄃᆡ,

"네 아비 어ᄃᆡ 갓관ᄃᆡ 져리 못 보아 ᄒ나
냐? 하 보고 시브거든 네 아븨 얼골 그린
거시나 주랴?"

원쉬 심ᄉᆡ 식로이 녹ᄂ 듯ᄒ 바의, 비록
ᄎ인의 말을 밋디 못ᄒ나, 화상이나 주럇노
라 말을[의] 황홀ᄒ여 년망이 졀ᄒ고, 굴오
ᄃᆡ,

"션싱이 만일 션친의 화상을 두어 계실ᄃᆡ
ᄃᆡ, 쇼싱으로 ᄒ여곰 뫼셔 도라가게 ᄒ시면
은혜를 싱셰의 다 갑디 못ᄒ리로소이다."

기인이 도로 누으며 기디개 혀고, 닐오ᄃᆡ,

"내 본ᄃᆡ 사름【62】이 부모 못 보아 ᄒ
ᄂ 니ᄂ 화상을 나하[614] 주ᄂ니, 네 일년만
내 하부(下部)[615]의 손을 다히고 이시면,
윤명쳔의 화상을 나하 주리라."

원쉬 그 말이 무디(無知)ᄒ믈 결우지 아
냐 오릭 말을 아니ᄒ다가, 또 비러 왈,

"션싱이 만일 션인의 화상(畵像)을 두어
계실ᄃᆡᄃᆡ, 쇼싱을 아조 주기ᄂ 어려워 못ᄒ
량이면, 쇼싱이 즈로 나아가 비현(拜見)케
ᄒ쇼셔."

기인이 쇼왈,

"네 아비 화상을 너ᄂ 귀히 넉인들 내 므
슘 졍으로 그리 긔특ᄒ관ᄃᆡ, 이실ᄃᆡᄃᆡ 닉여
노치 못ᄒ리오. 잡말 말고 내 하부의 손을
다혀시면, 화상을 나하 주리라."

원쉬 결노 더브러 말ᄒ미 ᄃᆡ답히 욕셜이
니, 다시【63】개구(開口)ᄒ미 무익ᄒᄃᆡ, 혹
즈 션친의 화상이 져의게 잇ᄂ가, 아쇠
이[616] 바라ᄂ 졍니를 비길ᄃᆡ 업셔 기인의
겻ᄐᆡ 안즛더니, 기인이 쇼왈,

"내 하부의 손을 다혀 네 아비 화상 나하
가기ᄂ 토심(吐心)져워[617] 못ᄒᆯ소냐? 네 원

니리 닐으며 호호히 웃ᄃᆞ, 굴오ᄃᆡ,

"네 아비 어ᄃᆡ 갓관ᄃᆡ 져리 못 보아 ᄒ
ᄂ냐? 하 보고 시부거든 네 아비 얼골 긔린
거시나 주랴?"

원쉬 심ᄉᆡ 식로이 녹ᄂ 듯ᄒ 바의, 비록
ᄎ인의 말을 밋지 못ᄒ나, 화상이나 주럇노
라 말을[의] 황홀ᄒ여 년망이 졀ᄒ고 굴오
ᄃᆡ,

"션싱이 만닐 션친의 화상을 두어 계실진
ᄃᆡ, 쇼싱으로 ᄒ여곰 뫼셔 도라가게 ᄒ시면
은혜를 싱셰의 다 갑지 못ᄒ리로소이다."

기리 초창ᄒ니, 기인이 도로 누으며 긔지
기 ᄒ고 닐오ᄃᆡ,

"내 본ᄃᆡ 스람이 부모를 못 보아 ᄒᄂ 니
ᄂ 화상을 나하[592] 주ᄂ니, 네 일년만 내
하부(下部)[593]의 손을 다히고 이시면, 윤명
쳔의 화상을【58】나하 주리라"

원쉬 그 말이 무지ᄒ미 잇스나 결우지
아냐 오릭 말을 아니ᄒᄃᆞ, 또 비러 왈,

"션싱이 만닐 션인의 화상(畵像)을 두어
계실진ᄃᆡ, 쇼싱을 아조 주기ᄂ 어려워 못ᄒ
량이면, 쇼싱이 즈로 나아가 비현(拜見)케
ᄒ쇼셔."

기인이 쇼왈,

"네 아비 화상을 너ᄂ 귀히 넉인들 내
무슘 졍으로 그리 긔특ᄒ관ᄃᆡ, 이실진ᄃᆡ 닉
여 노치 못ᄒ리오. 잡말 말고 내 하부의 손
을 다혀시면 화상을 나하 주리라"

원쉬 결노 더브러 말ᄒ미 ᄃᆡ답이 욕셜이
니 다시 긔구(開口)ᄒ미 무익ᄒᄃᆡ, 혹즈 션
친의 화상이 져의게 잇ᄂ가, 아득히[594] 바
라ᄂ 졍니를 비길ᄃᆡ 업셔 기인의 겻ᄐᆡ 안즛
더니, 기인이 쇼【59】왈,

"내 하부의 손을 ᄃᆡ여 네 아비 화상 나하
가기ᄂ 토심(吐心)져워[595] 못ᄒᆯ소냐? 네 원

---

614)낳다 : 낳다. 배 속의 아이, 새끼, 알을 몸 밖으
　　로 내놓다.
615)하부(下部) : 아래쪽 부분. 여기서는 남자의 사타
　　구니를 말한다. *하문(下門); 여자의 음부(陰部)
616)아쇠이 : 아쉽게.

592)낳다 : 낳다. 배 속의 아이, 새끼, 알을 몸 밖으
　　로 내놓다.
593)하부(下部) : 아래쪽 부분. 여기서는 남자의 사타
　　구니를 말한다. *하문(下門); 여자의 음부(陰部)
594)아득히 : 막연히. 막막히

간 엇던 놈의 ᄋᆞ돌인다?"

원쉬 희연이 넉여 브답ᄒᆞ니, 기인이 쇼왈,

"네 아비 셩명 니르기 그딕도록 참괴ᄒᆞ여 못ᄒᆞᆯ소냐? 네 아비 사름 죽이ᄂᆞᆫ 도부쉬(刀斧手)러냐? 소 죽이ᄂᆞᆫ 빅정(白丁)[618]이냐? 흥니(興利)ᄒᆞᄂᆞᆫ 대괴(大賈)냐? 노략질ᄒᆞᄂᆞᆫ 덕한(賊漢)이냐? 바로 니르라."

원쉬 고개를 도로혀 못 드름ᄀᆞᆺ치 브답ᄒᆞ니, 기인이 대쇼 왈,

"제 아뷔 셩명【64】도 모로ᄂᆞᆫ 산금야슈(山禽野獸)의 거시, 셰샹의 츌뉴(出遊)ᄒᆞᆫ 줄이 도로혀 이상토다. 연이나 네 아븨 윤명텬인 줄 모로니, 오날놀노브터 내게 빋화 알미 엇더 ᄒᆞ뇨? 네 바로 니르라. ᄆᆞᄋᆞᆷ의 귀ᄒᆞ미 네 아비 명쳔공이 더ᄒᆞ냐? 네 안히 뎡슉녈이 더 귀ᄒᆞ냐? 네 ᄆᆞᄋᆞᆷ의 어닉 거시 더 듕ᄒᆞᆯ 듯 시브뇨? 바로 니르라."

원쉬 져의 욕언을 다 칙망ᄒᆞᆯ 거시 아니오, 션인의 별호를 닉이 알믈 보니 반ᄃᆞ시 션인의 친졀ᄒᆞᆫ 벗이믈 씌ᄃᆞ라, 본딕 도ᄉᆞ의 무리 희롱ᄒᆞ미 여ᄎᆞᄒᆞ믈 드른 디 오릭ᆫ 고로, 혹즈 태운도인인가 의심ᄒᆞ여, 다시 졀ᄒᆞ고 공경ᄒᆞ여 굴오딕,

"션【65】싱이 엇디 시ᄉᆞᆼ빅(侍生輩)[619]를 희롱만 ᄒᆞ시고 말ᄉᆞᆷ을 명졍(明正)이 아니시ᄂᆞ니잇가? 쳥컨딕 존셩대명을 니르쇼셔."

기인이 쇼왈,

"너ᄂᆞᆫ 네 아뷔 셩명도 모로ᄂᆞᆫ 거시 내 셩명○[은] 아라 므슴 ᄒᆞ려 ᄒᆞᄂᆞ뇨? 이러나 져러나 네 아비ᄂᆞᆫ 발셔 빅골이 향딘(鄕塵)의 바렷고, 네 안히ᄂᆞᆫ ᄉᆞ라 널노 더브러 유ᄌᆞᄉᆡᆼ녀(有子生女)ᄒᆞ며 빅슈히로(白首偕老)ᄒᆞᆯ 거시니, 듕ᄒᆞ며 크게 넉임도 괴이치 아니나, 아비 화샹이 죽은 아비 화샹이라 므슴 대시

---

617)토심(吐心)젓다 : 토심(吐心)겹다. 불쾌함이 지나쳐 견뎌내기 어렵다. *토심(吐心); 남이 좋지 아니한 낯빛이나 말투로 대할 때에 일어나는 불쾌한 마음.

618)빅정(白丁) : 소나 개, 돼지 따위를 잡는 일을 직업으로 하는 사람.

619)시ᄉᆞᆼ빅(侍生輩) : 시생과 같은 무리. *시생(侍生); 어른을 모시는 사람이라는 뜻으로, 말하는 이가 자기를 문어적으로 낮추어 이르는 일인칭 대명사.

간 엇던 놈의 ᄋᆞ돌인다?"

원쉬 희연이 넉여 부답ᄒᆞ니, 기인이 쇼왈,

"네 아비 셩명 니르기 그딕도록 참괴ᄒᆞ여 못ᄒᆞᆯ소냐? 네 아비 ᄉᆞ람 죽이ᄂᆞᆫ 도부쉬(刀斧手)냐? 소 죽이ᄂᆞᆫ 빅정(白丁)[596]이냐? 흥니ᄒᆞᄂᆞᆫ 대괴(大賈)냐? 노략딜ᄒᆞᄂᆞᆫ 덕환(賊漢)이냐? 바로 니르라."

원쉬 고개를 도로혀 못 드름ᄀᆞᆺ치 부답ᄒᆞ니, 기인이 대쇼 왈,

"제 아뷔 셩명도 모ᄅᆞᄂᆞᆫ 산금야슈(山禽野獸)의 거시, 셰샹의 츌뉴(出遊)ᄒᆞᆫ 줄이 도로혀 이상토다. 연이나 네 아븨 윤명텬인 줄 모로니, 오늘날브터 내게 빅화 알미 엇더 ᄒᆞ뇨? 네 바로 니르라. ᄆᆞᄋᆞᆷ의 귀ᄒᆞ미 네 아비 명쳔공이 더ᄒᆞ냐? 네 안【60】히 뎡슉녈이 더 귀ᄒᆞ뇨? 바로 니르라"

원쉬 져히 뇩언을 다 칙망ᄒᆞᆯ 거시 아니오, 션인의 별호를 닉이 알믈 보니 반ᄃᆞ시 션인의 《칠졀∥친졀》ᄒᆞᆫ 벗이믈 씌ᄃᆞ라, 본딕 도ᄉᆞ의 무리 희롱ᄒᆞ미 여ᄎᆞᄒᆞ믈 드럿ᄂᆞᆫ 고로, 혹즈 태운도인인가 ᄒᆞ여 다시 졀ᄒᆞ고 굴오딕,

"션싱이 엇지 ᄋᆞ히를 희롱만 ᄒᆞ시고 말ᄉᆞᆷ을 명졍이 아니ᄒᆞ시ᄂᆞ니잇ᄀᆞ? 원컨딕 존셩딕명을 알아지이다."

기인이 쇼왈,

"너ᄂᆞᆫ 네 아비 셩명도 모ᄅᆞᆫ 거시 내 셩명 아라 무엇 ᄒᆞ리오. 니러나 져러나 네 아비ᄂᆞᆫ 발셔 빅골이 향진(鄕塵)의 바렷고, 네 안히ᄂᆞᆫ ᄉᆞ라 널노 더브러 유ᄌᆞᄉᆡᆼ녀(有子生女)ᄒᆞ며 빅슈히로(白首偕老)ᄒᆞᆯ 거시니, 즁ᄒᆞ며 크【61】게 넉임도 괴이치 아니나, 아비 화샹의 무슴 졍셩이 이시리오. 어셔 가 뎡슉녈을 보라. ᄌᆞ식이 비록 현효ᄒᆞ여도 어버이 ᄌᆞ식 향ᄒᆞᆫ 졍만 ᄀᆞᆺ지 못ᄒᆞᄂᆞ니, 네 아비

---

595)토심(吐心)젓다 : 토심(吐心)겹다. 불쾌함이 지나쳐 견뎌내기 어렵다. *토심(吐心); 남이 좋지 아니한 낯빛이나 말투로 대할 때에 일어나는 불쾌한 마음.

596)빅정(白丁) : 소나 개, 돼지 따위를 잡는 일을 직업으로 하는 사람.

리오. 어셔 가 덩슉녈을 보라. 즈식이 비록 현효(賢孝)ᄒ여도, 어버이 즈식 향훈 졍만 ᄀ지 못ᄒᄂ니, 네 아비 화상을 브디 보고져 ᄒ거든 날을 ᄶᆯ【66】와오라."

ᄒ고, 니러셔며 왈,

"날을 업어 갈소냐?"

원쉬 ᄃ딕왈,

"힝인이 웃디 아닐딘디 뫼셔 가오미 엇디 괴이ᄒ리잇가?"

기인이 대쇼ᄒ고 하산ᄒ니, 원쉬 거러 종후(從後)ᄒ여 ᄒᆫ 곳의 다ᄃ라 ᄒᆫ 졍ᄌᆡ 이시디, 광활 화려ᄒ고 졍묘(淨妙)ᄒ니 딘셰간(塵世間) ᄀ지 아니터라. 쇼샤(小舍)의 드러가니, 졍결ᄒ여 옥난(玉欄)을 향ᄒᆫ 둣ᄒ니, 원쉬 듕심의 긔이히 넉이나 져의 오로라 ᄒ기를 기다리디, 도시 다시 본 쳬 아니코 듁침(竹枕)을 나와 잠을 ᄯᅩ 깁히 드ᄂᆞᆫ디라. 원쉬 날이 져므러 가디 민망이 넉이는 일이 업셔, 고요히 듕계(中階)의 셔셔 졀박히 바라는 밧ᄌᆞ는, 힝혀 그 부【67】친의 화상이 져 도ᄉᆞ의게 잇ᄂ가 죄오는 ᄆᆞᆷ이, 대한(大旱)의 운예(雲霓)로 비길 빈 아니라. 츌텬대효와 무궁ᄒ 졍셩으로뼈 엄안(嚴顔)을 아디 못ᄒ는 디통(至痛)이 오ᄂᆡ분붕(五內分崩)[620]ᄒᄂᆞᆫ디라. 금일 요힝이 도ᄉᆞ를 만나시니, 이인의 긔특ᄒᄆᆡ 모로는 ᄀᆞ온디 션인의 화상을 일윗ᄂᆞᆫ가, 시로이 비황(悲況) 쳐졀(悽絶)ᄒᆫ 회포를 디향치 못ᄒ더니, ᄀᆞ장 이윽ᄒ 후 도시 잠을 ᄭᆡ여 원슈의 그져 셔시믈 보고, 그 인믈을 온 가디로 시험코져 ᄒ여, 이에 미우를 ᄲᅱᆼ긔고 도동(道童)을 명ᄒ여 굴오디,

"딘셰 사ᄅᆞᆷ이 갓가이 셔시민, 내 ᄆᆞᆷ이 편치 아닌디라. 여등이 져 듕계의 션 사ᄅᆞᆷ을 미러 ᄂᆡ여 보ᄂᆡ라."

두 동ᄌᆡ【68】비록 도ᄉᆞ의 말을 거스리디 못ᄒ나, 윤원슈의 만고 무쌍ᄒᆫ 풍뉴(風流) 신치(身彩)를 보미, 가비야이 등을 미러 ᄂᆡ디 못ᄒ여, 다만 원슈의 겻티 나아가 고

620)오ᄂᆡ분붕(五內分崩) : 오장(五臟)이 무너져 흩어짐.

화상을 브디 보고져 ᄒ거든 날을 ᄶᆯ와오라."

ᄒ고 니러셔며 왈,

"날을 업어 갈소냐?"

원쉬 ᄃ딕왈,

"힝인이 웃지 아닐진디 뫼셔 가오미 엇지 괴이ᄒ리잇가?"

기인이 ᄃᆡ쇼ᄒ고 하산ᄒ니, 원쉬 거러 종후(從後)ᄒ여 ᄒᆫ 곳의 다ᄃ라ᄂᆞᆫ, ᄒᆫ 졍ᄌᆡ 이시디 광활 화려ᄒ고 졍묘ᄒ니, 진셰간(塵世間) ᄀ지 아니ᄒ더라. 쇼ᄉᆞ(小舍)의 드러가니, 졍결ᄒ여 옥난(玉欄)을오 향ᄒᆫ 둣ᄒ니, 원쉬 즁심의 긔이히 넉이나 져의 오ᄅ라 ᄒ기를 기다리디, 도시 ᄃᆞ시【62】본 쳬 아니코 쥭침(竹枕)을 나와 잠을 ᄯᅩ 깁히 드ᄂᆞᆫ지라. 원쉬 날이 져므러 가디 민망이 넉이는 일이 업셔, 고요히 즁계의 셔셔 졀박히 바라는 바는, 힝혀 그 부친의 화상이 져 도ᄉᆞ의게 잇ᄂ가 죄오는 ᄆᆞᆷ이, 대한(大旱)의 운예(雲霓)를 바람 ᄀᆞᆺ튼지라. 츌텬대효와 무궁ᄒᆫ 졍셩으로뼈 엄안(嚴顔)을 아지 못ᄒᄂᆞᆫ 지통이 오ᄂᆡ분붕(五內分崩)[597]ᄒᄂᆞᆫ지라. 금일 요힝이 도ᄉᆞ를 만나시니, 이인의 긔특ᄒᄆᆡ 모로는 ᄀᆞ온디 션인의 화상을 닐윗ᄂᆞᆫ가, 시로이 비황 쳐졀ᄒᆫ 회포를 지향치 못ᄒ더니, ᄀᆞ장 니윽ᄒᆫ 후 도시 잠을 ᄭᆡ여 원슈의 그져 셔시믈 보고, 그 인믈을 온 가지로 시험코ᄌᆞ ᄒ여, 이의 미우를 ᄲᅱᆼ긔고 도동(道童)을 명ᄒ여 굴【63】오디,

"진셰 ᄉᆞ람이 갓ᄀᆞ이 셔시민, 닉 ᄆᆞᆷ이 편치 아닌지라 여등이 져 즁계의 션 ᄉᆞ람을 미러 ᄂᆡ여 보ᄂᆡ라."

두 동ᄌᆡ 비록 도ᄉᆞ의 말을 거스리지 못ᄒ나, 윤원슈의 만고 무쌍ᄒᆫ 영웅을 심상(尋常)히 박츅지 못ᄒ리라 ᄒ고, 졍히 쥬져ᄒ거늘, 도시 동ᄌᆞ를 ᄭᅮ지져 왈,

597)오ᄂᆡ분붕(五內分崩) : 오장(五臟)이 무너져 흩어짐.

왈,

"ᄉ부의 명이 이러텃 ᄒ시니, 원컨듸 귀
○○[인은] 인ᄒ여 도라가쇼셔."

원쉬 도인을 향ᄒ여 왈,

"쇼싱의 비루ᄒ 위인이 션싱 면젼의 용납
ᄒ믈 엇디 못ᄒ려니와, 쇼싱이 구구ᄒ 졍셩
이 션싱이[의] ᄒ 번 교회ᄒ시믈 듯줍고져
ᄒᄋᆸᄂᆞ니, 복망(伏望) 션싱은 여ᄎᆞ 심ᄉᆞ를
도라보쇼셔."

도ᄉᆡ 눈을 굼고 반향(半晌)이나 잇다가,
져 ᄀᆞᆺᄐᆞᆫ 졍셩을 보미 긔특이 넉여, 믄득 쎅
를 도도고 낫빗츨 뎡히 ᄒ여, 듕계의 ᄂᆞ려
원슈를 향ᄒ여 【69】 공슌히 졀ᄒ고, 왈,

"산야(山野) 폐인(廢人)이 감히 원슈를 희
롱코져 ᄒ미 아니라, 듕산(重山)의 무긔[621]
와 강하(江河)의 깁희를 보고져 ᄒ미라. 원
컨듸 원슈는 산인(山人)의 광망(狂妄)ᄒ 죄
를 샤ᄒ라."

원쉬 년망이 도ᄉᆞ를 붓드러, 쳔만 샤례
왈,

"션싱이 엇디 존듕ᄒ신 톄위로뼈 쇼싱을
향ᄒ여 과례를 ᄒ시ᄂᆞ니○○[잇고]? 쇼싱이
블승황공ᄒᄂᆞ이다."

도ᄉᆡ 팔 미러 원슈의 오로기를 쳥ᄒ여,
왈,

"폐인(廢人)이 어리고 광망ᄒ여 원슈의게
죄 어드미 만커ᄂᆞᆯ, 원쉬 조곰도 허믈치 아
냐 이러텃 공경ᄒ니 감격ᄒ믈 니긔디 못ᄒ
노라."

원쉬 허리를 굽혀 칭샤ᄒ고, 도ᄉᆞ의 몬져
오로믈 지삼 쳥ᄒ【70】여, 도ᄉᆡ 원슈의 손
을 잡고 ᄒ가디로 당의 올나 방셕을 미러
좌를 뎡ᄒ 후, 도ᄉᆡ 홀연 안ᄉᆡᆨ이 쳑쳑(慽慽)
ᄒ여 왈,

"산인(山人)의 셩명은 화쳔이라."

ᄒ더라.【71】

"진인(塵人)이 션경(仙境)을 범ᄒ여 누츄
케 ᄒᄂᆞ뇨?"

원쉬 ᄎ언을 듯고 황공ᄒ여 복디ᄌᆞ빈
왈,

"쇼지 부모를 위ᄒ여 션경을 범ᄒ여시
나, 죄를 ᄉᆞᄒ시고 쇼ᄌᆞ의 민망ᄒ 졍유를
어엿비 넉이ᄉᆞ, 부친 화상을 밧비 보이심을
바라ᄂᆞ이다"

ᄒ고 이걸ᄒ믈 마지 아니니, 도ᄉᆡ 눈을
굼고 반향(半晌)이나 잇드ᄀᆞ, 져 ᄀᆞᆺᄐᆞᆫ 졍셩
을 보미 긔특이 넉여, 믄득 쎅【64】를 도
도고 낫빗츨 졍히 ᄒ여, 즁계의 ᄂᆞ려 원슈
를 향ᄒ여 공슌히 졀ᄒ고 왈,

"산야(山野) 폐인(廢人)이 감히 원슈를 희
롱코ᄌᆞ ᄒ미 아니라, 즁산(重山)의 무긔[598]
와 강하(江河)의 깁희를 보고ᄌᆞ ᄒ미라. 원
컨듸 원슈는 산인(山人)의 광망(狂妄)ᄒ 죄
를 ᄉᆞᄒ라"

원쉬 년망이 도ᄉᆞ를 붓드러 쳔만 ᄉᆞ례
왈,

"션싱이 엇지 존즁ᄒ신 쳬위로뼈 쇼싱을
향ᄒ여 과례를 ᄒ시ᄂᆞ니잇고? 쇼싱이 블승
황공 ᄒᄂᆞ이다"

도ᄉᆡ 팔 미러 원슈의 오로기를 쳥ᄒ여,
왈,

"폐인(廢人)이 밋치고 광망ᄒ여 원슈의게
죄 어드미 만커ᄂᆞᆯ, 원쉬 조곰도 허믈치 아
니샤 이ᄀᆞᆺ치 공경ᄒ시니 《감경∥감격》 ᄒ
믈 니긔지 못ᄒᄂᆞ이다."

원쉬 허리를 굽혀 칭ᄉᆞᄒ고,【65】 도ᄉᆞ
의 몬져 오ᄅᆞ믈 쳥ᄒ니, 도ᄉᆡ 원슈의 손을
잡고 ᄒ가지로 당의 올나 방셕을 미러 좌를
졍ᄒ 후, 도ᄉᆡ 홀연 안ᄉᆡᆨ이 쳑쳑(慽慽)ᄒ여
왈,

"산인(山人)의 셩명은 화쳔이라.

---

621)무긔 : 무게.

598)무긔 : 무게.

어시의 도시 홀연 안식이 쳑쳑(慽慽)ᄒ여 왈,

"산인(山人)의 셩명은 화쳔이라. 일죽 심산의 도스를 ᄯᆞ라 젹은 도학을 비ᄒ고, 감히 공명 현달을 바라디 못홀 쁜 아니라, 셰렴이 쇠연(索然)ᄒᆞᄆ로622) 인간 흥황(興況)을 아디 못ᄒ고, 스히의 오유ᄒ여 텬하 명승디디(名勝之地)의 ᄌ최 아니 밋츤 곳이 업셔, 복거(伏居)홀 곳을 어더 뎡치 아녓ᄂ디라. 무륜(無倫) 무식(無識)ᄒ여 일무가취(一無可取)로ᄃᆡ, 나히 어려셔 외람이 녕션대인(令先大人) 명쳔공으로 더브러, 듁마(竹馬)를 닛그러 피츳 졍의 골육의【1】 넘은디라. 년긔(年紀) 이뉵(二六)가디ᄂᆞᆫ ᄒ로도 써난 젹이 업시 흑문을 공부ᄒ더니, 싱의 명되 긔구ᄒ여 삼오(三五) 젼의 부모를 녀희고, 죵텬디통(終天之痛)623)을 품으미 예스 사ᄅᆞᆷᄀᆞᆺ치 즐겁디 못ᄒ고, 브졀업슨 샹법을 비ᄒᄆᆡ, 나의 샹뫼 결단코 현달홀 골격이 아닌 줄 씨ᄃ라, 만일 샹모의 빈쳔ᄒᆞᆷ믈 싱각디 아니코, 역텬(逆天)ᄒ여 과갑(科甲)을 응ᄒᆞᆫ즉, 혹ᄌ 득의ᄒ미 이셔도 필유화망(必有禍亡)이오, 가산을 일워 쳐실(妻室)을 취(娶)ᄒ여도 분명 ᄌ녀를 두디 못ᄒ여, 쳔연(天然)ᄒᆞᆫ 듕624)의 팔지(八字)라. 이러므로 닙신(立身)【2】 취쳐(娶妻)의 ᄆᆞ음을 두디 아냐, 산야 폐인 되기를 ᄌ구(自求)ᄒᆞ미라. 비록 신【2】톄발부(身體髮膚)를 샹히와 듕이 된 일은 업스나, 신셰와 팔ᄌᄂᆞᆫ 듕도곤 나은 일이 업ᄂᄃ라. 녕션대인이 나의 인뉸을 폐기ᄒᆞᆷ과 《심신‖심산(深山)》의 ᄌ최를 긤

일죽 심산의 도스를 ᄯᆞ라 젹은 도학을 비ᄒ고, 감히 공명 현달을 바라지 못홀 쁜 아니라, 셰렴이 쇼연(捨然)ᄒᆞᄆ로599) 인간 흥미을 아지 못ᄒ고, 스히의 오유ᄒ여 텬하 명승지지(名勝之地)의 ᄌ최 아니 밋츤 곳이 업셔, 복거(卜居)홀 곳을 어더 뎡치 아니ᄒ지라. 무륜(無倫) 무식(無識)ᄒ여 일무가취(一無可取)로ᄃᆡ, 나히 어려셔 외람이 녕션대인(令先大人) 명쳔공으로 더브러 듁마(竹馬)를 닛그러 피츳 졍의 골육의 넘은지라. 년긔(年紀) 이뉵(二六)가지ᄂᆞᆫ ᄒ로도 써난 젹이 업시 흑문을 공【66】부ᄒ더니, 싱의 명되 긔구ᄒ여 숨오(三五) 젼의 부모를 녀희고, 죵텬지통(終天之痛)600)을 품으미 예스 사ᄅᆞᆷᄀᆞ티 즐겁지 못ᄒ고, 브졀업시 샹법을 비ᄒᄆᆡ, 싱의 샹뫼 결단코 현달홀 골격이 아닌 줄 씨ᄃ라, 만닐 샹모의 빈쳔ᄒᆞᆷ믈 싱각지 아니ᄒ고, 녁텬(逆天)《ᄌ의게‖ᄒ여》 과갑(科甲)을 응ᄒᆞᆫ즉, 혹ᄌ 득의ᄒ미 이셔도 필유화망(必有禍亡)이오, 가산을 일워 쳐실(妻室)을 취ᄒ여도 분명 ᄌ녀를 두지 못ᄒ여, 쳔연(天然)ᄒᆞᆫ 즁601)의 팔지(八字)라. 니러므로 닙신(立身) 취쳐(娶妻)의 ᄆᆞ음을 두지 아냐, 산야 폐인 되기를 ᄌ구(自求)ᄒᆞ미라. 비록 신톄발부(身體髮膚)를 샹히와 즁이 된 일은 업스나, 신셰와 팔ᄌᄂᆞᆫ 즁도곤 나은 일이 업ᄂᆞᆫ【67】지라. 녕션대인이 나의 인뉸을 폐지ᄒᆞᆷ과 심산(深山)의 ᄌ최를 긤초

---

622) 쇠연(索然)ᄒ다 : 삭연(索然)하다. 흥미가 없다.

623) 죵텬디통(終天之痛) : 세상이 끝날 때까지 영원히 가는 슬픔이라는 뜻으로,, 부모의 초상이 남을 이르는 말

624) 듕 : 중. 절에서 살면서 불도를 닦고 실천하며 포교하는 사람. 본래는 그런 단체를 이르던 말이다. 근래에는 비하하는 말로 많이 사용되며, 그 대신 '승려'나 '스님'의 호칭이 일반화되어 있다.

599) 쇼연(捨然)ᄒ다 : 어떤 일이나 대상에 대한 집착을 버려, 그것과 관련된 어떤 욕심도 흥미도 없는 상태에 있다.

600) 죵텬지통(終天之痛) : 세상이 끝날 때까지 영원히 가는 슬픔이라는 뜻으로,, 부모의 초상이 남을 이르는 말

601) 즁 : 중. 절에서 살면서 불도를 닦고 실천하며 포교하는 사람. 본래는 그런 단체를 이르던 말이다. 근래에는 비하하는 말로 많이 사용되며, 그 대신 '승려'나 '스님'의 호칭이 일반화되어 있다.

초믈 칙ᄒᆞ디, 나의 구든 ᄯᅳᆺ은 샤빅(舍伯)도 개유치 못ᄒᆞ신 고로, 녕션(令先)의 말ᄉᆞᆷ이 올흔 줄을 알오ᄃᆡ, 능히 듯디 못ᄒᆞᄃᆞ라. 녕션은 조달영귀(早達榮貴)ᄒᆞ여 작위(爵位) 니부텬관(吏部天官)625)이 되고, 믈망과 청덕이 됴야를 기우리고, 샹통이 늉늉ᄒᆞ시나, 녕엄이 맛ᄎᆞᆷᄂᆡ 너모 됴코 이상이 ᄆᆞᆰ아 딘ᄐᆡ(塵態)의 무ᄃᆞ디 아냐, 슈한(壽限)이 댱원(長遠)치 못ᄒᆞ미 괴이치 아니ᄒᆞ고, 션풍도골(仙風道骨)노뼈 공명(功名)이 넘ᄢᅵ미, 국ᄉᆞ로 몸을 맛ᄎᆞ 쳥명(淸名) 듁졀(竹節)을 만ᄃᆡ【3】의 빗닌 비라. 도시(都是)626) 텬슈의 뎡혼 거슬 버셔나디 못ᄒᆞ고, 군의 형뎨 초년이 험난ᄒᆞ여 셰샹의 나미 부안(父顔)을 아디 못ᄒᆞ고, 가변이 괴이ᄒᆞ여 허다 풍패 니러나니, 녕빅(靈魄)이 엇디 디하의 늣기디 아니시리오."

말을 맛ᄎᆞ며 기리 회허 탄식ᄒᆞ니, 원쉬 청파의 빅년(白蓮) ᄀᆞᆺ튼 용화(容華)의 누쉬(淚水) ᄯᅳᆺ드러627) 능히 인ᄉᆞ를 뎡치 못ᄒᆞ니, 도시 츄연 왈,

"군의 슬허 ᄒᆞᆷ믈 보미 아심(我心)이 시로이 비상ᄒᆞᄃᆞ라. 과연 녕엄의 화상(畫像)을 일우믄 다른 일이 아니라, 녕엄이 셕년 금국을 향ᄒᆞᆯ ᄹᅵ, 내 혜아리건ᄃᆡ 다시 ᄉᆞ라 도라오디 못ᄒᆞᆯᄃᆞ라. 현계(賢契)628)의 형뎨 셰샹의 나도, 부【4】안을 아디 못ᄒᆞ미 죵텬극통(終天極痛)이라. 나의 의ᄉᆞ 궁극ᄒᆞ여 녕엄의 얼골을 그렷다가 현계 등을 주고져 ᄒᆞ여, 녕엄의 금국 향ᄒᆞᄂᆞᆫ 길ᄒᆡ 셔로 만나 일야를 디ᄂᆡ고 졍회를 펼ᄉᆡ, 녕엄의 년당(年當) 삼십의 ᄋᆞ들을 보디 못ᄒᆞ믈 슬허 ᄒᆞ며, 흉디의 가 다시 싱환치 못ᄒᆞᆯ 바를 스스로 디긔(知機)ᄒᆞ거늘, 내 녕ᄌᆞ당(令慈堂) 태부

믈 칙ᄒᆞ디, 나의 구든 ᄯᅳᆺ은 ᄉᆞ빅(舍伯)도 굿치지 못ᄒᆞ신 고로, 녕션(令先)의 말이 오른 줄을 알오ᄃᆡ 능히 듯지 못ᄒᆞ지라. 녕션은 조달영귀(早達榮貴)ᄒᆞ여 작위 니부텬관(吏部天官)602)이 되고, 믈망과 쳥덕이 됴야를 기우리고 샹총이 늉늉ᄒᆞ시나, 녕엄이 맛ᄎᆞᆷᄂᆡ 너모 죠코 이상이 ᄆᆞᆰ아 진ᄐᆡ(塵態)의 무ᄃᆞ지 아냐, 슈한(壽限)이 댱원치 못ᄒᆞ여[미] 괴이치 아니ᄒᆞ고, 션풍도골(仙風道骨)노 쏘 《춍명∥공명(功名)》이 넘ᄢᅵ미, 국ᄉᆞ로 몸을 맛ᄎᆞ 쳥명(淸明) 죽졀(竹節)을 만ᄃᆡ의 빗난 비라. 도시(都是)603) 텬슈의 졍혼 거슬 버셔나지 못ᄒᆞ고, 군의 형뎨 초년이 험난ᄒᆞ여 셰샹의 나매 부안(父顔)을 아【68】지 못ᄒᆞ고, 가변이 괴이ᄒᆞ여 허다 풍픽 니러나니, 녕빅(靈魄)이 지하의 늣기지 아니시리오."

말을 맛ᄎᆞ며 기리 회허 탄식ᄒᆞ니, 원쉬 청파의 빅년(白蓮) ᄀᆞᆺ튼 용화(容華)의 누쉬(淚水) 듯드러604) 능히 인ᄉᆞ를 졍치 못ᄒᆞ니, 도시 츄연 왈,

"군의 슬허 ᄒᆞᆷ믈 보미 아심(我心)이 시로이 비상ᄒᆞ지라. 과연 녕엄의 화상(畫像)을 닐우믄 다른 일이 아니라, 녕엄이 셕년 금국을 향ᄒᆞᆯ ᄹᅵ의 내 혜아린즉, 다시 ᄉᆞ라 오시지 못ᄒᆞᆯ지라. 현계(賢契)605)의 형뎨 셰샹의 나도, 부안을 아지 못ᄒᆞ미 죵텬극통(終天極痛)이라. 나의 의ᄉᆞ 궁극ᄒᆞ여 녕엄의 얼골을 그렷ᄃᆞ가 현계 등을 주고즈 ᄒᆞ여, 녕엄의 금국 향ᄒᆞᄂᆞᆫ 길의 셔로 만나 일야를 지ᄂᆡ고 졍회를 펼【69】ᄉᆡ, 녕엄이 년급(年及) 숨십의 ᄋᆞ들을 보지 못ᄒᆞ믈 슬허 ᄒᆞ며, 흉지의 가 다시 싱환치 못ᄒᆞᆯ 바를 스스로 지긔(知機)ᄒᆞ거늘, 내 녕ᄌᆞ당(令慈堂) 틱부

---

625)니부텬관(吏部天官) : 조선 시대에 '이조 판서'를 달리 이르던 말. 육조(六曹)의 판서 가운데 으뜸이 라는 뜻이다.

626)도시(都是) : 도무지.

627)ᄯᅳᆺ들다 : 듣다. 뚝뚝 떨어지다. 눈물, 빗물 따위의 액체가 방울져 떨어지다.

628)현계(賢契) : 문인(門人). 제자, 친구의 아들 등을 존중해 일컫는 말.

602)니부텬관(吏部天官) : 조선 시대에 '이조 판서'를 달리 이르던 말. 육조(六曹)의 판서 가운데 으뜸이 라는 뜻이다.

603)도시(都是) : 도무지.

604)듯들다 : 듣다. 뚝뚝 떨어지다. 눈물, 빗물 따위의 액체가 방울져 떨어지다.

605)현계(賢契) : 문인(門人). 제자, 친구의 아들 등을 존중해 일컫는 말.

인이 현계 형뎨를 쌍싱호실 줄 니르며, 각
각 조강(糟糠)이 뎡가와 하가의 날 줄 미리
알게 호고, 쏘 화상을 닉여 현계 인스 안
후 화상을 도라 보닉렷노라 호니, 녕엄이
ᄀ장 깃거 화상 아릭 친필노뼈 쓴 거시 이
시니, 현계 등은 아디 못호【5】나, 내 엇
디 발셔 도라 보닉디 아니리오마는, 군가
(君家)의 변괴 층츌(層出)호여 안한홀 쩌 업
스니, 듕대흔 화상을 어즈러온 쩌의 젼호여
혹즉 상홀가 념녀호여, 디금 쳔연(遷延)호미
라. 이제 군이 날을 조ᄎ 오면 화상을 뵈리
라."

셜파의 니러나거늘, 원쉬 츄언을 드르미
부친 화상 뵈오미 쳔양디하(天壤之下)629)의
부지 상견홈 ᄀᆺ투나, 시로온 디통을 니긔디
못호여 옥면의 가득흔 비싴(悲色)을 씌고,
도스를 조ᄎ 가미, 동산을 너머 슈간 당샤
를 디어시되, 단쳥 치싴이 휘황호고 놉기
우러러 뵈ᄂ는다라. 도싴 원슈로 더브러 당상
의 오로미, 도싴 벽상【6】의 봉안(奉安)호
엿던 화상을 닉여 흔 번 펼치미, 의연이 싱
기 유동(流動)호여 윤명쳔이 스라 도라온
ᄃᆺ 흐다라.

원쉬 ᄯ러 흔 번 우러러 보미 눈믈이 압
흘 ᄀ리오고, 긔운이 엄이(奄碍)630)호여 졍
신이 아득호고, 슈족이 어름 ᄀᆺ투여 아모란
줄 모로ᄂ는다라. 도싴 놀나고 감창호여 역시
눈믈을 나리오고, 좌우로 약믈을 나와 구호
호니, 오릭 후 원쉬 잠간 인스를 츌혀 니러
안즈니, 도싴 그 손을 잡고 위로 왈,

"녕엄이 일죽 기셰호시미 인즈의 디통이
나, 추역 텬명이라, 슬허 호나 밋출 길 업
고, 일싱일ᄉ(一生一死)는 져마다 면치 못호
ᄂ니, 녕엄이 님죵시가디 튱의【7】를 빗닉
여, 그 도라가미 후셰의 뉴젼(遺傳)홀 비오.
녕빅이 구쳔야되(九泉夜臺)의 튱신 녈ᄉ의
뒤흘 조ᄎ 옥쳥션되(玉淸仙臺)631)의 즐기ᄂ

인이 현계 형뎨를 쌍싱호실 줄 니르며, 각
각 조강(糟糠)이 뎡가와 하가의 날 줄 미리
알게 호고, 쏘 화상을 닉여 현계 인스를 안
후 화상을 도라 보닉〇[렷]노라 호니, 녕엄
이 ᄀ장 깃거 화상 아릭 친필노뼈 쓴 거시
이시니, 현계 등은 아지 못호여 츳지 아니
나, 내 엇지 발셔 도라 보닉지 아니리오마
는, 그딕 집 변괴 층츌(層出)호여 안한(安
閑)홀 쩌 업스니, 즁딕흔 화상을 어즈러온
쩌의 젼호여 혹즉 상홀가 념녀호여, 지금
쳔연(遷延)호미라. 이제 군이 날을 좃ᄎ 오
면 화상을 뵈리라"

셜파【70】의 니러나거늘, 원쉬 츄언을
드르미 부친 화상 뵈오미 쳔양지하(天壤之
下)606)의 부지 상견홈 ᄀᆺ투나, 시로온 지통
을 니긔지 못호여 옥면의 ᄀ득흔 비싴(悲
色)을 씌고, 도스를 좃ᄎ 가미, 동산을 너머
슈간 당ᄉ를 지어시되. 단쳥 치싴이 휘황호
고 놉기 우러러 뵈ᄂ는지라. 도싴 원슈로 더
브러 당상의 오로미, 도싴 벽상의 봉안호엿
던 화상을 닉여 여러 번 펼치미, 의연이 싱
기 유동(流動)호여 윤명쳔이 스라 도라온
ᄃᆺ 흐지라.

원쉬 ᄯ러 흔 번 우러러 보매 눈믈이 얇
흘 ᄀ리오고, 긔운이 엄이(奄碍)607)호여 졍
신이 아득호고, 슈족이 어름 ᄀᆺ투여 아모란
줄 모로ᄂ는지라. 도싴 놀나고 감창호여 녁시
눈믈을 ᄂ리오고 좌우로 약【71】물을 ᄂ
와 구호호니, 오릭 후 원쉬 즘간 인스를 츌
혀 니러 안즈니, 도싴 그 손을 즙고 위로
왈,

"녕엄이 일죽 기셰호시미 인즈의 지통이
나, 추역 텬명이라. 슬허 밋출 길 업고, 일
싱 일ᄉ(一生一死)는 져마다 면치 못호ᄂ니,
녕엄이 님죵시가지 츙의를 빗닉여, 그 도라
가미 후셰의 뉴젼(遺傳)홀 비오. 녕빅이 구
텬야되(九泉夜臺)의 츙신 녈ᄉ의 뒤흘 좃ᄎ,
옥쳥션되(玉淸仙臺)608)의 즐기ᄂ니, 현계

---

629)쳔양디하(天壤之下) : 이승과 저승의 아래.
630)엄이(奄碍) : 갑자기 기운이 막혀 정신을 잃음.
631)옥쳥션되(玉淸仙臺) : 옥청궁(玉淸宮)에 있는 신

606)쳔양디하(天壤之下) : 이승과 저승의 아래.
607)엄이(奄碍) : 갑자기 기운이 막혀 정신을 잃음.
608)옥쳥션되(玉淸仙臺) : 옥청궁(玉淸宮)에 있는 신

니, 현계 엇디 시로이 이디도록 과훼(過毀)
ᄒᆞ여 셩병(成病)ᄒᆞ려 ᄒᆞᄂᆞᆫ뇨? ᄒᆞ믈며 녕션
(令先)의 후ᄉᆞᆯ 빗나 현계와 효문 ᄀᆞᆺᄐᆞᆫ ᄋᆞ돌
을 두미, 문호를 챵대(昌大)ᄒᆞ며 조션을 현
양(顯揚)ᄒᆞ리니, 현계ᄂᆞᆫ 모로미 회포를 널녀
스스로 관억ᄒᆞ라.”

원쉬 니러 두 번 졀ᄒᆞ고 고두 읍체 왈,

“년슉(緣叔)632)이 의견이 다ᄃᆞ디 아닌 일
을 거울ᄀᆞᆺ치 빗최샤, 가친의 화상을 년딜
(緣姪)633) 등이 밋쳐 셰샹의 나디 못ᄒᆞ여셔
그려 두샤, 오날ᄂᆞᆯ 쇼딜(小姪)을 만나 뵈려
ᄒᆞ시미 속인의 싱각디 못홀 원녜(遠慮)라.
【8】 년딜 등이 엄안을 아디 못ᄒᆞᆷ믈 쥬야
통졀 비원ᄒᆞ읍ᄂᆞᆫ 비러니, 년슉의 은덕으로
션인의 화상을 비알(拜謁)ᄒᆞ오니 친안을 아
읍ᄂᆞᆫ 둣 ᄒᆞᆫ디라. 년딜이 블초 무상ᄒᆞ미 일
즉 션셩을 ᄎᆞᄌ 뵈읍디 못ᄒᆞᆫ 연고로, 가엄
의 화상을 늣게야 뵈오니, 하면목(何面目)으
로 닙어셰(立於世)리잇고?”

도시 ᄌᆡ삼 위로ᄒᆞ고, 원쉬 다시 졍신을
슈습ᄒᆞ여, 부친 화상을 다시 뵈오미, 과연
친필노 화공(畵工)의 후의를 칭샤(稱謝)ᄒᆞᆫ
말이 화상 아ᄅᆡ 썻엿고, 화법의 긔이ᄒᆞ미
볼ᄉᆞ록 찬난ᄒᆞᆫ 졍홰(精華) 고요ᄒᆞ니, 원쉬
여할(如割)ᄒᆞᆫ 심ᄉᆞ를 디향치 못ᄒᆞ여, 화상
알패 브복ᄒᆞ여 흐르는 눈물이 벽ᄒᆡ(碧海)를
보틱며,【9】 읍읍탄셩(泣泣歎聲)ᄒᆞ여 효ᄌᆞ
의 망극ᄒᆞᆫ 회포를 니를 거시 업ᄉᆞ니, 도시
날이 져므러가믈 닐너, 붓드러 왈,

“현계 젼일 녕엄의 화상을 못 보아실 졔
도 능히 견듸엿ᄂᆞ니, 엇디 무익ᄒᆞᆫ 슬프믈
과도히 ᄒᆞᄂᆞᆫ뇨? 그만ᄒᆞ여 폐샤(弊舍)의 나
아가 일야를 디닉고져 ᄒᆞ노라.”

원쉬 그 말을 조ᄎᆞ 날호여 화상을 향ᄒᆞ여
지빅ᄒᆞ고 믈너날ᄉᆡ, 화상을 봉안ᄒᆞᆫ 곳이 이
디도록 휘황(輝煌)ᄒᆞ여, ᄌᆞ긔 집의 뫼셔도

선들의 누대(樓臺). *옥쳥궁(玉淸宮); 도교에서 옥
  황상제가 산다고 하는 궁전.
632)년슉(緣叔) : 아저씨라고 부를 만한 친지.
633)년딜(緣姪) : 조카뻘 되는 친척.

엇지 시로이 이디도록 과훼(過毀)ᄒᆞ여 셩병
(成病)ᄒᆞ려 ᄒᆞᄂᆞᆫ뇨? ᄒᆞ믈며 녕션의 후ᄉᆞᆯ 빗
나 현계와 효문 ᄀᆞᆺᄐᆞᆫ ᄋᆞ돌을 두미, 문호를
챵대(昌大)ᄒᆞ며 됴션을 현양(顯揚)ᄒᆞ리니,
현계ᄂᆞᆫ 모로미 회포를 널녀 슬픔을 관억ᄒᆞ
라.”

원쉬 니러 두 번 졀ᄒᆞ고 고두 읍체【7
2】왈,

“년슉(緣叔)609)이 의견이 다ᄃᆞ지 아닌 일
을 거울ᄀᆞᆺ치 빗최샤, 가친의 화상을 년딜
(緣姪)610) 등이 밋쳐 셰샹을 나지 못ᄒᆞ여셔
○○○○[그려 두샤], 오날날 쇼딜 ○[등]
을 만나 뵈려 ᄒᆞ시미, 속인의 싱각지 못홀
원녜(遠慮)라. 쇼딜 등이 엄안을 아지 못ᄒᆞ
믈 쥬야 통졀 비원ᄒᆞ읍ᄂᆞᆫ 비러니, 년슉의
은덕으로 션인의 화상을 비알(拜謁)ᄒᆞ오니,
친안을 뵈온 둣 ᄒᆞ온지라. 년딜이 블초 무
상ᄒᆞ미 일즉 년슉을 ᄎᆞ쳐 뵈읍지 못ᄒᆞᆫ 연고
로, 가엄의 화상을 늣게야 뵈오니 하면목
(何面目)으로 닙어셰(立於世)리잇고?”

도시 ᄌᆡ삼 위로ᄒᆞ고 원쉬 ᄃᆞ시 졍신을 슈
습ᄒᆞ여, 부친 화상을 다시 뵈오미, 과연
《칠필∥친필》노 화공(畵工)의 후의를 칭
슈ᄒᆞᆫ【73】말이 화상 아ᄅᆡ 썻엿고, 화법의
긔이ᄒᆞ미 볼ᄉᆞ록 찬난ᄒᆞᆫ 졍홰(精華) 고요ᄒᆞ
니, 원쉬 여할(如割)ᄒᆞᆫ 심ᄉᆞ를 지향치 못ᄒᆞ
여, 화상 알픠 부복ᄒᆞ여 흐르는 눈물이 벽
ᄒᆡ(碧海)를 보틱며, 읍읍탄셩(泣泣歎聲)ᄒᆞ여
효ᄌᆞ의 망극ᄒᆞᆫ 회포를 닐를 거시 업ᄉᆞ니,
도시 날이 져므러가믈 닐너 붓드러 왈,

“현계 젼일 녕엄의 화상을 못 보아실 졔
도 능히 견듸엿ᄂᆞ니, 엇지 무익ᄒᆞᆫ 슬프믈
과도히 ᄒᆞᄂᆞᆫ뇨? 그만ᄒᆞ여 폐ᄉᆞ(弊舍)의 나
아가 일야를 지닉미 엇더ᄒᆞ뇨?”

원쉬 그 말을 조ᄎᆞ 날호여 화상을 향ᄒᆞ
여 지빅ᄒᆞ고 믈너날ᄉᆡ, 화상을 봉안ᄒᆞᆫ 곳이
이디도록 휘황(輝煌)ᄒᆞ여, ᄌᆞ긔 집의 뫼셔도

선들의 누대(樓臺). *옥쳥궁(玉淸宮); 도교에서 옥
  황상제가 산다고 하는 궁전.
609)년슉(緣叔) : 아저씨라고 부를 만한 친지.
610)년딜(緣姪) : 조카뻘 되는 친척.

다시 더을 거시 업스믈 보미, 도스를 더옥 감은각골 흐더라.

도시 원슈를 다리고 초샤(草舍)로 도라오며, 동즈를 명흐여,

"님셩각이 월츌산의 와 윤원슈 간 곳을 아디 못흐여 방황흐리니, 네【10】 다려 오라."

도동이 슈명흐여 월츌산으로 가거늘, 또 동즈를 명흐여 은보암 니고(尼姑)다려 셕반을 ᄀᆞ초와 오라 흐고, 원슈로 더브러 종용이 담화홀시, 원쉬 왈,

"져 젹 낙청산 도관을 보오니 황연이 븨여 인덕이 업스디, 오히려 청춍마(靑驄馬) 두 필이 마구의 미엿더라 흐고, 쇼싱을 구흐는 사람이 견흐거늘, 즈셔히 싱각흐미 영션강을 건넘도 션싱의 됴홰시런가 흐옵느니, 쇼싱과 님셩각이 견즈의 그 물을 탓더니이다."

도시 미쇼 왈,

"덩시의 신명흐미 발셔 현계 몸의 급흔 익이 이실 줄 알고, 화부를 써나 현계를 구코져 흐디, 다만 남시를 다리고 도듕의 방황흐【11】여, 아모 도관붓치634)를 엇고져 흐거늘, 내 과연 농슈암을 가르치고 녕션강을 건너게 흐엿는디라. 낙청산 도관은 내 굿트여 이시려 디으미 아니라, 후릭의 내 뎨즈 무리 그 곳의 더러 잇과져 흐미오. 옥셜무(玉雪馬)는 졍히 님즈를 못 어더 흐는 고로, 산야 도인의 틀 거시 아니라. 그러므로 마구의 미고 와 뎡부인이 현계를 구홀 졔 트게 흐고, 현계와 님셩각이 댱샤왕과 졉젼홀 졔 트게 흐미니, 현계 이졔란 다시 그 물을 니게 도라보닉디 말나."

원쉬 언언이 스샤흐여, 다시 뎡시를 가르쳐 즈긔를 살와닉믈 일ᄏᆞ르니, 도시 쇼왈,

"내 비록 용우흐나, 실노 셰【12】 속 사람의 젹은 일도 다 은혜를 일ᄏᆞ라 칭은흐는 바를 듯고져 아닛느니, 현계는 날노뻐 녕엄의 고위(古友)라 흐거든, 이런 말을 다시 말

_____
634)붓치 : 붙이. 어떤 물건에 딸린 같은 종류라는 뜻을 더하는 접미사.

다시 더을 거시 업스매[믈]【74】 보미, 도스를 더옥 감은ᄀᆞ골 흐더라.

도시 원슈를 드리고 초소(草舍)로 드러오며, 동즈를 명흐여 왈,

"님셩각이 월츌산의 와 윤원슈 간 곳을 아지 못흐여 방황흐리니, 네 드려 오라."

도동이 슈명흐여 월츌산으로 가거늘, 또 동즈를 명흐여 은보암 니고(尼姑)드려 셕반을 ᄀᆞ초아 오라 흐고, 도시 원슈로 더브러 종용이 담화홀시, 원쉬 왈,

"져 젹 낙청산 도관을 보오니 《환연‖황연》이 븨여 인젹이 업스디, 오히려 청춍옥셜마(靑驄玉雪馬) 두 필이 마구의 미엿더라 흐고, 쇼싱을 구흐는 스람이 견흐거늘, 즈셔히 싱각흐미 영션강을 건너도 션싱의 됴홰시런가 흐옵느니, 쇼싱과 님셩각이 견즈【75】 그 말을 탓더니이다."

도시 미쇼 왈,

"뎡시의 신명흐미 발셔 현계 몸의 급흔 익이 이실 줄 알고, 화부를 써나 현계를 구코즈 흐디, 다만 남시를 드리고 도듕의 방황흐여 아모 도관붓치611)를 엇고즈 흐거늘, 내 과연 농슈암을 가르치고 녕션강을 건너게 흐엿는지라. 낙청산 도관은 내 구트여 이시려 지으미 아니라, 후릭의 내 뎨즈 무리 그 곳의 더러 잇과져 흐미오, 옥셜무는 졍히 님즈를 못 어더 흐는 고로, 산야 도인의 틀 거시 아니라. 그러므로 마구의 미고 와 뎡부인이 현계를 구홀 졔 트게 흐고, 현계와 님셩각이 장ᄉᆞ왕과 졉젼홀 졔 트게 흐미니, 현계 이졔란 다시 그 말을 닉【76】게 도라보닉지 말게 흐라."

원쉬 언언이 스사흐여, 드시 뎡시를 ᄀᆞ르쳐 즈긔를 살와닉믈 닐ᄏᆞ르니, 도시 쇼왈,

"내 비록 용우흐나 실노 셰속 스람의 젹은 일도 다 칭은흐는 바를 듯고져 앗닌느니, 현계는 날노뻐 녕엄의 고위(古友)라 홀진디 니런 말을 드시 말나."

_____
611)붓치 : 붙이. 어떤 물건에 딸린 같은 종류라는 뜻을 더하는 접미사.

나."

원쉬 도스의 딘졍을 알고, 능히 여러 번 칭샤치 못ᄒᆞ여 다른 말을 ᄒᆞ더니, 도시 쇼이문왈(笑而問曰),

"현계 뎡부인의 취ᄒᆞᆫ 바 화시를 엇디코져 ᄒᆞᄂᆞ뇨?"

원쉬 화시의 곡졀을 아디 못ᄒᆞ므로, 딕왈,

"션싱의 니르시미 엇딘 말ᄉᆞᆷ이니잇가?"

도시 쇼왈,

"현계 오히려 아디 못ᄒᆞ엿도다. 원간 《편댱∥평장(平章)635》 화모는 현명ᄒᆞᆫ 지상이라. 그 셩픔이 너모 강딕 쳥고ᄒᆞ므로 사ᄅᆞᆷ의 믜이미 되여, 이미ᄒᆞᆫ 누얼을 시러 댱샤의 찬덕ᄒᆞ나, 그 녀지 현계의게【13】연분이 잇ᄂᆞᆫ디라. 다만 화시는 댱샤(長沙)의 잇고, 현계ᄂᆞᆫ 남쥐 뎍긱(謫客)으로 신취(新娶)의 흥황(興況)이 ᄉᆞ연(捨然)ᄒᆞᆯ 거시므로, 내 그 텬연을 일울 길히 업ᄉᆞᄆᆞᆯ 개연(慨然)636ᄒᆞ여, 여ᄎᆞ여ᄎᆞ 도셔(道書)로 화공을 격동ᄒᆞ고, 뎡슉녈을 년(連)ᄒᆞ여 권ᄒᆞ여, 화가의 ᄉᆞ회 되엿다가 화시를 현계의게 쳔거ᄒᆞ여 동녈을 빗ᄂᆞ게 ᄒᆞᆫ디라. ᄎᆞ고로 뎡부인이 권도(權道)로 《하가∥화가》 동상이 되연 디 삼년이오, 현계의 셩시를 의디ᄒᆞ여 윤광은이로라 ᄒᆞ니, 현계 화공을 ᄎᆞ즈 보면 그 의셔를 ᄌᆞ랑ᄒᆞᄂᆞᆫ 빗 뎡슉녈이니, 일장 우음을 도으려니와, 부인의 어딘 뜻과 연분이 듕ᄒᆞᄆᆞᆯ 싱각ᄒᆞ여, 경샤의 도라가 남공이 《셔【14】졍∥셕졍》으로셔 환경ᄒᆞᄆᆞᆯ 기다려 남시를 삼취(三娶)ᄒᆞ고, 버거 화시를 ᄉᆞ취(四娶)ᄒᆞ여 졀딕(絶代) 슉완(淑婉)을 샤양치 말나."

원쉬 도스의 말을 드르미, 뎡슉녈의 언간(言間)의 '화가 ᄌᆞ셔항(子壻行)을 의디ᄒᆞ여 만만블ᄉᆞ(萬萬不似)ᄒᆞᆫ 거죄 잇셰라.' ᄒᆞ던 바를 비로소 씨친디라. 화란 가온딕 부인의 쳐변(處變)이 신능ᄒᆞ여, 사ᄅᆞᆷ의 싱각디 못ᄒᆞᆯ

원쉬 도스의 진졍을 알고 능히 여러 번 칭ᄉᆞ치 못ᄒᆞ여 다른 말을 ᄒᆞ더니, 도시 웃고 왈,

"현계 뎡시의 취ᄒᆞᆫ 바 화시를 엇지코즈 ᄒᆞᄂᆞ뇨?"

원쉬 화시의 곡졀을 아지 못ᄒᆞ므로 딕왈,

"션싱의 니르시미 엇진 말ᄉᆞᆷ이니잇고?"

도시 쇼 왈,

"현계 오히려 아지 못ᄒᆞ엿도다. 원간 《편장∥평장(平章)612》 화모는 현명ᄒᆞᆫ 지상이라. 그 셩픔이 너모 강【77】직 쳥고ᄒᆞ여 ᄉᆞ람의 믜이미 되여, 이미ᄒᆞᆫ 누얼을 시러 댱ᄉᆞ의 찬덕ᄒᆞ나, 그 녀지 현계의게 년분이 잇ᄂᆞ지라. 다만 화시는 댱ᄉᆞ(長沙)의 잇고 현계는 남쥐 적긱(謫客)으로 신취(新娶)의 흥황이 ᄉᆞ연(捨然)ᄒᆞᆯ 거시므로, 내 그 텬연을 닐울 길이 업ᄉᆞᄆᆞᆯ 가[개]연(慨然)613ᄒᆞ여, 여ᄎᆞ여ᄎᆞ ○○○[도셔(道書)로] 화공을 격동ᄒᆞ고, 뎡슉녈을 년(連)ᄒᆞ여 권ᄒᆞ여, 화가의 ᄉᆞ회 되엿ᄃᆞᄀᆞ 화시를 현계의게 쳔거ᄒᆞ여 동녈을 빗ᄂᆞ게 ᄒᆞ미라. ᄎᆞ고로 뎡부인이 권도(權道)로 화가 동상이 되연 지 숨년이오, 현계의 셩시를 의지ᄒᆞ여 윤광은이로라 ᄒᆞ니, 현계 화공을 ᄎᆞ져 보면 그 의셔를 ᄌᆞ랑ᄒᆞᄂᆞᆫ 빗 뎡슉녈이리니, 일장 우음을 도으려니와, ᄎᆞ인【78】의 어진 덕과 ᄯᅩ흔 연분이 즁ᄒᆞᄆᆞᆯ 싱각ᄒᆞ여, 경ᄉᆞ의 도라가 남공이 환경흔 후 남시를 숨취ᄒᆞ고, 버거 화시를 ᄉᆞ취(四娶)ᄒᆞ여 졀딕 슉완을 ᄉᆞ양치 말나."

원쉬 도스의 말을 드르매, 뎡슉녈의 언간(言間)의 '화가 ᄌᆞ셔항(子壻行)을 의지ᄒᆞ여 만만블ᄉᆞ(萬萬不似)ᄒᆞᆫ 거죄 잇셰라' ᄒᆞ던 바를 비로소 씨친지라. 화란 ᄀᆞ온딕 부인의 쳐변(處變)이 신능ᄒᆞ여, ᄉᆞ람의 싱각지 못ᄒᆞᆯ

---

635)평장(平章) : 문하평장사(門下平章事). 고려 시대에, 중서문하성에 둔 정이품 벼슬.

636)개연(慨然) : 안타깝게 여김. 억울하고 분하게 여김.

612)평장(平章) : 문하평장사(門下平章事). 고려 시대에, 중서문하성에 둔 정이품 벼슬.

613)개연(慨然) : 안타깝게 여김. 억울하고 분하게 여김.

의식 이시믈 아름다이 넉이고, 쏘 본 쯧이 숙녀미식(淑女美色)을 빅이라도 샤양홀 ᄆ음이 업스, 짐줏 침음 냥구의 왈,

"쇼싱이 비상화란(非常禍亂)ᄒ고 만식 비창(悲愴)ᄒ여 슈회(愁懷)를 도을 ᄯᆫ이오, 번화를 취홀 ᄆ음이 업스니, 뎡시 괴이ᄒᆫ 거조를 힝ᄒ여 화시를 취ᄒᆫ 빅 되【15】여도, 쇼싱은 숙녀 미식을 깃거 아니ᄒᄂ이다."

도식 미미히 쇼왈,

"현계 비록 ᄂ외를 달니ᄒ여 날을 속이나, 나ᄂᆫ 실노 현계의 ᄆ음을 붉히 아ᄂ니, 현계ᄂᆫ 브졀 업슨 말을 말고 남·화 냥개 숙녀를 취ᄒ고 실듕의 번화를 도으라."

인ᄒ여 뎡쇼졔 남시를 구ᄒ던 바를 본ᄃ시 니르니, 원쉬 부인을 낙쳥산 도관의 가 보아시ᄃᆡ, 남시를 그ᄯᆞᆺ치 구홈과 화시를 취ᄒᆫ 곡졀을 모로다가 즈시 듯고, 시로이 힝ᄉᆞ를 긔특이 넉여 ᄒᄃᆡ, 부친의 화상을 빅견ᄒ고 비통ᄒᆫ 심ᄉᆞ를 니긔디 못ᄒ여, 실노 흥황이 뎍은디라. 기리 탄식고 ᄃᆡ왈,

"션싱이 쇼딜【16】노뼈 심회를 은닉ᄒᄂ는가 넉이시나, 쇼딜의 본 ᄯᅳᆺ인즉 울젹ᄒᆫ 셔싱으로 일쳐만 딕회여 댱부의 긔상이 업스믈 업스믈 우이 넉이나, 당ᄎ시 ᄒ여 쇼딜의 가변이 블가스문어타인(不可使聞於他人)이라. 일쳐도 분슈(分手) 샹니(相離)ᄒ연 디 셰월이 오릭고, 사뎨의 긔품이 강밍치 못ᄒᄃᆡ, 쳔니 타향의 죄슈로 그 몸이 무양ᄒᆫ디 즈로 셩식(聲息)을 통치 못ᄒ니, 비창ᄒᆫ 심ᄉᆞ를 비홀 곳이 이시리잇가? 여러 가디 회푀 어즈러오믜 번화를 취홀 ᄆ음이 프러질 ᄯᅮᆫ 아니라, 션싱의 은덕으로 션인의 화상을 빅견ᄒ오나 ᄒᆫ 말ᄉᆞᆷ 알오미 업스니, 남 다른 디【17】통을 엇디 고ᄒ리 잇고?"

도식 원슈의 딘졍이 이러ᄒᆞ믈 더욱 감창ᄒ여, 위로 왈,

"녕뎨(令弟) 효문은 셰류긔딜(細柳氣質)637)이오 빙쳥옥결(氷淸玉潔)638)이라. ᄋ

---

637)셰류긔딜(細柳氣質) : 가지가 가는 버들과 같이 부드럽고 연한 기질.

의식 이시믈 아름ᄃᆞ이 너기고, 쏘 본 쯧이 숙녀미식(淑女美色)을 빅이라도 ᄉᆞ양홀 ᄆ음이 업스ᄃᆡ, 짐줏 침음 냥구의 왈,

"쇼싱이 비상화란(非常禍亂)ᄒ고 만식 비창(悲愴)ᄒ여 슈회(愁懷)를 도을 ᄯᆫ이오, 번화를 취홀 ᄆ음이 업스니, 뎡시 괴이ᄒᆫ 거됴【79】를 힝ᄒ여 화시를 취ᄒᆫ 빅 되여도, 쇼싱은 숙녀 미식을 깃거 아니ᄒᄂ이다."

도식 미미히 쇼 왈,

"현계 비록 ᄂ외를 달니 ᄒ여 날을 속이나, 나ᄂᆫ 실노 현계의 ᄆ음을 붉히 아ᄂ니, 현계ᄂᆫ 부졀업슨 말을 말고 남·화 냥 숙녀를 취ᄒ고 실듕의 번화를 구으라."

ᄒ고, 인ᄒ여 뎡쇼졔 남시를 구ᄒ던 바를 니르니, 원쉬 부인을 낙쳥산 도관의 가 보아시ᄃᆡ 남시를 그ᄯᆞᆺ치 구홈과 화시를 취ᄒᆫ 곡졀을 모ᄅᆞ다ᄀ 즈시 듯고, 시로이 힝ᄉᆞ를 긔특이 넉여 ᄒᄃᆡ, 부친의 화상을 빅견ᄒ고 비통ᄒᆫ 심ᄉᆞ를 니긔지 못ᄒ여, 실노 흥황이 젹은지라. 기리 탄식고 ᄃᆡ왈,

"션싱이 쇼딜노뼈 심【80】회를 은닉ᄒᄂ는가 넉이시나, 쇼딜의 본 ᄯᅳᆺ인즉 울젹ᄒᆫ 셔싱으로 일쳐만 직회여 댱부의 긔상이 업스믈 우이 넉이나, 당ᄎ시 ᄒ여 쇼딜의 가변이 블가스문어타인(不可使聞於他人)이라. 일쳐도 분슈(分手) 샹니(相離)ᄒ연 지 셰월이 오릭고, ᄉᆞ뎨의 긔품이 강밍치 못ᄒᄃᆡ, 쳔니 타향의 죄슈로 그 몸이 무양ᄒᆫ지 즈로 셩식을 통치 못ᄒ니, 비창ᄒᆫ 심ᄉᆞ를 비홀 곳이 이스리잇고? 여러 ᄀᆞ지 회푀 어즈러오매, 번화를 취홀 ᄆ음이 프러질 ᄯᆫ 아니라, 션싱의 은덕으로 션인의 화상을 빅견ᄒ오나, ᄒᆫ 말ᄉᆞᆷ 《알외미∥알오미》 업스니, 남 다른 지통을 엇지 고ᄒ리 잇고?"

도식 원슈의 진졍이 이러ᄒᆞ믈 감창ᄒ여, 위로 왈,

"녕뎨(令弟) 효【81】문은 셰류긔질(細柳氣質)614)이오 빙쳥옥결(氷淸玉潔)615)이라.

---

614)셰류긔딜(細柳氣質) : 가지가 가는 버들과 같이 부드럽고 연한 기질.

시로브터 셰간의 희한흔 변고를 겻그미, 그 상흐미 무궁흐여 깁히 병을 일우니, 만일 쇽셰 범범흔 약을 뜰딘디 어이 그 병이 츠셩흐믈 어드리오마는, 그 지실 댱부인의 긔특흔 졍셩이 텬디를 감동흐여 거의 쾌소홀 디경이 되어실디라. 댱부인이 슈년 젼의 녕존당의 칼히 딜니는 환을 당흐디, 오히려 명믹이 상치 아니코, 그 씩 비몽간(非夢間)의 녕엄이 여츳여츳 니르미 잇는 고로, 회싱단을 가져 댱부의【18】나아가, 밧긔 셔동비 잇거늘 주어 드려 보니고 즉시 도라온 비라. 댱스매 나의 근본을 아디 못흐여 ᄀ장 츳고져 흐다가 못고, 션약(仙藥)으로 댱부인 환후를 구흐미 능히 스경을 면흐고, ᄯ 복듕의 귀인이 보젼흐믈 어더, 옥 ᄀ튼 영지 셰샹의 낫느니 엇디 현계 등의 ᄉ쇽(嗣續)이 션션(詵詵)치 아니리오. 그디 형뎨 이졔 다쇼 익경이 다 디닉엿느니, 모즈 형뎨 단원흐고 부즈 부뷔 단합흐여 만시 무흠흐리라. ᄯ 하부인은 십싱구스(十生九死)흐여 익을 디닉고, 비샹간고(非常艱苦)를 무슈히 디닉여시나, 오히려 경스를 써나디 아니흐엿거니와, 댱부인은 녕뎨 병이 듕흐【19】여 양줘 덕소의셔 거의 죽게 되엿거늘, 빈되 녈부의 디극흔 졍셩을 감동흐여 회싱단을 주고, 이리이리 ᄀ르치고 와시니, 댱부인은 당셰 셩녀텰뷔(聖女哲婦)라 수쳔 니 발셥(發涉)을 어려워 아니코, 녕뎨의 스딜을 회싱케 흐고, ᄯ 구몽슉의 작난과 요괴의 변화로 윤·뎡·딘 삼문이 어육이 될너니, 녕져져(令姐姐) 뎡부인 효렬노 능히 보젼흐니라."

원쉬 경히(驚駭) 왈,

"댱슈(張嫂)의 위부디심(爲夫之心)은 괴이치 아니흐거니와, 엇디 뼈 션단(仙丹)의 녕약(靈藥)을 어더 사뎨의 긋쳐딘 명을 구흐시니잇가?"

도스 쇼왈,

"댱시 졍셩이 긔특흔 고로 회싱약【20】

638)빙쳥옥결(氷淸玉潔) : 얼음처럼 맑고 옥처럼 깨끗함.

ᄋ시로브터 셰간의 희한흔 변고를 겻그미, 그 상흐미 무궁흐여 깁히 병을 닐위니, 만닐 쇽셰 범범흔 약을 쓸진디 어이 그 병이 츠셩흐믈 어드리오마는, 그 지실 댱부인의 긔특흔 졍셩이 텬디를 감동흐여, 거의 쾌소 홀 지경이 되어실지라. 댱부인이 슈년 젼의 녕존당의 칼의 질니는 환을 당흐디, 오히려 명믹이 상치 아니코, 그 씩 비몽간(非夢間)의 녕엄이 여츳여츳 니르미 잇는 고로, 회싱단을 가져 댱부의 나가, 밧게 셔동비 잇거늘 주어 드려 보니고 즉시 도라온 비라. 댱스미 나의 근본을 아지 못흐여 ᄀ장 츳고져 흐ᄃ가 못고, 션약(仙藥)으로 댱부인 환후를 구흐【82】미 능히 스경을 면흐고, ᄯ 복즁의 귀인이 보젼흐믈 어더 옥 ᄀ튼 영지 셰상의 낫느니, 엇지 현계 등의 《ᄉ싱‖ᄉ쇽(嗣續)》이 션션(詵詵)치 아니리오. 그디 형뎨 이졔 다쇼 익경이 다 지닉엿느니, 모즈 형뎨 단원흐고 부즈 부뷔 단합흐여 만시 무흠흐리라. ᄯ 하부인은 십싱구스(十生九死)흐여 익을 지닉고, 비샹간고(非常艱苦)를 무슈히 지닉여시나, 오히려 경스를 써나지 아니흐엿거니와, 댱부인은 녕뎨 병이 즁흐여 양줘 젹소의셔 거의 죽게 되엿거늘, 빈되 녈부의 졍셩을 지극 감동흐여 회싱단을 주고, 이리이리 ᄀ르치고 와시니, 댱시는 당셰 셩녀텰뷔(聖女哲婦)라. 누쳔 니 발셥을 어려워 아니코, 녕뎨의 스딜을 회싱케 흐고, ᄯ 구몽슉의 작난과 요괴의 변화【83】로 윤·뎡·딘 슴문이 어육이 될너니, 녕져져(令姐姐) 뎡부인 효렬노 능히 보젼흐니라"

원쉬 경히(驚駭) 왈,

"댱슈의 위부지심(爲夫之心)은 괴이치 아니흐거니와, 엇지뼈 션단(仙丹)의 《년약‖녕약(靈藥)》을 어더 스뎨의 긋쳐진 명을 구흐시니잇ᄀ?"

도스 쇼 왈,

"댱시 졍셩이 긔특흔 고로 회싱약을 어더

615)빙쳥옥결(氷淸玉潔) : 얼음처럼 맑고 옥처럼 깨끗함.

을 어더 준 비라. 슈연(雖然)이나 현계의 형데 단명박복(短命薄福)흔 사롬일딘디, 엇디 그 고상(苦狀) 가온디 보젼흐믈 어드며, 당시 아모리 초조흔들 회싱단을 어드리오마는, 텬슈(天數)의 뎡흔 바 당당흔 귀복이 먼니 벗쳐시니, 이러므로 비명원수(非命寃死)를 면흔 비라. 임의 익(厄)이 딘흐고 길운(吉運)이 니르러, 바야흐로 영홰 졔미(齊美)흐고 복녹이 무궁흐리니, 비인(鄙人)639)이 위흐여 치하흐노라."

원쉬 흑스의 위딜이 잇던 줄 혜아리고, 상히640) 그 병근이 경치 아닌 바를 슉야(夙夜) 우구(憂懼)흐다가 비로소 알고, 션단의 녕약을 어더 쾌소홀 디경의 이시믈 만심 힝희흐여, 흔갓 도스를【21】향흐여 칭샤홀 쑨이러니, 이윽고 도동이 님셩각으로 더브러 드러와 셩각이 도스긔 지비흐고, 눈믈을 쓰려 왈,

"데지 흔 번 스부 슬하를 쩌난 후 남쥐와 삼년을 이시디, 스뷔 낙쳥산 하의 도관을 일워·계시던 줄 아디 못흔 비라. 여러 일월의 존안을 비견치 못흐오미, 일시 영모흐는 하졍을 엇디 고흐리잇고마는, 아모 곳의 유우(留寓)흐신 바를 아옵디 못흐와, 비현(拜見)홀 길히 업스믈 슬허 흐옵더니, 금일 만힝으로 윤원슈를 조초 월츌산 풍경을 유완코져 흐온디, 스부긔 비알흐믈 어드니 영힝흐미 셕식(夕死)나 무한(無恨)이로소이다."

도【22】싀 셩각의 손을 잡고 흔연 왈,

"네 비록 날을 쩌나나 윤원슈 ᄀᆞ튼 대현을 만나, 감히 그 힝스를 낫토와 본쓰디 못홀디언졍, 만의 흐나흘 쓸오면 거의 허믈을 면흐고, 닙신(立身) 힝스(行事)의 만싀 슉연흐리니, 이번 댱샤(長沙)를 파흐므로뼈, 혹즈 텬문의 작상(爵賞)을 밧는 일이 이셔도, 과갑(科甲)을 응치 아닌 젼은 죽기로뼈 샤양흐여, 일홈 업슨 벼슬을 밧디 말고, 문갑

준 비라. 슈연(雖然)이나 현계의 형뎨 단명박복(短命薄福)흔 스람일진디, 엇지 그 고상 가온디 보젼흐믈 어드며, 당시 아모리 초조흔들 회싱단을 어더 쓰미 되리오. 텬슈(天數)의 졍흔 바 당당흔 귀복(貴福)이 먼니 벗쳐시니, 니러므로 비명원수(非命寃死)를 면흔 비라. 님의 익(厄)이 진흐고 길운(吉運)이 니르러, 바야흐로 녕홰 졔미(齊美)흐고 복녹이 무궁흐리니, 비인(鄙人)616)이 위흐여 치하【84】흐노라"

원쉬 학스의 위질이 잇던 줄 혜아리고, 상히617) 그 병근이 경치 아닌 바를 슉야(夙夜) 우구(憂懼)흐드가 비로소 알고, 션단의 명약을 어더 쾌소홀 디경의 이시믈 만심 힝희흐여, 흔갓 도스를 향흐여 칭스홀 쑨이러니, 이윽고 도동이 님셩각으로 더브러 드러와 셩각이 도스게 지비흐고 눈믈을 쑤려 왈,

"데지 흔 번 스부 슬하를 쩌난 후 남쥐와 숨년을 이시디, 스뷔 낙쳥산 하의 도관을 닐워 계시던 줄 아지 못흔 비라. 녀러 일월의 존안을 비견치 못흐오미, 일시 녕모흐는 하졍을 엇지 고흐리잇고마는, 아모 곳의 유우(留寓)흐신 바를 아옵지 못흐와 비현홀 길히 업스믈 슬허흐더니, 금일 만힝으로 윤원슈를 조초 월【85】츌산 풍경을 유완코즈 흐온 거시, 스부게 비알흐믈 어드니 녕힝흐미 셕식(夕死)나 무한(無恨)이로소이다."

도시 셩각의 손을 즙고 흔연 왈,

"네 비록 날을 쩌나나 윤원슈 ᄀᆞ튼 대현을 만나, 감히 그 힝스를 낫토와 본쓰지 못홀지언졍, 만의 흐나흘 쓰로면 거의 허믈을 면흐고, 닙신(立身) 힝스(行事)의 만싀 슉연흐리니, 이번 쓰흠의 득공(得功)흐므로써, 혹즈 텬문의 상작(賞爵)을 밧즈오미 이실지라도, 과갑을 응치 아닌 젼은 죽기로뼈 스양흐여, 일홈 업슨 벼슬을 밧지 말고, 문갑

---

639)비인(鄙人) : 비루한 사람이라는 뜻으로, 남자가 자기를 낮추어 이르는 일인칭 대명사.
640)상히 : 보통. 항상. 늘.

616)비인(鄙人) : 비루한 사람이라는 뜻으로, 남자가 자기를 낮추어 이르는 일인칭 대명사.
617)상히 : 보통. 항상. 늘.

(文甲)641)은 바라디 못ᄒ려니와 무과(武科)의 고등ᄒ여 너의 조션을 현영ᄒ고, 네 몸을 현달ᄒ면 엇디 효ᄌ 현손이 아니리오."

셩각이 머리 조아 빗샤 왈,

"뎨지 셜수 블초오나 엇디 ᄉ부의 명【23】훈을 간폐의 삭이디 아니리잇고? 삼가 명듸로 ᄒ리이다. 연이나 뎨지 블인ᄒ와 ᄉ부의 교회ᄒ신 은튁을 져바리ᅌᅩᆸ고, 허랑ᄒ 즈최 ᄉ희의 방탕(放蕩)ᄒ여 일싱 젼졍이 아모라 홀 줄 아디 못ᄒ더니, 텬힝으로 윤쳥문을 만나니 일안의 군ᄌ대딜(君子大質)과 인걸디풍(人傑之風)을 허심(許心)ᄒ여, 텬디 우쥬간의 만텬(滿天)ᄒ 죄과의 ᄻᅥ러지지 아니코, 금일 투싱ᄒ와 ᄉ부의 존안을 뵈ᅌᅩᆸ고 계훈을 밧ᄌ오니 삼싱(三生)의 힝(幸)이라. 하 반가오믈 형상치 못ᄒ리로소이다."

언파의 감뉘 여우(如雨)ᄒ니, 도ᄉ 역비(亦悲) 왈,

"내 널노뼈 웅녈댱뷔(雄烈丈夫)라 ᄒ엿더니,【24】함누쳑연(含淚慽然)ᄒᄂ 경식은 근어부인(近於婦人)이로다."

셩각이 눈물을 거두고 블초ᄒ믈 샤례ᄒ니, 도ᄉ 지삼 위로ᄒ고 츠야를 ᄒᆫ가디로 담화홀ᄉ, 능히 잠을 일우디 못ᄒ고 별한(別恨)이 무궁ᄒ더라. 도ᄉ 윤원슈다려 왈,

"뎡슉녈의 의협이 고상ᄒ믄 니르디 말녀니와, 남·화의 연분은 텬뎡이니, 슬희여642)도 마디 못홀디라. 고어(古語)의 텬여블춰(天與不取)면 반슈기앙(反受其殃)643)이라 ᄒ니, 블통이 고집디 말며 슉녀의 의긔를 져바리디 말고, 슈히 도라 녕ᄌ당 태부인의 의려디망(倚閭之望)644)을 기치디 말고, 밧비 부인으로 더브러 동힝ᄒ미 올ᄒ니,

---

641)문갑(文甲) : 문과(文科).
642)슬희여ᄒ다 : 싫어하다.
643)텬여블춰(天與不取)면 반슈기앙(反受其殃) : 하늘이 주는 것을 받지 않으면 도리어 앙화(殃禍)를 입게 된다.
644)의려디망(倚閭之望) : 집 나간 자녀가 돌아오기를 초조하게 기다리는 부모의 마음.

(文甲)618)은 바라지 못ᄒ려니와, 무과(武科)의 고등ᄒ여 너의 조션을 현영ᄒ고, 네 몸을 현달ᄒ면 엇지 효ᄌ 현손이 아니리오."

셩각이 머리 조아 빗ᄉ 왈,

"뎨【86】지 셜수 블초ᄒ오나 엇지 ᄉ부의 명훈을 간폐의 삭이지 아니리잇고? 숨가 명듸로 ᄒ리이다. 그러나 뎨지 블인ᄒ여 ᄉ부의 교회ᄒ신 은퇵을 져바리ᅌᅩᆸ고, 허랑ᄒ 즈최 ᄉ희의 방탕(放蕩)ᄒ여 일싱 젼졍이 아모라 홀 줄 아지 못ᄒ더니,《텬향‖텬힝》으로 윤쳥문을 만나니 일안의 군ᄌ딕질(君子大質)과 인걸지풍(人傑之風)을 허심(許心)ᄒ여, 텬디 우쥬간의 만편(滿遍)ᄒ 죄과의 ᄻᅥ러지지 아니코, 금일 투싱ᄒ와 ᄉ부의 존안을 뵈ᅌᅩᆸ고 계훈을 밧ᄌ오니, 숨싱(三生)의 힝이라. 하 반가오믈 형상치 못ᄒ리로소이다"

언파의 감뉘 여우(如雨)ᄒ니 도ᄉ 녁비 왈,

"내 널노 더브러 ᄉ뎨지의를 미즐ᄉ, 널로뼈 웅녈댱뷔(雄烈丈夫)라 ᄒ엿더니, 함누쳑의(含淚慽矣)ᄒᄂ 경식은 근어부인(近於婦人)이로다."

셩각【87】이 눈물을 거두고 블초ᄒ믈 ᄉ례ᄒ니, 도ᄉ 지삼 위로ᄒ고 츠야를 ᄒᆫ가지로 담화홀ᄉ, 능히 줌을 닐우지 못ᄒ고 별한이 무궁ᄒ더라. 도ᄉ 윤원슈드려 왈,

"뎡슉녈의 의협이 고상ᄒ믄 니ᄅ지 말녀니와, 남·화의 년분은 텬졍이니 슬희여619)도 마지 못홀지라. 고어의 텬여블춰(天與不取)면 반슈기앙(反受其殃)620)이라 ᄒ니, 블통이 고집지 말며, 슉녀의 의긔를 져바리지 말고, 슈히 도라가 녕ᄌ당 퇴부인의 의려지망(倚閭之望)621)을 씻치지 말고, 밧비 부인으로 더브러 동힝ᄒ미 올ᄒ니, 급히 화부의

---

618)문갑(文甲) : 문과(文科).
619)슬희여ᄒ다 : 싫어하다.
620)텬여블춰(天與不取)면 반슈기앙(反受其殃) : 하늘이 주는 것을 받지 않으면 도리어 앙화(殃禍)를 입게 된다.
621)의려디망(倚閭之望) : 집 나간 자녀가 돌아오기를 초조하게 기다리는 부모의 마음.

급히 화【25】부의 가 긔연(奇緣)을 뇌약(牢約)ᄒ고, 님셩각은 이곳의 머므러 녕엄의 화상 뫼셔 갈 긔구를 출혀, 즉시 가게 ᄒ라."

원쉬 듸왈,

"명교(明敎) 맛당ᄒ시듸, 쇼딜이 엄안을 아디 못ᄒ던 궁텬극통(窮天極痛)으로ᄡᅥ, 화상을 현알ᄒ오미 실노 물너갈 ᄯᅳᆺ이 업ᄂ니, 이 곳의셔 슈일을 머므러 화상 뫼셔 갈 위의를 출혀 도라가려 ᄒᄂ이다."

도ᄉ | 쇼왈,

"군이 녕엄의 화상을 못 보아실 졔도 견듸여시니, 화평댱을 보고 도라와 화상을 뫼셔 도라 가면, 군의 싱젼의 됴셕으로 현알ᄒ려 ᄒ여도 졍셩을 펴리니, 그 ᄉ이 화가를 못 단녀올 니 이시리오. 쳥컨듸 고집디【26】 말나."

원쉬 역연(亦然)ᄒ여 초ᄉ(草舍)의 ᄂ려와 님셩각다려 왈,

"싱이 잠간 화부의 단녀오리니 군은 도로 운봉관의 가, ᄉ죨을 명ᄒ여 화상 뫼셔 갈 위의를 출혀 우명일(又明日) 이곳의 듸후(待候)ᄒ면 싱이 바로 이리 와 뫼셔 가리라."

셩각이 슈명ᄒ거ᄂᆯ, 원쉬 도ᄉ긔 하딕 왈,

"쇼딜이 화공을 보고 즉시 오리이다."

도ᄉ 믄득 손을 잡고 왈,

"군을 보미 엇디 ᄡᅧ나고 시브리오마는, 쳥운과 빅운이 길히 다른다라. 산야비인(山野鄙人)이 원융 샹당으로 더브러 여러 날 동쳐(同處)ᄒᆯ ᄲᅵ 아니라. 녕엄의 화상을 군의게 젼ᄒ미 일노 조ᄎ 군을 니별ᄒ니, 비인의 ᄌ최【27】 텬하의 아니 밋춘 곳이 업ᄂ다라. 후의 다시 만날 놀이 이시리라."

원쉬 쳥파의 ᄉ식(辭色)이 크게 결울(結鬱)ᄒ여 함누 듸왈,

"쇼딜이 년슉을 뵈오미 각별ᄒ 하졍(下情)이 샤슉(舍叔)의 버금이라. ᄒ믈며 가친의 화상을 일워 쇼딜노 ᄒ여곰 뫼셔 가게 ᄒ시고, 옥셜ᄆ(玉雪馬)를 주샤 칼 아리 급

가 긔연(奇緣)을 뇌약(牢約)ᄒ고, 님셩각은 이곳의 머므러 녕엄의 화상 뫼셔 갈 긔구를 출혀, 즉시 가게 ᄒ라"

원쉬 듸왈,

"명교(明敎) 맛당ᄒ시듸, 쇼질이 엄안【88】을 아지 못ᄒ던 궁텬극통(窮天極痛)으로ᄡᅥ, 화상을 현알ᄒ오매 실노 물너갈 ᄯᅳᆺ이 업ᄂ니, 이 곳의셔 슈일을 머므러 화상 뫼셔 갈 위의를 출혀 도라가려 ᄒᄂ이다."

도ᄉ | 쇼왈,

"군이 녕엄의 화상을 못 보아실 졔도 견듸여시니, 화평장을 보고 도라와 화상을 뫼셔 도라 가면, 군의 싱젼의 됴셕으로 현알ᄒ려 ᄒ여도 졍셩을 펴리니, 그 ᄉ이 화가를 못 ᄃᆞᆫ녀올 니 니시리오. 쳥컨듸 고집지 말나."

원쉬 역연(亦然)ᄒ여 초ᄉ(草舍)의 ᄂᆞ려와 님셩각ᄃ려 왈,

"싱이 ᄌᆞᆷ간 화부의 ᄃᆞᆫ녀오리니 군은 도로 운봉관의 가, ᄉ죨을 명ᄒ여 화상 뫼셔 갈 위의를 출혀 우명일(又明日) 이곳의 듸후(待候)ᄒ면, 싱이 바로 ᄂᆞ리 와 뫼셔 가리라."

셩각이 슈명ᄒ거ᄂᆯ, 원쉬 도ᄉ게 하직【89】 왈,

"쇼딜이 화공을 보고 즉시 오리이다."

도ᄉ 믄득 손을 줍고 왈,

"군을 보미 엇지 ᄡᅧ나고 시브리오마는, 쳥운과 빅운이 길히 다른지라. 산야비인(山野鄙人)이 원융 샹당으로 더브러 여러 날 동쳐(同處)ᄒᆯ ᄲᅵ 아니라, 녕엄의 화상을 군의게 젼ᄒ미 일노 조ᄎ 그ᄃᆡ를 니별ᄒ니, 비인의 ᄌ최 텬하의 아니 밋춘 곳이 업ᄂ지라. 후의 ᄃᆞ시 만날 놀이 이시리라"

원쉬 쳥파의 ᄉ식(辭色)이 크게 결울(結鬱)ᄒ여 함누 듸왈,

"쇼딜이 년슉을 뵈오미 각별ᄒ 하졍이 ᄉ슉의 버금이라. ᄒ믈며 가친의 화상을 닐워 쇼딜노 ᄒ여곰 뫼셔 가게 ᄒ시고, 옥셜마(玉雪馬)를 주ᄉ 칼 아리 급ᄒ믈 구ᄒ시고,

흐믈 구흐시고, 사데 부부의 위질을 구흐샤, 여러 가디 은혜 크고 듕흐미 산히로 비길 빅 아니라. 어린 뜻의 회군흐기 젼 뫼셔 잇다가, 비록 황셩으로 올나간 후라도 션싱의 계신 곳을 아라, 만니애각(萬里涯角)이라도 일년 일ᄎᆞ 빅견을 폐치 말고져 흐거늘, 션싱이 년딜(緣姪)【28】의 비루흐믈 용납디 아니샤, 스스로 피코져 흐시니, 쇼딜의 결울흔 심ᄉᆞ를 비홀 곳이 업도소이다."

도ᄉᆞ 탄왈,

"내 엇디 군을 피흐여 몸을 감초리오. 본 뜻이 됴졍 지렬노 더브러 여러 날 디흐여, 산야 비인으로뻐 과도히 공경흐는 바를 블감흐여, 심산으로 도라 가고져 흐ᄂᆞ니, 녕엄화상을 일워둔 디 십칠년의 내 ᄆᆞ음이 흔 쎠도 노히디 아냐, 텬하의 쥬류(周流)645)흐기의 편치 못흐믄, 혹ᄌᆞ 화상을 상홀가 두리온 빅라. 명일 빅를 쎠워 남히로 드러 가기를 여러 동뉴와 맛초아시니 어긔오디 못흐므로, 금일의 군을 니별흐ᄂᆞ【29】니 후일의 다시 보기를 바라노라."

원쉬 눈믈을 쎠려 ᄎᆞ후 머믈 곳을 므르니, 도ᄉᆞ 왈,

"나의 뉴우(留寓)홀 곳은 텬하 명산이니, 나도 아모 곳의 이실 줄 긔필치 못흐니, 군을 브디 볼 일이 이시면 내 스스로 ᄎᆞᄌᆞ리니, 군은 뎡쳐 업ᄂᆞᆫ 즈최를 심방치 말나."

원쉬 아연흐여, 도ᄉᆞ를 말노 두로혀디 못홀 줄 알고, 이의 ᄭᅮᆯ오ᄃᆡ,

"쇼싱이 감히 집의 안ᄌᆞ 션싱의 ᄎᆞᄌᆞ시믈 바랄 거시 아니라, 션싱이 흔 번 몸을 감초시면 다시 거쳐를 알 길히 업스니, 션싱의 즈최를 ᄎᆞᆺ 텬하를 쥬류치 못홀디라. 션싱은 쇼딜의 구구(區區)흔 하졍(下情)을 슬피샤 귀톄를 누실(陋室)의 강굴(降屈)646)【30】흐시믈 바라ᄂᆞ이다."

도ᄉᆞ 쇼왈,

"이 ᄯᅩ 어렵디 아니니, 혹ᄌᆞ 경샤(京師)

<hr>

645)쥬류(周流) : 두루 돌아다님.
646)강굴(降屈) : 굽혀서 내여움. 높은 지위에 있는 이가 낮은 자리로 내려옴.

<hr>

ᄉᆞ데 부부의 위질을 구흐샤, 여러 가지 은혜 크고 즁흐미 산히로 비길 빅라. 어린 뜻【90】의 회군흐기 젼 뫼셔 잇ᄃᆞ가, 비록 황셩으로 올나간 후라도 션싱의 계신 곳을 아라, 만니 이각(萬里涯角)이라도 일년 일ᄎᆞ 빅견을 폐치 말고ᄌᆞ 흐거늘, 션싱이 년딜의 비루흐믈 용납지 아니샤 스스로 피코ᄌᆞ 흐시니, 쇼딜의 결울흔 심ᄉᆞ를 비홀 곳이 업도소이다"

도ᄉᆞ 탄왈,

"내 엇지 군을 피흐여 몸을 금초리오. 본 뜻이 됴졍 지렬노 더브러 여러 날 디흐여, 산야 비인으로뻐 과도히 공경흐는 바를 블감흐여, 심산으로 도라 가고ᄌᆞ 흐ᄂᆞ니, 녕엄화상을 일워둔 지 십칠 년의 내 ᄆᆞ음이 흔 쎠도 노히지 아냐, 텬하의 쥬류(周流)622)흐기의 편치 못흐믄, 혹ᄌᆞ 화상을 상홀가 두리온 빅라. 명일 빅를 쎠워 남히로 드러 가기를 녀러 동뉴와 맛초아시니, 어【91】긔오지 못흐므로 금일의 군을 니별흐ᄂᆞ니, 후일의 ᄃᆞ시 보기를 바라노라."

원쉬 눈믈을 쎠려 ᄎᆞ후 머믈 곳을 무르니, 도ᄉᆞ 왈,

"나의 뉴우(留寓)홀 곳은 텬하 명산이니, 나도 아모 곳의 이실 줄 긔필치 못흐매, 군을 브디 볼 일이 이시면 내 스스로 ᄎᆞ지리니, 군은 졍쳐 업ᄂᆞᆫ 즈최를 ᄎᆞᆺ지 말나."

원쉬 아연흐여, 도ᄉᆞ를 말노 두로혀지 못홀 줄 알고, 《의의∥이의》 ᄭᅮᆯ오ᄃᆡ,

"쇼싱이 감히 집의 안ᄌᆞ 션싱의 ᄎᆞᄌᆞ시믈 바랄 거시 아니라, 션싱이 흔 번 몸을 감초시면 다시 거쳐를 알 길히 업스니, 션싱의 즈최를 ᄎᆞ쳐 텬하를 쥬류치 못홀지라. 션싱은 쇼딜의 구구(區區)흔 하졍(下情)을 살피ᄉᆞ 귀톄를 누실(陋室)의 강굴(降屈)623)흐시믈 바【92】라ᄂᆞ이다."

"도ᄉᆞ 쇼왈,

"이 ᄯᅩ 어렵지 아니니, 혹ᄌᆞ 경ᄉᆞ 다히

<hr>

622)쥬류(周流) : 두루 돌아다님.
623)강굴(降屈) : 굽혀서 내여움. 높은 지위에 있는 이가 낮은 자리로 내려옴.

다히 가는 일이 이시면, 비인의 즈최 명공
지렬(名公宰列)의 집의 왕너 번거흐나, 썩를
타 셔로 만나미 이실가 흐노라.”

원슈 후회를 다시금 고흐고, 날이 느즈므
로써 화부로 향홀시, 도스의 보니는 므음과
원슈의 써나는 회푀 결울흐미 샹하치 못흐
딕, 도시 남히로 가미 밧바 마디 못흐여 셔
로 니별흐니라.

원슈 화가로 향흔 후, 도시 님셩각을 경
계흐여 지삼 됴히 이시믈 당부흐고, 힝신의
광망흔 일이 업스믈 니른딕, 셩각이 슌슌
슈명흐고 톄읍흐여 써나믈 슬허【31】흐니,
화도시 도로혀 위로흐고 운봉관으로 가기를
지쵹흐니, 셩각이 마디 못흐여 하딕흐미 눈
물이 비 ᄀᆞ더라.

화도시 원슈와 님셩각을 보니고, 즉시 명
쳔공 화상 알패 나아가 일장을 통곡흐여 니
별흐고, 두 동즈로 더브러 남히로 향흐니,
즈최 표홀(飄忽)흐여 일엽(一葉) 쇼션(小船)
을 희샹의 씌오미, 아모 곳으로 가는 줄 아
디 못흘너라.

윤원슈 셔동을 다리고 쳥녀를 빗기 모라
화부의 나아가, 윤싱인 체 흐고 ‘윤광’ 두
즈를 뻐 명쳡을 드리니, 화공이 너당의 잇
다가 명쳡을 보고, 침음 냥구의 셔랑을 쳥
흔딕, 뎡슉녈이 화쇼져 침소의 잇다가 화공
의【32】브르믈 듯고 즉시 드러가미, 화공
이 명쳡을 주어 왈,

“내 일즉 윤광이란 사름을 스괸 일이 업
더니 오날놀 와 보믈 쳥흐니, 아디 못게라,
현셔의 친쳑이냐?”

쇼졔 몽농이 딕왈,

“쇼싱의 부형 항녈은 다 흔 즈 일홈이어
니와, 쇼싱의 항녈은 두 지오, 윤광이란 친
쳑이 업던 거시니, 혹 일홈을 곳친 지 잇는
가 흐ᄂᆞ이다.”

화공 왈,

“제 엇던 사름이완딕 뎍거죄슈(謫居罪囚)
를 과도히 공경흐여 명쳡을 드리니, ᄀᆞ장
괴이커니와 임의 보기를 쳥흐니, 현셰 날과
흔가디로 나가 보미 엇더흐뇨?”

가는 일이 이시면, 비인의 즈최 명공지렬
(名公宰列)의 집의 왕너 번거흐나, 썩를 타
셔로 만나미 이실가 흐노라.”

원슈 후회를 ᄃᆞ시금 니르고, 날이 느즈
므로써 화부로 향홀시, 도시 보니는 므음
과 원슈의 써나는 회푀 결울흐미 샹하치 못
흐딕, 도시 남히로 가미 밧바 마지 못흐여
셔로 니별흐니라.

원슈 화가로 향흔 후, 도시 님셩각을 경
계흐여 됴히 닛시믈 당부흐고, 힝신의 광망
흐미 업스믈 닐은딕, 셩각이 슌슌 슈명흐고
톄읍흐여 써ᄂᆞ믈 슬허흐니, 도시 도로혀 위
로흐고 운봉관으로 가기를 지쵹흐니, 셩각
이 마지 못흐여 하직흐미 누쉬 여우(如雨)
흐더라.

화도시 원【93】슈와 님셩각을 보니고,
즉시 명쳔공 화상 알픠 ᄂᆞ아가 일장을 통곡
흐여 니별흐고, 두 동즈로 더부러 남히로
향흐니, 즈최 표홀(飄忽)흐여 일엽(一葉) 쇼
션(小船)을 희샹의 씌오미, 아모 곳으로 가
믈 아지 못흘너라.

윤원슈 셔동을 ᄃᆞ리고 쳥녀를 빗기 모라
화부의 ᄂᆞ아가, 윤싱인 체흐고 ‘윤광’ 두 즈
를 뻐 명쳡을 드리니, 화공이 너당의 잇ᄃᆞ
가 명쳡을 보고 침음 냥구의 셔랑을 쳥흔
딕, 뎡쇼졔 화쇼져 침소의 잇ᄃᆞᄀᆞ 화공의
부르믈 듯고 즉시 드러가매, 화공이 명쳡을
주어 왈,

“내 일즉 윤광이란 스람을 스괸 일이 업
더니 오늘날 와 보믈 쳥흐니, 아지 못게라
현셔의 친쳑이냐?”

쇼졔 몽농이 【94】딕왈,

“쇼싱의 부형 항녈은 다 흔 즈 닐홈이어
니와, 쇼싱의 항녈은 두 지오 윤광이란 친
쳑이 업던 거시니, 혹 닐홈을 곳친 지 잇는
ᄀᆞ 흐ᄂᆞ이다”

화공 왈,

“제 엇던 스람이완딕 젹거죄슈(謫居罪囚)
를 과도히 공경흐여 명쳡을 드리니, ᄀᆞ장
괴이커니와 임의 보기를 쳥흐니 현셰 날과
흔가지로 나가 보미 엇더 흐뇨?”

쇼제 명쳡 쯘 글시를 보미 분명이 그 가
군(家君)의 필덕이라. 발【33】셔 츳즈 와
시믈 짐쟉ᄒ디, 화공과 ᄒ가디로 가 보미
참괴(慙愧)ᄒ여 디왈,

"악댱이 몬져 나가 보샤, 졔 만일 쇼싱의
친쳑이로라 ᄒ거든, 쇼셔(小壻)를 블너 뵈쇼
셔."

화공이 윤싱의 셩품을 아는 고로 즉시 즈
가만 나와 윤싱을 쳥ᄒ싀, 원쉬 쳔쳔이 거
러 드러와 화공을 향ᄒ여 녜ᄒ고 좌를 뎡ᄒ
후, 화공이 눈을 드러 윤원슈를 보고 몸을
니러 그 졀을 답ᄒ고, 빈쥬(賓主) 한훤(寒
暄)을 펼 거시 업스나, 화공이 윤원슈를 황
홀이 넉이는 눈이 밤뵈여647), 즈못 졍신을
일는디라. ᄒ갓 그 텬일 ᄀ툰 광치와 명월
ᄀ툰 옥면을 우러러, 어디 빗나며 어디【3
4】고은 줄을 씌둣디 못ᄒ고, 어린ᄃ시 바
라 보더니, 냥구 후 즈셔히 살피미 놉흔 긔
샹이 구츄상텬(九秋霜天) ᄀ고, 슉엄ᄒ 위의
는 하일(何日)의 두리오믈 가져, 안즈미 태
산이 암암(巖巖)ᄒ고 셔미 텬일(天日)이 외
외(巍巍)ᄒ니, 비록 쳥포흑건(靑袍黑巾)이
유즈(儒者)의 긔샹이나, 발셔 귀격(貴格) 달
샹(達相)이 판연ᄒ여 쳔승(千乘)을 긔필(期
必)ᄒ디라. 슈앙(秀昻)ᄒ 격조와 댱녈ᄒ 형
샹이 대댱부의 위의와 영쥰의 긔습을 겸ᄒ
고, 다시 군즈의 대도를 겸ᄒ여시니, 신샹의
일만 가디 긔특ᄒ미 만고의 듯디 못ᄒ 비
라. 화공이 놀나오믈 니긔디 못ᄒ여, 이에
말을 펴 왈,【35】

"만싱이 이 곳의 죄뎍ᄒ연 디 여러 셰월
이로디, 싀문(柴門)의 긔 즛는 일이 업거늘,
귀긱은 어디로 니르시며, 젼일의 셔로 알오
미 업던 거시니, 하고로 노인을 츳즈시나니
잇가? 블승감격 ᄒ이다."

윤원쉬 공경 디왈,

"쇼싱은 경샤 사름으로셔 맛츰 이 곳을
디나던 비라. 합하의 쳥명 덕화를 놉히 듯
즈온 고로, 당돌이 쳥알ᄒ오미 황공ᄒ오나,
ᄒ 번 비현을 위ᄒ여 처음으로 명쳡을 드린

---
647) 밤뵈다 : =밤븨다. 빛나다. (눈이) 부시다.

쇼제 명쳡 쯘 글시를 보매 분명이 그 가
군(家君)의 필젹이라, 발셔 츳즈 와시믈 짐
죽ᄒ디, 화공과 ᄒ가지로 ᄂ가보미 참괴(慙
愧)ᄒ여 디왈,

"악댱이 몬져 ᄂᄀ 보스, 졔 만닐 쇼싱의
친쳑이로라 ᄒ거든 쇼셔(小壻)를 블너 뵈쇼
셔"

화공이 윤싱의 셩품을 아는 고로 즉시 즈
긔만 나와 윤싱을 쳥【95】ᄒ싀, 원쉬 쳔쳔
이 거러 드러와 화공을 향ᄒ여 졀ᄒ고 좌를
졍ᄒ 후, 화공이 눈을 드러 윤원슈를 보고
몸을 니러 그 졀을 답ᄒ고, 빈쥬(賓主) 한훤
(寒喧)을 펼 거시 업스나, 화공이 윤원슈를
황홀이 넉이는 눈이 밤뵈여624), 즈못 졍신
을 닐혼지라. ᄒ갓 그 텬일 ᄀ툰 광치와 명
월 ᄀ툰 옥면을 우러러, 어디 빗나며 어디
고은 줄을 씌둣지 못ᄒ고, 어린ᄃ시 바라
보더니, 오란 후 즈셔히 살피매 놉흔 긔샹
이 구츄상텬(九秋霜天) ᄀ고, 슉엄ᄒ 위의는
하일(夏日)의 두리오믈 가져, 안즈미 태산이
암암(巖巖)ᄒ고 셔미 텬일(天日)이 외외(巍
巍)ᄒ니, 비록 쳥포흑건(靑袍黑巾)이 유즈
(儒者)의 긔샹이나, 발셔 귀격(貴格) 달샹
(達相)이 완연ᄒ여 쳔승(千乘)을 긔필홀지
라. 슈【96】앙(秀昻)ᄒ 격조와 장녈ᄒ 형
샹이 대댱부의 위의와 영쥰의 긔습을 겸ᄒ
고, 다시 군즈의 대도를 겸ᄒ여시니, 신샹의
일만 가지 긔특ᄒ미 만고이[의] 듯지 못ᄒ
비라. 화공이 놀나오믈 니긔지 못ᄒ여, 이의
말을 펴 왈,

"만싱이 이 곳의 피젹(被謫)ᄒ연 지 녀러
셰월이로디, 싀문(柴門)의 긔 즛는 일이 업
거늘, 귀긱은 어디로 니르시며 젼일의 셔로
알미 업던 거시니, 하고로 노인을 츳즈시ᄂ
니잇고? 블승감격 ᄒ여이다."

윤원쉬 공경 왈,

"쇼싱은 경스 스람으로셔 맛츰 이 곳을
지나던 비라. 합하의 쳥명 덕화를 놉히 듯
즈온 고로, 당돌이 쳥알ᄒ오미 황공ᄒ오나,
ᄒ 번 비현을 위ᄒ여 명쳡을 드린 비러니,

---
624) 밤뵈다 : =밤븨다. 빛나다. (눈이) 부시다.

빌러니, 능히 블너 보시믈 어드니 가히 영화롭다 ᄒ리로소이다."

셩음이 쳥고ᄒ고, 긔상이 볼ᄉ록 눈 옴기기 앗가온디라. 화【36】공이 비록 원덕 죄슈로 오릭 궁향의 처ᄒ여시나, 그 안고ᄒ미 평싱의 그 셔랑 '광은' 밧긔 허심ᄒ는 사람이 업다가, 금일 윤원슈를 보니 긔이ᄒ며 아름다오믈 니긔디 못ᄒ여, 볼ᄉ록 유싱(儒生)의 형상 ᄀᆺ디 아냐, 공후직렬(公侯宰列)이 아니면 만군을 춍녕(總領)홀 원융(元戎)이라. 화공이 크게 의심ᄒ여 냥구히 슉시ᄒ미, 흑건을 비록 ᄲᅧ시나 두샹(頭上)의 누른 관지(貫子)648) 은연이 뵈는디라. 이 반ᄃ시 남뎡 대원슈 윤광텬이믈 ᄭᅵ드라, 이의 피셕 왈,

"노인이 눈이 이시나 산악(山岳)을 아디 못ᄒ여시니, 명공이 비록 유싱의 복식을 ᄒ여 계【37】시나 결단코 션비 인믈이 아니오, ᄯᅩ 지상(宰相)의 관ᄌ(貫子)649)를 붓쳐 계시니, 쳥컨디 셩명을 바로 니르쇼셔."

윤원슈 화공의 위인이 쳥고ᄒ믈 암탄ᄒ더니, 그 말이 이 ᄀᆺ트믈 보미 ᄌᆨ긔 셩명과 근본을 은닉홀 거시 아니오, 화공이 낙양후의 동셔(同壻)로 피치 발셔 보암죽 ᄒ더라. 이의 화공을 붓드러 돗 우히 오로믈 쳥ᄒ고, 몸을 굽혀 고왈,

"쇼싱은 과연 남쥬 죄뎍ᄒ엿던 윤광텬이라. 합하긔 셩명을 엇디 은닉ᄒ리잇고? 이러므로 몬져 윤광 두 ᄌ를 ᄲᅧ 드려 보닛엿던 비라. 셩은의 늉늉ᄒ시미 대원슈를 탁비(擢拜)ᄒ시니, 감히 쳔니 밧긔○[셔] 샹명【38】을 위월치 못ᄒ여 대원슈 금인(金印)을 밧ᄌ오나, 블안 민박ᄒ믈 엇디 다 알외리잇고? 죄뎍ᄒ와 합하 청덕을 닉이 듯ᄌ왓

648)관ᄌ(貫子) : 망건에 달아 당줄을 ᄭᅦ는 작은 단추 모양의 고리. 신분에 따라 금(金), 옥(玉), 호박(琥珀), 마노, 대모(玳瑁), 뿔, 뼈 따위의 재료를 사용하였다.
649)관ᄌ(貫子) : 망건에 달아 당줄을 ᄭᅦ는 작은 단추 모양의 고리. 신분에 따라 금(金), 옥(玉), 호박(琥珀), 마노, 대모(玳瑁), 뿔, 뼈 따위의 재료를 사용하였다.

능히 블【97】너 보시믈 어드니 가히 녕화롭다 ᄒ리로소이다."

셩음이 쳥고ᄒ고, 긔상이 볼ᄉ록 눈 옴기기 어려온지라. 화공이 비록 원적 죄슈로 오릭 궁향의 처ᄒ여시나, 그 안고ᄒ미 평싱의 그 셔랑 '광은' 밧게 심허ᄒ는 스람이 업드가, 금일 윤원슈를 보니 긔이ᄒ며 아름다오믈 니긔지 못ᄒ여, 볼ᄉ록 유싱의 형상 ᄀᆺ지 아냐, 공후직렬(公侯宰列)이 아니면 만군을 춍녕(總領)홀 샹당(上將)이라. 화공이 크게 의심ᄒ여 냥구히 슉시ᄒ민, 흑건을 비록 ᄲᅧ시나 두샹의 누른 관지(貫子)625) 은연이 뵈는지라. 이 반ᄃ시 남뎡 대원슈 윤광텬이믈 ᄭᅵ드라, 이의 피셕 왈,

"노인이 눈이 이시나 산악(山岳)을 아지 못ᄒ여시니, 명공이 비록 뉴싱의 복식을 ᄒ여 계시나 결단코【98】 션비 인믈이 아니오, ᄯᅩ 지상(宰相)의 관ᄌ(貫子)626)를 붓쳐 계시니 쳥컨디 셩명을 바로 닐으쇼셔."

윤원슈 화공의 위인이 쳥고ᄒ믈 암탄ᄒ더니, 그 말이 이 ᄀᆺ트믈 보민 ᄌᆨ긔 셩명과 근본을 은닉홀 거시 아니오, 화공이 낙양후의 동셔(同壻)로 피치 발셔 보암죽 ᄒ지라. 이의 화공을 붓드러 돗 우히 오르믈 쳥ᄒ고, 몸을 굽혀 고왈,

"쇼싱은 과연 남쥬 피뎍ᄒ엿던 윤광텬이라. 합하게 엇지 셩명을 은닉ᄒ리잇고? 니러므로 몬져 윤광 두 ᄌ를 ᄲᅧ 드려 보닛엿던 비라. 셩은의 늉늉ᄒ시미 대원슈를 탁비(擢拜)ᄒ시니, 감히 쳔니 밧게○[셔] 샹명을 위월치 못ᄒ여 대원슈 금닌(金印)을 밧ᄌ오나, 블안 민박ᄒ믈 엇지 다 알외【99】오리잇가? 피젹ᄒ와 합하 청덕을 닉이 듯ᄌ왓는

625)관ᄌ(貫子) : 망건에 달아 당줄을 ᄭᅦ는 작은 단추 모양의 고리. 신분에 따라 금(金), 옥(玉), 호박(琥珀), 마노, 대모(玳瑁), 뿔, 뼈 따위의 재료를 사용하였다.
626)관ᄌ(貫子) : 망건에 달아 당줄을 ᄭᅦ는 작은 단추 모양의 고리. 신분에 따라 금(金), 옥(玉), 호박(琥珀), 마노, 대모(玳瑁), 뿔, 뼈 따위의 재료를 사용하였다.

는 고로, 이의 니르러 브딕 뵈옵고져 호므로, 혹즈 합히 아니 보실가 호여 유싱인 체 호과이다."

화공이 청파의 윤원쉬 줄 쾌히 아라, 믄득 손을 잡고 왈,

"누인이 원슈긔 이굿치 친절호믈 낫토미 만홀호나, 외람이 녕션대인 명쳔공과 붕비로 딕졉호시믈 바닷던 고로, 원슈를 보미 감창호고 긔특호믈 결울치 못호여, 일가 친쳑 굿튼 ᄆᆞ음이 잇ᄂᆞᆫ디라. 귀톄 누쳐의 욕님(辱臨)호여 만싱을 ᄎᆞ【39】ᄌᆞ니 블승다감(不勝多感)호여라."

윤원쉬 츄연 딕왈,

"쇼싱은 텬디간 슬픈 인싱이라. 가엄의 얼골도 아디 못호미 흉격의 밋친 디통이라. 남이 니르디 아니면 엄졍(嚴庭)의 친우를 아디 못ᄒᆞᄂᆞᆫ디라. 합하를 우연이 뵈옵고져 니르미, 원간 션인(先人)의 친붕(親朋)이랏다소이다."

화공이 원슈의 긔특호믈 암암 칭복호여, 윤명쳔의 후싀 빗나믈 더옥 아름다이 너겨, 능히 원슈의 손을 노치 못호고 말슴이 종용호미, 《밋쳐∥피ᄎᆞ》 평싱 아던 바 굿튼디라.

화공이 문왈,

"현계의 지실이 낙양후 딘공의 녀ᄌᆞ냐?"

원쉬 딕왈,

"그러호니이다."

화공이 탄왈,

"ᄎᆞ【40】 신이 누년을 죄뎍호여, 일가 친쳑과 졔우 붕비의 소식도 텬양(天壤)650)을 가리옴 굿튼여 듯디 못ᄒᆞᄂᆞᆫ디라. 금일 원슈를 만나믄 몽니(夢裏)의 싱각 밧기라. 남토를 딘뎡호여 덕망과 신무대략(神武大略)이 고금의 희한호믈 드르미, 그윽이 흔 번 상견호믈 원호엿더니, 누인이 만힝으로 원슈의 션풍을 딕호니, 딘실노 일홈 아릭 사ᄅᆞᆷ이 헛되디 아니토다. 딘형은 므슴 복으로 원슈 굿튼 녀셔(女壻)를 어덧ᄂᆞ뇨?"

원쉬 블감(不堪) ᄉᆞᄉᆞ(謝辭)호고 짐즛 문

고로, 이의 니르러 브딕 뵈옵고즈 ᄒᆞᄆᆞ로, 혹즈 합해 아니 보실가 ᄒᆞ여 유싱인 체 ᄒᆞ과이다"

화공이 쳥파의 윤원쉬 줄 쾌히 아라, 믄득 손을 줍고 왈,

"누인이 원슈게 이굿치 친절ᄒᆞ믈 낫토미 만홀ᄒᆞ나, 외람이 녕○[션]대인(舍先大人) 명쳔공과 붕비로 딕졉ᄒᆞ시믈 바다던 고로, 원슈를 보매 감챵ᄒᆞ고 긔특ᄒᆞ믈 결울치 못ᄒᆞ여, 일가 친쳑 굿튼 ᄆᆞ음이 잇ᄂᆞᆫ지라. 귀톄 누쳐의 녹님(辱臨)ᄒᆞ여 만싱을 ᄎᆞᄌᆞ시니 불승다감(不勝多感)ᄒᆞ여라."

윤원쉬 츄연 딕왈,

"쇼싱은 텬디간 슬픈 인싱이라. 가엄의 얼골도 아지 못ᄒᆞ미 흉격의 밋친 지통이라. 남이 니르지 아니면【100】엄졍(嚴庭)의 친우를 모르ᄂᆞᆫ지라. 합하를 우연이 뵈옵고즈 니ᄅᆞ미, 원간 션인의 친붕(親朋)이시랏다소이다."

화공이 원슈의 긔특ᄒᆞ믈 암암 칭복ᄒᆞ여, 윤명쳔의 후싀 빗나믈 더옥 아름다이 너겨, 능히 원슈의 손을 노치 못ᄒᆞ고 말슴이 종용ᄒᆞ매, 피ᄎᆞ 평싱 아든 바 굿튼지라.

화공이 문왈,

"현계의 지실이 낙양후 진공의 녀ᄌᆞ냐?"

원쉬 딕왈,

"그러ᄒᆞ니이다"

화공이 탄왈,

"ᄎᆞ인[신](此身)이 누년을 피젹ᄒᆞ여, 일가 친쳑과 졔우 붕비의 소식도 텬양(天壤)627)을 ᄀᆞ리옴 굿튼여 듯지 못ᄒᆞᄂᆞᆫ지라. 금일 원슈를 만나믄 몽니(夢裏)의 싱각 밧기라. 남토를 진졍ᄒᆞ여 덕망과 지죄 고금의 희한【101】ᄒᆞ믈 드ᄅᆞ미, 그윽이 흔 번 상견ᄒᆞ믈 원ᄒᆞ엿더니, 누인이 만힝으로 원슈의 션풍을 딕ᄒᆞ니 진실노 일홈 아릭 스ᄅᆞᆷ이 헛되지 아니토다. 진형은 므슴 복으로 원슈 굿튼 녀셔를 어덧ᄂᆞ뇨?"

원쉬 블감(不敢) ᄉᆞᄉᆞ(謝辭)ᄒᆞ고, 짐즛 문

왈,

"합하 슬하의 장옥(璋玉)651)이 션션(詵詵)652)ᄒ며, 남녀간 셩취(成娶)ᄒ미 잇ᄂ니잇가?"

화공 왈,

"만싱은 팔지 ᄒ나토 일ᄏ를 거시【41】 업셔, 계오 일녀를 몬져 싱ᄒ고 일남을 만ᄂ(晩來)의 어든 바로, 나히 아딕 십셰도 ᄎ디 못ᄒ엿ᄂ니라. 요힝 댱녀를 셩인(成姻)ᄒ여 셔랑(壻郞)이 쇽셰용인(俗世用人)이 아니라. 고ᄉ명현(高士名賢)의 풍이 가족ᄒ니, 대현의 션힝(善行)을 다시 볼디라. 셩명은 윤광은이니 원슈와 친족이라 ᄒ니, 엇디 되ᄂ뇨?"

원쉬 쳥파의 도ᄉ의 말이 아니 맛ᄎ미 업스믈 경복ᄒ고, 슉녈의 힝ᄉ를 어히 업셔, 잠쇼 딕왈,

"명공의 셔랑이 쇼싱의 친족이어니와, 하 칭찬ᄒ시니 아모커나 브르쇼셔. 쇼싱이 져를 못 보아시미 아니라, 금일 합하 말슴으로 조ᄎ 다시 보아, 실노 기리【42】 심과 ᄀᆺᄐ가 알니니, 쇼싱이 디인(知人)ᄒᄂ 안춍(眼聰)이 업스나, '쳥텬빅일(靑天白日)은 노예하쳔(奴隷下賤)도 역디기명(亦知其明)'653)이라. 합하의 셔랑이 츌셰 비범ᄒ면, 범안(凡眼)인들 모로리잇가?"

화공이 쇼왈,

"아셰(我壻) 원슈를 갓보고 친당 소식도 드럿노라 ᄒ던 거시니, 원쉬 아셔의 긔특ᄒ믈 모로시ᄂ냐? 다만 쇼흠ᄉ(小欠事)○[ᄂ] 그 위인이 원슈ᄀᆺ치 쾌활치 못ᄒ여 심히 슈습ᄒ며, 일쇼일언(一笑一言)이 녜 밧긔 일이 업고, 셩졍이 너모 고요ᄒ여 디긔상덕(志氣相敵)ᄒ 직ᄉ(才士) ᄒ나 둘히 아니로딕, 힝혀도 벗을 ᄉ괴ᄂ 일이 업셔, 쥬야 닉실의 이시니 이런 일이 남ᄌ의 긔상이 브【43】 족ᄒ니라."

---

651)장옥(璋玉) : '자식'을 달리 이르는 말.
652)션션(詵詵) : 수가 많은 모양
653)밝은 하늘에 떠 있는 밝은 태양은 노예나 천민들도 또한 그 밝음을 안다.

왈,

"합하 슬하의 장옥(璋玉)628)이 션션(詵詵)629)ᄒ며, 남녀간 셩취(成娶)ᄒ미 잇ᄂ니잇가?"

화공 왈,

"만싱은 팔지 ᄒ나토 닐ᄏ를 거시 업셔, 계오 일녀를 몬져 낫고 일남을 만ᄂ(晩來)의 어든 바로, 나히 아직 십셰도 ᄎ지 못ᄒ엿고, 요힝 댱녀를 셩인(成姻)ᄒ여 셔랑이 쇽셰용인(俗世用人)이 아니라. 고ᄉ명현(高士名賢)의 풍이 ᄀ족ᄒ니, 대현의 션힝(善行)을 다시 볼지라. 셩명은 윤광은이니 원슈와 친족이라 ᄒ니, 엇지 되ᄂ뇨?"【102】

원쉬 쳥파의 도ᄉ의 말이 아니 맛ᄎ미 업스믈 경복ᄒ고, 슉녈의 힝ᄉ를 어히 업셔, 잠쇼 왈,

"명공의 셔랑이 쇼싱의 친족이어니와, 하 칭찬ᄒ시니 아모커나 브ᄅ쇼셔. 쇼싱이 져를 못 보아시미 아니라, 금일 합하 말슴으로 조ᄎ 다시 보아, 실노 기리심과 ᄀᆺᄐ가 알니니, 쇼싱이 지인(知人)ᄒᄂ 안춍(眼聰)이 업스나, '쳥텬빅일(靑天白日)은 노예하쳔(奴隷下賤)도 녁지기명(亦知其明)'630)이라. 합하의 셔랑이 츌셰 비범ᄒ면 범안(凡眼)엔들 모로리잇가?"

화공이 쇼왈,

"아셰(我壻) 원슈를 갓보고 친당 소식도 드럿노라 ᄒ던 거시니, 원쉬 아셔의 긔특ᄒ믈 모로시ᄂ냐? 다만 흠ᄉ(欠事)○[ᄂ] 그 위인이 원슈ᄀᆺ치 쾌활치 못ᄒ여 심히 슈습ᄒ며, 일동일졍(一動一靜)【103】의 녜 밧게 닐이 업고, 셩졍이 너모 고요ᄒ여 지긔상젹(志氣相敵)ᄒ 직ᄉ(才士) ᄒ나 둘이 아니로딕, 힝혀도 벗을 ᄉ괴ᄂ 일이 업셔 쥬야 닉실의 이시니, 니런 일이 남ᄌ의 긔상이 아니라"

---

628)장옥(璋玉) : '자식'을 달리 이르는 말.
629)션션(詵詵) : 수가 많은 모양
630)밝은 하늘에 떠 있는 밝은 태양은 노예나 천민들도 또한 그 밝음을 안다.

이리 니르며, 셔동을 명호여 윤싱을 나오라 호여, 왈,

"윤원쉬 니르러 계시니, 이 곳 현셔의 친쳑이라, 모로미 나와 뵈오라."

뎡슉녈이 쥬부인 방의 잇더니, 추언을 드르미 실노 낫출 안연이 들고 원슈를 디홀 뜻이 업스디, 스셰 이의 미춘 후는 젹은 넘티를 도라보디 못호더라. 게얼니 신을 쓰어 외헌의 나오미, 원슈의 냥안 졍광이 즈연 슉녈의 신상의 찬난이 빗최여, 그 스이라도 반가오믄 니르도 말고, 즈긔 부인이 남의 집 셔랑이 되여시믈 긔괴히 넉여, 쏘흔 쇼년디심(少年之心)이라. 미미히 웃고, 뎡【44】슉녈이 당의 오르기를 기다려 몸을 움즉여 네필 좌뎡의, 슉녈은 힝혀도 눈이 원슈 신상의 가디 아냐 관을 숙이고, 씌를 도도아 압흘 볼 쓴이로디, 은연흔 슈식(羞色)이 빅옥 굿튼 용화의 취홍호믈 면치 못호니, 더옥 졀승흔 틱도를 블가형언(不可形言)이라.

원쉬 아딕 화가의 근본을 알뵈려 아니므로, 짐즛 굴오디,

"져젹 츈몽굿치 상견호고 즉시 써나니, 그윽이 결울턴 비라. 그 스이 경샤 소식을 드르니, 즈의 누명을 신셜호여 거울굿치 버스미 되니 엇디 깃브디 아니리오."

화공은 아모 곡졀도 아디 못호고 다만 쇼져의【45】말을 고디드러, 그 누명이란 말이 쇼져의 니르던 바와 굿튼 줄노 아라, 웃고 왈,

"현셰 미양 신뉘(身累) 이시므로 경샤의 즈최를 긋쳣노라 호더니, 이졔는 누얼 신셜이 분명홀딘디, 과갑(科甲)을 응호여 텬싱아지(天生雅才)를 져바리디 아니미 올토다."

쇼졔 미급답의 원쉬 왈,

"합하의 니르시는 비 맛당홀 쓴 아니라, 녕셰(令婿) 경샤를 써난 디 삼년의 그 친당이 져를 닛디 못호시미, 장춫 셩딜케 되여시디, 누얼을 신셜치 못흔 젼은 경샤를 드디디 못호더니, 이졔 신빅이 쾌호니 인즈디도(人子之道)의 일시를 디류(遲留)치 못홀디

니리 니르며, 셔동을 명호여 윤싱을 느오라 호여 왈,

"윤원쉬 니르러 계시니 이 곳 현셔의 친쳑이라, 모로미 나와 뵈오라."

뎡슉녈이 쥬부인 방의 잇더니, 추언을 드르미 실노 낫출 안연이 들고 원슈를 디홀 뜻이 업스디, 스셰 이의 미춘 후는 젹은 넘티를 도라보지 못호여, 게얼니 신을 쓰어 외헌의 나오미, 원슈의 냥안 졍광이 즈연 슉녈의 신상의 찬난이 빗최여, 그 스이라도 반기믄 니르도 말고, 즈긔 부인이 남의 집셔【104】랑이 되여시믈 긔괴히 넉기며, 쏘흔 쇼년지심(少年之心)이라 미미히 웃고, 쇼졔 당의 오르기를 기다려 몸을 움작여 네필 좌졍의, 쇼졔는 힝혀도 눈이 원슈 신상의 가지 아냐 관을 숙이고, 씌를 도도아 앏흘 볼 쓴이로디, 은연흔 슈식(羞色)이 빅옥 굿튼 용화의 취홍호믈 면치 못호니, 더옥 졀승흔 틱도를 블가형언(不可形言)이라.

원쉬 아직 화가의 근본을 알외려 아니므로, 짐즛 굴오디,

"져젹 츈몽굿치 상견호고 즉시 써느니, 그윽히 결울턴 비라. 그 스이 경스 소식을 드르니 즈의 누명을 신셜호엿거니와, 도로혀 깃브믈 치스 호노라"

화공은 아모 곡졀도 모르고 다만 쇼져의 말을 고지드러, 그 누명이란 말이【105】쇼져의 니르던 바와 굿튼 줄노 아라, 웃고 왈,

"현셰 미양 신뉘(身累) 이시므로 경스의 즈최를 씃쳣노라 호더니, 이졔는 누얼 신셜이 분명홀진디, 과갑(科甲)을 응호여 텬싱아지(天生雅才)를 져바리지 아니미 올토다."

쇼졔 미급답의 원쉬 왈,

"합하의 니르시는 비 맛당홀 쓴 아니라, 녕셰(令婿) 경스를 써난 지 슴년의 그 친당이 져를 닛지 못호시미, 장춫 셩딜케 되어시디, 누얼을 신셜치 못흔 젼은 경스를 드디지 못호더니, 이졔 신빅이 쾌호니 인즈지도(人子之道)의 일시를 지류(遲留)치 못홀지

라. 명일이라 【46】도 썰니 샹경ᄒᆞ미 올흐
니이다."

화공이 가장 결울ᄒᆞ여 말을 못ᄒᆞ거늘, 슉
녈이 붓그러오믈 춤고 원슈를 향ᄒᆞ여 왈,

"쳥문의 가ᄅᆞ○[치]시미 맛당ᄒᆞᆫ디라. 오
슈블초(吾雖不肖)나 친측을 써난 디 여러
셰월의 심시 엇디 비졀치 아니리잇고마ᄂᆞᆫ,
누얼(陋孼)이 몸 우히 실녀시므로, 감히 샹
경홀 싱의(生意)를 못ᄒᆞ엿더니, 이졔 급히
올나갈소이다."
원슈 동ᄒᆡᆼᄒᆞ믈 일ᄏᆞᆺ더니, 화공이 맛춤 여
측(如厠)ᄒᆞ라654) 가거늘, 원슈 좌우를 살펴
아모도 업스믈 보고 쇼져ᄃᆞ려 왈,
"부인의 거동과 화공의 말을 드르미, 사
름의 싱각디 못홀 괴이ᄒᆞᆫ 【47】 거죄 잇ᄂᆞᆫ
가 시브거니와, 이 곳의셔 녀ᄒᆡᆫ 줄 니르미
가치 아니니, 내 ᄯᅩ ᄒᆞ가디로 화공을 긔인
비어니와, 셩은이 여텬(如天)ᄒᆞ샤, 부인의
거쳐를 ᄎᆞ즈 각읍이 호송ᄒᆞ여 경샤가디 올
나오게 ᄒᆞ라 젼픠 계시미, 녈읍이 딘동ᄒᆞ여
부인의 싱ᄉᆞ 존망을 알녀 ᄒᆞᄂᆞ니, 부인도
이 소식을 드러 계시려든, 어이 도라갈 싱
각을 아니ᄒᆞ고 화가의 셔랑 소임을 기리 ᄒᆞ
고져 ᄒᆞ시ᄂᆞ뇨?"
뎡시 슈괴(羞愧)ᄒᆞ믈 ᄯᅴ여 굴오ᄃᆡ,
"쳡이 엇디 이 곳의 잇고져 ᄒᆞ리잇고마
ᄂᆞᆫ, 누얼을 신셜ᄒᆞᆫ 소식을 아디 못홀 ᄲᅮᆫ 아
니라, 군ᄌᆞ의 회군ᄒᆞ시믈 기 【48】 ○[ᄃᆞ]려
일승(一乘) 교ᄌᆞ(轎子)를 비러 샹경ᄒᆞ믈 바
라ᄃᆡ, 쳡이 발셔 화가의ᄂᆞᆫ 남ᄌᆞ로 칭ᄒᆞ여시
니, 일시의 녀ᄌᆡ믈 낫타ᄂᆡ미 화공 부부로
ᄒᆞ여곰 그 ᄯᆞᆯ의 신셰를 ᄎᆞ악히 넉이고, 쳡
의 힝시 괴이ᄒᆞ믈 통완ᄒᆞ리니, 쳡이 비록
샹경홀디라도, 잠간 화가를 써나 다른 곳의
올마 녀복을 개착(改着)고져 ᄒᆞᄂᆞ이다."
원슈 쇼왈,
"아딕 이목을 ᄀᆞ리와 화가의 신낭 소임을
ᄒᆞ엿거니와, 아디 못게라, 부인이 기리 화시
로뻐 안히로 칭ᄒᆞ여 빅두종시(白頭終是)655)

라. 명일이라도 썰니 샹경ᄒᆞ미 올토소이다."

화공이 ᄀᆞ장 결울ᄒᆞ여 말을 못ᄒᆞ거늘, 쇼
졔 붓그리믈 춤고 원슈를 【106】 향ᄒᆞ여 왈,

"친쳑을 써난 지 여러 셰월의 심시 엇지
비월(悲越)치 아니리오마ᄂᆞᆫ, 누얼이 몸 우히
실녀시매 감히 샹경치 못ᄒᆞ엿더니, 이졔 급
히 올나가리로소이다."

원슈 동ᄒᆡᆼᄒᆞ믈 닐ᄏᆞᆺ더니, 화공이 맛춤 여
측(如厠)ᄒᆞ라631) 가거늘, 원슈 좌우를 살펴
아모도 업스믈 보고 쇼져ᄃᆞ려 왈,
"부인의 거동과 화공의 말을 드르미 ᄉᆞ
람의 싱각지 못홀 괴이ᄒᆞᆫ 거죄 잇ᄂᆞᆫ가 시브
거니와, 이 곳의셔 녀ᄒᆡᆫ 줄 니ᄅᆞ미 가치 아
니니, 내 ᄯᅩ ᄒᆞ가지로 화공을 긔인 비어니
와, 셩은이 여텬(如天)ᄒᆞᄉᆞ 부인의 거쳐를
ᄎᆞ져 각읍이 호송ᄒᆞ여 경ᄉᆞ가지 올나오게
ᄒᆞ매, 졔 읍이 진동ᄒᆞ여 부인의 싱존 ᄉᆞ망
을 알녀 【107】 ᄒᆞᄂᆞ니, 부인도 이 소식을
드러 계시려든, 어이 도라갈 싱각을 아니ᄒᆞ
고 화가의 셔랑 소임을 기리 ᄒᆞ고져 ᄒᆞ시ᄂᆞ
뇨?"
뎡시 슈괴(羞愧)ᄒᆞ믈 ᄯᅴ여 왈,
"쳡이 엇지 이 곳의 잇고○[져] ᄒᆞ리잇고
마ᄂᆞᆫ, 누얼을 신셜ᄒᆞᆫ 소식을 아지 못홀 ᄲᅮᆫ
아니라, 군ᄌᆞ의 회군ᄒᆞ시믈 기ᄃᆞ려 일승(一
乘) 교ᄌᆞ(轎子)를 비러 샹경ᄒᆞ믈 바라ᄃᆡ, 쳡
이 발셔 화가의ᄂᆞᆫ 남ᄌᆞ로 ᄒᆡᆼᄒᆞ여시니, 일시
의 녀ᄌᆡ믈 낫타ᄂᆡ미 화공 부부로 ᄒᆞ여곰 그
ᄯᆞᆯ의 신셰를 ᄎᆞ악히 넉이고, 쳡의 ᄒᆡᆼ시 괴
이ᄒᆞ믈 통완ᄒᆞ리니, 쳡이 비록 샹경홀지라
도 줌간 화가를 써나 다른 곳의 올마, 녀복
을 기착(改着)고져 ᄒᆞᄂᆞ이다"
원슈 쇼 왈,
"아직 니목을 ᄀᆞ리와 화가의 신낭 소임을
ᄒᆞ 【108】 엿거니와, 아지 못게라, 부인이
기리 화시로뻐 안히로 칭ᄒᆞ여 빅두종시(白

의 화가를 긔이미 되시랴?"

쇼졔 탄왈,

"첩이 그젹의 죽으믈 일콧고 남의를 개착ᄒ여 급급히 피화코져 ᄒ【49】미, 의식 궁극ᄒ고 스쳐로 도라 머믈 곳이 업셔, 쳔만 브득이 화가 구혼ᄒ믈 믈니치디 못ᄒᄆᆫ, 일즈는 쳡의 의디를 뎡ᄒ여 아딕 머믈고져 ᄒ미오, 이즈는 화시의 긔특ᄒᆫ 셩화를 드른 고로 타문의 보ᄂᆡ기를 앗겨, 쳡이 맛춤ᄂᆡ 부도의 어긘 사름이 되여, 혹즈 누얼을 신셜ᄒ여도 군즈의 닉ᄉᆞ를 가음알미 블가ᄒ니, 어딘 녀즈를 닐위여 딘데와 ᄒᆞᆫ가디로 명공의 듕궤(中饋)를 쇼임코져 ᄒ미라. 군즈의 화홍관대(和弘寬待)ᄒ시므로, 쳡의 블스ᄒ 거조를 허믈치 마르시고, 죵용이 싱각ᄒ여 화시를 신취(新娶)ᄒ쇼셔."

원쉬 잠쇼 왈,

"싱의 본 ᄯᅳᆺ이 일쳐【50】로 집을 딕희오고 타인을 다시 싱각디 아닛ᄂᆞᆫ 남즈를 용녈(庸劣)이 넉이던 빅로ᄃᆡ, 당ᄎᆞ디시(當此之時)ᄒ여는 《비상 화란∥화란이 비상(非常)》ᄒ고 만시 무심ᄒ니 직취의 《념녀∥념(念)이》 업ᄉᆞᆫ디라. 부인과 딘시 이시니 죡히 닉ᄉᆞ를 다스릴 거시오, 십창(十娼)을 유졍ᄒ여시니 반ᄃᆞ시 슈졀홀 인물이라. 그만ᄒ여도 싱의 가ᄂᆡ 고뎍(孤寂)든 아니리니, 화시는 부인이 쳐티ᄒ고 날다려 니르디 말나."

슉녈이 이의 다ᄃᆞ라ᄂᆞᆫ 옥면화협(玉面花頰)의 잠간 웃는 빗치 요동ᄒ여, 딕왈,

"쳡이 화공 부부의 은혜 닙으미 산히 ᄀᆞᆺ튼디라. ᄒᆞᆫ 일도 그 덕의(德義)를 갑디 못ᄒ고 화시【51】의 젼졍을 어즈러일딘ᄃᆡ, 빅은 망덕ᄒ미 극진ᄒ니, 쳡이 엇디 향복(享福)기를 바라리잇고? 군지 쳡의 원을 좃디 아니시고, 쳔고졀염슉녀(千古絶艶淑女)를 믈니치실딘ᄃᆡ, 쳡이 다시 쳥치 못ᄒᆫ들, 남의 일싱을 어즈러인 사름이 되여 스스로 혼즈 즐겁기를 바라디 아니ᄒᆞᄂ이다."

655)빅두죵시(白頭終是) : 머리가 백발이 되도록 끝까지 내내.

頭終是)632)의 화가를 긔이미 되시랴?"

쇼졔 탄왈,

"쳡이 굿젹의 죽으믈 닐콧고 남의로 급급히 피화코즈 ᄒ미, 의식 궁극ᄒ고 스쳐로 도라 머믈 곳이 업고, ᄉᆞ고무친(四顧無親)ᄒ여 부득이 화가 구혼ᄒ믈 믈니치지 못ᄒᄆᆫ, 일즈는 쳡의 의지를 졍ᄒ여 아직 머믈고즈 ᄒ미오, 이즈는 화시의 긔특ᄒᆫ 셩화를 드른 고로 타문의 보ᄂᆡ기를 앗겨, 쳡이 맛춤ᄂᆡ 부도의 어긘 스람이 되여, 혹즈 누얼을 신셜ᄒ여도 군즈의 닉ᄉᆞ를 가음 알미 블가ᄒ니, 어진 녀즈를 닐위여 진비와 ᄒᆞᆫ 가지로 명공의 즁궤를 쇼임코즈 ᄒ미라. 군즈의 화홍관딕(和弘寬待) ᄒ시무【109】로 쳡의 블스ᄒ 거조를 허믈치 말으시고, 죵용이 싱각ᄒ여 화 시를 신취(新娶)ᄒ쇼셔."

원쉬 즘쇼 왈,

"싱의 본 ᄯᅳᆺ이 일쳐로 집을 직희오고 타인을 다시 싱각지 아닛ᄂᆞᆫ 남즈를 용녈(庸劣)이 넉이던 빅로ᄃᆡ, 당ᄎᆞ지시(當此之時)ᄒ여는 《비상 화란∥화란이 비상(非常)》ᄒ고 만시 무심ᄒ니 직취의 《념녀∥념(念)이》 업ᄂᆞᆫ지라 부인과 진시 이시니 죡히 닉ᄉᆞ를 다스릴 거시오, 십창을 유졍ᄒ여시니 반ᄃᆞ시 슈졀홀 인물이라. 그만ᄒ여도 싱의 가ᄂᆡ 고젹(孤寂)든 아니리니, 화시는 부인이 쳐치ᄒ고 날ᄃᆞ려 알나 말나."

쇼졔 이의 다ᄃᆞ라ᄂᆞᆫ 옥면화협(玉面花頰)의 잠간 웃는 빗치 요동ᄒ여 딕왈,

"쳡이 화공 부부의 은혜 닙으미 산히 ᄀᆞᆺ튼지라. ᄒᆞᆫ 일도 그 덕의(德義)【110】를 갑지 못ᄒ고, 화시의 젼졍을 어즈러일진ᄃᆡ, 빅은 망덕ᄒ미 극ᄒ니, 쳡이 엇지 향복(享福)기를 바라리잇고? 군지 쳡의 원을 좃지 아니시고, 쳔고졀염슉완(千古絶艶淑女)을 믈니치실진ᄃᆡ, 쳡이 ᄃᆞ시 쳥치 못ᄒᆫ들, 남의 일싱을 어즈러인 스람이 되여 스스로 혼즈 즐겁기를 바라지 아닛ᄂᆞ이다."

632)빅두죵시(白頭終是) : 머리가 백발이 되도록 끝까지 내내.

원쉬 부인의 웃는 용화를 되흐여, 그 일만 염광과 일천 ㅈ틴 안듕의 현황ㅎ니, 볼스록 긔이ㅎ미 벽공신월(碧空新月)과 츄슈향년(秋水香蓮)이라도 이러치 못ᄃ다. 원슈의 무궁흔 은졍을 어이 비홀 곳이 이시리오마는, 사룸 되오미 구ᄎ치 아닌ᄃ라. 다【52】만 미미히 웃고, 굴오ᄃᆡ,

"부인이 화시를 위ᄒ여 ᄎ마 댱샤를 써나디 못홀 형셰면, 환경키를 내 구ᄐ여 욱일 거시 아니오, 만일 도라가고져 홀딘ᄃᆡ 이 곳의셔 닉력을 드러닉미 어렵거든, 낙쳔산 도관의 가 이시면 싱이 거교를 출혀 흔가디로 샹경케 ᄒ리라."

부인이 되왈,

"첩이 머믈 곳이 업셔 화가의 의디ᄒ여신들 므슴 ᄆ음으로 ᄎ마 써나디 못홀 일이 이시리오."

원쉬 다시 말을 ᄒ고져 ᄒ더니, 화공이 드러오미 냥인이 말을 긋치고 쵹을 니어 담화ᄒ더니, 야심 후 뎡시 니러 닉당으로 드러가ᄃᆡ, 원쉬 머므르디 아니코,【53】화공이 ᄯᅩ흔 외헌의셔 머믈믈 쳥치 못ᄒ니, 이는 녀셔의 셩졍을 알미라. 명일 원쉬 힝게(行車) 밧브믈 일ᄏᆞ라 화공을 니별홀시, 화공이 친히 잔을 잡아 십여 빈를 년ᄒ여 권ᄒ고, 츄연 왈,

"만싱이 누쳔니 원뎍죄슈(遠謫罪囚)로 환쇄(還刷)홀 시졀이 업ᄉᆞ다. 원슈로 더브러 후회 아득ᄒ니 결울흔 심회를 니긔디 못ᄒ리로다."

원쉬 흠신 ᄉᆞ샤 왈,

"쇼싱이 쳐음으로 합하긔 비알ᄒ믈 어드나, 합하의 ᄉᆞ랑ᄒ시미 일가 족딜 ᄀᆞᆺ트시니, 흔갓 감샤ᄒ믈 니긔디 못홀 ᄲᅵᆫ 아니라, 션인(先人)의 고위(故友)시믈 듯ᄌᆞ오미, 우러읍ᄂᆞᆫ 졍셩이 ᄌᆞ별ᄒ온디라. 여【54】러 날 뫼셔 하졍(下情)을 펴올 거시오ᄃᆡ, 회군이 일시 밧브오니 연고 업시 머므디 못홀 ᄲᅵᆫ 아냐, 조모의 딜환이 위독ᄒ신 소식이 니르니, 심신이 비황ᄒ여 몸이 나라 샹경치 못ᄒ믈 한ᄒ옵ᄂᆞ니, 합히 맛춤ᄂᆡ 댱샤 뎍거의

원쉬 부인의 웃는 용화를 되흐여 그 일만 염광과 일쳔 ㅈ틴 안즁의 현황ᄒ니, 볼스록 긔이ᄒ미 벽공신월(碧空新月)과 츄슈향년(秋水香蓮)이라도 니러치 못홀지라. 원슈의 무궁흔 은졍을 어이 비홀 곳이 이시리오마ᄂᆞᆫ, ᄉᆞ람 되오미 구ᄎ치 아닌지라. 다만 미미히 웃고 왈,

"부인이 화시를 위ᄒ여 ᄎ마 댱ᄉᆞ를 써나지 못홀 형【111】셰면, 환경키를 내 구ᄐᆞ여 욱일 거시 아니오. 만닐 도라가고ᄌᆞ 홀진ᄃᆡ 이 곳의셔 닉력을 드러닉미 어렵거든, 낙쳔산 도관의 가 이시면, 싱이 거교를 출혀 흔가지로 샹경케 ᄒ리라."

쇼졔 되왈,

"첩이 머믈 곳이 업셔 화가의 의지ᄒ여신들, 무슴 ᄆ음으로 ᄎ마 써나지 못홀 일이 이시리오"

원쉬 ᄃᆡ시 말ᄒ고ᄌᆞ ᄒ더니, 화공이 드러오미 냥인이 말을 ᄭᅳᆺ치고 쵹을 니어 담화ᄒ더니, 야심 후 뎡시 니러 닉당으로 드러가ᄃᆡ, 원쉬 머믈지 아니코, 화공이 ᄯᅩ흔 외헌의셔 머믈믈 쳥치 못ᄒ니, 이는 녀셔의 셩졍을 알미라. 명일 원쉬 힝게(行車) 밧브믈 닐ᄏᆞᆺ고 화공을 니별홀시, 화공이 친【11 2】히 잔을 줍아 십여 빈를 년ᄒ여 권ᄒ고, 츄연 왈,

"만싱이 누쳔니 원젹죄슈(遠謫罪囚)로 환쇄(還刷)홀 시졀이 업슬지라. 원슈로 더브러 후회 아득ᄒ니, 결울흔 심회를 니긔지 못ᄒ리로다."

원쉬 흠신 ᄉᆞ사 왈,

"쇼싱이 쳐음으로 합하긔 비알ᄒ믈 어드나, 합하의 ᄉᆞ랑ᄒ시미 일가 족딜 ᄀᆞ치시니, 흔ᄀᆞᆺ 감ᄉᆞ믈 니긔지 못홀 ᄲᅵᆫ 아니라, 션인의 고위(故友)시믈 듯ᄌᆞ오매, 우러읍ᄂᆞᆫ 졍셩이 ᄌᆞ별ᄒ온지라. 녀러 날 뫼셔 하졍을 펼 거시오ᄃᆡ, 회군이 일시 밧브오니 연고 업시 머므지 못홀 ᄲᅵᆫ 아니라, 조모의 딜환이 위독ᄒ신 소식이 니르니, 심신이 비황ᄒ여 몸이 ᄂᆞ라 샹경치 못ᄒ믈 한ᄒ옵ᄂᆞ니, 합해 맛【113】춤ᄂᆡ 댱ᄉᆞ 젹거의 괴로오믈

괴로오믈 당치 아니실 거시니, 길운을 만나
시면 엇마 ᄒᆞ여 환쇄ᄒᆞ시리잇고? 후일 다시
비현ᄒᆞ믈 바라ᄂᆞ이다."

화공이 가장 결울ᄒᆞ나, 원슈의 ᄎᆞᄌᆞ 니르
러 ᄒᆞ로 밤을 디닉고 감도 쳔만 녀외(慮外)
라. 피치 홀홀ᄒᆞ믈 씌여 니별ᄒᆞ고, 원쉬 뎡
시를 향ᄒᆞ여 왈,

"군의 힁게 일시 밧븐디라. 모로미 금일
이라도 합하긔【55】하딕ᄒᆞ고 샹경ᄒᆞ려니
와, 이곳의 노마(路馬)를 가져가디 말고 내
게로 온죽, 내 힁군 젼 인ᄆᆞ를 어더 급히
경샤로 가게 ᄒᆞ리라."

뎡시 딕왈,

"비록 이리 니르디 아니시나 내 ᄯᅳᆺ이 ᄯᅩ
ᄒᆞ 원슈의 노량(路糧)과 ᄆᆞᆯ을 비러 가려 ᄒᆞ
ᄂᆞ이다."

원쉬 졈두ᄒᆞ고 즉시 나가거늘, 화공이 쇼
져를 다리고 닉루의 드러가 쥬부인을 보고,
윤원슈의 긔특ᄒᆞ믈 젼ᄒᆞ여 칭찬ᄒᆞ믈 마디
아니니, 쥬부인이 긔형(其兄) 낙양후 부인의
녀셰(女婿)런 줄 알고, 나아와 보디 못ᄒᆞ믈
이들와 ᄒᆞ더라. 뎡쇼졔 화공과 부인을 향ᄒᆞ
여 왈,

"쇼싱이 악부모의 은이를 밧ᄌᆞ와 삼년을
슬하의 ᄒᆞ로【56】도 써난 젹이 업ᄯᅡ가,
겨젹 누월 나가므로 악부뫼 과도히 결연ᄒᆞ
시니, 쇼싱이 ᄯᅩᄒᆞ 우러읍ᄂᆞ 졍셩이 범연ᄒᆞ
곳의 비치 못ᄒᆞ올너니, 이졔 누얼을 신셜ᄒᆞ
고 친당의 기다리시미 간졀ᄒᆞ시믈 싱각ᄒᆞ오
니, 인ᄌᆞ 졍니의 ᄎᆞ마 믈너 잇디 못ᄒᆞᆯ 거시
므로, 마디 못ᄒᆞ여 도라가랴 ᄒᆞ읍ᄂᆞ니, 공명
현달이 명슈(命數)의 ᄃᆞᆯ녓거니와, 쇼싱이 혹
ᄌᆞ 청운을 더위잡아 뇽방(龍榜)의 오로ᄂᆞ
일이 이시면, 이곳의 나려와 악부모긔 비알
ᄒᆞ고 실인을 다려가려 ᄒᆞᄂᆞ이다."

화공 부뷔 쳥파의 결연 비졀ᄒᆞ믈 니긔디
못ᄒᆞ나, 화공은 본디 ᄉᆞ리 통달ᄒᆞᆫ【57】댱
뷔라. 윤싱의 도라가고져 ᄒᆞᄂᆞ 비 인ᄌᆞ디도
의 당연ᄒᆞ믈 알고, 만뉴(挽留)ᄒᆞ미 가치 아
냐, 츄연 탄왈,

"이곳의셔 경시 누쳔니라. 현셰 ᄒᆞᆫ 번 가

당치 아니시리니, 길운을 만나며[면] 언마
ᄒᆞ여 환쇄ᄒᆞ시리잇고? 후일 ᄃᆞ시 비현ᄒᆞ믈
바라ᄂᆞ이다"

화공이 가장 결울ᄒᆞ나 원슈의 ᄎᆞ져 니르
러 ᄒᆞ로 밤을 지닉고 감도 쳔만 의외라. 피
ᄎᆞ 홀홀ᄒᆞ믈 씌여 니별ᄒᆞ고, 원쉬 뎡시를
향ᄒᆞ여 왈,

"군의 힁게 일시 밧븐지라. 모로미 금일
이라도 합게 하직고 샹경ᄒᆞ려니와, 이 곳
의 노마(路馬)를 가져ᄀᆞ지 말고, 내게로 온
죽 내 힁군 젼 인마를 어더 급히 경소로 가
게 ᄒᆞ리라"

뎡시 딕왈,

"비록 니리 니ᄅᆞ지 아니시나 내 ᄯᅳᆺ이 ᄯᅩ
ᄒᆞ 원슈의 ᄂᆞ량(路糧)과 말을 비러 가려 ᄒᆞ
ᄂᆞ이다."

원쉬 졈두ᄒᆞ고 즉시 ᄂᆞ가거늘, 화공이 쇼
져【114】를 ᄃᆞ리고 닉루의 드러가, 쥬부인
을 보고 윤원슈의 긔특ᄒᆞ믈 젼ᄒᆞ여 칭찬ᄒᆞ
믈 마지 아니니, 쥬부인이 긔형 낙양후 부
인의 녀셰된 줄 알고, 나아와 보지 못ᄒᆞ믈
이들와 ᄒᆞ더라. 뎡쇼졔 화공과 부인을 향ᄒᆞ
여 왈,

"쇼싱이 악부모의 은이를 밧ᄌᆞ와 슴년을
슬하의 ᄒᆞ로도 써난 젹이 업ᄉᆞ다가, 져젹
누월 나가무로 악부뫼 과도히 결연ᄒᆞ시니,
쇼싱이 ᄯᅩᄒᆞ 우러읍ᄂᆞ 졍셩이 범연ᄒᆞ 곳의
비치 못ᄒᆞ올너니, 이졔 누얼을 신셜ᄒᆞ고 친
당의 기ᄃᆞ리시미 ᄀᆞᆫ졀ᄒᆞ시믈 싱각ᄒᆞ오니,
인ᄌᆞ 졍니의 ᄎᆞ마 믈너 잇지 못ᄒᆞᆯ 거시므
로, 마지 못ᄒᆞ여 도라가려 ᄒᆞ읍ᄂᆞ니, 공명
현달이【115】 명슈(命數)의 ᄃᆞᆯ녓거니와,
쇼싱이 혹ᄌᆞ 청운을 더위줍아 뇽방(龍榜)의
오로ᄂᆞ 일이 이시면, 이곳의 ᄂᆞ려와 악부모
게 비알ᄒᆞ고 실인을 ᄃᆞ려가려 ᄒᆞᄂᆞ이다."

화공 부뷔 쳥파의 결연 비졀ᄒᆞ믈 니긔지
못ᄒᆞ나, 화공은 본디 ᄉᆞ리 통달ᄒᆞᆫ 댱뷔라.
윤싱의 도라가고져 ᄒᆞᄂᆞ 비 인ᄌᆞ지도의 당
연ᄒᆞ믈 알고, 만뉴(挽留)ᄒᆞ미 가치 아냐 츄
연 탄왈,

"이곳셔 경시 누쳔니라. 현셰 ᄒᆞᆫ 번 가미

미 올 긔약이 쉽디 아니코, ᄋᆞ녀는 녕당(令
堂) 니외 모로시는 ᄌᆞ뷔라. 우리 졍니 평싱
져를 써나디 말고져 ᄒᆞ며, ᄯᅩ 녕당이 식부
뉴의 용납ᄒᆞ시믈 밋디 못ᄒᆞ니, 녀ᄋᆞ의 평싱
이 슬픈디라. 현셔는 맛ᄎᆞᆷᄂᆡ 져바리지 말
나."

뎡쇼졔 화열ᄒᆞᆫ 낫빗츠로 위로ᄒᆞ여, 글오
ᄃᆡ,

"쇼싱이 악부모의 은의를 감격ᄒᆞ옵ᄂᆞ니,
텬황디로(天荒地老)656) ᄒᆞ여도 녕녀를 져바
리든 아닐 거시니, 녕녀의 복녹완젼디상(福
祿完全之相)이 남의 아릐 잇디 아니리니,
악부모는 쇼싱으로【58】뻐 무신디인(無信
之人)으로 아디 마르쇼셔."

화공이 윤싱의 위인을 아는디라. 가는 ᄆᆞ
음을 어즈러이디 아니려 ᄒᆞ여, 쇼왈,

"현셔의 ᄯᅳᆺ ᄀᆞᄐᆞᆯ딘ᄃᆡ ᄋᆞ녀의 일싱이 므슨
근심이 이시리오마는, 녕당이 모로시므로
근심이 깁흔디라. 원컨ᄃᆡ 현셔는 누쳐니 댱
졍(長程)의 무ᄉᆞ히 득달ᄒᆞ여, ᄯᅢ를 타 ᄋᆞ녀
취ᄒᆞ믈 녕당(令堂)의 알외고, 남덕을 탕멸ᄒᆞ
믈 조ᄎᆞ 국개(國家) 경과(慶科)를 뎡ᄒᆞ여 인
지를 ᄲᅢ시리니, 그 ᄯᅢ 놉히 득의ᄒᆞ여 지조
를 펴고, 궁향의 날 ᄀᆞᆺᄐᆞᆫ 원덕죄슈도 닛디
말나."

부인은 누쉬 여우ᄒᆞ여 능히 말을 못ᄒᆞ니,
쇼졔 이 경식을 보건ᄃᆡ 져를 일분이【59】
나 니ᄌᆞ면 빈은망덕이 될디라. 화시를 윤원
슈긔 쳔거ᄒᆞ여 허락을 어더 혼녜를 일우기
어렵고, 화공의 환쇄(還刷)홀 긔약이 망연
(茫然)ᄒᆞ니, 아모리 싱각ᄒᆞ여도 됴흔 계괴
업셔, 이의 므러 왈,

"악댱의 죄뤼(罪累) 쳔만 이미ᄒᆞᆫ 가온ᄃᆡ
사ᄅᆞᆷ을 믜이신 연괴라. 아디 못게이다, 악댱
ᄆᆞ음의 뉘 히흔가 시브니잇가?"

화공이 탄왈,

"이 ᄯᅩ 나의 셩품이 딜악(嫉惡)을 여슈
(如讐)ᄒᆞᄂᆞᆫ 고로, 망측ᄒᆞᆫ 누얼을 시러 댱샤
의 찬뎍ᄒᆞ니, 눌을 한ᄒᆞ리오. ᄒᆞ믈며 나의

올 긔약이 쉽지 아니ᄒᆞ고, ᄋᆞ녀는 녕당 ᄂᆡ
외 모ᄅᆞ시는 ᄌᆞ뷔라. 우리 졍니 평싱 져를
써나지 말고져 ᄒᆞ며, ᄯᅩ 녕당이 식부뉴의
농납ᄒᆞ시믈 밋지 못ᄒᆞ니, 녀ᄋᆞ의 평싱이 슬
푼지라, 현셔는 맛ᄎᆞᆷᄂᆡ 져바리지 말나"

뎡쇼졔 화【116】열흔 낫빗츠로 위로 왈,

"쇼싱이 악부모의 은의를 감격ᄒᆞ옵ᄂᆞ니,
텬황디로(天荒地老)633) ᄒᆞ여도 녕녀를 져바
리든 아니ᄒᆞ올 거시니, 녕녀의 복녹완젼지
상(福祿完全之相)이 남의 아릐 잇지 아니리
니, 악부모는 쇼싱으로뻐 무신지인으로 아
지 마ᄅᆞ쇼셔."

화공이 윤싱의 위인을 아는지라. 가는 ᄆᆞ
음을 어즈러이지 아니랴 ᄒᆞ여, 쇼왈,

"현셔의 ᄯᅳᆺ ᄀᆞᄐᆞᆯ진ᄃᆡ ᄋᆞ녀의 일싱이 무
슨 근심이 이시리오마는, 녕당이 모ᄅᆞ시므
로 근심이 깁흔지라. 원컨ᄃᆡ 현셔는 누쳐
니 쟝졍의 무ᄉᆞ히 득달ᄒᆞ여, ᄯᅢ를 타 ᄋᆞ녀
취ᄒᆞ믈 녕당의 알외고, 남젹을 탕멸ᄒᆞ믈 조
ᄎᆞ 국개 경과(慶科)를 졍ᄒᆞ여【117】 인지
를 ᄲᅢ시리니, 그 ᄯᅢ 놉히 득의ᄒᆞ여 지조를
펴고, 궁향의 날 ᄀᆞᆺᄐᆞᆫ 원젹 죄슈도 닛지 말
나."

부인은 누쉬 여우ᄒᆞ여 능히 말을 못ᄒᆞ니,
쇼졔 이 경식을 보건ᄃᆡ 져를 일분이나 이ᄌᆞ
면 빈은망덕이 될지라. 화시를 윤원슈게 쳔
거ᄒᆞ여 허락을 어더 혼녜를 닐우기 어렵고,
화공의 환쇄(還刷)홀 긔약이 망연(茫然)ᄒᆞ
니, 아모리 싱각ᄒᆞ여도 됴흔 계괴 업셔, 이
의 무러 왈,

"악쟝의 죄뤼(罪累) 쳔만 이미ᄒᆞᆫ ᄀᆞ온ᄃᆡ
사람을 믜이신 연괴라. 아지 못거이다, 악댱
ᄆᆞ음의 뉘 히흔가 시브니잇가?"

화공이 탄왈,

"이 ᄯᅩ 나의 셩품이 질악(嫉惡)을 여슈
(如讐)ᄒᆞᄂᆞᆫ 고로, 망측흔 누얼을 시러 댱ᄉᆞ
의 찬젹ᄒᆞ니 누롤【118】 한ᄒᆞ리오. ᄒᆞ믈며

---

656)텬황디로(天荒地老) : '하늘은 황폐하고 땅은 늙
　　었다'는 뜻으로, '오랜 시간이 흐름'을 나타낸 말.

633)텬황디로(天荒地老) : '하늘은 황폐하고 땅은 늙
　　었다'는 뜻으로, '오랜 시간이 흐름'을 나타낸 말.

딕언(直言)으로 인ᄒ여 거셰(擧世) 다 날을
믜워ᄒ니, 뉘 히ᄒᆫ 동 모로거니와, 태흑ᄉ
위현과 젼임 형부【60】상셔 심방이 날을
원슈ᄀᆞᆺ치 믜워ᄒᄂᆞᆫ 스이라. 날 히ᄒ미 ᄎ
냥인의 나디 아닐가 ᄒ노라."

뎡시 딕왈,

"쇼셰 경샤의 올나가 딘심ᄒ여 악댱 환쇄
ᄒ시기를 도모ᄒ리니, 힝혀 금년이 되디 못
ᄒᆯ디라도 쇼셰 무신(無信)ᄒ여 아조 니즌
줄노 아디 마르시고, 그 ᄉ이 셔찰 왕반이
업스나 연괴 잇ᄂᆞᆫ가 념녀치 마르쇼셔."

화공이 쇼왈,

"그딕 졍셩이 간졀치 아니리오마ᄂᆞᆫ 환쇄
ᄂᆞᆫ 바라디 못ᄒ여도, 다만 유신ᄒ여 녀ᄋᆞ를
닛디 아님만 원ᄒ노라."

쇼졔 화공 부부를 지삼 위로ᄒ고, 잠간
몸을 니러 화쇼져 침당의 가 작별 왈,

"싱이 ᄌᆞ(子)로 더브러 결발(結髮) 삼년의
여텬【61】디무궁(如天地無窮)657)ᄒᆫ 은졍이
이시나, 인ᄌᆞ(人子) 되여 부모긔 고치 못ᄒ
고 쳐실을 취ᄒ미, ᄆᆞ음의 편치 못ᄒᆫ 고로
디금 이셩지낙(二姓之樂)을 펴디 못ᄒ고, 이
졔 비로소 누얼을 신셜ᄒ미, 친젼의 비현ᄒᆯ
ᄆᆞ음이 급ᄒ여 도라가ᄂᆞ니, 혹ᄌᆞ 금년을 어
긔오미 될디라도, 명년은 악댱이 환쇄치 못
ᄒ시면 싱이 나려와 ᄌᆞ를 다려가리니, ᄌᆞᄂᆞᆫ
모로미 악부모를 뫼셔 기리 무양ᄒ라."

화시 아미를 낫초고 딕왈,

"군ᄌᆞᄂᆞᆫ 누쳔니 댱졍(長程)의 쳔금 귀톄
를 보즁ᄒ여 무ᄉ 득달ᄒ시고, 편히 잇ᄂᆞᆫ
쳡을 념녀치 마르쇼셔."

뎡시 그 말ᄉᆞᆷ이 젹고, 위인이 쳥아(淸雅)
졀염(絶艶)ᄒᆞᆷ믈 ᄉᆞ랑ᄒᄂᆞᆫ디라. 손을 줍고 니
별을 연연ᄒ다가, 【62】지삼 무양ᄒᆞᆷ믈 당부
ᄒ고 팔흘 드러 녜ᄒ고, 즉시 쥬부인 침당
의 드러가 하딕을 고ᄒᆯ식, 화공과 부인이
노마(奴馬)와 냥ᄌᆞ(糧資)를 뎡ᄒ여 윤싱의
힝거를 쏠와 보닉고져 ᄒ거ᄂᆞᆯ, 쇼졔 샤왈

657)여텬디무궁(如天地無窮) : 하늘과 땅과 같이 넓
고 끝이 없음.

나의 직언(直言)으로 인ᄒ여 거셰(擧世) 다
날을 믜워ᄒ니, 뉘 히ᄒᆫ 동 모르거니와, 틱
학ᄉ 위현과 젼님 형부상셔 심방이 날을 원
슈ᄀᆞᆺ치 믜워ᄒᄂᆞᆫ 스이라. 날 히ᄒ미 ᄎ 냥
인의 나지 아닌가 ᄒ노라."

뎡시 딕왈,

"쇼셰 경ᄉ의 올나가 진심ᄒ여 악댱 환쇄
ᄒ시기를 도모ᄒ리니, 힝혀 금년이 되지 못
ᄒᆯ지라도, 쇼셰 무신(無信)ᄒ여 아조 니즌
줄노 아지 마르시고, 그 ᄉ이 셔찰 왕반이
업스나 연괴 잇ᄂᆞᆫᄀᆞ 념녀치 마르쇼셔"

화공이 쇼 왈,

"그딕 졍셩이 ᄀᆞ졀치 아니리오마ᄂᆞᆫ 환쇄
ᄂᆞᆫ 바라지 못ᄒ여도, 다만 유신ᄒ여 녀ᄋᆞ를
닛지 아님만 원ᄒ노라"

쇼졔 화공 부부를 지삼 위로ᄒ고, 줌간
몸을 니러 화【119】쇼져 침당의 가, 작별
왈,

"싱이 ᄌᆞ로 더브러 결발(結髮) ᄉᆞᆷ년의 여
텬디무궁(如天地無窮)634)ᄒᆫ 은졍이 이시나,
인ᄌᆞ 되여 부모게 고치 못ᄒ고 쳐실을 취ᄒ
미, ᄆᆞ음의 편치 못ᄒᆫ 고로 지금 이셩지친
(二姓之親)을 펴지 못ᄒ고, 이졔야 비로소
누얼을 신셜ᄒ미, 친젼의 비현ᄒᆯ ᄆᆞ음이 급
ᄒ여 도라가ᄂᆞ니, 혹ᄌᆞ 금년을 어긔오미 될
지라도, 명년은 악장이 환쇄치 못ᄒ시면, 싱
이 ᄂᆞ려와 ᄌᆞ를 드려ᄀᆞ리니, ᄌᆞᄂᆞᆫ 모로미
악부모를 뫼셔 기리 무양ᄒ라."

화시 아미를 낫초고 딕왈,

"군ᄌᆞᄂᆞᆫ 누쳔 니 장졍(長征)의 쳔금지구
(千金之軀)를 보즁ᄒ여 무ᄉ 득달ᄒ시고, 편
히 잇ᄂᆞᆫ 쳡으란 념녀치 마르쇼셔."

뎡시 그 말ᄉᆞᆷ이 젹고 위인이 쳥아(淸雅)
졀염(絶艶)○○○○[ᄒᆞᆷᄉᆞ랑]ᄒ여, 손을
줍고 니별을 연연ᄒᄃᆞ가, 【120】지삼 무양
ᄒᆞᆷ믈 당부ᄒ고 팔을 드러 녜ᄒ고, 즉시 쥬
부인 침젼의 드러가 하직을 고ᄒᆯ식, 화공과
부인이 노마(奴馬)와 냥ᄌᆞ(糧資)를 ᄌᆞ비(自
備)ᄒ여 윤싱의 힝거를 쏠와 보닉고ᄌᆞ ᄒ거

634)여텬디무궁(如天地無窮) : 하늘과 땅과 같이 넓
고 끝이 없음.

(辭曰),

"쇼셰 윤원슈의 곳의 가 인마와 냥찬을 어더 힝코져 ᄒᆞᄂᆞᆫ디라. 브졀 업시 노마를 출히지 마르쇼셔,"

부인 왈,

"윤원슈 비록 ᄀᆞᆺ초와시나 우리 ᄆᆞ음의 노ᄌᆞ(奴子)를 ᄶᆞᆯ와 보ᄂᆞᆯ디 못ᄒᆞ면, 현셰(賢壻) 경샤가디 무ᄉᆞ 득달ᄒᆞᆫ 소식을 엇디 드르리오."

뎡시 여러 가디로 밀막아 왈,

"쇼싱이 존부 노마(奴馬)를 ᄃᆞ려간죽, ᄌᆞ연이 뭇ᄂᆞ니 만코, 알 니 이셔, 블고이ᄎᆔ디ᄉᆞ(不告而娶之事)를 급히 【63】 드러ᄂᆞᆫ면, 편당치 아닐 일이 만흐니, 출하리 윤원슈의 노마를 비러 가고져 ᄒᆞᄂᆞ이다."

화공 부뷔 쇼져의 말ᄉᆞᆷ이 이 ᄀᆞᆺ트믈 듯고 다시 노마를 가져가라 아냐, 오딕 쥬찬을 베퍼 니별ᄒᆞ니, 뎡시 평싱 일작블음(一爵不飮)658)으로 졉구ᄒᆞᄂᆞᆫ 일이 업더니, 화공이 친히 잔을 잡고 간졀이 권ᄒᆞ니, 쇼졔 마디 못ᄒᆞ여 일비(一杯)를 거후르고 날이 느ᄌᆞ믈 일ᄏᆞ라 하딕ᄒᆞᆫ딕, 화공과 쥬부인이 별뉘(別淚) ᄲᅡᆼᄲᅡᆼᄒᆞ여 읍읍(泣泣)ᄒᆞ믈 마디 아니니, 뎡슉녈이 그 졍을 감격ᄒᆞ여 다시 두어 말ᄉᆞᆷ으로 위로ᄒᆞ고, 거름을 두로혀 밧그로 나가니, 화공이 ᄯᅡ라 나와 노ᄌᆞ와 ᄆᆞᆯ을 주어 윤원슈 【64】 잇ᄂᆞᆫ 운봉관 가디나 ᄐᆞ고 가라 ᄒᆞ니, 뎡시 샤양치 못ᄒᆞ여 다시 샤례ᄒᆞ고, 홍션과 화부 노ᄌᆞ 일인을 거느려 ᄆᆞᆯ긔 올나 ᄲᆞᆯ니 녕션강의 다ᄃᆞ라, 화부 노마를 도라 보ᄂᆞ고, 빈를 건너 낙쳔산 도관의 드러가 도인의 잇던 당을 향ᄒᆞ여 비례ᄒᆞ여 그 은덕을 ᄉᆞ샤ᄒᆞ고, 일간 방샤를 갈희여 홍션과 ᄒᆞᆫ가디로 이시나 일필 능나를 어들 길히 업ᄉᆞ니, 의복을 곳칠 길히 업셔 민민(憫憫)ᄒᆞᆫ딕, 홍션 왈,

"강태슈 노애 십여 량(兩) 금과 셰필 능나를 주시거ᄂᆞᆯ, 농슈암 니고를 능나 두 필과 금 십 냥을 주고, 일필 능나는 오히려

늘, ○○○○[쇼졔 샤왈(辭曰)],

"쇼졔[셰](小壻) 윤원슈의 곳의 가 인마와 냥찬을 어덧ᄂᆞᆫ지라, 브졀 업시 노마를 출히지 마르쇼셔."

부인 왈,

"윤원슈 비록 ᄀᆞᆺ초아시나 우리 ᄆᆞ음의 노ᄌᆞ(奴子)를 ᄶᆞᆯ와 보ᄂᆞ지 못ᄒᆞ면, 결○[울]ᄒᆞᆫ 믈 어이 춤으리오. 더욱 너집 노지 아니 가면 현셰(賢壻) 경ᄉᆞ가지 무ᄉᆞ 득달ᄒᆞᆫ 소식을 엇지 드르리오."

쇼졔 여러 가지로 밀막아 왈,

"쇼싱이 존부 노마(奴馬)를 ᄃᆞ려간죽 ᄌᆞ연이 뭇ᄂᆞ 니 만코, 알 니 이셔, 블고이ᄎᆔ지ᄉᆞ(不告而娶之事)를 급히 드러ᄂᆞ면 편당치 아닐 일이 만흐【121】니, 출하리 윤원슈의 노마를 비러 가고ᄌᆞ ᄒᆞᄂᆞ이다."

화공 부뷔 쇼져의 말이 이 ᄀᆞᆺ트믈 듯고, ᄃᆞ시 노마를 가져가라 아녀, 오직 쥬찬을 베퍼 니별ᄒᆞ니, 뎡시 평싱 일쥭블음(一爵不飮)635)으로 졉구ᄒᆞᄂᆞᆫ 일이 업더니, 화공이 친히 잔을 줍고 근졀이 권ᄒᆞ니, 쇼졔 마지 못ᄒᆞ여 일비(一杯)를 거후르고 날이 느ᄌᆞ믈 닐ᄏᆞ라 하직ᄒᆞᆫ딕, 화공과 쥬부인이 별뉘(別淚) ᄲᅡᆼᄲᅡᆼᄒᆞ여 읍읍(泣泣)ᄒᆞ믈 마지 아니니, 뎡쇼졔 그 졍을 감격ᄒᆞ여 다시 슈어(數語)로 위로ᄒᆞ고, 거름을 두루혀 밧그로 나가니, 화공이 ᄯᅡ라 ○○[나와] 노ᄌᆞ와 말을 주어 윤원슈 잇ᄂᆞᆫ 운봉관 ᄀᆞ지나 ᄐᆞ고 가라 ᄒᆞ니, 뎡시 ᄉᆞ양치 못ᄒᆞ여 ᄃᆞ시 ᄉᆞ례ᄒᆞ고, 홍션과 화부 노ᄌᆞ 일인을 거느려 ᄆᆞᆯ게 올나, ᄲᆞᆯ니 녕션강의 다ᄃᆞ【122】라, 화부 노마를 도라 보ᄂᆞ고, 빈의 올나 낙쳥산 도관의 드러ᄀᆞ 도인의 잇든 당을 향ᄒᆞ여 비례ᄒᆞ여 그 은덕을 ᄉᆞ례ᄒᆞ고, 일간 방소를 굴희여 홍션과 ᄒᆞᆫᄀᆞ지로 이시나, 일필 능나를 어들 길히 업ᄉᆞ니, 의복을 곳칠 길히 업셔 민망ᄒᆞᆫ딕, 홍션 왈,

"강태슈 노애 십여 량(兩) 금과 셰필 능나를 주시거ᄂᆞᆯ, 농슈암 니고를 능나 두 필과 금 십 냥을 주고, 일필 능나는 오히려

---

658)일작블음(一爵不飮) : 한잔 술도 마시지 못함.

635)일쥭블음(一爵不飮) : 한잔 술도 마시지 못함.

금초와 두어 나맛느이다."

쇼제 깃거 즉시【65】능나를 가져오라
흐디, 홍션이 품 스이로 조츠 슈냥 금과 흔
필 능나를 닉거늘, 쇼제 금으로써 즈긔 나
상츠(羅裳次)659)와 홍션의 의상츠(衣裳
次)660)를 스오라 흐고, 쇼제 의상을 디을식,
홍션이 시샹(市上)의 가 급급히 의상츠(衣
裳次)를 스 도라와, 노쥐 바늘을 날니며 실
을 쎄여 옥슈셤디(玉手纖指)를 신속히 놀닐
식, 쇼제 홀연 탄왈,

"우리 노쥐 바늘과 실을 바려 녀교(女教)
를 니젼 디 삼년의, 다시 녀즈의 도리를 출
히고져 흐나, 화쇼져로 흐여곰 뉸의(倫義)를
뎡치 못흔 사름이 되여, 그 젼졍을 아딕 쾌
히 못흐엿느라. 혹즈 뜻 곳디 못흔 일이
이시면, 내 화공의 은혜를 져바리미 극딘흐
다라. 엇디 혼즈【66】됴키를 구흐리오. 화
시를 오릭 윤문의 닐위디 못흐면, 내 스스
로 인뉸(人倫)의 참예치 아니흐고, 깁히 드
러 셰샹 번화를 모로리라."

홍션이 위로 왈,

"쥬군의 풍류(風流) 호신(豪身)은 본디 아
릭시는 비라. 엇디 화쇼져의 긔특흔 셩화를
드르시고 취치 아니시리잇고? 화쇼져를 윤
문의 닐위믄 손 뒤혐661) 곳틱리이다."

쇼제 왈,

"네 말이 올흐디, 경샤의셔 이곳이 누쳔
니(累千里)라. 윤군이 샤군찰딕(事君察職)흐
며 봉친봉스(奉親奉祀)흐는 사룸으로 신취
(新娶)를 위흐여 댱샤의 나려오기를 어이
긔필흐리오. 이러므로 나의 근심이 듕흐다
라. 브딕 도모흐여 화공의【67】찬덕을 풀
고져 흔들 모음과 곳기 쉬오랴?"

노쥐 이러틋시 말흐며 슌식간의 의상을
일우미, 뎡시 비로소 운고(雲-)662)를 프러

_____

659)나상츠(羅裳次) : 비단옷감. *츠(次); 감. 무엇을
　　만드는 데 필요한 재료.
660)의상츠(衣裳次) : 옷감. 옷을 짓는 데 쓰는 천.
　　늑의차(衣次).
661)뒤혐 : 뒤집음. 뒤혀다 : 뒤집다.
662)운고(雲-) : 남자의 구름처럼 아름다운 상투머리.

금초와 두어 느맛느이다."

쇼제 깃거 즉시 능나룰 가져오라 흐디,
홍션이 품 스이로 조츠 슈 냥 금과 흔 필
능나를 닉거늘, 쇼제 금으로써 즈긔 나상츠
(羅裳次)636)와 홍션의 의상츠(衣裳次)637)를
스오라 흐고, 쇼제 의상을 지을식, 홍션이
시상(市上)의 가 급급히 의상을【123】스
도라와, 노쥐 바늘을 날니며 실을 쎄여 옥
슈셤지(玉手纖指)를 신속히 놀닐식, 쇼제 홀
연 탄왈,

"우리 노쥐 바늘과 실을 바려 녀교(女教)
를 니젼 지 숨년의, 다시 녀즈의 도리를 출
히고져 흐나, 화쇼져로 흐여곰 뉸의(倫義)를
뎡치 못흔 스람이 되여, 그 젼졍을 아직 쾌
히 못흐엿는지라. 혹즈 뜻 곳지 못흔 일이
이시면, 내 화공의 은혜를 져바리미 극흔지
라. 엇지 혼즈 됴키를 구흐리오. 화시를 오
릭 윤문의 닐위지 못흐면 내 스스로 인뉸
(人倫)의 참녜치 아니흐고, 깁히 드러 셰상
번화를 모릭리라."

홍션이 위로 왈,

"쥬군의 풍뉴(風流) 호신(豪身)은 본디 아
릭시는 비라. 엇지 화쇼져의 긔특흔 셩화를
드릭【124】시고 취치 아니시리잇고? 화쇼
져를 윤문의 닐위믄 손 뒤혐638) 곳틱리이
다."

쇼제 왈,

"네 말이 오릭디 경스의셔 이곳이 누쳔
니(累千里)라. 윤군이 스군찰직(事君察職)
흐며 봉친봉스(奉親奉祀)흐는 스람으로 신
취(新娶)를 위흐여 댱스의 나려오기를 어이
긔필흐리오. 이러므로 나의 근심이 즁흔지
라. 브딕 도모흐여 화공의 찬젹을 풀고져
흔들 모음과 곳기 쉬오랴?"

노쥐 이러틋시 말흐며 슌식간의 의상을
닐우매, 뎡시 비로소 운발을 프러 운환(雲
鬟)639)을 찌오미, 남복을 벗고 녀복을 밧고

_____

636)나상츠(羅裳次) : 비단옷감. *츠(次); 감. 무엇을
　　만드는 데 필요한 재료.
637)의상츠(衣裳次) : 옷감. 옷을 짓는 데 쓰는 천.
　　늑의차(衣次).
638)뒤혐 : 뒤집음. 뒤혀다 : 뒤집다.
639)운환(雲鬟) :

운환(雲鬟)663)을 쉬오며 남복을 벗고 녀복을 밧고민, 쇄연(灑然) 청고(淸高)ᄒ여 명현대유(明賢大儒)의 풍이 밧괴여, 쳔틱만염(千態萬艶)이 미려광윤(美麗光潤)ᄒ 부인이 되엿ᄂᆞᆫ디라. 홍션이 어린ᄃᆞ시 보고, 스스로 쇼져의 져 ᄀᆞ튼 긔딜노 젼후 화란 만나믈 익도와 ᄒ더라.

윤원쉬 화공을 니별ᄒ고 쳥녀(靑驢)를 ᄲᆞᆯ니 모라 화도ᄉ의 초샤(草舍)로 도라오더니, 날이 어둡고 산뇌 험악ᄒ여 냥 셔동이 잘 ᄯᅩ로디 못ᄒᆞᄂ디라. 원쉬 잠간 몰긔 나려 송하(松下)의셔 쉬더니,【68】믄득 먼니셔 디져괴ᄂ 소리 잇거ᄂᆞᆯ, 눈을 드러 보니 ᄒᆞᆫ 션비를 결박ᄒ여 몰긔 싯고, ᄯᅩ 교ᄌᆞ ᄒᆞ나흘 옹위(擁衛)ᄒ여 여러 하리 산노(山路)를 에워 ᄲᅥ 가ᄃᆞ, 그 교듕의 ᄒᆞᆫ 녀ᄌᆡ 머리를 프러 낫출 가리오고 하날을 우러러 통곡ᄒᆞᄂ디라. 원쉬 그 결박ᄒᆞᆫ 션비 거동을 보니 용뫼 옥 ᄀᆞᆺ고 풍치 화려ᄒ더라. ᄎᆞ(此) 하인얘(何人也)오.【69】

매, 쇄연 쳥고ᄒ여 명현대유(明賢大儒)의 풍이 밧괴여, 쳔틱만염(千態萬艶)이 미려광윤(美麗光潤)ᄒ 부인이 되엿ᄂᆞᆫ디라. 홍션이 어린ᄃᆞ시 보고 스스로 쇼져의 져 ᄀᆞ【125】튼 긔딜노 젼후 화란이 비상ᄒᆞ믈 익도와 ᄒ더라.

윤원쉬 화공을 니별ᄒ고 쳥녀(靑驢)를 ᄲᆞᆯ니 모라 화도ᄉ의 초실(草室)노 도라오더니, 날이 어둡고 산뇌 험악ᄒ여 냥 셔동이 능히 힝보치 못ᄒᆞᄂ디라. 원쉬 줌간 말게 ᄂᆞ려 송하의셔 쉬더니, 믄득 먼니셔 지져괴ᄂ 소리 ᄂᆞ거ᄂᆞᆯ, 눈 드러 보니 ᄒᆞᆫ 션비를 결박ᄒ여 말게 싯고, ᄯᅩ 교ᄌᆞ ᄒᆞ나흘 옹위ᄒ여 여러 하리 산노를 조ᄎ 에워 ᄊᆞ 가ᄃᆞ, 그 교중의 ᄒᆞᆫ 녀ᄌᆡ 머리를 프러 낫출 ᄀᆞ리오고 앙텬 통곡ᄒᆞᄂ지라.

---

*고: 남자가 상투를 틀 때 머리털을 고리처럼 되도록 감아 넘긴 것.
663)운환(雲鬟) : 여자의 탐스러운 쪽 찐 머리.
639)운환(雲鬟) : 여자의 탐스러운 쪽 찐 머리.

명듀보월빙 권디뉵십구

화셜, 윤원쉬 그 결박흔 션빙의 거동을
보니, 용뫼 옥셜(玉雪) ᄀᆞ고 풍치 화려ᄒᆞ여
심졍이 포려(暴戾)치 아니믈 짐작홀디라. 듕
심의 피이코 잔잉ᄒᆞ믈 니긔디 못ᄒᆞ여, 혜오
디,

"내 댱샤국 인심을 곳쳐 남토를 딘뎡홀가
ᄒᆞ엿더니, 금일 져 거동을 보니 오히려 포
한(暴悍)흔 풍속을 곳치디 못ᄒᆞ엿ᄂᆞ디라. 아
모려나 져 션빙 결박ᄒᆞ여 가는 형상이 참혹
ᄒᆞ니 즈시 므러 곡졀을 알 거시라."

ᄒᆞ고, 밧비 거러 그 겻틱 나아가 친히 그
션비 실【1】니엿ᄂᆞ 몰혁(-革)664)을 잡고,
문왈,

"태평셩디의 원앙흔 일은 업스려니와, 군
이 므슴 연고로 죄를 디엇관디, 잡혀 가는
거동이 대역 죄쉬 아니면 강상 대죄라. 날
다려 잠간 곡졀을 일우미665) 히롭디 아니○
[리]니 쳥컨디 은닉디 말나."

기인이 죽어가는 형상 ᄀᆞᆺ투여 되츠디666)
못ᄒᆞᄂᆞ 소리로 계오 닐오디,

"싱은 등쥐 사ᄅᆞᆷ이러니, 피화ᄒᆞ여 남히로
드러가려 ᄒᆞ다가 ᄯᅩ 잡히인 변을 당ᄒᆞ니,
이 디원극통(至冤極痛)을 텬디 밧 알 니 업
도소이다."

믄득 관니 원슈를 이윽이 보아 왈,

"엇던 쇼년이 그리 다ᄉᆞᆼ【2】여 디나가
는 사ᄅᆞᆷ의 화 맛ᄂᆞᆫ 일을 다 알녀 ᄒᆞᄂᆞ뇨?
이 션비 우셥은 고문갑뎨(高門甲第) 거죡
(巨族)이러니, 져의 힝실을 무상이 가져 궤
휼(詭譎) 음난(淫亂)ᄒᆞ고, 졔 누의 우쇼져를
졔 다리고 살녀 ᄒᆞᄆᆞ로, 즈시 즈부를 삼으
려 ᄒᆞ디 죽기로ᄡᅥ 혼인을 샤양ᄒᆞ고, 등쥐셔
이곳이 오쳔칠빅 니어늘, 무디모야(無知暮
夜)의 도망ᄒᆞ여, 졔 누의로 더브러 그 외슉

원쉬 그 결박흔 션비 거동을 보니, 용뫼
비범ᄒᆞ고 풍치 화려ᄒᆞ여, 견즈(見者)로ᄡᅥ 그
심졍이 표일(飄逸)흐믈 짐작케 ᄒᆞᄂᆞ지라. 즁
심의 고이흐믈 니긔지 못ᄒᆞ여,【126】혜오
디,

"내 댱ᄉᆞ 인심을 곳치고 남토를 진졍홀가
ᄒᆞ엿더니, 금일 져 거동을 보니 오히려 뇨
란흔 풍속을 니졍(理正)640)치 못ᄒᆞ도다. 아
모커나 즈셔히 므러 근빅을 알니라."

ᄒᆞ고, 밧비 겻틱 ᄂᆞ아가 친히 션비 시른
말혁(-革)641)을 줍고 문왈,

"틱평셩디의 원앙흔 일은 업스려니와, 군
이 무슴 죄를 지엇관디 이 지경의 니ᄅᆞ뇨?"

---

664) 몰혁(-革) : 말혁(-革). 말안장 양쪽에 장식으로 늘어뜨린 고삐. 늑마혁(馬革).
665) 일우다 : 이르다. 말하다.
666) 되츠다 : 대차다. 성미가 꿋꿋하며 세차다.

640) 니졍(理正) : 다스려 바로잡음.
641) 몰혁(-革) : 말혁(-革). 말안장 양쪽에 장식으로 늘어뜨린 고삐. 늑마혁(馬革).

을 추주 남히로 드러가려 ᄒ다가, 우리 뒤
흘 좇촛 심방(尋訪)ᄒ기를 등한이 아니 ᄒ
연고로, 이에 와 잡앗ᄂ니, 쇼년이 브듸 므
르믄 엇던 일이니잇고?”

그 션비 관니 등의 ᄒᄂ 말을 듯고 귀를
【3】트러막으며, 눅눅ᄒ믈 니긔디 못ᄒᄂ
디라. 원쉬 관니 등ᄃ려 왈,

“너히 이 션비와 교ᄌ의 든 쇼져를 노코
못 갈소냐?”

관니 닝쇼 왈,

“어이 쎠 모로ᄂ 소리를 ᄒᄂ뇨? 우리 ᄌ
시 이 션비 남ᄆ를 잡아드리나 니ᄂ 각각
오빅 금식 주마 ᄒ여 계시니, 이 션비를 노
코 금은을 일허 브졀업시 슈고만 ᄒ미 엇디
우읍디 아니리오.”

이리 니르며 다시 말을 아니코 믈을 모라
닷거늘, 원쉬 듕심의 싱각ᄒ되,

“이 션비의 거동이 결단코 음난블측디인
(淫亂不測之人)이 아닐 거시오, 관니의 말을
다 미들 거시 아니라. 등쥐 ᄌ시 이 션
【4】비를 추ᄌ 드리면 오빅 금식 주마 ᄒ
미 크게 무상ᄒ니, 내 엇디 잔잉ᄒ ᄌ를 목
젼의 보고 안연이 디너보아 목슘을 구치 아
니리오. 등쥐 관니를 두ᄃ려 업시 ᄒ고 션
비를 살나 ᄂ리라.”

의시 이의 밋쳐 ᄯᄋ흔 말을 아니코 급히
다라드러 션비의 결박ᄒ 거슬 ᄯᄋᄭ니, 무슈
ᄒ 관니 일시의 소리ᄒ고 원슈를 마ᄌ 잡아
등쥐로 갈 ᄯᄋᆺ이 잇ᄂ디라.

원쉬 어히 업셔 잠잠코 일변 션비를 프러
노ᄒ며 일변 달녀드러 ᄌ긔를 히코져 ᄒᄂ
관니를 주머괴로 대골을 두다리며, 손으로
관니 등을 ᄯᄋ리치니, 감히 【5】갓가이 나아
오디 못ᄒᄂ디라. 여러 관니 머리를 상ᄒ며,
혹 낫치 웃쳐디며, 혹 다리도 상ᄒ며 팔도
상ᄒ여, 아모 관니도 원슈의게 갓가이 나아
가디 못ᄒ여, 분명이 텬신이 나려와 우싱
남ᄆ를 구ᄒᄂ 줄노 아라 두리믈 마디 아니
터니, 졈졈 밤이 깁고 산곡 간의 호표 싀랑
의 파람 소리 은은ᄒ니, 윤원슈 밧긔 뉘 아
니 공구(恐懼)ᄒ리오. 져희 셔로 도라보며

그 션비 미급답의 어거(馭車)ᄒ ᄌ 치를
쳐 급히 모라 가ᄂ지라. 원쉬 싱각ᄒ되,

“이 션비 거동을 보니 결단코 음난불측
(淫亂不測)ᄒ 뉘 아니라. 내 엇지 잔잉ᄒ믈
안연이 지녀 보아 구치 아니리오. 관니를
두ᄃ려 업시ᄒ고 이 션비를 술나 ᄂ리라.”

ᄒ고, 급히 다라드러 션비의 결박ᄒ 거
【127】슬 ᄯᄋᆺᄂ니, 무슈 관니 일시의 소리
ᄒ고 원슈를 마ᄌ 줍아 등 뒤흘 셰워 모라
굴여ᄒᄂ지라.

원쉬 어히 업셔 줌줌코 그 션비를 프러
노ᄒ며, 일변 관리를 막아 쥬머괴로 디골을
ᄯᄋ리며, ᄒ 손으로 줍아 ᄯᄋ리치니642), 감히
조당(阻擋)ᄒ643)리 업ᄂ지라. 여러 관니 디
골이 상ᄒ며 혹 낫치 웃쳐지고 비각이 상ᄒ
여 졍신을 추리지 못ᄒ며, 텬신이 ᄂ려와
우싱 남ᄆ를 구ᄒᄂ 줄 아라, 두리믈 마지
아닛터니, 졈졈 밤이 깁고 산곡 간의 호표
싀랑의 포람 소리 은은ᄒ니, 윤원슈 밧게
뉘 아니 공구(恐懼)ᄒ리오. 져마다 일신을

642) ᄯᄋ리치다 : 뿌리치다. 쓸어버리다.
643) 조당(阻擋)ᄒ다 : 막다. 가리다.

왈,

"샐니 힝ᄒ더면 거의 녕가졈의 나가실 거
술, 그릇 닷토다가 우싱 남미를 일코 우리
등이 호환을 만나기 쉬오리로다."

ᄒ거놀, 원쉬 비【6】로소 닐오ᄃᆡ,

"텬디 신명이 사룸의 블의 악ᄉ를 모로디
아니ᄒ여, 아득ᄒ 가온ᄃᆡ 벌을 나리오시미
명명ᄒ니, 여등이 엇디 블인(不仁)의 ᄌᆞ스를
도아 현인(賢人)을 희ᄒ리오. 내 임의 우싱
남미를 구ᄒ여 다려가려 ᄒᄂ니, 너희를 니
르디 말고 등쥐 ᄌᆞᄉᆞ가디 온다 ᄒ여도 두리
디 아니ᄒᄂ니, 여등이 만일 호환을 면ᄒ고
각각 목슘을 슬고져 ᄒ거든, 내 특별이 ᄒ
부작(符籍)667)을 주리니 모로미 가디고 도
라가라."

관니 등 왈,

"아등이 등쥐로셔 올 쩍의 물 두 필과 교
ᄌ 일승을 ᄌᆞ시 주시며, 만일 우싱 남미를
만나거【7】든 결박ᄒ여 오라 ᄒ여 계시니,
비록 우싱 남미는 못 다려갈디라도 물과 교
ᄌ는 가져가야 ᄌᆞ스긔 드리고, 우싱 남미는
못 ᄎᄌ 그림ᄌ도 못 보아시므로뻐 고ᄒ리
로소이다."

원쉬 우싱의 툿던 말을 즉시 닉여주고,
우쇼져긔 향 왈,

"쇼싱이 쇼져로 더브러 원근간(遠近間)의
친쳑이 아니로ᄃᆡ, 쇼져 남미의 당ᄒ신 바
화익을 경참ᄒ여 브ᄃᆡ 구코져 ᄒᄂ니, 일이
급ᄒ믹 권도(權道)와 곡녜(曲禮)를 힝ᄒᄂ디
라. 쳥컨ᄃᆡ 교ᄌ의 나리샤 물과 교ᄌ를 등
쥐 하리 가져가게 ᄒ쇼셔."

우쇼졔 원슈의 긔특ᄒ 풍뉴신광과 의긔
【8】현심을 보고, 규녀의 쇼쇼념티(小小廉

진졍치 못ᄒ며 셔로 닐오ᄃᆡ,

"샐니 힝ᄒ더면 거의 녕가졈의 나갓실 거
술, 그릇 닷토ᄃᆞ가 우싱 남미【128】를 닐
코 우리 져 호환을 보기 쉬오리로다."

ᄒ며 셔로 원망ᄒ며 두리워 ᄒ믈 마지 아
니ᄒ더라. 원쉬 비로소 닐오ᄃᆡ,

"텬디 신명이 스람의 블의 악ᄉ를 모로지
아니ᄒ여, 아득ᄒ ᄀ온ᄃᆡ 벌 쁜는 도리 명
명ᄒ니, 여등이 엇지 블인(不仁)의 ᄌᆞ스를
도아 어진 션비를 희ᄒᄂ뇨?"

원ᄂᆡ 등쥐 ᄌᆞ시 이 션비의 남미를 ᄎᆞ쳐
드리면 오빅금을 상ᄉ○○○[ᄒ리라] ᄒ미
잇는 고로, ᄎᆞ한(此漢) 드리 션비 남미를 활
착ᄒ여 가는 비라. 원쉬 ᄯᅩ 닐오ᄃᆡ,

"내 님의 우싱 남미를 구ᄒ여 가려 ᄒᄂ
니, 너희를 닐으지 말고 등쥐 ᄌᆞᄉᆞᄀᆞ지 온
다 ᄒ여도 두려 아니ᄒᄂ니, 여등이 만닐
호환을 면ᄒ고 각각 목슘을 슬고져 ᄒ거든,
내 특별이 ᄒ 부작(符籍)644)을 주리니 모
【129】ᄅᆞ미 가지고 도라가라."

관니 등이 골오ᄃᆡ,

"아등이 등쥐로셔 올 졔 말 두 필과 교즈
일승을 ᄌᆞ시 주시며, 만닐 우싱 남미를 만
나거든 결박ᄒ여 오라 ᄒ여 계시니, 비록
우싱 남미는 못 ᄃ려 가도 말과 교ᄌ는 가
져 가야 ᄌᆞ스게 드리고, 우싱 남미는 그림
ᄌ도 보지 못ᄒ므로뻐 고ᄒ리로소이다."

원쉬 우싱의 탓던 말을 즉시 닉여쥬고 우
쇼져를 향ᄒ여 골오ᄃᆡ,

"쇼싱이 쇼져 남미의 곤경을 보니 이딜
와 일시 구ᄒ미니, 모로미 쇼유를 듯기를
원ᄒ노라."

우쇼졔 만구(滿口) 칭ᄉ(稱謝)ᄒ고 ᄃᆡ왈,

"쇼쳡은 항벽 궁촌의 거ᄒ여 두어 ᄃᆡ를

---

667)부작(符籍) : 부적(符籍). 잡귀를 쫓고 재앙을 물
리치기 위하여 붉은색으로 글씨를 쓰거나 그림을
그려 몸에 지니거나 집에 붙이는 종이.

644)부적(符籍) : 부적(符籍). 잡귀를 쫓고 재앙을 물
리치기 위하여 붉은색으로 글씨를 쓰거나 그림을
그려 몸에 지니거나 집에 붙이는 종이.

恥)를 도라보디 아냐, 개연이 교ᄌᆞ의 나려 원슈를 향ᄒᆞ여 지비 칭샤ᄒᆞ여, 은덕을 감격ᄒᆞ여 ᄒᆞ니, 셩음이 낭낭 쇄연ᄒᆞ고, 녹발(綠髮)노 낫츨 ᄀᆞ리온 가온디 미려ᄒᆞᆫ 틔되 낫타나니, 원쉬 월하(月下)의 그 ᄉᆡᆨ모념틱(色貌艶態)를 보나, 조곰도 유심(有心)668)ᄒᆞᆫ 의ᄉᆞ 업셔, 등줘 하리로 ᄒᆞ여곰 물과 교ᄌᆞ를 가져가게 ᄒᆞ고, ᄉᆞ매 가온디 ᄒᆞᆫ 장 쥬필노 ᄡᆞᆫ 부작을 닉여, 관니를 주어 굴오디,

"너희 이 거슬 가디고 가면 아모리 험ᄒᆞᆫ 산곡과 괴이ᄒᆞᆫ 요졍을 만나도, 두리오미 업ᄉᆞ리라."

ᄒᆞ니, 등줘 관니 모다 원슈【9】를 신션으로 아라, 감히 져희 상ᄒᆞᆷ믈 원망치 아냐, 우싱 남ᄆᆡ를 속졀업시 아이고, 빈 교ᄌᆞ와 두 필 물을 ᄎᆞᄌᆞ 가디고 부작을 바다, 슈관니(首官吏) 손의 추혀들고 산녕(山靈)669)의 무리 감히 나오디 못ᄒᆞᆰ게 ᄒᆞ니, 과연 ᄎᆞ야의 녕가졈으로 ᄎᆞᄌᆞ 오노라 십여 리를 험노 산곡의 ᄎᆞᄌᆞ 나아오디, 두어 호표(虎豹)를 만나며 독ᄉᆡ(毒蛇) 길히 가득ᄒᆞ여시나, 다 부작을 보고 두려 각각 져의 굴혈노 드러가고 사ᄅᆞᆷ을 히치 아니니, 등줘 관니 부작을 주던 쇼년이 윤원슈 줄 몽니의도 싱각디 못ᄒᆞ고, 반ᄃᆞ시 신션이 나려와 우싱【10】의 남ᄆᆡ를 구ᄒᆞ민가 ᄒᆞ더라.

윤원슈 관니 다 먼니 간 후, 우싱과 쇼져를 툿던 나귀의 오로라 ᄒᆞ니, 우싱은 졍신이 혼혼(昏昏)ᄒᆞ여 아모란 상을 모로고, 쇼져는 샤양 왈,

지닉엿ᅌᆞᆸ더니, 션조는 대한(大漢) 승상 우공의 후예라. 우금(于今) ᄉᆞ환(仕宦이)이 ᄭᅵᆫ허지지 아니하엿더니, 지금 당ᄒᆞ【130】여는 ᄉᆞ환이 ᄭᅵᆫ허져 궁촌의 거ᄒᆞ미 되고, ᄯᅩᄒᆞᆫ 오랍동싱645)이 이셔 ᄉᆞ환을 못ᄒᆞ엿고, 모친은 두ᄌᆞ미(杜子美)646)의 손이라. 남ᄆᆡ 셔로 의지ᄒᆞ여 지닉더니, 본읍 ᄌᆞ식 우리를 업슈히 넉여 여ᄎᆞ 화란을 비로ᄉᆞ미라. 죽을 지경의 든 목숨을 출와 니시니 그 은혜는 빅골 난망이로소이다. 아지 못 거이다, 놉흐신 셩시를 알고 ᄌᆞᄒᆞᄂᆞ이다."

원쉬 쇼져의 ᄌᆞ초지죵을 드르미 가장 측은이 넉여, 즉시 남ᄆᆡ를 졍ᄒᆞ고, 즉시 발ᄒᆡᆼ ᄒᆞᆯ식, 쇼져를 ᄌᆞ긔 툿던 노ᄉᆡ의 오르라 ᄒᆞ니, 우싱은 졍신이 혼혼ᄒᆞ여 아모란 상을 모로고, 쇼져는 ᄉᆞ양 왈,

---

668)유심(有心) : 속뜻을 둠.
669)산녕(山靈) : 산신령. 또는 산짐승.

645)오랍동싱 : 친오라버니. 같은 부모에게서 난 오빠. *오랍; '오라비'의 준말. *오라비; '오라버니'의 낮춤말. 또는 여자의 남자형제를 이르는 말. *동생; 같은 부모에게서 태어난 사이라는 뜻.
646)두ᄌᆞ미(杜子美) : 중국 당나라 때의 시인 두보(杜甫; 712~770). 자는 자미(子美). 호는 소릉(少陵)·공부(工部)·노두(老杜). 율시에 뛰어났으며, 긴밀하고 엄격한 구성, 사실적 묘사 수법 따위로 인간의 슬픔을 노래하였다. '시성(詩聖)'으로 불리며, 이백(李白)과 함께 중국의 최고 시인으로 꼽는다. 작품에 <북정(北征)>, <병거행(兵車行)> 따위가 있다.

"은인이 나귀로써 아등 남미를 틱오고 은인은 므어슬 틱시려 ᄒᆞ시나니잇고? 쳡의 남미ᄂᆞᆫ 거러 힝홀 거시니, 쳥컨딕 은인이 쳥녀를 틱쇼셔."

원쉬 공슈 딕왈,

"쇼싱의 갈 곳이 머디 아니니 잠간 보힝을 못홀 니 업스니, 쇼져ᄂᆞᆫ 어려이 넉이디 마르쇼셔."

우시 가장 유유(儒儒)ᄒᆞ여 즐기디 아○[니] ᄒᆞ거늘, 원쉬 소릭를 화히 ᄒᆞ여, 골오딕,

"쇼싱이 쇼져○[긔] 고【11】홀 말슴이 잇ᄂᆞ니, 능히 쳥납ᄒᆞ시랴?"

우시 딕왈,

"은인의 니르시ᄂᆞᆫ 빅 맛당ᄒᆞ오면 엇디 밧드디 아니리잇고?"

원쉬 왈,

"쇼싱은 남뎡 대원슈 윤광텬이러니, 무인(無人) 심야(深夜)의 타문 남녀로 셔로 딕ᄒᆞ미 녜의 당치 아니니, 쇼싱을 비루히 넉이디 아니실딘딕, 결약남미(結約男妹)ᄒᆞ여 혐의를 업시코져 ᄒᆞᄂᆞ니 엇더 ᄒᆞ시뇨?"

우시 원슈의 말을 듯고, 블감쳥(不敢請)이언졍 고소원(固所願也)라, 엇디 샤양ᄒᆞ리오. 이에 톄읍(涕泣) 샤례 왈,

"샹공의 셩의 여ᄎᆞ히실딘딕, 쳡이 은혜를 빅골의 삭일디라. 엇디 샤【12】양ᄒᆞ리잇고?"

원쉬 문왈,

"쇼싱의 년이 이구(二九)의 넘디 못ᄒᆞ엿ᄂᆞᆫ디라. 쇼져의 츈취(春秋) 언마나 ᄒᆞ시뇨?"

우시 딕왈,

"쳡은 금년이 십일셰로소이다."

원쉬 왈,

"여ᄎᆞ즉(如此卽) 쇼졔 싱의게 뎨미(弟妹) 되시리니, 명일의 텬디를 딕ᄒᆞ여 밍셰ᄒᆞ리니, 쇼져로 더브러 금야의 결의남미(結義男妹) 되미, ᄎᆞ후 셔로 져바리미 이시면 산듕 금쉬(禽獸)나 다르리잇가?"

언파의 원쉬 하날을 우러러 우쇼져와 결약남미(結約男妹)ᄒᆞᄂᆞᆫ 뜻을 고ᄒᆞ여 졀ᄒᆞ고,

"나귀로써 쇼쳡 남미를 틱오시면은 은인은 무어를 틱려 ᄒᆞ시ᄂᆞ뇨? 쳡의 남미를 거러 힝홀 거시니, 쳥컨딕【131】은인이 틱쇼셔"

원쉬 공슈 왈,

"쇼싱은 갈 곳이 머지 아니니 줌간 보힝홀지니, 쇼져ᄂᆞᆫ 어려이 넉이지 마ᄅᆞ쇼셔"

우쇼졔 비로소 두발을 거두쳐 옥면(玉面)을 드러ᄂᆡ고, 원슈를 향ᄒᆞ여 ᄌᆡ비ᄒᆞ여 【13】 뎨ᄆᆡ 되니, 원쉬 우시로뼈 나귀의 오로믈 쳥ᄒᆞ여,

"산곡 험뇌 발 붓치기 어려오니 현ᄆᆡᄂᆞᆫ 고집디 말고 나귀의 오로면, 녕형(令兄)은 거동이 위위ᄒᆞ니 쳥녀를 ᄐᆞ디 못ᄒᆞ게 되엿ᄂᆞᆫ디라, 내 ᄉᆞᄉᆞ로 운젼ᄒᆞ리라."

우시 누ᄎᆞ 사양치 못ᄒᆞ여 붓그러오믈 셔리담고 마디 못ᄒᆞ여 나귀의 오로니, 원쉬 셔동을 당부ᄒᆞ여 편ᄒᆞᆫ 길노 조심ᄒᆞ여 몰나ᄒᆞ고, ᄌᆞ긔ᄂᆞᆫ 우ᄉᆡᆼ을 가바야이 붓드러 쇼ᄋᆞ(小兒)를 안음ᄀᆞᆺ치 가로 안고, 화도ᄉᆞ의 초실(草室)을 ᄎᆞᄌᆞ 오니, 발셔 도ᄉᆞ의 ᄌᆞ최 간 곳이 업셔 황연이 빈 초ᄉᆡ(草舍)라. 【14】

원쉬 훌훌ᄒᆞ고 비창ᄒᆞᆫ 심ᄉᆡ 디졉(止接)[670]디 못ᄒᆞ나, 야심ᄒᆞ고 우ᄉᆡᆼ의 형상이 위ᄐᆡᄒᆞ므로 부친 화상의도 ᄇᆡ알치 못ᄒᆞ고, ᄌᆞ긔 낭듕(囊中)의 야명듀(夜明珠)를 ᄂᆡ여 노코 우ᄉᆡᆼ을 방듕의 누이고, 슈족을 쥐므르며 약을 드리워 쓰니, 우ᄉᆡᆼ이 계명(鷄鳴)의 비로○[소] 긔운을 슈습ᄒᆞ여 문왈,

"쇼ᄉᆡᆼ이 은인으로 더브러 일면디분(一面之分)이 업거ᄂᆞᆯ, 므솜 연고로 이러ᄐᆞᆺ 구활ᄒᆞ시며, 대덕을 드리오시나니잇고?"

원쉬 우ᄉᆡᆼ의 손을 쥐므르며 ᄆᆡᆺ쳐 답디 못ᄒᆞ여셔, 쇼졔 결약남ᄆᆡ ᄒᆞᆫ ᄉᆞ연을 니르고, 이 곳 남뎡 대원쉬믈 니르니, 우 【15】 ᄉᆡᆼ이 경신을 뎡ᄒᆞ여 시죵(始終)을 ᄌᆞ셔히 드르ᄆᆡ, 이 ᄀᆞᆺ튼 의긔와 현심은 쳔만고(千萬古)의 업술디라. 각골 감격ᄒᆞᆫ ᄯᅳᆺ이 돌츌ᄒᆞ여, 몸이 니러나ᄂᆞᆫ ᄉᆡ 업시 원슈를 향하여 업ᄃᆡ여, 머리를 두다려 대은을 못ᄂᆡ 칭샤ᄒᆞ니, 원쉬 깃거 아냐 그 과도ᄒᆞ믈 일ᄏᆞᆺ고, 부명과 거쥬를 므르니, ○○[이ᄂᆞᆫ] 젼임 참디경ᄉᆞ 우흡의 당ᄌᆡ오, 태혹ᄉᆞ 우협의 형이라. 방년이 이십삼 셰의 풍골(風骨)이 비쇽(非俗)ᄒᆞ고 위인이 단엄 침뎡ᄒᆞ며, 혹식이 광박ᄒᆞᄃᆡ ᄯᅳᆺ이 낙낙ᄒᆞ여 문달을 구치 아니ᄒᆞ고, 그 부친 송츄(松楸)를 의디ᄒᆞ여 등 【16】 쥐 ᄯᆞᄒᆡ

670)디졉(止接) : 잠시 몸을 의탁하여 거주함.

우시 여러 번 ᄉᆞ양치 못ᄒᆞ여 나귀의 오ᄅᆞ니, 원쉬 셔동을 당부ᄒᆞ여 편ᄒᆞᆫ 길노 슘가 몰나 ᄒᆞ고, ᄌᆞ긔ᄂᆞᆫ 우ᄉᆡᆼ을 ᄀᆞᄇᆡ아이 붓드러 쇼ᄋᆞ를 안음ᄀᆞ치 ᄀᆞ로 안고, 화 도ᄉᆞ의 초실(草室)을 ᄎᆞᄌᆞ오니, 발셔 도ᄉᆞ의 ᄌᆞ최 간 곳이 업셔 황연이 빈 초ᄉᆡ(草舍)라.

원쉬 결울(結鬱)ᄒᆞᆫ[647] 심ᄉᆡ 지향 업시나, 야심ᄒᆞ고 우ᄉᆡᆼ의 형상이 위ᄐᆡᄒᆞᆫ 고로 부친 화상의 ᄇᆡ알도 못ᄒᆞ고, 낭즁(囊中)의 야명주(夜明珠)를 ᄂᆡ여 방즁의 노코, 우ᄉᆡᆼ의 수족을 쥐무ᄅᆞ며 약을 드리올ᄉᆡ, 우ᄉᆡᆼ이 계명(鷄鳴)의야 계오 경신을 수습 【132】 ᄒᆞ여 문왈,

"쇼ᄉᆡᆼ이 은인으로 일즉 일면지분(一面之分)이 업거ᄂᆞᆯ, 무숨 연고로 이ᄃᆡ도록 구완ᄒᆞ시며 대덕을 드리오니잇고?"

원쉬 미급답의 ○…**결락27자**…○[쇼졔 결약남ᄆᆡ ᄒᆞᆫ ᄉᆞ연을 니르고, 이 곳 남뎡 대원쉬믈 니르니, 우ᄉᆡᆼ이] ᄯᅩ ᄌᆞ긔 ᄆᆡ져를 결약남ᄆᆡ ᄒᆞ믈 닐ᄏᆞ러 돈슈 ᄉᆞ례ᄒᆞ니, 원쉬 깃거 아닛ᄂᆞᆫ 빗츨 씌여 붓드러 그 과도ᄒᆞ믈 닐ᄏᆞᆺ고, 그 부명과 거쥬를 무ᄅᆞ니 이ᄂᆞᆫ 젼님 참지경ᄉᆞ 우흡의 당ᄌᆡ오, ᄐᆡ혹ᄉᆞ 우협의 형이라. 방년이 이십ᄉᆞᆷ의 풍골(風骨)이 비쇽(非俗)ᄒᆞ고 위인이 단엄○[침]경ᄒᆞ며, 학식이 과인ᄒᆞᄃᆡ, ᄯᅳᆺ이 낙낙(落落)ᄒᆞ여 문달(聞達)을 구치 아니코, 그 부친 송츄(松楸)를 의지ᄒᆞ여 등쥐 ᄯᆞᄒᆡ 머므ᄃᆡ, ○○[본ᄃᆡ] 경ᄉᆞ인(京師人)인 고로, 기쳐 뎡시ᄂᆞᆫ ᄐᆡᄉᆞ 졍유의 필녀라. ○○○○○○[태혹ᄉᆞ 우협이] 등쥐

647)결울(結鬱)ᄒᆞ다 : 섭섭하거나 보고 싶거나 하여 마음이 탁 트이지 못하고 답답한 상태에 있다.

머므디, 본디 경샤인(京師人)인 고로, 그 안히 뎡시는 태소 뎡유의 필녜라. ○○○○○○[태흑소 우협이] 등쥐의 나려가 우참정의 삼상을 겨오 맛고 경샤로 도라와 {태흑소 우협이} 뎡태소 집의 이셔 샤군찰임ᄒᆞ더니, 협의 언논이 과격ᄒᆞ여 텬의를 ᄌᆞ로 거스리미 과흔 고로, 흔 번 텬노를 만나미 운남 뎍긱(謫客)이 되기를 면치 못ᄒᆞᆫ디라.

우협이 일ᄌᆞᆨ 냥쳐를 두어시니, 조강 조시ᄂᆞᆫ 승샹 조딘의 녜니, 이 곳 원슈의 표종미오, 지실 두시ᄂᆞᆫ 향니의 거흔 두효렴의 ᄯᆞᆯ이라. 협이 운남의 찬츌ᄒᆞ기를 당ᄒᆞ여 냥쳐를 다려가디【17】못ᄒᆞ니, 조시ᄂᆞᆫ 옥화산 본부의 와 잇고 두시ᄂᆞᆫ 등쥐 잇더니, ᄌᆞᄉᆞ 원복이 두시의 이종(姨從)이라. 잇다감 우부의 와 두시를 보더니, 두시의 ᄌᆞᄉᆡᆨ이 염미(艶美)ᄒᆞᄆᆞ로 원복이 흉심을 요동ᄒᆞ고, 두네 그 가뷔 만니의 찬츌ᄒᆞ여 도라올 디속(遲速)을 뎡치 못ᄒᆞ니, 홍안을 공송(空送)ᄒᆞᆷ을 셜워 ᄒᆞ다가, 원복의 유의ᄒᆞᆷ을 보고 냥졍이 합ᄒᆞ여 임의 흉흔 졍젹(情迹)이 무슈ᄒᆞ니, 우싱이 ᄎᆞ마 보디 못ᄒᆞ여 쇼미(小妹) 년ᄋᆞ를 다리고 피우를 일ᄏᆞ라 ᄯᆞᆫ 집을 어더 머므더니, 원ᄌᆞ시 일ᄌᆞ를 두어 나히 십삼의 문장이며 풍치 표일(飄逸)ᄒᆞ니, ᄌᆞ【18】식 인간의 업순 거ᄉᆞ(巨士)로 아라, 퇴부(擇婦)ᄒᆞ기를 비상이 ᄒᆞ다가, 우쇼져의 긔특ᄒᆞᆷ을 듯고 그 부뫼 업ᄉᆞ믈 ᄭᅥ리나, ᄎᆞ마 타문의 도라보닐 ᄆᆞ음이 업셔 구혼ᄒᆞ니, 우싱이 원복의 흉음흔 힝실을 알거니 엇디 일미로ᄡᅥ 그 ᄌᆞ부를 삼을 니 이시리오. 년유(年幼)ᄒᆞᄆᆞ로 칭탁ᄒᆞ여 영졀(永絶)ᄒᆞ고, 졈졈 갈스록 뎨슈(弟嫂) 두시의 음참(淫僭)ᄒᆞᆷ을 ᄎᆞ마 딕치 못ᄒᆞ여, 일삭의 흔 번도 가보ᄂᆞᆫ 일이 업스니, 두시 우싱을 믜워ᄒᆞ미 원슈ᄀᆞᆺ치 넉여, 가마니 원복과 의논ᄒᆞ고 흉흔 말을 퍼디워 그 일미(一妹)를 음난타 ᄒᆞ며 거즛 결항(結項)【19】ᄒᆞ니, 두시의 심복 비ᄌᆞ 우싱의 업ᄂᆞᆫ 죄를 쥬작(做作)ᄒᆞ여 방뵉아문(方伯衙門)671)의 나아가 고장(告狀)ᄒᆞ니, 방뵉

---

671)방뵉아문(方伯衙門) : 관찰사가 집무하는 관청.

의 ᄂᆞ려ᄀᆞ ○[우]참정의 숨상을 계유 맛고【133】경소로 도라와, {퇴학소 우협이} 뎡태소 집의 이셔 수군 찰남ᄒᆞ더니, 협의 언논이 너므 녈녈(烈烈)ᄒᆞ여 텬의를 ᄌᆞ로 거스리미 만흔 고로, 흔 번 텬노를 만나미 운남 젹긱(謫客)이 되기를 면치 못ᄒᆞᆫ지라.

우협이 일ᄌᆞᆨ 냥쳐를 두어시니, 조강 조시ᄂᆞᆫ 승샹 조진의 녜니, 이 곳 원슈의 표종미오, 지실 두시ᄂᆞᆫ 향니의 거흔 두효렴의 ᄯᆞᆯ이라. 협이 운남의 찬츌ᄒᆞ기를 당ᄒᆞ여 냥쳐를 다 드려 가지 못ᄒᆞ니, 조시ᄂᆞᆫ 옥화산 조부의 잇고 두시ᄂᆞᆫ 등쥐 잇더니, ᄌᆞᄉᆞ 원복이 두시의 이종(姨從)이라. 잇ᄃᆞ감 두부의 와 두시를 보미, ᄌᆞᄉᆡᆨ이 념미(艶美)ᄒᆞᄆᆞ로 즁심을 요동ᄒᆞ고, 두네 그 가뷔 만니의 찬츌ᄒᆞ여 도라올【134】지속(遲速)을 졍치 못ᄒᆞ니, 홍안을 공송(空送)ᄒᆞᆷ을 슬허ᄒᆞ다가 원복의 유의ᄒᆞᆷ을 보고 냥졍이 합ᄒᆞ니[여] 님의 흉흔 졍젹(情迹)이 무슈ᄒᆞ니, 우싱이 쇼미(小妹) 년ᄋᆞ를 드리고 피우를 닐홈ᄒᆞ여 ᄯᆞᆫ 집을 어더 머므더니, 원복이 일ᄌᆞ를 두어 나히 십삼의 문장 풍치 표일(飄逸)ᄒᆞ니, 복이 셰간의 업는 업는 거ᄉᆞ로 아라 퇴부(擇婦)ᄒᆞ미 등한치 아니터니, 우쇼져의 긔특ᄒᆞᆷ을 듯고 그 부뫼 여희믈 ᄭᅥ리나, ᄎᆞ마 타문의 도라보닐 길히 업셔 구혼ᄒᆞ니, 우싱이 원복의 흉음흔 힝실을 알거든 엇지 일미로ᄡᅥ 져히 ᄌᆞ부를 숨으리오. 년유(年幼)ᄒᆞᆷ을 칭탁ᄒᆞ여 거졀ᄒᆞ고, 두시의 음참【135】흔 힝ᄉᆞ를 ᄎᆞ마 보지 못ᄒᆞ여 일삭의 흔 번도 가 보지 아니니, 두시 우싱의[을] 믜워ᄒᆞ미 원슈 ᄀᆞᆺᄐᆞ여, ᄀᆞ만니 원복과 의논ᄒᆞ여 흉언을 쥬출ᄒᆞ여 그 일미를 음간(淫姦)ᄒᆞ다 ᄒᆞ며, ᄯᅩ 우셥이 무인 심야의 제방의 드러와 음간흔다 ᄒᆞ여 거즛 결항(結項)ᄒᆞ니, 두시의 심복 비ᄌᆞ 우싱의 업는 죄를 쥬작(做作)ᄒᆞ여, 바로 방뵉영문(方伯營門)648)의 《보장

---

648)방뵉영문(方伯營門) : 관찰사가 집무하는 관청.
　*영문(營門); =감영(監營). 조선 시대에, 관찰사가

(方伯)672)이 등쥐 즈스로 ᄒᆞ여곰 일의 허실을 아라 드리라 ᄒᆞ니, 《월복‖원복》이 대열ᄒᆞ여 우셥을 블의예 잡다가 엄형 츄문ᄒᆞ니, 우싱이 즈가의 누얼은 여ᄉᆞ(餘事)오, 즈긔 관문의 잡혀 참혹ᄒᆞᆫ 형욕(刑辱)을 바드미, 년ᄋᆞᄂᆞᆫ 속졀 업시 복분(覆盆)673)의 원(冤)을 신셜홀 조각이 업고, 악인의 히ᄒᆞᆯ믈 싱각ᄒᆞ니 졀치 분히ᄒᆞ여, 심복 가졍 슈십여 인을 명ᄒᆞ여 쇼져를 다리고 야반의 도쥬ᄒᆞ라 ᄒᆞ고, 즈긔 ᄯᅩᄒᆞᆫ 월옥홀 의ᄉᆞ를 궁극히【20】싱각ᄒᆞ여, 슈ᄎᆞ 형댱을 바든 후 야심 후의 옥문을 잠은 쇄약을 븨트러 ᄲᅢ히고, 계오 몸을 ᄲᅱ여나 간신이 녀의(女衣)를 개착ᄒᆞ고 쇼민의 거쳐를 심방ᄒᆞ니, 년ᄋᆞ 쇼졔 거거의 ᄉᆞ싱 결말을 알고 몸을 감초려 ᄒᆞ여 낫츨 거믄 칠ᄒᆞ고 남복을 개착ᄒᆞ여, 등쥐 슈변(水邊)의 잇거늘, 남미 셔로 긔특이 만나 남으로 가는 ᄇᆡ를 어더 ᄐᆞ고, 슈십여 인 노즈를 다 홋터 살나 ᄒᆞ고, 일봉 셔간을 뎡시긔 붓쳐 남희의 표슉을 ᄎᆞᄌᆞ 가는 연유를 알게 ᄒᆞᆫ 거시, 일이 되디 아냐, 원복이 우싱을 일코 분노ᄒᆞᆷ믈 니긔디 못ᄒᆞ여, 두로 심【21】방ᄒᆞ미 아니 밋춘 곳이 업슬 ᄲᅮᆫ 아니라, 즈ᄉᆞ 원복의 흉참ᄒᆞᆫ 용심이 우싱을 죽이고, 년ᄋᆞ 쇼져로 제 며나리를 삼으며, 두시로ᄡᅥ 진실을 삼아 다리고 살녀 ᄒᆞ다가, 우싱이 다시 월옥 도쥬ᄒᆞ니 념녜 비상ᄒᆞ여 브디 ᄎᆞᄌᆞ 죽이려 ᄒᆞᄂᆞᆫ디라. 우가 노복을 다 잡아 져쥬디, 우싱의 심복은 다 도망ᄒᆞ고 상 업손 노즈 등만 잇셔 쥬인의 거쳐는 모로고 형댱은 급ᄒᆞ니, 황황 초민ᄒᆞᆯ믈 마디 아니나, 우싱이 남힝ᄒᆞ며 뎡시긔 보니라 ᄒᆞ던 셔간을 드리니, 원복이 대희ᄒᆞ여 ᄲᅥ혀 보미 우싱이 그 미뎨를 다리고 남희【22】로 가노라 ᄒᆞ엿ᄂᆞᆫ 고로, 급급히 하리 군관을 엄히 분부ᄒᆞ여 우셥과 쇼져를 ᄯᆞ라 잡아 오라 ᄒᆞ고, ᄯᅩ 굴오디,

‖고장(告狀)》ᄒᆞ니, ○○○[방빅(方伯)649)이] 등쥐 즈스로 허실을 아라 드리라 ᄒᆞ미, 원복이 대열ᄒᆞ여 우셥을 블의의 잡아드ᄀᆞ 엄형 츄문ᄒᆞ니, 우싱이 즈긔 관문의 니르러 참혹ᄒᆞᆫ 형벌을 바드며, 년ᄋᆞᄂᆞᆫ 속졀 업시 악인의 히롤{히롤} 바드미 급ᄒᆞᆫ 바를 싱각ᄒᆞ니 졀치ᄒᆞ여, 미리 심복 가【136】졍을 명ᄒᆞ여 쇼져를 드리고 도망ᄒᆞ라 ᄒᆞ고, 즈긔 ᄯᅩᄒᆞᆫ 월옥홀 의ᄉᆞ를 궁극히 싱각ᄒᆞ여, 슈ᄎᆞ 형장을 바든 후 야심 ᄒᆞ미 옥문 쇄약을 빗틀고 겨유 몸을 ᄲᅱ여나, 간간이 녀복을 기착ᄒᆞ고 쇼져의 거쳐를 심방ᄒᆞ니, 쇼졔 거거의 싱ᄉᆞ 결단을 알고야 《신댱‖댱신(藏身)》코ᄌᆞ ᄒᆞ여, ᄂᆞᆺ치 거믄 칠ᄒᆞ고 남복을 기착ᄒᆞ고 등쥐 슈변으로 향ᄒᆞᄃᆞ, 남미 셔로 긔특이 만나 남으로 가는 ᄇᆡ를 어더 ᄐᆞ고 슈십 명 노즈를 다 각기 홋터 살나 ᄒᆞ고, 일봉 셔찰을 뎡시게 붓쳐 남희의 족슉(族叔)을 ᄎᆞ져 가믈 알게 ᄒᆞᆫ 거시, 일이 그릇되여, 원복이 우싱을 닐코 불승 분노ᄒᆞ여 두루 우싱를 심방ᄒᆞ미 아니【137】밋춘 곳이 업슬 ᄲᅮᆫ 아니라, 원복의 흉참ᄒᆞᆫ 용심이 우싱을 죽이고, 년ᄋᆞ 쇼져로 져의 며느리를 숨으며, 두시로 진실을 숨아 슬고져 ᄒᆞᄃᆞ, 우싱이 월옥 도쥬ᄒᆞ니 념녀 무궁ᄒᆞ여 브디 ᄎᆞ져 죽이려 ᄒᆞᄂᆞᆫ지라. 우싱의 노복을 다 잡아 죄쥬나, 싱의 심복은 다 도망ᄒᆞ고 무상 ᄒᆞᆫ 노즈만 이셔, 쥬인의 거쳐는 모르고 형장은 급ᄒᆞ니 황황 초민ᄒᆞᄃᆞ, 우싱이 남힝ᄒᆞ며 뎡시게 붓치는 셔간을 올리니, 원복이 디희ᄒᆞ여 ᄲᅥ혀 보니 그 미뎨를 드리고 남희로 가노라 ᄒᆞ엿ᄂᆞᆫ 고로, 급급히 하리롤 호령ᄒᆞ여 우싱 남미롤 줍아오라 ᄒᆞ고, 우왈,

---

672)방빅(方伯) : =관찰사. *관찰사; 조선 시대에 둔, 각 도의 으뜸 벼슬
673)복분(覆盆) : 죄를 뒤집어쓰고 밝히지 못하고 있음.

직무를 보던 관아.
649)방빅(方伯) : =관찰사. *관찰사; 조선 시대에 둔, 각 도의 으뜸 벼슬

"우셥의 남미를 잡아드리는 관니는 오빅 금을 주마."

ᄒ니, 관니 등이 무리디어 급히 우셩을 ᄶ오나 만나디 못ᄒ엿다가, 댱샤 ᄶ히 니르러 우셩이 각각 옷슬 밧고와 쇼져는 도로 녀복을 ᄒ고 즈긔는 다시 남의를 곳치다가, 등쥐 관니의게 잡힌 빈 되니, ᄒᆞᆫ 번 등쥐 관문의 나아간즉 죽으미 반둦ᄒ고 ᄉᆞᆯ미 만무ᄒ고, 우셩은 듕형디여(重刑之餘)의 병이 깁흘 ᄲᅮᆫ 아니라, 분원(忿怨) 통한(痛恨)ᄒ미 가슴이 박혀 고딕 죽을 둧【23】ᄒ다가, 윤원슈의 산고히활디덕(山高海闊之德)으로 ᄉᆞ라나믈 어드니, 만심 힝열홈과 감은각골(感恩刻骨)ᄒ믈 엇디 측냥ᄒ리오. 흉격의 ᄲᅡᆫ힌 소회를 잠간 열미, 원슈 듯는 말마다 원복과 두녀의 무샹(無狀) 흉히(凶害)ᄒ믈 통완(痛惋)ᄒ고, 우셩이 고문벌열(高門閥閱)의 흑니군즈(學理君子)로 긔괴ᄒᆞᆫ 누명을 시러, 흉독ᄒᆞᆫ 듕형의 디닌 바를 츠셕ᄒ여, 위로ᄒ믈 마디 아니터라.

우쇼져의 텬향아딜(天香雅質)과 인뉴의 초월ᄒ믈 아름다이 넉여 결약남미(結約男妹)ᄒ미 맛ᄎᆞᆷ닉 골육 동긔와 다르디 아니터라. 원슈 우셩다려 왈,

"쇼뎨 형으로 더브러 교도【24】를 밋디 못ᄒ고 일면브디(一面不知)ᄒ미 괴이ᄒ도라. 녕뎨(令弟) 흑ᄉᆞᆫ는 표슉(表叔)의 셔랑일 ᄲᅮᆫ 아니라, 피츠 졍분이 각별ᄒ여 셔로 낫디 못ᄒ는디라. 원간 녕션대인(令先大人)이 샤슉과 친위시니, 형이 혹 경샤의 올나오면 샤슉긔 비견(拜見)ᄒ미 올커늘, 엇디 뎡태ᄉᆞ 부듕 왕닉시(往來時)의도 오가(吾家)를 ᄎᆞᆺ디 아니시더뇨?"

우셩 왈,

"쇼뎨는 ᄯᅳᆺ을 결ᄒ여 문달을 구치 아닛는 고로, 등쥐 션인의 묘하의셔 시름업시 늙으믈 원ᄒ고, 사뎨 닙신(立身)ᄒ미 션인의 뒤흘 니어 일가 죡친을 셤기고, 형 등 ᄀᆞᆺᄐ니로 셰의(世誼)674)를 니어 금난(金蘭)675)

---

674)셰의(世誼) : 대대로 사귀어 온 졍(情).
675)금난(金蘭) : 쇠보다 견고하고, 난초보다 향기롭

"우셩을 줍는 관니는 오빅 은을 주마."

ᄒ니, 관이(官吏) 무리【138】지어 우셩을 ᄶ로나 만나지 못ᄒ엿다가, 댱ᄉᆞᆯ 니르러 우셩 남미 옷슬 밧고와 닙두ᄀᆞ 관니의게 잡힌 빈 되니, ᄒᆞᆫ 번 등쥐 관문의 간즉 죽으미 반둦ᄒ고 ᄉᆞᆯᄂᆞᆯ 길이 업는지라. 우셩은 즁형지여(重刑之餘)의 병이 깁흘 ᄲᅮᆫ 아니라, 분완(憤惋) 통한(痛恨)ᄒ미 ᄀᆞ슴의 막혀 고딕 죽을 둧ᄒ다가, 윤원슈의 산고히활지덕(山高海闊之德)으로 ᄉᆞ라나믈 어드니, 만심 환힝(歡幸)홈과 국골감은(刻骨感恩)ᄒ믈 엇지 측냥ᄒ리오. 흉격의 ᄶᅵᆫ 슈회를 잠간 녈미, 원슈 듯는 말마다 원복과 두녀의 무샹 흉히ᄒ믈 통히ᄒ고, 우셩이 고문벌녈(高門閥閱)의 흑이군즈(學理君子)로, 긔괴ᄒᆞᆫ 누명을 시러 흉독ᄒᆞᆫ 즁형을 당ᄒᆞᆫ 바를 차셕ᄒ여, 위【139】로 왈,

"《숙녜‖쇼졔》 형으로 더브러 교도를 밋지 못ᄒ고 일면부지(一面不知)ᄒ던 줄 고이ᄒᆞᆫ지라, 녕졔 학ᄉᆞᆫ는 표슉(表叔)의 셔랑일 ᄲᅮᆫ 아니라, 피츠 졍의 ᄌᆞ별ᄒ여 셔로 낫지 못ᄒ는지라. 원간 녕션디인(令先大人)이 ᄉᆞ슉과 친위시니, 엇지 ᄉᆞ슉을 비현치 아니뇨?"

우셩 왈,

"쇼뎨는 ᄯᅳᆺ을 결ᄒ여 문달을 구치 아닛는 고로, 등쥐 션인의 묘하의셔 시름업시 늙으믈 원ᄒ고, ᄉᆞ뎨 닙신ᄒ미 션인의 뒤흘 니어 일가 죡친을 셤기고, 형 등 ᄀᆞᆺᄐ 니로 셰교(世交)650)를 니어, 금난(金蘭)651)의 졍

---

650)셰교(世交) : 대대로 맺어 온 친분. 늑셰의(世誼).
651)금난(金蘭) : 쇠보다 견고하고, 난초보다 향기롭

의 정분이 각별ㅎ【25】니, 사데로 ㅎ여곰 문호를 붓들나 ㅎ고, 쇼데는 나죤 조최를 명공가(名公家)의 츌입디 말고져 ㅎ미라. 뎡태ㅅ 부듕은 반ㅈ디의(半子之義)676)로뼈 그 부귀를 써려 즈로 왕ㄴ치 아니믄 일이 괴려(乖戾)키의 갓가오미, 마디 못ㅎ여 단니던 빈라. 이러므로 녕슉 츄밀 합하긔 흔 번도 빈현치 못ㅎ미로소이다."

원쉬 우싱의 고집을 괴이히 넉여 흔가디 로 샹경ㅎ즈 ㅎ니, 우싱 왈,

"은형(恩兄)이 임의 목슘을 살오시고 잔 명을 거두어 몸을 편히 ㅎ려 ㅎ시니, 스디 라도 샤양치 못홀디라. 엇디 거역ㅎ리오."

원쉬 쇼져다려 왈,

"내 발셔 현【26】미로 더브러 결약ㅎ미 셔로 골육동긔와 달니 알 ㅁ음이 업느니, 현미는 날을 조초 흔가디로 가기를 샤양치 말고, 우리 즈졍긔 뵈옵게 ㅎ라."

우시 쪼흔 샤양치 아니터라.

원쉬 효신(曉晨)의 관소(盥梳)ㅎ고 부친 화상의 비례홀시, 누쉬여우(淚水如雨)ㅎ여 각골디통(刻骨之痛)을 춤디 못ㅎ여, 이 날 효신으로브터 반일이 되도록 테읍ㅎ여 능히 긋치디 못ㅎ더니, 셔동이 님셩각의 와시믈 알외여 화상 뫼셔 갈 위의를 츌힘믈 고ㅎ 니, 원쉬 날호여 스매를 드러 누슈를 졔어 (制御)ㅎ고 초실노 나려와 셩각을 보니, 셩 각이 비왈,

"쇼싱【27】은 아딕 화부의셔 못 와 계 신가 ㅎ엿더니, 엇디 어나 스이의 와 계시 니잇고?"

원쉬 왈,

"화부의 단녀 오기는 작일(昨日) 야심(夜 深) 후 이리 와시듸, 태운션싱이 즈최를 감 초시니 훌훌흔 심회 측냥 업도다."

셩각이 탄왈,

다는 뜻으로, 매우 친밀한 사귐이나 두터운 우정
을 비유적으로 이르는 말. ≪역경(易經)≫의 <계사
(繫辭)>에 나오는 말이다.
676)반즈디의(半子之義) : 사위의 도리. *반자(半子);
아들이나 다름없다는 뜻으로, ‘사위’를 이르는 말.

분이 골육 형뎨 ㄱㆍ치 극별ㅎ니, 스데로 ㅎ 여곰 문호를 붓들나 ㅎ고, 쇼데는 나죤 즈 최를 명공가(名公家)의 츌입지 말고즈 ㅎ미 라. 뎡틱ㅅ 부즁은 반【140】지의(半子之 義)652)로뼈, 그 부귀를 스려 즈로 왕ㄴ치 아니믄 일이 괴려키의 ㄱㆍ오미, 마지 못ㅎ 여 단니던 빈라. 니러므로 녕슉 츄밀 합하 게 흔 번도 빈현치 못ㅎ미로소이다."

원쉬 우싱의 말을 드르미 오히려 늦게 만 나물 흔ㅎ고, 이의 경소로 ㄱㆍ치 도라가믈 니르니, 우싱 왈,

"은인이 님의 목슘을 솔오시고 잔명을 거 두어 몸을 편콰즈 ㅎ시니, 스디라도 스양치 못홀지라. 엇지 거역ㅎ리오."

원쉬 쇼져드려 왈,

"내 님의 현미와 결약ㅎ미 동긔와 다르미 업는지라. 모르미 날을 좃추 흔가지로 가믈 스양치 말고, 우리 즈당게 뵈옵게 ㅎ라."

우시 쪼흔 스양치 못ㅎ더라.

원쉬 효신(曉晨)의 관셰(盥洗)ㅎ고 부친 화【141】상의 비례홀시, 눈물이 옷 압흘 젹셔 극골(刻骨)흔 지통(至痛)을 춤지 못ㅎ 여, 이날도 효신(曉晨)으로븟터 반오(半午) 나 되도록 쳬읍ㅎ여 능히 긋치지 못ㅎ더니, 셔동이 님셩각의 와시믈 알외여, 화상 뫼셔 갈 위의를 등틱ㅎ믈 고ㅎ니, 원쉬 날호여 스미를 드러 누슈를 졔어ㅎ고 초실노 나려 와 님셩각을 보니, 셩각이 비왈,

"쇼싱은 원쉬 아직 화부의셔 못오신가 넉 엿더니, 어닉덧 와 계시니잇가?"

원쉬 왈,

"화부의 가 둔녀오기는 작일 밤든 후 이 리 와시듸, 틱원[운]션싱이 즈최를 금초시 니 훌훌흔 심회 측냥 업도다."

셩각이 탄왈,

다는 뜻으로, 매우 친밀한 사귐이나 두터운 우정
을 비유적으로 이르는 말. ≪역경(易經)≫의 <계사
(繫辭)>에 나오는 말이다.
652)반즈디의(半子之義) : 사위의 도리. *반자(半子);
아들이나 다름없다는 뜻으로, ‘사위’를 이르는 말.

"스부의 ᄆᆞᆷ이 셰샹 번화를 부운ᄀᆞᆺ치 넉여, 명공이 ᄌᆞ연 댱샹(將相)677) 위의로 션상공(先相公)의 화샹을 뫼셔 가시는 긔귀(器具) ᄌᆞ못 호번ᄒᆞᆯ 거시므로, 짐ᄌᆞᆺ ᄌᆞ최를 감초시니 어이 모로실 길히 이시리잇고?"

원슈 왈,

"내 금일 화샹을 뫼셔 가려 ᄒᆞ엿더니 여ᄎᆞ여ᄎᆞ ᄒᆞᆫ ᄉᆞ괴 잇셔, 우쇼져로 더브러 결약남미(結約男妹)ᄒᆞ여시니 경샤로【28】홈긔 갈디라. 이졔 치교(彩轎)를 출히디 아냐시니 그ᄃᆡ는 도로 운봉관의 가 화교 둘흘 디후ᄒᆞ여, ᄒᆞ나흔 이리 보ᄂᆡ고 ᄒᆞ나흔 십여 인으로 ᄒᆞ여곰 메워, 그ᄃᆡ 친히 녕션강을 건너 낙텬산 도관의 가 뎡시의 ᄒᆡᆼ거(行車)를 지쵹ᄒᆞ라."

셩각이 원슈의 ᄒᆡᆼᄉᆞᄂᆞᆫ 곳곳이 사ᄅᆞᆷ의 급화를 구ᄒᆞ여, 젹션덕음(積善德陰)이 두터오믈 긔특이 넉이고, ᄯᅩ 뎡부인의 싱존ᄒᆞᆷ믈 영힝ᄒᆞ여 굴오ᄃᆡ,

"각읍이 방방곡곡이 뎡부인의 거쳐를 ᄎᆞᄌᆞ미 날마다 긋칠 ᄉᆞ이 업스ᄃᆡ, 슉녈부인의 존망(存亡)을 아득히 모로노라 ᄒᆞ시더니, 원슈ᄂᆞᆫ 엇디 슈고치【29】 아냐 부인의 거쳐를 아르시ᄂᆞ니잇고?"

원슈 미쇼 왈,

"어이 모로리오마는 녀ᄌᆞ의 ᄒᆡᆼ거를 각읍이 괴로이 영숑(迎送)ᄒᆞᄂᆞᆫ 거죄 이실가, 님힝ᄒᆞ여 그ᄃᆡ다려 닐너, 요란이 구디 말고 고요히 일승 화교를 어더, 다른 비항(陪行)이 업스니 군이 인ᄒᆞ여 권도로 호힝코져 ᄒᆞ미라."

셩각 왈,

"호힝은 쇼싱이 아니라도 원슈 쳔병 만마를 거ᄂᆞ려 부인의 ᄒᆡᆼ거를 호위ᄒᆞ시리니, 쇼싱이 엇디 비힝(陪行)이 되리잇고?"

원슈 왈,

"그ᄃᆡ 엇디 이런 블가흔 말을 ᄒᆞᄂᆞ뇨? 내 비록 용우ᄒᆞ나 몸이 팔쳑 댱뷔 되여 대댱 인슈를 ᄎᆞ고 녀ᄌᆞ의 화교를【30】비힝ᄒᆞ며,

677)댱샹(將相) : 장수와 재상을 아울러 이르는 말.

"스부의 ᄆᆞ음이 셰샹 번화를 부운ᄀᆞᆺ치 넉여, 명【142】공이 ᄌᆞ연 장상(將相)653)의 위의로 션상공(先相公)의 화샹 뫼셔 가는 위의(威儀) 번뇨(煩擾)ᄒᆞᆯ 듯ᄒᆞᆫ 고로, 짐ᄌᆞᆺ ᄌᆞ최를 금초시니 엇지 ᄆᆞ음ᄃᆡ로 비현ᄒᆞ믈 어드리잇고?"

원슈 추탄ᄒᆞ고 우왈,

"닉 금일 화샹을 뫼셔 가려 ᄒᆞ여 이리 오다ᄀᆞ, 길히셔 여ᄎᆞ여ᄎᆞᆫ ᄉᆞ고를 만나 우쇼져로 결약남미(結約男妹)ᄒᆞ미○···결락13자···○[경소로 홈긔 갈디라. 그ᄃᆡ는 도로] 운봉관의 ᄂᆞ아가 화교(華轎) 둘흘 디후ᄒᆞ여 ᄒᆞ나흔 이리 보ᄂᆡ고, ᄒᆞ나흔 하리로 ᄒᆞ여곰 메여 {오고} 그ᄃᆡ 친히 녕션강을 건너 낙텬산 도관의 나아가, 뎡시의 ᄒᆡᆼ거를 지쵹ᄒᆞ라."

셩각이 원슈의 ᄒᆡᆼᄉᆞᄂᆞᆫ 곳곳이 스람의 급화를 구ᄒᆞ여 젹션음덕(積善陰德)이 두터오믈 긔특이 넉이고,【143】ᄯᅩ 뎡부인 싱존ᄒᆞ믈 녕힝ᄒᆞ여 왈,

"각읍이 황황이 {날마다} 뎡부인 거쳐를 ᄎᆞᄌᆞ미 날마다 ᄭᅳᆾ출 ᄉᆞ이 업스ᄃᆡ, 슉녈부인의 존안(尊顔)을 아득히 모ᄅᆞ노라 ᄒᆞ시더니, 원슈ᄂᆞᆫ 엇지 슈고 아녀 부인의 거쳐를 아ᄅᆞ시ᄂᆞ니잇고?"

원슈 미쇼 왈,

"어이 모ᄅᆞ리오마는 녀ᄌᆞ의 ᄒᆡᆼ거를 각읍이 번거로이 녕숑(迎送)ᄒᆞᆯ가, 님힝ᄒᆞ여 그ᄃᆡ드려 닐너, 요란이 구지 말고 고요히 일승 화교를 어더, 다른 비항(陪行)이 업스니 그ᄃᆡ 인ᄒᆞ여 권도로 호힝케 ᄒᆞ고ᄌᆞ ᄒᆞ미라"

셩각 왈,

"호힝은 쇼싱이 아니라도 원슈 쳔병 만마를 거ᄂᆞ려 부인의 ᄒᆡᆼ거를 호위ᄒᆞ시리니, 쇼싱이 엇지 비힝(陪行)이 되리잇고"

원슈 왈,

"그ᄃᆡ 【144】엇지 니런 말을 ᄒᆞᄂᆞ뇨? 내 비록 용우ᄒᆞ나 몸이 팔쳑 댱뷔 되여 장군 닌(印)을 ᄎᆞ고 녀ᄌᆞ의 화교를 비힝ᄒᆞ며,

653)댱샹(將相) : 장수와 재상을 아울러 이르는 말.

쳔군 만마 둥 녀즈의 힝게(行車) 셧기면 그 블亽(不似)ㅎ미678) 엇더 ㅎ리오. 츠고(此故)로 그딕다려 호힝ㅎ라 ㅎ느니, 션후를 내 힝군과 亽이 쓰게 ㅎ라."

셩각이 쇼이딕왈(笑而對曰),

"쇼싱도 그럴 줄은 딤작ㅎ거니와, 다만 셩샹의 교디 {아니} 계신 부인의 힝치 미셰흔 녀즈의 힝거와 다르미 이시니, 엇디 일승 화교를 유싱의 실닉(室內)679)ᄀᆞ치 ㅎ리잇고?"

원슈 미쇼 왈,

"군은 엇디 번화를 그리 취ㅎ느뇨? 화교나 덩이나 그딕 임의로 ㅎ려니와, 다만 쇼문을 닉디 마라, 각읍이 알게 말며 요란ㅎ미 업게 ㅎ라."

셩각이 슈명ㅎ고 즉시 운봉관【31】의 도라와 일승 화교를 출혀 보닉여 우쇼져의 힝거를 빗닉고, 쏘 찬난흔 구슬 덩을 출혀 하리 십여인과 져의 거나린 바 亽오십 군졸노 더브러 낙쳔산 도관으로 나아갈식, 녕션강을 건너미 댱흔 위의 슈샹의 덥혓더라.

덩슉녈이 홍션으로 더브러 뎡히 원슈의 치교 보닉기를 기다리다가, 남셩각이 덩을 가져 니르러 부인의 힝거를 직쵹홀식, 홍션을 보고 대경 왈,

"가히 텬하의 ᄀᆞ튼 용모도 잇도다."

홍션이 문왈,

"상공이 쳡을 엇디 알고 여추 놀나시느뇨?"

셩각 왈,

"그딕 얼골을 보니 져젹의 우리 윤원【32】슈를 구ㅎ던 도인의 셔동과 일분호리(一分毫釐)도 다르미 업亽니, 남녀의 의복이 다를디언졍 얼골은 다르미 업눈디라. 그딕 아니 변복ㅎ여 도亽의 셔동이 되엿더냐?"

홍션이 쇼왈,

"상공이 엇디 당치 아닌 말숨을 ㅎ시느니

678)블亽(不似)ㅎ다 : 꼴이 격에 맞지 않아 아니꼽다.
679)실닉(室內) : 남의 아내를 점잖게 이르는 말.

쳔군 만마 즁 녀즈의 힝게 셧기면 그 《블가‖블亽(不似)654)》ㅎ미 엇더 ㅎ리오. 츠고로 그딕드려 호힝ㅎ라 ㅎ미니, 션후를 내 힝군과 亽이 쓰게 ㅎ라"

셩각이 쇼이딕왈(笑而對曰),

"쇼싱도 그럴 줄은 짐작ㅎ거니와, 이졔 셩샹의 교지 계신 부인의 힝치 미셰흔 녀즈의 힝거와 다르미 이시니, 엇지 일승 화교를 유싱의 실인(室人)655)ᄀᆞ치 ㅎ리잇고?"

원슈 쇼 왈,

"그딕는 어이 번화를 취ㅎ느뇨 아모커나 그딕 님의로 ㅎ려니와 드만 쇼문을 각읍이 알게 말며 뇨란ㅎ미 업게 ㅎ라"

셩각이 슈명ㅎ고 즉시 운봉관의 도라와 일【145】승 화교를 출혀 ○○○○[보닉여 우]쇼져의 힝거를 빗닉고, 쏘 찬난흔 구슬 덩을 출혀 하리 슈십 여인과 즈긔 거나린 바 군졸 오십으로 더브러 낙쳔 도관으로 나아갈식, 녕션강을 건너미 《장졸‖장흔》 위의 슈샹의 덥혓더라.

슉녈이 홍션으로 더브러 졍히 원슈의 치교 보닉기를 기드리드ᄀᆞ, 셩각이 니르러 부인의 힝거를 직쵹홀식, 홍션을 보고 대경 왈,

"가히 텬하의 ᄀᆞ튼 용모도 잇도다."

홍션이 문왈,

"장군이 날을 엇지 알고 여추 놀나시느뇨?"

셩각 왈,

"그딕 얼골을 보니 져젹 우리 원슈를 구ㅎ던 션관(仙官)의 동즈와 일호(一毫) 다르미 업亽니, 남녜 달을지언졍 얼골은 ᄀᆞ튼니, 그딕 아니 변복ㅎ여 도亽의 션【146】동(仙童)이 되엿더냐?"

홍션이 쇼 왈,

"상공이 엇지 당치 아닌 말숨을 ㅎ시느니

654)블亽(不似)ㅎ다 : 꼴이 격에 맞지 않아 아니꼽다.
655)실인(室人) : 자신의 아내를 이르는 말.

잇고? 쇼비는 우리 부인의 비즈로 변복홀 일이 업스니, 상공이 그릇 보시미로소이다."

셩각이 쇼왈,

"그듸 텬신은 속이려니와 날은 간듸로 속이디 못ᄒ리니, 이제 바로 니르라."

홍션이 님싱의 이ᄀᆞᆺ치 다 알고 므르믈 당ᄒ여, 미미히 쎄치디 못ᄒᆞᆷ믄 부인의 긔특ᄒᆞᆫ 힝ᄉᆞ를 덥허 두기를【33】앗기ᄂᆞᆫ디라. 날호여 디왈,

"여러 날 길히 상공이 쇼비와 동힝ᄒ시면 ᄌᆞ연 드르시리이다. 너모 급거히 뭇디 마르쇼셔."

셩각이 필유ᄉᆞ고(必有事故)ᄒᆞᆷ믈 씨ᄃᆞ라, 본셩이 ᄌᆞ긔 알고 시븐 일을 능히 ᄎᆞᆷ디 못ᄒ여, 홍션을 디리히 보치여 곡졀을 니르라 ᄒ니, 홍션이 긔(欺)일 묘리(妙理) 업셔 부인이 모로게 가마니 젼후 곡졀을 니르니, 셩각이 그 ᄉᆞ부를 맛나 윤원슈를 구ᄒᆞ던 도인의 근본을 므르시면, 뎡슉녈인 줄 아라실 거시로듸, 누년디졍(累年之情)을 일분도 펴디 못ᄒᆞ미 한만(閑漫)ᄒᆞᆫ 셜화를 결을치 못ᄒᆞᆷ민 고로, 뎡부인의 긔특【34】ᄒᆞᆫ 힝ᄉᆞ를 홍션다려 므르므로 조ᄎᆞ, 금일 쳐음으로 듯고 탄복 경앙ᄒᆞᆷ믈 마디 아니듸, 구ᄐᆞ여 여러 ᄉᆞ졸 듕 다시는 일ᄏᆞᆺ디 아니터라.

뎡슉녈이 님셩각의 쵹힝(促行)ᄒᆞᆷ믈 인ᄒ여 도관을 써나 교듕(轎中)의 오로미, 셩각이 하리 군졸을 당부ᄒᆞ여 뎡을 조심ᄒᆞ여 뫼시라 ᄒ며, 후힝ᄒᆞ여 임의 강을 건너미 사름이 ᄌᆞ연 셔로 므르며 젼ᄒᆞ여, 윤원슈의 부인 뎡슉녈의 힝ᄎᆞ믈 아ᄂᆞᆫ디라. 말이 ᄌᆞ연 이 눈 날니 듯ᄒ니, 어○[이] 각읍이 모로리오. 텬ᄌᆞ의 교디 계샤 뎡부인의 힝거를 남토 졔읍이 영숑케 ᄒᆞ여 계시므로, 몬져 당【35】샤 ᄐᆞᆼ쉬 허다ᄒᆞᆫ 위의로 뎡부인의 뎡을 마ᄌ 밤을 디닐ᄉᆡ, 가샤(家舍)를 갈히여 금화치셕(錦畵彩席)의 포딘(鋪陳)이 휘황ᄒ고, 연향(宴饗)ᄒᆞᄂᆞᆫ 상을 드리니, 산ᄒᆡ디물(山海之物)과 팔딘셩찬(八珍盛饌)680)이

---

680)팔진셩찬(八珍盛饌) : 팔진지미(八珍之味) 곧 여

잇고? 쇼비는 우리 부인의 비즈로 변복홀 일이 업ᄂᆞ니 상공이 그릇 보미로소이다"

셩각이 쇼 왈,

"그듸 어음이 ᄯᅩ 그 션동과 ᄀᆞᆺᄐᆞ니 그듸 하늘과 귀신은 속이려니와 가히 날은 ᄀᆞᆫ듸로 속이지 못ᄒ리니, 쳥컨듸 바로 니르라"

홍션이 님셩각의 알고 무릎믈 인ᄒ여 영영 썰치지 아니ᄒᆞᆷ믄, 부인의 긔특ᄒᆞᆫ 힝ᄎᆞ를 덥허 두기를 앗기ᄂᆞᆫ지라. 날호여 굴오듸,

"녀러 날 길히 상공이 쇼비와 동힝ᄒ시면 ᄌᆞ연 드르실 거시니 하 급히 뭇지 마르쇼셔"

셩각이 필유ᄉᆞ고(必有事故) ᄒᆞᆷ믈 씨ᄃᆞ라, 본셩이 져히 알고ᄌ 시븐 일은 ᄎᆞᆷ지 못ᄒᆞ【147】ᄂᆞᆫ지라. 홍션을 보치여 곡졀을 니르라 ᄒ니, 홍션이 젼후 곡졀을 셰셰히 셜파ᄒ니, 셩각이 ᄉᆞ부를 만나 윤원슈를 구ᄒᆞ던 도인의 근본을 무러 알녀 ᄒᆞ던 바로, 금일 홍션의 이릭믈 듯고 크게 탄복 경앙ᄒᆞᆷ믈 마지 아니ᄒᆞ듸, 구ᄐᆞ여 여러 ᄉᆞ람 ᄀᆞ온듸 드시 닐ᄏᆞᆺ지 아니터라.

뎡쇼졔 님셩각의 쵹힝(促行)ᄒᆞ믈 인ᄒ여 도관을 써나 교즁(轎中)의 오르미, 셩각이 하리 군졸을 당부ᄒᆞ여 뎡을 조심ᄒᆞ여 뫼시라 ᄒ며, 호힝ᄒᆞ여 님의 강을 건너미, ᄉᆞ람이 ᄌᆞ연 물으며 젼ᄒᆞ여, 뎡슉녈의 힝ᄎᆞᆫ 줄 아ᄂᆞᆫ지라. 말이 눈 날니 듯ᄒ니, 엇지 각읍이 모로리오. 텬ᄌᆞ의 교지 계시미 몬져 당ᄉᆞ ᄐᆞᆼ쉬 허다【148】위의로 뎡슉녈의 힝ᄎᆞ를 마ᄌ 밤을 지닐ᄉᆡ, 가ᄉᆞ(家舍)를 굴히여 금화치셕(錦畵彩席)의 포진(鋪陳)이 휘황ᄒ고, 년향(宴饗)ᄒᄂᆞᆫ 상을 드리미, 산ᄒᆡ지물(山海之物)과 팔진셩찬(八珍盛饌)656)이 아

---

656)팔진셩찬(八珍盛饌) : 팔진지미(八珍之味) 곧 여 덟 가지 진귀한 음식을 갖추어 아주 잘 차린 음식 상을 이르는 말. *팔진지미; 순모(淳母), 순오(淳

갓디 아닌 거시 업스티, 부인이 스스로 블
안ᄒ고 깃거 아냐, 외람ᄒ믈 일ᄏ라 손복
(損福)홀 거죄 업스믈 쳥ᄒ니, 댱샤 태쉬 시
비로 ᄒ여곰 젼어로 고왈,

"부인이 비록 블안ᄒ여 ᄒ시나, 녜스 지
렬의 부인과 다르시고, 부인의 셩덕혜ᅙᆡᆼ(聖
德慧行)이[을] 텬심이 크게 탄복ᄒ시는 비
라."

ᄒ니, 뎡부인이 과도ᄒᄆᆞᆯ 칭샤ᄒ더라.
명일 조됴의 니발ᄒ여 영창역으로 향홀
시, 태쉬 위【36】의를 셩비(盛備)ᄒ여 디
경가디 호숑ᄒ니, 일노의 영광이 비홀 ᄃᆡ
업더라.

ᄎ셜, 원쉬 ᄒ 장 셔간을 일워 하리를 맛
져 뎡부인긔 젼ᄒ라 ᄒ고, 우싱을 영창역으
로 보닐시, 우쇼져ᄃᆞ려 왈,

"현미와 실인(室人)이 동ᅙᆡᆼᄒ면 피ᄎᆞ 든
든ᄒ리라."

우쇼졔 원슈의 이러ᄐᆞᆺ ᄒ 은혜를 드리워
관니의 잡혀가는 환을 면ᄒ여, 윤원슈 ᄀᆞ튼
대현군ᄌᆞ를 만나 결의남ᄆᆡ ᄒ고, 흔가디로
샹경홀 바를 니르니, 감격ᄒ미 골슈의 ᄉᆞ못
ᄎᆞ, 샤례 왈,

"쇼미 거거의 대은으로 호구를 버셔나니,
영ᅙᆡᆼ코 즐거오미 이 밧긔 업ᄂᆞᆫ디라. 뎡져져
와 흔가디로 가면 엇디 셔의(齟齬)【37】ᄒ
미 이시리잇고?"

원쉬 그 인믈의 통달ᄒ고 명슉(明肅)ᄒᄆᆞᆯ
크게 ᄉᆞ랑ᄒ여 친ᄆᆡ와 다르미 업스니, 이
ᄯᅩ흔 하날이 유의ᄒ여 그 남ᄆᆡ디의(男妹之
義)를 닛게 ᄒ미러라.

윤원쉬 우싱을 지쵹ᄒ여 몰긔 올니고 쇼
져를 거교의 올니미, 영창역으로 ᅙᆡᆼ게 홀
시, 하리를 분부ᄒ여 쇼져의 ᅙᆡᆼᄎᆞ를 조심ᄒ
여 뫼시라 ᄒ니, 하리 등이 슈명ᄒ여 긔구
산노(崎嶇山路)의 화교옥뉸(華轎玉輪)을 젼

니 ᄀᆞ진 거시 업스티, 부인이 스스로 블안
ᄒ고 깃거 아냐, 외람ᄒ믈 닐ᄏ라 손복(損
福)홀가 두리워 가식지믈(加飾之物)657)을
다 믈니치고 금·은·필빅(疋帛)·쥬옥지믈
(珠玉之物)을 다 드리는 거슬 믈니쳐 밧지
아니ᄒ고, 방빅 슈령의게 치스ᄒᄆᆞᆯ 마지 아
니ᄒ니, 각읍 슈령ᄃᆞ리 칙칙 칭션치 아니
리 업고, 빅셩ᄃᆞ리 무리 지어 뎡부인의 ᅙᆡᆼ
ᄎᆞ를 닷토아 구경치 아니리 업더라.

알ᄑᆡᄂᆞᆫ 님셩각 우공ᄌᆞ가 호위ᄒ고 무슈
하리와 ᄬᄬᄒᆫ 시녜 젼ᄎᆞ후옹(前遮後擁)ᄒ
여【149】 날이 반오(半午)의 니ᄅᆞ미 너른
덜658)을 덥혀 ᅙᆡᆼᄒ니, 굿보는 빅셩ᄃᆞ리 셔
로 칭찬ᄒ여 닐오티,

"장ᄒ고 측ᄒ다. 윤원슈여! 처음의는 피로
이 댱스의 찬비(竄配)ᄒ여 고ᅙᆡᆼ(苦行)으로
지니더니, 지금은 공을 닐워 녕화로이 올나
가고, 부인 뎡시는 원슈 뒤흘 조ᄎᆞ 빗난 위
의를 ᄯᅴ여 ᅙᆡᆼᄒ니, 이는 쳔고의 희한ᄒ다."

ᄒ고, 져마다 닐ᄏᆞ지 아니리 업더라.
뎡쇼져 ᅙᆡᆼᄎᆞ 졈졈 ᅙᆡᆼᄒ여 쥬졈의 드러 일
ᅙᆡᆼ이 쉴시, 부셩(富盛)ᄒ 위의(威儀) 거록ᄒ
더라.

ᄎ시 원쉬 군즁(軍衆)의 젼령(傳令)ᄒ여
함거(檻車)의 실닌 죄슈(罪囚)를 측실이 즉
ᅙᆡᆼ여 ᅙᆡᆼᄒ라 ᄒ니, 군즁이 진동ᄒ고 군령이
엄슉ᄒ며 금고(金鼓)659) 울【150】ᄂᆞᆫ 소
릭 텬디진동(天地振動)ᄒ고, 긔치(旗幟) 창
검(槍劍)은 일광을 ᄀᆞ리오고, 부장 이히 장
졸을 거느려 위의 졍슉ᄒ고, 군률이 졍졔ᄒ
여 착난(錯亂)치 아니ᄒ니, 지나는 바의 계
견(鷄犬)을 놀닉지 아니니, 구경ᄒᄂᆞᆫ 빅셩ᄃᆞ
리 칙칙(嘖嘖) 칭션(稱善)ᄒ여 왈,

덟 가지 진귀한 음식을 갖추어 아주 잘 차린 음식
상을 이르는 말. *팔진지미: 순모(淳母), 순오(淳
熬), 포장(炮牂), 포돈(炮豚), 도진(擣珍), 오(熬),
지(漬), 간료(肝膋)를 이르기도 하고 용간(龍肝),
봉수(鳳髓), 토태(兎胎), 이미(鯉尾), 악적(鶚炙), 웅
장(熊掌), 성순(猩脣), 수락(酥酪)을 이르기도 한다.

츠후응(前遮後應) ᄒ여 임의 영창역의 다ᄃ르니, 맛초디 아닌 일이로ᄃᆡ 과연 뎡부인의 힝게 영착역의 니르럿ᄂᆞᆫ디라. 하리 등이 원슈의 셔간을 드리니, 뎡부인이 바다보ᄆᆡ 대강 ᄒᆞ여시ᄃᆡ,

"싱이 미【38】양 동긔의 슈쇼(數小)ᄒᆞ믈 슬허 ᄒᆞ더니, 다힝이 우미를 맛나 결의남ᄆᆡ ᄒᆞ엿ᄂᆞ니, 부인은 싱의 ᄯᅳᆺ을 조ᄎᆞ 우미를 ᄉᆞ랑ᄒᆞ여 원노의 ᄒᆞᆫ가디로 힝ᄒᆞ라."

ᄒᆞ엿더라. 뎡슉녈이 남파(覽罷)의 즉시 우쇼져를 쳥ᄒᆞ여 셔로 볼ᄉᆡ, 우시 셩ᄌᆞ아딜(盛者雅質)과 화월염광(花月艶光)이 셰ᄃᆡ의 졀염(絶艶)일 ᄲᅳᆫ 아니라, 힝동거디(行動擧止) 법되 잇고 녜뫼 슉슉ᄒᆞ니, 뎡쇼제 아름다오믈 니긔디 못ᄒᆞ여 셔로 담화ᄒᆞᄆᆡ, 졍의 가득ᄒᆞ여 피ᄎᆞ의 동긔 ᄀᆞᆺᄐᆞᆫ디라.

우쇼제 뎡부인 ᄀᆞᆺᄐᆞᆫ 용화긔딜을 처음 보ᄂᆞᆫ 고로, 놀나며 긔이ᄒᆞ여 요디금모(瑤池金母)681)와 월뎐쇼인(月殿小娥)682)가 의심ᄒᆞ더라. 오반(午飯)을 딘식(盡食)ᄒᆞ고, 뎡쇼제 우시로 더브러 거교의【39】오로ᄆᆡ, 님셩각과 우싱이 호힝ᄒᆞᆯ ᄲᅳᆫ 아니라, 본읍 태쉬 디숑(祗送)ᄒᆞ여 영요(榮耀)ᄒᆞᆫ 광치와 부셩ᄒᆞᆫ 위의 일노의 메여시니, 도로 관광지 복복(僕僕)683) 칭찬치 아니리 업더라.

님셩각이 미ᄉᆞ를 원슈의 녕ᄃᆡ로 쥰힝ᄒᆞ여 부인의 힝게(行車) 대군의 바랄만치 ᄉᆞ이 ᄡᅳ게 힝ᄒᆞ며, 쥬졈의 드러 일죽 쉬고 느즌 후의 힝ᄒᆞ니, 힝노의 츠오(差誤)684)ᄒᆞ미 업더라.

윤원쉬 우싱 남ᄆᆡ를 평안이 쥬쳐(住處)ᄒᆞ미, 등쥐 ᄌᆞᄉᆞ 원복의 흉음패려(凶淫悖戾)ᄒᆞᆷ과 두녀의 난뉸간음(亂倫姦淫)ᄒᆞ믈 졀치 통히ᄒᆞ나, ᄌᆞ긔 당ᄒᆞᆫ 바 쇼임이 아닌 고로 타

681)요디금모(瑤池金母) : 서왕모(西王母). 중국 신화에 나오는 신녀(神女)의 이름. 불사약을 가진 선녀라고 하며, 음양설에서는 일몰(日沒)의 여신이라고도 한다.
682)월뎐쇼인(月殿小娥) : 달 속에 있다고 하는 전설 속의 선녀 상아(嫦娥).
683)복복(僕僕) : 귀찮을 만큼 번거로이.
684)츠오(差誤) : 틀리거나 잘못됨.

"한(漢) 나라 쥬아부(周亞夫)660)의 힝군 홈 ᄀᆞᆺ다."

ᄒᆞ더라.

대군이 ᄎᆞᄎᆞ 힝ᄒᆞ여 경셩(京城)이 머지 아니케 ᄃᆞ다르니, 원슈 셩상 뵈올 싱각이 급ᄒᆞ여 ᄒᆞᄂᆞᆫ 즁 ᄉᆞ친지회(思親之懷) 간졀ᄒᆞ더라. 장원슈도 ᄯᅩ한 윤원슈로 동힝ᄒᆞ여 군률을 합셰(合勢)ᄒᆞ여 힝ᄒᆞ니라.

님셩각이 미ᄉᆞ를 원슈의 녕ᄃᆡ로 쥰힝ᄒᆞ여, 부인의 일힝을 쥬졈의 드러 일죽 쉬고 느즌 후 힝ᄒᆞ니,【151】힝노(行路)의 츠오(差誤)ᄒᆞ미 업더라.

원쉬 우싱 남ᄆᆡ를 평안이 안돈(安頓)ᄒᆞ미 등쥐 ᄌᆞᄉᆞ 원복의 흉음픽례(凶淫悖戾)ᄒᆞᆷ과 두녀의 난음간흉(亂淫姦凶)ᄒᆞ믈 졀치 통ᄒᆞ나, ᄌᆞ긔 당ᄒᆞᆫ 빈 아닌 고로, 타일의나 텬문의 음녀 간부를 쥬(奏)ᄒᆞ여 법을 밝히려 ᄒᆞ더라.

660)쥬아부(周亞夫) : ? - BC143. 중국 전한(前漢) 전기의 무장, 정치가. 오초칠국(吳楚七國)의 난을 평정해 공을 세웠고 승상에 올랐다.

일 샹경ᄒᄂᆫ 날 텬문의 쥬달ᄒᆞ여 음녀 간부를 쥬ᄒᆞ여 법을 뵑히려 ᄒᆞ더라.

ᄎᆞ시【40】동쥐 관니 등이 우싱 남ᄆᆡ를 잡아 도라가 ᄌᆞᄉᆞ긔 밧치고 쳔금을 손의 쥘ᄃᆞ시 즐겨 ᄒᆞ더니, 블의무망(不意無望)의 신인이 강님(降臨)ᄒᆞ여, 우시 남ᄆᆡ를 아ᅀᅡ가고 져의 무리 두골이 터디며 슈죡이 샹ᄒᆞ니, 홀일업셔 울며 도라갈ᄉᆡ, 윤원슈의 주던 부작을 의디ᄒᆞ고[여] 호표(虎豹) 싀랑(豺狼)의 ᄒᆡ를 면ᄒᆞ고 도라가, 원복을 보고 두 필 물과 교ᄌᆞ를 드리고 우가 남ᄆᆡ 거쳬 업ᄉᆞ믈 고ᄒᆞ니, ᄌᆞ식 분노ᄒᆞ나 홀일업고 힝혀 후환이 될가 념녀ᄒᆞ더라.

이ᄯᆡ 원슈 임의 벌뎍능토(伐敵能討)685)ᄒᆞᄆᆡ 누월을 머므러 인심을 딘뎡ᄒᆞ고, 바야흐로 션친의 화샹을 뫼시며, 빅년을 동낙홀 부인을 긔봉(奇逢)ᄒᆞ여 도라가는 ᄆᆞ음이【41】엇디 밧브디 아니며, 븍당 훤친의 기다리시미 간졀ᄒᆞ실 바를 혜아리미 도라갈 ᄆᆞ음이 살 ᄀᆞᆺ거늘, 당샤 일노의 향민이 부로휴유(扶老携幼)686)ᄒᆞ여 ᄯᅥ나기를 슬허 ᄒᆞ니, 원슈 흔연 무위(撫慰) 왈,

"여둥이 비록 하방변디(遐方邊地)687)의 이셔 왕화(王化)를 아디 못ᄒᆞ나, 튱효와 녜의를 슝상ᄒᆞ즉 교ᄒᆡᆼ(敎行)688)ᄒᆞᄂᆫ 작시오, 너희 날을 져바리는 ᄆᆞ음이 아니리라. 삼가고 조심ᄒᆞ여 오날늘 나의 당부ᄒᆞᄂᆫ 거슬 심곡의 삭이라."

만민이 응셩(應聲) 디왈,

"원슈의 니르시는 바ᄂᆫ 인민이 졔 몸의 각각 유익ᄒᆞᆫ 빈라. 엇디 밧드디 아니리잇고? 다만 원슈를 빅별ᄒᆞ미 부모를 원별ᄒᆞᄂᆫ 심ᄉᆞ도곤 더ᄒᆞᆫ디라, 긴 날의 이 회포를 엇【42】디 ᄎᆞᆷ으리잇고?"

ᄎᆞ시 둥쥐 관니 우싱 남ᄆᆡ를 잡아 도라ᄀᆞ ᄌᆞᄉᆞ게 밧치고 쳔금 샹을 어ᄃᆞᆯ가 즐겨 ᄒᆞ더니, 불의무망(不意無望)의 신인이 강님(降臨)ᄒᆞ여, 우싱 남ᄆᆡ를 아ᅀᅡ가고 져히 무리 두골이 터지며 슈죡이 샹ᄒᆞ니, 홀일업셔 울며 도라갈ᄉᆡ, 윤원슈의 주던 부작을 의지ᄒᆞ여 호표(虎豹) 싀랑(豺狼)의 ᄒᆡ를 면ᄒᆞ고 도라가, ○○○○○[원복을 보고] 두 필 말과 교ᄌᆞ를 드리고, 우가 남ᄆᆡ ○○[거쳬] 업【152】ᄉᆞ믈 고ᄒᆞ니, ᄌᆞ식 분노ᄒᆞ나 홀일업셔 도로혀 후환이 될가 념녜ᄒᆞ더라.

---

685)벌뎍능토(伐敵能討) : 무력으로 적을 쳐 없앰.
686)부로휴유(扶老携幼) : 노인은 부축하고 어린이는 이끈다는 뜻으로, 여기서는 향민들이 늙은이를 부축하고 어린이를 이끌고 모두 나옴을 이르는 말.
687)하방변디(遐方邊地) : 서울에서 멀리 떨어진 변방.
688)교ᄒᆡᆼ(敎行) : 성현의 가르침을 몸소 행함. 또는 가르치고 행함.

원쉬 스면으로 도라보아 인민을 디극 위
로ᄒ고, 날이 느ᄌ미 딕딕 인ᄆᆞ를 프러 힝
ᄒ니, 졍긔(旌旗) 폐일(蔽日)ᄒ고 내외 뎡졔
ᄒ여 힝군 긔뉼(紀律)의 엄슉ᄒ미, 쥬아부
(周亞夫)689)의 위풍(威風)을 우슬디라. 원슈
의 풍뉴신광(風流身光)과 용화표치(容華標
致)690) 태양의 졍광을 아사, 봉안영치(鳳眼
靈彩)는 삼군(三軍)691)의 빗최고, 위령의 싁
싁ᄒ기는 회음후(淮陰侯)692)와 하후무693)의
디난다라. 쳔병만ᄆᆞ를 거나려 나아가미 엄
슉ᄒᆫ 가온디 고요ᄒ며 법되 가죽ᄒ니, 스졸
이 츄호를 블범ᄒ고, 디나는 바의 초목이
샹치 아니며 계견이 놀나디 아니ᄒ고 빅셩
이 안안ᄒ여 져지를 것디 아냐, 겨마다 원
슈의 대군 디나기를 【43】 바라미 부모를
기다림 ᄀᆞᆺ트디라.

원쉬 힝ᄒ여 상강(湘江)694)의 비를 건너
남영관의 다ᄃᆞ라는 부공의 긔시(忌祀) 님박
ᄒ므로 군졸을 잠간 쉬오고, 관듕의 드러
증상(蒸嘗)695)을 밧드러 영졍(影幀) 압히
셜졔(設祭)ᄒᆞᆯ시, 뎡슉녈이 원슈의 힝거와 션
후를 달니 ᄒ여 날마다 스이 쓰게 힝ᄒ더
니, 명쳔공의 긔시 다ᄃᆞ르미 관듕(關中)의
ᄒᆞᆫ가디로 드러 참예ᄒᆞᆯ시, 뎡슉녈은 쳐음으
로 존구의 화상을 비알ᄒᆞᆫ디라, 원슈의 슬

원쉬 호호탕탕 히힝ᄒ여 황셩으로 향ᄒᆞᆯ
시, 긔티(旗幟) 검극(劍戟)이 일싴(日色)을
ᄀᆞ리오고, 대외(隊伍) 졍졔(整齊)ᄒ니, 쇼과
(所過)의 츄호를 블범ᄒ니, 초목이 샹(傷)치
아니코 계견(鷄犬)이 놀나지 아녀 빅셩이
안안ᄒ더라.
  힝ᄒ여 상강(湘江)661)을 건너 남녕관의
다ᄃᆞ르는 부공 긔시(忌祀) 님ᄒᆞᆫ 고로, 군졸
을 잠간 쉬오고, 관즁의 드러 화상(畵像)을
뫼시고 이의 셜졔(設祭)ᄒᆞᆯ시, 뎡슉녈이 쏘ᄒᆫ
참녜ᄒ미 쇼져는 존구 화상의 쳐음으로 비
현ᄒᆞᆫ지라. 원슈의 슬허ᄒᆞᆷ믈 보미 쳑연 비
상ᄒᆞᆷ믈 마지 아니코, 우시 쏘ᄒᆫ 참녜ᄒ여
양녀(養女)의 도 【153】 리를 다ᄒᆞᆫ지라.

689)쥬아부(周亞夫) : ? - BC143. 중국 전한(前漢)
  전기의 무장, 정치가. 오초칠국(吳楚七國)의 난을
  평정해 공을 세웠고 승상에 올랐다.
690)용화표치(容華標致) : 얼굴이 매우 아름다움.
691)삼군(三軍) : 전군(前軍)・중군(中軍)・후군(後軍)
  을 함께 이르는 말. 곧 전군(全軍).
692)회음후(淮陰侯) : 중국 한(漢)나라 개국공신 한신
  (韓信)의 작위(爵位).
693)하후무 : 미상.
694)상강(湘江) : 소상강(瀟湘江). 상강은 중국 광서
  성(廣西省)에서 발원하여 호남성(湖南省) 동정호
  (洞庭湖)에서 소수(瀟水)와 만나 소상강을 이룬다.
  따라서 소상강은 주로 호남성 동정호 지역을 일컫
  는 말로, 이 지역은 경치가 아름답고 소상반죽(瀟
  湘班竹)과 황릉묘(黃陵廟) 등 아황(娥皇) 여영(女
  英)의 이비전설(二妃傳說)이 전하는 곳으로 유명하
  다.
695)증상(蒸嘗) : 증상(蒸嘗)은 제사(祭祀)를 뜻하는
  말로, '증(蒸)'은 겨울제사를, '상(嘗)'은 가을제사
  를 말한다.

661)상강(湘江) : 소상강(瀟湘江). 상강은 중국 광서
  성(廣西省)에서 발원하여 호남성(湖南省) 동정호
  (洞庭湖)에서 소수(瀟水)와 만나 소상강을 이룬다.
  따라서 소상강은 주로 호남성 동정호 지역을 일컫
  는 말로, 이 지역은 경치가 아름답고 소상반죽(瀟
  湘班竹)과 황릉묘(黃陵廟) 등 아황(娥皇) 여영(女
  英)의 이비전설(二妃傳說)이 전하는 곳으로 유명하
  다.

허 ᄒᆞᄆᆞᆯ 보미 쳑연 비상ᄒᆞᄆᆞᆯ 니긔디 못ᄒᆞ고, 우시 ᄯᅩ흔 참예ᄒᆞ여 양녀(養女)의 도리를 다ᄒᆞᄂᆞᆫ디라.

원쉬 셜졔 통곡ᄒᆞ미 흉억의 가득히 ᄲᅥᆺ힌 셜우믈 능히 억【44】졔치 못ᄒᆞ여, ᄒᆞᆫ 번 통곡의 긔운이 엄홀ᄒᆞᄆᆞᆯ 면치 못ᄒᆞᄂᆞᆫ디라. 흐르ᄂᆞᆫ 안슈(眼水)ᄂᆞᆫ 빅포를 젹시고, 효ᄌᆞ의 궁텬디통은 오장이 스희ᄂᆞᆫ696) ᄃᆞᆺ, 가변의 망측ᄒᆞ미 젼혀 야야의 아니 《계시믈∥계신 연괴믈》 혜아려, 싱각홀ᄉᆞ록 고ᄃᆡ 죽어 모로고져 ᄒᆞᄂᆞᆫ디라. 드듸여 이 날 남영관의셔 쉴ᄉᆡ, 거의 붉기의 다ᄃᆞ라 원쉬 잠간 가미(假寐)697)ᄒᆞ니, 스몽비몽간(似夢非夢間)의 부친 명쳔공이 겻틱 나아와, 무이ᄒᆞ여 골오ᄃᆡ,

"내 맛ᄎᆞᆷ닉 명박ᄒᆞ여 셰샹을 바리미 부모의게 블회 비경(非輕)ᄒᆞ고 여슉(汝叔)으로 ᄒᆞ여곰 안항(雁行)의 외로오미 그림직 쳐량ᄒᆞ여 무이(无涯)ᄒᆞᆫ 비한을 무【45】궁히 깃치고, 너의 형뎨 아븨 얼골 모로ᄂᆞᆫ 사ᄅᆞᆷ이 되여 쥬쥬야야(晝晝夜夜)의 궁텬디통(窮天之痛)이 되게 ᄒᆞ니, 비록 텬궁(天宮) 부귀 번화(繁華) 극딘ᄒᆞ나 어이 심식 편ᄒᆞ리오. ᄒᆞᄆᆞᆯ며 가변이 참참ᄒᆞ여 시금(時今)의 ᄌᆞ졍의 패덕이 셰샹의 모로리 업ᄉᆞ니, 오ᄋᆞ(吾兒)의 형뎨 븟그럽고 슬픈 심식 어이 오죽ᄒᆞ리오마ᄂᆞᆫ, 만ᄉᆞ 텬명이라, 조고만 일도 ᄯᅳᆺᄀᆞᆺ디 못ᄒᆞ니, 이 ᄯᅩ 가운이 블힝ᄒᆞ여 허다 변괴 상싱(相生)ᄒᆞ미니 현마 엇디 ᄒᆞ리오. 오ᄋᆞ(吾兒) 이졔 익운(厄運)이 딘ᄒᆞ고 즐거온 시졀을 《맛낫고∥만낫고》, 금년 하츄(夏秋)를 디닉면 만ᄉᆞ 무흠ᄒᆞ여 괴로온 근심이 업ᄉᆞ리니, 이졔 ᄌᆞ【46】졍 환후로 초 젼 우황ᄒᆞ나, 슈한(壽限)이 댱원ᄒᆞ샤 아딕 셰연(世緣)이 머러 계시니, 아모리 위독ᄒᆞᆫ 딜양이라도 맛ᄎᆞᆷ닉 회두ᄒᆞ시리니, 모로미 ᄆᆞ음을 널니 ᄒᆞ여 슬픈 거슬 강인ᄒᆞ여, 아 비 발셔 셰샹을 바려 너의 디통이 아모 곳

원쉬 셜졔 통곡ᄒᆞ미 긔운이 엄홀(奄忽)ᄒᆞ며 흐르ᄂᆞᆫ 안슈(眼水)ᄂᆞᆫ 빅포를 젹시고, 효ᄌᆞ의 궁텬지통은 오장이 스회ᄂᆞᆫ662) ᄃᆞᆺ, 가변의 망측ᄒᆞ미 젼혀 야야의 아니 계신 연괴믈 혜아려, 죽어 모로고져 ᄒᆞᄂᆞᆫ지라. 원쉬 줌간 가미(假寐)663)ᄒᆞ니, 스몽비몽간(似夢非夢間)의 부친 명쳔공이 겻희 ᄂᆞ아와, 무이왈,

"내 맛ᄎᆞᆷ닉 명박ᄒᆞ여 셰샹을 ᄇᆞ리미 부모의게 블회 비경(非輕)ᄒᆞ고, 여슉(汝叔)으로 ᄒᆞ여금 안항(雁行)이 외로옴과 비한(悲恨)을 무궁히 씻치고, 너의 형뎨 아비를 모로ᄂᆞᆫ 스람이 되여 궁텬지통(窮天之痛)이 되○○[게 ᄒᆞ]니, 비록 텬궁의 부귀 극ᄒᆞ나 엇지 심식 편ᄒᆞ리오. ᄯᅩ 가변이 참참ᄒᆞ여 시금(時今)의 ᄌᆞ졍의 ᄑᆡ덕이 셰【154】상의 모ᄅᆞ리 업ᄉᆞ니, 오ᄋᆞ(吾兒)의 형뎨 븟그럽고 슬픈 심식 어이 오작ᄒᆞ리오마ᄂᆞᆫ 만ᄉᆞ 텬명이라 현마 엇지 ᄒᆞ리오. 오이 이졔ᄂᆞᆫ 익운이 진ᄒᆞ고 즐거온 시졀을 만낫고, 금년을 지닉면 만ᄉᆞ 무흠ᄒᆞ여 괴로온 근심이 업ᄉᆞ리니, 이졔 ᄌᆞ졍 환후로 초젼 우황ᄒᆞ나, 슈한(壽限)이 장원ᄒᆞ샤 아직 셰연(世緣)이 머러 계시니, 아모리 위독ᄒᆞᆫ 질양이라도 회두ᄒᆞ시리니, 모ᄅᆞ미 ᄆᆞ음을 널니 ᄒᆞ여 슬프믈 강잉ᄒᆞ고, 아비 발셔 셰상을 ᄇᆞ려시므로, 너희 지통이 아모 곳의 밋쳐도 홀일업도다"

---

696)스희다 : 사위다. 불이 사그라져서 재가 되다.
697)가미(假寐) : 잠자리를 제대로 보지 않고 잠을 잠.

662)스회다 : 사위다. 불이 사그라져서 재가 되다.
663)가미(假寐) : 잠자리를 제대로 보지 않고 잠을 잠.

의 밋쳐셔도 홀 일 업스믈 혜아려, 관억기를 위쥬ᄒ라."

원쉬 눈을 드러 부안을 뵈오미 실노 화상과 다르디 아냐 완연ᄒᆞ더라. 시로이 통상ᄒᆞᆫ 심회를 니긔디 못ᄒᆞ여 야야를 붓들고, 실셩통읍 왈,

"블초지 팔지 궁험ᄒᆞ와 셰샹의 나미 엄안을 모로ᄂᆞᆫ 죄인이 되여, 야야의 ᄌᆞ의ᄒᆞ시ᄂᆞᆫ 덕음(德蔭)을 모로옵고, 자【47】모의 은양을 밧잡고, 계부의 은양(恩養)ᄒᆞ시믈 밧ᄌᆞ와 무ᄉᆞ히 댱셩ᄒᆞ{시}믈 엇ᄌᆞ오나, 엄졍(嚴庭)의 훈교를 모로옵고 이휼ᄒᆞ시ᄂᆞᆫ 은이를 엇디 못ᄒᆞ오니, 싱셰의 즐거오믈 아디 못ᄒᆞ와, 스스로 디하(地下)의 모시디 못ᄒᆞ오믈 이들와 ᄒᆞ옵더니, 화션싱의 은덕으로 야야의 화상을 뵈오나, ᄒᆞᆫ 말ᄉᆞᆷ ᄌᆞ의를 펴디 못ᄒᆞ오니, 블초ᄌᆞ의 시로온 디통을 어이 다 알외리잇고? 희ᄋᆞ 등의 무상 블초ᄒᆞᆫ 연고로 가변(家變)이 블가ᄉᆞ문어타인(不可使聞於他人)이라. ᄒᆞ면목으로 닙어텬일디하(立於天日之下)리잇고마ᄂᆞᆫ, 셩쥬의 대은을 져바리디 못ᄒᆞ오며 ᄌᆞ위의 참통ᄒᆞᆫ신 졍ᄉᆞ 가【48】온 디, 다시 상명(喪明)의 통(痛)698)을 긧치○[지] 못ᄒᆞ와 일누(一縷)를 ᄭᅳᆾ디 못ᄒᆞ옵고, 금일 긔ᄉᆞ(忌祀)를 당ᄒᆞ와 망극 참참ᄒᆞ온 하졍(下情)을 고ᄒᆞᆯ 곳이 업습더니, 쳔만 ᄯᅳᆺ 밧긔 대인의 이 ᄀᆞᆺ오신 교훈을 밧ᄌᆞ오니, 엄안을 우러와 반갑ᄉᆞ온 졍셩을 비홀 곳이 업습고, 구쳔타일(九泉他日)의 시봉(侍奉)ᄒᆞ기를 졀박히 바라옵ᄂᆞ니, 복원 대인은 쇼ᄌᆞ의 졍경을 통쵹ᄒᆞ오샤 슈히 엄하의 뫼시게 ᄒᆞ옵쇼셔."

명쳔공이 ᄋᆞᄌᆞ의 이딕도록 슬허 ᄒᆞᆷ믈 보고, ᄯᅩᄒᆞᆫ 쳑연 왈,

"내 ᄋᆞ히ᄂᆞᆫ 무익ᄒᆞᆫ 슬프믈 과히 ᄒᆞ여 아비 녕빅(靈魄)을 블평케 말나. 나의 팔지 궁험ᄒᆞ여 효ᄌᆞ와 현부의 영효를 밧디 못ᄒᆞ미

원쉬 눈을 드러 부안을 뵈오미 실노 화상과 다ᄅᆞ지 아녀 완연ᄒᆞ지라. 시로이 통상ᄒᆞᆫ 심회를 니긔지 못ᄒᆞ여 야를 붓들고, 실셩통읍 왈,

"블초지 ○○[팔지] 궁【155】험ᄒᆞ와 셰샹의 나미 엄안을 모로ᄂᆞᆫ 죄인이 되어, 부친의 ᄌᆞ의 ᄒᆞ시ᄂᆞᆫ 덕음(德蔭)을 모ᄅᆞ고, ᄌᆞ졍의 은양을 밧고, 계부의 훈계를 듯ᄌᆞ와, 무ᄉᆞ히 댱셩ᄒᆞ믈 엇ᄉᆞ오나, 엄졍의 훈교를 모로옵고 이휼ᄒᆞ시ᄂᆞᆫ 은이를 엇지 못ᄒᆞ여, 셰샹의 즐거오믈 아지 못ᄒᆞ와 스스로 디하(地下)의 뫼시지 못ᄒᆞ믈 흔ᄒᆞ옵더니, 화션싱의 음덕으로 엄안의 뵈오ᄂᆞ ᄒᆞᆫ 말ᄉᆞᆷ ᄌᆞ의를 밧줍지 못ᄒᆞ오니, ○…**결락18자**…○[블초ᄌᆞ의 시로온 디통을 어이 다 알외리잇고?] 희ᄋᆞ 등의 무상 블초ᄒᆞ온 연고로 가변(家變)이 블가ᄉᆞ문어타인(不可使聞於他人)이라. ᄒᆞ면목으로 닙어텬일지하(立於天日之下) ᄒᆞ리잇고마ᄂᆞᆫ, 셩쥬의 대은을 져바리지 못ᄒᆞ오며, ᄌᆞ위의 참통ᄒᆞᆫ신 졍ᄉᆞ ᄀᆞ온ᄃᆡ, 다시 '상명(喪明)의 셜우믈'664) ᄭᅵᆺ치지 못ᄒᆞ와 일누(一縷)를 부지ᄒᆞ옵고, 금일 긔ᄉᆞ(忌祀)를 당ᄒᆞ와 망극【156】참참ᄒᆞ믄, 하졍(下情)을 고ᄒᆞᆯ 곳이 업셔 더욱 비통이러니, 쳔만 ᄯᅳᆺ 밧게 대인의 여ᄎᆞᄒᆞ온 엄교를 밧ᄌᆞ오니, 반갑ᄉᆞ온 졍셩을 비홀 길 업ᄉᆞᆯ고, 슈히 엄안을 뵈옵고 시봉ᄒᆞ기를 바라ᄂᆞ이다."

명쳔공이 이 ᄯᅩᄒᆞᆫ 쳑연ᄒᆞ여 왈,

"오ᄋᆞ(吾兒)ᄂᆞᆫ 무익ᄒᆞᆫ 슈회(愁懷)를 과히 ᄒᆞ여 아비 녕빅(靈魄)을 블안케 말나. 너희 효심과 현부의 영효를 내 밧지 못ᄒᆞ니 현마

---

698)상명지통(喪明之痛) : 눈이 멀 정도로 슬프다는 뜻으로, 아들이 죽은 슬픔을 비유적으로 이르는 말. 옛날 중국의 자하(子夏)가 아들을 잃고 슬피 운 끝에 눈이 멀었다는 데서 유래한다

664)상명(喪明)의 설움 : 눈이 멀 정도로 슬프다는 뜻으로, 아들이 죽은 슬픔을 비유적으로 이르는 말. 옛날 중국의 자하(子夏)가 아들을 잃고 슬피 운 끝에 눈이 멀었다는 데서 유래한다

【49】 니, 현마 엇디 ᄒ리오. 네 모친은 이 제 궁곤(窮困)ᄒ나 임의 익회 다 딘ᄒ여시 니, 거의 길운을 만날디라. 너의 형데와 뎡 현부 등의 《효약∥효양(孝養)》을 ᄀᆺ초 바 다 무궁ᄒᆫ 셰월의 영화를 만히 보리니, 디 난 화익(禍厄)이야 닐너 무엇ᄒ리오. 여ᄇᆡ 세 낫 ᄌ녀를 두미 ᄒ나토 용우ᄒᆫ 지 업셔, ᄋ들은 영쥰호걸(英俊豪傑)이 아니면 명셩 군지(明聖君子)오, 쏠은 졀효녈부(節孝烈婦) 라. 아롬다온 일홈이 셰디의 희한ᄒ니, 구쳔 야〇[대](九泉夜臺)699)의 두굿기ᄂᆞ ᄆᆞᄋᆞᆷ을 먹음어 너의 모친이 ᄐᆡ교를 잘 ᄒᆞᆯ믈 샤례코 져 ᄒ느니, 내 ᄋᆞ희는 훤츌ᄒᆫ 녁냥(力量)이 라. 무익ᄒᆫ 디통(至痛)을 한ᄒᆞ여 심수를 상 **【50】** ᄒ오디 말나."

언파의 일딘 향풍이 딘울(振鬱)ᄒ며700) 운간(雲間)으로 오르더니, 쏘 닐오디,

"유명(幽明)이 길히 다르니 미양 ᄒᆞᆫ가디 로 잇디 못ᄒ느니, 모로미 슬프믈 춤고 됴 히 부귀를 누리며, 무슈ᄒᆫ ᄌ손을 두어 오 문(吾門)을 창대홈과, 너희 일흔 ᄋ들 십삼 셰를 찬 후의 ᄌ연 ᄎᆞ즐 도리 이시리니, 념 녀치 말나."

언파의 치운(彩雲)을 몡에ᄒᆞ여 표연이 승 텬ᄒᆞ시ᄂᆞᆫ디라. 원쉬 밧비 부친의 가시는 곳 을 향ᄒ여 직비ᄒ고, 통읍ᄒ다가 너쳐 울며 눗기미, 님셩각이 겻틱셔 씌오ᄂᆞᆫ디라. 눈을 ᄯᅥ 보니 홍일이 찬난ᄒᆞ여 동창의 히 빗쵯엿 거늘, 긔운을 슈습ᄒᆞ여 니러 안ᄌ니, 부친의 어 **【51】** 음(語音)이 이변(耳邊)의 징연(錚 然)ᄒ고701) 긔이ᄒᆫ 풍치 안듕의 삼삼ᄒ니, 싀로이 슬프미 여할(如割)ᄒ더라. 셩각이 호 언으로 위로ᄒ고, 윤원쉬 명일의 군댱 ᄉᆞ쫄 을 녕(領)ᄒ여 남영관을 써나 샹경홀식, 님 셩각이 우싱으로 더브러 뎡·우 냥쇼져를

엇지 ᄒ리오. 네 모친은 이졔 궁곤(窮困)ᄒ 나 익회 다 진ᄒ여시니 길운이 오ᄂᆞᆫ지라. 너의 형뎨와 뎡현부의 효양(孝養)을 ᄀᆺ초 바다 무궁ᄒᆫ 셰월의 녕화를 만히 보리니, 지난 화익이야 닐너 무엇ᄒ리오. 여ᄇᆡ 세 낫 ᄌ녀를 두미 ᄒ나토 용우ᄒᆫ 지 업셔, 아 룸다온 일홈이 셰디의 **【157】** 희한(稀罕) 특 이(特異)ᄒ니, 노ᄇᆡ 구텬야디(九泉夜臺)665) 의 두굿기ᄂᆞ ᄆᆞᄋᆞᆷ을 먹음어, 너희 모친이 ᄐᆡ교를 줄 ᄒᆞᆷ믈 스례코ᄌ ᄒ느니, 오ᄋᆞᄂᆞᆫ 훤츌ᄒ 역냥(力量)이라. 무익지비(無益之悲) 를 날회여 젹상ᄒᆫ 심식를 상히오지 말나."

언파의 일진 향풍이 진울(振鬱)ᄒ며666) 운간으로 오르더니, 두시 도라보며 닐오디 ,

"유명(幽明)이 길이 다르니 엇지 셔로 말 ᄒ리오. 모로미 오ᄋᆞᄂᆞᆫ 쓸니 회군ᄒᆞ여 셩쥬 의 기드리시믈 더디지 말고, 너희 모친을 뫼셔 됴히 부귀를 누리며, 무슈ᄒᆫ ᄌ손으로 오문(吾門)을 창ᄃᆞᄒᆞ라. 너희 실닌흔 ᄋᆞᄌ도 십습 년 후, ᄌ연 ᄎᆞ즐 도리 이실 거시니, 념녜 말나"

언파의 치운(彩雲)을 멍에 ᄒᆞ여 표연이 승텬ᄒᆞ는지라. 원쉬 밧비 야야의 가시는 곳 을 향ᄒ여, 졀ᄒ고 통읍 **【158】** ᄒ다가 너쳐 울매, 셩각이 겻틱셔 씌오ᄂᆞᆫ지라. 졍신을 수 습ᄒ여 눈을 ᄯᅥ 보매 홍일이 동창의 빗쵝거 늘, 니러 안ᄌ니 야야의 어음(語音)이 니변 (耳邊)의 징연(錚然)ᄒᆞ고667), 긔이ᄒᆫ 풍치 안쥼의 암암ᄒ니, 싀로이 슬프미 미출 듯ᄒᆞ 여 체읍ᄒ믈 마지 아니터라. 힁군ᄒᆞ여 샹경 홀식 님셩각이 우싱으로 더브러 뎡·우 이 쇼져를 호힁ᄒᆞ여, 여젼(如前)이 힁ᄋᆞᄒ니라.

---

699)구쳔야디(九泉夜臺) : '땅 속 무덤'이라는 말로 죽은 뒤 넋 돌아가는 곳을 이르는 말.
700)딘울(振鬱)ᄒ다 : 진동(振動)하다. 냄새 따위가 아주 심하게 나는 상태.
701)징연(錚然)ᄒ다 : 쇠붙이가 부딪쳐 울리는 것같 이 소리가 날카롭다.

665)구쳔야디(九泉夜臺) : '땅 속 무덤'이라는 말로 죽은 뒤 넋 돌아가는 곳을 이르는 말.
666)딘울(振鬱)ᄒ다 : 진동(振動)하다. 냄새 따위가 아주 심하게 나는 상태.
667)징연(錚然)ᄒ다 : 쇠붙이가 부딪쳐 울리는 것같 이 소리가 날카롭다.

호힝ᄒ여 윤원슈의 대군과 ᄉ이 ᄡ게 샹경
ᄒ니라.

화셜, 만셰 황애 옥ᄉ(獄事)를 쾌결(快決)
ᄒ샤 악당을 소탕ᄒ시고, 도쳐의 은명을 나
리오시미 ᄉ로이 댱샤왕의 블궤디ᄉ(不軌之
事)를 통히ᄒ시거늘, 댱샤(長沙) 쥬문(奏文)
이 오른 가온듸, 원슈 손확이 패군ᄒ믈 드
ᄅ시미, 옥톄 농상의 슉침이 블안ᄒ샤, 비록
윤광텬을 ᄎᄌ 대원슈를 삼아 도덕을【5
2】을 탕멸ᄒ라 ᄒ여 계시나, 광텬이 십칠
쇼년으로 니두(李杜)702)를 묘시ᄒ는 문댱지
홰(文章才華) 당셰의 독보홀디언졍, 그 윤가
조션(祖先)이 다 도혹명현(道學名賢)이오,
원족의도 댱좌디ᄌ(將座之材) 업ᄂ디라. 혹
ᄌ 군녀ᄉ(軍旅之事)의 소여(疎如)ᄒ미 이
실가 우려ᄒ믈 마디 아니ᄒ시더니, 믄득 댱
샤로 조ᄎ 쳡음이 년ᄒ여 텬문의 올나 윤광
텬이 ᄒ 낫 군ᄉ를 거ᄂ린 일이 업시 손확
이 죽이려 ᄒ므로 피ᄒ엿다가, 신긔ᄒ 지조
와 너른 덕화로ᄡ 피란ᄒ는 빅셩을 모화 군
ᄉ를 삼고, 디혜로 댱샤딘(長沙陣) 댱슈(將
帥)의 ᄆᄋᆷ을 격동ᄒ여 흉덕을 쥬멸ᄒ고,
쳔고(千古) 요음발부(妖淫潑婦) 대역디녀(大
逆之女) 교이를 촌참ᄒ【53】여시믈 드ᄅ시
미, 텬심이 만분 환열ᄒ샤 금평후의 윤광텬
알오미 붉은 줄을 칭찬ᄒ시고, 윤원슈긔 샹
댱의 복식과 어슈(御手)의 쥐여 계시던 금
션(錦扇)과 옥션초(玉扇貂)를 보ᄂ시고, 댱
샤를 딘뎡ᄒ고 밧비 도라오믈 ᄌ촉ᄒ시며,
원슈의 디혜와 모략을 무궁히 일ᄏᄅ시고,
덕화와 지예를 긔특이 넉이샤 교디(敎旨)
가온듸 대공을 ᄌ삼 니르시고, 튱의를 칭찬
ᄒ샤 국가의 쥬셕디신(柱石之身)이믈 혼열
ᄒ시며, 교ᄋ의 간음 흉역을 통완ᄒ샤 비록
뉴금오의 탓시 아니나, ᄯᆯ을 잘못 나하 무
상히 가ᄅ친 죄로 은쥐의 찬빅(竄配)ᄒ라
ᄒ시니, 병부 상셔【54】농두각 태혹ᄉ 표
긔당군 평븍공 뎡텬흥이 뉴금오를 구회(救
解)ᄒ여 왈,

ᄎ셜 만셰 황애 대옥(大獄)을 쾌결(快決)
ᄒ샤 악당을 소쳥(掃淸)ᄒ시고, 도쳐의 은명
을 ᄂ리오시미, ᄉ로이 댱ᄉ왕의 부도를 통
히ᄒ시거늘, 댱ᄉ(長沙) 쥬문(奏文) 즁의 대
원슈 손확이 픠몰(敗沒)ᄒ믈 드ᄅ신 후, 옥
톄 블안ᄒ샤 비록 윤광텬을 ᄎ쳐 대원슈를
ᄉ마 도젹을 탕멸ᄒ라 ᄒ【159】여 계시나,
광텬이 십칠셰 쇼년으로 군졍의 쇼여(疎如)
홀 가 근심ᄒ시더니, 댱ᄉ로 조ᄎ 쳡음이
여러 번 오르니, 광텬이 단신으로 손확의
ᄉ화를 피ᄒ엿드ᄀ, 신긔ᄒ 지조와 너른 덕
화로ᄡ 피란ᄒ는 빅셩을 모화 ᄉ졸를 ᄉ므
며, 지혜로 흉젹을 쥬멸ᄒ고, 쳔고(千古) 요
음발부(妖淫潑婦)를 촌참(寸斬)ᄒ믈 드ᄅ시
고, 텬심이 만분 환열ᄒ샤 원슈의게 샹댱의
복식과 어슈(御手)의 쥐시던 금션(錦扇)과
옥션초(玉扇貂)를 보ᄂ시고, 댱ᄉ를 진졍ᄒ
고 밧비 도라오믈 ᄌ촉ᄒ시며, 교ᄋ의 간음
흉역(凶逆)을 통완ᄒ시고, 뉴금오의 ᄯᆯ 줄
못 나흔 죄로 은쥐의 찬비ᄒ시니, 병부 상
셔 평븍공 뎡텬흥이 출반 주왈,

---

702)니두(李杜) : 이백(李白)과 두보(杜甫)를 함께 이
르는 말.

"요슌디지(堯舜之子)703) 블초(不肖)ᄒ니, 흉녀의 간음대악(姦淫大惡)이 뉴모의 죄 아니라. 뉴금외 쏠을 죽은가 슬허 신미(臣妹)의 살인악힝이 덕실ᄒ므로 아랏습ᄂ니, 엇디 이미ᄒ 뉴금오의게 년좌(連坐) 이시리잇고? 뉴녀의 죄상이 텬디의 관영(貫盈)ᄒ오나 뉴모의 위인이 용우(庸愚)ᄒ디언졍, 기녀의 간음 대악은 실노 모로민가 ᄒᄂ이다."

샹이 우으시고 굴오샤ᄃᆡ,

"경의 화홍ᄒ 도량이 뉴경의 무죄ᄒ믈 붉히 아라 이럿ᄐᆺ 구ᄒ니, 딤이 엇디 좃디 아니리오."

ᄒ시고 이에 뉴금오의 벼슬을 삭(削)ᄒ여 【55】 문외(門外)704)로 닉치라 ᄒ시니, 만됴 맛당ᄒ시믈 일ᄏ라 셩덕을 열복ᄒ더라.

샹이 윤원슈의 도라오믈 기ᄃ리시며, 쇼ᄉ(少師)705)의 더딕오믈 굼거이 넉이더니, 양쥐 갓던 젼유샤관(傳諭使官) 님찬이 등노의셔 표를 올녀, 윤희텬이 등병디여의 슈약긔패(瘦弱肌敗)ᄒ여 일일힝역(一日行役)이 십니의 넘디 못ᄒ믈 알외여시니, 샹이 그 병이 위악(危惡)던 바를 넘녀ᄒ샤, 태의 오졍으로 ᄒ여곰 온갓 약뉴를 가져 윤흑ᄉ의 오ᄂ 길노 마조 나려가, 그 등병여증(重病餘症)을 아라 각별 치료ᄒ라 ᄒ시니, 오졍이 슈명ᄒ여 밧비 나려가니라.

화셜, 윤원슈의 도라오ᄂ 션문(先聞)이 황셩의 니르니, 샹이 크게 깃 【56】 그샤 그 오ᄂ 날, 만됴를 거ᄂ려 난가(鸞駕)를 휘동ᄒ샤 남교(南郊) 십니 밧긔 나와 원슈를 마ᄌ실ᄉᆡ, 금슈쵸일(錦繡遮日)은 반공(半空)의 님니(淋漓)706)ᄒ고 쵹단장막(蜀緞帳幕)707)

---

703)요슌디지(堯舜之子) : 요임금의 아들 단주(丹朱)와 순임금의 아들 상균(商均)을 말함. 둘 다 못나고 어리석어 왕위를 물려받지 못했다.
704)문외(門外) : 문외출송(門外黜送) 곧 조선 시대에, 죄지은 사람의 관작(官爵)을 빼앗고 도성(都城) 밖으로 추방하던 형벌에서 말하는 도성문 밖.
705)쇼ᄉ(少師) : =태자소사(太子少師).
706)님니(淋漓) : 사람의 몸이나 글씨, 그림 따위에 힘이 넘치는 모양.
707)쵹단장막(蜀緞帳幕) : 촉나라에서 짠 비단으로 둘러친 막(幕).

"요슌지ᄌ(堯舜之子)668)도 블초(不肖)ᄒ지라. 흉역(凶逆)의 간음딕역(姦淫大逆) 【160】이 뉴금오의 죄 아니 오니, 엇지 그 쏠의 불인ᄒ믈 아랏시리잇고? 금오ᄂ 위인이 비록 용우ᄒ오나, 대역을 범치 아녓ᄉ오니 셩상은 슬피쇼셔."

상이 쇼왈,

"경의 관홍ᄒ 도량이 셕일 혐의를 두지 아니코 구ᄒ미 여ᄎᄒ니, 딤이 엇지 듯지 아니리오"

ᄒ시고, 금오의 벼슬을 삭ᄒ샤 문외출송(門外出送)669)ᄒ라 ᄒ시니, 만됴 맛당ᄒ시믈 닐컷더라.

상이 윤원슈 형뎨 도라오기를 기ᄃ리더니, 양쥐 갓던 젼유ᄉ(傳諭使) 님찬이 즁노의셔 표를 올녀, 윤희텬이 즁병지여(重病之餘)의 슈약긔픽(瘦弱肌敗)ᄒ여 일일힝역(一日行役)이 십 니의 넘지 못ᄒ믈 주ᄒ여시니, 상이 그 병이 위악던 바를 넘녀ᄒᄉ 틱의(太醫)를 ᄒ여곰 그 즁병여증(重病餘症)을 【161】 각별 치료ᄒ라 ᄒ시니라.

윤원슈의 도라오ᄂ 션문(先聞)이 황셩의 니르니, 상이 만됴를 거ᄂ리시고 남교의 마ᄌ실ᄉᆡ, 어막(御幕)을 빈셜ᄒ고 황애 젼좌ᄒ신 후, 문뮈 작ᄎ(爵次)로 시위(侍衛)ᄒ고, 젼죠구신(前朝舊臣)이 다 진하(進賀)의 참녜ᄒ여 국가 대경을 칭하ᄒ니, 상이 팔치농미(八彩龍眉)의 희긔(喜氣) 녕녕(盈盈)ᄒ샤, 원슈의 오ᄂ 길을 바라 보시고, 일시를 밧비 넉이시더니, 날이 반오의 힝고(行鼓)670) 소

---

668)요슌지ᄌ(堯舜之子) : 요임금의 아들 단주(丹朱)와 순임금의 아들 상균(商均)을 말함. 둘 다 못나고 어리석어 왕위를 물려받지 못했다.
669)문외출송(門外黜送) : 조선 시대에, 죄지은 사람의 관작(官爵)을 빼앗고 도성(都城) 밖으로 추방하던 형벌.
670)힝고(行鼓) : 예전에, 행군할 때에 치던 북.

은 남교를 둘너 어막(御幕)을 놉히 빗셜ᄒ 여 황샹이 놉히 뎐좌ᄒ신 후, 문무 냥관이 작ᄎ(爵次)로 시위(侍衛)ᄒ고, 션조구신(先朝舊臣)이 다 딘하(進賀)의 참예ᄒ여 국가의 대경(大慶)을 하례ᄒ니, 샹이 팔ᄎ뇽미(八彩龍眉)의 녕녕(盈盈)ᄒᆫ 희긔(喜氣)를 ᄯᅴ이시고, 뇽안의 화열ᄒᆫ 빗츨 요동ᄒ샤 윤원슈의 오는 길흘 바라시며, 일시를 밧비 넉이시더니, 이윽고 금괴졔명(金鼓齊鳴)708)ᄒ며 윤원슈의 대군이 나아오니, 샹이 밧비 브르샤 갓가이 인견ᄒ실시, 윤원쉬 화긔를 ᄯᅴ여 봉안【57】졍광(鳳眼精光)은 어막 좌우의 찬난이 빗최여, 냥미문명(兩眉文明)709)은 강산의 슈츌ᄒ 긔운을 타 낫고, 화협쥬슌(華頰朱脣)은 고은 빗치 므로녹아 연분(鉛粉)710)을 베픈 미인의 ᄌ티를 웃는다라. 팔쳑경뉸(八尺徑輪)711)의 가득ᄒᆫ 풍치 금당(金塘)712)의 일만 양뉴(楊柳) 휘드르며713), 츈원(春園)의 일ᄇᆨ화신(一百花信)이 닷토아 발(發)ᄒᆷ ᄀᆺ티니, 댱부(丈夫)의 위의(威儀)오, 일월(日月)의 얼골이라.

리 들니거늘, 상이 뇽톄(龍體)를 움죽이스먼니 바라 보시고, 반기미 ᄀᄃᆨ ᄒ시더라. 원쉬 힝군ᄒ여 남교의 다ᄃᄅᆫ즉, 금슈ᄎ일(錦繡遮日)이 반공의 휘황ᄒ고, 뇽봉일월긔(龍鳳日月旗) 남풍의 표량(飄凉)671)ᄒ니, 어개 친님(親臨)ᄒ신 줄 알고, 긔를 둘너 결진(結陣)ᄒ고, 즉시 하마ᄒ【162】여 나아올시, 쟝스는 틔산의 밍호 ᄀᆺ트며, 말을[은] 창히의 비룡(飛龍) ᄀᆺ고, 긔갑(介甲)이 션명ᄒ며, 대외(隊伍) 졍숙ᄒ고, 졍긔(旌旗) 폐일(蔽日)ᄒᆫ 곳의, 원쉬 황금쇄ᄌ갑(黃金鎖子甲)672)의 홍금슈젼포(紅錦繡戰袍)673)를 닙고 머리의 슌금봉시(純金鳳翅)투구674)를 쓰고, 허리의 양지ᄇᆨ오[옥]ᄃᆡ(兩枝白玉帶)675)를 둘너시며, 금닌(金印)을 빗기ᄎ고, 손의 일월긔(日月旗)를 즙고 텬텬이 거러 나아와 어막의 다ᄃᄅᆫ즉 기리 만셰를 불을시, 우흐로 만셰황야(萬歲皇爺)와 ᄇᆨ뇨쳔관(百寮千官)이며, 아릭로 스셔인민(士庶人民)의 니ᄅᆨ히 바라 보건ᄃᆡ, 숨년지닉(三年之內)의 그 풍광이 더욱 쇄락ᄒ여, 텬일이 의의(猗猗)ᄒ며 ᄇᆨ옥뇽화(白玉容華)는 냥츈화긔를 ᄯᅴ여시며, 일ᄽᅡᆼ 봉안졍광(鳳眼精光)은 어막 좌우의 찬난이 빗최여, 냥미문명(兩眉文明)676)은 강산의 슈긔(秀氣)를 픔슈【163】ᄒ고 ,화협쥬슌(華頰朱脣)은 고은 빗치 무ᄅᆨ 놉[녹]아 졀지 미인의 년분(鉛粉)677) ᄌᆞᆨ

708)금괴졔명(金鼓齊鳴) : 징과 북이 일제히 울림. * 금고(金鼓); 고려 · 조선 시대에, 군중(軍中)에서 호령하는 데 사용하던 징과 북.
709)냥미문명(兩眉文明) : 두 눈썹이 윤곽이 뚜렷하고 광채가 나, 뛰어나게 아름다움.
710)연분(鉛粉) : 분(粉). 얼굴빛을 곱게 하기 위하여 얼굴에 바르는 화장품의 하나.
711)팔쳑경륜(八尺徑輪) : 팔척이나 되는 키와 그 몸 둘레를 함께 이르는 말. 경륜(徑輪)은 사물의 지름과 둘레를 함께 이르는 말.
712)금당(金塘) : 연꽃이나 버드나무 등을 심어 아름답게 가꾼 연못.
713)휘드르다 : 흔들리다. 휘날리다.

671)표량(飄凉) : 깃발이 바람결에 맑고 시원스럽게 나부낌.
672)황금쇄ᄌ갑(黃金鎖子甲) : 갑옷의 일종. 누런 명주옷에 사방 두 치 정도 되는 돼지가죽으로 된 미늘을 작은 고리로 꿰어 붙여서 만들었다.
673)홍금슈젼포(紅錦繡戰袍) : 붉은 비단에 화려하게 수를 놓아 지은 전포(戰袍). 전포는 장수가 입던 긴 웃옷.
674)슌금봉시(純金鳳翅)투구 : 봉의 깃으로 꾸민 순금 투구. 봉시(鳳翅)는 봉의 깃. 투구는 예전에, 군인이 전투할 때에 적의 화살이나 칼날로부터 머리를 보호하기 위하여 쓰던 쇠로 만든 모자.
675)양지ᄇᆨ옥ᄃᆡ(兩枝白玉帶) : 명주에 백옥(白玉)을 붙여 만든 허리띠.
676)냥미문명(兩眉文明) : 두 눈썹이 윤곽이 뚜렷하고 광채가 나, 뛰어나게 아름다움.
677)연분(鉛粉) : 분(粉). 얼굴빛을 곱게 하기 위하여 얼굴에 바르는 화장품의 하나.

샹이 윤원슈의 비례ᄒᆞ믈 당ᄒᆞ여 반기시는 빗치 눙안의 넘ᄢᅵ샤, 어슈(御手)로 원슈의 손을 잡으시고 팔흘 어로만져, 군신의 엄흔 거슬 바리시고 부ᄌᆞ의 친ᄒᆞᆷ믈 겸ᄒᆞ샤, 그 흉흔 조모의 히ᄒᆞᆷ믈 인ᄒᆞ여 불효 누명을 시러 삼년 츈츄(春秋)를 남쥐예 뎍거(謫居)ᄒᆞᆷ과, ᄋᆞ시로브터 사ᄅᆞᆷ【58】의 견듸디 못홀 경계를 ᄀᆞ초 디니믈 츄연ᄒᆞ샤, 이에 탄ᄒᆞ샤 왈,

"ᄌᆞ고로 군ᄌᆞ의 명이 박ᄒᆞ거니와, 경의 형뎨ᄀᆞ치 간고(艱苦) 익경(厄境)을 격그니 ᄯᅩ 어듸 이시리오. 경은 남쥐의 찬비ᄒᆞ미 뎡텬흥의 쥬시 유리혼 고로 경의 졍ᄉᆞ를 살피미러니, 흉인의 용심이 가도록 극악 간교ᄒᆞ여, ᄌᆞ긱을 보늬여 죽이믈 꾀ᄒᆞ듸 경등의 대명(大命)이 하날의 달녓고, 국가의 튱냥디신(忠良之臣)을 일치 아닐 ᄯᅥ라. 경등의 ᄌᆞ긱의 히를 버셔나고, 딤이 블명ᄒᆞ여 구몽슉 요인의 말을 듯고 손확 ᄀᆞᆺᄐᆞᆫ 브ᄌᆡ무부(不才武夫)로 대원슈를 탁비(擢拜)ᄒᆞ고, 경으로 참모스를 삼아 블의디인(不義之人)의 슈하댱(手下將)이 되ᄂᆞᆫ 욕을 당케【59】ᄒᆞ니, 손확이 몽슉의 꾀오믈 드러 경을 죽이려 ᄒᆞ던 비 비록 디난 일이나, 엇디 놀납디 아니리오. 손확은 삼만 졍병과 십원 명댱을 거ᄂᆞ려 댱샤딘(長沙陣)의 힘힘이 ᄉᆞ로잡힌 비 되고, 흔 ᄡᅡ홈의 군ᄉᆞ를 다 죽여 대국 위엄을 일헛거늘, 경은 흔 군ᄉᆞ도 거ᄂᆞ린 비 업시 쾌히 손확의 히ᄒᆞᆷ믈 버셔나, 덕화를 널니 베퍼 디혜로 댱샤딘 인심을 격동ᄒᆞ여, 일견의 흉덕을 탕멸ᄒᆞ고 슈삼일디늬(數三日之內)의 남토를 평뎡ᄒᆞ여, 댱샤 빅셩으로 다시 태평 일월을 보게 ᄒᆞ니, 공이 크고 덕이 놉ᄒᆞ믄 한됴(漢朝) 졔갈(諸葛)714)의 디

714)졔갈(諸葛) : 졔갈량(諸葛亮). 181~234. 중국 삼

을 묘시(藐視)ᄒᆞ고 팔쳑경뉸(八尺徑輪)678)의 ᄀᆞ득흔 풍치 금당(金塘)679)의 일만 양뉴(楊柳) 휘드ᄅᆞ며680), 츈원(春園)의 일빅화신(一百花信)이 듯토아 《ᄆᆞᆯ흠ǁ발(發)흠》 ᄀᆞᆺᄐᆞ니, 장부의 위의(威儀) 오히려 일식용홰(一色容華)라.

샹이 윤원슈의 비례ᄒᆞ믈 당ᄒᆞ여 깃븐 빗치 눙안의 넘지ᄉᆞ, 원수의 손을 줍으시고 팔을 어로만져, 군신의 엄의(嚴儀)를 바리시고, 부ᄌᆞ지친(父子之親)을 겸ᄒᆞᄉᆞ, 그 흉흔 조모의 히ᄒᆞᆷ믈 인ᄒᆞ여, 블효흔 누명을 시러 슴년을 남쥐의 젹거(謫居)ᄒᆞᆷ과, ᄋᆞ시로브터 사람의 견듸지 못홀 경계를 ᄀᆞ초 지니믈 츄연ᄒᆞᄉᆞ, 탄식ᄒᆞᄉᆞ 왈,

"ᄌᆞ고로 군ᄌᆞ의 명이 박ᄒᆞ고 녕웅쥰걸이다 쵸년 명박(命薄)ᄒᆞ거니와, 경의【164】형뎨ᄀᆞ치 간고(艱苦) 익경(厄境)을 당ᄒᆞ니 어듸 이시리오. 경은 남쥐의 찬비ᄒᆞ미 뎡텬흥의 쥬시 유리혼 고로, 경의 졍ᄉᆞ를 술피미러니, 흉인의 용심이 가지록 무궁ᄒᆞ야 가만이 ᄌᆞ긱을 보늬여 죽이믈 계교ᄒᆞ듸, 경등의 대명(大命)이 하늘의 달녓고, 국개의 동냥지ᄌᆡ(棟梁之材)를 닐치 아닐 ᄯᅥ라, 경등의 ᄌᆞ긱의 히를 버셔나고, 딤이 블명ᄒᆞ여 신하를 아라 쓰지 못ᄒᆞ므로 구몽슉 뇨인의 말을 듯고, 손확 ᄀᆞᆺᄐᆞᆫ 박덕부지(薄德不才)로써 남졍대원슈를 탁비(擢拜)ᄒᆞ고, 경으로써 참모스를 삼아 블인(不人)의 슈하장(手下將)이 되ᄂᆞᆫ 욕을 당케ᄒᆞ며, 손확이 몽슉의 쇠오믈 드러 경을 죽이려 ᄒᆞ던 비, 비록 왕시(往事)나 엇지 놀【165】납지 아니리오. 확은 숨만 졍병과 십원 명장을 거ᄂᆞ려시듸, 댱ᄉᆞ진(長沙陣)의 힘힘이 ᄉᆞ로 줍힌 비 되어, 흔 ᄡᅡ홈의 군병을 슈업시 죽이고 대국의 위엄을 닐헛거늘, 경은 흔 군ᄉᆞ도 업시 쾌히 손

678)팔쳑경륜(八尺徑輪) : 팔쳑이나 되는 키와 그 몸 둘레를 함께 이르는 말. 경륜(徑輪)은 사물의 지름과 둘레를 함께 이르는 말.
679)금당(金塘) : 연꽃이나 버드나무 등을 심어 아름답게 가꾼 연못.
680)휘드르다 : 흔들리다. 휘날리다.

난디라. 딤이 손확의 패군ᄒᆞ믈 드른 후로브터 팀좌간(寢坐間)의 근심이 노【60】히디 아니터니, 경의 디략으로 남토를 딘뎡ᄒᆞ고 흉덕을 탕멸ᄒᆞᆫ 쳡보를 보니, 흉금이 샹쾌ᄒᆞ나 딤이 일을 잘 못ᄒᆞ여 쳐음의 경으로ᄡᅧ 대원슈를 삼디 못ᄒᆞ미, 엇디 ᄋᆡ돏디 아니리오. 실노 경을 ᄃᆡᄒᆞᄆᆡ 딤의 ᄇᆞᆰ디 못ᄒᆞ믈 참괴(慙愧)ᄒᆞ도다."

원쉬 ᄇᆞ복 청교(聽敎)의 니러 ᄌᆡᄇᆡ 샤은왈,

"신의[이] 블초무상(不肖無狀)ᄒᆞ와, 집의 들ᄆᆡ 늙은 한미를 블효로 셤기와 죄명이 강상(綱常)을 범ᄒᆞ여, ᄒᆞᆫ 번 칼 아ᄅᆡ 업ᄃᆡ기를 면치 못ᄒᆞᆯ 거시어늘, 셩듀(聖主)의 호ᄉᆡᆼ디덕(好生之德)으로 남쥐예 찬ᄇᆡᄒᆞ시믈 당ᄒᆞ와 일명을 브디(扶持)ᄒᆞᄋᆞᆸ다가, 금츈의 쾌히 은샤를 나리오샤【61】뎡ᄇᆡ를 프르시고, 참모ᄉᆞ로 탁용ᄒᆞ시니, 엇디 손확의 슈하댱(手下將)이 되기를 ᄭᅥ려 국디듕ᄉᆞ(國之重事)를 범홀(泛忽)이 ᄒᆞ리잇고마는, 신의 위인이 용우ᄒᆞ고 셩경이 과격ᄒᆞ온 고로, 손확의 ᄠᅳᆺ을 엇디 못ᄒᆞ와, 신을 ᄂᆡ여 버히고져 ᄒᆞ미 샹댱(上將)의 녜ᄉᆞ(例事)라. 엇디 손확의 죄를 삼으리잇고? 신의 도리의는 슌(順)히 죽으미 맛당ᄒᆞᄋᆞᆸ거늘, 댱령을 위월(違越)ᄒᆞ여 군법을 난상(亂傷)ᄒᆞ여 도쥬ᄒᆞ니, 그 죄 더옥 삼족의 밋출 ᄇᆡ오니, 비록 폐하의 홍복을 힘닙ᄉᆞ와 쳑촌(尺寸)의 공을 일우미 잇ᄉᆞ오나, 디은 죄과를 혜아리ᄋᆞᆸ건ᄃᆡ 엇디 공으로ᄡᅥ 죄를 쇽ᄒᆞ리잇고? 폐하의 일【62】월디덕(日月之德)과 ᄉᆡᆼ셩디은(生成之恩)을 쇼신 ᄀᆞᆺ튼 미ᄒᆞᆫ 몸의 죄를 일ᄏᆞᆺ디 아니시고, 쇼쇼ᄒᆞᆫ 공노를 포댱ᄒᆞ샤, 어개 친히 교외의 마ᄌᆞ시는 은권(恩眷)이 잇ᄉᆞ오니, 신이 블승

국 시대 촉한의 정치가. 자(字)는 공명(孔明). 시호는 충무(忠武). 뛰어난 군사 전략가로, 유비를 도와 오(吳)나라와 연합하여 조조(曹操)의 위(魏)나라 군사를 대파하고 파촉(巴蜀)을 얻어 촉한을 세웠다. 유비가 죽은 후에 무향후(武鄕侯)로서 남방의 만족(蠻族)을 정벌하고, 위나라 사마의와 대전 중에 병사하였다

확의 계괴(計巧)를 버셔나, 덕화를 널니 베퍼 약간 군ᄉᆞ를 모호고 지혜로ᄡᅥ 당ᄉᆞ진 인심을 ○○○○○○○[격동ᄒᆞ여 일젼의] 대파ᄒᆞ고, 승젼 닙공ᄒᆞ여 ᄀᆡ가(凱歌)를 불너 도라오니, 니런 긔특ᄒᆞᆫ 일이 어ᄃᆡ 이시리오. 이는 ᄉᆞ직(社稷)의 동냥지ᄌᆡ(棟梁之材)오, 딤의 괴굉(股肱)이라. 명슈죽ᄇᆡᆨ(名垂竹帛)[681]ᄒᆞ고 화형인각(畵形麟閣)[682]ᄒᆞ리로다"

ᄒᆞ시고 칭찬불니(稱讚不已)ᄒᆞ시니, 원쉬 이ᄀᆞᆺᄐᆞᆫ 셩권(盛眷)을 밧ᄌᆞ오ᄆᆡ, 감뉘(感淚) 종횡(縱橫)ᄒᆞ여 부복 주왈,

"엇지 쳑촌지공(尺寸之功)으로ᄡᅥ 죄를 속ᄒᆞ오리잇고마는, 셩쥬의 일월지【166】명(日月之明)과 ᄉᆡᆼ셩지덕(生成之德)으로 쳔신(賤臣)의 죄를 닐ᄏᆞᆺ지 아니시고, 촌공을 포장(褒奬)ᄒᆞᄉᆞ 어개 친님 ᄒᆞ시는 은권을 당ᄒᆞ오니, 신의 녀른 복이 손ᄒᆞᆯ가 두리ᄋᆞᆸᄂᆞ니

681)명슈죽ᄇᆡᆨ(名垂竹帛) : 이름이 죽간(竹簡)과 비단에 드리운다는 뜻으로, 이름을 역사에 길이 남김을 이르는 말.

682)화형인각(畵形麟閣) : 화상(畵像)을 공신(功臣)들을 배향(配享)하는 기린각(麒麟閣)에 걺. *기린각(麒麟閣); 중국 한나라의 무제가 장안의 궁중에 세운 전각. 선제 때 곽광 외 공신 11명의 초상을 그려 각상(閣上)에 걸었다고 한다

견뉼(戰慄)ᄒ와 여른 복이 미흔 몸의 손홀가 ᄒᆞᆸᄂᆞ니, 셩은을 어이 다 갑ᄉᆞ오리잇고. 신이 ᄒᆞᆯ며 예ᄉᆞ 사름과 ᄀᆞᆺ디 못ᄒᆞ와 블효죄악이 한심홀 ᄹᆞᆫ 아니오라, 요악흔 간비의 무복(誣服)을 인ᄒᆞ여 한미와 아ᄌᆞ미 망극흔 죄과를 므릅뻐, 조손과 슉딜의 의락(哀樂)이 닉도치 아닐 ᄃᆞᆺᄒᆞ온디라. 혹ᄌᆞ 폐히 인신의 조손 슉딜 간 미셰디ᄉᆞ를 다 아른 쳬ᄒᆞ샤, 일분이나 한미와 아ᄌᆞ미의게 죄벌【63】이 도라가올딘딕, 신의 형뎨 다 텬문의 논죄ᄒᆞ시믈 기ᄃᆞ려 부월디하(斧鉞之下)의 죽기를 바라ᄂᆞ이다."

언주파(言奏罷)의 가변을 슬허 ᄒᆞ고, 조모와 슉모의 아모리 되여시믈 아디 못ᄒᆞ여, 봉안(鳳眼)의 쳥뉘(淸淚) 빅년용화(白蓮容華)를 뎍시ᄂᆞᆫ디라. 디효(至孝)의 션읍(善泣)ᄒᆞ미 뎨슌(帝舜)의 일뉴(一類)오. 그 거동이 위·뉴 냥인의 죄를 다ᄉᆞ린죽, 결단ᄒᆞ여 셰샹의 셔디 아닐 형상이라. 텬안이 감동ᄒᆞ샤 져 ᄀᆞᆺ탄 효의로ᄡᅥ 위·뉴 냥인을 감화치 못ᄒᆞᆯ믈 이ᄃᆞᆯ나 ᄒᆞ실ᄉᆞ록 위·뉴 냥인을 악착히 넉이시믄 더으신디라. 오딕 원슈의 심ᄉᆞ를 위로코져 ᄒᆞ실 ᄹᆞᆫ 아니라, 위시ᄂᆞᆫ ᄉᆞ셰 마디 못ᄒᆞ여 호대(浩大)흔 죄과를【64】믈시코져 ᄒᆞ여 계신 고로, 이에 위로ᄒᆞ샤 ᄀᆞᆯ오ᄉᆞ딕,

"군신(君臣)은 부ᄌᆞ(父子)○[와] 일톄(一體)715)라. 경이 남쥐의 뎡비ᄒᆞ연 디 삼년의 금일 도라오ᄂᆞᆫ 힝게(行車) 쾌ᄒᆞ여, 댱샤의 흉뎍을 탕멸ᄒᆞ고 닙공승젼(立功勝戰)ᄒᆞ여, 개가(凱歌)로 반샤(班師)ᄒᆞ니 이만 즐거오미 업고, 딤이 브득이 경을 남쥐로 찬비ᄒᆞ여시나 홀연ᄒᆞ미 좌○[우]슈(左右手)를 일흠 ᄀᆞᆺ더니, 이제 군신이 네 ᄀᆞᆺ틈믈 어드니 영힝ᄒᆞ믈 니긔디 못ᄂᆞᆫ 비라. 엇디 급디 아닌 말을 ᄒᆞ여 이ᄀᆞᆺ치 슬허 ᄒᆞᄂᆞ뇨? 딤이 만긔(萬機)를 춍찰(總察)ᄒᆞ미, 텬하 인민의 현부를 ᄇᆞᆰ히 슬펴 상벌을 힝ᄒᆞ미 반졈(半點) ᄉᆞᄉᆞ를 두디 말고져 ᄒᆞ딕, 경의 가변의 다ᄃᆞ라ᄂᆞᆫ 능히 위·뉴 냥녀의 죄를 법딕로 다

715)일톄(一體) : 서로 다르지 않고 같다.

엇지 이ᄀᆞᄐᆞᆫ 셩은을 만분지일이나 갑ᄉᆞ오리잇ᄀᆞ? ᄒᆞᆯᄆᆞᆯ며 신은 샹녜인(常例人)과 ᄀᆞᆺ지 못ᄒᆞ와, 블효(不孝) 죄슈(罪囚) 한심홀 ᄹᆞᆫ 아니라, 뇨악흔 간비의 무복(誣服)을 인ᄒᆞ여 한미와 아ᄌᆞ미 죄과를 무릅뻐, 조손과 슉딜의 의락(哀樂)이 닉도치683) 아닐 ᄃᆞᆺ온지라. 혹ᄌᆞ 폐히 인신의 조손슉딜간(祖孫叔姪間) 미셰지ᄉᆞ를 다 아른 쳬ᄒᆞᆺ, 일분이나 한미와 아ᄌᆞ미게 죄벌이 도라갈진딕, 신의 형뎨 흔가지로 텬일지하의 엇지 감히 일시나 닙ᄒᆞ오리가?"

쥬파(奏罷)의 ᄀᆞ연(慨然)이 슬허 ᄒᆞ고, 조모와 슉뫼 아【167】모리 된 쥴 모르나, 빅년(白蓮) 빈상(鬢上)의 쳥뉘(淸淚) 쌍쌍ᄒᆞ니, 츌텬셩회(出天誠孝) 뎨슌(帝舜)의 일뉴(一類)오, 그 거동이 위·뉴의 죄를 다ᄉᆞ린죽, 결단코 셰샹의 나지 아닐 형샹이라. 텬안이 감동ᄒᆞ샤 져 ᄀᆞᆺ튼 효의로 위·뉴 냥인을 감화치 못ᄒᆞᆯ믈 이ᄃᆞᆯ와 ᄒᆞ시며, 위·뉴를 악착히 넉이시믄 더은지라. ᄃᆞ만 원슈를 위로코ᄌᆞ ᄒᆞ실 ᄹᆞᆫ 아니라, 위시의 죄를 믈시코ᄌᆞ ᄒᆞ신 고로, 흔연ᄒᆞᄉᆞ 왈,

"군신(君臣)은 부ᄌᆞ(父子)○[와] 일톄(一體)684)라. 경이 남쥐의 졍비ᄒᆞ연 지 ᄉᆞᆷ년만의 금일 도라오ᄂᆞᆫ 힝게(行車) 쾌ᄒᆞ여, 닙공반ᄉᆞ(立功班師)ᄒᆞ니 이만 즐거오미 업고, 딤이 부득이 경을 남쥐의 졍비ᄒᆞ여시나, 좌우슈(左右手)를 닐흔 ᄃᆞᆺᄒᆞ더니, 이제 녜ᄀᆞᆺ치 모드니 불승녈힝(不勝悅幸)이라. 엇지【168】니러 투시 슬허 ᄒᆞᄂᆞ뇨? 딤이 텬하 인신의 션악을 술펴 샹벌을 힝ᄒᆞ미 반졈 ᄉᆞᄉᆞ를 두지 말과져 ᄒᆞ딕, 경의 가변(家變)의 다ᄃᆞ라ᄂᆞᆫ 능히 위·뉴 냥녀의 죄를 법뉼딕로 다ᄉᆞ리지 못ᄒᆞ여, 오직 경의 형뎨 슉딜의 심ᄉᆞ를 도라보아, 위시ᄂᆞᆫ 더욱 안연히 집의

683)닉도ᄒᆞ다 : 다르다. 판이(判異)하다.
684)일톄(一體) : 서로 다르지 않고 같다.

【65】ᄉ리디 못ᄒ여, 경의 슉딜 형데의 심ᄉ를 도라보아 위녀는 더옥 안연 무ᄉ히 집의 잇게 ᄒ엿ᄂ니, 경은 무익히 슬허 말고 이후나 다시 독슈(毒手)의 ᄒ를 만나디 말나. 경이 비록 시녀의 초ᄉ 허탄(虛誕)ᄒᆫ 줄노 아나, 위·뉴 냥녀의 죄상을 여러 곳의 드러716) 다{가} 능히 곰초디 못ᄒ며 긔이디 못ᄒᆯ 거시니, 초ᄉ는 긴 날의 종용이 알 거시오, 손확이 경을 죽이려 ᄒ던 비 통완 분히ᄒᆷ이 극ᄒ나, 딤이 금일 너로 죄를 다ᄉ리디 아니믄 경으로 더브러 군신이 반기는 졍을 펴고져 ᄒ미라. 경이 이졔 댱녕(將令)을 위월(違越)ᄒ며 군법을 난상(亂傷)ᄒ괘라 일ᄏ라 허믈을 디은 ᄃ시 《ᄒ여∥ᄒ나》, 급위디시(急危之時)와 익화(厄禍)의 다ᄃ【66】라○[ᄂ] 권도(權道)와 곡녜(曲禮) 업디 못ᄒᆯ 거시니, 경이 만일 권변(權變)717)이 업셔 손확의 ᄒ를 바다실딘디, 흉봉을 소탕ᄒ고 대국 위엄을 빗닐 길히 이시며, 오날ᄂᆯ 닙공반ᄉ(立功班師) 어디로 조ᄎ 나리오. 딤이 경을 구ᄒ여 간 도ᄉ의 셩명을 아라 드리라 ᄒ엿더니, 디금 그 법호와 셩명을 쥬ᄒᄂ 일이 업ᄉ니, 경은 붉히 아라시리니 그 뉘뇨?"

인ᄒ여 옥비(玉杯)의 향온을 친히 권ᄒ샤 십여 빈의 니르디 긋치디 아니시니, 원쉬 황공ᄒ여 슌슌이 쌍슈로 밧ᄌ와 거후르다가, 여러 잔이 된 후는 디존지디(至尊之地)의 ᄎ쉭이 황공 미안ᄒᆷ믈 일ᄏ라 샤양ᄒ니, 샹이 비로소 긋치시고, 도ᄉ의 셩명을 고ᄒ라 ᄒ시【67】니, 원쉬 뎡슉녈의 힝ᄉ를 고ᄒ미 가치 아냐, 다만 쥬왈,

"태운도ᄉ 화쳔이라 ᄒᄂ 도인은 신부(臣父)의 동치고귀(童穉故舊)718)로라 ᄒ고, 신을 위급디시(危急之時)의 구ᄒ디, 원간 그 도인의 ᄌ최 ᄉ히(四海)의 부평초(浮萍草)와 츄풍의 낙엽 ᄀᆺ틈여, 신을 비록 구ᄒ나 ᄒᆫ

잇게 ᄒ엿ᄂ니, 경은 슬허 말고 ᄎ후나 독수(毒手)를 만나지 말나. 경이 비록 시녀의 초ᄉ 허탄(虛誕)ᄒᆫ 줄노 아나, 위·뉴의 죄상을 녀러 곳의 들녀685), 다 능히 감초지 못ᄒ며, ᄎᄉ는 긴 날의 종용이 알 거시오, 손확을 금일 다ᄉ리지 아니믄 경으로 더브러 군신이[의] 졍을 펴고ᄌ ᄒ미라. 경이 이졔 댱녕을 위월ᄒ고 군법을 난상(亂傷)ᄒ다 닐ᄏ라 죄를 지은 ᄃ시 ᄒ【169】나, 위급시의 권도를 아니 쓰지 못ᄒᆯ 지니, 경이 만닐 손확의 ᄒ를 바다실진디, 흉봉(凶鋒)을 소탕ᄒ고 금일 군신이 셔로 경ᄉ를 즐겨 ᄒ미 어디로 조ᄎ 나리오. 딤이 경을 구ᄒ던 도ᄉ의 셩명을 아라 드리라 ᄒ엿더니, 지금 주ᄒᄂ 일이 업ᄉ니 경은 붉히 아랏실 거시니, 그 뉘러뇨?"

인ᄒ여 옥비(玉杯)의 향온을 만작(滿酌)ᄒ여 친히 권ᄒ샤, 십여 빈의 니르디 꼿치지 아니시니, 원쉬 쌍수로 슌슌이 밧ᄌ와 거후르다ᄀ 여러 잔의 미쳐는, 지쳑텬위(咫尺天威)의 ᄎ쉭이 황공ᄒᆷ믈 닐ᄏ라 ᄉ양ᄒ니, 샹이 비로소 긋치시고 도ᄉ의 셩명을 무르시니, 원쉬 슉녈의 힝ᄉ를 주(奏)ᄒ미 불가ᄒ여, ᄃ만 고왈,

"태운산 도인 화쳔이라 ᄒᄂ 도【170】ᄉ 신부의 동치고귀(童穉故舊)686)라, ᄒ고 신을 구ᄒ오디, ᄒᆫ 번 몸을 곰초미 그 간 바를 아지 못ᄒ리이다."

---

716)들다 : 듣다. 사람이나 동물이 소리를 감각 기관을 통해 알아차리다.

717)권변(權變) : 때와 형편에 따라 둘러대어 일을 처리하는 수단.

718)동치고귀(童穉故舊) : 어린 시절의 친구.

685)들리다 : '듣다'의 피동사. 사람이나 동물이 소리를 감각 기관을 통해 알아차리게 되다.

686)동치고귀(童穉故舊) : 어린 시절의 친구.

번 몸을 곰초면 간 바를 아디 못ᄒ리러이
다."

샹이 추탄ᄒ샤, 그런 인물을 됴졍의 일위
여 쓰디 못ᄒᄆᆯ 이돌와 ᄒ시더라. 샹이 부
원슈 댱운을 갓가이 브르샤, 손확의 패군ᄒ
던 바의 능히 댱샤딘(長沙陣)의 잡히믈 면
ᄒ고 ᄯᅩ ᄉ라나믈 일ᄏᆞᆮ시며, 옥빅의 어온
을 반샤(頒賜)ᄒ시니, 댱운이 블감샤은(不堪
謝恩)ᄒ고, 인ᄒ여 손확이 윤원슈를 죽이려
홈과 윤원【68】쉬 참모로 이실 졔 헌계ᄒ
ᄂᆫ 모칙(謀策)을 쓰디 아냐 패군ᄒᄆᆯ 쥬ᄒ
고, 원슈의 신츌귀몰(神出鬼沒)ᄒᆫ 직조와 남
다른 디략이 흉뎍의 병강셰댱(兵强勢壯)ᄒ
믈 두리디 아냐, 누만뎍당(累萬敵黨)을 슈빅
잔병(數百殘兵)으로써 당ᄒᄃᆡ 쾌히 니ᄀᆫ 바
를 쥬ᄒ고, 뉴화셩의셔 젼망ᄒᆫ 댱졸의 ᄒ골
을 됴흔 뫼히 뭇고 크게 셜졔(設祭)ᄒᄆᆯ 다
고ᄒ여, 어딘 덕과 너른 냥(量)이 귀신과 사
룸이 다 감동ᄒᄆᆯ 일ᄏᆞᄅᆫᄃᆡ, 샹이 더옥 아
룸다이 넉이샤 국가의 태공망(太公望)[719]
ᄀᆞ튼 쥬셕디신(柱石之臣)이 이시믈 희동안
식(喜動顔色)ᄒ샤, 우문왈(又問曰),

"님셩각이란 당시 윤광텬을 도아 공을 닐
우다 ᄒ거늘, 딤이 디휘ᄉᆞ를 ᄒ이라 ᄒ엿더
니 이의 잇ᄂᆞ냐?"

댱운이 디쥬【69】왈,

"님셩각이 닙신(立身)치 못ᄒᄆᆯ 일ᄏᆞ라
텬문의 샹작을 샤양ᄒᆯ ᄯᅳᆺ이 이시ᄃᆡ, 윤광텬
으로 더브러 일시 ᄶᅥ나믈 어려이 넉이므로
경샤가디 도라오ᄃᆡ, 뎡슉녈의 거교(車轎)를
호힝ᄒᄆᆞ로 뒤히 ᄶᅥ러져 오ᄂᆞ이다."

샹이 명일 님셩각을 됴알(朝謁)케 ᄒ라
ᄒ시고, 군신이 즐기믈 다ᄒ실ᄉᆡ, 츳시 극열
(極熱)이로ᄃᆡ 구ᄐᆡ여 사름을 ᄢᅥᄂᆞ○[둧]ᄒ
훈녈(薰熱)은 업ᄂᆞᆫ 고로, 어막의 셔게 은은
ᄒ여 홍운(紅雲)이 사집(四集)ᄒ더, 균텬광
악(鈞天廣樂)이 텬디를 흔들고, 팔딘셩찬(八

---

719)태공망(太公望) : 중국 주(周)나라 초기의 정치가
여상(呂尙)의 다른 이름. 여(呂)는 그에게 봉해진
영지(領地)이며, 상(尙)은 그의 이름이다. 강태공
(姜太公). 여망(呂望) 등의 다른 이름으로도 불린
다.

샹이 못ᄂᆡ 추탄ᄒ시고, 부원슈 댱운을 갓
ᄀᆞ이 부ᄅᆞᄉ 손확의 픽군ᄒᆫ 소유와 다시 ᄉ
라나믈 친문ᄒ시니, 손확이 윤원슈를 죽이
려 홈과, 윤원쉬 참모로 이실 졔 헌계(獻計)
ᄒᄆᆞᆯ 쓰지 아냐 픽군홈과, 원슈의 신츌귀몰
(神出鬼沒)ᄒᄆᆡ 슈빅 군으로 슈만 젹당(賊
黨)을 일젼의 쾌히 파ᄒ고, 뉴화셩의셔 젼
망ᄒ 댱졸의 ᄒ골을 거두어 크게 셜졔ᄒ고,
됴흔 뫼히 뭇든 ᄉ연을 일일히 주ᄒ니, 샹
이 더욱 깃그ᄉ 우문왈(又問曰),

"님셩각이란 장시 윤광텬을 도아 공을 닐
우다 ᄒ기로, 딤이 지휘ᄉᆞ를 ᄒ이라 ᄒ엿더
니 지금 잇【171】냐?"

댱운이 주왈,

"님셩각이 닙신(立身)치 못ᄒ○○[엿시]
므로 샹작을 고ᄉ흐ᄃᆡ, 윤광텬으로 더브러
일시ᄅᆞᆯ ᄶᅥ나기 어려워 경ᄉ가지 오ᄃᆡ, 뎡슉
녈을 호힝ᄒ노라 삼십 니를 뒤셔 오ᄂᆞ이
다."

샹이 님셩각을 명일 됴알(朝謁)케 ᄒ
ᄒ시니라. 군신이 즐기시믈 다ᄒ실ᄉᆡ, 균텬
광악(鈞天廣樂)은 텬디를 들네고 팔진셩찬
(八珍盛饌)은 샹마다 ᄀᆞ득ᄒ며, 쥬식은 태산
ᄀᆞ티 싸혀시니, 진짓 만승의 즐기는 날이며,
티평긔샹을 볼지라. 황친 국쳑과 만됴문뮈
만셰를 블너 대경(大慶)을 하례ᄒ고, 댱ᄉ왕
의 슈급을 셩하의 달믹, 샹이 그 죄ᄂᆞᆫ 만ᄉ
무셕(萬死無惜)이니, 뎨실지친(帝室之親)으
로써 형뎨라, 그 형톄(形體)를 온젼이【17

珍盛饌)은 상마다 가득ᄒᆞ며, 아롬다온 술은 히슈(海水)의 무딘(無盡)ᄒᆞ미 잇고, 음식은 태산ᄀᆞᆺ치 벗혀시니, 딘짓 만승(萬乘)의 즐기ᄂᆞᆫ 날이며, 태평긔상을 볼디라. 황친국쳑과 만됴【70】 문뮈 만셰를 블너 국가대경(國家大慶)을 하례ᄒᆞ고, 댱샤왕의 슈급(首級)을 궤의 너허 와 셩하 길거리의 달미, 샹이 그 죄ᄂᆞᆫ 만ᄉᆞ무셕(萬死無惜)이믈 아르시나, 뎨실디친(帝室之親)으로뻐 형뎨 낭인이 다 형톄를 온젼이 맛디 못ᄒᆞ여 머리와 몸이 각각 나시믈 츄연ᄒᆞ시고, 황친의 무리와 제왕 공지 다 숑구ᄒᆞᆫ 쯧이 잇더라.

윤원쉬 눈을 드러 잠간 슬피미 금평후 부ᄌᆞ와 하공 부지며 표슉 등과 일가 문듕(門中)의 직딕ᄌᆞ(在職者)ᄂᆞᆫ 다 셩가(聖駕)를 뫼셔시니, 반가온 졍이 가득○○[ᄒᆞ나] 디쳑텬안(咫尺天顔)의 ᄉᆞ졍을 펼 길히 업셔 오딕 눈으로 졍을 보ᄂᆞ더라.

원쉬 황야를 뫼셔 날이 늣도록 즐기니 디극ᄒᆞᆫ 튱【71】의(忠義)로뻐 군샹을 우러오미 부형을 바라ᄂᆞᆫ ᄉᆞ졍으로 {다르}다르디 아니턴 바로, 삼년을 찬츌(竄黜)ᄒᆞ여 뇽누봉궐(龍樓鳳闕)의 아득히 됴알을 폐ᄒᆞ니, 미양 텬안을 영모ᄒᆞ미 ᄉᆞ친디회(思親之孝)로 다르디 아니타가, 오날늘 승젼닙공ᄒᆞ여 개가(凱歌)로 도라와 셩쥬의 반기시ᄂᆞᆫ 뇽안을 앙견(仰見)ᄒᆞ고, 만됴녈후(滿朝列侯) 군공(君公)과 친쳑 붕비 두로 면목이 닉은 지 좌우 반항(班行)의 가득ᄒᆞ여 흔가디로 희열ᄒᆞᆷ을 마디 아니나, 비록 직조와 덕을 낫토디 아니나 엇디 깃븐 의식 덕으리오마는, 조모와 슉모의 환휘 위둥ᄒᆞᆷ을 드럿ᄂᆞᆫ 고로, ᄌᆞ긔 몸이 환경ᄒᆞ나 즉시 비알치 못ᄒᆞᆷ믈 착급ᄒᆞ여, 우황(憂惶)ᄒᆞᆫ 심【72】ᄉᆞ 측냥 업ᄂᆞᆫ디라. 이의 쥬왈,

"폐히 미신(微臣)을 교외의 마ᄌᆞ심도, 신의 블안 황공ᄒᆞ미 아모리 홀 바를 아디 못ᄒᆞ옵거ᄂᆞᆯ, 쥬악 연희로 이ᄀᆞᆺ치 환낙ᄒᆞ시니 신이 ᄯᅩ흔 엇디 깃브디 아니리잇고마는, 그윽이 싱각건딕 신이 년쇼미쳔디인(年少微賤之人)으로 블효패ᄌᆞ(不孝悖子)를 면치 못ᄒᆞ

2】 맛지 못ᄒᆞ여시믈 츄연 ᄒᆞ시고, 황친의 무리와 졔왕(諸王) 공지(公子) 다 쇼유혼 쯧이 잇더라.

윤원쉬 눈으로 즘간 슬피미, 금후 부ᄌᆞ와 하공 부지며 표슉 등과 일가 졔종(諸宗)의 직직ᄌᆞ(在職者)ᄂᆞᆫ 다 셩가(聖駕)를 뫼○[셔]시니, 반ᄀᆞ오미 ᄀᆞ득ᄒᆞ나 ᄉᆞ졍을 발뵈지 못ᄒᆞ여, 오직 눈으로 졍을 보ᄂᆞ더라.

원쉬 황야를 뫼셔 날이 져믈도록 즐길식, 관일혼 츙의(忠義)로 군샹 우러오미 젹지(赤子) ᄌᆞ모(慈母) 바람 ᄀᆞᆺᄃᆞᆨ, 숨년을 찬츌(竄黜)ᄒᆞ여 뇽누봉궐(龍樓鳳闕)의 아득히 됴알을 폐ᄒᆞ니, 미양 텬안을 녕모ᄒᆞ미 ᄉᆞ친지회(思親之懷)와 병츌(竝出) ᄒᆞ더니, 오늘날 승젼닙공(勝戰立功)ᄒᆞ고 긔가(凱歌)로 도라와 셩쥬의 반기시ᄂᆞᆫ 뇽안을 앙쳠(仰瞻)ᄒᆞ고,【173】 만됴 빅뇨의 면목이 익은 지 좌우의 가득ᄒᆞ여 반기믈 마지 아니니, 엇지 깃븐 의식 젹으리오마ᄂᆞᆫ, 조모와 슉모의 환휘 위독ᄒᆞ시믈 드럿ᄂᆞᆫ 고로, 우황(憂惶)ᄒᆞᆫ 심ᄉᆡ 측냥치 못ᄒᆞ여, 이의 쥬왈,

"신을 교외의 마져 돈유(敦諭)ᄒᆞ심도 황공ᄒᆞ옵거ᄂᆞᆯ, 쥬악(奏樂) 연희(宴會)를 베프ᄉᆞ 이ᄀᆞᆺ티 즐기시니, 신이 엇지 깃브지 아니리잇고마ᄂᆞᆫ, 그윽이 싱각건딕, 신이 년유(年幼) 부직(不才)를 블쵸픽ᄌᆞ(不肖悖子)를 면치 못ᄒᆞ엿ᄂᆞ니, 망측혼 죄과를 한미와 아

엿숩느니, 망측흔 죄과로 한미와 아즈미의게 도라보니고, 신은 흔 조각 허믈이 업순 드시 셩듀의 대은을 깃거흐며 영광을 즐겨 흐미, 신명의 벌흐믈 당홀가 두릴 쓴 아니오라, 딘듕의 젼망(戰亡)흔 댱졸의 슈를 혜아리온즉 그 쉬 누만이라. 흔갓 손확의 용병을 잘 못흐여 앗【73】가온 댱졸이 만히 죽○[엇]을 쓴 아니라, 국개 불힝흐여 인명이 무죄히 상흐니, 엇디 츄연치 아니리잇고? 셩상의 덕틱으로써 젼망흔 댱졸의 작딕을 품증(品增)720)흐시고 쳐주를 고휼(顧恤)흐시며, 미쳔흔 군ᄉ○[로] 젼망흔 즈는 원통이 죽어시믈 잔잉히 넉이샤, 유ᄉ(有司)로 흐여곰 셜졔(設祭)흐여 그 녕빅(靈魄)을 위로흐샤미 맛당홀가 흐ᄂ이다."

샹이 원슈의 현언(賢言)을 드르시고 더욱 감동흐샤, 일ᄏ라 골오샤딕,

"경의 덕홰 이 곳트니 젼망흔 ᄉ졸과 ᄉ랏ᄂ 댱졸이 다 흔가디로 감은골슈(感恩骨髓)흘디라. 딤이 또흔 젼망ᄉ졸의 앗가이 맛츠믈 슬허 흐【74】노라."

원쉬 다시 날이 느즈믈 주흐여 환궁흐시믈 간흐니, 샹이 마디 못흐여 환궁흐실시, 원슈로 흐여곰 졔군을 거ᄂ려, 빅셜쳥총만니운(白雪靑驄萬里雲)721)을 트고 션디(先隊)의 힝흐니, 쳑탕(滌蕩)흔 풍뉴와 쇄락흔 용모의 취식이 편만(遍滿)흐니, 홍년(紅蓮)이 남풍의 웃ᄂ 듯, 엄슉흔 위의와 싁싁흔 호령은 한신(韓信)722) 쥬아부(周亞夫)를 압두흘디라. 안광(眼光)은 삼군을 빗최고 덕홰ᄂ ᄉ졸의 덥혀시니, 댱ᄉ군졸(將士軍卒)이 오날늘 황셩의 개가승젼곡(凱歌勝戰曲)으로 즐거이 도라와, 셩듀의 대은이 능능흐시믈 져마다 환열흐ᄂ디라. 원슈의 뒤흘 ᄯ로ᄂ

즈미게 도라보니고, 신은 흔 조각 허믈이 업순 드시 셩듀의 틱은을 깃거 흐며, 녕광을 즐겨 흐미, 신명의 벌을 당흐올가 두릴 쓴 아니오라, 진듕(陣中)의 젼【174】망(戰亡) 장졸의 슈를 혜아리온즉 슈만이라. 흔갓의 용병 잘 못흔 손확의 죄 쓴 아니라, 국개 불힝흐오니 엇지 츄연치 아니리잇고? 셩상의 덕틱으로 젼망 장슈의 작직을 승품흐시고, ᄉ졸으란 유ᄉ로 흐여금 셜졔(設祭) 위혼(慰魂)흐미 맛당홀가 흘가 흐ᄂ이다"

상이 칭션흐시고 환궁흐실시, 원슈로 흐여금 졔군을 거ᄂ려 빅셜쳥총만니운(白雪靑驄萬里雲)687)을 트고 젼디(前隊)의 힝○[케]흐니, 태령(太寧) 풍악은 구텬(九天)의 ᄉ못고, 장안 딕로의 뭿글이 즈옥흔 ᄀ온디, 원슈의 쇄락흔 용모의 취식이 편만흐니, 홍년(紅蓮)이 남풍의 웃ᄂ 듯,

---

720) 품증(品增) : 관직의 품계(品階)를 올려 줌.
721) 빅셜쳥총만니운(白雪靑驄萬里雲) : 말 이름. 갈기와 꼬리가 푸르스름한 백마(白馬)인 청총마(靑驄馬)의 일종.
722) 한신(韓信) : ? - BC196. 중국 한(漢)나라 때의 무장(武將). 개국공신(開國功臣). 회음후(淮陰侯)에 봉작되었다. 한 고조를 도와 조(趙)·위(魏)·연(燕)·제(齊)나라를 멸망시키고 항우를 공격하여 큰 공을 세웠다

687) 빅셜쳥총만니운(白雪靑驄萬里雲) : 말 이름. 갈기와 꼬리가 푸르스름한 백마(白馬)인 청총마(靑驄馬)의 일종.

군병 댱졸과 도창검극(刀槍劍戟)이며 긔치
졀월(旗幟節鉞)이 대로의 몌여【75】시니,
샹이 뒤히 힝ᄒ시며 바라보시고 깃브믈 니
긔디 못ᄒ시더라【76】

명듀보월빙 권디칠십

어시의 만셰 황애 후딘(後陣)의 힝ᄒ시며, 윤원슈의 힝군ᄒᄆᆯ 바라보시고 깃브믈 니긔디 못ᄒ시니, 노샹(路上)의 누른 쯧글이 일식을 가리오고 태평가 풍뉴 소ᄅᆡ 구텬(九天)의 ᄉᆞᄆᆞᆺᄎ니, 딘실노 남ᄋᆞ의 ᄉᆞ업이오 대댱부의 위풍이라. 도셩 만민이 부로휴유(扶老携幼)ᄒᆞ여, 원슈의 힝군ᄒᄂᆞᆫ 위의를 구경ᄒ며 져마다 칭찬 갈치ᄒᆞ여 흘홀(惚惚)이 넉술 일코, 명쳔공의 후ᄉᆡ(後嗣) 이ᄀᆞ치 빗나믈 흠앙 경복디 아니리 업셔, ᄉᆡ로이 위ㆍ뉴 냥인의 흉심을 ᄡᅮ디져, 져 ᄀᆞᆺᄐᆞᆫ 손ᄋᆞ와 딜【1】ᄌᆞ를 못 견디도록 보ᄎᆡ여 온 가디로 죽이기를 도모ᄒ고, 뎡슉녈 ᄀᆞᆺᄐᆞᆫ 손부(孫婦)를 참히(慘害)ᄒᄆᆡ 졀졀이 극악 흉완ᄒᆞ더라, 엇디 텬벌이 업ᄉ리오 ᄒ며, 황친공경가(皇親公卿家) 부인들도 닷토아 집을 잡아, 쳔고(千古) 희한(稀罕)ᄒᆞᆫ 댱관을 아니 긔특이 넉이리 업ᄂᆞ더라. 나히 만흔 부인ᄂᆡᄂ는 윤원슈 ᄀᆞᆺᄐᆞᆫ ᄋᆞ들과 뎡병부 ᄀᆞᆺᄐᆞᆫ ᄉᆞ회를 두미 셰샹의 희한ᄒᆞᆫ 복경(福慶)이라 ᄒᆞ여, ᄉᆡ로이 윤의렬의 셩효졀힝(誠孝節行)을 일ᄏᆞ라, 명쳔공의 ᄌᆞ녜 ᄒᆞ나토 범연ᄒᆞ니 업ᄉᆞᄆᆯ 아니 블워ᄒ리 업더라.

도셩 만만이 부로후유(扶老携幼)ᄒᆞ여, 원슈의 힝군ᄒᄂᆞᆫ 위의를 구【175】경ᄒᆞ며 만구 갈치ᄒᆞ여, ᄉᆡ로이 위ㆍ뉴 냥인을 ᄡᅮ지ᄌᆞ며, 죵친 공경가 부인ᄂᆡ 닷도아[688] 녀가(閭家)를 잡아 쳔고 장관을 아니 긔특이 넉이리 업ᄂᆞᆫ지라. 나히 만흔 부인ᄂᆡᄂᆞᆫ 윤원슈 ᄀᆞᆺᄐᆞᆫ ᄋᆞ들과 뎡병부 ᄀᆞᆺᄐᆞᆫ ᄉᆞ회를 두미 셰샹의 희한ᄒᆞᆫ 복경(福慶)이라 ᄒᆞ여, ᄉᆡ로이 윤의렬의 셩효졀힝(誠孝節行)을 일ᄏᆞ라, 명쳔공의 ᄌᆞ녜 ᄒᆞ나토 범연ᄒᆞ니 업ᄉᆞᄆᆯ 아니 블워ᄒ리 업더라.

{ | 689}힝힝여 궐문의 다ᄃᆞᄅᆞ니 거게(車駕) 환궁ᄒ신 후 원쉬 주 왈,
"신이 이졔 물너가와 늙은 한미를 반기려ᄒ오니 하교ᄒ시믈 바라ᄂᆞ이다"
상이 굴오ᄉᆞᄃᆡ,
"금일이 날이 님의 져므럿고 군신이 반기ᄂᆞᆫ 졍을 다 못ᄒᆞ엿기로 경의 대공【176】을 의논치 못ᄒᆞᄂᆞ니 명일 드시 뫼ᄀᆞ게 ᄒ라"
ᄒ시니 원쉬 빗ᄉ이퇴(謝恩而退)ᄒ여 궐문을 나ᄆᆡ 슘위 표숙과 뎡, 하. 딘 졔공의 부ᄌᆡ며 일가죵족(一家宗族)의 직직(在職者) 일시의 원쉬 알픠 슈례를 모라 반기ᄂᆞᆫ 졍셩이 황홀ᄒ니, 원쉬 ᄯᅩᄒ 반가오미 측냥 업ᄉᆞᄃᆡ 집의 도라가미 급ᄒ기로, 겨오 슘 표숙과 금평후를 향ᄒᆞ여 존후를 뭇ᄌᆞᆸ고 슘슉게 모친 평부를 무러 안 후 하. 딘 졔공과 일가 졔인을 딕ᄒᆞ여 왈,
"오ᄂᆞᆯ날 황셩을 드디여 널위 셩톄 안강 ᄒᆞ시

688)닷도아 : 다투어.
689){ }안의 작은 활자로 구분해 놓은 부분(176쪽 -185쪽)은 뒤의 '권지이십육' 1-10쪽까지를, 필사 과정에서의 오류로, 중복해서 전사해놓고 있는 부분이다. 따라서 이부분을 빼면 낙본 69권 끝과 박본 25권 끝은 거의 일치한다고 할 수 있다.

며 신광이 평셕 굿트시믈 뵈오미 불승환힝 ᄒ오
나 노년 조모와 편모의 슬히 젹막ᄒ믈 싱각ᄒ오
니 인즈지심(人子之心)의 비헌【177】이 일시
급ᄒ온지라 죵용이 뫼셔 하회를 펴지 못ᄒᄋᆸᄂ
니 이졔는 경스의 이실지라 즈연 하졍 별 날이
이실가 ᄒᄂᆞ이다"
　졔공이 급히 가는 거동을 보고 일시의 머므지
못ᄒᄃᆡ 금휘 녕ᄋᆞ의 소식 알녀ᄒᆞᄆᆞᆯ 셜니 긔상의
셔 원비를 늘희여 원슈의 손을 줍고 우어 왈,
　"ᄉ원은 친당의 봉빅홀 쯧이 급ᄒ여 타ᄉ(他
事)를 싱각지 못홀지라 그러나　쇼녀의 싱죤ᄒ
믈 어더 ᄒᄀᆞ지로 샹경혼가 시브ᄃᆡ 거교를 문외
의셔 보지 못ᄒ니 궁거오믈 니긔지 못ᄒ리로다"
　원슈 답ᄉ 왈,
　"쇼싱이 금번 힝도의 녕녀를 호힝홀 거시로ᄃᆡ
국ᄉ의 관계ᄒ기로 님셩각으로 호【178】위ᄒ여
오게 ᄒ여시니 거의 문의의 니ᄅᆞ리이다."
　금휘 희동안식 ᄒ여 병부 등 명ᄒ여 왈,
　"여등이 ᄃᆡ시 문외의 가 여미를 마즈 오라."
ᄒ니, 병부 형뎨 명을 니어 ᄂᆞ아 가니라. 원슈
모든 ᄃᆡ 하직고 급히 옥누항의 니르니,
　[숨년지ᄂᆞᆫ 고루 쟝각이 변ᄒ여 빈 터히 황냥ᄒ
니 본져 대문의 니르미 쟝원이 퇴락ᄒ고 문벽이
업셔 보기의 고이 ᄒᆞ거늘 졈졈 드러가미 젼일
쳔문만호(千門萬戶)의 즁즁쳡쳡ᄒ던 가시 다 문
허져 ᄒ 조각 직목도 남은 거시 업고 홀노 의당
빅화헌이 잇고, ᄂᆡ당은 츔화당이 남아시니 외인
의 님의로 왕ᄂᆡᄒ여 혜츈각 기와를 거더가며 쳥
【179】ᄉ의 쥬렴을 다 거더 업시 ᄒ엿ᄂᆞᆫ지라"
　원슈 조모게 뵈오려 밧비 드러가ᄃᆡ ᄒ 스람도
업셔 완연이 난신젹즈(亂臣賊者)의 젹몰혼 집 굿
트니 불승ᄎᆞᆨ악 비졀ᄒ여 ᄒ더니 믄득 남노녀복
(男奴女僕)이 무리지어 드러와 츠례를 빈알ᄒ고
일시의 체읍ᄒ거ᄂᆞᆯ, 원슈 밧비 조모 계신 곳과
환후 경즁을 무르니, 비즈 드리 강졍의셔 이리
왓ᄂᆞ니라 위 부인과 뉴부인의 환휘 고극(苦劇)ᄒ
믈 고ᄒ고 지금 강졍의 계시믈 고ᄒ니, 원슈 듯
ᄂᆞᆫ 말마다 통상ᄒ믈 니긔지 못ᄒ여 급히 강졍으
로 가고즈 ᄒᄃᆡ ᄯᅩᄒ ᄉ묘(祠廟)의 빈알ᄒ러 올
나가니 원닉 경악공 ᄉ묘와 운혜공 ᄉ묘는 쳐ᄉ
윤공이 모셔【180】가고 그 밧 ᄉ당은 여젼이
봉안ᄒ여시나 숨년을 녕녕 졔향을 ᄯᅳᆺ쳐 ᄉ당 문
도 여지 아녓ᄂᆞᆫ 고로 샹탁의 틧글이 ᄀᆞ득ᄒ고
금노 쵹ᄃᆡ ᄒ나토 업고 뇽문화셕(龍紋花席)과 난
봉지의(鸞鳳之儀) ᄯᅩᄒ 거두쳐 업시 ᄒ고 다만
다 엿 닙 쵸셕이 굴넛ᄂᆞᆫ지라 원슈 이 경상을
당ᄒ미 불승망극 츠례로 빈알ᄒ드ᄀᆞ 부친 신위
의 드다ᄅᆞᆫ 실셩 통읍ᄒ여 왈,
　"불쵸즈 광텬이 몸이 죵쟝(宗長)의 즁ᄒ믈 가
져시ᄃᆡ 됴션 봉스를 무고히 폐ᄒ와 숨년을 쳔니
타향의 피젹ᄒ미 그 ᄉ이 아조 졔향을 폐ᄒ고
ᄉ묘를 이러틋시 폐ᄒ온 죄 무샹ᄒ도소이다 됴
션의 불효를 쯧치오니 쳥컨【181】ᄃᆡ 됴죵 신령
과 대인 녕빅은 불쵸즈의 죄를 명명지즁의 각별
이라"
　소리 쇼져 셜파의 실셩 운졀ᄒ니　흐르는 누
치 오월 강슈 굿더라 츠시 윤시 죵족 졔인이 원
슈를 ᄯᅡ라 니르럿더니 ᄉ당의 드러가 오릭 나오
지 아니믈 보고 일시의 나아ᄀᆞ 원슈를 붓드러
위로ᄒ고　윤니부와 틱식 위력으로 원슈를 닐으
혀 위로 왈,
　"무익지비로 심졍을 샹히오지 말나"
ᄒ고 ᄉ당 밧그로 나오미 원슈 누슈를 거두고
졔족을 디하여 ᄶᅥᄂᆞ던 회포를 ᄃᆡ강 베풀고 날이
져므러시므로 총총이 강졍으로 향홀ᄉᆡ ᄉ죵을
명ᄒ여 졔족을 각각 집으로 도라가게 ᄒ고 급히
강졍의【182】니르니 츠시 위 틱부인, 뉴부인
이 만신 창딜은 날노 더ᄒ여 흐르는 농즙은 ᄌᆞᆺ
리의 고이고 피육간의 ᄡᅩ시ᄂᆞᆫ 버러지는 골졀을
침노ᄒ니 ᄉ디 빅골이 아니 알픈 곳이 업고 악
취는 스스로 비위를 거스리고 틱부인 눈이 어두
어 스람을 몰나 보고 뉴시는 귀ᄀᆞ 먹어 졈졈 더
ᄒ여 아모리 소릭를 놉히 ᄒ여도 아라듯지 못ᄒ

눈지라 슈간 방상의 두 병신이 마조 안주 일신
골절이 아니 알픈 곳이 업눈 즁 구미눈 여젼ᄒ
여 아니 싱각나눈 음식이 업고 허굽ᄒ기눈 이상
ᄒ여 고싱이 측냥 업스니 틱부인은 오이려 주
긔 몸이 지극히 알프고 형셰 궁극ᄒ미 말【18
3】지 비복선지 비쇼ᄒ미 측냥 업스니 스스로
싱각ᄒ미 츄밀의 도라보기를 니르도 말고 졈졈
냥손ᄋ를 상상ᄒ며 조부인의 화열홈과 뎡, 하 등
의 온유 나죽던 바를 혜아려 주긔 너모 이심히
보치여 집의 ᄒ나토 머므지 못ᄒ믈 이둛고 뉘읏
처 일분이나 주긔 그릇믈 씨둣눈 듯ᄒ딕 뉴시눈
함독ᄒ미 날노 심ᄒ여 주긔 친싱 녀ᄋᄀ지 무러
쭛고 시븐 모음이 잇셔 하개 흔 번도 주긔 병의
뭇눈 일이 업스믈 통완ᄒ여 ᄒ고 졍위의 죄인이
되미 텬일 볼 긔약이 업스믈 쥬야 참졀ᄒ여 참
지 못ᄒ더니 시녀 둥이 각각 드른 바노 젼ᄒ딕
우리 틱우 노【184】야눈 손원슈의 슈하장이 되
여 계시드가 손원쉬 여ᄎ여ᄎ 히ᄒ려 ᄒ믈 불신
인의 구ᄒ믈 힙닙어 피신ᄒ여 화를 밧지 아니
시고 당스의 피란ᄒ눈 빅셩을 모화 약간 군스를
거느려 당스왕의 슈만 티병을 즛치며 당스왕을
버히고 왕후란 거시 셕년의 틱우 노야 슝쥐로
왓던 뉴시러니 노야의 검하의 놀난 혹이 되라
ᄒ더라 추쳥 하회ᄒ라【185】▮}

힝히여 궐문의 다드라 거개(車駕) 환궁ㅎ신 후, 원쉬 주왈,

"신이 ㅼㅗ흔 믈너가 늙은 한미를 반기오【2】리니 파됴ㅎ시믈 청ㅎㄴ이다."

샹이 굴오샤ᄃᆡ,

"금일이 발셔 져므럿고 군신이 반기는 졍을 다 펴디 못ㅎ시므로, 경의 대공을 의논치 못ㅎㄴ니, 명일 다시 못게 ㅎ라."

원쉬 샤은이퇴(謝恩而退)ㅎ여 궐문 밧글 나미, 삼위 표슉과 뎡·하·딘 졔공의 부지며 일가죵족(一家宗族)의 지딕지(在職者) 일시의 모다 반기는 졍이 황홀ㅎ니, 원쉬 ㅼㅗ흔 반가오미 젹디 아니ᄃᆡ, 집의 도라가미 급ㅎ여 계오 삼위 표슉과 금후를 향ㅎ여 존후를 뭇ᄌᆞᆸ고, 표슉긔 ᄌᆞ위 평부를 대강 안 후 뎡·딘 졔공과 일가 졔인을 향ㅎ여, 왈,

"금일 황셩을 드드여 녈위 졔존공 셩톄 안강【3】ㅎ시며, 신관이 평셕(平昔) ᄀᆞᆺ틱시믈 뵈오미, 우러러 환열흔 하졍을 비흘 곳이 업ᄉᆞᆸ고, 쇼싱이 셩듀의 텬디 ᄀᆞᆺᄌᆞ오신 대덕으로, 허다흔 죄과를 버셔나 미쳔흔 몸이 일됴의 영귀ㅎ믈 깃거 ㅎ오나, 쇼싱의 졍ᄉᆞ는 그러치 아냐 노년 조모와 편모의 슬히 뎍막ㅎ믈 싱각ㅎ오니, 인ᄌᆞ디심(人子之心)의 비견이 일시 급ㅎ온디라. 죵용이 뫼셔 하회를 펴디 못ㅎᄋᆞᆸㄴ니, 이졔는 경샤의 이실디라 ᄌᆞ연 하졍(下情)을 펴올 날이 업디 아니리이다."

졔공이 급ㅎ여 ㅎ는 거동을 보고 일시의 머므리디 못ㅎᄃᆡ, 금휘 녀ᄋᆞ의 소식 알미 급흔디라, 셜니 원비(猿臂)723)를 느【4】리혀 원슈의 손을 잡고, 쇼왈,

---

723)원비(猿臂) : 원숭이의 팔이라는 뜻으로, 길고 힘이 있어 활쏘기에 좋은 팔을 이르는 말.

화표 윤원쉬 어가를 뫼셔 힝ㅎ여 금궐에 다드라 난개(鸞駕) 환궁ㅎ신 후, 원쉬 쥬왈,

"신이 ㅼㅗ흔 물러가 이문(里門)690)의 늙은 한미를 반기오리니, 파됴ㅎ심을 청ㅎㄴ이다"

상이 굴ᄋᆞᆺᄃᆡ,

"금일이 발셔 져므럿고 군신이 반기는 졍을 다 허[펴]지 못ㅎ엿시므로 경의 딕공을 의논치 못ㅎㄴ니 명일 다시 못게 ㅎ라"

원쉬 ᄉᆞ은이퇴(謝恩而退)ㅎ여 궐문을 밧글 나미, 삼위 표슉과 뎡·하·진 졔공의 부지(父子)며 일가죵족(一家宗族)의 지딕지(在職者) 일시에 모다 반기는 졍이 황홀ㅎ니, 원쉬 ㅼㅗ흔 반가오미 젹지 아니되 집의 도라가미 급ㅎ여 계오 삼 표슉과 금후를 향ㅎ여 존후를 뭇ᄌᆞᆸ고, 표슉긔 ᄌᆞ위 형부【1】를 대강 안 ○[후], 뎡·진 졔공과 일가 졔인을 향ㅎ여 왈,

"금일 《황션∥황셩》을 드드여 열위 졔존공(諸尊公) 셩톄 안강 ㅎ시며, 신광이 평셕(平昔) ᄀᆞᆺ틱심을 뵈오며, 우러러 환열흔 하졍(下情)을 비기올 곳이 업ᄉᆞᆸ고, 쇼싱이 셩쥬의 텬디 갓튼신 대덕으로 허다흔 죄과를 버셔나, 미쳔흔 몸이 일죠에 영귀ㅎ물 깃거ㅎ오나, 쇼싱의 졍ᄉᆞ는 그럿치 아녀 노년 죠모와 편모의 슬히 젹막ㅎ믈 싱각ㅎ오니 인ᄌᆞ지심(人子之心)에 비견이 일시 급ㅎ온지라. 죵용이 뫼셔 하회를 펴지 못ㅎᄋᆞᆸㄴ니, 이졔는 경수의 잇실지라. ᄌᆞ연 하졍(下情) 펴 올 날이 업지 아니리이다."

졔공이 급ㅎ여 ㅎ는 거동을 보고 일시를 머므르지 못ㅎ되, 금휘 녀ᄋᆞ의 소식 알미 급흔지라. 셜니 원【2】비(猿臂)691)를 느리

---

690)이문(里門) : =여문(閭門). 동네 어귀에 세운 문. 여기서는 의려지망(倚閭之望)을 줄여 이른 말. *의려지망(倚閭之望); 자녀가 돌아오기를 기다리는 어머니의 마음을 이르는 말.
691)원비(猿臂) : 원숭이의 팔이라는 뜻으로, 길고 힘

"ᄉ원은 친당의 등ᄇㆎ(登拜)ᄒᆞᆯ ᄯᅳᆺ이 급ᄒᆞ여 타ᄉᆞ(他事)를 ᄉᆡᆼ각디 못ᄒᆞ며, 날 ᄀᆞᆺᄐᆞᆫ 빙악은 조곰도 보고져 아니커니와, 나의 급히 알고져 ᄒᆞ는 바ᄂᆞᆫ 쇼녀(小女)의 싱존ᄒᆞᄆᆞᆯ 어더 ᄒᆞᆫ가디로 샹경ᄒᆞᆫ가 시브ᄃㆎ, 거교를 문외의셔 보디 못ᄒᆞ니 굼거오믈 니긔디 못ᄒᆞ리로다."

원ᄉᆔ 흔연 ᄉᆞ샤 왈,

"쇼싱이 슈블인(雖不仁)이나 악댱을 우러옵ᄂᆞᆫ 하졍이 엇디 범연ᄒᆞ리잇고? 셜ᄉᆞ 악댱이 쇼싱을 브졍(不正)ᄒᆞᆫ 뉴로 치오셔도, 쇼싱이 금일을 당ᄒᆞ여 노년 조모를 비견ᄒᆞ올 졍니 시급ᄒᆞ온디라, 엇디 완완(緩緩)ᄒᆞ리잇고? 녕녀ᄂᆞᆫ ᄉᆞ라 금일 도라오옵ᄂᆞ니, 힝거를 님셩각이 호위ᄒᆞ며 ᄉᆞ오【5】십 니를 ᄭᅴ워 힝ᄒᆞ니, 거의 문의 니르러시리이다."

금휘 희동안식 ᄒᆞ여 병부 등 삼ᄌᆞ를 명ᄒᆞ여, 왈,

"너희 다시 문외의 나가 누의 힝거를 마ᄌᆞ 오라."

븍공이 슈명ᄒᆞ여 ᄂᆞᆼ데를 다리고 급히 문외로 나가고, 윤원슈ᄂᆞᆫ 급히 옥누항으로 가거ᄂᆞᆯ, ○○○[졔인이],

"그 곳의 니르러[나] 황연이 빈 터히라. 부공 샤당이나 봉ᄇㆎ(奉拜)ᄒᆞᆯ ᄯᆞ름이디, 그 조모긔 뵈기는 졈졈 더디리로다."

ᄒᆞ며 우ᄋᆞᄃㆎ, 원슈 졔인의 그런 말을 츌ᄒᆞ 듯디 아니코, 급급히 옥누항의 니르니, 삼년디닌 고루장각(高樓壯閣)이 변ᄒᆞ여 빈 터히 황연ᄒᆞ니, 몬져 대문의 니르미 장원이 퇴락ᄒᆞ고 문뼉이 업더니, 졈졈 드러가미 젼일【6】쳔문만호(千門萬戶)724)의 엄엄슉슉ᄒᆞ던 가싴 다 문허져, ᄒᆞᆫ 조각 지목도 남은 거싀 업셔 외당 빅화헌이 홀노 잇고, 너당의 희츈뉘 남아시니, 그 외의ᄂᆞᆫ 춍잡(叢雜)ᄒᆞᆫ 초목과 외인의 왕ᄂㆎᄒᆞ는 ᄌᆞ최 낭ᄌᆞ(狼藉)ᄒᆞ여 희츈각 기와를 거더가며, 쳥샤의

혀 원슈의 손을 잡고, 쇼왈,

"ᄉ원은 친당에 등ᄇㆎ(登拜)ᄒᆞᆯ ᄯᅳᆺ이 급ᄒᆞ여 타ᄉᆞ(他事)를 싱각지 못ᄒᆞ며, 날ᄀᆞᆺᄐᆞᆫ 빙악은 조곰도 보고져 아니커니와, 나의 급히 알고져 ᄒᆞ는 바ᄂᆞᆫ 쇼녀의 싱존ᄒᆞᄆᆞᆯ 어더, ᄒᆞᆫ가지로 상경ᄒᆞᆫ가 시브되, 거교를 문외에셔 보지 못ᄒᆞ니, 굼거오믈 이긔지 못ᄒᆞ리로다."

원슈 흔연 ᄉᆞ사 왈,

"쇼싱이 슈불인(雖不仁)이나 악장을 우러옵ᄂᆞᆫ 하졍이 엇지 범연ᄒᆞ리잇고? 셜ᄉᆞ 악장이 쇼싱을 브졍ᄒᆞᆫ 뉴로 치오셔도, 쇼싱이 금일을 당ᄒᆞ여 노년 죠모를 비견ᄒᆞᆯ 졍니 시급ᄒᆞ온지라, 엇지 지완ᄒᆞ리잇고? 녕녀ᄂᆞᆫ ᄉᆞ라 금일 도라 오옵ᄂᆞ니, 힝거를 님셩각이 호위ᄒᆞ여 ᄉᆞ오십 니를 ᄭᅴ여 힝ᄒᆞ니 거의 문외에 니르【3】러스리이다"

금휘 희동안식 ᄒᆞ여 병부 등 삼ᄌᆞ를 명ᄒᆞ여 왈,

"너희 가셔 문외에 나가 누의 힝거를 마ᄌᆞ 오라."

북공이 슈명ᄒᆞ여 ᄂᆞᆼ데를 다리고 급히 문외로 나가고, 윤원슈ᄂᆞᆫ 급히 옥누항에 니르니, ○○○[졔인이],

"그곳에 니르러[나] 황연이 빈 터히라. 《부고∥부공》 ᄉᆞ당이나 봉ᄇㆎ(奉拜)ᄒᆞᆯ ᄯᆞ름이지, 그 죠모게 뵈기는 졈졈 더디리로다."

ᄒᆞ며 우으되, 원슈 졔인의 그런 말을 츌ᄒᆞ 듯지 아니코, 급히 옥누항에 니르니, 삼년지닌 《고쥬잔각∥고루장각(高樓壯閣)》이 변ᄒᆞ여 빈 터이 황연ᄒᆞ니, 몬져 대문에 니르미 장원이 퇴락ᄒᆞ고 문뼉이 업더니, 졈졈 드러가미 젼일 쳔문만호(千門萬戶)692)의 엄엄슉슉ᄒᆞ던 가싴 다 문허져 ᄒᆞᆫ 죠각 지목도 남은 거싀 업셔, 외당 빅화헌이 홀노 잇고, 【4】너당에 회[희]츈뉘 남아시니, 그 외에ᄂᆞᆫ 《츙잡∥춍잡(叢雜)》ᄒᆞᆫ 쵸목과 외인의

---

724) 쳔문만호(千門萬戶) : 대가(大家)의 많은 문호를 이르는 말.

이 있어 활쏘기에 좋은 팔을 이르는 말.
692) 쳔문만호(千門萬戶) : 대가(大家)의 많은 문호를 이르는 말.

쥬렴을 다 거더 업시 ᄒᆞ엿ᄂᆞ니라.

원쉬 조모긔 밧비 뵈오려 드러온 비 ᄒᆞᆫ 사ᄅᆞᆷ도 업셔, 완연이 난신덕ᄌᆞ(亂臣賊者)의 덕몰(籍沒)ᄒᆞᆫ 가샤 ᄀᆞᆺᄐᆞ니, 댱부의 텰셕심장(鐵石心腸)과 영웅의 튱텬디긔(衝天之氣)로 〇[도] 츠악(嗟愕) 비졀(悲絶)ᄒᆞᄆᆞᆯ 견듸디 못ᄒᆞ더니, 믄득 녀로남복(女奴男僕)이 무리디어 드러와 빈ᄒᆡᆼᄒᆞ고, 일시의 톄읍ᄒᆞ거늘, 원쉬 밧비 태부인 계신 곳과 환후 경듕을 므르【7】니, 비ᄌᆞ 등이 강졍으로셔 이리 왓ᄂᆞ니라. 위·뉴의 환휘 고극(苦劇)ᄒᆞᄆᆞᆯ 고ᄒᆞ고, 즉금 강졍의 계시믈 알외니, 원쉬 듯ᄂᆞᆫ 말마다 통상ᄒᆞᄆᆞᆯ 니긔디 못ᄒᆞ여, 급히 강졍으로 가고져 ᄒᆞᄃᆡ, ᄯᅩ흔 ᄉᆞ당의 비알치 아니치 못ᄒᆞ여 급히 샤묘(祠廟)의 올나가니, 원닉 경악공 샤묘와 운혜공 목쥬ᄂᆞᆫ 태ᄉᆞ 윤공이 뫼셔 가 아덕 권도로 봉ᄉᆞ(奉祀)ᄒᆞ고, 그 밧 목쥬ᄂᆞᆫ 녜ᄃᆡ로 봉안ᄒᆞ여시나, 삼년을 영영히 졔향을 긋쳐 샤당 문도 여디 아녓ᄂᆞᆫ 고로, 상탁의 쯧글이 가득ᄒᆞ고, 금노 쵹ᄃᆡ를 다 업시 ᄒᆞ며, 샤묘 안히 버린 거시 업고 뇽문치화셕(龍紋彩畵席)과 난봉디의(鸞鳳之儀)ᄂᆞᆫ 다 거두쳐 업시 ᄒᆞ엿고, ᄃᆡ엿725) 닙흰 초셕을 계오 폇【8】ᄂᆞ니라.

원쉬 이 경상을 당ᄒᆞ여 더옥 망극 비졀ᄒᆞᄆᆞᆯ 니긔디 못ᄒᆞ여, ᄎᆞ례로 비알ᄒᆞ다가 부공 ᄉᆞ우의 다ᄃᆞ라ᄂᆞᆫ 실셩 통읍ᄒᆞ여, 톄루 비졀 왈,

"블초ᄌᆞ 광텬이 몸이 종댱(宗長)의 듕ᄒᆞᄆᆞᆯ 가져시ᄃᆡ, 조션 향ᄉᆞ를 무고히 폐ᄒᆞ와 삼년을 쳔니 타향의 죄덕ᄒᆞ미, 그 ᄉᆞ이 아조 졔향을 폐ᄒᆞ고 ᄉᆞ묘를 이ᄃᆡ도록 폐ᄒᆞ온 죄ᄂᆞᆫ 젼혀 블초의 무상ᄒᆞᆫ 죄로소이다 텬디 신명의 앙화를 당홀 ᄲᅮᆫ 아니라, 조션(祖先)의 죄인이니 쳥컨ᄃᆡ, 조종신녕(祖宗神靈)726)과 대인녕빅(大人靈魄)727)은 블초ᄌᆞ

725)ᄃᆡ엿 : 대엿. '대여섯'의 준말. 다섯이나 여섯쯤 되는 수. 또는 그런 수의.
726)조종신녕(祖宗神靈) : 시조가 되는 조상의 신령.

왕닉ᄒᆞᄂᆞᆫ ᄌᆞ최 낭ᄌᆞ(狼藉)ᄒᆞ여, 희츈각 기와를 거더가며, 쳥ᄉᆞ의 쥬렴을 다 거더 업시 ᄒᆞ엿ᄂᆞᆫ지라.

원쉬 죠모ᄶᆞ 밧비 뵈오려 드러온ᄃᆡ ᄒᆞᆫ ᄉᆞᄅᆞᆷ도 업셔, 완연이 난신젹ᄌᆞ(亂臣賊者)의 젹몰(籍沒)ᄒᆞᆫ 가ᄉᆞ ᄀᆞᆺᄐᆞ니, 장부의 쳘셕 심장(鐵石心腸)과 영웅의 츙텬지긔(衝天之氣)로 〇[도] 츠악(嗟愕) 비졀(悲絶)홈을 견디지 못ᄒᆞ더니, 믄득 녀로남복(女奴男僕)이 무리 지어 드러와 빈ᄒᆡᆼᄒᆞ고, 일시의 쳬읍ᄒᆞ거늘, 원쉬 밧비 죠모 계신 곳과 환후 경즁을 므르니, 비ᄌᆞ 등이 강졍으로셔 이리 왓ᄂᆞᆫ지라. 위·뉴의 환휘 고극(苦劇)홈을 고ᄒᆞ고, 즉금 강졍에 계시믈 알외니, 원쉬 듯ᄂᆞᆫ 말마다 통상홈을 이긔지 못ᄒᆞ여, 【5】급히 강졍으로 가고져 ᄒᆞ되, ᄯᅩ흔 ᄉᆞ당에 비알치 아니치 못ᄒᆞ여 급히 ᄉᆞ당에 올나가니, 원리 경악공 ᄉᆞ묘와 운혜공 목쥬ᄂᆞᆫ 태ᄉᆞ 윤공이 뫼셔가 아직 권도로 봉ᄉᆞ(奉祀)ᄒᆞ고, 그 밧 목쥬ᄂᆞᆫ 예ᄃᆡ로 봉안ᄒᆞ엿스나, 삼년을 영영히 졔향을 긋쳐 ᄉᆞ당 문도 여지 아녓ᄂᆞᆫ 고로, 상탁의 쯧글이 가득ᄒᆞ고 금노 쵹ᄃᆡ를 다 업시ᄒᆞ며, ᄉᆞ묘 압픠 버린 것이 업고, 룡문화셕(龍紋畵席)과 난봉디의(鸞鳳之儀)ᄂᆞᆫ 다 거두쳐 업시 ᄒᆞ엿고, 《다역∥다엿693)》 닙흰 쵸셕을 계오 폇ᄂᆞᆫ지라.

원쉬 이 경상을 당ᄒᆞ여 더옥 망극 비졀홈을 이긔지 못ᄒᆞ여, ᄎᆞ례로 비알ᄒᆞ다가 부친 목쥬에 다ᄃᆞ라ᄂᆞᆫ 실셩 통읍ᄒᆞ여, 쳬루 비졀 왈,

"블쵸ᄌᆞ 광【6】현[텬]이 몸이 종댱(宗長)의 즁ᄒᆞᄆᆞᆯ 가져시되, 조션 봉ᄉᆞ를 무고히 폐ᄒᆞ와 삼년을 쳔니 타향의 죄젹ᄒᆞ미, 그 ᄉᆞ이 아죠 졔향을 폐ᄒᆞ고 ᄉᆞ묘를 이ᄃᆡ도록 폐ᄒᆞ온 죄ᄂᆞᆫ 젼혀 불쵸ᄌᆞ의 무상ᄒᆞᆫ 죄로소니, 텬디 신명의 앙화를 당홀 ᄲᅮᆫ 아니라, 죠션(祖先)의 죄인이니, 쳥컨ᄃᆡ 죠종신령(祖宗神靈)694)과과 대인령빅(大人靈魄)695)은

693)다엿 : 대엿. '대여섯'의 준말. 다섯이나 여섯쯤 되는 수. 또는 그런 수의.
694)조종신녕(祖宗神靈) : 시조가 되는 조상의 신령.

(不肖子)의 죄를 명명디즁(明明之中)의 다스리쇼셔."

언필의 실셩운졀ᄒ여 졍신을 슈습디 못ᄒ니, 흐르ᄂᆞᆫ 안슈ᄂᆞᆫ 오월【9】비 ᄀᆞᆺ고, 층쳡ᄒᆫ 슬픔과 가득ᄒᆫ 회푀 가ᄉᆞᆷ의 막혀 오릭도록 인ᄉᆞ를 출히디 못ᄒ고, 통상ᄒᄆᆞᆯ 마디 아니니, 윤시 죵죡 졔인이 원슈의 뒤흘 조ᄎᆞ 이의 니ᄅᆞ럿더니, ᄉᆞ당의 드러가 오릭 나오디 아니믈 보고, 일시의 나아가 원슈를 붓드러 위로ᄒ여, 무익디비(無益之悲)를 과히 말나 ᄒ며, 윤니뷔(-吏部)며 태ᄉᆞ 위력으로 원슈를 닛그러 사당 밧그로 나오미, 원쉬 졔죡을 딕하여 셔낫던 회포를 니르디 못ᄒ고, 날이 져므러시믈 착급ᄒ여 총총이 강졍으로 갈ᄉᆡ, ᄉᆞ졸을 명ᄒ여 각각 집으로 가라 ᄒ고, 급히 강졍의 니르니, ᄎᆞ시 위·뉴 냥흉이 만신 챵딜은 날노 더ᄒ여, 흐르ᄂᆞᆫ 농즙은 즈리의 괴【10】이믈 면치 못ᄒ고, 피육간(皮肉間)의 ᄲᅮ시ᄂᆞᆫ 버러디ᄂᆞᆫ 골졀을 침노ᄒ니, ᄉᆞ디(四肢) 빅골(白骨)이 아니 알픈 곳이 업고, 악취ᄂᆞᆫ 스스로 비위를 뎡치 못ᄒᄂᆞᆫ 바의, 태흉은 압히 어두어 사ᄅᆞᆷ을 몰나 보고, 뉴녀ᄂᆞᆫ 귀먹어 아모리 소ᄅᆡ를 놉히 ᄒ여도 아라듯디 못ᄒᄂᆞᆫ디라. 슈간 방샤의 두 병인이 마조 안ᄌᆞ, 일신골졀(一身骨節)이 아니 ᄲᅥᆨᄂᆞᆫ 곳이 업셔, 괴이ᄒᆫ 버러디조ᄎᆞ 못 견디게 ᄒᆞᆯ ᄲᆞᆫ 아니라, 구미(口味)ᄂᆞᆫ 녜라온728) 듯ᄒ여, 아니 싱각나ᄂᆞᆫ 거시 업고, 허픱(虛乏)ᄒ기ᄂᆞᆫ 이상ᄒ여, 고상(苦狀)이 측냥 업ᄉᆞ니, 태흉은 오히려 즈긔 몸이 디극히 알프고 형셰 궁극ᄒ미[미] 말지 비복가디 비쇼(誹笑)ᄒ미 측냥 업기【11】로, 츄밀의 도라오ᄂᆞᆫ 바를 기다리믄 니르도 말고, 졈졈 냥손을 싱각ᄒ며, 조부인의 효슌화열(孝順和悅)홈과 뎡·하 등의 온유 나즉던729) 바를 혜아려, 너모 이심히 보취여 집의 ᄒ나토 머므디 못ᄒᄆᆞᆯ 익둛고 뉘웃

727)대인녕빅(大人靈魄) : 아버지의 넋.

728)녜라온 : 예전보다도 더. *-라온 : '-보다 더'의 뜻을 더하는 접미사.

729)나즉ᄒ다 : 나직하다. 소리가 꽤 낮다.

블초ᄌᆞ(不肖子)의 죄를 명명지즁(明明之中)에 다ᄉᆞ리쇼셔"

언필에 실셩운졀ᄒ여 졍신을 수습지 못ᄒ니, 흐르ᄂᆞᆫ 안슈ᄂᆞᆫ 오월 비 갓고, 층쳡흔 슬픔과 가득흔 회푀 가삼에 막혀 오릭도록 인ᄉᆞ를 ᄎᆞ리지 못ᄒ고, 통상홈을 마지 아니니, 윤씨 죵죡 졔인이 원슈를 ᄯᆞ라와 이에 이르럿더【7】니, ᄉᆞ당에 드러가 오릭 나오지 아니믈 보고, 일시의 나아가 원슈를 붓드러 위로ᄒ여, 무익흔 비회를 과히 말나 ᄒ며, 유[윤]니부와 태ᄉᆞ 위력으로 원슈를 잇그러 ᄉᆞ당 밧그로 나오미, 원쉬 졔족을 딕ᄒ여 셔낫든 회포를 이르지 못ᄒ고, 날이 져므러시믈 착급ᄒ여 총총이 강졍으로 갈ᄉᆡ, ᄉᆞ졸을 명ᄒ여 각각 집으로 가라 ᄒ고, 급히 강졍에 이르니, ᄎᆞ시 퇴·뉴 냥흉이 만신창질은 날노 더ᄒ여, 흐르ᄂᆞᆫ 《농집‖농즙》은 즈리에 괴이믈 면치 못ᄒ고, 피육간(皮肉間)에 쑤시ᄂᆞᆫ 버러지ᄂᆞᆫ 골졀을 침노ᄒ니, ᄉᆞ지(四肢) 빅골(白骨)이 아니 알픈 곳이 업고, 악착흔 닉음ᄉᆡᄂᆞᆫ 스스로 비위를 졍치 못ᄒᄂᆞᆫ 바에, 퇴흉은【8】압히 어두어 사ᄅᆞᆷ을 몰나 보고, 뉴녀ᄂᆞᆫ 귀먹어 아모리 소ᄅᆡ를 놉히 ᄒ여도 아라듯지 못ᄒᄂᆞᆫ지라. 슈간 방ᄉᆞ에 두 병인이 마조 안ᄌᆞ 일신골졀(一身骨節)이 아니 썩ᄂᆞᆫ 곳이 업셔, 괴이흔 버러지 조ᄎᆞ 못 견디게 ᄒᆞᆯ ᄲᆞᆫ 아니라, 구미(口味)ᄂᆞᆫ 예라온696) 듯ᄒ여, 아니 싱각나ᄂᆞᆫ 것이 업ᄉᆞ니, 퇴흉은 오히려 즈긔 몸이 지극히 알프고 형셰 궁극ᄒ미[미] 말지 비복가지 비쇼(誹笑)ᄒ미 측냥 업기로, 츄밀에 도라 오ᄂᆞᆫ 바를 기드리믄 이르도 말고, 졈졈 냥손을 싱각ᄒ며 죠부인의 효슌화열(孝順和悅)홈과 뎡·하 등의 온유 나즉흔697) 바를 혜아려, 너모 이심히 보취여 집에 ᄒ나토 머므지 못 홈을 익둛고 뉘웃쳐, 일분이나 즈긔 그르【9】믈 씨닷ᄂᆞᆫ 듯ᄒ되, 뉴

695)대인령빅(大人靈魄) : 아버지의 넋.

696)예라온 : 예전보다도 더. *-라온 : '-보다 더'의 뜻을 더하는 접미사.

697)나즉ᄒ다 : 나직하다. 소리가 꽤 낮다.

쳐, 일분이나 ᄌᄀ 그르믈 씨둣는 둣ᄒᄃᆡ, 뉴녀는 함독(含毒)이 날노 더ᄒ여, ᄌᄀ 친싱 녀ᄋ 현ᄋ 쇼져가디 무러뜻고 시븐 ᄆᆞᆷ이 이셔, 하가(河家)와 ○○[갓치] ᄒᆞᆫ 번도 ᄌᄀ 병을 뭇는 일이 업ᄉᄆᆞᆯ 통완ᄒ여 ᄒᆞ고, 경ᄋ의 팔지 됴치 못ᄒ여 셕가 누옥 듕 죄인이 되ᄆᆡ, 텬일 볼 긔약이 업ᄉᄆᆞᆯ 쥬야 참졀(慘切)ᄒ여 춤디 못ᄒ더니, 시녀 등이 각각 드른 말노 젼ᄒᄃᆡ,

"우리 태우 노야는 손원슈의 【12】 슈하댱(手下將)이 되여 계시다가, 손원쉬 여ᄎᆞᄎᆞ 죽이려 ᄒᆞ므로 몸을 피ᄒ여 화를 밧디 아니시고, 댱샤의 피란ᄒᆞ는 ᄇᆡᆨ셩을 모화 약간 군ᄉᆞ로 댱샤의 슈만 대병을 ᄌᆞᆺ치며, 댱샤왕을 버히며, 왕후란 거시 셕년의 태우 노야 삼ᄎᆔ로 도라왓던 뉴시러니, 노야 검하의 촌참(寸斬)ᄒ다 ᄒᆞᄆᆡ, 뉴녜 명문녀ᄌᆞ(名門女子)로 ᄇᆡ부난뉸(背夫亂倫)홈도 ᄉᆞ죄어ᄂᆞᆯ, ᄯᅩ 반역을 도모ᄒ여 죽다 ᄒᆞ니, 뉴녀의 죄악은 남산듁(南山竹)730)을 버혀도 속(贖)디 못ᄒ리로다."

이쳐로 니르며, 원슈의 슈히 도라올 바를 일ᄏᆞ라 즐겨 ᄒᆞ니, 태흥은 말을 아라 드르므로 제 시녀를 블너 왈,

"원쉬 언제 도라온다 ᄒᆞᄂᆞ뇨?"

제 시녜 짐줏 【13】 뉴시 이를 살오고져 ᄒᆞ므로, 소리를 놉혀, 원슈의 승쳡(勝捷) 반샤(班師)ᄒ여 슈히 옴과, 댱샤왕 부부 버힌 곡졀을 드른ᄃᆡ로 고ᄒᆞ니, 태흥은 잠간 태우를 기다리는 의ᄉᆡ 이셔 깃거 ᄒᆞ나, 뉴녀는 둣는 말마다 심간(心肝)이 터디며 흉격(胸膈)이 ᄶᅱ노라, 경긱(頃刻)의 ᄌᄀ 몸이 업셔져 이런 말을 둣디 말고져 ᄒᆞᄂᆞ니라. 증화(憎火)와 흉독을 플 곳이 업셔 스스로 몸을 치며 니를 가라, 농즙(膿汁)은 더옥 흐르니, 무셔온 거동을 ᄎᆞ마 보디 못홀디라. 제시녀

---

730)남산듁(南山竹) : '남산에 있는 대나무'라는 뜻으로, 본문에서의 의미는 남산에 있는 대나무를 다 베어 죽간(竹簡)을 만들어 써도 다 기록할 수 없을 만큼 죄가 많다는 의미. '경죽난서(磬竹難書; 잘못이 많아서 대나무가 다하도록 글을 써도 다쓰기 어렵다)'에서 온말.

녀는 함독(含毒)이 날노 더어, ᄌᄀ 친싱 녀ᄋ ○○[현ᄋ] 쇼져까지 무러 뜻고 시븐 ᄆᆞ음이 ○○[이셔], 하가(河家)와 갓치 ᄒᆞᆫ 번도 ᄌᄀ 《령∥병》을 뭇는 일이 업ᄉᆞᄆᆞᆯ 통완ᄒ여 ᄒᆞ고, 경ᄋ의 팔지 죠치 못ᄒ여 셕가 누옥 즁 죄인이 되ᄆᆡ, 텬일 볼 긔약이 업ᄉᆞᄆᆞᆯ 쥬야 참졀(慘切)ᄒ여 춤지 못ᄒ더니, 시녀 등이 각각 드른 말노 젼ᄒᆞ되,

"우리 태우 노야는 손원슈의 슈하장(手下將)이 되여 계시다가, 손원쉬 여ᄎᆞ여ᄎᆞ 히ᄒᆞ려 홈으로, 몸을 피ᄒ여 화를 밧지 아니시고, 장소에 피란ᄒᆞ는 ᄇᆡᆨ셩을 모화 약간 군ᄉᆞ로 장소의 슈만 딕병을 ᄌᆞᆺ치며, 장소왕을 버히며, 왕후란 거시 셕년의 태우 노야 삼ᄎᆔ로 도라 왓던 뉴씨러니, 노야의 검하【10】에 촌참(寸斬)ᄒ다 ᄒᆞ며, 뉴녜 명문녀ᄌᆞ(名門女子)로 ᄇᆡ부난륜(背夫亂倫)홈도 ᄉᆞ죄어ᄂᆞᆯ, ᄯᅩ 반역을 도모ᄒ여 죽다 ᄒᆞ니, 뉴녀의 죄악은 '남산의 딕'698)를 버혀도 속(贖)지 못ᄒ리로다."

이쳐로 이르며 원슈의 슈이 도라올 바를 일커러 질겨 ᄒᆞ니, 태흥은 말을 아라 드르므로 제 시녀를 블너 왈,

"원쉬 언제 도라온다 ᄒᆞᄂᆞ뇨?"

제 시녀 짐줏 뉴시 이를 슬오고져 홈으로, 소리를 놉피여 원슈의 승쳡 반ᄉᆞᄒ여 슈이 옴과 댱ᄉᆞ왕 부부 버힌 곡졀을 드른ᄃᆡ로 고ᄒᆞ니, 태흥은 잠간 태우를 기드리는 의ᄉᆡ 잇셔 깃거 ᄒᆞ나, 뉴녀는 둣는 말마다 심간(心肝)이 터지며 흉격(胸膈)이 ᄶᅱ노라, 경각에 ᄌᄀ 몸이 읍셔져 이런 말을 둣지 말고져 ᄒᆞᄂᆞ지라. 증화(憎火)와 흉【11】독을 플 곳이 업셔 스스로 몸을 치며 이를 가라, 농집(膿汁)은 더옥 흐르니, 무셔온 거동을 ᄎᆞ마 보지 못홀지라. 제 시녀 등이 ᄆᆡ오

---

698)남산듁(南山竹) : '남산에 있는 대나무'라는 뜻으로, 본문에서의 의미는 남산에 있는 대나무를 다 베어 죽간(竹簡)을 만들어 써도 다 기록할 수 없을 만큼 죄가 많다는 의미. '경죽난서(磬竹難書; 잘못이 많아서 대나무가 다하도록 글을 써도 다쓰기 어렵다)'에서 온말.

(諸侍女) 등이 믜오믈 니긔디 못ᄒᆞ여 ᄒᆞ나, 흑시 슈히 도라올 거시므로, 뉴녀를 견곳치 블공(不恭)치 못ᄒᆞ여, 압히셔 시비의 도리를 출히는 ᄃᆞᆺᄒᆞ여 조밥과 맛 스오나온 찬션을 만【14】히 주어 그 복듕을 치오게 ᄒᆞ딕, 태흥과 뉴녜 나모라고 닉여 뽓ᄎᆞ 보닉미 업셔 슌슌이 그르슬 브시더니731), 일일은 졔 시비 환환낙낙(歡歡樂樂)ᄒᆞ여 원슈의 반샤ᄒᆞ믈 니르고, 일시의 셩닉로 드러오니, 뉴시 듯는 말마다 분ᄒᆞᄆᆞᆯ 니긔디 못ᄒᆞ더니, 날이 어두어 밤이 깁흔 후 원슈 강졍의 니르러 밧긔셔 와시믈 고ᄒᆞ고, 버거 드러와 조모와 슉모긔 빈알ᄒᆞᆯ시, 밧비 눈을 드러 조모와 슉모를 보믹 인형(人形)이 되디 아냐, 무셔온 귀신의 모양이오, 만신의 흉참흔 창딜이 ᄌᆞ옥ᄒᆞ고, 더러온 농즙이 ᄌᆞ리의 가득ᄒᆞ여, 이목구비(耳目口鼻) 다 그릇 되여 아모리 보아도 젼 얼골이 업고, 더럽고【15】츄악ᄒᆞ미 비위 됴흔 사름도 ᄎᆞ마 바로 보디 못ᄒᆞᆯ너라.

원슈 년망(連忙)이 슬젼의 빈알ᄒᆞ고 조모를 붓드러 실셩 비읍 왈,

"블초 손 등이 슬하를 써난 디 거의 삼년이라. 존당을 영모ᄒᆞᆫ 하졍(下情)이 장위(腸胃) 니울기를 면치 못ᄒᆞ오나, 그 ᄉᆞ이 왕모와 슉모의 환휘 여ᄎᆞᄒᆞ실 줄 싱각디 아녓ᄉᆞᆸ더니, 댱샤의셔 간비의 초ᄉᆞ를 듯ᄌᆞ온 후, 비로소 환휘 듕ᄒᆞ신 줄 듯ᄌᆞᆸ고 도라 오노라 ᄒᆞ온 거시, 도뢰 요원ᄒᆞ고 이졔야 환경ᄒᆞ여 어탑(御榻)의 봉빈(奉拜)ᄒᆞ고 존당의 뵈오나, 딜환이 이러ᄒᆞ시니 경황ᄒᆞᄆᆞᆯ 니긔디 못ᄒᆞ리로소이다."

태흥은 얼골을 모로고 소릭를 아라 듯는 디라, 구ᄐᆞ여 ᄆᆞ음【16】이 반가오미 아니로딕, ᄌᆞ가 일신의 악질이 뉴달나 고상(苦狀)이 무비(無比)흔 고로, 역시 붓들고 일장을 통곡ᄒᆞ고, 뉴녀는 계오 얼골은 아라볼 만ᄒᆞ나, 귀먹어 말을 못 아라 듯는디라. 촉하의 원슈의 얼골을 보건딕, 쇄락ᄒᆞ미 츄텬

<hr/>

731)브시다 : 부시다. 그릇 따위를 씻어 깨끗하게 하다.

믈 이긔지 못ᄒᆞ여 ᄒᆞ나, 《혹시∥혹시》슈이 도라올 거시므로, 뉴녀를 견곳치 블공(不恭)치 못ᄒᆞ여, 압히셔 시비의 도리를 출히는 ᄃᆞᆺᄒᆞ여, 죠밥과 맛 스오나온 찬션을 만히 쥬어 그 복즁을 치오게 ᄒᆞ되, 태흉과 뉴녜 나므리[라]고 내쫏ᄎᆞ 보닉미 업셔, 슌슌이 그릇슬 부시더니699), 일일은 모든 시비 환환낙낙(歡歡樂樂)ᄒᆞ여 원슈의 도라오믈 이르고, 일시의 셩닉로 드러오니, 뉴씨 듯는 말마다 분흠을 니긔지 못ᄒᆞ더니, 날이 어두어 밤이 깁흔 후 원슈 강졍의 이르러 밧게셔 와시믈 고ᄒᆞ고, 버거 드러와 죠모와 슉모께 빈알ᄒᆞᆯ시, 밧비 눈을 드러 죠모와 슉모를【12】보믹 인형(人形)이 되지 아냐, 무셔온 귀신의 모양이오, 만신의 흉참흔 창질이 ᄌᆞ옥ᄒᆞ고, 스오나은 농집[즙]이 ᄌᆞ리의 가득ᄒᆞ여, 이목구비(耳目口鼻) 다 그릇 되여 아모리 보아도 젼 얼골이 업고, 더럽고 츄악ᄒᆞ미 비위 죠흔 스룸도 ᄎᆞ마 바로 보지 못ᄒᆞ너라.

원슈 연망(連忙)이 슬젼의 빈알ᄒᆞ고 죠모를 붓드러 실셩 비읍 왈,

"블초 손 등이 슬하를 써난 지 거의 삼년이라. 태모 영모ᄒᆞᆫ 하졍(下情)이 장위(腸胃) 이울기를 면치 못ᄒᆞ오나, 그 ᄉᆞ이 대모와 슉모의 환휘 여ᄎᆞᄒᆞ실 줄 싱각지 아냣더니, 장슈의셔 간비의 초ᄉᆞ를 듯ᄌᆞ온 후 비로소 환휘 즁ᄒᆞ신 줄 듯ᄌᆞᆸ고, 도라 오노라 ᄒᆞ온 거시 도뢰 요원흔 고로 이졔야 환경ᄒᆞ여, 어탑(御榻)의 봉빈(奉拜)ᄒᆞ고 존당에 뵈오나, 질환이 이러ᄒᆞ【13】시니 경황흠을 이긔지 못ᄒᆞ리로소이다."

태흉은 얼골을 모로고 소릭를 아라 듯는 지라. 구ᄐᆞ여 ᄆᆞ음이 반가오미 아니로되 ᄌᆞ가 일신에 악질이 뉴달나 고상(苦狀)이 무비흔 고로, 역시 붓들고 일장을 통곡ᄒᆞ고, 뉴녀는 계오 얼골은 아라볼 만ᄒᆞ나 귀먹어 말을 못 알어 듯는지라. 촉하에 원슈의 얼골을 보건딕 쇄락ᄒᆞ미 츄텬명월(秋天明月)

<hr/>

699)브시다 : 부시다. 그릇 따위를 씻어 깨끗하게 하다.

명월(秋天明月)이 벽공(碧空)의 걸녓는 둧, 늠늠흔 거동이 언건웅당(偃蹇雄壯)ᄒ여 팔척경뉸(八尺經綸)의 가득흔 풍모와 지상(宰相)의 관면(冠冕)이 더옥 그 신상의 위의를 도왓는디라. 귀인골격(貴人骨格)이 싀로오니, 츠인은 하날이 죽일 밧 인녁으로 홀 비 아닌디라. 뉴네 밉고 분ᄒ디 창체 더옥 알혀732), 이들은 한이 가슴의 막혀 경긱의 칼노 디르고 시브믈 춤으미, 목 우히 힘줄은 벌덕이고 만신의 버【17】러디는 용약ᄒ여 혈육을 ᄲ라ᄂᆞᄂᆞᆫ 둧, 더옥 정신이 아득ᄒ여 흔 소리를 크게 디르고 것구러디니, 원쉬 조모의 통곡ᄒᆞᄆᆞᆯ 보고 심혼이 비황(悲遑)ᄒ여 조모를 븟드러 위로ᄒ고, 일변 낭듕의 약을 너여 츠의 가라 뉘시 닙의 드리오며, 비록 피육간(皮肉間)의 버러지를 다 잡아 업시치 못ᄒ나, 것츠로난 버러지를 손으로 우희여733) 업시 ᄒ고, 시녀를 명ᄒ여 다른 방샤 두어슬 쇄소ᄒ라 ᄒ고, 조모와 슉모의 창딜이 이딕도록 ᄒᆞᄆᆞᆯ 당ᄒ여 황황(惶惶) 경참(驚慘)ᄒ믈 견딕디 못ᄒ니, 속졀 업시 흐르는 눈믈이 옷술 젹셔, 견견(全全) 즈긔 등이 블효 대죄를 디음 ᄀᆞᆺ트여 슬허 ᄒᆞᆯ디언졍, 위·뉴 냥흉의 과악을 싱각ᄒ여 원한이 잇【18】디 아니니, 딘짓 대효 군지라.

이윽흔 후 뉴네 슘을 닉쉬여 정신을 두로고, 태흥이 계오 인스를 출혀 통곡을 긋치고, 다만 죽디 못ᄒᆞᄆᆞᆯ 한ᄒ며, 폐밍디인(廢盲之人)이 되여 일신 창쳐를 알코 보디 못ᄒᆞᄆᆞᆯ 통탄ᄒ는디라. 원쉬 조모와 슉모의 참혹흔 병인(病人)이 되여시믈 크게 슬허ᄒ나, 심스를 구디 잡아 조모를 위로ᄒ고, 시녀를 지촉ᄒ여 다른 방샤를 쇄소흔 후, 조모의 닙은 바 옷싀 농즙이 져져시믈 보고 다른 옷슬 닙으시게 ᄒ랴 ᄒ나, 여벌 의상이 업스니, 급히 혜튱을 블너 힝듕의 즈긔 옷슬

이 벽공(碧空)에 걸엿는 둧, 늠늠흔 거동이 언건웅쟝(偃蹇雄壯)ᄒ여, 팔쳑경뉸(八尺經綸)의 가득흔 풍모와 지상의 관면이 더욱 그 신샹에 위의를 도왓는지라. 귀인골격(貴人骨格)이 싀로오니 츠인은 하늘이 죽일 밧 인력으로 홀 비 아닌지라. 뉴네 《호∥호》《닙고∥밉고》 분ᄒ되 창체 더옥 알퍼700), 이들은 한이 가슴에 막혀 경각에 칼노 지르고 십흐【14】믈 춤으매, 목 우히 힘줄은 벌덕이고 만신의 버러지는 ○[용]략(勇躍)ᄒ여 혈육을 ᄲ라ᄂᆞᄂᆞᆫ 둧, 더옥 정신이 아득ᄒ여 흔 소리를 크게 지르고 것구러지니, 원쉬 죠모의 통곡흠을 보고 심혼이 비황(悲遑)ᄒ여 죠모를 븟드러 위로ᄒ고, 일변 낭즁의 약을 너여 손에 가라 뉴씨 입의 드리오며 비록 피육간(皮肉間)의 버러지를 다 잡아 업시치 못ᄒ나, 것츠로 난 버러지를 다 손으로 우희여701) 업시 ᄒ고, 시녀를 명ᄒ여 다른 방스 두어슬 쇄소ᄒ라 ᄒ고, 조모와 슉모의 창질이 이딕도록 흠을 당ᄒ여 황황(惶惶) 경참(驚慘)흠을 견딕지 못ᄒ니, 속졀 업시 흘으난 눈물이 《읍술∥옷술》 젹셔, 견견(全全) 즈긔 등이 블효 딕죄를 지음 《도로여∥ᄀᆞᆺ트여》 슬허 ᄒᆞᆯ지언졍, 위·뉴 냥흉의 과【15】악을 싱각ᄒ여 원한이 잇지 아니ᄒ니, 진짓 딕효 군지라.

이윽흔 후 뉴네 슘을 닉쉬여 정신을 두로고, 태흥이 계오 인스를 츠려 통곡을 긋치고 다만 죽지 못 흠믈 한ᄒ며, 폐밍지인(廢盲之人)이 되여 일신 창쳐를 《알고∥알코》 보지 못 흠으로 통탄ᄒ는지라. 원쉬 조모와 슉모의 참혹흔 병인이 되엿시믈 크게 슬허ᄒ나, 심스를 구지 잡아 죠모를 위로ᄒ고 시녀를 지촉ᄒ여 다른 방스를 쇄소흔 후, 죠모의 닙으신 옷싀 농즙이 져젓시믈 보고 다른 옷을 닙으시게 ᄒ랴 ᄒ나, 여벌 의샹이 업스니, 급히 혜튱을 블너 힝즁

---

732)알히다 : 아리다. 상처나 살갗 따위가 찌르는 듯이 아프다.

733)우희다 : 움키다. 움켜잡다. 손가락을 우그리어 물건 따위를 놓치지 않도록 힘 있게 잡다.

700)알프다 : 아프다. 몸의 어느 부분이 다치거나 병이나 괴로움을 느끼다

701)우희다 : 움키다. 움켜잡다. 손가락을 우그리어 물건 따위를 놓치지 않도록 힘 있게 잡다.

드리라 ᄒ고, 또 약궤를 드려 밧비 창쳐의
유익ᄒᆫ 약을 골희여[며], 시녀를 당부ᄒ여
믈노 삐스시게 ᄒ니, 졔 시【19】네 못 밋
출 ᄃᆞᆺ 즉시 더혀온ᄃᆡ, 원슈 조모의 면목과
슈죡을 다 벗겨 더러온 버러디를 쩌러바리
고, 또 만신의 약을 바른 후, ᄌᆞ긔 져른 옷
슬 닙혀 왈,

"명일 다른 옷슬 닙으시리니 쇼손의 져른
옷슬 금야만 닙으쇼셔."

태흥이 창쳐를 쇠원이 벗고 약을 바르며
옷슬 밧고와 닙으니, 몸이 가비야온 ᄃᆞᆺ 져
기 상쾌ᄒ나, 원슈의 이ᄭᄋ[튼] 셩효를 측
냥치 못ᄒ여 도로혀 놀나고 의심ᄒ니, 본ᄃᆡ
그 심시 영오(穎悟)ᄒ고 소통(疏通)치 못ᄒᆯ
쩐 아니라, 원슈 형뎨는 황부인 소싱이니
ᄌᆞ긔를 향ᄒ여 졍셩이 결단코 브죡ᄒᆫ 줄을
알며, ᄌᆞ긔 또 원슈 형뎨를 사롬의 ᄎᆞ마 못
견딜 악ᄉᆞ를 만히 ᄒ○○[엿스]니 원망ᄒᆯ
줄노 안 비오, ᄉᆞ오나온 사롬이 원【20】
간 어딘 사롬의 힝ᄉᆞ를 치 아디 못ᄒ여 교졍
(矯情)734)만 《녁여‖넉이ᄃᆡ》, ᄌᆞ긔 형셰
디극히 위고(危苦)ᄒ던 고로, 원슈의 오기를
만히 기다리던디라. 금야의 도라와 ᄌᆞ긔 삐
셔보디 못ᄒᆫ 창구(瘡軀)735)를 목욕 감고 악
즙(惡汁)을 삐스니, 환힝(歡幸)ᄒᆫ 가온ᄃᆡ 두
리온 의시 니러나, 혹ᄌ ᄌᆞ긔를 누이고 원
슈 엇디 히ᄒ려는가. 우미(愚迷)ᄒᆫ 소견의
싱각ᄒᆞᄃᆡ,

"내 아딕 형셰 디극 미약ᄒ여 모야간(暮
夜間)736)의 쓰리쳐 죽이랴 ᄒ여도 어렵디
아니리니, 광텬은 만시 능녀(凌厲)ᄒ여 남다
른 위인이라. 날을 이ᄭ치 벗겨 약을 바르
고 마른 옷슬 닙혀 졍셩된 쳬ᄒ고, 가만ᄒᆫ
가온ᄃᆡ 히ᄒᆞᆯ ᄆᆞ음이 이실 거시니, 출하리
견일 그릇ᄒᆞᆷ믈 슬피 일ᄏᆞ라 뉘웃는 ᄯᅳᆺ을 뵈
고, 타일 내 ᄋᆞ들【21】이 오고 뉴현뷔 혹
ᄌ 찬빅(竄配)를 플니는 날이어든, 다시 긔

734)교졍(矯情) : 진심을 속이고 거짓으로 꾸밈.
735)창구(瘡軀) : 온 몸에 부스럼이나 종기가 나고
    터져 만신창이가 된 몸.
736)모야간(暮夜間) : 어두운 밤사이.

의 ᄌᆞ긔 옷슬 드리라 ᄒ고, 또 약궤를 드려
밧비 창쳐의 유익ᄒᆫ 약을 갈회여[며], 시녀
를 당부ᄒ여 믈노 씨스시게 ᄒ니, 졔 시
【16】네 못 밋출 ᄃᆞᆺ 즉시 더여온ᄃᆡ, 원쉬
죠모의 면목과 슈죡을 다 씻겨 더러온 버러
지를 쩌러ᄇ리고, 또 만신에 약을 바른 후
ᄌᆞ긔 져른 옷슬 닙펴 왈,

"명일 다른 옷슬 닙으시리니 쇼손의 져른
옷슬 금야만 입으쇼셔."

태흥이 창쳐를 쇠원이 씻고 약을 바로며
옷슬 밧고와 닙으니, 몸이 가비야온 듯 격
이 상쾌ᄒ나, 원슈의 이ᄀᆞᆺ튼 효의를 측냥치
못ᄒ여 도로혀 놀나고 의심ᄒ니, 본ᄃᆡ 그
심시 영오ᄒ고 소통치 못ᄒᆯ 쓴 아니라, 원
슈 형뎨는 황부인 쇼싱이니 ᄌᆞ긔를 향ᄒ여
졍셩이 결단코 부죡ᄒᆫ 줄을 알며, ᄌᆞ긔 또
원슈 형뎨를 사롬의 ᄎᆞ마 못 견딜 악ᄉᆞ를
만히 ᄒ○○[엿스]니 원망ᄒᆯ 쥴노 안 비오,
ᄉᆞ오나온 사롬이 원간 어진 사롬의 힝ᄉᆞ를
치 아지【17】 못ᄒ여 교졍(矯情)702)만
《녁여‖넉이ᄃᆡ》, ᄌᆞ긔 형셰 지극히 위고
ᄒ던 고로 원슈의 오기를 만히 기드리던지
라. 금야의 도라와 ᄌᆞ긔씨셔보지 못ᄒᆫ 창구
(瘡軀)703)를 목욕 감고 악즙(惡汁)을 씨스
니, 환힝(歡幸)ᄒᆫ 가온ᄃᆡ 두리온 의시 이러
나, 혹ᄌ ᄌᆞ긔를 씻겨 누이고 원쉬 엇지
《히ᄒ려다가‖히ᄒ려는가》. 우미ᄒᆫ 소견
에 싱각ᄒᆞᄃᆡ,

"내 아직 형셰 지극 미약ᄒ여 모야간(暮
夜間)704)의 쓰리쳐 죽이랴 ᄒ여도 어렵지
아니리니, 광텬은 만시 능여(凌厲)ᄒ여 남
다른 위인이라. 나를 이갓치 씨셔 약을 바
르고 마른 옷슬 입혀 졍셩된 쳬ᄒ고, 가만
ᄒᆫ 가온ᄃᆡ 히ᄒᆞᆯ ᄆᆞ음이 잇실 거시니, 출하
리 견일 그릇ᄒᆞᆷ을 슬피 일ᄏᆞ라 뉘웃는 ᄯᅳᆺ을
뵈고, 타일 내 ᄋᆞ들이 오고 뉴현뷔 혹ᄌ 찬
빅(竄配)를 《틀니는‖플니는》 날이어든,

702)교졍(矯情) : 진심을 속이고 거짓으로 꾸밈.
703)창구(瘡軀) : 온 몸에 부스럼이나 종기가 나고
    터져 만신창이가 된 몸.
704)모야간(暮夜間) : 어두운 밤사이.

모비계(奇謀秘計)로 이놈들을 히흐는 거시 올흐니, 이 쩌의 광텬을 듸흐여 잠간 빌미 므어시 어려오리오. 광오의 셩품이 소활흔 디라. 그런가 넉일 거시니, 졔 힘힘이 내 계 교의 속으미 되리라.”

흐고, 원슈의게 빌기를 뎡흐미, 주긔 가디 는737) 뉵츌긔계(六出奇計)738)흐던 딘유자 (陳孺子)739)의 긔모비계(奇謀秘計)나 싱각 흔 드시 깃거, 이에 원슈를 붓들고 빅두를 흔들며 눈믈이 쥬쥴흐여 왈,

“노망흔 한미 젼일 블의패덕(不義悖德)을 니르려 흐미 혜 달흘 거시므로, 아이의 일 긋디 아니흐나, 현효흔 내 손오는 한믜 힝 스를 족가(足枷)740)치 말고, 츠후나 조손(祖 孫)과 슉딜(叔姪)이 졍의상합(情誼相合)흐믈 바라느니, 손오는 남다른 셩회라. 나의 셕일 허【22】믈을 시로이 개과(改過)흐믈 거의 아 라, 맛츰니 한미로 듸졉고져 뜻이 이셔 더러온 창쳐를 친히 씨스니, 감격고 귀듕치 치 아니리오. 이 쩌를 당흐여 바야흐로 뉘 웃츠며 빅즈쳔손(百子千孫)이 이셔도 귀듕 《흔∥홈이》 손오의 더으디 아니리니, 손 이 흔갈곳치 조손디의(祖孫之義) 완젼흘딘 디, 스라셔 당당이 은혜를 갑고 죽어 결초 보은(結草報恩) 흐리라.”

원쉬 조모의 말슴을 드르미, ‘스광(師曠) 의 총명(聰明)’741)으로 엇디 그 심졍을 모 로리오. 주긔를 밋디 아니흐고 흉악흔 의심 을 닉여, 계교로 일쿠르믈 츠악상심(嗟愕傷 心)흐여 히연망극(駭然罔極)흐미 젼일 악악

다시 긔모비계(奇謀秘計)로 이놈들을 히 【18】흐는 거시 올흐니, 이 쩌의 광텬을 듸흐여 잠간 빌미 므어시 어려오리오. 광오 의 셩품이 소활흔지라. 그런가 넉일 것이니 져의 힘힘이 내 계교의 속으미 되리라.”

흐고, 원슈에게 빌기를 졍흐미 주긔 가지 는705) 뉵츌긔계(六出奇計)706)흐던 진유주 (陳孺子)707)의 긔모비계(奇謀秘計)나 싱각 흔 드시 깃거, 이에 원슈를 붓들고 흰 머리 를 흔들며 눈믈이 쥬쥴흐여 왈,

“노망흔 한미 젼일 불의패덕(不義悖德)을 니르랴 흐미 혜 달흘 것이므로, 아이에 일 컷지 아니흐나, 현효흔 내 손오는 한미 힝 스를 족가(足枷)708)치 말고 《존후∥츠후》 나 《존손∥조손》과 슉딜이 졍의상합(情誼 相合)흐믈 브라느니, 손오는 남다른 셩회라. 나의 셕일 허믈을 시로이 개과흠을 거의 아 라, 맛츰니 한미로 듸졉고져 뜻이 잇셔【1 9】더러온 창쳐를 친히 씨스니, 감격코 귀 쥬치 아니리오. 이 쩌를 당흐여 바야흐로 뉘웃츠며 빅즈쳔손(百子千孫)이 잇셔도 귀 쥼 《흔∥홈이》 손오의 더으지 아니리니, 손이 흔갈곳치 죠손지의(祖孫之義) 완젼홀 진딕, 스라셔 당당이 은혜를 갑고 죽어 결 초보은(結草報恩) 흐리라”

원쉬 죠모의 말슴을 드르미 ‘스광(師曠)의 총명(聰明)’709)으로 엇지 그 심졍을 모로리 오. 주긔를 밋지 아니흐고 흉악흔 의심을 닉여, 계교로 일쿠르믈 츠악상심(嗟愕傷心) 흐여 히연망극(駭然罔極)흠이 젼일 악악흐

---

737)가디 : 깐. 일의 형편 따위를 속으로 헤아려 보 는 생각이나 가늠.

738)뉵츌긔계(六出奇計) : 신기한 꾀를 여섯 번이나 냄. 진유자의 기계(奇計)에서 유래한 말.

739)진유자(陳孺子) : 진평(陳平). ? - BC178. 중국 한(漢)나라 때 정치가. 한 고조 유방(劉邦)를 도와 여섯 번이나 기발한 꾀를 내, 천하를 평정케 함.

740)족가(足枷)흐다 : 족가(足枷)하다. 도망치지 못하 도록 발에 족가(足枷; 차꼬)나 족쇄(足鎖; 쇠사슬) 따위를 채우다. 아랑곳하다. 참견하다. 다그치다. 탓하다. 따지다.

741)샤광(師曠)의 총명(聰明) : 사광(師曠)의 총명함. 중국 춘추(春秋) 때 사광이란 사람이 소리를 잘 분변하여 길흉을 점쳤다는 고사에서 유래한 말.

705)가지 : 깐. 일의 형편 따위를 속으로 헤아려 보 는 생각이나 가늠.

706)뉵츌긔계(六出奇計) : 신기한 꾀를 여섯 번이나 냄. 진유자의 기계(奇計)에서 유래한 말.

707)진유자(陳孺子) : 진평(陳平). ? - BC178. 중국 한(漢)나라 때 정치가. 한 고조 유방(劉邦)를 도와 여섯 번이나 기발한 꾀를 내, 천하를 평정케 함.

708)족가(足枷)흐다 : 족가(足枷)하다. 도망치지 못하 도록 발에 족가(足枷; 차꼬)나 족쇄(足鎖; 쇠사슬) 따위를 채우다. 아랑곳하다. 참견하다. 다그치다. 탓하다. 따지다.

709)샤광(師曠)의 총명(聰明) : 사광(師曠)의 총명함. 중국 춘추(春秋) 때 사광이란 사람이 소리를 잘 분변하여 길흉을 점쳤다는 고사에서 유래한 말.

(謔謔)호던 슈죄지언(數罪之言)과 장칙을 나오던 바의 빅비 더호니, 년망(連忙)이 조모의 손을 밧들고, 관영(冠纓)을 히【23】탈(解脫)호여 머리를 상하의 두다려, 혈읍뉴톄(血泣流涕) 왈,

"블초 손이 비록 만고무비(萬古無比)흔 흉패(凶悖)호미나, 대모긔 다두라는 딘실노 원을 품고 조손지졍(祖孫之情)을 상히와 여른 므음이 쑴결의도 업숩느니, 야텬(夜天)이 됴림(照臨)하고 신명이 지방(在傍)호온디라. 블초 손이 일분이나 대모긔 블슌흔 므음을 두오면 당당이 텬벌을 바들디라. 바라건디 왕모는 조곰도 이런 므음을 두디 마르쇼셔."

태흉이 므음의 블열호나, 거줏 젼일을 일쿠라 즈가의 므음이 회과쳔션(悔過遷善)호고 어디러시믈 니르니, 원쉬 더옥 한심호나 즈긔 말숨을 아덕 고디드를니 업슬 줄 아라, 다만 셩효를 극진히 호여 조모의 감화호시기만 바라고, 즉시 조모를 붓드러 다【24】른 방샤로 올므며, 뉴시의 창쳐 씨스믈 또 쳥호고, 즈긔 닙은 옷슬 버셔 금야만 잠간 닙으쇼셔 호니, 뉴녀는 태흉의 블통(不通)홈과 다른 고로, 원슈의 이 굿투믈 조곰도 의심치 아니호디, 본디 투현딜능(妬賢嫉能)이 남달나, 사룸의 잘 되여가믈 믜워호는디라. 즈긔는 흔낫 우들을 두디 못히고 젼후의 허다 심녁을 허비호여 온갓 계교를 힝흔 비, 쳔고의 업슨 미명(罵名)을 취호고 원슈 형뎨는 일시 익경을 디니나, 이제 영화부귀 셰디의 희한호니, 흔 일도 즈긔 계교와 굿디 못호믈 돌돌742) 분완호여 쓰더 먹고져 호나, 쳔만 강인호여 다만 원슈의 구호호는 디로 창쳐를 벳고 옷슬 구라닙으미, 원쉬 또 붓드러 졍결【25】흔 방으로 옴게 호고, 시녀 열식 압히셔 슈후케 훌식 계튱이 유미(有味)흔 딘미(珍味)와 향긔로온 과픔(菓品)을 힝듕(行中)의 바다 왓는 고로, 원쉬 셕반(夕飯)을 밧디 아니믈 알고 다 드리미, 원쉬 혹즈 조모와 슉뫼 딘(進)호실가

---
742)돌돌호다 : 애달아하다. 안타까워하다.

던 슈죄지언(數罪之言)과 장칙을 나오던 바의 빅비 더호니, 연망(連忙)이 죠모의 손을 밧들고 관영(冠纓)을 히탈호여 머리를 상하에 두드려 혈읍 뉴체(血泣流涕) 왈,

"불초 손이 비록 만고무비(萬古無比)흔 흉패홈이나, 대모쎄 다두라는 진실노 원을 품고 죠【20】손지졍(祖孫之情)을 상히와 여른 므음이 쑴결에도 업숩느니, 야텬(夜天)이 됴림(照臨)호고 신명이 지방(在傍)호온지라. 불초 손이 일분이나 대모쎄 불슌흔 므음을 두오면 당당이 텬벌을 밧을지라. 브라건디 대모는 조곰○[도] 이런 므음을 두지 마르쇼셔"

태흉이 므음의 불열호나, 거줏 젼일을 일쿠라 즈가의 므음이 회과쳔션(悔過遷善)호고 어지럿심을 이르니, 원쉬 더옥 한심호나 즈긔 말숨을 아직 고지드르실니 업슬 쥴 아라, 다만 셩효를 극진히 호여 조모의 감화호시기만 바라고, 즉시 조모를 붓드러 다른 방스로 올므며, 뉴녀의 창쳐 씨스믈 또 쳥호고, 즈긔 닙은 옷슬 버셔 금야만 잠간 닙으쇼셔 호니, 뉴녀는 태흉의 불통홈과 다른 고로, 원슈의 이 굿틈을 조곰도 의심치【21】아니호되, 본디 투현질능(妬賢嫉能)이 남달나, 스룸의 잘 되여감을 믜워 호는지라. 즈긔는 흔낫 우들을 두지 못호고, 젼후에 허다 심녁을 허비호여 온갓 계교를 힝흔 비, 쳔고에 업슨 미명(罵名)을 취호고, 원슈 형뎨는 일시 익경을 지니나 이제 영화 부귀 셰디의 희한호니, 흔 일도 즈긔 계교와 굿지 못 흠을 돌돌710) 분완호여 쓰더 먹고져 호나, 쳔만 강인호여 다만 원슈의 구호호는 디로 창쳐를 씻고 옷슬 가라 닙으며, 원쉬 또 붓드러 졍결흔 방으로 옴쎄 호고, 시녀 열식 압히셔 슈후케 훌식, 계튱이 유미(有味)흔 《지미∥진미》와 향긔로온 과픔(菓品)을 힝즁(行中)의 바다 왓는 고로, 원쉬 셕반(夕飯)을 밧지 아님을 알고 다 드리미, 원쉬 혹즈 죠모와 슉뫼 진호실가 호여 반은

---
710)돌돌호다 : 애달아하다. 안타까워하다.

ᄒ여 반은 슉모긔 보ᄂᆡ고, 반은 태모 압ᄒᆡ
노화, 아득히 몰나보므로 여러 가디 고량딘
미(膏粱珍味)를 다 즛긔 손으로 쓰더 태모
의 닙의 너흘ᄉᆡ, 태흥이 그 맛시 긔특ᄒᆞᄆᆞᆯ
황홀ᄒᆞ여 밋쳐 너흘 ᄉᆞ이 업시 삼키며, 눈
을 감고 눈셥을 모화 온 가디로 ᄒᆞᄂᆞᆫ 거동
이 흉괴ᄒᆞ고, 어득ᄒᆞᆫ 심졍을 줍디 못ᄒᆞᄂᆞᆫ
거동이라. 원쉬 그 조모의 냥목이 어두오믈
더옥 초조ᄒᆞ여 ᄆᆡᆨ후를 슬피며, 눈가죡을 들
고 안졍(眼睛)을 보니, 풍샤(風邪)743)의 샹
ᄒᆞ여 요얼(妖孼)의 히를【26】바든 연고
로, 목지(目子) 아득ᄒᆞ여 사ᄅᆞᆷ을 보디 못ᄒᆞ
나, 아조 먼 눈이 아니라. 각별이 티료를 잘
ᄒᆞᆫ즉 혹ᄌᆞ 사ᄅᆞᆷ을 아라볼가 영힝ᄒᆞ여, 즉시
쥬필부작(朱筆符籍)을 팀당(寢堂) 좌우의 붓
치고 뭇ᄌᆞ오ᄃᆡ,

"태복과 군셕 냥 흉뇌(凶奴) 무고ᄉᆞ(巫蠱
事)를 힝ᄒᆞ여 대모와 슉뫼 이 ᄀᆞᆺᄌᆞ오시나,
요졍(妖精)의 긔운을 졔어키 어렵디 아니ᄒᆞ
오니, ᄌᆞ연 딜환이 별증은 업ᄉᆞ려니와, 냥노
의 흉ᄉᆞ를 혜아린죽 만ᄉᆡ(萬死)라도 그 죄
를 쇽기 어려온디라. 태복은 임의 쳐참ᄒᆞᆫ
줄 아랏거니와, 군셕은 어ᄃᆡ 가니잇고? 쇼
손이 져를 ᄎᆞᄌᆞ 만 조각의 ᄲᅧ흐러 그 죄를
쇽(贖)ᄒᆞ랴 ᄒᆞᄂᆞ이다."

태부인이 니를 응숭그려744) 믈고 왈,

"냥 흉노의 죄를 엇○[디] 다 니르리오.
옥누항 집을【27】다 허러 업시 ᄒᆞ니, 그를
민망ᄒᆞ여 두어 번 닐너 ᄇᆡᆨ화헌이나 남기라
ᄒᆞ믹, 날을 믜워 져쥬를 힝ᄒᆞᄆᆡ라. 노모와
뉴시 냥노(兩奴)의 히를 만나 이 병을 어드
믹, 오히려 모로더니, 졔 시녜 니르거늘 비
로소 아랏노라."

원쉬 됴흔 말숨으로 조모를 위로ᄒᆞ고, 모
든 악ᄉᆞ를 셰월・비영 냥비의게 밀위고, 또
셩상이 의심치 아니샤 조모긔는 ᄒᆞᆫ 조각 죄
벌이 업ᄉᆞ믈 고ᄒᆞ니, 태흥이 대희 왈,

슉모ᄊᆈ 보닉고, 반【22】은 태모 압ᄒᆡ 노
화, 아득히 몰나보므로 여러 가지 고량진미
(膏粱珍味)를 다 즛긔 손으로 쓰더 태흥의
닙에 너흘ᄉᆡ, 태흥이 그 맛이 긔특홈을 황
홀ᄒᆞ여 밋쳐 너흘 ᄉᆞ이 업시 삼키며, 눈을
감고 눈셥을 모화 온 가지로 ᄒᆞᄂᆞᆫ 거동이
흉괴ᄒᆞ고, 어득ᄒᆞᆫ 심졍을 잡지 못ᄒᆞᄂᆞᆫ 거동
이라. 원쉬 그 조모의 냥목이 어두오믈 더
옥 초조ᄒᆞ여, ᄆᆡᆨ후를 슬피며 눈가쥭을 들고
안쳥711)을 보니, 풍샹[샤](風邪)712)의 샹ᄒᆞ
여 요얼의 히를 바든 연고로, 목지(目子) 아
득ᄒᆞ여 ᄉᆞ룸을 보지 못ᄒᆞ나, 아조 먼 눈이
아니라. 각별이 치료를 잘 ᄒᆞ면 혹ᄌᆞ ᄉᆞ룸
을 아라볼가 영힝ᄒᆞ여, 쥬필부작(朱筆符籍)
을 침당 좌우의 붓치고 뭇ᄌᆞ오ᄃᆡ,

"태복과 군셕 냥 흉뇌(凶奴) 무고ᄉᆞ(巫蠱
事)를 힝ᄒᆞ여 대모와 슉모 이 ᄀᆞᆺ트시나, 요
졍(妖精)의 긔운을【23】졔어키 어렵지 아
니ᄒᆞ오니, ᄌᆞ연 질환이 별증은 업ᄉᆞ려니와,
냥노의 흉ᄉᆞ를 혜아린죽 만ᄉᆡ라도 그 죄를
쇽키 어려온지라. 태복은 임의 쳐참ᄒᆞᆫ 쥴
아랏거니와, 군셕은 어ᄃᆡ 가니잇고? 쇼손이
져를 ᄎᆞᄌᆞ 만 조각의 ᄲᅥ트러 그 죄를 쇽
(贖)ᄒᆞ랴 ᄒᆞᄂᆞ이다."

부인이 니를 응숭그려713) 물고 왈,

"냥 흉노의 죄를 엇지 다 니르리오. 옥누
항 집을 다 허러 업시 ᄒᆞ니, 그를 민망ᄒᆞ여
두어 번 닐너 ᄇᆡᆨ화헌이나 남기라 ᄒᆞᄆᆡ, 날
을 믜워 져쥬를 힝ᄒᆞᄆᆡ라. 노모와 뉴씨 냥
노(兩奴)의 히를 만나 이 병을 어드믹, 오히
려 모로더니 졔 시녀 니르거늘 비로소 아랏
노라"

원쉬 죠흔 말노 죠모를 위로ᄒᆞ고 모든 악
ᄉᆞ를 셰월・비영 냥비에게 밀위고, 또 셩상
이 의심치 아니샤 조모ᄊᆔ는【24】ᄒᆞᆫ 조각
죄벌이 업ᄉᆞ믈 고ᄒᆞ니, 태흥이 딕희 왈,

<hr>

743)풍샤(風邪) : 바람이 병의 원인으로 작용한 것을
　　이르는 말.
744)응숭그리다 : 웅숭그리다. 춥거나 두려워 몸을
　　궁상맞게 몹시 웅그리다.

711)안쳥 : 안정(眼睛). 눈동자.
712)풍샤(風邪) : 바람이 병의 원인으로 작용한 것을
　　이르는 말.
713)응숭그리다 : 웅숭그리다. 춥거나 두려워 몸을
　　궁상맞게 몹시 웅그리다.

"이럴딘틱 만힝(萬幸)이어니와, 쉬 일즉 뉴시의 힝스를 항복ᄒᆞᄂᆞᆫ 일이 격더니, 혹ᄌᆞ 도라와 블평흔 스단(事端)이 이실가 넘녀ᄒᆞ 노라."

원쉬 딕왈,

"이ᄂᆞᆫ 조모의 임의로 ᄒᆞ실디니, 계뷔 블 평ᄒᆞ실디라도 대뫼 비ᄌᆞ 등의 스오나오믈 일ᄏᆞ【28】시고, 빅스의 슉모의 힝ᄒᆞ신 비 대모의 디휘를 니르시면, 계뷔 요란이 구디 아니시리이다."

태흥이 쳥파의 환열ᄒᆞ여 츄밀이 도라오거 든 원슈의 가ᄅᆞ친딕로 ᄒᆞ랴 ᄒᆞ더라. 믄득 계명의 모든 시비 즐겨 왈,

"우리 슉녈부인이 도라오신다."

ᄒᆞ거ᄂᆞᆯ, 원쉬 작일의 뎡슉녈이 강졍으로 도라오디 아니믈 보고, 반ᄃᆞ시 뎡병부 등이 다리고 취운산으로 가믈 아라 심니의 미온 (未穩)ᄒᆞ더니, 힝게 문의 다ᄃᆞ라시믈 듯고 비로소 날이 어두어 밋쳐 오디 못흔 줄 씨 듯고, 황셩을 뇩칠십니ᄂᆞᆫ 스이 두어 ᄌᆞ하산 이란 곳의 윤시 죵죡 십여 인이 머므르ᄂᆞᆫ 고로, 샹【29】경ᄂᆞᆫ 길히 ᄒᆞ로 밤을 머믈 고 부친 화상을 지죵데 태흑ᄉᆞ 윤긔텬과 병 부시랑 윤계텬으로 뫼셔 오라 ᄒᆞ고, 윤태ᄉᆞ 집 산슈졍의 봉안ᄒᆞ고 오니, 이ᄂᆞᆫ ᄆᆞ음이 스스로 녕신(靈神)ᄒᆞ여 집이 아모리 되여시 믈 모르므로 츄후 뫼셔 오려 ᄒᆞ미러니, 옥 누항이 빅화헌 밧근 남디 아냐시니 아모리 ᄒᆞᆯ 줄 몰나 민울ᄒᆞ더라.

뎡슉녈이 처음 당샤의셔 써날 씩 원슈와 션후를 달니ᄒᆞ여, 날마○[다] 스이 쓰게 힝 ᄒᆞ딕, 미양 님셩각과 우싱이 압흘 당ᄒᆞ여 몬져 힝흘 적이 만터니, 황능묘(黃陵廟)745) 의 다ᄃᆞ라 슉녈이 제젼을 ᄀᆞᆺ초와 이비(二 妃) 묘젼의 분향 비례【30】ᄒᆞ여, 젼일 몽 듕의 현셩ᄒᆞ시던 바를 닛디 아니ᄒᆞ고, 우쇼 제 역시 황능묘의 비알ᄒᆞ여 고덕(古跡)을 구경ᄒᆞ며 ᄌᆞ연이 원슈의 힝거를 밋디 못ᄒᆞ

"이럴진딕 만힝(萬幸)이어니와, 쉬 일즉 뉴씨의 힝스를 항복ᄒᆞᄂᆞᆫ 일이 격더니, 혹ᄌᆞ 도라와 불힝흔 스단(事端)이 잇실가 넘녀ᄒᆞ 노라."

원쉬 딕왈,

"이ᄂᆞᆫ 죠모의 임의로 ᄒᆞ실지니, 계뷔 불 평ᄒᆞ실지라도 대뫼 비ᄌᆞ 등의 스오나옴을 일ᄏᆞᄅᆞ시고, 빅스의 슉모의 힝ᄒᆞ실[신] 비 대모의 지휘를[믈] 니르시면 계뷔 요란이 구지 아니시리이다."

태흥이 쳥파에 환열ᄒᆞ여 츄밀이 도라오거 든 원슈의 ᄀᆞᄅᆞ친딕로 ᄒᆞ랴 ᄒᆞ더라. 믄득 계명의 모든 시비 즐겨 왈,

"우리 슉녈부인이 도라오신다."

ᄒᆞ거ᄂᆞᆯ, 원쉬 작일의 뎡슉녈이 강졍으로 도라오지 아니믈 보고, 반ᄃᆞ시 뎡병부 등이 다리고 취운산으【25】로 감을 아라 심니 에 미안ᄒᆞ더니, 힝게 문의 다라랏시믈 듯고 비로소 날이 어두어 밋쳐 오지 못흔 줄 씨 닷고, 황셩을 뇩칠십 니ᄂᆞᆫ 스이 두어 ᄌᆞ하 산이란 곳에 윤씨 죵죡 십여 인이 머물르ᄂᆞᆫ 고로, 상경흘 길히셔 ᄒᆞ로 밤을 머믈고 부 친 화상을 지죵데 태학ᄉᆞ 윤긔텬과 병부시 랑 윤계현으로 {일즉후} 뫼셔 오라 ᄒᆞ고, 윤태ᄉᆞ《를∥집》 산슈졍의 봉안ᄒᆞ고 오니, 이ᄂᆞᆫ ᄆᆞ음이 스스로 영신(靈神)ᄒᆞ여 집이 아모리 되여시믈 모르므로, 츄후 뫼셔 오라 ᄒᆞᆷ이러니, 옥누합[항]이 빅화헌 밧근 남지 아냐시니 아모리 ᄒᆞᆯ 줄 몰나 민울ᄒᆞ더라.

뎡슉녈이 처음 쟝ᄉᆞ에셔 써날 제 원슈와 견후를《달녀∥달니ᄒᆞ여》 날마다 스이 두 어 동쎠러지게 힝ᄒᆞ되, 미양 님【26】셩각 과 우싱이《압도로∥압흘》 당ᄒᆞ여 먼저 힝흘 적이 만터니, 황능묘(黃陵廟)714)의 다 다라 뎡슉렬이《제졍∥제젼》을 ᄀᆞᆺ초와 이 비(二妃) 묘젼의 분향 비례ᄒᆞ여, 젼일 몽즁 에 현셩ᄒᆞ시던 바를 잇지 아니ᄒᆞ고, 도라올 제 황능묘의 비알ᄒᆞ여 여적(餘跡)을 구경ᄒᆞ

---

745)황능묘(黃陵廟) : 중국 순(舜)임금의 두 왕비 아 황(娥皇)과 여영(女英)을 제사하는 사당(祠堂). 호 남성(湖南省) 소상강(瀟湘江) 가에 있다.

714)황능묘(黃陵廟) : 중국 순(舜)임금의 두 왕비 아 황(娥皇)과 여영(女英)을 제사하는 사당(祠堂). 호 남성(湖南省) 소상강(瀟湘江) 가에 있다.

여, 여러 십니를 스이 쎅여 오미 되엿는 고
로, 날이 어두온 후 남교(南郊)의 다드르니,
뎡병부 삼곤계 바야흐로 의막을 잡아 머므
르며 쇼미의 힝거를 기다리더니, 홰블이 됴
요ᄒᆞᆨ 허다 하리 츄죵이 옹위ᄒᆞ여 댱ᄒᆞᆫ 위
의 남교를 덥허 오믈 보고, 반기고 깃브믈
니긔디 못ᄒᆞ여 븍공과 녜뷔 하리를 분부ᄒᆞ
여 쥬인의 닉당을 셔르즈라 ᄒᆞ고, 슉녈을
븟드러 드르니, 뎡부인이 뎨형의 셩음을 듯
고 반기【31】딕, 위태부인 환휘 듕ᄒᆞ믈 드
럿는 고로, 일시를 머므디 못ᄒᆞ여 홍션으로
젼어 왈,

"쇼미 거거를 반기고져 ᄆᆞ음이 급ᄒᆞ나,
날이 어두오니 급히 입셩ᄒᆞ려 ᄒᆞ는 고로 거
거의 의막(依幕)의 드디 못ᄒᆞᄂᆞ이다."

븍공이 그 말이 올흐믈 아나, 미뎨를 반
길 ᄆᆞ음이 급ᄒᆞ여, 모든 하리로 쇼뎌의 덩
을 위력으로 븟드러○○[드려] 의막의 드
딕, ○○○[북공이]
"날이 발셔 밤 드러시니 날개 이셔도 옥
누항을 가디 못ᄒᆞ리라"
ᄒᆞ니, 뎡부인이 홀 일 업셔 덩의 나려 홍
션을 명ᄒᆞ여 우쇼뎌를 뫼시라 ᄒᆞ니, 홍션이
슈명ᄒᆞ여 우쇼뎌 화교를 븟드러 바로 당의
니르니, 뎡태우 형뎨 원쉬 신취ᄒᆞ미 잇는가
ᄒᆞ딕, 므르미 급【32】ᄒᆞ여, 다만 남미 반
기는 졍을 펼식 ,반가오미 황홀ᄒᆞ여 남미
ᄉᆞ인이 셔로 바라보고 아모 말을 홀 줄 모
로더니, 븍공이 몬져 미뎨의 싱존ᄒᆞ여 도라
오믈 칭하고, 존당 부모의 안강ᄒᆞ시믈 닐
너 환열ᄒᆞ미 결을치 못ᄒᆞ나, 위태부인 환후
를 우황(憂惶)ᄒᆞ여 시방 가디 못ᄒᆞ믈 한ᄒᆞ
니, 븍공이 탄왈,

"하날이 그윽ᄒᆞᆫ 가온딕 벌을 나리오샤 만
신의 창딜을 어드딕, 이상ᄒᆞᆫ 악딜이라, 무슈
ᄒᆞ 버러디 일신을 ᄲᅮ시니, 목슘이 비록 ᄉᆞ
라시나 완연이 ᄒᆞᆫ 귀신 ᄀᆞᆺᄐᆞ여 보기 어렵다

며 ᄌᆞ연이 힝계 원슈의 힝도에 밋지 못ᄒᆞ
여, 여러 십니를 스이 쎅여 오미 잇는 고로,
날이 어두온 후 남교(南郊)에 다다르니 뎡
병부 삼형뎨 바야흐로 의막을 잡아 머무르
며 뎡쇼뎌의 힝거를 기다리더니, 홰블이 죠
요ᄒᆞᆨ 허다 하리 츄죵이 구슬 등을 옹위ᄒᆞ
여 쟝ᄒᆞᆫ 위의 남교를 덥혀 오믈 보고, 반기
고 깃브믈 이긔지 못ᄒᆞ여, 《부공∥북공》
과 례부(禮部) ᄒᆞ리(下吏)를 분부ᄒᆞ여 이의
덩을 븟드러 드리니, 뎡【27】부인이 삼거
거의 셩음을 듯고 반겨ᄒᆞ되, 위 티부인의
《환희∥환휘》급ᄒᆞ믈○…결락44자…○[드
럿는 고로, 일시를 머므디 못ᄒᆞ여 홍션으로
젼어 왈,

"쇼미 거거를 반기고져 ᄆᆞ음이 급ᄒᆞ나,
날이 어두오니 급히] 셩늬 드러가려 ᄒᆞ는
고로 거거의 의막(依幕)예 드지 못ᄒᆞᄂᆞ이
다."
북공이 그 말이 올흐믈 아나, 미뎨를 반
길 ᄆᆞ음이 급ᄒᆞ여, 모든 하리로 쇼뎌의 덩
을 위력으로 븟드러○○[드려] 의막에 든
딕, ○○○[북공이]
"날이 발셔 밤 드러시니 날개 잇셔도 옥
누항을 가지 못ᄒᆞ리라"
ᄒᆞ니, 뎡 부인이 홀일업셔 덩의 나 홍션
을 명ᄒᆞ여 우쇼뎌를 뫼시라 ᄒᆞ니, 홍션이
슈명ᄒᆞ여 우쇼뎌 화교를 븟드러 바로 당의
니르니, 뎡태우 형뎨 원쉬 신취ᄒᆞ미 잇는가
ᄒᆞ딕, 므르미 급ᄒᆞ여 다만 남미 반기는 졍
을 펼식, 반가오미 황홀ᄒᆞ여 ᄉᆞ남미 셔로
바라보고 아모 말을 홀 쥴 모로더니, 북공
이 몬져【28】미뎨의 싱존ᄒᆞ여 도라오믈
칭하고, 존당 부모의 안강ᄒᆞ심을 젼ᄒᆞ니,
쇼졔 조모와 부모의 안녕ᄒᆞ심을 듯고 환열
ᄒᆞ미 결을치 못ᄒᆞ나, 위태 환후를 우황(憂
惶)ᄒᆞ여 시방 가지 못ᄒᆞ믈 한ᄒᆞ니, 북공이
탄왈,
"하늘이 그윽ᄒᆞᆫ 가온딕 벌을 나리오샤 만
신의 창질을 어드되, 이상ᄒᆞᆫ 악질이라, 무슈
ᄒᆞ 버러지 일신을 ᄲᅮ시니 목슘이 비록 ᄉᆞ라
시나 완연ᄒᆞᆫ 귀신 ᄀᆞᆺᄒᆞ여 보기 어렵다 ᄒᆞ

ᄒᆞ니, 그런 아니쏘은 일이 어딕 이시리오.”

슉녈이 ᄎᆞ악경심ᄒᆞ여 ᄌᆞ연 셩안(星眼)의 쥬뤼(珠淚) 흐르믈【33】면치 못ᄒᆞ니, 뎡태우 분연이 위·뉴 냥녀의 견젼 과악을 일ᄏᆞ며, 하쇼졔 구병ᄒᆞ라 갓다가 그 칼히 질니여 ᄒᆞ마 죽을 번 ᄒᆞ믈 니르고, 머리를 흔드러 왈,

“위시의 흉악ᄒᆞ기는 니르도 말고, 뉴녀의 간독(奸毒)은 만고의 무빵ᄒᆞᆫ 포악이라. 져졔 만일 져 곳의 발을 드듸시다가는 참화를 바다 위틱ᄒᆞ시리이다.”

븍공 왈,

“대인이 우리 형뎨를 당부ᄒᆞ여 현민를 취운산으로 다려 오라 ᄒᆞ여 계시니, 엇디 흉인의 곳의 나아가리오.”

부인이 탄식 왈,

“쇼민 블초ᄒᆞ나 오히려 인심이라. 엇디 친젼(親前)의 봉비(奉拜)ᄒᆞᆯ ᄆᆞ음이 급디 아니리잇가마는, 블힝ᄒᆞ여 몸이 녀【34】지 되미 ᄒᆞᆫ 일 쾌활ᄒᆞᆫ 거시 업셔, 거취를 다 남의 손의 미인 《민∥빅》 되어, 범ᄉᆞ를 임의로 못ᄒᆞᆷ 니르도 말고, 구가 존당과 슉당이 실톄(失體)ᄒᆞ실ᄉᆞ록 쇼민 도리의 구호치 아니코 친뎡으로 도라가미 크게 올치 아니니, 비록 대인 명녕이 계셔도 ᄎᆞᄉᆞ의 다ᄃᆞ라는 쇼민 능히 봉힝치 못ᄒᆞ리로소이다.”

이리 니르며 태우를 도라보아 왈,

“옥당 한원의 쳥현을 ᄌᆞ임ᄒᆞ미, 반ᄃᆞ시 경악의 츌입ᄒᆞ여 면졀졍징(面折廷爭)746) ᄒᆞᄂᆞᆫ 명신(明臣)이 되여 힝실을 삼가고 언ᄉᆞ를 가다ᄃᆞᆷ아, 젼일ᄀᆞᆺ치 무식 과격디 아념즉ᄒᆞ거늘, 엇지 이졔조ᄎᆞ 말ᄉᆞᆷ이 나ᄂᆞᆫ 딕로 ᄒᆞ여 남의 집 부녀【35】욕ᄒᆞ기를 능ᄉᆞ로 ᄒᆞᄂᆞᆨ뇨?”

태위 웃고 샤례 왈,

“쇼뎨 텬셩이 그른 거슬 ᄭᅮ미디 못ᄒᆞ여, 말을 시작ᄒᆞ면, 사름을 믜일 증뢰 만토소이다 ᄏᆞ거니와, 거셰(擧世) 남녀노쇼 위·뉴

니, 그런 아니쏘은 일이 어딕 잇시리오”

쇼졔 ᄎᆞ악경심ᄒᆞ여 ᄌᆞ연 셩안(星眼)의 눈물이 흐르믈 면치 못ᄒᆞ니, 뎡태우 분연이 위·뉴 냥녀의 견젼 과악을 일ᄏᆞ르며, 하쇼졔 구병ᄒᆞ라 갓다가 그 칼히 질니여 ᄒᆞ마 죽을 번 흠을 니르고, 머【29】리를 흔드러 왈,

“위씨 그 흉악고 극악ᄒᆞ기는 니르도 말고, 뉴녀의 간독(奸毒)은 만고에 무빵ᄒᆞᆫ 포악이라. 져졔 만일 져 곳에 발을 드듸시다가는 참화를 바다 위틱ᄒᆞ시리이다.”

븍공 왈,

“대인이 우리 형뎨를 당부ᄒᆞ여 현민를 취운산으로 다려 오라 ᄒᆞ여 겨시니 엇지 흉인의 곳에 나아가리오”

쇼졔이 탄식 왈,

“쇼민 블초ᄒᆞ나 오히려 《심인∥인심(人心)》이라. 엇지 친젼(親前)의 봉비(奉拜)ᄒᆞᆯ ᄆᆞ음이 급지 아니리잇가마는, 불힝ᄒᆞ여 몸이 녀지 되미 ᄒᆞᆫ 일 쾌활ᄒᆞᆫ 거시 업셔, 거취를 다 남의 손의 미인 《민∥빅》 되여 범ᄉᆞ를 임의로 못 흠은 니르도 말고, 구가 존당과 슉당이 실톄ᄒᆞ실ᄉᆞ록 쇼민 도리의 구호치 아니코 친졍으로 도라가미 크게 올치 아【30】니니, 비록 대인 명영이 계셔도 ᄎᆞᄉᆞ의 다ᄃᆞ라는 쇼민 능히 봉힝치 못ᄒᆞ리로소이다.”

이리 니르며 태우를 도라보아 왈,

“옥당 한원의 쳥현을 ᄌᆞ임ᄒᆞ미, 반ᄃᆞ시 경악의 츌입ᄒᆞ여 면졀졍징(面折廷爭)715) ᄒᆞᄂᆞᆫ 명신(明臣)이 되여, 힝실을 삼가고 언ᄉᆞ를 가다ᄃᆞᆷ아 젼일ᄀᆞᆺ치 무식 과격지 아념즉ᄒᆞ거늘, 엇지 이졔조ᄎᆞ 말ᄉᆞᆷ이 나ᄂᆞᆫ 딕로 ᄒᆞ여 남의 집 부녀 욕ᄒᆞ기를 능ᄉᆞ로 ᄒᆞᄂᆞᆨ뇨?”

태위 웃고 샤례 왈,

“쇼뎨 텬셩이 그른 거슬 ᄭᅮ미지 못ᄒᆞ여, 말을 시작ᄒᆞ면 사름을 믜일 증죄 만토소이다 크거니와, 거셰(擧世) 남녀노쇼 위·뉴

---

746)면졀졍징(面折廷爭) : 임금의 면전에서 허물을
   기탄없이 직간하고 쟁론함.

715)면졀졍징(面折廷爭) : 임금의 면전에서 허물을
   기탄없이 직간하고 쟁론함.

냥흉의 악착 흉험ᄒᆞ믈 듯ᄂᆞ니야, 뉘 통히치 아니리잇고?"

븍공이 ᄆᆡ뎨의 말이 졀졀이 올흐믈 ᄭᆡᄃᆞ라, 다시 취운산으로 가기를 니르디 못ᄒᆞ고, ᄯᅩ 쇼져를 호힝ᄒᆞ여 온 사ᄅᆞᆷ과 화교 가온ᄃᆡ 엇던 사ᄅᆞᆷ이 드럿ᄂᆞᆫ가 므르니, 님셩각과 우셥이 호힝ᄒᆞ믈 니르고, 원쉬 우쇼져를 결약남ᄆᆡ ᄒᆞ여 다려온 곡졀을 니ᄅᆞᆫᄃᆡ, 븍공이 원슈의 의긔를 일ᄏᆞᆺ고, 우셥이 삼죵져뷔(三從姐夫) 되ᄂᆞᆫ 고로, 즉시 ᄆᆡ뎨【36】를 우쇼져 잇ᄂᆞᆫ 방으로 보ᄂᆡ고, 우ᄉᆡᆼ과 님셩각을 쳥ᄒᆞ여 셔로 볼ᄉᆡ, 우ᄉᆡᆼ의 도학 현힝을 젼일 ᄂᆡᆨ이 드럿던 고로, 님셩각의 호쥰 발월ᄒᆞ믄 쇼문도 듯디 못ᄒᆞ엿던디라 쳐음으로 ᄃᆡᄒᆞᄆᆡ, 우ᄉᆡᆼ과 셩각은 븍공의 한 업ᄉᆞᆫ 풍신용화(風神容華)와 위덕ᄌᆡ예(威德才藝)를 항복ᄒᆞ여, 윤원슈로ᄡᅥ 쳔고의 ᄶᆞᆨ이 업ᄉᆞᆯ 줄노 아랏다가 븍공을 보건ᄃᆡ, 태산 밧긔 ᄯᅩ 태산이 잇고, 바다 밧긔 ᄯᅩ 하히 이시믈 ᄭᆡᄃᆞ라, 딘짓 원슈와 ᄃᆡ두ᄒᆞᆯ 영웅 군ᄌᆡ믈 듕심의 항복ᄒᆞ더라.

븍공의 곤계 우ᄉᆡᆼ을 ᄃᆡ졉ᄒᆞ며 셩각을 후ᄃᆡᄒᆞ여 밤이 딘ᄒᆞᄂᆞᆫ 줄 모로고 한담ᄒᆞ다가, 효계창명(曉鷄唱鳴)ᄒᆞ【37】ᄆᆡ, 뎡숙녈이 거거 등의게 옥누항으로 도라갈 위의를 출히믈 쳥ᄒᆞ니, 븍공이 이의 거교를 출혀 우쇼져로 더브러 ᄒᆞᆷ긔 강졍으로 갈ᄉᆡ, 우ᄉᆡᆼ이 윤부 형셰를 아디 못ᄒᆞ고 ᄀᆞ장 긔탄ᄒᆞᆯ ᄲᆞᆫ 아니라, 경샤의 친쳑이 가득ᄒᆞ여 일ᄆᆡ로ᄡᅥ 의디ᄒᆞᄆᆡ, 아모ᄃᆡ도 구간(苟艱)치 아니 ᄒᆞᆯ 거시므로, 태우로 ᄒᆞ여곰 뎡부인긔 말ᄉᆞᆷ을 젼ᄒᆞ여 쇼ᄆᆡ를 바로 윤부로 다려가미 ᄌᆞ긔 도리의 블가ᄒᆞ믈 고ᄒᆞ니, 뎡숙녈이 원슈의 ᄆᆞ음을 아ᄂᆞᆫ디라 엇디 우시를 써르치고 가리오. 바로 다려가도 허믈 되ᄂᆞᆫ 일이 업ᄉᆞ믈 회답ᄒᆞ여, 태우를 ᄂᆡ여 보ᄂᆡ고 우시의 손을 닛그러 화교의 들기를 ᄌᆡ촉ᄒᆞ니, 【38】우시 ᄯᅩᄒᆞᆫ 원슈의 구활대은을 닙고, 뎡숙녈 ᄀᆞᄐᆞᆫ 녀듕셩ᄌᆞ(女中聖者)를 만나 실노 써나고져 ᄆᆞ음이 업ᄉᆞ므로, 뎡부인의 니르ᄂᆞᆫᄃᆡ로 쾌히 화교의 들ᄉᆡ, 우ᄉᆡᆼ이 ᄒᆞᆯ일업셔

냥흉의 악착 흉험ᄒᆞᆷ을 듯ᄂᆞ니야 뉘 통히치 아니리잇고?"

북공이 ᄆᆡ뎨의 말이 졀졀이 올흐믈 ᄭᆡ다라, 【31】다시 취운산으로 가기를 니르지 못ᄒᆞ고, ᄯᅩ 쇼져를 호힝ᄒᆞ여 온 사ᄅᆞᆷ과 화교(華轎)에 엇던 사ᄅᆞᆷ이 드럿ᄂᆞᆫ가 므르니, 님셩각과 우셥이 호힝ᄒᆞ믈 니르고, 원쉬 우씨를 결약남ᄆᆡ ᄒᆞ여 다려온 곡졀을 니ᄅᆞᆫᄃᆡ, 북공이 원슈의 의긔를 일컷고, 우셥이 삼죵져뷔(三從姐夫) 되ᄂᆞᆫ 고로, 즉시 ᄆᆡ뎨를 우쇼져 잇ᄂᆞᆫ 방으로 보ᄂᆡ고 우ᄉᆡᆼ과 님셩각을 쳥ᄒᆞ여 셔로 볼ᄉᆡ, 우ᄉᆡᆼ의 도ᄒᆞᆨ 현힝을 젼일 ᄂᆡᆨ이 드럿던 고로, 님셩각의 호쥰 발월ᄒᆞᆷ은 쇼문도 듯지 못ᄒᆞ엿던지라, 쳐음으로 ᄃᆡᄒᆞᄆᆡ, 우ᄉᆡᆼ과 셩각은 북공의 한 업ᄉᆞᆫ 풍신용화(風神容華)와 위덕ᄌᆡ예(威德才藝)를 항복ᄒᆞ여, 윤원슈로ᄡᅥ 쳔고의 둘히 업ᄉᆞᆯ 쥴노 아랏다【32】가, 북공을 보건ᄃᆡ, 태산 밧긔 ᄯᅩ 태산이 잇고, 바다 밧긔 ᄯᅩ 하히 잇시믈 ᄭᆡᄃᆞ라, 진짓 원슈와 ᄃᆡ두ᄒᆞᆯ 영웅 군ᄌᆡ믈 즁심의 항복ᄒᆞ더라.

북공의 《근셰 ‖ 곤계》 우ᄉᆡᆼ을 ᄃᆡ졉ᄒᆞ며 셩각을 후ᄃᆡᄒᆞ여 밤이 진ᄒᆞᄂᆞᆫ 줄 모로고 한담ᄒᆞ다가, 효계창명(曉鷄唱鳴)ᄒᆞᄆᆡ 쇼졔 니르러 거거 등의○[게] 옥누항으로 도라갈 위의를 출혀[히]믈 니르니, 북공이 이에 거교를 출혀 우쇼져로 더브러 함긔 강졍으로 갈ᄉᆡ, 우ᄉᆡᆼ이 윤부 형셰를 아지 못ᄒᆞ고 ᄀᆞ장 긔탄ᄒᆞᆯ ᄲᆞᆫ 아니라, 경ᄉᆞ에 친쳑이 ᄀᆞ득ᄒᆞ여 일ᄆᆡ로ᄡᅥ 의지ᄒᆞᄆᆡ 아모ᄃᆡ도 구간(苟艱)치 아니 ᄒᆞᆯ 거심으로, 태우로 ᄒᆞ여곰 뎡부인긔 말ᄉᆞᆷ을 젼ᄒᆞ여, 쇼ᄆᆡ를 바로 윤부로 ᄃᆞ려가미 ᄌᆞ긔 도리의 불【33】가ᄒᆞ믈 고ᄒᆞ니, 뎡숙녈이 원슈의 ᄆᆞ음을 아ᄂᆞᆫ지라, 엇지 우씨를 써러치고 가리오. 바로 다려가도 허믈 되난 일이 업ᄉᆞ믈 ᄃᆡ답ᄒᆞ여, 태우를 ᄂᆡ여 보ᄂᆡ고 우씨의 손을 닛그러 화교의 들기를 ᄌᆡ촉ᄒᆞ니, 우씨 ᄯᅩᄒᆞᆫ 원슈의 구활대은을 닙고, 뎡숙렬 ᄀᆞᄐᆞᆫ 녀즁셩ᄌᆞ(女中聖者)를 만나 실노 써나고져 ᄆᆞ음이 업ᄉᆞ므로, 뎡부인의 니르ᄂᆞᆫ ᄃᆡ로 쾌히 화교의 들ᄉᆡ, 우

다시 막디 못ᄒᆞ고, 븍공이 미뎨의 덩 뒤흿셔 웃고 왈,

"윤부의셔 옥누항의 잇디 아냐 강뎡의 나왓거니와, 몸을 조심ᄒᆞ여 흉인의 독슈를 밧디 말나."

슉녈이 믁연 브답이러라.

븍공의 삼곤계 원슈를 군젼의셔 얼픗 보고, 어가를 뫼셔 금궐의 드르신 후로 각각 분분이 허여뎌, ᄌᆞ긔 등은 미뎨를 마ᄌᆞ려 급급이 문외로 나오므로, ᄒᆞᆫ 말도 졍을 펴디 못ᄒᆞ고 일시의 강뎡의 니르니, 【39】원슈 쳐음은 부인의 힝거 ᄊᆞᆫᄆᆞ로 아라 밧긔 나오디 아니ᄒᆞ고, 다만 노복 등을 명ᄒᆞ여 부인 덩과 우쇼져 화교를 밧드러 ᄂᆡ졍(內庭)으로 드리라 ᄒᆞ더니, 븍공 등이 외헌의 녈좌ᄒᆞ여 원슈의 나오믈 ᄌᆡ쵹ᄒᆞ니, 원슈 시녀 등을 명ᄒᆞ여 우쇼져 들 방을 쇄소ᄒᆞ여, 아딕 존당의 비알치 말고, 바로 ᄶᆞᆫ 쳐소의 머믈게 ᄒᆞ고, 밧긔 나와 븍공의 삼곤계를 볼ᄉᆡ, 원슈의 미위(眉宇) 슈집(愁集)ᄒᆞ고 근심ᄒᆞᄂᆞᆫ ᄉᆞᆨ식이 면모의 낫타나니, 븍공이 몬져 그 손을 잡고 닙공 반샤ᄒᆞᄂᆞᆫ 힝식 남달리 쾌ᄒᆞ고 긔특ᄒᆞᄆᆞᆯ 티하(致賀)ᄒᆞ고, 근심ᄒᆞᄂᆞᆫ 연고를 므르니, 원슈 츄연블낙(惆然不樂) 왈,

"쇼뎨 국가 홍복을 【40】힘닙어 흉뎍을 탕멸ᄒᆞ나, 삼년을 써낫다가 도라오ᄆᆡ 존당 슉당의 질환이 위듕ᄒᆞ샤, 여러 가디 증세 하 괴악(怪惡)ᄒᆞ시니, 엇디 졍니의 우황 초민ᄒᆞ믈 니를 거시 이시리오."

뎡언간의 흑스를 좃ᄎᆞ갓던 노ᄌᆞ 혜쥰이 당하의 비알ᄒᆞ니, 원슈 반가오미 넘뼈 문왈,

"네 상공이 어듸 잇관듸 네 혼ᄌᆞ 올나오냐?"

혜쥰이 브복 ᄃᆡ왈,

"노애 초츈(初春)으로브터 슉환이 날노 더으샤 침식(寢食)이 감ᄒᆞ시더니, 듕츈(仲春)의 니르러ᄂᆞ 만분 위악ᄒᆞ시더니, 계오 회소디경(回蘇之境)을 당ᄒᆞᆫ 후 샤명이 나리시민 즉시 니발(離發)ᄒᆞ시나, 대병디여(大病之餘)의 근력이 실낫 ᄀᆞᆺᄐ【41】샤, ᄒᆞ로

싱이 ᄒᆞᆯ일업셔 다시 막지 못ᄒᆞ고, 북공이 미뎨의 덩 뒤희 셔셔 웃고 왈,

"윤부의셔 옥누항의 잇지 아녀 강뎡의 나왓거니와, 몸을 조심ᄒᆞ여 흉인의 독슈를 밧지 말나"

슉녈이 묵연 부답이러라.

북공의 삼곤계 원슈를 군젼의셔 얼픗 보고, 황상을 뫼셔 【34】금궐에 드로신 후로 각각 분분이 허여져, ᄌᆞ긔 등은 미뎨를 마ᄌᆞ려 급급히 문외로 나오므로, ᄒᆞᆫ 말도 졍을 펴지 못ᄒᆞ고 일시의 강뎡의 니르니, 원슈 쳐음은 부인의 힝거 ᄊᆞᆫ으로 아라 밧긔 나오지 아니ᄒᆞ고, 다만 노복 등을 명ᄒᆞ여 부인 덩과 우쇼져 화교를 밧드러 ᄂᆡ졍으로 드리라 ᄒᆞ더니, 북공 등이 외헌의 녈좌ᄒᆞ여 원슈의 나옴을 ᄌᆡ쵹ᄒᆞ니, 원슈 시녀 등을 명ᄒᆞ여 우쇼져 둘 방을 슈쇄ᄒᆞ여 아즉 존당에 비알치 말고 바로 ᄶᆞᆫ 쳐소의 머믈게 ᄒᆞ고, 밧긔 나와 북공의 삼곤계를 볼ᄉᆡ, 원슈의 미위(眉宇) 슈집(愁集)ᄒᆞ고 근심ᄒᆞᄂᆞᆫ ᄉᆞ식이 면모의 낫타나니, 북공이 믄져 그 손을 잡고 《님공‖닙공》 반ᄉᆞᄒᆞᄂᆞᆫ 힝식 남달리 쾌ᄒᆞ고 【35】긔특ᄒᆞᆷ을 치하ᄒᆞ고, 근심ᄒᆞᄂᆞᆫ 연고를 므르니, 원슈 츄연불낙(惆然不樂) 왈,

"쇼뎨 국가 홍복을 무릅셔 흉젹을 탕멸ᄒᆞ나, 삼년을 집을 써낫다가 도라오ᄆᆡ[민], 존당 슉당의 질환이 위즁ᄒᆞ사 여러 가지 증세 하 고약ᄒᆞ시니, 엇지 졍니의 구황(懼惶) 초민(焦悶)ᄒᆞᆷ을 니를 거시 잇시리오."

졍언간에 흑스를 좃ᄎᆞ 갓던 노ᄌᆞ 혜쥰이 당하의 비알ᄒᆞ니, 원슈 반가오미 넘쳐 문왈,

"네 상공이 어듸 잇관듸 네 혼ᄌᆞ 올나오냐?"

혜쥰이 부복 ᄃᆡ왈,

"노애 츈쵸(春初)로브터 슉환이 날노 더으사 침식(寢食)이 감ᄒᆞ시더니, 즁츈(仲春)의 니르러ᄂᆞ 만분 위악ᄒᆞ시더니, 계오 회소지경(回蘇之境)을 당ᄒᆞᆫ 후 사명이 나리시민, 즉시 출힝(出行)ᄒᆞ시나, 대병지【36】여(大病之餘)에 근력이 실낫 ᄀᆞᆺᄐᆞ사, ᄒᆞ로 십여

십여 리를 힝ᄒ시더니, 또 태의 나려와 약을 굿칠 날이 업스미 긔운이 잠간 나으샤, 수오일 지 슈삼십 니식 힝ᄒ여, 작일 어둡게야 셔교(西郊)의 다드라 계시나, 태부인이 환후와 뉴부인 환후 경듕을 모로샤, 근력이 능히 작일(昨日) 너로 옥누항을 드러가실 길히 업셔, 쇼복으로 환후 소식을 아라 오라 ᄒ시거늘, 쇼복이 밤 든 후 옥누항으로 드러가온즉, 힝각도 업슨 황냥ᄒ 빈 터히오, 문하의 하리 가득이 모혀 즐기거늘 곡졀을 므르니, 노애 닙공 반샤ᄒ시믈 니르오니, 안즈 식와 남문 열기를 기다려 나왓ᄂᆞ이다."

원쉬 반기【42】ᄂᆞᆫ 졍이 황홀ᄒ여 니르되,

"존당 숙당 환후ᄂᆞᆫ 듕ᄒ시나, 우리 도라와시니 의티(醫治)를 힘뼈 츠셩을 바라리니, 네 샹공다려 샤은 후 바로 강졍으로 나오믈 고ᄒ라."

디필을 가져 두어 줄을 뼈 존당(尊堂) 숙당(叔堂) 환후를 대강 베플고, 혜쥰을 계튱으로 더브러 흠긔 보뉘여 오기를 기다리고, 븍공 형뎨로 두어 말솜ᄒ더니, 태부인이 원슈를 브르니 원쉬 니러 드러가며, 왈,

"쇼뎨 존당 환후로 우황ᄒ여 형 등으로 죵용이 말솜을 못ᄒᄂᆞ니, 후일 셔로 보믈 바라ᄂᆞ이다."

븍공 형뎨 블열ᄒ나 원슈의 거동이 황황ᄒ믈 보고, 더 안즈 말ᄒ【43】기를 쳥치 못ᄒ여 도라갈시, 님셩각은 집이 업ᄂᆞᆫ 고로 강졍 외루(外樓)의 머므르고, 우싱은 뎡태ᄉ 부듕으로 가되, 누의를 다른 곳의 옴기믈 쳥치 못ᄒ여 은인의 쳐티를 볼 ᄯ름이라. 뎡숙녈이 우시로 더브러 강졍 닉헌(內軒)의 드러 오미, 모든 시녜 우러러 반기믈 측냥치 못ᄒ고, 우쇼져의 이실 방을 슈소(修掃)ᄒ여 이시믈 쳥ᄒ니, 뎡쇼졔 홍션을 명ᄒ여 우쇼져를 뫼셔시라 ᄒ고, 위·뉴 냥부인긔 즈긔 즉시 비현코져 ᄒ나, 너모 급ᄒ여 잠간 디졍이더니, 믄득 겻방의셔 그르슬 산산이 바으며, 원슈 부부와 흑ᄉ 부부를 무러먹디 못ᄒ여 한ᄒᄂᆞᆫ 소리【44】완연이 뉴

리를 힝ᄒ시더니, 또 태의 나려와 약을 긋친 날이 업스미 긔운이 잠간 나으사, 수오일 지 슈삼십 니식 힝ᄒ여, 작일 어둡게야 셔교(西郊)에 다드라 계시나, 태부인 환후와 뉴부인 환후 경즁을 모르사, 근력이 능히 작일 너로 옥누항을 드러가실 길히 업셔, 쇼복으로 환후 소식을 아라 오라 ᄒ시거늘, 쇼복이 밤 든 후 옥누항으로 드러가온즉, 힝각도 업슨 황냥ᄒ 빈 터히오, 문하에 하리 ᄀᆞ득이 모혀 즐기거늘 곡졀을 므르니, 노애 《님공∥닙공》 반사ᄒ심을 니르오니, 안즈 식와 남문 열기를 기드려 나왓ᄂᆞ이다"

원쉬 반기ᄂᆞᆫ 졍이 황홀ᄒ여 니르되,

"존당 숙당 환후【37】ᄂᆞᆫ 즁ᄒ시ᄂᆞ, 우리 도라와시니 의치(醫治)를 힘뼈 츠셩을 ᄇᆞ라리니, 네 샹공다려 사은 후 밧비 강졍으로 나옴을 고ᄒ라."

지필을 가져 두어 쥴 뼈 존당 숙당 환후를 대강 베플고, 혜츈[쥰]으로 계츈으로 더브러 흠긔 보뉘여 오기를 기드리고, 북공 형뎨로 두어 말솜ᄒ더니, 태부인이 원슈를 브르니 원쉬 니러 드러가며, 왈,

"쇼뎨 존당 환후로 우황ᄒ여 형 등으로 죵용이 말솜을 못ᄒᄂᆞ니, 후일 셔로 보믈 ᄇᆞ라ᄂᆞ이다."

북공의 형뎨 불열ᄒ나 원슈의 거동이 황황ᄒ믈 보고, 더 안져 말ᄒ기를 쳥치 못ᄒ여 도라갈시, 님셩각은 집이 업ᄂᆞᆫ 고로 강졍 외루의 머므르고, 우싱은 뎡태ᄉ 부【38】즁으로 가되, 누의를 다른 곳의 옴기믈 쳥치 못ᄒ여 은인의 쳐치를 볼 ᄯ름이라. 뎡쇼졔 우씨로 더브러 강졍 닉헌의 드러 오미, 모든 시녜 우러러 반기믈 측냥치 못ᄒ고, 우쇼져의 잇실 방을 슈소(修掃)ᄒ여 잇시믈 쳥ᄒ니, 뎡쇼졔 홍션을 명ᄒ여 우쇼져를 뫼셔가라 ᄒ고, 위·뉴 냥부인긔 즈긔 즉시 비현코져 ᄒ나, 너모 급ᄒ여 잠간 지졍이더니, 믄득 겻방에셔 원슈 부부와 흑ᄉ 부부를 무러먹지 못ᄒ여 한ᄒᄂᆞᆫ 소리, 완연이 뉴녀의 셩음이라.

녀의 소릭 뉴녀의 셩음이라.

숙녈이 희포747)만의 그 소릭를 쏘 드르니 식로이 놀납고 흥히 넉이디, 안식을 블변ᄒ고 머리를 숙여 못 듯ᄂ 듯ᄒ더니, 태부인이 숙녈의 와시믈 듯고, 원슈를 블너 혀츠왈,

"비록 보고져 ᄒ나 망울이 부희여시니748) 므어슬 아라 보리오."

원쉬 쳑연 디왈,

"뎡시 이졔 비알ᄒ오려니와, 대뫼 압흘 보디 못ᄒ시고 이러틋 슬허 ᄒ시니, 쇼손의 심시 더옥 오죽ᄒ리잇고? 슌일(旬日)을 그음ᄒ여 갓가이 안즌 사름이나 보시게 의티를 착실이 ᄒ리이다."

태흥(太皃)이 젼일ᄀᆺ치 원슈를 즐타홀 일이 업셔, 다【45】만 그 효셩을 의려(疑慮)ᄒ고, ᄌ긔 쏘흔 어딘 빗출 작위(作爲)ᄒ여 원슈의 졍셩으로 밧들믈 당코져 ᄒ나, 뉴녜 짠 방의 이시니 아모 말도 므러 보며 의논홀 길히 업스니, 뉴시의 쥬의(主意)ᄂ 엇던고 ᄒ여 능히 뎡치 못ᄒ더라.

뎡숙녈이 위태긔 비현ᄒ고 환후를 뭇ᄌ오니, 옥셩(玉聲) 봉음(鳳吟)이 화평ᄒ여 텬디의 화긔를 닐위ᄂᄂ라. 태흥이 귀ᄂ 붉으믹 그 소릭를 드르나, 원슈 부부의 얼골을 볼 길히 업스니, 답답흔 거시 아니라 ᄌ긔 압히 어두오믈 싱각고, 졔 셟기로 실셩 통곡ᄒ니, 원슈와 뎡시 졀민ᄒ여 이셩화긔(怡聲和氣)로 위로ᄒ고, 원쉬 쏘 혹ᄉ의 금일 도라오ᄂ 바【46】를 고ᄒ니, 태흥이 반기ᄂ 졍이 잇ᄂ 거시 아니로딕, 원슈의 형뎨 모히면 ᄌ긔를 극딘히 봉양홀 거시므로, 노흥이 이상ᄒ여 아딕 원슈 형뎨를 ᄉ랑ᄒᄂ 졍이 잇ᄂ 듯ᄒ고, 뉴녀의 말을 드러가며 다시 히홀 쇠를 싱각ᄒ려 ᄒ더라.

뎡숙녈이 조초749) 뉴녀의게 비알ᄒ니, 뉴녜 흔 번 눈을 드러 숙녈을 보믹 악악흔 심

숙렬이 희포716)만의 그 소릭를 쏘 드르니 식로이 놀납고 흥히 넉이딕, 안식을 불변ᄒ고 머리를 숙여 못 듯ᄂ 듯ᄒ더니, 태부인이 숙녈의 왓시믈 듯고 원슈를 블너 혀츠왈,

"비록 보고져【39】ᄒ나 망울이 부희여시니717) 므어슬 아라 보리오."

원쉬 쳑연 디왈,

"뎡씨 이졔 비알ᄒ오려니와, 대뫼 압흘 보지 못ᄒ시고 이러틋 슬허 ᄒ시니, 쇼손의 심시 더욱 오죽ᄒ리잇고? 슌일(旬日)을 그음ᄒ여 갓가이 안즌 사름이나 아라 보시게 의치를 착실이 ᄒ리이다."

태흥(太皃)이 젼일ᄀᆺ치 원슈를 《즐좌∥즐타》홀 일이 업셔, 다만 그 효셩을 의려(疑慮)ᄒ고, ᄌ긔 쏘흔 어진 빗츨 작위ᄒ여 원슈의 졍셩으로 밧들믈 당코져 ᄒ나, 뉴녜 짠 방의 잇시니 아모 말도 므러 보며 의논홀 길히 업스니, 뉴녀의 쥬의(主意)ᄂ 엇던고 ᄒ여 능히 졍치 못ᄒ니[더]라.

뎡숙녈이 위태긔 비현ᄒ고 환후를 뭇ᄌ오니, 옥셩(玉聲) 봉음(鳳吟)이 화평ᄒ여 텬디의 화긔를 닐위ᄂ지라.【40】 태흥이 귀ᄂ 붉으믹 그 소릭를 드르나, 원슈 부부의 얼골을 볼 길히 업스니, 답답흔 거시 아니라 ᄌ긔 압히 어두오믈 싱각고, 졔 셟기로 실셩 통곡ᄒ니, 원슈와 뎡씨 졀민ᄒ여 이셩화긔(怡聲和氣)로 위로ᄒ고, 원쉬 쏘 혹ᄉ의 금일 도라오믈 고ᄒ니, 태흥이 반기ᄂ 졍이 잇ᄂ 거시 아니로딕, 원슈의 형뎨 모히면 ᄌ긔를 극진히 봉양홀 거시므로, 노흥이 이상ᄒ여 아직 원슈 형뎨를 ᄉ랑ᄒᄂ 졍이 잇ᄂ 듯ᄒ고, 뉴녀의 말을 드러가며 다시 히홀 쇠를 싱각ᄒ려 ᄒ더라.

뎡쇼졔 조초718) 뉴녀에게 비알ᄒ니, 뉴녜 흔 번 눈을 드러 숙렬을 보믹 악악흔 심슐

---

747)희포 : 한 해가 조금 넘는 동안. 늑세여(歲餘)
748)부희다 : 부옇다. 연기나 안개가 낀 것처럼 선명하지 못하고 조금 허옇다.
749)조초 : 좇아, 따라. 이어.

716)희포 : 한 해가 조금 넘는 동안. 늑세여(歲餘)
717)부희다 : 부옇다. 연기나 안개가 낀 것처럼 선명하지 못하고 조금 허옇다.
718)조초 : 좇아, 따라. 이어.

술의 믜온 무움이 극호미, 참혹혼 욕셜이
히연 망측호여, 원슈와 뎡시를 ᄭ디ᄌ미 션
상셔와 조부인을 드노화, 금후 딘부인을 다
역축견융(逆畜犬戎)750)이라 ᄒᆞ여 참욕(慘
辱)이 브디기쉬(不知其數)로딕, 슉녈이 안뫼
ᄌ약고 거디 화평호여 디독【47】혼 욕
셜을 듯디 못ᄒᆞᄂᆞᆫ 듯ᄒᆞ니, 뉴시 홀노 듕어
리기 무류(無聊)ᄒᆞ여 도로혀 욕을 긋치고,
분ᄒᆞ고 이돌오미 극호여 시로이 창쳐를 고
통ᄒᆞ여 화열(火熱)이 대발(大發)ᄒᆞ니, ᄌ로
엄홀(奄忽)ᄒᆞᄂᆞᆫ디라.

원쉬 슉모의 거동이 개과키 어려오믈 보
니 졀민 초황호여, 유열(愉悅)혼 말슴과 완
슌(婉順)혼 ᄉ식(辭色)으로 슉모의 《함독‖
험독(險毒)》을 감화키만 바라더라.

이ᄯ 윤흑시 원노(遠路)의 계오 득달호여
셔교(西郊)의 니르딕, 날이 어둡고 근력이
밋디 못호여 옥누항을 치 드러가디 못ᄒᆞ고,
혜쥰을 몬져 보닉여 소식을 아라 오라 ᄒᆞ
고, 밤이 식도록 잠을 일우디 못호여, 날이
붉은 후 죽음(粥飮) 두어 술을 마시고, 뎡
【48】히 셩늬로 드러가고져 ᄒᆞ딕, 졍신이
어득ᄒᆞ고 몸이 닛브믈 형샹치 못호여, 잠간
벼개의 디혓더니 혜쥰과 계퉁이 드러와 믄
득 원슈의 셔간을 드리거늘, 흑시 반가온
졍이 가득ᄒᆞ여 밧비 바다 보니, 놀나온 셜
홰, 양모(養母)를 찬빅(竄配) 마련ᄒᆞ믈, 비로
소 알미, 만심(滿心)이 ᄎ악호여 고딕 ᄯ흘
파고 들고져 시븐다. 엇디 일분이나 ᄉ라
가변을 듯고져 시브리오. 히음 업시 묽은
누쉬 삼삼ᄒᆞ여 빅옥용화(白玉容華)를 뎍시
ᄂᆞ디라.

이윽이 톄읍ᄒᆞ여 말을 못ᄒᆞ더니, 날호여
필연(筆硯)을 나와 화젼(華箋)을 펴고 소표
(疏表)를 디을식, 찬난혼 필획은 창농이
【49】 셔리고, 가음연 문댱은 만니댱텬(萬
里長天)의 그음 업슴 ᄀᆞᆺᄐᆞ여, 츌텬대효(出天

大孝)는 뎨슌(帝舜)751) 증삼(曾參)752)을 쫄오고, 슉슉흔 녜모는 공밍(孔孟)의 후를 니을디라. 쓰기를 맛츠미, 한공ᄌ 희린을 블너 왈,

"미화항의 혜쥰의 모 딘파의 집이 광활ᄒ여 빈 곳이 만코 혜쥰의 뫼 튱근ᄒ니, 다른 ᄌ식이 업고 혜쥰 쑨이오, 문졍(門庭)이 고요ᄒ니, 그ᄃᆡ 아딕 녕ᄌ당을 뫼셔 미화항의 가 이시면, 내 집의 도라가 종용이 그ᄃᆡ 가샤를 일워 흔가디로 디니미 엇더ᄒ뇨?"

한공지 비샤 슈명ᄒ거늘, 흑시 혜쥰을 명ᄒ여,

"한공ᄌ 일힝을 뫼셔 미화항의 니르러 잠간 머므시【50】게 ᄒ라."

ᄒ니, 혜쥰이 즉시 곽부인 거교와 한공ᄌ를 뫼셔 졔 집의 니르니, 딘패 일ᄌ를 오리 니별ᄒ엿다가 만나미 반가오미 극ᄒ고, 흑ᄉ의 명이 곽부인 모ᄌ를 별당의 뫼시고 됴셕 공양을 극딘히 ᄒ라 ᄒ므로, 방샤를 셔르져 곽부인 모ᄌ를 안둔ᄒ고, 누ᄃᆡ 목묘를 뫼셔 됴셕 상식을 밧드는 도리 극딘ᄒ더라.

흑시 한공ᄌ를 혜쥰의 집으로 보ᄂᆡ고, 댱쇼져를 몬져 강졍으로 보ᄂᆡ고, ᄌ긔는 쏠니 궐하의 나아가 금텬문 밧긔 ᄃᆡ죄ᄒ고, 표문을 듕셔셩(中書省)의 드렷더니, 이 날 만셰황애 문화뎐의 크게 됴회를 여르시고, 문무쳔관(文武千官)의 됴하(朝賀)【51】를 바드신 후, 윤광텬의 공뇌를 크게 포댱ᄒ샤 상작을 의논ᄒ실시, 군졍ᄉ(軍政使) 티부(置簿)를 올니라 ᄒ시고, 윤원쉬 됴회 블참ᄒᄆᆞ를 괴이히 넉이샤 명패를 나리와 급히 됴현ᄒᄆᆞ를 직쵹ᄒ시며, 님셩각을 흔가디로 드러오라 ᄒ시니, 윤원쉬 강졍의셔 패명(牌命)을 응ᄒ여 즉시 드러오디 아니ᄒ고, 늙은 한믜

(帝舜)720) 증삼(曾參)721)을 ᄯᅳ르고, 슉슉흔 녜모는 공밍(孔孟)의 후를 이를지【43】라. 쓰기를 맛츠미, 한공ᄌ 《희견‖희린》을 불너 왈,

"미하[화]항에 혜쥰의 모 진파의 집이 광활ᄒ여 빈 곳이 만코, 혜쥰의 뫼 츙근ᄒ니 다른 ᄌ식이 업고 혜쥰 쑨이오, 문졍(門庭)이 고요ᄒ니 그ᄃᆡ 아직 녕ᄌ단[당]을 뫼셔 미화항의 가 잇시면, 내 집의 도라가 종용이 그ᄃᆡ 가ᄉᆞ를 일워 흔가지로 지니미 엇더ᄒ뇨?"

한공지 빈ᄉ 슈명ᄒ거늘, 흑시 혜쥰을 명ᄒ여,

"한공ᄌ 일힝을 뫼셔 미화항에 니르러, 잠간 머므시게 ᄒ라"

ᄒ니, 혜쥰이 즉시 곽씨 거교와 한공ᄌ를 뫼셔 졔 집의 니르니, 진패 일ᄌ를 오릭 니별ᄒ엿다가 만나미 반가오미 극ᄒ고, 흑ᄉ의 명이 곽씨 모ᄌ를 별당에 뫼시고 됴셕 공양을 극진히 ᄒ라 홈으로, 방ᄉ를 셔르져 곽씨 모ᄌ【44】를 안둔ᄒ고, 누ᄃᆡ 목묘를 뫼셔 됴셕 상식을 밧드는 도리 극진ᄒ더라.

흑시 한공ᄌ를 혜쥰의 집으로 보ᄂᆡ고, 댱쇼져를 몬져 강졍으로 보ᄂᆡ고, ᄌ긔는 쏠니 궐하의 나아가 금평문 밧긔 ᄃᆡ죄ᄒ고 표문을 즁셔셩(中書省)에 드렷더니, 이 날 만셰황애 문화젼에 크게 조회를 여르시고, 문무젼[쳔]관(文武千官)의 조하를 바드신 후, 윤광현[쳔]의 공뇌를 크게 포챵(襃彰)ᄒ사 상작(賞爵)을 의논ᄒ실시, 군졍ᄉ(軍政使) 치부(置簿)를 올니라 ᄒ시고, 윤원쉬 됴회 블참 홈을 괴이히 넉이샤 명픠를 ᄂᆞ리다[와] 급히 조현홈을 직쵹ᄒ시며, 님셩각을 흔가지로 드러오라 ᄒ시니, 윤원쉬 강졍에셔 픠명(牌命)을 응ᄒ여 즉시 드러오지 아니ᄒ고,

---

751)뎨슌(帝舜) : 순임금. 중국 고대 성군(聖君)의 한 사람으로 효자(孝子)로 추앙받는 인물.

752)증삼(曾參) : 중국 노나라의 유학자. 자는 자여(子輿). 공자의 덕행과 사상을 조술(祖述)하여 공자의 손자인 자사(子思)에게 전하였다. 후세 사람이 높여 증자(曾子)라고 일컬었으며, 저서에 ≪증자≫, ≪효경≫ 이 있다.

720)뎨슌(帝舜) : 순임금. 중국 고대 성군(聖君)의 한 사람으로 효자(孝子)로 추앙받는 인물.

721)증삼(曾參) : 중국 노나라의 유학자. 자는 자여(子輿). 공자의 덕행과 사상을 조술(祖述)하여 공자의 손자인 자사(子思)에게 전하였다. 후세 사람이 높여 증자(曾子)라고 일컬었으며, 저서에 ≪증자≫, ≪효경≫ 이 있다.

병이 만분 위악ᄒᆞᄆᆞᆯ 쥬ᄒᆞ고 됴현치 못ᄒᆞᄆᆞᆯ 청죄ᄒᆞ며, 님셩각이 샹교ᄅᆞᆯ 밧드러 궐하의 다드라시ᄆᆞᆯ 쥬ᄒᆞ딕, 상작(賞爵)을 구치 아닛ᄂᆞᆫ 고로, 됴현디시의 복식을 아모리 ᄒᆞᆯ 줄 모로ᄂᆞᆫ디라, 샹이 윤허ᄒᆞ샤미 업셔 윤원쉬 패브딘(牌不進)753)을 가장 셔운이【52】넉이샤, 다시 듕샤ᄅᆞᆯ 보니여 됴현ᄒᆞᄆᆞᆯ 니르시고, 님셩각은 관작이 업스나 임의 디휘ᄉᆞᄅᆞᆯ ᄒᆞ엿고 군견의 비알ᄒᆞᄂᆞᆫ 도리 평복(平服)으로 못ᄒᆞ리라 ᄒᆞ시니, 셩각이 등과 젼 됴알ᄒᆞᆯ 니 업스딕, 윤원슈의 튱효ᄌᆡ덕(忠孝才德)을 고ᄒᆞ고, 뎡슉녈이 구ᄒᆞ던 셜화ᄅᆞᆯ 다 알외여 군ᄌᆞ슉녀의 아름다온 ᄒᆡᆼ덕을 민멸치 아니려 ᄒᆞᄂᆞᆫ디라. 관복을 샤양치 아니코 즉시 어탑하(御榻下)의 비복ᄒᆞ니, 신댱이 구쳑이오 낫치 므른 디초 빗 ᄀᆞᆺ고, 연함호두(燕頷虎頭)754)의 일요원비(逸腰猿臂)755)라. 프른 눈셥은 텬창(天窓)756)을 ᄲᅥᆯ치고 긴 눈이 셜빈(雪鬢)757)의 다하【53】시며, 넉ᄉᆞ쥬슌(-四朱脣)758)의 두렷ᄒᆞᆫ 얼골이 광대(廣大)ᄒᆞ여 당당ᄒᆞᆫ 댱좌(將座)의 그릇시라. 호긔츌뉴(豪氣出類)ᄒᆞ고 영뮈(英武) 당당ᄒᆞ여 쳔고 걸식(傑士)오, 일셰무ᄶᅡᆼ(一世無雙)이라.

텬안이 ᄒᆞᆫ 번 보시ᄆᆡ 국가의 념파(廉頗)759) 번쾌(樊噲)760) ᄀᆞᆺ튼 댱쉬 이실 바를 크게 깃그샤 흔연이 돈유(敦諭)ᄒᆞ시고, 댱샤 젼딘의 공노ᄂᆞᆫ 니르도 말고, 의긔 현심으로

늙은 한믜 병이【45】만분 위악훔을 쥬ᄒᆞ여 조현치 못 훔을 청죄ᄒᆞ며, 님셩각이 샹교ᄅᆞᆯ 밧드러 궐하에 다드라심을 쥬ᄒᆞ딕, 상작을 구치 아닛ᄂᆞᆫ 고로 조현지시에 복식을 아모리 ᄒᆞᆯ 줄 모로ᄂᆞᆫ지라. 상이 윤허ᄒᆞ시미 업셔 윤원슈 픠부진(牌不進)722)을 ᄀᆞ장 셔운이 넉이스, 다시 듕스ᄅᆞᆯ 보니여 조현훔을 니르시고, 님셩각은 관작이 업스나 임의 지휘스ᄅᆞᆯ ᄒᆞ엿고 군견의 비알ᄒᆞᄂᆞᆫ 도리 평복으로 못ᄒᆞ리라 ᄒᆞ시니, 셩각이 등과 젼 조알ᄒᆞᆯ 니 업스딕, 윤원슈의 츙효지질(忠孝才質)을 고ᄒᆞ고, 뎡슉렬이 구ᄒᆞ던 셜화ᄅᆞᆯ 다 알외여 군ᄌᆞ 슉녀의 아름다온 ᄒᆡᆼ적을 민멸치 아니려 ᄒᆞᄂᆞᆫ지라. 관복을 ᄉᆞ양치 아니코 즉시 어탑 하의 비복ᄒᆞ니,【46】신장이 구쳑이오, 낫치 무른 디초 빗 ᄀᆞᆺ고, 연함호두(燕頷虎頭)723)에 일요《월미ǁ원비》(逸腰猿臂)724)라. 푸른 눈셥○○○[은 텬창(天窓)725)]을 ᄲᅥᆯ치고, 긴 눈이 셜빈(雪鬢)726)의 다하시며, 넉ᄉᆞ쥬슌(朱脣)727)의 두렷ᄒᆞᆫ 얼골이 광대(廣大)ᄒᆞ여 텬칭 댱좌(將座)의 그릇시라. 호긔츌뉴(豪氣出類)ᄒᆞ고 영뫼(英貌) 당당ᄒᆞ여 쳔고 걸식(傑士)오, 일셰무ᄶᅡᆼ(一世無雙)이라.

텬안이 ᄒᆞᆫ 번 보시ᄆᆡ 국가의 염파(廉頗)728) 번쾌(樊噲)729) ᄀᆞᆺ튼 댱쉬 잇실 바를 크게 깃그샤 흔연이 돈유(敦諭)ᄒᆞ시고, 댱ᄉᆞ 젼진에 공뇌ᄂᆞᆫ 니르도 말고 의긔 현심으로

---

753) 패브딘(牌不進) : 임금의 부름을 알리는 패 쪽을 받고도 병이나 사고로 나아가지 못하던 일.
754) 연함호두(燕頷虎頭) : 제비 비슷한 턱과 범 비슷한 머리라는 뜻으로, 먼 나라에서 봉후(封侯)가 될 상(相)을 이르는 말.
755) 일요원비(逸腰猿臂) : 늘씬한 허리와 긴 팔.
756) 텬창(天窓) : '눈'을 달리 표현한 말.
757) 셜빈(雪鬢) : 눈처럼 하얀 귀밑털.
758) 넉ᄉᆞ쥬슌(-四朱脣) : '넉 사(四)' 자(字) 모양으로 다문 붉은 입술.
759) 념파(廉頗) : 중국 춘추전국시대 조나라의 명장. 제나라를 정벌하고 양진(陽晋) 땅을 빼앗아 조나라의 위세를 떨쳤다.
760) 번쾌(樊噲) : 중국 한나라 고조 때의 공신 (?~B.C.189). 기원전 206년에 홍문(鴻門)의 회합에서 위급한 처지에 놓였던 유방을 구하여 후에 유방이 왕위에 오르자 장군이 되었다.

722) 패브딘(牌不進) : 임금의 부름을 알리는 패 쪽을 받고도 병이나 사고로 나아가지 못하던 일.
723) 연함호두(燕頷虎頭) : 제비 비슷한 턱과 범 비슷한 머리라는 뜻으로, 먼 나라에서 봉후(封侯)가 될 상(相)을 이르는 말.
724) 일요원비(逸腰猿臂) : 늘씬한 허리와 긴 팔.
725) 텬창(天窓) : '눈'을 달리 표현한 말.
726) 셜빈(雪鬢) : 눈처럼 하얀 귀밑털.
727) 넉ᄉᆞ쥬슌(朱脣) : '넉 사(四)' 자(字) 모양으로 다문 붉은 입술.
728) 념파(廉頗) : 중국 춘추전국시대 조나라의 명장. 제나라를 정벌하고 양진(陽晋) 땅을 빼앗아 조나라의 위세를 떨쳤다.
729) 번쾌(樊噲) : 중국 한나라 고조 때의 공신 (?~B.C.189). 기원전 206년에 홍문(鴻門)의 회합에서 위급한 처지에 놓였던 유방을 구하여 후에 유방이 왕위에 오르자 장군이 되었다.

원슈의 긔특ᄒᄆᆯ 아라 몽슉의 쳥을 드르듸 윤원슈를 ᄒᆡ치 아니ᄒᆞ고, 의긔 상합ᄒᆞ여 ᄒᆞᆫ 가디로 ᄶᅩ오믈 칭찬ᄒᆞ시니, 셩각이 ᄌᆞ빅 샤은 왈,

"미신은 초모(草茅)의 쳔박ᄒᆞᆫ 빅셩이라. 맛ᄎᆞᆷ 헛된 용무(勇武)의 일홈을 어더, 구 【54】 몽슉이 신을 이빅 금을 주고 윤광텬을 죽여 달나 ᄒᆞ오니, 은보(銀寶)의 욕심을 요동ᄒᆞ미 아니오듸, 힝실이 비박(卑薄)ᄒᆞ여 혼야의 칼흘 들고 분쥬ᄒᆞ여, 사ᄅᆞᆷ을 ᄒᆡ코져 의ᄉᆞ 궁흉극악(窮凶極惡)ᄒᆞ엿ᄉᆞᆸ더니, 신이 {윤광텬의 용녁을 보온즉, 남쥐 ᄂᆞ려갈 젹 '여ᄎᆞ여ᄎᆞ ᄉᆞ인(士人) 쥬부의 부쳐와 죵미를 구ᄒᆞᆸ고, 뎜쥬(店主)로 범의게 죽게 ᄒᆞᆫ 후, 여러 악호(惡虎)를 주머괴로 쳐 죽이고, 일촌 뎜쥬를 다 블너 덕화로 교유ᄒᆞ여, 다시 힝인을 ᄒᆡ치 못ᄒᆞ게 ᄒᆞ니'[761], 신이 엇디 뎍은 칼 쓰는 ᄌᆡ조로ᄡᅥ 광텬을 ᄒᆡᄒᆞ리잇고? 그러【55】나} 윤광텬의 위인을 ᄎᆞ 알고져 ᄒᆞ와 칼흘 번득여 그 ᄌᆞᄂᆞᆫ 듸 드러가니, 광텬이 약블동념(若不動念) ᄒᆞ고, 신의 힝ᄉᆡ 괴이ᄒᆞᆷ을 스리로 개유ᄒᆞ고, 기야로브터 신을 조곰도 의심치 아니ᄒᆞ고 상하의셔 ᄌᆞ기를 니르고, 인ᄒᆞ여 삼년을 쥬야로 ᄯᅥ나디 아니니, 신의 경박 무식ᄒᆞᆫ 인ᄉᆞ로도 광텬 ᄀᆞᆺ튼 대현의 칙션(責善)을 듯ᄌᆞ오니, ᄌᆞ연 뎡도의 도라가 셔로 ᄯᅥ나디 아니믈 밍셰ᄒᆞ여, 윤광텬이 손원슈를 죵군ᄒᆞᄂᆞᆫ 바의 ᄯᅡ라갓ᄉᆞᆸ더니, 손확이 광텬을 무함(誣陷)ᄒᆞ여 참ᄒᆞ기를 ᄌᆞ쵹ᄒᆞ니, 신이 창황망【56】극ᄒᆞᆸ더니, 믄득 여ᄎᆞ여ᄎᆞ ᄒᆞᆫ 도인이 윤원슈의 급난을 구ᄒᆞ여, 녕션강을 건너 낙쳥산의 드러가 피화ᄒᆞ듸, 신이 그 근본을 아디 못ᄒᆞ고 광텬이 구ᄐᆡ여 신ᄃᆞ려 니르디 아니니,

761)위 연문으로 지적한 부분 곧 {} 안의 '윤광텬 – 그러나' 가운데, '여차여차 – 힝인을 ᄒᆡ치 못ᄒᆞ게 ᄒᆞ니'까지의 윤광천의 남주 적행시 무용담은 본 〈낙선재본〉이나 〈박순호본〉 모두에서 실제 윤광천의 적행 과정의 서사 가운데는 나타나지 않는다. 따라서 이 진술은 '있지도 않았던 일'을 '보았다'고 말하고 있는, 명백한 서사오류다. 이 때문에 교주자는 이 부분을 연문으로 처리 한다.

원슈의 긔특홈을 아라 몽슉의 쳥을 드르듸 윤원슈를 ᄒᆡ치 아니ᄒᆞ고, 의긔 상합ᄒᆞ여 ᄒᆞᆫ 가지로 ᄶᅳ르믈 칭찬ᄒᆞ시니, 셩각이 ᄌᆞ빅 사 왈,

"미신은 초모(草茅)의 쳔박ᄒᆞᆫ 빅셩이라. 맛ᄎᆞᆷ 헛된 용무(勇武)의 일홈을 어더, 구몽슉이 신을 이빅 금을【47】쥬고 윤광텬을 죽여 달나 ᄒᆞ오니, 《은고∥은보》의 욕심을 요동ᄒᆞ미 아니오되, 힝실이 비박(卑薄)ᄒᆞ여 혼야의 칼흘 들고 분쥬ᄒᆞ여, 사ᄅᆞᆷ을 ᄒᆡ코져 의ᄉᆞ 궁흉극악(窮凶極惡)ᄒᆞ엿ᄉᆞᆸ더니, 신이 {윤광현[텬]의 용력을 보온즉, 남쥐 ᄂᆞ려갈 젹 '여ᄎᆞ여ᄎᆞ ᄉᆞ인(士人) 쥬부의 부쳐와 죵미를 구ᄒᆞ고 뎜쥬(店主)로 범에게 ○○[죽게] ᄒᆞᆫ 후, 여러 악호(惡虎)를 쥬머괴로 쳐 죽이고, 일촌 뎜쥬를 다 블너 덕화로 교유ᄒᆞ여, 다시 힝인을 ᄒᆡ치 못ᄒᆞ게 ᄒᆞ니'[730], 신이 엇지 젹은 칼 쓰는 ᄌᆡ조로 광현[텬]을 ᄒᆡᄒᆞ리잇고? 그러나} 윤광현[텬]의 위인을 ᄎᆞ 알고져 ᄒᆞ와 칼흘 번득여 그 ᄌᆞᄂᆞᆫ 듸 드러가니, 광현[텬]이 약불동념(若不動念) ᄒᆞ고, 신의 힝ᄉᆡ 괴이홈을 스리로 기유ᄒᆞ고, 기야로부터 신을 조【48】곰도 의심치 아니ᄒᆞ고 상하에셔 ᄌᆞ기를 니르고, 인ᄒᆞ여 삼년을 쥬야로 ᄯᅥᄂᆞ지 아니니, 신의 경박 무신ᄒᆞᆫ 인ᄉᆞ로도 광현[텬] ᄀᆞᆺ튼 대현의 칙션을 드르니, ᄌᆞ연 《졍조∥졍도》의 가, 셔로 ᄯᅥᄂᆞ지 아니믈 밍셰ᄒᆞ여, 윤광현[텬]이 손원슈를 죵군ᄒᆞᄂᆞᆫ 바에 ᄯᅡ라갓더니, 손확이 광현[텬]을 무함(誣陷)ᄒᆞ여 참ᄒᆞ기를 ᄌᆞ쵹ᄒᆞ니, 신이 창황망극ᄒᆞᆸ더니, 믄득 여ᄎᆞ여ᄎᆞ ᄒᆞᆫ 도인이 윤원슈의 급난을 구ᄒᆞ여, 영션강을 건너 낙쳥산의 드러가 피화ᄒᆞ되, 신이 그 근본을 아지 못ᄒᆞ고 광현

730)위 연문으로 지적한 부분 곧 {} 안의 '윤광텬 – 그러나' 가운데, '여차여차 – 힝인을 ᄒᆡ치 못ᄒᆞ게 ᄒᆞ니'까지의 윤광천의 남주 적행시 무용담은 본 〈박순호본〉이나 〈낙선재본〉 모두에서 실제 윤광천의 적행 과정의 서사 가운데는 나타나지 않는다. 따라서 이 진술은 '있지도 않았던 일'을 '보았다'고 말하고 있는, 명백한 서사오류다. 이 때문에 교주자는 이 부분을 연문으로 처리 한다.

신은 텬신이 강님ᄒᆞ여 구ᄒᆞ민가 ᄒᆞ엿ᄉᆞᆸ더니, 원슈ᄅᆞᆯ 댱샤ᄅᆞᆯ 딘뎡ᄒᆞ고 도라올 길희 광텬의 부인 뎡시 낙쳥산 도관의 이시니, 신ᄃᆞ려 호힝ᄒᆞ라 ᄒᆞ옵거ᄂᆞᆯ, 신이 거교ᄅᆞᆯ 츌혀 가온즉, 원슈ᄅᆞᆯ 구ᄒᆞ던 도인의 셔동이 변ᄒᆞ여 뎡슉녈의 셔동이 되엿ᄉᆞᆸᄂᆞᆫ디라. 신이 의혹ᄒᆞ와 비즈ᄃᆞ려 곡졀을 므르니, 【57】 과연 뎡시 녀ᄌᆞ의 ᄲᅱ여난 지죄 이셔 텬문 디리와 만ᄉᆞᄅᆞᆯ 능통ᄒᆞᄂᆞᆫ 고로, 윤광텬의 쥬셩을 보아 익홰 이시믈 알고, 쇼쇼 붓그러오믈 도라보디 아니코, 도인의 복식으로 원슈ᄅᆞᆯ 구ᄒᆞ여 대익을 버셔나 국가의 대공을 셰오미 되엿ᄉᆞ오니, 그 근본을 니ᄅᆞᆯ딘ᄃᆡ 뎡시의 광텬 구ᄒᆞ오미, 흔갓 ᄉᆞᄉᆞ 녈졀 ᄲᅮᆫ 아니오라, 국가 대힝이니, 신이 흠복ᄒᆞ오ᄃᆡ 광텬이 맛ᄎᆞᆷᄂᆡ 신이 모로ᄂᆞᆫ 줄노 아ᄂᆞ이다. 《인ᄒᆞ여∥ᄯᅩ》 뎡시 빅ᄉᆡ(百事) 인뉴의 특이ᄒᆞ여, 셔경 포뎡ᄉᆞ 남슌의 녀ᄅᆞᆯ 여ᄎᆞ여ᄎᆞ 《살나ᄂᆡᆷ과∥살나ᄂᆡ오며》, 댱샤 뎡비 죄인 화모의 녀ᄅᆞᆯ 【58】 취(娶)ᄒᆞᄃᆡ, 녀화위남(女化爲男)ᄒᆞ여 광텬의 셩명을 비러, 졀염 슉녀로ᄡᅥ 《길운(吉運)을 만나∥인연을 미즈》 가부의게 쳔거ᄒᆞ려 ᄒᆞ니, 엇디 긔특디 아니리잇고? 신은 광텬의 뒤흘 좃ᄎᆞ 그 뒤휘ᄅᆞᆯ 드러 뎍은 공을 일우미 잇ᄉᆞ오나, 본ᄃᆡ 무명필뷔(無名匹夫)라. 엇디 텬문(天門)의 쟉상(爵賞)을 ᄇᆞ라리잇고? 십년을 그음ᄒᆞ여 무과(武科)ᄅᆞᆯ 응ᄒᆞ온 후 됴항(朝行)의 나아오리니, 이 ᄶᅥ는 샹쟉을 주셔도 신은 죽을디언졍 슌슈치 못ᄒᆞ리로소이다.”

○○○[인ᄒᆞ여] 윤광텬의 의긔 현심으로 우셥의 남ᄆᆡᄅᆞᆯ 구ᄒᆞ여, 결약동긔(結約同氣)ᄒᆞ여 다려오{오}ᄃᆡ, 남녜 동힝의 혐의○[ᄅᆞᆯ] 업시 흔 바ᄅᆞᆯ 일일이 【59】 쥬ᄒᆞ니, 샹이 윤원슈 부부의 쳐신 빅ᄉᆡᆨ, 타류(他類)의 ᄂᆡ도ᄒᆞᆷ믈 긔특이 넉이시고, 셩각이 블의ᄅᆞᆯ 먼니 ᄒᆞ고 뎡도의 나아가믈 긔특이 넉이샤, 만됴ᄅᆞᆯ 뒤ᄒᆞ여 그 힝ᄉᆞ의 긔특ᄒᆞᆷ믈 일ᄏᆞᆮ시니, 만됴 일시의 쥬ᄒᆞ여 쳔고의 긔이ᄒᆞ믈

[텬]이 《구ᄒᆞ여∥구ᄐᆞ여》 신ᄃᆞ려 니르지 아니니, 신은 텬신이 강림ᄒᆞ여 구ᄒᆞᆫ가 ᄒᆞ엿ᄉᆞᆸ더니, 원슈ᄅᆞᆯ 쟝슈ᄅᆞᆯ 진졍ᄒᆞ고 도라올 길희 광현[텬]의 부인 뎡씨 낙쳥산 도관의 잇시니 신ᄃᆞ려 호힝ᄒᆞ라 ᄒᆞ거ᄂᆞᆯ, 신【49】이 거교ᄅᆞᆯ 츌혀 가온즉, 원슈ᄅᆞᆯ 구ᄒᆞ던 도인의 셔동이 변ᄒᆞ여 슉렬의 셔동이 되엿ᄉᆞᆸᄂᆞᆫ지라. 신이 의혹ᄒᆞ와 비즈ᄃᆞ려 곡졀을 므르니, 과연 뎡씨 녀ᄌᆞ의 ᄲᅱ여난 지죄 이셔 텬문 디리와 만ᄉᆞᄅᆞᆯ 능통ᄒᆞᄂᆞᆫ 고로, 윤광현[텬]의 쥬셩을 보아 익회 잇시믈 알고, 쇼쇼 붓그러오믈 도라보지 아니코 도인의 복식으로 원슈ᄅᆞᆯ 구ᄒᆞ여 ᄃᆡ익을 버셔나 국가의 ᄃᆡ공을 셰우미 되엿ᄉᆞ오니, 그 근본을 니ᄅᆞᆯ진ᄃᆡ 뎡씨의 광현[텬] 구ᄒᆞ오미 흔갓 ᄉᆞᄉᆞ(私私) 열졀(烈節) ᄲᅮᆫ 아니라 국가 대힝이니, 신이 흠복ᄒᆞ오ᄃᆡ 광현[텬]이 맛ᄎᆞᆷᄂᆡ 신이 모로ᄂᆞᆫ 쥴노 아ᄂᆞ이다. 《인ᄒᆞ여∥ᄯᅩ》 뎡씨 빅ᄉᆡ(百事) 인뉴의 특이ᄒᆞ여, 셔경 포뎡ᄉᆞ 남슌의 녀ᄅᆞᆯ 여ᄎᆞ여ᄎᆞ 《살나ᄂᆡᆷ과∥살나ᄂᆡ오며》, 쟝슈 뎡비 죄인 화모의 녀 【50】ᄅᆞᆯ 취(娶)ᄒᆞ되, 녀화위남(女化爲男)ᄒᆞ여 광현[텬]의 셩명을 비러 졀념 슉녀로ᄡᅥ 《길운(吉運)을 만나∥인연을 미즈》 가부의게 쳔거ᄒᆞ려 ᄒᆞ니, 엇지 긔특지 아니리잇고? 신은 광현[텬]의 뒤흘 좃ᄎᆞ 그 지휘ᄅᆞᆯ 드러 젹은 공을 일우미 잇ᄉᆞ오나, 본ᄃᆡ 《무면졀뷔∥무명필뷔(無名匹夫)》라. 엇지 《텬무∥텬문(天門)》에 쟉상(爵賞)을 ᄇᆞ라리잇고? 십년을 그음ᄒᆞ여 무과ᄅᆞᆯ 응ᄒᆞ온 후 조항(朝行)의 나오리니, 이 ᄶᅥ는 샹쟉을 주셔도 신은 죽을지언뎡 슌슈치 못ᄒᆞ리로소이다.”

○○○[인ᄒᆞ여] 윤광현[텬]의 의긔 현심으로 우셥의 남ᄆᆡᄅᆞᆯ 구ᄒᆞ여 결약동긔(結約同氣)ᄒᆞ여 다려오ᄃᆡ, 남녜 동힝의 혐의○[ᄅᆞᆯ] 업시 흔 바ᄅᆞᆯ 일일이 쥬ᄒᆞ니, 샹이 윤원슈 부부의 힝신 빅ᄉᆡᆨ 타류의 《미도∥ᄂᆡ도》 홈을 긔특이 넉이시고, 셩각이 불의ᄅᆞᆯ 먼니 ᄒᆞ고 졍도의 나아가믈 【51】 긔특이 넉이샤, 만조ᄅᆞᆯ 뒤ᄒᆞ여 그 힝ᄉᆞ의 긔특홈을 일ᄏᆞ르시니, 만죄(滿朝) 일시의 쥬ᄒᆞ여 쳔고

딕ᄒ더니, 믄득 양쥐 갓던 전유샤관(傳諭使官) 님찬이 윤흑ᄉ를 다려와시믈 고ᄒ고, 조초 윤흑ᄉ의 소댱(疏狀)이 텬문의 오로니, 샹이 윤흑ᄉ의 와시믈 크게 반기샤 그 소장을 어람ᄒ실ᄉ, 대개 양모의 찬덕을 경히ᄒ여, 만언소장(萬言疏狀)의 쳡쳡히 베픈 셜홰 다 양모를 위홀 ᄲᆞᆫ 아니라, ᄌᆞ긔 블효를 일【60】ᄏᆞ라, 군샹의[이] 죽으믈 주실디라도 양모로ᄡᅥ 찬덕 죄슈를 삼고ᄂᆞᆫ 홀노 즐거오믈 바다, 청현화딕(淸顯華職)762)의 나아가디 아닐 줄을 쥬(奏)ᄒ여, 셩효의 츌텬홈과 샤어(辭語)의 격녈ᄒ미 사ᄅᆞᆷ으로 ᄒ여곰 탄복(歎服) 긔경(起敬)홀디라.

샹이 남파의 그 소댱을 나리와 만됴 문무로 ᄒ여곰 다 ᄒᆞᆫ가디로 보게 ᄒ시고, 탄디칭션(嘆之稱善)ᄒ샤 왈,

"윤희텬이 뉴녀 악인을 위ᄒ여 효셩이 이ᄀᆞᆺ트니, 만일 희텬의 ᄆᆞ음이 편ᄒ기를 쥬홀딘티 뉴녀의 죄를 믈시홀 거시로티, 뉴녀의 죄악이 텬디ᄅᆞᆯ 관영(貫盈)ᄒ여 그 머리를 엇게 우히 보젼치 못홀 거ᄉᆞᆯ, 희텬의 셩효를 도라보아 양쥐【61】 찬덕을 명ᄒ엿더니, 희텬이 오히려 뉴녀의 죄듕벌경(罪重罰輕)ᄒ믈 씌ᄃᆞᆺ디 못ᄒ미 아니로티, 죽기를 결ᄒ여 됴항간(朝行間)의 나디 아니려 ᄒ니, 엇디 블ᄒᆡᆼ치 아니리오."

만됴 윤흑ᄉ의 소장을 돌녀보며 그 대효를 감탄ᄒ여, 일시의 쥬ᄒ티,

"뉴녀의 죄악이 호대(浩大)ᄒ오나 국가 대ᄉᆡ 아니오, 블과 ᄉᆞ가(私家) 모ᄌᆞ슉딜간(母子叔姪間) 어ᄌᆞ러온 일이라. 뉴녀를 쳐티ᄒ오미 그 댱부 윤슈의게 달녀시니, 폐히 임의 윤슈 슉딜의 졍니를 슬피샤 위녀의 무궁ᄒᆞᆫ 죄악 힝ᄉᆞ를 믈시(勿施)ᄒ여 계시니, 뉴녀의 과악(過惡)인들 믈시치 못ᄒ시리잇가?"

샹이 ᄀᆞᆯ오샤티,

"경 등의 쥬ᄉᆡ 【62】 맛당ᄒ나 뉴녀의 죄를 마자 샤ᄒᆞᆫ족, 텬하 간교(奸巧) 극악(極

762)청현화딕(淸顯華職) : 청직(淸職)과 현직(顯職)의 영화로운 직위.

의 긔이홈을 딕ᄒ더니, 믄득 양쥐 갓던 젼유ᄉ관(傳諭使官) 님찬이 윤흑ᄉ를 다려 왓시믈 고ᄒ고, 조쵸 윤희현[텬]의 쇼장(疏狀)이 텬문에 오로니, 샹이 윤흑ᄉ의 왓시믈 크게 반기샤 그 소장을 어람ᄒ실ᄉ, 대개 양모의 찬젹을 경히ᄒ여, 만언소장의 쳡쳡히 베픈 셜홰 다 양모를 위홀 ᄲᆞᆫ 아니라, ᄌᆞ긔 블효를 일ᄏᆞ라 군샹이 죽으믈 주실지라도 양모로ᄡᅥ 챤젹 죄슈를 삼고ᄂᆞᆫ 홀노 즐거오믈 바다, 청현화직(淸顯華職)731)의 나아가지 아닐 줄을 쥬ᄒ여, 셩효의 츌텬홈과 ᄉ어(辭語)의 격렬ᄒ미 사ᄅᆞᆷ으로 ᄒ여곰 탄복(歎服) 긔경(起敬)홀지라.

샹【52】이 남파에 그 소장을 나리와 만조 문무로 ᄒ여곰 다 ᄒᆞᆫ가지로 보게 ᄒ시고, 탄지칭션(嘆之稱善) 왈,

"윤희현[텬]이 뉴녀 악인을 위ᄒ여 효셩이 이 ᄀᆞᆺ트니, 만일 희현[텬]의 ᄆᆞ음이 편ᄒ기를 주홀진티 뉴녀의 죄를 믈시홀 거시로티, 뉴녀의 죄악이 텬디에 관영(貫盈)ᄒ여 그 머리를 엇개 우히 보젼치 못홀 것ᄉᆞᆯ, 희현[텬]의 셩효를 도라보아 양쥐 찬젹을 명ᄒ엿더니, 희현[텬]이 오히려 뉴녀의 벌이 경(輕)홈을 씌ᄃᆞᆺ디 못ᄒ미 아니로티, 죽기를 졍ᄒ여 조항간(朝行間)의 나지 아니려 ᄒ니 엇지 불ᄒᆡᆼ치 아니리오."

만죄 윤흑ᄉ의 소장을 돌녀보며 그 대효를 감탄ᄒ여 일시의 쥬ᄒ티,

"뉴녀의 죄악이 호대(浩大)ᄒ오나, 국가 대ᄉᆡ 아니오, 불과 【53】ᄉ가(私家) 모ᄌᆞ슉딜간(母子叔姪間) 어ᄌᆞ러온 일이라. 뉴녀를 쳐치ᄒ오미 그 쟝부 윤슈에게 달녀시니, 폐히 임의 윤슈 슉딜의 졍니를 슬피샤, 위녀의 한업ᄉᆞᆫ 죄악 힝ᄉᆞ를 믈시(勿視)ᄒ여 계시니, 뉴녀의 과악(過惡)인들 믈시치 못ᄒ시리잇가?"

샹이 ᄀᆞᆯ오ᄉᆞᄃᆡ,

"경 등의 쥬시 맛당ᄒ나, 뉴녀의 죄를 마ᄌ 사ᄒᆞᆫ족 텬하 간교(奸巧) 극악(極惡)과 츄

731)청현화딕(淸顯華職) : 청직(淸職)과 현직(顯職)의 영화로운 직위.

惡)과 투한(妬悍) 요녀(妖女)를 징계치 못홀가 ᄒ노라."

ᄒ시고, 이에 듕사를 명ᄒ여 윤흑ᄉ를 밧비 됴현ᄒ라 ᄒ시니, 윤흑시 회계(回啓)[763] 왈,

"어미는 텬디어늘 신이 어미 히흔 죄인이라. 모지 흔가디로 죄의 나아가믈 쥬ᄒᆞᆸᄂ니, 바라건디 셩샹은 쇼신을 죽여 후셰 블효흔 패ᄌ(悖子)를 징계ᄒ쇼셔."

샹이 그 뜻이 구드믈 아르시고 다시 엄디(嚴旨)를 나리오샤 왈,

"뉴녀의 과악이 텬디의 관영ᄒ니 엇디 그 몸을 능디(陵遲)[764]ᄒ여 죄를 다스리디 아니리오마는, 경의 안면을 고렴ᄒ여 양쥐 뎡비ᄒ【63】엿거늘, 경이 딤의 뜻을 모로고 됴항의 나아오기를 종시(終始) 샤양홀딘디, 딤이 당당이 뉴녀를 죽여 법을 뎡히 ᄒ리라."

ᄒ시니, 흑시 회쥬 왈,

"고어의 왈, 셩군은 이효(以孝)로 티텬하(治天下)ᄒ시고, 덕으로 만민○[을] 다스리샤 녜의를 권쟝ᄒ신다 ᄒ오니, 쇼신이 비록 우용블초디인(愚庸不肖之人)으로 극역 패ᄌ오나, 셩샹이 사름의 어미를 ○○[죽여] 위엄을 셰오렷노라 ᄒ시니, 이의 다ᄃᆞ는 그윽이 폐하의 졍ᄉᄒ시믈 한심 츠악ᄒᆞᆸᄂ니, 어나 결의 가변을 슬허 ᄒ리잇고? 모ᄌ 간 죄패 한가디오니 신이 구틔여 어미를 이미타 ᄒᆞᄂ 거시 아니오라, 【64】어미 죄의 나아가미 기지 일체로 벌을 밧고, 어미 편홀딘디 ᄌ식이 무스ᄒ오리니, 화복고락(禍福苦樂)이 모ᄌ간 흔 시졀의 닉도홀 거시 아니오니, 이러므로 신이 죽기를 바라ᄋᆞᆸ느니, 흔 번 목슘을 ᄎᆞᆼ츠면 두 번 죽는 일이 업ᄂᆞ니라. 텬문의 결ᄉ(決事)를 기다려 부월의 쥬ᄒ기를 바라ᄂ이다."

<hr>

[763]회계(回啓) : 임금의 물음에 대하여 신하들이 심의하여 대답하던 일.

[764]능디(陵遲) : 대역죄를 범한 자에게 과하던 극형. 죄인을 죽인 뒤 시신의 머리, 몸, 팔, 다리를 토막쳐서 각지에 돌려 보이는 형벌. =능지처참(陵遲處斬).

醜)흔 요녀를 징계치 못홀가 ᄒ노라"

ᄒ시고 이에 즁ᄉ를 명ᄒ여 윤흑ᄉ를 밧비 조현ᄒ라 ᄒ시니, 윤흑시 회쥬(回奏)[732] 왈,

"어미는 텬디어늘 신이 어미 히흔 죄인이라. 모지 흔가지로 죄에 나아가믈 쥬ᄒᆞᆸᄂ니, 바라건디 셩샹은 쇼신을 죽여 후셰 블효흔 픽ᄌ(悖子)를 징계ᄒ쇼셔"

상이 그 뜻이 구드믈 아르시고 다【54】시 엄지(嚴旨)를 나리오사 왈,

"뉴녀의 과악이 텬디에 관영ᄒ니 엇지 그 몸을 능지(陵遲)[733]ᄒ여 죄를 다스리지 아니리오마는, 경의 안면을 고렴ᄒ여 양쥐 졍비ᄒ엿거늘, 경이 짐의 뜻을 모로고 조항의 나아오기를 종시 ᄉ양홀진디, 짐이 당당이 뉴녀를 죽여 법을 졍히 ᄒ리라"

ᄒ시니, 흑시 회쥬 왈,

"고어에 왈, 셩군은 이효(以孝)로 치텬하(治天下)ᄒ시고, 덕으로 만민○[을] 다스리샤 례의(禮義)를 권쟝ᄒ신다 ᄒ오니, 쇼신이 비록 우용블초지인(愚庸不肖之人)으로 극역 패지오나, 셩샹이 사름의 어미를 죽여 위엄을 셰오렷노라 ᄒ시니, 이에 다ᄃᆞ라는 그윽이 폐하의 졍ᄉᄒ시믈 한심 츠악ᄒᆞᆸᄂ니, 어나 결에 가변을 슬허 ᄒ리잇고? 모ᄌ 간 죄패 한가【55】지오니, 신이 굿틔여 어미의[를] 이미타 ᄒᄂ 거시 아니오라, 어미 죄에 나아가미 기지 일체로 벌을 밧고, 어미 편홀진디 ᄌ식이 무스ᄒ오리니, 화복고락(禍福苦樂)이 모ᄌ간 흔 시졀의 닉도홀 거시 아니오니, 이러므로 신이 죽기를 ᄇᆞ라ᄋᆞᆸᄂ니, 흔 번 목슘을 긋ᄎ면 두 번 죽는 일이 업ᄂᆞᆫ지라. 현[텬]문의 결ᄉ(決事)를 기ᄃᆞ려 부월(斧鉞)의 쥬(誅)ᄒ기를 바라ᄂ이다."

<hr>

[732]회쥬(回奏) : 임금에게 회답하여 아뢰던 일.

[733]능지(陵遲) : 대역죄를 범한 자에게 과하던 극형. 죄인을 죽인 뒤 시신의 머리, 몸, 팔, 다리를 토막쳐서 각지에 돌려 보이는 형벌. =능지처참(陵遲處斬).

듕시 도라와 이디로 회쥬(回奏)ㅎ니, 샹이 그 무음을 어려이 넉이샤 오릭 말솜을 아니시니, 태소 뎡유와 각노 딘흠 등이 츌반 쥬왈,

"'구튱신(求忠臣)인디 필구어효즈디문(必求於孝子之門)'765)이라 ㅎ오니, 윤회텬의 셩효는 증삼(曾參) 후 흔 사롬【65】이라. 뉴녀의 죄패 비록 호대ㅎ오나 회텬을 쓰고져 ㅎ시거든, 뉴녀의 죄를 믈시(勿視)ㅎ샤 회텬으로 셩은을 감화케 ㅎ쇼셔."

샹이 그러히 넉이시디 오히려 결치 못ㅎ시더니, 승상 조딘과 평북공 뎡텬흥이 뎡유와 딘흠의 쥬시 가쟝 온당(穩當)ㅎ믈 알외니, 샹이 마디 못ㅎ샤 이의 뉴녀의 무궁흔 과악을 다 믈시ㅎ여, 양쥐 찬비를 프르시고 윤회텬으로 모즈디의(母子之義)를 완젼케 ㅎ라 ㅎ시고, 하교(下敎) 왈,

"딤이 경의 쇼원을 좃춧ㄴ니, 경은 모로미 됴알ㅎ여 딤의 싱각는 졍을 위로ㅎ라."

ㅎ시니, 혹시 교디를 밧줍고 양【66】모의 뎍힝(謫行)이 업스믈 만심 환힝(歡幸)ㅎ나, 그윽이 싱각건디 그 양모의 과악이 실노 믈시키 어려온 일이 만커늘, 셩샹이 즈긔의 황황흔 졍소를 슬피샤 뎡비(定配)를 긋치시고, 밧비 즈긔 츌샤(出仕) 됴현(朝見)ㅎ믈 지쵹ㅎ시니, 마디 못ㅎ신 일인 줄 씨둣고 더욱 황공ㅎ고 블안ㅎ여, 다시 일봉 소를 올녀 어믜 찬비 프르시믈 샤온ㅎ고,

"모즈의 죄를 특은으로 샤ㅎ시믈 닙스와시나, 어믜 허믈이 텬문구듕(天門九重)766)의 스뭇츠시니, 하면목(何面目)으로 닙어셰(立於世)ㅎ오며, 츠마 됴현치 못ㅎ오니 복원 셩쥬는 신 굿튼 블초 패즈를 죽여 후셰의 블효를 징계ㅎ쇼셔."【67】

샹이 윤혹스의 표문을 보시고 그 효의 셩심을 감탄ㅎ실 쑨 아니라, 위인이 구측치

중시도라와 이디로 회쥬(回奏)ㅎ니 샹이 그 무음을 어려이 넉이샤 오릭 말솜을 아니시니, 령태스(令太師) 뎡유와 각노 진흠 등이 츌반 쥬 왈,

"츙신은 '필구어효즈지문(必求於孝子之門)'734)이라. 윤회텬의 셩효는 증삼 후 흔 사롬이라. 뉴녀의 죄패 비록 호대ㅎ오나 회텬을 쓰고져 ㅎ시거든, 뉴녀의 죄를 믈시ㅎ샤 회텬으로 셩은【56】을 감화케 ㅎ쇼셔."

샹이 그러히 넉이시디 오히려 결ㅎ시더니, 승상 조진과 북공 뎡현[쳔]흥이 뎡유와 진흠의 쥬시 ᄀ장 온당흠을 알외니, 샹이 마지 못ㅎ샤 즉시 뉴녀의 무궁흔 과악을 다 믈시ㅎ여 양쥐 찬비를 프르시고, 윤회현[쳔]으로 모즈지의(母子之義)를 완젼케 ㅎ라 ㅎ시고, 하교(下敎) 왈,

"딤이 경의 쇼원을 좃춧ㄴ니, 경은 모로미 조알ㅎ여 짐의 싱각는 졍을 위로ㅎ라"

ㅎ시니, 혹시 교지를 밧줍고 양모의 뎍힝이 업스믈 만심 환힝ㅎ나, 그윽이 싱각건디 그 양모의 과악이 실노 믈시키 어려온 일이 마[만]커늘, 셩샹이 즈긔의 황황흔 졍스를 슬피샤 졍비(定配)를 긋치시고, 밧비 즈긔 츌스흠을 지쵹ㅎ시니, 마지 못흔 일인 줄 씨【57】둣고 더욱 황공ㅎ고 블안ㅎ여, 다시 일봉 소를 올녀 어믜 찬비 프르시믈 샤온ㅎ고,

"모즈의 죄를 특은으로 샤ㅎ심을 닙스와시나, 어믜 허믈이 구즁(九重)735)에 스뭇츠니, 하면목(何面目)으로 닙어셰(立於世)ㅎ며, 츠마 조현치 못ㅎ오니 복원 셩쥬는 신 ᄀ치 불초흔 패즈를 죽여 후셰의 불효를 징계ㅎ쇼셔."

샹이 윤혹스의 표문을 보시고 효의 셩심을 감탄ㅎ실 쑨 아니라, 위인이 구측치 아

765)구튱신(求忠臣)인디 필구어효즈디문(必求於孝子之門) : 충신을 구하려면 반드시 효자의 가문에서 구하라는 말.
766)텬문구듕(天門九重) : 대궐문의 안. *구중(九重); 겹겹이 문으로 막은 깊은 궁궐이라는 뜻으로, 임금이 있는 대궐 안을 이르는 말.≒구중궁궐.

734)튱신(忠臣)은 필구어효즈디문(必求於孝子之門) : 충신을 구하려면 반드시 효자의 가문에서 구하라는 말.
735)구즁(九重) : 늑구중궁궐(九重宮闕). 겹겹이 문으로 막은 깊은 궁궐이라는 뜻으로, 임금이 있는 대궐 안을 이르는 말

아니믈 아르시고, 즉시 비답(批答)을 나리오
샤 은근 위유ᄒ시ᄂᆞᆫ 은디(恩旨), 인신으로
ᄒᆞ여곰 감격ᄒᄂᆞᆫ 눈믈이 나리믈 면치 못ᄒᆞᆯ
거시오, 양한님이 샹교ᄅᆞᆯ 젼ᄒᄂᆞ나[니], ᄃᆡᆫ실
노 가변을 붓그리고 됴항 간의 나디 말고져
ᄒᄂᆞ나, 인신디도(人臣之道)로ᄡᅥ 고집히 샤양
치 못ᄒᆞ고 셩은을 만홀홈 ᄀᆞᆺᄐᆞ여, 브득이
문화뎐의 드러가 됴알홀시, 그 풍신 용홰
병여(病餘)의 더옥 싁싁ᄒᆞ고 고요 단엄ᄒᆞ여,
냥미(兩眉)○[ᄂᆞᆫ] 강산(江山)의 문명(文明)
이 녕녕(盈盈)ᄒᆞ고, 봉안졍치(鳳眼精彩)ᄂᆞᆫ
뎐샹 뎐하ᄅᆞᆯ 븕히거ᄂᆞᆯ, 고은 얼골은 빅【6
8】년홰(白蓮花) 남풍의 우ᄉ며, 쳥신ᄒᆞᆫ 풍
치ᄂᆞᆫ 셰류(細柳) 휘듯ᄂᆞᆫ ᄃᆞᆺ, 팔쳑신댱(八尺
身長)의 앙댱(昂壯)ᄒᆞᆫ 골격이 긔이ᄒᆞᆫ 격되
라. ᄃᆞᆫ상국(陳相國)의 여옥디풍(如玉之風)을
낫게 넉이고, 니빅(李白)의 호풍(好風)을 우
슬디라. 빈빈(彬彬)ᄒᆞᆫ 녜모ᄂᆞᆫ 공밍(孔孟)의
여풍이오, 슉슉ᄒᆞᆫ 덕화ᄂᆞᆫ 이윤(伊尹)767) 듀
공(周公)768)으로 흡ᄉᆞᄒᆞ니, 황샹이 흑ᄉᆞ의
됴알ᄒᆞᄆᆞᆯ 당ᄒᆞ여 텬안이 반가오믈 니긔디
못ᄒᆞ샤, 어슈로ᄡᅥ 흑ᄉᆞ의 손을 잡으시고 탄
ᄒᆞ샤 왈,

  "경의 츌텬대효로ᄡᅥ '민텬(旻天)의 우
름'769)을 당ᄒᆞ여 사ᄅᆞᆷ의 견듸디 못ᄒᆞᆯ 바를
ᄀᆞᆺ초 디니믄, 비록 오ᄐᆡᆫ 일이나 놀나오믈
니긔디 못ᄒᆞᄂᆞ니, 뎍소 삼년의 원억【69】
ᄒᆞᆫ 누명을 시름도 경의 조모와 양모의 ᄉ오
나옴만 아니라, ᄯᅩᄒᆞᆫ 경 등의 익회 비상ᄒᆞᆫ

니믈 아르시고, 즉시 비답(批答)을 나리와
은근 위유ᄒ시ᄂᆞᆫ 은지(恩旨), 인신으로 감격
ᄒᄂᆞᆫ 눈믈이 나믈 면치 못ᄒᆞᆯ 거시오, 냥한
님이 샹교ᄅᆞᆯ 젼ᄒᄂᆞ나, 진실노 《가병‖가변
(家變)》을 붓그리고 죠항 간에 나지 말고
져 ᄒᄂᆞ나, 이[인]신지도(人臣之道)로ᄡᅥ 고집
히 ᄉ양치 못ᄒᆞ고, 셩은을 모【58】름 ᄀᆞᆺᄐᆞ
여 브득이 문화뎐의 드러가 죠알홀시, 그
풍신 용홰 병여(病餘)에 더옥 싁싁ᄒᆞ고 고
요 단엄ᄒᆞ여, 냥미(兩眉)○[ᄂᆞᆫ] 강산(江山)
에[의] 문명(文明)이 녕녕(盈盈)ᄒᆞ고 봉안졍
치(鳳眼精彩)ᄂᆞᆫ 뎐샹 뎐하ᄅᆞᆯ 븕히거ᄂᆞᆯ,
고흔 얼골은 빅년홰(白蓮花) 남풍의 우ᄉ며,
쳥신ᄒᆞᆫ 풍치ᄂᆞᆫ 셰류(細柳) 휘듯ᄂᆞᆫ ᄃᆞᆺ, 팔
쳑 신장에 앙장(昂壯)ᄒᆞᆫ 골격이 긔이ᄒᆞᆫ
격되라. 진상국(陳相國)의 여옥지풍(如玉之風)을
낫게 넉이고 니빅(李白)의 호풍(好風)을 우
슬지라. 빈빈(彬彬)ᄒᆞᆫ 례모ᄂᆞᆫ 공밍(孔孟) 안증
(顔曾)이오, 슉슉ᄒᆞᆫ 덕화ᄂᆞᆫ 이윤(伊尹)736)
쥬공(周公)737)으로 흡ᄉᆞᄒᆞ니, 황샹이 흑ᄉᆞ
의 조알홈을 당ᄒᆞ여 텬안이 반가오믈 니긔
지 못ᄒᆞ샤, 어슈로 흑ᄉᆞ의 손을 잡으시고
탄왈,

  "경의 츌텬대효로 '민텬(旻天)의 우름'738)
을 당ᄒᆞ여 사ᄅᆞᆷ의 견듸지 못ᄒᆞᆯ 바를 ᄀᆞᆺ
【59】초 지니믄 비록 오ᄐᆡᆫ 일이나 놀나오
믈 니긔지 못ᄒᆞᄂᆞ니, 젹소 삼년에 원억ᄒᆞᆫ
누명을 시름도 경의 조모와 양모의 ᄉ오나
오미 아니라, ᄯᅩᄒᆞᆫ 경 등의 익회 비상ᄒᆞᆫ 연

---

767) 이윤(伊尹) : 중국 은나라의 전설상의 인물. 이름
    난 재상으로 탕왕을 도와 하나라의 걸왕을 멸망시
    키고 선정을 베풀었다.
768) 쥬공(周公) : 중국 주나라의 정치가. 문왕의 아들
    로 성은 희(姬). 이름은 단(旦). 형인 무왕을 도와
    은나라를 멸하였고 어린 조카 성왕(成王)을 섭정
    하여 주나라의 기초를 튼튼히 하였다. 예악 제도
    (禮樂制度)를 정비하였으며, ≪주례(周禮)≫를 지
    었다고 알려져 있다
769) '민천(旻天)의 우름' : 순(舜)임금이 밭에 나가 부
    모의 사랑을 얻지 못하는 자신을 원망하며, 또 한
    편으로는 부모를 사모하여 하늘을 향해 큰 소리로
    목 놓아 울었던 고사(故事)를 말함. 『맹자』 '만장
    장구상(萬章章句上)'에 나온다. 민천(旻天)은 어진
    하늘

---

736) 이윤(伊尹) : 중국 은나라의 전설상의 인물. 이름
    난 재상으로 탕왕을 도와 하나라의 걸왕을 멸망시
    키고 선정을 베풀었다.
737) 쥬공(周公) : 중국 주나라의 정치가. 문왕의 아들
    로 성은 희(姬). 이름은 단(旦). 형인 무왕을 도와
    은나라를 멸하였고 어린 조카 성왕(成王)을 섭정
    하여 주나라의 기초를 튼튼히 하였다. 예악 제도
    (禮樂制度)를 정비하였으며, ≪주례(周禮)≫를 지
    었다고 알려져 있다
738) '민천(旻天)의 우름' : 순(舜)임금이 밭에 나가 부
    모의 사랑을 얻지 못하는 자신을 원망하며, 또 한
    편으로는 부모를 사모하여 하늘을 향해 큰 소리로
    목 놓아 울었던 고사(故事)를 말함. 『맹자』 '만장
    장구상(萬章章句上)'에 나온다. 민천(旻天)은 어진
    하늘

연괴라. 이러므로 경 등의 셩효를 감동ᄒᆞ여 위·뉴 이녀의 죄과를 다 믈시ᄒᆞ엿ᄂᆞ니, 경은 금일로브터 ᄒᆡᆼ공찰임(行公察任)ᄒᆞ여 딤의 통우ᄒᆞᄆᆞᆯ 져바리디 말나."

ᄒᆞ시고, 드듸여 어온(御醞)을 반샤(頒賜)ᄒᆞ시고, 그 얼골이 슈쳑ᄒᆞᄆᆞᆯ ᄀᆞ초 념녀ᄒᆞ시니, 텬은이 만됴의 희한ᄒᆞ더라.

샹이 그 긔븨(肌膚) 연약ᄒᆞᄆᆞᆯ 과려(過慮)ᄒᆞ샤, 의약을 챡실이 닐위여 병근을 업시ᄒᆞ라 ᄒᆞ시니, 호셩(浩盛)ᄒᆞᆫ 은영이 만됴의 빗나고, 늉늉ᄒᆞᆫ 통권(寵眷)이 일셰를 기우리더라.

흑시【70】셩은을 황공 감은ᄒᆞ여 고두샤은ᄒᆞ고, 인ᄒᆞ여 ᄉᆞ졍을 딘쥬ᄒᆞ여 몸의 병이 괴이ᄒᆞ오니 슈삼월 말미를 쳥ᄒᆞ여, 딜양(疾恙)이 쾌소ᄒᆞᆫ 후 찰임ᄒᆞᄆᆞᆯ 알외니, 샹이 그 신식이 슈고(瘦枯)ᄒᆞᄆᆞᆯ 념녀ᄒᆞ샤 쾌허ᄒᆞ시니, 윤흑시 일마다 감튝ᄒᆞ여 눈믈을 드리워 직비 샤은ᄒᆞ고 잠간 뎐하의 뫼셧더니, 좌우반항(左右班行)의 친쳑졔죡(親戚諸族)과 인친붕우(姻親朋友) 등이 가득ᄒᆞ나, 디쳑텬안(咫尺天顔)의 반기는 졍을 펴디 못ᄒᆞ여, 셔로 눈을 보ᄂᆡ여 ᄆᆞ음을 빗최더라.

이 ᄢᅵ 원쉬 패브딘(牌不進) 후, 잠간 옥화산의 나아가 모부인긔 뵈옵고져 ᄒᆞ더니, 듕시 ᄯᅩ 니르러 샹교【71】를 젼ᄒᆞ니, 원쉬 심니(心裏)의 혜오ᄃᆡ,

"내 금일 됴알(朝謁)의 블참ᄒᆞᆷ믄 슉모의 뎡비(定配) ᄉᆞ단(事端)이 블안ᄒᆞ여, 사뎨(舍弟) 텬의를 두로현 후 드러가고져 ᄒᆞ엿더니, ᄯᅩ 듕시(中使) 니르니, 엇디 고집ᄒᆞ여 셩의를 밧드디 아니리오."

ᄒᆞ고 이의 관복을 닙고 궐졍으로 향ᄒᆞᆯᄉᆡ, 뎡슉녈다려 왈,

"조모와 슉모의 닙으실 옷슬 금일 ᄂᆡ로 가라닙으시게 ᄒᆞ라."

ᄒᆞ고, 총총이 입궐ᄒᆞ여 뇽뎐(龍殿)의 비알ᄒᆞ니, 샹이 일죽 됴알치 아니믈 므르시고 흑ᄉᆞ의 샹경ᄒᆞᄆᆞᆯ 깃거 ᄒᆞ시니, 원쉬 잠간

괴라. 이러므로 경 등의 효를 감동ᄒᆞ야 위·뉴의 죄를 믈시ᄒᆞ엿ᄂᆞ니, 경은 금일로브터 ᄒᆡᆼ공찰임(行公察任)ᄒᆞ여 딤의 춍우ᄒᆞᄆᆞᆯ 져바리지 말나"

ᄒᆞ시고, 드듸여 어온(御醞)을 반샤(頒賜)ᄒᆞ시고, 그 얼골이 슈쳑ᄒᆞᆷ을 ᄀᆞ쵸 념녀ᄒᆞ시니, 텬은이 만죠에 드므더라.

ᄎᆞ시 하오 하편을 분히 셕남ᄒᆞ라.

화셜 텬지 윤흑ᄉᆞ를 ᄉᆞ랑ᄒᆞᄉᆞ 어온(御醞)을 반ᄉᆞ(頒賜)ᄒᆞ시고 그 얼골이 슈쳑ᄒᆞ며 긔븨(肌膚) 연약ᄒᆞᄆᆞᆯ 념녀ᄒᆞ샤 의약을 챡실이 닐위여 병근을 업시 ᄒᆞ라【60】ᄒᆞ시니, 은영이 만조의 빗나고 춍권(寵眷)이 일셰를 기우리더라

흑시 ○○○[셩은을] 감은 황공 ᄒᆞ여 고두샤은 ᄒᆞ고, 인ᄒᆞ여 ᄉᆞ졍을 쥬ᄒᆞ여 몸의 병이 괴이ᄒᆞ오니 슈삼월만 말미를 쳥ᄒᆞ여 질양이 쾌소ᄒᆞᆫ 후 찰임ᄒᆞᆷ을 알외니, 샹이 그 신식이 슈고(瘦枯)ᄒᆞᄆᆞᆯ 념녀ᄒᆞ샤 쾌허ᄒᆞ시니, 윤흑시 일마다 감츅ᄒᆞ여 눈믈을 드리워 슉비(肅拜) ᄉᆞ은ᄒᆞ고 잠간 뎐하에 뫼셧더니, 좌우반항(左右班行)에 친쳑졔죡(親戚諸族)과 인친 붕우(姻親朋友) 등이 가득ᄒᆞ엿시나, 겨간에 반기는 졍을 펴지 못ᄒᆞ여, 셔로 늣거온 ᄆᆞ음을 빗최더라.

원쉬 픠부진(牌不進) 후 잠간 옥화산에 나아가 모부인께 뵈옵고져 ᄒᆞ더니, 듕시 ᄯᅩ 니르러 샹교를 젼ᄒᆞ니 원쉬 심니(心裏)에 혜오ᄃᆡ,

"내 금일 죠알(朝謁)의 불참【61】ᄒᆞᆫ믄 슉모(定配)의 졍비 ᄉᆞ단이 불안ᄒᆞ여, ○○[사뎨(舍弟)] 텬의를 두로현 후 드러가고져 ᄒᆞ엿더니, ᄯᅩ 즁시(中使) 니르니 엇지 고집ᄒᆞ여 셩의를 밧드지 아니리오."

ᄒᆞ고, 이에 관복을 입은 후 궐졍을 향ᄒᆞᆯᄉᆡ 뎡슉렬다려 왈,

"조모와 슉모의 닙으실 옷슬 금일 ᄂᆡ로 가라 닙으시게 ᄒᆞ라"

ᄒᆞ고 춍춍이 닙궐ᄒᆞ여 룡뎐(龍殿)의 비알ᄒᆞ니, 샹이 일작 조알치 아니믈 므르시고 흑ᄉᆞ의 샹경ᄒᆞᆷ을 깃거 ᄒᆞ시니, 원쉬 잠간

눈을 드러 흑ᄉ를 보미 반가옴과 슬프미 요동홀 ᄯᆞᆫ 아니라, 그 형용이 환탈ᄒᆞ고 긔븨 슈쳑ᄒᆞ여 심히 넘녀로와 뵈【72】ᄂᆞᆫ디라. 놀납고 잔잉ᄒᆞᆷ믈 니긔디 못ᄒᆞ여 ᄌᆞ연 미우의 슈ᄉᆡᆨ(愁色)이 녕녕(盈盈)ᄒᆞ고, 안광(眼光)의 반가온 졍이 빗최여 흑ᄉ의 신상의 ᄡᅩ히ᄂᆞᆫ디라. 흑ᄉᆡ ᄯᅩ흔 심ᄉᆡ 흔가디로ᄃᆡ 뇽탑하(龍榻下)의 시위(侍衛)ᄒᆞ여 감히 ᄉᆞ졍을 펴디 못홀 거시므로, 한 업ᄉᆞᆫ 졍을 억졔ᄒᆞ니 형뎨 냥인의 츌뉴흔 신ᄎᆡ와 쇄락흔 용홰 딘짓 난형난뎨(難兄難弟)770)라. ᄎᆞ(此) 냥인이 됴항간(朝行間)의 나미 뎡듀쳥이 아니면 일셰의 무뎍이니, 명쳔공 윤상셔의 후ᄉᆡ 빗나믈 알디라. 샹이 이경ᄒᆞ샤미 만됴의 우히오, 인인(人人)이 흠복(欽服) 갈ᄎᆡ(喝采)ᄒᆞ더라.

황샹이 윤원슈의 남토 평뎡흔 공뇌(功勞)를 의논ᄒᆞ샤 상작(賞爵)을【73】더으시니, 셩텬ᄌᆞ(聖天子)의 공신 포장ᄒᆞ시ᄂᆞᆫ 도리 디극ᄒᆞ시더라.【74】

눈을 드러 흑ᄉ를 보미 반가옴과 슬프미 요동홀 ᄯᆞᆫ 아니라, 그 형용이 환탈ᄒᆞ고 긔뷔 슈쳑ᄒᆞ여 심히 넘녀로와 뵈ᄂᆞᆫ지라. 놀납고 잔잉홈을 니긔지 못ᄒᆞ여 ᄌᆞ연 미우에 슈ᄉᆡᆨ(愁色)이 영영ᄒᆞ고, 안광에 반가온 빗이 빗최여 흑ᄉ 신상의 ᄡᅩ이ᄂᆞᆫ지라. 흑ᄉᆡ ᄯᅩ【62】흔 《쥼ᄉᆡǁ심ᄉᆡ》 흔가지로ᄃᆡ, 룡탑하(龍榻下)의 나아가 슉ᄉ(肅謝)치 {못ᄒᆞ지} 못홀 거시므로, 한 업ᄉᆞᆫ 졍을 억졔ᄒᆞ니 형뎨 냥인의 츌뉴흔 신ᄎᆡ와 쇄락흔 용홰 진짓 난형난뎨(難兄難弟)739)라, ᄎᆞ(此) 냥인이 조항간(朝行間)의 나미 뎡쥭쳥이 아니면 일셰에 무젹이니, 명쳔공 윤상셔의 ○○[후ᄉᆡ(後嗣)] 빗나믈 알지라. 상이 이경ᄒᆞ시미 만죠의 우히오, 인인(人人)이 흠복(欽服) 갈ᄎᆡ(喝采)ᄒᆞ더라.

---

770)난형난뎨(難兄難弟) : 누구를 형이라 하고 누구를 아우라 하기 어렵다는 뜻으로, 두 사물이 비슷하여 낫고 못함을 정하기 어려움을 이르는 말.

739)난형난뎨(難兄難弟) : 누구를 형이라 하고 누구를 아우라 하기 어렵다는 뜻으로, 두 사물이 비슷하여 낫고 못함을 정하기 어려움을 이르는 말.

명듀보월빙 권디칠십일

어시의 황상이 윤원슈의 남토 뎡벌ᄒᆞᆫ 공노를 의논ᄒᆞ샤 상작을 더으실ᄉᆡ, 원슈로 뇽두각태ᄒᆞᆨᄉᆞ 참디졍ᄉᆞ 좌댱군 남창후(龍頭閣太學士參知政事左將軍南昌侯)를 봉ᄒᆞ여 식녹(食祿) 삼쳔셕(三千石) ᄒᆞ시고, 부원슈 댱운으로 형부상셔 남창빅을 봉ᄒᆞ시고, 뎡슉녈이 가부를 위ᄒᆞᆫ 졍이 괴이치 아니나, 그 위급디시의 구ᄒᆞᄂᆞᆫ 도리 신긔ᄒᆞ고, 화시를 취ᄒᆞ여 윤원슈긔 쳔거코져 ᄒᆞ미 쳔고의 희한ᄒᆞᆫ 슉덕(淑德)인 고로, 슉녈문(淑烈門)의 금ᄌᆞ로 다시 어필 찬셔(讚書)를 디어 후셰의 뉴젼(遺傳)케 ᄒᆞ실ᄉᆡ, 슉녈문을 거두어 아ᄉᆞᆺ더니, 도로 녜부의 젼【1】 디ᄒᆞ샤, 명현효의슉녈뎡시디문(明賢孝義淑烈鄭氏之門)을 찬셔ᄒᆞ샤, ᄒᆞᆫ가디로 쳐소 겻ᄐᆡ 셰오고, 원슈로 화시를 취ᄒᆞ여 슉녀의 됴ᄒᆞᆫ 뜻을 져바리디 말나 ᄒᆞ시니, 원쉬 벼살을 고샤ᄒᆞ여 년쇼박덕브ᄌᆡ(年少薄德不才)로 봉후(封侯)의 외람홈과, 문무작직(文武爵職)이 블감 황공홀 ᄲᅮᆫ 아니라, 가간(家間)의 불효패ᄌᆡ(不孝悖子) 금옥인신(金玉印信)을 더러여 위거직렬(位居宰列) ᄒᆞ미 쳔만블ᄉᆞ(千萬不似)ᄒᆞᄆᆞᆯ 쥬(奏)ᄒᆞ여 혈심 딘졍의 비로ᄉᆞ디, 텬의 견고ᄒᆞ샤 맛ᄎᆞᆷᄂᆡ 블윤ᄒᆞ시니, 원쉬 샤양이 무익홀 ᄲᅮᆫ 아니라, 댱운 등이 원쉬 상작을 밧디 아니면 ᄯᅩᄒᆞᆫ 벼슬의 나아가디 아닐 바를 쥬ᄒᆞ여[며], 님셩각이 옥계의 머리를 조아 왈,

"미신의 어【2】린 ᄯᅳᆺ이 셩듀를 돕ᄉᆞ와 작녹(爵祿)이 영귀(榮貴)ᄒᆞᄆᆞᆯ 그윽이 바라오디, 무명ᄒᆞᆫ 작상은 밧ᄌᆞᆸ디 아니려 ᄒᆞ엿ᄉᆞᆸ더니, 신이 등과ᄒᆞ여 셩듀의 명ᄒᆞ샤ᄆᆞ로 ᄡᅥ 남뎡홀 ᄯᅢ의 공을 일워시면, 작상을 밧ᄌᆞ오려니와, 블과 윤광텬을 조ᄎᆞ 광텬을 ᄡᅥ나디 말고져 ᄒᆞ미라. 광텬이 댱샤를 뎡벌ᄒᆞᄂᆞᆫ ᄯᅢ를 당ᄒᆞ여 다만 광텬의 디휘를 조ᄎᆞ미 잇ᄉᆞ오나, 폐하를 돕ᄉᆞ오미 아니라, 므슴 공으로 봉작ᄒᆞ리잇고? 이후 다시 과거를 응ᄒᆞ여 비

황상이 윤원슈의 남토 평졍ᄒᆞᆫ 공뇌를 의논ᄒᆞ샤 상작을 더으실ᄉᆡ, 원슈로 룡두각태ᄒᆞᆨᄉᆞ 참디졍ᄉᆞ 좌댱군 남창후(龍頭閣太學士參知政事左將軍南昌侯)를 봉ᄒᆞ여 식녹(食祿) 삼쳔셕(三千石) ᄒᆞ시고, 부원슈 댱운으로 형부상셔 남창빅을 봉ᄒᆞ시고, 뎡슉렬이 가부를 위ᄒᆞᆫ 졍이 괴이치 아니나, 그 위급지시에 구ᄒᆞᄂᆞᆫ 도리 신긔ᄒᆞ고, 화씨【63】를 취ᄒᆞ여 윤원슈긔 쳔거코져 ᄒᆞ미 쳔고에 희한ᄒᆞᆫ 슉덕인 고로, 슉렬문(淑烈門)에 금ᄌᆞ로 다시 어필 찬셔(讚書)을 지어 후셰의 뉴젼(遺傳)케 ᄒᆞ실ᄉᆡ, 슉녈문을 거두어 아ᄉᆞᆺ더니, 도로 례부에 젼지ᄒᆞ샤 명현효의슉녈뎡씨지문(明賢孝義淑烈鄭氏之門)을 찬셔ᄒᆞ샤, ᄒᆞᆫ가지로 쳐소 겻ᄐᆡ 셰오고 원슈로 화씨를 취ᄒᆞ여 슉녀의 죠ᄒᆞᆫ 뜻을 져바리지 말나 ᄒᆞ시니, 원쉬 벼술을 고샤ᄒᆞ여 년쇼박덕브ᄌᆡ(年少薄德不才)로 봉후(封侯)의 외람홈과 문무작〇[직](文武爵職)의[이] 불감 황공홀 ᄲᅮᆫ 아니라, 가간의 불쵸픽지(不肖悖子) 금옥(金玉)《인싱∥인신(印信)》을 더러여 위거직렬(位居宰列)ᄒᆞ미 쳔만블ᄉᆞ(千萬不似)홈을 쥬(奏)ᄒᆞ여 혈심 진졍의 비르스디, 텬의 견고ᄒᆞ샤 맛ᄎᆞᆷᄂᆡ 불윤ᄒᆞ시니, 원쉬 ᄉᆞ양이 무익홀 ᄲᅮᆫ 아니라, 댱운 등이 원쉬 상작을 밧지 아니면【64】ᄯᅩᄒᆞᆫ 벼슬의 나아가지 아닐 바를 쥬ᄒᆞ며, 님셩각이 옥계의 머리를 조아 왈,

"미신의 어린 ᄯᅳᆺ이 셩쥬를 돕ᄉᆞ와 작녹이 영귀홈을 그윽이 ᄇᆞ라오디, 무명ᄒᆞᆫ 작상은 밧ᄌᆞᆸ지 아니려 ᄒᆞ엿ᄉᆞᆸ더니, 신이 등과ᄒᆞ여 셩쥬의 명ᄒᆞ심으로ᄡᅥ 남토를 파홀 ᄯᅢ에 공을 일윗시면 작상을 밧ᄌᆞ오려니와, 불과 윤광현[텬]을 조ᄎᆞ ᄡᅥ나지 말고져 ᄒᆞ미〇[라]. 광현[텬]이 장ᄉᆞ를 졍벌ᄒᆞᄂᆞᆫ ᄯᅢ를 당ᄒᆞ여 다만 광현[텬]의 지휘를 조ᄎᆞ미 잇ᄉᆞ오나, 폐하를 돕ᄉᆞ오미 아니라. 무슴 공으로 봉작ᄒᆞ리잇고? 이후 다시 과거를 응ᄒᆞ여 비

루흔 주최 농누의 어향을 뽀이고져 흐오니, 이졔는 작상을 밧줍디 못흐리로소이다."

샹이 셩각의 고집이 괴이흐고 거동이 뇌락(磊落)【3】흐여, 비록 만승의 위엄이라도 그 뜻을 앗디 못홀 줄 아르샤, 남녘을 파흐미 국가 대경인 고로 위연과771)를 뎡흐샤 문무디직(文武之材)를 쓴려 흐시는 고로, 이의 니르샤디,

"셩각의 디원(至願)이 이 궃트니 딤이 그 무움을 앗디 못흐느니, 모로미 응과흐여 딤을 도으라."

셩각이 깃거 비샤흐고 퇴궐홀시, 호상쾌활(豪爽快活)흐미 딘짓 영웅 쥰걸이러라.

원쉬 슉녈을 문녀(門閭)의 졍표(旌表)흐심과 금주어필(金字御筆)노 찬셔흐샤미 블가흐믈 주흐디, 샹이 블윤하시니, 원쉬 블승외람(不勝猥濫) 흐더라.

샹이 유공주(有功者)를 다 샹흐시고 쏘 유죄주(有罪者)를 벌흐실시, 손확을 졍하의 쑬니시고 용병을 그릇흐여 무슈흔【4】댱수군졸(將士軍卒)을 앗가이 맛츠믈 슈죄흐시고, 윤원슈를 공연이 죽이려 흐던 곡졀을 므르시니, 손확이 면여토식(面如土色)흐고 일신을 두로 써러 말을 못흐다가, 계오 윤원슈 히흐려 흐던 일을 일일히 고흐고, 윤광텬의 헌칙(獻策)흐믈 듯디 아냐 패군흐믈 쳥죄흐니, 샹이 대로흐샤 손확을 닉여 참흐라 흐시니, 윤원쉬 심니의 측은흐여 탑하의 브복 쥬왈,

"손확의 패군흔 죄는 당당이 쥬륙을 면치 못홀 거시오디, 국개 블힝흐와 셩쥐 스졸을 손(損)흐실 써오니, 흔갓 손확의 죄를 삼디 못흐올 거시오, 확이 신을 죽이랴 흐믄 블과 몽슉의 말을 고디 드르미니,【5】군듕의 스혐을 두는 거시 무상(無狀)흐오디, 사룸이 셩현디심(聖賢之心)이 아닌 후야 남이 져를

─────────────
771)위연과 : 미상. 정기적으로 시행하는 과거시험이 아닌, 국가의 경사가 있을 때 이를 경축하기 위해 임시로 시행하는 비정기 과거시험의 일종.

루흔 주최 농누의 어향을 《반이∥뽀이》고져 흐오니, 이졔는 작상을 밧지 못흐리로소이다."

샹이 셩각의 고집이 괴이흐고 거동이 뇌락(磊落)흐여, 비【65】록 만승의 위엄이라도 그 뜻을 앗지 못홀 줄 아르샤, 남젹을 파흐미 국가 대경인 고로, 위연과740)를 졍흐샤 문무지직(文武之材)를 쓴려 흐시는 고로 이의 니르스디,

"셩각의 지원(至願)이 이 궃트니 짐이 그 무음을 앗지 못흐느니, 모로미 응과흐여 짐을 도으라."

셩각이 깃거 비스흐고 밧그로 나그로 나갈시, 호상쾌활(豪爽快活)흐미 진짓 영웅 쥰걸이러라.

원쉬 슉녈을 문녀(門閭)로 졍표(旌表)흐심과 금주어필(金字御筆)노 찬셔흐심이 가치 아님을 쥬흐되, 불윤흐시니, 원쉬 불승외람(不勝猥濫) 흐더라.

샹이 유공주(有功者)를 다 샹흐시고 쏘 유죄주(有罪者)를 벌흐실시, 손확을 졍하에 쑬니시고 용병을 그릇흐여 무슈흔 댱수군졸(將士軍卒)을 앗가이 맛게흐믈 슈죄흐시고, 윤원슈를 공연이 죽이려 흐던 곡졀을【66】므르시니, 손확이 면여토식(面如土色)흐고 일신을 두로 써러 말을 못흐다가, 계오 윤원슈 히흐려 흐던 일을 일일히 고흐고, 윤광현[텬]의 헌칙흠을 듯지 아냐 픽군흐믈 쳥죄흐니, 샹이 대로흐샤 손확을 닉여 참(斬)흐라 흐시니, 윤원쉬 심니의 측은흐여 탑하의 부복 쥬왈,

"손확의 픽군흔 죄는 당당이 쥬륙을 면치 못홀 거시오디, 국개 블힝흐와 셩쥐 군졸을 손흘 써오니, 흔곳 손확의 죄를 삼지 못흐올 거시오, 확이 신을 죽이랴 흐믄 불과 몽슉의 말을 고지 드르미니, 군즁에 스혐을 두는 것이 무상은 흐오디, 사룸이 셩현지심(聖賢之心)이 아닌 후야 남이 져를 공연이

─────────────
740)위연과 : 미상. 정기적으로 시행하는 과거시험이 아닌, 국가의 경사가 있을 때 이를 경축하기 위해 임시로 시행하는 비정기 과거시험의 일종.

공연이 믜워 즐욕ᄒ믈 듯고 깃거ᄒ미 업슬
디라. 웃듬인즉 구몽슉의 요악ᄒᆫ 죄상이니,
셩듀의 호싱디덕(好生之德)이 몽슉의 일명
을 오히려 빌녀 계시니, 손확을 술오디 못
ᄒᆯ 일이 아니읍고, 신이 손확을 구ᄒ오미
사름마다 교졍(矯情)으로 아오려니와, 신이
손확을 므슴 졍으로 술오고져 ᄒ리잇고마
ᄂᆞᆫ, 셩듀의 호싱디덕이 셕은 ᄲᅢ의 ᄉᆞ못ᄎᆞ며
고목의 싱화(生花)ᄒᆞ오믈 보고져 ᄒᆞ옵ᄂᆞ니,
쳥컨디 손확을 감ᄉᆞ뎡비 ᄒᆞ쇼셔.”
　샹이 원슈의 어딘 말ᄉᆞᆷ을 드ᄅᆞ시고 ○○
[탄왈],
　“딤이 블명ᄒᆞᆫ 탓시라 엇디 경의 딕【6】
언을 듯디 아니리오. 확의 일명을 샤ᄒᆞ며
원도(遠島)로 뎡비케 ᄒᆞ리라.”
　ᄒᆞ시고, 손확의 죄를 샤ᄒᆞ샤 원빈(遠配)를
뎡ᄒᆞ신 후 젼망 댱졸을 츄증(追贈)ᄒᆞ시고,
각별 은젼을 뵈여 그 쳐ᄌᆞ를 녹을 주시며,
미쳔ᄒᆞᆫ ᄉᆞ졸이라도 윤원슈의 쥬ᄉᆞ(奏辭)디
로 졔젼(祭奠)을 ᄀᆞᆺ초와 녕빅(靈魄)을 위로
ᄒᆞ라 ᄒᆞ시니, 만뫼 셩덕을 일ᄏᆞᆮ더라.
　날이 느ᄌᆞ미 졔신이 퇴됴ᄒᆞ니, 샹이 원원
슈 형뎨를 각별 통우ᄒᆞ시고, 흑ᄉᆞ로 태ᄌᆞ쇼
ᄉᆞ 홍문관 태ᄒᆞᆨᄉᆞ를 ᄒᆞ이샤 그 병이 나은
후 힝공찰덕ᄒᆞᄆᆞᆯ 니르시고, 남창후ᄂᆞᆫ 명일
브터 찰덕ᄒᆞ라 ᄒᆞ시니, 남창휘 돈슈 쥬왈,
　“신이 년쇼브ᄌᆡ(年少不才)로 외람ᄒᆞᆫ 작녹
을 당ᄒᆞ오니, 엇디 일신들【7】집의 한가코
져 ᄒᆞ리잇고마ᄂᆞᆫ, 한믜 병이 만분 위악 듕
잇ᄉᆞ오니, 신이 미셰디ᄉᆞ(微細之事)로 졍니
를 알외미 황공ᄒᆞ오나, 일시 써나미 망극ᄒᆞ
오니, 원컨디 한믜 병을 티료ᄒᆞ여디이다.”
　샹이 마디 못ᄒᆞ샤 슈월 말미를 허ᄒᆞ시니,
남창후 형뎨 빅빅 샤은ᄒᆞ고 총총이 퇴ᄒᆞ여
문외로 나올ᄉᆡ, 친쳑 졔위 궐문 밧긔 머므
러 잠간 말ᄒᆞ고져 ᄒᆞ나, 창후 형뎨 착급ᄒᆞ
여 다만 팔흘 드러 후일 죵용이 만나믈 니
르고, 믈을 치쳐 ᄲᅢᆯ니 힝ᄒᆞᆯᄉᆡ, 허다 츄죵이
젼ᄎᆞ후응(前遮後應)ᄒᆞ여　　벽뎨ᄤᅡᆼ곡(辟除雙
曲)772)이 길흘 여니, 환혁(煥赫)ᄒᆞᆫ 부귀와

772)벽졔ᄤᅡᆼ곡(辟除雙曲) : 혼인 행렬이나 고위관리의

미워 즐욕홈을 듯고 깃거《ᄒ미∥ᄒ리》 업
슬지라. 웃듬인즉 구몽슉의 요악ᄒᆫ 죄상
【67】이니, 셩듀의 호싱지덕(好生之德)이
몽슉의 일명을 오히려 빌녀 계시니, 손확을
ᄉᆞ로지 못ᄒᆞᆯ 일이 아니읍고, 신이 손확을
구ᄒ오미 사름마다 교졍(矯情)으로 아오려
니와, 신이 손확을 므슴 졍으로 ᄉᆞᄅᆞ고져
ᄒ리잇고만은, 셩쥬의 호싱지덕이 셕은 ᄲᅢ
의 ᄉᆞ못ᄎᆞ며 고목의 싱화(生花)ᄒᆞ오믈 보고
져 ᄒᆞ옵ᄂᆞ니, 쳥컨디 감ᄉᆞ졍비 ᄒᆞ쇼셔”
　상이 원슈의 어진 말ᄉᆞᆷ을 드ᄅᆞ시고 탄왈,
　“짐이 불명ᄒᆞᆫ 탓시라 엇지 경의 직언을
좃지 아니리오. 확의 일명을 샤ᄒᆞ며 원도로
졍비케 ᄒᆞ리라.”
　ᄒᆞ시고, 손확의 죄를 샤ᄒᆞᄉᆞ 원빈(遠配)를
졍ᄒᆞ신 후, 젼망 쟝졸을 츄증(追贈)ᄒᆞ시고
각별 은젼을 뵈여, 그 쳐ᄌᆞ를 녹을 쥬시며,
미쳔ᄒᆞᆫ ᄉᆞ졸이라도 윤원슈의 쥬ᄉᆞ(奏辭)디
로 제【68】젼을 ᄀᆞᆺ초와 영빅을 위로ᄒᆞ라
ᄒᆞ시니, 만죄 셩덕을 일ᄏᆞᆮ더라.
　날이 느져 졔신이 퇴죠ᄒᆞ니, 상이 원슈
형뎨을 각별 충우ᄒᆞ시고, 흑ᄉᆞ로 태ᄌᆞ쇼ᄉᆞ
홍문관 태ᄒᆞᆨᄉᆞ를 ᄒᆞ이ᄉᆞ 그 병이 나은 후
힝공 찰직ᄒᆞᄆᆞᆯ 니ᄅᆞ시고, 남창후ᄂᆞᆫ 명일브
터 찰직ᄒᆞ라 ᄒᆞ시니, 남창휘 돈슈 쥬 왈,
　“신이 년쇼부지(年少不才)로 외람ᄒᆞᆫ 작녹
을 당ᄒᆞ오니, 엇지 일시인들 집의 한가코져
ᄒᆞ리잇고만은, 한미 병이 만분 위악 즁 잇
ᄉᆞ오니, 신이 미셰지ᄉᆞ(微細之事)로 졍니를
알외미 황공ᄒᆞ오나, 일시 써나미 망극ᄒᆞ오
니 원컨디 한믜 병을 치료ᄒᆞ여지이다.”
　상이 마지 못ᄒᆞᄉᆞ 슈월 말미를 허ᄒᆞ시니,
남창후 형뎨 빅빅 샤은ᄒᆞ고 총총이 퇴ᄒᆞ여
문외로 나올ᄉᆡ, 친쳑 졔위 궐문 밧긔 머므
러 잠간【69】말ᄒᆞ고져 ᄒᆞ나, 창후 형뎨 착
급ᄒᆞ여 다만 팔을 드러 후일 죵용이 만ᄂᆞᄆᆞᆯ
니르고, 말을 치쳐 ᄲᅢᆯ니 힝ᄒᆞᆯᄉᆡ, 허다 츄죵
이 젼ᄎᆞ후응(前遮後應)ᄒᆞ여　벽졔ᄤᅡᆼ곡(辟除
雙曲)741)이 길흘 여니, 환혁(煥赫)ᄒᆞᆫ 부귀와

741)벽졔ᄤᅡᆼ곡(辟除雙曲) : 혼인 행렬이나 고위관리의

가득혼 영광이 일노의 휘황(輝煌)혼디라.

창후 형데 삼년 니졍(離情)의 【8】 홀홀773) 비졀(悲絶)턴 바로, 금일 셔로 딕호여 반기는 졍의 엇디 셩언(成言)호리오마는, 도라와 조모와 뉴부인 뵈올 뜻이 일시 급호여, 혼 말도 못호고 믈력을 굴와 셔로 낫출 우러러 깃븐 듯 슬픈 듯 능히 측냥키 어렵더니, 남문을 나미 원쉬 쇼스다려 왈,

"우형이 작일 샹경호여 디금 주위(慈闈)긔 비알치 못호니, 인주의 춤디 못홀 졍니라. 현데로 더브러 잠간 옥화산의 가 주안(慈顔)을 뵈옵고 밤이 들디라도 강졍으로 가미 됴홀가 호노라."

쇼시 되왈,

"쇼데 밋쳐 《샤당‖주당(慈堂)》의 비알치 못호고 급히 강졍으로 가믄 조모와 양주당(養慈堂) 환휘 엇더 호신고 알고져 호미러니, 형댱이 디금 화산의 【9】 가디 아냐시면 셜니 힝호샤이다."

창휘 졈두호고 하리를 지쵹호여 믈을 급히 모라 옥화산의 다드라, 창후는 조모의 환후를 우황호나, 츳시를 당호여 주뎐(慈殿)의 봉비홀 일이 즐겁고, 본딕 긔혈이 방강(方强)호딕, 쇼스는 듕병디여(重病之餘) 쳐음으로 믈을 급히 달니니 졍신이 어득호여, 이의 조부의 니르러 와시믈 고호니, 삼위 표슉과 졔죵이 크게 반겨, 문 밧긔 나 마주 손을 잡고 반기믈 측냥치 못호딕, 쇼스의 슈약(瘦弱)호믈 우려호는디라. 창후 형데 별니 존후를 뭇줍고 밧비 모뎐의 현알호기를 고호니, 조승상이 쇼왈,

"네 모친이 너의 형데 영화로이 환쇄호믈 모로다가, 뎡·댱 냥딜【10】뷔(兩姪婦) 문후호는 샹셔를 보니엿는 고로, 금일이야 여등의 환쇄홈과 가변의 긔괴호믈 아라시딕, 오히려 태부인 환휘 듕호믈 니르디 아녓느니, 미데 본딕 비위 약호고 심졍이 허(虛)호니, 이졔 드러가 볼디라도 태부인 딜환의

───────────────

행차가 지나가는데 방해받지 않도록 잡인의 통행을 금하는 피리나 나팔 등의 악기 소리.
773)홀홀 : 홀홀(忽忽). 근심스러워 마음이 뒤숭숭함.

가득혼 영광이 일노에 휘황혼지라.

창후 형데 삼년 니졍(離情)의 홀홀742) 비졀(悲絶)혼 바로, 금일 셔로 딕호여 반기는 졍의 엇지 측냥호리오마는, 도라와 조모와 뉴부인 뵈올 뜻이 일시 급호여 혼 말도 못호고, 말혁을 굴와 셔로 낫출 우러러 깃분 듯 슬픈 듯 능히 측냥키 어렵더니, 남문을 나미 원쉬 쇼샤다려 왈,

"우형이 작일 샹경호여 지금 《스당‖주당(慈堂)》의 비알치 못호니, 인주의 춤지 못홀 졍니라. 현데로 더브러 잠간 화산에 가 주안(慈顔)을 뵈옵고 밤이 들지라도 강졍으로 가미 조흘가 호노라."

쇼시 【70】 되왈,

"쇼데 밋쳐 《스당‖주당》의 비알치 못호고 급히 강졍으로 가믄, 조모와 양주당(養慈堂) 환휘 엇더 호신고 알고져 호미러니, 형장이 지금 화산에 가지 아냐시면 셜니 힝호소이다."

창휘 졈두호고 《하저‖하리(下吏)》를 지쵹호여 말을 급히 모라 옥화산에 다드라, 창후는 조모의 환후를 우황호나, 츳시를 당호여 모젼(母前)에 봉비홀 일이 즐겁고, 본딕 긔혈이 방강호딕, 쇼스는 즁병지여(重病之餘)에 쳐음으로 말을 급히 돌니니 졍신이 어둑호여, 이에 조부의 니르러 와시믈 고호니, 세 표슉과 졔죵(諸宗)이 크게 반겨, 문 밧긔 나 마주 손을 잡고 반기믈 측냥치 못호딕, 쇼스의 슈약(瘦弱)호믈 우려호는지라. 창후 형데 별니 존후를 뭇줍고 밧비 모젼의 현알호기를 고호니, 조승상【71】이 쇼왈,

"네 모친이 너의 형데 영화로이 환쇄호믈 모로다가, 뎡·댱 냥딜뷔(兩姪婦) 문후호는 샹셔를 보니엿는 고로, 금일이야 여등의 환쇄홈과 가변의 긔괴호믈 아라시딕, 오히려 태부인 환휘 즁호믈 니르지 아냐느니, 미데 본딕 비위 약호고 심졍이 허(虛)호니, 이졔 드러가 볼지라도 태부인 질환의 괴이호믈

───────────────

행차가 지나가는데 방해받지 않도록 잡인의 통행을 금하는 피리나 나팔 등의 악기 소리.
742)홀홀 : 홀홀(忽忽). 근심스러워 마음이 뒤숭숭함.

괴이ᄒ믈 니르디 말나."

창휘 ᄃᆡ왈,

"근슈교의(謹受敎矣)려니와, 슉뷔 엇디 쇼딜 등의 환쇄ᄒ믈 ᄌ졍의 고치 아니시니잇고?"

공이 왈,

"아라 더 됴흔 일이 업고 모르고 잇다가 보ᄂᆞᆫ 거시 황홀이 반가오니 어셔 드러가라."

쇼시 잠쇼 왈,

"슉부 말ᄉᆞᆷ이 맛당ᄒ시나, 사ᄅᆞᆷ의 졍ᄉ를 너모 살피디 아니샤 쇼딜의게 두어 줄 셔찰만 붓치시고, 하리를 분【11】부ᄒ샤 년일 됴보와 옥누항 셔찰을 가져가디 말고 급히 가라 ᄒ시더라 ᄒ니, 긔 므슴 일이니잇고?"

조공이 쇼왈,

"그 ᄯᅩ 됴흔 일이라. 네 집의 아ᄅᆞᆷ답디 아닌 변고를 미리 아라 심녀를 허비ᄒ미 브졀 업스니, ᄎᆞ라리 곡졀을 모로게 ᄒ미니, 네 엇디 날을 유감히 넉이ᄂᆞᆫ다?"

쇼시 ᄃᆡ왈,

"쇼딜이 엇디 감히 유감히 넉이리잇고마ᄂᆞᆫ, 혹ᄌ 슉부 쳐시 측냥치 못ᄒ여 도로혀 괴이히 넉엿ᄂᆞ이다."

조공이 웃고 시녀로 창후 형뎨를 인도ᄒ여 조부인 침소로 드러가라 ᄒ니, 원간 구패 조부인과 ᄒᆞᆫ가디로 잇ᄂᆞᆫ디라. 조공 부ᄌ 형뎨도 조부인을 다른 방샤로 쳥ᄒ여【12】볼디언졍 무상 왕ᄂᆡ 아니터라.

이 날 조부인이 냥(兩) 식부의 샹셔를 보고 비로소 냥ᄌ의 환쇄ᄒ믈 아라, 삼 거거와 졔딜을 ᄃᆡᄒ여 슈말(首末)을 므르ᄆᆡ, 조공이 마디 못ᄒ여 뎡 · 딘 이문이 화(禍)의 걸녓던 바와, 의렬(義烈)의 격고(擊鼓)홈과 원쉬 남토뎡벌(南土征伐)ᄒ여 셩공홈과, 흑시 태ᄌ쇼스로 승픔ᄒ여 오ᄂᆞᆫ 바를 일일히 니르니, 신묘랑과 셰월 · 비영 등의 쵸ᄉ를 다 닐너 알게 ᄒᄃᆡ, 위 · 뉴 냥인의 딜환은 ᄲᆞᆫ두시 긔이니, 조부인이 슈미(首尾)를 듯고 ᄎᆞ경ᄎᆞ희(且驚且喜)ᄒ여 던뎡치 못ᄒ더니,

니르지 말나."

창위 ᄃᆡ왈,

"근슈교의(謹受敎矣)려니와, 슉뷔 엇지 쇼질 등의 환쇄ᄒ믈 ᄌ졍의 고치 아니시니잇고?"

공이 왈,

"아라 더 죠흘 일이 업고, 모르고 잇다가 보ᄂᆞᆫ 거시 황홀이 반가오니, 어셔 드러가라."

쇼시 잠쇼 왈,

"슉부 말ᄉᆞᆷ이 맛당ᄒ시나, 사ᄅᆞᆷ의 졍ᄉ를 너모 살피지 아니샤, 쇼딜의게 두어 쥴 셔찰만 붓치시고, 하리를 분부ᄒ샤 연일 됴【72】보와 옥누항 셔찰을 가져가지 말고 급히 가라 ᄒ시더라 ᄒ니, 므슴 일이니잇고?"

조공이 쇼 왈,

"그 ᄯᅩ 죠흔 일이라 네 집에 아ᄅᆞᆷ답지 아닌 변고를 미리 아라 심녀를 허비ᄒ미 브졀 업스니, 츌하리 곡졀을 모로게 ᄒ미니, 네 엇지 날을 유감히 넉이ᄂᆞᆫ다?"

쇼시 ᄃᆡ왈,

"쇼질이 엇지 감히 유감히 넉이리잇고마ᄂᆞᆫ, 혹ᄌ 슉부 쳐시 측냥치 못ᄒ여 도로혀 괴이히 넉엿ᄂᆞ이다."

조공이 웃고 시녀로 창후 형뎨를 인도ᄒ여 조부인 침소로 드러가라 ᄒ니, 원간 구픠 조부인과 ᄒᆞᆫ가지로 잇ᄂᆞᆫ지라. 조공 부ᄌ 형뎨 조부인을 다른 방소로 쳥ᄒ여 볼지언졍, 무상 왕ᄂᆡ 아니터라.

이 날 조부인이 냥 식부의 샹셔를 보고, 비로소 냥ᄌ의 환쇄ᄒ믈 아라, 삼 《거ᄂᆞ‖거거》와 졔질【73】을 ᄃᆡᄒ여 슈말(首末)을 므로ᄆᆡ, 조공이 마지 못ᄒ여 뎡 · 진 이문이 화의 걸녓던 바와, 의렬(義烈)의 격고(擊鼓)홈과, 원쉬 남토졍벌(南土征伐)ᄒ여 셩공홈과, 흑시 태ᄌ쇼스로 승픔ᄒ여 오ᄂᆞᆫ 바를 일일히 니르니, 신묘랑과 셰월 · 비영 등의 쵸ᄉ를 다 닐너 알게 ᄒᄃᆡ, 위 · 뉴 두 부인의 질환은 반ᄃᆞ시 긔이니, 조부인이 슈미(首尾)를 듯고 ᄎᆞ경ᄎᆞ희(且驚且喜)ᄒ여 진

야심 후 시녜 드러와 창후 형뎨 드러오믈 고호고, 디게를 열고 냥지 드러와 부인 슬젼의 【13】 비현호고, 구파를 향호여 졀호니 구파의 반김과 부인의 황홀혼 심시 요요(遙遙)호여, 도로혀 어린 드시 냥즈의 손을 잡고 누쉬 써러져 말을 못호니, 창후와 쇼시 즈안을 앙견호니 삼년디닉(三年之內)의 굿투여 쇠패호시미 업스니, 만심환힝(滿心歡幸)호여 비회를 쥬리잡고 이셩화긔(怡聲和氣)호여 병[별]닉존후(別乃尊候)를 뭇줍고, 구파를 향호여 안강호믈 깃거 호니, 부인이 가장 오릭 후 가슴을 어로만져 슬프믈 딘뎡호나, 쇼스의 의형이 너머질 둧호믈 보고, 경악(驚愕)호여 므슴 독딜을 어덧든가 므르니, 쇼시 듕병디여(重病之餘)의 원노발셥(遠路跋涉)호기로 얼골이 슈쳑호믈 고호고, 문호의 대힝(大幸)과 조션의 영복(榮福)으로 형이 무【14】수히 대공을 일우고, 상작을 도도와 이 곳의 모히믈 치하호고, 심히 깃거호니, 모즈 형뎨 일방의 딕호여 삼년 써낫던 셜화와 그리던 회푀 더옥 측냥호리오. 반가오미 넘찌미 슬프미 니러나고, 깃브미 극호미 아모 말을 못호는디라. 조부인이 냥즈의 긱닉(客裏) 고초를 뭇고, 인호여 위·뉴의 과악이 발각호믈 즈긔는 금일 쳐음으로 아라시믈 니르고, 탄왈,

"존괴 날을 향호여 인즈이휼(仁慈愛恤)호는 덕이 업스시나, 내 도리 이졔조츠 스라시믈 긔이고, 존고긔 허다 미명이 도라가딕 흔 번 내 위로호는 일이 업손즉, 이는 내 존고와 뉴뎨의 허믈이 낫타나믈 징그라이 넉이는 즉시라. 【15】 명일이라도 존고긔 비현호여 고식(姑媳)774) 금장(襟丈)775) 스이 졍의를 상히오디 말고져 호노라."

창후 곤계 딕왈,

"즈괴 맛당호시나 거취를 소리히 못호실 거시니, 쇼즈 등이 스셰를 보아가며 뫼셔

<hr>

정치 못호더니, 야심 후, 시녜 드러와 창후 형뎨 드러오믈 고호고, 지게를 열고 냥지 드러와 부인 슬젼에 비현호고, 구파를 향호여 졀호니, 구파의 반김과 부인의 황홀혼 심시 요요(遙遙)호여, 도로혀 어린 드시 냥즈의 손을 잡고 누쉬 써러져 말을 못호니, 창후와 쇼시 즈안을 앙견호니 삼년지닉(三年之內)에 굿틱 【74】여 쇠픠호시미 업스니, 만심환힝(滿心歡幸)호여 비회를 쥬리잡고 이셩화긔(怡聲和氣)호여 별닉존후(別來尊候)를 뭇줍고, 구파를 향호여 안강호믈 깃거 호니, 부인이 ㄱ장 오릭 후 가삼을 어르만져 슬푸믈 진졍호나. 쇼스의 의형이 너머질 둧호믈 보고 경악(驚愕)호여 무슴 독질을 어덧던가 므르니 쇼시 즁병지여(重病之餘)에 원노발셥(遠路跋涉)호기로 얼골이 슈쳑호믈 고호고, 문호의 대힝과 조션의 영복으로 형이 무스히 대공을 일우고, 상작을 도도와 이 곳에 모히믈 치하호고, 심히 깃거 호니, 모즈 형뎨 일방에 대호여 삼년 써낫던 셜화와 그리던 회푀 더옥 측냥호리오. 반가오미 넘치미 슬프미 니러나고, 깃부미 극호미 아모 말을 못호는지라. 조부인이 냥즈의 긱니(客裏) 고초를 뭇고, 인【75】호여 위·뉴의 과악이 발각호믈 즈긔는 금일 쳐음으로 아라시믈 니르고, 탄왈,

"존괴 날을 향호여 인즈이휼(仁慈愛恤)호는 덕이 아니 계시나, 내 도리 이졔 조츠 스라시믈 긔이고, 존고긔 미명이 도라가딕 흔 번 내 위로호는 일이 업손즉, 이는 닉 존고와 뉴뎨의 허믈을 낫타닉믈 징기로와 호는 즉시라. 명일이라도 닉 존고긔 비현호여 고식(姑媳)743) 금장(襟丈)744) 스이 졍의를 상히오지 말고져 호노라."

창후 형뎨 함긔 딕왈,

"즈괴 맛당호시나 거취를 소리히 못호실 지라. 쇼즈 등이 스셰를 보아가며 뫼셔 오

<hr>

774)고식(姑媳) : =고부(姑婦). 시어머니와 며느리를 아울러 이르는 말.
775)금장(襟丈) : 동서(同壻). 주로 남편 형제들의 아내들을 이르는 말로 쓰인다.

743)고식(姑媳) : =고부(姑婦). 시어머니와 며느리를 아울러 이르는 말.
744)금장(襟丈) : 동서(同壻). 주로 남편 형제들의 아내들을 이르는 말로 쓰인다.

가오리니, 즈위는 구조모로 더브러 이 곳의 계시쇼셔."

조부인이 탄식ᄒ고 태부인 긔력을 므르니, 창휘 몽농이 디ᄒ여 아득 딜환이 계시믈 고ᄒ여, 창후 형뎨 됴흔 말ᄉᆞᆷ으로 모친의 빅만 근심을 술와 바리고, 밤이 깁흐믈 싱각디 아냐, 도로 강졍으로 가려 ᄒ니, 조부인이 쇼스의 상ᄒᆞ믈 근심ᄒ여 초야는 이 곳의셔 디니라 ᄒᄃᆡ, 쇼시 조모와 양모긔 비알치 못ᄒ여시믈 고ᄒ고, 모친이 취침ᄒ신 후 외헌의 【16】 나와 조공긔 하딕을 고ᄒ고, 밧비 강졍의 도라오니, 이 날 태부인과 뉴녜 쇼스의 도라올 바를 드르며, 댱시 몬져 도라와 비알흔ᄃᆡ, 태흥이 압흘 보디 못ᄒᄆ로, 댱시의 와시믈 알디언졍 그 얼골을 능히 아라보디 못ᄒᄃᆡ, 뉴녀는 주셔히 보ᄂ다라. 그 옥모(玉貌) 염광(艷光)이 슈려 쇄락ᄒ여 젼일노 일비 승이라. 뉴녜 흔 번 보미 아조 죽어 빅골이 딘토(塵土)되여시므로 아던 댱시 완연이 ᄉ라, 호호(浩浩)흔 영광을 ᄶ여 도라오믈 보미 이둛고 분한ᄒ나, 근력이 닉븟디776) 못ᄒ여 젼일 ᄀᆞᆺ튼 슈단을 ᄡ디 못ᄒ여, 오딕 닙만 ᄉ라 원슈 부부와 쇼스 부부를 쳔만 가디로 즐욕ᄒ며, 텬디 신명의 비【17】러 즈딜(子姪)을 다 풍도디옥(酆都地獄)777)으로 잡아가믈 튝원ᄒᄂ 언ᄉ 갈ᄉ록 악악ᄒ미, ᄎ마 듯디 못ᄒᆯ 거시로ᄃᆡ, 댱시 닉심의 ᄉ로이 경혜(驚駭)ᄒᆯ디언졍 외모는 온슌 즈약ᄒ여 못 듯ᄂ 듯ᄒ고, 뎡슉녈이 우쇼져 댱쇼져로 더브러 태부인 옷슬 급히 일워, 원슈의 단의(單衣)와 밧고게 ᄒ고, 팔딘경찬(八珍瓊饌)778)과 옥미금식(玉味金食)779)으로 위·뉴 낭흥의 긔량

---

776)닉븟다 : 내붇다. 불어나다. 수량 따위가 본디보다 커지거나 많아지다.

777)풍도디옥(酆都地獄) : 도교에서 말하는 지옥. 사람이 죽으면 이곳에 끌려와 인간세상에서 지은 죄에 대한 심판을 받는다고 한다.

778)팔딘경찬(八珍瓊饌) : 여덟 가지 진귀한 음식[八珍]과 신선들이 먹는다고 하는 고운 빛깔과 향을 갖춘 반찬들[瓊饌]이라는 뜻으로 아주 잘 차린 음식을 이른다.

779)옥미금식(玉味金食) : 좋은 쌀로 지은 맛있는 밥.

리니, 즈위는 구조모로 더브러 이곳에 계쇼셔."

조부인이 탄식ᄒ고 태흥의 긔력을 므르니, 창휘 몽농이 답ᄒ여 아직 질환이 아니 계시믈 고ᄒ여, 창후 형뎨 조흔【76】말ᄉᆞᆷ으로 모친의 빅만 근심을 살와 브리고, 밤이 깁흐믈 싱각지 아냐 도로 강졍으로 가려 ᄒ니, 조부인이 쇼스의 {샹}상ᄒᆞ믈 근심ᄒ여, 초야는 화산에셔 지니라 ᄒᄃᆡ, 쇼식 조모와 양모긔 비알치 못ᄒ여시믈 고ᄒ고, 모친이 취침ᄒ신 후 외헌에나와 조공긔 하직을 고ᄒ고 밧비 강졍의 도라오니, 이날 태부인과 뉴녜 쇼스의 도라올 바를 드르며, 댱시 몬져 도라와 비알흔ᄃᆡ, 태흥이 압흘 보지 못ᄒᄆ로 댱씨의 와시믈 알지언졍 그 얼골을 능히 아라보지 못ᄒᄃᆡ, 뉴씨는 주셔히 보ᄂᆫ지라. 그 옥모 념광(艷光)이 슈려 쇄락ᄒ여 젼일노 일비 승이라. 뉴씨 흔 번 보미 아조 죽어 빅골이 진토되여시므로 아던, 댱씨 완연이 호호흔 영광을【77】ᄶ여 도라오믈 보미, 이둛고 분한ᄒ나 근력이 닉븟지745) 못ᄒ여, 젼일 ᄀᆞᆺ튼 슈단을 ᄡ지 못ᄒ여, 오직 닙만 ᄉ라 원슈 부부와 쇼스 부부를 쳔만 가지로 즐욕ᄒ며, 텬지 신명의 비러 《즈긔∥즈딜(子姪)》를 다 풍도지옥(酆都地獄)746)으로 잡어가믈 축원ᄒᄂ 언시 갈ᄉ록 악악ᄒ미, ᄎ마 듯지 못ᄒᆯ 거시로ᄃᆡ, 댱씨 닉심의 ᄉ로이 경혜ᄒᆯ지언졍, 외모는 온슌 즈약ᄒ여 못 듯ᄂ 듯ᄒ고, 뎡슉녈이 우쇼져, 댱쇼져로 더브러 태부인 옷슬 급히 일워, 원슈의 단의(單衣)와 밧고게 ᄒ고, 팔진셩찬(八珍盛饌)747)과 옥미금식(玉味金食)748)으로 위·뉴 냥흥에 《계량∥긔량(飢量)749)》이 ᄎ도록 ᄒ고, 뎡슉녈과 댱씨의

---

745)닉븟다 : 내붇다. 불어나다. 수량 따위가 본디보다 커지거나 많아지다.

746)풍도디옥(酆都地獄) : 도교에서 말하는 지옥. 사람이 죽으면 이곳에 끌려와 인간세상에서 지은 죄에 대한 심판을 받는다고 한다.

747)팔딘셩찬(八珍盛饌) : 여덟 가지 진귀한 음식[八珍]과 여러 가지 맛을 갖춘 풍성한 반찬들이라는 뜻으로 아주 잘 차린 음식상을 이른다.

748)옥미금식(玉味金食) : 좋은 쌀로 지은 맛있는 밥.

(飢量)780)을 ᄎ도록 ᄒ고, 뎡슉녈과 댱쇼졔 의긔(醫技)781) 신능(神能)ᄒᆫ 고로, 죵일 겻 ᄐᆡ셔 냥흉의 창쳐(瘡處)를 슬펴 약을 바르 고, ᄲᅮ시ᄂᆫ 버러디를 보ᄂᆞᆫ 죡죡 우희여 업 시 ᄒᆞ니, 원간 병이 져쥬ᄉ(詛呪事)로 난 비 니, 의약의 디극ᄒᆞᆷ과 원쉬 쥬필부작(朱筆符 作)을 놉히 붓쳐시니, 요ᄉ(妖邪) 감히 【1 8】 발뵈디 못ᄒᆞ여, 일일디간(一日之間)이라 도 냥흉의 만신 골졀이 알프믈 견디디 못ᄒᆞ 던 거시 잠간 나은 ᄃᆞᆺᄒᆞ고, 농즙이 ᄭᅬ게 흐르ᄂᆞᆫ 일이 업스니, 태흉은 오히려 원슈 부부의 구호ᄒᆞᆫ 효험인 줄 아라, 진짓 졍셩 이면 만고의 희한홀 바를 아ᄃᆡ, 못 된 의심 이 플니디 아냐 혹ᄌ 교졍(矯情)인가 ᄒᆞᄃᆡ, 아딕 아른 쳬 말고 슌히 구다가, 필경 다시 힝계ᄒᆞ여 냥손의 부부를 다 죽이랴 쥬의를 뎡고, 뉴녀ᄂᆞᆫ 그 몸이 알프고 괴로오미 나으미, 원슈 부부의 츌텬셩효로 비로스믈 아ᄃᆡ, 본ᄃᆡ 어딜고 긔특ᄒᆞᆫ 거슬 믜워ᄒᆞᄂᆞᆫ 고로 죠곰도 감동ᄒᆞᄂᆞᆫ 일이 업더니, 초일 밤든 후 창후 【19】 곤계 흉긔 드러와 태 흉긔 비례홀ᄉᆡ, 원슈ᄂᆞᆫ 금일 조모와 슉모의 거동이 빅빈나 더 흉참ᄒᆞᆷ믈 당ᄒᆞᄃᆡ, 오히려 쇼ᄉᆞᆺᄎ치 놀나ᄂᆞᆫ 일이 업더니, 쇼ᄉᆞᄂᆞᆫ 처음 으로 그 조모긔 비알ᄒᆞᄂᆞᆫ 바의 창쳐와 버례 며 폐밍ᄒᆞ여 환후의 흉악ᄒᆞᆷ믈 보니, ᄆᆞ음이 경황ᄒᆞ고 혼빅이 비월ᄒᆞ여 딘졍치 못ᄒᆞ더 니, 양모의 환회 눈은 보나 악죵(惡種)의 누 츄ᄒᆞ고 괴악 망측ᄒᆞᆫ 누딜(陋疾)이 귀신 ᄀᆞᆺ 트믈 보니, 조모와 츄호 다르디 아니ᄒᆞ고, 듕쳥디인(重聽之人)782)이 되여 사람의 어언 도 아라듯디 못ᄒᆞ고, 말ᄒᆞᄂᆞᆫ 시신 ᄀᆞᆺ트여 쇼ᄉᆞ의 도라와시믈 듯고 시로이 못 죽이믈 한ᄒᆞ여, ᄎᆞ마 못홀 악담이 【20】 삼ᄃᆡ구슈 (三代仇讐)와 빅년디쳑(百年大隻)783)이라도 이러치 못홀너니, 상하(床下)의 졀ᄒᆞ믈 보

의긔(醫技)750) 신능(神能)ᄒᆫ 고로, 죵일 겻 히셔 냥흉의 창쳐를 슬혀[펴] 약을 바르고 ᄲᆡ시ᄂᆞᆫ 버러지를 보ᄂᆞᆫ 죡죡 우희【78】여 업시 ᄒᆞ니, 원간 병이 져쥬스로 ᄂᆞᆫ 비니, 의 약의 지극ᄒᆞᆷ과 원쉬 쥬필 부작(朱筆符作)을 놉히 부쳐시니, 요ᄉ 감히 발뵈지 못ᄒᆞ여 일일지간(一日之間)이라도 냥흉의 만신 골 졀이 알프믈 견디지 못ᄒᆞ던 거시 잠간 나은 ᄃᆞᆺᄒᆞ고, 농즙이 ᄭᅬ게 흐르ᄂᆞᆫ 일이 업스니, 태흉은 오히려 원슈 부부의 구호ᄒᆞᆫ 효험인 줄 아라, 진짓 졍셩이면 만고에 희한홀 바 를 아ᄃᆡ, 못 된 의심이 《틀니지∥플니지》 아냐 혹ᄌ 교졍(矯情)인가 ᄒᆞᄃᆡ, 아직 알은 체 말고 슌히 구다가, 필경 다시 힝계ᄒᆞ여 냥손의 부부를 다 죽이랴 쥬의를 《젼∥졍 (定)》ᄒᆞ고, 뉴씨ᄂᆞᆫ 그 몸이 알프고 피로오 미 나으미 원슈 부부의 츌쳔셩효로 비로스 믈 아ᄃᆡ, 븐ᄃᆡ 어질고 긔특ᄒᆞᆫ 거슬 믜워ᄒᆞᄂᆞᆫ 고로, 죠곰도 감동ᄒᆞᄂᆞᆫ 일【79】이 업더 니, 초일 밤 든 후 창후 곤계 흉긔 드러 와 태흉긔 비례홀ᄉᆡ, 원슈ᄂᆞᆫ 금일 조모와 슉모 의 거동이 빅빈나 더 흉참ᄒᆞᆷ믈 당ᄒᆞᄃᆡ, 오 히려 쇼ᄉᆞ굿치 놀나ᄂᆞᆫ 일이 업더니, 쇼ᄉᆞᄂᆞᆫ 처음으로 그 조모의[긔] 비알ᄒᆞᄂᆞᆫ 바의 창 쳐와 버레며 폐밍ᄒᆞ여 환후의 흉악ᄒᆞᆷ믈 보 니, ᄆᆞ음이 경황ᄒᆞ고 혼빅이 비월ᄒᆞ여 진졍 치 못ᄒᆞ더니, 양모의 환회 눈은 보나 악증 (惡症)의 누츄ᄒᆞ고 괴악 망측ᄒᆞᆫ 누질이 귀 신 갓트믈 보니, 조모와 츄호 다르지 아니 ᄒᆞ고, 듕쳥지인(重聽之人)751)이 되여 사람 의 어언도 아라듯지 못ᄒᆞ고, 말ᄒᆞᄂᆞᆫ 시신 ᄀᆞᆺ트여 쇼ᄉᆞ의 도라와시믈 듯고 시로이 못 죽임을 한ᄒᆞ여, ᄎᆞ마 못홀 악담이 삼ᄃᆡ구슈 (三代仇讐)와 빅년《죄슈∥디쳑》(百年大 隻)752)〇[이]라도 이러치 못홀너니, 상【8 0】하(床下)에셔 졀ᄒᆞ믈 보고 믄득 손으로

---

780)긔량(飢量) : 굶주려 양이 차지 못함.
781)의긔(醫技) : 의술(醫術).
782)듕쳥디인(重聽之人) : 귀가 먹어 소리를 잘 듣지 못하는 사람.
783)빅년디쳑(百年大隻) : 오랜 세월 동안 원한을 품 고 반목해온 원수.

749)긔량(飢量) : 굶주려 양이 차지 못함.
750)의긔(醫技) : 의술(醫術).
751)듕쳥디인(重聽之人) : 귀가 먹어 소리를 잘 듣지 못하는 사람.
752)빅년디쳑(百年大隻) : 오랜 세월 동안 원한을 품 고 반목해온 원수.

고, 믄득 손으로 벼개를 밀치고, 소리 딜너 왈,

"원슈 광텬 형뎨를 일만 조각의 ᄣᅥ져 죽이디 못ᄒᆞ고, 져희ᄂᆞᆫ 한 업순 영화를 씌여 도라오고, 나ᄂᆞᆫ 므슴 죄로 남의 업순 악딜을 어더 이리 신고ᄒᆞᄂᆞᆫ고. 유유창텬(悠悠蒼天)이 광텬 형뎨 흉흔 놈들을 죽여 줄딘듸, 그 고기를 맛보면 분을 플고 즉긱의 죽어도 한이 업ᄉᆞ리로다."

이리 니ᄅᆞ며 분긔 엄애(奄碍)ᄒᆞ니, 창후ᄂᆞᆫ 식로이 심한골경(心寒骨驚)ᄒᆞ여 말을 못ᄒᆞ고, 쇼ᄉᆞᄂᆞᆫ 놀나오며 망극ᄒᆞᄆᆞᆯ 니긔디 못ᄒᆞ여 빅옥용화(白玉容華)의 눈믈이 오월댱슈(五月長水)784) ᄀᆞᆺ트여, 양모를 붓【21】들고 환후 증세를 뭇ᄌᆞ오며, 반기고 슬허ᄒᆞᄂᆞᆫ 거동이 싱쳘(生鐵)이 녹을 ᄃᆞᆺᄒᆞ듸, 뉴네 답디 아니코 흉독흔 즐욕이 명쳔공 삼듸를 추어 ᄡᅵ도 업시 멸망키를 튝원ᄒᆞ니, 창휘 쇼ᄉᆞ다려 왈,

"슉모의 ᄒᆞᄂᆞᆫ 말숨을 드른죽 이졔ᄂᆞᆫ 우리 가변을 딘뎡ᄒᆞᆯ 길히 업고, 현뎨 셩효를 완젼이 ᄒᆞᆯ 도리 업ᄂᆞᆫ디라. 이를 장ᄎᆞᆺ 엇디 ᄒᆞ리오."

쇼시 쳬루(涕淚) 왈,

"쇼뎨 블초 무상ᄒᆞ여 ᄌᆞ의(慈意)를 두로 혀디 못ᄒᆞ고, 즉금 환후 등 말숨을 굴회디 못ᄒᆞ시니, 굿ᄐᆞ여 가변을 다시 니ᄅᆞ혈 ᄉᆞ단이 되도록 ᄒᆞ리잇고?"

창휘 츄연 탄식고 다시 말을 아니ᄒᆞ더니, 뉴시 욕셜이 명쳔공과 조【22】부인을 참혹히 들먹이기의 다ᄃᆞ라ᄂᆞᆫ 안ᄌᆞ 듯디 못ᄒᆞ여, 태흥의 병침(病寢)으로 드러가고, 쇼ᄉᆞᄂᆞᆫ 양모를 붓드러 브졀업시 긔력을 쓰디 마ᄅᆞ시믈 톄읍 이걸ᄒᆞ듸, 뉴시 쇼ᄉᆞ의 말을 드를ᄉᆞ록 믜온 ᄆᆞ음이 돌ᄀᆞᆺ치 뭉켜여 노긔 졈졈 녈화 ᄀᆞᆺ트니, 쇼시 감히 여러 말을 못ᄒᆞ고 보긔(補氣)ᄒᆞᆯ 식음을 나와 딘식ᄒᆞ시믈 쳥ᄒᆞ고, 댱쇼져를 ᄃᆡᄒᆞ여 왈,

"대모 환후를 구호ᄒᆞ며 감디온닝(甘旨溫冷)785)을 맛초믄 형댱과 슈쉬 몸소 당ᄒᆞ시

784)오월댱슈(五月長水) : 오월의 장맛비.

쎠 벼기를 밀치고, 소리 질너 왈,

"원슈 광텬 형뎨를 일만 조각의 ᄣᅥ져 죽이지 못ᄒᆞ고, 져희ᄂᆞᆫ 한 업순 영화를 씌여 도라오고, 나ᄂᆞᆫ 므슴 죄로 남의 업순 악질을 어더 이리 신고ᄒᆞᄂᆞᆫ고. 유유창텬(悠悠蒼天)이 광텬 형뎨 흉흔 놈들을 죽여 줄진듸, 그 고기를 맛보고 분을 플면, 즉각에 죽어도 한이 업ᄉᆞ리로다."

니리 니ᄅᆞ며 분긔 엄이(奄碍)ᄒᆞ니, 창후ᄂᆞᆫ 식로이 심한골경(心寒骨驚)ᄒᆞ여 말을 못ᄒᆞ고, 쇼ᄉᆞᄂᆞᆫ 놀나오며 망극ᄒᆞᄆᆞᆯ 니긔지 못ᄒᆞ여, 빅옥용화(白玉容華)의 눈믈이 오월강[댱]슈(五月長水)753) ᄀᆞᆺ트여, 양모를 붓들고 환후 증세를 뭇ᄌᆞ오며, 반기고 슬픈 《경을∥졍이》 싱쳘이 녹는 ᄃᆞᆺᄒᆞ듸, 뉴네 답지 아니코 흉독흔 즐욕이 명쳔공 삼듸를 들【81】추어 ᄡᅵ도 업시 멸망키를 츅원ᄒᆞ니, 창휘 쇼ᄉᆞ다려 ○[왈],

"슉모의 허다 흉참이 ᄒᆞᄂᆞᆫ 말숨을 드른죽 이졔ᄂᆞᆫ 우리 가변을 진졍ᄒᆞᆯ 길히 업고, 현뎨 셩효를 완젼이 ᄒᆞᆯ 도리 업ᄂᆞᆫ지라. 이를 장ᄎᆞᆺ 엇지 ᄒᆞ리오."

쇼시 쳬루 왈,

"쇼뎨 블초 무상ᄒᆞ여 ᄌᆞ의(慈意)를 두로 혀지 못ᄒᆞ고, 죽금 환후 즁 말숨을 굴회지 못ᄒᆞ시니, 구ᄐᆞ여 가변을 다시 니ᄅᆞ혈 ᄉᆞ단이 되도록 ᄒᆞ리잇고?"

창휘 츄연 탄식고 다시 말을 아 니ᄒᆞ더니, 뉴씨 욕셜이 명쳔공과 조부인을 참혹히 들먹이기의 다ᄃᆞ라ᄂᆞᆫ, 안ᄌᆞ 듯지 못ᄒᆞ여 태흥의 병침으로 드러가고, 쇼ᄉᆞᄂᆞᆫ 양모를 붓드러 부졀 업시 긔력을 쓰지 마르시믈 쳬읍 이걸ᄒᆞ듸, 뉴씨 쇼ᄉᆞ의 말을 드를ᄉᆞ록 믜온 ᄆᆞ음이 돌【82】ᄀᆞᆺ치 뭉쳐여754) 노긔 졈졈 녈화 ᄀᆞᆺ트니, 쇼시 감히 여러 말을 못ᄒᆞ고 보긔(補氣)ᄒᆞᆯ 식음을 나와 진식기를 쳥ᄒᆞ고, 댱 쇼져를 ᄃᆡᄒᆞ여 왈,

"대모 환후를 구호ᄒᆞ며 감지온ᄅᆡᆼ(甘旨溫

753)오월댱슈(五月長水) : 오월의 장맛비.
754)뭉쳐여 : 뭉쳐. 한데 합쳐서 한 덩어리가 되어.

리니, 부인은 병소를 써나디 말고 듁음을
듸후ᄒ여 ᄎᄌ실 쩌를 어긔오디 마르쇼셔."

당시 응듸ᄒ나, 존고의 흉독ᄒᆫ 거동과 더
러【23】온 질양(疾恙)이며, ᄎ마 닙의 담
디 못ᄒᆯ 욕셜을 드르미, 경황ᄒᆞᆷᄒᆯ 마디 아
니ᄒ더라.

명일 쇼시 잠간 몸을 ᄲᅥ혀 정청(正廳)786)
의 나와 뎡부인을 비견(拜見)ᄒᆯ시, 창휘 쏘
댱쇼져를 청ᄒ여 슈슉(嫂叔) ᄉ인이 셔로
볼시, 다만 화란을 딘뎡ᄒ고 무ᄉ히 도라오
믈 칭하ᄒᆞ디, ᄒᆡᆼ혀도 위 · 뉴 낭인의게 원언
이 밋디 아냐, ᄒᆞᆫ갓 셔로 초민 우황ᄒ여 환
후의 슈히 처셩ᄒ시믈 바라고, 삼년 니졍을
펴디 못ᄒ며, 창후ᄂᆞᆫ 쇼ᄉ의 듕병디여(重病
之餘)의 슈패ᄒᆞᆷ도 니르디 못ᄒ더라.

창휘 우쇼져를 청ᄒ여 셔로 보아 남미디
의(男妹之義)를 ᄌ긔와 ᄀᆞᆺ치 ᄒ게 ᄒ니, 쇼
시 형댱의 의긔를 ᄲᆞ라 우시를 흔연【24】
ᄋᆡ딕(愛待)ᄒ여 동긔와 ᄀᆞᆺ치 ᄒ니, 피ᄎ 쳐
음으로 보ᄂᆞᆫ 셔어ᄒ미 잇디 아니ᄒ고, 창휘
아딕 조모와 슉모의 병환 듕 빈알치 못ᄒ게
ᄒ더라.

ᄎ일 조됴(早朝)로브터 날이 져믈기의 밋
도록 창후와 쇼시 영화로이 도라오믈 칭하
코져, 황친 국쳑과 공경 후빅이며 쇼년 명
뉴들이 강졍으로 모드니, 안미(鞍馬)787) 구
름 ᄆᆞᆺᄃᆞᆺ, 벽졔ᄲᅡᆼ곡(辟除雙曲)이 긋출 ᄉᆞ이
업ᄉᆞᆫ디라. 창후 형뎨 친환의 우황(憂惶)ᄒ여
빈긱을 상졉ᄒᆞᆯ 의ᄉᆞ 업셔, 형뎨 돌녀가며
ᄒᆞᆫ 셕식 나와 듕긱(衆客)을 졉응ᄒ나, 황황
ᄒᆞᆫ 거동과 근심과 근심ᄒᆞᆫᄂᆞᆫ 얼골이 만시 무
흥(無興)ᄒ니, 졔긱이 빗난 말ᄉᆞᆷ으로 영광을
칭하【25】코져 ᄒ다가, 그 즐기디 아니믈
보고 오릭 안ᄌᆞᆺ디 못ᄒ여 즉시 도라가ᄂᆞᆫ디
라.

785)감디온닝(甘旨溫冷) : 음식의 따뜻하고 차가움.
786)졍쳥(正廳) : 몸채의 대청(大廳).
787)안미(鞍馬) : 안장을 얹은 말. =안구마(鞍具馬).

冷)755)을 맛초믄 형장과 슈쉬 몸소 당ᄒ시
리니, 부인은 ᄌᆞ당 병소를 써나지 말고 죽
음(粥飮)을 듸후ᄒ여 ᄎᄌ실 쩌를 어긔지
마르쇼셔."

댱씨 응딕ᄒ나 존고의 흉독ᄒᆫ 거동과 더
러온 질양(疾恙)이며, ᄎ마 닙의 담지 못ᄒᆯ
욕셜을 드르미, 경황ᄒᆞᄆᆞᆯ 마지 아니ᄒ더라.

명일 쇼시 잠간 몸을 ᄲᅥ혀 정청(正廳)756)
의 나와 뎡부인을 비견(拜見)ᄒᆯ시, 창휘 쏘
댱쇼져를 쳥ᄒ여 슈슉 ᄉ인이 셔로 볼시,
다만 화란을 진졍ᄒ고 무ᄉ히 도라오믈 칭
하ᄒᆞ디, ᄒᆡᆼ혀도 태 · 뉴 낭인에게 원이 밋지
아냐, ᄒᆞᆫ갓 셔로【83】초민 우황ᄒ여 환후
의 슈히 처셩ᄒ시믈 ᄇᆞ라고, 삼년 니졍을
펴지 못ᄒ며, 창후ᄂᆞᆫ 소ᄉ의 풍[듕]병지여
(重病之餘)에 슈픽(瘦敗)ᄒᆞᆷ도 니르지 못ᄒ더
라.

창휘 우 쇼져를 쳥ᄒ여 소ᄉ와 셔로 보아
남미지의(男妹之義)를 ᄌ긔와 ᄀᆞᆺ치 ᄒ게 ᄒ
니, 소시 형댱의 의긔를 ᄲᆞ라 우씨를 흔연
ᄋᆡ딕(愛待)ᄒ여 동긔와 ᄀᆞᆺ치 ᄒ니, 피ᄎ 쳐
음으로 보ᄂᆞᆫ 셔어ᄒ미 잇지 아니ᄒ고, 창휘
아직 조모와 슉모의 병환 즁 빈알치 못ᄒ게
ᄒ더라.

ᄎ일 조조(早朝)로브터 날이 져믈기의 밋
도록 창후와 쇼시 영화로이 도라오믈 칭하
코져, 황친 국쳑과 공경 후빅이며 소년 명
뉴들이 강졍으로 모드니, 안미(鞍馬)757) 구
름 ᄆᆞᆺᄃᆞᆺ, 벽졔ᄲᅡᆼ곡(辟除雙曲)이 긋출 ᄉᆞ이
업ᄉᆞᆫ지라. 창후 형뎨 친환의 우황ᄒ여 빈긱
을 상졉ᄒᆞᆯ 의ᄉᆞ 업셔, 형뎨 돌녀【84】가며
ᄒᆞᆫ 셕식 나와 즁긱(衆客)을 졉응ᄒ나, 황황
ᄒᆞᆫ 거동과 근심ᄒᆞᆫᄂᆞᆫ 얼골이 만시 무흥(無
興)ᄒ니, 졔긱이 빗난 말ᄉᆞᆷ으로 영광을 칭
하코져 ᄒ다가, 그 즐기지 아니믈 보고 오
릭 안지 못ᄒ여 죽시 도라가ᄂᆞᆫ지라.

755)감디온닝(甘旨溫冷) : 음식의 따뜻하고 차가움.
756)졍쳥(正廳) : 몸채의 대청(大廳).
757)안미(鞍馬) : 안장을 얹은 말. =안구마(鞍具馬).

초휘 쏘흔 졔긱으로 이의 와 창후 형뎨를
보틱, 흔연이 반기며 영화로 도라오믈 칭하
ᄒ여, 녜스 붕비와 ᄀᆞ톨디언졍 태·뉴의 딜
환을 뭇디 아냐, 조곰도 윤부 셔랑ᄀᆞᆺ디 아
니니, 졔긱이 그 ᄯᅳᆺ을 알고 그으기 웃고, 창
후는 뎡국공 존후와 미져의 평부를 므러 은
근 화열ᄒ딕, 쇼스는 초후의 태부인 환후
뭇디 아니믈 보고, 쏘흔 악부모의 긔력을
뭇디 아냐 모로는 둣ᄒ니, 이는 흔갓 초후
를 노홀 ᄲᅮᆫ 아니라, 하쇼졔 강졍의 나와 뉴
녀의 【26】 갈788)히 딜니여 초휘 다려가믄
아디 못ᄒ고, 심히 보쳐던 줄 원망ᄒ여 믈
너 이시므로 아라, 듕의(中意) 노ᄒ나 구ᄐ
여 ᄉᆞ식디 아니니, 그 심쳔(深淺)을 알 니
업ᄉᆞ더라.

딘형쉬 이 ᄢᅵ 벼슬이 샹셔령 동평댱ᄉᆞ로,
금일이야 샤은ᄒ고 바로 강졍으로 나와 창
후 곤계를 볼ᄉᆡ, 쇼스를 딕ᄒ여 하시 셰샹
의 ᄉᆞ라 이시미 희한흔 거동이믈 만구칭하
(滿口稱賀)ᄒ니, 창휘 미쇼 왈,

"딜(姪)의 긔특ᄒᆞᆷ은 아름답거니와, 하슈는
녕미 ᄀᆞᆺ디 아냐 ᄉᆞ리를 아르실 빅어늘, 디
금 엇디 오디 아니시더뇨?"

초휘 ᄎᆞ언의 다ᄃᆞ라는 ᄉᆞ식이 블【27】
열 왈,

"쇼미 만ᄉᆞ여싱(萬死餘生)으로 뎡듁쳥의
구활대은(救活大恩)을 닙어 일명이 보젼ᄒ
엿더니, 져의 위인이 굿셰디 못ᄒ고 ᄆᆞ음이
인약(仁弱)흔 고로, 원을 프러 니ᄌᆞ미 디는
일을 거리끼디 아넛ᄂᆞᆫ 탓ᄉᆞ로, 다시 이 곳
의 발을 드딕엿다가 검하(劍下)의 원억흔
녕빅(靈魄)이 운소간(雲霄間)의 빗길789) 번
ᄒ니, 싱각홀ᄉᆞ록 쎠 슬히고 ᄆᆞ음이 춘디라.
ᄉᆞ원이 뎨슈 쳑망이 아모리 쥰졀ᄒ여도, 인
싱이 비빅셰(非百歲)라. 팔십을 ᄉᆞ라도 늣겁
거늘, 인ᄉᆞ 출히랴 ᄒ다가 쏘 ᄉᆞ화의 쩌러
질 번ᄒ니, 고금 텬하의 ○○○[이ᄀᆞᆺ치] 악

초휘 쏘흔 졔긱으로 이의 와 창후 형뎨를
보틱, 흔연이 반기며 영화로이 도라오믈 칭
하ᄒ여, 예스 붕비와 ᄀᆞ톨지언졍, 태·뉴의
질환을 뭇지 아냐 조곰도 윤부 셔랑ᄀᆞᆺ지 아
니니, 졔인이 그 ᄯᅳᆺ을 알고 그으기 웃고, 창
후는 뎡국공 존후와 미져의 평부를 므러
《은즈‖은근》 화열ᄒ딕, 소스는 초후의
《태후‖태부인》 환후 뭇지 아니믈 보고
쏘흔 악부모의 긔력을 뭇지 아냐 모로는 둣
ᄒ니, 이는 흔갓 초후를 노홀 ᄲᅮᆫ 아니라, 하
쇼졔 강졍에 나와 뉴녀의 칼히 질니여 초휘
다려가믄 아지 못ᄒ고, 심히 보【85】쳐던
줄 원망ᄒ여 믈너 이시므로 아라, 심즁에
노ᄒ나 구ᄐ여 ᄉᆞ식지 아니니, 그 집회를
알 니 업ᄉᆞ지라.

진형쉬 이 ᄢᅵ 벼슬이 《샹셔평‖샹셔령》
동평댱ᄉᆞ로, 금일 샤은ᄒ고 바로 강졍으로
나와 창후 곤계를 볼ᄉᆡ, 소스를 딕ᄒ여 하
씨 셰샹에 ᄉᆞ라 이시미 희한흔 거동이믈 만
구 칭하ᄒ니, 창휘 미소 왈,

"딜ᄋᆞ(姪兒)의 긔특ᄒᆞᆷ은 아름답거니와, 하
슈는 영미 ᄀᆞᆺ지 아냐 ᄉᆞ리를 아라실 빅어
늘, 지금 엇지 오지 아니시더뇨?"

초휘 ᄎᆞ언에 다다라는 ᄉᆞ식이 블열 왈,

"쇼미 만ᄉᆞ여싱(萬死餘生)으로 뎡듁쳥의
구활대은(救活大恩)을 닙어 일명이 보젼ᄒ
엿더니, 져의 위인이 굿셰지 못ᄒ고, ᄆᆞ음이
인약(仁弱)흔 고로, 원을 프러 니ᄌᆞ미 지는
일을 거리끼지 아넛는 타ᄉᆞ로, 다시 이 곳
의 발을 드딕엿다가 검하(劍下)에 원억흔
영빅【86】이 운슈[소]간(雲霄間)에 빗
길758) 번 ᄒ니, 싱각홀ᄉᆞ록 쎠 슬히고 ᄆᆞ음
이 춘지라. ᄉᆞ원이 뎨슈 쳑망이 아모리 쥰
졀ᄒ여도, 인싱이 비빅셰(非百歲)라. 팔십을
ᄉᆞ라도 늣겁거늘 인ᄉᆞ 출히랴 ᄒ다가 쏘 ᄉᆞ
화의 쩌러질 번 ᄒ니, 고금 텬하의 ○○○
[이ᄀᆞᆺ치] 악착 흉히흔 일이 쏘 어딕 이시리

---

788)갈 : 칼.
789)빗기다 : 비끼다. 가로지르다. 비스듬히 놓이거
나 늘어지다. 비스듬히 비치다. 얼굴에 어떤 표정
이 잠깐 드러나다.

758)빗기다 : 비끼다. 가로지르다. 비스듬히 놓이거
나 늘어지다. 비스듬히 비치다. 얼굴에 어떤 표정
이 잠깐 드러나다.

착흔 일이 또 어듸 이시리오."

언파의 노긔 표【28】등ᄒ니, 창휘 초후의 말을 드르미 비로소 알고 초후의 노긔 심상치 아냐, 다만 미쇼 왈,

"쇼뎨 므슨 사름이완듸 슈슉디간(嫂叔之間)의 칙망이 쥰졀ᄒ리오. 이는 ᄒ갓 억견(臆見)으로 니르미라. 또흔 조손고식(祖孫姑息)을 니르디 말고, 은혜는 밋고 닛디 말며 원슈는 플나 ᄒ여시니, 범연흔 ᄉ이라도 녯말의 디극히 니르미어늘, 형은 식니댱부(識理丈夫)로 디식이 원하(遠遐)ᄒ니 엇디 쇼쇼 ᄋ녀ᄌ의 셜셜(屑屑)ᄒ믈 효측ᄒᄂ뇨?"

초휘 탄왈,

"군언이 올커니와, 나는 본듸 블혹무식(不學無識)ᄒ다라. 엇디 고어(古語)를 싱각ᄒ리오. 다만 아는 거시 뇽담(龍潭) 호구(虎口)의 몸이 버서나, 일명【29】을 보젼ᄒᄂ 거슬 웃듬으로 아ᄂ니, 이는 내 집이 남과 ᄀ치 호화치 못ᄒ여, 참화 여싱으로 사름의 극악을 두리ᄂ니, 굿ᄐ여 은원(隱怨) 함분(含憤)ᄒ미 아니라, 초뎍790)과 역탁791)의 모히로 동긔를 참망ᄒ고, 녕슉모(令叔母)의 슈단으로 일미를 두 번 죽일 번 ᄒ니, 맛춤 텬우신됴(天佑神助)ᄒ여 ᄉ라는 낫거니와, 만일 아미 죽을딘듸 초뎍 역탁을 버히던 칼날이, 다시 악인을 시험치 못ᄒ랴?"

초후의 말이 치 맞디 아냐셔, 쇼시 몸을 니러 안흐로 드러가며 왈,

"블힝ᄒ여 권문 셰가의 간악흔 녀ᄌ로 비필흔 연고로, 망측흔 욕셜이 친젼의 밋【30】ᄎ니, 내 비록 용우ᄒ나 엇디 결워 져의 부모를 그만치 욕디 못ᄒ리오마는, 구싱디의(舅甥之義)792)를 싱각는 거시 아니라, 녕엄《으로∥이》 가친으로 디극흔 친위믈 공경ᄒ여 흔 말도 아니ᄒ거니와, 내 죽디 아냐시듸 초휘 제 누의를 아사가 타문의 보니고져 ᄒ니, 하녀 발부는 기형의 디휘를 드

790)초뎍 : 작중인물 '초왕'을 말함. 하문을 해하고 반역을 일으켰다가 하원광에게 죽음을 당했다.
791)역탁 : 작중인물 '김탁'을 말함. 하문을 해하고 반역을 일으켰다가 하원광에게 죽음을 당했다.
792)구싱디의(舅甥之義) : 장인과 사위 사이의 의리.

오"

언파의 노긔 표등(表動)ᄒ니, 창휘 초후의 말을 드르미 비로소 알고, 초후의 노긔 심상치 아냐, 다만 미소 왈,

"쇼졔 므슨 사름이완듸 슈슉지간(嫂叔之間)에 칙망이 쥰졀ᄒ리오. 이ᄂ ᄒ갓 억견(臆見)으로 니르미라. 또흔 조손고식(祖孫姑息)을 니ᄅ지 말고, 은혜는 밋고 잇지 말며 원슈는 플나 ᄒ여시니, 범연흔 ᄉ이라도 옛말의 지극히 니르미어늘, 형은 식니댱부(識理丈夫)로 지식이 원하(遠遐)ᄒ니, 엇지 소소 ᄋ녀ᄌ의 셜셜(屑屑)ᄒ믈 효측ᄒᄂ뇨?"

초휘 탄왈,

"군【87】언이 올커니와, 나ᄂ 본듸 블혹무식(不學無識)ᄒ지라. 엇지 고어를 싱각ᄒ리오. 다만 아는 거시 뇽담호구(龍潭虎口)의 몸이 버서나, 일명을 보젼ᄒᄂ 거슬 웃듬으로 아ᄂ니, 이ᄂ 내 집이 남과 ᄀ치 호화치 못ᄒ여, 참화 여싱으로 사름의 극악을 두리ᄂ니, 구ᄐ여 은원(隱怨) 함분(含憤)ᄒ미 아니라, 초젹759)과 역탁760)의 모히로 동긔를 참망ᄒ고, 영슉모(令叔母)의 슈단으로 소미를 두 번 죽일 번 ᄒ니, 맛춤 텬우신조(天佑神助)ᄒ여 ᄉ라는 낫거니와, 만일 아미 죽을진듸 초젹 역탁을 버히던 칼날이 다시 악인을 시험치 못ᄒ랴?"

초후의 말이 치 맞지 아냐져[셔], 소시 몸을 니러 안흐로 드러가며, 왈,

"블힝ᄒ여 권문 셰가의 간악흔 녀ᄌ로 비필흔 연고로, 망측흔 욕셜이 친젼의 밋ᄎ니, 내 비록 용우ᄒ나 엇지 《셜워∥결워》 져의【88】 부모를 그만치 욕지 못ᄒ리오마ᄂ, 구싱지의(舅甥之義)761)를 싱각는 거시 아니라, 영엄《으로∥이》 가친으로 지극흔 친위믈 공경ᄒ여 흔 말도 아니ᄒ거니와, 내 죽지 아냐시듸 초휘 제 누의를 아ᄉ가 타문의 보니고져 ᄒ니, 하녀 발부(潑婦)ᄂ 기형

759)초젹 : 작중인물 '초왕'을 말함. 하문을 해하고 반역을 일으켰다가 하원광에게 죽음을 당했다.
760)역탁 : 작중인물 '김탁'을 말함. 하문을 해하고 반역을 일으켰다가 하원광에게 죽음을 당했다.
761)구싱지의(舅甥之義) : 장인과 사위 사이의 의리.

러 비부난뉸(背夫亂倫)ᄒ며 ᄌ가(自家)를 욕
ᄒ라 권ᄒ여 이ᄀᆽ치 참욕을 씻치니, 비록
아모 곳의 분을 프디 못ᄒ나, 발부의 본 뜻
이 초후와 ᄀᆺ툴딘디, 만 조각의 ᄢᅧ져 이 분
을 셜치 못ᄒ랴?"

초휘 대로 왈,

"여ᄆᆡᄂᆞᆫ 천고의 ᄯᅩ 업ᄉᆞᆫ 악인의 ᄯᅩᆯ【3
1】이로ᄃᆡ, 내 오히려 일만 조각의 ᄂᆞ디 아
냐 살녓고 편히 두엇ᄂᆞ니, 네 아ᄆᆡ를 히ᄒᆞ
랴 ᄒ면 여ᄆᆡ를 ᄒᆞᆫ갓 ᄢᅦ줄 ᄯᅳᆫ이리오, 빅골
도 남기디 아니코 아조 분쇄ᄒ리라."

쇼시 브답ᄒ고 안흐로 드러가니, 창휘 뎡
식 왈,

"쇼뎨 등이 평일 형을 바라미 이러치 아
니ᄒᆞ더니, 아디 못게라 형이 쥬후광언(酒後
狂言)이냐? 엇던 연괴뇨? 우리 두 집 정분
이 그 엇더 ᄒᆞ관ᄃᆡ, 형이 일됴(一朝)의 의
(義)를 져바려 졍을 버히고져 ᄒᆞᄂᆞ뇨?"

초휘 닝쇼 왈,

"내 원간 술 먹은 일이 업ᄂᆞ니 엇디 쥬후
광언이리오. 딘졍 소발이라. 희텬 괴믈이 졔
양모의 궁흉 극악이란 싱각디 아니【32】
코, 내 말만 노ᄒᆞ여 내 악인(惡人)의 병을
뭇디 아니므로, 졔 ᄯᅩ 우리 친당 존후를 뭇
디 아니코, ᄌᆞ식을 기리ᄃᆡ ᄀᆞ장 참 된 쳬
ᄒ고, 뎡식 단좌ᄒᆞ여 거동이 믜올 ᄯᅮᆫ 아니
라, 졔 실노 날과 결오다가ᄂᆞᆫ 믜이 속을 둣
ᄒ니, 져의 양ᄌᆞ당(養慈堂)이란 지 약 그릇
슬 븟드디 아님도 오히려 나의 은덕이믈 모
로고, 졔 양모로 셩덕부인(聖德婦人)ᄀᆞᆺ치 넉
이리오. 그런 가쇠(可笑) 어ᄃᆡ 이시며, 졔
아모리 날을 욕ᄒ고 아ᄆᆡ로 못홀 말을 무슈
히 ᄒᆞᆫ들 내 엇디 ᄒᆞᆫ 누의를 농담호구(龍潭
虎口)의 너흐리오."

언파의, 노긔 대발ᄒᆞ여 만좌 등의 그 누
의를 즛두다려 궤 등의 너허 남【33】강의
드리치랴 ᄒᆞ던 일과, 하시 십ᄉᆡᆼ구ᄉ(十生九
死)ᄒᆞ여 일명을 보젼ᄒᆞ엿다가, 다시 그 병
을 구ᄒᆞ려 도라오ᄆᆡ, 뉴시 ᄯᅩ 칼노 디르려
셔도다가 팔이 듕상ᄒᆞ여 시로이 니를 갈고
분ᄒᆞ던 거슬 닐너, 셩음이 격녈ᄒᆞ고 노목

의 지휘를 드러 비부ᄂᆞᆫ뉸(背夫亂倫)ᄒᆞ며, ᄌ
가(自家)를 욕ᄒ라 권ᄒ여 이ᄀᆽ치 참욕을
씻치니, 비록 아모 곳의 분을 프지 못ᄒ나,
발부의 본 뜻이 초후와 ᄀᆺ툴진ᄃᆡ, 만 조각
의 써져 이 분을 셜치 못ᄒ랴?"

초휘 대로 왈,

"여ᄆᆡᄂᆞᆫ 천고의 ᄶᅡᆨ 업ᄉᆞᆫ 악인의 ᄯᅩᆯ이로
ᄃᆡ, 내 오히려 일만 조각의 ᄂᆞ지 아냐 술엿
고 편히 두엇ᄂᆞ니, 네 아ᄆᆡ를 히ᄒᆞ랴 ᄒ면
여ᄆᆡ를 ᄒᆞᆫ갓 ᄶᅦ줄 ᄯᅮᆫ이리오. 빅골도 남기지
아니코 아조 분쇄ᄒ리라."

소시 부답ᄒ고 안흐로 드러가니, 창휘 졍
식 왈,

"쇼뎨 등이【89】 평일 형을 ᄇᆞ라미 이
러치 아니ᄒᆞ더니, 아지 못게라 형이 쥬후광
언(酒後狂言)이냐? 엇진 연괴뇨? 우리 두
집 졍분이 그 엇더 ᄒᆞ관ᄃᆡ, 형이 일조(一朝)
의 의를 져ᄇᆞ려 졍을 버리고져 ᄒᆞᄂᆞ뇨?"

초휘 닝소 왈,

"ᄂᆡ 원간 술 먹은 일이 업ᄂᆞ니 엇지 쥬후
광언이리오. 진졍 소견이라. 희텬 괴믈이 졔
양모의 궁흉 극악이란 싱각지 아니코, 내
말만 노ᄒᆞ여 ᄂᆡ 악인(惡人)의 병을 뭇지 아
니므로, 졔 ᄯᅩ 우리 친당 존후를 뭇지 아니
코, ᄌᆞ식을 기리ᄃᆡ ᄀᆞ장 참 된 쳬ᄒ고, 졍식
단좌ᄒᆞ여 거동이 믜올 ᄯᅮᆫ 아니라, 졔 실노
날과 결오다가ᄂᆞᆫ 믜이 속을 둣ᄒ니, 져의
양ᄌᆞ당(養慈堂)이란 지 약 그릇슬 븟드지
아님도 오히려 나의 은덕이믈 모로고, 졔
양모로 셩덕부인(聖德婦人)ᄀᆞᆺ치 넉이리오.
그런 가쇠(可笑) 어ᄃᆡ 이시며, 졔 아모리 날
을 욕ᄒ고 아ᄆᆡ(我妹)로 못홀【90】말을 무
슈히 ᄒᆞᆫ들, ᄂᆡ 엇지 ᄒᆞᆫ 누의를 농담호구(龍
潭虎口)의 너흐리오."

언파에 노긔 ᄃᆡ발ᄒᆞ여 만좌 즁에 그 누의
를 즛두다려 궤 즁의 너허 남강에 드리치랴
ᄒᆞ던 일과, 하씨 십ᄉᆡᆼ구ᄉ(十生九死)ᄒᆞ여 일
명을 보젼ᄒᆞ엿다가, 다시 그 병을 구ᄒᆞ려
도라오ᄆᆡ, 뉴씨 ᄯᅩ 칼노 지르려 셔도다가
팔이 즁상ᄒᆞ여 시로이 니를 갈고 분ᄒᆞ던 거
슬 닐너, 셩음이 격녈ᄒᆞ고 노목(怒目)이 쎡

(怒目)이 뼈여딜 둣호니, 졔딘이 다 쇼안이 미미호고 만좨 은은이 웃는 빗출 동호디, 창휘 쏘흔 분노호여 초후와 일장을 결오고져 호다가, 싱각호디,

"져는 효위 남 다른디라. 슉모의 힝식 실비인졍(實非人情)이오, 사롬의 싱각디 못홀 악식 만흐니, 초후의 분분호믈 엇디 괴이타 호리오. 내 동긔의 부부를 화열키를 권호는 거시 올흐니, 브졀【34】 업시 징난(爭亂)호여 죵져(從姐)의 블안호믈 돕고 ㅇ의 노를 놉히리오. 윤·하 냥문의 화긔를 상히오는 거시 가장 깃브디 아닌 일이라."

호여, 뎡싁 단좌의 굴오디,

"형이 금일 우리 곤계를 보라 온 쯧이 붕우(朋友)의 졍(情)과 일가(一家)의 의(義)로뼈, 오릭 써낫던 회포를 죵용이 펴고져 호ㅇ[미]거놀, 므슴 쥬의로 빗호고 욕호라 온 사롬ᄀᆞᆺ치 이리 블호(不好)혼 경식(景色)이 잇게 호ᄂᆞ뇨? 아등 형뎨 블흑(不學) 용우(庸愚)호나, 오히ㅇ[려] 셰치 혜 셕디 아녀시니, 그디를 결워보고져 홀딘디 므스 일 슘으리오. 분두의 삼가디 못호미 괴이치 아니커니와, 내 집 모든 사롬의 스싱이 그디 손의 달니디 아【35】녓ᄂᆞ니, 사슉뫼(舍叔母) 약 그룻슬 면호시미 그디의 구혼 은덕이라 호여, 이ᄀᆞᆺ치 위셰를 ᄌᆞ랑호나, 뉘 쏘 남의게 그만 은덕을 씻치 니 업스리오. 그디 그윽이 싱각건디 우리 슉당을 이디도록 참욕을 아념죽 호니, 모로미 괴이히 구디 말고, 이 광텬 슉딜 형뎨의 목슘이 하날과 군샹의게 미엿고, 그디의게 달니디 아녓ᄂᆞ니, 초뎍과 김탁을 히흔 칼날이 아모리 날뉘여도, 공연흔 사롬은 간디로 죽이디 못호믈 닉이 싱각호라."

초휘 창후의 말칙[793]를 어이 몰나 드르리오. ᄌᆞ긔 과격호믈 니긔디 못호디, 뉴시를 절치 통한호는 고로 미뎨의 굿기던【36】 바의 다ᄃᆞ라는, 스스로 노분을 춤디 못호는디라. 즉시 ᄉᆞ매를 썰쳐 도라가며 니르디,

---

[793]말칙 : 말치. 말의 뜻. 남의 말의 뜻을 그때그때 상황을 미루어 알아낸 것.

여질 듯호니, 졔진이 다 소안(笑顔)이 미미호고, 만좌 은은이 웃는 빗출 동호디, 창휘 쏘흔 분노호여 초후와 일장을 결오고져 호다가, 싱각호디,

"초후는 효위 남 다른디라. 슉모의 힝식 결비인졍(決非人情)이오, 샤롬의 싱각지 못홀 악식 만흐니, 초후의 분분호믈 엇지 괴이타 호리오. 내 동긔의 부부를 화긔키를 권호는 거시 올흐니, 부【91】졀업시 징난(諍亂)호여 죵미(從妹)의 불안호믈 돕고 ㅇ의 노를 놉히리오. 윤·하 냥문의 화긔를 상히오는 거시 가장 깃부지 아닌 일이라."

호여 졍식 단좌의 굴오디,

"형이 금일 우리 곤계를 보라 온 쯧이, 붕우의 졍과 일가의 의로뼈 오릭 써낫던 회포를 죵용이 펴고져 호ㅇ[미]거놀, 무슴 쥬의로 빗호고 욕호라 온 샤롬ᄀᆞᆺ치 이리 불호흔 경식이 잇게 호ᄂᆞ뇨? 아등 형뎨 불흑 용우호나 오히려 셰치 《폐∥혜》 셕지 아냐시니 그디를 결워보고져 홀진디 무슨 일 슘으리오. 분두의 삼가지 못호미 괴이치 아니커니와, 내 집 모든 샤롬의 스싱이 그디 손의 달니지 아낫ᄂᆞ니, 샤슉뫼(舍叔母) 약 그릇슬 면호시미 형의 구흔 은덕이라 호여 이ᄀᆞᆺ치 위셰를 ᄌᆞ랑호나, 뉘 쏘 남에게 그만 은덕을 깃치 니 업스리오. 형이 그윽이 싱【92】각건디 우리 슉당을 이디도록 참욕을 아념죽 호니, 모로미 괴이히 구지 말고 이 광텬 슉딜의 목슘이 하늘과 군샹에게 미엿고, 형에게 달니지 아냐스니, 초왕과 김탁을 히흔 칼날이 아모리 날뉘여도, 공연흔 샤롬은 간디로 죽이지 못호믈 닉이 싱각호라."

초휘 창후의 말칙[762]를 어이 몰나 드르리오. ᄌᆞ긔 과격호믈 니긔지 못호디, 뉴씨를 절치 통한호는 고로 미뎨의 굿기던 바의 다ᄃᆞ라는, 스스로 노분을 춤지 못호는지라. 즉시 ᄉᆞ매를 썰쳐 도라가며 니르디,

---

[762]말칙 : 말치. 말의 뜻. 남의 말의 뜻을 그때그때 상황을 미루어 알아낸 것.

"녕슉 츄밀 합하는 하원광의 분골 쇄신ᄒ
여 은혜를 갑고져 ᄒ는 은인이어니와, 나는
사미를 힉ᄒ는 뉴녀 악인은 나의 통완 분히
ᄒ는 빈라. 므어슬 공경ᄒ리오. 너희는 우리
를 다 죽이고져 ᄒ는디 모로거니와, 나는
사미를 힉ᄒ는 악인을 믜워홀디언졍, 너희
내 손의 달니디 아닌 줄 아ᄂ니, 험악ᄒ 말
노 사름을 힉치 말나."

언파의 거류의 올나 몬져 도라가니, 졔긱
이 니어 훗터디더니, ᄯ또 벽뎨ᄲ곡(辟除雙
曲)794)이 분분ᄒ며 하리 금평후와 뎡국
【37】공 딘태샹 삼곤계 니르러시믈 고ᄒ
니, 창휘 즉시 하당ᄒ여 졔공을 마ᄌ 쳥샤
의 오로미, 졔공이 일시의 닙공 환쇄ᄒ믈
칭하ᄒ니, 창휘 몸을 굽혀 존개(尊駕) 왕굴
(枉屈)ᄒ시믈 샤례ᄒ고, 존당 환후로 인ᄒ여
나아가 뵈옵디 못ᄒ믈 샤례ᄒ고, 말ᄉ미 화
열ᄒ나 ᄌ연ᄒ 위의 일신의 둘너시니, 사름
으로 ᄒ여곰 탄복긔경(歎服起敬)홀디라. 졔
공이 쇼ᄉ의 나오디 아니믈 괴이히 넉여 동
ᄌ로 쳥ᄒ니, 쇼시 하공긔 젼어 왈,

"쇼싱이 녕윤(令胤)의 무한ᄒ 참욕을 바
드미 슈괴(羞愧)ᄒ오며, ᄯ또 위인ᄌ(爲人子)
ᄒ여 쳐ᄌ의 연고로 허다 욕셜이 친젼(親
前)의 밋츠니, 스스로 명공의 만【38】금농
쥬(萬金弄珠)로ᄡ 필부의 비항을 삼으미, 도
로혀 참욕을 취ᄒ미 이들을 쓴 아니라, 초
휘 명달 군ᄌ로 ᄋ시로브터 남 다른 디식이
이시려든, 엇디 홀노 쇼싱의 용우ᄒ믈 아디
못ᄒ고, 합히 동상을 뎡ᄒ시디 힘뼈 말니디
아니ᄒ엿다가, 이 ᄯ를 당ᄒ여 사름의 ᄎ마
듯디 못홀 흉패디셜이 무궁ᄒ니, 합하의 퇴
셔ᄒ신 눈을 쑤짓디 아니ᄒ고, 동긔를 위ᄒ
졍이 넘ᄲ미 말을 삼가디 못ᄒ미어니와, 디
인ᄌ딜(對人子姪)795) ᄒ여 아념즉 ᄒ 언ᄉ
만코 능욕이 남은 ᄯ히 업ᄉ니, 쇼싱이 ᄯ또
용우ᄒ나 삼촌 셜이 셕디 아녀신즉 겨를 결

<hr>

794) 벽뎨ᄲ곡(辟除雙曲) : 혼인 행렬이나 고위관리의
행차가 지나가는데 방해받지 않도록 잡인의 통행
을 금하는 피리나 나팔 등의 악기 소리.
795) 디인ᄌ딜(對人子姪) : '남의 아들과 조카를 대하
여'의 뜻.

"녕슉 츄밀 합하는 하원광의 분골 쇄신ᄒ
여 은혜를 갑고져 ᄒ는 은인이어니와, 나는
사미를 힉ᄒ는 뉴녀 악인은 나의 통완 분히
ᄒ는 빈라. 므어슬 공경ᄒ리오. 너희는 우리
를 다 죽이고져 ᄒ는지【93】모로거니와,
나는 사미를 힉ᄒ는 악인을 믜워홀지언졍,
너의 내 손의 달니지 아닌 줄 아ᄂ니, 험악
ᄒ 말노 사름을 힉치 말나."

언파의 거류의 올나 믄져 도라가니, 졔긱
이 니어 훗터지더니, ᄯ또 벽졔ᄲ곡(辟除雙
曲)763)이 분분ᄒ며 하리 금평후와 뎡국공
진태샹 삼곤계 니르러시믈 고ᄒ니, 창휘 즉
시 하당ᄒ여 졔공을 마ᄌ 쳥ᄉ의 오로미 졔
공이 일시의 닙공 환쇄ᄒ믈 칭하ᄒ니, 창휘
몸을 굽혀 존개 왕굴(枉屈)ᄒ시믈 샤례ᄒ고,
조모의 환후로 인ᄒ여 나아가 뵈옵지 못ᄒ
믈 샤례ᄒ고, 말ᄉ미 화평ᄒ나 ᄌ연ᄒ 위의
일신의 둘너시니, 샤룸으로 ᄒ여곰 탄복긔
경(歎服起敬)홀지라. 졔공이 쇼ᄉ의 나오지
아니믈 괴이히 넉여 동ᄌ로 쳥ᄒ니, 쇼시
하공긔 젼어 왈,

"쇼싱이 초후의 무한ᄒ 참욕【94】을 바
드미 슈괴(羞愧)ᄒ오며, ᄯ또 위인ᄌ(爲人子)
ᄒ여 쳐ᄌ의 연고로 허다 욕셜이 친젼의 밋
츠니, 스스로 명공의 만금농쥬(萬金弄珠)로
ᄡ 필부의 비항(配行)을 삼으미, 도로혀 참
욕을 취ᄒ미 이들을 쓴 아니라, 초휘 명달
군ᄌ로 아시므로브터 남다른 지식이 이시려
든, 엇지 홀노 쇼싱의 용우ᄒ믈 아지 못ᄒ
고, 합히 동상을 졍ᄒ시디 힘뼈 말니지 아
니ᄒ엿다가, 이ᄯ를 당ᄒ여 사름의 참아 듯
지 못 헐 흉픽지셜(凶悖之說)이 무궁ᄒ니,
합하의 퇴셔ᄒ신 눈을 쑤짓지 아니ᄒ고, 동
긔를 위ᄒ 졍셩이 넘지니, 말을 삼가지 못
ᄒ미어니와, 디인ᄌ딜(對人子姪)764)ᄒ여 아
념즉 ᄒ 언ᄉ 만코 능욕이 무쌍ᄒ여 비헐
수 업고, 쇼싱이 ᄯ또 용우ᄒ나 삼촌 셜이 부

<hr>

763) 벽뎨ᄲ곡(辟除雙曲) : 혼인 행렬이나 고위관리의
행차가 지나가는데 방해받지 않도록 잡인의 통행
을 금하는 피리나 나팔 등의 악기 소리.
764) 디인ᄌ딜(對人子姪) : '남의 아들과 조카를 대하
여'의 뜻.

오디 못흘 거【39】시 아니로딕, 츠마 못ᄒᆞ
믄 가친의 붕우를 공경ᄒᆞ미어니와, 이제 명
공이 누쳐의 왕굴ᄒᆞ샤 나디 므르시믄 감샤
ᄒᆞ거니와, 스스로 슈괴(羞愧)ᄒᆞ여 존공긔 뵈
기를 원치 아니ᄒᆞᄂᆞ니, 명공은 용셔ᄒᆞ쇼셔."

하공이 쳥파의 경아ᄒᆞ여 창후다려 연고를
므른딕, 창휘 초후의 거동을 셜화ᄒᆞ고, 굴오
딕,
"사뎨 하형을 노ᄒᆞ여 하년슉(河緣叔)긔
아니 뵈오믄 협익(狹隘)ᄒᆞ거니와, 졔 쇼년딕
심의 분히ᄒᆞ미 괴이ᄒᆞ리잇고?"
하공은 ᄋᆞ즈의 브졀업스믈 짓거 아니ᄒᆞ
고, 금후와 낙양후 곤계는 비록 쇼스를 보
고져 ᄒᆞ나 그 고집이 흔 번 뎡ᄒᆞ민 경히 나
오디 아닐 줄 알고 다시【40】보기를 쳥치
못ᄒᆞ더라.
하공이 창후다려 왈,
"스원이 옥누항으로 드러오디 아니ᄒᆞ고
강졍의 이시랴 ᄒᆞᄂᆞ냐?"
창휘 딕왈,
"옥누항 가시 파락(破落)ᄒᆞ여 들 곳이 업
고, 쇼싱 형뎨를 샤급ᄒᆞ신 댱원각(壯元閣)이
이시나, 옥누항과 ᄂᆞ도ᄒᆞ고 발셔 남을 빌녀
시니, 블시의 구박(驅迫)ᄒᆞ여 ᄂᆞ치디 못흘
거시므로 아딕 뎡치 못ᄒᆞ엿ᄂᆞ이다."

하공 왈,
"옥누항의 우리 녯집이 븨엿고 스원이 셩
ᄂᆡ로 가고져 흘딘딕 엇디 내 집의 드디 못
ᄒᆞ리오. ᄒᆞ믈며 군가와 년장딕문(連墻大門)
의 ᄉᆞ이 디근ᄒᆞ여, 외당을 허러바려 빅화헌
을 통ᄒᆞ고, 동산 담을 허러 그딕 집 샤묘
【41】뫼신 곳이 갓갑게 ᄒᆞ라."
창휘 비록 초후의 말을 노ᄒᆞ나, 하공긔
다ᄃᆞ라는 은의를 버리디 못흘 거시오. 본딕
괴벽흔 거조를 두디 아니므로 어이 샤양흘
니 이시리오.
즉시 딕왈,
"년딜(緣姪)이 강졍의 머믈미 졀박ᄒᆞ온

절업스오나 져를 결오지 못흘 거시 아니오,
또흔 그럿치 못【95】ᄒᆞ믄 가친의 붕우를
공경ᄒᆞ미{아니}오라. 엇지 공이 누쳐의 왕
굴ᄒᆞ샤 나지 므르{아지아니}시니 《깃겁거
니와∥깃겁지 아니리오마는》, 스스로 슈괴
(羞愧)ᄒᆞ여 존공긔 비현ᄒᆞ기를 원치 아니ᄒᆞ
ᄂᆞ니, 명공은 용셔ᄒᆞ소셔."
하공이 쳥파의 경아ᄒᆞ여 창후다려 연고를
므른딕, 창휘 초후의 거동을 셜화ᄒᆞ고 굴오
딕,
"샤뎨 하형을 노ᄒᆞ여 하년슉(河緣叔)긔
아니 뵈오믄 협익(狹隘)ᄒᆞ거니와 졔 쇼년지
심의 분히ᄒᆞ미 괴이ᄒᆞ리잇고?"
하공은 초후의 부졀업스믈 짓거 아니ᄒᆞ
고, 금후와 낙양후 곤계는 비록 소스를 보
고져 ᄒᆞ나 그 고집이 흔 번 졍ᄒᆞ미 경히 나
오지 아닐 줄 알고, 다시 보기를 쳥치 못ᄒᆞ
더라.
하공이 창후다려 왈,
"스원이 옥누항으로 드러오지 아니ᄒᆞ고
강졍의 잇시랴 ᄒᆞᄂᆞ냐?"
창휘 딕왈,
"옥누항 가시 파락(擺落)ᄒᆞ【96】여 들
곳이 업고, 쇼싱 형뎨를 스급ᄒᆞ신 장원각
(壯元閣)이 이시나, 옥누항과 ᄉᆞ이 《여도∥
ᄂᆞ도》ᄒᆞ고 발셔 남을 빌녀시니, 불시의 구
박ᄒᆞ여 ᄂᆞ치지 못흘 거시므로, 아직 졍치
못ᄒᆞ엿ᄂᆞ이다"
하공 왈,
"옥누항의 우리 옛집이 븨엿고 스원이 셩
ᄂᆡ로 가고져 흘진딕 엇지 내 집에 드지 못
ᄒᆞ리오. ᄒᆞ믈며 그딕 집과 연장딕문(連墻大
門)의 ᄉᆞ이 지근ᄒᆞ여 외당을 허러브려 빅화
헌을 통ᄒᆞ고, 동산 담을 허러 그○[딕] 집
스묘 뫼신 곳이 갓갑게 ᄒᆞ라."
창휘 비록 초후의 말을 노ᄒᆞ나, 하공긔
다ᄃᆞ라는 은의를 버히지 못흘 거시오, 본딕
괴벽흔 거조를 두지 아니므로 어이 스양흘
니 이시리오.
즉시 딕왈,
"년딜(緣姪)이 강졍의 머믈미 졀박ᄒᆞ온

바는, 빈 집의 사묘를 뫼신 연괴라. 년슉이
가샤를 빌니실딘딕 명일이라도 합개(闔家)
올마 들고져 ᄒᄂ이다."

하공 왈,

"내 도라갈 쩍 옥누항의 들녀 노복 등을
식여 당호를 슈쇄(收刷)케 ᄒ리니 ᄉ원은
슈히 올ᄆ라."

금휘 왈,

"명일 집을 올믈 쩍의ᄂᆞ 녀ᄋ란 잠간 취
운산의 보닉여 노친의 보고져 ᄒᄉᄂᆞ 졍을
【42】위로ᄒ라."

창휘 디왈,

"녕녀의 ᄉᆞ싱 존망을 모를 쩍의도 견딕여
계시니, ᄒ믈며 당ᄎᆞ시 ᄒ여ᄂᆞ 영화로이 도
라 왓ᄂᆞ딕라. 아딕 쇼싱의 조모 환휘 위악
ᄒ시믈 구(救)치 아니코, 한만(閑漫)ᄒ 근친
이 급디 아니ᄒᄋᆞᆫ딕라. 긴 셰월의 쇼싱의
집이 무ᄉᆞ흔 쩍를 타, 악당이 다려가 슬하
의 두셔도 희롭디 아니ᄒᄋᆞ리니, 명일은 ᄉ
셰(事勢) 보닉디 못ᄒ리로소이다."

금휘 쇼왈,

"네 이ᄀᆞᆺ치 막ᄌᆞ르니 다시 쳥치 못ᄒ거니
와, 이에 와시니 잠간 셔로 보아 부녀의 반
기ᄂᆞ 졍을 펴게 ᄒ라."

창휘 왈,

"근슈교의(謹受教矣)[796]려니와, 외당(外
堂)이 번거ᄒ니 【43】어나 곳의셔 보시리잇
고?"

공이 왈,

"즉금 좌우의 다른 사ᄅᆞᆷ이 업셔 녀ᄋ의
표슉 삼인과 하형 쑨이니, 하형은 명위남
(名爲-)[797]이나 실위동긔(實爲同氣)[798]오,
내 쏘 하ᄋ(河兒)로 양녀(養女)ᄒ고, ᄌᆞ의의
부인을 보아시니, 하형이 잠간 보미 므ᄉᆞᆷ
녜예 구애ᄒ리오."

창휘 쏘흔 그러히 넉여, 외당 문을 닷고

---

[796]근슈교의(謹受教矣) : '삼가 가르침을 받들겠다'
는 말.

[797]명위남(名爲-) : 이름은 남이지만 실제는 남이
아니라는 말.

[798]실위동긔(實爲同氣) : 실제로는 동기[형제]나 다
름 없음..

바ᄂᆞ 빈 집의 ᄉ묘를 뫼신 연괴라. 년슉이
가ᄉ를 빌니실진딕, 명【97】일이라도 합개
올마 들고져 ᄒᄂ이다"

《항∥하》공 왈,

"닉 도라갈 쩍 옥누항에 들녀 노복 등을
식여 당호를 슈쇄(收刷)케 ᄒ리니 ᄉ원은
슈히 올ᄆ라"

금휘 왈,

"명일 집을 올믈 쩍의ᄂᆞ 녀ᄋ란 잠간 취
운산에 보닉여 노친의 보고져 ᄒ시ᄂᆞ 졍을
위로ᄒ라."

창휘 디왈,

"녕녀의 ᄉᆞ싱 존망을 모를 쩍에도 견딕여
계시니, ᄒ믈며 당ᄎᆞ시 ᄒ여ᄂᆞ 영화로이 도
라 왓ᄂᆞ지라. 아직 쇼싱의 조모 환휘 위악
ᄒ시므로, 구치 아니코 한만흔 근친이 급지
아니 ᄒ지라. 긴 셰월에 쇼싱의 집이 무ᄉ
흔 쩍를 타, 악당이 다려가 슬하의 두셔도
희롭지 아니ᄒ오리니, 명일은 ᄉ셰(事勢) 보
닉지 못ᄒ리로소이다."

금휘 소왈,

"네 이ᄀᆞᆺ치 막ᄌᆞ르니 다시 쳥치 못ᄒ거니
와, 이의 왓시니 잠간 셔로 보아 부녀의 반
기ᄂᆞ 졍을 펴【98】게 ᄒ라."

창휘 왈,

"근슈교의(謹受教矣)[765]려니와, 외당(外
堂)이 번거ᄒ니 어닉 곳에셔 보시리잇고?"

공이 왈,

"즉금 좌우에 다른 사ᄅᆞᆷ이 업셔 녀ᄋ의
표슉 삼인과 하형 쑨이니, 하형은 명위남
(名爲-)[766]이나 실위동긔(實爲同氣)[767]오,
○[내] 쏘 하ᄋ로 양녀(養女)ᄒ고, ᄌᆞ의의
부인을 보아시니, 하형이 잠간 보미 므ᄉᆞᆷ
례의 구이ᄒ리오."

창휘 쏘흔 그러히 넉여 외당 문을 닷고,

---

[765]근슈교의(謹受教矣) : '삼가 가르침을 받들겠다'
는 말.

[766]명위남(名爲-) : 이름은 남이지만 실제는 남이
아니라는 말.

[767]실위동긔(實爲同氣) : 실제로는 동기[형제]나 다
름 없음..

안흐로 통흔 문만 여러, 시녀로 뎡슉녈긔
금후 와시믈 통흐여 나와 뵈오믈 니른디,
뎡슉녈이 야야의 와 계시믈 듯고 반가온 졍
을 형상치 못흐여, 즉시 시녀 등을 다리고
외헌의 나오미, 하공이 나려 마즈려 흐거늘,
뎡공이 그 옷슬 잡아 안쳐 왈,

"영【44】쥬는 쇼뎨 양녀로 흐엿느니, 내
쌀을 형이 보미 슉딜 ᄀᆞᆺ트리니, 어이 고쳬
(固滯)799)흔 녜를 힝코져 흐느뇨?"

이리 니르며 밧비 눈을 드러 녀ᄋᆞ를 볼
시, 그 찬난흔 염광이 ᄉᆞ좌(四座)의 됴요(照
耀)ᄒᆞ니, 비컨디 츄텬명월(秋天明月)이 구름
을 멍에흐여 부상(扶桑)의 오로며, 듕츄냥일
(中秋陽日)이 벽공(碧空)의 한가흔 듯, 신연
(新然)ᄒᆞ고 긔이ᄒᆞ미 텬화일디(天花一枝) 옥
호(玉壺)의 ᄭᅩᆺ는 듯, 팔ᄌᆞ미우(八字眉宇)
는 셩ᄌᆞ긔믹(聖姿氣脈)이오 ᄡᅡᆼ안쳥치(雙眼
淸彩)는 효셩(曉星)의 무졍(無情)ᄒᆞᄆᆞᆯ 웃는
디라. 빅틱쳔광(百態千光)이 긔려졀승(奇麗
絶勝)ᄒᆞ여 만고를 기우려도 둘 업슨 긔딜이
라. 금후의 침믁ᄒᆞ므로도 녀ᄋᆞ를 보미 츈
【45】풍화긔 흡연이 니러나, 손을 드러 하
공을 가르쳐 왈,

"이 곳 하ᄋᆞ(河兒)의 대인(大人)이오, 여
부의 동긔(同氣) ᄀᆞᆺ튼 친위(親友)라. 슉딜디
녜(叔姪之禮)로 뵈오라."

부인이 부슉(父叔)긔 뵈온 후, 하공을 향
ᄒᆞ여 지비흔디, 하공이 비록 금후는 과례
(過禮)를 말나 ᄒᆞ나, ᄌᆞ연 몸이 졀노 니러나
답녜ᄒᆞ고, 잠간 그 용광 긔딜을 보미 블승
흠복(不勝欽服)ᄒᆞ고, ᄌᆞ긔 녀부(女婦)800)로
써 쳔고의 희한ᄒᆞ므로 아던 비, 뎡히 슉녈
의 밋디 못ᄒᆞᄆᆞᆯ 싱각ᄒᆞ여, 뎡공의 ᄌᆞ녀{를}
고왕금뇌(古往今來)의 ᄡᅡᆼ 업스믈 탄복ᄒᆞ디,
황홀이 갈치 칭션ᄒᆞ미 괴이ᄒᆞ여 눈을 낫초
와 말을 아니ᄒᆞ고, 금후와 낙양후 삼【46】
형뎨 쇼져의 손을 잡아 반기미 극ᄒᆞ니, 도
로혀 디난 바 화변을 싱각ᄒᆞ고 츄연 왈,

안흐로 통흔 문만 여러, 시녀로 뎡슉녈긔
금후 와시믈 통흐여 나와 뵈오믈 니른디,
뎡슉녈이 야야의 와 계시믈 듯고 반가온 졍
을 형상치 못흐여 즉시 시녀 등을 다리고
외헌의 나오미, 하공이 나려 마즈려 흐거늘,
뎡공이 그 옷슬 잡어 안쳐 왈,

"영쥬는 쇼뎨 양녀로 흐엿느니, 내 ᄯᅡᆯ을
형이 보미 엇지 ○○○[고쳬(固滯)768)흔]
례(禮)○[를] ᄒᆞ랴 흐느뇨?"

---

799)고쳬(固滯) : 성질이 편협하고 고집스러워 너그
럽지 못함.
800)녀부(女婦) : 딸과 며느리를 함께 이르는 말.

768)고쳬(固滯) : 성질이 편협하고 고집스러워 너그
럽지 못함.

"부녀슉딜(父女叔姪)이 산 얼골노 즐거이 보미, 웃듬은 셩듀의 대은이오, 버거는 의렬현부(義烈賢婦)의 격고등문(擊鼓登聞)흔 공이니, 영힝흐던 듕도 참화의 블측(不測)흐던 바를 싱각흐니, 싀로이 놀나오믈 니긔디 못흐리로다."

쇼제 브복문파(仆伏聞罷)의 나죽이 옥셩봉음을 여러 흉화(凶禍)를 두로혀 복을 삼으믈 칭하흐고, 조모의 존후와 일가의 안녕흐믈 뭇즈오며, 누쳔 니(里) 애각의 삼지(三載) 되도록 싱존을 고치 못흐고, 경샤 평문을 알 길히 업셔 영모디졍(永慕之情)이 간졀턴 바를 고흐여, 잠간 말【47】숨흐미 말숨이 만치 아니듸 동쵹(洞屬)흔 효셩이 낫타나고, 친젼(親前)의 비싴(悲色)을 닛디 아니나 그 졍시 슬프던 바를 즈연 알다라.

뎡공이 어로만져 황홀이 귀듕흐믄 ᄋ들의셔 더은 듯, 근근(懃懃)흔 졍이 텬뉸 밧긔 즈별흐여, 그 쳥운 ᄀᆞ튼 녹발을 어로만져 왈,

"우리 너를 이셕흐믄 니르도 말고, 즈졍이 너를 싱각흐샤 신상의 딜 닐위실 듯흐니, 뵈올 젹마다 초민(焦悶)흐던 바를 엇디다 니르리오. 이졔 텬힝으로 누얼을 신셜흐고 무ᄉ히 싱환흐믈 어더시니, 추후나 마ᄉ(魔事) 업시 디닉기를 원흐노라."

인흐여, 손ᄋ를 일허 맛춤닉 맛나디 못흐믈 비상(悲傷)흐니, 쇼제【48】화긔를 곳치지 아냐 오딕 야야를 위로흐고, 좌하의 잠간 뫼셔시미, 창휘 먼니 좌를 일워시니 부부의 찬난흔 염광이 셔로 바이여, 남풍녀뫼(男風女貌) 슈츌긔려(秀出奇麗)흐미 딘짓 텬뎡 일듸(天定一對)801)라. 뎡공이 녀셔를 일방의 안쳐 비상흐믈 두굿기고, ᄉ랑흐는 듕 홀연 셕ᄉ를 싱각고 감회흐여, 하공을 향흐여 니르듸,

"셕일 빅화헌 가온듸셔 형이 명강의 녀ᄋ로뼈 식부로 일홈흐여 팔 우희 쥬필(朱筆)을 쓰고, 쇼뎨 명쳔형의 녀ᄋ로뼈 텬흥으로 뎡혼흐여 그 비샹의 글즈를 쓸 쩌의는, 오

_____
801)텬뎡일듸(天定一對) : 하늘이 정한 한 쌍.

히려 녀오와 셔랑은 셰샹의 밋쳐 나디 못
【49】 ᄒ고, 각각 부인이 슈틱ᄒ믈 닐너 싱
산 후 남녀를 보아 다시 뎡혼ᄒᄆᆯ 긔약ᄒᆞᆫ엿
더니, 그 ᄴᅥ의 복등의 잇던 ᄋᆞ히 이러ᄐᆺ 연
분을 일워 역경화란(歷經禍亂)⁸⁰² ᄒ고, 길
운을 만나 무ᄉᆞ히 도라오믈 어드나, 명쳔
형은 구쳔(九泉)의 깃브믈 먹음을디언졍 ᄒᆞᆫ
일 알오미 업ᄉᆞ니, 효ᄌᆞ의 영광을 깃거 ᄒᆞ
미 젹은디라. 셕ᄉᆞ를 싱각ᄒᆞ니 어이 샹감
(傷感)치 아니리오.”
　하공이 ᄯᅩᄒᆫ 탄식ᄒᆞ여,
　“망우(亡友)를 싱각고 비창(悲愴)ᄒᆞ미 여
러 셰월이 될ᄉᆞ록, 우이ᄒᆞ던 동긔를 여흼과
다르디 아니ᄒᆞ니, ᄒᆞᆯ믈며 창후의 엄안을 모
로ᄂᆞᆫ 디통과 남 다른 회포를 견줄 곳이
【50】 이시리오. 창휘 녕녕(英英)ᄒᆞᆫ 미우(眉
宇)의 슬픈 빗치 가득ᄒᆞ고, 봉안의 누쉬 ᄯᅥ
러져 이윽이 말이 업다가, 화도ᄉᆞ를 만나
부공의 화상을 ᄎᆞ준 바를 고ᄒᆞ고, 톄읍비졀
(涕泣悲絶) 왈,
　“쇼싱의 궁극ᄒᆞᆫ 졍니 션인의 화상으로ᄡᅥ
엄안을 뵈옴 ᄀᆞᄐᆞ오나, 쵹쳐(觸處)의 어나
일이 아니 통할(痛割)ᄒᆞ리잇고?”
　뎡공이 화상 ᄎᆞᄌᆞ믈 크게 깃거 ᄒᆞ여 ᄯᅩ
슬허 왈,
　“셕년의 금국으로 향ᄒᆞᆯ ᄴᅥ의 명쳔형의 화
상을 화도인이 일운 줄을 긔시 아라시되,
현셔 등다려 니르디 못ᄒᆞᆷᄆᆫ 대히의 평초(萍
草)와 표풍(飄風) ᄀᆞᄐᆞᆫ 도인의 ᄌᆞ최를 어디
가 ᄎᆞᄌᆞ리오. 브졀업시 심ᄉᆞ를 더옥 샹【5
1】히올 거시므로, 츨하리 도인이 군 등을
만나 화상을 도라보닐 ᄴᅥ만 기디리더니, 도
ᄉᆞ의 유신ᄒᆞ미 현셔 등으로 부안(父顔)을
아는 사ᄅᆞᆷ이 되게 ᄒᆞ니, 엇디 다힝치 아니
리오. 아디 못게라 화상을 어나 곳의 뫼셧
ᄂᆞ뇨?”
　창휘 ᄌᆞ하산의 아덕 봉안ᄒᆞ고 오므로ᄡᅥ
디답ᄒᆞ고 죵용이 담화ᄒᆞ더니, ᄯᅩ 빈긱이 별
뭉긔ᄃᆺ 나아오므로, 뎡부인이 부슉과 하공
을 향ᄒᆞ여 녜ᄒᆞ고 안흐로 드러가고, 삼 딘

　이럿ᄐᆺ 슈작ᄒᆞ다가 하공이 ᄯᅩᄒᆫ【99】 탄
식 왈,
　“망우(亡友)를 싱각고 비창(悲愴)ᄒᆞ미 여
러 셰월이 될ᄉᆞ록, 우이ᄒᆞ던 동긔를 여흼과
다르지 아니ᄒᆞ노라.”

　○○○[이럿ᄐᆺ] 담화 ᄒᆞ더니, ᄯᅩ 빈긱이
별 뭉긔ᄃᆺ 나아오므로, 뎡씨 부슉과 하공을
향ᄒᆞ여 례ᄒᆞ고 안흐로 드러가고, 삼 진공과
뎡·하 냥공이 일셰(日勢) 져믈므로 셜니

공과 뎡·하 냥공이 일세(日勢) 겨믈므로 셜니 취운산으로 도라올시, 창휘 하당 비송(拜送)ᄒ더라.

종일 빈긱이 낙역브졀(絡繹不絶)ᄒ나 쇼스ᄂᆞᆫ 하후와 블평디언(不平之言)을 ᄒ고 드러【52】온 후ᄂᆞᆫ, 조모와 모친의 환후를 술펴 스스로 약을 싱각ᄒ여 슈오 쳡을 몬져 디어, 두 그릇식 년ᄒ여 달혀 위·뉴 냥 부인긔 나오고, 겻티셔 더러온 버러지를 ᄡᅥ셔 업시 ᄒ고, ᄒᆞᆫ 쩍도 믈너가디 아니므로 일가 족친과 졔우 붕비 쇼스를 못 보고 가ᄂᆞ니 만터라.

창휘 명일 옥누항으로 가믈 조모긔 고ᄒ니, 태흥이 원닉 셩닉로 드러가고져 ᄒ므로 구ᄐᆞ여 막디 아니티, 쇼시 하후를 노ᄒ여 그 가샤로 가기를 즐겨 아니니, 창휘 왈,

"현뎨 엇디 싱각기를 협익(狹隘)히 ᄒᄂᆞ뇨? 즈의 형의 금일디언은 비록 과격ᄒ나 다 올흔 말이라. 아모 ᄆᆞᄋᆞᆷ으로 닐너도 일【53】믜를 그ᄎᆞ디 못 견듸도록 ᄒᆞᆫ 후ᄂᆞᆫ, 분완ᄒᆞᆷ이 덕디 아니리니, 엇디 그 말을 노ᄒ여 옥누항으로 옴기를 슬히 넉이리오. 오린디 아냐 계뵈 도라오시리니, 우리 계뵈 도라오시기 젼의 이 곳을 쩌나디 아녓다가ᄂᆞᆫ, 계뵈 슉모를 분노ᄒᆞ신 ᄆᆞᄋᆞᆷ으로ᄡᅥ 어이 ᄒᆞᆫ가디로 셩닉 가샤(家舍)로ᄡᅥ 맛고져 ᄒ시리오. 출하리 명일 닉로 급급히 하부로 올므죡, 계뵈 도라오샤 증화(憎火)를 프르실 길히 업셔 슉모를 뉴부로 보닉려 ᄒ시나, 우리 쳔만 가디로 익걸ᄒ고, 대뫼 여ᄎᆞ여ᄎᆞ 니르샤 슉모를 심원 별쳐의 잠간 옴기시리니, 아모리 ᄒ여도 일틱디상(一宅之上)이면 즈연 셔로【54】얼골을 보미 쉽고, 노를 프르시기 어렵디 아니리니, 엇디 셩닉(城內)와 강외(江外)를 ᄉᆞ이 두어 이심 ᄀᆞᆺ트리오."

쇼시 머리를 숙여 침음ᄒ다가 그 말이 올흐믈 씨ᄃᆞ라, 샤례 왈,

"쇼뎨 암미(暗昧)ᄒ여 일을 잘 못 싱각ᄒ디라. 형댱의 말ᄉᆞᆷ이 가장 맛당ᄒ시니, 엇디 밧ᄃᆞ디 아니리잇고? 명일 옴게 ᄒ사이다."

취운산으로 도라올시, 창휘 하당 비송(拜送)ᄒ더라.

종일 취운산으로 빈긱이 낙역(絡繹)ᄒ나, 소스ᄂᆞᆫ 하후와 불평지언(不平之言)을 ᄒ고 드러 온 후ᄂᆞᆫ, 조모와 모친의 환후를 술펴 스스로 약을 싱각ᄒ여 슈오 쳡을 몬져 지어, 두 그릇식 연ᄒ여 달혀 태·뉴 냥흉긔 나오고, 겻히셔 더러온 버러지를 씨셔 업시 ᄒ고, ᄒᆞᆫ 쩍도 물너가지 아니므로 일가 죡친과 졔우 붕비, 소스를 못 보고 가ᄂᆞ니 만터라.

창【100】휘 명일 옥누항으로 가믈 조모긔 고ᄒ니, 태흥이 원릭 셩닉로 드러가고져 ᄒ므로 구ᄐᆞ여 막지 아니티, 소시 하후를 노ᄒ여 그 가스로 가기를 즐겨 아니니, 창휘 왈,

"현뎨 엇지 싱각기를 협의(狹意)○[히]ᄒᄂᆞ뇨? 즈의 형의 금일지언은 비록 과격ᄒ나 다 올흔 말이라. 아모 ᄆᆞᄋᆞᆷ으로 닐너도 일믜를 그ᄎᆞ지 못 견듸도록 ᄒᆞᆫ 후ᄂᆞᆫ 분완ᄒᆞ미 젹지 아니리니, 엇지 그 말을 노ᄒ여 옥누항으로 옴씨를 슬히 넉이리오. 오릭지 아냐 계뵈 도라오시리니, 우리 계뵈 슉모를 분노ᄒ신 ᄆᆞᄋᆞᆷ으로ᄡᅥ, 어이 ᄒᆞᆫ가지로 셩닉 가스로ᄡᅥ 맛고져 ᄒ시리오. 출하리 명일 닉로 급급히 하부로 올른죡, 계뵈 도라오샤 증화(憎火)를 프르실 길히 업셔 슉모【101】를 뉴부로 보닉려 ᄒ시나, 우리 쳔만 가지로 익걸ᄒ고, 대뫼 여ᄎᆞ여ᄎᆞ 니르샤 슉모를 심원(深園) 별쳐(別處)의 잠간 옴기시리니, 아모리 ᄒ여도 일틱지상(一宅之上)이면 즈연 셔로 얼골을 보미 쉽고, 노를 프르시기 어렵지 아니리니, 엇지 셩닉와 강외를 ᄉᆞ이 두어 이심 ᄀᆞᆺ트리오."

소시 머리를 숙여 침음ᄒ다가 그 말이 과연 올흐믈 씨ᄃᆞ라 샤례 왈,

"쇼뎨 암미(暗昧)ᄒ여 일을 잘 못 싱각ᄒ지라. 형댱의 말ᄉᆞᆷ이 ᄀᆞ장 맛당ᄒ시니, 엇지 밧ᄃᆞ지 아니리잇고? 명일 옴게 ᄒ사이다."

창휘 깃거 죵야 태부인을 구호ᄒ다가 계
오 날이 시기를 기다려 셩ᄂ리로 드러갈시,
위의를 출혀 편ᄒ고 너른 거듕(車中)의 근
신ᄒᆫ 시녀 슈인을 좌우로 안쳐 태부인을 붓
들게 ᄒ고, 창후 곤계 조모를 뫼셔 교듕(轎
中)의 올닌 후 뉴시를 ᄯ오 그ᄭ치 뫼셔【5
5】덩의 올니고, 뎡·댱·우 삼쇼져의 치교
를 뒤혀 힝케 ᄒ며, 창후 곤계 위·뉴를 호
힝ᄒ니 하리(下吏) 츄죵(追從)이 대로의 몌
엿고, 화교옥뉸(華轎玉輪)이 히빗츨 가리오
ᄂ다라. 인심이 권셰를 붓좃ᄎ미 심ᄒᆫ 고로,
위·뉴의 흉독 극악ᄒᆷᄆ 그윽이 통완ᄒᄂ
ᄌ라도, 창후 곤계 ᄀᆺᄐᆫ 효ᄌᆞ 현손이 이시
니 뉘 가히 그 ᄌᆞ손 둧ᄂ 딕 위·뉴를 ᄭᅮ디
ᄌᆞ리 이시리오.

금일 힝거의 일가(一家) 죡친(族親) 지렬
(宰列) 슈십여 인이 남문의 나와 마ᄌ 옥누
항으로 향ᄒ니, 부려ᄒᆫ 영광이 공후의 태부
인 힝ᄎᆞ며, 지렬의 ᄌᆞ당이믈 알디라. 노샹
졔인이 가마니 니르딕,

"효ᄌᆞ【56】현손을 온 가디로 보쳐며, 사
룸이 ᄎᆞ마 《듯디∥듯지》 못홀 악ᄉᆞ를 힝
ᄒ딕, 팔ᄌᆞᄂ 뉴달니 존귀ᄒ여 영광을 씌이
미 이 ᄀᆺ다."

ᄒ더라.

힝ᄒ여 하부의 다ᄃᆞ르니, 작일의 하공이
노복을 분부ᄒ여 당샤를 쇄소(灑掃)ᄒ라 ᄒ
엿ᄂ 고로, 닉외 가샤를 ᄒᆫ 조각 쯧글이 업
시 쇄소ᄒ엿ᄂ다라. 닉당 원양뎐의 태부인
을 뫼시고, 응휘각의 뉴시를 뫼시며, 뎡·댱
·우 등의 쳐소를 뎡ᄒ여 들게 ᄒ고, 모든
노복을 명ᄒ여 외쟝(外墻)을 허러 빅화헌을
통ᄒ며, 동산 담을 허러 ᄉ당(祠堂)이 갓갑
게 ᄒᆯ시, 초일이 망일(望日)인 고로 졔ᄉᆞ를
크게 출혀 디ᄂᆡ며, 윤태【57】ᄉᆞ 부듕의 가
경암공 샤묘(祠廟)와 운혜공 목쥬를 뫼셔
오고, 샹탁(床卓)과 범구(凡具)를 이 날의
ᄀᆺ칠시, 효ᄌᆞ의 졍셩을 다ᄒ여 비록 조션
졔ᄉᆞᄒᄂ 뎐퇵(田宅)이 다 업셔시나, 공후
지렬이 산악 ᄀᆺᄐᆫ 긔구(器具)를 기우려, 향
션디뎐(享先之奠)803)의 극진ᄒ미 무한ᄒ기

창휘 깃거 죵야 태부인을 구호ᄒ다가, 계
오 날이 시기를 기ᄃᆞ려 셩ᄂ리로 드러갈시,
위의를 출혀 편ᄒ고 너른 거즁(車中)에 근
신ᄒᆫ 시녀 슈인을 좌우로 안쳐 태부인을 붓
들게 ᄒ고, 창후 몬져 조모를 뫼【102】셔
교즁의 올닌 후, 뉴녀를 ᄯ오 그 ᄀᆺ치 뫼셔
덩의 올니고, 뎡·댱·우 삼소져의 치교를
뒤히 힝케 ᄒ며, 창후 곤계 위·뉴를 호힝
ᄒ니, 하리(下吏) 츄죵(追從)이 대로의 몌엿
고, 화교옥뉸(華轎玉輪)이 히빗츨 ᄀᆞ리오ᄂ
지라. 인심이 권셰를 붓좃ᄎ미 심ᄒᆫ 고로,
위·뉴의 흉독 극악ᄒᆷᄆ 그윽이 통완ᄒᄂ
지라도, 창후 곤계 ᄀᆺᄐᆫ 현손 효ᄌᆡ 이시니,
뉘 가히 그 ᄌᆞ손 둧ᄂ 딕 위·뉴를 ᄭᅮ지ᄌᆞ
리 이시리오.

금일 힝거의 일가(一家) 죡친(族親) 지렬
(宰列) 슈십여 인이 남문의 나와 마ᄌ 옥누
항으로 향ᄒ니, 부려ᄒᆫ 영광이 공후의 태부
인 힝ᄎᆞ며, 지렬의 ᄌᆞ당이믈 알지라. 노샹
졔인이 가마니 니르딕,

"효자 현손을 온 가지로 보쳐며 샤롬이
ᄎᆞ마 둧지 못홀 악ᄉᆞ를 힝ᄒ딕, 팔ᄌᆞᄂ 뉴
달니 존귀【103】ᄒ여 영광을 씌이미 이
ᄀᆺ다."

ᄒ더라.

힝ᄒ여 하부에 다다르니, 작일에 하공이
노복을 분부ᄒ여 당ᄉᆞ를 쇄소(灑掃)ᄒ라 ᄒ
엿ᄂ 고로, 닉외 가ᄉᆞ를 ᄒᆫ 조각 쯧글이 업
시 쇄소ᄒ엿ᄂ지라. 닉당 원양뎐의 태흉을
뫼시고 응휘각의 뉴녀를 뫼시며, 뎡·댱·
우 등의 쳐소를 졍ᄒ여 들게 ᄒ고, 모든 노
복을 명ᄒ여 외쟝(外墻)을 허러 빅화헌을
통ᄒ며, 동산 담을 허러 ᄉ당(祠堂)이 갓갑
게 ᄒᆯ시, 초일이 망일(望日)인 고로 졔ᄉᆞ를
크게 출혀 지ᄂᆡ며, 윤태ᄉᆞ 부즁의 가 경암
공 ᄉᆞ묘(祠廟)와 운혜공 목쥬(木主)를 뫼셔
오고, 샹탁(床卓)과 범구(凡具)를 이 날의
《ᄀᆺ칠시∥곳칠시》, 효ᄌᆞ의 졍셩을 다ᄒ여
비록 조션 졔ᄉᆞᄒᄂ 뎐퇵(田宅)이 다 업셔
시나, 공후 지렬이 산악 ᄀᆺᄐᆫ 긔구(器具)를
기우려, 향션지졍(享先之奠)769)의 극진ᄒ미

를 바라는 고로, 샤당의 휘황홈과 믈식(物色)의 댱녀(壯麗)ᄒ미 쳔승국군(千乘國君)의 종묘(宗廟)와 다르디 아니ᄒ고, 졔향증상(祭享蒸嘗)804)의 졍셩이 동쵹(洞屬)ᄒ여, 견일 무고(無故)○[히] 궐샤(闕祀)805)ᄒ던 일을 더옥 슬허ᄒᄃᆡ, 조모와 슉모의 아름답디 아닌 말을 언두의 일ᄏᆞᆺ디 아니터라.

창후와 덩슉녈이 태부인 환후【58】구호ᄒ미, 셩효를 갈딘(竭盡)ᄒ여 ᄎᆞ셩ᄒ시믈 바라는 ᄯᅳᆺ이 각각 몸으로ᄡᅥ 병후를 ᄃᆡ코져 홀 ᄲᅥᆫ 아니라, 창후의 의술이 편작(扁鵲)806)의 신술(神術)과 화틱(華陀)807)의 녕공(靈功)을 효측ᄒᄂᆞᆫ 고로, 당제(當劑)로 몬져 안환(眼患)과 창질(瘡疾)을 곳치미, 졈졈 ᄲᅮ시던 버러지ᄂᆞᆫ 스러져 간 곳이 업고, 냥안이 붉은 ᄃᆞᆺᄒ여 일슌디닉(一旬之內)의 사ᄅᆞᆷ을 아라볼 ᄲᅥᆫ 아니라, 창후의 의술이 누월(累月) 티료의 팔딘셩찬(八珍盛饌)과 화미옥식(華味玉食)이 일일(日日) 낙역브졀(絡繹不絕)ᄒ니, 구미(口味)와 먹으미 날노 싀로와, 만반딘슈(滿盤珍羞)라도 그릇시 븨기를 그음ᄒ니, 츄악ᄒ고 눅눅ᄒ던 얼골이, 【59】당추시 ᄒ여ᄂᆞᆫ 창쳐(瘡處) 잠간 나으며, 압히 어둡기를 덜니며808), 심곡의 빗쳣던 화미스식(華味奢食)을 날마다 나오니, 믄득 녯 얼골이 졈졈 도라와 비틱(肥澤)ᄒᆫ 긔비 기름으로 ᄡᅵ슨 ᄃᆞᆺᄒ니, 시녀빅ᄂᆞᆫ 그윽이 믜이 넉

무한ᄒ기를【104】바라는 고로, ᄉᆞ당의 휘황홈과 믈식의 댱녀(壯麗)ᄒ미 쳔승국군(千乘國君)의 종묘(宗廟)와 다르지 아니ᄒ고, 졔향증상(祭享蒸嘗)770)의 졍셩이 동쵹(洞屬)ᄒ여 젼일 무고(無故)○[히] 궐졔(闕祭)771)ᄒ던 일을 더옥 슬허ᄒᄃᆡ, 조모와 슉모의 아름답지 아닌 말을 언두의 일ᄏᆞᆺ지 아니ᄒ더라.

창후와 덩슉녈이 태부인 환후 구호ᄒ미, 셩효를 갈진(竭盡)ᄒ여 ᄎᆞ셩ᄒ시믈 ᄇᆞ라는 ᄯᅳᆺ이 각각 몸으로ᄡᅥ 병후를 ᄃᆡ코져 홀 ᄲᅮᆫ 아니라, 창후의 의술이 편작(扁鵲)772)의 신슐(神術)과 화틱(華陀)773)의 녕슐(靈術)을 효측ᄒᄂᆞᆫ 고로, 당제(當劑로 믄져 안환(眼患)과 창질(瘡疾)을 곳치미, 졈졈 ᄲᅮ시던 버러지ᄂᆞᆫ 스러져 간 곳이 업고, 냥안이 붉은 ᄃᆞᆺᄒ여 일슌지닉(一旬之內)의 사ᄅᆞᆷ을 아라볼 ᄲᅮᆫ 아니라, 창후의 의술이 누월 치료의 팔진셩찬(八珍盛饌)과 화미옥식(華味玉食)이 일일(日日) 낙역부졀(絡繹不絕)ᄒ니, 구【105】미(口味)와 먹으미 날노 싀로와, 만반진슈(滿盤珍羞)라도 그릇이 븨기를 그음ᄒ니, 츄악ᄒ고 눅눅ᄒ던 얼골이 당추시 ᄒ여ᄂᆞᆫ 창쳬 잠간 나으며, 압히 어둡기를 덜니며774), 심곡의 빗쳣던 화미스식(華味奢食)을 날마다 나오니, 믄득 녯 얼골이 졈졈 도라와 비틱(肥澤)ᄒᆫ 긔비 기름으로 ᄡᅳᆫ ᄃᆞᆺᄒ니, 시녀빅ᄂᆞᆫ 그윽이 믜이 넉이ᄃᆡ, 창후

---

803)향션디젼(享先之奠) : 선조를 제사하는 제례의식.
804)졔향증상(祭享蒸嘗) : 제사. 증상(蒸嘗); 제사(祭祀)를 뜻하는 말로, '증(蒸)'은 겨울제사를, '상(嘗)'은 가을제사를 말한다..
805)궐샤(闕祀) : 제사를 지내지 않거나 지내지 못하여 빠뜨림.
806)편작(扁鵲) : 중국 전국 시대의 의사. 성은 진(秦). 이름은 월인(越人). 임상 경험을 바탕으로 치료하였다. 장상군(長桑君)으로부터 의술을 배워 환자의 오장을 투시하는 경지에까지 이르렀다고 전한다.
807)화틱(華陀) : 중국 후한(後漢) 말기에서 위나라 초기의 명의(名醫)(?~208). 약제의 조제나 침질, 뜸질에 능하고 외과 수술에 뛰어났으며, 일종의 체조에 의한 양생 요법인 '오금희(五禽戲)'를 창안하였다.
808)덜니다 : 덜하다. 어떤 기준이나 정도가 약하다.

769)향션디젼(享先之奠) : 선조를 제사하는 제례의식.
770)졔향증상(祭享蒸嘗) : 제사. 증상(蒸嘗); 제사(祭祀)를 뜻하는 말로, '증(蒸)'은 겨울제사를, '상(嘗)'은 가을제사를 말한다..
771)궐졔(闕祭) : 제사를 지내지 않거나 지내지 못하여 빠뜨림.
772)편작(扁鵲) : 중국 전국 시대의 의사. 성은 진(秦). 이름은 월인(越人). 임상 경험을 바탕으로 치료하였다. 장상군(長桑君)으로부터 의술을 배워 환자의 오장을 투시하는 경지에까지 이르렀다고 전한다.
773)화틱(華陀) : 중국 후한(後漢) 말기에서 위나라 초기의 명의(名醫)(?~208). 약제의 조제나 침질, 뜸질에 능하고 외과 수술에 뛰어났으며, 일종의 체조에 의한 양생 요법인 '오금희(五禽戲)'를 창안하였다.
774)덜니다 : 덜하다. 어떤 기준이나 정도가 약하다.

이티, 창후 형데와 뎡·댱 이부인의 환열힝회(歡悅幸喜)흐믈 비흘 곳이 업스나, 다만 뉴부인의 셩악(性惡)과 심홰(心火) 날노 더흐여, 신병(身病)의 희로오미 만흔다라.

쇼수의 구병흐는 효셩이 엇디 창후의 태부인 구완흐는 졍셩만 못흐리오마는, 뉴부인이 창쳐를 브딧즈며 날마다 가슴을 두다리며, 쇼수【60】죽기를 졀박히 원흐는 고로, 텬디신기(天地神祇)의 믜이 넉이미 심흐여, 쇼시 의약을 착실이 흐미, 귀 먹은 거시 잠간 나으며 각증(脚症)809)이 덜니나, 별증(別症)810)이 나 못 견듸는 비, 삼촌 셜(舌)이 속으로 잡아다리는 듯 졈졈 오고라드러 그으니811), 말을 무움디로 못홀 쑨 아니라, 후셜(喉舌)이 칼노 뼈흐는 듯 알프고, 흉복의 큰 돌흘 드리온 듯, 일만 창인(槍刃)812)이 뿌시는 듯흐며, 대쇼변이 슌히 통치 못흐여 즈린813) 오좀과 구린814) 똥믈이 거스리니, 뉴녀의 셩악(性惡)흐므로도 말을 쇠훤이 못흐고, 알프미 ○[이]디경(地境)의 밋츠니, 비록 창질과 버러디 뿌시【61】는 거시 나으나, 츠마 못 견듸는 형상을 엇디 측냥흐리오. 쥬야 고통흐미 셜우믈 춤디 못흐여 쾌히 죽고져 흐되, 후셜이 더 알히는 고로 통곡도 무움디로 못흐는디라.

쇼시 모친의 환휘 별증이 괴이흐믈 황황민박흐여, 식음을 믈니치고 흔 씨도 병소를 떠나디 아냐 구호흐는 졍셩이 아니 밋촌 곳이 업스되, 뉴시 조곰도 감동흐는 빗치 업셔 날노 셩악(性惡) 쑨이러니, 창후 곤계 도라온 일삭(一朔)의 츄밀의 환경(還京)흐는

형데와 뎡·댱 이부인의 환열 힝회(歡悅幸喜)흐믈 비흘 곳이 업스나, 다만 뉴부인의 셩악(性惡)과 심홰(心火) 날노 더흐여, 신병(身病)의 희로오미 만흔지라.

소수의 구병흐는 효셩이 엇지 창후의 구완흐는 졍셩만 못흐리오마는, 뉴부인이 창쳐를 브딧즈며 날마다 가슴을 두드리며, 소수 죽기를 졀박히 원흐는 고로, 텬디신기(天地神祇)의 믜워 넉이미 심흐여, 소시 약을 착실이 흐미 귀 먹은 거시 잠간 나으【106】며 각증(脚症)775)이 덜니나, 별증(別症)776)이 나 못 견듸는 빅, 《삼초∥삼촌》 혜 속으로 잡아 다리는 듯, 졈졈 오고라드리[러] 《구으니∥그으니777)》, 말을 무움디로 못홀 쑨 아니라, 후셜(喉舌)이 칼노 뼈흐는 듯 알프고, 흉복의 큰 돌을 드리온 듯, 일만 창인(槍刃)778)이 쑤시는 듯흐며, 대쇼변이 슌히 통치 못흐여 즈린779) 오좀과 구린780) 똥믈이 거스리니, 뉴녀의 셩악흠으로도 말을 쇠원이 못흐고, 알프미 이지경(地境)에 밋츠니, 비록 창질과 버러지 쑤시는 거시 나으나, 츠마 못 견듸는 형상을 엇지 측냥흐리오. 쥬야 고통흐미 셜우믈 춤지 못흐여 쾌히 죽고져 흐되, 후셜이 더 알히는 고로 통곡도 무움디로 못흐는지라.

소시 양모의 환휘 별증이 괴이흐믈 황황민민흐여, 식음을 믈니치고 흔 씨도 병소를 떠나지 아냐, 구호흐는 졍셩이【107】아니 밋촌 곳이 업스되, 뉴씨 조곰도 감동흐는 빗치 업셔 날노 셩악(性惡) 쑨이러니, 창후 곤계 도라온 일삭(一朔)에 츄밀의 오는 션

---

809)각증(脚症) : 각기(脚氣). 비타민 비 원(B1)이 부족하여 일어나는 영양실조 증상. 말초 신경에 장애가 생겨 다리가 붓고 마비되며 전신 권태의 증상이 나타나기도 한다. 늑각기병.
810)별증(別症) : 어떤 병에 딸려 일어나는 다른 증세.
811)그으다 : 긁다. 손톱이나 뾰족한 기구 따위로 바닥이나 거죽을 문지르다.
812)창인(槍刃) : 창끝. 창날.
813)즈리다 : 지리다. 똥이나 오줌을 참지 못하고 조금 싸다.
814)구리다 : 똥이나 방귀 냄새와 같은 고약한 냄새가 나다.

775)각증(脚症) : 각기(脚氣). 비타민 비 원(B1)이 부족하여 일어나는 영양실조 증상. 말초 신경에 장애가 생겨 다리가 붓고 마비되며 전신 권태의 증상이 나타나기도 한다. 늑각기병.
776)별증(別症) : 어떤 병에 딸려 일어나는 다른 증세.
777)그으다 : 긁다. 손톱이나 뾰족한 기구 따위로 바닥이나 거죽을 문지르다.
778)창인(槍刃) : 창끝. 창날.
779)즈리다 : 지리다. 똥이나 오줌을 참지 못하고 조금 싸다.
780)구리다 : 똥이나 방귀 냄새와 같은 고약한 냄새가 나다.

션셩(先聲)이 니르니, 창후 곤계 빅니댱졍(百里長程)의 나아가 맛고져 아니리오〇〇[마는], 태부인 환휘 오히려 됴치 【62】 못ᄒ고, 뉴시 병셰 날노 위악ᄒ여 일시를 써나디 못ᄒᄂ 고로, 창후는 강외로 가 마ᄌ려 ᄒ고, 쇼ᄉᄂ 문외의셔 마ᄌ려 홀시, 츄밀의 친붕 졔위 윤가 계족으로 더브러 십니댱뎡의 마ᄌ라 가니, 윤공이 교디 만니의 삼년을 머믈미 가시 아모리 된 줄 모로고, ᄌ딜 등의 망측흔 죄루를 잔잉히 넉이고, ᄯᅩ ᄉ친디회(思親之懷) 간졀ᄒ여 식블감미(食不甘味)ᄒ고 침블안셕(寢不安席)ᄒ더니, 임의 교디참졍이 ᄉ로 나려오고 ᄌ긔 환경홀 긔한이 되니, 인슈(印綬)를 ᄉ 참졍(參政)의게 젼ᄒ고, 밧비 경ᄉ 소식을 므르며, 년일 됴보(朝報)를 【63】 보미, 뎡ㆍ딘 이문의 흉홰(凶禍) 참참턴 바를 놀나나, 딜녀의 격고등문흔 줄을 알며, 그 모친(母親)의 한 업슨 과악과 뉴시의 이상간독(異常奸毒)ᄒᄆᆫ 만고를 기우려도 ᄣᅡᆼ이 업슬디라. 가변의 망극ᄒ미 젼혀 뉴녀의 간악이믈 ᄭᅢᄃ라 통완 분히ᄒ미, 경긱의 ᄌ긔 몸이 나라, 집의 도라가 악인을 일쳔 조각의 나, 마으고져 의ᄉ 니러나ᄂ 듕, 모친의 과악을 이들와 심녜(心慮) 블예(不豫)ᄒᄆ로뼈, 딜양이 니러나 년ᄒ여 신음ᄒ다가 졸연(猝然) 위듕ᄒ여 인ᄉ를 바리고 식음을 젼폐ᄒ니, 군관 숑잠 등이 디셩(至誠) 구호ᄒ고, 각읍이 딘경(震驚) 【64】 ᄒ더니, 계오 ᄎ셩ᄒ믈 어더 황셩으로 도라갈ᄉ, 강외의 니르러 창휘 셜니 나아와 거륜 압히 다ᄃ르니, 늠연흔 신광이 쳑탁쇄락(滌濯灑落)[815]ᄒ여 젼ᄌ의 감ᄒ미 업슬 ᄲᅮᆫ 아니라, 금관(金冠)은 월익(月額)[816]의 빗나고 ᄌ포(紫袍)ᄂ 옥산(玉山)[817]의 엄연(儼然)ᄒ거늘, 직상의 관ᄌ(貫子)ᄂ 구름 빈샹(鬢上)의 두렷ᄒ니, 공이 반가온 졍신이 황홀ᄒ여 밧비 거륜의 나려 그

815)쳑탁쇄락(滌濯灑落) : 깨끗하고 상쾌함.
816)월익(月額) : 달처럼 둥근 이마.
817)옥산(玉山) : 외모와 풍채가 뛰어난 사람을 비유 적으로 이르는 말.

셩(先聲)이 니르니, 창후 곤계 빅니쟝졍(百里長程)의 나 맛고져 아니리오〇〇[마는], 태부인 환휘 오히려 조치 못ᄒ고, 뉴씨 병셰 날노 위악ᄒ여 일시를 써나지 못ᄒᄂ 고로, 창후는 강외로 가 마ᄌ려 ᄒ고, 소ᄉᄂ 문외의셔 마ᄌ려 홀시, 츄밀의 친붕 졔위 윤가 계족으로 더브러 십니 쟝졍의 마ᄌ라 가니, 윤공이 교지 만니에 삼년을 머믈미 가시 아모리 된 줄 모로고, ᄌ딜 등의 망측흔 죄루를 잔잉히 넉이고, ᄯᅩ ᄉ친지회(思親之懷) 근졀ᄒ여 식불감미(食不甘味)ᄒ고 침불안셕(寢不安席)ᄒ더니, 임의 교지참졍이 ᄉ로 나려오고 ᄌ긔 환경홀 긔한이 되니, 인슈(印綬)를 ᄉ 참졍(參政)에게 젼ᄒ고, 밧 【108】 비 경ᄉ 소식을 므르며, 년일 조보를 보미, 뎡ㆍ딘 이문의 흉홰 참참턴 바를 놀나나, 딜녀의 격고등문 흔 줄을 알며, 그 모친의 한 업슨 과악과 뉴씨의 이상간독(異常奸毒)ᄒᄆᆫ 만고를 기우려도 ᄲᅡᆼ이 업슬지라. 가변의 망극ᄒ미 젼혀 뉴녀의 간악이믈 ᄭᅢᄃ라 통완 분히ᄒ미, 경각의 ᄌ긔 몸이 나라 집의 도라가 악인을 일쳔 조각의 나, 마으고져 의ᄉ 니러나ᄂ 즁, 모친의 과악을 이들와 심니 불예ᄒᄆ로뼈, 질양이 니러나 연ᄒ여 신음ᄒ다가 졸연(猝然) 위즁ᄒ여 인ᄉ를 ᄇ리고 식음을 폐ᄒ니, 군관 숑잠 등이 지셩 구호ᄒ며 각읍이 진경(震驚) ᄒ더니, 계오 ᄎ셩ᄒᆯ 어더 황셩으로 도라갈ᄉ, 강외의 니르러 창휘 셜니 나아와 거륜 압히 다다르니, 늠연흔 신광이 쳑탁쇄락(滌濯灑落)[781] 【109】 ᄒ여, 젼ᄌ의 감ᄒ미 업슬 ᄲᅩᆫ 아니라, 금관(金冠)은 월싁[익](月額)[782]의 빗ᄂ고 ᄌ포(紫袍)ᄂ 옥산(玉山)[783]의 엄연(儼然)ᄒ거늘, 직상의 관잠(冠簪)은 구름 빈 샹(鬢上)의 두렷ᄒ니, 공이 반가온 졍신이 황홀ᄒ여 밧비 거륜에 나려 그 손 잡고 실셩 비읍ᄒ니, 창휘 ᄯᅩ흔 눈물이 여우ᄒ믈

781)쳑탁쇄락(滌濯灑落) : 깨끗하고 상쾌함.
782)월익(月額) : 달처럼 둥근 이마.
783)옥산(玉山) : 외모와 풍채가 뛰어난 사람을 비유 적으로 이르는 말.

손을 잡고 실셩 비읍ᄒ니, 창휘 ᄯᅩᄒᆫ 눈믈이 여우ᄒᄆᆯ 면치 못ᄒ되, 비회를 억졔ᄒ고 화긔를 작위(作爲)ᄒ여 븟드러 위로ᄒ니, 츄밀이 계오 모친의 존후를 뭇ᄌᆸ고 목이 몌여 여ᄂ니818) 말을 못ᄒ【65】더니, 날호여 탄왈,

"ᄌᆞ졍(慈庭)의 실덕을 간치 못ᄒ고, 뉴가 요녀의 대악을 아디 못ᄒ여, 여등(汝等)을 ᄎᆞ마 못 견딜 경계를 당케 ᄒ며, 내 집을 ᄯᅥ나미 여등이 블효 누명을 시러 쳔니(千里) 밧긔 찬츌ᄒᄆᆯ 당ᄒ여, ᄌᆞ당 슬하의 뫼시디 못ᄒᄆᆯ 싱각건되, 나의 블효ᄂᆫ 만고의 둘히 업고, 여등을 내 손으로 히치 아냐시나 뉴가 독믈(毒物)819)을 금단(禁斷)치 못ᄒ여시니, 내 스스로 히ᄒ미나 다르리오. ᄉᆞ라셔 ᄃᆡ인홀 면목이 업고, 죽어 구쳔타일(九泉他日)의 조션(祖先)과 션형(先兄)을 뵈올 ᄂᆞ치 업스리로다."

언파의 오열 뉴톄ᄒ며 쇼ᄉᆞ의 나오디 아냐시믈 괴이히 녁【66】여 므른되, 창휘 슉모의 환휘 위악(危惡)ᄒ시므로 강외(江外)가디 나오디 못ᄒ여시믈 고ᄒ고, 무익히 비쳑(悲慽)디 마르시믈 쳥홀ᄉᆡ, 츄밀이 ᄯᅩ 됴부인 거쳐를 뭇고, 뎡·딘·하·댱 등의 ᄉᆞ싱을 므러 왈,

"뉴가 요믈의 작히ᄒ미 너의 형뎨 부부를 다 죽이기를 도모ᄒ되, 여등은 텬우신됴(天佑神助)ᄒ여 ᄉᆞ죄(死罪)를 버셔낫거니와, 딘·하·댱의 죽으미 뎍실ᄒ며, 뎡시ᄂᆫ 댱샤의셔 도라오믈 어덧ᄂᆞ냐?"

창휘 뎡·댱 등이 즉금 옥누항의 이심과 모친이 옥화산의 무ᄉᆞ히 계시믈 고ᄒ고, 딘·하 등은 싱남ᄒ연 디 슈삼 년이 되고, 각각 친당의 이시믈 ᄃᆡᄒ니, 츄밀【67】이 뇽누(龍樓)의 됴알(朝謁)ᄒ고 모젼의 봉비(奉拜)홀 ᄯᅳᆺ이 급ᄒ여, 가듕 소식을 다 뭇디 못ᄒ고, 창후의 복식이 다르믈 괴이히 녁여, 므러 왈,

면치 못ᄒ되, 비회를 억졔ᄒ고 화긔를 작위ᄒ여 븟드러 위로ᄒ니, 츄밀이 계오 모친의 존후를 뭇ᄌᆸ고 목이 몌여 여ᄂ니784) 말을 못ᄒ더니, 날호여 탄왈,

"ᄌᆞ졍(慈庭)의 실덕을 간치 못ᄒ고, 뉴가 ○○○[요녀의] 대악을 아지 못ᄒ여, 여등(汝等)을 ᄎᆞ마 못 견딜 경계를 당ᄒ게 ᄒ며, 내 집을 ᄯᅥ나미 여등이 블효 누명을 시러 쳔니(千里) 밧긔 찬츌ᄒᄆᆯ 당ᄒ여, ᄌᆞ당 슬하의 뫼시지 못ᄒᄆᆯ 싱각건되, 나의 불효ᄂᆫ 만고 둘이 업고 여등을 내 손으로 히치 아냐시【110】나 뉴가 독물(毒物)785)을 금단치 못ᄒ여시니, 내 스스로 히ᄒ미나 다르리오. ᄉᆞ라셔 ᄃᆡ인홀 면목이 업고 죽어 구쳔타일(九泉他日)에 조션과 션형을 뵈올 ᄂᆞ치 업스리로다."

언파의 오열 뉴쳬ᄒ며 소ᄉᆞ의 나오지 아냐시믈 괴이히 녁여 므른되, 창휘 슉모의 환휘 위악(危惡)ᄒ므로 강외 나오지 못ᄒ여시믈 고ᄒ고, 무익히 비쳑(悲慽)지 마르시믈 쳥홀ᄉᆡ, 츄밀이 ᄯᅩ 조부인 거쳐를 뭇고, 뎡·진, 하·댱 등의 ᄉᆞ싱을 므러 왈,

"뉴가 요물의 작히ᄒ미 너의 형뎨 부부를 다 죽이기를 도모ᄒ되, 여등은 텬우신조(天佑神助)ᄒ여 ᄉᆞ죄(死罪)를 버셔낫거니와, 진·하·댱의 죽으미 젹실ᄒ며, 뎡씨ᄂᆫ 댱ᄉᆞ에셔 도라오믈 어덧ᄂᆞ냐?"

창휘 뎡·댱 등이 즉금 옥누항의 잇심과 모친이 화산에 무ᄉᆞ히 계시믈 고ᄒ고, 진·하 등【111】은 싱남ᄒ연 지 슈삼 년이 되고, 각각 친당의 잇시믈 ᄃᆡᄒ니, 츄밀이 뇽누(龍樓)의 조알(朝謁)ᄒ고 모젼의 봉비(奉拜)홀 ᄯᅳᆺ이 급ᄒ여, 가즁 소식을 다 뭇지 못ᄒ고, 창후의 복식이 ○○[다르]믈 괴이히 녁여, 왈,

---

818)여ᄂ니 : 여느. 그 밖의 예사로운. 또는 다른 보통의.
819)독믈(毒物) : 셩미가 악독한 사람이나 짐승.

784)여ᄂ니 : 여느. 그 밖의 예사로운. 또는 다른 보통의.
785)독믈(毒物) : 셩미가 악독한 사람이나 짐승.

"교디의셔 됴보를 보니 네 손확의 참모식 되믈 아랏더니, 므슴 공을 일웟관디 봉후 작딕을 밧즈 왓느뇨?"

창휘 파뎍(破敵)흔 셜화를 대강 고흐미, 공이 희동안식(喜動顔色)흐여 두굿기믈 니 긔디 못흐디, 뉴녀 분노흐는 ᄆᆞ음이 형상 (形象)치 못흐여, 여ᄂᆞ 말을 못흐고, 밧비 거륜의 올나 셜니 힝홀식, 창휘 계부를 뫼 셔 남문의 다드르미, 명공 거경이 가득이 모다 츄밀을 기다리ᄂᆞᆫ디라.

공이 거륜(車輪)의 【68】 ᄂᆞ려 친쳑(親戚) 제우(諸友)를 반길식, 만좌거경(滿座巨卿)이 소리를 년흐여 국ᄉᆞ를 션티흐고, 긔한의 무 ᄉᆞ히 도라오믈 칭하흐며, 창후의 닙공 반샤 흠과, 쇼ᄉᆞ의 청현화딕(淸顯華職)을 하례흐 니, 공이 블감ᄉᆞ샤(不堪謝辭)흐고 츄연 탄식 왈,

"쇼뎨의 블명무식(不明無識)흐미 경샤의 이실 졔도 가간변고(家間變故)를 슬피디 못 흐여, ᄌᆞ딜의 한업슨 곡경을 일위고, 편친긔 무궁흔 누덕을 씻쳐, 붓그러온 낫츠로 사ᄅᆞᆷ 을 디홀 안면이 업도소이다."

뎡ㆍ하ㆍ댱 졔공이 집슈(執手) 위로 왈,
"왕ᄉᆞ(往事)는 이의(已矣)어니와, 다만 ᄉᆞ 원의 닙공반샤(立功頒賜)흐믄 힝식(行事) 타 류의 쮜여나고, 【69】 ᄉᆞ빈의 츙텬 셩회 텬 의를 감동흐여, 형의 가ᄂᆡ의 블평흔 일이 업게 흐니, 엇디 긔특디 아니리오."

츄밀이 츄연 탄식이러니, 홀연 허다 하리 츄죵이 일위 지상을 옹위흐여 나오다가, 댱 막을 바라보고 즉시 하거(下車)흐여 셜니 막ᄎᆞ(幕次)의 다드라 공의 압히 나아와 비 례흐니, 츄밀이 보건디 참연ᄋᆡ셕(慘然愛惜) 흐여 쥬야 닛디 못흐던 ᄋᆞ들을 금일 보미, 의형의 슈패(瘦敗)흐미 보기의 두려오믈 념 녀흐여, 슬픔과 반가오미 흐믓거워 말을 못 흐니, 쇼식 야야의 신광이 젼일과 ᄀᆞᆺ디 못 흐샤 우슈(憂愁)흐샤미 심 【70】 흐시니, ᄌᆞ 가의 가득흔 근심을 굼초와 이셩화긔(怡聲 和氣)로 위로흐며, 신광의 슈패흐시믈 우려

"교지에셔 조보를 보니 네 손확의 참모식 되믈 아랏더니, 무슴 공을 일웟관디 봉후 작직을 밧즈 왓느뇨?"

창휘 파젹(破敵)흔 셜화를 대강 고흐미, 공이 희동안식(喜動顔色)흐여 두굿기믈 니 긔지 못흐미[디], 뉴씨 분노흐는 ᄆᆞ음이 형 상치 못흐여, 여ᄂᆞ 말을 못흐고, 밧비 거륜 의 올나 셜니 힝홀식, 창휘 계부를 뫼셔 남 문에 다다르미, 명공 거경이 ᄀᆞ득이 모다 츄밀을 기드리ᄂᆞᆫ지라.

공이 거륜(車輪)에 ᄂᆞ려 친쳑 졔우를 반 길식, 만좌거경(滿座巨卿)이 소리를 년흐여 국ᄉᆞ를 션치흐고 긔한에 무ᄉᆞ히 도【112】 라오믈 치하흐며, 창후의 닙공 반샤흠과 소 ᄉᆞ의 청현화직(淸顯華職)을 하례흐니, 공이 불감ᄉᆞ샤(不堪謝辭)흐고 츄연 탄식 왈,

"쇼뎨의 불명무식(不明無識)흐미 경ᄉᆞ에 잇실 졔도 가간변고(家間變故)를 슬피지 못 흐여, ᄌᆞ딜의 한 업슨 곡경을 일위고, 《편 친‖편친(偏親)》긔 무궁흔 누덕을 깃쳐, 붓 그러온 낫츠로 사ᄅᆞᆷ을 디홀 안면이 업도소 이다."

뎡ㆍ하ㆍ댱 졔공이 집슈(執手) 위로 왈,
"왕ᄉᆞ(往事)는 이의(已矣)어니와, 다만 ᄉᆞ 원의 닙공반샤(立功頒賜)흐믄 힝식 타류의 쮜여나고, ᄉᆞ빈의 츙텬 셩회 텬의를 감동흐 여, 형의 가ᄂᆡ에 블힝흔 일이 업게 흐니 엇 지 긔특지 아니리오."

츄밀이 츄연 탄식이러니, 홀연 허다 하리 츄죵이 일위 지상을 옹위흐여 나오다가, 장 막을 ᄇᆞ라보고 즉시 하마(下馬)흐여 셜니 막ᄎᆞ(幕次)에 다다라 공의 압히 비례흐니, 츄【113】밀이 참연ᄋᆡ셕(慘然愛惜)흐여 쥬 야 못 잇던 ᄋᆞ들을 금일 보미, 의형의 슈픠 (瘦敗)흐미 보기에 두려오믈 넘녀흐여, 슬픔 과 반가오미 흐믓거워 말을 못흐니, 소식 야야의 신광이 젼일과 ᄀᆞᆺ지 못흐여 우슈(憂 愁)흐미 심흐니, ᄌᆞ긔 가득흔 근심을 금초 와 이셩화긔(怡聲和氣)로 위로흐며, 신광의 슈픠흐믈 우려흐니, 공이 슈루(垂淚) 탄왈,

ᄒ니, 공이 슈루(垂淚) 탄왈,

"너는 나의 슈구(瘦軀)ᄒᆞ믈 넘녀ᄒᆞ거니와, 나는 너의 의형(儀形)이 슈패(瘦敗)ᄒᆞ믈 놀나ᄂᆞ니, 뉴가 흉믈(凶物)의게 보치이믈 맛나 이러툿 괴이히 되엿ᄂᆞᆫ다?"

ᄒ니, 쇼시 야야(爺爺)의 말슴을 듯ᄌᆞ오미, 심시 더옥 요요(擾擾)ᄒᆞ여 양모를 위ᄒᆞ여 넘녜 가득ᄒᆞ더라.【71】

"너는 나의 슈구(瘦軀)ᄒᆞ믈 넘녀ᄒᆞ거니와, 나는 너○[의] 형용이 슈픽(瘦敗)ᄒᆞ믈 놀나ᄂᆞ니, 뉴가 흉믈(凶物)에게 보치믈 맛나 이러툿 괴이히 되엿ᄂᆞᆫ다?"

ᄒ더라.

어시의 쇼시 야야의 말솜을 듯즈오미 더옥 요요(擾擾)ᄒ여, 양모를 위ᄒ 념녜 가득ᄒ니, 희음업시820) 봉안의 츄쉬(秋水) 동(動)ᄒᄂ디라. 양쥐셔 ᄉ병(死病)을 디녀고, 치 소셩(蘇醒)치 못ᄒ여셔 경샤로 올나오미, 원로의 셋치여821) 얼골이 환탈ᄒ믈 고ᄒ고, 모병(母病)이 위악ᄒ여 오리 써나디 못ᄒᄂ고로, 반노(半路)의 나려가 뫼셔 오디 못ᄒᆷ믈 고ᄒ며, 밧비 도라가랴 ᄒ니, 공이 쳥파의 분연 고셩 왈,

"뉘가 악인이 너의 양뫼(養母) 아니라 오문을 어즈러인 원쉬니 내 의(義)를 졀(絶)ᄒᆫ즉 네 모즈디의(母子之義) 업스리니, 네 엇디 날을 디ᄒ여 발부(潑婦)의 병【1】을 니르ᄂ뇨?"

쇼시 만좌 듕 이 말솜을 드르미, 비록 양모의 허믈을 모로 리 업스나, 붓그러으미 식로이 낫츨 싹고 시븐디라. 혈읍(血泣) 고두(叩頭) 왈,

"무상(無狀)ᄒ 간비(姦婢)의 헛 초ᄉ(招辭)로써, 대인이 엇디 즈모를 의심ᄒ시ᄂ니잇고?"

공이 요슈(搖首) 왈,

"너ᄂ 니르디 말나. 뉘가 악인이 아니면 즈졍의 실덕ᄒ시미 그 디경의 밋츠리오. 도시 뉴녀 요믈(妖物)의 죄악이니, 아디 못게라 셩듀의 결ᄉᄒ시미 엇던 연고로 뉴녀를 살오시뇨?"

좌간의 초휘 윤공의 말을 드르미 가려온 딕를 긁ᄂ 둧, 징그라오믈 니긔디 못ᄒ여, 면간의 은은ᄒ 우음을 머금고, 승상 조공을 향ᄒ여 가마니 니르딕,【2】

"합하난 윤부 시녀 등의 초ᄉ와 셩상의 결ᄉᄒ시믈 붉히 아르시리니, 윤합하긔 즈

어시의 쇼시 야야의 말솜을 드르미 더옥 요요(擾擾)ᄒ여, 양모를 위ᄒ 념녀 ᄀ득ᄒ니 희음업시786) 봉안의 츄쉬(秋水) 동(動)ᄒᄂ지라. ○○○○[양쥐셔 ᄉ]병(死病)을 지녀고 치 소셩(蘇醒)치 못ᄒ여셔 경ᄉ로 올나오미, 원노의 셋치여787) 얼골이 환탈ᄒ믈 고ᄒ고, 모병(母病)이【114】위악ᄒ여 오릭 써나지 못ᄒᄂ 고로, 반노(半路)의 나려가 뫼셔 오지 못ᄒᆷ믈 고ᄒ며 밧비 도라가랴 ᄒ니, 공이 쳥파의 분연 고셩 왈,

"뉘가 악인이 너의 양뫼(養母) 아니라. 오문을 어즈러인 원쉬니, 네게 모즈지졍[의](母子之義)이 업스리니, 네 엇지 나를 딕ᄒ여 발부(潑婦)의 병을 니르ᄂ뇨?"

소시 만좌 즁 이 말솜을 드르미, 비록 양모의 죄를 모로 리 업스나, 붓그러오미 식로이 낫츨 싹고 시분지라. 혈읍(血泣) 고두(叩頭) 왈,

"무상ᄒ 간비(姦婢)의 헛 초ᄉ(招辭)로쎠 딕인이 엇지 즈당를 의심ᄒ시ᄂ니잇고?"

공이 손을 져어 왈,

"너ᄂ 니르지 말나. 뉘가 악인이 아니면 즈졍의 실덕ᄒ시미 그 지경의 밋츠리오. 도시 뉴녀 요믈(妖物)의 죄악이니, 아지 못게라 셩쥬의 결ᄉᄒ시미 어진 연고로 뉴녀를 살오시미라[뇨]?"

좌간의 초휘 윤공의 말을 드르미 가려온 딕를 긁【115】ᄂ 둧, 징그라오믈 니긔지 못ᄒ여 면간의 은은ᄒ 우음을 머금고, 승상 조공을 향ᄒ여 ᄀ마니 니르딕,

"합하ᄂ 윤부 시녀 등의 초ᄉ와 셩상의 결ᄉᄒ시믈 붉히 아라시리니, 윤합하긔 즈

---

820)희음업다 : 하염없다. 시름에 싸여 멍하니 이렇다 할 만한 아무 생각이 없다

821)셋치다 : 삐치다. 일에 시달리어서 몸이나 마음이 몹시 느른하고 기운이 없어지다.

786)희음업다 : 하염없다. 시름에 싸여 멍하니 이렇다 할 만한 아무 생각이 없다

787)셋치다 : 삐치다. 일에 시달리어서 몸이나 마음이 몹시 느른하고 기운이 없어지다.

세히 젼ᄒ쇼셔."

조공이 미쇼 왈,

"명강이 이졔ᄂ 경샤의 와시니 ᄌ연 셰셰히 드를디라. 인친가 부인의 시비를 외인이 엇디 낭ᄌ히 니르리오."

초휘 쇼왈,

"윤합히 아디 못ᄒ여 ᄒ시니 ᄌ시 젼ᄒ시미 히롭디 아닌가 ᄒᄂ이다."

조공이 초후의 쳥이 이 ᄀᆺ트니 마디 못ᄒ여 웃고, 윤공을 향ᄒ여 굴오ᄃᆡ,

"형이 교디의셔 셰월 등의 초ᄉ를 듯디 못ᄒ엿ᄂ냐?"

츄밀 왈,

"간비 등의 초ᄉ를 벗겨 보ᄂ 니 업ᄂ디라, 엇디 알니오."

조공이 짐줏 셰월 등의 간악이 위·【3】뉴를 히흔 ᄃ시 말을 시작ᄒ여, 그 초ᄉ를 대강 니르고, 셩샹의 결ᄉ히시믈 젼ᄒᄆᆡ, 츄밀이 듯고 말마다 심골이 경한(驚寒)ᄒ여 손으로 ᄯᅳᆯ 쳐 통한 분히 왈,

"널위 졔붕과 친쳑 족당이 내 집 변고를 ᄌ시 아ᄂ 고로, 보기의셔 셰 번 더을디라. 뉴가 발부의 만고 악ᄉ간모(惡事奸謀)를 드르ᄆᆡ, ᄆ음이 셔늘ᄒ믈 니ᄀᆡ디 못ᄒᄂ니, 편친이 발부로 인ᄒ여 허다 과실을 디으시니, 다른 일은 니르디 말고, 텬위(天威)의 누명을 도라보ᄂᆫ 일이 통히 분완ᄒ여 죽이고 시븐디라. 황샹이 엇디 희텬의 되디 못ᄒ 표문을 조ᄎᆞ샤, 그 죄과를 믈시ᄒ시리오."

졔공이 츄【4】밀의 노긔를 플며, 쥬비를 권ᄒ여 반기ᄂ 졍을 펴ᄃᆡ, 츄밀이 분분ᄒ믈 니ᄀᆡ디 못더라.

날이 느ᄌᄆᆡ 츄밀이 궐하의 비알ᄒᄆᆡ 밧븐 고로, 졔우 친쳑을 향ᄒ여 후일 죵용이 보믈 일ᄏᆞᆮ고, 총총이 금궐노 향ᄒ니, 창후 곤계ᄂ 집으로 도라올ᄉᆡ, 문외의 모닷던 졔공녈휘(諸公列侯) 혀여져 그 부듕으로 향ᄒ며, 창후와 쇼ᄉ를 들고 나디 아닛ᄂ다 ᄊᆞ지며, 경샤의 도라온 후 셔로 보디 못믈 일ᄏᆞᆮ디, 창후 형뎨 조모와 ᄌ당 환휘 위극ᄒ시니, 우황(憂惶)ᄒ여 녜인상졉(例人

相接)822)홀 흥황(興況)이 업스믈 일쿳고, 셜
니 옥누항으로 도라가니, 하공 부ᄌᆞᆫ 쇼ᄉᆞ
의 긔식이 뎡엄(正嚴)ᄒᆞ믈 어려이 넉일 ᄲᅮᆫ
아니라,【5】초휘 말을 과도히 ᄒᆞ여 져를
촉노(觸怒)ᄒᆞ여시니, 쇼ᄉᆞ를 딕ᄒᆞ여 실언(失
言)ᄒᆞ믈 니르고, ᄋᆞ들의 과격ᄒᆞᆷ믈 칙ᄒᆞ여
옹세(翁壻) 졍회를 펴랴 ᄒᆞᄂᆞᆫ 고로, 듕인공
회(衆人公會) 듕 댱셜(長說)을 닉디 아니터
라.

츄밀이 궐하의 니르니 샹이 인견ᄒᆞ샤 국
ᄉᆞ를 션티(善治)ᄒᆞ믈 일ᄏᆞᄅᆞ시고, 옥비의 향
온(香醞)을 반ᄉᆞᄒᆞ시며, 창후의 직덕과 쇼ᄉᆞ
의 셩효를 크게 칭찬ᄒᆞ샤 명텬공이 됴ᄉᆞ(早
死)ᄒᆞ나, 그 냥지 국가의 동냥이오 윤가를
흥긔홀 위인이믈 깃그시니, 츄밀이 빅ᄇᆡ 돈
슈ᄒᆞ여 블감ᄒᆞ믈 일쿳고, 인ᄒᆞ여 쥬왈,

"뉴녀의 죄악이 신모(臣母)의게 누얼(陋孼)
을 깃치고, 광텬 형뎨와 ᄯᅩ 져의 쳐실 ᄉᆞ인
을 죽일 번ᄒᆞ니, 그 죄 쳔ᄉᆞ무셕(千死無惜)
이라. 신이【6】더러온 가변을 텬문의 드레
고, 셩샹의 쳐결ᄒᆞ시미 황공ᄒᆞ오나, 신으로
ᄒᆞ여곰 뉴녀를 의졀케 ᄒᆞ샤, 희텬으로 파기
모ᄌᆞ디의(母子之義)ᄒᆞ고, ᄒᆞᆫ 그릇 ᄉᆞ약으로
그 일명을 ᄯᅳᆫ게 ᄒᆞ시미 신의 바라는 빅로소
이다."

샹이 우으시고 희텬의 셩효를 일ᄏᆞᄅᆞ샤
다시 효ᄌᆞ의 ᄆᆞ음을 블평케 말나 ᄒᆞ시고,
츄밀이 삼년을 교디의 이셔 번국 도덕을 방
어ᄒᆞ여, 빅셩을 무휼(撫恤)ᄒᆞᆫ 어딘 덕이 외
방디듀(外方知州) 가온딕 읏듬이믈, 안찰ᄉᆞ
년ᄒᆞ여 계문(啓聞)823)ᄒᆞ엿ᄂᆞᆫ 고로, 샹이 그
공을 갑흐샤 특별○[이] 호람후를 봉ᄒᆞ시
고, 본딕 츄밀ᄉᆞ를 겸ᄒᆞ시니, 윤공이 딘졍으
로 부귀를 즐기디 아냐 혈심(血心)으로
【7】고샤ᄒᆞ되, 샹이 블윤(不允)ᄒᆞ시니 홀
일업셔 샤은ᄒᆞ고, 날이 져믈믈 인ᄒᆞ여 퇴됴

接)788)홀 흥황(興況)이 업스믈 일쿳고, 셜니
옥누항으로 도라가니, 하공 부ᄌᆞᆫ 쇼ᄉᆞ의
긔식이 졍엄(正嚴)ᄒᆞ믈 어려이 넉일 ᄲᅮᆫ 아
니라, 초휘 말을 과도히 ᄒᆞ여 져를 촉노(觸
怒)ᄒᆞ여시니, 쇼ᄉᆞ를 딕ᄒᆞ여 실언(失言)ᄒᆞ믈
니르고, ᄋᆞ들의 과격ᄒᆞᆷ믈 칙ᄒᆞ여 옹세(翁壻)
졍회를 펴랴 ᄒᆞᄂᆞᆫ 고로, 듕인공회(衆人公會)
듕 댱셜(長說)을 닉디 아니터라.

츄밀이 궐하의 니르니 샹이 인견ᄒᆞ샤 국
ᄉᆞ를 션치ᄒᆞ믈 일ᄏᆞᄅᆞ시고,【118】옥비의
향온(香醞)을 반ᄉᆞᄒᆞ시며, 창후의 직덕과 쇼
ᄉᆞ의 셩효를 크게 칭찬ᄒᆞ샤, 명텬공이 죠ᄉᆞ
(早死)ᄒᆞ나, 그 냥지 국가의 동냥이오 윤가
를 흥긔홀 위인이믈 《잇그∥깃그》시니,
츄밀이 빅ᄇᆡ 돈슈ᄒᆞ여 블감ᄒᆞ믈 일쿳고, 인
ᄒᆞ여 쥬왈,

"뉴녀의 죄악이 신모(臣母)의게 누얼(陋
孼)을 씻치고, 광텬 형뎨와 ᄯᅩ 져의 쳐실
ᄉᆞ인을 죽일 번 ᄒᆞ니, 그 죄 쳔ᄉᆞ무셕(千死
無惜)이라. 신이 더러온 가변을 텬문의 드
레고, 셩샹의 쳐결ᄒᆞ시미 황공ᄒᆞ오나, 신으
로 ᄒᆞ여곰 뉴녀를 의졀케 ᄒᆞ샤, 희텬으로
파기 모ᄌᆞ지의(母子之義)ᄒᆞ고, ᄒᆞᆫ 그릇 ᄉᆞ약
으로 그 일명을 ᄯᅳᆫ게 ᄒᆞ시미 신의 바라는
빅로소이다."

샹이 우으시고 희텬의 셩효를 일ᄏᆞᄅᆞ샤
다시 효ᄌᆞ의 ᄆᆞ음을 블평케 말나 ᄒᆞ시고,
츄밀이 삼년을 교지의 잇셔 번국 도【11
9】젹 을 방어ᄒᆞ여, 빅셩을 무휼ᄒᆞᆫ 어진 덕
이 외방지쥬(外方知州) 가온딕 읏듬이믈 안
찰ᄉᆞ 연ᄒᆞ여 계문(啓聞)789)ᄒᆞ엿ᄂᆞᆫ 고로,
샹이 그 공○[을] ▌790)②《 갑흐샤 특별이

---

822)녜인상졉(例人相接) : 예사 사람처럼 서로 대할
수 없음.
823)계문(啓聞) : 조선 시대에, 신하가 글로 임금에게
아뢰던 일. 늑계달(啓達)・계품(啓稟)

---

788)여인상졉(與人相接) : 사람들로 더불어 서로 대
할 수 없음.
789)계문(啓聞) : 조선 시대에, 신하가 글로 임금에게
아뢰던 일. 늑계달(啓達)・계품(啓稟)
790)필사순서에 오류가 있다. 원문은 ▌①《 긔 참참
흔-위로ᄒᆞ믈 》 - ②《 갑흐샤-자졍 》▌의 순서로
필사되어 있는데, 이를 서사문맥에 따라 ▌② -
①《의 순서로 바로잡았다. 원문 ①은 346자, 2쪽
분량인데, ② 또한 463자 2쪽 분량인 점으로 미
루어, 이 오류의 원인은 필사자가 책장을 잘못 넘

ᄒ여 옥누항으로 도라오니, 어시의 위태부
인이 츄밀의 도라오믈 드르니 반가오미 밋
츨 ᄃᆞᆺᄒ나, ᄌ긔 과악(過惡)이 뫼 ᄀᆞᆺᄐ니,
비록 친싱 긔ᄌ(己子)라도 볼 낫치 업고, 본
딕 이 ᄋᆞ들을 긔탄(忌憚)ᄒᄂᆞᆫ디라. 츄밀이
도라와 악수를 므른즉 므어시라 딕홀고, 그
윽이 붓그리ᄂᆞᆫ 의식 가○[득]ᄒ더니, 날이
져믄 후 호람휘 드러와 모젼의 비알ᄒᆞᆯᄉᆡ,
태부인이 창쳬(瘡處) 소셩(蘇醒)ᄒ고 안졍
(眼睛)이 졈졈 나아 사ᄅᆞᆷ을 싀훤이 아라보
ᄂᆞᆫ디라. ᄋᆞᄌᆞ를 붓드러 소ᄅᆡ 나ᄂᆞᆫ 줄 ᄭᆡᄃᆞᆺ
디 못ᄒ여 크게 통곡ᄒ니, 호람휘 모친의
과악(過惡)과 가변이 흉참【8】턴 바를 싱
각ᄒᄆᆡ ᄯᅩᄒ 통곡고져 ᄒ딕, 구모디여(久慕
之餘)의 친안(親顔)을 득승(得承)ᄒ니, 효ᄌ
의 반기ᄂᆞᆫ 졍이 가득ᄒ니 어이 통곡ᄒ리오.
슬프믈 참고 위로 왈,

"블초지 삼년을 니측(離側)ᄒ와 발부(潑
婦)를 졔어치 못ᄒᆫ 연고로, 가변을 니르혀
고 ᄌ졍긔 참참(慘慘)ᄒᆫ 누얼이 도라가게
ᄒ오니, 이ᄂᆞᆫ 다 쇼ᄌᆞ의 죄라. 구쳔타일(九
泉他日)의 하면목으로 션군(先君)과 션형(先
兄)긔 뵈오리잇고? 원ᄒᆞᆸᄂᆞ니, 뉴가 요믈
을 업시 ᄒ고, ᄌ졍이 젼과를 바리시고 싀
로 셩덕을 가다듬으신즉, 쇼ᄌᆞ의 영힝이 이
밧긔 업ᄉᆞ오리니, 쳥컨딕 셩톄를 닛비 마르
쇼셔."

부인이 희허 탄왈,
"모진 산 얼골노 반길 줄은 실노 긔약
【9】디 아닌 비라. 노모의 ᄉᆞ병(死病)이
ᄎᆞ셩(差成)ᄒᆞᆷ은, 젼혀 광텬 부부의 구호ᄒᄂᆞᆫ
졍셩을 힘닙어 회양(回陽)824)ᄒᆞ미라".
인ᄒ여 딜양(疾恙)의 악착(齷齪) 괴흉(怪
凶)턴 바를 닐너, 슈월을 신고(辛苦)ᄒᆞ딕 문
졍(門庭)의 어른거려 뭇ᄂᆞᆫ 사ᄅᆞᆷ도 업고, 노

824)회양(回陽): 활기(活氣)를 회복함.

호람휘를 봉ᄒ시고 《본즉∥본직》 츄밀ᄉ
를 겸ᄒ시니, 윤공이 진졍으로 부귀를 즐기
지 아냐 혈심(血心)으로 고샤ᄒᆞᆫ딕, 상이 불
윤ᄒ시니 훌일업셔 샤은ᄒ고, 날이 져믈물
인ᄒ여 퇴조ᄒ여 옥누항으로 도라오니, 어
시의 위태【121】부인이 츄밀의 도라오믈
드르니 반ᄀᆞ오미 미칠 ᄃᆞᆺᄒ나, ᄌ긔 과악이
뫼 갓ᄐ니, 비록 친싱지ᄌ(親生之子)라도 볼
낫치 업고, 본딕 이 ᄋᆞ들을 긔탄 ᄒᄂᆞᆫ지라.
츄밀이 도라 와 악수를 므른직 무어시라 딕
홀고, 그윽이 붓그리ᄂᆞᆫ 의식 가득ᄒ더니, 날
이 져믄 후 호람휘 드러와 모젼(母前)의 비
알ᄒᆞᆯᄉᆡ, 태부인이 창쳬(瘡處) 소셩(蘇醒)ᄒ
고 안졍(眼睛)이 졈졈 나아 사ᄅᆞᆷ을 싀훤이
아라 보ᄂᆞᆫ지라. ᄋᆞᄌᆞ를 붓드러 소ᄅᆡ 나ᄂᆞᆫ
줄 ᄭᆡᄃᆞᆺ지 못ᄒ여 크게 통곡ᄒ니, 호람휘
모친의 과악과 가변이 흉참턴 바를 싱각ᄒ
ᄆᆡ ᄯᅩᄒ 통곡고져 ᄒ딕, 구모지여(久慕之餘)
의 친안을 득승(得承)ᄒ니, 효ᄌ의 반기ᄂᆞᆫ
졍이 ᄀᆞ득ᄒ니 어이 통곡ᄒ리오. 슬프믈 참
고 위로 왈,

"불초지 삼년을 니측(離側)ᄒ와 발부(潑
婦)를 졔어치 못ᄒᆫ 연고로,【122】가변을
니ᄅᆞ혀고 ᄌ졍）①《긔 참참(慘慘)ᄒᆫ 누얼
이 도라가게 ᄒ오니, 이ᄂᆞᆫ 다 쇼ᄌᆞ의 죄라.
구쳔타일(九泉他日)의 하면목으로 션군(先
君)과 션형(先兄)긔 뵈오리잇고? 원ᄒᆞᆸᄂᆞ
니 뉴가 요믈을 업시 ᄒ고, ᄌ졍이 젼과를
바리시고 싀로 셩덕을 가다듬으신즉, 《쇼
ᄉ∥쇼ᄌᆞ(小子)》의 영힝이 이 밧긔 업ᄉᆞ리
니, 쳥컨딕 셩톄를 《낫비∥닛비》 마르쇼
셔"

부인이 희허 탄왈,
"모진 산 얼골노 반길 줄은 실노 긔약 아
닌 비라. 노모의 ᄉᆞ병(死病)이 ᄎᆞ셩(差成)ᄒᆞ
믄, 젼혀 광텬 부부의 구호ᄒᄂᆞᆫ 졍셩을 힘
닙어 《환싱∥회양(回陽)791)》 ᄒ미라."
인ᄒ여 질양의 악착(齷齪) 괴흉(怪凶)턴

겨 필사하였거나, 박본의 저본이 편철에 잘못이
있어 생긴 것으로 보인다.
791)회양(回陽): 활기(活氣)를 회복함.

복도 다 도망ᄒ엿다가 광으 형뎨 환쇄ᄒᄂ 소식을 듯고 드러오나, 셰월 비영이 잡혀 죽고, 고듕(庫中)의ᄂ 승미쳑포(升米尺布)825)도 업셔, 의식디졀(衣食之節)의 구간(苟艱)턴 바와 태복 등이 집을 다 허러 파던 일을 ᄀᆺ초 견ᄒᆞᆯ식, 목이 메고 압히 어두어 능히 말을 일우디 못ᄒᄂ디라.

공이 듯ᄂ 말마다 츄악 경히ᄒ여 톄읍타루(涕泣墮淚)ᄒ니, 창후 형뎨 조모와 부슉의 슬허ᄒ시믈 졀【10】민ᄒ여, 화셩유어(和聲柔語)로 위로ᄒ니, 호람휘 ᄌ딜의 위로ᄒ므로 조ᄎ 비회를 억졔ᄒ고 모젼의 고왈,

"ᄌ위 이졔나 요믈의 극악ᄒ믈 ᄭᅵ드ᄅ시고, 광턴 등의 인효(仁孝)ᄒ믈 아르샤, 목강(穆姜)826)의 인ᄌᆞᄒ 덕을 효측ᄒ실딘디, 쇼지 셕ᄉ(夕死)라도 무한(無恨)일가 ᄒᄂ이다."

태부인이 창후 부부의 효셩을 의심ᄒ여 힝혀 교졍(矯情)인가 넉이더니, 일삭이 되도록 유의ᄒ여 살펴도 작위(作爲)ᄒᄂ 일이 업ᄉ니, 젼일 창후 형뎨 부부의 익회 태심ᄒ여, 셩효(誠孝)를 아모리 다ᄒ여도 태부인이 감동ᄒᄂ 일이 업더니, ᄌ긔 남의 업슨 악딜(惡疾)과 측냥치 못ᄒᆯ 가란(家亂)을 쳔빅(千百) 가디로 격【11】거, 형셰 디극히 슬피 된 바의, 창후 등의 츌텬디효로ᄡ 그런 악딜을 《굿치고‖곳치고》, 아조 폐밍(廢盲)ᄒ엿던 안치(眼彩) 다시 ᄇ긁아 사람을 아라보ᄂ디라. 토목심장(土木心腸)827)과 싀호사갈(豺虎蛇蝎)의 흉독ᄒ믈 다 가던 위인이로디, 졈졈 감동ᄒ여 젼일을 뉘웃고, 창후

825)승미쳑포(升米尺布) : '한 되의 쌀'과 '한 자의 옷감'을 아울러 이르는 말로 아주 적은 양의 식량과 옷감을 말함.
826)목강(穆姜) : 중국 진(晉)나라 정문구(程文矩)의 아내. 성은 이(李)씨, 자(字)는 목강(穆姜). 전처 소생의 네 아들을 자신이 낳은 두 아들보다 더 사랑하여 훌륭하게 키웠다.
827)토목심장(土木心腸) : 흙이나 나무처럼 감정이나 생각이 없는 마음을 비유적으로 표현한 말.

바를 닐너, 슈월을 신고(辛苦)ᄒ디 문졍(門庭)의 어른 《거펴‖거려》 뭇ᄂ 사름도 업고, 노복【120】도 다 도망ᄒ엿다가 광텬 형뎨 환쇄ᄒᄂ 소식을 듯고 드러오나, 셰월·비영이 잡혀 죽고, 《그즁‖고즁(庫中)》의ᄂ 승미쳑포(升米尺布)792)도 업셔, 의식지졀(衣食之節)의 구간(苟艱)턴 바와, 태복 등이 집을 다 허러 팔던 일을 ᄀᆺ초 견ᄒᆞᆯ식, 목이 메고 압피 어두어 능히 말을 일우지 못ᄒᄂ지라.

공이 듯ᄂ 말마다 츄악 경히ᄒ여 쳬읍타루(涕泣墮淚)ᄒ니, 창후 형뎨 조모와 계부의 슬허 ᄒ시믈 졀민ᄒ여, 화셩 유어로 위로ᄒ니, 호람휘 ᄌ딜의 위로ᄒ믈》‖{을} 조ᄎ 비회를 억졔ᄒ고 모친게 고 왈,

"ᄌ위 이졔나 요물의 극악ᄒ믈 ᄭᅵ드ᄅ시고, 광텬 등의 인효(仁孝)ᄒ믈 아르샤, 목강(穆姜)793)의 인ᄌᆞᄒ 덕을 효측ᄒ실진디, 소지 셕ᄉ(夕死)라도 무한(無恨)일가 ᄒᄂ이다"

태부인이 창후 부부의 효셩을 의심ᄒ여 힝혀 교졍(矯情)인가 넉이더니, 일삭이 되도록 유의ᄒ여 살펴도 작위(作爲)ᄒᄂ 일이 업ᄉ니, 젼일 창후 형뎨 부부의 익회 태심ᄒ여, 셩효(誠孝)를 아모리 다ᄒ여도 태부인이 감동ᄒᄂ 일이 업더니, ᄌ긔 남의 업슨 악질과 측냥치 못ᄒᆯ 가란을 쳔빅 가지로 격거, 형셰 지극히 슬니794) 된 바의 창후 등의 츌텬지효로ᄡ 그런 악질을 곳치고 아조 폐밍ᄒ여던 안치 다시 ᄇ긁아 사람을 아라보ᄂ지라. 토목심장(土木心腸)795)과 시호ᄉ갈(豺虎蛇蝎)의 흉독ᄒ믈 다 가진 위인이【123】로디, 졈졈 감동ᄒ여 젼일을 뉘웃

792)승미쳑포(升米尺布) : '한 되의 쌀'과 '한 자의 옷감'을 아울러 이르는 말로 아주 적은 양의 식량과 옷감을 말함.
793)목강(穆姜) : 중국 진(晉)나라 정문구(程文矩)의 아내. 성은 이(李)씨, 자(字)는 목강(穆姜). 전처 소생의 네 아들을 자신이 낳은 두 아들보다 더 사랑하여 훌륭하게 키웠다.
794)슬니 : 슬피. *슬우다; 슬프다.
795)토목심장(土木心腸) : 흙이나 나무처럼 감정이나 생각이 없는 마음을 비유적으로 표현한 말.

등 죽이고져 ᄆᆞ음이 주려져 ᄉᆞ랑ᄒᆞ온 뜻이 니러나디, 뉴시의 말을 듯디 못ᄒᆞ여 그 듀의(主義)를 아디 못ᄒᆞ니, 능히 뎡흔 쇼견이 업셔 아모란 상(狀)이 업더니, 호람후의 말을 듯고 톄읍 왈,

"노뫼 젼일 그릇 싱각ᄒᆞ여 괄텬 등을 히ᄒᆞ여시나, 이후조ᄎᆞ 다시 그르미 이시리오."

호람휘 모친의 말ᄉᆞᆷ이 의심 업ᄉᆞ디, 츠후ᄂᆞᆫ 흔 일도 【12】 ᄌᆞ긔 무심히 아니 살펴려 ᄒᆞᄂᆞᆫ 고로, 블호디식(不好之色)을 나토디 아니코, 죵용이 뫼셔 말ᄉᆞᆷᄒᆞ며 뎡슉녈과 댱시를 볼시, 냥쇼져의 용광 긔딜이 이목을 현황케 ᄒᆞ고, 셩심슉덕(聖心淑德)이 외모의 현출(現出)ᄒᆞ니, 견ᄌᆞ로 ᄒᆞ여곰 블감앙시(不敢仰視)홀 비라. 휘 흔연 이듕ᄒᆞ미 친녀 ᄀᆞᆺ 티여, 각각 화란 가온듸 무ᄉᆞ히 도라오믈 일ᄏᆞᆺ고, 뎡슉녈을 향ᄒᆞ여 탄식 왈,

"우슉(愚叔)이 현딜을 보미 엇디 참괴치 아니리오. 뉴가 요믈의 간험 극악ᄒᆞ믈 아디 못ᄒᆞ고, 현딜노뼈 살인죄(殺人之罪)의 ᄲᅢ디오디, 이미ᄒᆞ믈 폭빅(暴白)디 못ᄒᆞ니, 블명암녈(不明暗劣)ᄒᆞ미 엇디 우슉 ᄀᆞᆺ 티 니 이시리오. 우슉이 【13】 그 셕 등하블명(燈下不明)828)으로 아모란 줄을 아디 못ᄒᆞ더니, 도금(到今)의 한심극의(寒心極矣)829)로다."

뎡슉녈이 븍슈청교(伏首聽敎)의 비샤(拜辭)홀 ᄯᆞᆯ이오. 온화흔 낫빗과 쇄락흔 동작이 비무(比無)ᄒᆞᆫ디라. 공이 이련(哀憐)ᄒᆞ고 유ᄌᆞ(幼子) 실니(失離)ᄒᆞ믈 통셕ᄒᆞ여, 뉴시 통완ᄒᆞ미 깅가일층(更可一層)830)이라.

창후 곤계 일틱의 모든 일삭의 담홰(談話) 쳐음이믄 뉴시의 환후로 그러ᄒᆞ미러라. 창휘 계부(季父)긔 화도ᄉᆞ의 슈말(首末)을 고ᄒᆞ고 부친 화상을 뫼셔 오다가 《ᄌᆞ화산 ‖ ᄌᆞ하산》의 봉안ᄒᆞ고 오믈 고ᄒᆞ니, 공이 비창(悲愴) 왈,

828)등하블명(燈下不明) : 등잔 밑이 어둡다는 뜻으로, 가까이에 있는 물건이나 사람을 잘 찾지 못함을 이르는 말.
829)한심극의(寒心極矣) : 한심하기가 이를 데 없음.
830)깅가일층(更可一層) : 어떤 정도 보다 한층 더함.

고, 창후 등 죽이고져 ᄆᆞ음이 주려져 ᄉᆞ랑ᄒᆞ온 뜻이 니러나디, 뉴씨의 말을 듯지 못ᄒᆞ여 그 쥬의를 아지 못ᄒᆞ니, 능히 졍흔 소견이 업셔 아모란 상(狀)이 업더니, 호람후의 말을 듯고 체읍 왈,

"노뫼 젼일 그릇 싱각ᄒᆞ여 괄텬 등을 히ᄒᆞ여시나, 이후조ᄎᆞ 다시 그ᄅᆞ미 잇리오."

호람휘 모친의 말ᄉᆞᆷ이 의심 업ᄉᆞ디, 츠후ᄂᆞᆫ 흔 일도 ᄌᆞ긔 무심히 아니 슬펴려 ᄒᆞᄂᆞᆫ 고로, 블호지식(不好之色)을 나트[토]지 아니코 죵용이 뫼셔 말ᄉᆞᆷᄒᆞ며, 뎡슉녈과 댱씨를 볼시, 냥소져의 용광 긔질이 이목을 현황케 ᄒᆞ고, 셩심슉덕(聖心淑德)이 외모의 현출(顯出)ᄒᆞ니, 견ᄌᆞ로 ᄒᆞ여곰 블감앙시(不敢仰視)홀 비라. 휘 흔연 이즁ᄒᆞ미 친녀 ᄀᆞᆺ 티여, 각각 화란 가온듸 무ᄉᆞ히 도라오믈 일ᄏᆞᆺ고, 뎡슉녈【124】을 향ᄒᆞ여 탄식 왈,

"우슉이 현딜을 보미 엇지 참괴치 아니리오. 뉴가 요믈의 간험 극악ᄒᆞ믈 아지 못ᄒᆞ고, 현딜노뼈 살인지죄(殺人之罪)의 ᄲᅢ지오디 이미ᄒᆞ믈 폭빅지 못ᄒᆞ니, 블명암녈(不明暗劣)ᄒᆞ미 엇지 우슉 ᄀᆞᆺ 티 니 이시리오. 우슉이 그쎠 등하블명(燈下不明)796)으로 아모란 쥴을 아지 못ᄒᆞ더니, 도금의 한심극의(寒心極矣)797)로다."

뎡슉녈이 븍슈청교(伏首聽敎)에 비샤홀 ᄯᆞᆯ이오. 온화흔 낫빗과 쇄락흔 동작이 비무(比無)흔지라. 공이 이련ᄒᆞ고 유ᄌᆞ(幼子) 실니(失離)ᄒᆞ믈 통셕ᄒᆞ여, 뉴씨 통완ᄒᆞ미 깅가일층(更可一層)798)이라.

창후 곤계 일틱의 모든 일삭에 담홰(談話) 쳐음이믄 뉴씨의 환후로 그러ᄒᆞ미러라. 창휘 계부(季父)긔 화도ᄉᆞ의 슈말을 고ᄒᆞ고, 부친 화상을 뫼셔 오다가 《ᄌᆞ화산 ‖ ᄌᆞ하산》의 봉안ᄒᆞ고 오믈 고ᄒᆞ니, 공이 비창(悲愴) 왈,

796)등하블명(燈下不明) : 등잔 밑이 어둡다는 뜻으로, 가까이에 있는 물건이나 사람을 잘 찾지 못함을 이르는 말.
797)한심극의(寒心極矣) : 한심하기가 이를 데 없음.
798)깅가일층(更可一層) : 어떤 정도 보다 한층 더함.

"여등이 샹경 후 즉시 형댱의 화상을 뫼셔 오디 아냐, 우슉이 비알이 더디게 ᄒᆞᄂᆞ뇨?"

챵휘 고 왈,

"이【14】졔ᄂᆞᆫ 뫼셔 오려 ᄒᆞᄂᆞ이다."

공이 조부인 오디 아님과 하쇼졔 친졍의 머므ᄂᆞᆫ 연고를 므ᄅᆞᆫᄃᆡ, 챵휘 모친과 구조뫼 조부의 계시ᄃᆡ, 표슉 등의 막ᄌᆞᄅᆞ시므로 디금 못 오시고, 하슈ᄂᆞᆫ 초휘 아니 보닉믈 고ᄒᆞ니, 태부인은 어린 ᄃᆞ시 말을 듯고 신긔히 피화(避禍)ᄒᆞ믈 측냥치 못ᄒᆞ고, 호람휘 명됴(明朝)의 관소(盥梳)ᄒᆞ고, 샤묘(祠廟)의 오로미, 황연ᄒᆞ여 다만 빅화헌과 회츈누 ᄲᅮᆫ이라. 심듕의 ᄎᆞ악ᄒᆞ나 오딕 샤묘의 비알ᄒᆞ고 ᄂᆞ려와 빅화헌의 좌ᄒᆞ고, 시녀를 블너 뉴시의 거쳐를 므ᄅᆞ니, 태부인 침뎐 뒤 응휘각의 잇다 ᄒᆞ거ᄂᆞᆯ, 휘 ᄯᅳᆺ을 결ᄒᆞ여 시녀 등으로 ᄒᆞ여【15】곰 뉴시 협수(篋笥)의 가 혼셔(婚書)를 닉여 오라 ᄒᆞ고, 뉴가 악인으로ᄡᅥ 부부디의를 폐졀ᄒᆞᄂᆞᆫ ᄯᅳᆺ을 ᄡᅳᆯᄉᆡ, 챵휘 뫼셧더니 이를 보고 경희(驚駭)ᄒᆞ믈 니긔디 못ᄒᆞᄃᆡ 다만 모ᄅᆞᄂᆞᆫ ᄃᆞ시 시좌(侍坐)ᄒᆞ엿더니, 시녀 도라와 고ᄒᆞᄃᆡ,

"부인이 엄홀(奄忽)ᄒᆞ여 계시니 초상공이 약믈을 드리오시며, 부인의 졍신 출히시믈 기다려 나오셔 노야긔 고홀 말ᄉᆞᆷ이 잇다 ᄒᆞ고, 혼셔를 엇디 못ᄒᆞ게 ᄒᆞ시더이다."

공이 대로(大怒) 즐왈(叱曰),

"여등(汝等)이 이졔 다시 드러가 혼셔를 못 어더온죽 ᄉᆞ죄(死罪)를 면치 못ᄒᆞ리라."

ᄯᅩ 시노를 명ᄒᆞ여 쇼스를 잡아 오라 ᄒᆞ니, 이 ᄭᅵ 뉴시 공의 도라오믈 듯고 ᄌᆞ긔를 졀통ᄒᆞ여 홀【16】줄 짐작ᄒᆞᄆᆡ, 익봉잠831)의 효험이 디금ᄭᆞ디 못ᄒᆞᄆᆞᆯ 이둘나, 젼후의 ᄌᆞ긔 심녁과 지보를 허비ᄒᆞ여, ᄒᆞᆫ 일도 쇼원의 영합ᄒᆞᄆᆡ 업ᄉᆞᄆᆞᆯ 싱각ᄒᆞ니 심장이 터질 ᄃᆞᆺ○○[ᄒᆞ고], 아모리 독ᄒᆞᆫ 긔운을 다ᄒᆞ

---

831)익봉잠 : =도봉잠. 사람을 변심시키는 약. 이 약을 사람에게 먹이면 마음이 변하게 되어 먹은 사람의 마음이 먹인 사람의 뜻대로 조종당하게 된다.

"여등이 샹경 후 즉시 션형【125】의 화상을 뫼셔 오지 아냐 우슉이 비알이 더디게 ᄒᆞᄂᆞ뇨?"

챵휘 고 왈,

"이졔ᄂᆞᆫ 뫼셔 오랴 ᄒᆞᄂᆞ이다."

공이 조부인 오지 아님과 하 소졔 친졍에 머므ᄂᆞᆫ 연고를 므ᄅᆞᆫᄃᆡ, 챵휘 모친과 구조뫼 조부의 계시ᄃᆡ 표슉 등의 막ᄌᆞᄅᆞ시므로 지금 못 오시고, 하슈ᄂᆞᆫ 초휘 아니 보닉믈 고ᄒᆞ니, 태부인은 어린 ᄃᆞ시 말을 듯고 신긔히 피화(避禍)ᄒᆞ믈 측냥치 못ᄒᆞ고, 호람휘 명조(明朝)에 관소(盥梳)ᄒᆞ고 ᄉᆞ묘(祠廟)의 오로미, 황연ᄒᆞ여 다만 빅화헌과 회츈누 ᄲᅮᆫ이라. 심즁의 ᄎᆞ악ᄒᆞ나 오직 ᄉᆞ묘의 비알ᄒᆞ고 ᄂᆞ려와 빅화헌에 좌ᄒᆞ고, 시녀를 불너 뉴씨의 거쳐를 므ᄅᆞ니, 태부인 침젼 뒤 응휘각의 잇다 ᄒᆞ거ᄂᆞᆯ, 휘 ᄯᅳᆺ을 결ᄒᆞ여 시녀 등으로 ᄒᆞ여곰 뉴씨 협수의 가 혼셔를 닉여 오라 ᄒᆞ고, 뉴가 악인으로ᄡᅥ 부부지의를 폐졀ᄒᆞᄂᆞᆫ ᄯᅳᆺ을【126】ᄡᅳᆯᄉᆡ, 챵휘 뫼셧더니 이를 보고 경희(驚駭)ᄒᆞ믈 니긔지 못ᄒᆞᄃᆡ, 다만 모ᄅᆞᄂᆞᆫ ᄃᆞ시 시좌(侍坐)ᄒᆞ엿더니, 시녜 도라와 고ᄒᆞᄃᆡ,

"부인이 엄홀(奄忽)ᄒᆞ여 계시니 초상공이 약믈을 드리오시며, 부인의 졍신 찰히시믈 기ᄃᆞ려 나오셔 노야긔 고홀 말ᄉᆞᆷ이 잇다 ᄒᆞ시고, 혼셔를 엇지 못ᄒᆞ게 ᄒᆞ시더이다."

공이 대로 즐왈(叱曰),

"여등(汝等)이 이졔 다시 드러가 혼셔를 못 어더온죽 ᄉᆞ죄(死罪)를 면치 못ᄒᆞ리라"

ᄯᅩ 시노를 명ᄒᆞ여 소소를 잡아 오라 ᄒᆞ니, 이ᄶᆞ 뉴씨 호람휘의 도라오믈 듯고 ᄌᆞ긔를 졀통ᄒᆞ여 홀 줄 짐작ᄒᆞᄆᆡ, 익봉잠799)의 효험이 지금ᄭᆞ지 잇지 못ᄒᆞᄆᆞᆯ 이둘나, 젼후의 ᄌᆞ긔 힘녁과 지보를 허비ᄒᆞ여 ᄒᆞᆫ 일도 소원의 영합ᄒᆞᄆᆡ 업ᄉᆞᄆᆞᆯ 싱각ᄒᆞ니, 심장이 터질 ᄃᆞᆺ○○[ᄒᆞ고], 아모리 독ᄒᆞᆫ 긔운을

---

799)익봉잠 : =도봉잠. 사람을 변심시키는 약. 이 약을 사람에게 먹이면 마음이 변하게 되어 먹은 사람의 마음이 먹인 사람의 뜻대로 조종당하게 된다.

여 창후 형뎨 부부를 즐욕이나 싀훤이 ᄒ고져 ᄒ나, 혀 줄을 잡아 다리ᄂ᠁832) 둣ᄒ니, ᄆᆞᆷ디로 독심을 프디 못ᄒ여 셩악이 블 니러나둣 ᄒ니, 니를 응믈고 쇼ᄉᆞ의 관을 벗기디르며 쇠꼿치로 ᄲᆞ시니, 도도히 덕혈이 소ᄉᆞ나디, 쇼식 알프믄 닛치고 부인 병톄 더을 바를 절민ᄒ여, 모친을 붓드러 상셕의 편히 누으시믈 쳥ᄒ여, 왈,

"블쵀지(不肖子) 죄 이실딘디 시노【17】로 ᄒ여곰 장쵁ᄒ시미 올커늘, 엇디 셩톄 닛브시믈 싱각디 아니ᄒ시ᄂ니잇고?"

뉴시 ○[이]의 더욱 분노ᄒ여 쇼ᄉᆞ의 머리를 잡아 벽의 브디잇다가 분훈 긔운이 막혀 것구러디니, 쇼식 밧비 붓드러 누이고 약을 드리오더니, 시녜 호람후의 명을 젼ᄒ고 협ᄉᆞ(篋笥)를 뒤여 혼셔를 어더니려 ᄒ니, 쇼식 ᄌᆞ긔 나아가 고홀 말슴이 이시니 시녀를 믈너가라 ᄒ고 부인을 구호ᄒ더니, 시뇌 공의 명을 젼ᄒ여 잡아 오라 ᄒ시던 바를 고ᄒ고, 여러 시녜 나아드러833) 협ᄉᆞ를 뒤려 ᄒ니, 쇼식 심신이 어득훈 듯 야야의 노긔 솟치 누르기 어려올디라. ᄌᆞ긔 몸이 고디 업셔져 부모의 블【18】화ᄒ시믈 보디 말고져 ᄒ나, 능히 밋디 못홀디라.

급히 빅화헌으로 향홀ᄉᆡ, 졔 시녀다려 왈,

"혼셔를 못 어더 닌 죄ᄂᆞ 여등이 당치 아니 홀 거시니, 여ᄎᆞ여ᄎᆞ 내게로 밀위라."

졔녜 비록 공을 두리나, 쇼ᄉᆞ의 명을 감히 거스디834) 못ᄒ여, 쇼ᄉᆞ를 ᄯᆞ라 빅화헌 계하의 다ᄃᆞ라 시녜 고왈,

"ᄎᆞ상공이 혼셔를 금초시고 쇼비를 즐퇴ᄒ시니, 감히 역명치 못ᄒᆞ와 알외ᄂᆞ이다."

공이 대로ᄒ여 냥안을 빗기 떠 쇼ᄉᆞ를 찰시 즐왈(叱曰),

"뉴가 요믈은 내 집을 망히오고 여등을 죽이려 ᄒ던 원슈 악인이어늘, 네 하고(何故)로 뉴녀를 양모(養母)라 칭ᄒ며, 내 명을

다ᄒ여 창후 형뎨 부부를 즐【127】욕이나 싀훤이 ᄒ고져 ᄒ나, 혀 쥴을 잡아 다리ᄂᆞᆫ800) 둣ᄒ니, ᄆᆞᆷ디로 독심을 프지 못ᄒ여 셩악이 블 니러나둣 ᄒ니, 니를 응믈고 소ᄉᆞ의 관을 벗기지르며 쇠꼿치로 ᄲᆞ시니, 도도히 격혈이 소ᄉᆞ나디, 소식 알프믄 닛치고 부인 병체 더을 바를 절민ᄒ여, 모친을 붓드러 상셕의 편히 누으시믈 쳥ᄒ여, 왈,

"블쵀지(不肖子) 죄 이실진디 시노로 ᄒ여곰 장쵁ᄒ시미 올커늘 엇지 셩톄 닛브시믈 싱각지 아니ᄒ시ᄂ니잇고?"

뉴씨 더욱 분노ᄒ여 소ᄉᆞ의 머리를 잡아 벽의 브디잇다가, 분훈 긔운이 막혀 것구러지니, 소식 밧비 붓드러 누이고 약을 드리오더니, 시녜 호람후의 명을 젼ᄒ고 협ᄉᆞ(篋笥)를 뒤여 혼셔를 어더니려 ᄒ니, 소식 ᄌᆞ긔 나아가 고홀 말슴이 이시니 시녀를 믈너가라 ᄒ고 부인을 구【128】호ᄒ더니, 시뇌 공의 명을 젼ᄒ고 잡아 오라 ᄒ시던 바를 고ᄒ고, 여러 시녜 나아드러801) 협ᄉᆞ를 뒤려 ᄒ니, 소식 심신이 어득훈 즘 야야의 노긔 솟치 누르기 어려올지라. ᄌᆞ긔 몸이 고디 업셔져 부모의 불화ᄒ시믈 보지 말고져 ᄒ나, 능히 밋지 못홀지라.

급히 빅화헌으로 향홀ᄉᆡ 졔 시녀다려 왈,

"혼셔를 못 어더 닌 죄ᄂᆞ 여등이 당치 아니 홀 거시니 여ᄎᆞ여ᄎᆞ 내게로 밀워라."

졔녜 비록 공을 두리나 소ᄉᆞ의 명을 감히 거스리지802)못ᄒ여 소ᄉᆞ를 ᄯᆞ라 빅화헌 계하의 다ᄃᆞᆯ 시녜 고왈,

"ᄎᆞ상공이 혼셔를 감초시고 소비를 줄퇴ᄒ시니, 감히 역명치 못ᄒᆞ와 알외ᄂᆞ이다"

공이 대로ᄒ여 냥안을 빗기 떠 소ᄉᆞ를 찰시 즐왈(叱曰),

"뉴가 요믈은 내 집을 망히오고 여등을 죽이려 ᄒ던 원슈 악인이어늘,【129】네 하고(何故)로 뉴녀를 양모라 칭ᄒ며 내 명을

---

832)다리다 : 당기다.
833)나아들다 : 나아오다.
834)거스다 : 거스르다. 남의 말이나 가르침, 명령 따위와 어긋나는 태도를 취하다.

800)다리다 : 당기다.
801)나아들다 : 나아오다.
802)거스리다 : 거스르다. 남의 말이나 가르침, 명령 따위와 어긋나는 태도를 취하다.

감히 역호느뇨? 노뷔 쯧【19】을 결호여
의를 절호려 호느니, 혼셔를 늬여오믈 다시
더딜딘딘, 발부를 죽여 분을 플나라."

쇼시 망극호믈 니긔디 못호여 관영(冠纓)
을 히탈호고 체읍 이걸 왈,

"부부는 오륜의 듕시라. 즈뫼 비록 실덕
호미 계시나, 대인이 셩덕을 드리오샤 규늬
(閨內)의 셰쇄(細瑣)훈 과실을 믈시호샤, 히
ᄋᆞ로 호여곰 인뉴(人類)의 튱슈(充數)호여
즈모 히흔 블초지 되디 아니케 호시미 맛당
호거늘, 엇디 뉸의(倫義)를 슺츠시믈 니르시
ᄂᆞ닛고? 쇼지 당호의셔 ᄉᆞ죄를 맛ᄌᆞ올디
언졍, 혼셔는 늬여오디 못호리로소이다."

호람휘 쇼스의 말숨과 간언을 드르미, 익
익 대로호여 싱각훈【20】딘,

"내 블명호여 찰녀(刹女) 악인을 일죽 업
시치 못호여, 가변이 망극훈 디경의 니르러
즈딜을 하마 보젼치 못홀 번호니, 이제 요
인을 살와둔즉 희텬이 간악디인○[을] 위훈
졍셩을 버힐 길 업느디라. 의를 졀호고 츌
거호나 희이 결단코 빈빈이 왕늬홀 거시오,
요녜 셰샹의 이신 후는 나의 즈딜을 궁극히
죽이고 말나니, 내 비록 박힝(薄行)을 면치
못호나 발부를 죽여 후환을 업시 호리라."

의시 이의 밋츠미, 텬품이 소활호여 본딘
잔 녑녜 ᄉᆞ곡(私曲)835)훈 곳의 도라가디 아
냐, 사름을 공교히 의심치 아닛는 고로, 젼
일 뉴시의 악ᄉᆞ【21】를 아디 못호엿더니,
당ᄎᆞ지시(當此之時)호여는 그 쳔흉만악(千
凶萬惡)을 셰월 비영 등 초ᄉᆞ로 조ᄎᆞ 알고,
분뇌 블 니듯호니 엇디 참으리오.

군관 송규를 블너 힝듕(行中)의 가져 온
약궤를 드리라 호니, 원늬 공이 뉴시 욕살
디심(慾殺之心)836)이 이셔 독약을 가져온
비라. 송귀 아모란 줄 모로고 궤를 드리미,
공이 약을 늬여 ᄉᆞ매의 너코 쇼스를 칙 왈,

835)ᄉᆞ곡(私曲) : 사사롭고 마음이 바르지 못함.
836)욕살디심(慾殺之心) : 죽이고자 하는 마음.

감히 역호느뇨? 노뷔 쯧을 결호여 의를 졀
호려 호느니, 혼셔를 늬여 오믈 다시 더딜
진딘 발부를 죽여 분을 플나라."

소시 망극호믈 니긔지 못호여 관영(冠纓)
을 히호고 체읍 이걸 왈,

"부부는 오륜의 즁시라. 즈뫼 비록 실덕
호미 계시나, 대인이 셩덕을 드리오샤 규녀
(閨女)의 셰쇄(細瑣)훈 과실을 믈시호샤, 히
ᄋᆞ로 호여곰 인류의 츙슈(充數)호여 즈모
히흔 블초지 되지 아니케 호시미 맛당호거
늘, 엇지 뉸의(倫義)를 씬츠시믈 니르시느니
잇고? 《소시‖소지》 당호에셔 ᄉᆞ죄를 밧
ᄌᆞ올지언졍, 혼셔는 늬여 오지 못호리로소
이다."

호람휘 소스의 말숨과 간언을 드르미 익
익 대로호여 싱각호디,

"늬 불명호여 찰녀(刹女) 악인을 일죽 업
시치 못호여, 가변이 망극훈 지경에 니르러
【130】즈딜을 호마 보젼치 못홀 번호니,
이제 요인을 술와둔즉 희텬이 간악지인○
[을] 위훈 졍을 버힐 길 업는지라. 의를 졀
호고 츌거호나, 희이 결단코 빈빈이 왕늬홀
거시오, 요녜 셰샹의 잇신 후는 나의 즈딜
을 궁극히 죽이고 말나니, 내 비록 박힝(薄
行)을 면치 못호나, 발부를 죽여 후환을 업
시 호리라."

의시 이에 밋츠미, 텬품이 소활호여 본딘
잔 녑녜 ᄉᆞ곡(私曲)803)훈 곳의 도라가지 아
냐, 샤름을 공교히 의심치 아닛는 고로, 젼
일 뉴씨의 악ᄉᆞ를 아지 못호엿더니, 당ᄎᆞ지
시(當此之時) 호여는 그 쳔흉만악(千凶萬惡)
을 셰월·비영 등 초ᄉᆞ로 조ᄎᆞ 알고, 분뇌
블 니듯호니 엇지 참으리오.

분분이 군관 송규를 블너 힝즁(行中)의
가져 온 약궤를 드리라 호니, 원릭 공이 뉴
씨 욕살지심(慾殺之心)804)이 잇셔 독약을
가져【131】온 비라. 송귀 아모란 쥴 모로
고 궤를 드리미, 공이 약을 늬여 ᄉᆞ매에 너
코 소스를 칙왈,

803)ᄉᆞ곡(私曲) : 사사롭고 마음이 바르지 못함.
804)욕살지심(慾殺之心) : 죽이고자 하는 마음.

"뉴녀 죽이며 살오믄 내 장듕(掌中)의 잇느니, 요인은 여등과 원쉬오, 내 집을 망히오믄 니르도 말고, 그 첩첩흔 죄샹이 머리를 버혀도 속디 못홀 비오, 네 발부의 긔츌이라도 한무데(漢武帝)[837] 구익부인(鉤弋夫人)[838]을 죽이고 그 ㅇ돌을 셰워시【22】니, 너는 요인의 긔츌(己出)이 아니라. 노뷔 의를 싯츠면 오이 졀노 더브러 남이라 므어시 그리 관듕(款重)ᄒ여 양부(養父) 이시믈 아디 못ᄒᄂ뇨?"

언필의 시노를 호령ᄒ여 쇼ᄉ를 빅화헌의 가도라 ᄒ니, 창휘 계부의 노긔를 보미 ᄌ긔 등의 말이 무익흔 줄 알오ᄃᆡ, 잠잠코 이시미 ᄌ딜의 도리 아니라. 년망이 머리를 두다려 굴오ᄃᆡ,

"가변(家變)이 블가ᄉ문어타인(不可使聞於他人)이라[나], 이는 다 유ᄌ(猶子)[839] 등의 무상ᄒ미니, 엇디 일편 되이 슉모만 칙망ᄒ시리잇고? ᄒ믈며 대모의 실덕ᄒ시미 슉모긔 나리미 업스시니, 계뷔 슉모의 과실을 믈시(勿視)치 아니신【23】즉, 문견쟤(聞見者) 대모긔 역졍ᄒᄆ로 칙올 둣ᄒ오니, 원컨ᄃᆡ 계부는 과도흔 거조(擧措)를 마르쇼셔."

공이 딘목(瞋目) 즐왈,

"ᄌ위 비록 실덕ᄒ시미 계시나, 네 엇디 뉴가 요믈 찰녀의게 비겨 흉휼흔 말노 날을 졔어코져 ᄒ니, 그 죄 어ᄃᆡ 밋첫ᄂ뇨?"

이의 시노를 호령ᄒ여 창후를 ᄭ으어 닉치고, 쇼ᄉ를 가도라 ᄒ고, ᄉ매를 썰쳐 응휘당을 향ᄒ니, 창휘 만심(滿心)이 ᄎ악(嗟愕)ᄒ나 오히려 쇼ᄉ의 망극흔 심ᄉ의 비치 못홀디라. 쇼시 야야의 가도라 ᄒ시는 명이 이시나, 죽으믈 그음ᄒ여 공의 뒤흘 조ᄎ

"뉴녀 죽이며 술오믄 내 쟝즁(掌中)의 잇ᄉ니, 요인은 여등과 원쉬오, 내 집을 망히오믄 니르도 말고, 그 첩첩흔 죄샹이 머리를 버혀도 속지 못홀 비오, 네 발부의 긔츌이라도 한 무뎨(漢武帝)[805] 구익부인(鉤弋夫人)[806]을 죽이고 그 ㅇ돌을 셰워시니, 너는 요인의 긔츌(己出)이 아니라. 노뷔 의를 싯츠면 오이 져로 더브러 남이라. 무어시 그리 《관챵∥관즁(款重)》ᄒ여 양부 이시믈 아지 못ᄒᄂ뇨?"

언필의 시노를 호령ᄒ여 소ᄉ를 빅화헌의 가도라 ᄒ니, 창휘 계부의 노긔를 보미 ᄌ긔 등의 말이 무익흔 줄 알오ᄃᆡ, 잠잠코 잇시미 ᄌ딜의 도리 아니라. 년망이 머리를 두다려 굴오ᄃᆡ,

"가변이 블가ᄉ문어타인(不可使聞於他人)이나, 이는 다 유ᄌ(猶子)[807] 등의 무상ᄒ미니, 엇지 일편 되이 슉모만 칙【132】망ᄒ시리잇고? ᄒ믈며 대모의 실덕ᄒ시미 슉모긔 나리미 업스시니, 계뷔 슉모의 과실을 믈시치 아니신 즉 문견쟤(聞見者) 대모긔 역졍ᄒᄆ로 칙올 둣ᄒ오니, 원컨ᄃᆡ 계부는 과도흔 거조를 마르쇼셔."

공이 진목(瞋目) 즐왈,

"ᄌ위 비록 실덕ᄒ시미 계시나, 네 엇지 뉴가 요믈 찰녀에게 비겨 흉휼흔 말노 나를 졔어코져 ᄒ니, 그 죄 어ᄃᆡ 밋첫ᄂ뇨?"

이의 시노를 호령ᄒ여 창후를 ᄭ으어 닉치고 소ᄉ를 가도라 ᄒ고, ᄉ미를 썰쳐 응휘당을 향ᄒ니, 창휘 만심(滿心)이 ᄎ악ᄒ나 오히려 소ᄉ의 망극흔 심ᄉ의 비치 못홀지라. 소시 야야의 가도라 ᄒ시는 명이 이시나, 죽으믈 그음ᄒ여 공의 뒤흘 조ᄎ 드러

---

837)한무제(漢武帝) : B.C.156~87. 중국 전한(前漢) 제7대 황제. 재위 BC141-87.
838)구익부인(鉤弋夫人) : 한나라 무제의 후궁. 무제가 장성한 아들이 없어 구익부인이 낳은 아들을 태자로 정하고, 후일 구익부인이 황제의 모친으로 정권에 간여하여 국정을 어지럽힐 것을 염려해서 사약을 내려 죽였음.
839)유ᄌ(猶子) : 자식과 같다는 뜻으로, '조카'를 달리 이르는 말.

805)한무제(漢武帝) : B.C.156~87. 중국 전한(前漢) 제7대 황제. 재위 BC141-87.
806)구익부인(鉤弋夫人) : 한나라 무제의 후궁. 무제가 장성한 아들이 없어 구익부인이 낳은 아들을 태자로 정하고, 후일 구익부인이 황제의 모친으로 정권에 간여하여 국정을 어지럽힐 것을 염려해서 사약을 내려 죽였음.
807)유ᄌ(猶子) : 자식과 같다는 뜻으로, '조카'를 달리 이르는 말.

드러가니 어늬 노지 감히 가도리오. 창후는 왕모를 격동치 아닌즉【24】계부의 노긔를 두로혀기 어려온 고로, 급히 원양뎐의 니르러 왕모긔 고 왈,

"계뷔 여ᄎ여ᄎ 약을 가디시고 응휘각으로 가 계시니, 원컨디 왕모는 계부를 보시고 여ᄎ여ᄎ 니르샤 슉모의 위급ᄒ시믈 구ᄒ쇼셔."

태부인이 혼빅이 비월(飛越)ᄒ여 니르디,

"가변을 디으믄 뉴시의 작악ᄲᆞᆫ 아니라 노모의 탓시어늘, 뉴시만 죄ᄒ리오."

이의 즉시 창후의게 붓들녀 응휘각의 니르니, 이 써 호람휘 노긔 등등ᄒ여 쳥ᄉ(廳舍)의 좌ᄒ고, 뉴시의게 말을 젼ᄒ디,

"발뷔 오문을 망히오고 ᄌᆞ딜 부부를 온 가디로 죽이려 도모ᄒ여 쳔단악사(千端惡事)와 만단흉독(萬端凶毒)【25】이 고금을 녁슈(歷數)ᄒ여도 그 죄 ᄀᆞᆺᄐ 니 업슬디라. 녀휘(呂后)840) 됴왕(趙王)841)을 짐살(鴆殺)ᄒ고 쳑희(戚姬)842)를 인쳬(人彘)843)를 믄드라시나, 투긔(妬忌)로 비로셔 악ᄉ를 힝ᄒ미어니와, 요인으로 비ᄒ미 다 어딘 녀지라. 요인은 당치 아닌 악ᄉ를 다 힝ᄒ여 회텬을 죽이려 홀 ᄲᅮᆫ 아니라, 광텬은 오문의 큰 ᄋ희로 누디 봉사를 녕(領)ᄒ거늘, 그 부부를 히ᄒ미 아니 밋친 곳이 업고, 공교로온 말

---

840)녀후(呂后) : 중국 한고조의 황후. 성은 여(呂). 이름은 치(雉). 고조를 보좌하여 진(秦)나라 말기·한(漢)나라 초기의 국난을 수습하였으나, 고조가 죽은 뒤 실권을 장악하여 유씨 일족을 압박하여 그의 사후에 여씨(呂氏)의 난을 초래하였다.

841)됴왕(趙王) : 이름 유여의(劉如意). 중국 한(漢)고조(高祖)와 척부인(戚夫人) 사이에 난 아들. 고조가 후계자로 삼고자 했을 만큼 그의 사랑을 받았으나, 고조 사후 여후(呂后)에게 독살을 당했다.

842)쳑희(戚姬) : 척부인(戚夫人). 중국 한 고조의 후궁. 고조의 사랑을 받아 아들 조왕(趙王)을 두었으나, 고조가 죽은 뒤, 여후(呂后)에게 조왕은 독살당하고, 그녀는 팔다리를 잘리고 눈을 뽑히는 악형을 당하고 '인간돼지(人彘)'로 학대를 받으며 측간에 갇혀 지내다 죽었다.

843)인쳬(人彘) : '인간돼지'라는 뜻으로 중국 한(漢)고조(高祖) 비(妃) 여후(呂后)가 고조의 애첩 척부인(戚夫人)을 팔다리를 자르고 눈을 뽑는 혹형을 가한 후, 측간에 처넣고 그녀를 지칭해 부르게 한 이름.

가니 어나 노지 감히 가도리오. 창후는 왕모를 격동치 아닌즉 계부의 노긔를 두로혀기 어려온 고로, 급히 원양뎐의 니르【133】러 왕모긔 고 왈,

"계뷔 여ᄎ여ᄎ 약을 가지시고 응휘각으로 가 계시니, 원컨디 왕모는 계부를 보시고 여ᄎ여ᄎ 니르샤 슉모의 위급ᄒ시믈 구ᄒ쇼셔."

태부인이 혼빅이 비월ᄒ여 니르디,

"가변을 지으믄 뉴씨의 작악ᄲᆞᆫ 아니라, 노모의 탓시어늘 뉴씨만 죄ᄒ리오."

이의 즉시 창후의게 붓들녀 응휘각의 니르니, 이썬 호람휘 노긔 등등ᄒ여 쳥ᄉ(廳舍)의 좌ᄒ고, 뉴씨에게 말을 젼ᄒ디,

"발뷔 오문을 망히오고 ᄌᆞ딜 부부를 온 가지로 죽이려 도모ᄒ여, 쳔단악사(千端惡事)와 만단(萬端) 악ᄉ를 고금을 녁슈(歷數)ᄒ여도 그 죄 ᄀᆞᆺᄐ니 업슬지라. 녀휘(呂后)808) 조왕(趙王)809)을 짐살ᄒ고 쳑희(戚姬)810)를 인쳬(人彘)811)를 믄드라시나, 투긔로 비로셔 악ᄉ를 힝ᄒ미어니와, 요인으로 비ᄒ미 다 어진 녀지라. 요인은 당치 아닌 악ᄉ를 다 힝ᄒ여 회텬을 죽이【134】려 홀 ᄲᅮᆫ 아니라, 광텬은 오문의 큰 아희로 누디 종사를 영(領)ᄒ거늘, 그 부부를 히ᄒ미 밋지 아닌 곳의[이] 업고, 공교혼 말과

---

808)녀후(呂后) : 중국 한고조의 황후. 성은 여(呂). 이름은 치(雉). 고조를 보좌하여 진(秦)나라 말기·한(漢)나라 초기의 국난을 수습하였으나, 고조가 죽은 뒤 실권을 장악하여 유씨 일족을 압박하여 그의 사후에 여씨(呂氏)의 난을 초래하였다.

809)됴왕(趙王) : 이름 유여의(劉如意). 중국 한(漢)고조(高祖)와 척부인(戚夫人) 사이에 난 아들. 고조가 후계자로 삼고자 했을 만큼 그의 사랑을 받았으나, 고조 사후 여후(呂后)에게 독살을 당했다.

810)쳑희(戚姬) : 척부인(戚夫人). 중국 한 고조의 후궁. 고조의 사랑을 받아 아들 조왕(趙王)을 두었으나, 고조가 죽은 뒤, 여후(呂后)에게 조왕은 독살당하고, 그녀는 팔다리를 잘리고 눈을 뽑히는 악형을 당하고 '인간돼지(人彘)'로 학대를 받으며 측간에 갇혀 지내다 죽었다.

811)인쳬(人彘) : '인간돼지'라는 뜻으로 중국 한(漢)고조(高祖) 비(妃) 여후(呂后)가 고조의 애첩 척부인(戚夫人)을 팔다리를 자르고 눈을 뽑는 혹형을 가한 후, 측간에 처넣고 그녀를 지칭해 부르게 한 이름.

과 요악흔 쇠로뻐 주정의 □음을 변ᄒ시게
ᄒ여 무궁흔 누덕을 깃치니, 그 죄상이 천
살무석(千殺無惜)이오 만스유경(萬死猶輕)이
라. 날로뻐 요약(妖藥)을 먹고 실셩디인(失
性之人)이 되게 ᄒ니, 이 청한(淸閑)흔 녀주
【26】의 힝실이 아니라. 그 죄과를 니르려
흔즉 혜 달코 흉금이 엄식(掩塞)흔 고로, 다
니르디 못ᄒ니 악인이 날노 더브러 명위부
부(名爲夫婦)나 실은 원쉬라. 샐니 이 독약
을 먹고 셰상을 뉴련(留連)치 마라 뻐 나의
졀박히 요인 죽이고져 ᄒ믈 긋고844), 긴 셰
월의 괴롭고 슬프믈 격디 아니미 요인의게
가장 영화로온 일이라. 그 죄과를 싱각홀딘
딘 엇디 머리를 보젼ᄒ리오마는, 교익곳치
비부 난뉸(背夫亂倫)흔 일이 업고, 초의 뉵
녜(六禮)845)룰 곳촌 조강(糟糠)이믈 혜아려
시신이 녜스롭고져 ᄒ미니, 이 ᄯ 나의 관
대화홍(寬大和弘)흔 덕이라. 금일노브터 부
부디의를 긋쳐 흔 번 죽으【27】미, 공산을
어더 시톄○[를] 장ᄒ리니, 윤시의 속현ᄒ
므로 아디 말고 회텬이 양지 아니믈 붉히
알나."

셜파의 약을 지쵹ᄒ여 드려 보닉니, 쇼시
망극ᄒ미 여할(如割)ᄒ여 급히 약을 아스
손의 들고 머리를 두다려 실셩읍혈(失性泣
血)ᄒ미, 경상이 참참ᄒ여 견주로 ᄒ여곰
블승산비(不勝酸鼻)846)라.

공이 ᄋ주의 경상을 보믹, 비록 밧그로
엄ᄒ믈 디어 칙ᄒ나, 안흐로 앗기미 간위
(肝胃) 타는 ᄃᆺᄒ딕, 뉴시 살울 뜻은 업셔
시녀를 호령ᄒ여 뉴시 죽기를 지쵹ᄒ니, 이
쩐 뉴시 듕쳥(重聽)흔 병이 잠간 나아시므
로 시녜 젼ᄒ 나의847) 업시 드를디라. 발셔
'도마 우희 오른 고기'848) 곳【28】○[흔]

요악흔 쇠를 쎠 주정의 셩심을 변ᄒ게 ᄒ
여 무궁흔 누덕을 씻치니, 그 죄 쳔지에 가
득흔지라. 날로뻐 요약을 먹여 《실신∥실
셩(失性)》흔 스롭이 되게 ᄒ니, 이 곳 달긔
(妲己)812)의 후신이라. 십악대죄(十惡大
罪)813)를 니르려 흔즉 흉금이 억식(臆塞)
흔 고로 다 이르지 못ᄒ느니, 날노 더브러
명위부부(名爲夫婦)나 실은 구슈(仇讐)라.
샐니 독약을 먹고 셰상을 류련(留連)치 말
나[아], 나의 간졀이 죽이고져 ᄒ믈 좃고,
긴 셰월의 괴롭고 슬프믈 겪지 아니미, 요
인의게 극흔 영화라. 죄과를 싱각건디 엇지
머리를 보젼ᄒ리오만은, 교아곳치 비부난륜
(背夫亂倫)ᄒ미 업고, 당초의 뉵녜(六禮)814)
로 조강이믈 혜아려, 신체를 온젼코져 ᄒ미
니, 이 ᄯ 나의 용녈ᄒ미니, 금일노 부부지
의를 슫쳐 흔 번 죽으미 공【135】산(空山)
의 신체를 장(葬)ᄒ리니, 윤씨의 《슉현∥속
현(續絃)》으로 아지 말고, 회쳔이 양ᄌ 아
니믈 붉히 알나."

셜파에 약을 지쵹ᄒ여 드려 보니니, 소시
망극ᄒ미 여할(如割)ᄒ여 급히 약을 아스
손의 들고, 머리를 《두르혀∥두드려》 실
셩읍혈(失性泣血)ᄒ미, 경상이 참참ᄒ여 견
주로 ᄒ여곰 불승산비(不勝酸鼻)815)라.

공이 ᄋ주의 경상을 보미 비록 밧그로 엄
흠을지어 칙ᄒ나, 안흐로 앗기미 간이 타는

---

844) 긋다 : 끊다.
845) 뉵녜(六禮) : 우리나라 전통혼례의 여섯 가지 의
례. 납채(納采), 문명(問名), 납길(納吉), 납폐(納
幣), 청기(請期), 친영(親迎)을 이른다.
846) 블승산비(不勝酸鼻) : 슬프거나 참혹하여 콧마루
가 시큰함을 이기지 못하다.
847) 나의 : 나위. 더 할 수 있는 여유나 더 해야 할
필요.
848) 도마 우희 오른 고기 : 죽을 위기에 처한 상황을

---

812) 달긔(妲己) : 중국 은나라 주왕의 비(妃)(?~?).
왕의 총애를 믿어 음탕하고 포악하게 행동하였는
데, 뒤에 주나라 무왕에게 살해되었다. 망국의 악
녀로 불린.
813) 십악대죄(十惡大罪) : 조선 시대에, 대명률(大明
律)에 정한 열 가지 큰 죄. 모반죄(謀反罪), 모대역
죄(謀大逆罪), 모반죄(謀叛罪), 악역죄(惡逆罪), 부
도죄(不道罪), 대불경죄(大不敬罪), 불효죄(不孝罪),
불목죄(不睦罪), 불의죄(不義罪), 내란죄(內亂罪)를
이른다.
814) 뉵녜(六禮) : 우리나라 전통혼례의 여섯 가지 의
례. 납채(納采), 문명(問名), 납길(納吉), 납폐(納
幣), 청기(請期), 친영(親迎)을 이른다.
815) 불승산비(不勝酸鼻) : 슬프거나 참혹하여 콧마루
가 시큰함을 이기지 못하다.

여, 두릴 거시 업는 고로, 발연이 소리 딜너 발악고져 ᄒ거디, 혜 알프미 극ᄒ니 악언을 능히 일우디 못ᄒ고, 분ᄒᄆᆯ 니긔디 못ᄒ여 손가락을 씌무러 흔 ᄌᆞᆨ 깁의 쓰ᄃᆡ,

"호람휘 날노뼈 쳔고 무빵흔 악인으로 밀위여 죽으믈 직쵹ᄒ거니와, 존고의 허다 과실이 나의게 디미 이시리오. 내 비록 어디디 못ᄒ나 존괴 만일 목강(穆姜)849)의 인ᄌᆞ흔 덕이 이실딘ᄃᆡ, 나의 허믈을 칙ᄒ고 광텬 등을 ᄉ랑ᄒ미 올커늘, 날마다 패악브졍디ᄉᆞ(悖惡不正之事)ᄂᆞᆫ 존괴 더 잘 싱각ᄒ여 날을 가ᄅ치니, 내 므슴 죄로 혼ᄌᆞ 즈레 죽으리오. 희텬 요악흔 놈이 호람후 어림장이를【29】쐬와 날을 죽이려 ᄒ거니와, 내 결단코 호람후의 명을 쥰봉(遵奉)ᄒ여 긴 명을 긋디 아니ᄒ리니, 국개 존고의 과악과 내 죄를 흔가디로 다ᄉ리면, 감히 역명치 못ᄒ리라."

쓰기를 맛ᄎᆞ미, 시녀로뼈 공의게 보ᄂᆞ니, 호람휘 글을 보고 노ᄒᄂᆞᆫ 머리털이 관을 가ᄅ치니, 분연이 넓쎠나 요하(腰下)의 셔리 ᄀ튼 비도(匕刀)850)를 샌혀 들고 뉴시의 침소를 쎄쳐 드러가니, 쇼시 이를 보미 텬디 망망ᄒ여 창황이 ᄯ라 드러가니, 공이 노긔 돌관(突貫)851)ᄒ여 칼흘 번득여 뉴시를 디를 거동이라. 쇼시 칼흘 아ᄉ려 ᄒ니 공은 뉴시를 디르려 덤벙이다가 칼ᄭᅳᆺᄐᆡ 쇼ᄉ【30】의 손이 상ᄒ여 뉴혈이 돌디ᄒ디852),

---

비유적으로 이르는 말.
849) 목강(穆姜) : 중국 진(晉)나라 정문구(程文矩)의 아내. 성은 이(李)씨, 자(字)는 목강(穆姜). 전처 소생의 네 아들을 자신이 낳은 두 아들보다 더 사랑하여 훌륭하게 키웠다.
850) 비도(匕刀) : 비수(匕首). 날이 예리하고 짧은 칼.
851) 돌관(突貫) : 한꺼번에 기운차게 어떤 일을 함. 치솟아 오름.
852) 돌디ᄒ다 : 돌돌 솟아나오다. *돌돌 : 물이 좁은 도랑을 따라 흘러가는 모양.

ᄃᆞᆺᄒ디, 뉴씨 살을 ᄯᆞᆺ은 업셔 시녀를 호령ᄒ여 뉴씨 죽기를 직쵹ᄒ니, 뉴씨 즁쳥흔 병이 잠간 나아시므로, 시녜 젼홀 나위816) 업시 드를지라. 발셔 '도마 우혜 오른 고기'817) ᄀ튼여 두릴 거시 업는 고로, 발연이 소리 질너 발악고져 ᄒ거디, 혀 알프미 극ᄒ니 악언을 능히 일우지 못ᄒ고, 분ᄒᄆᆯ 니긔지 못ᄒ여 손가락을 씌므러 흔 ᄌᆞᆨ 깁의 쓰ᄃᆡ,

"호람휘 날노뼈 쳔고 무빵흔 악인으로 밀위여 죽으믈【136】직쵹ᄒ거니와, 존고의 허다 과실이 나의게 지미 잇시리오. 내 비록 어지지 못ᄒ나 존괴 만일 목강(穆姜818))의 인ᄌᆞ흔 덕이 잇실진ᄃᆡ, 나의 허믈을 칙ᄒ고 광텬 등을 ᄉ랑ᄒ미 올커늘, 날마다 픠악부졍지ᄉᆞ(悖惡不正之事)ᄂᆞᆫ 존괴 더 잘 싱각ᄒ여 날을 ᄀᆞ르치니, 내 무슴 죄로 혼ᄌᆞ 즈레 죽으리오. 희텬 요악흔 놈이 호람후 어림장이를 쐬와 날을 죽이려 ᄒ거니와, 내 결단ᄒ여 호람후의 명을 쥰봉(遵奉)ᄒ여 긴 명을 ᄯᆞᆫ치 아니ᄒ리니, 국개 존고의 과악과 내 죄를 흔가지로 다ᄉ리면 감히 역명치 못ᄒ리라."

쓰기를 맛ᄎᆞ미 시녀로뼈 공의게 보ᄂᆞ니, 호람휘 글을 보고 노ᄒᄂᆞᆫ 머리털이 관을 ᄀᆞ르치니, 분연이 넓더나 요하(腰下)에 셔리 ᄀ튼 비도(匕刀)819)를 샌혀 들고 뉴씨의 침소를 씌쳐 드러가니, 소시 이를 보미 텬지 망망ᄒ여【137】창황이 ᄯ라 드러가니, 공이 노긔 돌관(突貫)820)ᄒ여 칼흘 번득여 뉴씨를 지를 거동이라. 소시 칼을 아ᄉ려 ᄒ니 공은 뉴씨를 지르려 덤벙이다가 칼 ᄭᅳᆺᄐᆡ

---

816) 나의 : 나위. 더 할 수 있는 여유나 더 해야 할 필요.
817) 도마 우헤 오른 고기 : 죽을 위기에 처한 상황을 비유적으로 이르는 말.
818) 목강(穆姜) : 중국 진(晉)나라 정문구(程文矩)의 아내. 성은 이(李)씨, 자(字)는 목강(穆姜). 전처 소생의 네 아들을 자신이 낳은 두 아들보다 더 사랑하여 훌륭하게 키웠다.
819) 비도(匕刀) : 비수(匕首). 날이 예리하고 짧은 칼.
820) 돌관(突貫) : 한꺼번에 기운차게 어떤 일을 함. 치솟아 오름.

쇼시 오히려 칼흘 노치 아나[니]코 옥면의 누쉬(淚水) 여우(如雨)ᄒ여, 부공을 우러러 고왈,

"여ᄎ 망극흔 변을 닛디 마르샤 히ᄋ의 통할흔 졍ᄉ를 도라보시믈 비ᄂ이다."

언미(言未)의 창휘 태부인을 뫼셔 니르니, 태부인이 방셩 통곡 왈,

"노모의 허다 과악을 니르려 흔즉 머리털흘 버혀도 궁딘(窮盡)치 아닐디라. 엇디 흔갓 뉴시의 허믈 쭌이리오. 오이 브디 뉴시를 죽이려 홀딘디 노뫼 밧비 죽어 션군을 보ᄋ옵고 샤죄ᄒ리니, 괴로온 셰샹의 구구히 투싱(偷生)ᄒ여 뉴식부의 죽ᄂ 거동을 보리오."

셜파의 【31】 픔 ᄉ이로 조ᄎ 단검을 닉여 디르려 ᄒ니, 공이 모친의 쥔 칼흘 황망이 앗고 쳥죄 왈,

"블초지 무상ᄒ와 ᄌ의(慈意)를 아디 못ᄒ고, ᄎ후나 가시 온젼ᄒ여 ᄌ딜이 무ᄉ키를 바라ᄂ 고로, 발부를 브디 업시 ᄒ려 ᄒ더니, 태태 이러툿 슬허ᄒ시니, 가변이 다시 층츌(層出)ᄒ여도 태태 명을 밧드러 죽이믈 긋치고, 혼셔(婚書)를 블디른 후 츌거ᄒ려 ᄒᄂ이다."

태부인이 손ᄋ의 말을 듯고, 본디 뉴시를 편이ᄒᄂᆫ디라, 엇디 츌거코져 ᄒ리오. 더옥 슬허 왈,

"네 부친이 계신즉 날을 츌거흘 거시로디, 유명(幽明)[853]이 격(隔)ᄒ여 텬양(天壤)[854]이 즈음치 【32】 니, 내 죄를 다ᄉ릴 사름이 업ᄂ디라. 네 날노뼈 명위(名爲) 어미라 ᄒ여 죄악을 못 니르나, 뉴시 죄ᄂ 날만 못ᄒ거늘 내 므슨 낫ᄎ로 뉴시를 츌ᄒ고 일시나 윤가의 이시리오. 출하리 부모 송츄(松楸)를 딕희여 향니의 나려가 여년을 맞츌디언졍, 감히 윤시 션산의 들기를 원치 아니ᄒ노라."

소ᄉ의 손이 상ᄒ여 뉴혈이 돌지ᄒ디[821], 소시 오히려 칼을 노치 아니코 옥면에 누쉬여우(淚水如雨)ᄒ여, 부공을 우러러 고왈,

"여ᄎ 망극흔 변을 짓지 마르샤 히ᄋ의 통할흔 졍ᄉ를 도라보시믈 비ᄂ이다"

언미(言未){긔}에 창휘 태부인을 뫼셔 니르니, 태부인이 방셩 통곡 왈,

"노모의 허다 과악을 니르려 흔즉 머리털흘 버혀도 궁진(窮盡)치 아닐지라. 엇지 흔갓 뉴씨의 허믈 쭌이리오. 오이 브디 뉴씨를 죽이려 홀진디, 노뫼 밧비 죽어 션군을 보ᄋ옵고 ᄉ죄ᄒ리니, 괴로온 셰상에 구구히 투싱(偷生)ᄒ여 뉴현부의 죽ᄂ 거동을 보리오."

셜파의 픔 ᄉ이로 조ᄎ 단검을 닉여 지 【138】 ᄅ려 ᄒ니, 공이 모친의 쥔 칼흘 황망이 앗고 쳥죄 왈,

"블초지 무상ᄒ와 ᄌ의(慈意)를 아지 못ᄒ고, ᄎ후나 가시 온젼ᄒ여 ᄌ딜이 무ᄉ키를 브라ᄂ 고로, 발부를 브디 업시 ᄒ려 ᄒ더니, 태태 이러툿 슬허ᄒ시니, 가변이 다시 층츌(層出)ᄒ여도 태태 명을 밧드러 죽이믈 긋치고, 혼셔(婚書)를 불 지른 후 츌거ᄒ려 ᄒᄂ이다"

태부인이 손ᄋ의 말을 듯고 본디 뉴씨를 편이ᄒᄂᆫ지라, 엇지 츌거코져 ᄒ리오. 더옥 슬허 왈,

"네 부친이 계신즉 나를 츌거흘 거시로되, 유명(幽明)[822]이 격ᄒ여 텬양(天壤)[823]이 즈음치니, 내 죄를 다ᄉ릴 사름이 업ᄂ지라. 네 날노뼈 명위(名爲) 어미라 ᄒ여 죄악을 못 니르나, 뉴씨 죄ᄂ 날만 못ᄒ거늘, 내 무슨 낫ᄎ로 뉴씨를 츌ᄒ고 일시나 윤가의 잇시리오. 출하리 부모 《송쥭을∥송츄(松楸)를》 직희여 향니에 나려가 여년을 【139】 맞츌지언졍, 감히 윤씨 션산에 들기를 원치 아니ᄒ노라."

---

853)유명(幽明) : ①저승과 이승을 아울러 이르는 말. ②어둠과 밝음을 아울러 이르는 말.
854)텬양(天壤) : =천지(天地). 하늘과 땅.

821)돌디ᄒ다 : 돌돌 솟아나오다. *돌돌 : 물이 좁은 도랑을 따라 흘러가는 모양.
822)유명(幽明) : ①저승과 이승을 아울러 이르는 말. ②어둠과 밝음을 아울러 이르는 말.
823)텬양(天壤) : =천지(天地). 하늘과 땅.

공이 모친 말숨이 여ᄎᄒ니, ᄉᄉ의 ᄌ긔 임의(任意)치 못ᄒᄆᆯ 분완ᄒ나, 모친 듕병디여(重病之餘)의 소셩(蘇醒)치 못ᄒᆫ 바의 이ᄀᆺ치 통곡ᄒ니, 긔운이 상ᄒᆯ 고로, 위로 왈,

"찰녀(刹女)의 죄패 관영(貫盈)ᄒ니 브득이 죽이려 ᄒᆸ더니, ᄌ위 ᄌ이 일편 되시니 ᄒᆯ일업ᄂᆫ디라. 이졔【33】ᄂᆫ 평상이 두오리니 무익ᄒᆫ 과거를 긋치시고, 뎡당으로 드르쇼셔."

태부인이 ᄋᄌ의 구든 ᄯᆺ을 쾌히 두로혀 뉴시를 졀혼니의[이](絶婚離異)치 아닐 바를 힝회ᄒ나, 호람후의 쥰급ᄒᄆᆯ 아는 고로 혹ᄌ 다시 죽일가 겁ᄒ여, 닐오ᄃᆡ,

"내 ᄋᄒᆡ 뉴시를 평상이 두는 날은 노모를 네 집의 편히 잇과져 ᄒᄆᆡ오, 뉴시를 ᄎᆯ거코져 ᄒᆫᄌᆨ 노모를 우리 부모 송츄로 보ᄂᆡ고져 ᄒᄆᆡ니, 아딕가ᄃᆡᄂᆞᆫ 이락(哀樂)을 뉴식부와 일쳬로 ᄒ리라."

ᄒ고, 뉴시를 향ᄒ여 므슴 말을 ᄒ고져 ᄒ니, 공이 모친을 붓드러 뎡침으로 가시ᄆᆯ 쳥ᄒ여 왈,

"쇼지 ᄌ의를 거ᄉ리디 못ᄒ【34】와 악인을 무ᄉ히 두오나, 그 작변이 ᄯᅩ 아모 곳의 밋츨 줄 아디 못ᄒ오니, 심신이 ᄎ악ᄒᄆᆯ 니긔디 못ᄒᆸᄂᆞ니, 원컨ᄃᆡ ᄌ위는 요인을 면젼의 ᄌ로 블너 보디 마르시고, 그 간교 악악ᄒᆫ 쇠를 쳥납디 마르쇼셔."

부인이 비록 ᄋᄃᆞᆯ의 말이나 이러ᄐᆺ 쥰졀ᄒ니, 본ᄃᆡ 디은 허믈이 뫼 ᄀᆺᄐᆫ디라, 붓그리ᄂᆞᆫ ᄯᆺ이 이셔 다시 말을 못ᄒ고, ᄌ손의게 붓들녀 원양뎐으로 도라오니, 공이 모친 슬젼(膝前)의 머리를 두다려 쳬읍 고왈,

"쇼지 졀민한 졍ᄉ를 알외ᄋᆸᄂᆞ니, ᄌ위 일분이나 쇼ᄌ를 살고져 ᄒ시거든 찰녀의 간험 극악ᄒᆫ 계교를 용납디 마르【35】샤, 자부 거ᄂᆞ리시기를 화평이 ᄒ여, 녯날 실덕(失德) 패도(悖道)를 바리시면, 쇼지 오히려 셰샹의 머믈녀ᄂᆞ니와, 그러치 아니면 ᄒᆫ 번 쾌히 죽어 구쳔야ᄃᆡ(九泉夜臺)의 션인과 션형을 보ᄋᆸ고 가변의 흉참ᄒᄆᆯ 쳥죄ᄒ리이

공이 모친 말숨이 여ᄎᄒ니, 인ᄌ지도의 뉴씨를 츌치 못ᄒᆯ지라. ᄉᄉ의 ᄌ긔 임의치 못ᄒᄆᆯ 분완ᄒ나, 모친 즁병지여(重病之餘)에 소셩(蘇醒)치 못ᄒᆫ 바의 이ᄀᆺ치 통곡ᄒ니, 긔운이져 져상(沮喪)ᄒᆯ가 위로 왈,

"《츌녀‖찰녀(刹女)》의 죄 관영(貫盈)ᄒ니 브득이 죽이려 ᄒᆸ더니, ᄌ위 ᄌ이 일편 되시니 ᄒᆯ일업ᄂᆫ지라. 이졔는 평상이 두오리니 무익ᄒᆫ 과거를 긋치시고, 졍당으로 드르쇼셔"

태부인이 ᄋᄌ의 구든 ᄯᆺ을 쾌히 두로혀 뉴씨를 졀혼니의[이](絶婚離異)치 아닐 바를 힝심ᄒ나, 호람후의 쥰급ᄒᄆᆯ 아는 고로 혹ᄌ 다시 죽일가 겁ᄒ여 니르ᄃᆡ,

"내 ᄋᄒᆡ 뉴씨를 평상이 두는 날은 노모를 네 집의 편히 잇게 ᄒᄆᆡ오, 뉴씨를 츌거코져 ᄒᆫᄌᆨ 노모를 우리 부모 송츄로 보ᄂᆡ고져【140】ᄒᄆᆡ니, 아직가지는 이락을 뉴식부와 일쳬로 《ᄒᆫ 죄라‖ᄒ리라》."

ᄒ고, 뉴씨를 향ᄒ여 무슴 말을 ᄒ고져 ᄒ니, 공이 모친을 붓드러 졍침으로 가시ᄆᆯ 쳥 왈,

"소지 ᄌ의를 거ᄉ리지 못ᄒ와 악인을 무ᄉ히 두오나, 그 작변[변]이 ᄯᅩ 아모 곳에 밋츨 줄 아지 못ᄒ오니, 심신이 ᄎ악ᄒᄆᆯ 니긔지 못ᄒᆸᄂᆞ니, 원컨ᄃᆡ ᄌ위는 요인을 면젼의 ᄌ로 불너 보지 마르시고, 그 간교 악악ᄒᆫ 쇠를 쳥납지 마르쇼셔"

부인이 비록 ᄋᄃᆞᆯ의 말이나 이러ᄐᆺ 쥰졀ᄒ니, 본ᄃᆡ 지은 허믈이 뫼 ᄀᆺᄐᆫ지라. 붓그리ᄂᆞᆫ ᄯᆺ이 잇셔 다시 말을 못ᄒ고, ᄌ손의게 붓들녀 원양뎐으로 도라오니, 공이 모친 슬젼(膝前)에 머리를 두다려 쳬읍 고왈,

"소지 졀민한 졍ᄉ를 알외ᄋᆸᄂᆞ니, ᄌ위 일분이나 소ᄌ를 술오고져 ᄒ시거든, 찰녀의 간험 극악ᄒᆫ 계교를 용납지 마【141】르샤, ᄌ부 거ᄂᆞ리시기를 화평히 ᄒ여, 옛날 실덕(失德) 픽도(悖道)를 바리시면, 소지 오히려 셰샹에 머믈녀ᄂᆞ니와, 그러치 아니면 ᄒᆫ 번 쾌히 죽어 구쳔야ᄃᆡ(九泉夜臺)에 션인과 션형을 보ᄋᆸ고 가변의 흉참ᄒᄆᆯ 쳥죄ᄒ리이

다."

말노 조추 냥항뉘(兩行淚) 삼삼(森森)ᄒ고 분긔 막힐 듯 셰렴(世念)이 ᄉ연(捨然)ᄒ니, 위부인이 혹 ᄋ지 죽을가 겁ᄒ여 비러 닐오ᄃᆡ,

"노모의 과악은 언간의 다 니를 길히 업거니와, 당초시 ᄒ여는 실노 개과쳑션(改過責善)ᄒ엿ᄂᆞ니, 네 엇디 ○○[밋지] 아니ᄒ미 이딕도록 ᄒ뇨? 노뫼 털 긋만치나 조시 모ᄌ의게 블평ᄒ미 잇거든 네 알패셔 죽을디라도, 【36】 아딕 이런 놀나온 말을 말나."

공이 뉴시의 글을 모친긔 뵈고, 분노ᄒ미 견즐 곳이 업셔 굴오ᄃᆡ,

"요인의 죄악이 텬디의 가득ᄒ거늘, 이졔 또 허믈을 ᄌ졍긔로 밀위는 죄 더옥 방ᄌ흔 줄을 씨둣디 못ᄒ시고, 년이(憐愛)ᄒ시는 졍을 버리디 못ᄒ시미 엇디 이둛디 아니리잇고? 요인을 튤거튼 못ᄒ오나, 응휘각은 곳 화당옥뉘(華堂玉樓)라. 간인의 침쇠 가장 외람ᄒ온디라. 후당을 굴희여 옴기고져 ᄒᄂ이다."

부인이 ᄌ긔는 비록 죽을 디경의 니를디라도 뉴시의 흉독을 니를 뜻이 업거늘, 뉴시는 ᄌ긔 과악을 【37】 일ᄏ라시믈 그윽이 노ᄒ여, ᄉ랑ᄒ던 졍이 일긱디닉(一刻之內)의 변ᄒᄃᆡ, 공의 노긔를 더으디 아니려, 이의 비읍 왈,

"노뫼 극악궁흉디죄(極惡窮凶之罪)를 디으미 뉴시의 말과 ᄀᆞᆺ튼디라. 엇디 괴이타 ᄒ리오. 뉴시 바야흐로 심홰 셩흔 쩌니, 쳥컨디 오ᄋᆞᆫ 노모의 ᄆᆞ음을 편코져 ᄒ거든, 응휘당의 뉴시를 두게 하라."

공이 악인을 죽이디 못ᄒ고, 또 화당(華堂)의 둘 일이 분ᄒ미 흉장이 터딜 듯ᄒ나, 희포 니측(離側)ᄒ엿다가 작셕의야 도라와, 모친 ᄆᆞ음을 블평케 못ᄒ여 증분(憎憤)을 십분 참고 태부인을 위로ᄒ며, 좌우를 명ᄒ여 쇼ᄉ를 브르라 【38】 ᄒ니, 초시 쇼싀 바야흐로 뉴시를 붓드러 누으시믈 쳥ᄒ여, 부친 노긔 일시 과격ᄒ시나 타일 츈셜 ᄀᆞᆺ틀

다"

말노 조추 냥항뉘(兩行淚) 삼삼(森森)ᄒ고 분긔 막힐 듯 셰렴(世念)이 ᄉ년(捨然)ᄒ니, 위 부인이 혹 ᄋ지 죽을가 겁ᄒ여 비러 니르ᄃᆡ,

"노모의 과악은 언간에 다 니를 길히 업거니와, 당초시 ᄒ여는 실노 긔과쳑션(改過責善)ᄒ엿ᄂᆞ니, 네 엇지 밋지 아니ᄒ미 이딕도록 ᄒ뇨? 노뫼 털 긋만치나 조씨 모ᄌ에게 불평ᄒ미 잇거든 네 압히셔 죽을지라도, 아직 이런 놀나온 말을 말나."

공이 뉴씨의 글을 모친긔 뵈고, 분노ᄒ미 견즐 곳이 업셔 굴오ᄃᆡ,

"요인의 죄악이 텬지의 가득ᄒ거늘, 이졔 또 허믈을 ᄌ졍긔로 밀위는 죄 더옥 방ᄌ흔 줄【142】을 씨둣지 못ᄒ시고, 연이(憐愛)ᄒ시는 졍을 버히지 못ᄒ시미 엇지 이둛지 아니리잇고? 요인을 튤거튼 못ᄒ오나 응휘각은 곳 화당옥누(華堂玉樓)라. 간인의 침쇠 가장 외람ᄒ온지라. 후당을 굴회여 옴기고져 ᄒᄂ이다."

부인이 ᄌ긔는 비록 죽을 지경의 니를지라도 뉴씨의 흉독을 니를 뜻이 업거늘, 뉴씨는 ᄌ긔 과악을 나무라시믈 그윽이 노ᄒ여, ᄉ랑ᄒ던 졍이 일각지닉(一刻之內)의 변ᄒᄃᆡ, 공의 노긔를 더으지 아니려 이의 비읍 왈,

"노뫼 극악궁흉지죄(極惡窮凶之罪)를 지으미 뉴씨의 말과 ᄀᆞᆺ튼지라. 엇지 괴이타 ᄒ리오. 뉴씨 바야흐로 심홰 셩흔 쩌니, 쳥컨디 오ᄋᆞᆫ 노모의 ᄆᆞ음을 편코져 ᄒ거든, 응휘당의 뉴씨를 두게 하라."

공이 악인을 죽이지 못ᄒ고 또 화당(華堂)의 둘 일이 분ᄒ미 흉장이 터질 듯ᄒ나, 희포 이칙(離側)【143】ᄒ엿다가 작셕의야 도라와, 모친 ᄆᆞ음을 불평케 못ᄒ여 증분(憎憤)을 십분 참고 태부인을 위로ᄒ며, 좌우를 명ᄒ여 소ᄉ를 부르라 ᄒ니, 초시 소싀 바야흐로 뉴씨를 붓드러 누으시믈 쳥ᄒ여, 부친 노긔 일시 과격케 ᄒ시나, 타일 츈

바를 일ㅋ라, 동동(洞洞)855)훈 셩회 아니 밋춘 곳이 업스디, 뉴시 일분 감동디심이 업셔, 즈긔 머리를 쇼스의 가슴의 브디이즈미 흉격이 울히는디라. 쇼시 즈약히 비러, '병태를 이러툿 마르쇼셔' 호디, 뉴시 니를 갈며 쇼스의 일신을 옭쓰드니856) 《모든 ‖ 모단》 범이 흉독훈 긔운을 발호여 사름을 즛너흐는857) 형상 굿트여 보기의 무셔오니, 당쇼졔 톄스모골(涕泗毛骨)858)호여 팔장 꼿고 먼니 셧더니, 시녜 부명을 젼호는디라.

쇼시【39】계오 몸을 니러 부젼의 나아가 응명호니, 공이 냥구(良久)히 보다가 혀츠고, 한숨(汗衫)859)을 쩌혀 쇼스의 손을 뽓미고 츄연(惆然) 즈상(自傷)호더니, 녀름 옷시 살히 빗최는디라. 쇼스의 일신의 곳곳이 피 엉긔여시니, 크게 놀나믈 마디 아냐 연고를 므르니, 쇼시 창황(蒼黃)결860)의 옷슬 밧고와 닙디 못호엿다가 야애 보신 비 되니, 디홀 말이 업셔 유유(儒儒)호다가, 디왈,

"아즈 망극훈 경계를 당호오니 실노 살 뜻이 업수와 두로 브디이즌 곳이로소이다."

공이 비록 소탈호나 엇디 고디드르리오. 변식 왈,

"네 아즈(俄者)861)의 브디이즈미 업거놀, 하고(何故)로 아비를 이러툿 속【40】이느뇨?"

셜파의 응휘각 시녀를 블너 쇼스의 상훈 연고를 므른디, 졔녜 므슴 툥셩으로 뉴시를 듯덥흐리오. 일시의 쇠 꼿치로 뿌시며 줘여

<hr/>

855)동동(洞洞) : 동동촉촉(洞洞屬屬)을 줄여 쓴 말. 공경하고 삼가며 매우 조심스러워 함.
856)옭쓰드다 : 옭 뜯다. 꽉 움켜잡고 물어뜯다. *옭다; 움켜잡다.
857)즛너흐다 : 즛너흘다. 함부로 마구 물어뜯다. *너흘다; 물다. 물어뜯다. 씹다.
858)톄스모골(涕泗毛骨) : 눈물이 흘러 털끝과 뼛속까지 스며듦.
859)한숨(汗衫) : 손을 가리기 위하여서 두루마기, 소창옷, 여자의 저고리 따위의 윗옷 소매 끝에 흰 헝겊으로 길게 덧대는 소매.
860)-결 : '지나가는 사이', '도중'의 뜻을 더하는 접미사.
861)아즈(俄者) : 조금 전, 방금 전.

셜 굿툴 바를 일ㅋ라 동동(洞洞)824)훈 셩회 아니 밋춘 곳이 업스디, 뉴씨 일분 감동지심이 업셔 즈긔 머리를 소스의 가슴의 브드이즈미 흉격이 울히는지라. 소시 즈약히 비러, '병톄를 이러툿 마르쇼셔' 호디, 뉴씨 니를 갈며 소스의 일신을 옭쓰드니825) 모진 범이 흉독훈 긔운을 발호여 사름을 줏너흐는826) 형상 굿트여 보기의 므셔오니, 댱소졔 톄스모골(涕泗毛骨)827)호여 팔장 꼿고 먼니 셧더니, 시네 부명을 젼호는지라.

소시 계오 몸을 니러 부젼에 나아가 응명호니, 공이 냥구(良久)히 보【144】다가 혀츠고, 한숨(汗衫)828)을 쩌혀 소스의 손을 뽓미고 츄연(惆然) 즈상(自傷)호더니, 여름 옷시 살이 빗최는지라. 소스의 일신에 곳곳이 피 엉긔여시니 크게 놀나믈 마지 아냐 연고를 므르니, 소시 창황(蒼黃)결829)의 옷슬 밧고아 닙지 못호엿다가 야애 보신 비 되니, 디홀 말이 업셔 유유(儒儒)호다가, 디왈,

"아즈 망극훈 경계를 당호오니 실노 살 뜻이 업수와 두로 부드이즌 곳이로소이다."

공이 비록 소탈호나 엇지 고지드르리오. 변식 왈,

"네 아즈(俄者)830)의 브드이즈미 업거놀 하고로 아비를 이러툿 속이느뇨?"

셜파에 응휘각 시녀를 블너 소스의 상훈 연고를 므른디, 졔녜 므슴 츙셩으로 뉴씨를 듯덥흐리오. 일시에 디호되 부인이 쇠 꼿치

<hr/>

824)동동(洞洞) : 동동촉촉(洞洞屬屬)을 줄여 쓴 말. 공경하고 삼가며 매우 조심스러워 함.
825)옭쓰드다 : 옭 뜯다. 꽉 움켜잡고 물어뜯다. *옭다; 움켜잡다.
826)즛너흐다 : 즛너흘다. 함부로 마구 물어뜯다. *너흘다; 물다. 물어뜯다. 씹다.
827)톄스모골(涕泗毛骨) : 눈물이 흘러 털끝과 뼛속까지 스며듦.
828)한숨(汗衫) : 손을 가리기 위하여서 두루마기, 소창옷, 여자의 저고리 따위의 윗옷 소매 끝에 흰 헝겊으로 길게 덧대는 소매.
829)-결 : '지나가는 사이', '도중'의 뜻을 더하는 접미사.
830)아즈(俄者) : 조금 전, 방금 전.

쓰더 계시이다. 공이 일마다 통한ᄒᄆ미 시긱(時刻)의 악인을 너흘고져 ᄒᄃ틴, 태부인이 응당 과도히 말니실더라. 분노를 셔리담고 오릭도록 말을 아니ᄒ더니, 태부인긔 고왈,

"요인이 일분도 뉘웃는 일이 업고 셩악이 졈졈 더ᄒ여, 희텬을 보젼ᄒ홀 길히 업는더라. 쇼지 요힝 악인의 혈육을 바드미 두 낫 녀식이오, ᄋᆞᆫ들을 나치 아냐 문호의 대화를 취치 아니ᄒ오ᄃᄐᆡ, 요믈의 작변【41】이 아모 곳의 밋츨 줄 모로오니, 쳔만 바라옵ᄂᆞ니 ᄌᆞ위는 악인의 흉심을 듯디 마르샤, 간계의 ᄲᆞ디디 마르쇼셔."

셜파의 슈루(垂淚) 댱탄(長歎) 왈,

"져 창텬이 엇디 뉘가 요믈을 금셰의 머므러, 내 집의 변고를 한업시 니릭혀는고? 가히 텬의를 아디 못ᄒ리로다. 내 닙어셰(立於世)ᄒ믜, ᄒᆞᆫ 조각 젹블션(積不善)의 노르슬 아니ᄒ고, 효우를 완젼코져 ᄒᆞᆫ 거시, 뉴녀의 연고로 ᄌᆞ졍긔 무궁ᄒᆞᆫ 누얼을 깃쳐 블회 비경ᄒ니 살 ᄯᅳ디 업고, 형슈를 ᄒᆞ마 ᄉᆞ디(死地)의 ᄲᆞ디올 번 ᄒ니, 맛춤 피화ᄒ믈 신긔히 ᄒᆞ샤 보젼ᄒ믜나, 내 져바리믈 극딘히 ᄒ【42】엿는디라. 싱젼ᄉᆞ후(生前死後)의 조션의 죄인이 되믈 면치 못ᄒ니, 엇디 슬프디 아니리오."

창후 형뎨 역비(亦悲)ᄒ여 관을 숙일 ᄯᅥᆷ이오, 태부인은 뉴시의 셩악이 《ᄭᅡ디∥차디》 아냐, 쇼ᄉᆞ의 《참담이 일신이∥일신이 참담이》 상ᄒ여시믈 ○○[보고] 비로소 오날ᄂᆞᆯ의 다드라 과도히 넉이ᄃᆡ, 오히려 연무듕(煙霧中) 사름 ᄀᆞᄐᆞ여, 창후 형뎨의 셩회 딘짓 ᄆᆞᄋᆞᆷ이믈 치 아디 못ᄒ더라.

호람휘 심회 어ᄌᆞ러오나 노분을 춤고, 쇼ᄉᆞ의 상쳐를 살펴 약을 바르라 당부ᄒ고, 엄졀이 칙왈(責曰),

"대슌(大舜)이 만고 셩인이샤ᄃᆡ, '쇼장즉슈(小杖則受)ᄒ고 대장즉쥬(大杖則走)라'862) ᄒ여시니, 너의 셩회 츌텬(出天)ᄒ

862) '쇼장즉슈(小杖則受)ᄒ고 대장즉쥬(大杖則走)라' : 작은 매는 맞되 큰 매는 도망하여 피하라는 말.

로 ᄲᆞᆰ시며 쥐여ᄯᅳ더 계시니다. 공이 일마다 통한ᄒ미 시각(時刻)에 악인을 너흘고져 ᄒᄃ틴, 태부인이 응당 과도히 말니실지라. 분【145】노를 셔리담고 오릭도록 말을 아니ᄒ더니, 태부인긔 고 왈,

"요인이 일분도 뉘웃는 일이 업고 셩악이 졈졈 더ᄒ여 희텬을 보젼ᄒ홀 길히 업는지라. 소지 요힝 악인의 혈육을 바드미 두 낫 녀식이오, ᄋᆞᆫ들을 나치 아냐 문호의 ᄃᆡ화를 취치 아니ᄒ오ᄃᆡ, 요물의 작변이 아모 곳에 밋츨 줄 모로오니, 쳔만 ᄇᆞ라옵ᄂᆞ니 ᄌᆞ위는 악인의 흉심을 ○○[듯지] 마르샤 간계의 ᄲᅡ지지 마르쇼셔"

셜파에 슈루(垂淚) 장탄(長歎) 왈,

"져 창텬이 엇지 뉘가 요물을 금셰에 머므러, 닉 집을 실망(悉亡)케 ᄒ시는고? 《기히∥가히》 텬의를 아지 못ᄒ리로다. 닉 닙어셰(立於世)ᄒ믜 젹블션(積不善)을 아지 못ᄒ리오. 뉴녀의 연고를[로] ᄌᆞ졍긔 무한이 누명을 깃쳐 블회 비경ᄒ니 셰간에 살 ᄯᅳ시 업고, 현슈(賢嫂)를 모함ᄒ여 죽을 곳에 모라 너흐니 다힝이 피화ᄒ기를 신긔히 ᄒᆞ샤 보젼ᄒ시나, 닉 져바리기【146】를 극진이 ᄒ지라. 싱젼ᄉᆞ후(生前死後)에 조션(祖先)긔 불효 죄인이라, 이 엇지 통박(痛迫) 원민(冤悶)치 아니리오."

창후 형뎨 ᄯᅩᄒ 비창(悲愴)ᄒ여 다만 관을 슉일 ᄲᅮᆫ이오, 태부인은 뉴씨의 셩악이 ᄎᆞ지 아냐, 소ᄉᆞ의 일신이 ○○○[참담이] 상ᄒ여○○○○[시믈 보고], 금일이야 과도ᄒ 줄 알되 오히려 연무즁(煙霧中)에 드럿든 사름 ᄀᆞᄐᆞ여 창후 ○○[형제]의 셩회 지셩이믈 죵시 아지 못ᄒ더라.

공이 심회 산난ᄒ나 강잉ᄒ여 참고, 소ᄉᆞ의 상쳐의 약을 ᄇᆞ르라 ᄒ고, 엄졀이 칙ᄒ여 왈,

"ᄃᆡ슌(大舜)은 텬ᄒ ᄃᆡ셩이ᄉᆞ되, '소장즉슈(小杖則受)ᄒ고 ᄃᆡ장즉슈[쥬](大杖則走)라'831) ᄒ시니, 너의 셩효 츌텬ᄒ나 몸이

831) '쇼장즉슈(小杖則受)ᄒ고 대장즉쥬(大杖則走)라' : 작은 매는 맞되 큰 매는 도망하여 피하라는 말.

나, '경신(敬身)이 【43】위대(爲大)ㅎ믈'863) 싱각ㅎ여 보신디계(保身之計)를 헤아리미 맛당ㅎ거늘, 하고로 악인의 독슈를 피치 아 냐 죽기를 두려 아니ㅎᄂ뇨? 네 악인을 위 ᄒᆞᆫ 정셩이 몸이 상ᄒᆞᄃᆡ 알픈 줄을 아디 못 ᄒᆞ나, 내 ᄯ또 네게 존듕ᄒᆞ미 악인만 못ᄒᆞ디 아니ᄒᆞ니, 엇디 악인을 몬져 알고 아비로뼈 버금으로 ○○[아라] 내 말을 경히 녁이믈 노예ᄀᆞᆺ치 ᄒᆞ고, 악인의 간험디셜(姦險之說) 을 듕히 녁이믄 엄부(嚴父)의 뎡대ᄒᆞᆫ 경계 ᄀᆞᆺ치 쥰힝ᄒᆞ니, 이 젼혀 악인의 셩독(性毒) 을 두리고 아븨 용녈코 프러디믈 업슈히 녁 이미어니와, 엇디 나의 통한ᄒᆞ미 업스리오. 네 발부의 알패 이션【44】디는 일삭이오, 노부는 작셕(昨夕)의 도라와시니, 인ᄌ(人 子) 졍니의 아딕 내 압흘 ᄯᅥ나디 아니미 올 커늘, 악인의 병이 므슴 대시라 일시도 ᄯᅳᆯ 너나디 못ᄒᆞᆯ 줄노 아ᄂ뇨? 금일브터 노부의 압흘 ᄯᅥ나디 말나."

쇼시 브복 쳥죄 왈,

"블쵸이 무상ᄒᆞ와 엄훈을 거역ᄒᆞ미 만ᄉᆞ 오니 죄 죽어 맛당ᄒᆞ오나, 엄젼을 연고 업 시 ᄯᅳᆯ너 나오미 아니라, ᄌᆞ모의 딜환이 만 분 위악ᄒᆞᆫ 디경이오니, 인ᄌᆞ의 되 ᄎᆞ마 ᄯᅥ 나디 못ᄒᆞ오미니, 엇디 감히 엄명의 듕ᄒᆞ시 믈 아디 못ᄒᆞ○[미]리잇고?"

셜파의 경운화풍디상(慶雲和風之相)의 슈 운(愁雲)이 함집(咸集)ᄒᆞ니, 공의 년이 귀듕 ᄒᆞᄂᆞᆫ【45】졍을 비홀 곳이 이시리오마는, 뉴시를 통히ᄒᆞ미 극ᄒᆞ미 년좨(緣坐) 업스리 오. 뎡식 왈,

"네 악인의 험독(險毒)을 두려 아븨 말을 홍모(鴻毛)ᄀᆞᆺ치 녁이니, ᄎᆞ후란 날다려 양뷔 (養父)라 말고 힝노(行路)ᄀᆞᆺ치 녁이라."

언파의 ᄉᆞ매를 ᄲᅵᆯ쳐 빅화헌으로 나오니, 창후 곤계 황공ᄒᆞ여 뫼셔 나오ᄃᆡ 감히 승당 치 못ᄒᆞ고 계하의 브복ᄒᆞ니, 공이 창후를 일장 대칙ᄒᆞ여, 뉴시 죽이려 ᄒᆞ믈 브졀업시 태부인긔 고ᄒᆞ여 계괴 그릇 되믈 칙ᄒᆞ더니,

위퇴ᄒᆞ믈 싱각ᄒᆞ여 보신지칙(保身之策)○○ ○○○○○[을 헤아리지 아니]ᄒᆞ고, 독슈를 피치 아냐, 죽기를 두려 아니ᄒᆞᄂ뇨? 네 악 인을 위ᄒᆞᆫ 졍셩이 몸이 상ᄒᆞᄃᆡ 알픈 줄을 아지 못ᄒᆞ나, 내 ᄯᅩ 네게 존즁ᄒᆞ미 악인만 못ᄒᆞ지 아니ᄒᆞ니, 엇지 악인을 몬져 알고 아비로뼈 버금으로 아라, 내 말을 경히 녁 이믈 【147】노예ᄀᆞᆺ치 ᄒᆞ고, 악인의 간험지 셜(姦險之說)을 즁히 녁이믄 엄부(嚴父)의 졍ᄃᆡ혼 경계ᄀᆞᆺ치 쥰힝ᄒᆞ니, 이 젼혀 악인의 셩독(性毒)을 두리고 아뷔 용녈코 프러지믈 업슈히 녁이미어니와, 엇지 나의 통한ᄒᆞ미 업스리오. 네 발부의 알픠 잇션지는 일삭이 오, 노부는 작셕(昨夕)에 도라왓시니, 인ᄌ (人子) 졍니의 아직 내 압홀 ᄯᅥ나지 아니미 올커늘, 악인의 병이 므슴 대시라 일시도 ᄯᅳᆯ너나지 못ᄒᆞᆯ 줄노 아ᄂ뇨? 금일브터 노부 의 압홀 ᄯᅥ나지 말나"

쇼시 부복 쳥죄 왈,

"불초이 무상ᄒᆞ와 엄훈을 거역ᄒᆞ미 만ᄉᆞ 오니 죄 죽어 맛당ᄒᆞ오나, 엄젼을 연고 업 시 믈너 나오미 아니라, 《조모‖ᄌᆞ모》의 질환이 만분 위악ᄒᆞᆫ 지경이오니, 인ᄌᆞ의 되 ᄎᆞ마 ᄯᅥ나지 못ᄒᆞ오미니 엇지 감히 엄명의 즁ᄒᆞ시믈 아지 못ᄒᆞ○[미]리잇고?"

셜파에 경운화풍지상(慶雲和風之相)의 슈 운(愁雲)이 함집(咸集)ᄒᆞ니, 공의 년이 귀즁 ᄒᆞᄂᆞᆫ 졍을 【148】비홀 곳이 잇시리오마는, 뉴씨를 통히ᄒᆞ미 극ᄒᆞ미 연좨(緣坐) 업스리 오. 졍식 왈,

"네 악인의 험독(險毒)을 두려 아븨 말을 홍모(鴻毛)ᄀᆞᆺ치 녁이니, ᄎᆞ후란 날다려 양뷔 (養父)라 말고 힝노(行路)ᄀᆞᆺ치 녁이라."

언파의 ᄉᆞ미를 ᄲᅵᆯ쳐 빅화헌으로 나오니, 창후 곤계 크게 황공ᄒᆞ여 뫼셔 나오ᄃᆡ 감히 승당치 못ᄒᆞ고 계하의 부복ᄒᆞ니, 공이 창후 를 일장 대칙ᄒᆞ여, 뉴씨 죽이려 ᄒᆞ믈 부졀 업시 태부인긔 고ᄒᆞ여 계교 그릇 되믈 칙ᄒᆞ 더니, 믄득 종직 취운산 하·뎡·진 제공이 릭림(來臨)ᄒᆞ믈 고ᄒᆞ니, 공이 반겨 창후의

---

863)경신(敬身)이 위대(爲大)홈 : 내 몸을 공경하는 것이 가장 크다는 말.

믄득 종지 취운산 하·뎡·딘 제공이 닉림(來臨)ᄒᆞᆷ믈 고ᄒᆞ니, 공이 반겨 창후의 평신ᄒᆞᆷ믈 니르니, 졔인을 마즈미 쇼ᄉᆞᆫ 믈【46】너나더라.

삼공이 승당ᄒᆞ여 한훤파(寒暄罷)의 하공이 문왈,

"쇼뎨 형과 녕딜(令姪) 등을 반기고져 니ᄅᆞᆯ럿더니, 엇디 긔식이 화열치 못ᄒᆞ뇨?"

윤공이 미우를 ᄡᅥᆼ긔여 왈,

"쇼뎨 누년 집을 ᄯᅥ낫다가 도라와 모즈슉딜이 모드미 가히 깃브다 홀 거시로ᄃᆡ, 디난 변고를 싱각ᄒᆞᄆᆡ 심골이 경한(驚寒)ᄒᆞᆷ믈 니긔디 못홀 ᄲᆞᆫ 아니라, ᄉᆞ괴 년다(連多)864)ᄒᆞ여 뉴가 발부를 죽이도 못ᄒᆞ고 츌거도 못ᄒᆞ니, 츠후 화란이 ᄯᅩ 어니 곳의 밋츨 줄 알니오. 쇼뎨 이를 싱각ᄒᆞᄆᆡ 보디 말고져 ᄒᆞ거늘, ᄌᆞ딜의 이상ᄒᆞᆷᄆᆞᆫ 악인을 위ᄒᆞᆫ 성회 쇼뎨를 향ᄒᆞᆫ 졍(情)의셔 세 번 더으고,【47】악인을 두리ᄆᆞᆫ 군샹 버금이라. 엇디 통한치 아니리오."

졔공이 딤작ᄒᆞ여 말을 아니코, 하공이 윤공을 향ᄒᆞ여 쇼ᄉᆞ 보ᄆᆞᆯ 청ᄒᆞᆫᄃᆡ, 윤공이 ᄋᆞᄌᆞ를 명소ᄒᆞ니, 쇼시 초후의 말과 하시의 도라오디 아니믈 분노ᄒᆞ여 하공을 보디 말고져 ᄒᆞ엿더니, 부명을 니어 승명(承命) 츄딘(趨進)ᄒᆞᄆᆡ, 공이 뎡식 왈,

"녈위 존형은 곳 여부의 듁마디위(竹馬之友)865)라. 네 므슴 괴거(怪擧)로 ᄲᆔ를 ᄯᅳ어 맛기를 폐ᄒᆞᄂᆞ뇨?"

쇼시 블민ᄒᆞᆷ믈 샤죄ᄒᆞ고, 삼공긔 녜필의 말셕의 시좌ᄒᆞ니, 하공이 극ᄋᆡ(極愛)ᄒᆞ여 손을 잡고 흔연 쇼왈,

"현셔ᄂᆞᆫ 빅년 손이라 ᄒᆞ엿고, 셰샹이 괴이ᄒᆞ여 빙가를 만모(慢侮)ᄒᆞ고 부【48】형디우(父兄之友)라도 빙악된 후ᄂᆞᆫ 공경치 아니ᄆᆞᆫ 폐풍(弊風)이니, 현셔를 홀노 칙ᄒᆞ리오. 돈ᄋᆞ(豚兒) 년쇼ᄒᆞ여 말을 삼가디 못ᄒᆞᄆᆡ 이시나, 노뷔 가ᄅᆞ친 일이 아니니 현셰

평신ᄒᆞᆷ믈 니르니, 제공을 마즈미 소ᄉᆞᆫ 믈너 나더라.

삼공이 승당ᄒᆞ여 한훤파(寒暄罷)에 하공이 문왈,

"소뎨 형과 영딜 등을 반기라 니르럿더니 엇지 긔식이 화열치 못ᄒᆞ뇨?"

윤공이 미우를 ᄡᅥᆼ긔여 왈,

"쇼뎨 누년 집을 ᄯᅥ낫다가 도라와 모즈슉딜이 모드미 가【149】히 깃부다 홀 거시로ᄃᆡ, 지난 변고를 싱각ᄒᆞᄆᆡ 심골이 경한(驚寒)ᄒᆞᆷ믈 니긔지 못홀 ᄲᅮᆫ 아니라, ᄉᆞ괴 연다(連多)832)ᄒᆞ여 뉴가 발부를 죽이도 못ᄒᆞ고 츌거도 못ᄒᆞ니, 츠후 화란이 ᄯᅩ 어나 곳의 밋츨 줄 알니오. 쇼뎨 이를 싱각ᄒᆞᄆᆡ 보지 말고져 ᄒᆞ거늘, ᄌᆞ딜의 이상ᄒᆞᆷᄆᆞᆫ 악인을 위ᄒᆞᆫ 성회 소뎨를 향ᄒᆞᆫ 졍(情)에셔 세 번 더으고, 악인을 두리ᄆᆞᆫ 군샹 버금이라. 엇지 통한치 아니리오."

졔공이 짐작ᄒᆞ여 말을 아니ᄒᆞ고, 하공이 윤소ᄉᆞ 보ᄆᆞᆯ 청ᄒᆞᆫᄃᆡ, 윤공이 ᄋᆞᄌᆞ를 명소ᄒᆞ니, 소시 초후의 말과 하씨의 도라오지 아니믈 분노ᄒᆞ여 하공을 보지 말고져 ᄒᆞ엿더니, 승명(承命) 츄진(趨進)ᄒᆞᄆᆡ, 공이 졍식 왈,

"모든 존형은 곳 여부의 죽마고우(竹馬故友)833)라 네 무슨 괴거(怪擧)로 ᄲᆔ를 ᄯᅳ어 맛기를 폐ᄒᆞᄂᆞ뇨?"

소시 불민ᄒᆞᆷ믈 ᄉᆞ죄ᄒᆞ고 삼공긔 례필에 말셕의 시좌ᄒᆞ니, 하공이 극【150】ᄋᆡᄒᆞ여 손을 잡고 흔연 소왈,

"현셔는 빅년 손이라 ᄒᆞ엿고, 셰샹이 괴이ᄒᆞ여 빙가를 만모(慢侮)ᄒᆞ고 부형지우(父兄之友)라도 빙악된 후는 공경치 아니ᄆᆞᆫ 폐풍(弊風)이니, 현셔를 독칙(獨責)ᄒᆞ리오. 돈ᄋᆞ 년쇼ᄒᆞ여 말을 삼가지 못ᄒᆞᆷᄆᆡ 잇시나, 노뷔 ᄀᆞᄅᆞ친 일이 아니니 너의 날을 미온ᄒᆞ

---

864)년다(連多) : 걸려 있는 것이 많음.
865)듁마디위(竹馬之友) : 대나무 말을 타고 놀던 벗이라는 뜻으로, 어릴 때부터 같이 놀며 자란 벗.

832)년다(連多) : 걸려 있는 것이 많음.
833)죽마고우(竹馬故友) : 대나무 말을 타고 놀던 벗이라는 뜻으로, 어릴 때부터 같이 놀며 자란 벗.

날을 미온ᄒᆞ미 당연디ᄉᆞ(當然之事)냐?

쇼시 피셕 왈,

"쇼싱이 엇디 합하를 미온ᄒᆞ리잇고? 녕윤이 벼르믈 초덕 역탁ᄀᆞᆺ치 히ᄒᆞ렷노라 ᄒᆞ니, 혹ᄌᆞ 강한흔 셰엄(勢嚴)866)이 긴 명을 즈레 ᄭᅳᆺ츠미 이실가 두려, 과연 머리를 움치고 존젼의 봉ᄇᆡ(奉拜)ᄒᆞ믈 원치 아니 ᄒᆞ미니이다."

뎡공이 희연 쇼왈,

"하형의 말이 다 딘졍이어ᄂᆞᆯ ᄉᆞ빈이 엇디 ᄃᆡ답ᄒᆞ믈 가작(假作)으로 ᄒᆞᄂᆞ뇨? ᄌᆞ의 분두의 말을 과격【49】히 ᄒᆞ미 이시나, 동긔를 위흔 졍이 넘뼈 압뒤흘 혜아리디 못ᄒᆞ고, 분완ᄒᆞ던 바를 다 토셜ᄒᆞ미, ᄉᆞ빈이 크게 노ᄒᆞ미어니와 어이 그딕도록 미몰ᄒᆞ여, 부지 디금 얼골을 아디 못ᄒᆞ니, 평일 화홍ᄒᆞ던 긔량이 아닌가 ᄒᆞ노라."

윤공이 쇼ᄉᆞ의 노ᄒᆞᄂᆞᆫ 곡졀을 므러 알고, 다만 니르ᄃᆡ,

"ᄌᆞ의 말은 다 뎡논이오, 돈이 노ᄒᆞᆷ은 다 협익(狹隘)흔 연괴라. 돈이 비상화란 ᄒᆞ미 셩졍이 만히 상ᄒᆞ고, 다만 아는 거시 뉴가 발뷔오, 기여는 쇼ᄃᆡ라도 힝노인(行路人)ᄀᆞᆺ치 넉이니 통히ᄒᆞ나, 괴벽흔 픔질을 일시디간(一時之間)의 곳치디 못ᄒᆞ여, 져히 ᄒᆞᄂᆞᆫᄃᆡ로 바려두노라."

하공【50】 왈,

"원광의 언시 무식광패(無識狂悖)ᄒᆞ미 심ᄒᆞ니, ᄉᆞ빈의 노ᄒᆞ미 괴이ᄒᆞ리오."

윤공 왈,

"쇼뎨 히포만의 도라오ᄃᆡ, 식부와 손ᄋᆞ를 보디 못ᄒᆞ니 창연(愴然)ᄒᆞᆫ다라. 식부를 슈히 도라보ᄂᆡ《여‖미》 엇더 ᄒᆞ뇨?"

하공이 원ᄂᆡ 셩인흔 녀ᄋᆞ를 미양 다리고 이실 거슨 아니로ᄃᆡ, 뉴시의 극악ᄒᆞ미 녀ᄋᆞ를 윤부로 보ᄂᆡᄂᆞᆫ 날은 뇽담호구(龍潭虎口)의 드리침 ᄀᆞᆺ틀디라. ᄉᆞ졍의 민박ᄒᆞ믈 니긔디 못ᄒᆞᄃᆡ, ᄉᆞ식디 아니코 답왈,

"녀이 져의 도리 발셔 도라왐즉 ᄒᆞᄃᆡ, 약딜이 비상변고(非常變故)ᄒᆞ여 신병(身病)이

미 당연ᄉᆞ(當然事)냐?"

소시 피셕 왈,

"셔싱이 엇지 합하를 미온ᄒᆞ리잇고? 영윤이 벼르믈 초젹 역탁ᄀᆞᆺ치 히ᄒᆞ렷노라 ᄒᆞ니, 혹ᄌᆞ 강한흔 셰엄(勢嚴)834)이 긴 명을 즈레 ᄭᅳᆺ츠미 이실가 두려, 과연 머리를 움치고 존젼의 봉ᄇᆡ(奉拜)ᄒᆞ믈 원치 아니ᄒᆞ미니이다."

뎡공이 희연 소왈,

"하형의 말이 다 진졍이어ᄂᆞᆯ ᄉᆞ빈이 엇지 ᄃᆡ답ᄒᆞ믈 가작(假作)으로 ᄒᆞᄂᆞ뇨? ᄌᆞ의 분두의 말을 《과겸이‖과격히》 ᄒᆞ미나, 동긔를 위흔 졍이 넘쳐 압뒤흘 혜아리지 못ᄒᆞ고, 분완흔들 다 토셜ᄒᆞ미, ᄉᆞ빈이 크게 노ᄒᆞ미어니와 어이 그딕도록 미몰【151】ᄒᆞ여, 부지의 지금 졍을 아지 못ᄒᆞ니, 젼일 화홍턴 긔량으로 화평케 ᄒᆞ{노}라."

윤 공이 소ᄉᆞ의 노ᄒᆞᄂᆞᆫ 곡졀을 무러 알고, 다만 갈오ᄃᆡ,

"ᄌᆞ의 말은 다 졍논이오, 미돈이 노ᄒᆞᆷ은 다 협익(狹隘)흔 연괴라. 돈이 비상화란을 격그미 셩졍이 만히 상ᄒᆞ고, 다만 아는 빈 뉴가 발부오, 기여는 아비라 ᄒᆞ여○[도] 견여힝노(見如行路)ᄒᆞ니 통히ᄒᆞ나, 괴벽흔 픔질을 일시(一時)의 곳치지 못ᄒᆞ여, 져회 ᄒᆞᄂᆞᆫᄃᆡ로 바려두노라."

하공 왈,

"원광의 언시 무식광픽(無識狂悖)ᄒᆞ미 심ᄒᆞ니 ᄉᆞ빈의 노ᄒᆞ미 괴이ᄒᆞ리오."

윤공 왈,

"소뎨 히포만의 도라오ᄃᆡ, 식부와 손ᄋᆞ를 보지 못ᄒᆞ니 창연흔지라. 식부를 슈히 도라보ᄂᆡ{여}미 엇더 ᄒᆞ뇨?"

하공이 원ᄂᆡ 셩인흔 녀ᄋᆞ를 미양 ᄃᆞ리고 잇실 거슨 아니로ᄃᆡ, 뉴씨의 극악ᄒᆞ미 녀ᄋᆞ를 윤부로 보ᄂᆞᆫ 날은 뇽담【152】호구(龍潭虎口)의 드리침 ᄀᆞᆺ틀지라. ᄉᆞ졍의 민박ᄒᆞ믈 니긔지 못ᄒᆞᄃᆡ, ᄉᆞ식지 아니코 답왈,

"녀이 졔 도리 발셔 도라왐즉 ᄒᆞᄃᆡ, 약질이 비상변고(非常變故)ᄒᆞ여 신병(身病)이 써

써나디 아니ᄒᆞ고, 사름이 되디 못ᄒᆞ엿는 고로, 디우금일(至于今日) 쳔연(遷延)ᄒᆞ엿더니, 됴만(早晚)의 ♀【51】부로 더브러 형의게 비현○[케] ᄒᆞ리라.

윤공이 쳑연 왈,

"쇼뎨 블ᄒᆡᆼᄒᆞ여 악인의게 두 낫 녀식을 두미, 댱녀의 간험ᄒᆞ미 모풍(母風)을 젼쥬(傳主)ᄒᆞ여 셕가를 어즈러이니, 츄악 경심ᄒᆞ미 오문의셔 더ᄒᆞ리라. 아디 못게라 ᄎᆞ녀는 용우ᄒᆞ디언졍 오히려 악악ᄒᆞᆫ[867] 면ᄒᆞ엿더니, 존문의 작죄ᄒᆞ미 업ᄂᆞ냐?"

하공이 답왈,

"식부의 현슉ᄒᆞᆷ믄 다시 일ᄏᆞ를 빈 아니라. 광♀의 외람ᄒᆞᆫ 쳐실이니 쇼뎨 미양 과분ᄒᆞᆷ믈 두릴 ᄲᆞᆫ 아니라, 일월이 갈ᄉᆞ록 ᄒᆞᆫ 조각 허믈을 보디 못ᄒᆞ니, 형은 내 며나리의 다ᄃᆞ라 조곰도 념녀 말나.

윤공이 탄왈,

"형【52】언은 과도ᄒᆞᆫ 위ᄌᆞ(慰藉)[868]어니와, 져ᄒᆡ ᄒᆡᆼ식 일ᄏᆞ를 거시 업ᄉᆞᄃᆡ, 드러난 허믈이나 면ᄒᆞ여시면 만ᄒᆡᆼ이라. 쇼뎨 져를 보고져 ᄠᅳᆺ이 이신죽 ᄌᆞ로 나아가 반기리니, 브졀 업시 악인의 곳의 보ᄂᆡ여 그 어미 악ᄉᆞ를 비호게 말나."

하공이 심듕의 ᄯᅩᄒᆞᆫ 녀부(女婦)를 다 윤가의 보ᄂᆡ고져 아니ᄒᆞᄂᆞᆫ 고로, 윤공의 말을 가장 깃거 글오ᄃᆡ,

"쇼뎨 식부와 녀♀를 도라 보ᄂᆡ여 녕당 태부인 딜환을 구호ᄒᆞᆯ 거시로ᄃᆡ, 녀♀는 딜양이 써나디 아니ᄒᆞ고, 식부는 원광의 고집이 과인ᄒᆞ여 존부 왕ᄂᆡ를 막는 고로, 제 가댱의 ᄠᅳᆺ을 욱이디 못ᄒᆞ여, 형의 샹경ᄒᆞᆷ믈【53】 드르ᄃᆡ 귀근ᄒᆞᆷ믈 쳥치 못ᄒᆞ니, 쇼뎨 그 녀ᄌᆞ 되믈 가련이 넉이더니, 형이 원광의 ᄠᅳᆺ ᄀᆞᆺ트여 식부를 보ᄂᆡ디 말나 ᄒᆞ니, 쇼뎨는 다만 형의 말만 좃ᄎᆞ리라."

호람휘 튜연 왈,

867)악악ᄒᆞ다 : 악악거리다. 억지를 부리고 고함을 지르며 떠들썩거리다.
868)위ᄌᆞ(慰藉) : 위로하고 도와 줌.

나지 아니ᄒᆞ고, 사름이 되지 못ᄒᆞ엿는 고로, 지우금일(至于今日) 쳔연(遷延)ᄒᆞ엿더니, 조만에 ♀부로 더브러 형의게 비현○[케] ᄒᆞ리라."

윤공이 쳑연 왈,

"소뎨 불ᄒᆡᆼᄒᆞ여 악인에게 두 낫 녀식을 두미, 댱녀의 간험ᄒᆞ미 모풍(母風)을 젼쥬(傳主)ᄒᆞ여 《젹가‖셕가》를 어즈러이니, 츄악 경심ᄒᆞ미 오문에셔 더ᄒᆞᆯ지라. 아지 못게라 ᄎᆞ녀는 용우ᄒᆞ지언졍 오히려 악악ᄒᆞᆫ[835] 면ᄒᆞ엿더니, 존문에 작죄ᄒᆞ미 업나냐?"

하공이 답왈,

"식부의 현슉ᄒᆞᆷ믄 다시 일ᄏᆞ를 빈 아니라. 광♀의 외람ᄒᆞᆫ 쳐실이니 소뎨 미양 과분ᄒᆞᆷ믈 두릴 ᄲᆞᆫ 아니라, 일월이 글ᄉᆞ록 ᄒᆞᆫ 조각 허믈을 보지 못ᄒᆞ【153】니, 형은 내 며ᄂᆞ리의 다다라 조곰도 념녀 말나."

윤공이 탄왈,

"형언은 과도ᄒᆞᆫ 위ᄌᆞ(慰藉)[836]어니와, 져ᄒᆡ ᄒᆡᆼ식 일커를 거시 업ᄉᆞᄃᆡ, 드러난 허믈이나 면ᄒᆞ여시면 만ᄒᆡᆼ이라. 소뎨 져를 보고져 ᄠᅳᆺ이 이신죽 ᄌᆞ로 나아가 반기리니, 브졀 업시 악인의 곳에 보ᄂᆡ여 그 어미 악ᄉᆞ를 비호게 말나."

하공이 심즁의 ᄯᅩᄒᆞᆫ 녀부(女婦)를 다 윤가에 보ᄂᆡ고져 아니ᄒᆞᄂᆞᆫ 고로 윤공의 말을 ᄀᆞ장 깃거 글오ᄃᆡ,

"소뎨 식부와 녀♀를 도라 보ᄂᆡ여 영당 태부인 질환을 구호ᄒᆞᆯ 거시로ᄃᆡ, 녀♀는 질양이 써나지 아니ᄒᆞ고 식부는 원광의 고집이 과인ᄒᆞ여 존부 왕ᄂᆡ를 막는 고로, 제 가장의 ᄠᅳᆺ을 우기지 못ᄒᆞ여 형의 샹경ᄒᆞᆷ믈 드르ᄃᆡ 귀근ᄒᆞᆷ믈 쳥치 못ᄒᆞ니, 소뎨 그 녀ᄌᆞ 되믈 가련이 넉이더니, 형이 원광의 ᄠᅳᆺ ᄀᆞᆺ트여 식부를 보ᄂᆡ지 말나 ᄒᆞ니,【154】 소뎨는 다만 형의 말만 좃ᄎᆞ리라."

호람휘 튜연 왈,

835)악악ᄒᆞ다 : 악악거리다. 억지를 부리고 고함을 지르며 떠들썩거리다.
836)위ᄌᆞ(慰藉) : 위로하고 도와 줌.

"우뎨도 인심이라. 오릭 쩌낫던 녀식을 다려다가 보고져 아니리오마는, 녀이 기모의 흉독을 달믈가 두려 보닉믈 쳥치 아니ᄒ노라."

낙양휘 쇼왈,

"형이 팔쳑 대댱부로 일개 부인의 쇼쇼 과실을 믈시치 못ᄒ여, 그딕도록 여러 번 일ᄏᆺᄂ뇨?"

윤공 왈,

"쇼뎨 듕심의 골돌흔 분한과 믜온 거슬 프디 못ᄒ미, ᄌ연 언두의 일ᄏᆺ는 비로다."

드드여 빈쥬 죵용히 담【54】화ᄒ며 쥬비를 날니더니, 뎡병부와 초평휘 파됴 후 윤공을 비견코져 니르니, 쇼시 초후의 오믈 듯고 몸을 닐고져 ᄒ거늘, 호람휘 ᄯᅮ디져 왈,

"제 비록 일시 격분으로 욕ᄒ미 이시나, 네 흔갓 쳐남으로 말고, 누의 안면을 도라보아 냥가의 화긔를 상히오디 아니미 올커놀, 하고로 몸을 피코져 ᄒᄂ뇨? 하 괴벽ᄒ미 일마다 셩졍이 그릇 되여시니, 쥬의를 실진무은(實陳無隱)869)ᄒ라."

쇼시 엄부의 듕칙(重責)이 금일 쳐음이라. 엇디 황공치 아니리오. 피셕 샤죄ᄒ고 도로 쥰슌(遵順) 궤좌(跪坐)ᄒ니, 초후와 병뷔 승당ᄒ여 윤공긔 비현ᄒ니, 공이【55】반겨 흔연이 별회를 니르고, 손ᄋᆨ의 비상ᄒ믈 보디 아냐시나 두굿기믈 니긔디 못ᄒ고, 식부의 도라오디 아니믈 결연(缺然)ᄒ고, 그 딜양을 넘녀ᄒ니, 초휘 윤공이 미뎨를 다려올 ᄯ뜻이 이시믈 보고, 이의 낫빗츨 뎡히 ᄒ고 굴오딕,

"쇼싱의 집이 합하의 대은을 싱각흘딘딕, 머리털흘 샌혀도 갑습디 못흘 덕음(德陰)이라. 흔 누의를 존문의셔 죽이시는 거슬 족히 한ᄒ리잇고마는, 수졍은 실노 버히기 어려온 거시오, 쇼싱의 냥친이 슬하 상쳑(喪慽)870)의 남 달니 상ᄒ신 심【56】장이시

---

869)실진무은(實陳無隱) : 사실을 숨기지 않고 다 말함.

870)상쳑(喪慽) : 참척(慘慽). 자손이 부모나 조부모

"우뎨도 인심이라. 오릭 쩌낫던 녀식을 다려다가 보고져 아니리오마는, 녀이 기모의 흉독을 달믈가 두려 보닉믈 쳥치 아니ᄒ노라."

낙양휘 소왈,

"형이 팔쳑 듸장부로 일긔 부인의 소소 과실을 믈시치 못ᄒ여, 그딕도록 여러 번 일컷ᄂ뇨?"

윤공 왈,

"소뎨 줌심의 츙돌ᄒ미 과ᄒ여 분심을 프지 못ᄒ미, 언두에 닛지 못ᄒ미라."

드다여 빈쥬 한가히 듸ᄒ여 한담ᄒ며 시ᄌ를 명ᄒ여 쥬효를 나와 잔을 날니더니, 《호람후∥뎡병부》와 초평휘 파조 ○[후] 니르니, 쇼시 초후의 오믈 듯고 몸을 닐고져 ᄒ거늘, 공이 칙 왈,

"제 비록 일시 격분으로 실언ᄒ미 이시나 네 흔ᄀᆺ 쳐남으로 말고 누의를 도라보아 냥가 화긔를 상치 아니미 올커늘, 하고로 피【155】ᄒ리오. 오히려 괴벽ᄒ미 ᄉᆞᄉ의 셩졍이 그릇 되여시니 기의를 듯고○○○○[자 ᄒ노라]."

소시 엄부의 즘칙이 금일 쳐음이라. 엇지 황공치 아니리오. 피셕 샤죄ᄒ고 도로 쥰슌(浚巡) 궤좌(跪坐)ᄒ니, 초후와 병뷔 승당ᄒ여 윤공긔 비현ᄒ니, 공이 반겨 흔연이 별회를 니르고, 손ᄋᆨ의 비상ᄒ믈 보지 아냐시나 두굿기믈 니긔지 못ᄒ고, 식부의 도라오지 아니믈 결연(缺然)ᄒ고, 그 질양을 넘녀ᄒ니, 초휘 윤공이 미뎨를 다려올 ᄯ뜻이 이시믈 보고, 이의 낫빗츨 평히 ᄒ고 굴오딕,

"소싱의 집이 합하의 대은을 싱각흘진딕 술을 버리고 머리털을 샌혀도 갑지 못흘 덕음이라. 흔 누의를 존문에서 죽이시는 거슬 족히 한ᄒ리잇고마는, 소싱은 실노 버히기 어려온 거시오, 소싱의 냥친이 슬하 상쳑(喪慽)837)의 남 달니 상ᄒ신 심장이시라. 합하(閤下)의 화홍【156】ᄒ시므로써 일미

---

837)상쳑(喪慽) : 참척(慘慽). 자손이 부모나 조부모보다 먼저 죽는 일.

라. 합하의 화홍(和弘)호시므로써, 일미를 《풍학∥툥학871)》이 남강의 드리쳐 죽으니로 아르샤 촛디 마르시미 힝심이라. 흐믈며 쇼미 희한흔 변고를 겻근 후 딜양이 흐로도 써날 적이 업고 정신이 혼미흐여, 녀즈의 구고를 밧들며 가부를 셤기는 도를 출히디 못흐게 되어시니, 비록 남이 아니 죽여도 댱슈흐믈 바라디 못흐리니, 부모와 동긔의 졍니 구구키를 면치 못흐미나, 져히 팔지 남만 못흐여 ᄋ시로브터 화란을 격고, 사름의게 믜이믈 바다, 일신【57】골절을 분쇄(粉碎)흐여 믈의 씌오는 익화를 당흐니, 만일 듁쳥의 음덕 곳 아니런들, 복ᄋ(腹兒)와 져의 목슘이 보젼흐믈 엇디 어더시리잇고마는, 요힝 회싱흐고 남ᄋ를 싱흐여 셰샹의 낫던 조최 멸치 아니흐니 다힝흔디라. 합하는 원컨디 졔 일싱을 촛디 마르샤, 바린 조부로 최오시면, 쇼싱의 남미 셔로 의디흐여 부모의 참졀흐신 심수를 위로코져 흐읍ᄂ니, 져히 형셰 위란(危亂)키를 밋쳐는, 어나 결을의 부뷔 화락흐여 복녹이 완젼흐믈 바라리잇고? 스빈의[이] 쇼싱의【58】말을 노흐여 셔로 보기를 피흐다 흐거니와, 쇼싱의 누의 독슈의 맛츠실딘디, 쇼싱이 동긔를 위흐여 빈은 망덕흔 무상필뷔(無狀匹夫) 될디언졍, 초덕872)을 멸흔 칼이 다시 미뎨의 원슈 갑흐믈 면흐리잇가마는, 텬되 붉히 살피시믈 인흐여 은인의 두 번 살오는 덕음을 닙은디라. 츠고로 원한을 닛고 쇼미를 존문의 보니디 아니려 흐읍ᄂ니, 스빈이 쇼미 아니라도 다른 부인이 계시고, 그 몸이 팔쳑 댱부로 년긔 십칠의 작치(爵次) 지렬(宰列)의 거흐여시니, 위권(威權)이 스이(四夷)873)를 드렐디라874) 조연이 위예 좃촌

를 《풍학∥츙학838)》이 남강의 드리쳐 죽으니로 아라샤 찻지 말으시미 힝심이라. 흐믈며 쇼미 희한흔 변고를 겻근 후 질양이 흐로도 써날 적이 업고 졍신이 혼미흐여, 녀즈의 구고를 밧들며 가부를 셤기는 도를 출히지 못흐게 되어시니, 비록 《담∥남》이 아니 죽여도 댱슈흐믈 바라지 못흐리니, 부모와 동긔의 졍니 구구키를 면치 못흐미나, 져히 팔지 남만 못흐여 ᄋ시로브터 화란을 격고, 사룸에게 믜이믈 바다 일신 골졀을 분쇄흐여 믈의 씌오는 익화를 당흐니, 만일 죽쳥의 음덕 곳 아니런들 복아(腹兒)와 졔 목슘이 보젼흐믈 엇지 어더시리잇고마는, 요힝 회싱흐고 남ᄋ를 싱흐여 셰상에 낫던 조최 멸치 아니흐니 다힝흔지라. 합하는 원컨디 졔 일싱을 촛지 마르샤 바린 조부로 치오시면, 쇼싱【157】의 남미 셔로 의지흐여 부모의 참졀흐신 심수를 위로코져 흐읍ᄂ니, 져의 형셰 위란(危亂)키의 밋쳐는, 어나 결을에 부뷔 화락흐여 복녹이 완젼흐믈 브라리잇고? 스빈이 쇼싱의 말을 노흐여 셔로 보기를 피흐다 흐거니와, 쇼싱의 누의 독슈에 맛츠실진디, 쇼싱이 동긔를 위흐여 빈은망덕흔 무상필뷔(無狀匹夫) 될지언졍, 초젹839)을 멸흔 칼이 다시 미뎨의 원슈 갑흐믈 면흐리잇고마는, 텬되 붉히 살피시믈 인흐여 은인의 두 번 술오는 덕음을 닙은지라. 츠고로 원한을 닛고 쇼미를 존문의 보니지 아니려 흐읍ᄂ니, 스빈이 쇼미 아니라도 다른 부인이 계시고, 그 몸이 팔쳑 장부로 년긔 십칠의 작치(爵次) 지렬(宰列)의 거흐여시니, 위권이 스이(四夷)840)를 드렐지라841). 조연이 위예 조츤 쳐쳡을 모호기 어렵지 아니흐오리니, 굿투여 쇼미 굿

보다 먼저 죽는 일.

871)툥학 : 작중인물. 윤부 노복. 유부인으로부터 하영주의 시신이 담긴 궤를 받아 남강에 버리려다 도중에 정천흥에게 궤를 빼앗겼던 인물.

872)초덕 : 작중인물. 초왕. 하문을 반역죄로 몰아 멸문지화를 당하게 했던 인물. 뒤에 반역을 일으켰다가 하원광에게 참살되었다.

873)스이(四夷) : 예전에, 중국의 사방에 있던 동이, 서융, 남만, 북적을 통틀어 이르던 말.

838)츙학 : 작중인물. 윤부 노복. 유부인으로부터 하영주의 시신이 담긴 궤를 받아 남강에 버리려다 도중에 정천흥에게 궤를 빼앗겼던 인물.

839)초젹 : 작중인물. 초왕. 하문을 반역죄로 몰아 멸문지화를 당하게 했던 인물. 뒤에 반역을 일으켰다가 하원광에게 참살되었다.

840)스이(四夷) : 예전에, 중국의 사방에 있던 동이, 서융, 남만, 북적을 통틀어 이르던 말.

841)드레다 : 들레다. 야단스럽게 떠들다.

【59】 쳐쳡을 모호기 어렵디 아니ᄒ오리니, 굿ᄐ여 쇼미 ᄀᆺᄐᆫ 쳐잔약질(悽孱弱質)875)을 다려와 칼노 ᄲᅲ시며 노호로 ᄌᆞ르고876) 즛두다려 젼딕(前代) 업슨 형벌을 쓰시고, 신톄도 ᄒᆞᆫ 덩이 흙을 들혀고 무드믈 슈고로이 넉여, 망망ᄒᆞᆫ 희듕의 드리쳐 어복(魚腹)을 치와든 므어시 쾌ᄒᆞ리잇고? 쇼셩이 미뎨의 화(禍)를 보고, 그 썬 녕ᄋᆞ(令兒)를 만단(萬端)의 ᄲᅧ흘고져 ᄯᅳᆺ이 이시딕, 합하의 대은을 ᄎᆞ마 ᄌᆞ려바리디 못ᄒᆞ고, 고슈디지(瞽瞍之子)877) 슌(舜)이 이시믈 싱각ᄒᆞ여, 뉴부인은 극악ᄒᆞ나 녕녀ᄂᆞᆫ 모풍(母風)이 업셔 합하의 어디ᄅᆞ시믈 품슈ᄒᆞ여시므로, 분ᄒᆞᆫ 거【60】슬 ᄎᆞᆷ고 여러 셰월을 됴혼 ᄃᆞ시 디닉엿ᄉᆞᆸᄂᆞ이다."

초휘 말을 다 못ᄒᆞ여셔 하공이 작식(作色) 왈,

"네 비록 동긔를 ᄉᆞ랑ᄒᆞ나 녀ᄋᆞ의 화복고락(禍福苦樂)이 ᄉᆞ빈의게 이시니, 그 거취를 우리 부지 쳐단치 못ᄒᆞᆯ디라. 엇디 말을 만히 ᄒᆞ며 츌가ᄒᆞᆫ 누의를 평싱 ᄃᆞ리고 이실ᄃᆞ시 ᄒᆞᄂᆞ뇨? 윤형과 노뷔 잇고 ᄉᆞ빈과 유ᄋᆞ이셔 녀ᄋᆞ의 삼죵디탁(三從之托)878)이 두렷ᄒᆞ니 굿ᄐ여 네게 의디ᄒᆞᆯ 빅 업ᄂᆞ니, 모로미 잠잠ᄒᆞ라."

언파의 ᄉᆞ긔 녈슉(烈肅)ᄒᆞ니, 초휘 황공무언(惶恐無言)이오, 윤공이 굴오딕,

"뉴가 발부의 간험독악(姦險毒惡)을 싱각ᄒᆞᆯ딘딕 현셔의 말이 【61】올흐니, 하형이 엇디 칙ᄒᆞᄂᆞ뇨? ᄋᆞ부의 딜양이 넘녀롭거니와 의치(醫治)를 각별이 ᄒᆞ여 ᄎᆞ셩(差成)ᄒᆞᆫ

---

874)ᄃᆞ레다 : 들레다. 야단스럽게 떠들다.
875)쳐잔약질(悽孱弱質) : 슬프고 가냘프며 허약한 자질.
876)ᄌᆞ르다 : 자르다. 단단히 죄어 매다.
877)고슈디지(瞽瞍之子) : 고수(瞽瞍)라는 사람의 아들. *고수(瞽瞍) : 중국 순(舜)임금의 아버지. 어리석고 사리에 어두웠기 때문에 붙여진 이름이라 함.
878)삼죵디탁(三從之托) : 예전에, 여자가 따라야 할 세 가지 도리를 이르던 말. 어려서는 아버지를, 결혼해서는 남편을, 남편이 죽은 후에는 자식을 따라야 했다. =삼종지도(三從之道)

ᄐᆫ 쳐잔【158】약질(悽孱弱質)842)을 ᄃᆞ려와 칼노 ᄲᆞ시며 노호로 ᄌᆞ르고843) 즛두다려 젼딕 업슨 형벌을 쓰시고, 신톄도 ᄒᆞᆫ 덩이 흙을 둘혀고 무드믈 슈고로이 넉여, 망망ᄒᆞᆫ 희즁의 드리쳐 어복(魚腹)을 치와든 무어시 쾌ᄒᆞ리잇고? 소싱이 미뎨의 화(禍)를 보고 그 썬 영ᄋᆞ(令兒)를 만단의 ᄲᅧ흘고져 ᄯᅳᆺ이 잇시딕, 합하의 대은을 ᄎᆞ마 ᄌᆞ려바리지 못고, 고슈지지(瞽瞍之子)844) 슌(舜)이 잇스믈 싱각ᄒᆞ여, 뉴부인은 극악ᄒᆞ나 녕녀ᄂᆞᆫ 모풍(母風)이 업셔, 합하의 어지르시믈 《름슈ǁ품슈(稟受)》ᄒᆞ여시므로, 분ᄒᆞᆫ 거슬 ᄎᆞᆷ고 여러 셰월을 됴흔 ᄃᆞ시 지닉엿습ᄂᆞ이다."

초휘 말을 다 못ᄒᆞ여셔 하공이 작식(作色) 왈,

"네 비록 동긔를 ᄉᆞ랑ᄒᆞ나 녀ᄋᆞ의 화복고락(禍福苦樂)이 ᄉᆞ빈에게 잇시니, 그 거취를 우리 부지 쳐단치 못ᄒᆞᆯ지라. 엇지 말○[을] 만히 ᄒᆞ며 츌가ᄒᆞᆫ 누의를 평싱 드리고 잇【159】실ᄃᆞ시 ᄒᆞᄂᆞ뇨? 윤형과 노뷔 잇고 ᄉᆞ빈과 유ᄋᆞ이셔 녀ᄋᆞ의 삼죵지탁(三從之托)845)이 두렷ᄒᆞ니, 굿ᄐ여 네게 의지ᄒᆞᆯ 빅 업ᄂᆞ니 모로미 잠잠ᄒᆞ라."

언파에 ᄉᆞ긔 녈슉(烈肅)ᄒᆞ니, 초휘 황공무언(惶恐無言)이오, 윤공 왈,

"뉴가 발부의 간험독악(姦險毒惡)을 싱각ᄒᆞᆯ진딕 현셔의 말이 올흐니, 하형이 엇지 칙ᄒᆞᄂᆞ뇨? ᄋᆞ부의 질양이 넘녀롭거니와 의치(醫治)를 각별이 ᄒᆞ여 ᄎᆞ셩(差成)ᄒᆞᆫ 후 다려 오나, 노뷔 젼일 ᄀᆺ치 무심치 아냐, 간인

---

842)쳐잔약질(悽孱弱質) : 슬프고 가냘프며 허약한 자질.
843)ᄌᆞ르다 : 자르다. 단단히 죄어 매다.
844)고슈지지(瞽瞍之子) : 고수(瞽瞍)라는 사람의 아들. *고수(瞽瞍) : 중국 순(舜)임금의 아버지. 어리석고 사리에 어두웠기 때문에 붙여진 이름이라 함.
845)삼죵지탁(三從之托) : 예전에, 여자가 따라야 할 세 가지 도리를 이르던 말. 어려서는 아버지를, 결혼해서는 남편을, 남편이 죽은 후에는 자식을 따라야 했다. =삼종지도(三從之道)

후 다려 오나, 노뷔 젼일ᄀᆞ치 무심치 아냐 간인의 일동을 다 술펴 ᄌᆞ부로 ᄒᆞ여곰 위퇴ᄒᆞᆫ 일이 뎍게 ᄒᆞ리니, 현셔는 고집디 말나. ᄋᆞ부를 아니 보닐ᄉᆞ록 찰녀의 ᄯᅳᆺ을 맛치는 작시니, 더옥 분ᄒᆞ디라. 내 엇디 요인(妖人0을 두려 ᄌᆞ부와 손ᄋᆞ를 다려오디 아니리오."

초휘 가장 블열ᄒᆞ나 다시 말을 못ᄒᆞ고, 쇼소는 뎡식 궤좌(跪坐)ᄒᆞ여 봉안(鳳眼)이 시슬ᄒᆞ고[879], 쥬슌(朱脣)을 여디 아니니 구츄상텬(九秋霜天)의 셔리 ᄡᅵ림 ᄀᆞᆮ튼디라. 좌샹【62】 졔공이 개용치경(改容致敬)ᄒᆞ고, 초휘 ᄯᅩᄒᆞᆫ 그 위인을 가븨야이 넉이디 못ᄒᆞ더라.

이윽고 일가 졔족과 친붕고위(親朋故友) 모드니, 문졍의 거마(車馬) 분분ᄒᆞ고 당듕의 금옥관면(金玉冠冕)[880]이 함집(咸集)ᄒᆞ여, 윤공을 작일 얼프시 보믈 일ᄏᆞ라 담화ᄒᆞᆯ시, 면면이 창후의 ᄌᆞ뎍을 칭찬ᄒᆞ고, 쇼소의 대효를 감탄ᄒᆞ여 일ᄏᆞ르니, 호람휘 탄왈,

"ᄌᆞ딜이 현효ᄒᆞ듸 내 블명ᄒᆞᆫ 연고로 가늬의 발부(潑婦) 악인(惡人)을 업시치 못ᄒᆞ여, 광텬 등을 ᄒᆞ마 보젼치 못ᄒᆞᆯ 번ᄒᆞ니, 가변을 싱각ᄒᆞᆯᄉᆞ록 ᄆᆞᄋᆞᆷ이 ᄎᆞ고 ᄲᅧ ᄲᆞᆯ힌디라. 이졔 찰녀의 만악쳔흉(萬惡千凶)이 나타난【63】 후도 쾌히 업시치 못ᄒᆞ니, 구쳔(九泉) 타일(他日)의 하면목(何面目)으로 션형(先兄)을 뵈오며, 조션(祖先)의 죄인 되믈 면치 못ᄒᆞ리니, 이졔 일가 친붕을 ᄃᆡᄒᆞ나 엇디 참괴치 아니리오. 션형이 일즉 기셰ᄒᆞ시므로 악인이 긔탄ᄒᆞᆯ 리 업셔, 요악방ᄌᆞ(妖惡放恣)를 ᄆᆞᄋᆞᆷ딕로 ᄒᆡᆼᄒᆞ미니 엇디 분ᄒᆡ치 아니리오."

인ᄒᆞ여 츄연(惆然) ᄌᆞ상(自傷)ᄒᆞ니, 뎡공 등이 위로ᄒᆞ며, 명쳔공의 후식 빗나믈 일ᄏᆞ라 쳥문 형뎨를 두어시니, 명쳔공이 ᄉᆞ이블식(死而不死)라 ᄒᆞ더라.

의 일동을 다 술펴 ᄌᆞ부로 ᄒᆞ여곰 위퇴ᄒᆞᆫ 일이 젹게 ᄒᆞ리니, 현셔는 고집지 말나. ᄋᆞ부를 아니 보닐ᄉᆞ록 찰녀의 ᄯᅳᆺ을 맛치는 작시니, 더욱 분ᄒᆞ지라. 내 엇지 요인(妖人)을 두려 ᄌᆞ부와 소ᄋᆞ를 다려오지 아니리오."

초휘 가장 블열ᄒᆞ나 다시 말을 못ᄒᆞ고, 소소는 졍식 궤좌(跪坐)ᄒᆞ여 봉안이 《거슬∥시슬》ᄒᆞ고[846], 쥬슌(朱脣)을 여지 아니니 구츄상텬(九秋霜天)의【160】 셔리 ᄲᅤ림 ᄀᆞᆮ튼지라. 좌샹 졔공이 개용치경(改容致敬)ᄒᆞ고, 초휘 ᄯᅩᄒᆞᆫ 그 위인을 가븨야이 넉이지 못ᄒᆞ더라.

이윽고 일가 졔족과 친붕고위(親朋故友) 모드니, 문졍에 거마(車馬) 분분ᄒᆞ고 당즁의 금옥 관면(金玉冠冕)[847]이 함집(咸集)ᄒᆞ여, 윤공을 작일 얼프시 보믈 일ᄏᆞ라 담화ᄒᆞᆯ시, 면면이 창후의 ᄌᆞ뎍을 칭찬ᄒᆞ고, 소소의 대효를 감탄ᄒᆞ여 일ᄏᆞ르니, 호람휘 탄왈,

"ᄌᆞ질이 현효ᄒᆞ듸 내 불명ᄒᆞᆫ 연고로 가늬의 발부(潑婦) 악인(惡人)을 업시치 못ᄒᆞ여, 광텬 등을 ᄒᆞ마 보젼치 못ᄒᆞᆯ 번ᄒᆞ니, 가변을 싱각ᄒᆞᆯᄉᆞ록 ᄆᆞᄋᆞᆷ이 ᄎᆞ고 ᄲᅧ 슬ᄒᆞᆫ지라. 이졔 찰녀의 만악쳔흉(萬惡千凶)이 나타ᄂᆞᆫ 후도 쾌히 업시치 못ᄒᆞ니, 구쳔타일(九泉他日)의 하면목(何面目)으로 션형(先兄)을 뵈오며, 조션(祖先)의 죄인 되믈 면치 못ᄒᆞ리니, 이졔 일가 친붕을 ᄃᆡᄒᆞ나 엇지 참괴치 아니리오. 션형이 일【161】즉 기셰ᄒᆞ시므로 악인이 긔탄ᄒᆞᆯ 리 업셔 요악방ᄌᆞ(妖惡放恣)를 ᄒᆡᆼᄒᆞ미니 엇지 분ᄒᆡ치 아니리오"

인ᄒᆞ여 츄연(惆然) ᄌᆞ상(自傷)ᄒᆞ니, 뎡공 등이 위로ᄒᆞ며 명쳔공의 후식 빗나믈 일ᄏᆞ라, 쳥문 형뎨를 두미 명쳔공이 사이블식(死而不死)라 ᄒᆞ더라.

---

879)시슬ᄒᆞ다 : 날카롭다. 모양이나 형세가 매섭다.
880)금옥관면(金玉冠冕) : 금이나 옥으로 된 면류관이라는 뜻으로 '높은 벼슬아치'를 비유적으로 이르는 말.

846)시슬ᄒᆞ다 : 날카롭다. 모양이나 형세가 매섭다.
847)금옥관면(金玉冠冕) : 금이나 옥으로 된 면류관이라는 뜻으로 '높은 벼슬아치'를 비유적으로 이르는 말.

일모도원(日暮途遠)ᄒᆞ미 제인이 각산(各散)ᄒᆞ고, 윤공이 ᄌᆞ딜을 거느려 태부인긔 혼뎡(昏定)ᄒᆞᆯᄉᆡ, 창휘 비로소 우쇼【64】져로 결약남미(結約男妹)ᄒᆞ여 다려온 슈말을 고ᄒᆞ니, 태부인이 디금 보디 못ᄒᆞ엿더니, 츠일이야 블너 보고 조손슉딜이 의를 미ᄌᆞᆯᄉᆡ, 딜ᄋᆞ의 의긔를 아름다이 넉이고, 우쇼져의 빙ᄌᆞ아질(氷姿雅質)을 ᄉᆞ랑ᄒᆞ여 흔연이 일퇴디샹(一宅之上)의 두어 무휼(撫恤)ᄒᆞ더라.

쇼시 엄젼의 칙을 밧ᄌᆞ올디언졍 능히 모친을 아니 구호치 못ᄒᆞ여, 쥬야 블탈의대(不脫衣帶)ᄒᆞ고 약뉴를 친집ᄒᆞ며 듁음(粥飮)과 찬션(饌膳)을 구미(口味)의 합당토록 ᄒᆞ며, 정셩이 갈ᄉᆞ록 더ᄒᆞ더라.

부인이 공이 ᄌᆞ긔를 죽일가 겁도 업디 아닌 가온ᄃᆡ, 경ᄋᆞ의 슬픈 신셰를 싱각ᄒᆞ미 칼【65】흘 삼킨 듯ᄒᆞ고, 현ᄋᆞ의 무졍ᄒᆞᄆᆞᆯ 탄ᄒᆞ여 여러 가디 심홰 더욱 블인(不忍)ᄒᆞ여, 병을 더어 셩악도 브리디 못ᄒᆞ니, 쇼ᄉᆞ의 망극ᄒᆞᆷ믄 니르도 말고 창휘 역시 병침을 쩌나디 못ᄒᆞ나, 시녀 양낭의 무리야 므슨 졍셩으로 뉴부인 병을 근심ᄒᆞ리오마ᄂᆞᆫ, ᄌᆞ연 쇼ᄉᆞ의 초조ᄒᆞᄆᆞᆯ 인ᄒᆞ여 됴셕(朝夕) 대변(待變)881) 듕의 이시니, 비복 등이 쇼ᄉᆞ의 심장을 살오미 ᄒᆞ로 견듸기 어려오믈 져마다 우려ᄒᆞ여, 발이 짜히 붓디 아니ᄒᆞ고 혼빅이 비월(飛越)ᄒᆞ여 혹ᄌᆞ 창후와 쇼ᄉᆞ긔 죄를 어들가 두리고 근심ᄒᆞ여, 각각 몸을 죽여 갑흐려【66】ᄒᆞ니, 비록 호령을 발치 아니ᄒᆞ나 위엄이 늠녈ᄒᆞ여, 비복이 다시 태부인과 뉴시긔 셜만치 아냐, 속으로 믜워ᄒᆞᆯ디언졍 것ᄎ로 공슌(恭順)ᄒᆞ미, ᄉᆞ디(死地)라도 블감역명(不敢逆命)ᄒᆞᆯ 디경이{이시}니, 태부인은 더옥 창후 형뎨 도라온 후로브터 ᄌᆞ긔 몸이 졈졈 존귀ᄒᆞᄆᆞᆯ 씨ᄃᆞᆺᄂᆞ더라.

뎡부인이 뉴부인의 딜환이 위독ᄒᆞᄆᆞᆯ 보고, 가마니 쇼찰○[을] 하쇼져의게 붓쳐 도라오믈 지쵹ᄒᆞ니, 하시 거거(哥哥)의 고집을

---

881)대변(待變) : 죽음의 변(變)을 기다린다는 뜻으로, 병세가 몹시 심하여 살아날 가망이 없게 된 처지를 이르는 말.

일모도원(日暮途遠)ᄒᆞ미 제인이 각산(各散)ᄒᆞ고, 윤공이 ᄌᆞ딜을 거느려 태부인긔 혼졍ᄒᆞᆯᄉᆡ, 창휘 비로소 우소져로 결약남미(結約男妹)ᄒᆞ여 다려온 슈말을 고ᄒᆞ니, 태부인이 지금 보지 못ᄒᆞ엿더니 츳일이야 블너 보고, 조손 슉질이 의를 미ᄌᆞᆯᄉᆡ, 딜ᄌᆞ의 의긔를 아름다이 넉이고, 우소져의 빙ᄌᆞ아질(氷姿雅質)을 ᄉᆞ랑ᄒᆞ여 흔연이 일퇴에 머물러 깃거ᄒᆞ더라.

소시 엄졘의 칙을 밧ᄌᆞ올지언졍 능히 모친을 아니 구호치 못ᄒᆞ여, 쥬야에 불탈의ᄃᆡ(不脫衣帶)ᄒᆞ고 약류를 친집ᄒᆞ며【162】죽음(粥飮)과 찬션(饌膳)을 구미(口味)의 합당토록 ᄒᆞ며, 정셩이 갈ᄉᆞ록 더ᄒᆞ더라.

부인이 공이 ᄌᆞ긔를 죽일가 겁도 업지 아닌 가온ᄃᆡ, 경ᄋᆞ의 슬픈 신셰를 싱각ᄒᆞ미 칼을 삼킨 듯ᄒᆞ고, 현ᄋᆞ의 무졍ᄒᆞᄆᆞᆯ 탄ᄒᆞ여 여러 가지 심홰 더욱 불인(不忍)ᄒᆞ여, 병을 더어 셩악도 부리지 못ᄒᆞ니, 소ᄉᆞ의 망극ᄒᆞᆷ믄 니르도 말고, 창휘 역시 병침을 쩌나지 못ᄒᆞ나, 시녀 낭낭의 무리야 므슨 졍셩으로 뉴부인 병을 근심ᄒᆞ리오. ᄌᆞ연 소ᄉᆞ의 초조ᄒᆞᄆᆞᆯ 인ᄒᆞ여 조셕 대변(待變)848) 즁의 이시니, 비복 등이 소ᄉᆞ의 심장을 슬오미 ᄒᆞ로 견듸기 어려오믈 져《바다∥마다》 우려ᄒᆞ여, 발이 짜히 붓지 아니ᄒᆞ고 혼빅이 비월ᄒᆞ여, 혹ᄌᆞ 창후와 소ᄉᆞ긔 죄를 어들가 두리고 근심ᄒᆞ여, 각각 몸을 죽여 갑흐려 ᄒᆞ니, 비록 호령을 발치 아니ᄒᆞ나 위엄이 늠녈ᄒᆞ【163】여, 비복이 다시 태부인과 뉴씨긔 셜만치 아냐, 속으로 믜워ᄒᆞᆯ지언졍 겻츠로 공슌ᄒᆞ미, ᄉᆞ지(死地)라도 불감역명(不敢逆命)ᄒᆞᆯ 지경이{이시}니, 태부인은 더욱 창후 형뎨 도라온 후로브터 ᄌᆞ긔 몸이 졈졈 《존디∥존귀》ᄒᆞᄆᆞᆯ 씨ᄃᆞ라ᄂᆞᆫ지라.

뎡슉녈이 뉴부인의 질환이 위독ᄒᆞᄆᆞᆯ 보고, 가마니 소찰노 하쇼져에게 부쳐 도라오믈 지쵹ᄒᆞ니, 하씨 거거(哥哥)의 고집을 미

---

848)대변(待變) : 죽음의 변(變)을 기다린다는 뜻으로, 병세가 몹시 심하여 살아날 가망이 없게 된 처지를 이르는 말.

미온(未穩)홀 쓴 아니라, 딘·됴 냥부인이
다 윤가의 발ᄌ최를 드듸디 말나 ᄒ여, 쇼
ᄉ의 도라오믈 드르듸 영【67】영 구가로
보닐 ᄯᅳᆺ이 업셔, 상희882) 니르기를,

"일 골육을 두어 셰샹의 낫던 ᄌ최를 깃
쳐시니, 다시 부부의 화락과 신셰 쾌활키를
구치 말고, 싱양가(生養家)883) 부모 슬하의
셔 고요히 일싱을 디ᄂᆡ라."

ᄒ니, 쇼졔 시러곰 구가로 나아갈 길히
업고, 존귀 환경ᄒ신 디 ᄉ오일이 넘으듸,
즉시 비알치 못ᄒ믈 그윽이 죄를 디은 ᄃᆞᆺ
방하(放下)치 못ᄒ더니, ᄯᅩ 뎡슉녈의 셔찰을
보미, '슉모의 딜환이 위악ᄒ시니, 도라와
구호ᄒ미 맛당ᄒ믈 닐너시니', 쇼졔 슉녈의
셔간을 부모긔 뵈고 도라가믈 쳥ᄒ니, 하공
부뷔 마디【68】못ᄒ여 허락ᄒ나 실노 깃
거 아니코, 뎡공 부부도 그 형셰 가히 아니
가디 못홀 줄 알고 막디 아니ᄒ나, 뉴시의
셩악을 근심ᄒ여, 슉녈의게 셔찰을 붓쳐,

"간인이 하시를 희홀 간계 잇ᄂᆞᆫ가 상심
(詳審)ᄒ여884), 위급디시(危急之事) 잇거든
ᄲᆞᆯ니 도라보ᄂᆡ라."

ᄒ니라.

하쇼졔 초후의 나간 ᄯᆡ를 타 싱양부모(生
養父母)와 슌태부인긔 하딕ᄒ고, 유ᄋᆞ를 거
두어 옥누항의 니르니, 호람휘 식부의 도라
오믈 듯고 크게 반겨 태부인을 뫼셔 하시를
볼ᄉᆡ, 시녜 유ᄋᆞ를 안아 공긔 드리니, 공이
ᄒᆞᆫ 번 보미, 이 믄득 텬일디표(天日之表)오
뇽봉【69】디직(龍鳳之材)라. 대인긔상(大人
氣像)의 비범ᄒᆞᆫ 골격이 쇼ᄉᆞ의 ᄋ시 젹으로
더은디라. 탐혹 희열ᄒᆞᆫ 졍이 아모 곳으로

온홀 쑨 아니라, 진·조 양 부인이 다 윤가
의 발ᄌ최를 드듸지 말나 ᄒ여, 소소의 도
라오믈 드르듸 영영 구가로 보닐 ᄯᅳᆺ이 업
셔, 상희849) 니르기를,

"일 골육을 두어 셰샹에 낫던 형젹을 기
쳐시니, 다시 부부의 화락과 신셰 쾌활키를
구치 말고, 싱양가(生養家)850) 부모 슬하의
셔 고요이 일싱을 지ᄂᆡ라."

ᄒ니, 소졔 몸을 ᄲᅢ혀 구가로 갈 길이 업
고, 구뷔 교지로셔 도라온 지【164】ᄉ오
일이 넘으믈 드르미, 더욱 즉시 비알치 못
ᄒ믈 근심ᄒ여 큰 죄를 지음 ᄀᆞᆺ치 그윽이
일시도 방하(放下)치 못ᄒ더니, ᄯᅩ 슉녈의
셔찰을 보미, '뉴부인이 환휘 만분 위악ᄒ
니, 일단 도라오지 아닛ᄂᆞᆫ 거시 만만 불가
ᄒ니, ᄲᆞᆯ니 나아 와 환후를 구호ᄒ라' ᄒ엿
ᄂᆞᆫ지라. 소졔 슉녈의 셔간을 가져 부모긔
뵈고 눈물을 흘니고 옥누항으로 가기를 쳥
ᄒ니, 하공 부뷔 마지 못ᄒ여 허락ᄒ나 실
노 깃거 아니코, 금후 부뷔 그 형뎨 아니
가지 못홀 줄 아라 굿타여 《마지∥막지》
아나나, 뉴씨의 셩악이 다시 힝홀가 근심
ᄒ여, 진부인이 녀ᄋᆞ에게 가마니 셔간을 붓
쳐,

"혹ᄌ 간인이 하씨를 힝ᄒᄂᆞᆫ 일이 잇ᄂᆞᆫᄀ
상심찰지(詳審察之)851)ᄒ여, 위급ᄒᆞᆫ 일이
잇거든 즉시 도라보ᄂᆡ라."

ᄒ니라.

하씨 초후의 나간 ᄯᆡ를 타 거교를 ᄀᆞ초와
싱양부모(生養父母)와 슌틔【165】부인긔
하직고, 유ᄌ로 더브러 급히 옥누항으로 도
라오니, 윤공이 식부의 오믈 듯고 반가오미
극ᄒ여, 틔원젼의 드러가 태부인긔 뫼셔 하
씨를 볼ᄉᆡ, 《소벽∥초벽》이 몬져 유ᄋᆞ를
안아 공의게 드리니, 공이 ᄒᆞᆫ 번 보미 이
믄득 텬일지표(天日之表)오, 뇽봉지질(龍鳳
之質)이라. 슈셰(數歲) 유ᄋᆡ 완연이 대인긔

---

882) 상희 : 항상. 늘.
883) 싱양가(生養家) : 생부모의 집과 양부모의 집을
　　함께 이른 말.
884) 상심(詳審)ᄒ다 : 자세히 살피다.

849) 상희 : 항상. 늘.
850) 싱양가(生養家) : 생부모의 집과 양부모의 집을
　　함께 이른 말.
851) 상심찰지(詳審察之) : 자세히 살피다.

좃ᄎ 나는 줄 씌ᄃᆺ디 못ᄒ여 ᄒ더니, 하쇼제 삼촌(三寸) 금년(金蓮)을 가비야이 옴겨 당하의 브복 청죄(請罪)ᄒ니, 옥셩화음(玉聲和音)이 형산(荊山)885)의 박옥(璞玉)886)을 두○[ᄃ]리ᄂᆫ 듯, 화디(花枝)의 잉셩(鶯聲)이 처음으로 브르디ᄃᆫ 듯, 묽은 광휘 만방의 됴○[요](照耀)ᄒ니, 공이 크게 반겨ᄒᆞᆯ니 승당(昇堂)ᄒ믈 명ᄒ니, 쇼제 황공ᄒ여 승함취샤(昇檻就舍)887)ᄒ고, 안셔(安徐)히 나아가 태부인과 존구긔 직빈ᄒ니, 공이 밧비 슬젼(膝前)의 좌를 주고, 집슈 탄왈,

"노뷔(老父) 블명ᄒ여 간인의 흉독을 【70】 아디 못ᄒ고, ᄌᆮ딜 부부로 ᄒ여곰 고상(苦狀)을 비블니 겻게 ᄒ니, 금일 현부를 보미 참괴ᄒ더라. 연이나 현부의 복이 놉고 팔지 길ᄒ믈 힘닙어, 참화의 목슘을 보젼ᄒ고 힝혀 긔린(麒麟)을 싱ᄒ여, 오문(吾門) 영화를 도으니, 이만 즐거오미 업ᄂᆫ디라. 추후 현부는 모로미 ᄒᆞᆫ갓 효의를 크게 넉이디 말고, 보신디ᄎᆡᆨ(保身之策)을 싱각ᄒ여 다시 참ᄒᆡ(慘害)를 밧디 말나."

하쇼제 냥슈로 ᄯᅡᄒᆞᆯ 집허 듯기를 맛ᄎᆞ미, 감히 일언을 ᄃᆡ(對)치 못ᄒ니, 공이 이디년디(愛之憐之)ᄒ여 두굿기믈 니긔디 못ᄒ더라. 【71】

상(大人氣像)과 현달지격(顯達之格)을 일위, 산쳔의 슈츌영이(秀出靈異)ᄒᆫ 품질을 타나시니, 용모의 미려광윤(美麗光潤)ᄒᆷ믄 니르도 말고, 앙앙셕ᄃᆡ(昂昂碩大)ᄒᆫ 골격이 오히려 소ᄉᆞ의 ᄋᆞ시보더[다] 발월(發越)ᄒᆷ믄 더 은지라. 공이 즉시 가 손ᄋᆞ를 보려ᄒᆞᆯ 거시, 원노구치(遠路驅馳)ᄒ물 인ᄒ여 심긔 잠간 불평ᄒ므로, ᄉᆞ오 일이 되도록 일가 친붕을 회샤(回謝)치 못ᄒ고, 취운산의 간 일이 업다가, 처음으로 손ᄋᆞ의 긔이ᄒᆞᆷ물 보미 ᄉᆞ랑ᄒᆞᄂᆫ 졍이 아모 곳으로 조ᄎᆞ나믈 아지 못ᄒᆞ{엿}고, 두굿겨온【166】 ᄆᆞ음이 모양으로 졍히 볼 슈 업ᄂᆫ지라. 슉슉(肅肅)ᄒ던 미우의 춘긔(春氣) 니러나, 깃거이[워] ᄒᆞᆯ믈 ᄯᅵ여 웃ᄂᆫ 입이 ᄌᆞ연이 움치리지 못ᄒ여, 밋쳐 말을 못ᄒ여셔, 소져 ᄆᆞ음 가온ᄃᆡ 황공ᄒ여 연보를 옴겨 당하에셔 청죄ᄒ니,

태부인이 두굿기오믈 니긔지 못ᄒ더라.

《태위‖위태》의 본품의 악악 흉괴ᄒ믈 ᄇᆞ려시나, 오히려 극진이 어진 곳의 나아가지 못ᄒ여, 소ᄉᆞ 형뎨와 뎡·댱 등이[의] 아름다오믈 긔특이 너기다가도, 싱각ᄒᆞᆫ 즉,

"져거시 황부인 소싱 ᄌᆞ손이오, ᄂᆡ 혈육이 아니니, 이 계조모를 무어시 귀ᄒ여 이ᄃᆡ도록 지셩으로 밧드ᄂᆫ고?"
ᄒ더라.

칠십일·이·삼 【167】

---

885) 형산(荊山) : 중국 호남성(湖南省) 형산현(荊山縣) 북쪽에 있는 산. 옥(玉)의 산지로 유명하다.
886) 박옥(璞玉) : 쪼거나 갈지 아니한, 천연 그대로의 옥 덩어리.
887) 승함취샤(昇檻就舍) : 난함(欄檻)을 올라 방[房舍; 방]에 들어감. *난함(欄檻); 층계, 다리, 마루 따위의 가장자리에 일정한 높이로 막아 세우는 구조물. 사람이 떨어지는 것을 막거나 장식으로 설치한다. =난간(欄干)

어시의 윤공이 이디년디(愛之憐之)ᄒ여 두굿거오믈 니긔디 못ᄒ고, 태부인은 쥬견(主見) 업ᄂᆫ 사름 ᄀᆞᆺ트여 냥손(兩孫) 부부를 굿트여 믜워홈도 업고 ᄉᆞ랑ᄒᄂᆫ 정도 치888) 나디 아니나, 본픔(本稟)의 악악 흉독(凶毒)하믈 ᄇ려실디언졍, 오히려 극딘히 어딘 곳의 나아가디 못ᄒ여, 창후 형뎨와 뎡·댱 등의 특이ᄒ믈 아롬다이 넉이되, ᄯᅩ 싱각ᄒᆫ죽,

"져거시 황시의 소싱이오 내 골육이 아니니, 이 계조모(繼祖母)를 므어시 관듕(款重)ᄒ여 이딕도록 디셩으로 밧드러 효셩이 이 ᄀᆞᆺᄐ니, 아디 못ᄒ리로다."

의식 이의 밋쳐ᄂᆫ, 몸을 아모리 가딜 줄 몰【1】나 넉슬 일코 두 눈을 구을니고, 흉흉(凶謫)ᄒᆫ 말도 주러져시니 창후 등의 디셩으로 구호ᄒᄂᆫ 셩효를 닙어 악딜과 폐밍ᄒᄒ엿던 냥안(兩眼)이 다 쇠훤이 ᄯᅴ여시믈889) 대회ᄒ여 만히 감동ᄒᆫ 비라.

호람휘 ᄋ손(兒孫)을 슬상의 유희ᄒ나, 태부인이 보고 멀건 눈을 뒤룩이고, ᄆ음의 ᄉᆞ랑ᄒᄂᆫ ᄃ시 긴 부리를 히륵이고890) 거두든891) 특을 흔드러 ᄋ히를 어로니, 공이 모친의 허손(虛損)892)이 굴믈 보고 츄감(惆憾)ᄒ여, 지삼 뉴시의 극악을 고ᄒ여 아른 체 마르시고 안졍(安靜)이 계시믈 쳥ᄒ더라.

하쇼졔 뎡슉녈과 댱시로 더브러 반기ᄂᆫ 졍을 능히 펴디 못ᄒ고 응휘각의 니르니,

화표 어시에 태흉(太兇)이 본품(本稟)의 악악흉괴(惡惡凶怪)ᄒᆞᆷ믈 ᄇ려시나, 오히려 《굿진이‖극진히》 어진 곳의 나아가지 못ᄒ여, 소ᄉᆞ 형뎨와 뎡·쟝 등의 아롬다오믈 긔특이 넉이다가도, ᄯᅩ 싱각ᄒᆫ죽,

"져것들이 황부인 소싱 ᄌᆞ손이오 ᄂᆡ 혈육이 아니니, 이 계조모를 무어시 귀듕ᄒ여 이딕도록 {밧}지셩으로 밧드ᄂᆫ고? 가히 측냥치 못ᄒ리로다."

ᄒ여, 마음을 아모리 가질 줄을 믈나, 넉이 ᄲᅢ진 스람갓치 눈을 ᄊᆞᆷ젹이고, 흉흉흔 말도 쥬러졋스니, 챵후 등의 지셩으로 구호{호}ᄒᄂᆫ 셩효를 힘입어, 악질과 폐밍ᄒ【1】엿던 양목(兩目)이 다 쇠훤니 ᄯᅴ엿시믈852) 디회ᄒ여, 만히 감동흔 비라.

이 날 공이 손아(孫兒)를 슬샹의 유희ᄒ여 하씨를 {어}어로만져 무익ᄒᆞᆷ믈 보고, 벌건 눈을 《뒤쥭이셔‖뒤룩이며》 유아를 ᄉᆞ랑ᄒᄂᆫ 듯시 긴 부리를 힐욱이고853) 거두든854) 턱을 흔드러 아히를 어루니, 공이 모친의 깃거워ᄒᄋᆞ시ᄂᆫ 긔식을 보고 염녀ᄒ여, 지삼 유씨를 아른 체 마르시믈 당부ᄒ더라.

하소졔 뎡슉녈과 쟝씨로 더부러 반기ᄂᆫ 졍을 능히 펴지 못ᄒ고 응휘각의 이르니, 유부인니 만무싱긔(萬無生氣)ᄒ여 《면믹‖명믹》이 ᄉᆞᆫ【2】○○[어지]지 아냐실지언졍, 형용인죽 귀신이라. 소ᄉᆞᄂᆫ 상하(床下)

뉴부인이 【2】 만무싱긔(萬無生氣)ᄒ여 명믹이 끗디 아녓실디언졍 형용인즉 귀신이라. 쇼ᄉᆞᄂᆞᆫ 샹하의셔 텬디망망(天地茫茫)ᄒ니 좌를 둘너보미 업고, 챵후ᄂᆞᆫ 흠신경동(欠身驚動)ᄒ여 마ᄌᆞ, 슈슉이 녜필 좌뎡의 하시 나죽이 그 닙공반샤(立功班師)ᄒ믈 칭하ᄒ고 존고의 딜환을 우황ᄒ니, 챵휘 ᄯᅩ흔 ᄉᆞ샤ᄒ고 슉모의 환후로 졀민ᄒ여 즉시 나아가 비견치 못ᄒᄆᆞᆯ 일ᄏ○[고], 이의 유ᄋᆞ를 다려 오라 ᄒ여 보미 작인의 비샹 특츌ᄒ미 무쌍ᄒ디라. ᄉᆞ랑홉고 귀듕ᄒ미 친ᄌᆞ로 다르미 업ᄉᆞ니, 이의 쇼ᄉᆞ의 ᄉᆞ매를 다리여, ᄀᆞ릇쳐 왈,

"슈셰 히직(孩子) 용모 골격이 완연이 귀인의 격이오, 오복(五福)893)과 지【3】덕이 낫타나니 일노조ᄎᆞ 문호를 가히 흥긔홀디라. 현뎨긔 티하(致賀)ᄒ노라."

쇼시 하시의 어셩을 드르디 듕심의 노ᄒᆞ미 가득ᄒ엿ᄂᆞᆫ디라. 맛ᄎᆞᆷ닉 눈을 드러 보디 아니니, 챵휘 히ᄋᆞ를 쇼ᄉᆞ의 겻틱 안치고 ᄌᆞ삼 보라 ᄒ니, 유직 흔흔(欣欣)이 반겨 쇼ᄉᆞ의 므릅히 안겨 손을 달호ᄂᆞᆫ디라894). 쇼시 듕산디듕(重山之重)으로도 ᄋᆞᄌᆞ의 긔특ᄒ믈 보미 ᄉᆞ랑ᄒᄂᆞᆫ 졍이 뉴츌(流出)ᄒ디, 하시를 미온(未穩)ᄒ고 모친의 엄엄(奄奄) 쇠딘(衰盡)895)ᄒᄂᆞᆫ 거동을 디ᄒ여 촌장이 스러디ᄂᆞᆫ 듯ᄒ니, ᄋᆞ희를 가ᄎᆞ홀 흥미 업셔 시녀 초벽으로 ᄒᆞ여곰 유ᄋᆞ를 안아가라 ᄒ니, 초벽이 나아가 공ᄌᆞ를 안으려 ᄒ니 유이 쇼ᄉᆞ를 붓들고 니러【4】나디 아니ᄒᄂᆞᆫ디라. 쇼시 괴로이 넉여 유ᄋᆞ를 믈니쳐 나가 놀나 ᄒ니, 그 민몰ᄒ미 ᄒᆞᆫ 조각 인졍이 업ᄂᆞᆫ 듯 ᄒᆞᆫ디라. 유이 ᄀᆞ장 무류ᄒ여 믈너 안ᄌᆞᄃᆡ 밧그로 나가디 아니니, 챵휘 어엿브믈 니긔디 못ᄒ여 도로 므릅 우히 안쳐 귀듕ᄒᄆᆞᆯ 니긔디 못ᄒ고, 딜ᄋᆞ의 긔이ᄒ믈 보

의셔 쳔지망망(天地茫茫)ᄒ니 좌를 둘너보미 업고, 챵후ᄂᆞᆫ 흠신경동(欠身驚動)ᄒ여 마ᄌᆞ, 슈슉이 예필 좌졍의 하씨 나죽이 그 입공반ᄉᆞ(立功班師)ᄒ믈 《젼ᄒ고∥칭하ᄒ고》 존고의 질환을 우황ᄒ니, 챵휘 ᄯᅩ흔 ᄉᆞ샤ᄒ고 슉모의 환후로 졀민ᄒ여 즉시 나아가 비면치 못ᄒᄆᆞᆯ 일ᄏᆞ고, 이의 유아를 다려 오라 ᄒ여 보미, 작인의 비샹 특츌ᄒ미 무쌍ᄒ지라. ᄉᆞ랑홉고 귀즁ᄒ미 친ᄌᆞ나 다름이 업ᄉᆞ니, 이의 소소의 ᄉᆞ매를 다리여 갈우쳐 왈,

"슈【3】셰 히직(孩子) 용모 골격이 완년니 귀인의 격이오 오복(五福)855)과 지덕이 나타나니 일노조ᄎᆞ 문호를 가히 흥홀지라. 현뎨긔 치하ᄒ노라."

소시 하시의 어셩을 드르미 즁심의 노ᄒᆞ미 가득ᄒ엿ᄂᆞᆫ지라. 마ᄎᆞᆷ닉 눈을 드러 보지 아니니, 챵휘 히아를 소ᄉᆞ의 겻히 안치고 ᄌᆞ슴 보라 ᄒ니, 유직 흔흔이 반겨 소소의 무릅의 안겨 손을 달호ᄂᆞᆫ지라856). 소시 즁산지즁(重山之重)으로도 아ᄌᆞ의 긔특ᄒ믈 보미 ᄉᆞ랑ᄒᄂᆞᆫ 졍이 유츌ᄒ디, 하씨를 미은(未穩)ᄒ고 모친의 엄엄 쇠진(衰盡)857)ᄒᄂᆞᆫ 《거즁∥거동》 【4】을 디ᄒ여 촌장이 스러지ᄂᆞᆫ 듯ᄒ니, ᄋᆞ희를 가ᄎᆞ홀 흥심이 업셔, 시녀 초벽으로 ᄒᆞ여곰 유아를 안아 가라 ᄒ니, 초벽이 나아가 공ᄌᆞ를 안으려 ᄒ니 유이 소시를 붓들고 이러나지 아니ᄒᄂᆞᆫ지라. 소시 괴로이 역여 유이를 믈니쳐 나가 놀나 ᄒ니, 그 민몰ᄒ미 한 조각 인졍이 업ᄂᆞᆫ 듯 ᄒᆞᆫ지라. 유이 가장 무류ᄒ여 믈너 안ᄌᆞᄃᆡ 밧그로 나가지 아니니, 챵휘 어엿부믈 니긔지 못ᄒ여 도로 무릅히 안치고 귀즁ᄒ믈 이긔지 못ᄒ여, 질아의 긔이ᄒ믈 보미 ᄌᆞ긔

---

893)오복(五福) : 유교에서 이르는 다섯 가지의 복. 보통 수(壽), 부(富), 강녕(康寧), 유호덕(攸好德), 고종명(考終命)을 이른다.
894)달호다 : 다루다. 매만지다. 부드럽게 어루만지다.
895)쇠딘(衰盡) : 기운이 빠져 없어짐.

855)오복(五福) : 유교에서 이르는 다섯 가지의 복. 보통 수(壽), 부(富), 강녕(康寧), 유호덕(攸好德), 고종명(考終命)을 이른다.
856)달호다 : 다루다. 매만지다. 부드럽게 어루만지다.
857)쇠딘(衰盡) : 기운이 빠져 없어짐.

미 주긔 일흔 으즈를 싱각고 서로이 쳑비
(慽悲)ᄒᆞ더라.

초일 황혼의 뉴시 엄홀(奄忽)ᄒᆞ여 명지슈
유(命在須臾)896)라. 쇼시 망극ᄒᆞ미 텬디 어
두온디라. 춘 칼흘 ᄲᅢ혀 팔흘 그으미 붉은
피 돌디어897) 흐르고, 깁 ᄀᆞᆺᄐᆞᆫ 가죡이 ᄢᅳᆺ기
여 슈졍(水晶) ᄀᆞᆺᄐᆞᆫ ᄲᅢ 드러나니, 견즈로 ᄒᆞ
여곰 참달(慘怛)ᄒᆞᆯ 비라. 창휘 여측(如厠)ᄒᆞ
라 갓다가 드러【5】와 초경을 보미, 주긔
가슴이 믜ᄂᆞᆫ 둣 밧비 쇼수의 손을 잡고 니
ᄅᆞ디,

"현뎨야, ᄎᆞ마 엇디 부모의 싱디(生之)ᄒᆞ
신 몸을 상희오미 이의 밋쳣ᄂᆞ뇨? 현뎨 슉
모의 친싱이 아니니 슈혈(輸血)을 ᄂᆡ여 ᄡᅥ
도 굿트여 효험이 이실 줄 아디 못ᄒᆞ니, 어
이 싱각디 못ᄒᆞᄂᆞ뇨?"

쇼시 톄루 딕왈,

"쇼뎨 비록 주당 긔츌이 아니나 슈혈이
혹ᄌᆞ 유익ᄒᆞᆯ가 바라미니, ᄎᆞ시를 당ᄒᆞ여 쇼
뎨 몸이 홀노 셩키를898) 구ᄒᆞ리잇가?"

언필의 혈긔(血器)를 드러 모친 닙의 드
리오디, 뉴시 아모란 줄 모로고 긔운이 졈
졈 실 ᄀᆞᆺ트여 경긱의 긋쳐디ᄂᆞᆫ 거동이라.
쇼시 모친의 운명ᄒᆞᄂᆞᆫ 거동을 속슈(束
手)899)치 못ᄒᆞ여 졍셩을 갈딘(竭盡)ᄒᆞ여 유
한이나 업고져 ᄒᆞ므로,【6】이의 몸을 니러
원님(園林) 깁흔 곳의 드러가 혈셔로 텬디
신명의 튝원홀ᄉᆡ, 동쵹(洞屬)ᄒᆞᆫ 셩회 가히
창합(閶闔)900)의 ᄉᆞᄆᆞᆺᄎᆞᆯ디라.

븍두칠셩을 향ᄒᆞ여 칠등(七燈)을 버리고
비튝(拜祝)ᄒᆞ니, 쇼수를 좃촌 지 셔동 일인
이라. 다만 쇼수의 비튝ᄒᆞᄂᆞᆫ 소ᄅᆡ 가만ᄒᆞ여
셔동도 아라 듯디 못ᄒᆞ고, 즉시 혈셔를 슬
와바리니 그 ᄉᆞ의를 알 니 업ᄉᆞ디, 오딕 칠

일흔【5】으즈를 싱각ᄒᆞ고 쳑비(慽悲)ᄒᆞᄂᆞᆫ
지라.

초일 황혼의 유씨 엄홀ᄒᆞ여 명지슈유(命在
須臾)858)라. 소식 망극ᄒᆞ미 쳔지 어두온지
라. 춘 칼을 ᄲᅢ혀 팔를 그으미 불근 피 즐
지어 흐르고, 깁 갓튼 가죡이 《ᄶᅳᆺ기여 ‖ ᄶᅳᆺ
기여》 슈졍(水晶) 갓튼 ᄲᅧ 드러나니, 견즈
로 ᄒᆞ여곰 참달(慘怛)ᄒᆞᆯ 비라. 창휘 여측(如
厠)ᄒᆞ라 갓다가 드러와 초경을 보미, 주기
가슴이 믜이ᄂᆞᆫ 둣, 밧비 소수의 손을 잡고
이르되,

"현뎨야, ᄎᆞ마 엇지 부모의 싱(生)아ᄒᆞ신
몸을 상희오미 이의 미쳐나뇨? 현뎨 슉모의
친싱이 아니니 슈혈(輸血)을 ᄂᆡ여 ᄡᅥ【6】
도 굿타여 효험이 잇슬 쥴 아지 못ᄒᆞ니, 어
이 싱각지 못ᄒᆞᄂᆞ뇨?"

소시 쳬루 딕왈,

"소뎨 비록 주당 긔츌이 아니나 슈혈이
혹ᄌᆞ 유익ᄒᆞᆯ가 ᄇᆞ라미니, ᄎᆞ시를 당ᄒᆞ여 소
뎨 몸이 홀노 셩키를859) 구ᄒᆞ리잇가?"

언필의 혈긔(血器)를 드러 모친 입의 드
리오디, 유씨 아모란 쥴 모로고 긔운니 졈
졈 실낫 갓타여 경긱의 긋쳐지ᄂᆞᆫ 거동이라.
소시 양모의 운명ᄒᆞᄂᆞᆫ 거동을 슈슈(袖
手)860)치 못ᄒᆞ여 졍셩을 갈진(竭盡)ᄒᆞ여 유
한나 업고져 《ᄒᆞ믈 ‖ ᄒᆞ므로》, 이의 몸을
니러 원님(園林) 깁흔【7】곳의 드러가 혈
셔로 쳔지 신명의 츅원홀ᄉᆡ, 동쵹(洞屬)ᄒᆞᆫ
셩회 가이 창쳔(蒼天)의 ᄉᆞᄆᆞᆺᄎᆞᆯ지라.

북두칠셩을 향ᄒᆞ여 쳥등(靑燈)을 버리고
비츅(拜祝)ᄒᆞ난 소ᄅᆡ, 가만ᄒᆞ여 셩음도 아라
듯지 못ᄒᆞ고, 즉시 혈셔를 슬워 ᄇᆞ리니 그
ᄉᆞ의(辭意)를 알 슈 업ᄉᆞ디, 오직 칠등이 명
낭ᄒᆞ여 화광이 명낭ᄒᆞ고, 월ᄉᆡᆨ이 조요ᄒᆞ여

896)명지슈유(命在須臾) : 목숨이 아주 짧은 시간에
　　달려 있음.
897)돌디ᄒᆞ다 : 돌돌 솟아나오다. *돌돌 : 물이 좁은
　　도랑을 따라 흘러가는 모양.
898)셩하다 : 성하다. ①물건이 본디 모습대로 멀쩡
　　하다. ②몸에 병이나 탈이 없다.
899)속슈(束手) : 팔짱을 끼고 가만히 있음.
900)창합(閶闔) : ①천문(天門). ②궁궐의 정문.

858)명지슈유(命在須臾) : 목숨이 아주 짧은 시간에
　　달려 있음.
859)셩하다 : 성하다. ①물건이 본디 모습대로 멀쩡
　　하다. ②몸에 병이나 탈이 없다.
860)슈슈(袖手) : ①팔짱을 끼고 가만히 있음. ②어떤
　　일에 직접 나서지 않고 버려둠. *수수방관(袖手傍
　　觀); 팔짱을 끼고 보고만 있다는 뜻으로, 간섭하거
　　나 거들지 아니하고 그대로 버려둠을 이르는 말.

등이 명낭ᄒ여 화광이 녕녕(熒熒)ᄒ고 월식이 됴요(照耀)ᄒ여 텬디를 빗최는 가온디, 윤쇼ᄉ의 혈읍이셩(血泣哀聲)이 샹텰운소(上徹雲宵)901)ᄒ니, 일노 드드여 뉴시 회두(回頭)902)ᄒᄆ믈 어드니 추하를 분히ᄒ라.

쇼시 분향(焚香)을 맛고 병소의 니르니, 부인이 ᄒ갈굿치 인ᄉ【7】를 바려시디, 어름 굿던 슈족이 잠간 온긔 이시니, 쇼시 요힝〇[을] 죄오는 심장이 초갈(焦渴)키의 밋ᄎ니, 창휘 져딘도록 ᄒᄆ믈 괴이히 넉여 역시 초젼(焦煎)ᄒᄆ믈 마디 아니ᄒ고, 쇼ᄉ의 엄엄(奄奄) 싀딘(漸盡)ᄒᄆ믈 착급ᄒ여 듁음을 권ᄒ디, 쇼시 다만 쳥슈(清水) 일긔(一器)로 타는 목을 젹시나, ᄎ마 식음을 나오디 못ᄒ니, 창휘 ᄯᄒ혼 슉모의 위악ᄒᄆ믈 근심홀ᄲᆞᆫ 아니라, 쇼ᄉ의 보젼키 어려오믈 넘녀ᄒ여 역시 먹디 못ᄒ고 슉식을 폐ᄒ니, 의형(儀形)이 환탈(換奪)ᄒ엿더라.

ᄎ시 뉴부인이 엄홀ᄒ여 계명의 니르도록 인ᄉ를 모르는 가온디, 일장(一場) 신몽(神夢)을 어드니, 즈긔를 우두나찰(牛頭羅刹)903)굿튼 황건녁ᄉ(黃巾力士)904) 슈삼인이 잡아 일【8】신을 스술의 얽으며 쇠치로 두다려, 어셔 풍도디옥(酆都地獄)905)으로 가ᄌ ᄒ고 구박ᄒ니, 뉴시 험쥰ᄒ 산뇌(山路) ᄭᆞᆨ가디른 듯ᄒ 곳으로 울며 힝ᄒ더니, ᄒ 곳의 니르러는 쥬궁패궐(珠宮貝闕)906)이 운소(雲宵)의 다핫고, 허다 갑ᄉ(甲士) 창검을 드러 문마다 셧는디, 첫 문의 쥬필노 ᄲᅧ시디 명ᄉ계(冥司界)907) 삼나뎐(森羅殿)이라 ᄒ엿더라. 념왕(閻王)이 뉴시를 잡아 드리라

천지를 빗춰는 가온디, 윤소ᄉ의 혈읍이셩(血泣哀聲)이 샹쳘운소(上徹雲宵)861)ᄒ니, 일노 드듸여 유씨 회두(回頭)862)ᄒᄆ믈 어드니 ᄎ하를 분히ᄒ라.

소시 분향(焚香)을 맛고 병소의 이르【8】니, 부인니 한갈굿치 인ᄉ를 바려시되, 어름 갓튼 슈족이 잠간 온긔 잇스니 소시 요힝 죄오는 심장이 〇[초]갈(焦渴)키의 밋ᄎ니, 챵휘 져딘도록 ᄒᄆ믈 괴이히 역여 역시 초졀(焦絶)ᄒᄆ믈 마지 아니ᄒ고, 소ᄉ의 엄엄(奄奄) 싀진(漸盡)ᄒᄆ믈 착급ᄒ여 죽음을 권ᄒ디, 소시 다만 쳥슈(清水) 일긔(一器)로 타는 목을 젹시나, ᄎ마 식음을 나오지 못ᄒ니, 챵휘 ᄯᄒ혼 슉모의 위악ᄒᄆ믈 근심홀ᄲᅢᆫ 아니라, 소ᄉ의 보젼키 어려오믈 넘녀ᄒ여 역시 먹지 못ᄒ고 슉식을 폐ᄒ니, 의형이 《환난∥환탈(換奪)》【9】ᄒ엿더라.

ᄎ시 유씨 엄홀ᄒ여 《미명∥계명(鷄鳴)》의 이라도록 인ᄉ를 모르는 가온디, 일장(一場) 신몽(神夢)을 어드니, 즈긔를 우두나찰(牛頭羅刹)863) 갓탄 황건녁ᄉ(黃巾力士)864) 슈슴인니 잡아, 일신을 스술의 《어리∥얽》으며 쇠치로 두다려 어셔 풍도지옥(酆都地獄)865)으로 가ᄌ ᄒ고 구박ᄒ니, 유씨 험쥰한 손의 ᄭᆞᆨ가지른 듯ᄒ 곳으로 울며 힝ᄒ더〇[니], 한 곳의 이라러는 쥬군[궁]픠궐(珠宮貝闕)866)이 운소(雲霄)의 다핫고, 허다 갑ᄉ(甲士) 창검을 드러 문마다 셧는디, 첫 문의 쥬필노 셧시되 넘나뎐(閻羅殿)867) 십왕궁(十王宮)868)이라 ᄒ엿더라.

---

901)샹텰운소(上徹雲宵) : 위로 올라 하늘에 통함
902)회두(回頭) : 머리를 돌린다는 뜻으로, 마음이나 진로, 생각 따위를 바꿈을 이르는 말
903)우두나찰(牛頭羅刹) : 쇠머리 모양을 한 악한 귀신.
904)황건녁ᄉ(黃巾力士) : 신장(神將)의 하나. 힘이 세고 누런 두건을 쓰고 있다고 한다.
905)풍도디옥(酆都地獄) : 도가에서에서 이르는 지옥.
906)쥬궁패궐(珠宮貝闕) : 진주와 조개껍질로 장식한 매우 화려한 궁월을 가리킴. 수신(水神)이 사는 궁궐을 말하기도 한다.
907)명ᄉ계(冥司界) : 명부(冥府) 곧 염라대왕이 관장하는 지옥을 이름.

861)샹텰운소(上徹雲宵) : 위로 올라 하늘에 통함
862)회두(回頭) : 머리를 돌린다는 뜻으로, 마음이나 진로, 생각 따위를 바꿈을 이르는 말
863)우두나찰(牛頭羅刹) : 쇠머리 모양을 한 악한 귀신.
864)황건녁ᄉ(黃巾力士) : 신장(神將)의 하나. 힘이 세고 누런 두건을 쓰고 있다고 한다.
865)풍도디옥(酆都地獄) : 도가에서에서 이르는 지옥.
866)쥬궁패궐(珠宮貝闕) : 진주와 조개껍질로 장식한 매우 화려한 궁월을 가리킴. 수신(水神)이 사는 궁궐을 말하기도 한다.
867)넘나뎐(閻羅殿) : 염라대왕이 사는 궁전.
868)십왕궁(十王宮) : 저승에서 죽은 사람을 재판하

혼다 ᄒᆞ고, 무슈흔 귀졸이 뉴시를 ᄯᅳ드러 듕듕쳡쳡(重重疊疊)흔 문호를 다나 넘나던 (閻羅殿)908) 계하(階下)의 ᄭᅮᆯ니민, 념왕이 졔관(諸官)을 명ᄒᆞ여 뉴시의 죄상을 닑혀 들니라 ᄒᆞ니, 셧녁 반항(班行)의 집ᄉᆞᄒᆞᄂᆞᆫ 관원이 홍포를 붓치고 옥디를 도도아 ᄲᅡᆯ니 나아와, 귀록(鬼錄)을 펴고 소ᄅᆡ【9】를 놉혀 뉴시의 션후 듕쳡흔 죄를 일일히 닑으니, 뉴시의 ᄋᆞ시 힝ᄉᆞ로브터 금년ᄭᅡ디 베퍼시니, 쳑ᄌᆞ일언(隻字一言)909)도 어긋나미 업셔, 궁흉극악(窮凶極惡)흔 죄와 간험샤특 (姦險邪慝)흔 심슐이 비홀 ᄃᆡ 업ᄉᆞ니, 비록 ᄌᆞ긔 일이나 붓그러오미 욕ᄉᆞ무디(欲死無地)어늘, 그 관원이 닑기를 맛고 ᄭᅮ디져 왈,

"쳔ᄉᆞ무셕(千死無惜)이오 만ᄉᆞ유경(萬死猶輕)의 죄를 디ᄋᆞᄃᆡ, 붓그러오며 뉘웃ᄎᆞ미 업셔 가디록 효ᄌᆞ 현부를 죽이고져 ᄠᅳᆺ이 긋칠 길히 업ᄂᆞᆫ디라. 맛당이 《아미‖아비》 대디옥(阿鼻大地獄)910)의 가도아 쳔빅년이라도 인간의 나디 못ᄒᆞ게 ᄒᆞ리라."

념왕이 ᄯᅩ 슈죄(數罪)ᄒᆞ믈 마디 아니ᄒᆞ고 귀졸(鬼卒)ᄃᆞ려 분부ᄒᆞᄃᆡ,

"뉴녀의 죄상은 범연흔 곳【10】의 비기디 못ᄒᆞ리니, 이졔 대디옥(大地獄)의 가도아 ᄉᆞ갈(蛇蝎) 호표(虎豹)와 온갓 더러온 즘싱 가온ᄃᆡ 너허, 듀야로 보치고 ᄯᅳᆺ기여 못 견ᄃᆡ게 ᄒᆞ고, 삭망(朔望)으로 잡아 ᄂᆡ여 유확(油鑊)911)의 살므며 쇠ᄭᅩᆺ치로 ᄲᅮ시고 검극으로 ᄌᆞᆺ두다려 육장(肉醬)을 민ᄃᆞ라, 다시

908)넘나던(閻羅殿) : 염라대왕이 사는 궁전.
909)쳑ᄌᆞ일언(隻字一言) : 글자 하나 말 한마디.
910)아비대디옥(阿鼻大地獄) : 불교의 팔대지옥(八大地獄)의 하나인 무간지옥(無間地獄)을 말한다. 오역죄(五逆罪)를 짓거나, 절이나 탑을 헐거나, 시주한 재물을 축내거나 한 사람이 가는데, 한 겁(劫) 동안 끊임없이 고통을 받는다는 지옥이다. *오역(五逆); 다섯 가지 악행. 소승 불교에서는 아버지를 죽이는 일, 어머니를 죽이는 일, 아라한을 죽이거나 해하는 일, 승단의 화합을 깨뜨리는 일, 부처의 몸에 상처를 입히는 일 따위의 무간지옥에 떨어질 행위를 말함.
911)유확(油鑊) : 끓는 기름이 담긴 가마솥.

염왕(閻王)이【10】 유씨를 잡아 드리라 흔다 ᄒᆞ고, 무슈흔 귀졸이 유씨를 ᄯᅳ드러 즁즁쳡쳡(重重疊疊)한 문호를 지나 넘나젼 계하의 ᄭᅮᆯ니민, 염왕이 졔관(諸官)을 명ᄒᆞ여 유씨의 죄상을 일거 들니라 ᄒᆞ니, 셧녁 《반향‖반항(班行)》의 집ᄉᆞᄒᆞᄂᆞᆫ 관원이 홍포를 붓치고 옥디를 도도아 ᄲᅡᆯ니 나아와 귀록(鬼錄)을 펴 소ᄅᆡ를 놉펴 유씨의 젼후 즁쳡한 죄과를 일일이 일그니, 뉴씨의 아시 힝ᄉᆞ로부터 금년ᄭᅡ지 《버러시니‖베퍼시니》, 쳑ᄌᆞ일언(隻字一言)869)도 어긋나미 업셔, 궁흉그[극]악(窮凶極惡)흔 죄와 간험ᄉᆞ특(姦險邪慝)흔 심슐이 비홀【11】 ᄃᆡ 업ᄉᆞ니, 비록 ᄌᆞ긔 일이나 붓그러오미 욕ᄉᆞ무지(欲死無地)어늘, 그 관원니 일긔870)를 맛고 ᄭᅮ지져 왈,

"쳔ᄉᆞ무셕(千死無惜)이오 만ᄉᆞ유경(萬死猶輕)의 죄를 지으ᄃᆡ, 붓그러오며 뉘웃ᄎᆞ미 업셔 가지록 효ᄌᆞ 현부를 죽이고져 ᄠᅳᆺ지 긋칠 길이 업ᄂᆞᆫ지라. 맛당히 《아미‖아비》 딘지옥(阿鼻大地獄)871)의 가도아 쳔빅 년이라도 인간의 나지 못ᄒᆞ게 ᄒᆞ리라."

염왕이 ᄯᅩ 슈죄(數罪)ᄒᆞ믈 마지 아니ᄒᆞ고 귀졸ᄃᆞ려 분부ᄒᆞᄃᆡ,

"유녀의 죄상은 범연흔 곳의 비기지 못ᄒᆞ리니, 이졔 딘지옥(大地獄)의 가도아 ᄉᆞ갈 호표(蛇蝎虎豹)와 온갓 더러온 즘【12】싱

는 열 명의 대왕이 사는 궁전. *시왕(十王); 진광왕, 초강대왕, 송제대왕, 오관대왕, 염라대왕, 변성대왕, 태산대왕, 평등왕, 도시대왕, 오도전륜대왕으로, 죽은 날부터 49일까지는 7일마다, 그 뒤에는 백일·소상(小祥)·대상(大祥) 때에 차례로 이들에 의하여 심판을 받는다고 한다.
869)쳑ᄌᆞ일언(隻字一言) : 글자 하나 말 한마디.
870)일긔 : 읽기.
871)아비대디옥(阿鼻大地獄) : 불교의 팔대지옥(八大地獄)의 하나인 무간지옥(無間地獄)을 말한다. 오역죄(五逆罪)를 짓거나, 절이나 탑을 헐거나, 시주한 재물을 축내거나 한 사람이 가는데, 한 겁(劫) 동안 끊임없이 고통을 받는다는 지옥이다. *오역(五逆); 다섯 가지 악행. 소승 불교에서는 아버지를 죽이는 일, 어머니를 죽이는 일, 아라한을 죽이거나 해하는 일, 승단의 화합을 깨뜨리는 일, 부처의 몸에 상처를 입히는 일 따위의 무간지옥에 떨어질 행위를 말함.

살와닉여 대디옥의 드리쳐 두고 보채믈 긋
치디 말나.”

귀졸이 쳥녕ᄒ고 뉴시의 쑥뒤를 질너912)
디옥으로 향ᄒᆞᆯᄉᆡ, 뉴시 혼비빅산 ᄒᆞ여 디옥
길흘 보믹, ᄒᆞᆫ 곳도 평탄치 아냐, 즌 굴헝이
아니면 긔구(崎嶇)ᄒᆞᆫ 산곡이로딕, 무셔온 즘
싱과 일홈 모로ᄂᆞᆫ 버러디 담아 브은 ᄃᆞᆺ시
쀼셔기다가913), 사름을 보고 침노ᄒᆞ려 ᄒᆞ
니, 뉴시 두립고 흉ᄒᆞ믈 니긔디 못【11】ᄒᆞ
여 능히 힝치 못ᄒᆞ니, 귀졸이 뉴시의 등을
울히며914) 왈,
“이 길흘 이리 무셔히 넉일딘딕, 뎌 디옥
의 가 빅만년이 디나도록 텬일을 어더 보디
못ᄒᆞ고, 호표(虎豹)와 산졔(山猪) 네 몸을
온 가디로 쓰더 먹을 거시오, 삭망(朔望)의
번(番)마다 잡아 닉여 닉도록 살마, 창검으
로 쀼실 제ᄂᆞᆫ 엇디 견딕리오.”
뉴시 울며 힝ᄒᆞ여 디옥 밧긔 가 눈을 들
믹, 교인 빅를 갈니여시며, 머리 쓰로 나고,
일신의 피를 흘니고, 우ᄂᆞᆫ ᄀᆞ온딕, 온갓 튝
싱이 침노ᄒᆞᄂᆞᆫ디라. 뉴시 교인를 보믹 반갑
고 셜우미 무궁ᄒᆞ여, 실셩 읍톄(泣涕) 왈,

“우리 슉딜이 므슴 죄로 이런 못쓸 더러
온 곳의 와 모들 줄 알니오. 현딜【12】은
도시 광텬 흉ᄒᆞᆫ 놈을 만난 탓스로 참혹히
맛ᄎᆞ니, 므슴 말을 ᄒᆞ리오.”
교인 바야흐로 셜운 말을 ᄒᆞ려 ᄒᆞ더니,
믄득 셰월 비영 신묘랑 등이 다 몸의 피를
흘니고 나와 악뼈 울며, 져히 죽으미 뉴시
탓시라 ᄒᆞ여 붓들고 원망ᄒᆞ며, 신묘랑은 다
시 셰샹의 나 윤가를 어즈러여 보렷노라 ᄒᆞ
더라.

---

912)지르다 : 찌르다.
913)쀼셔기다 : 쑤석이다. 함부로 들추거나 뒤지거나
쑤시다.
914)울히다 : 우리다. 후리다. 휘둘러서 때리거나 치
다.

가온딕 너허, 쥬야로 봇치고 쯧기여 못 견
딕게 ᄒᆞ고, 삭망으로 잡아닉여 유확(油
鑊)872)의 살무며 쇠꼿치로 쓔시고 검극(劍
戟)으로 즛두다려 육쟝(肉醬)을 믿드러, 다
시 살와닉여 디지옥의 드리쳐 두고 봇치믈
긋치지 말나.”

귀졸이 쳥녕ᄒ고 유씨의 쑥뒤를 질너873)
지옥으로 향ᄒᆞᆯᄉᆡ, 유씨 혼비빅산ᄒᆞ여 지옥
길흘 보믹, ᄒᆞᆫ 곳도 평탄치 아냐, 즌 굴헝이
아니면 긔구(崎嶇)ᄒᆞᆫ 손곡이로딕, 무셔운 즘
싱과 일홈 모로ᄂᆞᆫ 버러지 담아 부은 다시
쀼셔 기다가874), 스람을 보고 침노ᄒᆞ려 ᄒᆞ
니, 유씨 두립고【13】흉ᄒᆞ믈 이기지 못ᄒᆞ
여 능히 힝치 못ᄒᆞ니, 귀졸이 유씨의 등을
울히며875) 왈,
“이 길흘 이리 무셔워 역일진딕, 뎌 지옥
의 가 쳔빅 년이 지나도록 쳔일을 어더 보
지 못ᄒᆞ고, 호표(虎豹)와 손졔(山猪) 네 몸
을 온 가지로 쓰더 먹을 거시오, 속망(朔望)
의 번(番)마다 잡아닉여 익도록 슬마, 창검
으로 쑤실 제ᄂᆞᆫ 엇지 견딕리오.”
유씨 울며 힝ᄒᆞ여 지옥 밧긔 가 눈을 들
믹, 《굿닉∥교인》 빅를 갈니여시며, 머리
쓰로 나고, 일신의 피를 흘니고, 우ᄂᆞᆫ 가온
딕, 온갓 즘싱이 침노ᄒᆞᄂᆞᆫ지라. 유씨 교인
를【14】보믹 반갑고 셜우미 무궁ᄒᆞ여, 실
셩 읍체(泣涕) 왈,
“우리 슉질이 무슴 죄로 이런 몹슬 더러
온 곳의 와 모들 줄 알니오. 현질은 도시
광텬 흉ᄒᆞᆫ 놈을 만난 탓스로 참혹히 맛ᄎᆞ
니, 무슴 말을 ᄒᆞ리오.”
교인 바야흐로 셜운 말을 ᄒᆞ려 ᄒᆞ더니,
문득 《계월∥셰월》·비영·신묘랑 등이
다 몸의 피을 흘니고 나와 악뼈 울며, 져의
쥭으미 유씨 타시라 ᄒᆞ여 붓들고 원망ᄒᆞ며,
신묘랑은 다시 셰샹의 나가 윤가를 어즈러

---

872)유확(油鑊) : 끓는 기름이 담긴 가마솥.
873)지르다 : 찌르다.
874)쀼셔기다 : 쑤석이다. 함부로 들추거나 뒤지거나
쑤시다.
875)울히다 : 우리다. 후리다. 휘둘러서 때리거나 치
다.

남녁 디옥으로셔 형봉이 닉다라 버힌 머
리를 두다리며, 뎡병부의게 잡혀 원억히 죽
으믈 원망ᄒ니, 뉴시 심혼이 비황ᄒ믈 니긔
디 못ᄒ여 어린드시 말을 못ᄒ고, 귀졸의
지쵹ᄒ믈 인ᄒ여 뎡히 디옥의 들녀 ᄒ더니,
홀연 념왕의 명이 이셔, 샤지(使者) 젼ᄒ디,

"뉴녀【13】의 죄상이 만ᄉ라도 쇽(贖)기
어려온 고로 디옥의 잡아 너허 고초를 격게
ᄒ엿더니, 녕허도군(靈虛道君)이 텬디 신명
긔 뉴시의 명을 비러, 샹텬이 감동ᄒ샤 뉴
녀를 도로 닉녀 보닉게 ᄒ시니, 효ᄌ 현부
의 셩효를 극딘히 밧게 ᄒ라."

ᄒ시니, 귀졸이 즉시 뉴시를 다려오던 길
노 나올시, 교ᄋ 셰월 비영 등과 태복의 원
망 소릭 흥ᄒ더라.

동남 간으로 샹운(祥雲)이 애애(靄靄)ᄒ고
셔긔(瑞氣) 반공(蟠空)ᄒ 바의, 쳥의 녀동이
혹 투고 나려와 뉴부인을 쳥ᄒ디, 뉴시
왈,

"쳡이 녀동(女童)을 모로거늘 엇디{엇디}
쳥ᄒᄂ뇨?"

녀동이 쇼왈,

"날을 조초 오시면 텬【14】궁의 가기
어렵디 아니리이다."

ᄒ고, 부인을 학의 등의 틱와 ᄒ 곳의 다
드르니, 슈졍(水晶) 기동의 옥쳥궁(玉淸
宮)915)이라 ᄒ엿더라.

모든 시네 뉴시다려 빈례ᄒ라{ᄒ라} ᄒ
니, 눈을 드러 보믹 엄구와 죤고 황부인이
라. 공과 부인이 뉴시를 안ᄌ라 ᄒ고, 탄식
왈,

"우리 부뷔 셰샹을 바리고, 위시 현의 부
쳐를 조로는 듕 현의 위인을 긔탄ᄒ더니,
현이 금국의 가 죽은 후 너와 ᄒ는 빅 흉참
디ᄉ(凶慘之事)라. 위시는 혹ᄌ 투미ᄒ
여916) 간모를 씌닷디 못ᄒ나, 네 가르쳐 광

이[여] 보겟노라 ᄒ더라.

남녁 지옥으로셔 형봉【15】이 닉다라
버힌 머리를 두다리며, 뎡병부의게 잡히여
원억히 쥭으믈 원망ᄒ니, 유씨 심혼니 비황
ᄒ믈 니기지 못ᄒ여 어린드시 말을 못ᄒ고,
《귀졸∥지쵹》ᄒ믈 인ᄒ여 졍히 옥의 들녀
ᄒ더니, 홀연 염왕의 명이 이셔, ᄉ지(使者)
젼ᄒ디,

"유녀의 죄샹이 만시라도 쇽(贖)히[기]
어려온 고로 지옥의 잡아 고초를 격게 ᄒ여
더니, 연[영]허도군(靈虛道君)이 쳔지 신명
긔 유씨의 명을 비러, 샹쳔을 감동ᄒ여 유
녀을 도로 닉녀 보닉게 ᄒ시니, 효ᄌ 현부
의 셩효를 극【16】진이 밧게 ᄒ라."

ᄒ시니, 귀졸이 즉시를 오든 길노 나올시,
교아 · 셰월 · 비영 등과 태복의 원망 소릭
흥ᄒ더라.

동남 간으로 샹운(祥雲)니 닉닉(靄靄)ᄒ고
셔긔(瑞氣) 반공(蟠空)한 바의, 쳥의 여동이
학을 타고 나려와 유부인을 쳥한디, 유씨
왈,

"쳡이 여동(女童)을 모로거늘 엇지 쳥ᄒ
ᄂ요?"

여동이 소왈,

"나를 조추 오시면 텬궁의 가기 어렵지
아니리이다."

ᄒ고, 부인을 학의 등의 틱와 한곳의 다
다르니, 슈졍 긔동의 옥쳥궁(玉淸宮)876)이
라 ᄒ엿더라.

무슈한 시녜 뉴시다려 비【17】례ᄒ라
ᄒ라 ᄒ니, 눈을 드러 보믹 엄구와 죤고 황
부인니라. 공과 부인니 뉴시를 안ᄌ라 ᄒ고
탄식 왈,

"우리 부뷔 셰샹을 바리고, 위시 현의 부
쳐를 조르는 즁 현의 위인을 긔탄ᄒ더니,
현이 금국의 가 죽은 후 너와 ᄒ는 《뷔∥
비》 흉○[참]지ᄉ(凶慘之事)라., 위씨는 혹
ᄌ 투미ᄒ여877) 간모를 씌닷지 못ᄒ나, 현

---

915)옥쳥궁(玉淸宮) : 도교 삼쳥궁(三淸宮)의 하나로,
원시천존(元始天尊) 곧 옥황상제가 사는 곳이라
함.

876)옥쳥궁(玉淸宮) : 도교 삼쳥궁(三淸宮)의 하나로,
원시천존(元始天尊) 곧 옥황상제가 사는 곳이라
함.

텬 등의 남미(男妹) 《쳐뎨∥처ᄌ(妻子)》를 참히ᄒ니, 그 죄악이 바다 ᄀᆞᆺᄐᆫ디라. 엇디 디옥의[을] 면ᄒ리오마【15】ᄂᆞᆫ, 희텬의 셩회 신기(神祇)를 감동ᄒ여, 너의 듕첩ᄒᆫ 대 죄를 쾌히 샤○○[ᄒ고], 도로 닉여 보닉게 뎡ᄒᆞᆫ디라. 우리 부뷔 너다려 회심ᄌᆞᄎᆡᆨ(回心 自責)ᄒ라 ᄒᆞ미 구셜(口舌)이 슈고로온 고 로, 텬경(天鏡)을 빗최여 전전악ᄉᆞ(前前惡 事)를 보게 ᄒ고, 희텬의 대효를 알게 ᄒ리 라."

언파의 시녀를 명ᄒ여, 큰 거울를 드러 윤부를 빗최고 뉴시로 보게 ᄒ라 ᄒ니, 뉴 시 엄구와 존고의 말ᄉᆞᆷ을 듯ᄌᆞ오미 한츌쳠 빙(汗出沾背)ᄒ니, 그 명을 거역디 못ᄒ여 텬경을 잠간 보미, 윤공과 황부인이 기셰ᄒ 므로브터 ᄌᆞ긔 위시를 쐬와 블의를 ᄒᆡᆼᄒ던 거동이며, 챵후 형뎨를 치고 조로던 형상과, 의렬을 셔르져 농【16】의 너허 형봉을 주 던 모양이며, 뎡·딘 하 댱 ᄉᆞ쇼져를 온 가 디로 히ᄒᆞᆼ던 거동이 오히려 ᄌᆞ긔라도 니즌 일이 잇거늘, 텬경의ᄂᆞᆫ 완연ᄒ여 ᄌᆞ긔 모녀 의 극악 흉참ᄒ미 금즉ᄒ여917) 뵈ᄂᆞᆫ디라. 창후 형뎨 ᄋᆞ시의 미곡을 나로며, 셕초를 식여 빅만 가디 쳔역을 몸소 홀 ᄊᆡ의, 태부 인과 ᄌᆞ긔 듕헌의 나와 챵후 곤계를 줏두다 리다가, 난 듸 업ᄉᆞᆫ 돌덩이 나려져 대골과 낫츨 크게 샹히오니, 사름의 조화며 귀신의 일이믈 아디 못ᄒ여 여러 셰월의 의아ᄒ던 빈, 텬경의 보미ᄂᆞᆫ 뎡병뷔 놉흔 남긔 올나, ᄉᆞ매 속의셔 돌흘 닉여 더【17】디ᄂᆞᆫ 족죡 ᄌᆞ긔 모녀(母女) 고식(姑媳)이 맛ᄂᆞᆫ 거동이 오, 형봉의 머리를 버혀 경희뎐의 드리치고 황건칠귀(黃巾七鬼)와 악풍운무(惡風雲霧)를 모라 당듕을 현황케 ᄒ며, 크게 호령ᄒ던 ᄌᆞ를 ᄯᅩ 사름이며 귀신이믈 분변치 못ᄒ엿 더니, 텬경의ᄂᆞᆫ 완연이 뎡병뷔라. 뉴시 황황 참괴ᄒᆞᆫ 니ᄅᆞ도 말고, ᄌᆞ긔 평싱 은악양션 (隱惡佯善)ᄒ여 악ᄉᆞ를 ᄒᆡᆼᄒ나, 가만ᄒᆞ며 공

뷔 가라쳐 광텬 등의 남미 《쳐뎨∥처ᄌ(處 子)》를 《참이∥참히(慘害)》ᄒ니, 그 죄 가히 바다 갓튼지라. 엇지 지옥의 드믈 면 ᄒ리요마ᄂᆞᆫ, 희텬의 《셩휘∥셩회(誠孝)》 신기(神祇)를 감동ᄒ여, 너의 듕첩ᄒᆫ 듸죄을 쾌히 ᄉᆞᄒ고,【18】도로 닉여 보닉게 졍ᄒᆞᆫ 지라. 우리 부뷔 너다려 회심ᄌᆞᄎᆡᆨ(回心自責) ᄒ라 ᄒᆞ미 구셜이 슈고로온 고로, 《현경∥ 텬경(天鏡)》을 빗최여 전전악ᄉᆞ(前前惡事) 를 보게 ᄒ고, 희쳔의 대효를 알게 ᄒ리라."

언파의 시녀을 명ᄒ여 큰 거울를 드러 윤 부를 빗최고, 뉴시를 보게 ᄒ라 ᄒ니, 뉴시 엄구와 존고의 말ᄉᆞᆷ을 드르미 한츌쳠빙(汗 出沾背)ᄒ니, 그 명을 거역지 못ᄒ여 《현 경∥텬경》을 잠간 보미, 윤공과 황부인니 긔셰ᄒ므로브터, ᄌᆞ긔 위씨를 쐬와 블의를 ᄒᆡᆼᄒ던 거동이며, 챵후 형뎨를 《치구∥치 고》 조르든 형상과 《의혈∥의렬》을 셔르 져 농의 너어 형봉을 【19】쥬든 모양이며, 뎡·진·하·쟝 ᄉᆞ쇼져를 온가지로 히ᄒ던 거동이 오히려 ᄌᆞ긔라도 이즌 일이 잇거늘, 《현경∥텬경》의ᄂᆞᆫ 완년ᄒ여 ᄌᆞ긔 모녀의 극악 흉참ᄒ미 금즉ᄒ여878) 뵈ᄂᆞᆫ지라. 챵○ [후] 형뎨 ᄋᆞ시의 미곡을 나로며, 시초를 시겨, 빅만 가지 쳔역을 몸소 할 ᄊᆡ의, 틱부 인과 ᄌᆞ긔 듕헌의 나와 챵후 곤계를 줏두다 리다가, 난 듸 업ᄂᆞᆫ 돌덩이 나려져 듸골과 낫츨 크게 샹히오니, 사람의 조화며 귀신의 일이믈 아지 못ᄒ여 여러 셰월의 의아ᄒ던 빈, 《현경∥텬경》의 보이[미]ᄂᆞᆫ 졍병부 놉흔 남긔 【20】올나 ᄉᆞ미 속의셔 돌를 [을] 닉여 더지니, ᄌᆞ긔 모녀(母女) 고식(姑 媳)이 맛ᄂᆞᆫ 거동이오, 형봉의 머리를 버혀 《경학젼∥경희젼》의 드리치고 황건칠귀 (黃巾七鬼)와 악풍움[운]무(惡風雲霧)를 모 라 쟝듕을 현황케 ᄒ며, 크게 호령ᄒ던 ᄌᆞ 랄 ᄯᅩ 사람이며 귀신이믈 분변치 못ᄒ엿더 니, 《현경∥텬경》의ᄂᆞᆫ 완년이 졍병뷔라.

---

916)투미ᄒ다 : 투미하다. 어리석고 둔하다.
917)금즉ᄒ다 : 끔찍하다. ①정도가 지나쳐 놀랍다. ②진저리가 날 정도로 참혹하다.

877)투미ᄒ다 : 투미하다. 어리석고 둔하다.
878)금즉ᄒ다 : 끔찍하다. ①정도가 지나쳐 놀랍다. ②진저리가 날 정도로 참혹하다.

교흐믈 웃듬흐여 남을 밧드시 긔이던 일이, 다 텬경의는 반 졈 흐릿흔 거시 업시 빗최고, 듕관의 호화를 흠앙흐여 현으를 닉여 듕광을 뵈노라 흐는 거시, 쇼시 녀의를 개착하고 듕관을 뵌 후 듕관이 도라갈 쩍【18】쇼시 대로의 나가 듕관을 줏두○[다]리는 형상이며, 챵후 형뎨와 덩·딘·하·댱 등이 흔 조각 원망디심이 업고, 미양 태부인과 주긔를 감화치 못홀가 슬허흐는 거동이오. 화란 후 챵후 형뎨 남·양이 쳐로셔 도라와 주긔 고식(姑媳)의 딜환을 초젼흐다가, 호람휘 샹경 후 쇼시 아모리 홀 줄 몰나 흐는 형상이며, 주긔 병셰 위독흐미 쇼시 단디(斷指)흐여 주긔 닙의 드리오는 거동이며, 쇼시 원님 슈목 스이의셔 칠등을 버리고 혈서로 튝스를 뼈 분향 비튝흐여, 양모의 딜양을 딘신흐믈 빌미, 샹뎐이 감동흐시는 비 뵈니, 뉴시 셕년【19】챵후 형뎨를 죽이고져 니를 갈고, 므음이 돌곳치 뭉쳣던 악심이, 오날놀 흔 쑴의 텬경을 보미, 흉심(凶心)이 츈셜 곳고 이돏고 뉘웃브미 병츌(竝出)흐니, 도로혀 아모란 상(狀)이 업셔 어린드시 섯더니, 믄득 밧그로 조츠 금병(錦屛)이 거두치며 딘쥬(珍珠) 발을 들혀는 바의, 일위 션관이 광의대딕(廣衣大帶)로 한가히 거러 드러오니, 이 곳 명쳔공이라. 뉴시 황망이 네흔딕, 공이 답비흐고 좌뎡흐미, 윤노공과 황부인이 뉴시다려, 왈,

"네 텬경을 쾌히 보아시니 이졔는 악심이 업슬디라. 위시 블인(不仁)이 근간의 쥬견 업슨 사름이 되여 므음을 뎡치 못흐엿느니, 네 쾌히 씨다른죽, 위【20】시는 주연 어딘 사름이 되리니, 모로미 효주 현부의 셩효를 기리 밧고 다시 과악(過惡)을 발치 말나."

뉴시 머리를 두다려 죄를 쳥흐니, 노공 왈,

뉴시 황황 참괴흐믄 이르도 말고, 주긔 평싱 은악양션(隱惡佯善)흐여 악스를 힝흐나, 가만흐며 공교흐믈 웃듬흐며, 남을 쏜다시 긔이던 일이 다 《현경∥텬경》의는 반 졈 흐릿한 거시 업시 빗최고, 《즁간∥듕관》의 호화를 《흠양∥흠앙》흐여 현으을【21】닉여 듕관을 뵈노라 흐는 거시 쇼시 여의(女衣)를 기착하고 듕관을 뵌 후, 듕관이 도라갈 쩍 쇼시 딕로(大路)의 나가 듕관을 줏두○[다]리는 형상이며, 챵후 형뎨와 덩·진·하·쟝 등이 한 조각 원망지심이 업고, 미양 틱부인과 주긔를 감화치 못홀가 슬허흐는 거동이오, 화란 후 챵후 형뎨 남·양 이쳐로셔 도라와 주긔 고식(姑媳)의 질환을 초젼(焦煎)흐다가, 호람휘 샹경 후 소시 아모리홀 쥴 몰나 흐는 형용이며, 주긔 병셰 위즁흐미 소시 단지(斷指)흐여 주긔 입의 드러오는 거동이며, 소시 원님 슈목 스이【22】의셔 칠등을 버리고 혈셔를 뼈 분향 비츅흐여, 양모의 질양을 딕신흐믈 비니, 챵뎐이 감동흐는 비 뵈니, 뉴씨 셕년 챵후 형뎨를 죽이고져 이를 갈고 마음이 돌갓치 뭉쳣던 악심(惡心)이, 오날날 한 쑴의 《현경∥텬경》을 보미, 흉심(凶心)이 츈셜 갓고 이닶고 뉘웃부미 병츌(竝出)흐니, 도로혀 아모란 샹(狀)이 업셔 어린다시 섯더니, 믄득 밧그로 조츠 금병(錦屛)이 거두치며 진쥬(珍珠) 발을 들혀는 바의, 일위 션관이 광의딕딕(廣衣大帶)로 한가히 거러 드러오니 이 곳 명쳔공이라. 뉴씨 황망이 예흔딕 공이 답비【23】흐고 좌졍흐미, 윤노공과 황부인이 뉴시다려 왈,

"현뷔 《현경∥텬경》을 쾌히 보아시니 이졔는 악심이 업슬지라. 위씨 불인니 《즈간∥근간》의 《쥬션∥쥬견》 업슨 스람이 되여 마음을 졍치 못흐엿느니, 네 쾌히 씨다른죽 위씨는 주연 어진 스람이 되리니, 모로미 효주 현부의 셩효를 기리 밧고 다시 과악(過惡)을 발치 말노."

뉴시 머리를 두다려 죄를 쳥흐니, 노공 왈,

"디난 일은 다시 졔긔치 말고, 식로 어딘 모음을 낫타닉는 거시 올흐니, 무익훈 쳥죄를 말나. 네 이 훈 쑴이 허식라 ㅎ고, 밋디 아냐 긔탄(忌憚)ㅎ는 비 업셔는 헛되이 넉이리니, 가히 증험을 두어 몽뫼(夢兆) 분명케 ㅎ고, 너의 악스를 삼나던(森羅殿)의 일일히 치부(置簿)ㅎ미 되고, 텬경의 빗최믈 싱각ㅎ라. 셰월 비영 형봉이 악스를 도으미 통히훈 고로, 디옥의 가도앗더니 몽식 헛되디 아니믈 붉히 알게, 삼요(三妖)의 녕【21】빅(靈魄)으로써 환도번믈(還道飜物)918)ㅎ여 흑뎍(黑赤) 냥식(兩色)의 댱스(長蛇) 셰흘 민드라, 너 누엇는 상하(床下)의 셔렷게 ㅎ리니, 녜스 장스로 아디 말나."

뉴시 숑연(悚然)ㅎ여 계오 딕(對)ㅎ디,

"쳡의 죄 여산(如山)ㅎ와 귀록(鬼錄)과 텬경(天鏡)을 보오니 뉘웃는 쯧이 각골(刻骨)ㅎ오니, 흉노(凶奴)와 간비(姦婢)의 혼빅으로써 댱스를 아니 민드라 보닉셔도, 다시 죄를 범치 아니ㅎ리이다."

노공 왈,

"개과 쳔션은 성인의 허ㅎ신 비라. 네 회과(悔過)홀 딘딕 오문의 경시오, 희텬의게 힝(幸)이니 엇디 깃브디 아니리오. 연이나 댱스를 상 밋틱 잠간 너허 몽식 분명훈 줄 알

---
918)환도번믈(還道飜物) : 죽어 지옥에 든 자를 형상을 바꾸어 환생(還生)케 함.

"지난 일은 다시 졔긔치 말고, 식로 어진 모음을 낫타닉는 거시 올흐니, 무익히 슬허ᄒ믈 싱각지 말고, 가지록 마음을 안정ㅎ기를 공부【24】ᄒ라. ○…결락156자…○[네 이 훈 쑴이 허식라 ㅎ고, 밋디 아냐 긔탄(忌憚)ㅎ는 비 업셔는 헛되이 넉이리니, 가히 증험을 두어 몽뫼(夢兆) 분명케 ㅎ고, 너의 악스를 삼나던(森羅殿)의 일일히 치부(置簿)ㅎ미 되고, 텬경의 빗최믈 싱각ㅎ라. 셰월 비영 형봉이 악스를 도으미 통히훈 고로, 디옥의 가도앗더니 몽식 헛되디 아니믈 붉히 알게, 삼요(三妖)의 녕빅(靈魄)으로써 환도번믈(還道飜物)879)ㅎ여 흑뎍(黑赤) 냥식(兩色)의 댱스(長蛇) 셰흘 민드라, 너 누엇는 상하(床下)의 셔렷게 ㅎ리니, 녜스 장스로 아디 말나]."

{뉴씨 감이 말을 못ㅎ거늘, 명천공이 말숨을 이어 왈,
"소싱은 일즉 인셰를 하직ㅎ여 불효(不孝)오 형뎨(兄兄弟) 종스를 그릇홀가 근심ㅎ고, 슈시(嫂氏) 일공(一空)이 막혀 가도(家道) 어즈러오니 츠셕ㅎ더니, 츠후 회과ㅎ실 바를 깃거ㅎᄂ이다."
뉴씨 붓그러운 낫출 싹는 듯ㅎ여 언언이 쳥죄ㅎ더니, 황부인니 종즈를 뉴시를 먹여 왈,
"그딕 병을 틱샹노군의 감노쉬(甘露水) 아니면 고칠 길이 업스니 이 약을 마시면 빅병이 소멸ㅎ리라."}880)

뉴씨○…결락21자…○[뉴시 숑연(悚然)ㅎ여 계오 딕(對)ㅎ디,

"쳡의 죄 여산(如山)ㅎ와 귀록(鬼錄)과 {과연} 텬경(天鏡)을 보오니 뉘웃는 쯧시 각골ㅎ오니, 흉【25】노(凶奴)와 간비(姦婢)의 혼빅으로써 《댱스∥댱스(長蛇)》를 아니 민드라 보닉셔도, 다시 죄를 범치 아니ㅎ리이다."

노공 왈,

"긔과쳔션은 성인의 허ㅎ신 비라. 네 회

---
879)환도번믈(還道飜物) : 죽어 지옥에 든 자를 형상을 바꾸어 환생(還生)케 함.
880){ }안의 "뉴씨 감이 - 빅병이 소멸ㅎ리라."까지의 명천공과 황부인의 말은 다음 26-27쪽에서 전개되는 말을 잘못 전사하여 중복 서사된 연문이다.

게 ᄒ리라."

　최후의 명쳔공이 츄연(惆然) 탄왈,

　"쇼싱이 일즉 셰샹을【22】바려 ᄌ졍긔 블효를 깃치고, 사뎨(舍弟)로 ᄒ여곰 안항(雁行)이 외롭고 그림지 쳐량케 ᄒ며, ᄌ녀로써 궁텬디통을 픔게 ᄒ니, 구쳔야ᄃᆡ(九泉夜臺)의 녕ᄇᆡᆨ(靈魄)이 부모를 뫼셔 샹뎨 은통을 닙ᄉᆞ와 옥쳥궁 션복(仙福)919)을 누리나, 도라 셰샹을 녀렴(慮念)컨ᄃᆡ 가ᄉᆞ의 망측홈과 변고의 층ᄉᆡᆼ(層生)ᄒᄆᆡ 슈슈의 일공이 막혀 트이디 못ᄒ미러니, 금일 쾌히 ᄡᅵᄃ르시니 이졔ᄂᆞᆫ 가란을 비로소 딘뎡홀디라. 오문의 복이니 힝심ᄒᆞᆷ믈 니긔디 못ᄒ리로소이다."

　뉴시 붓그러온 낫치 달호여 다만 쳥죄홀ᄯᆞᆫ이러니, 황부인이 일 죵920) ᄎᆞ를 주어 왈,

　"네 《고황∥고황(膏肓)921)》의 든 병을 태상노군(太上老君)922)의 감【23】노슈(甘露水)923) 아닌즉 곳칠 길히 업ᄂᆞᆫ디라. 이 ᄎᆞ를 마시면 악심과 ᄇᆡᆨ병이 소쾌(蘇快)ᄒ리라."

　뉴시 ᄡᅡᆼ슈로 밧ᄌᆞ와 마시ᄆᆡ, 후셜이 셔늘ᄒᆞ고 흉금이 상쾌ᄒ여, ᄉᆞ디 골졀의 두로 알픈 거시 구름이 거드며 안개 스러디 ᄃᆞᆺᄒ고, ᄉᆞᄉᆞ난념(事事亂念)과 괴악(怪惡)ᄒᆞᆫ 욕홰(慾火) 다 닛치이ᄂᆞᆫ디라. 뉴시 ᄯᅩ 옥쳥궁(玉淸宮)924)을 보ᄆᆡ 딘념(塵念)이 스라져,

---

과(悔過)홀진ᄃᆡ 오문의 경ᄉ이오, 희텬의게 힝(幸)이니 엇지 깃브지 아니리오. 연나나 쟝ᄉ를 상 밋히 잠간 너허 몽ᄉ 분명한 쥴 알게 ᄒ리라."

　최후의 명쳔공이 츄연(惆然) 탄왈,

　"소싱이 일즉 셰샹을 바려 ᄌ졍긔 블효를 끼치고, ᄉ뎨(舍弟)로 ᄒ여곰 안항(雁行)이 외롭고 그림지 쳐량케 ᄒ며, ᄌ녀로써 궁텬지통을 픔게 ᄒ니, 구쳔야ᄃᆡ(九泉夜臺)의 영【26】ᄇᆡᆨ(靈魄)이 부모를 뫼셔 샹뎨 총을 입어 옥쳥궁 부귀를 누리나, 도라 셰샹을 여렴(慮念)컨ᄃᆡ 가ᄉ의 망측함과 변고의 층ᄉᆡᆼ(層生)ᄒᄆᆡ 슈슈의 일공이 막혀 트이지 못ᄒ미러니, 금일 쾌히 ᄡᅵᄃᆞ르시니 이졔ᄂᆞᆫ 가란을 비로소 진졍홀지라. 오문의 복이니 《힝심∥힝심》ᄒᆞᄆᆞᆯ 니기지 못ᄒ리로소이다."

　뉴시 붓그러 온 낫치 달호여 다만 쳥죄홀ᄯᆞᆫ이러니, 황 부인니 일 죵881) ᄎᆞ를 주어 왈,

　"네 고황(膏肓)882)의 든 병을 틱샹노군(太上老君)883)의 감노슈(甘露水)884) 아닌즉 곳칠 길히 업ᄂᆞᆫ지라. 이 ᄎᆞ를 마시면 악심【27】과 ᄇᆡᆨ병이 소쾌(蘇快)ᄒ리라."

　뉴씨 샹슈(雙手)을 밧ᄌᆞ와 마시ᄆᆡ, 후셜이 셔늘ᄒᆞ고, ᄉ지를 골졀의 두로 알픈 거시 구름이 거두며 안기 스러지 ᄃᆞᆺᄒ고, ᄉᆞᄉᆞᄂᆞᆫ념(事事亂念)과 괴약[악](怪惡)ᄒᆞᆫ 《욕회∥욕화(慾火)》 다 잇치이ᄂᆞᆫ지라. 뉴시 ᄯᅩ 옥쳥궁(玉淸宮)885)을 보ᄆᆡ 진념(塵念)이 스라져, 황 부인긔 고ᄒ여 말지 시녀 항의 나

---

919)션복(仙福) : 신선으로서의 복(福).
920)죵 : 종지. 간장·고추장 따위를 담아서 상에 놓는, 종발보다 작은 그릇.
921)고황(膏肓) : 심장과 횡격막의 사이. 고는 심장의 아랫부분이고, 황은 횡격막의 윗부분으로, 이 사이에 병이 생기면 낫기 어렵다고 한다.
922)틱샹노군(太上老君). 도가에서 교조(敎祖)인 노자(老子)를 신격화하여 이르는 말.
923)감노슈(甘露水) : 감로수. 맛이 썩 좋은 물.
924)옥쳥궁(玉淸宮) : 도교 삼쳥궁(三淸宮)의 하나로, 원시천존(元始天尊) 곧 옥황상제가 사는 곳이라 함.

---

881)죵 : 종지. 간장·고추장 따위를 담아서 상에 놓는, 종발보다 작은 그릇.
882)고황(膏肓) : 심장과 횡격막의 사이. 고는 심장의 아랫부분이고, 황은 횡격막의 윗부분으로, 이 사이에 병이 생기면 낫기 어렵다고 한다.
883)틱샹노군(太上老君). 도가에서 교조(敎祖)인 노자(老子)를 신격화하여 이르는 말.
884)감노슈(甘露水) : 감로수. 맛이 썩 좋은 물.
885)옥쳥궁(玉淸宮) : 도교 삼쳥궁(三淸宮)의 하나로, 원시천존(元始天尊) 곧 옥황상제가 사는 곳이라 함.

황부인긔 고ᄒᆞ여, 말지 시녀 항의나 이시믈
고ᄒᆞ니, 부인 왈,

"현부를 샹뎨명으로 닉여 보닉라 ᄒᆞ실 ᄲᅵᆫ
아니라, 셰연(世緣)이 딘홀 ᄹᆡ 잇ᄂᆞ니, 엇디
즈레 드러오리오. 덕을 닥고 션을 힘쓰면
ᄉᆞ후의 《아미∥아비》대디옥을 면ᄒᆞ고 텬
궁 부귀 쾌락을 보리라."

ᄒᆞ니, 뉴시 빅샤【24】ᄒᆞ고 말셕의 시좌
ᄒᆞ엿더니, 윤노공이 ᄲᅵᆯ 느겨시믈 닐너 나가
믈 지쵹ᄒᆞ니, 뉴시 마디 못ᄒᆞ여 니러나 구
고와 슉슉긔 하딕ᄒᆞ고, 쳥의 녀동을 ᄯᆞ라
옥쳥궁을 나미, 녀동이 일엽(一葉) 쇼션(小
船)을 가져 뉴시를 틱와 망망대ᄒᆡ(茫茫大
海)의 ᄯᅴ오니, 믈결이 흉용(洶湧)ᄒᆞᄃᆡ라.

놀나 ᄭᅢ치니 금계(金鷄)925) 시비를 보ᄒᆞ
고, 좌우의 챵후 형뎨와 뎡·하·댱 삼인이
버럿ᄂᆞᄃᆡ, 쇼ᄉᆞᄂᆞᆫ 즈긔 손을 밧드러 실셩
비읍 ᄒᆞ니, 뉴시 ᄭᅮᆷ을 ᄭᆡ미 긔운이 싁싁ᄒᆞ
고 ᄉᆞ디(四肢) 경쾌ᄒᆞ여 완젼ᄒᆞ고, 념나국
(閻羅國)과 옥쳥궁(玉淸宮) 풍경이 눈의 버
럿고, 귀록(鬼錄)의 즈긔 과악 죄목 쓴 거시
듕쳡(重疊)ᄒᆞᄃᆡ, 교인 셰월 비영 등의 아니
쏘은【25】일이며, 디옥○[의] 흉참ᄒᆞ미 눈
의 버럿고, 텬경의 비상ᄒᆞ미 하날과 귀신이
몬져 알믈 비로소 두리고 놀나오니, 악악
간험턴 바를 뉘웃쳐, 이 날이야 감동ᄒᆞ여
도로혀 밋칠 ᄃᆞᆺ○○[ᄒᆞ고], 즈딜이 즈긔로
인ᄒᆞ여 촌장(寸腸)을 살오고 몸을 상ᄒᆡ오믈
참잔비졀(慘殘悲絶)ᄒᆞ여, 브디블각(不知不
覺)의 쇼ᄉᆞ의 ᄲᅵᆫ 손을 잡고 실셩운졀(失
性殞絶)ᄒᆞ여 왈,

"이 붓그러옴과 뉘웃츠믈 어딕 비ᄒᆞ며 므
어ᄉᆞ로 형상ᄒᆞ리오. 내 눈이 이시나 망
지926) 업셔 현효(賢孝)ᄒᆞᆫ 즈딜(子姪) 부부
를 쳔빅 가디로 히ᄒᆞ여, 옥이 바ᄋᆡ디고 믈
이 업칠 번ᄒᆞ니, 나의 죄악이 텬디의 즈옥

---

925)금계(金鷄) : '닭'의 미칭(美稱). 꿩과에 속한 새.
926)망지 : 망자. 망울. 눈망울. 꽃망울. 여기서는 눈
　　망울을 말함.

잇시믈 고ᄒᆞ니, 부인 왈,

"현부를 샹○[뎨]명(上帝命)으로 닉여 보
닉라 ᄒᆞ실 ᄲᅵᆫ 아니라, 셰연(世緣)니 진홀 ᄹᆡ
잇ᄂᆞ니, 엇지 즈레 드러오리오. 덕을 닥고
션을 힘쓰면 ᄉᆞ후의 지옥을 면ᄒᆞ고 쳔궁 부
귀 쾌락을 보리라."

ᄒᆞ니, 뉴시 고두(叩頭)【28】ᄒᆞ고 말셕의
좌ᄒᆞ엿더니, 《윤공왈∥윤노공이》 날이 느
겨시믈 일너 나가믈 지쵹ᄒᆞ니, 뉴시 마지
못ᄒᆞ여 이러나 구고와 명쳔공긔 하직ᄒᆞ고,
쳥의 여동을 ᄯᆞ라 옥쳔[쳥]궁을 나미, 여동
이 일엽(一葉) 소션(小船)을 가져 뉴씨를 틱
와 망망딕ᄒᆡ(茫茫大海)의 ᄯᅴ오니, 물결이 흉
용(洶溶)ᄒᆞ지라.

놀나 ᄭᅢ치니 금계(金鷄)886) 시비를 고ᄒᆞ
고, 좌우의 챵후 형뎨와 뎡·하·댱 슘인이
버럿ᄂᆞᄃᆡ, 소ᄉᆞᄂᆞᆫ 즈긔 손을 밧드러 실셩
체읍ᄒᆞ니, 뉴시 ᄭᅮᆷ을 ᄭᆡ미 긔운이 싁싁ᄒᆞ고
ᄉᆞ지(四肢) ○[경]쾌(輕快)ᄒᆞ여 완젼ᄒᆞ고,
염나국(閻羅國)과 옥쳥궁(玉淸宮) 풍경【2
9】이 눈의 버럿고, 귀록의 즈긔 과악과 죄
목 쓴 거시 듕쳡ᄒᆞᄃᆡ, 교인·셰월·비영 등
의 아니쏘은 일이며, 지옥○[의] 흉참ᄒᆞ미
눈의 버럿고, 《현경∥텬경》의 비상ᄒᆞ미
하늘{의}과 귀신니 먼져 알게 되미[믈] 비
로소 두리고 놀나오니, 악악 간험한 바를
뉘웃쳐, 이 날이야 감동ᄒᆞ여 도로혀 밋칠
ᄃᆞᆺ○○[ᄒᆞ고], 즈딜이 즈긔로 인ᄒᆞ여 촌장
(寸腸)을 술오고 몸을 상ᄒᆡ오믈 참잔비졀
(慘殘悲絶)ᄒᆞ여, 부지블각(不知不覺)의 소ᄉᆞ
의 ᄡᅵᆫ 손을 잡고 실셩운졀(失性殞絶)ᄒᆞ여
왈,

"이 붓그러옴과 뉘웃츠믈 어딕 비ᄒᆞ며 므
어ᄉᆞ【30】로 형샹ᄒᆞ리오. 너 눈니 잇스나
망지887) 업셔 현효(賢孝)한 즈딜 부부를 쳔
빅 가지로 히ᄒᆞ여 옥이 바ᄋᆡ지고 《물식∥
물이》 업칠 번ᄒᆞ니, 나의 죄악이 쳔지의

---

886)금계(金鷄) : '닭'의 미칭(美稱). 꿩과에 속한 새.
887)망지 : 망자. 망울. 눈망울. 꽃망울. 여기서는 눈
　　망울을 말함.

흔다라. 뉘 날을 형벌흐여 만의 흔 죄를 속
흐리오."【26】

셜파의 호곡(號哭) 운졀(殞絶)흐니, 쇼스
형뎨 부인의 인스 출히믈 보고 영힝흐믈 니
긔디 못흐나, ○○○[창후는] 병심을 요동
흐여 주긔 형뎨를 므러 너흐디927) 못흐믈
한흐여 호곡흐민 줄 알고,

"어나 시졀의나 감화흐리오."

흐여, 근심이 미우를 좀으고, 쇼스는 황황
(惶惶) 초젼(焦煎)흐더니, 그 뉘웃츠시믈 드
르미 도로혀 놀나오미 극흐여, 그윽이 싱각
흐디,

"'조디장스(鳥之將死)이 기셩(其聲)이 쳐
(悽)흐고, 인지장스(人之將死)의 기언(其言)
이 션(善)흐다.'928) 흐니, 슉뫼 반듯시 별셰
(別世)흐시려 이리 니르시미니, 엇디 경악
(驚愕)디 아니리오. 아모커나 슉모의 위티흐
신 거동을 슬펴 다시 약을 뻐 보리라."

흐고, 갓가이 나아가 쵹을 도도고 슉모의
얼골을 주시 본즉,【27】안졍(眼睛)이 면경
(面鏡) ᄀᆞ고 혈식이 삼오홍옥(三五紅玉)929)
을 묘시흘더라. 아모리 보아도 슈한이 댱원
흐여 향슈흘 샹격이니, 듕년(中年) 요스(夭
死)치 아닐 듯 흐더라. 지삼 위로흐고 쇼식
이셩 화긔흐여 병심을 요동치 마르시믈 쳥
흐니, 뉴시 몽스를 싱각흐미 이듭고 셜우미
복밧쳐, 오라도록 울기를 긋치디 못흐니, 초
시 호람휘 신셩(晨省)흐라 드러온즉, 태부인
은 아딕 좀을 씌디 못흐엿고, 믄득 응휘각
으로셔 쳐졀흔 곡셩이 들니니, 뉴시 또 모
딘 슈단으로 주딜 부부 듕의 눌을 히흐엿는
가 경악흐여, 만일 아모나 히흐여실던디 브
디블각의 뉴시를 죽이고 나오려 흐여, 가마
니 응휘각의 나아가 합장 뒤【28】히 셔셔
틈으로뼈 방즁을 보미, 창후 형뎨 뉴시를
붓드러 샹회(傷懷)치 말믈 쳥흐며, 뉴시는,

즈옥흔지라. 뉘 《나∥날》을 형벌흐여 만
의 한 죄를 속흐리요."

셜파의 호곡(號哭) 운졀(殞絶)흐니, 소스
형뎨 부인의 인스 출히믈 보고 영힝흐믈 이
기지 못흐여 흐나, ○○○[창후는] 병심을
요동흐여 주긔 형뎨를 무러 너흐지888) 못흐
믈 한흐여, 이곡(哀哭)흐민 줄 알고,

"어느 시졀의나 감화흐리요."

흐여, 근심이 미우를 잠으고, 소스는 황황
(惶惶) 초졀(焦絶)흔【31】더니, 그 뉘웃츠
시믈 드르미 도로혀 놀나오미 극흐여 그윽
이 싱각한디,

"'조지장스(鳥之將死)의 긔셩(其聲)이 쳐
(悽)흐고, 인지쟝스(人之將死)의 기언(其言)
이 션(善)흐다.'889) 흐니 슉뫼 반다시 ○○○
○[별셰(別世)흐시]려 이리 니르시미니 엇
지 경악지 아니리요. 아모커나 슉모의 위틱
흐신 거동을 슬펴 다시 약을 쎠 보리라."

흐고, 갓가이 나아가 쵹을 도도고 슉모의
얼골를 주시 본즉, 《안쳥∥안졍(眼睛)》이
면경(面鏡) ᄀᆞ고 혈식이 삼오홍옥(三五紅
玉)890)을 묘시흘지라. 아모리 보아도 슈한
이 쟝원흐여 향슈흘 샹격이니, 졸련(猝然)
요스(夭死)치 아닐 듯 《할∥흔》지라. 지슴
위【32】로흐고 소식 이셩 화긔흐여 병심
을 요동치 마르시믈 쳥흐니, 뉴시 몽스를
싱각흐미 이답구[고] 셜우미 북바쳐 오릭도
록 울기를 긋치지 아니흐니, 초시 호람휘
신셩흐라 드러온즉, 틱부인은 아직 잠을 씌
지 아니흐엿고, 믄득 응휘각으로셔 쳐졀흔
곡셩이 들니니, 뉴시 또 모진 슈단으로 주
딜 부부 듕의 누를 히흐엿는가 경악흐여,
만일 아모나 히흐엿실진디 부지블각의 드러
가 뉴시를 죽이고 나오려, 가마니 응휘각의
나아가 합장 뒤히셔셔【33】틈으로뼈 방즁
을 보미, 챵후 형뎨 뉴시를 붓드러 샹회(傷

---

927)너흐다 : 물다. 물어뜯다. 씹다.
928)"조디장스(鳥之將死) ～ 션(善)흐다." : "새가 죽
　　을 때면 그 소리가 슬프고, 사람이 죽을 때면 그
　　말이 착하다"는 뜻
929)삼오홍옥(三五紅玉) : 열다섯 살의 홍옥처럼 붉
　　은 얼굴.

888)너흐다 : 물다. 물어뜯다. 씹다.
889)"조디장스(鳥之將死) ～ 션(善)흐다." : "새가 죽
　　을 때면 그 소리가 슬프고, 사람이 죽을 때면 그
　　말이 착하다"는 뜻
890)삼오홍옥(三五紅玉) : 열다섯 살의 홍옥처럼 붉
　　은 얼굴.

"○[이] 뉘웃봄과 참괴흔 거슬 긴 날의 어이 견듸리오"

ᄒᆞ여, 울기를 마디 아니터니, 이윽고 긋친 후 좌슈로 쇼스를 집슈ᄒᆞ고 우슈로 챵후의 손을 잡아, 탄셩 톄읍 왈,

"나의 젼젼 과악을 금일 혜건듸 텬디의 ᄡᅳᆯ 곳이 업ᄂᆞᆫ디라. 현딜과 희이 뎨슌(帝舜)과 증ᄉᆞᆷ(曾參)의 대효를 법(法)바다, 비록 원한을 품디 아니ᄒᆞ나 내 ᄆᆞᄋᆞᆷ의 참괴ᄒᆞ미 낫 둘 ᄯᅳ히 업ᄉᆞ니, 출하리 죽기를 바라나, 귀신뉴(鬼神類)의도 참예치 못ᄒᆞ여 옥듕 죄쉬 되리니, ᄎᆞ신(此身)이 싱스 간 므어시 되엿ᄂᆞᆢᆨ?"【29】

창후 형뎨 부인의 쾌히 ᄭᅢ드르믈 보미 깃브미 이 밧긔 업ᄂᆞᆫ디라. 흔연 고왈,

"왕ᄉᆞ(往事)는 믈이 업침 ᄀᆞᆺ고, 젼혀 지하ᄌᆞ(在下者)의 블초(不肖)ᄒᆞ미니, ᄌᆞ졍의 므ᄉᆞᆷ 실덕이 되시리잇고?"

뉴시 몽ᄉᆞ를 대강 니르고, 쇼스의 손과 팔히 샹ᄒᆞ미 몽듕(夢中)의 볼 적과 다르디 아니믈 ᄀᆞ초 닐너, 슬허 홈과 뉘웃는 말이 혜 달흘 ᄃᆞᆺ고, 젼젼 악ᄉᆞ를 스스로 일ᄏᆞ라 붓그리믈 형상치 못ᄒᆞ{미}니, 호람휘 냥구히 셔셔 보다가 더옥 녜ᄉᆞ롭디 아니케 넉여 즉시 나오니라.

창후 형뎨 부인의 몽ᄉᆞ를 듯고 조부모의 붉히 ᄀᆞᄅᆞ치시믈 드르미 식로이 쳑비(慽悲)ᄒᆞ나, 부인의 심ᄉᆞ를 요동치 아니랴 화셩유어(和聲柔語)로【30】 위로ᄒᆞ며, 듁음을 나와 딘(進)ᄒᆞᄆᆞᆯ 쳥ᄒᆞᆫ듸, 뉴시 ᄌᆞ딜 부부를 쳐음으로 ᄉᆞ랑ᄒᆞ며 귀듕ᄒᆞᄂᆞᆫ 졍이 혈심의 비로셔, 그 권ᄒᆞᄂᆞᆫ 바를 마시고 뎡·하·쟝 삼인을 나아오라 ᄒᆞ니, 창후 형뎨 믈너나 먼니 좌ᄒᆞᆫ듸, 삼쇼졔 부인 알패 나아가니 뉴시 ᄯᅩ 일쟝을 통읍ᄒᆞ여 뉘웃는 말이 무궁ᄒᆞ여, 뎡쇼져의 찬덕홈과 하시 죽엿던 바와 쟝시를 셜억의게 팔녀ᄒᆞ던 빈 다 ᄌᆞ긔 쇠믈 일ᄏᆞ라 목이 메니, 삼쇼졔 부인의 회과ᄒᆞᄆᆞᆯ 드르미 깃브믈 니긔디 못ᄒᆞ여, 하쇼졔 뎡금 공경 왈,

懷)치 말나 ᄒᆞ며, 뉴시ᄂᆞᆫ,

"○[이] 뉘웃봄과 참괴흔 거슬 긴 날의 어이 견듸리오."

ᄒᆞ여, 울긔를 마지 아니터니, 이윽고 긋친 후 좌슈로 소스를 집슈ᄒᆞ고, 우슈의 챵후의 손을 잡아, 탄셩 톄읍 왈,

"나의 젼젼 과악을 금일 혜건듸, 쳔지의 ᄡᅳᆯ 곳지 업ᄂᆞᆫ지라. 현질과 희이 뎨슌과 증ᄉᆞᆷ의 듸효를 법바다, 비록 원한을 품지 아니ᄒᆞ나 닉 ᄆᆞᄋᆞᆷ의 참괴ᄒᆞ미 낫 둘 ᄯᅳ히 업ᄉᆞ니, 찰하리 죽긔를【34】바라나, 귀신유(鬼神類)의도 참예○○[치 못]ᄒᆞ여 옥듕 죄쉬 되리니, ᄎᆞ신니 《ᄉᆞ스‖싱ᄉᆞ》간 무어시 되엿ᄂᆞ요?"

챵후 형뎨 부인의 쾌히 ᄭᅢ다르믈 보미, 깃부미 이 밧긔 업ᄂᆞ지라. 흔연 고왈,

"지나간 일은 믈이 업침 갓구[고] 젼혀 지하ᄌᆞ(在下者)의 불초ᄒᆞ미니, ○○○[ᄌᆞ졍의] 《춤‖무ᄉᆞᆷ》 실덕이 되시리잇고?"

뉴시 몽ᄉᆞ를 듸강 이르고, 소스의 손과 팔이 샹ᄒᆞ미 몽즁의 볼 적과 다르지 아니믈 갓초 일너, 슬허함과 뉘웃는 말이 혜 《다흘‖달흘》 ᄃᆞᆺ고, 젼젼 악ᄉᆞ를 스스로 일ᄏᆞ라 붓그리믈 형샹치 못ᄒᆞ니, 호람휘 양구히【35】셔셔 보다가 더옥 예ᄉᆞ롭지 아니케 역여 즉시 나오니라.

챵후 형뎨 부인의 몽ᄉᆞ를 듯고 조부모의 《발히‖붉히》 가라치시믈 드르미 식로이 쳑비ᄒᆞ나, 부인의 심ᄉᆞ를 요동치 아니랴 화셩유어(和聲柔語)로 위로ᄒᆞ며, 듁음을 나와 《권‖진(進)》ᄒᆞ믈 쳥ᄒᆞᆫ듸, 뉴시 ᄌᆞ딜 부부를 쳐음으로 ᄉᆞ랑ᄒᆞ며 귀즁ᄒᆞᄂᆞᆫ 졍이 혈심의 비로셔, 그 권ᄒᆞᄂᆞᆫ 바를 마시고 뎡·하·쟝 ᄉᆞᆷ인을 나아오라ᄒᆞ니, 챵후 형뎨 물너나 멀니 좌ᄒᆞᆫ듸, ᄉᆞᆷ 소졔 부인 알픠 나오니 뉴시 ᄯᅩ 일쟝을 호읍ᄒᆞ여 졍소져의 찬쳑함과 하씨 듁【36】엿든 바와 쟝씨를 셜억의게 팔여 ᄒᆞ던 빅, 다 ᄌᆞ긔 쇠믈 일ᄏᆞ라 목이 메니, ᄉᆞᆷ소졔 부인의 회과ᄒᆞᄆᆞᆯ 들르미 깃브믈 니기지 못ᄒᆞ여, 하소졔 졍금 공경 왈,

"첩신(妾身)의 병이 미류(彌留)호와 오릭
믈너 이셔, 딜환을 시호(侍護)치 못호미 죄
당만시(罪當萬死)로소이다."

말솜을 맛츠미 청아흔 【31】 셩음이 볼스
록 긔이호니, 뉴시의 악악호미 원간 그 주
딜 부부의 남달니 긔특호고 아름다오믈 더
옥 통한호더니, 오날놀 씌드릭믈 쾌히 흐미,
본딕 충명 영오흔믄 텬싱 품딜이라. 위부인
곳치 므음을 뎡치 못호여, 이를 의아호고
져를 괴이히 넉여 그 셩효를 밋쳐 씌둣디
못호고, 쥬견이 업셔 아모리 홀 줄 모로는
거시 아냐, 창후 형뎨의 츌텬대효(出天大孝)
를 감탄호며, 딘쇼져의 도라오디 아닌 연고
를 므러 탐탐(耽耽)흔 졍과 체체흔930) 스랑
이 비홀 곳이 업는디라. 유ᄋ를 다려 오라
호여 그 비상 특이호믈 깃거 황홀흔 즁의
인ᄉ(人事)를 니즈니, 쇼시 즈긔 싱젼의 양
모를 감화치 못홀가 【32】 각골이 슬허 흐
던 한이 오날놀 쇠휜이 플녀시니, 인간 낙
시 이 밧긔 업는디라. 니른 《비∥바》 디
셩(至誠)이○[면] 감텬(感天)이믈 쇼ᄉ의게
비호염죽 흐더라.

쇼시 모부인이 소통(疏通)코 어디러 악ᄉ
를 바리고 쾌히 씌드릭시믈 환열흐더라.

동방이 긔빅(旣白)호미 창후 형뎨와 뎡·
댱 이부인이 존당의 신셩(晨省)홀식, 뉴부인
병셰 마이 나으믈 고흔딕, 태부인이 크게
깃거 흐더라.

초일 하쇼졔 응휘각의셔 부인을 뫼셧더
니, 홀연 후창이 스스로 열니며 냥식(兩色)
의 댱식(長蛇) 부인 상하(床下)를 쌸니 향흐
니, 뉴시 혼비빅산(魂飛魄散)흐여 흔 소릭를
크게 디르고 엄홀흐니, 하쇼졔 역시 대경흐
여 붓드러 【33】 구호흐며 시녀로 쇼ᄉ긔
고흐니, 쇼시 급히 니르러 곡졀을 므르니,
쇼졔 댱ᄉ(長蛇)로 인흐여 존괴 놀나시믈
젼흐니, 쇼시 부인 누은 상요(床褥)를 편히
드러 옴기고 본죽, 과연 기릭 열 주히나 흔
댱ᄉ(長蛇) 세히 머리를 맛초고 쇼리를 셔

려 흉독(凶毒)을 발코져 ᄒᆞ다가, 쇼ᄉᆞ의 졍명디긔(正明之氣)를 당ᄒᆞ미 귀신의 음허(陰虛) 비루(鄙陋)ᄒᆞᆫ 요졍이 감히 ᄌᆞ최를 발뵈디 못ᄒᆞ여, 구무를 엇고져 ᄒᆞ니, 쇼ᄉᆞ ᄌᆞ졍의 몽ᄉᆞ를 드럿ᄂᆞᆫ 고로, 댱ᄉᆞ 간비의 졍녕(精靈)이믈 혜아리미 흉히 넉여, '츠ᄉᆞ(此蛇)를 업시치 아냐셔는 다시 요악ᄒᆞᆫ 일이 업디 아니리라.' ᄒᆞ여, 이에 쓰어 너여 친히 블을 노화 ᄉᆞᆯ오니, 아닛쏘은 닉 코홀 거스리고 흉ᄒᆞᆫ 긔운이 동븍【34】으로 향ᄒᆞ거늘, 쇼ᄉᆞ 쥬필 부작을 ᄡᅥ ᄉᆞᆯ오니, 요악ᄒᆞᆫ 긔운이 스러디더라.

쇼ᄉᆞ 댱ᄉᆞ를 업시 ᄒᆞ고 부인을 구호ᄒᆞ니, 부인이 비로소 슘을 닉쉬고 졍신을 출혀 몽ᄉᆞ의 마ᄌᆞ믈 신긔히 넉이딕, 젼과를 뉘웃ᄎᆞ미 ᄌᆞ긔 죽어 죄를 속고져 시븐다라. 쇼ᄉᆞ의 팔흘 어로만져 왈,

"나의 죄과(罪過)를 혜아릴딘딕 고당화루(高堂華樓)의 안과ᄒᆞ미 두립고, 사ᄅᆞᆷ을 딕홀 면목이 업ᄉᆞ니 출하리, 후당 쇼실(小室)의셔 두문블츌(杜門不出)ᄒᆞ여 죄를 만의 ᄒᆞ나히나 속(贖)ᄒᆞ믈 원ᄒᆞ노라."

인ᄒᆞ여 하시를 죽은 줄노 아랏다가 와시믈 보고, 악심이 더ᄒᆞ여 칼노 디르려 ᄒᆞ【35】다가 팔만 샹ᄒᆞ고 밋쳐 죽이디 못ᄒᆞ여셔 초휘 다려가믈 니르고, 현ᄋᆞ의 일싱이 구가의 무안(無顔)ᄒᆞ미, ᄌᆞ긔로 인ᄒᆞ여 초후의 박딕ᄒᆞᆷ믈 바드믈 일ᄏᆞ르며, 모녜 싱견의 다시 보디 못ᄒᆞ게 되여시믈 슬허, 금일이야 현ᄋᆞ를 못 닛는 뜻이 ᄀᆞ득ᄒᆞ니, 쇼ᄉᆞ 이셩화긔(怡聲和氣)로 미져를 슈히 다려와 반기시게 홀 바를 고ᄒᆞ니, 뉴시 츄연 탄왈,

"나의 악착ᄒᆞ미 하시를 즛두다려시딕, 하개 화홍(和弘) 후덕(厚德)ᄒᆞ여 녀ᄋᆞ의 몸이 반셕 ᄀᆞᆺ고, 초휘 녀ᄋᆞ를 죽이디 아녓ᄂᆞ니 하면목으로 귀근(歸覲)을 쳥ᄒᆞ리오."

쇼ᄉᆞ 딕왈,
"ᄌᆞ위 엇디 져져 다려오믈 ᄀᆞ장 어려온 일노 아르시ᄂᆞ니잇고? 하시 셩회【36】쳔

(凶毒)을 발코져 ᄒᆞ다가, 소ᄉᆞ의 졍명지긔(正明之氣)를 당ᄒᆞ미, 귀신의 음허(陰虛) 비루한 요졍(妖精)이 감히 ᄌᆞ최를 발뵈지 못ᄒᆞ여, 구셕을 엇고져 ᄒᆞ니, 소ᄉᆞ ᄌᆞ당의 몽ᄉᆞ를 드럿ᄂᆞᆫ 고로, 댱ᄉᆞ 간비의 후신(後身)니믈 혜아리미, 흉히 역여, '츠ᄉᆞ(此蛇)를 업시치 아냐셔는 다시 요악한 일이 《업는지라‖업지 아니리라》' ᄒᆞ여 이의 쓰러너여 친히 불흘 노하 ᄉᆞᆯ오니, 아니쏘은 닉 코를 거스리고, 《동한‖흉한》 긔운니 동북으로 향ᄒᆞ거늘, 소ᄉᆞ 쥬필 부죽【40】을 ᄡᅥ ᄉᆞᆯ으니 요악ᄒᆞᆫ 긔운이 스러지더라.

소ᄉᆞ 《댱ᄉᆞ‖댱ᄉᆞ》를 업시ᄒᆞ고 부인을 구호ᄒᆞ니, 부인니 비로소 슘을 닉쉬고 졍신을 ᄎᆞ려 몽ᄉᆞ의 마ᄌᆞ믈 신긔히 넉이되, 젼과를 뉘웃ᄎᆞ미 ᄌᆞ긔를 죄를 《속이고져‖속(贖)고져》 시분지라. 소ᄉᆞ의 팔을 어로만져 왈,

"나의 죄과를 혜아릴진딕 고당화루(高堂華樓)의 안과ᄒᆞ미 두립고, ᄉᆞ람을 딕홀 면목이 업ᄉᆞ니 출하리 후당 소실(小室)의셔 두문블츌(杜門不出)ᄒᆞ여 죄를 만의 ᄒᆞ나히나 속(贖)ᄒᆞ믈 원ᄒᆞ노라."

인ᄒᆞ여 하씨를 죽은 쥴노 아랏다가 와시믈 보고, 악심이 더ᄒᆞ여 칼노 지르려 ᄒᆞ다가 팔만 샹ᄒᆞ고 밋쳐 죽【41】이지 못ᄒᆞ여셔 초휘 다려가믈 이르고, 현ᄋᆞ의 일싱이 구가의 무안(無顔)ᄒᆞ미, ᄌᆞ긔로 인ᄒᆞ여 초후의 박딕ᄒᆞᆷ믈 일ᄏᆞ르며 모녀 싱견의 다시 보지 못ᄒᆞ게 되여시믈 슬허, 금일이야 현아를 못닛ᄂᆞᆫ 뜻시 가득ᄒᆞ니, 소ᄉᆞ 이셩화긔(怡聲和氣)로 미졔를 슈히 다려와 반기시게 홀 바를 고ᄒᆞ니, 뉴씨 츄연 탄왈,

"나의 악착ᄒᆞ미 하씨를 즛두다려시딕, 하기 화홍(和弘) 후덕(厚德)ᄒᆞ여 여ᄋᆞ의 몸이 반셕 갓고, 초휘 여아를 죽이지 아녓ᄂᆞ니 하 면목으로 《귀ᄌᆞ를‖귀근(歸覲)을》 쳥ᄒᆞ리오."

소ᄉᆞ 딕왈,
"ᄌᆞ위 엇지 져져 다려오믈 가장 어려운 일노 아르시ᄂᆞ니잇【42】가? 하씨 셩회 쳔

박ᄒᆞ여 그 과격ᄒᆞᆫ 오라비로 더브러 ᄒᆞᆫ가디로 ᄌᆞ위를 원망ᄒᆞ던 고로, 즉시 도라오디 아녓다가 작일의야 니르럿ᄉᆞᆸ거니와, 져 집일노 니를딘ᄃᆡ, 그 ᄯᆞᆯ의 일ᄉᆡᆼ을 쇼ᄌᆞ의게 의탁고져 ᄒᆞ면, 져져의 귀근 길흘 막디 아니코 도라보ᄂᆡᄂᆞᆫ 거시 올흐니, 쇼ᄌᆡ 비록 용녈ᄒᆞ오나 실노 하가ᄂᆞᆫ 반졈도 무셔오미 업ᄉᆞ니, 초후 아냐 뎡국공의 죽은 아비가디 니러나와 쇼ᄌᆞ를 욕ᄎᆡᆨ(辱責)ᄒᆞᆫ다 ᄒᆞ여도, 쇼ᄌᆡ ᄯᅩᄒᆞᆫ ᄒᆞᆯ 말이 만흐니 두렵디 아니ᄃᆡ, 고어의 부뫼 ᄉᆞ랑ᄒᆞᄂᆞᆫ 바ᄂᆞᆫ 견ᄆᆡ(犬馬)라도 녜ᄉᆞ로이 못ᄒᆞᆫ다 ᄒᆞ므로, 하시를 녜ᄉᆞ로이 보고 초후와 결우디 아니ᄒᆞ옵ᄂᆞ니, 사ᄅᆞᆷ【37】이 셩현이 아닌 밧 혹 허믈 잇기 괴이치 아니ᄒᆞ니, ᄌᆞ졍이 일시 실덕ᄒᆞ미 계시나 ᄭᆡᄃᆞᄅᆞ샤미 ᄇᆞᆰ으시니, 하가의셔 다시 므어시라 ᄒᆞ리잇가?"

뉴시 손을 져어 닐오ᄃᆡ,

"오ᄋᆡ 엇디 망녕된 말을 ᄒᆞᄂᆞ뇨? 하가ᄂᆞᆫ ᄒᆞᆫ 조각 허믈이 업ᄂᆞ니, 괴이ᄒᆞᆫ 말을 말고 초후를 보아 나의 죄과를 일ᄏᆞ라, 화슌(和順)이 샤죄ᄒᆞ고 녀ᄋᆞ의 귀령을 비러 보라.

쇼ᄉᆡᆨ 우어 왈,

"ᄌᆞ위 엇디 이런 괴이ᄒᆞᆫ 말ᄉᆞᆷ을 ᄒᆞ시ᄂᆞ니잇고? 하시 일분 념치 이실딘ᄃᆡ, 도라올 졔 져져와 ᄒᆞᆫ가디로 오미 맛당ᄒᆞ거ᄂᆞᆯ, 암ᄆᆡ(暗昧)ᄒᆞᆫ 인ᄉᆡ 밋쳐 ᄉᆡᆼ각이나 ᄒᆞ여시리잇고?"

뉴시 ᄌᆡ삼 하쇼져의 셩효 덕ᄒᆡᆼ을 일ᄏᆞ라, 쇼ᄉᆞ의 나모라 ᄒᆞ믈【38】민망이 넉이ᄂᆞᆫ디라, 이ᄯᆡ 하쇼졔 댱시로 더브러 봉관을 숙여 말이 업ᄉᆞᄃᆡ, 옥면의 훈ᄉᆡᆨ(暈色)931)을 ᄯᅴ엿더라.

어시의 댱쇼졔 양쥐셔 도라온 월여의 존고의 환후로 ᄋᆞᄌᆞᄅᆞᆯ 다려 오디 못ᄒᆞ엿더니, 공이 하쇼져의 ᄋᆞᄌᆞ를 보ᄆᆡ 댱쇼져 유ᄌᆞ를 ᄉᆞ상(思想)ᄒᆞ여 빵셤을 명ᄒᆞ여 공ᄌᆞ 다려오믈 ᄌᆡ촉ᄒᆞᄂᆞᆫ디라. 댱쇼졔 ᄯᅩᄒᆞᆫ 유ᄌᆞ를 닛디 못ᄒᆞ여 표슉 부부긔 샹셔ᄒᆞ여 ᄒᆡᄌᆞ(孩子)를

931)훈ᄉᆡᆨ(暈色) :광물의 내부나 표면에서 볼 수 있는, 선이 분명하지 아니하고 보일 듯 말 듯 희미하고 엷은 무지개 같은 빛깔.

박ᄒᆞ여 그 과격ᄒᆞᆫ 오라비로 더부러 ᄒᆞᆫ가지로 ᄌᆞ위를 원망ᄒᆞ던 고로, 즉시 도라오지 아엿다가 즉일의야 일ᄋᆞ러ᄉᆞᆸ거니와, 져 집일노 일을진ᄃᆡ, 그 ᄯᆞᆯ의 일ᄉᆡᆼ을 소ᄌᆞ의게 의탁고져 ᄒᆞ면, 져져의 귀근 길을 막지 아니고 도라보ᄂᆡᄂᆞᆫ 거시 올흐니, 소ᄌᆡ 비록 용녈ᄒᆞ오나 실노 하가ᄂᆞᆫ 반졈도 무셔오미 업ᄉᆞ니, 초후 아냐 뎡국공의 죽은 아비가지 이러나와 소ᄌᆞ를 욕ᄎᆡᆨ(辱責)한다 ᄒᆞ와도, 소ᄌᆡ ᄯᅩᄒᆞᆫ 할 말이 만으니 두렵지 아니ᄋᆞᆸ고, 져의 부모 ᄉᆞ랑ᄒᆞᄂᆞᆫ 바ᄂᆞᆫ 견ᄆᆡ(犬馬)라도 예ᄉᆞ로히 못 한【43】다 ᄒᆞ므로, 하씨를 예ᄉᆞ로히 보고 초후와 결우지 아니ᄒᆞ옵ᄂᆞ니, ᄉᆞ람이 셩현이 아닌 밧 혹 허{ᄒᆞ}믈 잇기 괴이치 아니ᄒᆞ니, ᄌᆞ졍이 일시 실덕하미 겨시나 ᄭᆡᄃᆞ르시미 발그시니, 하가의셔 다시 무어시라 ᄒᆞ리잇가?"

뉴시 손을 져어 닐오ᄃᆡ,

"아ᄒᆡ 엇지 망녕된 말을 ᄒᆞ나뇨? 하가ᄂᆞᆫ 한 조각 허믈이 업ᄉᆞ니 괴이한 말을 말고, 초후를 보아 나의 죄과를 일ᄏᆞ라 화슌(和順)니 ᄉᆞ죄ᄒᆞ고, 여ᄋᆞ의 귀령을 비러 보라.

소ᄉᆡᆨ 우어 왈,

"ᄌᆞ위 엇지 이런 괴이한 말ᄉᆞᆷ을 ᄒᆞ시ᄂᆞ니잇가? 하씨 일분 염치 이실【44】진ᄃᆡ 도라올 졔 져져와 한가지로 오미 맛당ᄒᆞ거ᄂᆞᆯ, 암ᄆᆡ한 인ᄉᆞ 밋쳐 ᄉᆡᆼ각이나 ᄒᆞ여시리잇가?"

뉴 ᄡᅵ ᄌᆡ슴 하 소져의 셩효 덕ᄒᆡᆼ을 일ᄏᆞ라, 소ᄉᆞ의 나모라 ᄒᆞ믈 민망이 역이ᄂᆞᆫ지라. 이ᄯᆡ 하 소졔 쟝씨로 더부러 봉관을 숙여 말이 업ᄉᆞᄃᆡ, 옥면의 훈ᄉᆡᆨ(暈色)892)을 ᄯᅴ엿더라.

어시의 쟝소졔 양쥬셔 도라온 월녀의 존고 환후로 아ᄌᆞᄅᆞᆯ 다려오지 못ᄒᆞ엿더니, 공이 하소져의 아ᄌᆞ를 보ᄆᆡ 쟝소져 유ᄌᆞ을 ᄉᆞ상(思想)ᄒᆞ여 썅셤을 명ᄒᆞ여 공ᄌᆞ을 다려오믈 ᄌᆡ촉ᄒᆞᄂᆞᆫ지라. 쟝소졔 ᄯᅩ【45】한 유ᄌᆞ를 잇지 못ᄒᆞ여 표슉 부부긔 샹셔ᄒᆞ여 ᄒᆡᄌᆞ

892)훈ᄉᆡᆨ(暈色) :광물의 내부나 표면에서 볼 수 있는, 선이 분명하지 아니하고 보일 듯 말 듯 희미하고 엷은 무지개 같은 빛깔.

보뉘쇼셔 ᄒᆞ니, 쳐시 유ᄋᆞ를 유랑으로 호송ᄒᆞ니, 공이 챵후와 유ᄋᆞ를 보미 샹뫼 두럿ᄒᆞ여, 일눈(一輪) 명월(明月)이오, 강산 경긔를 품슈ᄒᆞ여 묽은 눈이 효셩(曉星)을 업슈히 넉이미, 징파(澄波)와 ᄂᆞ웃ᄒᆞ며, 너른 니마【39】ᄂᆞᆫ 편옥(片玉)을 깍가시며 흰 귀 밋촌 빅년(白蓮)을 꼬즛거늘, 붉은 닙의 옥치(玉齒) 미인의 틱되(態度)니, 복녹이 댱원디샹(長遠之相)이라. 공의 대희 환열홈과 챵후의 탐혹 과이ᄒᆞ미 비무(比無)ᄒᆞ여, 즉시 안고 ᄂᆡ당의 드러와 태부인긔 뵈옵고, 쇼ᄉᆞ를 블너 부지 보게 홀시, 공이 냥 식부를 갓가이 좌를 명ᄒᆞ여 서로이 ᄋᆡ듕ᄒᆞ며, 화란여ᄉᆡᆼ(禍亂餘生)이 냥개(兩個) 긔린(麒驎)을 무ᄉᆞ히 싱ᄒᆞ믈 더옥 긔특이 넉여, 이의 비로소 냥ᄋᆞ의 명을 줄시, 하시 유즈로뻐 챵닌이라 ᄒᆞ고 댱시 싱ᄋᆞ로뻐 셰린이라 ᄒᆞ여, 탐혹(耽惑)ᄒᆞᆫ ᄉᆞ랑이 쟝니보옥(掌裏寶玉) ᄀᆞᆺ더라.

챵후 형뎨 뉴부인 환후로 인ᄒᆞ여 부친 화상을 뫼셔 오디【40】못ᄒᆞ믈 민민(憫憫)ᄒᆞ더니, 이제 부인이 ᄎᆞ셩(差成) 회과(悔過)ᄒᆞ고, 다시 가변의 넘녜 업ᄂᆞᆫ 고로, 비로소 틱일ᄒᆞ여 화상과 조부인을 뫼셔 올시, 이 씨 호람휘 환가(還家)ᄒᆞ연 디 일슌(一旬)의 츌입ᄒᆞ미 업셔, 현ᄋᆞ 쇼져도 가 보미 업ᄉᆞ나 초후ᄂᆞᆫ 됴참 길히 앗춤마다 윤부의 니르러 공을 비현홀시, 부공의 동긔 ᄀᆞᆺ튼 친위믈 공경홀 ᄲᅮᆫ이오, 굿ᄐᆞ여 옹셔디의(翁壻之義)를 낫토미 업더라.

윤공이 이의 쇼ᄉᆞ와 일가 족친으로 더브러, ᄌᆞ하산의 나아가 명쳔공 화상을 마즈 올시, 챵후ᄂᆞᆫ 태부인을 뫼셔 이시라 ᄒᆞ고, 위의를 ᄀᆞᆺ초아 나아가니, 뎡공이 ᄯᅩᄒᆞᆫ 병부를 명ᄒᆞ여, ᄌᆞ하【41】산의 가 명쳔공 화상을 호힝ᄒᆞ여, 읏듬은 ᄌᆞ긔 졍을 표ᄒᆞ고 버거ᄂᆞᆫ 병븨 반ᄌᆞ(半子)의 녜(禮)를 다ᄒᆞ라 ᄒᆞ니, 병븨 슈명ᄒᆞ고, 하공이 ᄯᅩ 초후를 명ᄒᆞ여 이리 니르니, 초휘 승명ᄒᆞ여 일시의 ᄌᆞ하산으로 향ᄒᆞ니, 댱녀흔 위의 도로의 니엇더라.

를 보뉘쇼셔 ᄒᆞ니, 쳐시 유ᄋᆞ를 유랑으로 호송ᄒᆞ니, 공이 챵후와 유ᄋᆞ를 보미 샹뫼 두럿ᄒᆞ여 일눈(一輪) 명월이오, 강산 졍긔를 품슈ᄒᆞ여 말근 눈니 효셩(曉星)을 업슈히 역이미, 《징라∥징파(澄波)와》 이웃ᄒᆞ며, 너른 이마ᄂᆞᆫ 편옥편옥)을 깍가시며, 흰 귀 밋촌 빅년(白蓮)을 꼬즛거늘, 불근 입의 옥치(玉齒) 미인의 틱되(態度)니, 《복옥∥복녹(福祿)》이 쟝원지샹(長遠之相)이라. 공의 틱희 환열함과 챵후의 탐혹 과이ᄒᆞ미 비무(比無)ᄒᆞ여, 즉시 안고 ᄂᆡ당의 드러와 틱부【46】인긔 뵈옵고, 소ᄉᆞ를 불너 부지 보게 홀시, 공이 냥 식부를 갓가이 좌를 명ᄒᆞ여 서로히 ᄋᆡ즁ᄒᆞ며, 화란여ᄉᆡᆼ(禍亂餘生)이 양기 긔린을 무ᄉᆞ히 싱ᄒᆞ믈 더옥 긔특이 역여, 이의 비로소 냥아의 명을 쥴시, 하씨 유즈로써 챵닌이라 ᄒᆞ고, 쟝시 싱ᄋᆞ로써 셰린이라 ᄒᆞ여, 탐혹흔 ᄉᆞ랑이 쟝니보옥(掌裏寶玉) 갓더라.

챵후 형뎨 뉴부인 환후로 인ᄒᆞ여 부친 화상을 뫼셔 오지 못ᄒᆞ믈 민민(憫憫)ᄒᆞ더니, 이의 부인이 ᄎᆞ셩(差成) 회과(悔過)ᄒᆞ고 다시 가변의 염녜네ᄂᆞᆫ 고로, 비로소 틱일ᄒᆞ여 화상과 조부인을 뫼셔 올【47】시, 이 쎠 호람휘 환가ᄒᆞ연 지 일슌(一旬)의 츌입ᄒᆞ미 업셔, 현아 소져도 가 보미 업ᄉᆞ나, 초후ᄂᆞᆫ 조참 길의 아춤마다 윤부의 이라러, 공을 비현홀시 부공의 동긔 갓튼 친위믈 공경홀 ᄲᆞᆫ이오, 굿타여 옹셔지의(翁壻之義)를 낫토미 업더라.

윤공이 이의 소ᄉᆞ와 일가 족친으로 더부러, ᄌᆞ하ᄉᆞᆫ 나아가 명쳔공 화상을 마즈 올시, 챵후ᄂᆞᆫ 틱부인을 뫼셔 이시라 ᄒᆞ고, 위의를 갓초아 ᄂᆞ아가니, 뎡공이 ᄯᅩᄒᆞᆫ 병부를 명ᄒᆞ여 ᄌᆞ하ᄉᆞᆫ 가 명쳔공 화상을 호힝ᄒᆞ여, 읏듬은 ᄌᆞ긔【49】졍을 표ᄒᆞ고, 버거ᄂᆞᆫ 병븨 반ᄌᆞ(半子)의 예(禮)을 다ᄒᆞ라 ᄒᆞ니, 병븨 슈명ᄒᆞ고 하공이 ᄯᅩ 초후를 명ᄒᆞ여 이리 이르니, 초휘 승명 일시의 ᄌᆞ하산으로 향ᄒᆞ니, 쟝녀한 위의 도로의 이엇더라.

ᄎᆞ셜 호람휘 쇼ᄉᆞ(少師)로 더브러 윤태ᄉᆞ 산슈경의 니르러, 몬져 화상 알패 나아가 빅례ᄒᆞᄆᆡ, 공의 통상(痛傷)ᄒᆞ미 식롭고, 쇼식 부안(父顔)을 아디 못ᄒᆞ던 디통이 흉듕의 밋쳐, 유한이 각골ᄒᆞ던 바로, 금일 화상의 빅알ᄒᆞᄆᆡ, 그림 가온ᄃᆡ 옥골 영풍이 양쥐 이실 쎄의 몽듕의 뵈ᄋᆞᆸ던 용화(容華)로 반호(半毫)[932] 다르미 업ᄂᆞᆫ디라. 지셰【42】ᄒᆞᆫ 사름으로 의논ᄒᆞᆯ딘ᄃᆡ, 년긔 오히려 오슌이 ᄎᆞ디 못ᄒᆞ여시니 댱부의 지덕(才德)을 펼 쎄어놀, 쇽졀업시 삼십 젼 조ᄉᆞ(早死)ᄒᆞ여 튱졀이 셰ᄃᆡ의 희한ᄒᆞ며, 영명(英名)이 부유ᄉᆞ히(浮游四海)ᄒᆞ여 튱신녈ᄉᆞ의 뒤흘 ᄯᆞᆯ올디라.

쇼식 화상의 빅현ᄒᆞ나 유명(幽冥)이 즈음쳐 ᄒᆞᆫ 소ᄅᆡ 알오미 업ᄉᆞ니, 효ᄌᆞ의 각골디통이 므어싀 비ᄒᆞ리오. 오ᄅᆡ도록 혈읍 뉴톄ᄒᆞ니, 셜우미 막힐 ᄃᆞᆺ ᄒᆞᆫ디라.

공이 한삼(汗衫)을 드러 항누(行淚)를 졔어ᄒᆞ고, 이의 ᄋᆞᄌᆞ를 어로만져, 탄식 왈,

"여등이 션형의 면목을 모로미 궁텬비한(窮天悲恨)이러니, 이졔 화도ᄉᆞ의 대은으로 화상의 빅알ᄒᆞ믈 어드니, 슬프고 아쇠온[933]【43】졍니를 일분이나 위로ᄒᆞᆯ디라. 비통ᄒᆞ여 밋출 길히 업ᄉᆞ니 모로미 심ᄉᆞ를 관억ᄒᆞ라."

쇼식 양부의 비상(悲傷)ᄒᆞ시믈 돕ᄉᆞᆸ디 아니려, 디통을 구디 ᄎᆞᆷ고 광슈(廣袖)를 드러 누흔(淚痕)을 졔어ᄒᆞ고, 부공을 뫼셔 졔족(諸族)을 볼식, 졔인이 명천공 화상을 보ᄆᆡ 완연이 싱시 의용(儀容)으로 일호(一毫) 다르미 업ᄉᆞ니, 식로이 창감ᄒᆞ믈 마디 아니ᄒᆞ고, 병부와 초휘 ᄯᅩᄒᆞᆫ 화상의 빅현ᄒᆞᄆᆡ, 초후ᄂᆞᆫ 명천공 안면이 의희(依俙)[934]ᄒᆞ던[나], 병부ᄂᆞᆫ 악댱 용화(容華)를 명명이 아던 빅라, 그 화법의 긔이ᄒᆞ미 싱긔 유동ᄒᆞ

932)반호(半毫) : '가는 털'의 절반이라는 뜻으로, 아주 적은 정도나 분량을 이르는 말. =조금도.
933)아쇠온 : 아쉬운. *아숩다; 아쉽다.
934)의희(依俙)ᄒᆞ다 : 어렴풋하다. 기억이나 생각 따위가 뚜렷하지 아니하고 흐릿하다.

ᄎᆞ셜 호람휘 소ᄉᆞ로 더부러 윤틱ᄉᆞ 산슈경의 이라러, 먼져 화샹 알픽 ᄂᆞ아가 빅례ᄒᆞᄆᆡ, 공의 통샹ᄒᆞ미 식롭고, 소식 부안을 아지 못ᄒᆞ던 지통이 흉듕의 밋쳐, 유한니 각골ᄒᆞ던 바를[로], 금일 화샹의 빅알ᄒᆞ며[ᄆᆡ] 그림 가온ᄃᆡ 옥골 영풍이 양쥐 잇슬 쎄의 몽듕의 뵈ᄋᆞᆸ【49】던 용화를[로] 반호(半毫)[893] 다름이 업ᄂᆞᆫ지라. 지셰ᄒᆞᆫ ᄉᆞ람으로 의논ᄒᆞᆯ진ᄃᆡ, 연긔 오히려 오슌이 ᄎᆞ지 못ᄒᆞ여시니 쟝부의 지덕을 《혈Ⅱ펼》 쎡어늘, 쇽졀업시 ᄉᆞᆷ십 젼 조ᄉᆞ(早死)ᄒᆞ여 통졀이 셰ᄃᆡ의 희한ᄒᆞ며, 영명이 부유ᄉᆞ히(浮游四海)ᄒᆞ여 츙신 열ᄉᆞ의 뒤흘 ᄯᆞ를지라.

소식 화○[상]의 빅현ᄒᆞ나 유명(幽明)이 즈음쳐 한 소ᄅᆡ 알오미 업ᄉᆞ니, 효ᄌᆞ의 각골지통이 무어싀 비ᄒᆞ리오. 오ᄅᆡ도록 혈읍 유쳬ᄒᆞ니, 셜우미 막힐 듯한지라.

공이 한ᄉᆞᆷ(汗衫)을 드러 함누(含淚)를 졔어【50】ᄒᆞ고 이의 소식을 어로만져 탄식 왈,

"여등이 션형의 면목을 모로미 궁텬비한(窮天悲恨)이러니, 이졔 화도ᄉᆞ의 ᄃᆡ은을[으]로 화샹의 빅알ᄒᆞ믈 어드니, 슬프구[고] 아쉬온[894] 졍니를 일분이나 위로ᄒᆞᆯ지{니}라. 비통ᄒᆞ여 밋츨 길이 업ᄉᆞ니 모로미 심ᄉᆞ를 관억ᄒᆞ라."

소식 양부의 비샹(悲傷)ᄒᆞ시믈 돕지 아니려, 지통○[을] 구지 참고 광슈를 드러 누흔(淚痕)을 졔어ᄒᆞ고, 부공을 뫼셔 졔족(諸族)을 볼식, 졔인니 명천공 화샹을 보ᄆᆡ 완연니 싱시 의용(儀容)《흘Ⅱ흐로》 일호 다르미 업ᄉᆞ니, 식로이 창감【51】믈 마지 아니ᄒᆞ고, 병부와 초휘 ᄯᅩᄒᆞᆫ 화샹의 빅현ᄒᆞᄆᆡ, 초후ᄂᆞᆫ 명천공 안면니 《의아Ⅱ의희(依俙)[895]》ᄒᆞ되, 병부ᄂᆞᆫ 악쟝 용화를 명명이 아ᄂᆞᆫ 빅라. 그 화법의 긔이ᄒᆞ미 싱긔 유동

893)반호(半毫) : '가는 털'의 절반이라는 뜻으로, 아주 적은 정도나 분량을 이르는 말. =조금도.
894)아쉬온 : 아쉬운. *아숩다; 아쉽다.
895)의희(依俙)ᄒᆞ다 : 어렴풋하다. 기억이나 생각 따위가 뚜렷하지 아니하고 흐릿하다.

니, 비록 셰샹을 바련 디 오릭나 화샹인즉
완연ᄒ니, 인즈 현심의 감회ᄒ여【44】늣
거이935) 조ᄉ(早死)ᄒ믈 시로이 츄연ᄒ더
라.

호람휘 공의 화샹을 치여(彩輿)의 뫼시고
허다 위의를 거느려 힝ᄒ여 남문의 니르니,
뎡·딘·하 졔공이 문외의 마즈 옥누항의
다드르미, 챵휘 빅화헌을 슈리ᄒ고 향촉과
병쟝(屛帳)936)을 뎡졔ᄒ며, 금슈치셕(錦繡彩
席)937)을 포셜(鋪設)ᄒᆫ 후 문외의 마즈려
ᄒ니, 태부인이 명쳔공 기셰 후 여러 일월
의 조곰도 비이(悲哀)ᄒᄂ 일이 업셔, 거줏
남의 이목을 ᄀ리와 슬허 ᄒ는 쳬ᄒ더니,
이쩌는 악악ᄒᆫ 흉심이 겨기 쥬려져 ᄆ음을
아모리 잡을 쥴 뎡치 못ᄒ여, 일일은 응휘
각의 나아가 뉴시를 보미, 뉴시 젼젼 악ᄉ
를 뉘웃는 쯧이 즈긔 살홀【45】너흘 둧ᄒ
고, 즈딜 부부의 현효ᄒ믈 ᄀ촏 일ᄏ라 혜
달홀 둧ᄒ니, 태부인이 비로소 쾌히 어딜기
를 뎡ᄒ미, 챵후 형뎨의 셩회(誠孝) 딘졍이
믈 씨ᄃ라, 고식(姑媳)이 디ᄒ여, 젼즈의 실
셩ᄒ여 그러턴가, 추마 사람의 힝치 못홀
악ᄉ를 그딕도록 측냥 업시 ᄒ던고? 이둛고
뉘웃츠믈 형언(形言)치 못ᄒ여 일쟝을 통곡
ᄒ니, 챵후와 삼쇼졔 디극 관위ᄒ니, 이의
계오 슬프믈 딘뎡ᄒ고, 태부인이 침던의 도
라와 명쳔공을 싱각고 참통ᄒ믈 니긔디 못
ᄒ니, 챵휘 왕모의 슬허 ᄒ시믈 보고 더옥
쳑감통샹(慽感痛傷)ᄒ나, 좌하(座下)를 써나
디 못ᄒ여 엄졍(嚴庭) 화샹을 나가 맛디 못
ᄒ믈 챵연【46】비통ᄒᆫ 듕, 왕모 비회를 돕
디 아니려 슬픈 ᄉ식을 못ᄒ더니, 믄득 부
문이 드레며 졔공이 화샹을 뫼셔 빅화헌의
니르러시믈 보ᄒ니, 챵휘 년망(連忙)이 의ᄃᆡ
(衣帶)를 슈렴ᄒ고 외헌의 나오려 ᄒ니, 태
부인이 흔가디로 나가 보고져 ᄒ거늘, 챵휘
민망ᄒ여 밧긔 여러 손이 이시니 조초 보시

935)늣겁다 : 느껍다. 어떤 느낌이 마음에 북받쳐서
   벅차다.
936)병쟝(屛帳) : 병풍과 장막을 아울러 이르는 말.
937)금슈치셕(錦繡彩席) : 수를 놓은 비단과 아름다
   운 색깔로 꾸민 자리를 아울러 이르는 말.

ᄒ니, 비록 셰샹을 바련 지 오릭나 화샹인
즉 완연ᄒ니, 인즈 현심의 감회ᄒ여 늣거
이896) 조ᄉ(早死)ᄒ믈 시로히 츄연ᄒ더라.

호람휘 공의 화샹을 치거(彩車)의 뫼시고,
허다 위의를 거느려 힝ᄒ여 남문의 이르니,
뎡·진·하 졔공이 문의 마즈 옥누황[항]의
다다르미, 챵휘 빅화헌을 슈리ᄒ고 향촉과
병쟝(屛帳)897)을 【52】졍졔ᄒ며, 금슈치셕
(錦繡彩席)898)을 표[포]셜(鋪設)ᄒᆫ 후 문의
마즈려ᄒ니, 틱부인이 명쳔공 긔셰 후 여러
일월의 조곰도 비이(悲哀)ᄒᄂ 일이 업셔,
거줏 남의 이목을 가리와 슬허ᄒᄂ 쳬ᄒ더
니, 이쩌는 악악ᄒᆫ 흉심이 져긔 쥬려져 ᄆ
음을 아모리 잡을 쥴 졍치 못ᄒ여, 일일은
응휘각의 ᄂ아가 유씨을 보미, 젼견 악ᄉ를
뉘웃는 쯧이 즈긔 술을 너흘 둧ᄒ고, 즈딜
부부의 현효ᄒ믈 갓초 일ᄏ라 혜 달을 둧ᄒ
니, 틱부인이 비로소 쾌히 어질기를 졍ᄒ미,
챵후 형뎨의 셩회(誠孝)【53】진졍이믈 씨
ᄃ라, 고식(姑媳)이 디ᄒ여 젼즈의 실셩ᄒ여
그러턴가, 추마 스람의 힝치 못홀 악ᄉ를
그딕도록 측냥업시 ᄒ던고? 이답고 뉘웃츠
믈 형언치 못ᄒ여, 일쟝을 통곡ᄒ니, 챵후와
ᄉ 소졔 지극 관위ᄒ니, 이의 계오 슬프믈
진뎡ᄒ고, 틱부인이 침견의 도라 명쳔 공
을 싱각고 참통ᄒ믈 니긔지 못ᄒ니, 챵휘
왕모의 슬허ᄒ시믈 보고 더욱 쳑감통셩
[샹](慽感痛傷)ᄒ나, 좌하(座下)를 써나지
못ᄒ여 엄졍(嚴庭) 화샹을 ᄂ아가 맛지 못
ᄒ믈 챵연 비통ᄒᆫ 즁, 왕모【54】비회를
돕지 아니려 슬픈 ᄉ식을 못ᄒ더니, 믄득
부문니 드레며 졔공이 화샹을 뫼셔 빅화헌
의 이르러시믈 보ᄒ니, 챵휘 년망이 의ᄃᆡ를
슈렴ᄒ고 외헌의 나오려 ᄒ니, 틱부인니 한
가지로 나가 보고져 ᄒ거늘, 챵휘 민망ᄒ여
밧긔 여러 손니 잇스므로, 조초 보시믈 쳥

896)늣겁다 : 느껍다. 어떤 느낌이 마음에 북받쳐서
   벅차다.
897)병쟝(屛帳) : 병풍과 장막을 아울러 이르는 말.
898)금슈치셕(錦繡彩席) : 수를 놓은 비단과 아름다
   운 색깔로 꾸민 자리를 아울러 이르는 말.

믈 청ᄒᆞᄃᆡ, 태부인이 듯디 아니코 시녀를 명ᄒᆞ여 외긱을 다 최오라 ᄒᆞ니, 챵휘 홀 일 업셔 쇼교(小轎)의 왕모를 뫼셔, 시녀로 교조를 메여 빅화헌으로 나오믹, 공이 발셔 화상을 봉안하엿ᄂᆞᆫ디라.

창휘 비례ᄒᆞ기를 맛ᄎᆞ믹, 태부인이 밧비 드리다라 우레 ᄀᆞ튼 소릭로 슬피 울며, 니ᄅᆞᄃᆡ,【47】

"내 실노 너를 긔츌(己出)이 아니므로 주익ᄒᆞᄂᆞᆫ 뜻이 업고, 그 셩효를 감동홀 ᄆᆞ음이 업셔, 미양 황부인 소싱 골육을 업시코져 의식 무궁ᄒᆞ더니, 네 금국의 가 몸을 맛촌 흉음이 니ᄅᆞᄃᆡ, 셜운 ᄆᆞ음이 업고 쥬야의 그 셰 낫 ᄌᆞ녀를 죽이디 못ᄒᆞ여 무슈흔 흉ᄉᆞ를 힝ᄒᆞ엿더니, 당츳시 ᄒᆞ여 광·희 냥손의 츌텬흔 셩효를 보믹, 나의 ᄆᆞ음이 셕목(石木)이라도 요동ᄒᆞ며, 싱쳘(生鐵)이라도 녹을디라. 비로소 젼과를 뉘웃ᄎᆞ믹 너의 망(亡)ᄒᆞ믈 통상(痛傷)ᄒᆞ여, 가슴의 일만 칼히 ᄲᅮ시며 오장이 ᄐᆞᆫ는 듯ᄒᆞ니, 이 셜우믈 어이 견ᄃᆡ리오. 의형은 완연ᄒᆞᄃᆡ 유명(幽明)이 길히 달나, 알오미 돈무(頓無)ᄒᆞ니 이 심ᄉᆞ를 장ᄎᆞᆺ【48】 므어싀 비ᄒᆞ리오. 노모의 과악이 뫼히 낫고 바다히 엿트니 ᄡᅥ흘 곳이 업ᄂᆞᆫ디라. 명명디듕(冥冥之中)[938]의 졍녕(精靈)[939]이 알오미 잇거든, 노모를 슈히 잡아가라."

이리 니ᄅᆞ며 골이 터디고 집말[940]이 울히ᄃᆞ시 웅장이 울기를 긋치디 아니ᄒᆞ니, 공과 챵후 형뎨 오ᄂᆡ분붕(五內分崩)[941]ᄒᆞᄃᆡ 태부인의 과상ᄒᆞ시믈 졀민ᄒᆞ여 븟드러 닉당의 드르시믈 쳥ᄒᆞᄃᆡ, 부인이 젼젼 악ᄉᆞ를 한업시 ᄲᅮ어리며, 무궁히 통곡ᄒᆞ여 드러갈 의식 업ᄉᆞ니, 뎡·딘·하 졔공이 뒤 쳥샤의 안ᄌᆞ 위태부인의 긔괴디셜(奇怪之說)을 드르믹,

---

ᄒᆞᄃᆡ, 틱부인니 듯지 아니코 시녀를 명ᄒᆞ여 외긱을 다 최으라 ᄒᆞ니, 챵휘 할 일 업셔 소교의 왕모를 뫼셔, 시녀로 교즈를 메여 빅화헌으로 나오믹, 공이 발셔 화상을 봉안하엿ᄂᆞᆫ지라.

창후 비례ᄒᆞ기를 맛【55】ᄎᆞ믹, 틱부인이 밧비 드리다라 우레 갓튼 소릭로 슬피 울며 일오ᄃᆡ,

"닉 실노 너를 긔츌(己出)이 아니므로 주익ᄒᆞᄂᆞᆫ ᄯᅳᆺ시○○[업고], 그 셩효를 감동ᄒᆞᄂᆞᆫ 마음이 업셔, 미양 황부인 소싱 골육을 업시코져 의식 무궁ᄒᆞ더니, 네 금국의 가 몸을 맛ᄎᆞ 흉음이 일으되, 셜운 마음이 업고 쥬야의 《소∥ᄀᆞ》 셰 낫 ᄌᆞ녀를 죽이지 못ᄒᆞ여 ○…결락8자…○[무슈흔 흉ᄉᆞ를 힝ᄒᆞ]엿ᄂᆞ니, 당츳시ᄒᆞ여 광·희 양손의 츌쳔한 효셩을 보믹, 나의 마음이 셕목이라도 요동ᄒᆞ며 싱쳘이라도 녹을지라. 비로소 젼과를 뉘웃ᄎᆞ믹 너의 망(亡)ᄒᆞ믈 통상ᄒᆞ여, 가슴의 일【56】만 칼이 ᄡᅮ시며 오쟝이 ᄐᆞᄂᆞᆫ 듯 ᄒᆞ니, 이 셜우믈 어이 견ᄃᆡ리오. 《의연∥의형》은 완연ᄒᆞᄃᆡ 유명(幽明)이 길이 다르나, 아름이 돈무(頓無)ᄒᆞ니 이 심ᄉᆞ를 장ᄎᆞᆺ 무어시 비ᄒᆞ리오. 노모의 《과익∥過惡》이 뫼히 낫고 바다히 엿트니 쓸흘 곳시 업ᄂᆞᆫ지라. 명명지즁(冥冥之中)[899]의 졍녕(精靈)[900]히[이] 유지(有之)어든 노모를 슈히 잡아가라."

이리 이라믹[며] 골이 터지고 집말[901]이 울힌[히] ᄃᆞ시 웅장이 울긔를 긋치지 아니ᄒᆞ니, 공과 챵후 형뎨 오ᄂᆡ 오ᄂᆡ분붕(五內分崩)[902]ᄒᆞᄃᆡ, 틱부인의 과샹ᄒᆞ시믈 졀민ᄒᆞ여 븟드러 닉당의 드르시믈 쳥한ᄃᆡ, 부인니 젼젼 악ᄉᆞ를 한 업시 슈어리며, 무궁【57】이 통곡ᄒᆞ여 드러갈 의식 업ᄉᆞ니, 뎡·진·하 졔공이 뒤 쳥샤의 안ᄌᆞ 위부인의 긔괴지

---

938) 명명디듕(冥冥之中) : 겉으로 나타남이 없이 아득하고 그윽한 가운데.
939) 졍녕(精靈) : 죽은 사람의 영혼.
940) 집말 : 지붕마루. 지붕꼭대기.
941) 오ᄂᆡ분붕(分崩) : 격한 슬픔으로 마음이 무너져 내림.

899) 명명디듕(冥冥之中) : 겉으로 나타남이 없이 아득하고 그윽한 가운데.
900) 졍녕(精靈) : 죽은 사람의 영혼.
901) 집말 : 지붕마루. 지붕꼭대기.
902) 오ᄂᆡ분붕(分崩) : 격한 슬픔으로 마음이 무너져 내림.

창후 곤계의 셩회(誠孝) 싀랑(豺狼) ᄀᆞᆺᄐᆞᆫ 조모【49】를 감화ᄒᆞ여시믈 긔특이 넉이더라.

이윽고 공의 슉딜이 태부인을 쳔만 관회(寬懷)ᄒᆞ여 닉당으로 뫼시고, 하·뎡·딘 졔공이 비로소 화상을 볼ᄉᆡ, 완연이 명쳔공이 ᄌᆞ싱흠 ᄀᆞᆺᄐᆞ여 싱긔 발월(發越)ᄒᆞ니, 졔인이 싀로이 쳑비ᄒᆞ믈 마디 아니ᄒᆞ더니, 일식이 셔령(西嶺)의 졔공이 각산(各散) 귀가ᄒᆞ고, 명일 호람휘 조부인과 구파를 뫼셔 도라올ᄉᆡ, 거장(車帳)과 교ᄌᆞ(轎子)를 ᄀᆞᆺ초아 ᄌᆞ딜노 더브러 옥화산 조부로 향ᄒᆞ니라.

시시의 조부인이 창후 곤계 샹경ᄒᆞ미 월여의 니르도록 ᄌᆞ긔를 옥누항으로 다려가미 업스니 의아ᄒᆞ여, 태부인과 뉴【50】시 셩악이 갈스록 더ᄒᆞᆫ가, 구파로 더브러 탄식ᄒᆞ더니, 믄득 창휘 쇼ᄉᆞ로 더브러 드러와 슬젼의 비알ᄒᆞ고, 계부대인(季父大人) 니르러 계시믈 고ᄒᆞᆫᄃᆡ, 부인이 즉시 쳥ᄒᆞ여 셔로 볼ᄉᆡ, 호람휘 조부인과 구파로 녜필의, 공이 츄연(惆然)이 안싴을 곳치고, 말ᄉᆞᆷ을 펴, ᄀᆞᆯ오ᄃᆡ,

"쇼싱이 무상 블명ᄒᆞ여 허다 변난이 층츌(層出) 상싱(相生)ᄒᆞ여 ᄌᆞ딜의게 참혹ᄒᆞᆫ 누셜을 씻치고, 존슈긔 망측ᄒᆞᆫ 화익이 밋츠ᄃᆡ, 쇼싱이 가듕의 이실 졔도 간인의 작악을 망연브디(茫然不知)ᄒᆞ여 존슈와 ᄌᆞ딜의 위란을 구치 못ᄒᆞ고, 국ᄉᆞ로 ᄒᆞᆫ 번 교디로 향ᄒᆞ미【51】그 ᄉᆞ이 슈삼 ᄌᆡ(載)의 니르ᄃᆡ, 피ᄎᆞ 음신(音信)이 격졀(隔絶)ᄒᆞ니, 가싀 아모리 되여시믈 아디 못ᄒᆞ고, 흔갓 ᄌᆞ딜의 죄명이 츠악ᄒᆞ여 남·양 이쳐의 덕긱이 되믈 슬허ᄒᆞ더니, 딜녀의 츌텬ᄒᆞᆫ 셩효(誠孝) 녈졀(烈節)이 격고등문ᄒᆞ여 뎡·딘 냥가의 참화를 딘뎡ᄒᆞ고, 광·희 냥ᄋᆞ의 죄를 신빅ᄒᆞ여 부ᄌᆞ슉딜이 ᄉᆞ망디홰 업시 모힘도 영ᄒᆡᆼᄒᆞᆸ거ᄂᆞᆯ, 광텬의 닙공반샤ᄒᆞᆫ 지략과 뎡딜부의 신셩(神性) 츌인(出人)ᄒᆞ미 드를스록 신이코 긔특ᄒᆞ니, 슈슈(嫂嫂)의 면화(免禍) 안신(安身)ᄒᆞᆷ심과 광이 손확의 칼흘 버셔나미 다

셜(奇怪之說)을 드ᄅᆞ미, 창후 곤계의 《셩휘∥셩회(誠孝)》 싀랑(豺狼) 갓튼 조모를 감화ᄒᆞ엿시믈 긔특이 역이더라.

이윽고 공의 슉질이 틱부인을 쳔만 관회(寬懷)ᄒᆞ여 닉당으로 뫼시고, 하·뎡·진 졔공이 비로소 화샹을 볼ᄉᆡ, 완연이 명쳔공이 ᄌᆞ싱함 갓타여 싱긔 발월(發越)ᄒᆞ니, 졔인니 싀로이 쳑비ᄒᆞ믈 마지 아니ᄒᆞ더니, 일식이 셔령(西嶺)의 졔공이 각산 귀가ᄒᆞ고, 명일 호람휘 조부인과 《구라∥구파》를 환귀(還歸)홀ᄉᆡ, 거즁(車帳)과 교ᄌᆞ(轎子)를 갓초아【58】ᄌᆞ딜노 더부러 옥화산 조부로 향ᄒᆞ니라.

시시의 조부인○[이] 챵후 곤계 샹경ᄒᆞ미 월녀(月餘)의 니르도록 ᄌᆞ긔를 옥누항으로 다려가미 업스니 의아ᄒᆞ여, 틱 부인과 뉴부인과 셩악이 갈스록 더한가, 구파로 더부러 탄식ᄒᆞ더니, 믄득 챵휘 소ᄉᆞ로 더부러 와 슬젼의 비알ᄒᆞ고, 계부 디인니 이르믈 고ᄒᆞᆫᄃᆡ, 부인니 즉시 쳥ᄒᆞ여 셔로 볼ᄉᆡ, 호람휘 조부인과 구파로 예필의, 공이 츄연니 안싴을 곳치고 말ᄉᆞᆷ을 펴, ᄀᆞᆯ오ᄃᆡ,

"소싱이 무상 불명ᄒᆞ여 허다 《연낙∥변난》이 층츌 샹싱(相生)ᄒᆞ여 ᄌᆞ딜의게 참혹ᄒᆞᆫ 누셜을 씻【59】치고, 존슈ᄭᅴ 망측ᄒᆞᆫ 화익이 밋츠ᄃᆡ, 소싱이 가듕의 이실 졔도 간인의 작악을 망연부지(茫然不知)ᄒᆞ여 존슈와 ᄌᆞ질의 위란을 구치 못ᄒᆞ고, 국ᄉᆞ로 한 번 교지로 향ᄒᆞ미 그 ᄉᆞ이 슈슴 ᄌᆡ(載)의 이르되, 피ᄎᆞ의 음신(音信)니 격졀(隔絶)ᄒᆞ니, 가싀 아모리 되여시믈 아지 못ᄒᆞ고, 한 갓 ᄌᆞ질의 죄명이 츠악ᄒᆞ여, 남·양 이쳐의 젹긱이 되믈 슬허ᄒᆞ더니, 딜녀의 츌쳔한 셩효열졀(誠孝烈節)이 격고등문ᄒᆞ여 뎡·진 냥가의 참화를 진졍ᄒᆞ고, 광·희 양ᄋᆞ의 죄를 신빅ᄒᆞ여 부ᄌᆞ 슉질이 ᄉᆞ망지회[화](死亡之禍) 업시 모【60】힘도 영ᄒᆡᆼᄒᆞᆸ거ᄂᆞᆯ, 광쳔의 입공반ᄉᆞ(立功班師)한 지략과 뎡딜부의 신셩 츌인ᄒᆞ미 드를 젹마다 신긔코 긔특ᄒᆞ니, 슈슈(嫂嫂)의 면화(免禍) 안신(安身)

뎡딜부의 긔묘비계(奇妙秘計)라, 엇디 아름답【52】고 영힝(榮幸)치 아니리잇고마는, 싱이 무상ᄒ여 간악ᄒ 요인의 간졍이 뎍발ᄒ 후도 가닉의 평상이 머므르니, 일후디화(日後之禍)를 더옥 미가디(未可知)라. 쇼싱이 ᄌ딜 등을 히ᄒ미 아니로ᄃᆡ, 간인의 악ᄉ를 금단치 못ᄒ오미니, 쇼싱이 스스로 흉ᄉ를 힝흠과 일반이라. 션형을 져바리미 ᄒ두 일이 아니오니 구쳔 타일의 하면목으로 션친과 션형을 뵈오며, 당시(當時)ᄒ여 존슈긔 뵈오미 참안황괴(慙顔惶愧)치 아니리잇가?"

인ᄒ여 구파를 향ᄒ여 삼년디닉(三年之內)의 대단ᄒ 딜양이 업스믈 힝열(幸悅) 칭희(稱喜)ᄒ니, 구파의 가득이 반김과 조부인의 함척비【53】상(含慽悲傷)ᄒ 심ᄉ 시로이 형언키 어려오니, 다만 셩안(星眼)의 츄쉬(秋水) 어리여, 쳐연 공경 왈,

"쳡의 무디ᄒ미 셕목 ᄀᆞᆺᄐᆞ여 궁텬 극통을 품은 바의, 또 긔구ᄒ 화익을 당ᄒ여 죽으미 가ᄒ고 살미 블가ᄒᄃᆡ, 일누잔쳔(一縷殘喘)을 쾌히 ᄭᆞᆺ디 못ᄒ고, 구구히 투싱ᄒ여 존고긔 ᄉᆞ싱을 고치 못ᄒ고, 오릭 니측(離側)ᄒ오니 죄당만ᄉᆞ(罪當萬死)오ᄃᆡ, 시러곰 나아가 슬하의 시측ᄒᄆᆞᆯ 엇디 못ᄒ고, 유유디디(儒儒遲遲)942)ᄒ여 흐르는 셰월이 삼년 츈츄(三年春秋)를 뒤이즌943)디라. 으ᄌ 형뎨 환가ᄒ고 슉슉이 환경ᄒ신 희보(喜報)를 드르미, 더옥 급히 존고긔 비현ᄒ고 일퇵의 모드믈 바야더니, 으ᄌ 등이 쳡의【54】힝도를 늣추고 죵용이 오믈 니르오니, 굼거오믈 니긔디 못ᄒ더니, 금일 존슉이 님ᄒ샤 죄쳡을 브르시니 만힝ᄒ디라. 아디 못게이다, 존고 긔톄 강건ᄒ샤 침슈디졀(寢睡之節)944)이 여젼ᄒ시니잇가?"

---

942)유유디디(儒儒遲遲) : 어떤 일에 딱 잘라 결정을 내리지 못하고 어물어물하며 시간을 끎.
943)뒤이즈다 : 뒤집히다. 바뀌다.
944)침슈디졀(寢睡之節) : 잠을 잘 자는지의 여부나 상태.

ᄒ심과, 광이 《손낙‖손확》의 칼을 버셔 나미 다 뎡딜부의 긔묘비계(奇妙秘計)라. 엇지 아름답고 졍힝(慶幸)치 아니리잇고마는, 싱이 《무샹‖무상(無狀)》ᄒ여 간악한 요인의 간졍이 젹발ᄒ 후도 가닉의 평샹이 머무르니, 일후지화(日後之禍)를 더옥 미가지(未可知)라. 소싱이 ᄌ질들을 히ᄒ미 아니로ᄃᆡ, 간인의 악ᄉ를 금단치 못ᄒ오미니, 소싱이 ᄌ로 흉ᄉ를 힝함과 일반이라.【61】션형을 져ᄇᆞ리미 한두 일이 아니오니, 구쳔 타일의 하면목으로 션친과 션형을 뵈오며, 당시(當時)ᄒ여 존슈긔 뵈오미 참안황괴(慙顔惶愧)치 아니리잇가?"

인ᄒ여 구파를 향ᄒ여 슴년지닉(三年之內)의 ᄃᆡ단ᄒ 질양이 업스믈 힝열(幸悅) 《창희(唱喜)‖칭희(稱喜)》ᄒ니, 구파의 가득이 반김과 조부인의 함쳑비상(含慽悲傷)ᄒ 심ᄉ 시로히 형언키 어려오니, 다만 셩안의 뉴쉬(流水) 어리여 쳔연 공경 왈,

"쳡의 명완 무지ᄒ미 셕목 갓타여 궁텬 극통을 품은 바의, 또 긔구ᄒ 화익○[을] 당ᄒ여 죽으미 가코 살미 불가ᄒᄃᆡ, 일노[누](一縷)【62】 ᄌ쳔(殘喘)을 쾌히 ᄭᆞᆺ지 못ᄒ고, 구구히 투싱ᄒ여 존고긔 ᄉᆞ싱을 고치 못ᄒ고, 오릭 이측(離側)ᄒ오니 죄당만ᄉᆞ(罪當萬死)온ᄃᆡ, 시러곰 ᄂᆞ아가 슬하의 시측ᄒᄆᆞᆯ 엇지 못ᄒ고, 유유지지(儒儒遲遲)903)ᄒ여 흐르는 셰월이 슴지(三載) 된지라. 으ᄌ 형뎨 환가ᄒ고 슉슉이 환가ᄒ신{지라} 《회보‖희보(喜報)》를 드르미 더옥 급히 존고긔 비현ᄒ고 《일쳑‖일퇵》의 모드믈 바라드니, 으ᄌ 등이 쳡을 힝도을 느츄고 조용이 오믈 {이오믈} 이라오니 굼거오믈 니기지 못ᄒ더니, 금일 존슉이 임ᄒᄉ 죄쳡을 부르시니 만힝혼지라. 아지 못거이다, 존고 긔톄 강건ᄒᄉ 침슈지졀(寢睡之節)904)【63】이 여젼ᄒ시니잇가?"

---

903)유유디디(儒儒遲遲) : 어떤 일에 딱 잘라 결정을 내리지 못하고 어물어물하며 시간을 끎.
904)침슈디졀(寢睡之節) : 잠을 잘 자는지의 여부나 상태.

공이 념슬(斂膝)ᄒ여 공경문파(恭敬聞罷)945)의 모친의 여상(如常)ᄒ시믈 고ᄒ고, 구파로 더브러 환가ᄒ시믈 쳥ᄒ니, 부인이 슉슉의 셩우(誠友)를 샤례ᄒ니 공이 블감소샤(不堪謝辭)ᄒ고, 이에 거픠 와시니 밧비 환가ᄒ시믈 쳥ᄒ고, 외당(外堂)의 나와 조승상 형뎨로 죵용이 담화ᄒ며 비쟉(杯酌)을 날닐시, 호람휘 언언이 발부악인(潑婦惡人)이 허다 악ᄉ를 슈창(首唱)ᄒ미 화【55】란이 상싱ᄒᄆ믈 졀치(切齒) 통한ᄒ여, 시로이 강개(慷慨)ᄒᄆ믈 니긔디 못ᄒ니, 조공 등이 젼ᄌ의 호람후의 블명ᄒᄆ믈 ᄯᅮ딧더니, 금ᄎ지시(今此之時)ᄒ여 그 현명효우(賢明孝友)ᄒ미 인인댱뷔(仁人丈夫)오, 간쳐(姦妻)의 작악 흉ᄉ를 졀통ᄒ미 발분망식(發憤忘食)946)기의 니르믈 보미, 브졀 업시 뉴부인의 블미디ᄉ(不美之事)를 거들미 업고, 다만 남미 여러 일월을 동거ᄒ다가 금일 부인이 도라가게 되니, 결연ᄒᄆ믈 니긔디 못ᄒ여 ᄌ딜을 거ᄂ려 닉당의 니르러 미뎨믈 니별홀시, 승상이 함쳑(含慽) 탄왈,

"션친이 만닉의 현미를 어드샤 ᄌ이ᄒ샤미 장듕보벽(掌中寶璧) ᄀᆺᄐ시고, 합문【56】이 츄앙ᄒ여 귀히 넉이미 금달공쥬(禁闥公主)와 일반이러니, 현미의 슉ᄌ인픔(淑姿人品)과 현쳘ᄒ 셩덕으로뼈, 명박(命薄)ᄒ미 붕셩(崩城)의 통을 품고, 위가 노흥의 보치이ᄂ 비지 되어, 허다 흉변은 니르도 말고, 흉인이 현미 신샹의 망측ᄒ 죄명을 밀위던 일을 싱각ᄒ면, 몽미(夢寐)의도 분완 결통ᄒ디, 금일 명강이 친히 니르러 현미를 쳥귀(請歸)ᄒ니 인ᄉ의 마디 못ᄒ여 도라보ᄂᆞᄂᆞ니, 현미ᄂ 보신디칙(保身之策)을 싱각ᄒ여 부모의 현미 귀듕ᄒ시던 셩의와 우형 등의 졀녀(切慮)를 싱각ᄒ믈 바라노라."

조부인이 탄식 디왈,

"쇼미 명완(命頑) 흉독(凶毒)ᄒ미 부모의 ᄌ이(慈愛)와【57】 구고의 양츈혜틱(陽春惠

─────────

945)공경문파(恭敬聞罷) : 공경하여 듣기를 마친 후.
946)발분망식(發憤忘食) : 끼니까지도 잊을 정도로 어떤 일에 열중하여 노력함.

─────────

공이 념슬(斂膝)○○[ᄒ여] 공경문파(恭敬聞罷)905)의 모친의 여상(如常)ᄒ시믈 고ᄒ고, 구파로 더부러 환가ᄒ시믈 쳥ᄒ니, 부인니 슉슉의 셩우(誠友)를 스례ᄒ니, 공이 불감ᄉᄉ(不堪謝辭)ᄒ니[고], 이의 거마 와시믈 고ᄒ고 밧비 환가ᄒ시믈 쳥ᄒ고, 외당의 ᄂ와 조승상 형뎨을[로] 《감화∥담화》ᄒ며 비죽(杯酌)을 날닐시, 호람휘 언언이 발부악인(潑婦惡人)니 허다 악ᄉ를 슈창(首唱)ᄒ미 화란니 샹싱ᄒᄆ믈 졀치 통한ᄒ여, 시로히 강긔(慷慨)ᄒᄆ믈 니기지 못ᄒ니, 조공 등이 젼ᄌ의 호람후 불명ᄒᄆ믈 ᄯᅮ짓더니, 금츠지시(今此之時)【64】ᄒ여 그 현명효우(賢明孝友)ᄒ미 인인쟝뷔(仁人丈夫)오, 간쳐(奸妻)의 작악 흉ᄉ을 졀통ᄒ미 말[발]분식(發憤忘食)906)긔의 이르믈 보미, 부졀업시 뉴부인의 불미지ᄉ(不美之事)를 거들미 업고, 다만 남미 여러 일월을 동거ᄒ다 금일 부인니 도라가게 되니, 결연ᄒᄆ믈 니긔지 못ᄒ여 ᄌ질을 거ᄂ려 닉당의 이르러 미졔를 니별홀시, 승상이 함쳑(含慽) 탄왈,

"션친이 만닉의 현미를 어드ᄉ ᄌ이ᄒ시미 장즁보벽(掌中寶璧) 갓트시고, 합문니 《츄양∥츄앙》ᄒ여 귀히 역이미 금달공듀(禁闥公主)와 일반이러니, 현미의 슉ᄌ【65】인픔(淑姿人品)과 현쳘한 셩덕으로써, 명박ᄒ미 붕셩(崩城)의 통을 품고, 위가 노흥의 보치이ᄂ 비지(婢子) 되여 허다 흉변은 이르도 말고, 흉인니 현미 신샹의 망측한 죄명을 밀위든 일을 싱각ᄒ면, 몽미의도 분완 결통ᄒ디, 금일 명강이 친히 이라러 현미를 쳥귀(請歸)ᄒ니, 인ᄉ의 마지 못ᄒ여 도라보ᄂ느니 현미ᄂ 보신지칙(保身之策)을 싱각ᄒ여, 부모의 현미 ○[귀]듕ᄒ시던 셩의와 우형 등의 졀녀(切慮)를 싱각ᄒ라."

조부인이 탄식 디왈,

"소미 《명환∥명완(命頑)》 흉독(凶毒)ᄒ미 부모의 ᄌ이와 구고의【66】 양츈혜틱(陽

─────────

905)공경문파(恭敬聞罷) : 공경하여 듣기를 마친 후.
906)발분망식(發憤忘食) : 끼니까지도 잊을 정도로 어떤 일에 열중하여 노력함.

澤)을 쓴코 다시 텬붕디통(天崩之痛)을 당
ᄒ여, 일누(一縷)를 슷디 못ᄒ여 허다 변난
을 디니니, 도시 쇼미의 명이 박ᄒ미오, 텬
야(天也)〇[오], 명야(命也)니, 누를 한ᄒ며
므어술 탓ᄒ리잇고. 거거의 명셩(明聖)ᄒ시
므로 쇼미의 명박ᄒ믈 싱각ᄒ시고 인친가
(姻親家) 태부인을 거드디 마르쇼셔.”

삼공이 탄식ᄒ고 창후와 쇼ᄉ다려 왈,

“네 모친을 다시 농담호구(龍潭虎口)의
보닐 의ᄉ 업ᄉᄃᆡ, 명강이 거장(車帳)을 거
나려 친히 와시니, ᄎ마 무류히 공거(空車)
를 환송치 못ᄒ여, 미뎨를 다시 보ᄂᆡ느니,
너의 대악의 조모 작악(作惡)이 다시 아미
의 신샹의 밋츨【58】딘ᄃᆡ, 우슉이 결단코
명강을 일장을 대욕ᄒ고, 위가 노흉(老凶)의
게 분을 풀니라.”

창휘 념슬 ᄃᆡ왈,

“쇼딜의 조뫼 쇼쇼 과실이 {과실이} 계시
나 당ᄎ시 ᄒ여 회과ᄌᆞ췩 ᄒ미 계시니, 가
변을 념녀치 아닐 거시오, 슉뷔 샤슉을 일
장 대욕ᄒ시며 조모긔 분을 프르실 일도 업
ᄉ려니와, 쇼딜의 조뫼 하쳔(下賤)이 아니시
오, 슉부긔 인친가(姻親家) 태부인이시니 즐
욕ᄒ시미 톄면의 크게 블가ᄒ시리니, 하고
(何故)로 괴이ᄒᆞᆫ 말슴을 발ᄒ시ᄂᆞ니잇고?”

쇼시 니어 뎡식 왈,

“슉뷔 위거(位居) 삼태(三台)947)ᄒ샤 데
ᄌᆞ(弟子)의 ᄉ우(師友)로 슈신(修身)ᄒ시며
[미], 미양 부귀와 권셰【59】를 싱각ᄒ샤
사ᄅᆞᆷ 욕ᄒ시믈 져허 아니ᄒ시ᄂᆞ니잇고? 이
런 말슴을 ᄌᆞ모와 쇼딜 형뎨 쁜 드르면 구
틔여 젼셜ᄒ리잇가마ᄂᆞᆫ, 무족언(無足言)948)
이 가기를 셜니 ᄒᆞ느니, 혹ᄌᆞ 가엄(家嚴0과
조뫼 쳥문(聽聞)ᄒ신즉 슉부로ᄡᅥ 엇던 사ᄅᆞᆷ
으로 아르시리잇고? 쳥컨ᄃᆡ 슉부는 여ᄎᆞᄃᆡ
언(如此之言)을 블후ᄌᆡ디(不後再之)949)ᄒ여

ーーーーーーーーーーーーーーーー

947)삼태(三台) : 삼공(三公). 고려 시대에, 태위(太
    尉)・사도(司徒)・사공(司空)의 세 벼슬을 통틀어
    이르던 말. 삼사(三師)와 함께 임금의 고문 구실을
    하는 국가 최고의 명예직으로 초기에 두었다가 공
    민왕 때에 없앴다.
948)무족언(無足言) : 발 없는 말.

ーーーーーーーーーーーーーーーー

春惠澤)을 쓴코 다시 텬붕지통(天崩之痛)을
당ᄒ여, 일누(一縷)를 슷지 못ᄒ여 허다 변
난을 지니니, 도시 소미의 명이 박ᄒ미오,
텬이[의](天意)니, 누를 한ᄒ며 무어슬 탓ᄒ
리잇고? 거거는 소미의 명박ᄒᄆᆞᆯ 싱각ᄒ시
고, 인친가(姻親家) 틱부인을 거드지 마르소
셔.”

삼공이 탄식ᄒ고 창후와 소ᄉ다려 왈,

“네 모친을 다시 농담호구(龍潭虎口)의
보닐 의ᄉ 업ᄉᄃᆡ, 명강이 거장(車帳)을 거
ᄂᆞ려 친히 와시니, ᄎ마 무류히 공거(公車)
를 환송치 못ᄒ여 미졔를 다시 보ᄂᆡ느니,
너의 딕악의 조모 작악(作惡)이 다시 아미
의 신샹의 밋츨진ᄃᆡ, 우슉이 결단코 명강을
일장을 딕욕【67】ᄒ고, 위가 노흉(老凶)의
게 분을 풀니라.”

창휘 념슬 ᄃᆡ왈,

“소딜의 조뫼 소소 과실이 게시나 당ᄎ시
ᄒ여 회과 ᄌᆞ췩ᄒ미 계시니, 가변을 념녀치
아닐 거시오, 슉뷔 ᄉ슉을 일장 딕욕ᄒ시며
조모긔 분을 푸르실 일도 업ᄉ려니와, 소딜
의 조모 하쳔이 아니시오, 슉부긔 인친가
(姻親家) 틱부인이시니 즐욕ᄒ시미 쳬면의
크게 불가ᄒ시리니, 하고로 괴이ᄒᆞᆫ 말슴을
발ᄒ시ᄂᆞ니잇고?”

소시 니어 졍식 왈,

“슉뷔 위거(位居) 슴틱(三台)907)ᄒᆞᄉ 데
ᄌᆞ(弟子)의 ᄉ우(師友)로 슈신(修身)ᄒ시미,
미양 부귀와 권셰 싱각ᄒᆞᄉ 사ᄅᆞᆷ 욕ᄒ시믈
져허 아니ᄒ시나잇고? 이런 말슴을 ᄌᆞ모와
소딜 형졔 쁜 드르면 굿틔여 젼셜ᄒ리잇가
마ᄂᆞᆫ, 무족언(無足言)908)이 가기를 셜니 ᄒᆞ
ᄂᆞ니, 혹【68】ᄌᆞ 가엄(家嚴)과 조뫼 쳥문
(聽聞)ᄒ신즉 슉부로ᄡᅥ 엇던 ᄉ람으로 아르
시리잇고? 쳥컨ᄃᆡ 슉부는 여ᄎᆞ지언(如此之
言)을 불후지디(不後再之)909) ᄒᆞᄉ 냥가의

ーーーーーーーーーーーーーーーー

907)삼태(三台) : 삼공(三公). 고려 시대에, 태위(太
    尉)・사도(司徒)・사공(司空)의 세 벼슬을 통틀어
    이르던 말. 삼사(三師)와 함께 임금의 고문 구실을
    하는 국가 최고의 명예직으로 초기에 두었다가 공
    민왕 때에 없앴다.
908)무족언(無足言) : 발 없는 말.

냥가의 화긔를 샹히오디 마르쇼셔."

승샹이 미쇼 왈,

"여등이 위가 별흉(別凶)을 무셔이 넉이고 귀듕ᄒ여 ᄒ나, 명강이 그 모친을 간치 못ᄒ고 뉴시의 별악(別惡)을 금단치 못ᄒ여 그런 화란을 니르혀, 여등 부부를 하마 보젼치 못ᄒᆯ 번 ᄒ니, 블명혼약(不明昏弱)ᄒ미 무쌍ᄒ【60】다라. 엇디 대욕을 면ᄒ리오. 좌위 다 웃고, 조부인이 미쇼 왈,

"거거 등이 미양 긔승(氣勝)ᄒ샤 남을 즐욕ᄒ믈 유셰ᄒ시니 뉘 감격ᄒ여 ᄒ리잇고?"
ᄒ더라.

조부인이 도라갈ᄉᆡ 승샹 형뎨와 졔 부인닉 결연ᄒᆞᆷ믈 니긔디 못ᄒ여, 츄휘나 무ᄉᆞᄒᆞᆷ믈 니ᄅᆞ고, 일쟝 니별을 맛츠미 부인이 거교의 오르니, 구패 쏘흔 교조의 들미 창후 곤계 슉부모긔 빗샤ᄒ고, 모친 거교를 호ᄒᆡᆼ(護行)ᄒᆞᆯᄉᆡ, 호람휘 ᄒᆞᆫ가디로 뫼셔 셩닉(城內)로 드러 오니라.

시시(是時)의 위태부인이 회과ᄎᆡᆨ션(悔過責善)ᄒ여 명텬공의 긔셰ᄒᆞᆫ 십칠년만의 비로소 참통ᄋᆡ상(慘痛哀傷)ᄒ며, 조부【61】인과 창후 삼남미와 뎡·딘·하·댱 등을 못 견ᄃᆡ록 보차던 일을 후회ᄒ여, 셰셰히 싱각ᄒ니 이닯고 ᄌᆞ긔 궁흉디ᄉᆞ(窮凶之事) 일분 인졍이 아니니, 개과디후(改過之後)로 샹(狀) 업슨 곡셩이 긋츨 ᄉᆞ이 업셔, 난간을 두다리고 방셩대곡(放聲大哭)ᄒ니, 뎡·하·댱 삼쇼졔 붓드러 디극 위로ᄒ더니, 믄득 조부인과 구파의 거긔 닉졍의 님ᄒ니, 뎡·하·댱 삼쇼졔 우쇼져로 더브러 하당영디(下堂迎之)950)ᄒ니, 태부인이 마조 닉ᄃᆞ라 붓들고 흉쟝(凶妝)흔 소릭로 긔운이 엄식ᄒᆞᆯᄃᆞ시 우ᄂᆞᆫ디라. 조부인이 쳐음은 대경ᄒ여 반ᄃᆞ시 ᄌᆞ긔 도라오믈 분한(憤恨)ᄒ여 통곡ᄒᆞᆷᄂᆞᆫ가 ᄒ여, 싀로이 근심이 교집ᄒᆞᄃᆡ【62】니, 홀연 태부인의 쳔만 후회ᄒᆞᆷ믈 드르미 ᄎᆞ경ᄎᆞ회(且驚且喜)951)ᄒ며, 쟝신쟝의(將

949)블후진디(不後再之) : 이후로는 두 번 다시 하지 말라.
950)하당영디(下堂迎之) : 마루에서 내려 맞이함.

화긔를 샹히오지 마르쇼셔."

승샹이 미소 왈,

"여등이 위가 딕흉을 무셔이 넉이고 귀ᄒᆞ여 ᄒ나, 명강이 그 모친을 간치 못ᄒ고 뉴시의 별악을 금단치 못ᄒ여 그런 화란을 니르혀, 여등 부부를 하마 보젼치 못ᄒᆯ 번ᄒ니, 불명혼약(不明昏弱)ᄒ미 무쌍ᄒ지라. 엇지 딕욕을 면ᄒ리오, 좌위 다 웃고 조부인이 미소 왈,

"거거 등이 미양 긔승(氣勝)ᄒᆞᆺ 남을 즐욕ᄒ믈 유셰ᄒ시니 뉘 감격ᄒ여 ᄒ리잇고?"
ᄒ더라.

조부인이 도라갈ᄉᆡ 승샹 형뎨와 졔 부인닉 결연ᄒᆞᆷ믈 니긔지 못ᄒ여, 츄후나 무ᄉᆞᄒᆞᆷ믈 니ᄅᆞ고 일쟝 니별을 맛【69】ᄎᆞ미, 부인이 거교의 오르니 구픽 쏘흔 교조의 들미, 챵후 곤계 슉부모긔 빗ᄉᆞᄒ고 모친 거교를 호ᄒᆡᆼ(護行)ᄒᆞᆯᄉᆡ, 호람휘 ᄒᆞᆫ가지로 뫼셔 셩닉(城內)로 드러 오니라.

시시(是時)의 위틱부인이 회과ᄎᆡᆨ션(悔過責善)ᄒ여 명텬공의 긔셰ᄒᆞᆫ 십칠년ᄆᆞᆫ의 비로쇼 참통ᄋᆡ상(慘痛哀傷)ᄒ며, 조부인과 챵후 ᄉᆞᆷ 남미와 뎡·진·하·댱 등을 못 견ᄃᆡ도록 보치든 일을 후회ᄒ여, 셰셰히 싱각ᄒ니 이닯고 ᄌᆞ긔 궁흉지ᄉᆞ(窮凶之事) 일분 인졍이 아니니, 기과지후(改過之後)로 샹업슨 곡셩이 긋츨 ᄉᆞ이 업셔, 난간을 두다리고 방셩딕곡(放聲大哭)ᄒ니, 뎡·하·댱 ᄉᆞᆷ 소졔 붓드러 지극 위로ᄒ더니, 믄득 조부인과 구파의 거교 닉졍의 님ᄒ니, 뎡·하·댱 ᄉᆞᆷ 소졔 우소져로 더부러 하당영지(下堂迎之)910)ᄒ니, 틱부인이 마조 닉ᄃᆞ라 붓들고 흉쟝흔 소릭로 긔운이【70】 엄식(奄塞)ᄒᆞᆯ 다시 우ᄂᆞᆫ지라. 조부인이 쳐음은 딕경ᄒ여 반다시 ᄌᆞ긔 도라오믈 분한(憤恨)ᄒ여 통곡ᄒᆞᆷᄂᆞᆫ가ᄒ여 싀로이 근심이 교집ᄒᆞ더니, 홀연 틱부인의 쳔만 후회ᄒᆞᆷ믈 들르미 ᄎᆞ경ᄎᆞ회(且驚且喜)911)ᄒ며 쟝신쟝의(將信將

909)블후진디(不後再之) : 이후로는 두 번 다시 하지 말라.
910)하당영디(下堂迎之) : 마루에서 내려 맞이함.

信將疑)952)ᄒ여 아모리 홀 바를 모로나, 디
극흔 셩효로 구모디여(久慕之餘)의 그 노쇠
ᄒ시믈 보민, 쳑연감오(慼然感悟)ᄒ여 츄파
의 누쉬 년낙(連落)ᄒ여 태부인을 븟드러
승당ᄒ시믈 쳥홀시, 구패 뎡·댱 냥쇼져를
보민 반가오미 유명(幽明)을 격(隔)ᄒ여 그
리던 사름 ᄀᆞᆺ고, 태부인 언에 인현(仁賢)ᄒ
여 젼일과 닉도ᄒ믈 영힝ᄒ여, 이의 비알홀
시, 챵후 형데의 츌텬 대회 그 조모의 악심
을 감화ᄒ믈 암탄(暗歎)ᄒ더라.

　호람후와 챵후 곤계 태부인을 관위ᄒ여
침뎐의 드르신 후, 조부인이 ᄌᆞ부를 거느려
승당ᄒ여,【63】격년(隔年) 니측(離側)ᄒ여
신혼셩뎡디녜(晨昏省定之禮)를 폐ᄒ고, ᄌᆞ부
디도(子婦之道)로뼈 ᄌᆞ긔 싱ᄉᆞ(生死)를 고치
못ᄒ믈 쳥죄ᄒ고, 뎡·댱 냥식부의 손을 잡
아 이디년디(愛之憐之)ᄒ여 반기ᄂᆞᆫ 졍이 모
녀의 감치 아니ᄒ니, 챵후 형데 조모와 뉴
부인이 회과ᄌᆞ칙(悔過自責)ᄒ믈 보민, 가변
을 다시 근심치 아니ᄒ딘, 다만 그런 화란
듕 일인도 ᄉᆞ망디홰(死亡之禍) 업시 모ᄌᆞ부
부슉딜(母子夫婦叔姪)이 일튁디샹(一宅之上)
의 영화로이 긔봉(奇逢)ᄒ니, 싱셰디락(生世
之樂)이 쾌활ᄒ나, 다만 챵후와 쇼ᄉᆞ의 엄
안을 아디 못ᄒᄂᆞᆫ 쳘텬디한(徹天之恨)은 미
ᄉᆞ디젼(未死之前)의　블멸디한(不滅之恨)이
오, 조부인의 죵텬디통(終天之痛)은 효ᄌᆞ현
부(孝子賢婦)의 영화를 볼ᄉᆞ록 명쳔공의 조
【64】셰ᄒ여, 부뷔 흔가디로 ᄌᆞ부의 영효
를 두굿기디 못ᄒ믈 각골비졀(刻骨悲絶)ᄒ
니, 늉셩흔 부귀영화듕(富貴榮華中)이나 추
시를 당ᄒ여 도로혀 비환(悲歡)이 상반(相
伴)953)ᄒ더라.

　태부인이 통곡을 긋치고 부인의 손을 잡
아 젼과를 후회ᄒ미 혜 달흘 돗고, 명쳔
공 화상이 싱시와 다르미 업스나 알오미 업
고, 형영(形影)이 묘망(渺茫)ᄒ여 셰월이 오

<hr>

951)추경추희(且驚且喜) : 한편으로는 놀라며 다른
　한편으로는 기뻐함.
952)장신장의(將信將疑) : 믿음이 가기도 하고 의심
　이 가기도 함.
953)상반(相伴) : 서로 짝을 이룸. 또는 서로 함께함.

疑)912)ᄒ여 아모리 홀 바를 모로나, 지극흔
셩효의[로] 구모지여의 그 노쇠ᄒ시믈 보
미, 쳑연감오(慼然感悟)ᄒ여 츄파의 누쉬 연
낙(連落)ᄒ여 틱부인을 붓드러 승당ᄒ시믈
쳥홀시, 구픠 뎡·댱 양소져를 보미 반가오
미[미] 유명(幽明)을 격(隔)ᄒ여 그리든 사
름 ᄀᆞᆺ고, 태부인 언의[에] 인현ᄒ여 젼일과
닉도ᄒ믈 영힝ᄒ여, 이의 비알홀시, 챵후 형
제의 츌쳔 틱효의 그 조모의 악심을 감화ᄒ
믈 《악단∥암탄(暗歎)》ᄒ더라【71】

　호람후와 챵후 곤계 틱부인을 《곽위∥관
위》ᄒ여 침쳔의 드르신 후, 조부인이 ᄌᆞ부
를 거느려 승당ᄒ여, 격년(隔年) 니측(離側)
ᄒ여 신혼셩졍지녜(晨昏省定之禮)를 《녜∥
폐》ᄒ고, ᄌᆞ부지도(子婦之道)로써 ᄌᆞ긔 싱
도(生道)를 고치 못ᄒ믈{ᄒ믈} 쳥죄ᄒ고, 뎡
·댱 양식부의 손을 잡아 이지년지(愛之憐
之)ᄒ여 반기ᄂᆞᆫ 졍이 모녀의 감치 아니ᄒ
니, 챵후 형데 조모와　뉴부인이 회과ᄌᆞ칙
(悔過自責)ᄒ믈 보민, 가변을 다시 근심치
아니ᄒ딘, 그런 화란 줌 일인도 ᄉᆞ망지홰
(死亡之禍) 업시　모쟈부부슉딜(母子夫婦叔
姪)이 일튁지샹(一宅之上)의 영화로○[이]
긔봉ᄒ니, 싱셰지락(生世之樂)이 쾌활ᄒ나,
다만 챵후와 소ᄉᆞ의 엄안을 아지 못ᄒᄂᆞᆫ 쳘
텬지한(徹天之恨)은　미ᄉᆞ지젼(未死之前)의
블멸지한(不滅之恨)이오, 조부인의 죵텬지통
(終天之痛)은　효ᄌᆞ효부(孝子孝婦)의【72】
영화를 볼ᄉᆞ록 명쳔공의 조셰(早世)ᄒ여 부
뷔 흔가지로 ᄌᆞ부의 영효를 두굿기지 못ᄒ
믈 각골비졀(刻骨悲絶)ᄒ니, 늉셩흔 부귀영
화즁(富貴榮華中)이나 추시를 당ᄒ여 도로
혀 비환(悲歡)이 상반(相伴)913)ᄒ더라.

　틱부인이 통곡을 긋치고 부인의 손을 줍
아 젼과를 후회ᄒ미 혀 달흘 듯고, 명쳔
공 화샹이 싱시와 다르미 업스나 아름이 업
고, 형영(形影)이 묘망(渺茫)ᄒ여 셰월이 오

<hr>

911)추경추희(且驚且喜) : 한편으로는 놀라며 다른
　한편으로는 기뻐함.
912)장신장의(將信將疑) : 믿음이 가기도 하고 의심
　이 가기도 함.
913)상반(相伴) : 서로 짝을 이룸. 또는 서로 함께함.

라니 참상(慘傷)ᄒ여 아모리 브르디져 셜워
ᄒ여도, 흔 소ᄅᆡ 답언이 업ᄉᆞᄆᆞᆯ 닐너 통상
비도(痛傷悲悼)ᄒᄆᆞᆯ 마디 아니니, 그 혈심딘
졍(血心眞情)이 아니면 이러치 못ᄒᆞᆯ디라. 조
부인이 비회듕(悲懷中)이나 존고의 회과ᄒᆞ
시미 여【65】ᄎᆞ흐시믈 만분 희힝ᄒᆞ여, 슬
프믈 참고 태부인을 위로ᄒᆞ며, 좌간의 뉴부
인이 업ᄉᆞᄆᆞᆯ 보고, 뭇ᄌᆞ와 ᄀᆞᆯ오ᄃᆡ,

"쳡이 격셰(隔歲) 후 도라왓ᄉᆞ오ᄃᆡ 뉴뎨
를 보디 못ᄒᆞ오니, 아디 못거이다 어나 곳
의 잇ᄂᆞ니잇고?"

부인이 탄왈,

"셕년의 뉴시 실셩ᄒᆞ여 노모와 힝계(行
計)ᄒᆞ던 변괴 흉참극악(凶慘極惡)ᄒᆞ더니, 당
시(當時)ᄒᆞ여 깁히 슈졸(守拙)ᄒᆞ여 듕인공회
(衆人公會)의 나기를 참괴ᄒᆞ여 ᄒᆞᆯ 쑨 아니
라, 오이 죽이디 못ᄒᆞᄆᆞᆯ 한ᄒᆞ니, 침소의 두
문블츌(杜門不出)ᄒᆞ여 ᄌᆞ쳐죄인(自處罪人)ᄒᆞ
니, 노ᄆᆡ 더옥 블평ᄒᆞ도다."

이 ᄲᅥ 호람휘 태부인을 뫼셔 만면 츈풍이
온ᄌᆞ(溫慈)ᄒᆞ더니, 모친과 슈쉬【66】말슴
이 뉴시의 밋ᄎᆞ미 믄득 블열(不悅)ᄒᆞ여 조
부인을 향ᄒᆞ여, ᄀᆞᆯ오ᄃᆡ,

"쇼싱의 가졔(家齊) 무상블엄(無狀不嚴)ᄒᆞ
여 뉴가 별믈 대악을 일퇵디샹의 평상이 머
므르나, 졔 만일 넘치 이시면 스스로 ᄌᆞ딘
(自盡)ᄒᆞ여 쇽기죄(贖其罪) ᄒᆞ오미 당연ᄒᆞ오
ᄃᆡ, 희텬이 형댱과 존슈의 싱휵디신(生慉之
身)이 듕ᄒᆞ믈 닛고, 요인발부(妖人潑婦)를
위ᄒᆞ여 동동쵹쵹(洞洞屬屬)ᄒᆞᆫ 셩회 봉영집
옥(奉盈執玉)954)과 경슌디녜(敬順之禮) 혈
심디회(血心之孝)라. 념티상딘(廉恥喪盡)ᄒᆞᆫ
간인은 ᄌᆞ듕ᄌᆞ오(自重自傲)955)ᄒᆞ여 고당ᄎᆡ
루(高堂彩樓)의 칭병와상(稱病臥床)ᄒᆞ여 팔

라니 참상(慘傷)ᄒᆞ여 아모리 부루지져 셜워
ᄒᆞ여도, 흔 소ᄅᆡ 답언이 업ᄉᆞ믈 닐너 통○
[상]비도(痛傷悲悼)ᄒᆞ믈 마지 아니니, 그 혈
심진졍(血心眞情)이 아니면 이러치 못ᄒᆞᆯ지
라. 조부인이 비회즁(悲懷中)이나 존고의 회
과ᄒᆞ시미 여ᄎᆞᄒᆞ시믈 만분 희힝ᄒᆞ여, 슬프
믈 ᄎᆞᆷ고 틱부인을 위로ᄒᆞ며, 좌간의 뉴부인
이 업ᄉᆞᄆᆞᆯ 보고 뭇ᄌᆞ와 갈오ᄃᆡ,

"쳡이 격셰(隔歲) 후로 도【73】라와ᄉᆞ오
ᄃᆡ 뉴뎨를 보지 못ᄒᆞ오니, 아지 못거이다,
어나 곳의 잇ᄂᆞ잇고?"

부인이 탄왈,

"셕년의 뉴시 실셩ᄒᆞ여 노모와 힝계ᄒᆞ던
변괴 흉참극악(凶慘極惡)ᄒᆞ더니, 당시(當時)
ᄒᆞ여 깁히 슈춤(羞慚)ᄒᆞ여 즁인공회(衆人公
會)의 나기를 춤괴ᄒᆞ여 ᄒᆞᆯ 쑨 아니라, 오이
죽이지 못ᄒᆞᄆᆞᆯ ᄒᆞ ᄒ니, 침소의 두문블츌(杜
門不出)ᄒᆞ여 ᄌᆞ쳐죄인(自處罪人)ᄒᆞ니, 노ᄆᆡ
더옥 블평ᄒᆞ도다."

이 ᄲᅥ 호람휘 틱부인을 뫼셔 만면 츈풍이
온ᄌᆞ(溫慈)ᄒᆞ더니, 모친과 슈쉬 말슴이 뉴시
의 밋ᄎᆞ미, 믄득 불열(不悅)ᄒᆞ여 조부인을
향ᄒᆞ여, 갈오ᄃᆡ,

"쇼싱의 가졔 무상불엄(無狀不嚴)ᄒᆞ여 뉴
가 별믈 ᄃᆡ간을 일퇵지샹의 형상이 머므루
나, 졔 만일 넘치 이시면 스스로 ᄌᆞ진ᄒᆞ여
쇽기죄(贖其罪) ᄒᆞ오미 맛당ᄒᆞ오ᄃᆡ, 희쳔이
형쟝과 존【74】슈의 싱휵지신(生慉之身)이
즁ᄒᆞ믈 닛고, 요인발부(妖人潑婦)를 위ᄒᆞ
여 동동쵹쵹(洞洞屬屬)ᄒᆞᆫ 셩회 봉영집옥(奉
盈執玉)914)과 경슌지녜(敬順之禮) 혈심지효
(血心之孝라. 념치샹진(廉恥喪盡)ᄒᆞᆫ 간인은
ᄌᆞ즁ᄌᆞ오(自重自傲)915)ᄒᆞ여 고당ᄎᆡ루(高堂
彩樓)의 칭병와샹(稱病臥床)ᄒᆞ여 팔진경춘

---

954) 봉영집옥(奉盈執玉) : 효자가 어버이를 섬기는
예절. 즉 효자가 어버이를 섬길 때는 가득찬 물그
릇을 받들어 드는 것처럼, 또 보배로운 옥을 집는
것처럼 조심하고 삼가며 부모를 섬겨야 한다는
뜻. 『예기(禮記)』 <祭儀>편의 "효자여집옥여봉영
(孝子如執玉如奉盈)…"에서 나온 말.

955) ᄌᆞ듕ᄌᆞ오(自重自傲) : 스스로를 중히 여겨 스스
로 오만하게 행동함.

914) 봉영집옥(奉盈執玉) : 효자가 어버이를 섬기는
예절. 즉 효자가 어버이를 섬길 때는 가득찬 물그
릇을 받들어 드는 것처럼, 또 보배로운 옥을 집는
것처럼 조심하고 삼가며 부모를 섬겨야 한다는
뜻. 『예기(禮記)』 <祭儀>편의 "효자여집옥여봉영
(孝子如執玉如奉盈)…"에서 나온 말.

915) ᄌᆞ즁ᄌᆞ오(自重自傲) : 스스로를 중히 여겨 스스
로 오만하게 행동함.

딘경찬(八珍瓊饌)을 염어(厭飫)ᄒ고 금슈나
릉(錦繡羅綾)을 무거이 넉이거늘, 쥬샤야탁
(晝思夜度)ᄒᄂ 비 공교요악(工巧妖惡)ᄒ 의
식 빅츌ᄒ리니, 【67】 다시 듕인공좌(衆人
公座)의 안연이 나단닌죽, ᄯ 요승악도(妖僧
惡道)를 쳐결ᄒ여 가변이 엇더ᄒ며, ᄌ위긔
다시 참덕을 깃쳐 간참요언(姦讒妖言)으로
ᄌ의(慈意)를 변ᄒ시게 홀디라. 존슈는 악인
의 유무를 뭇디 마르시고 아이의 샹디치 마
르쇼셔."

셜파의 분긔 돌관(突貫)ᄒ니, 조부인이 슉
슉의 심디뎡대(心志正大)ᄒ여 경히 두로혀
디 못홀 줄 알오디, ᄌ긔 소회를 은휘치 아
니려, 이의 츄연 탄식 디왈,

"첩이 감히 슉슉의 힝ᄉ를 시비ᄒ오며,
뉴뎨의 허믈을 논난ᄒ리잇가마ᄂ, 첩의 우
심(愚心)이 평싱 가되(家道) 화평ᄒᄆ를 쥬
(主)ᄒ고, ᄉ졍(私情)으로 니를딘디, 희텬은
슉슉의 계후ᄒ신 비나, ᄌ모(慈母)의 년년ᄒ
졍으로써 져 【68】 히 심ᄉ 괴롭디 아니믈
원홀디라. 뉴부인의 쇼쇼 과실이 업디 아니
ᄒ나, 슉슉이 인후디덕(仁厚之德)을 드리오
샤, 녀ᄌ의 셰쇄디ᄉ(細瑣之事)를 믈시(勿
視)ᄒ샤 ᄌ녀의 황민(惶憫)ᄒᄆ를 살피시며,
뉴뎨 쇽현존문(續絃尊門)ᄒ여 구고(舅姑)의
상(喪)의 여경초토(廬經草土)956)ᄒᄆ 이휘
(哀毁)ᄒ여 대죄(大罪)를 범치 아냐시니, 슉
슉이 삼십년 결발디의(結髮之義)957)를 졀
(絕)ᄒ시미 블가ᄒ시니, 원컨디 셕ᄉ(昔事)
를 싱각ᄒ시고, 듕도(中道)의 일시 실톄(失
體)ᄒᄆ믈 과도히 칙망치 마르쇼셔."

공이 흠신 ᄉ샤 왈,

"존슈의 셩괴(聖敎) 맛당ᄒ샤 관인대○
[도](寬仁大度)로써 니르시니, 쇼싱이 엇디
공경ᄒ여 밧드디 아니리잇고마ᄂ, 쇼싱이
텬셩이 딜악(嫉惡)을 여슈(如讐)ᄒᄆ믈 슈슉의
붉 【69】 히 아르시는 비라. 셕년(昔年) 요

956)여경초토(廬經草土) : 여막(廬幕)에서 상(喪)을
치름. *초토(草土); 거적자리와 흙 베개라는 뜻으
로, 상중에 있음을 이르는 말.
957)결발디의(結髮之義) : 혼인의 의리.

(八珍瓊饌)을 넘어(厭飫)ᄒ고 금슈나릉(錦繡
羅綾)을 무거이 넉이거늘, 쥬ᄉ야탁(晝思夜
度)ᄒᄂ 비 공교요악(工巧妖惡)ᄒ 의식 빅
츌ᄒ리니, 다시 즁인공좌(衆人公座)의 안연
이 단닌죽 ᄯ 요승악도(妖僧惡道)를 쳐결ᄒ
여 가변이 엇더ᄒ며, ᄌ위긔 다시 참덕을
깃쳐 간참 요언(姦讒妖言)으로 ᄌ의(慈意)를
변ᄒ시게 홀지라. 존슈는 악인의 유무를 뭇
지 므르시고 아이의 샹디치 므르쇼셔."

셜파의 분긔 돌관(突貫)ᄒ니, 조부인이 슉
슉의 심지졍디(心志正大)ᄒ여 경히 두루혀
디 못홀 쥴 알오디, ᄌ긔 소회를 은휘치 아
니려 이의 츄연 탄식 디왈,

"첩이 감히 슉슉의 【75】 힝ᄉ를 시비ᄒ
오며 뉴제의 허믈을 논난ᄒ리잇가마ᄂ, 첩
의 우심(愚心)이 평싱 가되(家道) 화평ᄒᄆ믈
쥬(主)ᄒ고 ᄉ졍(私情)으로 니를진디, 희쳔
은 슉슉의 계후ᄒ신 비니, ᄌ모(子母)의 년
년ᄒ 졍으로써 져히 심ᄉ 괴롭지 아니믈 원
홀지라. 뉴부인의 쇼쇼 과실이 업지 아니ᄒ
나, 슉슉이 인후지덕(仁厚之德)을 드리오ᄉ
녀ᄌ의 셰쇄지ᄉ(細瑣之事)를 믈시(勿視)ᄒ
샤, ᄌ녀의 황민(惶憫)ᄒᄆ믈 술피시며, 뉴제
쇽현존문(續絃尊門)ᄒ여 구고(舅姑)의 샹
(喪)의 여경초토(廬經草土)916)ᄒᄆ, 《이회
∥이훼(哀毁)》ᄒ여 디죄를 범치 아냐시니,
슉슉이 ᄉ십 년 결발지의(結髮之義)917)를
졀ᄒ시미 불가ᄒ시니, 슉슉이 원컨디 셕ᄉ
를 싱각ᄒ시고 즁도(中道)의 일시 실톄(失
體)ᄒᄆ믈 과도히 칙망치 마르쇼셔."

공이 흠신 ᄉᄉ 왈,

"존슈의 셩교 맛당ᄒ샤 관인디○[도](寬
仁大度)로써 니르시니, 소싱 【76】 이 엇지
밧드지 아니리잇고마ᄂ, 소싱이 텬셩이 질
악(嫉惡)을 여슈(如讐)ᄒᄆ믈 슈슉의 아르시는
비라. 셕년 요인의 간졍을 모로고 교언영ᄉ

916)여경초토(廬經草土) : 여막(廬幕)에서 상(喪)을
치름. *초토(草土); 거적자리와 흙 베개라는 뜻으
로, 상중에 있음을 이르는 말.
917)결발지의(結髮之義) : 혼인의 의리.

인의 간졍(奸情)을 모로고 교언녕식(巧言令色)의 침닉(沈溺)ᄒ미 되엿습거니와, 금ᄎᆞ디시(今此之時)ᄒᆞ여 그 여러가디 죄악이 턴디의 관영(貫盈)ᄒᆞ오니, ᄌᆞ졍의 니르시미 아닌즉 엇디 일퇴디샹(一宅之上)의 머므르며, 회텬으로 닐너도 간인이 금누화당(金樓華堂)의 고와(高臥)ᄒᆞ여시니 므슴 블안ᄒᆞ미 이시리잇고?"

조부인이 쳥ᄎᆞ(聽此)의 ᄌᆞᄀᆡ디언(自己之言)이 도로혀 무익ᄒᆞᆯ 줄 알고 다시 일ᄏᆞᆮ디 아니ᄒᆞ고, 이의 창ᄂᆞᆫ 셰린 냥 손ᄋᆞ를 어로만져 두굿기고, ᄌᆞ부의 영화로이 모도믈 힝열ᄒᆞ나, 뉴시 좌의 업ᄉᆞ니 쇼ᄉᆞ의 심ᄉᆞ 블평ᄒᆞᆷ믈 그윽이 년셕(憐惜)ᄒᆞ더라.

창휘 비로소 우쇼져를 모부인긔 뵈올ᄉᆡ, ᄌᆞᄀᆡ【70】결약남ᄆᆡ(結約男妹)ᄒᆞᆫ 소유를 고ᄒᆞ고, 슬하의 두시믈 쳥ᄒᆞ니, 부인이 우시의 빙ᄌᆞ아딜(氷姿雅質)과 텬향교용(天香嬌容)을 과이ᄒᆞ며, ᄋᆞᄌᆞ의 의긔를 긔특이 넉여, ᄉᆞ랑ᄒᆞ미 친녀의 감치 아니ᄒᆞ더라.

ᄎᆞ셕의 조부인이 구파로 더브러 응휘각의 니르러 뉴부인을 보더라【71】

(巧言令色)의 침닉(沈溺)ᄒᆞ미 되엿습거니와, 금ᄎᆞ지시(今此之時)ᄒᆞ여 그 여러 가지 죄악이 쳔디의 관영ᄒᆞ오니, ᄌᆞ졍의 이르시미 아닌즉 엇지 일퇴지샹(一宅之上)의 머므르며, 희쳔으로 일너도 간인이 금누화당(金樓華堂)의 고와(高臥)ᄒᆞ여시니, 무슴 불안ᄒᆞ미 잇시리잇고?"

조부인이 쳥ᄎᆞ(聽此)의 ᄌᆞᄀᆡ지언(自己之言)이 도로혀 무익ᄒᆞᆯ 줄 알고 다시 일캇지 아니ᄒᆞ고, 이의 창ᄂᆞᆫ 셰린 양 손ᄋᆞ를 어루만져 두굿기고, ᄌᆞ부의 모듬믈 힝열ᄒᆞ나 뉴시 좌의 업ᄉᆞ니 셔운ᄒᆞ며, 소ᄉᆞ의 심ᄉᆞ 불평ᄒᆞᆷ믈 알너라.

챵휘 우소겨로 조부인긔 비현ᄒᆞ고, ᄌᆞᄀᆡ 결약남ᄆᆡ(結約男妹)ᄒᆞᆷ믈 고ᄒᆞ니, 부인이 우시의 빙ᄌᆞ아질(氷姿雅質)과 쳔【77】향국식(天香國色)을 과이ᄒᆞ여, ᄋᆞᄌᆞ의 의긔를 져ᄇᆞ리지 아냐, 슬하의 무휼ᄒᆞ려 ᄒᆞ더라.

ᄎᆞ셕의 조부인이 친이 응휘각의 니르니, ᄎᆞ쳥 ᄒᆞ회ᄒᆞ라.918)【78】

---

918)박본 27권의 필사자는 선행본 3권(74·75·76권)을 한 책에 이어 필사하면서, '쪽 나누기' 방식을 통해 선행본의 시작과 끝의 분권체재를 그대로 유지하고 있다. 그런데 각권의 시작과 끝이 낙선재본 73·74·75권의 그것과 같고, 각권의 서사 분량도 첨가된 곳 없이 축약된 곳만 3·4군데가 나타날 뿐으로, 그 분량과 표현문장이 거의 같거나 비슷하여 주목된다. 이는 박순호본의 필사자들이 100권100책의 거질인 <명주보월빙>을 여럿이 나누어 필사하면서, 그 저본을 한 종류의 텍스트만 사용한 것이 아니라 낙선재본 또는 동계열 텍스트를 포함해, 적어도 2종 이상의 텍스트를 저본으로 해서 필사했다는 반증이 되기 때문이다.

명듀보월빙 권디칠십수

초셜 조부인이 구파로 더브러 응휘각의 니르니, 뉴부인이 조부인과 구파를 보미 참괴흔 낫치 달호이고 슬픈 심식 교집(交集)흐니, 밧비 조부인의 손을 잡고 구파를 븟드러 실셩비읍(失性悲泣)흐니, 부인과 구패 역시 타루(墮淚)흐믈 면치 못흐여, 조부인이 집슈 탄왈,

"왕수는 이의(已矣)라. 이졔 슬허흐며 이달와 흐나 밋디 못흐리니, 엇디 과도히 상회(傷懷)흐느뇨? 연이나 블힝 듕 존괴 톄휘 안강흐시고, 그런 변난 둥 일인도 수망디해 업수니 윤문의 대경(大慶)이라. 부인【1】은 쳑비(慽悲)치 말디어다."

뉴부인이 실셩 오열 왈,

"쇼뎨의 궁흉극악디죄(窮凶極惡之罪)는 남산듁(南山竹)958)을 버혀도 궁딘(窮盡)흐리니959), 관영(貫盈)흔 죄악이 텬디의 수못고, 회아 형뎨의 긔특흔 셩효로 괴이흔 악딜을 소셩(蘇醒)흐여 고당 치루의 안거흐나, 젼젼악수를 싱각흐니 낫출 싹고 시븐다라. 금일 셔모와 져져를 디흐오미 참괴흐미 욕수무디(欲死無地)로소이다."

조부인이 뉴시의 대간 흉독으로 개심슈덕(改心修德)흐미 여추흐믈 역경(亦驚) 대열(大悅)흐여, 흔연이 너른 덕화로 교유흐여 뉴시의 협견(狹見)이 상활(爽闊)케 흐여, 그 젼과를 유심(留心) 치부(置簿)흐미 업수니, 활연히 현심과 빈빈흔 덕홰 딘짓【2】윤쳥문과 효문의 즈뫼(慈母)를 뭇디 아냐 알 비니, 셕(昔)의 틱임(太姙)960)의 틱교(胎敎) 문왕(文王)을 싱흐시고, 금(今)애 조부인의

초셜 조부인이 구파로 더부러 응휘각의 니르니, 뉴부인이 조부인과 구파를 보미 참괴흔 낫츨 달호이고 슬픈 심식 교집(交集)흐니, 밧비 조부인의 손을 줍고 구파를 븟드러 실셩 비읍(失性悲泣)흐니, 부인과 구픠 역시 타루(墮淚)흐믈 면치 못흐여, 조부인이 집슈 탄왈,

"왕수는 이의(已矣)라. 이졔 슬허흐며 이달와 흐나 밋지 못흐리니, 엇지 과도히 상회(傷懷)흐느뇨? 연이나 블힝 즁 존괴 쳬휘 안강흐시고, 그런 변난 즁 일인도 수망지해 업수니 윤문의 딕경(大慶)이라. 부인은 쳑비치 말지어다."

뉴부인이 실셩 오열 왈,

"소뎨의 궁흉극악지죄(窮凶極惡之罪)는 남【79】산쥭(南山竹)919)을 다 버혀도 궁진(窮盡)흐리니920), 관영(貫盈)흔 죄악이 쳔지의 수못고, 회아 형뎨의 긔특흔 셩효로 괴이흔 악질을 소셩(蘇醒)흐여 고당 치루의 안거흐나, 젼젼 악수를 싱각흐니 낫츨 싹고 십은지라. 금일 셔모와 져져를 디흐오미 참괴흐미 욕수무지(欲死無地)로소이다."

조부인이 뉴시의 딕단흔 흉독으로 기심슈덕(改心修德)흐미 여추흐믈 역경(亦驚) 딕열(大悅)흐여, 흔연이 너른 덕화로 교유흐여, 뉴시의 협견(狹見)이 상활(爽闊)케 흐여 그 젼과를 유심(留心) 치부(置簿)흐미 업수니, 활연히 현심과 빈빈흔 덕홰 진짓 윤쳥문과 효문의 즈뫼를 뭇지 아냐 알 비니, 셕의 틱임(太姙)921)의 틱픠 문왕(文王)을 싱흐시고, 금(今)의 됴부인의 싱흔【80】비

---

958) 남산듁(南山竹) : '남산에 있는 대나무'라는 뜻으로, 남산에 있는 대나무를 다 베어 죽간(竹簡)을 만들어 써도 다 기록할 수 없을 만큼 죄가 많다는 말. '경죽난서(磬竹難書)'에서 온말.
959) 궁딘(窮盡) : 다하다. 다하여 없어지다.
960) 태임(太姙) : 중국 주(周)나라 문왕(文王)의 어머니. 부덕(婦德)이 높아 며느리 태사(太姒: 문왕의 비)와 함께 성녀(聖女)로 추앙된다.

919) 남산듁(南山竹) : '남산에 있는 대나무'라는 뜻으로, 남산에 있는 대나무를 다 베어 죽간(竹簡)을 만들어 써도 다 기록할 수 없을 만큼 죄가 많다는 말. '경죽난서(磬竹難書)'에서 온말.
920) 궁딘(窮盡) : 다하다. 다하여 없어지다.
921) 태임(太姙) : 중국 주(周)나라 문왕(文王)의 어머니. 부덕(婦德)이 높아 며느리 태사(太姒: 문왕의 비)와 함께 성녀(聖女)로 추앙된다.

싱흔 비 챵후와 쇼스 굿튼 셩즈영쥰디지(聖者英俊之材)오 의렬 굿튼 셩녀명염(聖女名艶)을 싱흐믈 알니러라.

호람휘 형댱의 화샹을 빅화헌의 봉안흐여 시믈 슈슈(嫂嫂)긔 고흐고, 현알흐시믈 쳥흐니, 조부인이 구파로 더브러 즈부를 거느려 빅화헌의 니르니, 고퇴(古宅)이 뷘 터히 되어시니, 닉외(內外) 당샤(堂舍) 기동조차 남디 아녓고, 다만 빅화헌과 뉴부인 침소 희츈각만 남아시니, 심니의 대경 츠악흐믈 마디 아니터라.

이의 당의 올나 명쳔공 화샹을 보미 싱긔 뉴동(流動)흐여【3】옥면션풍(玉面仙風)과 줌미봉안(蠶眉鳳眼)의 화협쥬슌(華頰朱脣)이며, 미려흔 풍용과 쳑탕(滌蕩)흔 긔샹이 완연이 윤니부 명쳔공이 지셰(再世)흐엿는디라. 구파의 통읍비졀(慟泣悲絶)흠과 조부인의 궁텬극통(窮天極痛)이 여할여삭(如割如削)흐여 화샹을 츠마 오릭 딕치 못흐니, 챵후 곤계의 남다른 디통으로써 어이 오닉 촌단치 아니리오마는, 모부인의 과샹흐시믈 민박흐여 이의 비싴(悲色)을 금억(禁抑)흐고, 모친을 붓드러 위로흐여 닉당으로 드러올식, 하·댱 이쇼제 또흔 엄구의 화샹을 쳐음으로 비알흐는 비라. 존고와 챵후 곤계의 각골·비샹흐믈 보미, 인심의 츄연흐여 낫빗츨 곳치고, 뎡슉【4】녈이 또흔 샹연(傷然) 타루(墮淚)흐더라.

조부인이 옥누항의 드러온 후 태부인긔 시침(侍寢)흐고 침소를 뎡치 아녓더니, 쇼식 벽월누란 당샤를 뎡흐여 쇄소흐고 모부인 쳐흐시믈 쳥흐니, 태부인이 역권흐미 조부인이 마디 못흐여 벽월누의 올므니, 우쇼제 각 침소를 샤양흐고 벽월누 협실의 이시믈 쳥흐니, 부인이 그 졍소를 츄연흐여 협실의 두고, 무휼흐여 스랑흐미 친싱 쇼교ᄋ(小嬌兒) 굿튼디라. 우쇼제 감은각골흐여 은덕을 쎠의 삭이더라.

챵후와 소스 갓흔 셩즈영쥰지재(聖者英俊之材)오, 의렬 갓흔 셩녀명염(聖女名艶)을 싱흐믈 알니러라.

호람휘 션형의 화샹을 빅화헌의 봉안흐여 시믈 즉시 고흐고, 현알흐시믈 쳥흐니, 됴부인이 양즈로 더부러 즈부를 거나려 빅화헌의 니르니, 고퇴(古宅)이 뷘 터히 되어시니, 닉외(內外) 당샤(堂舍) 즙쳡흐든 비 기동조차 남기지 아니코, ○○○○○○[다만 빅화헌]과 뉴부인 ○…결락10자…○[침소 희츈각만 남아시니],{챵후 남민의 타별지통을} 니의 딕경 츠악흐믈 마지《아니코‖아니터라》.

이의 당의 올나 명쳔공 화샹을 보미 싱긔 유동(流動)흐여 옥면션풍(玉面仙風)과 줌미봉안(蠶眉鳳眼)의 화협쥬슌(華頰朱脣)이며, 미려흔 풍용과 쳑탕(滌蕩)흔 긔샹이 완연이 윤니부 명쳔공이 지셰(再世)흐엿는지라. 구파의 통읍비졀(慟泣悲絶)【81】흠과 됴부인의 궁텬극통(窮天極痛)이 여할여삭(如割如削)흐여 화샹을 츠마 오릭 딕치 못흐니, 챵후 곤계○[의] 남다른 지통으로써, 어이 오릭 츠단치 아니리오마는, 모부인의 과샹흐시믈 위흐여 통활[할](痛割)흐믈 춤고 부인을 붓드러 닉당으로 드러올식, 하·댱 이소제는 존구의 화샹을 쳐음으로 비알흐고, 존고와 챵후《공계‖곤계》의 각골 비통흐믈 딕흐여 츄연 기용(改容)흐고, 뎡슉녈은 샹연(傷然) 휘루(揮淚)흐믈 면치 못흐더라.

됴부인이《유화손‖옥화손》으로○○[부터] 도라온 후, 퇴부인긔 시침흐여 침젼를 졍치 아냣더니 쇼스 벽월누란 당소를 졍흐여 모친을 쳐흐시게 흐니, 퇴부인이 녁권흐여 됴부인이 벽월누의 올무미, 우【82】소제 짠 침소를 스양흐고 벽월누 협실의 일간을 쇄소흐여, 우소제를 이곳의 거쳐흐믈 쳥흐니, 됴부인이 졍니를 익지(愛之) 긍지(矜之)흐여 년익(憐愛)흐믈 친싱즈 갓치 지극 이휼흐니, 우시 감은각골흐믈 마지 아니흐더라.

화셜, 만셰 황애 뎡슉녈을 졍문포댱(旌門襃獎)ᄒ샤 금ᄌ어필(金字御筆)을 나리오시고, 옥비찬셔(玉碑讚書)를 지쵹ᄒ시니, 발셔 슉녈문을 놉힐 거 【5】 시로ᄃᆡ, 녜부 뎡닌흥이 윤부 우환이 긋칠 ᄉᆞ이 업셔 흥황(興況)이 ᄉᆞ연(捨然)ᄒ니, 슉녈문을 셰올 쎡 분요(紛擾)ᄒᆞᆯ다라. 츳고로 듕디ᄒ더니 시금은 태부인과 뉴부인의 달양이 쾌소ᄒᆞᆯ 듯고, 비로소 슉녈문과 옥비(玉碑) 찬셔(讚書)를 놉히니, 만됴거경(滿朝巨卿)이 금ᄌ어필(金字御筆)을 공경ᄒ여 져마다 하마(下馬)ᄒ니, 영광이 혁혁ᄒ고 향명(香名)이 ᄉᆞ린(四隣)의 경동ᄒ니, 녀ᄌ의 엇기 어려온 영통부귀(榮寵富貴)라. 견지 칭션 열복ᄒ니 슉녈이 딘실노 블안 황공ᄒᆞᆷ믈 마디 아니니, 남창휘 역시 블열ᄒ더라.

조부인이 다시 가ᄉᆞ를 뎡치 아니코, 뎡슉녈노 봉ᄉᆞ졉빈디딜[졀](奉祀接賓之節)을 맛져 닉ᄉᆞ를 찰임ᄒ게 ᄒ고, 외ᄉᆞ는 호람휘ᄌᆞ딜노 상의ᄒ여 가듕【6】 대쇼ᄉᆞ를 총졔(總制)ᄒᆞᆯ시, 창후 형뎨 공의 한가ᄒ실 바를 위ᄒ여 외ᄉᆞ를 스ᄉᆞ로 총찰(總察)ᄒ니, 시녀와 노ᄌ 등이 창후 곤계의 찬츌(竄黜)ᄒᆞᆫ 후 도쥬ᄒ엿더니, 환쇄ᄒᆞᆫ 쇼문을 듯고 드러와, ○○[창휘] 위태부인과 뉴부인긔 블공이 구던 뉴를 통히ᄒ여 엄티코져 ᄒ니, 호남휘 말녀 왈,

"ᄌᆞ졍긔 블공ᄒᆞᆫ 비복을 다ᄉᆞ리고져 ᄒᆞ디 아니리오마ᄂᆞᆫ, 우히 바르디 아니미 아릭 기운 거시 녜시오, 쥬인이 실덕ᄒ니 비복이 므슴 튱셩으로 셤기는 녜모를 출히리오. 뉴시 무상ᄒᆞ미 ᄌᆞ졍긔 패도(悖道) 악명(惡名)을 깃치고 비복의게 실인심(失人心)ᄒ니, 만승 텬ᄌᆞ라도 티졍(治政)이 블명(不明)ᄒᆞᆫ즉 실기텬하(失其天下)ᄒᆞᄂᆞ니, ᄒᆞᆷ믈며 【7】 디우하쳔(至愚下賤)의 무디블식(無知不識)ᄒᆞᄆᆞ로 뉴시를 원망ᄒᆞ며 일시 속이고져 ᄒᆞ미니, 굿ᄐᆞ여 대죄 아니라. 후일을 엄칙(嚴飭)ᄒ고 요란이 티죄 말나."

화셜, 만셰 황애 뎡슉렬을 졍문포장(旌門襃獎)《을ǁᄒ샤》 《윤문ǁ금ᄌ어필(金字御筆)》을 ○○[ᄂᆞ려] 《즙히ǁ놉히》 븟치라 ᄒ신 명이 ᄂᆞ린지 오릭나, 녜부 뎡닌흥이 봉지(奉旨)ᄒ여시나, 윤부의셔 허다 우환이 연쳡(連疊)ᄒ기로 《쳐연ǁ쳔연(遷延)》ᄒ여, 만ᄉᆞ를 망역[연]부지(茫然不知)ᄒ여, 황상의 교지를 즉시 봉힝치 못ᄒ고지지(遲遲)ᄒ더니, 시금(時今)은 틱부인과 뉴부인의 질양이 쾌소ᄒᆞᆷ믈 듯고, 비로소 슉녈문과 옥비(玉碑) 찬셔(讚書)를 놉히니, 만됴거경(滿朝巨卿)이 금ᄌ어필(金字御筆)을 공【83】경ᄒ여 져마다 하마(下馬)ᄒ니, 영광이 혁혁ᄒ고 향명(香名)이 ᄉᆞ린(四隣)의 경동ᄒ니, 녀ᄌ의 엇기 어려운 영총부귀(榮寵富貴)라. 《졍지ǁ견지》 칭션 열복ᄒ니 슉렬이 진실노 블안 황공ᄒᆞᆷ믈 마지 아니니, 남창휘 역시 블열ᄒ더라.

됴부인이 다시 가ᄉᆞ를 다ᄉᆞ리지 아니코, 뎡슉녈노 봉ᄉᆞ졉빈지졀(奉祀接賓之節)을 맛져 닉ᄉᆞ를 찰임ᄒ게 ᄒ고, 외ᄉᆞ는 호람휘ᄌᆞ딜노 상의ᄒ여 가즁 틱쇼소ᄉᆞ를 총졔ᄒᆞᆯ식, 창후 형뎨 공의 한가ᄒ실 바를 위ᄒ여 외ᄉᆞ를 스ᄉᆞ로 총찰ᄒ니, 시녀와 노ᄌ 등이 창후 《근셰ǁ곤계》의 찬츌ᄒᆞᆫ 후 도쥬ᄒ엿더니, 환쇄ᄒᆞᆫ 소문을 듯고 드러와, ○○[창휘] 위틱부인과 뉴부인긔 블공이 구던 뉴를 통히【84】ᄒ여 엄치코져 ᄒ니, 호남휘 말녀 왈,

"ᄌᆞ졍긔 불공ᄒᆞᆫ 비복을 다ᄉᆞ리고져 ᄒ지 아니리오마ᄂᆞᆫ, 우히 바르지 아니미 아릭 기운 거시 녜소오, 쥬인이 실덕ᄒ니 비복이 무슴 츙셩으로 셤기는 녜모를 출히리오. 뉴시 무상ᄒᆞ미 ᄌᆞ졍긔 픠도(悖道) 악명(惡名)을 깃치고, 비복의게 실인심(失人心)ᄒ니, 만승 텬ᄌᆞ(萬乘天子)라도 치졍이 불명ᄒᆞᆫ즉 실기텬하(失其天下)ᄒᆞᄂᆞ니, ᄒᆞᆷ믈며 지위하쳔(至愚下賤)의 무지불식(無知不識)ᄒᆞᄆᆞ로 뉴시를 원망ᄒᆞ며 일시 속이고져 ᄒ미, 굿ᄒᆞ여 티죄 아니라. 후일을 엄칙(嚴飭)ᄒ고 요란이 치죄(治罪) 말나."

창휘 슈명ᄒ고 노ᄌ와 시비를 엄칙ᄒ여, 후일 방ᄌᄒ미 이신즉 듕죄를 녕ᄒ리라 ᄒ니, 엄슉ᄒᆫ 분뷔 일빅 장칙의 디나미 이시니, 비복이 숑구ᄒ여 조심ᄒ미 여림츈빙(如臨春氷)961)이오, 앙망ᄒᄂᆫ 졍셩이 덕ᄌ(赤子)962) ᄌ모(慈母) 바람 ᄀᆺ고, 완비(頑婢) 간노(奸奴)라도 그 덕화를 감열(感悅)ᄒ여 명녕을 준봉ᄒ며 쇼심익익(小心翊翊)963)ᄒ더라.

ᄎ시 뎡슉녈이 닉ᄉ를 찰임ᄒ미, 존당 슉당과 존고를 효봉ᄒ미 봉영집옥(奉盈執玉)의 경슌디녜(敬順之禮) 가죽ᄒ니, 온닝감디(溫冷甘旨)964)와　한셔의복(寒暑衣服)965)【8】이며, 누디봉ᄉ(累代奉祀)의 향션디셩(享饍之誠)966)과　승안열친디회(承顔悅親之孝)며, 화우금장(和友襟丈) ᄒ고 돈목친쳑(敦睦親戚)ᄒ여,　딕인졉믈(對人接物)967)의 츈양(春陽) ᄀᆺ튼 화긔 만믈을 부싱(復生)홈 ᄀᆺ고, 겸ᄒ여 것치 화ᄒ나 ᄌ연ᄒ 위의 빈빈(彬彬)ᄒ여, 뎡싴 단좌(端坐)ᄒ즉 츄텬(秋天)이 놉고 녈일(烈日)이 상빙(霜氷)의 빗침 ᄀᆺ튼나, 언쇼(言笑)를 발ᄒ즉 혜풍화긔(蕙風和氣)로 녜뫼 슉연ᄒ니, 창후의 풍뉴긔상으로도 슉녈을 딕ᄒ즉 슈졍안싴(修正顔色)ᄒ여 경박ᄒ 언어와 젼도(顚倒)ᄒ 노긔(怒氣)를 발치 못ᄒ니,○○○[이른 바] '관져(關雎)968)는 낙(樂)ᄒ디 음(淫)치 아니ᄒ고 이(愛)ᄒ디 난(亂)치 아니ᄒ미' 이를 니르미라. 부뷔 상경여빈(相敬如賓)ᄒ여 필경필찰(必敬必察)ᄒ니 호람후의 과듕홈과 조부인의

창휘 슈명ᄒ고 노ᄌ와 시비를 엄칙ᄒ여 후일 방ᄌᄒ미 잇신즉 즁죄를 녕ᄒ리라 ᄒ니, 엄슉ᄒᆫ 【85】 분뷔 일빅 장칙의 지나미 잇시니, 비복이 숑구ᄒ여 조심ᄒ미 《실년‖여림》 츈빙(如臨春氷)922) ᄀᆺ고, 앙망ᄒᄂᆫ 졍셩이 젹ᄌ(赤子)923) ᄌ모 바룸 ᄀᆺ고, 완비(頑婢) 간노(奸奴)라도 그 덕화를 감열(感悅)ᄒ여 명녕을 준봉ᄒ며 조심ᄒ미 익익(益益)ᄒ더라.

ᄎ시 뎡슉렬이 닉ᄉ를 찰임ᄒ미, 존당 슉당과 존고를 효봉ᄒ미 봉영집옥(奉盈執玉)의 경슌지녜(敬順之禮) 가죽ᄒ니, 온닝감지(溫冷甘旨)924)와　한셔의복(寒暑衣服)925)이며, 누디봉ᄉ(累代奉祀)의 향션지셩(享饍之誠)926)과 승안열친지효(承顔悅親之孝)며, 화우금장(和友襟丈)ᄒ고 돈목친쳑(敦睦親戚)ᄒ여, 딕인 졉믈(對人接物)927)의 츈양 ᄀᆺᄒᆫ 화긔 만믈을 부싱(復生)홈 ᄀᆺ고, 겸ᄒ여 것치 화ᄒ나 ᄌ연ᄒ 위의 빈빈(彬彬)ᄒ여, 졍싴 단좌(端坐)ᄒ즉 츄쳔(秋天)이 놉고 녈일(烈日)이 상빙(霜氷)의 빗침 ᄀᆺᄒ 【86】 나, 언소(言笑)를 발ᄒ즉 혜풍화긔(蕙風和氣)로 녜뫼 슉연ᄒ니, 창후의 풍유긔상으로도 슉렬을 딕ᄒ즉 슈졍안싴(修正顔色)ᄒ여 경박ᄒ 언어와 젼도(顚倒)ᄒ 노긔를 발치 못ᄒ니, 이른 바 '관져(關雎)928)는 낙(樂)ᄒ디 음(淫)치 아니ᄒ고 이(愛)ᄒ디 난(亂)치 아니ᄒ미 이를 니르미라. 부뷔 상경여빈(相敬如賓)ᄒ여 필경필찰(必敬必察)ᄒ니 호람휘 과즁홈과 조부인의 두굿기미 비홀 딕 업고, 일가 친쳑의 칭녜(稱譽)ᄒ미 그 힝신 쳐싀

---

961)여림츈빙(如臨春氷) : 봄철의 얼음을 밟듯 매우 조심함을 비유적으로 이르는 말. =여림박빙(如臨薄氷)

962)덕ᄌ(赤子) : 갓난 아이.

963)쇼심익익(小心翊翊) : 삼가고 조심함.

964)온닝감디(溫冷甘旨) : 음식이 따뜻한 가 차가운 가를 살피는 일.

965)한셔의복(寒暑衣服) : 춥고 더운 계절에 맞게 옷을 준비하는 일.

966)향션디셩(饗膳之誠) : 제사에 올리는 음식을 만드는 정성.

967)딕인졉믈(對人接物) : 남과 접촉하여 사귐.

968)관져(關雎) : 『시경』<주남(周南)> '관저(關雎)'장의 군자숙녀(君子淑女)를 말함.

---

922)여림츈빙(如臨春氷) : 봄철의 얼음을 밟듯 매우 조심함을 비유적으로 이르는 말. =여림박빙(如臨薄氷)

923)덕ᄌ(赤子) : 갓난 아이.

924)온닝감디(溫冷甘旨) : 음식이 따뜻한 가 차가운 가를 살피는 일.

925)한셔의복(寒暑衣服) : 춥고 더운 계절에 맞게 옷을 준비하는 일.

926)향션지셩(饗膳之誠) : 제사에 올리는 음식을 만드는 정성.

927)딕인졉믈(對人接物) : 남과 접촉하여 사귐.

928)관져(關雎) : 『시경』<주남(周南)> '관저(關雎)'장의 군자숙녀(君子淑女)를 말함.

두【9】굿기미 비홀 디 업고, 일가 친척의 칭예ᄒᆞ미 그 힝신 쳐시 슉녈문이 헛되디 아니ᄒᆞ고, 옥비(玉碑) 찬셰(讚書) 맛당ᄒᆞ다 ᄒᆞ니, 조부인의 빅힝ᄉ덕(百行四德)이 츌인(出人)ᄒᆞ고 강약(強弱)이 득듕(得中)ᄒᆞ여 티가(治家)ᄒᆞ미 샹봉어하(上奉御下)969)의 위덕(威德)이 병힝(竝行)ᄒᆞ미나, 당금(當今) 슉녈을 블급ᄒᆞᆷ은 그 특달신명(特達神明)ᄒᆞᆷ과 텬디긔량(天地器量)이며 일월총명(日月聰明)이라. 비록 요악간비(妖惡姦婢)라도 쇼쇼디ᄉ(小小之事)의도 은닉디 못ᄒᆞ니, 뎡슉녈이 셰쇄(細瑣)히 아른 쳬 ᄒᆞ미 업스나 츄파(秋波)를 두로치는 바의 현우션악(賢愚善惡)을 거울 빗최 둣ᄒᆞ디, 홍슌(紅脣)이 구디 함믁(含黙)ᄒᆞ여시니, 이 딘짓 남창후의 일빵 가위(佳偶)오, 윤문 대경(大慶)이라 ᄒᆞ더라.

창후와 쇼시 노복을【10】훗터 군셕을 츠ᄌ 머리를 버히고 슈족을 이쳐(離處)ᄒᆞ여 듕복(衆僕)의 효시(梟示)ᄒᆞ니, 비복이 낙담상혼(落膽喪魂)ᄒᆞ여 태부인 뉴부인긔 블공ᄒᆞ던 일을 후회ᄒᆞ더라.

남창후 곤계 존당 슉모의 환후로 우황(憂惶)ᄒᆞ다가, 소환(所患)이 여상(如常)ᄒᆞᆫ 후도 년(連)ᄒᆞ여 ᄉ괴 만하, 환경ᄒᆞᆫ 후 취운산의 나아가디 못ᄒᆞ엿더니, 일일은 호람휘 ᄌ딜을 블너 니르디,

"환가(還家) 이후의 딜녀와 녀ᄋᆞ를 보디 못ᄒᆞ엿더니, 금일은 운산의 힝코져 ᄒᆞᄂᆞ니 여등이 ᄒᆞ가디로 가미 엇더ᄒᆞ뇨?"

창후는 흔연 슈명ᄒᆞ디, 쇼시 운산을 가는 날은 하부의 아니 가디 못홀 거시오, 간즉 됴부인【11】긔 비알을 폐치 못홀디라. 초후를 깁히 노ᄒᆞ여 아딕 하공 부부긔 반ᄌᆞ디도(半子之道)970)를 출히디 아니려 ᄒᆞᄂᆞᆫ 고로, 복슈(伏首) 디왈,

"쇼지 쏘흔 냥 져져긔 뵈올 ᄆᆞᄋᆞᆷ이 급ᄒᆞ오나, 일시의 외당을 븨오미 괴이ᄒᆞ오니, 야

슉녈문이 헛되지 아니ᄒᆞ고, 옥비(玉碑) 찬셰(讚書) 맛당ᄒᆞ다 ᄒᆞ니, 조부인의 빅힝ᄉ덕(百行四德)이 츌인(出人)ᄒᆞ고 강약이 득즁(得中)ᄒᆞ여 치가(治家)ᄒᆞ미 샹봉어하(上奉御下)929)의 위덕(威德)이 병힝ᄒᆞ미나, 당ᄒᆞ여 슉녈을 블급ᄒᆞᆫ 그 특달신명(特達神明)ᄒᆞᆷ과 쳔지긔【87】량(天地器量)이며 일월총명(日月聰明)이라. 비록 요악간비(妖惡姦婢)라도 쇼쇼지ᄉ(小小之事)는 은닉지 못ᄒᆞ니, 뎡슉녈이 셰쇄히 아른 쳬ᄒᆞ미 업스나 츄파를 두로치는 곳의 현우션악(賢愚善惡)을 거울 빗최둣 ᄒᆞ디, 홍슌(紅脣)이 구지 함믁(含黙)ᄒᆞ여시니, 이 진짓 남창후의 일쌍 가위(佳偶)오, 윤문 딕경(大慶)이라 ᄒᆞ더라.

챵후와 소시 노복을 훗터 군셕을 ᄎᆞᄌ 머리를 버히고 슈족을 니이(離異)ᄒᆞ여 즁복(衆僕)의 효시(梟示)ᄒᆞ니, 비복이 낙담상혼(落膽喪魂)ᄒᆞ여 틱부인 뉴부인긔 불공ᄒᆞ던 일을 후회ᄒᆞ더라.

남창후 곤계 존당 슉모의 환후로 우황(憂惶)ᄒᆞ다가 소환(所患)이 여상(如常)ᄒᆞᆫ 후도 년(連)ᄒᆞ여 ᄉ괴 만하, 환경ᄒᆞᆫ 후 취운산의 나아가지 못ᄒᆞ엿더니, 일일은 호람휘 ᄌ딜을 불너 이라디,【88】

"환가(患家) 이후의 딜녀와 녀아를 보지 못ᄒᆞ엿더니, 금일은 운산의 힝코져 ᄒᆞᄂᆞ니 여등이 흔가지로 가미 엇더 ᄒᆞ뇨?"

챵후○[는] 흔연 슈명ᄒᆞ디, ○○[소시] 운산을 가난 날은 하부의 아니 가지 못홀 거시오, 간즉 조부인게 비알을 폐치 못홀지라. 초후를 깁히 노ᄒᆞ여 아직 하공 부부긔 반ᄌᆞ지도(半子之道)930)를 출히지 아니려 ᄒᆞᄂᆞᆫ 고로, 복슈(伏首) 디왈,

"소지 쏘흔 냥 져져긔 뵈올 마음이 급ᄒᆞ오나, 일시의 외당을 븨오미 괴이ᄒᆞ오니, 야

---

969)상봉어하(上奉御下) : 위[윗사람]을 받들고 아래[아랫사람]을 다스림.
970)반ᄌᆞ디도(半子之道) : 사위의 도리. *반자(半子); 아들이나 다름없다는 뜻으로, '사위'를 이르는 말.

929)상봉어하(上奉御下) : 위[윗사람]을 받들고 아래[아랫사람]을 다스림.
930)반ᄌᆞ지도(半子之道) : 사위의 도리. *반자(半子); 아들이나 다름없다는 뜻으로, '사위'를 이르는 말.

애 형을 다리시고 힝ᄒ샤 환가ᄒ신 후 쇼ᄌ
ᄂ 조초 나아가고져 ᄒᄂ이다."

공이 기의를 슷치고, 뎡식 왈,

"노뷔 교디로 도라온 후 하·뎡·딘 졔형
이 몃 번을 와시며, 하ᄌᄂ 날마다 니르러
노부를 보거늘 히ᄋ(孩兒)ᄂ 빙악을 ᄎᄂ
날이 업고, 뎡·딘 졔공을 ᄯᅩᄒ 회샤(回謝)
치 아니ᄒ니 엇던 도리며, 하형은 ᄒᆞᆺ갓 인
친(姻親) 빙악(聘岳)으로 니르디 말고, 션형
의 디긔지【12】위(知己之友)니 여등이 경
만치 못ᄒᆯ 거시어늘, 네 ᄌᆞ의 올ᄒᆞᆫ 말을
함노(含怒) 분원(忿怨)ᄒ니, 실노 남ᄋ의 관
대디량(寬大之量)이 아니오, ᄋ녀ᄌ의 협견
(狹見)이라. 고체(固滯)ᄒ ᄆᆞ음을 먹디 말고,
ᄒᆞᆫ가디로 가게 ᄒ라."

쇼식 친명을 역디 못ᄒ고 냥 져져와 딘부
의 가 딜ᄋ를 반기고져 ᄒ여, 샤죄ᄒ고 뫼
셔 가믈 고ᄒᆞᆫ디, 공이 깃거 ᄌᆞ딜을 거ᄂ리
고 취운산 뎡부의 니르니, 초일 뎡공이 하
공 부ᄌ와 낙양후 곤계 부ᄌ로 더브러 쳥듁
헌의셔 죵용이 담화ᄒ더니, 믄득 시지(侍者)
호람휘 창후 노야로 더브러 ᄂᆡ림(來臨)ᄒ시
믈 고ᄒ니, 뎡공이 반겨 븍공 형뎨와 초후
를 명ᄒ여【13】문외의 영졉ᄒ여 당상의
좌뎡ᄒᆞᆫ 후, 창후와 쇼식 하·뎡·딘 졔공긔
비례ᄒᆞᆫ 후, 븍공의 항녈(行列)노 좌석의 나
아가니, 금평휘 호람후를 향ᄒ여 쇼왈,

"금일 명강이 ᄒᆞᆫ 번 음죽이미 ᄉ원 ᄉ빈
이 누실의 님ᄒ니, 금난(金蘭)의 경시 금일
ᄀ튼 날이 업스니, 금셕(今席)이 하셕(何席)
고? 연이나 하형과 쇼뎨ᄂ ᄉ원 ᄉ빈으로
구싱(舅甥)의 졍쓴 아냐, 명쳔형과 디음(知
音)을 허ᄒ여, 관포(管鮑)[971]의 디극ᄒ미 골
육이 아니믈 ᄉᆡᆺ듯디 못ᄒ니, 통가(通家)[972]
슉딜디졍(叔姪之情)과 부형의 친붕으로 의
논ᄒ여도, 아등이 다ᄉᆞᆺ 번 가 보미 ᄒᆞᆫ 번
회샤(回謝) 이셤즉 ᄒ거늘, 환경(還京) ᄉ십

애 형댱을 다리시고 힝ᄒ샤 환가ᄒ신 후,
쇼ᄌᄂ 도로 나아가고져 ᄒᄂ이다."

공이 기의를 슷치고, 졍식 왈,

"노뷔 교지로 도라온 후 하·뎡·진 졔형
이 몃 번을 와시며, 하ᄌᄂ 날마다 니르러
노부를 보거날, 히ᄋ(該兒)ᄂ 빙악을 ᄎᄂ
날이 업고, 뎡·진 졔공을 ᄯᅩᄒ 회ᄉ(回謝)
【89】치 아니ᄒ니 엇진 도리며, 하형은 ᄒ
갓 인친 빙악으로 니르지 말고, 션형의 교
우지심(交友知心)이니 여등이 경만치 못ᄒᆯ
거시여늘, 네 ᄌᆞ의 올ᄒᆞᆫ 말을 함노(含怒)
분원(忿怨)ᄒ니, 실노 남아의 관디지량(寬大
之量)이 아니오, 아녀ᄌ의 협견(狹見)이라.
고체(固滯)ᄒ 마음을 먹지 말고 ᄒ가지로
가게 ᄒ라."

소식 친명을 역지 못ᄒ고 냥 져져와 진부
의 가 딜아를 반기고져 ᄒ여, 샤죄ᄒ고 뫼
셔 가믈 고ᄒᆞᆫ디, 공이 깃거 ᄌᆞ딜을 거나리
고 취운ᄉ 뎡부의 니라니, 초일 뎡공이 하
공 부ᄌ와 낙양후 곤계 부ᄌ로 더부러 쳥쥭
헌의셔 죵용이 담화ᄒ더니, 믄득 시지 호람
휘 창후 노야로 더부러 ᄂᆡ림(來臨)ᄒ시믈
고ᄒ니, 뎡공이 반겨 북공 형뎨와 초후를
명ᄒ여 문외의 영졉ᄒ여 당상의 좌졍【9
0】ᄒ 후, 챵후와 소식 하·뎡·진 졔공긔
비례ᄒ 후, 북공의 항녈(行列)노 좌셕의 나
아가니, 금평휘 호람후를 향ᄒ여 소왈,

"금일 명강이 ᄒᆞᆫ 번 움죽이미 ᄉ원 ᄉ빈
이 누실의 임ᄒ니 금난(金蘭)의 경시 금일
갓튼 날이 업스니, 금셕(今席)이 하셕(何席)
고? 연이나 하형과 소뎨ᄂ ᄉ원 ᄉ빈으로
구싱(舅甥)의 졍만 아냐, 명쳔형과 지음(知
音)을 《ᄒ허여‖허ᄒ여》 관포(管鮑)[931]의
지극ᄒ미 골육이 아니믈 ᄉᆡ닷지 못ᄒ니, 통
가(通家)[932] 슉딜지졍(叔姪之情)과 부형의
친붕으로 의논ᄒ여도, {아등}아등○[이] 다
ᄉᆞᆺ 번 가 보미 ᄒᆞᆫ 번 회식(回謝) 이셤즉 ᄒ

---

971) 관포(管鮑) : 중국 춘추시대 사람인 관중(管仲)과
　　포숙(鮑叔)을 함께 이르는 말. 우정이 아주 돈독한
　　친구사이였다.
972) 통가(通家) : 대대로 서로 친하게 사귀어 오는
　　집안.

931) 관포(管鮑) : 중국 춘추시대 사람인 관중(管仲)과
　　포숙(鮑叔)을 함께 이르는 말. 우정이 아주 돈독한
　　친구사이였다.
932) 통가(通家) : 대대로 서로 친하게 사귀어 오는
　　집안.

여 일의 금일이야 형을 쓰라【14】와 식칙(塞責)973)ᄒ니 엇디 박정치 아니리오."

호람휘 쳥필의 답쇼 왈,

"형이 광·희 냥으로ᄡᅥ 박정타 ᄒ미 가ᄒ거니와, 희텬은 괴로온 우환(憂患)의 골몰ᄒ여 잠시 여가(餘暇)치 못ᄒ고, 광텬은 산난(散亂)ᄒᆫ 가ᄉᆞ를 뎡치 못ᄒ여시므로, ᄌᆞ연 왕ᄂᆡ(往來)치 못ᄒ미나, 져히 비록 무상ᄒ나 형 등은 니르디 말고, 져히 누의들을 보고져 아니ᄒ랴?"

평휘 쇼왈,

"추고로 쇼뎨 대단이 칙디 아니ᄒ나, 원간 비인졍인가 ᄒ노라."

드드여 쇼ᄉᆞ 형뎨를 향ᄒ여 ᄀᆞᆯ오ᄃᆡ,

"금일은 하풍(何風)이 쵹신(觸身)ᄒ여 이의 니르럿ᄂᆞᇁ뇨? 노ᄇᆡ 불명ᄒ나 그ᄃᆡ 등의 ᄆᆞ음을 거의 예탁(豫度)ᄒᄂᆞ니, ᄉᆞ빈은 ᄌᆞ의【15】를 심노(心怒)ᄒ여 추쳐 왕ᄂᆡ를 념ᄒ고, ᄉᆞ원은 가ᄉᆞ를 뎡ᄒ기의 타ᄉᆞ를 여가치 못ᄒ미나, ᄉᆞ빈 일쳬로 쥬변974)을 브리면 딘형이 두려 녀ᄋᆞ를 급히 보닐가 ᄒ미니, 나의 혜아리미 그르디 아닌가 ᄒ노라."

창휘 그 악공의 말을 듯고 옥면(玉面) 셩모(星眸)975)의 우음을 ᄯᅴ여 흠신 칭샤 왈,

"악댱이 쇼싱의 단쳐를 찰찰(察察)이976) 이르시고 우회(愚懷)를 ᄇᆞᆰ히 아르시니, 쇼싱이 다시 알욀 말ᄉᆞᆷ이 업거니와, 샤뎨 비록 ᄌᆞ의 말을 노ᄒ미 이시나 친환(親患)의 분쥬ᄒ미 아닌즉, 엇디 나아와 비현(拜見)치 아니며 미져를 보고져 아니ᄒ리잇고마는, ᄉᆞ괴 이시미오, 쇼싱인들 딘시의【16】경도(傾倒)ᄒᆫ 위인을 칙망ᄒ여 이곳의 오디 아니ᄒ리잇가? 딘악댱이 기녀를 급히 보닉고

973)식칙(塞責) : 책임을 면하기 위하여 겉으로만 둘러대어 꾸밈.
974)쥬변 : 주변. 일을 주선하거나 변통함. 또는 그런 재주.
975)셩모(星眸) : 별 같은 눈동자.
976)찰찰(察察)이 : 지나칠 정도로 꼼꼼하고 자세하게.

거늘, 환경 ᄉᆞ십 여 일의 금일이야 형을 쓰라와 식칙(塞責)933)ᄒ니 엇지 박졍치 아니리오."

호람휘 쳥필의 답쇼 왈,

"형이 광·희 양아(兩兒)로ᄡᅥ 박졍타 ᄒ미 가ᄒ거니와, 희쳔은 괴로온【91】 우환의 골몰ᄒ여 줌시 여가(餘暇)치 못ᄒ고, 광쳔은 산난(散亂)ᄒᆫ 가ᄉᆞ를 졍치 못ᄒ엿시므로, ᄌᆞ연 왕ᄂᆡ치 못ᄒ미나, 져히 비록 무상ᄒ나 형 등은 니ᄅᆞ지 말고, 져의 누의들을 보고져 아니ᄒ랴?"

평휘 소왈,

"추고로 소뎨 디단이 칙지 아니ᄒ나, 원간 비인졍인가 ᄒ노라."

드드여 소ᄉᆞ 형뎨를 힝ᄒ여 갈오ᄃᆡ,

"금일은 하풍(何風)이 츄신(抽身)ᄒ여 이의 니르럿ᄂᆞᇁ뇨? 노ᄇᆡ 불명ᄒ나 그ᄃᆡ 등의 마음을 거의 예탁ᄒᄂᆞ니, 《ᄉᆞ면을∥ᄉᆞ빈은》○○○[ᄌᆞ의를] 심노(心怒)ᄒ여 추쳐 왕ᄂᆡ를 념ᄒ고, ᄉᆞ원은 가ᄉᆞ를 졍ᄒ기의 타ᄉᆞ(他事)를 여가치 못 ᄒ미나, ᄉᆞ빈 일쳬로 쥬변934)을 부리면, 진형이 두려 녀ᄋᆞ를 급히 보닐가 ᄒ미니, 나의 혜아리미 그르지 아닌가 ᄒ노라."

창휘 그 악공의 말을【92】듯고 옥면 셩모(星眸)935)의 우음을 ᄯᅴ여 흠신 칭ᄉᆞ 왈,

"악즁이 소싱의 단쳐를 찰찰(察察)이936) 니ᄅᆞ시고 우회(愚懷)를 밝히 아ᄅᆞ시니, 소싱이 다시 알욀 말ᄉᆞᆷ이 업거니와, ᄉᆞ뎨 비록 ᄌᆞ의 말을 노ᄒ미 잇시나 친환의 분쥬ᄒ미 아닌즉 엇지 나아와 비현(拜見)치 아니며 미져를 보고져 아니ᄒ리잇고마는, ᄉᆞ괴 이시미오, 소싱인들 진시의 경도(傾倒)ᄒᆫ 위인을 칙망ᄒ여 이곳의 오지 아니ᄒ리잇고? 진악쟝이 기녀를 급히 보닉고져 ᄯᅳᆺ이 업슨ᄂᆞ

933)식칙(塞責) : 책임을 면하기 위하여 겉으로만 둘러대어 꾸밈.
934)쥬변 : 주변. 일을 주선하거나 변통함. 또는 그런 재주.
935)셩모(星眸) : 별 같은 눈동자.
936)찰찰(察察)이 : 지나칠 정도로 꼼꼼하고 자세하게.

져 뜻이 업숩누니, 쇼싱이 텬셩이 우딕(愚直)ᄒ여 녀ᄌ의 교듕(驕重)977)ᄒ믈 본즉 통히ᄒ미 죽이고져 ᄒ눈디라. 딘시 《아녀∥아모리》 텬하의 무빵ᄒ다 니를디라도, 싱의 조뫼 위독ᄒᆫ 딜환을 디니시나 ᄒᆫ 번 문후ᄒ미 업고, 쇼싱이 환가ᄒᆫ 디 오릯디 유ᄌ도 보닉미 업셔 완연이 남 ᄀᆞᆺᄐᆞ니, 졔 그리 홀 졔 쇼싱이 엇디 구구히 보닉시믈 바라리잇고?"

언파의 의연뎡좌(毅然正坐)ᄒ니, 밧그로 경운(慶雲)의 화긔를 씌여시나, 닉심은 딘시를 만히 미흡ᄒ눈디라. 쓸 둔 지 구구(區區)키믈 면치 【17】 못ᄒ여, 딘후의 쾌활ᄒᆫ 긔상으로도 챵후의 긔식을 보고 민망ᄒ여, 웃고 닐오디,

"녀이 군의 찬츌 이후로 내 집의 왕닉ᄒ미 업고, 옥화산의 가 녕당 태부인을 뫼셧더니, 약딜이 셩열(盛熱)의 상ᄒ고 신긔 블안ᄒᄆ로 도라와 ᄎᆞ병(差病)ᄒ기를 기다려 바로 옥누항으로 가고져 ᄒ거늘, 보녀려 ᄒ디 셔증(暑症)이 디리ᄒ여 졸연이 ᄎᆞ셩치 못ᄒ고 이 곳의 뉴ᄒᆫ 디 슈월은 되거늘, 현셰(賢壻) ᄋᆞ녀ᄌ 칙망ᄒ미 여ᄎᆞᄒ뇨?"

챵휘 미급답의 호람휘 쇼 왈,

"형이 딜부의 그러치 아니믈 누누이 신빅ᄒ나, 쇼뎨 엇디 짐작디 못ᄒ리오. 연이나 그런 화란 듕 약○[질]이 무스ᄒ니 이만 경시 【18】 업눈디라. 형은 셰쇄지언(細瑣之言)을 그만 ᄒ고 유ᄌ(幼子)나 다려오라."

ᄒ니, 이윽고 유이 니르미 공이 친히 안아 좌샹의 노ᄒ니, 호람휘 봉안을 드러 보미, 비록 삼셰 유이나 신댱이 나흐로 조ᄎ 닉도ᄒ여, 범ᄋᆞ의 뉵칠셰를 당홀디라. 풍광 신치 슈려 쇄락ᄒ여, 옥면(玉面) 년험(蓮臉)978)과 줌미봉안(蠶眉鳳眼)의 연함호두(燕頷虎頭)오, 원비일외(猿臂逸腰)니 앙앙(昂昂)ᄒᆫ 격조와 늠연ᄒᆫ 긔상이 완연이 챵후의 ᄋᆞ시 젹 모양이라. 윤공이 일안(一

니, 소싱이 텬셩이 우직ᄒ여 녀ᄌ의 교즁(驕重)937)ᄒ믈 본즉 통히ᄒ미 죽이고져 ᄒ눈지라. 진시 《아녀∥아모리》 쳔하의 무쌍ᄒ다 니롤지라도, 싱의 조뫼 위독ᄒᆫ 질환을 지니시나 ᄒᆫ 번 문후ᄒ미 업고, 소싱이 환가ᄒᆫ 지 오리【93】디 유ᄌ도 보닉미 업셔 완연이 남 갓흐니, 졔 그리홀 졔 소싱이 엇지 구구히 보닉시믈 바라리잇고?"

언파의 의연졍좌(毅然正坐)ᄒ니, 밧그로 경운(慶雲)의 화긔를 씌여시나, 닉심은 진시를 만히 미흡ᄒ눈지라. 쓸 둔 지 굴키를 면치 못ᄒ여, 진후의 쾌활ᄒᆫ 긔상으로도 챵후의 긔식을 보고 민망ᄒ여, 웃고 니ᄅ되,

"녀이 너의 찬츌 이후로 닉 집의 왕닉ᄒ미 업고, 옥화손의 가 영당 틱부인을 뫼셧더니, 약질이 셩열(盛熱)의 상ᄒ고 신긔 불안ᄒᄆ로 도라와 ᄎᆞ병(差病)ᄒ기를 기다려 바로 옥누항으로 가고져 ᄒ거날, 보녀려 ᄒ디 셔증이 지리ᄒ여 졸연이 ᄎᆞ셩치 못ᄒ고 이곳의 뉴ᄒᆫ 지 슈월은 되거날, 현셰 ᄋᆞ녀ᄌ 칙망ᄒ【94】미 여ᄎᆞᄒ뇨?"

챵휘 미급답의 호람휘 소왈,

"형이 질부의 그러치 아니믈 누누이 신빅ᄒ나, 소뎨 엇지 짐작지 못ᄒ리오. 연이나 그런 화란 즁 약질이 무스ᄒ니 이만 경시 업눈지라. 형은 셰쇄지언(細瑣之言)을 그만 ᄒ고 유ᄌ(幼子)나 다려오라."

진공이 동ᄌ를 명ᄒ여 본부의 가 유아를 다려오라 ᄒ니, 이윽고 유이 니르미 공이 친히 안아 좌샹의 노ᄒ니, 호람휘 봉안을 드러 보미, 비록 숨셰 유이나 신댱이 나흐로 조ᄎ 닉도ᄒ여, 범아의 뉵칠 셰를 당홀지라. 풍광 신치 슈려 쇄락ᄒ여, 옥면 연험(蓮臉)938)과 줌미봉안(蠶眉鳳眼)의 연함호두(燕頷虎頭)오, 원비일위[외](猿臂逸腰)니 앙앙(昂昂)ᄒᆫ 격조와 늠연ᄒᆫ 긔상이 완연이

---

977)교듕(驕重) : 교만하여 자신만을 중히 여김.
978)년험(蓮臉) : 연꽃처럼 청순한 뺨. *臉의 음은 '검'이다.

937)교듕(驕重) : 교만하여 자신만을 중히 여김.
938)년험(蓮臉) : 연꽃처럼 청순한 뺨. *臉의 음은 '검'이다.

眼)979)의 대열ᄒᆞ여 년망이 나호여 안으려
ᄒᆞ니, 기이(其兒) 부친의 와시믈 듯고 좌듕
의 가ᄅᆞ치믈 조ᄎᆞ 초례로 비알ᄒᆞᆫ 후, 그 부
친 챵후 슬젼의 ᄭᅮ러 안ᄂᆞᆫ디라. 호람 【19】
휘 초경을 보미 두굿거오믈 니긔디 못ᄒᆞ여,
챵후로 ᄒᆞ여곰 유ᄌᆞ를 안아 오라 ᄒᆞ여, 슬
샹(膝上)의 안치고 문왈,

"ᄎᆞ이 명지(名字) 므어시뇨?"
챵휘 공슈 ᄃᆡ왈,
"쇼지 ᄎᆞᄋᆞ의 싱셰 칠팔삭의 남ᄎᆔ로 힝ᄒᆞ
엿ᄉᆞ오니, 흥황이 업습고 싱ᄉᆞ를 아디 못ᄒᆞ
ᄂᆞᆫ 유ᄋᆞ의 호명(號名)이 브졀 업ᄉᆞ와 명을
주디 아녓ᄉᆞ오니, 계부{인이} ᄃᆡ어 주시믈
바라ᄂᆞ이다."
공이 뎡·하·딘 졔공을 도라보아 쇼 왈,
"광텬이 기ᄌᆞ의 명을 날다려 디으라 ᄒᆞ
니, 쇼뎨 임의 회텬의 ᄋᆞ들의 일홈을 다 디
엇ᄂᆞᆫ디라, ᄎᆞᄋᆞ의 명을 웅닌이라 ᄒᆞᄂᆞ니, 골
격 긔상이 광텬을 달맛ᄂᆞᆫ디라, 타일 웅호영
쥰(熊虎英俊) 긔상이 범ᄋᆞ 【20】 의 비기지
아니리라."
금평후와 하·딘 이공이 일시의 칭하 왈,
"ᄉᆞ원이 기ᄌᆞ의 호명을 형의게 쳥ᄒᆞᆷ믄 ᄉᆞ
빈디ᄌᆞ와 일체로 ᄒᆞ미오. 형이 ᄯᅩ 챵닌 등
과 ᄀᆞᆺ치 즉시 명을 디어 주니, 실노 슉딜의
ᄯᅳᆺ이 다 아름답다 ᄒᆞ리로다. 웅닌의 긔질이
그 일홈과 상칭ᄒᆞ니 타일 윤문이 더옥 챵대
ᄒᆞ리로다."
윤공이 하공을 향ᄒᆞ여 ᄌᆞ의의 냥ᄋᆞ를 ᄂᆡ
여 오라 ᄒᆞ고, ᄯᅩ 금후를 ᄃᆡᄒᆞ여 현긔 등
보믈 구ᄒᆞ니, 뎡공이 이의 븍공의 ᄋᆞᄌᆞ와
녜부의 유ᄌᆞ를 다 ᄂᆡ여 오고, 하공이 ᄯᅩᄒᆞᆫ
몽셩 몽닌을 다려 오니, ᄎᆞ시 뎡공ᄌᆞ 현긔
의 년이 오셰라. 신이츌범(神異出凡)ᄒᆞᆫ 긔상
이 【21】 완연이 윤쇼ᄉᆞ 회텬으로 분호(分
毫)980)다르미 업ᄉᆞ니, 옥골션풍(玉骨仙風)과

챵후의 ᄋᆞ시 젹 모양이라. 윤공이 일안(一
眼)939)의 ᄃᆡ 【95】 녈ᄒᆞ여 년망이 나호여
안으려 ᄒᆞ니, 기이 부친의 와시믈 듯고 좌
즁의 가라치믈 조ᄎᆞ 초례로 비알ᄒᆞᆫ 후, 그
부친 챵후 슬젼의 ᄭᅮ러 안ᄂᆞᆫ지라. 호람휘
초경을 보미 두굿거오믈 니긔지 못ᄒᆞ여, 챵
후로 ᄒᆞ여곰 유ᄌᆞ를 안아 오라ᄒᆞ여 슬샹의
안치고 문왈,
"ᄎᆞ이 명지(名字) 무어시뇨?"
챵휘 공슈 ᄃᆡ왈,
"소지 ᄎᆞᄋᆞ의 싱셰 칠팔 삭의 남ᄎᆔ로 힝
ᄒᆞ엿ᄉᆞ오니, 흥황이 업습고 싱ᄉᆞ를 아지 못
ᄒᆞᄂᆞᆫ 유아의 호명(呼名)이 부졀 업ᄉᆞ와 명
을 쥬지 아냐ᄉᆞ오니, 계부 ᄃᆡ인이 지어 쥬
시믈 ᄇᆞ라ᄂᆞ이다."
공이 뎡, 하, 진 졔공을 도라보아 소 왈,
"광쳔이 기ᄌᆞ의 명을 날다려 지으라 ᄒᆞ니
소뎨 임의 회쳔의 아들의 일홈을 다 지엇ᄂᆞᆫ
지라. ᄎᆞᄋᆞ의 명을 웅 【96】 닌이라 ᄒᆞᄂᆞ니,
골격 긔상이 광쳔을 달맛ᄂᆞᆫ지라. 타일 웅호
영쥰(熊虎英俊) 긔상이 범아의 비기지 아니
리라."
금평후와 하·진 이공이 일시의 칭하 왈,
"ᄉᆞ원이 기ᄌᆞ의 호명을 형의게 쳥ᄒᆞᆷ믄 ᄉᆞ
빈지ᄌᆞ와 일체로 ᄒᆞ미오, 형이 ᄯᅩ 챵인 등
과 갓치 즉시 명을 지어 쥬니, 실노 슉딜의
ᄯᅳᆺ이 다 아름답다 ᄒᆞ리로다. 웅닌의 긔질이
그 일홈과 상칭ᄒᆞ니, 타일 윤문이 더욱 챵
ᄃᆡᄒᆞ리로다."
윤공이 하공을 향ᄒᆞ여 ᄌᆞ의의 양ᄋᆞ를 ᄂᆡ
여 오라ᄒᆞ고, ᄯᅩ 금후를 ᄃᆡᄒᆞ여 현긔 등 보
믈 쳥ᄒᆞ니, 뎡공이 이의 북공의 아ᄌᆞ와 녜
부의 유ᄌᆞ를 다 ᄂᆡ여오고, 하공이 ᄯᅩᄒᆞᆫ 몽
셩 몽닌을 다려오니, ᄎᆞ시 뎡공ᄌᆞ 현긔의
년이 오셰라. 신이츌범(神異出凡)ᄒᆞᆫ 긔상이
완연 【97】 이 윤소ᄉᆞ 회쳔으로 일호 다르
미 업ᄉᆞ니, 옥골션풍(玉骨仙風)과 뇽봉미목
(龍鳳眉目)이며, 일월 갓튼 쳔졍(天庭)940)의

---

979)일안(一眼) : 한눈. 한 번 봄. 또는 잠깐 봄.
980)분호(分毫) : '털을 쪼갠 것'이란 뜻으로, 매우 적
　　거나 조금인 것을 비유적으로 이르는 말. =추호
　　(秋毫)

939)일안(一眼) : 한눈. 한 번 봄. 또는 잠깐 봄.
940)텬졍(天庭) : 관상(觀相)에서 양 눈썹의 사이, 또
　　는 이마의 복판을 이른다.

농봉미목(龍鳳眉目)이며, 일월 굿튼 텬졍(天庭)981)의 화풍경운(和風慶雲) 굿튼 긔상이 현요휘황(眩耀輝煌)ᄒ여, 그 부공의 늠연ᄒ 풍신과 모친 의렬비의 셩ᄌ광휘(聖姿光輝)를 습ᄒ여시며, 안국공 윤명쳔의 쳥고 슉연ᄒ 긔딜노 만히 흡ᄉ흐니, 엇디 일개 쇼쇼ᄒ 옥면뉴풍(玉面柳風) 쇽ᄌ(俗子)의 비기리오. 그 빈빈ᄒ 녜졀이 셩현 유풍과 군ᄌ 긔상이 승어기뷔(勝於其父)라. 동용(動容) 쥬션(周旋)이 당ᄌ라도 밋디 못ᄒᄅ너라. 기ᄎ(其次) 운긔 등 졔ᄋ의 옥셜긔븨(玉雪肌膚) 개개히 츌뉴ᄒ고 농호긔습(龍虎氣習)이 복공 여풍이오 슈려ᄒ 용홰 부풍모습(父風母襲)ᄒ여 특이 발월【22】흔 졍치 이목이 현황(炫煌)ᄒ니, 호람휘 이를 칭찬ᄒ고 져를 ᄉ랑ᄒ여, 친손과 죵손이며 남이믈 간격디 아냐, 금후를 향ᄒ여 칭하 왈,

"형의 유복ᄒ미 곽분양(郭汾陽)982)으로 흡ᄉ흐고, 챵빅이 쳐궁이 하등이 아니라 졔이 그 부풍이 여ᄎᄒ 둣, 현긔ᄂ 금셰의 셩현 군ᄌ라. 형의 죵댱(宗長)983)이 여ᄎ 긔린이니 이 다 형의 젹덕여음(積德餘蔭)이오, 챵빅의 활인구싱(活人求生)ᄒᄂ 셩심이[을] 샹텬이 믁우(黙祐)ᄒ시미 아니리오. 다시 하형긔 하례ᄒᄂ니, 냥개 긔린이 송됴를 보좌ᄒ며 하문을 챵셩ᄒ미 긔부(其父)의 승(勝)ᄒ리니 쇼뎨 위ᄒ여 탄복ᄒ노라."

하·뎡 냥공이【23】윤공의 과장(誇張)ᄒ믈 불감ᄉ샤(不堪謝辭)ᄒ나, 각각 손ᄋ를 가ᄎ(假借)ᄒ여984) 두굿기며 이련(愛憐)ᄒ여, 셔로 ᄌ랑ᄒ며 일인도 용쇽디 아니믈 긔힝(奇幸)ᄒ여 ᄒᄂ 둣, 금후의 취듕(就中)985)

---

981)텬졍(天庭) : 관상(觀相)에서 양 눈썹의 사이, 또는 이마의 복판을 이른다.
982)곽분양(郭汾陽) : 곽자의(郭子儀). 697~781. 중국 당(唐)나라 중기의 무장(武將). 안녹산 사사명의 반란을 평정하고 토번을 쳐 큰 공을 세워 분양왕(汾陽王)에 올랐다.
983)종댱(宗長) : 장손(長孫). 한 집안에서 맏이가 되는 후손.
984)가ᄎ(假借)ᄒ다 : 가까이 하여 정을 나누다. 편하고 너그럽게 대하다. 용서하다.

화풍경운(和風慶雲) 갓튼 긔상이 현요휘황(眩耀輝煌)ᄒ여, 그 부공의 늠렬ᄒ 풍신과 모친 의렬비의 셩ᄌ광휘(聖姿光輝)를 습ᄒ여시며, 안국공 윤명쳔의 쳥고 슉연ᄒ 긔질노 만히 흡ᄉ흐니, 엇지 일기 소소 옥면뉴풍(玉面柳風) 쇽ᄌ(俗子)의 비기리오. 그 빈빈ᄒ 예졀이 셩현 유풍과 군ᄌ 긔상이 승어기뷔(勝於其父)라. 동용(動容) 쥬션(周旋)이 당ᄌ라도 밋지 못ᄒᄅ라. 기ᄎ(其次) 운긔 등 졔ᄋ의 옥셜긔븨(玉雪肌膚) 기기히 츌뉴ᄒ고, 농호긔습(龍虎氣習)이 북공 여풍이오, 슈려ᄒ 용홰 부풍모습(父風母襲)ᄒ여 특이 발월ᄒ 졍치 이목이 현황(炫煌)ᄒ니, 호람휘 이를 칭찬ᄒ【98】고 져를 ᄉ랑ᄒ여, 친손과 종손이며 남이믈 간격지 아냐, 금후를 향ᄒ여 치하 왈,

"형의 유복ᄒ미 곽분양(郭汾陽)941)으로 흡ᄉ흐고, 챵빅의 쳐궁이 하등이 아니라. 졔이 그 부풍이 여ᄎᄒ 쥼, 현긔ᄂ 금셰의 셩현 군ᄌ라. 형의 종댱(宗長)942)이 여ᄎ 긔린이니, 이 다 형의 젹덕여음(積德餘蔭)이오, 챵빅의 활인구싱(活人求生)ᄒᄂ 셩심이[을] 샹텬이 묵우(黙祐)ᄒ시○[미] 아니리오. 다시 하형긔 하례ᄒᄂ니, 냥긔 긔린이 송됴를 보셩ᄒ며, 하문을 챵셩ᄒ미 긔부(其父)의 승(勝)ᄒ리니 소뎨 위ᄒ여 탄복ᄒ노라."

하·뎡 양공이 윤공의 과장(誇張)ᄒ믈 불감ᄉ양(不堪辭讓)ᄒ나, 각각 손ᄋ를 가ᄎ(假借)ᄒ여943) 두굿기며 이련(愛憐)ᄒ여, 셔로 ᄌ랑ᄒ며 일인도 용쇽지 아【99】니믈 긔힝(奇幸)ᄒ여 ᄒᄂ 쥼, 금후의 취쥼就中)944) 긔이(奇愛)ᄒᄆ 현긔라. 이의 위ᄌ(慰藉)945)

---

941)곽분양(郭汾陽) : 곽자의(郭子儀). 697~781. 중국 당(唐)나라 중기의 무장(武將). 안녹산 사사명의 반란을 평정하고 토번을 쳐 큰 공을 세워 분양왕(汾陽王)에 올랐다.
942)종댱(宗長) : 장손(長孫). 한 집안에서 맏이가 되는 후손.
943)가ᄎ(假借)ᄒ다 : 가까이 하여 정을 나누다. 편하고 너그럽게 대하다. 용서하다.
944)취쥼(就中) : 그 가운데서도 특히.

긔이(奇愛)ᄒᆞ믄 현긔라. 이의 위ᄌᆞ(慰藉)986)
ᄋᆞᆯ,

"승어기뷔(勝於其父)오, 오가(吾家) 쳔니
긔린(千里騏驎)987)이니, 졔이 부슉여풍(父叔
餘風)이나 현ᄋᆞᄂᆞᆫ 식부(息婦)의 틱교로 명
셩군ᄌᆞ(明聖君子) 되리라."
ᄒᆞ더라.

챵후 형뎨 여러 ᄋᆞ히 긔특ᄒᆞ믈 깃거ᄒᆞ나
현긔 형뎨와 몽셩 등의 긔이ᄒᆞ믈 힝희ᄒᆞ고,
냥 져져의 복녹이 늉셩ᄒᆞ믈 대열ᄒᆞ여 딜ᄋᆞ
등을 슬상의 가츠ᄒᆞ여 회긔 현츌ᄒᆞ니, 그
화ᄒᆞᆫ 용화 풍신이 쏘ᄒᆞᆫ 보암죽 ᄒᆞ더라.

윤【24】공이 딜녀 보믈 쳥ᄒᆞ니, 뎡공이
븍공을 명ᄒᆞ여 션월졍으로 호람후를 인도ᄒᆞ
라 ᄒᆞ니, 븍공이 슈명ᄒᆞ여 윤공을 뫼셔 드
러갈ᄉᆡ, 챵후 형뎨 일시의 죵후ᄒᆞ니, 금평휘
ᄀᆞᆯ오ᄃᆡ,

"ᄉᆞ원 등은 나올 졔 우리 ᄌᆞ당긔 현알ᄒᆞ
여 싱각ᄒᆞ신 졍을 위로ᄒᆞ오라."

챵후 곤계 년셩 ᄃᆡᄋᆞᆯ,

"비록 니르디 아니시나 쇼싱 등이 존당과
악모긔 엇디 비알치 아니리잇고?"

언필의 공을 뫼셔 션월졍의 니르러, 슉딜
남미 구년(久年) 상모디회(相慕之懷)를 펼
ᄉᆡ, ᄎᆞ시 윤의렬이 두 뎨남과 계뷔 영화로
이 도라와시나, 븍공이 귀령을 허치 아니코,
존고【25】딘부인의 긔식을 그윽이 살피건
딘 말ᄉᆞᆷ이 위·뉴긔 밋ᄂᆞᆫ 바의ᄂᆞᆫ 통완 졀치
ᄒᆞ여 머리를 흔들고, 쳔만〇[고](千萬古)의
무빵ᄒᆞᆫ 악인이라 ᄒᆞ니, 감히 귀령을 쳥치
못ᄒᆞ고 ᄉᆞ졍이 결울ᄒᆞ더니, 믄득 계부와 냥
뎨를 보미 반가온 졍이 황홀ᄒᆞ여 년망이 비
례 후, 계부 슬하의 시좌ᄒᆞ여 존후를 뭇ᄌᆞ
고, 가란이 딘뎡ᄒᆞ며 조모와 슉모의 환휘
쾌복ᄒᆞ시믈 치하ᄒᆞᆯᄉᆡ, 옥셩봉음(玉聲鳳吟)은
만믈을 부흑(扶慉)ᄒᆞᆯ 듯ᄒᆞ거늘, 쳔연ᄒᆞᆫ 장복
(章服)988)은 일신의 엄연ᄒᆞ고, 쳬쳬989)ᄒᆞᆫ

985)취듕(就中) : 그 가운데서도 특히.
986)위ᄌᆞ(慰藉)ᄒᆞ다 : 위로하고 도와주다. 칭찬하다.
987)쳔니긔린(千里騏驎) : 하루에 천리를 간다는 말
　　[馬]로, 뛰어나게 잘난 자손을 칭찬하여 이르는
　　말. =천리마(千里馬)

ᄋᆞᆯ,

"승어기뷔(勝於其父)오, 오가(吾家) 쳔니
긔린(千里騏驎)946)이니, 졔이 부슉여풍(父叔
餘風)이나 현아ᄂᆞᆫ 식부의 틱교로 명셩군ᄌᆞ
(明聖君子) 되리라."
ᄒᆞ더라.

챵후 형뎨 여러 아히 긔특ᄒᆞ믈 깃거ᄒᆞ나,
현긔 형뎨와 몽셩 등의 긔이ᄒᆞ믈 힝희ᄒᆞ고,
양 져져의 복녹이 늉셩ᄒᆞ믈 디열ᄒᆞ여 딜아
를 슬상의 가츠ᄒᆞ여 회긔 현츌ᄒᆞ니, 그 화
ᄒᆞᆫ 용화 풍신이 쏘ᄒᆞᆫ 보암죽 ᄒᆞ더라.

윤공이 딜녀 보믈 쳥ᄒᆞ니, 뎡공이 북공을
명ᄒᆞ여 션월졍으로 호람후를 인도ᄒᆞ라 ᄒᆞ
니, 북공이 슈명ᄒᆞ여 윤공을 뫼셔 드러갈ᄉᆡ
챵후 형뎨 일시의 《증후∥죵후(從後)》ᄒᆞ
【100】니, 금평휘 가로ᄃᆡ,

"ᄉᆞ원 등은 나올 졔 우리 ᄌᆞ당긔 현알ᄒᆞ
여 싱각ᄒᆞ시ᄂᆞᆫ 졍을 위로ᄒᆞ라."

챵후 곤계 년셩 ᄃᆡᄋᆞᆯ,

"비록 니로지 아니시나 소싱 등이 존당과
악모긔 엇지 비알치 아니리잇고?"

언필의 공을 뫼셔 션월졍의 니르러 슉딜
남미 구년(久年) 상모지회(相慕之懷)를 펼
ᄉᆡ, 윤의렬이 두 졔남과 계뷔 영화로이 도
라 와시나, 북공이 귀령을 허치 아니코 존
고, 진부인의 긔식을 그윽이 살피건ᄃᆡ 말ᄉᆞᆷ
이 위·뉴긔 보ᄂᆞᆫ 바의ᄂᆞᆫ 통완 졀치ᄒᆞ여 머
[머]리를 흔들고 쳔만고(千萬古)의 무쌍ᄒᆞᆫ
악인이라 ᄒᆞ니, 감히 귀령을 쳥치 못ᄒᆞ고
ᄉᆞ졍이 결울ᄒᆞ더니, 믄득 계부와 냥 졔남을
보미 반가온 졍신이【101】황홀ᄒᆞ여 년망
이 비례 후, 계부 슬하의 시좌ᄒᆞ여 존후를
뭇ᄌᆞ고, 가란이 진졍ᄒᆞ며 조모 슉모의 환휘
쾌복ᄒᆞ시믈 치하ᄒᆞᆯᄉᆡ, 옥셩봉음(玉聲鳳吟)은
만믈을 부흑(扶慉)ᄒᆞᆯ 듯ᄒᆞ거날, 쳔년(天然)
ᄒᆞᆫ 중복(章服)947)은 일신의 엄연ᄒᆞ고, 쳬

945)위ᄌᆞ(慰藉)ᄒᆞ다 : 위로하고 도와주다. 칭찬하다.
946)쳔니긔린(千里騏驎) : 하루에 천리를 간다는 말
　　[馬]로, 뛰어나게 잘난 자손을 칭찬하여 이르는
　　말. =천리마(千里馬)
947)장복(章服) : 옛날 벼슬아치들의 공복(公服). 지

위의와 숙슉(肅肅)흔 녜뫼 뎡졔(整齊)흔 가온듸, 년긔(年紀) 노셩(老成)ᄒ고, 화익을 딘뎡ᄒ여 심회 안뎡ᄒ믜, 외뫼 더옥 화열【26】ᄒ니, 흡연(翕然)이 놉고 상연(爽然)이 묽아 쳔퇵(川澤)의 쳥빙(淸氷)이오, 화벽(和璧990))을 삭인 긔질이라. 셩효녈졀(誠孝烈節)은 셩텬지 어필(御筆)노 의렬(義烈) 찬문(讚文)을 디으시믜, 스셔 인민의 경앙ᄒ는 비니, 호람휘 편이ᄒ던 졍으로뻐 활별디여(闊別之餘991)의 ᄉ싱간(死生間) 익(厄)을 ᄀᆽ초 경녁흔 바, 딜녜 무빵흔 디혜로 친구가(親舅家) 화망(禍亡)을 건지고 위의(威儀) 뎡슉ᄒ믈 딕ᄒ믜, 반갑고 이듕ᄒ며 아름답고 긔특ᄒ믜 밋칠 듯ᄒ여, 밧비 집슈 년이(憐愛) 왈,

"젼후 화란과 악ᄉ 무비(無非992) 다 뉴시의 간악이라. 싱각ᄒᆯᄉ록 심한골경(心寒骨驚)ᄒ니 다시 티아(齒牙)의 올니믜 놀나오나, 딜ᄋ의 졀효녈힝으로 뎡·딘 냥문 참화를 구ᄒ고, 오문의【27】업더진 바를 붓드러, 광·희 냥ᄋ로 텬일을 보게 ᄒ믜 딜ᄋ의 공이오, ᄯᅩ흔 슉녈 딜부의 신츌귀몰흔 지덕이 가부를 ᄉ지(死地)의 구ᄒ여, 닙공 반샤의 위거공후(位居公侯)ᄒ고 망흔 집을 흥긔케 ᄒ며, 댱식부의 명털 슉녀의 풍의 회텬의 ᄉ병을 구ᄒ여 완소(完蘇)케 ᄒ니, 추는 조션여경(祖先餘慶)이오 션형(先兄)과 현슈(賢嫂)의 심인후덕(深仁厚德)으로

---

988)장복(章服) : 옛날 벼슬아치들의 공복(公服). 지금은 전통 혼례 때에 신랑이 입는다. 여기서는 사대부가의 여성들이 입는 정복(正服)을 말함인 듯.
989)체체 : 쳬쳬. 행동이나 몸가짐이 너절하지 아니하고 깨끗하며 트인 맛이 있음.
990)화벽(和璧) : 명옥(名玉)의 일종. 전국시대 초(楚)나라 변화씨(卞和氏)의 옥(玉)으로, '완벽(完璧)', '화씨지벽(和氏之璧)' 등으로 불리기도 한다. 그 후 이 '화벽'은 조(趙)나라 혜문왕(惠文王)의 손에 들어갔으나, 이를 탐내는 진(秦)나라 소양왕(昭襄王)이 진나라 15개의 성(城)과 이 옥을 교환하자고 한 까닭에 '연성지벽(連城之璧)'이라는 이름이 붙기도 하였다.
991)활별디여(闊別之餘) : 오랜 이별을 겪고 나서. *활별(闊別); 오랫동안 헤어져 만나지 못함.
992)무비(無非) : 모두. 그러하지 않은 것이 없이 모두 다.

쳬948)흔 위의와 숙슉(肅肅)흔 녜뫼 졍졔(整齊)흔 가온듸, 년긔(年紀) 노셩(老成)ᄒ고, 화익을 진졍ᄒ여 심회 안졍ᄒ며, 외뫼 더욱 화열ᄒ니, 흡연(翕然)이 놉고 샹연(爽然)이 맑아 쳔퇵(川澤)의 쳥빙(淸氷)이오, 화벽(和璧)949)을 식인 긔딜이라. 짐짓 녈졀은 셩텬지 어필(御筆)노 의렬(義烈) 찬문(讚文)을 지으시며, 스셔 인민의 경앙ᄒ는 비니. 호람휘 편이ᄒ던 졍으로뻐 활별지녀(闊別之餘)950)의 ᄉ싱간(死生間) 익을 ᄀᆺ초 경녁흔 바, 딜녀 무【102】쌍흔 지혜로 친구가(親舅家) 화망(禍亡)을 건지고 위의 졍슉ᄒ믈 딕ᄒ믜, 반갑고 이즁ᄒ며 아름답고 긔특ᄒ믜 밋칠 듯 ᄒ여, 밧비 집슈 년이(憐愛) 왈,

"젼후 화란과 악ᄉ 다 뉴시의 간악이라. 싱각ᄒᆯᄉ록 심한골경(心寒骨驚)ᄒ니 다시 치아(齒牙)의 올니믜 놀나오나, 현딜의 졀효녈졀로 뎡·진 양문 참화를 구ᄒ고, 오문의 업더진 바를 붓드러 광·희 양ᄋ로 쳔일을 보게 ᄒ믜 현딜의 공이오, 우슉(愚叔)이 요악흔 뉴녀를 죽여 분을 셜ᄒ고져 ᄒ니, 주졍의 니ᄅ시는 말슴이 여ᄎᄒ시고, 희쳔이 요인을 위ᄒ여 죽기를 그음ᄒ여 일일도 그슬하를 ᄯᅥ나지 아니려 졍ᄒ니, 마지 못ᄒ여 가득흔 분을 참고 【103】요인 편히 두니, 힝혀 다시 작얼ᄒ믜 잇슬가 쥬쥬야야(晝晝夜夜)의 남모로난 조심이나, 희쳔이 늬 마음을 알진듸 요인의 독슈(毒手)를 졔방(制防)ᄒ믜 올ᄒ듸, 뉴녀를 위ᄒ는 졍셩이 도

금은 전통 혼례 때에 신랑이 입는다. 여기서는 사대부가의 여성들이 입는 정복(正服)을 말함인 듯.
948)체체 : 쳬쳬. 행동이나 몸가짐이 너절하지 아니하고 깨끗하며 트인 맛이 있음.
949)화벽(和璧) : 명옥(名玉)의 일종. 전국시대 초(楚)나라 변화씨(卞和氏)의 옥(玉)으로, '완벽(完璧)', '화씨지벽(和氏之璧)' 등으로 불리기도 한다. 그 후 이 '화벽'은 조(趙)나라 혜문왕(惠文王)의 손에 들어갔으나, 이를 탐내는 진(秦)나라 소양왕(昭襄王)이 진나라 15개의 성(城)과 이 옥을 교환하자고 한 까닭에 '연성지벽(連城之璧)'이라는 이름이 붙기도 하였다.
950)활별디여(闊別之餘) : 오랜 이별을 겪고 나서. *활별(闊別); 오랫동안 헤어져 만나지 못함.

일우미나, 연이나 우슉이 요인의 대간 대악을 모를 젹은 홀 일 업거니와, 당시ᄒᆞ여 요녀를 일시나 요디(饒貸)ᄒᆞ리오마ᄂᆞᆫ, 희텬이 혈셩으로 스셩을 그음ᄒᆞ고 ᄌᆞ졍이 권년(眷戀)ᄒᆞ시며 현슈 디셩으로 화평ᄒᆞᄆᆞᆯ 권유ᄒᆞ시니, ᄎᆞ고로 분한을 ᄎᆞᆷ고 일퇴디상(一宅之上)의 머므르【28】나, 쥬쥬야야(晝晝夜夜)의 나의 근심ᄒᆞᄂᆞᆫ 비, 악인의 작악이 쏘아나 디경(地境)의 밋츨 줄 아디 못ᄒᆞ여, 슉식이 편치 아니토다."

의렬이 계뷔 슉모를 분노ᄒᆞ시미 괴이치 아니ᄒᆞ나, 다만 화열이 위로ᄒᆞ여 가ᄂᆞ 화평토록 ᄒᆞ시믈 간쳥ᄒᆞ여, 말ᄉᆞᆷ이 길고 씩 ᄂᆞᆫ ᄌᆞ니 공이 쏘 오기를 니르고 츌외ᄒᆞᄆᆡ, 챵후 곤계ᄂᆞᆫ 존당의 단니려 이의 머므러, 다시 좌뎡 후 의렬이 쇼슈 곤계를 무졍타 칙ᄒᆞ여, 입셩 월여의 금일 와 보믈 인졍 밧기라 ᄒᆞ니, 챵휘 잠쇼 디왈,

"쇼뎨 등이 져져를 앙모ᄒᆞ미 져만 못ᄒᆞ미 아니라, 산란(散亂)ᄒᆞᆫ 가ᄉᆞ를 안둔(安屯)ᄒᆞ므로 져져의 무졍타 ᄒᆞ시믈【29】밧ᄌᆞᆸ거니와, 져져ᄂᆞᆫ 평안ᄒᆞᆫ 터의 쇼뎨를 와 보디 아니샤, 야야 화상과 ᄌᆞ위 도라오시나 비알치 아니시니, 비컨디 뉘 더 무졍ᄒᆞ니잇고?"

의렬이 탄왈,

"아심(我心) ᄀᆞ틀딘디 ᄒᆞᆫ 번만 가시리오마ᄂᆞᆫ, 오가(吾家) 변난이 상싱ᄒᆞ여 나아간즉 반드시 위틱이 넉이는 지 만ᄒᆞ니, 귀령을 쳥홈도 실노 낫치 업ᄂᆞᆫ디라. ᄉᆞᄉᆞ의 녀ᄌᆞ 되오미 구ᄎᆞ홀디언졍 엇디 남을 그르다 ᄒᆞ리오."

챵휘 디왈,

"왕ᄉᆞᄂᆞᆫ 이의(已矣)어니와 뎡문이 져져의 귀령을 막으실딘디, 쇼뎨 뎡시를 쏘ᄒᆞᆫ 이곳의 보ᄂᆞ디 아니ᄒᆞ리로소이다."

의렬이 미쇼 왈,

"냥가 형셰 결오려 ᄒᆞ면 현뎨ᄂᆞᆫ 낫츨 밧고 피ᄒᆞ리니, 뎡군이 우【30】형을 귀근치 못ᄒᆞ게 ᄒᆞ나, 뎡뎨ᄂᆞᆫ 발셔 귀령을 식염즉

로혀 인ᄉᆞ를 잇ᄂᆞᆫ 일이 만ᄒᆞ니, 괴이ᄒᆞᆷ믈 니기지 못ᄒᆞ리로다."

의렬이 슉부의 셩뇌(盛怒) 디단ᄒᆞ시믈 민울ᄒᆞ여, 지숨ᄒᆞ여 가ᄂᆞ 화렬(和悅)이 ᄒᆞ시믈 쳥ᄒᆞ고 이윽히 뫼셧더니, 호람휘 다시오믈 일캇고 나아갈ᄉᆡ, 의렬이 쳔연 비별ᄒᆞ더라. 챵후와 소ᄉᆞᄂᆞᆫ 호람○[후]을 뫼셔 《외현 ‖ 외헌(外軒)》의 니르시믈 본 후, 도로 션월졍의 드러와 져져를 뫼셔 종용이 말ᄉᆞᆷ홀ᄉᆡ, 의렬이 양뎨의 무졍ᄒᆞ믈 일카라 환【104】경 후의 즉시 와 보지 아니믈 칙ᄒᆞ디, 챵후와 소ᄉᆞ 소이디왈(笑而對曰),

"져져의 칙ᄒᆞ시믈 원통ᄒᆞ미 아니나, 산난(散亂)ᄒᆞᆫ 가ᄉᆞ를 안둔(安屯)ᄒᆞ므로 져져의 무졍타 ᄒᆞ시믈 밧ᄌᆞᆸ거니와, 져져ᄂᆞᆫ 평안ᄒᆞᆫ 터의 소뎨를 와 보지 아니ᄉᆞ, 야야 화상과 ᄌᆞ위 도라오시나 비알치 아니시니, 비컨디 뉘 더 무졍ᄒᆞ니잇고?"

의렬이 탄왈,

"아심(我心) ᄀᆞ틀진디 ᄒᆞᆫ 번만 가시리오마ᄂᆞᆫ, 오가(吾家) 변난이 샹싱(相生)ᄒᆞ여 나아간즉 반드시 위틱이 넉이는 지 만ᄒᆞ니, 귀령을 쳥홈도 실노 낫치 업ᄂᆞᆫ지라. ᄉᆞᄉᆞ의 녀ᄌᆞ 되오미 구ᄎᆞ홀지언졍, 엇지 남을 그르다 ᄒᆞ리오."

챵휘 디왈,

"왕ᄉᆞᄂᆞᆫ 이의(已矣)어니와 뎡문이 져져의 귀령을 막으실진디, 소뎨【105】뎡시를 쏘ᄒᆞᆫ 이곳의 보ᄂᆞ지 아니 ᄒᆞ리로소이다."

의렬이 미소 왈,

"양가 형셰 결오려 ᄒᆞ면 현뎨ᄂᆞᆫ 낫츨 쓰고 피ᄒᆞ리니, 뎡군이 우형을 귀근치 못ᄒᆞ게 ᄒᆞ나 뎡뎨ᄂᆞᆫ 발셔 귀령을 식염작 ᄒᆞ니, 괴

ᄒ니 괴이ᄒᆞᆫ 말을 닉디 말나."

창휘 미쇼 브답이오, 형뎨 닉당의 쳥알ᄒᆞ
니, 슌태부인과 딘부인이 반겨 즉시 쳥닉ᄒᆞ
니, 창후 곤계 드러와 태부인과 딘부인긔
현알ᄒᆞ고, 좌뎡ᄒᆞ여 존후를 뭇줍고 말ᄉᆞᆷ을
펴 갈오ᄃᆡ, 삼년 ᄉᆞ이의 존휘 안강ᄒᆞ시고,
경참ᄒᆞᆫ 화란을 딘뎡ᄒᆞ샤 복녹이 늉늉ᄒᆞ시믈
ᄒᆞ례ᄒᆞ니, 태부인과 딘부인이 이경ᄒᆞ여 흔
연이 담화홀ᄉᆡ, 창후의 닙공반샤홈과 쇼ᄉᆞ
의 무ᄉᆞ히 환쇄ᄒᆞ믈 칭하ᄒᆞ고, 냥인의 위고
금다(位高金多)ᄒᆞ믈 환회ᄒᆞ니, 창후 형뎨 블
감ᄉᆞ샤(不堪謝辭)【31】ᄒᆞ고, 이윽이 뫼셧
다가 후일 다시 와 뵈오믈 고ᄒᆞ고 하뎍ᄒᆞ
니, 두 부인이 심니의 결연ᄒᆞ여 슉녈을 잠
간 귀령케 ᄒᆞ믈 쳥ᄒᆞ니, 창휘 흠신 공경 ᄃᆡ
왈,

"실인의 졍니 발셔 나아와 현알ᄒᆞ오미 맛
당ᄒᆞ오ᄃᆡ 환후 둥 여가를 엇디 못ᄒᆞ여ᅀᆞᆸ더
니, 디금 조뫼 ᄎᆞ경의 계시니 명ᄃᆡ로 슈히
보닉려니와, 쇼싱의 형뎨 다 산난(散亂)ᄒᆞᆫ
가온ᄃᆡ, 일믹로 더브러 분슈(分手) 삼ᄌᆡ(三
載)의 텬애디각(天涯地角)993)의셔 피치 상
모지졍(相慕之情)이 간졀ᄒᆞ고, 편친이 미양
미져(妹姐)를 그리시미 ○[ᄀ]졀ᄒᆞ시니 존
당과 악모ᄂᆞᆫ 듁쳥형ᄃᆞ려 니르시고, 미져를
몬져 보닉신죽 져져 환가시의 녕녀를 홈긔
보【32】닉리이다."

딘부인이 위·뉴의 힝ᄉᆞ를 졀통(切痛)ᄒᆞ
여 의렬을 본부의 보닉고져 아니터니, 창후
의 쳥이 여ᄎᆞᄒᆞ니 마디 못ᄒᆞ여 허락ᄒᆞ더라.
창후 곤계 져져와 두 부인긔 다시곰 하뎍고
외당의 나와 공을 뫼셔 하부로 향홀ᄉᆡ, 호
람휘 쇼ᄉᆞ를 보아 왈,

"나ᄂᆞᆫ 여형으로 더브러 네 누의를 드러가
보리니 너ᄂᆞᆫ 됴슈긔 비알ᄒᆞ라."

쇼싱 악부모긔 졍셩이 범연치 아니나, 초
후를 증노(憎怒)ᄒᆞ여 구구히 쳐가의 비알치
아니려 ᄒᆞ여시나, 존명을 거역디 못ᄒᆞ여 비

---

993)텬애디각(天涯地角) : '하늘 끝 땅 끝'이란 뜻으
로, 까마득하게 멀리 떨어져 있는 곳을 비유적으
로 이르는 말.

이ᄒᆞᆫ 말을 닉지 말나."

창휘 미소 부답이오, 형뎨 닉당의 쳥알ᄒᆞ
니, 슌태부인과 진부인이 반겨 즉시 쳥닉ᄒᆞ
니, 창후 곤계 드러와 틱부인 진부인긔 현
알 좌졍ᄒᆞ여, 존후를 뭇줍고 말ᄉᆞᆷ을 펴 가
로ᄃᆡ, 삼년 ᄉᆞ이의 존휘 만안(萬安)ᄒᆞ시고,
경참ᄒᆞᆫ 화란을 진졍ᄒᆞ샤 복녹이 늉늉ᄒᆞ시믈
ᄒᆞ례ᄒᆞ니, 틱부인과 진부인이 이경ᄒᆞ여 흔
연이 담화홀ᄉᆡ, 남후의 닙공반샤홈과 소ᄉᆞ
의 무【106】ᄉᆞ히 환쇄ᄒᆞ믈 칭하ᄒᆞ고, 양인
의 위고금다(位高金多)ᄒᆞ믈 환회ᄒᆞ니, 창후
형제 불감ᄉᆞᄉᆞ(不堪謝辭)ᄒᆞ고, 이윽이 뫼셧
다가 후일 다시 와 뵈오믈 고ᄒᆞ고 하직ᄒᆞ
니, 두 부인이 심니의 결연ᄒᆞ여 슉녈을 잠
간 귀령케ᄒᆞ믈 쳥ᄒᆞ니, 창휘 흠신 공경 ᄃᆡ
왈,

"실인의 졍니 발셔 나아와 현알ᄒᆞ오미 맛
당ᄒᆞ오ᄃᆡ, 환후 즁 여가를 엇지 못ᄒᆞ여ᅀᆞᆸ더
니, 지금 조뫼 ᄎᆞ경의 계시니 명ᄃᆡ로 슈히
보닉려니와, 소싱의 형제 다 ᄉᆞᆫ난(散亂)ᄒᆞ
여, 일믹로 더부러 분슈(分手) 숨ᄌᆡ의 텬익
지각(天涯地角)951)의셔 피치 상모지졍(相慕
之情)이 근졀ᄒᆞ고, 편친이 미양 미져를 그
리시미 간졀ᄒᆞ시니, 존당과 악모ᄂᆞᆫ 쥭쳥형
ᄃᆞ려 이르시고, 미져를 몬져 보닉신죽 져져
환가시의 녕【107】녀를 홈긔 보닉리이다."

진부인이 위·뉴의 힝ᄉᆞ를 졀통(切痛)ᄒᆞ
여 의렬을 본부의 보닉고져 아니터니, 창후
의 쳥이 여ᄎᆞᄒᆞ니 마지 못ᄒᆞ여 허락ᄒᆞ더라.
창후 곤계 의렬과 두 부인긔 다시음 하직고
외당의 나아와 공을 뫼셔 하부로 향홀ᄉᆡ,
호람휘 소ᄉᆞ를 보아 왈,

"나ᄂᆞᆫ 여형으로 더부러 네 누의를 드러가
보리니, 너○[ᄂᆞ]ᄂᆞᆫ 됴슈긔 비알ᄒᆞ라."

소싱 악부모긔 졍셩이 범연치 아니나, 초
후를 증노(憎怒)ᄒᆞ여 구구히 쳐가의 비알치
아니려 ᄒᆞ여시나, 존명을 거역지 못ᄒᆞ여 비

---

951)텬애디각(天涯地角) : '하늘 끝 땅 끝'이란 뜻으
로, 까마득하게 멀리 떨어져 있는 곳을 비유적으
로 이르는 말.

이슈명(拜而受命)ᄒ니, 호람휘 하공을 도라
보아 왈,

"형은 돈ᄋ를 다리고 ᄂᆡ당으로 드러가라.
쇼뎨【33】ᄂᆞᆫ ᄌᆞ의로 더브러 녀ᄋᆞ를 보리
라."

하공이 초후를 명ᄒᆞ여 치원각으로 호람후
슉딜을 인도ᄒᆞ라 ᄒᆞ고, ᄌᆞ긔ᄂᆞᆫ 쇼ᄉᆞ로 ᄂᆡ각
의 니ᄅᆞ니, 됴부인이 셔랑을 ᄃᆡᄒᆞ여 황홀
탐혹ᄒᆞᆫ ᄉᆞ랑이 아모 곳으로 나ᄂᆞᆫ 줄을 아디
못ᄒᆞ고, 삼년ᄃᆡᄂᆡ의 그 풍신 용홰 슈려 찬
연ᄒᆞ여, 월익(月額)994)의 금관(金冠)이 뎡졔
ᄒᆞ고, 옥산(玉山)995)의 금ᄑᆡ(錦袍) 엄연ᄒᆞ여
위의(威儀) 쳬쳬ᄒᆞ니, 부인이 더옥 귀듕ᄒᆞ믈
니긔디 못ᄒᆞ여 환경 후 즉시 못 보믈 익둘
나 ᄒᆞ고, 위·뉴 두 부인의 딜환이 쾌소ᄒᆞ
시믈 치하ᄒᆞ니, 쇼싀 흠신 ᄉᆞ샤ᄒᆞ여 그 ᄉᆞ
이 존휘 안강ᄒᆞ시믈 칭희ᄒᆞ나, ᄉᆞ긔 단엄ᄒᆞ
고 언에 싁싁ᄒᆞ여긔위 슉묵(肅默)ᄒᆞ니, 부인
의 ᄉᆞ랑【34】ᄒᆞᄂᆞᆫ ᄆᆞᄋᆞᆷ으로 빈쥬의 녜를
다 힝ᄒᆞ더니, 쇼싀 즉시 하딕고 치원각의
니ᄅᆞ니, ᄎᆞ시 초후 부인이 조모의 과악과
모친의 무빵ᄒᆞᆫ 누덕을 참안(慙顔)ᄒᆞ여 듕인
(衆人) 공회(公會)의 나디 아니코, 초후의
허다 욕셜이 분원ᄒᆞ여, 일월이 오랄ᄉᆞ록 져
를 ᄃᆡᄒᆞ면 분긔 튱격(衝激)ᄒᆞ고, 은한(殷恨)
이 듕쳡ᄒᆞ여, 식블감미(食不甘味)ᄒᆞ고 침블
안셕(寢不安席)ᄒᆞ여 일병(一病)이 침면(沈
湎)ᄒᆞ니, 옥골(玉骨)이 표표(飄飄)ᄒᆞ고996)
표연(飄然)이 우화(羽化)997)ᄒᆞᆯ 둧ᄒᆞ니, 구괴
우려ᄒᆞ고 초휘 그 심ᄉᆞ를 알오ᄃᆡ, 뉴시를
졀졀이 믜이 너여 듕졍을 쥬리잡고 외뫼 싁
싁하여, 소향 벽난 등을 엄칙ᄒᆞ여 윤부 왕
ᄂᆡ를 못게 ᄒᆞ니, 윤시 더옥 분원ᄒᆞ【35】
나, 아조 친졍을 졀신(絕信) 삼ᄌᆡ(三載)러니,
금일 야야와 죵남(從男)998)을 ᄃᆡᄒᆞᄆᆡ 격년

이슈명(拜而受命)ᄒᆞ니, 호람휘 하공을 도라
보아 왈,

"형은 돈ᄋ를 다리고 ᄂᆡ당으로 드러가라.
소뎨ᄂᆞᆫ ᄌᆞ의로 더부러 녀아를 보리라."

하공이 초후를 명ᄒᆞ여 치원각으로 호람후
슉딜을 인도ᄒᆞ라 ᄒᆞ고, ᄌᆞ긔ᄂᆞᆫ 스스로 ᄂᆡ각
【108】의 니ᄅᆞ니, 됴부인이 셔랑을 ᄃᆡᄒᆞ여
황홀 탐혹ᄒᆞᆫ ᄉᆞ랑이 아모 곳으로 나ᄂᆞᆫ 줄을
아지 못ᄒᆞ고, 슴년지ᄂᆡ의 그 풍신 용홰 슈
려 찬연ᄒᆞ여 월익(月額)952)의 금관(金冠)이
졍졔ᄒᆞ고, 옥산(玉山)953)의 금ᄑᆡ(錦袍) 엄연
ᄒᆞ여 위의 쳬쳬ᄒᆞ니, 부인이 더옥 귀즁ᄒᆞ믈
니긔지 못ᄒᆞ여 환경 후 즉시 못 보믈 익둘
나 ᄒᆞ고, 위·뉴 두 부인의 질환이 쾌소ᄒᆞ
시믈 치하ᄒᆞ니, 소시 흠신 ᄉᆞᄉᆞᄒᆞ여 그 ᄉᆞ
이 존휘 안강ᄒᆞ시믈 칭희(稱喜)ᄒᆞ나, ᄉᆞ긔
단엄ᄒᆞ고 언에 싁싁ᄒᆞ여 긔위 슉묵(肅默)ᄒᆞ
니, 부인의 ᄉᆞ랑ᄒᆞᄂᆞᆫ ᄆᆞᄋᆞᆷ으로 빈쥬의 녜를
다 힝ᄒᆞ더니, 소시 즉시 하직고 치원각의
니ᄅᆞ니, ᄎᆞ시 초후 부인이 조모의 과악과
모친의 무쌍ᄒᆞᆫ 누덕을 참안(慙顔)ᄒᆞ여 즁인
(衆人) 공회(公會)의 나지 아니코, 초후
【109】의 허○[다](許多) 욕셜이 분원ᄒᆞ
여, 일월이 오릴ᄉᆞ록 져를 ᄃᆡᄒᆞ면 분긔 츙
격(衝激)ᄒᆞ고 은한(殷恨)이 즁쳡ᄒᆞ여, 식불
감미(食不甘味)ᄒᆞ고 침불안셕(寢不安席)ᄒᆞ여
일병(一病)○[이] 침뉴(沈留)ᄒᆞ니, 옥골이
표표(飄飄)ᄒᆞ고954) 표연(飄然)이 우화(羽
化)955)ᄒᆞᆯ 둧ᄒᆞ니, 구괴 우려ᄒᆞ고 초공이 그
심ᄉᆞ를 아ᄅᆞᄃᆡ 뉴시를 졀졀이 믜이 너여,
즁졍을 쥬리잡고 외뫼 싁싁하여, 소향 벽난
등을 엄칙ᄒᆞ여 윤부 왕ᄂᆡ를 못게 ᄒᆞ니,
윤시 더옥 분원ᄒᆞ나 아조 친졍을 졀신(絕
信) 슴지(三載)러니, 금일 야야와 죵남(從

---

994) 월익(月額) : 달처럼 둥근 이마.
995) 옥산(玉山) : 외모와 풍채가 뛰어난 사람을 비유
   적으로 이르는 말.
996) 표표(飄飄)ᄒᆞ다 : 팔랑팔랑 가볍게 나부끼거나
   날아오르다.
997) 우화(羽化) : 사람의 몸에 날개가 돋아 하늘로
   올라가 신선이 됨. =우화등선(羽化登仙).

952) 월익(月額) : 달처럼 둥근 이마.
953) 옥산(玉山) : 외모와 풍채가 뛰어난 사람을 비유
   적으로 이르는 말.
954) 표표(飄飄)ᄒᆞ다 : 팔랑팔랑 가볍게 나부끼거나
   날아오르다.
955) 우화(羽化) : 사람의 몸에 날개가 돋아 하늘로
   올라가 신선이 됨. =우화등선(羽化登仙).

(隔年) 니졍(離情)과 슬픈 심회 교집(交集)
ᄒ여, 옥면화험(玉面花臉)999)의 쳔항누쉬(千
行淚水) 년낙(連落)ᄒ고, 실셩(失性) 이읍(哀
泣)ᄒ여 능히 말을 못ᄒ니, 공의 쾌활ᄒ미
나 일별(一別) 삼지(三載)의 녀ᄋ의 환형슈
패(幻形瘦敗)ᄒ미 완연이 ᄯᆞᆫ 모양이 되어시
니, 텬뉸의 ᄌ별ᄒᆞᆫ 졍니로 츄연 이셕ᄒ여,
집슈 탄왈,

"여ᄇᆡ 도라온 일삭의 너를 와 보디 못ᄒ
믄, 디ᄒ미 너희 슬허 ᄒᆞᄂᆞᆫ 거동을 보기 슬
흐미오, 여ᄇᆡ 명운이 긔구ᄒ여 여모 ᄀᆞ튼
대악 흉인으로 빅항(配行)이 되미, 너희 형
뎨를 싱ᄒᆞᆫ 밧지1000) 경이 일편도이 어미를
젼습(專襲)ᄒ여 간험 흉독이【36】셕문을
어ᄌᆞ리니, 내 하면목으로 셕츄밀 부ᄌᆞ를
보리오. 아딕 셕ᄌᆞ한이 광동셔 도라오디 아
냐 쳐티를 아녓거니와, 졀졀이 분ᄒᆞᆫ 바ᄂᆞᆫ
여모의 궁흉대죄(窮凶大罪)1001)를 내 ᄯᅳᆺ디
로 다스리디 못ᄒ고, 화당옥누(華堂玉樓)의
완연 고와(高臥)ᄒ게 ᄒ니, 쥬야 칼홀 어로
만져 분을 플고져 홈과 살홀 결워1002) 죽이
고져 ᄒ나, 여모의 넘치 상딘(喪盡)ᄒ미 회
텬의 셩효를 의디ᄒ여 감은ᄒᆞᆫ 줄을 모로고
과악이 날노 충가ᄒ니, 엇디 죽이고 시브디
아니리오. 녀ᄋᄂᆞᆫ 그 거술 어미라 ᄒ여 본
부 왕니홀 의ᄉᆞ를 말고, 효봉구고(孝奉舅姑)
와 승슌군ᄌᆞ(承順君子)ᄒ여 요악ᄒᆞᆫ 어미를
힝혀【37】도 념녀ᄂᆞᆫ 두디 말나."

쇼제 비읍 오열 왈,

"불초 쇼녜 일명이 니어시나, 촉쳐(觸處)
참악(慘愕)ᄒᆞᆫ 디통(至痛)이 유ᄉᆞ지심(有死之
心)ᄒ고, 존당 ᄌᆞ당이 위독ᄒᆞᆫ 딜환을 어드
샤 디금 쾌소ᄒᆞ시기의 니르나, ᄒᆞᆫ ᄌᆞ(字) 셔
ᄉᆞ(書辭)로도 고문(叩門)ᄒᆞᆷ믈 엇디 못ᄒ니,
속졀업시 싱휵디은(生慉之恩)1003)과 구로디

---

998)죵남(從男) : 사촌 남자형제.
999)옥면화험(玉面花臉) : 옥처럼 흰 얼굴의 꽃처럼
　　아름다운 뺨.
1000)밧지 : 바[所]ㅅ ᄌᆞ[者]ㅣ. 바의 것이.
1001)궁흉대죄(窮凶大罪) : 매우 흉악한 죄.
1002)결우다 : 겨누다.
1003)싱휵디은(生慉之恩) : 낳아서 길러주신 은혜.

男)956)을 디ᄒ미 격년(隔年) 니졍(離情)과
슬픈 심회 교집(交集)ᄒ여, 옥면화험(玉面花
臉)957)의 쳔항누쉬(千行淚水) 년낙(連落)ᄒ
고, 실셩이읍(失性哀泣)ᄒ여 능히 말을 못ᄒ
니, 공의 쾌활ᄒ미나 일별(一別) 숨지(三載)
의 녀ᄋ의 환형슈픠(幻形瘦敗)ᄒ미【110】
완연이 ᄯᆞᆫ 모양이 되어시니, 텬뉸의 ᄌ별ᄒᆞᆫ
졍니로 츄연 이셕ᄒ여, 집슈 탄왈,

"여ᄇᆡ 도라온 일삭의 너를 와 보지 못ᄒ
믄, 디ᄒ미 너희 슬허 ᄒᆞᄂᆞᆫ 거동을 보기 슬
흐미오, 여ᄇᆡ 명운이 긔구ᄒ여 여모 갓흔
디악 흉인으로 빅항(配行)이 되미, 너희 형
뎨를 싱ᄒᆞᆫ 밧지958), 경이 일편되이 어미를
젼습(專襲)ᄒ여 간험 흉독이 셕문을 어ᄌᆞ러
이니, 닉 하면목으로 셕츄밀 부ᄌᆞ를 보리오.
아직 셕ᄌᆞ한이 광동셔 도라오지 아냐 쳐치
를 아녓거니와, 졀졀이 분ᄒᆞᆫ 바ᄂᆞᆫ 여모의
궁흉디죄(窮凶大罪)959)를 닉 ᄯᅳᆺ디로 다스리
지 못ᄒ고 화당옥누(華堂玉樓)의 완연 고와
(高臥)ᄒ게 ᄒ니, 쥬야 칼을 어루만져 분을
플고져 홈과 술을 겨러960) 죽이고져 ᄒ나,
여모의【111】넘치 샹진(喪盡)ᄒ미 희쳔의
셩효를 의지ᄒ여 감은ᄒᆞᆫ 쥴을 모로고, 과악
이 날노 충가ᄒ니 엇지 죽이고 십으지 아니
리오. 녀ᄋᄂᆞᆫ 그 거술 어미라 ᄒ여 본부 왕
니홀 의ᄉᆞ를 말고, 효봉구고(孝奉舅姑)와 승
슌군ᄌᆞ(承順君子)ᄒ여 요악ᄒᆞᆫ 어미를 힝혀
도 념녀ᄂᆞᆫ 두지 말나."

소졔 비읍 오열 왈,

"불초 소녜 일명이 니어시나, 촉쳐(觸處)
참악(慘愕)ᄒᆞᆫ 지통(至痛)이 유ᄉᆞ지심(有死之
心)ᄒ고, 존당 ᄌᆞ당이 위독ᄒᆞᆫ 질환을 어드
ᄉᆞ 지금 쾌소ᄒᆞ시기의 니르나, ᄒᆞᆫ ᄌᆞ(字) 셔
ᄉᆞ(書辭)로도 고문(叩門)ᄒᆞᆷ믈 엇지 못ᄒ니,
속졀업시 싱휵지은(生慉之恩)961)과 구로지

---

956)죵남(從男) : 사촌 남자형제.
957)옥면화험(玉面花臉) : 옥처럼 흰 얼굴의 꽃처럼
　　아름다운 뺨.
958)밧지 : 바[所]ㅅ ᄌᆞ[者]ㅣ. 바의 것이.
959)궁흉대죄(窮凶大罪) : 매우 흉악한 죄.
960)결우다 : 겨누다.
961)싱휵지은(生慉之恩) : 낳아서 길러주신 은혜.

혜(勤勞之惠)1004)를 져ᄇ려, 쳔ᄃᆡ(千代)의 둘 업슨 블효디녜(不孝之女)로소이다."

공이 그 운환(雲鬟)을 어로만져 교무(交撫) 왈,

"이의(已矣)라1005), 너 ᄀᆞᆺ튼 슉ᄌᆞ현풍(淑姿賢風)이 뉴시의 비를 비러 난 탓스로, 긴 셰월의 은한(殷恨)이 듕듕쳡쳡(重重疊疊)ᄒᆞ여 근심이 여ᄒᆡ(如海)ᄒᆞ니, 엇디 이닯디 아니리오. 연이나 네 안향디복(安享之福)1006)으로 십삭 ᄐᆡ교를【38】담디 아녓다 ᄒᆞ려니와, ᄯᅩᄒᆞᆫ ᄌᆞ의 ᄀᆞᆺ튼 군ᄌᆞ를 ᄇᆡ(配)ᄒᆞᆫ 덕으로 여모의 년좌(連坐)를 쓰디 아냐, 이 곳의 평안이 두어 관ᄃᆡᄒᆞ니, ᄎᆞᄂᆞᆫ 구고와 군ᄌᆞ의 관홍대덕(寬弘大德)이니, 녀ᄋᆞᄂᆞᆫ 찰심(察心) 공근(恭謹)ᄒᆞ여 군ᄌᆞ의 덕을 감튝(感祝)ᄒᆞ라."

쇼졔 부공이 초후의 덕을 지삼 일ᄏᆞᆮ시믈 당ᄒᆞ여ᄂᆞᆫ 분ᄒᆞ미 가득ᄒᆞ나, 믁연 브ᄃᆡ(不對)ᄒᆞ니, 쇼시 져져의 초고(楚苦)ᄒᆞᆫ 의형을 보미, 초휘 ᄌᆞ당의 년좌를 져져의게 쓰므로 아라 이들온 분뉘(憤淚) 샹연(傷然)이 쩌러져 왈,

"셰샹의 듕ᄒᆞᆫ믄 부모 밧 업ᄂᆞ니, 부월디위(斧鉞之危)와 유확디듕(油鑊之中)의도 쇼뎨ᄂᆞᆫ 부ᄌᆞ모녀디눈(父子母女之倫)은 버히지 못홀【39】가 ᄒᆞᄂᆞ니, 져져ᄂᆞᆫ 하문 위엄이 엇더ᄒᆞ관ᄃᆡ 싱휵디은과 구로디혜를 니즈시고, ᄯᅩ 신샹의 므슨 질환이 계시관ᄃᆡ, 슈약(瘦弱) 환탈(換奪)ᄒᆞ샤 져져의 안식이 의형(儀形)만 남아 계시니잇고? 남의 집 며나리 ᄃᆡ졉도 슌편타 못ᄒᆞ리로소이다. 쇼뎨(小弟) 블ᄒᆡᆼᄒᆞ여 하문 동상(東床)이 된 탓스로 허다 욕셜이 ᄌᆞ졍긔 밋ᄌᆞᆸ고, 져져로 일시 심시 편치 못ᄒᆞ시게 ᄒᆞ오니, 도시(都是) 쇼뎨의 죄라. 져져ᄂᆞᆫ 옥누항으로 도라가샤 부모 슬하의 남ᄆᆡ 샹의(相依)ᄒᆞ여 디ᄂᆡ게 ᄒᆞ쇼셔."

혜(勤勞之惠)962)를 져ᄇ려, 쳔ᄃᆡ(千代)의 둘디 업슨 불효지녜(不孝之女)로소이다."

공이 그 운환(雲鬟)을 어루만져 교무(交撫) 왈,

"이의(已矣)라963), 너 갓흔 슉ᄌᆞ현풍(淑姿賢風)이 뉴시의 비를 비러 난 탓스로, 긴 셰월의 은한(殷恨)【113】이 즁즁쳡쳡(重重疊疊)ᄒᆞ여 근심이 여ᄒᆡ(如海)ᄒᆞ니, 엇지 이닯지 아니리오. 연이나 네 안향지복(安享之福)964)으로 십싴(十朔) ᄐᆡ교를 담지 아냣다 ᄒᆞ려니와, ᄯᅩᄒᆞᆫ ᄌᆞ의 {갓}갓튼 군ᄌᆞ를 비흔 덕으로 여모(汝母)의 년좌를 쓰지 아냐, 이 곳의 평안이 두어 관ᄃᆡᄒᆞ니, ᄎᆞᄂᆞᆫ 구고와 군ᄌᆞ의 관홍 ᄃᆡ덕이니, 녀아ᄂᆞᆫ 찰심(察心) 공근(恭謹)ᄒᆞ여 군ᄌᆞ의 덕을 감츅(感祝)ᄒᆞ라."

윤시 부공이 초후의 덕을 지숨 일카라시믈 당ᄒᆞ여ᄂᆞᆫ 분ᄒᆞ미 가득ᄒᆞ나, 묵연(黙然) 부ᄃᆡ(不對)ᄒᆞ니, 소식 져져의 초초(焦憔)ᄒᆞᆫ 의형을 보미, 초휘 ᄌᆞ당의 년좌를 져져에게 쓰므로 아라 이들운 분뉘(憤淚) 샹연(傷然)이 쩌러져 왈,

"셰샹의 즁ᄒᆞᆫ믄 부모 밧 업ᄂᆞ니, 부월지지(斧鉞之危)와 유확지즁(油鑊之中)의도 소뎨ᄂᆞᆫ 부ᄌᆞ모녀지눈(父子母女之倫)은 버히지 못홀가 ᄒᆞᄂᆞ니, 져져ᄂᆞᆫ 하문【113】□□□[위엄이] 엇더ᄒᆞ관ᄃᆡ 싱휵지은과 구로지혜를 니즈시고, ᄯᅩ 신샹의 무슨 질환이 계시관ᄃᆡ, 슈약(瘦弱) 환탈(換奪)ᄒᆞᆺ 져져의 안식이 의형만 나마 계시니잇고? 남의 집 며나리 ᄃᆡ졉도 슌편타 못ᄒᆞ리로소이다. 소뎨(小弟) 불ᄒᆡᆼᄒᆞ여 하문 동상이 된 탓스로 허다 욕셜이 ᄌᆞ졍긔 밋ᄌᆞᆸ고, 져져로 일시 심시 편치 못ᄒᆞ시게 ᄒᆞ오니, 도시(都是) 소뎨의 죄라. 져져ᄂᆞᆫ 옥누항으로 도라가ᄉᆞ 부모 슬하의 남ᄆᆡ 샹의(相依)ᄒᆞ여 지ᄂᆡ게 ᄒᆞ쇼셔."

1004)구로지혜(勤勞之惠) : 낳아서 기르느라 힘들이고 애쓰신 어버이의 은혜.
1005)이의(已矣)라 : 지난 일이다.
1006)안향디복(安享之福) : 하늘이 내려준 복(福).

962)구로지혜(勤勞之惠) : 낳아서 기르느라 힘들이고 애쓰신 어버이의 은혜.
963)이의(已矣)라 : 지난 일이다.
964)안향디복(安享之福) : 하늘이 내려준 복(福).

언파의 상연이 누쉬 써러디니, 그 져져의 슈패 초고ᄒᆞᆯ 디ᄒᆞ여 집히 우려ᄒᆞ고, 초휘 【40】 블평이 구ᄂᆞᆫ 일이 만ᄒᆞᆯ 통한 분히ᄒᆞ니, 윤공이 녀ᄋᆡ 환형(幻形)ᄒᆞᆯ믈 넘녀ᄒᆞ나, 쇼시 하가를 한ᄒᆞᄂᆞᆫ 일이 업과져 ᄒᆞ므로, 뎡식 칙 왈,

"녀이 블인디모(不仁之母)를 위ᄒᆞ여 초젼(焦煎)ᄒᆞ기로 환형ᄒᆞ엿거늘, 희텬이 타문 ᄌᆞ부 거나리믈 시비ᄒᆞ리오. 하문이 ᄌᆞ부를 브ᄌᆞ히 거나리나, 뉴시의 ᄌᆞ부를 죽여 강슈의 너ᄒᆞ려 ᄒᆞᄂᆞᆫ 심슐의 비기리오. 여등 남미 넘티 여ᄎᆞ 상단ᄒᆞ뇨? 녀ᄋᆡ ᄉᆞ싱 거ᄎᆔᄂᆞᆫ ᄌᆞ의게 이시니 네 엇디 쳐단ᄒᆞ며, 내 비록 블ᄉᆞ(不似)ᄒᆞ나 부녀디졍이 너의 우익디졍만 못ᄒᆞ리오마ᄂᆞᆫ, 뉴시의 요악이 인인(人人)을 그릇 민다니, 내 【41】 교디 향ᄒᆞ기 젼의 실셩(失性) 오입(誤入)1007)ᄒᆞ엿던 거시니, 여미를 다려다가 어나 디경가디 민들 줄 알니오. ᄌᆞ의ᄂᆞᆫ 모로미 내 쳥치 아닌 젼은 녀ᄋᆡ 귀령을 허치 말나."

초휘 그 악댱 말ᄉᆞᆷ은[을] 징그라이 녀여, 미미히 웃고 디왈,

"ᄉᆞ빈이 실인의 환탈ᄒᆞᆯ믈 넘녀ᄒᆞ여 다려 가고져 ᄒᆞ미 동긔디졍의 당연ᄒᆞ오나, 쇼싱이 그윽이 싱각건딕, 실인(室人)의 근친(覲親)이 그 몸의 유히무익 ᄒᆞ오니, 두골을 쓸히며 팔흘 상히와 ᄉᆞ문명부(士門命婦)의 당치 아닌 형벌을 존문은 다 힝ᄒᆞ오나, 싱이 궁상(窮狀)져이1008) 남 상히온 구병(救病)이 피로오며, 【42】 녕이 무디(無知)ᄒᆞ미 두골과 팔히 듕상(重傷)ᄒᆞ여시딕, 의약 티료ᄒᆞ믄 시로이 완연이 나단녀 파샹풍(破傷風)1009)ᄒᆞ여 죽게 된 거슬, 쇼싱이 쳐음으로 보고 셩농(成膿)ᄒᆞᆫ 거슬 침으로 ᄲᅮ시고 약을 힘

오입(誤入) : 잘못된 데에 빠져 듦.
1008)궁상(窮狀)져이 : 궁상맞게. 상황에 맞지 않고 꾀죄죄하고 초라하게.
1009)파상풍(破傷風) : 파상풍균이 일으키는 급성 전염병. 상처를 통하여 감염하며, 몸속에서 증식한 파상풍균의 독소가 중추 신경, 특히 척수를 침범함으로써 일어난다. 입이 굳어져서 벌리기 어렵게 되고, 이어서 온몸에 경직성 경련을 일으킨다. 사망률이 높으며, 예방 접종이 유효하다.

언파의 상연이 누쉬 써러지니, 그 져져의 슈픽 초고ᄒᆞᆯ믈 디ᄒᆞ여 집히 우려ᄒᆞ고, 초휘 불평이 구ᄂᆞᆫ 일이 만ᄒᆞᆯ믈 통한 분히ᄒᆞ니, 윤공이 녀아의 환형(幻形)ᄒᆞᆯ믈 넘녀ᄒᆞ나, 소시 하가를 한ᄒᆞᄂᆞᆫ 일이 업과져 ᄒᆞ므로, 정식 【114】 칙 왈,

"녀이 불인지모(不仁之母)를 위ᄒᆞ여 초견(焦煎)ᄒᆞ기로 환형ᄒᆞ엿거날, 희천이 타문 ᄌᆞ부 거나리믈 시비ᄒᆞ리오. 하문○[이] ᄌᆞ부를 부ᄌᆞ히 거나리나, 뉴녀의 ᄌᆞ부를 죽여 강슈의 너ᄒᆞ려 ᄒᆞᄂᆞᆫ 심슐의 비기리오. 여등 남미 넘치 여ᄎᆞ 상진ᄒᆞ뇨? 녀이 ᄉᆞ싱 거ᄎᆔᄂᆞᆫ ᄌᆞ의게 잇시니 네 엇지 쳐단ᄒᆞ며, 니 비록 불초ᄒᆞ나 부녀지졍이 너의 우익지졍만 못ᄒᆞ리오마ᄂᆞᆫ, 뉴시의 요악이 인인(人人)을 그릇 민다니, 니 교지 향ᄒᆞ기 젼의 실셩(失性) 외입(外入)965)ᄒᆞ엿던 거시니, 여미를 다려다가 어나 지경가지 민들 줄 알니오. ᄌᆞ의ᄂᆞᆫ 모로미 닉 쳥치 아닌 젼 녀아의 귀령을 허치 말나."

초휘 그 악장 말ᄉᆞᆷ은[을] 징그라이 너여, 미미히 웃고 딕왈,

"ᄉᆞ빈이 실인의 【115】 슈픽ᄒᆞᆯ믈 근심ᄒᆞ여 다려 가고져 ᄒᆞ미 동긔지졍의 당연ᄒᆞ오딕, 소싱은 싱각건딕, 실인(室人)의 귀령(歸寧)이 그 몸의 유익ᄒᆞᆷ믈 아지 못ᄒᆞ옵나니, 두골을 싸리며 팔을 샹히와 ᄉᆞ족부여(士族婦女)의 당치 아닌 형벌을 존부의셔 줄 아라 쓰시나, 소싱은 지극ᄒᆞᆫ 궁상(窮狀)966)이라, 남아 잇ᄂᆞᆫ 구병(救病)의 근심을 혼ᄌᆞ 당ᄒᆞ니, 영녀의 무지(無知)ᄒᆞ미 두골과 팔을 샹ᄒᆞᆯ딕 조리ᄒᆞ며 고칠 줄 아지 못ᄒᆞ고, 안연이 출입ᄒᆞ여 파샹풍(破傷風)967)ᄒᆞ여 ᄒᆞ마 죽을 거슬, 소세(小壻) 침으로 셩농(成膿)ᄒᆞᆫ

---

965)외입(外入) : 정도(正道)가 아닌 데에 빠져 듦.
966)궁상(窮狀) : 궁상맞음. 상황에 맞지 않고 꾀죄죄하고 초라함.
967)파상풍(破傷風) : 파상풍균이 일으키는 급성 전염병. 상처를 통하여 감염하며, 몸속에서 증식한 파상풍균의 독소가 중추 신경, 특히 척수를 침범함으로써 일어난다. 입이 굳어져서 벌리기 어렵게 되고, 이어서 온몸에 경직성 경련을 일으킨다. 사망률이 높으며, 예방 접종이 유효하다.

뼈 위경을 면후고, 쇼미는 뎡듁쳥의 두 번 지싱디은으로 만스여싱(萬死餘生)이어늘, 져의 망녕되미 다시 농담호구(龍潭虎口)의 님후여, 모딘 칼날히 그 비상(臂上)이 듕상후여 약질이 위틱후며 구병이 괴로온 듯, 그 겸참훈 경상이 위인동긔디졍(爲人同氣之情)[1010]이 참달(慘怛)후믈 니긔디 못후디, 졔 다시 위디(危地)를 개연이 영화로이 넉이고, 쇼싱은 실인(室人)으로 결발【43】대의로 그 신상을 넘녀후여 다시 므슨 독형을 당홀가 후여 본부 왕닉를 막으미어늘, 실인이 원입골슈(怨入骨髓)후니, 쇼싱이 의혹후는 바는 녀주의 협견(狹見)이나, 아미의 참화를 보고 부모와 싱이 완여평셕(完如平席)후여 주부와 부부의 눈의 여구(如舊)후거늘, 금주 스빈과 녕녀의 언시 우읍디 아니며, 스빈이 실인으로써 고당치루(高堂彩樓)의 금슈나룽(錦繡羅綾)과 팔진경장(八珍瓊漿)을 넘어(厭飫)후며, 슈패(瘦敗) 환탈(換奪)후믈 ○○○[일ᄏ라] 오가(吾家)를 면박후니, 녕녀 아미 경계를 당훈죽, 스빈의 셩덕대현(聖德大賢)이라도 그 벌이 경치 아니리니, 요힝 필부 원광일시 여ᄎ 화평훈【44】가 후ᄂ이다."

공이 언언이 뉴시 악식 즈긔 몰낫던 일을 다 드르미 한심 통히후여, 굴오디,

"희텬디언(之言)은 근닉의 뉴시의 악악히 보치이므로, 심식 상후여 젼일과 닉도후여시니 현셔는 희텬을 실셩디인(失性之人)으로 치워 족슈(足數)[1011]치 말고, 녀우의 초강(超强)후믈 쥰졀이 막즐나 부녀의 방종후미 업게 후라."

초휘 함쇼 슈명후니 쇼스와 윤시 분앙후나 블감스식(不敢辭色)후니, 창휘 날호여 고왈,

"슉뫼 젼주의 실덕후시미 계시나, 당ᄎ시후여는 졀졀이 뉘웃ᄎ시니, 개과쳔션은 셩인도 허후신 빅어늘 계뷔 엇디 용납디 아니

<hr>

거슬 침으로 쑤시고 약으로 힘써 병들기를 면케후니, 누의 뎡듁쳥의 두 번 살온 디은으로 일명을 보젼 후엿거놀, 망녕되이 다시 농담호구(龍潭虎口)의【116】드럿다가, 모진 칼날의 팔을 상히오니, ○○[이리] 놀나운 일이 어딘 잇스며, 구완후기 주못 슈고롭더이다. 그러후오나 소소의 미물[968] 싁싁후믄 이르도 말고, 졍디훈 쳬후와 두로 외격(外擊)[969]후여[니], 주부와 부부의 눈(倫)니 여구(如舊)후거날, 금○[주](今者) 스빈과 윤시 언시 우읍지 아니며, 스빈이 윤시로써 고당치루(高堂彩樓)의 금슈나룽(錦繡羅綾)과 팔진경장(八珍瓊漿)을 《넘여∥넘어(厭飫)》후며, 슈픽(瘦敗) 환탈(換奪)후므로 오가를 면박후니, 윤시 아미 경계를 당훈죽, 스빈의 셩덕 디현이라도 그 벌이 경치 아니리니, 요힝 필부 원광일시 여ᄎ 화평훈가 후ᄂ이다."

공이 언언이 뉴시 악식 즈긔 몰낫던 일을 다 드르미 한심 통히후여, 갈오디,

"희쳔지언은 근닉의 뉴시【117】의 악악히 보치이므로, 심식 샹후여 젼일과 닉도후여시니, 현셔는 희쳔을 실셩지인(失性之人)으로 치워 《츅슈∥족슈(足數)[970]》치 말고, 녀아의 초강(超强)후믈 쥰졀이 막즐나 부녀의 방종후미 업게 후라."

초휘 함소 슈명후니, 소스와 윤시 분앙후나 불감스식(不敢辭色)후니, 창휘 날호여 고왈,

"슉뫼 젼주의 실덕후시미 계시나 당ᄎ시후여는 졀졀이 뉘웃ᄎ시니, 기과쳔션은 셩

<hr>

1010)위인동긔디졍(爲人同氣之情) : 형제 된 사람의 정.
1011)족슈(足數) : 꾸짖거나 참견하여 말함.

968)미물 : 매몰. 인정이나 싹싹한 맛이 없고 쌀쌀맞음.
969)외격(外擊) : 배격(排擊). 물리침.
970)족슈(足數) : 꾸짖거나 참견하여 말함.

시며, ○[쏘] 하형【45】이 {신쳥이} 신쳥
치 아니ᄒᆞ느뇨? 유직(猶子) 슌태부인 고식
긔 져져 근친을 쳥ᄒᆞ여, 져져를 보ᄂᆞ여든
그 녀ᄋᆞ를 보ᄂᆞ마 ᄒᆞ여시니, 슈일 후 뎡져
져(鄭姐姐)의 근친시의 ᄎᆞ져져(次姐姐)도 ᄒᆞᆫ
가디로 ᄃᆞ려 가오미 맛당ᄒᆞ이다.”

　언미의 하공이 드러와 문답 ᄉᆞ어(辭語)를
므러 듯고, 이의 챵후의 말노 조ᄎᆞ 쇼져의
귀령을 쾌허ᄒᆞ니, 쇼시 ᄌᆞ졍의 위로 관심
(寬心)ᄒᆞ실 바를 영힝ᄒᆞ디 ᄉᆞ식디 아니코,
날이 느ᄌᆞ미 부공을 뫼셔 도라갈ᄉᆡ, 쇼졔
엄구의 허ᄒᆞ시믈 어드미, 나죽이 고왈,
　“왕모와 ᄌᆞ모 위독ᄒᆞᆫ 환후디시의도 비현
(拜見)치 못ᄒᆞ엿ᄉᆞᆸ더니, 엄명이 허ᄒᆞ시니 의
렬 형의【46】 근친홀 ᄯᅢ의 ᄒᆞᆫ가디로 나아
가리이다.”
　공이 녀ᄋᆞ의 졍을 박졀이 막디 못ᄒᆞ여 잠
쇼 왈,
　“내 쳥치 아니디 너의 존귀(尊舅) 허ᄒᆞ시
니, 오ᄂᆞᆫ 거시 깃브디 아니나 현마 엇디 ᄒᆞ
리오. 하형의 감디를 밧들미 너의 듕임이니
잠간 와 ᄃᆞᆫ녀 가라.”
　쇼졔 슈명 ᄇᆡ샤ᄒᆞ고 공이 하공 부ᄌᆞ를 니
별ᄒᆞᆫ 후 딘부로 나아가, 챵후ᄂᆞᆫ 쥬부인긔
쳥알ᄒᆞ고, ᄌᆞ긔ᄂᆞᆫ 딜부를 보려 홀ᄉᆡ, 딘부
쥬부인이 활별(闊別)ᄒᆞ엿던 셔랑을 보니 반
가오믈 니긔디 못ᄒᆞ나, 날이 져믈믈인ᄒᆞ여
총총이 도라가니 홀연ᄒᆞ더라.
　호람휘 ᄌᆞ딜을 거ᄂᆞ려 환가ᄒᆞ니, 태부인
이【47】 냥 손녀의 안부를 므러 보고져
ᄯᅳᆺ이 간졀ᄒᆞ니, 공이 그 각각 슈히 귀령홀
바를 고ᄒᆞ니, 태부인이 반기ᄂᆞᆫ 가온ᄃᆡ 딘시
의 오디 아니믈 결연ᄒᆞ더라.
　슈일이 디나미 챵휘 뎡ㆍ하 냥부의 금거
옥뉸(金車玉輪)1012)을 보ᄂᆞ여 쇼져의 귀령
을 쳥ᄒᆞ니, 금평후와 뎡국공이 마디 못ᄒᆞ여
식부를 보ᄂᆞ나 슈히 도라오믈 니르고, 뎡부
슌태부인이 의렬을 당부ᄒᆞ여 도라올 적 브
ᄃᆡ 손녀를 ᄃᆞ려 오라 ᄒᆞ더라.

1012)금거옥뉸(金車玉輪) : 화려하게 치장한 수레.

인도 허ᄒᆞ신 빅어늘, 계부 엇지 용납지 아
니시며, ○[쏘] 하형이 신쳥치 아니시나뇨?
유직(猶子) 슌틱부인 고식긔 져져 근친을
쳥ᄒᆞ여, 져져를 보ᄂᆞ여든 그 녀아를 보ᄂᆞ마
ᄒᆞ엿시니, 슈일 후 뎡져져(鄭姐姐)의 근친시
의 ᄎᆞ져져(次姐姐)도 ᄒᆞᆫ가지로 ᄃᆞ려 가오미
맛당【118】ᄒᆞ이다.”
　언미의 하공이 드러와 문답 ᄉᆞ의(辭意)를
무러 듯고, 이의 챵후의 말노 조ᄎᆞ 소져의
귀령을 쾌허ᄒᆞ니, 소시 ᄌᆞ졍의 위로 관심
(寬心)ᄒᆞ실 바를 영힝ᄒᆞ디 ᄉᆞ식지 아니코,
날이 느ᄌᆞ미 부공을 뫼셔 도라갈ᄉᆡ, 소졔
엄구의 허ᄒᆞ시믈 어드미, 나죽이 고왈,
　“틱모와 ᄌᆞ모 위독ᄒᆞᆫ 환후지시의도 비현
(拜見)치 못ᄒᆞ엿ᄉᆞᆸ더니, 엄명이 허ᄒᆞ시니 의
렬형의 근친홀 ᄯᅢ의 ᄒᆞᆫ가지로 나아가리이
다.”
　공이 녀아의 졍을 박졀이 막지 못ᄒᆞ여 잠
소 왈,
　“니 쳥치 아니디 너의 존귀(尊舅) 허ᄒᆞ시
니, 오ᄂᆞᆫ 거시 깃브지 아니나 현마 엇지 ᄒᆞ
리오. 하형의 감지를 밧들미 너의 즁임이니
잠간 와 ᄃᆞᆫ녀가라.”
　소졔 슈명 ᄇᆡ스ᄒᆞ고 공이 하공 부ᄌᆞ
【119】를 니별ᄒᆞᆫ 후 진부로 나아가, 챵후
ᄂᆞᆫ 쥬부인긔 쳥알ᄒᆞ고 ᄌᆞ긔ᄂᆞᆫ 질부를 보려
홀ᄉᆡ, 진부 쥬부인이 활별(闊別)ᄒᆞ엿던 셔랑
을 보니 반가오믈 니긔지 못ᄒᆞ나, 날이 져
믈믈 인ᄒᆞ여 총총이 도라가니 홀연ᄒᆞ더라.
　호람휘 환가ᄒᆞ니, 틱부인이 냥 손녀의 안
부를 무러 보고져 ᄯᅳᆺ이 간졀ᄒᆞ니, 공이 그
각각 슈이 귀령홀 바를 고ᄒᆞ니, 틱부인이
반기ᄂᆞᆫ 가온ᄃᆡ, 진시의 오지 아니믈 결연ᄒᆞ
더라.
　슈일이 지나미 챵휘 뎡ㆍ하 냥부의 금거
옥뉸(金車玉輪)971)을 보ᄂᆞ여 소져의 귀령을
쳥ᄒᆞ니, 금평후와 뎡국공이 마지 못ᄒᆞ여 식
부를 보ᄂᆞ나 슈히 도라오믈 니르고, 뎡부
슌틱부인이 의렬【120】을 당부ᄒᆞ여 도라
올 적 부ᄃᆡ 슉녈을 ᄃᆞ려오라 ᄒᆞ더라.

---

971)금거옥뉸(金車玉輪) : 화려하게 치장한 수레.

축시 초후부인 윤시 초후긔 귀근(歸覲)ㅎ
믈 고ㅎ니, 초휘 닝쇼 왈,

"나의 쳔금 궃튼 누의로 호혈(虎穴)의 보
닉고 견듸거눌, 기외(其外)를 니르리오. 엄
명이 나리신 후【48】므슨 말이 이시리오."

시녜 도라와 이티로 고ㅎ니, 윤시의 심니
의 블안ㅎ나 마디 못ㅎ여 금교(錦轎)의 올
나 부문을 나미, 종형뎨(從兄弟)의 화퓌 일
시의 셩닉로 향홀식, 공후(公侯)의 원비(元
妃) 움죽이는 바의, 힝거의 주연혼 영광이
됴요ㅎ니, 의렬비의 젼후 화변과 셩힝(性行)
녈졀(烈節)이며 윤부인 현이 쵹디 오년 단
장박명(斷腸薄命)과 금즈(今者) 영광이 닉도
ㅎ더라.

어느덧 본부의 니르니 가듕이 딘졍ㅎ고
태부인과 구파는 의렬 종형뎨(從兄弟)를 붓
들고 실셩 통읍ㅎ니, 조부인의 단엄 침듕ㅎ
미나 금일 쳔금 쇼교(小嬌)와 소랑ㅎ던 딜
녀를 티ㅎ니, 반가오미 극ㅎ여 집슈 타루ㅎ
고, 두 부【49】인이 두로 면면이 반갑고
깃브미 교집ㅎ여, 조모와 모친을 붓들고 실
셩 오읍(嗚泣)ㅎ는디라. 공과 창휘 호언으로
ᄉ좌(四座)[1013] 비식(悲色)을 위로ㅎ고, 의
렬이 쳥죄ㅎ여 주긔 격고등문 혼 ᄉ고로 조
모와 슉모긔 누덕(陋德)을 낫타나게 ㅎ믈
일ᄏᄅ니, 태부인이 의렬의 등을 어로만져
왈,

"왕ᄉ를 졔긔치 말나. 네 만일 요도를 잡
아 밧치디 아냐시면, 광텬 등이 블측혼 누
얼을 신빅ᄒ며, 이졔 영화로 샹봉ᄒ리오. 문
운이 블힝ᄒ고, 노모의 실덕 대악이 조현부
로브터 여등 삼남미를 참혹히 히ᄒ며 보치,
일호 인심이 아니니, 당ᄎ디시(當此之時)ᄒ
여 뉘웃고 슬픈 한이【50】살을 헐우고 골
졀을 마아 속죄코져 ᄒ니, 하면목으로 구쳔
타일의 션군과 여부(汝父)를 보리오."

셜파의 호읍ᄒ니, 의렬과 하부인이 이셩
낙식(怡聲樂色)으로 관위(款慰)ᄒ고, 뎡·하
·댱 삼쇼져로 반기고, 우시로 더브러 형뎨

축시 초후 부인 윤시 초후긔 귀근(歸覲)
ᄒ믈 고ᄒ니 초휘 닝소 왈,

"나의 쳔금 갓흔 누의로 호혈(虎穴)의 보
닉고 견듸거날, 기외(其外)를 니라리오. 엄
명이 나리신 후 무슨 말이 이시리오."

시녜 도라와 이티로 고ᄒ니, 윤시의 심니
의 불안ᄒ나 마지 못ᄒ여 금교(錦轎)의 올
나 부문을 나미, 종형제(從兄弟)의 화교 일
시의 셩닉로 향홀식, 공후(公侯)의 원비(元
妃) 움죽이는 바의, 《향거‖힝거(行車)》의
주연혼 영광이 죠요ᄒ니, 의렬비의 젼후 화
변과 셩힝 녈졀이며 윤부인 현이 쵹지 오년
단쟝박명(斷腸薄命)과 금즈(今者) 영광이 닉
도ᄒ더라.

어나덧 본부의 니르니 가즁이 진경ᄒ고
티부인과 구파는 의렬 종【121】형뎨(從兄
弟)를 붓들고 실셩 통읍ᄒ니, 조부인의 단
엄 침즁ᄒ미나 금일 쳔금 소교(小嬌)와 ᄉ
랑ᄒ던 딜녀를 티ᄒ니, 반가오미 극ᄒ여 집
슈 타루ᄒ고, ○○○○[두 부인이] 두루 면
면이 반갑고 깃브미 교집ᄒ여 조모와 모친
을 붓들고 실셩 오읍(嗚泣)ᄒ는지라. 공과
창휘 호언으로 ᄉ좌(四座)[972] 비식을 위로
ᄒ고, 의렬이 쳥죄ᄒ여 주긔 격고등문 혼
ᄉ고로 슉모 조모긔 누덕을 나타나게 ᄒ믈
일카라니, 티부인이 의렬의 등을 어루만져
왈,

"왕ᄉ를 졔긔치 말나. 네 만일 요도를 잡
아 밧치지 아냣스면 광쳔 등이 불측혼 누○
[얼](陋孼)를 신빅ᄒ며, 이리 영화로 샹봉ᄒ
리오. 문운이 불힝ᄒ고 노모의 실덕 디악이
조현부로붓터 여등 숨 남【122】미를 참혹
히 히ᄒ며 보치여, 일호 인심이 아니니, 당
ᄎ지시ᄒ여 뉘웃고 슬픈 한이 술을 헐우고
골졀을 마아 속죄코져 ᄒ니, 하면목으로 구
쳔타일의 션군과 여부를 보리오."

셜파의 호읍ᄒ니, 의렬과 하부인이 이셩
(怡聲)으로 관위(款慰)ᄒ고, 뎡·하·댱 숨
쇼져로 반기고, 우시로 더부러 형제지의로

1013)ᄉ좌(四座) : 네 좌석, 곧 위태부인, 조부인, 윤
추밀, 유부인.

972)ᄉ좌(四座) : 네 좌석, 곧 위태부인, 조부인, 윤추
밀, 유부인.

디의로 녜견(禮見)ᄒᆞᆯ식, 우시 냥 윤부인의 텬향국식(天香國色)과 슉ᄌᆞ혜딜(淑姿惠質)을 경앙(景仰)ᄒᆞ고, 냥부인의 안고(眼高)ᄒᆞᄆᆞ로도 우쇼져의 교용아딜(嬌容雅質)을 이모ᄒᆞ여 동긔로 다르미 업더라.

의렬과 하부인○[이] 뉴부인긔 뵐식, 뉴시 딜녀와 녀아를 보ᄆᆡ 공후(公侯) 원비로 복식이 휘황ᄒᆞ고, 위의 정엄ᄒᆞᄆᆡ 젼즈의 비승ᄒᆞ니, 칠보화관(七寶花冠)1014)과 홍금젹의(紅衿赤衣)1015)의 팔복슈라상(八幅繡羅裳)1016)이 찬난ᄒᆞ【51】고, 의렬의 풍완 윤퇴ᄒᆞᆫ 긔질과 하부인의 초고(超高)ᄒᆞᆫ 의용이 쳥빙(淸氷)을 빅깁(白-)1017)의 ᄡᆞᆫ 듯ᄒᆞ니, 뉴시 참잉(慙忍)ᄒᆞ여1018) 좌슈로 의렬의 손을 잡고 우슈로 녀ᄋᆞ의 손을 잡아 뉴쳬냥구(流涕良久)의 말을 못ᄒᆞ더니, 의렬을 향ᄒᆞ여 젼젼악ᄉᆞ를 후회ᄒᆞ고, 녀ᄋᆞ를 어로만져 유유(悠悠)ᄒᆞᆫ 졍회(情懷) 슈어만(數於萬)1019)이러라. 두 부인이 다만 그 개과ᄒᆞᆷᄆᆞᆯ 환희ᄒᆞ여 위로ᄒᆞ며, 우러러 반가오ᄆᆞᆯ 형상치 못ᄒᆞ니, 뉴시 오열 왈,

"내 두 낫 녀식을 두어 경ᄋᆞᄂᆞᆫ 내 스스로 일싱 신셰를 맛ᄎᆞ 셕가 옥듕죄인(獄中罪人)을 믄들고, 널노 ᄒᆞ여곰 남의게 치쇼(嗤笑)를 밧게 ᄒᆞ며, ᄌᆞ딜부 등을 모살코져 ᄒᆞ던 빅, 싱각ᄒᆞᆯ스록 내 죄악이 만ᄉᆞ유경(萬死猶輕)【52】라."

ᄒᆞ여, 뉘웃ᄂᆞᆫ 말이 가히 업ᄉᆞ니, 쇼ᄉᆞ와 졔 쇼졔 그윽이 그 회과ᄒᆞᆷᄆᆞᆯ 환힝ᄒᆞ더라.

ᄎᆞ야의 의렬과 슉녈은 모친 조부인 침소의셔 하쇼져로 시침(侍寢)ᄒᆞᆯ식, 부인이 졔부

1014) 칠보화관(七寶花冠) : 일곱가지 보배로 꾸민 아름다운 관(冠). *칠보; 일곱 가지 주요 보배. 법화경에서는 금·은·마노·유리·거거·진주·매괴를 이른다.
1015) 홍금젹의(紅衿赤衣) : 붉은 옷깃을 단 붉은색 저고리.
1016) 팔복슈라상(八幅繡羅裳) : 비단에 수를 놓아 지은 여덟 폭으로 된 치마.
1017) 빅깁(白-) : 흰 비단.
1018) 참잉(慙忍)ᄒᆞ다 : 부끄러움을 무릅쓰다.
1019) 슈어만(數於萬) : 수없이 많음.

녜견(禮見)ᄒᆞᆯ식, 우시 냥 윤의 텬향국식(天香國色)과 슉ᄌᆞ혜질(淑姿惠質)을 경앙ᄒᆞ고, 냥 윤의 안고(眼高)ᄒᆞᄆᆞ로도 우소져의 교용아질(嬌容雅質)을 이모ᄒᆞ여 동긔로 다르미 업더라.

의렬과 하부인이 뉴부인긔 뵐식, 뉴시 딜녀와 녀아를 보ᄆᆡ 공후(公侯) 원비로 복식이 휘황ᄒᆞ고 위의 《젼엄∥정엄(正嚴)》ᄒᆞᄆᆡ 젼즈의 비승ᄒᆞ니, 칠보화관(七寶花冠)973)과 홍금젹의(紅衿赤衣)974)는 팔복슈라샹(八幅繡羅裳)975)이 찬난ᄒᆞ고【122】의렬의 풍완 윤퇴ᄒᆞᆫ 긔질과 하 부인의 초고(超高)ᄒᆞᆫ 의용이 쳥빙(淸氷)을 빅깁(白-)976)의 ᄡᆞᆫ 듯ᄒᆞ니, 뉴시 참잉(慙忍)ᄒᆞ여977) 좌슈로 의렬의 손을 줍고 우슈로 녀아의 손을 줍아, 뉴쳬양(流涕良久)구의 말을 못ᄒᆞ더니, 의렬을 향ᄒᆞ여 젼젼 악ᄉᆞ를 후회ᄒᆞ고, 녀아를 어로만져 유유(悠悠)ᄒᆞᆫ 졍회 슈어만(數於萬)978)이러라. 두 소졔 다만 그 긔과ᄒᆞᆷᄆᆞᆯ 환희ᄒᆞ여 위로ᄒᆞ며, 우러러 반가오ᄆᆞᆯ 형상치 못ᄒᆞ니, 뉴시 오열 왈,

"늬 두 낫 녀식을 두어 경아ᄂᆞᆫ 늬 스스로 일싱 신셰를 맛ᄎᆞ 셕가 옥즁죄인(獄中罪人)을 믄달고, 널노 ᄒᆞ여곰 남의게 치쇼(嗤笑)를 밧게ᄒᆞ며, ᄌᆞ딜부(子姪婦) 등을 모살코져 ᄒᆞ던 빅, 싱각ᄒᆞᆯ스록 늬 죄악이 만ᄉᆞ유경(萬死猶輕)이라."

ᄒᆞ여, 뉘웃ᄂᆞᆫ 말이 가히 업ᄉᆞ니, 소ᄉᆞ와【124】 졔 소졔 그윽이 그 회과ᄒᆞᆷᄆᆞᆯ 환힝ᄒᆞ더라.

ᄎᆞ야의 의렬과 슉녈은 모친 조부인 침소의셔 하소져로 시침ᄒᆞᆯ식, 부인이 졔부를 어

---

973) 칠보화관(七寶花冠) : 일곱가지 보배로 꾸민 아름다운 관(冠). *칠보; 일곱 가지 주요 보배. 법화경에서는 금·은·마노·유리·거거·진주·매괴를 이른다.
974) 홍금젹의(紅衿赤衣) : 붉은 옷깃을 단 붉은색 저고리.
975) 팔복슈라상(八幅繡羅裳) : 비단에 수를 놓아 지은 여덟 폭으로 된 치마.
976) 빅깁(白-) : 흰 비단.
977) 참잉(慙忍)ᄒᆞ다 : 부끄러움을 무릅쓰다.
978) 슈어만(數於萬) : 수없이 많음.

를 어로만져 ᄉᆞ랑이 무궁ᄒᆞ고, 의렬을 회리(懷裏)의 너허 쳬쳬(逮逮)[1020]ᄒᆞᆫ 졍이 유ᄌᆞ(幼子)를 ᄉᆞ랑홈 ᄀᆞᆺ더라

이ᄯᅢ 초후 부인○[이] 모친 뉴부인을 뫼셔 잘ᄉᆡ, 모녀의 유유ᄒᆞᆫ 텬뉸디졍(天倫之情)이 ᄉᆡ로이 유츌ᄒᆞ고, 쇼졔 모부인의 회과ᄌᆞ칙ᄒᆞ믈 환열ᄒᆞ여 셕ᄉᆡ나 무한이러라. 위태부인이 의렬의 냥ᄌᆞ와 윤시의 ᄡᅡᆼᄌᆞ를 보고져 ᄒᆞ니, 공이 금평후와 하공긔 쳥ᄒᆞ여 현긔 몽긔와 몽닌 《셩【53】닌‖몽셩》을 다려오고, 창휘 딘부인을 분완ᄒᆞ여 웅닌을 유모 ᄡᅧ 다려와 모친 침누의 두니, 태부인이 진외증손(陳外曾孫)[1021]의 긔특ᄒᆞ믈 두굿기고, 조부인이 삼 손ᄋᆞ를 혹ᄋᆡ(惑愛)ᄒᆞ미 측냥 업고, 뉴부인이 몽셩 형뎨를 보니 ᄉᆞ랑ᄒᆞᄂᆞᆫ 졍이 골졀이 녹ᄂᆞᆫ ᄃᆞᆺᄒᆞᄃᆡ, ᄯᅩᄒᆞᆫ 창닌 형뎨와 현긔 등을 일체로 ᄒᆞ니 도로혀 공경ᄒᆞ미 시쇽의 ᄲᅧ여나더라. 더옥 위태부인은 회과칙션 후ᄂᆞᆫ 인현(仁賢)ᄒᆞ미 너모 ᄆᆡᆼ녈ᄒᆞᆫ 습이 업셔, 용녈ᄒᆞ고 프러디니 젼일 악ᄉᆞ를 ᄉᆡ로이 츄회(追悔)ᄒᆞ더라.

윤의렬과 초국부인이 ᄇᆡᆨ화헌의 나아가 부친 화상의 ᄇᆡ현(拜見)ᄒᆞᆯᄉᆡ, 션샹셰【54】금국으로 향ᄒᆞᆯ ᄯᅴ의 의렬은 ᄉᆞ셰오, 초후 부인은 삼셰로ᄃᆡ, 기시 일이 녁녁ᄒᆞ여 희미치 아니니 능나(綾羅) 듕 화상이 ᄉᆡᆼ긔(生氣) 뉴동(流動)ᄒᆞ여, 능히 말ᄉᆞᆷ을 발ᄒᆞᆯ ᄃᆞᆺ, 션풍도골(仙風道骨)이며 옥모뉴풍(玉貌柳風)과 ᄇᆡᆨ일긔상(百日氣像)이 명천공 용화와 호분(毫分)[1022] ᄎᆞ착(差錯)지 아니니, 의렬이 부안을 ᄃᆡᄒᆞᆫ ᄃᆞᆺ 반갑고 통도(痛悼)ᄒᆞ여 일셩오읍(一聲嗚泣)의 쳔항 누쉬 ᄇᆡ셕(拜席)의 괴이니, 초후 부인이 슬프믈 딘뎡ᄒᆞ고 의렬과 창후 형뎨를 위로ᄒᆞ니, 창후 형뎨 부친 화상을 봉안ᄒᆞ고, 아쇠온 졍니의 부공을 뫼심 ᄀᆞᆺ치 앗ᄎᆞᆷ마다 ᄇᆡ알ᄒᆞ나, ᄒᆞᆫ 복(幅) 깁을 의디ᄒᆞ여 효ᄌᆞ현부와 일ᄉᆡᆼ 만금쇼교【55】의

1020)쳬쳬(逮逮) : 마음에 잊지 못하여 연연해 함.
1021)진외증손(陳外曾孫) : 손녀의 아들과 딸.
1022)호분(毫分) : =분호(分毫). 매우 적거나 조금인 것을 비유적으로 이르는 말.

로만져 ᄉᆞ랑이 무궁ᄒᆞ고, 의렬을 회리의 너허 쳬쳬(逮逮)[979]ᄒᆞᆫ 졍이 유ᄌᆞ를 ᄉᆞ랑홈 ᄀᆞᆺ더라.

이ᄯᅢ 초후 부인이 모친 뉴부인을 뫼셔 잘ᄉᆡ, 모녀의 유유ᄒᆞᆫ 쳔윤지졍(天倫之情)이 ᄉᆡ로이 뉴츌ᄒᆞ고, 소졔 모부인의 회과ᄌᆞ칙ᄒᆞ믈 환열ᄒᆞ여 셕ᄉᆡ나 무한이러라. 위ᄐᆡ부인이 의렬의 냥ᄌᆞ와 윤시의 ᄡᅡᆼᄌᆞ를 보고져 ᄒᆞ니, 공이 금평후와 하공긔 쳥ᄒᆞ여 현긔 몽긔와 몽닌 《인셩‖몽셩》을 다려오고, 챵휘 ○[진]부인을 분완ᄒᆞ여 웅닌을 유모 ᄡᅧ 다려와 모친 침누의 두니, ᄐᆡ부인이 진외증손(陳外曾孫)[980]의 긔특ᄒᆞ믈 두굿【125】기고, 조부인이 ᄉᆞᆷ 손ᄋᆞ를 혹ᄋᆡ(惑愛)ᄒᆞ미 측냥업고, 뉴부인이 몽셩 형졔를 보니 ᄉᆞ랑ᄒᆞᄂᆞᆫ 졍이 골졀이 녹ᄂᆞᆫ 듯ᄒᆞᄃᆡ, ᄯᅩᄒᆞᆫ 창닌 형졔와 현긔 등을 일쳬로 ᄒᆞ니, 도로혀 공경ᄒᆞ미 시속의 ᄲᅧ여나더라. 더옥 위ᄐᆡ부인은 회과칙션 후ᄂᆞᆫ 인현(仁賢)ᄒᆞ미 너모 ᄆᆡᆼ녈ᄒᆞᆫ 습이 업셔, 용녈ᄒᆞ고 프러지니 젼일 악ᄉᆞ를 ᄉᆡ로이 츄회(追悔)ᄒᆞ더라.

윤의렬과 초국부인이 ᄇᆡᆨ화헌의 나아가 부친 화상의 ᄇᆡ현ᄒᆞᆯᄉᆡ, 션샹셰 금국으로 ᄒᆡᆼᄒᆞᆯ ᄯᅴ의 의렬은 ᄉᆞ셰오, 초후부인은 ᄉᆞᆷ셰로ᄃᆡ, 기시 일이 녁녁ᄒᆞ여 희미치 아니니, 능나(綾羅) 즁 화상이 ᄉᆡᆼ긔 뉴동(流動)ᄒᆞ여 능히 말ᄉᆞᆷ을 발ᄒᆞᆯ 듯, 션풍도골(仙風道骨)이며 옥모뉴풍(玉貌柳風)과 ᄇᆡᆨ일긔샹(百日氣像)이 명【126】쳔공 용화와 호분(毫分)[981] ᄎᆞ착(差錯)지 아니니, 의렬이 부안을 ᄃᆡᄒᆞᆫ ᄃᆞᆺ 반갑고 통도ᄒᆞ여 일셩오읍(一聲嗚泣)의 쳔항 누슈 ᄇᆡ셕(拜席)의 괴이니, 초후 부인이 슬프믈 진졍ᄒᆞ고 의렬과 창후 형졔를 위로ᄒᆞ니. 창후 형졔 부친 화상을 봉안ᄒᆞ고, 아쇠온 졍니의 부공을 뫼심갓치 앗ᄎᆞᆷ마다 ᄇᆡ알ᄒᆞ나, ᄒᆞᆫ 복 깁을 의지ᄒᆞ여 효ᄌᆞ 현부와 일ᄉᆡᆼ 만금소교의 마음을 위로치 못ᄒᆞ니, 챵후

979)쳬쳬(逮逮) : 마음에 잊지 못하여 연연해 함.
980)진외증손(陳外曾孫) : 손녀의 아들과 딸.
981)호분(毫分) : =분호(分毫). 매우 적거나 조금인 것을 비유적으로 이르는 말.

무음을 위로치 못ᄒᆞ니, 창후 형뎨와 의렬의 믜여디며 쩍거디는 돗○[흔] 디한(至恨)이 미ᄉᆞ디젼(未死之前)의 닛기 어려오니, 금일 남미 삼인이 무익히 우러러는 담(膽)이 녹을 ᄯᆞᆫ이라, 초후 부인이 위로 왈,

"현뎨 등이 빅부 화상을 못 뵈올 젹도 견디엿거늘, 이졔 화도스의 신긔혼 화법으로 삼쳑 능나 우히 빅뷔 의연ᄒᆞ시니, 추후는 현뎨 등 디통을 위로홀 비라. 엇디 이딕도록 통읍 비도ᄒᆞ여 귀톄를 손상ᄒᆞᄂᆞ뇨?"

창후 형뎨 톄루 디왈,

"쇼뎨 등의 유한디통(遺恨之痛)은 별유타인(別有他人)[1023]이라. 비록 됴셕으로 화상을 앙쳠(仰瞻)ᄒᆞ오나, 믁믁유유(黙黙悠悠)ᄒᆞ샤 알오미 업스시니,【56】심붕담녈(心崩膽裂)ᄒᆞ여 강인코져 ᄒᆞ나 억졔치 못ᄒᆞ리로소이다."

의렬이 혈읍 뉴체 왈,

"대인이 셕년의 금국으로 향ᄒᆞ실 ᄶᆡ, 우형이 ᄎᆞ마 써나디 못ᄒᆞ여 ᄒᆞ니, 대인이 졉면교싀(接面交腮)[1024]ᄒᆞ샤 여ᄎᆞ여ᄎᆞ 니르시던 비 오히려 금일 ᄀᆞᆺ거놀, 임염(荏苒)혼[1025] 셰월이 ᄒᆞ마 십칠년이라. 남다른 디원극통(至冤極痛)을 품고 만상역경(萬象歷經)ᄒᆞ나 일명이 여구ᄒᆞ니 사롬의 무디ᄒᆞ미 금슈와 다르리오."

언파의 실셩 뉴체ᄒᆞ니, 초후 부인이 지삼 관위ᄒᆞ여 닉당의 드러오니, 조부인이 샹연 슈루(傷然垂淚) 왈,

"여등이 말 업슨 화상을 보니 므슴 알오미 이시리오."

의렬이 슬프믈 억졔ᄒᆞ고 화셩【57】유어로 모부인을 위로ᄒᆞ더라.

일일은 윤공이 졔친(諸親) 졔붕(諸朋)을 쳥ᄒᆞ여 빅작(杯酌)을 날녀, 만니애각(萬里涯角)의 샹모디졍(相慕之情)을 펼ᄉᆡ, 당ᄉᆞ매

형제와 의렬의 믜여지며 쩍거지는 돗○[흔] 지한이 미ᄉᆞ지젼(未死之前)의 닛기 어려오니, 금일 남미 숨인이 무익히 우러러는 담이 녹을 ᄯᆞᆫ이라. 초후 부인이 위로 왈,

"현뎨 등이 빅부 화샹을 못 뵈올 젹도 견디엿거늘, 이졔 ○[화]도스의 신긔흔 화【127】법으로 숨쳑 능나 우히 빅뷔 의연ᄒᆞ시니, 츠후는 현졔 등 지통을 위로홀 비라. 엇지 이딕도록 통읍 비도ᄒᆞ여 귀쳬를 손상ᄒᆞᄂᆞ뇨?"

챵후 형졔 쳬루 디왈,

"소뎨 등의 유한지통(遺恨之痛)은 별유타인(別有他人)[982]이라. 비록 조셕으로 화상을 앙쳠(仰瞻)ᄒᆞ오나, 묵묵유유(黙黙悠悠)ᄒᆞ시미 알음이 업스시니, 심붕담녈(心崩膽裂)ᄒᆞ여 강인코져 ᄒᆞ나, 억졔치 못ᄒᆞ리로소이다."

의렬이 혈읍 유쳬 왈,

"디인이 셕년의 금국으로 향ᄒᆞ실 ᄶᆞ, 우형이 ᄎᆞ마 써나지 못ᄒᆞ니, 디인○[이] 졉면교싀(接面交腮)[983]ᄒᆞ샤 여ᄎᆞ여ᄎᆞ 니르시던 비 오히려 금일 갓거날, 임염(荏苒)흔[984] 셰월이 ᄒᆞ마 십칠 년이라. 남다른 지원극통(至冤極痛)을 품고 만상역경(萬象歷經)ᄒᆞ나 일명(一命) 여구(如舊)ᄒᆞ니, ᄉᆞ롬【128】의 무지ᄒᆞ미 금슈와 다르리오."

언파의 뉴쳬 실셩ᄒᆞ니, 초후 부인이 지삼 관위ᄒᆞ여 닉당의 드러오니, 조부인이 샹연 슈루(傷然垂淚) 왈,

"여등이 말 업슨 화상을 보니 무슴 아름이 잇시리오."

의렬이 슬픔믈 억졔ᄒᆞ고 화셩 유어로 모부인을 위로ᄒᆞ더라.

일일은 윤공이 졔친(諸親) 졔붕(諸朋)을 쳥ᄒᆞ여 빅작을 날녀, 만니이각(萬里涯角)의 샹모지졍(相慕之情)을 펼ᄉᆡ, 당ᄉᆞ미 ᄯᅩ혼 니

1023)별유타인(別有他人) : 다른 사람과 다름이 있다.
1024)졉면교싀(接面交腮) : 얼굴을 마주대고 뺨을 비빔.
1025)임염(荏苒) :차츰차츰 세월이 지나거나 일이 되어 감.

982)별유타인(別有他人) : 다른 사람과 다름이 있다.
983)졉면교싀(接面交腮) : 얼굴을 마주대고 뺨을 비빔.
984)임염(荏苒) :차츰차츰 세월이 지나거나 일이 되어 감.

쏘흔 니르럿더니, 호람휘 **쌍**셤을 블너 댱시 쇼스의 위딜을 구ᄒ여, 목욕티직(沐浴致齋)1026)ᄒ고 심산벽쳐(深山僻處)의 약을 구ᄒ여 쇼시 지싱ᄒ믈 므러, 제공이 흔가디로 듯게 ᄒ고, 호람휘 옥비의 향온을 친히 브어 금후와 댱스마긔 샤례ᄒ니, 뎡·댱 이공이 샤양 왈,

"쇼뎨 등이 형으로 녀긔 상칭(相稱)ᄒ고, 피ᄎᆞᆺ ᄌᆞ녀를 밧고와 인친후의(姻親厚誼)와 금난교되(金蘭交道) '딘번(陳蕃)의 탑(榻) 나리오믈'1027) 웃던 비라. 금일 형이 친히 잔을 드러 알패 와 주니 블감블식(不敢不食)ᄒ리로다."

윤공이 칭【58】샤 왈,

"뎡형은 슉녈 딜부를 긔특이 나하 만고의 무**쌍**ᄒ거늘, 외(吾)1028) 상심실셩(喪心失性)ᄒ여 뉴가 요믈과 신묘랑 요괴의 작악을 브디(不知)ᄒ여, 딜부를 ᄉᆞ디(死地)의 함닉ᄒ여, 《댱샤 찬뎍(竄謫)의 빙옥신상(氷玉身上)의 누덕과∥빙옥신상(氷玉身上)의 댱샤 찬뎍(竄謫)의 누덕과》 댱샤 만니(萬里)○[의] 쳔만 고상(苦狀)이 왕시(往事)나, 아심(我心)이 경한ᄒ거늘 딜부의 명셩(明聖)ᄒ미 광텬의 검하경혼(劍下驚魂) 되기를 구ᄒ고, 광텬이 댱샤를 탕멸ᄒ고 닙공반샤(立功班師)ᄒ여 위거공후(位居公侯)ᄒ고 오가(吾家)를 흥긔ᄒ미 다 딜부의 공덕이니, 엇디 뎡형의게 하비(賀杯) 업스며, 댱형은 {은}셰린 모(母) ᄀᆞᆺᄐᆞᆫ 슉녀 텰부로뻐 희텬의 쳐실○[을] 삼음도 감격ᄒ거늘, 오가의 드러와 참혹히 곡경을 디닉여 참【59】화여싱(慘禍餘生)이어늘, ᄋᆞ부의 신명 긔이ᄒ미 함분(含憤)ᄒ미 업셔, 희텬의 위딜을 구ᄒ고 텬문

믄럿더니, 호람휘 쌍셤을 블너 댱시 소스의 위질을 구ᄒ여, 목욕치지(沐浴致齋)985)ᄒ고 심슨벽쳐(深山僻處)의 약을 구ᄒ여 소시 지싱ᄒ믈 무러, 제공이 흔가지로 듯게 ᄒ고, 호람휘 옥비의 향온을 친히 부어 금후와 댱스마긔 샤례ᄒ니, 뎡·댱 이공이 샤양 왈,
【129】

"소뎨 등이 형으로 녀긔 샹칭(相稱)ᄒ고 피ᄎᆞᆺ ᄌᆞ녀를 밧고와 인친후의(姻親厚誼)와 금난교되(金蘭交道) '진번(陳蕃)의 하탑(下榻)'986)을 웃는 비라. 금일 형이 친히 준을 드러 알픠와 쥬니 불감불식(不敢不食) ᄒ리로다."

윤공이 칭ᄉᆞ 왈,

"뎡형은 슉녈 딜부를 긔특이 나하 만고의 무쌍ᄒ거날, 외(吾)987) 상심실셩(喪心失性)ᄒ여 뉴가 요믈과 신묘랑 요괴의 쟉악(作惡)을 브지ᄒ여 딜부를 스지(死地)의 함닉ᄒ여 《쟝스 찬젹(竄謫)의 빙옥신샹(氷玉身上)의 누덕∥빙옥신샹(氷玉身上)의 쟝스 찬젹(竄謫)의 누덕》과 쟝샤 만니(萬里)○[의] 쳔만 고상(苦狀)이 왕시나, 아심이 경한ᄒ거늘, 딜부의 명셩(明聖)ᄒ미 광쳔의 검하경혼(劍下驚魂) 되기를 구ᄒ고, 광쳔이 댱스를 탕멸ᄒ고 닙공반ᄉ(立功班師)ᄒ여 위거공후(位居公侯)ᄒ고 오가를 흥긔ᄒ미 다 딜부의 공덕이니, 엇지 뎡형【130】의게 하비(賀杯) 업스며, 댱형은 셰린 모(母) 갓흔 슉녀 쳘부로쎠 희쳔의 쳐실○[을] 슴음도 감덕ᄒ거날, 오가의 드러와 참혹히 곡경을 지닉여 참화여싱(慘禍餘生)이어늘, ᄋᆞ부의 신명 긔이ᄒ미 함분(含憤)ᄒ미 업셔, 희쳔의 위질을 구ᄒ고 《현문∥텬문》은ᄉ를 만나고, 쏘흔

1026)목욕티직(沐浴致齋) : 몸을 깨끗이 하고 삼가 마음을 경건히 가짐.

1027)진번하탑(陳蕃下榻) : 중국 후한 사람 진번(陳蕃)이 탑(榻; 걸상) 하나를 만들어 두고 서치(徐穉)라는 선비가 오면 이것을 내려놓고 앉게 하고는 돌아가면 즉시 다시 올려 다른 사람에게는 쓰지 않았다는 고사를 이르는 말로, 손님을 맞아 극진히 예우함을 뜻한다.

1028)외(吾) : 1인칭 대명사 '오(吾)'에 주격조사 'ㅣ'가 합쳐진 글자. '나는'의 의미.

985)목욕티직(沐浴致齋) : 몸을 깨끗이 하고 삼가 마음을 경건히 가짐.

986)진번하탑(陳蕃下榻) : 중국 후한 사람 진번(陳蕃)이 탑(榻; 걸상) 하나를 만들어 두고 서치(徐穉)라는 선비가 오면 이것을 내려놓고 앉게 하고는 돌아가면 즉시 다시 올려 다른 사람에게는 쓰지 않았다는 고사를 이르는 말로, 손님을 맞아 극진히 예우함을 뜻한다.

987)외(吾) : 1인칭 대명사 '오(吾)'에 주격조사 'ㅣ'가 합쳐진 글자. '나는'의 의미.

의 은샤를 만나고[며] 쏘혼 편친의 위딜(危疾)을 구병ᄒᆞ미 뎡딜부로 일테니, 냥형을 공경ᄒᆞᄂᆞᆫ 거시 아니라 싱녀 잘 ᄒᆞ믈 흠탄(欽歎)ᄒᆞ여 일빈(一杯)를 딘헌(進獻)ᄒᆞ노라."

금후와 댱ᄉᆞ매 지삼 블감ᄒᆞᄆᆞᆯ 샤양ᄒᆞ다가 잔을 밧고, 일빈를 만작(滿酌)ᄒᆞ여 윤공긔 권 왈,

"쇼뎨 발셔 식부의 셩힝 녈졀을 일ᄏᆞᆺ고 하비를 마시고져 ᄒᆞ딕, 쇼뎨 언둔(言鈍)ᄒᆞ여 못 밋쳐 ᄒᆞ엿더니, 녀ᄋᆞ의 미(微)ᄒᆞᆫ 힝ᄉᆞ를 찬양ᄒᆞ니, 쇼뎨ᄂᆞᆫ 셩인 ᄀᆞᆺᄐᆞᆫ 식뷔 빅힝 ᄉᆞ덕이 츌셰ᄒᆞ고, 금번 화란을 건디미 엇디 식부로 되졉ᄒᆞ【60】리오, 나의 은인이라. 이 잔을 형이 마시라."

호람휘 흔연 ᄉᆞ샤 왈,

"딜녀를 과댱(誇張)ᄒᆞ나, 쇼뎨ᄂᆞᆫ 평싱 닉외를 ᄀᆞᆺ치 ᄒᆞᄆᆞ로 샤양치 아닛ᄂᆞ이다."

금휘 밋쳐 답디 못ᄒᆞ여셔, 낙양후 삼곤계 일시의 잔을 드러, 의렬의 셩효 녈졀노 ᄌᆞ긔 곤계 부지 직싱ᄒᆞ고 피화ᄒᆞ믈 칭샤ᄒᆞ여, 싀로이 의렬 딜부의 대은이믈 찬양ᄒᆞ니, 윤공의 쾌활ᄒᆞ미 비길 딕 업셔, 슌슌(順順) 샤양ᄒᆞ고 빈쥬 담화ᄒᆞ여 화긔 만실(滿室)ᄒᆞ엿더니, 홀연 시쟈(侍者) 보왈,

"《담양‖담양》인 셜억이 노야긔 쳥알ᄒᆞᄂᆞ이다."

남휘 셜억 두 ᄌᆞ의 경악ᄒᆞ니, 셰월 비영의 초ᄉᆞ로뼈 댱시로 셜억의게 【61】 파단 말을 싱각고 공의게 고 왈,

"유지(猶子) 회뎨로 더브러 쇼셔헌의 가기인을 보리이다."

공이 미급답의, 초휘 분명이 댱쇼져 사랴 ᄒᆞ던 셜억이믈 짐작고, 뉴부인 악싀 싀로이 듕인 만좌 듕 들추고져 ᄒᆞ여 윤공긔 고 왈,

"졔 브딕 합ᄒᆞ긔 쳥알ᄒᆞ니 ᄎᆞ쳐(此處)로 블너 보쇼셔."

윤공이 본딕 소활(疎豁)이 심ᄒᆞ더라. 셰월 비영 등의 초ᄉᆞ(招辭)를 보아시나, 엇디 식부(息婦)를 ᄉᆞ랴 ᄒᆞ던 셜억이믈 싱각ᄒᆞ리오. 초후디언을 신디(信之)ᄒᆞ여 하리로 셜억 ᄌᆞ

편친의 위질(危疾)을 구병ᄒᆞ미 뎡딜부와 일쳬니, 냥형을 공경홀 거시 아니라, 싱녀 잘 ᄒᆞ믈 흠탄ᄒᆞ여 일비를 진헌(進獻)ᄒᆞ노라."

금후와 댱ᄉᆞ미 지삼 불감ᄒᆞᄆᆞᆯ 스양ᄒᆞ다가 잔을 밧고, 일비를 만죽(滿酌)ᄒᆞ여 윤공긔 권 왈,

"소졔 발쎠 식부의 셩힝 녈졀을 일캇고 하비를 마시고져 ᄒᆞ딕, 소뎨 언둔(言鈍)ᄒᆞ여 못 밋쳐 ᄒᆞ엿더니, 녀아의 미ᄒᆞᆫ 힝ᄉᆞ를 찬양ᄒᆞ니, 【131】 소뎨ᄂᆞᆫ 셩인 갓흔 식뷔 빅힝 ᄉᆞ덕이 츌셰ᄒᆞ고, 금번 화란을 건지미 엇지 식부로 되졉ᄒᆞ리오, 나의 은인이라. 이 준을 형이 마시라."

호람휘 흔연 ᄉᆞ샤 왈,

"딜녀를 과쟝ᄒᆞᄂᆞ 소졔ᄂᆞᆫ 평싱 닉외를 갓치 ᄒᆞᄆᆞ로 샤양치 아닛ᄂᆞ이다."

금휘 밋쳐 답지 못ᄒᆞ여셔, 낙양후 삼곤계 일시의 잔을 드러, 의렬의 셩효 녈졀노 ᄌᆞ긔 곤계 부지 직싱ᄒᆞ고 픠화ᄒᆞ믈 칭ᄉᆞᄒᆞ여, 싀로이 딜부의 은인이믈 찬양ᄒᆞ니, 윤공의 쾌활ᄒᆞ미 비길 딕 업셔 슌슌(順順) 샤양ᄒᆞ고 빈쥬 화긔 만실(滿室)ᄒᆞ엿더니, 호련 시쟈(侍者) 보왈,

"《담양‖담양》인 셜억이 노야긔 쳥알ᄒᆞᄂᆞ이다."

남휘 셜억 두 ᄌᆞ의 경악ᄒᆞ니, 셰월 비영의 초ᄉᆞ로쎠 【131】 댱시로 셜억의게 파단 말을 싱각고, 공의게 고왈,

"유지(猶子) 회뎨로 더부러 소셔헌의 가기인을 보리이다."

공이 미급답의, 초휘 분명이 댱소져 사랴 ᄒᆞ던 셜억이믈 짐작고, 뉴부인 악싀 새로이 쥼인 만좌 즁 들츄고져 ᄒᆞ여, 윤공긔 고 왈,

"졔 부딕 합ᄒᆞ긔 쳥알ᄒᆞ니 ᄎᆞ쳐(此處)로 블너 보쇼셔."

윤공이 본딕 소활(疎豁)이 심ᄒᆞ니 셰월 비영 등의 초ᄉᆞ를 보아시나, 엇지 식부 삿던 셜억을 싱각ᄒᆞ리오. 초후지언을 신지(信之)ᄒᆞ여 하리로 불ᄅᆞ니, 챵휘 곤계 착급ᄒᆞ

(者)를 브르라 ㅎ니, 창후 곤계 착급ㅎ나 밋쳐 말을 못ㅎ여서, 셜억이 쏼니 드러와 안연이 승당(昇堂)ㅎ려 ㅎ더니, 청샤(廳舍)의 명【62】공후빅(名公侯伯)이 널좌ㅎ여 ᄌ포금관(紫袍金冠)과 금옥관면(金玉冠冕)이 휘황ㅎ고, 쇼년 명뮤의 홍포오식(紅袍烏紗) 만좌ㅎ여시니, 윤쳥문 효문과 뎡듀쳥 하스마 등의 호호탈속(晧晧脫俗)ㅎ 풍광이 스좌(四座)의 현요(眩耀)ㅎ고, 좌샹 졔빈이 엄슉 식식ㅎ니, 셜억 지(者) 지믈이 누거만(累巨萬)인 고로, 담양의 이셔 졔 근본이 좀체 스유(士類)런 고로 가장 어즌 체 ㅎ더니, 이의 다드라는 늉늉(慄慄)히 숑황(悚惶)ㅎ여 년망이 듕계의셔 현알ㅎ니, 윤공이 문왈,

"내 너를 알오미 업고 일홈도 모로거늘 하고로 쳥견(請見)ㅎᄂ뇨?"

셜억이 복슈 딕왈,

"쇼싱은 담양 스유(士儒) 셜억이러니, 모월 모일의 존부○○[인이] 비ᄌ로 인ㅎ여 ᄌ부 댱부【63】인을 파라 금은을 취ㅎ시니, 어린 의식 졀식 가인을 구ㅎ던 고로, 개연이 삼빅 금을 드리고 '댱쇼져를 니여 주쇼셔' ㅎ니, 슈일 후 댱쇼졔 졀명(絶命)타 ㅎ고 일빅 금을 도로 주시고, 이빅 금은 쓴 거시니 삼년 늬의 졀식 슉녀를 엇거나, 미말하관(微末下官)을 ㅎ이마 ㅎ시고 문셔를 ㅎ여 주시니, 금년이 삼년 긔한이라, 문셔를 드리고 금을 춧고져 ㅎᄂ이다."

공이 쳥흘의 대경 분노ㅎ여 뉴시를 식로이 죽이고져 시븐 가온딕, 셜억이 지상가 명부를 안연이 스랴 ㅎ던 바를 졀통 괘심이 넉이나, 모친 과실이 업디 아닌 고로, 믁연 냥구의 군관 숑잠을 블러 스빅금을 주라【64】ㅎ고, 셜억을 엄칙 왈,

"네 스스로 스유(士儒)로라 칭ㅎ며, 지상가 명부를 감히 스려 ㅎ던 인식 망측 통히ㅎ나, 내 십분 관셔(寬恕)ㅎ여 우람방ᄌ(愚濫放恣)ㅎ 죄를 믈시(勿視)ㅎᄂ니, 이빅 금을 갑졀ㅎ여 주ᄂ니, 다시는 힝실을 삼가 여ᄎ 의ᄉ를 두디 말나."

언필의 노긔 대발ㅎ니 븍공과 초후 등이

나 밋쳐 말을 못ㅎ여셔, 셜억이 쌜니 드러와 안연이 승당ㅎ려 ㅎ더니, 쳥ᄉ의 명공후빅(名公侯伯)이 열좌ㅎ여 ᄌ표[포]금관(紫袍金冠)【133】과 금옥관면(金玉冠冕)이 휘황ㅎ고 소년 명뉴의 홍포아[오]식(紅袍烏紗) 만좌ㅎ여시니, 윤쳥문 효문과 뎡듁쳥 하스마 등의 호호탈속(晧晧脫俗)ㅎ 풍광이 스좌의 현요(眩耀)ㅎ고, 좌샹 졔빈이 《엄슌∥엄슉》 식식ㅎ니, 셜억 지(者) 지믈이 누거만(累巨萬)인 고로, 담양의 잇셔 졔 근본이 좀 스유(士類)런 고로 《어슨∥어즌》 체ㅎ더니, 이의 다다라는 늉늉(慄慄)히 숑황(悚惶)ㅎ여 《녁말이∥년망이》 즁계의셔 현알ㅎ니, 윤공이 문왈,

"늬 너를 알오미 업고 일홈도 모로거늘 하고로 쳥견ㅎᄂ뇨?"

셜억이 복슈 딕왈,

"소싱은 담양 스유(士儒) 셜억이러니, 모월 모일의 존부○○[인이] 비ᄌ로 인ㅎ여 ᄌ부 장부인을 파라 금은을 취ㅎ시니, 어린 의식 졀식 가인을 구ㅎ던【134】고로 가연이 삼빅 금을 드리고 '댱소져를 니여 주쇼셔' ㅎ니, 슈일 후 댱소졔 졀명(絶命)타 ㅎ고 일빅 금은 도로 쥬시고, 니빅 금○[은] 쓴 거시니 슘년 늬의 졀식 슉녀를 엇거나 미말하관(微末下官)을 ㅎ이마 ㅎ시고, 문셔를 ㅎ여 주시니 금년이 슘지(三載)라. 문셔를 드리고 금을 춧고져 ㅎᄂ이다."

공이 쳥필의 딕경 분노ㅎ여 뉴시를 식로이 죽이고 시븐 가온딕, 셜억이 지샹가 명부를 안연이 스랴ㅎ던 바를 졀통이 넉이나, 모친 과실이 업지 아닌 고로 믁연 양구의, 군관 숑잠을 블너 스빅금을 쥬라ㅎ고, 셜억을 칙 왈,

"네 스유(士儒)로라 ㅎ며 지샹 명부를 스려흔 인식 망측ㅎ나, 늬 십분 관셔(寬恕)ㅎᄂ니【135】이빅 금을 갑졀ㅎ여 쥬ᄂ니, 다시는 힝실을 삼가라."

언필의 노긔 딕발ㅎ니, 븍공과 초후 등이

투목(偸目) 함쇼ᄒ고, 졔인은 식로이 위·뉴 이부인을 흉측히 넉이나, 윤공의 부ᄌ 슉딜 안면을 구애ᄒ여 함구블언 ᄒ더라.

챵휘 계부 면젼의 나아와 고왈,

"셕의 비영 요비 댱슈(嫂)를 팔녀 ᄒ나, 져 셜억 지 인심(人心)이면 경샹ᄉ부가(卿相士夫家) 명ᄉ가실(命士家室)1029)을 ᄉ고 져 ᄒ리잇고? 【65】기심이 분히ᄒ오니 잠간 다스려디이다."

공이 미급답의 댱ᄉ매 분연 왈,

"내 ᄎ인을 다스리고져 ᄒ나, 명공이 슌히 보ᄂᆞ는 바의 말을 아녓더니, 그ᄃᆡ 말을 드르미 올흔디라 이 곳의셔 다스리라."

윤공이 빈미 왈,

"나ᄂᆞᆫ 본셩이 익싁(阨塞)1030)ᄒᆞᆫ 거조를 못ᄒᆞᄂᆞ니 댱공의 ᄯᅳᆺ이 여ᄎᆞᄒ니 약간 칙장(責杖)이나 ᄒ라."

챵휘 슈명ᄒ고 댱공으로 더브러 난간 밧긔 나가, 셜억을 엄히 오십 댱을 둉타ᄒᆞᆯ식, 노긔 븍풍한셜(北風寒雪) ᄀᆞᆺ고 댱공의 호령이 뇌셩 ᄀᆞᆺᄐᆞ니, 셜억이 피육이 후란ᄒ여 혼블부톄(魂不附體)ᄒ니, ᄉ빅금 아냐 만만금이라도 경이 업셔, 졔 죵ᄌ의게 붓들녀 쥬인의게 【66】로 갈식, 숑잠이 ᄉ빅 금을 젼젼이 혜여 주니라.

일모낙극(日暮樂極)ᄒ니 졔공이 각귀기가(各歸其家)ᄒ고, 공이 ᄌ딜을 거ᄂᆞ려 입닉ᄒ여 태부인긔 혼뎡ᄒᆞᆯ식, 셜억의 말을 나죽이 고ᄒᆞ니라.

ᄎ시 의렬과 초후 부인이 근친 칠팔일이 되미, 구괴 브르시ᄂᆞᆫ 명이 나리니 운산으로 도라갈식, 존당과 ᄌ당긔 슌태부인 말ᄉᆞᆷ을 젼ᄒ여 슉녈을 귀근코져 ᄒ니, 두 부인이 쾌허ᄒᆞᆷ이 삼인이 하딕고 도라가니, 가듕이 훌연ᄒᆞᆷ을 니긔디 못ᄒ더라.

어시의 의렬과 슉녈과 초후 부인이 운산의 니르니, 슉녈 형뎨ᄂᆞᆫ 뎡부로 드러가고

투목(偸目) 함소ᄒ고, 졔인은 식로이 위·뉴이 부인을 흉히 넉이나, 윤공 삼슉딜 안면을 구이ᄒ여 함구불언ᄒ더라.

챵휘 계부긔 진젼 고왈,

"셕의 비영 요비 댱슈(嫂)를 팔녀ᄒ나, 져 셜억 지 인심(人心)이면 경샹ᄉ부가(卿相士夫家) 명ᄉ가실(命士家室)988)을 ᄉ고져 ᄒ리잇고? 기심이 분히ᄒ오니 ᄌ간 다스리ᄉ이다."

공이 미급답의 댱ᄉ미 분연 왈,

"닉 ᄎ인을 다스리고져 ᄒ나 명공이 슌히 보ᄂᆞ는 바의 말을 아녓더니, 그ᄃᆡ 말을 드르니 올흔지라. 이 곳의셔 다스리라."

윤공이 빈미 왈,

"나ᄂᆞᆫ 본셩이 익싁(阨塞)989)ᄒᆞᆫ 거조를 못ᄒᆞᄂᆞ니, 약간 칙 【136】 쟝(責杖)이나 ᄒ라."

챵휘 슈명ᄒ고 댱공으로 더부러 난간 밧긔 나가, 셜억을 엄히 오십 쟝을 즁타ᄒᆞᆯ식, 노긔 북풍한셜(北風寒雪) ᄀᆞᆺ고, 댱공의 호령이 뇌졍(雷霆) 갓ᄐᆞ니, 억이 피육이 후란ᄒ여 혼불 부쳬(魂不附體)ᄒ니, ᄉ빅 금 아냐 만만금이라도 경이 업셔 졔 죵ᄌ(從者)의게 붓들녀 쥬인에게로 갈식, 송잠이 ᄉ빅 금을 젼젼이 혜여 주니라.

일모낙극(日暮樂極)ᄒ니 졔공이 각귀기가(各歸其家)ᄒ고 공이 ᄌ질을 거ᄂᆞ려 입닉ᄒ여 틴부인긔 혼졍ᄒᆞᆯ식, 셜억의 말을 나죽이 고ᄒᆞ니라.

ᄎ시 의렬과 초후 부인이 근친 칠팔 일이 되미, 구괴 브르시ᄂᆞᆫ 명이 나리니 운ᄉ으로 도라갈식, 존당과 ᄌ당긔 슌틴부인 말ᄉᆞᆷ을 젼ᄒ여 슉녈을 귀근코져ᄒ니, 두 【137】 부인이 쾌허ᄒᆞᆷ이 ᄉ인이 하딕고 도라가니, 가즁이 훌연하믈 니긔지 못ᄒ더라.

어시의 의렬과 슉녈과 초후 부인이 운ᄉ의 니르니, 슉녈 형졔ᄂᆞᆫ 뎡부로 드러가고

1029)명ᄉ가실(命士家室) : 관직을 받은 사대부의 아내.

1030)익싁(阨塞) : 운수가 막히어 생활이나 행색 따위가 군색함.

988)명ᄉ가실(命士家室) : 관직을 받은 사대부의 아내.

989)익싁(阨塞) : 운수가 막히어 생활이나 행색 따위가 군색함.

초후 부인은 하부로 드러와 구고긔 뵈오니,
뎡【67】국공 부뷔 그 스이나 반기믈 니긔
디 못ᄒ고, 쇼져의 쳑안슈용(瘠顔瘦容)이 닉
도히 나하 풍영쇄락(豊盈灑落)ᄒ니 구긔 더
옥 깃거 ᄒ더라. ᄎ시 의렬이 슉녈노 더브
러 존당 부모긔 뵈오니, 구고 존당이 반기
고 겸ᄒ여 슉녈을 보니, 슌태부인과 딘부인
이 집슈 비열(悲咽)ᄒ니, 븍공이 호언으로
위로ᄒ며 슉녈이 화셩으로 관위○○[ᄒ여]
조손모녀남민형뎨(祖孫母女男妹兄弟) 면면
이 반기며 가득이 즐겨ᄒ고, 쇼양시ᄂᆞᆫ 초면
이나 그 용화 혜질을 이경ᄒ여 태우의 쳐궁
이 유복ᄒᄆᆞᆯ 깃거 ᄒ고, 층층ᄒ 딜ᄋᆡ의 닌
봉긔린(麟鳳騏驎) ᄀᆞᆺ튼 긔딜을 보믹, ᄌᆞ긔
유ᄌᆞ(幼子)의 신뇽(神龍) ᄀᆞᆺ튼 의용이 믄득
삼삼ᄒ여[1031]   오ᄂᆡ여할(五內如割)[1032]ᄒ
【68】나 스식지 아냐, 격셰니졍(隔歲離情)
을 고ᄒᆞᆯ식, 븍공이 쇼이문디(笑而問之) 왈,
　"현민 녀화위남(女化爲男)ᄒ여 화가 동상
(東床)이 되다 ᄒ니, 장ᄎ 화시를 엇디코져
ᄒᄂᆞ뇨?"
　슉녈이 ○○[딕왈]
　"형셰 브득이 화가 녀셰(女壻) 되나 화시
ᄂᆞᆫ 윤군긔 쳔거ᄒ리니, 화공의 무죄히 원뎍
ᄒᆫ 비 원통ᄒ더이다."
　븍공이 굴오딕,
　"무죄ᄒᆞᆯ딘딕 셩딕디티(聖代之治)의 엇디
신셜(伸雪)치 못ᄒ리오. 연이나 현민 화가
ᄉᆞ덕(事蹟)을 ᄌᆞ시 아라시리니, 뉘 화령댱을
히ᄒ다 ᄒ더뇨?"
　슉녈이 화공의 니르던 바 태혹ᄉᆞ 위현과
상셔 《님박∥심방》이믈 젼ᄒ니, 븍공이
드를 만ᄒ나 화공의 현명ᄒᄆᆞᆯ 여러 길노 듯
고, 그윽이 흉모를 들쳐닉여 현인을【69】
구코져 ᄒ더라.
　슌태부인과 딘부인이 위·뉴의 과악을 싀
로이 일ᄏ고 머리를 흔드니, 슉녈이 가마니
위태부인의 회과홈과 윤쇼ᄉᆞ의 츌텬디효로

초후 부인은 하부로 드러와 구고긔 뵈오니,
뎡국공 부뷔 그 스이나 반기믈 니긔지 못ᄒ
고, 소져의 쳑안슈용(瘠顔瘦容)이 닉도히 나
하 풍영쇄락(豊盈灑落)ᄒ니 구긔 더욱 깃거
ᄒ더라. ᄎ시 의렬이 슉녈노 더부러 존당
부모긔 뵈오니, 구고 존당이 반기고 겸ᄒ여
슉녈을 보니, 틴부인과 진부인이 집슈 비열
(悲咽)ᄒ니, 북공이 호언 위로ᄒ며 슉녈이
화셩으로 관위ᄒ여 조손모녀남민형제(祖孫
母女男妹兄弟) 면면이 반기며 가득이 즐겨
ᄒ고, 소양시ᄂᆞᆫ 초면이나 그【138】용화 혜
질을 이경ᄒ여 틴우의 쳐궁이 유복ᄒᄆᆞᆯ 깃
거ᄒ고, 층층ᄒ 딜아의 닌봉긔린(麟鳳騏驎)
ᄀᆞᆺ튼 긔딜을 보믹, ᄌᆞ긔 유ᄌᆞ의 신뇽(神龍)
ᄀᆞᆺᄒᆫ 의용이 믄득 숨숨ᄒ여[990] 오ᄂᆡ여할(五
內如割)[991] ᄒ나 스식지 아냐, 격셰니졍(隔
歲離情)을 고ᄒᆞᆯ식, 북공이 소이문지(笑而問
之) 왈,
　"현민 녀화위남(女化爲男)ᄒ여 화가 동상
(東床)이 되다 ᄒ니, 쟝ᄎ 화시를 엇지코져
ᄒᄂᆞ뇨?"
　슉녈이 ○○[딕왈],
　"형셰 부득이 화가 녀셰(女壻) 되나 화시
ᄂᆞᆫ 윤군긔 쳔거ᄒ리니, 화공의 무죄히 원뎍
ᄒᆫ 비 원통ᄒ더이다."
　북공이 ᄀᆞ로딕,
　"무죄ᄒᆞᆯ진딕 셩딕지치(聖代之治)의 엇지
신셜치 못ᄒ리오. 연이나 현민 화가 ᄉᆞ적을
ᄌᆞ셔이 알아시리니, 뉘 화평즁을 히ᄒ다 ᄒ
더뇨?"
　슉녈이 화공의 니ᄅᆞ던 바 틴혹ᄉᆞ 위현
【139】과 상셔 《님박∥심방》이믈 젼ᄒ
니, 북공이 드를 만ᄒ나 화공의 현명ᄒᄆᆞᆯ
여러 길노 듯고, 그윽이 흉모를 둘쳐닉여
현인을 구코져 ᄒ더라.
　슌틴부인과 진부인이 위·뉴의 과악을 싀
로이 일ᄏ고 머리를 흔드니, 슉녈이 가마니
위틴부인의 회과홈과 윤소ᄉᆞ의 츌쳔지효로

1031)삼삼ᄒ다 : 잊히지 않고 눈앞에 보이는 듯 또렷
　　하다.
1032)오ᄂᆡ여할(五內如割) : 오장이 끊는 듯 아픔.

990)삼삼ᄒ다 : 잊히지 않고 눈앞에 보이는 듯 또렷
　　하다.
991)오ᄂᆡ여할(五內如割) : 오장이 끊는 듯 아픔.

뉴부인을 감화ᄒ여, 갈호디심(蝎虎之心)이
밧괴여 현냥(賢良)ᄒ믈 고ᄒ니, 슌·딘 이부
인이 대희 왈,

  "연즉 너희 일신이 안한(安閒)ᄒ리니 므
슴 넘녜 이시리오마ᄂ, 하ᄋ의 참잔(慘殘)턴
경상(景狀)을 싱각ᄒ미, 그 회과ᄒ미 엇디
실ᄉ(實事)라 ᄒ리오."

  ᄒ더라.

  ᄎ셜 만셰 황애 셜장인ᄌ(設場人材)[1033]
ᄒ실ᄉ,【70】

뉴부인을 감화ᄒ여, 갈호지심(蝎虎之心)이
밧괴여 현냥(賢良)ᄒ믈 고ᄒ니, 슌·진 이부
인이 디희 왈,

  "연즉 너희 일신이 안한(安閒)ᄒ리니 무
슴 넘네 니시리오마ᄂ, 하ᄋ의 참준(慘殘)턴
경상(景狀)을 싱각ᄒ미, 그 회과ᄒ미 엇지
실ᄉ(實事)라 ᄒ리오."

  ᄒ더라.

  ᄎ셜 만셰 황애 셜즁인ᄌ(設場人材)[992]
ᄒ실ᄉ,【140】

1033)셜장인ᄌ(設場人材) : 과거를 시행하여 인재를
뽑음.

992)셜장인ᄌ(設場人材) : 과거를 시행하여 인재를
뽑음.

명듀보월빙 권디칠십오

화셜 만셰 황애 셜장인지 ㅎ실시, 금휘 셩만(盛滿)을 두려 유흥을 응과치 아니려 ㅎ니, 슌태부인이 공주의 과경을 죄오는디라, 금휘 열친을 위ㅎ여 우주를 과옥(科屋)의 드려보닐시, 지조는 의마(倚馬)1034)의 빗나고 복녹은 텬시를 응ㅎ여, 공지 문과 《뎨삼경‖뎨삼장(第三壯)1035)》의 쌘히니, 십삼 츈광의 뇽닌(龍鱗)을 붓들고 봉익(鳳翼)을 밧드러, 셤궁(蟾宮)1036)의 계디(桂枝)를 꺽그니, 그 풍신은 반악(潘岳)1037)의 고은 거실 능만(凌慢)ㅎ고 니쳥년(李靑蓮)1038)의 호풍(好風)을 겸ㅎ여, 스군치졍(事君治政)의 슉연(肅然)ㅎ 명상(名相)이오,【1】 녜도힝신(禮度行身)은 부형여풍(父兄餘風)이니, 텬심이 흡연 이경ㅎ시고, 빅뇨(百寮) 금평후 복녹을 탄복ㅎ실시, 텬지 유흥으로 금문딕스(金文直士)1039)를 ㅎ이샤 삼일유과(三日遊街) 후 찰딕ㅎ라 ㅎ시니 딕시 샤은ㅎ실시, 금후다려 샤연(賜宴)을 아니 바드믈 문디(問之)ㅎ시니, 금휘 돈슈 쥬왈,

"신이 므슨 사룸이라 셩은(聖恩)이 샤연

츠시 만셰 황애 셜장인지 ㅎ실시, 금휘 셩만(盛滿)을 우구ㅎ여 유흥을 응과치 아니려 ㅎ니, 슌틔부인이 공주의 과경을 조이는지라. 금휘 열친을 위ㅎ여 우주를 과옥의 드려 보닐시, 지조는 의마(倚馬)993)의 빗나고 복녹은 쳔시를 응ㅎ여, 공지 문과 졔슴장(第三壯)994)의 쌘히니, 십습 츈광의 《뇽닉‖용닌(龍鱗)》을 붓들고 봉익(鳳翼)을 밧드러 셤궁(蟾宮)995)의 《셜계‖계지(桂枝)》를 꺽으니, 그 풍신은 반악(潘岳)996)의 고은 거실 능만(凌慢)ㅎ고, 니쳥연(李靑蓮)997)의 호풍(好風)을 겸ㅎ여, 치국치졍(治國治政)의 슉연ㅎ 경○[뉸](經綸)과 슉연ㅎ 녜졀힝신(禮節行身)은 부형여풍(父兄餘風)이니, 쳔심이 흡연 이경ㅎ시고, 빅뇨(百寮) 금평후 복녹을 탄복ㅎ실시, 쳔지 유흥으로 금문직스(金文直士)998)를 ㅎ이샤 삼일유가(三日遊街) 후 찰직ㅎ라 ㅎ시니, 직【141】시 스은ㅎ실시, 금후다려 스연(賜宴)을 아니 바드믈 문지(問之)ㅎ시니, 금휘 돈슈 쥬왈,

"신이 무슨 스룸이라 셩은(聖恩)이 샤연의 밋츠시니잇고? 연이나 강근지친(强近之

1034)의마(倚馬) : 말에 잠깐 기댄 사이라는 뜻으로 의마지재(倚馬之才)에서 온 말이다. 의마지재란, '글을 빨리 잘 짓는 재주'를 이르는 말인데, 말에 잠깐 기대어 있는 동안에 만언(萬言)의 글을 지었다는 중국 진(晉)나라 원호(袁虎)의 고사에서 유래하였다

1035)뎨삼장(第三壯) : 삼장장원(三場壯元). 과거 시험에서 초장, 중장, 종장의 삼 단계 시험을 모두 장원으로 급제함을 이름.

1036)셤궁(蟾宮) : 달. 섬(蟾)은 달 또는 달빛을 말한다.

1037)반악(潘岳) : 247~300. 중국 서진(西晉)의 문인(文人). 자는 안인(安仁). 권세가인 가밀(賈謐)에게 아첨하다 주살(誅殺)되었다. 미남이었으므로 미남의 대명사로도 쓴다.

1038)니쳥년(李靑蓮) : 청련거사(靑蓮居士) 이백(李白)을 달리 이른 말.

1039)금문직스(金文直士) : 임금의 조서를 짓는 일을 맡은 벼슬. 금문(金文)은 조서(詔書)를 뜻하는 말이고 직사(直士)는 직학사(直學士)의 줄임말. 직학사는 고려 시대에 둔, 홍문관·수문관·집현전의 정4품 벼슬. 한림학사도 정4품이다.

993)의마(倚馬) : 말에 잠깐 기댄 사이라는 뜻으로 의마지재(倚馬之才)에서 온 말이다. 의마지재란, '글을 빨리 잘 짓는 재주'를 이르는 말인데, 말에 잠깐 기대어 있는 동안에 만언(萬言)의 글을 지었다는 중국 진(晉)나라 원호(袁虎)의 고사에서 유래하였다

994)뎨삼장(第三壯) : 삼장장원(三場壯元). 과거 시험에서 초장, 중장, 종장의 삼 단계 시험을 모두 장원으로 급제함을 이름.

995)셤궁(蟾宮) : 달. 섬(蟾)은 달 또는 달빛을 말한다.

996)반악(潘岳) : 247~300. 중국 서진(西晉)의 문인(文人). 자는 안인(安仁). 권세가인 가밀(賈謐)에게 아첨하다 주살(誅殺)되었다. 미남이었으므로 미남의 대명사로도 쓴다.

997)니쳥년(李靑蓮) : 청련거사(靑蓮居士) 이백(李白)을 달리 이른 말.

998)금문직스(金文直士) : 임금의 조서를 짓는 일을 맡은 벼슬. 금문(金文)은 조서(詔書)를 뜻하는 말이고 직사(直士)는 직학사(直學士)의 줄임말. 직학사는 고려 시대에 둔, 홍문관·수문관·집현전의 정4품 벼슬. 한림학사도 정4품이다.

의 밋추시니잇고? 연이나 강근디친(强近之親)의 삼수복뎨(三四服制) 명년가디오니, 명츄(明秋)[1040]로나 셩은을 밧즈와 풍악 연회코져 ᄒᆞᄂᆞ이다."

샹이 그 녜의를 심복(心服)ᄒᆞ시고, 이셕남셩각이 무과 댱원으로 웅호대략(雄豪大略)[1041]과 강용댱밍(强勇壯猛)이 슈쳔군웅(數千群雄)의 뎨일【2】이오, 문장이 유여(裕餘)ᄒᆞ니, 샹이 통우ᄒᆞ샤 거긔댱군(車騎將軍) 도총ᄉᆞ(都總使)를 겸ᄒᆞ고, 쳥셩항의 일좌(一座) 대가(大家)와 노비(奴婢) 뎐장(田莊)을 샤급(賜給)ᄒᆞ시니, ᄎᆞ(此)ᄂᆞᆫ 댱샤 파뎍디공(破敵之功)을 표ᄒᆞ시미라. 셩각이 고샤ᄒᆞ나 블윤ᄒᆞ시니 셩각이 브득이 샤은ᄒᆞ고 샤급ᄒᆞᆫ 가샤(家舍)의 니르니, 벽와쥬밍(碧瓦朱甍)[1042]과 고루거각(高樓巨閣)이 왕공후빅가(王公侯伯家)로 일반이오. 남녀 노복이 오십여 명이니 각각 재릉(才能)을 고ᄒᆞ고 소임을 쳥ᄒᆞ니, 총병(總兵)이 본디 금은필빅(金銀疋帛)을 블관이 넉이고, 즈긔 부귀 일시의 환혁(煥赫)ᄒᆞᆷ을 두려 근신(謹愼) 겸퇴(謙退)ᄒᆞ나, 본(本)이 ᄉᆞ족(士族)이오, 믈망(物望)이 환혁(煥赫)ᄒᆞ니, 쥬문갑뎨(朱門甲第)[1043]의 유녀지 쳥혼ᄒᆞ디, 셩각이 공후디개(公侯之家)를 괴로와【3】구디 샤양ᄒᆞ니, 남창휘 별(別)노 구ᄒᆞ여 형부시랑 텰임의 쇼녀를 취케 ᄒᆞ니, 텰시 용안이 졀셰ᄒᆞ고 셩힝이 온슌ᄒᆞ니 셩각이 대열ᄒᆞ더라.

어시의 니부샹셔 윤환이 입샹(入相)ᄒᆞ미 샹이 희텬으로 니부 통직 태ᄌᆞ태부 홍문관 태흑ᄉᆞ를 ᄒᆞ이샤 찰딕 힝공ᄒᆞ라 ᄒᆞ시니, 윤태뷔 니부텬관(吏部天官)[1044]이 블감ᄒᆞᆷ믈 샤양ᄒᆞ니, 샹이 지삼 권유ᄒᆞ샤 브득이 힝공ᄒᆞ니, 뎡튱대졀(貞忠大節)이 이윤(伊尹)[1045]

親)의 숨수복졔(三四服制) 《명영‖명년》 신지오니, 명츄(明秋)[999]로나 셩은을 밧드와 풍악 연회코져 ᄒᆞᄂᆞ이다."

샹이 그 녜의를 심복(心服)ᄒᆞ시고, 이셕셩각이 무과 장원으로 웅호딕략(雄豪大略)[1000]과 강뇽즁밍(强勇壯猛)이 《구쳔군용‖슈쳔군웅(數千群雄)》의 졔일이오, 문즁이 《유연‖유여(裕餘)》ᄒᆞ니 샹이 총우ᄒᆞ샤 거긔쟝군(車騎將軍) 도총ᄉᆞ(都總使)를 겸ᄒᆞ고 쳥셩항의 일좌(一座) 딕가와 노비 젼즁(田莊)을 ᄉᆞ급(賜給)ᄒᆞ시니, 셩각이 고ᄉᆞᄒᆞ나 불뉸ᄒᆞ시니, 셩각이 부득이 ᄉᆞ은ᄒᆞ고 ᄉᆞ급ᄒᆞ신 가ᄉᆞ(家舍)의 이르니 벽와쥬밍(碧瓦朱甍)[1001]과 고루걸각(高樓傑閣)이 공후빅가(公侯伯家)로 일반이오. 남녀 노복이 오십여 명이니 각각 직릉(才能)을 고ᄒᆞ고 소임을 쳥ᄒᆞ니, 총병(總兵)이 본디【142】금은필빅(金銀疋帛)을 불관이 넉이고, 즈긔 부귀 일시의 환혁(煥赫)ᄒᆞᄆᆞᆯ 두려 근신(謹愼) 겸퇴(謙退)ᄒᆞ나, 본이 ᄉᆞ족(士族)이오, 물망(物望)이 환혁ᄒᆞ니, 쥬문갑졔(朱門甲第)[1002]의 유여직(有女子) 쳥혼ᄒᆞ디, 챵휘 별구(別求)ᄒᆞ여 형부 시랑 쳘엄의 쇼녀를 취케ᄒᆞ니 셩각이 딕열ᄒᆞ라.

어시의 니부샹셔 윤환이 《입쟝‖입샹(入相)》ᄒᆞ미, 샹이 희텬으로 니부총직 팃ᄌᆞ팃부 홍문관 팃흑ᄉᆞ를 ᄒᆞ이샤 찰직 힝공ᄒᆞ라 ᄒᆞ시니, 윤팃뷔 니뷔쳔관(吏部天官)[1003]이 불감ᄒᆞᆷ믈 ᄉᆞ양ᄒᆞ니, 쳔직 지슴 권유ᄒᆞ샤 부득이 힝공ᄒᆞ니, 졍츙딕졀(貞忠大節)이 이윤

1040) 명츄(明秋) : 명년 가을.
1041) 웅호대략(雄豪大略) : 호걸의 큰 책략(策略).
1042) 벽와쥬밍(碧瓦朱甍) : 푸른 기와지붕에 붉은 용마루를 얹음.
1043) 쥬문갑뎨(朱門甲第) : 붉은 대문을 단, 크게 잘 지은 집이란 뜻으로, 높은 벼슬아치가 사는 집을 이르는 말.
1044) 니부텬관(吏部天官) : 이부상서(吏部尙書)를 달리 이르는 말.

999) 명츄(明秋) : 명년 가을.
1000) 웅호대략(雄豪大略) : 호걸의 큰 책략(策略).
1001) 벽와쥬밍(碧瓦朱甍) : 푸른 기와지붕에 붉은 용마루를 얹음.
1002) 쥬문갑뎨(朱門甲第) : 붉은 대문을 단, 크게 잘 지은 집이란 뜻으로, 높은 벼슬아치가 사는 집을 이르는 말.
1003) 니부텬관(吏部天官) : 이부상서(吏部尙書)를 달리 이르는 말.

듀공(周公)1046)을 압두ᄒᆞ여 산두(山斗)1047) 등망(衆望)이 형뎨의게 온젼ᄒᆞ더라.

윤니뷔 한공ᄌᆞ 희린과 곽부인을 미화항의 두엇더니, 그 ᄉᆞ이 ᄉᆞ괴 년쳡(連疊)ᄒᆞ여 달니 안둔치 못ᄒᆞ엿다가, 이의 【4】 고ᄒᆞ고 별당을 쇄소ᄒᆞ여 곽부인 모ᄌᆞ를 안둔ᄒᆞ고 ᄉᆞ오 복쳡으로 ᄉᆞ환케 ᄒᆞ여, 금의옥식(錦衣玉食)을 넉넉이 니우니 희린 모ᄌᆡ 감은ᄒᆞ미 분골 쇄신코져 ᄒᆞ더라.

화셜 뎡부 순태부인이 유흥○[공]ᄌᆞ 입과 후 밧비 미부(美婦)를 퇴ᄒᆞ라 ᄒᆞ니, 금휘 슈명ᄒᆞ여 퇴부ᄒᆞᆯᄉᆡ, 명공거경과 황친국쳑이 쳥혼ᄒᆞ리 문이 몌엿더라.

뎡딕ᄉᆞ 유흥의 ᄌᆞ는 만빅이니, 싱셩ᄒᆞ미 튱신효뎨ᄒᆞ고 근신겸퇴(謹愼謙退)ᄒᆞ여, 문당은 한원(翰苑)1048) 옥당(玉堂)1049)의 함옥토쥬(含玉吐珠)1050)ᄒᆞ고, 풍신용모는 남듕일식(男中一色)1051)이나, 우흐로 삼형을 잠간 블급ᄒᆞ니, 추(此)는 잠간 유약(柔弱)ᄒᆞ미러라.

익쥐(益州)1052) ᄌᆞᄉᆞ 쥬한긔 딕ᄉᆞ를 보고

1045)이윤(伊尹) : 중국 은나라의 전설상의 인물. 이름난 재상으로 탕왕을 도와 하나라의 걸왕을 멸망시키고 선정을 베풀었다.
1046)듀공(周公) : 중국 주나라의 정치가. 문왕의 아들로 성은 희(姬). 이름은 단(旦). 형인 무왕을 도와 은나라를 멸하였고, 주나라의 기초를 튼튼히 하였다. 예악제도(禮樂制度)를 정비하였으며, ≪주례(周禮)≫를 지었다고 알려져 있다.
1047)산두(山斗) : 태산북두(泰山北斗)의 준말. 태산(泰山)과 북두칠성을 아울러 이르는 말로, 세상 사람들로부터 존경받는 사람을 비유적으로 이르는 말.
1048)한원(翰苑) : 한림원(翰林院). 조선시대 예문관의 별칭. 임금의 명을 짓는 일을 맡아보던 관아.
1049)옥당(玉堂) : 조선 시대 홍문관의 별칭. 삼사(三司) 가운데 하나로 궁중의 경서, 문서 따위를 관리하고 임금의 자문에 응하는 일을 맡아보던 관아
1050)함옥토쥬(含玉吐珠) : 옥(玉)을 머금고 구슬을 토한다는 뜻으로, 문장력이 뛰어남을 비유적으로 표현한 말.
1051)남듕일식(男中一色) : 남자 가운데 뛰어난 미모.
1052)익쥐(益州) : 중국 한나라 때에 둔 십삼 자사부

(伊尹)1004) 쥬공(周公)1005)을 압두ᄒᆞ여 산두(山斗)1006) 즁망(衆望)이 형졔의게 온젼ᄒᆞ더라.

윤니뷔 한공ᄌᆞ 회린과 곽부인을 미화항의 두엇더니, 그 ᄉᆞ이 ᄉᆞ괴 연쳡(連疊)ᄒᆞ여 달니 안둔치 못ᄒᆞ엿다가, 이의 【143】 부친긔 고ᄒᆞ고 별당을 슈쇄ᄒᆞ여 곽부인 모ᄌᆞ을 《감희ᄒᆞ여 뫼셔‖안둔ᄒᆞ고》 ᄉᆞ오 복쳡으로 ᄉᆞ환케 ᄒᆞ여, 금의옥식(錦衣玉食)을 넉넉이 이우니, 희린 모ᄌᆡ 감은ᄒᆞ미 분골 쇄신코져 ᄒᆞ더라.

화셜 뎡부 순틱부인이 유흥공ᄌᆞ 입과 후 밧비 미부(美婦)를 퇴ᄒᆞ라 ᄒᆞ니, 금휘 슈명ᄒᆞ여 퇴부ᄒᆞᆯᄉᆡ, 명공긔[거]경(名公巨卿)과 황친국쳑이 쳥혼ᄒᆞ리 문이 몌엿더라.

뎡딕ᄉᆞ 유흥의 ᄌᆞ는 만빅이니, 싱셩ᄒᆞᆫ 비 츙신 효졔ᄒᆞ고 근신겸퇴(謹愼謙退)ᄒᆞ여, 문듕은 《한훤‖한원(翰苑)1007)》 옥당(玉堂)1008)의 《학유‖함옥》토쥬(含玉吐珠)1009)ᄒᆞ고, 풍신 용모는 남즁일식(男中一色)1010)이나, 《우인‖위인(爲人)》○[이] 가즁 웅위(雄偉)ᄒᆞ고 호승(好勝)ᄒᆞ여 두리는 바 부형 ᄲᅮᆫ이라.

이쩍 익쥐(益州)1011) ᄌᆞᄉᆞ 쥬한긔 직ᄉᆞ를

1004)이윤(伊尹) : 중국 은나라의 전설상의 인물. 이름난 재상으로 탕왕을 도와 하나라의 걸왕을 멸망시키고 선정을 베풀었다.
1005)듀공(周公) : 중국 주나라의 정치가. 문왕의 아들로 성은 희(姬). 이름은 단(旦). 형인 무왕을 도와 은나라를 멸하였고, 주나라의 기초를 튼튼히 하였다. 예악제도(禮樂制度)를 정비하였으며, ≪주례(周禮)≫를 지었다고 알려져 있다.
1006)산두(山斗) : 태산북두(泰山北斗)의 준말. 태산(泰山)과 북두칠성을 아울러 이르는 말로, 세상 사람들로부터 존경받는 사람을 비유적으로 이르는 말.
1007)한원(翰苑) : 한림원(翰林院). 조선시대 예문관의 별칭. 임금의 명을 짓는 일을 맡아보던 관아.
1008)옥당(玉堂) : 조선 시대 홍문관의 별칭. 삼사(三司) 가운데 하나로 궁중의 경서, 문서 따위를 관리하고 임금의 자문에 응하는 일을 맡아보던 관아
1009)함옥토쥬(含玉吐珠) : 옥(玉)을 머금고 구슬을 토한다는 뜻으로, 문장력이 뛰어남을 비유적으로 표현한 말.
1010)남듕일식(男中一色) : 남자 가운데 뛰어난 미모.
1011)익쥐(益州) : 중국 한나라 때에 둔 십삼 자사부

일안(一眼)의 청혼ᄒᆞ니, 규슈【5】의 현미(賢美)ᄒᆞ믈 ᄌᆞ시 아ᄂᆞᆫ 고로, 쾌허ᄒᆞ여 면약(面約) 퇴○[일]ᄒᆞ니 디격(只格) 일슌(一旬)이니[라]. 냥가(兩家)의셔 범구(凡具)를 급히 《쥰구∥쥰비》ᄒᆞ여 길일의 빅냥(百輛)[1053] 우귀(于歸)[1054]ᄒᆞᆯ시, 신뷔 풍완호딜(豊婉好質)이 츄텬명월(秋天明月)과 금분화왕(金盆花王)[1055] ᄀᆞᆺᄐᆞ여 오복완젼디상뫼(五福完全之相貌)니, 존당 구괴 이디(愛之)ᄒᆞ고 딕시 공경 듕딕ᄒᆞ여 금슬이 화합ᄒᆞ고 합개(闔家) 칭션ᄒᆞ더라.

뎡부인 슉녈이 운산의 일삭을 뉴(留)ᄒᆞ여 딕ᄉᆞ의 등과(登科) 입장(入丈)[1056]을 보고 구가로 올ᄉᆡ, 븍공긔 화평댱 신원홈과 ᄯᅩ 남경 포졍ᄉᆞ 남슉을 환경케 ᄒᆞᄆᆞᆯ 간쳥ᄒᆞ니, 븍공이 쇼왈,

"근간의 윤ᄉᆞ빈이 니부(吏部)의 거ᄒᆞ여 용인티졍(用人治政)이 명경(明鏡) ᄀᆞᆺᄐᆞ니 현미ᄂᆞᆫ ᄉᆞ빈의게 쳥ᄒᆞ라."

슉녈이 잠쇼 ᄌᆡ쳥(再請)ᄒᆞ여 븍공으로 남·화 냥가【6】 듕미 되라 ᄒᆞ니, 븍공이 잠쇼 브답ᄒᆞ더라. 슉녈이 존당 부모긔 하딕고 도라오ᄂᆞᆫ 길희, 딘부의 드러가 표슉 부부를 니별ᄒᆞ니, 낙양후 부뷔 결연ᄒᆞ고 슉녈이 딘시를 슈히 보ᄂᆡ쇼셔 ᄒᆞ니, 평댱이 대언(大言) 졀치(切齒)ᄒᆞ여 미뎨를 일싱 동거ᄒᆞ여 윤부의 아니 보ᄂᆡ렷노라 ᄒᆞ니, 슉녈이 히유(解諭)ᄒᆞ고 딘시를 ᄌᆡ삼 당부ᄒᆞ여 윤부로

○○[보고] 일안(一眼)의 쳥혼ᄒᆞ니, 《쥬공∥뎡공》이 셔로 규슈의 현미ᄒᆞ믈 ᄌᆞ시 아ᄂᆞᆫ 고로, 쾌허ᄒᆞ여 면약 퇴일【144】ᄒᆞ니 지격 일슌이니[라]. 냥가의셔 범구(凡具)를 쥰비ᄒᆞ여 길일의 빅냥(百輛)[1012] 우귀(于歸)[1013]ᄒᆞᆯ시, 신부 풍완호질(豊婉好質)이 츄쳔명월(秋天明月)과 금분화왕(金盆花王)[1014] ᄀᆞᆺᄒᆞ여 오복완젼지샹뫼(五福完全之相貌)니, 존당 구괴 이지(愛之)ᄒᆞ고 혹시 공경 쥼딕ᄒᆞ여 금슬이 화합ᄒᆞ고 합기(闔家) 충션(稱善)ᄒᆞ더라.

뎡부인 슉녈이 운숨의 일삭을 유(留)ᄒᆞ여 직ᄉᆞ의 등과(登科) 입즁(入丈)[1015]○[을] 보고 구가로 올ᄉᆡ, 북공긔 쳥ᄒᆞ여 화평장 신원홈과 ○…결락39자…○[남경 포졍ᄉᆞ 남슉을 환경케 ᄒᆞᄆᆞᆯ 간쳥ᄒᆞ고, ᄯᅩ 진부의 드러가 진시를 보니, 진시 슉녈을 딕ᄒᆞ여 구긔] 은ᄉᆞ○[를] 입ᄉᆞ와 쥼간 가란이 졍ᄒᆞᄆᆞᆯ 하례ᄒᆞ여 화긔 츈양 갓ᄒᆞ니. ○…결락21자…○[슉녈이 진시를 ᄌᆡ삼 당부ᄒᆞ여 윤부로 슈히 오라 ᄒᆞ니], 진시 탄왈,

---

(十三刺史部) 가운데 지금의 사천성(四川省)에 해당하는 곳. 뒤에 성도(成都)를 흔히 이렇게 불렀다.
1053) 빅냥(百輛) : '백대의 수레'라는 뜻으로, 『시경(詩經)』 「소남(召南)」 편, <작소(鵲巢)>시의 '우귀(于歸) 백량(百輛)'에서 유래한 말이다. 즉 옛날 중국의 제후가(諸侯家)에서 혼례를 치를 때, 신랑이 수레 백량에 달하는 많은 요객(繞客)들을 거느려 신부집에 가서, 신부를 신랑집으로 맞아와 혼례를 올렸는데, 이 시는 이처럼 혼례가 수레 백량이 운집할 만큼 성대하게 치러진 것을 노래하고 있다.
1054) 우귀(于歸) : 전통 혼례에서, 대례(大禮)를 마치고 3일 후 신랑이 신부를 맞아 신랑집으로 데려오는 일.
1055) 금분화왕(金盆花王) : 화분 속에 피어 있는 모란꽃. 화왕(花王)은 모란꽃을 말함.
1056) 입장(入丈) : 장가를 듦.

(十三刺史部) 가운데 지금의 사천성(四川省)에 해당하는 곳. 뒤에 성도(成都)를 흔히 이렇게 불렀다.
1012) 빅냥(百輛) : '백대의 수레'라는 뜻으로, 『시경(詩經)』 「소남(召南)」 편, <작소(鵲巢)>시의 '우귀(于歸) 백량(百輛)'에서 유래한 말이다. 즉 옛날 중국의 제후가(諸侯家)에서 혼례를 치를 때, 신랑이 수레 백량에 달하는 많은 요객(繞客)들을 거느려 신부집에 가서, 신부를 신랑집으로 맞아와 혼례를 올렸는데, 이 시는 이처럼 혼례가 수레 백량이 운집할 만큼 성대하게 치러진 것을 노래하고 있다.
1013) 우귀(于歸) : 전통 혼례에서, 대례(大禮)를 마치고 3일 후 신랑이 신부를 맞아 신랑집으로 데려오는 일.
1014) 금분화왕(金盆花王) : 화분 속에 피어 있는 모란꽃. 화왕(花王)은 모란꽃을 말함.
1015) 입장(入丈) : 장가를 듦.

슈히 오라 ᄒᆞ니, 딘시 탄왈,

"졔형이 힘뼈 막으니 부뫼 아딕 일쿳디 아니시니, 쇼뎨ᄂᆞᆫ 아모리 ᄒᆞᆯ 줄 모로고 비상화란(非常禍亂)의 심신이 황홀ᄒᆞ여 부부인뉸(夫婦人倫)과 부귀영홰(富貴榮華) 부운 ᄀᆞᆺᄐᆞ니, 윤군이 봉후(封侯)ᄒᆞ여 쥬문갑뎨(朱門甲第)의 졀염 슉녀와 화월 미희를 쌍쌍이 모ᄒᆞ리니, 인형(人形)이 【7】 못 되엿ᄂᆞᆫ 쇼뎨 일신은 블관ᄒᆞ니, 유ᄌᆞᄂᆞᆫ 존당과 져졔 계시니 만무일녀(萬無一慮) ᄒᆞᄂᆞ이다."

슉녈이 대의로 개유(開諭)ᄒᆞ나 딘시 유유브답(儒儒不答)ᄒᆞ니 뎡부인이 츄연 탄왈,

"현뎨 어즈러온 구가의 믈념(勿念)ᄒᆞ고 비상화란(非常禍亂)ᄒᆞ여 셰렴(世念)이 쇄연(灑然)ᄒᆞ나1057) 윤군의 엄쥰ᄒᆞ미 타류와 다르고, 녀ᄌᆞ의 고집이 죵시 무익ᄒᆞ니 다시 싱각ᄒᆞ라."

ᄒᆞ고, 이의 손을 난화 윤부의 니르니, 존당 슉당의 반기미 비길 딕 업더라.

윤부(尹府) 인○[심]이 심히 젼ᄌᆞ로 달나 합문이 화평ᄒᆞ고 법되 대힝ᄒᆞ엿더라.

어시의 형·유 냥쳐 안무ᄉᆞ 구몽슉이 뎡듁쳥의 호싱디은(好生之恩)으로 ᄉᆞ화를 면ᄒᆞ여 형쥐 유쥐를 안찰ᄒᆞᆯᄉᆡ, 쇼과(所過) 군현이 그 간악 요ᄉᆞ를 업슈히 넉여, 【8】 안무ᄉᆞ로 딕졉홀 ᄯᅳᆺ이 업ᄉᆞ딕, 뎡듁쳥의 문무 위권(威權)과 산두듕망(山斗衆望)을 긔딕(期待) 츄앙(推仰)ᄒᆞ니, 몽슉이 듁쳥의 디셩갈구(至誠渴求)ᄒᆞ여 살나, 안무시 되여시믈 잠간 긔탄(忌憚)ᄒᆞ여 딕졉이 참혹디 아니ᄒᆞ니, 몽슉이 참괴 에분(恚憤)ᄒᆞ나, 형·유를 슌슈(巡狩)ᄒᆞ여 요졍(妖精)을 졔어ᄒᆞ고 위란디쳐(危亂之處)의ᄂᆞᆫ 듁쳥의 부작을 쁘고, 이민션졍을 츄호도 듁쳥의 뼈 준 교유셔(敎諭書)와 다르미 업ᄉᆞ니, ᄌᆞ연 교홰 대힝ᄒᆞ고 니민(吏民)이 공경ᄒᆞ여 요얼이 빗최디 못ᄒᆞ니, 오뉵삭디ᄂᆡ(五六朔之內)의 형·유 냥쳐를 복고(復古)ᄒᆞ딕, 감히 예ᄉᆞ 한원(翰苑)과

"졔형이 이쎠 막으시니, 부뫼 일캇지 아니ᄒᆞ시니, 소졔ᄂᆞᆫ 아모리 ᄒᆞᆯ 쥴 모로고 비샹환란(非常患亂)의 심신이 황홀ᄒᆞ여 부부닌뉴(夫婦人倫)과 영화부귀(榮華富貴) 부운 갓흐니, 윤군이 위거 공후ᄒᆞ여 쥬문갑졔(朱門甲第)의 졀염 슉녀와 화월【145】 미희를 쌍○[쌍]이 모ᄒᆞ리니, 인형(人形)이 못 되어[엿]ᄂᆞᆫ 소졔 일신은 불관ᄒᆞ니, 유ᄌᆞᄂᆞᆫ 존당과 져져 계시니 만무일녀(萬無一慮) ᄒᆞᄂᆞ이다."

슉녈이 딕의로 기유(開諭)ᄒᆞ나 진시 유유부답(儒儒不答)ᄒᆞ니 뎡부인이 츄연 탄왈,

"현졔 어즈러온 구가의 물념(勿念)ᄒᆞ고 비샹환란(非常患亂)ᄒᆞ여 셰념(世念)이 쇄연(灑然)ᄒᆞ나1016) 윤군의 엄쥰 밍열ᄒᆞ미 타류(他類)와 다르고, 녀ᄌᆞ의 고집이 죵시 무익ᄒᆞ니 다시 싱각ᄒᆞ라."

ᄒᆞ고, 이에 손을 난와 윤부의 니르니, 존당 슉당의 반기미 비길 딕 업더라.

윤부 인○[심]이 심이 젼즐로 달나 합문이 화평ᄒᆞ고 법되 딕힝ᄒᆞ엿더라.

어시의 형·유 냥쳐 안무ᄉᆞ 구몽슉이 뎡쥭쳥의 쳔디(天地) 호싱지은(好生之恩)으로 ᄉᆞ화를 면ᄒᆞ여 형쥐 유쥐를 안찰ᄒᆞᆯᄉᆡ, 쇼과(所過) 군현이 그 간악 요ᄉᆞ를 업슈히 넉여 안무ᄉᆞ로 딕졉홀 ᄯᅳᆺ【146】이 업ᄉᆞ딕, 뎡쥭쳥의 문무 위권(威權)과 산두즁망(山斗衆望)을 긔딕(期待) 《츄냥∥츄앙(推仰)》ᄒᆞ니, 몽슉이 쥭쳥의 지셩갈구(至誠渴求)ᄒᆞ여 살나, 안무시 되여시믈 줌간 긔탄(忌憚)ᄒᆞ여 딕졉이 참혹지 아니ᄒᆞ니, 몽슉이 츔괴츙분(慙愧揰憤)ᄒᆞ나, 형·유를 슌시ᄒᆞ여 요졍을 졔어ᄒᆞ고 위란지쳐(危亂之處)ᄂᆞᆫ 쥭쳥의 부죽을 쁘고, 이민션졍으로 츄호도 쥭쳥의 쎠 준 교유셔(敎諭書)와 다르미 업ᄉᆞ니, ᄌᆞ연 교홰 딕힝ᄒᆞ고 니민(吏民)이 공경ᄒᆞ여 요얼이 빗최디 못ᄒᆞ니, 오륙삭지ᄂᆡ(五六朔之內)의 형·유 양쳐를 복고(復古)ᄒᆞ딕, 감히 예

1057) 쇄연(灑然)ᄒᆞ다 : 씻은 듯하다. 기분이나 몸이 상쾌하고 깨끗하다.

1016) 쇄연(灑然)ᄒᆞ다 : 씻은 듯하다. 기분이나 몸이 상쾌하고 깨끗하다.

ᄀᆞ치 임의로 환경치 못ᄒᆞ고, 안찰ᄉᆞ 관면(冠冕)과 인슈(印綬) 졀월(節鉞)을 황셩의 올니고 텬문 결ᄉᆞ(決事)를 등【9】ᄃᆡᆼ(等待)ᄒᆞ더라.

이 ᄯᅥ 됴졍의셔 구몽슉의 티졍과 인슈를 봉환(封還)ᄒᆞᆷ을 보고, 좌승샹 조공과 태샹 뎡공이 샹달ᄒᆞ여 몽슉의 죄 범연치 아니ᄒᆞ니, 일시 형・유 냥쳐〇[를] 복고ᄒᆞᆫ 공이 이시나, 결연(決然)이1058) 샤(赦)치 못ᄒᆞ리니, 조쥐 졀도의 튱군(充軍)ᄒᆞ여 영영 은샤(恩赦)를 닙디 못ᄒᆞ게 뎡코져 ᄒᆞ거ᄂᆞᆯ, 낙양후와 평남휘 간ᄒᆞ여 셩군의 교화 편ᄒᆡᆼ(遍行)ᄒᆞ시게 ᄒᆞᆷ을 쥬ᄒᆞ여, 몽슉을 소쥐(蘇州)1059) 뎡비ᄒᆞ시니, 구몽슉이 만악구비디죄(萬惡具備之罪)로 죄듕벌경(罪重罰輕)ᄒᆞ니, 소쥐ᄂᆞᆫ 부요디디(富饒之地)오, 십여 일 졍(日程) 되니, 븍공이 몽슉을 위ᄒᆞ여 참연ᄌᆞ상(慘然自傷)ᄒᆞᆷ을 니긔디 못ᄒᆞᆫᄂᆞ라. 몽슉의 셩ᄂᆡ(城內) 가샤(家舍)를 파라 취운산의 장만ᄒᆞ고 그 쳐ᄌᆞ를 옴겨 와【10】후휼(厚恤) 긔렴(記念)ᄒᆞ니1060) ᄉᆞ랑ᄒᆞᄂᆞᆫ 동긔 먼니 가ᄆᆡ 그 쳐ᄌᆞ를 고렴(顧念)흠1061) ᄀᆞᆺ고 몽슉의 비소의 ᄌᆞ싱(自生)ᄒᆞᆯ 거ᄉᆞᆯ 극딘히 ᄒᆞ여 간핍(艱乏)디 아니케 ᄒᆞ니, 몽슉 부뷔 그 산은ᄒᆡ덕(山恩海德)을 셰셰싱싱(世世生生)의 갑디 못ᄒᆞᆯ가 근심ᄒᆞ더라.

븍공이 쇼ᄆᆡ(小妹) 청으로 화공이 무죄ᄒᆞᆷ을 힘뻐 신원ᄒᆞᆯᄉᆡ, 《심박∥심방》 위현의 현신 모함디죄를 뎍발ᄒᆞ여 뎍거 튱군ᄒᆞ시게 ᄒᆞ고 화무를 신원ᄒᆞ니, 샹이 비로소 화무의 튱녈을 아름다이 넉이샤, 복딕ᄒᆞ여 츄밀부ᄉᆞ로 급급히 샹경ᄒᆞ라 ᄒᆞ시니, 됴얘 열복ᄒᆞ고 슉녈 뎡부인이 심니의 영ᄒᆡᆼᄒᆞ나, 남공이 밋쳐 환경치 못ᄒᆞ여, 남쇼져의 셩ᄌᆞ 월광을 타문의 속현【11】ᄒᆞᆯ가 그윽이 넘녀ᄒᆞ여,

1058)결연(決然)이 : 움직일 수 없을 만큼 확고한 마음가짐이나 행동으로. 결단코.
1059)소쥐(蘇州) : 중국 강소성(江蘇省)에 있는 도시.
1060)긔렴(記念)ᄒᆞ다 : 기념(記念)하다. 잊지 않고 생각하다. 유의하다.
1061)고렴(顧念) : 고념(顧念). 남의 사정이나 일을 돌보아줌. 남의 허물을 덮어 줌.

ᄉ 한원(翰苑)과 갓치 임의로 환경치 못ᄒᆞ고, 안찰ᄉᆞ 관면(冠冕)과 인슈(印綬) 졀월(節鉞)을 황셩의 올니고 텬문 결ᄉᆞ(決事)를 등ᄃᆡᆼᄒᆞ더라.

ᄎᆞ시 조졍에셔 구몽슉의 치졍과 인슈을 봉환(封還)ᄒᆞᆷ을 보고, 좌샹 조공과 틱샹 뎡공이 샹달ᄒᆞ여 몽슉의 죄 범연치 ᄋᆞ니 ᄒᆞ【147】니, 일시 형・유 양쳐〇[를] 복고ᄒᆞᆫ 공이 이시나, 가연이 ᄉᆞ(赦)치 못ᄒᆞ리니, 됴지 졀도의 츔군ᄒᆞ여 영영 은ᄉᆞ를 닙지 못ᄒᆞ게 졍코져 ᄒᆞ거날, 낙양후와 평남휘 역간ᄒᆞ여 셩군의 교화 편ᄒᆡᆼ(遍行)ᄒᆞ시게 ᄒᆞᆷ을 쥬ᄒᆞ여 몽슉을 소쥐 졍비ᄒᆞ시니, 구몽슉이 소쥬(蘇州)1017)ᄂᆞᆫ 부요지지(富饒之地)오 십여 일 졍도니, 북공이 몽슉을 위ᄒᆞ여 츄연 츔연ᄒᆞ여, 몽슉의 셩ᄂᆡ 가ᄉᆞ를 파라 취운산의 즁만ᄒᆞ고, 그 쳐ᄌᆞ를 옴겨 와 후휼(厚恤) 긔렴(記念)ᄒᆞ니1018), 몽슉의 비소의 ᄌᆞ싱(自生)ᄒᆞᆯ 거슬 극진히 보ᄂᆞᆫ, 몽슉이 그 손은ᄒᆡ덕(山恩海德)을 셰셰싱싱(世世生生)의 갑지 못ᄒᆞᆯ가 ᄒᆞ더라.

북공이 소ᄆᆡ(小妹) 청으로 화공이 무죄ᄒᆞᆷ을 힘뻐 신원ᄒᆞᆯᄉᆡ, 《심박∥심방》 위현의 {무죄ᄒᆞᆷ을} 현신 모함지죄를 젹발ᄒᆞ여 젹거(謫居) 츔군(充軍)ᄒᆞ게 ᄒᆞ시고, 화무를 신원ᄒᆞ니, 샹이 비로소 화무의【148】츔녈(忠烈) 졍졍(貞正)을 아름다이 넉이ᄉ 복직ᄒᆞ여 츄밀부ᄉᆞ로 급급히 샹경ᄒᆞ라 ᄒᆞ시니, 죠얘 열복ᄒᆞ고 슉녈 뎡부인이 심니의 영ᄒᆡᆼᄒᆞ나, 남공이 밋쳐 환경치 못ᄒᆞ여 남소져의 셩ᄌᆞ 월광과 난ᄌᆞ(鸞姿) 혜신(慧身)을 타문의 속현ᄒᆞᆯ가 그윽이 넘녀 잇셔, 북공을 ᄃᆡ흐즉 남공의 환경ᄒᆞᆷ을 쳥ᄒᆞ니, 북공이 마지

1017)소쥐(蘇州) : 중국 강소성(江蘇省)에 있는 도시.
1018)긔렴(記念)ᄒᆞ다 : 기념(記念)하다. 잊지 않고 생각하다. 유의하다.

북공을 디흐죽 남공의 환경흐믈 쳥흐니, 북
공이 마디 못흐여 일일은, 샹젼의 쥬왈,
　"남셔 포졍스 남슉이 오릭 외딕의 이시
니, 그만흐여 닉딕으로 브르쇼셔."
　샹이 의윤(依允)흐샤, 남슉을 태샹경으로
승패(承牌)1062)흐라 흐시니라.

　시의 등쥐즈스 원복이 태흑스 우염의 직
실 두시로 이죵남미로셔 통간(通姦)흐여 잠
닉(潛溺)1063)흐미 아조 우가로 반흐는 졍덕
(情迹)이 발각흐니, 방빅(方伯)이 계문(啓聞)
흐고, 등쥐 안츌스 슌겸이 원복과 두녀의
음일(淫佚)흐믈 쥬흐여시니, 샹이 됴셔흐여
방빅으로 두녀를 스스(賜死)흐고 원복은 경
샤로 이슈(移囚)흐라 흐시니, 믄득 참디졍스
대스마 남챵후 윤쳥문이 원복【12】의
《흉옥디리‖흉음지죄(凶淫之罪)》와　음녀
두녀의 방즈흐미 우셥을 죽이고 우시를 아
스 원복디즈와 셩혼흐랴 흐던 일을 고흐니,
샹이 쏘 하됴(下詔)흐샤 원복 두녀를 상풍
패속(傷風敗俗)1064)흔 죄로 흠긔 죽이라 흐
시니, 태스 뎡공 등이 우셥이 무죄히 운남
의 찬뎍흐미 셩딕티화(聖代治化)의 빗치 감
흐오니 샤흐시믈 쥬쳥흐딕, 샹이 즉시 샤명
(赦命)을 나리와 본딕으로 딩소(徵召)흐시
니, 우쳐스는 이 ᄀᆞ온딕 신빅(伸白)흐고, 빙
가(聘家) 뎡태스 부듕의 머믈고, 다시 ○
[등]쥐 갈 의식 업고, 우쇼져 년ᄋᆞ는 윤부
의 머므러 조부인이 친싱 녀ᄋᆞᆺ치 이휼흐
고, 챵후 형뎨 우익흐미 디셩이오, 뎡·하·
댱 삼쇼졔 그 빙옥 교용을 이듕흐니, 우시
그 텬디 ᄀᆞᆺ【13】튼 은혜를 스싱(死生)의
갑디 못흘가 흐더라.

　어시의 뎡부의셔 녀부(女婦)의 화변이 딘
졍흐여 금즈어필(金字御筆) 홍문(紅門)1065)

1062)승패(承牌) : 임금으로부터 소명(召命)의 패(牌)
　를 받던 일.
1063)잠닉(潛溺) : 행방을 감추어 남이 그 소재를 모
　르게 함.
1064)상풍패속(傷風敗俗) : 풍속을 문란하게 함.
1065)홍문(紅門) : 홍살문(紅-門). 능(陵), 원(園), 묘

못흐여 일일은 샹젼의 쥬왈,

　"남셔 표[포]졍스(布政使) 남슉이 오릭
외직의 이시니 그만흐여 닉직을 허흐소셔."
　샹이 의윤흐ᄉ 남슉으로 틱샹경을 승차
(陞差)흐ᄉ 됴현(朝見) 츌님(察任)흐라 흐시
니라.

　시의 등쥐 《스즈‖즈스(刺史)》 원복이
틱학스 우염의 직실 두시로 이죵 남미로셔
통간(通姦)흐여 줌닉(潛溺)1019)흐미 아조 우
가로 반흐는 졍젹이 발각되니, 방빅(方伯)이
계문(啓聞)흐고, 등쥐 안츌【149】스 슌셕
이 원복과 두녀의 음일(淫佚)흐믈 쥬흐여시
니, 샹이 교셔(敎書)흐여 방빅으로 두녀를
스스(賜死)흐고, 원복은 경스로 《니문(移
文)1020)‖이슈(移囚)》흐라 흐시니, 문득 참
지졍스 딕스마 남챵후 윤쳥문이 원복의 흉
음지죄(凶淫之罪)와 음녀 두녀의 《망즈‖
방즈》흐미 우셥을 죽이고 우시를 아스 원
복지즈와 셩혼흐랴 흐던 줄을 고흐니, 샹이
쏘 교를 나리와 원복 두녀를 상풍패속(傷風
敗俗)1021)흔 죄로 흠긔 죽이라 흐시니, 틱
스, 뎡공 등이 우셥이 무죄히 운남의 찬젹
흐미 셩딕치화(聖代治化)의 빗치 감흐오니
샤흐시믈 쳥쥬(請奏)흐니, 샹이 즉시 《샤경
‖사명(赦命)》을 ᄂᆞ리와 본직으로 징소(徵
召)흐시니, 우쳐스는 이 가온딕 신빅(伸白)
흐고 빙가(聘家) 뎡틱스 부즁의 머믈고, 다
시 등쥐로 갈 의식 업고, 우소져 연아는 윤
부의 머무【150】러 조부인이 친싱 여아
갓치 이휼흐고, 챵후 형졔 우익흐미 지셩이
오, 뎡·하·댱 숨 소져 그 빙옥 교용을 이
즁흐니, 우시 그 쳔지 갓흔 은혜을 스싱(死
生)의 갑지 못흘가 흐더라.
　어시의 뎡부에셔 녀부의 화변이 진졍흐여

1019)잠닉(潛溺) : 행방을 감추어 남이 그 소재를 모
　르게 함.
1020)니문(移文) : 중국 한대(漢代)의 공문서 가운데
　같은 등급의 관아 사이에 주고받던 공문서. 때로
　는 격(檄)과 더불어 포고문의 성격을 띠기도 하였
　다
1021)상풍패속(傷風敗俗) : 풍속을 문란하게 함.

의 영광이 휘황ᄒᆞ니, 존당 슌태부인과 평후 부뷔 금누 화당의 고와(高臥)ᄒᆞ여 ᄌᆞ셔(子壻)[1066] 녀부(女婦)를 두긋기고, 옥슈(玉樹) 닌봉(麟鳳) ᄀᆞ튼 손ᄋᆞ를 완농(玩弄)ᄒᆞ여 영복(榮福)이 늉늉(融融)ᄒᆞ고, 태우 셰홍이 양쇼져로 결발 삼지의 용광 ᄉᆞ덕이 겸비ᄒᆞ니, 과듕흡연(過重翕然)흔 금슬은 여텬디무궁(如天地無窮)ᄒᆞᄃᆡ, 뎡태우의 위인이 엄격ᄒᆞ여 규ᄂᆡ(閨內) 셰밀디ᄉᆞ(細密之事)의 다 알녀 아니나, 분호(分毫)나 자긔디심(自己之心)의 블합(不合)흔죽, 호령이 뇌졍(雷霆) ᄀᆞᆺ고 위엄이 참엄(斬嚴)ᄒᆞ여, 일호(一毫)도 쇼년의 비박(卑薄)ᄒᆞ미 업고 호쥬기ᄉᆡᆨ(好酒嗜色)은 흡ᄉᆞ 빅형(伯兄)ᄒᆞ고, 쥰급 과격ᄒᆞᆷ은 문풍의 업슨 셩졍【14】이니, 금휘 그 위인을 졔어(制御)키 어려온 고로, 일즉 ᄌᆞ이디심(慈愛之心)이 업셔 대쇼 허믈을 일호도 용ᄃᆡ(容貸)[1067]치 아냐 장칙 쥰언이 엄녈ᄒᆞ니, 싱이 평싱 튱텬디긔(衝天之氣)를 장튝(藏縮) 슈렴(收斂)ᄒᆞ미 부젼(父前)《이니∥의ᄂᆞᆫ》 그러○[ᄒᆞ]나, ○○[ᄆᆡ양(每樣)] 참디 못ᄒᆞ여 부형이 나간 ᄉᆞ이ᄂᆞᆫ, 디월누 미창(美娼)으로 작가(作歌) 탄금(彈琴)이 여류ᄒᆞ고, 가듕 홍장시녀(紅粧侍女)의 디닉 볼 미인이 업스니, 양쇼져긔 쥬찬을 딩식ᄒᆞ고, 음쥬달난(飮酒團欒)ᄒᆞ여, 혹 금휘 오릭 츌입을 아닛ᄂᆞᆫ 쩌의ᄂᆞᆫ 칭병ᄒᆞ고 션삼졍의 드러와 술을 미란이 {미란이} 취코 양시를 닛그러 희쇼(戲笑)ᄒᆞᆷ믈 창녀ᄀᆞᆺ치 ᄒᆞ니, 양쇼졔 싱셩ᄒᆞ미 황금으로 단년(鍛鍊)흔 《신장∥심장(心腸)》이오, 외뫼 화벽(和璧) 디란(芝蘭) ᄀᆞᆺ트여 풍젼(風前)의 날닐 ᄃᆞᆺᄒᆞ나,【15】금옥간장(金玉肝腸)이라.

뎡싱의 방탕ᄒᆞ미 군ᄌᆞ디힝이 업고 뎡실을 녜경(禮敬)ᄒᆞ미 업셔, 일압(昵狎)[1068] 친근

(廟), 대궐, 관아(官衙) 따위의 정면에 세우는 붉은 칠을 한 문(門). 둥근기둥 두 개를 세우고 지붕 없이 붉은 살을 세워서 죽 박는다.
1066)ᄌᆞ셔(子壻) : 아들과 사위를 함께 이르는 말.
1067)용ᄃᆡ(容貸) : =용서(容恕).

금ᄌᆞ어필(金字御筆) 홍문(紅門)[1022]의 영광이 휘황ᄒᆞ니, 존당 슌틱부인과 평후 부뷔 금누 화당의 고와ᄒᆞ여 ᄌᆞ셔(子壻)[1023] 녀부(女婦)를 두긋기고, 닌봉(驎鳳) 갓흔 손아를 완농(玩弄)ᄒᆞ여 영복(榮福)이 늉늉(融融)ᄒᆞ고, 틱우 셰홍이 양소져로 결발 슴지의 용광이 교연 쇄락ᄒᆞ고, 빅힝 ᄉᆞ덕이 ○[겸]비ᄒᆞ니, 과즁흡연(過重翕然)흔 금슬은 여쳔지무궁(如天地無窮)ᄒᆞᄃᆡ, 뎡틱우의 위인이 엄즁과격ᄒᆞ여 규ᄂᆡ(閨內) 셰밀지ᄉᆞ(細密之事)의[를] 다 알녀 아니ᄒᆞ나, 분호(分毫)나 자긔지심(自己之心)의 불합흔죽 호령이 뇌졍(雷霆) 갓고 위엄이 참엄(斬嚴)【151】ᄒᆞ여, 일호도 소년의 미약(微弱)ᄒᆞ미 업고, 호쥬기ᄉᆡᆨ(好酒嗜色)은 흡ᄉᆞ 빅형(伯兄)ᄒᆞ고, 쥰급 과격ᄒᆞᆷ은 문풍의 업슨 셩졍이니, 금휘 그 위인을 졔어(制御)키 어려온 고로, 일즉 ᄌᆞ이지심(慈愛之心)이 업셔 딕소 허믈을 일호도 《운딕∥용ᄃᆡ(容貸)[1024]》치 아냐 장칙 즐언이 엄쥰 열슉(烈肅)ᄒᆞ니, 싱이 평싱 츙텬디긔(衝天之氣)를 쟝츅(藏縮) 슈렴(收斂)ᄒᆞ미 부젼(父前)《이니∥의ᄂᆞᆫ》 그러ᄒᆞ나, ○○[ᄆᆡ양(每樣)] 츰지 못ᄒᆞ여 부형이 《가간∥나간》 ᄉᆞ이ᄂᆞᆫ 디월누 미창으로 잡가(雜歌) 탄금(彈琴)이 여류ᄒᆞ고, 가즁 홍장시녀(紅粧侍女)의 지닉 볼 미인이 업스니, 양소져긔 쥬츤을 징식ᄒᆞ고 음쥬달난(飮酒團欒)ᄒᆞ여, 혹 금휘 오릭 츌입을 아닌 쩌ᄂᆞᆫ 칭병ᄒᆞ고 션슘졍의 드러와 슐을 미란이 취ᄒᆞ고, 양시를 닛그러 희소ᄒᆞᆷ믈 창녀갓치 ᄒᆞ니, 소졔 싱셩ᄒᆞ미 황금으로 단연(鍛鍊)흔 심장(心腸)이오, 외뫼 《화발∥화벽(和璧)》 지란(芝蘭)【152】 갓흐여 풍젼(風前)의 《낙일∥날닐》○[것] 갓ᄒᆞ나, 금옥간장(金玉肝腸)이라.

뎡싱의 방탕ᄒᆞ미 군ᄌᆞ지힝(君子之行)이

1022)홍문(紅門) : 홍살문(紅-門). 능(陵), 원(園), 묘(廟), 대궐, 관아(官衙) 따위의 정면에 세우는 붉은 칠을 한 문(門). 둥근기둥 두 개를 세우고 지붕 없이 붉은 살을 세워서 죽 박는다.
1023)ᄌᆞ셔(子壻) : 아들과 사위를 함께 이르는 말.
1024)용ᄃᆡ(容貸) : =용서(容恕).

ᄒᆞ미 노류 창녀ᄀᆞᆺ치 ᄒᆞ믈 증분 블열ᄒᆞ며, 그 힝신(行身)이 딘취(盡醉)ᄒᆞ여 의관이 히탈(解脫)ᄒᆞ며 희쇠(喜笑) 낭ᄌᆞ(狼藉)ᄒᆞ믈 블복ᄒᆞ나, 금장쇼고(襟丈小姑)를 ᄃᆡᄒᆞ여ᄂᆞᆫ 혜풍화긔(蕙風和氣)와 쇄옥낭셩(碎玉朗聲)이 화열ᄒᆞ여 담쇠 낭ᄌᆞᄒᆞᄃᆡ, 뎡태우를 ᄃᆡᄒᆞᆫ즉 한월(寒月)이 빙셜(氷雪)의 바ᄋᆡ고, 옥ᄆᆡ(玉梅) 납셜(臘雪)을 당ᄒᆞᆫ 듯, ᄂᆡᆼ담초쥰(冷淡峭峻)ᄒᆞ미 말 븟치기 어려오니, 뎡태위 그 위인을 어려이 알오ᄃᆡ 그 쵸강ᄒᆞ믈 ᄇᆞᄃᆡ 졔어ᄒᆞ려 ᄒᆞ므로, 대쇼ᄉᆞ의 양시긔 인졍을 머므르미 업ᄉᆞ니, 보ᄎᆡ기를 시작ᄒᆞ여 양시 일신이 못 견ᄃᆡ도록 보ᄎᆡ나, 션삼경과 뎡당이 ᄉᆞ이 ᄡᅳ고 쇼졔 ᄉᆡᆨ디 아니니 딘부인이 모로더니, 일일【16】은 태위 입번ᄒᆞ여실 졔 양부의셔 쇼져를 다리라 거괴 니르고, 화부인이 딘부인긔 셔간을 붓쳐 쇼녀의 근친을 ᄋᆡ걸ᄒᆞ여시니, 슌태부인과 딘부인이 ᄇᆞ득이 ᄋᆞ부를 도라보닐ᄉᆡ, 금휘 흔연 무ᄋᆡᄒᆞ여 일슌만 뉴ᄒᆞ고 슈히 오라 ᄒᆞ니, 양쇼졔 슈명ᄒᆞ나 감히 하딕을 고치 못ᄒᆞ여 유유ᄒᆞ니, 딘부인이 디긔ᄒᆞ고 ᄀᆞᆯ오ᄃᆡ,

"셰흥이 입번(入番)이 날이 포[1069] 될디라. 비록 니르디 못ᄒᆞ나 방심ᄒᆞ여 나아가 화부인의 간졀이 기ᄃᆞ리시ᄂᆞᆫ 바를 펴라."

쇼졔 슈명ᄒᆞ나 ᄯᅩᄒᆞᆫ 즉시 하딕디 못ᄒᆞ니, 금휘 쇼왈,

"셰흥은 광망ᄒᆞᆫ ᄋᆞᄒᆡ라. 우리ᄂᆞᆫ 져의 슈샹(手上)의 잇ᄂᆞᆫ 고로, ᄉᆡ험(猜險)을 발뵈디 못ᄒᆞ나 그 슈하(手下)ᄂᆞᆫ 괴로오ᄃᆡ, 임의 양부 거괴 와시니 잠간 단녀 오라."

쇼【17】졔 구고의 명이 지삼 여ᄎᆞᄒᆞ시니 감히 역디 못ᄒᆞ여, 슈히 오믈 고ᄒᆞ고 하딕ᄒᆞᆫ 후 샹교(上轎)ᄒᆞ여 본부의 니르러, 부

1068)일압(昵狎) : 흉허물이 없이 너무 지나치게 친함. =친압(親狎).
1069)포 : 거듭.

업고 졍실 네경ᄒᆞ미 업셔, 일업시[1025] 친근(親近)ᄒᆞ미 노류 창녀갓치 ᄒᆞ믈 증분 불녈ᄒᆞ며, 그 힝신(行身)이 진취(盡醉)ᄒᆞ여 관(冠)이 기울고 《의관‖의대(衣帶)》○[을] 히탈ᄒᆞ며[여] 희소(喜笑) 《낭낭‖낭ᄌᆞ(狼藉)》ᄒᆞ믈 불복ᄒᆞ나, 금장쇼고(襟丈小姑)를 ᄃᆡᄒᆞ여ᄂᆞᆫ 혜풍화긔(蕙風和氣)와 셔[쇄]옥낭셩(碎玉朗聲)이 화열ᄒᆞ여 담쇼 낭ᄌᆞᄒᆞᄃᆡ, ᄐᆡ우을 ᄃᆡᄒᆞᆫ즉 한월(寒月)이 빙셜(氷雪)의 바ᄋᆡ고 옥ᄆᆡ(玉梅) 납셜(臘雪)을 당ᄒᆞᆫ 듯, ᄂᆡᆼ담초쥰(冷淡峭峻)ᄒᆞ미 말 부치기 어려오니, ᄐᆡ위 그 위인을 어려이 알ᄃᆡ, 그 초강ᄒᆞ믈 부ᄃᆡ 졔어ᄒᆞ려 ᄒᆞ무로, ᄃᆡ쇼ᄉᆞ의 양시긔 인졍○[을] 머물미 업ᄉᆞ니, 보ᄎᆡ기를 시ᄌᆞᆨᄒᆞ여 양시 일신이 못 견ᄃᆡ도록 보ᄎᆡ나, 션ᄉᆞᆷ경과 졍당이 ᄉᆞ이 ᄡᅳ고 소졔 ᄉᆡᆨ지 아니니, 진부인이【153】모로더니, 일일은 ᄐᆡ위 입번ᄒᆞ여실 졔, 양부의셔 소져을 다리러 거교 니라고, 화부인이 진부인긔 셔간을 붓쳐 쇼녀의 근친을 ᄋᆡ걸ᄒᆞ여, 슌ᄐᆡ부인과 진부인이 부득이 ᄋᆞ부를 도라보닐ᄉᆡ, 금휘 흔연 무ᄋᆡᄒᆞ여 일슌만 뉴ᄒᆞ고 슈이 오라 ᄒᆞ니, 양소졔 슈명ᄒᆞ나 감히 하직을 고치 못ᄒᆞ여 유유ᄒᆞ니, 진부인이 지기(知機)ᄒᆞ여 갈오ᄃᆡ,

"셰흥이 입번(入番)이 날포[1026] 될지라. 비록 니르지 못ᄒᆞ나 방심ᄒᆞ여 나아가, 화부인의 간졀이 기ᄃᆞ리시ᄂᆞᆫ 바를 펴라."

소졔 슈명ᄒᆞ나 ᄯᅩᄒᆞᆫ 즉시 하직지 못ᄒᆞ니, 금휘 소왈,

"셰흥은 광망(狂妄) 실셩지인(失性知人)이 ○[라]. 우리ᄂᆞᆫ 져희 《슈하(手下)의 잇지 아니ᄒᆞ니, 양현부ᄂᆞᆫ 모로미 안심ᄒᆞ여 단여 오라. 세흥이 츌번 후 ᄃᆞ려오거든 ᄌᆞ셰이 이르○[리]니 ᄌᆞ져 말고 슈【154】히 단여 오라."

소졔 즉시 슈명ᄒᆞ고 ᄐᆡ원젼의 드러가 귀령ᄒᆞ믈 알왼ᄃᆡ, ᄐᆡ부인이 슈이 오믈 당부ᄒᆞ고, ᄋᆡ련(愛憐) 무ᄋᆡ(撫愛)ᄒᆞ믈 마지 아니ᄒᆞ

1025)일업시 : 일없이. 아무런 까닭이나 실속 없이.
1026)날포 : 하루가 조금 넘는 동안. 적지 않은 시간 동안.

모를 반기나 그윽이 심녀(心慮) 듕ᄒᆞᆫ니, 추
ᄂᆞᆫ 뎡태우다려 니ᄅᆞ디 아니코 와시니 그 과
격 쥰급ᄒᆞᆫ 위인을 근심ᄒᆞ더니, 홀홀이 일슌
이 디나니 양쇼졔 구고의 슌일(旬日)만의
오라 ᄒᆞ신 명을 어기디 못ᄒᆞ여, 모친의 디
극ᄒᆞᆫ 졍을 위로치 못ᄒᆞ고 일슌 후 췌운산으
로 도라오니, 화부인이 댱녀의 신셰ᄂᆞᆫ 다시
념녀치 아니나, 추녀의 약딜이 셔랑의 쥰급
(峻急)ᄒᆞᆫ 셩졍으로 블평ᄒᆞ미 만ᄒᆞ믈 근심ᄒᆞ
더라.

이 ᄢᅵ 뎡태위 입번ᄒᆞ엿다가 츌번ᄒᆞ여 존
당 부모긔 뵈옵고, 옷슬 갈고져 ᄒᆞ여 션삼
졍의 드러가니, 시녀 등이 황망이 마ᄌᆞ나
양시 업거ᄂᆞᆯ, 태위 분노ᄒᆞ여 싱각 【18】 ᄒᆞ
디,
"뎌 양시의 싁을 과ᄋᆡ(過愛)ᄒᆞ고 그 위인
의 초츌ᄒᆞ믈 흠복ᄒᆞ더니, 졔 날 알오믈 광
부(狂夫)로 ᄒᆞ여, 거쳐를 ᄌᆞ젼(自專)ᄒᆞ여 귀
령ᄒᆞ니, 엇디 녀ᄌᆞ의 온슌ᄒᆞᆫ 덕이리오. 도라
온 후 ᄒᆞᆫ 추례 보치여 졔 몸이 괴롭게 ᄒᆞ리
라."
의ᄉᆞ이 이의 밋쳐 마이 벼르더니, 혼뎡의
남녀 ᄌᆞ손이 태원뎐의 모드니, 태부인이 좌
우를 고면(顧眄)ᄒᆞ여 왈,
"ᄌᆞ손은 긔특ᄒᆞ나 ᄆᆞ음의 과람ᄒᆞᆫ 줄은 모
로디, 손부 등의 다ᄃᆞ라난 여러 집 녀ᄌᆞ 각
각 졔 가부를 바라며 우리를 우러고 일틱의
모다 셩ᄒᆡᆼ ᄉᆞ덕(四德)을 힘쓰니, 윤현부로브
터 양·니·경 등이 ᄒᆞ나토 용샹ᄒᆞ니 업슬
쓴 아냐, 싁광(色光) 긔딜(氣質)이 만고의
희한ᄒᆞᆫ 슉녜라. 오문이 므슨 복덕으로 손ᄋᆞ
등이 ᄯᅩᄒᆞᆫ 슉녀 텰부를 ᄎᆔᄒᆞ엿ᄂᆞ뇨?"

금휘 【19】 디왈,
"텬흥 등 칠남ᄆᆡ 용쇽기를 면ᄒᆞ고, 드러
오ᄂᆞᆫ 녀ᄌᆞ 개개히 현슉ᄒᆞ오믄 태태의 덕덕
여음이오나, 다만 셰흥이 무식 광패ᄒᆞ여 군
ᄌᆞ디ᄒᆡᆼ이 업ᄉᆞ오니, 문호의 욕을 닐월가 근
심ᄒᆞ오나, 양쇼부의 어진 덕과 복된 얼골이

고, 금휘와 진부인이 무이 연연ᄒᆞ여 슈이오
믈 니ᄅᆞ니, 소졔 인ᄒᆞ여 이러나 틴부인긔
지비ᄒᆞ고, 금후와 진부인긔 지비ᄒᆞ고, 윤의
렬과 딩양시긔 하직ᄒᆞ고 슈이 오믈 고ᄒᆞ니,
의렬과 딩양시 손을 줍고 연연(戀戀) 무이
(撫愛)ᄒᆞ믈 마지 아니ᄒᆞ고, 슈이오믈 당부ᄒᆞ
더라. 인ᄒᆞ여 뎡의 드니 잉셤이 뎡문을 줌
가 호위ᄒᆞ여 나아가니 어나덧 본부의 니ᄅᆞ
니, 이ᄢᅵ 공과 부인이 즁계의 ᄂᆞ려 소졔의
손을 줍아 반기니, 소졔 즉시 부모긔 ᄌᆡ○
[비]ᄒᆞ고 안강ᄒᆞ시믈 문후ᄒᆞ니, 공이 연이
무휼ᄒᆞ더라.
어ᄉᆞ의 틴위 번을 나 도라오니 존당 ᄌᆞ당
쳬후(體候) 강건ᄒᆞ시믈 【155】 희ᄒᆡᆼᄒᆞ더라.
양시의 귀령ᄒᆞᆷ믈 듯고, 자긔의게 니ᄅᆞ지 아
니ᄒᆞ고 임의로 귀근ᄒᆞ믈 깁히 노ᄒᆞ여 《갈
오디‖싱각ᄒᆞ디》,
"거쳐를 ᄌᆞ젼(自專)ᄒᆞ여 귀령ᄒᆞ니 엇지
녀ᄌᆞ의 온슌ᄒᆞᆫ 덕이라 ᄒᆞ리오. 도라온 후
ᄒᆞᆫ 추례 보치여 졔 몸이 괴롭게 ᄒᆞ리라."

의ᄉᆞ이 이의 밋츠미 벼르더니, 혼뎡의 남녀
ᄌᆞ손이 틴원뎐의 모드니, 틴부인이 좌우를
고면(顧眄)ᄒᆞ여 두굿겨 왈,
"ᄌᆞ손이 긔특ᄒᆞ나 마음의 외람ᄒᆞᆫ 줄은 모
로디, 손부 등의 다다라는 여러 집 녀ᄌᆞ 각
각 졔 가부를 ᄇᆞ라며, 우리을 우러고 일틱
의 모다 셩ᄒᆡᆼ(性行) ᄉᆞ덕(四德)을 힘쓰니,
윤현부로부터 양·니·경 등이 하나토 용샹
ᄒᆞ니 업슬 ᄲᅮᆫ 아니라, 싁광 긔질이 만고의
희한ᄒᆞᆫ 슉녜라. 오○○[문이] 무슴 복덕으
로 손아 등이 슉녀 텰부를 ᄎᆔᄒᆞ엿ᄂᆞ뇨?"
【156】
금휘 디왈,
"텬흥 등 칠남ᄆᆡ 용쇽기를 면ᄒᆞ고, 드러
오ᄂᆞᆫ 녀ᄌᆞ 기기 현슉ᄒᆞ오믄 션인과 틴틴의
젹덕여음이오니, 소ᄌᆞ의 박덕이 엇지 ᄉᆞ람
마다 복인이라 홀 줄 아라시리잇고? 다만
셰흥이 무식 광픽ᄒᆞ여 군ᄌᆞ지ᄒᆡᆼ이 업ᄉᆞ오

다남즛(多男子)[1070] 영귀디상(榮貴之相)이니, 부영쳐귀(夫榮妻貴)는 니셰(理勢)[1071]의 덧덧ᄒ온디라. 셰흥이 블초ᄒ오나 쇼부(小婦)의 복덕이로대, 대단ᄒ 블길ᄉ(不吉事)나 업ᄉᆯ가 ᄒᄂ이다."

딘부인이 태우를 도라보아 니르디,

"너의 광망ᄒ 인믈은 ᄒ 곳도 취ᄒ 거시 업스디, 양쇼부의 덕ᄒ은 너의 놉흔 스싱이라. 부도를 극딘히 삼가미 그 귀령을 당ᄒ여 너의게 고치 못ᄒ믈 깁히 블안ᄒ 거동이니, 우리 여ᄎᄎᄒ여 보ᄂ니 녀즛 되오미 엇디 가련치 아니리오. 너는 모로【20】미 슉녀디덕을 져바리디 말나."

태위 야애 직좌ᄒ여시니, 감히 일언을 못ᄒ고 복슈궤좌(伏首跪坐)ᄒ여 듯ᄌ올 ᄯᅢᆫ이라. 태부인이 셰흥을 편이ᄒᄂ 고로 등을 어로만져 왈,

"여부는 미양 너를 무식 탕지라 ᄒ여 ᄒ 번 두굿기ᄂ 말을 듯디 못ᄒ니, 네 ᄆ음이 편ᄒ랴? 모로미 삼가 조심ᄒ여 아븨 눈 밧긔 나디 말나."

태○[우] 슈명 지비 ○[후], 양시 즛긔다려 니르디 아니코 귀령ᄒ 바를 블평ᄒ믈 씌드르나, 텬셩이 남 달니 셰ᄎᆺ기와 이상이 긔승(氣勝)ᄒ미 미양 남을 보치고져 ᄒᄂ 고로, 양부의 대단ᄒ 스괴 업시 즛긔다려 니르디 아니코 밧비 도라가믈 분완ᄒ더니, 츌번 삼일이 넘디 못ᄒ여 양시 취운산으로 도라오니, 존당 구고의 반기미 오릭 그리던 바【21】ᄀᆺ트여, 무이ᄒ미 친싱 녀ᄋ의 감치 아니니, 양시 감은 각골ᄒ더라.

초일 혼뎡 후 태위 치듁헌의 홀노 나와 안즌 시노 스인을 명ᄒ여, 션삼졍의 가 양쇼져 유모와 쇼져 ᄯᆞ라 갓던 시녀비를 다 잡아 오라 ᄒ여 졍하(庭下)의 꿀니고, 태위 엄졀이 슈죄(數罪)ᄒ여 양시 즛가다려 니르디

니, 문호의 욕을 일월가 근심ᄒ오며[나], 양쇼부의 어진 덕과 복된 얼골이 다남즛(多男子)[1027] 영귀지상(榮貴之相)이니, 부영쳐귀(夫榮妻貴)는 인셰의 ᄶᆺᄶᆺᄒ온지라. 셰흥이 불초ᄒ오나 소부의 복덕으로 디단ᄒ 불길ᄉ(不吉事)나 업슬가 ᄒᄂ이다."

진부인이 틴우를 도라보아 니르디,

"너의 《광강‖광망》ᄒ 인믈을 ᄒ 곳도 취ᄒ 거시 업스디, 양소부의 덕ᄒ은 너의 놉흔 스싱이라. 부도를 극진이 숨가미 그 귀령을 당ᄒ여 너의게 고치 못ᄒ믈 깁히 불안ᄒ 거동【157】이니, 우리 여ᄎ여ᄎᄒ여 보니[닛]ᄂ니, 녀즛 되미 엇지 가련치 아니리오. 너의[ᄂ] 모로미 슉녀지덕을 져브리지 말나."

틴위 지비 슈명ᄒ고, 비로소 양시 즛긔다려 니르지 못ᄒ고 귀령ᄒ믈 불평이 넉이든 ᄇ를 씌다라시나, 쳔셩이 뉴달니 셰ᄎᆺ기와 이상ᄒ 긔승(氣勝)이 ᄉ름을 보치고져 ᄒᄂ 고로, 양시 즛긔다려 니라지 아니ᄒ고 양부의 디단ᄒ 스괴업시 밧비 도라가믈 분완【158】ᄒ더니, 츌번 숨일이 넘지 못ᄒ여 양씨 취운손으로 도라오미, 존당 구고의 반겨ᄒ미 오릭 ○○[그리]든 ᄇ와 갓고, 무이ᄒ미 친싱 녀아의 감치 아니ᄒ니, 양씨 감은 각골ᄒ더라.

초일 혼졍을 파흔 후 틴위 믈너 《치루헌‖치듁헌》의 홀노 나와 쳥ᄉ의 좌ᄒ고, 시노 스인을 명ᄒ여 션슴졍의 가 양시의 유모와 소져를 ᄯᆞ라 갓던 시녀비를 다 줍아 오라ᄒ니, 슈유의 유랑(乳娘) 시아(侍兒) 등을 다 줍아 《영하‖졍하(庭下)》의 디령ᄒ거

1070)다남즛(多男子) : 여러 아들들을 낳음.
1071)니셰(理勢) : 사리(事理)와 형세(形勢).

1027)다남즛(多男子) : 여러 아들들을 낳음.

아니코 거취를 임의로 ᄒᆞ미 ᄉᆞ족 부녀의 경부(敬夫)ᄒᆞᄂᆞᆫ 도리 아니라 ᄒᆞ여, 유랑의 간치 못 홈과 시녀 등의 조ᄎᆞ가믈 닐너, 쥬인의 디신의 마ᄌᆞ라 ᄒᆞ고 유랑을 형댱 일ᄎᆞ1072)를 밍타(猛打)ᄒᆞ고, 시녀 등을 엄히 장칙ᄒᆞ여 피육이 미란(靡爛)ᄒᆞ기의 밋쳐 긋치고, 양쇼져긔 말ᄉᆞᆷ을 젼ᄒᆞ여, 귀령디시의 ᄌᆞ긔ᄃᆞ려 니르디 아니믈 칙홀ᄉᆡ 욕셜이 무궁ᄒᆞ니, 양쇼제 유모와 시녀 등의 등【22】장 바듬과 젼어ᄒᆞᄂᆞᆫ 욕셜이 듯ᄂᆞᆫ ᄌᆞ로 ᄒᆞ여곰 분완ᄒᆞᆷ믈 니ᄀᆡ디 못ᄒᆞ나, 텬셩이 온슌ᄒᆞ여 비록 ᄂᆡ렴(內念)의 분노ᄒᆞ나 얼골의 셩ᄂᆞᆫ 빗츨 낫토디 아니며, 댱부와 《언졍 ‖ 언젼》 징힐(言戰爭詰)1073)ᄒᆞᆷ믈 아닛ᄂᆞᆫ 고로, 회답의 블슌ᄒᆞᆫ 말을 아니코 유모를 위로ᄒᆞ여 상쳐를 죠리ᄒᆞ라 ᄒᆞ고, 시녀 등으로 ᄒᆞ여곰 태우를 감히 원망ᄒᆞᄂᆞᆫ 말을 니디 못ᄒᆞ게 ᄒᆞ나, ᄌᆞ긔 일싱이 광부(狂夫)의게 속ᄒᆞ여 괴롭고 분ᄒᆞᆫ 일이 무궁ᄒᆞᆷ믈 그윽이 탄ᄒᆞ여, 태우를 노ᄒᆞᄂᆞᆫ ᄯᅳᆺ이 심상치 아니터라.

　태위 양쇼져의 유랑 시녀를 듕타ᄒᆞ여 드려보닌 후, 년일ᄒᆞ여 ᄯᅥ를 타 궁극히 대월누의 드러가 제창으로 희쇼(喜笑) 쾌락(快樂)ᄒᆞ며, 양쇼져긔 호쥬셩찬(壺酒盛饌)을 딩식ᄒᆞ여, 흔 일이나 미딘【23】ᄒᆞ미 잇거든 크게 즐욕ᄒᆞ려 ᄒᆞᄃᆡ, 양시 빅힝이 일무소흠(一無所欠)ᄒᆞ고, 승슌군ᄌᆞ(承順君子)ᄒᆞᄂᆞᆫ 도리 녜의를 의댱(倚仗)1074)ᄒᆞ여 ᄉᆞ덕을 ᄶᅩᆺ다이 닷글 ᄯᆞᆫ이오, 태우의 곡졀 업슨 {호령을} 호령을 족가(足枷)치 아니ᄃᆡ, 그 말이 패만ᄒᆞ여 욕 되기의 다ᄃᆞ라ᄂᆞᆫ 분ᄒᆞᆫ 심장이

늘, 틱위 졍셩ᄒᆞ여 엄졀이 슈죄ᄒᆞᄃᆡ, 양시 ᄌᆞ긔ᄃᆞ려 니르지 아니ᄒᆞ고 거취를 임의로 ᄒᆞ미 ᄉᆞ족 부녀의 경부(敬夫)ᄒᆞᄂᆞᆫ 도리 아니라 ᄒᆞ여, 유랑의 간치 못 홈과 시녀 등의 조ᄎᆞ가믈 닐너, 쥬인의 디신 ᄆᆞᄌᆞ라 ᄒᆞ고 유랑을 형중 일치1028)로【159】 즁타ᄒᆞ고, 시녀 등을 엄히 장칙ᄒᆞ여 피육이 미란(靡爛)ᄒᆞ기의 밋ᄎᆞ미 긋치고, 양소져긔 말ᄉᆞᆷ을 젼ᄒᆞ여 귀령지시의 ᄌᆞ긔ᄃᆞ려 니르지 아니믈 칙홀ᄉᆡ 욕셜이 무궁ᄒᆞ니, 양소져 유모와 시녀 등의 즁즁 ᄇᆞ듬과 젼어ᄒᆞᄂᆞᆫ 욕셜이 듯ᄂᆞᆫ ᄌᆞ로 ᄒᆞ여곰 통완 분완ᄒᆞᆷ믈 니ᄀᆡ지 못ᄒᆞ나, 쳔셩이 온슌ᄒᆞ여 비록 ᄂᆡ렴(內念)의 분노ᄒᆞ나 얼골의 셩ᄂᆞᆫ 빗츨 《다토지 ‖ 낫토지》 아니며, 쟝부와 《언졍 ‖ 언젼》 징힐(言戰爭詰)1029)ᄒᆞᆷ믈 괴로이 넉이ᄂᆞᆫ 고로, 회답의 블슌ᄒᆞᆫ 말을 아니ᄒᆞ고 유모를 위로ᄒᆞ여 댱쳐를 조리ᄒᆞ라 ᄒᆞ고, 시녀 등으로 ᄒᆞ여곰 틱우를 감히 원망ᄒᆞᄂᆞᆫ 말을 니지 못ᄒᆞ게 ᄒᆞ나, ᄌᆞ긔 일싱이 광부(狂夫)의게 속ᄒᆞ여 괴롭고 분흔(憤恨){헌} 일이 무궁ᄒᆞᆷ믈 그윽이 탄ᄒᆞ여,【160】 틱우를 노ᄒᆞᄂᆞᆫ ᄯᅳᆺ이 심상치 아니터라.

　틱위 양소져의 유랑 시녀를 즁타ᄒᆞ여 드려보닌 후, 연일ᄒᆞ여 틱위 디월누의 드러가 제창으로 희소(喜笑) 쾌락(快樂)ᄒᆞ며 양소져긔 호쥬셩찬(壺酒盛饌)을 징식ᄒᆞ여 《하 ‖ 한》 일이나 미진ᄒᆞ미 닛거든 크게 즐욕ᄒᆞ려 ᄒᆞᄃᆡ, 양시 빅힝이 일무소흠(一無所欠)ᄒᆞ고 《광뉴 ‖ 승슌》 군ᄌᆞ(承順君子)ᄒᆞᄂᆞᆫ 도리 녜의를 《의양 ‖ 의댱(倚仗)1030》ᄒᆞ여 《ᄉᆞ름 ‖ ᄉᆞ덕(四德)》을 ᄶᅩᆺ다이 닥글 ᄯᆞᆫ이오, 틱우의 곡졀 업슨 호령을 족가(足枷)치 아니ᄒᆞᄃᆡ, 그 말이 《틱만 ‖ 픽만(悖慢)》ᄒᆞ여 욕

1072)일ᄎᆞ : 한 바탕의 매질. *ᄎᆞ; 칙. 매질. 죄인을 신문할 때 공포감을 주어 자백을 강요할 목적으로 한바탕 가하는 매질. 또는 그러한 매질의 횟수를 세는 단위. 'ᄎᆞ'는 '笞(매질할 태)'의 원음, '태'는 그 속음(俗音)임
1073)언젼징힐(言戰爭詰) : 말로 서로 다투고 힐난하며 싸움.
1074)의댱(倚仗) : 의지하고 믿음.

1028)일치 : 한 바탕의 매질. *치; 칙. 매질. 죄인을 신문할 때 공포감을 주어 자백을 강요할 목적으로 한바탕 가하는 매질. 또는 그러한 매질의 횟수를 세는 단위. '치'는 '笞(매질할 태)'의 원음, '태'는 그 속음(俗音)임
1029)언젼징힐(言戰爭詰) : 말로 서로 다투고 힐난하며 싸움.
1030)의댱(倚仗) : 의지하고 믿음.

터딜 둧ᄒᆞ더니, 일일은 양시 태부인 압히셔 윤·니·경 등으로 더브러 부인이 명ᄒᆞ시ᄂᆞᆫ 바로 박혁을 샤양치 못ᄒᆞ여, 산호판(珊瑚板)의 구슬 바독을 버리고 셔로 승부를 결울ᄉᆡ, 기듕 쮜여난 지능은 윤의렬이 웃듬이오, 버거ᄂᆞᆫ 쇼양시와 대니부인(大李夫人)이라. 태부인이 승부를 잠착(潛着)1075)ᄒᆞ여 슬피며, 졔쇼져의 스실의 도라가믈 허치 아니ᄒᆞ더니, 이 날 태위 부형이 딘부의 가 회쇼 담화ᄒᆞ며 밋쳐【24】도라오디 아닌 ᄯᅥ를 타, 대월누의 졔창을 모화 희학ᄒᆞ며 양쇼져긔 쥬찬을 딩식(徵索)ᄒᆞ니, 시녀 등이 양쇼져의 앗춤 문안 후 존당의셔 나오디 아냐시믈 ᄌᆞ시 고치 아냐 몽농이 ᄃᆡ답ᄒᆞ니, 태우ᄂᆞᆫ 쥬찬 오기를 기다리다가 날이 져므도록 쥬찬○[이] ᄒᆞ나토 오ᄂᆞᆫ 일이 업ᄉᆞ니, ᄀᆞ장 분완ᄒᆞ여 쥬방의 술을 드리라 ᄒᆞᄃᆡ, 금평후 녕이 이셔 졔ᄌᆞ의 술을 츳ᄂᆞᆫ ᄯᅥ ᄒᆞᆫ 잔 밧 주디 말나 ᄒᆞ니, 믈굿치 흔ᄒᆞᆫ 술이라도 븍공 이히 ᄒᆞᆫ 잔의셔 더 드리란 말을 못ᄒᆞᄂᆞᆫ 고로, 쥬뫼 태우의 명을 응ᄒᆞ여 쳥쥬 ᄒᆞᆫ 잔을 보ᄂᆡ여시니, 태위 쥬찬을 어더 졔창으로 통음(痛飮)ᄒᆞᆯ 길히 업셔, 유모 셜파를 블너 ᄌᆞᄀᆡ 웃웃슬 주고 호쥬셩찬(壺酒盛饌)을 구ᄒᆞ니, 셜유【25】랑이 혀 츠고 태우의 ᄒᆡᆼ디를 방탕이 넉여 쥬찬을 주디 말고져 ᄒᆞᄃᆡ, 디셩으로 구ᄒᆞ니 마디 못ᄒᆞ여 냑간(若干) 쥬과(酒果)를 가져 와 창녀 등을 먹게 ᄒᆞ고 날호여 왈,

"상공이 양부인 ᄀᆞᆺᄐᆞᆫ 만고 졀염을 두시고 미양 번화를 싱각ᄒᆞ며 창뉴(娼流)를 즐기시니, 쳡이 실노 상공을 위ᄒᆞ여 근심ᄒᆞᄂᆞᆫ 바ᄂᆞᆫ 노야긔 죄칙이 ᄌᆞ즈믈 졀박히 넉이ᄂᆞ니, 상공은 민망치 아니ᄒᆞ더니잇가?"

태위 함쇼 왈,
"이런 일은 유뫼 알 비 아니라 아모 어려온 일이라도 내 스스로 당ᄒᆞ리니, 어미ᄂᆞᆫ 날을 위ᄒᆞ여 일개 미인을 쳔거ᄒᆞ여 나의 잉

되기의 다다라ᄂᆞᆫ 분ᄒᆞᆫ 심중이 터질 둧ᄒᆞ더니, 일일은 양시 틱부인 압히셔 윤·니·경 등으로 더부러 부인이 명ᄒᆞ시ᄂᆞᆫ 바로 박혁을 ᄉᆞ양치 못ᄒᆞ여, 산호판(珊瑚板)의 구슬 바독을 버리고 셔로 승부를 결울ᄉᆡ, 기즁【161】쮜여난 지능은 윤의렬이 웃듬이오, 버거ᄂᆞᆫ 쇼양시와 딕니부인이라. 틱부인이 승부를 잠착(潛着)1031)ᄒᆞ야 슬피며 졔쇼져의 스실의 도라가믈 허치 아니ᄒᆞ더니, 이 날 태위 부형이 진부의 가 담화ᄒᆞ시ᄂᆞᆫ ᄯᅥ를 타, 딕월누의 졔창을 모화 희학ᄒᆞ며 양소져긔 쥬춘을 《징칙∥징식(徵索)》ᄒᆞ니, 시녀 등이 양소져의 아춤 문안 후 존당에셔 나오지 못ᄒᆞ여○…결락15자…○[시믈 ᄌᆞ시 고치 아냐 몽농이 ᄃᆡ답ᄒᆞ니], 태우ᄂᆞᆫ 쥬춘을 기다리다가 날이 져므도록 쥬춘ᄒᆞᆫ 준도 오ᄂᆞᆫ 일이 업ᄉᆞ니, ᄀᆞ즁 분완ᄒᆞ여 쥬방의 슐을 드리라 ᄒᆞᄃᆡ, 금평후 녕이 이셔 졔ᄌᆞ의 슐을 츳ᄂᆞᆫ ᄯᅥᄂᆞᆫ ᄒᆞᆫ 준 밧 더 쥬지 말나 ᄒᆞ니, 믈갓치 흔ᄒᆞᆫ 슐이라도 북공 이히 ᄒᆞᆫ 준의셔 더 드리란 말을 못ᄒᆞᄂᆞᆫ 고로, 뉴뫼 틱우의 명【162】○[을] 응ᄒᆞ여 쳥쥬 ᄒᆞᆫ 준을 보ᄂᆡ여시니, 틱위 쥬찬을 어더 졔창으로 통음ᄒᆞᆯ 길히 업셔, 유모 셜파를 불너 ᄌᆞᄀᆡ 웃웃슬 쥬고 호쥬셩찬(壺酒盛饌)을 구ᄒᆞ여[니], 셜유랑이 혀 츠고 틱우의 ᄒᆡᆼ지를 방탕이 넉여 쥬춘을 쥬지 말고져 ᄒᆞᄃᆡ, 지셩으로 구ᄒᆞ니, 마지 못ᄒᆞ여 약간(若干) 쥬과를 가져 와 창녀 등을 먹게 ᄒᆞ고, 날호여 갈오되,

"샹공이 양 부인 갓흔 만고 졀념의 슉녀를 두시고 미양 번화를 구ᄒᆞ야 타스를 싱각ᄒᆞ시며, 챵뉴로 즐기믈 깃거ᄒᆞ시니, 쳡이 실노 샹공을 위ᄒᆞᄂᆞᆫ 바ᄂᆞᆫ 노야긔 죄칙이 ᄌᆞ즈믈 졀박히 넉이나니, 샹공은 민망치 아니ᄒᆞ더니잇가?"

틱위 함소 왈,
"이런 일은 유뫼 알 비 아니라. 아모 어려온 일이라도 닉 스【163】로 당ᄒᆞ리니, 어미ᄂᆞᆫ 날을 위ᄒᆞ여 일기 미인을 구ᄒᆞ여 나

1075)잠착(潛着) : '참척'의 원말. *참척; 한 가지 일에만 정신을 골똘하게 씀.

1031)잠착(潛着) : '참척'의 원말. *참척; 한 가지 일에만 정신을 골똘하게 씀.

첩을 삼게 ᄒᆞ라."

유랑이 어히 업셔 믈너나다. 태위 죵일 즐기다가 황혼의 부형이 도라오실 ᄯᆡ를 당【26】ᄒᆞ여 계창을 도라 보닉고, 의관을 뎡돈ᄒᆞ여 태원뎐의 드러가니, 조뫼 문왈,

"너는 됴당의도 드러간 일이 업다 ᄒᆞ거ᄂᆞᆯ 죵일 어듸를 갓관듸 보디 못ᄒᆞᆯ너뇨?"

싱이 듸왈,

"초휘 쳥ᄒᆞ거ᄂᆞᆯ 하부의 가 담화ᄒᆞ다가 시방 도라오ᄂᆞᆫ 거름이로소이다."

태부인이 그러히 넉여 다시 뭇디 아니코, 쵹을 붉히고 야심토록 ᄌᆞ손으로 더브러 말ᄉᆞᆷ니, 금평휘 날호여 모친 상요를 편히ᄒᆞ여 취침ᄒᆞ시믈 쳥ᄒᆞ고 다 믈너나니, 태위 부친을 뫼셔 쳥듁헌의 드르시믈 보고 거름을 두로혀 션삼졍의 드러가니, 양쇼졔 바야흐로 옷슬 그르고 상요의 나아가려 ᄒᆞ다가, 태우의 신 소ᄅᆡ를 듯고, 의상을 도로【27】슈렴ᄒᆞ고 니러 마ᄌᆞ 먼니 좌를 뎡ᄒᆞ미, 태위 만면 노괴로 드러와 봉안을 길게 ᄡᅥ 양시를 ᄯᅮ러질 ᄃᆞ시 보니, ᄉᆞ일(斜日) ᄀᆞᆮ튼 졍긔ᄂᆞᆫ 쇼져 신상의 빗최ᄂᆞᆫ디라.

양시 쏘흔 태우를 보미 분한이 블니 둣ᄒᆞ듸, ᄉᆞ쉭을 강인ᄒᆞ며 믁연 뎡좨러니, 태위 웃옷과 ᄯᅴ를 글너 쇼져 낫치 미이 더디미, ᄉᆞ매 속의 션ᄌᆞ와 슌금 셔징(書鎭)이 드럿다가 쇼져의 낫치 다딜녀, 코의 피 소ᄉᆞ나듸, 쇼졔 나건(羅巾)을 드러 코의 피를 업시 ᄒᆞ고, 날호여 싱의 옷슬 거두어 병풍의 거ᄂᆞᆫ디라. 태위 소ᄅᆡ를 가다듬아 쥰졀이 칙ᄒᆞ듸,

"그듸 비록 양공의 귀ᄒᆞᆫ ᄯᆞᆯ이나, 임의 녀ᄌᆞ 되여 사름을 좃ᄎᆞ미 자의 부뫼 경부ᄒᆞᆫ 도리【28】를 가ᄅᆞ쳐 계실 거시어ᄂᆞᆯ, 범ᄉᆞ를 ᄌᆞ힝ᄌᆞ디(自行自止)ᄒᆞ여 날노ᄡᅥ 업ᄂᆞ니로 넉이고, 오날 졔창을 모화 가무를 잠간 식이오미, 이 쏘 예쇠(例事)어ᄂᆞᆯ, 일즉 투악디심(妬惡之心)이 이셔, 내 쥬찬을 구ᄒᆞ듸 박쥬(薄酒) 일비도 보닉ᄂᆞᆫ 일이 업스니, 그런 무상(無狀)ᄒᆞᆫ 일이 어듸 이시리오. 그듸다려 말을 니르미 금슈(禽獸)다려 경계홈

의 잉쳡을 숨게ᄒᆞ라."

유랑이 어히 업셔 믈너나다. 틱위 죵일 즐기다가 황혼의 부형이 도라오실 ᄯᆡ를 당ᄒᆞ여 졔츙을 도라 보닉고, 의관을 졍돈ᄒᆞ여 틱원뎐의 드러가니, 조뫼 문왈,

"너ᄂᆞᆫ 오날 죠당의 드러간 일이 업다 ᄒᆞ거ᄂᆞᆯ 죵일 어듸를 갓관듸 보지 못ᄒᆞᆯ너뇨?"

싱이 듸왈,

"초휘 쳥ᄒᆞ거날 하부의 가 담화ᄒᆞ다가 시방 도라오ᄂᆞᆫ 거름이로소이다."

틱부인이 그러히 넉여 다시 뭇지 아니코, 쵹을 밝히고 야심토록 ᄌᆞ손으로 더부러 말ᄉᆞᆷ니, 금평휘 날호여 모친 샹요를 편히ᄒᆞ여 취침ᄒᆞ시믈 쳥ᄒᆞ고 다 믈너나니, 틱위 부친을 뫼셔 쳥듁【164】헌의 드르시믈 보고 거름을 두로혀 션슴졍의 드러가니, 양소졔 바야흐로 오슬 그로고 샹요의 ᄂᆞ아 가려 ᄒᆞ다가, 틱우의 신 소ᄅᆡ를 듯고, 의샹을 도로 슈렴ᄒᆞ고 니러 마ᄌᆞ 먼니 좌를 졍ᄒᆞ미, 틱위 만면 노괴로 드러와 봉안을 길게 ᄡᅥ 양시를 ᄯᅮ러질 ᄃᆞ시 보니, 힉빗 갓튼 졍긔 소져 신샹의 빗최ᄂᆞᆫ지라.

양씨 쏘흔 틱우를 보미 분한니 블니 둣ᄒᆞ듸, ᄉᆞ쉭을 강잉ᄒᆞ며 묵연 졍좌러니, 틱위 웃옷과 ᄯᅴ를 글너 소져 낫치 미이 더지미, ᄉᆞ믹 속의 션ᄌᆞ와 슌금 셔징(書鎭)이 드러다가 소져의 ᄂᆞᆺ치 다질녀, 《고∥코》의 피 소ᄉᆞ나듸, 소져 나건(羅巾)을 드【165】러 코의 피를 업시 ᄒᆞ고 날호여 싱의 오슬 거두어 병풍의 거ᄂᆞᆫ지라. 틱위 소ᄅᆡ를 가다듬어 쥰졀이 칙ᄒᆞ되,

"그듸 비록 양공의 귀ᄒᆞᆫ ᄯᆞᆯ이나, 임의 녀지 되○[여] ᄉᆞ람을 조츠미 그듸의 부모 경부ᄒᆞᆫ 도리를 가라쳐 계실 거시어ᄂᆞᆯ, 범ᄉᆞ를 ᄌᆞ힝ᄌᆞ지(自行自止)ᄒᆞ여 날노ᄡᅥ 업ᄂᆞᆫ 것 갓치 넉이고, 오날 졔챵을 모화 잠간 가무를 식이셔[미] 이 쏘흔 예ᄉᆞ어ᄂᆞᆯ, 그듸 일즉 투악지심(妬惡之心)이 잇셔 닉 쥬춘을 구ᄒᆞ듸 박쥬 일비도 보닉ᄂᆞᆫ 일이 업스니, 그런 무쌍(無雙)ᄒᆞᆫ 일이 어듸 이시리오. 그듸다려 마[말]을 니르미 금슈(禽獸)다려 경

굿트나, 오히려 사롬이라, 녯날 임샤(姙似)[1076]의 덕을 알녀 말고, 시금의 의렬 빅슈(伯嫂)와 양·니·경 삼슈의 화우ᄒ시는 덕을 보며, 운영과 상현 등을 거나려 가니 츈풍ᄀᆞᆺ치 화ᄒ며 츄슈ᄀᆞᆺ치 몱으믈 보라. 그 가히 숙녀 셩시(盛事)로ᄃᆡ, 그ᄃᆡᄂᆞᆫ ᄌᆞ존(自尊)《교우∥교오(驕傲)》ᄒ며 투악간【29】샤(妬惡奸邪)ᄒ여, 밧그로 어딘 빗츨 낫토아 명예를 모화 존당 부모의 과도ᄒ신 ᄌᆞ의를 엇고, 일가의 칭찬 경딕ᄒ믈 미더, 그ᄃᆡ 우ᄒ히 다시 오를 사롬이 업슨 줄노 아라, 믄득 가부를 업누르고져 의시 이시니, 이 뎡예빅이 비록 용우ᄒ나 몸이 팔쳑 댱뷔라. 결연이 ᄌᆞ의 《협졔∥협제(脅制)》를 밧디 아니리니 모로미 셔어(齟齬)ᄒᆞᆫ 교앙(驕昂)을 브리디 말나."

이리 니르며 양쇼져를 믜워 보는 눈이 ᄡᅮ러딜 ᄃᆞᆺᄒ고, 참엄ᄒᆞᆫ 낫빗치 늉동한쳔(隆冬寒天)의 상셜(霜雪) ᄀᆞᆺ트니, 사롬으로 ᄒ여곰 블감앙시(不敢仰視)ᄒᆞᆯ 거시로ᄃᆡ, 양시 태우의 말이 다 ᄌᆞ긔 ᄆᆞ음의 업슨 말이라. 두려오미 업셔 ᄀᆞ장 밋【30】치게 너ᄀᆡ니, 그 거동을 못 보며, 그 말을 못 듯는 ᄃᆞᆺ, ᄡᅡᆼ안을 낫초고 단슌이 함믁ᄒ여 일언을 답디 아니니, 쳔연 닝엄ᄒᆞᆫ 얼골은 효월(曉月)이 빙셜(氷雪)의 바이며, 옥미(玉梅) 한풍을 ᄯᅴ엿ᄂᆞᆫ ᄃᆞᆺ, 녈일초쥰(烈日峭峻)ᄒᆞᆫ 거동이 태우의 싁험ᄒᆞᆫ 노긔를 죡히 당ᄒᆞᆯ디라.

싱이 ᄌᆞ긔 말을 부담잡셜(腐談雜說)[1077]노 아라 딕답디 아니믈 더옥 통한ᄒ여, 겻ᄐᆡ 노혓ᄂᆞᆫ 옥연갑(玉硯甲)을 드러 양시긔 더디고 ᄭᅮ지져 왈,

"간악ᄒᆞᆫ 녀지 ᄀᆞ장 참된 쳬ᄒ여 내 말을 일언을 답디 아냐, 스스로 교긔(嬌氣)를 니긔디 못ᄒ니, 만일 부모의 ᄉᆞ랑ᄒ시는 졍을

────────────
1076)임샤(姙似) : 중국 주(周)나라 현모양처(賢母良妻)인 문왕의 어머니 태임(太姙)과 무왕(武王)의 어머니 태사(太姒)를 함께 이르는 말.
1077)부담잡셜(腐談雜說) : 썩고 잡된 말.

계휴 갓트나, 오히려 스람【166】이라. 옛날 임ᄉᆞ(姙似)[1032]의 덕을 알녀 말고, 시금의 의렬 빅슈(伯嫂)와 양·니·경 슴슈의 화우ᄒ시는 덕을 보며, 《욱영∥운영》과 샹현 등을 거ᄂᆞ려 가니 츈풍갓치 화ᄒ며 츄슈갓치 말그믈 보라. 그 가히 숙녀 쳘부를 [로]딕{ᄒ여}, 그ᄃᆡᄂᆞᆫ 《ᄌᆞ록교우∥자존교오(自尊驕傲)》ᄒ며 투악간ᄉ(妬惡奸邪)ᄒ여, 밧그로 어진 빗츨 낫토아 명에(名譽)를 모화 존당 부모의 과도ᄒ신 ᄌᆞ의를 엇고, 일가의 칭찬 경딕ᄒ믈 밋어, 그ᄃᆡ 우ᄒ히 다시 올홀 스람이 업슬 쥴노 아라, 믄득 가부를 엄누르고져 의시 이시니, 이 졍여[예]빅이 비록 용우ᄒ나, 몸이 팔쳑 쟝뷔라. 결연이 ᄌᆞ의[의] 협졔를 밧지【167】아니리니, 모로미 셔어(齟齬)ᄒᆞᆫ 《고양∥교앙(驕昂)》을 부리지 말나"

이리 이르며 양소져를 미워 보는 눈니 ᄡᅮ러질 ᄃᆞᆺᄒ고, 참엄흔 빗치 늉동한쳔(隆冬寒天)의 샹셜(霜雪) 갓트니, 스람으로 ᄒ여곰 불감앙시(不敢仰視)ᄒᆞᆯ 거시로ᄃᆡ, 양시 틔우의 말이 다 ᄌᆞ긔 마음의 업슨 말이라. 두려우미 업셔 가쟝 미치게 역이니, 그 거동을 못 보며, 그 말을 못듯ᄂᆞᆫ ᄃᆞᆺ, 쌍안을 낫초고 《단슉히∥단슌이》 함믁ᄒ여 일언을 답지 아니니, 쳑연(慽然) 닝엄흔 얼골은 효월(曉月)이 빙셜(氷雪)의 ᄇᆡ이니[며] 옥미(玉梅) 흔풍(寒風)을 ᄯᅴ엿ᄂᆞᆫ 듯, 열일초죠(烈日焦燥)흔 거동이 틔위의 셰험(猜險)흔 노긔를 죡히 당ᄒᆞᆯ지라.

싱이 ᄌᆞ긔 말을 부담잡셜(腐談雜說)[1033]노 아라 딕답【168】지 아니믈 더욱 통흔ᄒ여, 겻히 노혓는 옥연갑(玉硯甲)을 드러 양시긔 더지고, ᄭᅮ지져 왈,

"간악흔 여지 가쟝 참된 쳬ᄒ여, 니 말을 일녀도 일언을 답지 아니ᄒ여 《교귀∥교긔(嬌氣)》를 익이지 못ᄒ니, 만일 부모의 ᄉ

────────────
1032)임샤(姙似) : 중국 주(周)나라 현모양처(賢母良妻)인 문왕의 어머니 태임(太姙)과 무왕(武王)의 어머니 태사(太姒)를 함께 이르는 말.
1033)부담잡셜(腐談雜說) : 썩고 잡된 말.

싱각디 아니면 아조 즛넓아 업시치 아니
랴."【31】

양시 무심 듕 연갑의 가슴을 마즈 닙은
옷시 열운 고로 붉은 피 소스나니, 더옥 듕
상ᄒ여 깁 ᄀᆞᆺ튼 가족이 버셔디고 그 알프미
어이 측냥ᄒᆞ리오마는, 즈긔 싱어부귀(生於
富貴)ᄒᆞ고 댱어호치(長於豪侈)ᄒᆞ여 셰샹 근
심과 념녀를 아디 못ᄒᆞ다가, 년긔 이뉵을
계오 디나며 져런 광싱(狂生)을 만나, 셩혼
삼지의 ᄒᆞ로도 편ᄒᆞᆯ믈 엇디 못ᄒᆞ미 범연(凡
然)ᄒᆞᆫ 역경이 아니라, 스스로 신셰를 탄ᄒᆞᆯ
디언졍, 져를 결워 언젼(言戰)ᄒᆞᄂᆞᆫ 거시 즈
긔 입이 욕 되여, 맛춤ᄂᆡ 안즌 거슬 곳치디
아니ᄒᆞ고 안싴을 블변ᄒᆞ여 ᄒᆞᆫ갈ᄀᆞᆺ치 밍널ᄒᆞᆫ
스싴으로 압흘 볼 ᄯᆞ름이라.

싱이 그 가슴이 미이 샹ᄒᆞᆷ믈 이셕ᄒᆞ나,
져의【32】거동을 치 보고져 ᄒᆞᄆᆞ로, 다
함¹⁰⁷⁸ 간악(奸惡)다 ᄭᅮ딧기를 마디 아니며,
일변 쥬찬을 니라 보치니, 양시 시녀 월잉
을 명ᄒᆞ여 호쥬셩찬(壺酒盛饌)을 금반옥긔
(金盤玉器)예 ᄀᆞ득이 버려 싱의 알패 노ᄒᆞ
니, 싱이 슈십여 비를 거후르고 만반딘슈
(滿盤珍羞)를 ᄒᆞᆫ 그릇도 남기디 아니코 다
먹은 후, 취안(醉眼)을 빗기 ᄯᅥ 양시를 보다
가, 월잉이 샹을 믈니려 ᄒᆞᆷ믈 보미 졀셰ᄒᆞᆫ
거동이 삼싴되(三色桃) 이슬을 마시며, 교요
미려(嬌妖美麗)ᄒᆞ여 별 ᄀᆞᆺ튼 ᄣᅡᆼ안과 초월
(初月) ᄀᆞᆺ튼 눈셥이 치필(彩筆)의 공을 더으
디 아냐셔, 원산의 그림지 쳥녀(清麗)ᄒᆞ여,
날닌 엇게 비봉(飛鳳) ᄀᆞᆺ고 허리 뉴디(柳枝)
ᄀᆞᆺ튀여, 풍뉴영걸(風流英傑)의 츈졍(春情)을
요동(搖動)ᄒᆞᆯ 비라.

태위 양【33】시의 ᄆᆞ음을 치 알녀 ᄒᆞ여,
ᄲᆞᆯ니 월잉의 손을 닛그러 겻틔 안치며 화싴
(花顋)를 졉ᄒᆞ고 므릅홀 년ᄒᆞ여 유희 방탕
ᄒᆞ니, 잉이 쳔만 긔약 밧 이런 놀나온 경계
를 당ᄒᆞ니, 경긱의 죽고져 ᄒᆞ나 밋디 못ᄒᆞᆯ
ᄲᆞᆫ 아니라, 쇼져로 더브러 년긔샹합(年紀相
合)ᄒᆞ여 명위노쥬(名爲奴主)나 실은 향규(香

1078)다함 : 다만, 그저, 또한.

랑ᄒᆞ시는 졍을 싱각지 아니면, 아조 즛발
{발}바 업시치 아니랴?"

양씨 무심 즁 연갑의 가슴을 마즌 입은
옷시 여룬 고로 불근 피 소스시[나]니, 더
욱 즁샹ᄒᆞ여 깁 갓튼 가죽이 버셔지고 그
알프미 어이 측냥ᄒᆞ리오마는, 즈긔 싱어부
귀(生於富貴)ᄒᆞ고 쟝어호치(長於豪侈)ᄒᆞ여
셰샹 근심과 염녀를 아지 못ᄒᆞ다가, 년긔
이육을 계오 지ᄂᆞ며 져런 광싱(狂生)【16
9】을 만나, 셩혼 숨지의 하루도 ᄆᆞ음이 편
ᄒᆞᆯ믈 엇지 못ᄒᆞ미 범연치 아닌 역경이라.
스스로 일싱 신셰 괴로울 바를 탄ᄒᆞ지언졍,
져를 결워 언젼(言戰)ᄒᆞᄂᆞᆫ 거시 즈긔 입이
욕 되여, ᄆᆞ춤ᄂᆡ 안즌 거슬 곳치지 아니ᄒᆞ
고 안싴을 불변ᄒᆞ여 ᄒᆞᆫ갈갓치 밍널ᄒᆞᆫ 스싴
으로 압흘 볼 ᄯᆞ름이라.

싱이 그 가슴이 미이 샹ᄒᆞᆷ믈 이셕ᄒᆞ나,
져의 거동을 채 보고져 ᄒᆞᄆᆞ로, 다함¹⁰³⁴
간악 ᄭᅮ짓기를 마지 아니ᄒᆞ며, 일변 쥬찬
을 니라 보치니, 양시 시녀 월잉을 명ᄒᆞ여
호쥬 셩찬(壺酒盛饌)을 반(盤)에 가득이 버
려 싱의 압히 노으니, 싱이 슈십여 비를 거
후르고 만반진슈(滿盤珍羞)를 ᄒᆞᆫ 그릇도 남
기지 아니ᄒᆞ고 다 먹은 후, 취안(醉眼)을 빗
기 ᄯᅥ 양씨를 보다가, 월잉이 상을 믈니려
ᄒᆞᆷ믈 보미 졀셰ᄒᆞᆫ 거동이 삼싴되(三色桃)
이슬을 마시며, 교요미려(嬌妖美麗)ᄒᆞ여 별
ᄀᆞᆺ튼【170】ᄲᅡᆼ안과 초월(初月) ᄀᆞᆺ튼 눈셥
이 치필(彩筆)의 공을 더으지 아냐셔, 원산
의 그림지 쳥녀(清麗)ᄒᆞ여, 늘난 엇게 비봉
(飛鳳)ᄀᆞᆺ고, ᄀᆞᄂᆞᆫ 허리 뉴지(柳枝) ᄀᆞᆺᄒᆞ여,
풍뉴영걸(風流英傑)의 츈졍(春情)을 요동(搖
動)ᄒᆞᆯ 비라.

태위 양시의 ᄆᆞ음을 치 알녀 ᄒᆞ여 ᄲᆞᆯ니
월잉의 손을 잇그러 겻히 안치며 화싴(花
顋)를 졉ᄒᆞ고 무릅흘 연ᄒᆞ여 유희 방탕ᄒᆞ
니, 잉이 쳔만 긔약 밧 이런 놀나온 경계를
당ᄒᆞ니, 심혼(心魂)이 니쳬(離體)ᄒᆞ고 칠빅
(七魄)¹⁰³⁵이 표탕(飄蕩)ᄒᆞ여 경각에 ᄶᆞ흘

1034)다함 : 다만, 그저, 또한.
1035)칠빅(七魄) : 죽은 사람의 몸에 남아 있는 일곱

閨) 마역(莫逆)1079)이라. 슈오셰로브터 쇼져
를 조ᄎ 문니(文理)를 졍통ᄒ고 녜의를 아
ᄂ디라. 침션슈치(針線繡緻)의 지죄 유여ᄒ
여 쇼져의 ᄉ랑ᄒ고 듕히 넉이미 슈족 ᄀᆺᄐ
니, 잉이 쥬인 위ᄒ 졍셩이 몸을 죽여 갑흘
ᄯᅳᆺ이 잇더라.

　소ᄅᆡ를 놉혀 왈,
　"비지(婢子) 블튱무상(不忠無狀)ᄒ나 아ᄅᆡ
로 우흘 범치 못ᄒ믄 만고강상(萬古綱常)이
어늘, 이졔 쳔비 쥬모의 대은을 닛고【34】
몸이 뎍국(敵國)이 되면 찬역디신(簒逆之臣)
이라. 무왕(武王)1080)이 쥬(紂)1081)를 치시
미, 빅이슉졔(伯夷叔齊)1082) 물머리를 잡고
간(諫)ᄒ디, '부ᄉ부장(父死不葬) ᄒ고 원급
간과(爰及干戈)ᄒ니 가위효○[호]
아 이신벌군(以臣伐君)이 가위인호(可謂仁
乎)아'1083)　ᄒ고　은어슈양산(隱於首陽
山)1084)　ᄒ여　ᄎᆡ미식디(采薇食之)1085)라가
아ᄉ(餓死)ᄒ니, 이포역포(以暴易暴)1086)라

──────────

1079)마역(莫逆) : 막역(莫逆). 허물없는 친구.
1080)무왕(武王) : 중국 주나라의 제1대 왕. 성은 희
　(姬), 이름은 발(發). 은(殷) 왕조를 무너뜨리고 주
　왕조를 창건하여, 호경(鎬京)에 도읍하고 중국 봉
　건 제도를 창설하였다. 후대에 현군(賢君)으로 추
　앙되었다
1081)쥬(紂) : 중국 은나라의 마지막 임금. 이름은 제
　신(帝辛). 주(紂)는 시호(諡號). 지혜와 체력이 뛰
　어났으나, 주색을 일삼고 포학한 정치를 하여 인
　심을 잃어 주나라 무왕에게 살해되었다
1082)빅이슉졔(伯夷叔齊) : 은말(殷末) 주초(周初)에
　고죽국(孤竹國)의 두 왕자. 주(周)나라 무왕(武王)
　이 은(殷)나라를 치러 나가자 무왕의 말고삐를 잡
　고 치지 말 것을 간하였으나, 받아들여지지 않자,
　수양산에 들어가 고사리를 캐먹다 굶어죽었다 한
　다.
1083)'부ᄉ부장(父死不葬)~ 가위인호(可謂仁乎)아' :
　아버지가 돌아가시어 아직 장례도 치르지 못하였
　는데 (자식이) 손에 무기를 드는 것을 가히 효(孝)
　라고 할 수 있겠는가?, 신하로서 임금을 치는 것
　을 가히 인(仁)이라 할 수 있겠는가?
1084)은어슈양산(隱於首陽山) : 수양산에 들어가 숨
　음. *수양산(首陽山) : 중국 감숙성(甘肅省) 농서
　(隴西)에 위치한 산 이름.
1085)ᄎᆡ미식디(采薇食之) : 고사리를 캐서 먹음.

프고 들고져 ᄒ나 능히 밋지 못ᄒ니, 소져
로 더브러 년긔상젹(年紀相適)ᄒ고 지긔상
합(志氣相合)ᄒ여 명위노쥬(名爲奴主)나, 실
위 향규(香閨) 막역(莫逆)1036)이라. 슈오 셰
로브터 소져를 조ᄎ 문ᄌᆞ를 졍통ᄒ고, ○
[고]ᄉ(古事)를 넓이 알며, 침션슈치(針線繡
緻)의 지죄 유연ᄒ여, 소졔 ᄉ랑ᄒ고 즁디
ᄒ미 슈족 ᄀᆺᄐ니, 잉이 쥬인 위ᄒ 졍셩이
몸을 죽여 갑흘 ᄯᅳᆺ이 잇ᄂ지라.

　소ᄅᆡ를 놉혀 왈
　"비지(婢子) 블츙무상(不忠無狀)ᄒ나 아ᄅᆡ
로셔 우흘【171】범치 못ᄒ믄 만고강상(萬
古綱常)이 즁ᄒ미라. 이졔 쳔비 쥬모의 디
은을 닙고 스스로 몸이 그 젹인이 되면, 이
ᄂ ᄌᆞ고(自古) 찬역지신(簒逆之臣)으로 일뉴
라. 쥬(紂)1037)의 무도(無道)ᄒ므로도 무왕
(武王)1038)이 치미 빅이슉졔(伯夷叔齊)1039)
말머리를 잡고 간(諫)ᄒ디, '부ᄉ부장(父死
不葬)ᄒ고　원급간괘(爰及干戈)　가위효후
[호](可謂孝乎)아, 이신시군(以臣弑君)이 가
위인호(可謂仁乎)아'1040)ᄒ고, 은어슈양산
(隱於首陽山)1041)ᄒ여 ᄎᆡ{기}미식지(采薇食

──────────

　가지의 정령(精靈). 귀, 눈, 콧구멍이 각기 둘이고
　입이 하나임을 가리킨다
1036)마역(莫逆) : 허물없는 친구.
1037)쥬(紂) : 중국 은나라의 마지막 임금. 이름은 제
　신(帝辛). 주(紂)는 시호(諡號). 지혜와 체력이 뛰
　어났으나, 주색을 일삼고 포학한 정치를 하여 인
　심을 잃어 주나라 무왕에게 살해되었다
1038)무왕(武王) : 중국 주나라의 제1대 왕. 성은 희
　(姬). 이름은 발(發). 은(殷) 왕조를 무너뜨리고 주
　왕조를 창건하여, 호경(鎬京)에 도읍하고 중국 봉
　건 제도를 창설하였다. 후대에 현군(賢君)으로 추
　앙되었다
1039)빅이슉졔(伯夷叔齊) : 은말(殷末) 주초(周初)에
　고죽국(孤竹國)의 두 왕자. 주(周)나라 무왕(武王)
　이 은(殷)나라를 치러 나가자 무왕의 말고삐를 잡
　고 치지 말 것을 간하였으나, 받아들여지지 않자,
　수양산에 들어가 고사리를 캐먹다 굶어죽었다 한
　다.
1040)'부ᄉ부장(父死不葬)~ 가위인호(可謂仁乎)아' :
　아버지가 돌아가시어 아직 장례도 치르지 못하였
　는데 (자식이) 손에 무기를 드는 것을 가히 효(孝)
　라고 할 수 있겠는가?, 신하로서 임금을 치는 것
　을 가히 인(仁)이라 할 수 있겠는가?
1041)은어슈양산(隱於首陽山) : 수양산에 들어가 숨
　음. *수양산(首陽山) : 중국 감숙성(甘肅省) 농서

ᄒᆞ믄 신하로뻐 님군을 치미라. 무왕이 어딜믈 모로미 아니라, 쳔비 쥬군의 뜻을 밧들고 쥬모를 업눌너 뎍국(敵國)이 되면 엇디 이졔(夷弟)1087)의 죄인이 아니리잇고?"

말노 조ᄎᆞ 쳔항 누쉬 옷깃슬 뎍셔 경악ᄒᆞᆫ 안ᄉᆡᆨ이 여토(如土)ᄒᆞ여 합연(溘然)1088 브디(不知)코져 ᄒᆞ눈디라. 태위 엇디 그 당연ᄒᆞᆫ믈 모로리오마눈, 임의 졀ᄃᆡ미아(絶代美兒)를 눈의 드려시니 풍졍을 것잡으며, 져의 망극【35】ᄒᆞ믈 도라보리오. ᄒᆞᆫ 말을 아니코 짐ᄌᆞᆺ 양시 상요의 닛그러 운우디졍(雲雨之情)을 미줄시, 잉이 쳔만 가디로 밀막고 디어(至於) 블공ᄒᆞᆫ 말이 만ᄒᆞ되, 태우의 구졍(九鼎)1089을 경히 넉이눈 용녁으로 만의 일을 당ᄒᆞᆯ 길히 업스니, 그믈의 걸닌 ᄉᆡ 되여 움족이지 못ᄒᆞ고, 싱이 그 입을 막아 소ᄅᆡ를 못ᄒᆞ게 ᄒᆞ니, 잉이 경긱의 죽고져 ᄒᆞ나 촌쳘(寸鐵)이 업눈디라. 홀 일 업셔 일침디하(一枕之下)의 동품ᄒᆞ이여, 망측 히괴ᄒᆞᆫ 거동이 사름이 ᄎᆞ마 보디 못ᄒᆞᆯ디라. 양시 아닛쯉고 더러오믈 니긔디 못ᄒᆞ여 몸을 피ᄒᆞ여 협실노 드러가려 ᄒᆞ거늘, 태위 대로ᄒᆞ여 좌슈로 잉을 단단이잡고, 우비를 느르혀 양시를 닛글미 쇼졔 비록 분【36】완 통히ᄒᆞ미 측냥 업스나, 연연약질(軟軟弱質)이 태우의 댱밍(壯猛)이 닛글믈 당ᄒᆞ여, 츄풍낙엽 ᄀᆞᆺ치 휘브드치여1090) 것구러디믈 면치 못ᄒᆞ니, 태위 그 상ᄒᆞ믈 넘녀치 아니ᄒᆞ고, 가비

之)1042) ᄒᆞ다가 아ᄉᆞ(餓死)ᄒᆞ니 무왕이 어질믈 모로미 아니라, 쳔비 《쥬국∥쥬군》의 뜻을 밧들고 쥬모를 업눌너 그 젹인이 되면, 엇지 이졔(夷弟)1043)의 죄인이 되지 아니리잇가?"

○○【말노】 조ᄎᆞ 쳔항 누쉬 옷압흘 젹시고 놀나은 ᄉᆞ식이 죽을 듯ᄒᆞ니, 태위 엇지 그 말을 모로리오마눈, 임의 즈긔 눈의 들닌지라. 엇지 풍졍을 ᄎᆞᆷ고 잉의 망극초민(罔極焦悶)ᄒᆞᆫ 졍니(情理)를 도라보리오. 일언을 아니ᄒᆞ고 짐짓 양소져 상에셔 잉을 잇그러 운우지졍(雲雨之情)을 미줄시, 잉이 쳔만가지로 밀막어 죽기를 그음ᄒᆞ고, 소ᄅᆡ를 놉혀【172】불공ᄒᆞᆫ 말이 만흐되, 태위 구졍(九鼎)1044)을 가ᄇᆞ야이 넉이눈 용녁을 만의 일도 당ᄒᆞᆯ 길히 업스니, 속졀업시 태위의 협박ᄒᆞᆷ믈 면치 못ᄒᆞ니, 그믈에 걸닌 ᄉᆡ ᄀᆞᆺᄒᆞ여 움죽이지 못ᄒᆞ고, 싱이 그 입을 막아 요란히 소ᄅᆡ를 못ᄒᆞ게 ᄒᆞ니, 잉이 고딕 죽고져 ᄒᆞ나 손의 촌쳘(寸鐵)이 업스니, 홀일 업셔 일침지하(一枕之下)의 졉면동와(接面同臥)ᄒᆞ여, 망측ᄒᆞᆫ 거동이 ᄉᆞ름이 ᄎᆞ마 보지 못ᄒᆞᆯ지라. 양씨 아닛쇼음을 니기지 못ᄒᆞ여 몸을 피ᄒᆞ여 협실노 드러가려 ᄒᆞ거늘, 태위 딕로ᄒᆞ여 우슈로 잉을 단단히 잡고 좌슈를 느ᄅᆡ여 양씨를 잇글미, 소졔 비록 분완 통히ᄒᆞ미 측냥 업스나, 연연약질(軟軟弱質)이 태우의 장밍(壯猛)이 잇글믈 당ᄒᆞ여, 츄풍낙엽 ᄀᆞᆺ치 휘붓치여1045) 것구러지믈 면치 못ᄒᆞ니, 태위 그 상ᄒᆞ믈 넘녀치 아니ᄒᆞ고, 가ᄇᆞ야이 붓드러 잉과 ᄒᆞᆫ가지로 금니(衾裏)의 나아가고져 ᄒᆞ눈지【173】라.

1086)이포역포(以暴易暴) : 포악함으로 다른 포악함을 바꾸는 것. 무왕이 주(紂)를 친 역셩혁명을 일컫는 말로, 무왕이 주(紂)를 친 것은 신하로서 임금을 친 것이므로 불충(不忠)이며 포(暴)이기 때문에, 포(暴)로써 포(暴)를 바꾼 것에 지나지 않는다는 것으로, 패도(覇道)를 경계한 말이다.
1087)이졔(夷齊) : 백이(伯夷)와 숙제(叔齊)를 함께 이르는 말
1088)합연(溘然) : 갑작스럽게 죽음.
1089)구정(九鼎) : 중국 하(夏)나라의 우왕(禹王) 때에, 전국의 아홉 주(州)에서 쇠붙이를 거두어서 만들었다는 아홉 개의 솥.
1090)휘브드치다 : '휘+부딪치다'의 형태. 마구 부딪치다. *휘-; 일부 동사 앞에 붙어, '마구' 또는 '매우 심하게'의 뜻을 더하는 접두사.

(隴西)에 위치한 산 이름.
1042)치미식다(采薇食之) : 고사리를 캐서 먹음.
1043)이졔(夷齊) : 백이(伯夷)와 숙제(叔齊)를 함께 이르는 말
1044)구정(九鼎) : 중국 하(夏)나라의 우왕(禹王) 때에, 전국의 아홉 주(州)에서 쇠붙이를 거두어서 만들었다는 아홉 개의 솥.
1045)휘붓치다 : '휘+붓치다'의 형태. 휘날리다. *붓치다; 나부끼다. 일렁이다. *휘-; 일부 동사 앞에 붙어, '마구' 또는 '매우 심하게'의 뜻을 더하는 접두사.

야이 붓드러 잉과 흔가디로 금니(衾裏)의 나아가고져 ᄒᆞᄂᆞ니라.

쇼졔 분연 통히ᄒᆞᆷ을 니긔디 못ᄒᆞ여 흔 번 소릭 ᄒᆞ고 업더져 인스를 모로고 막히니, 졔 시녀와 유랑이 댱외의 이시ᄃᆡ, 흔갓 망극 황황ᄒᆞᆷ믈 니긔디 못ᄒᆞ여 드러가 쇼져를 구코져 ᄒᆞ나, 태우의 위엄을 두려 능히 나아가디 못ᄒᆞ고, 초젼(焦煎) 추악ᄒᆞᆷ믈 니긔디 못ᄒᆞᄂᆞ니라. 태위 오히려 잉을 노치 아니코, 낭듕의 약을 ᄂᆡ여 쇼져의 입의 드리오니, 【37】 이윽고 양시 슘을 니두로고 졍신을 슈습ᄒᆞ거ᄂᆞᆯ, 태위 온 가디로 보ᄎᆡ려 ᄒᆞᄂᆞᆫ 고로, 시녀를 명ᄒᆞ여 대월누의 가 주긔 유졍흔 창녀 월하션 봉월이 화향연 영가잉 등 스창을 블너 오라 ᄒᆞ니, 슈유(須臾)의 스창이 명을 응ᄒᆞ여 션삼졍의 다ᄃᆞ라 듕계의셔 양쇼져긔 지비ᄒᆞ고, 감히 당의 오로디 못ᄒᆞ거ᄂᆞᆯ, 싱이 명ᄒᆞ여 당듕의 오로라 ᄒᆞ여, 다 주긔 겻ᄐᆡ 안치고, 쇼져를 닛그러 창녀 등 우흐로 안쳐 왈

"뎍쳡 존비ᄂᆞᆫ 출혐죽 흔 고로, 창녀 등을 그ᄃᆡ도곤 ᄉᆞ랑ᄒᆞᄃᆡ, 그ᄃᆡ ○○[아릭] 안치고 그ᄃᆡᄂᆞᆫ 더옥 내 겻ᄐᆡ 안쳐, 우리 부뷔 갓가이 안ᄌ 희쳡의 용화신칙(容華身彩)를 등졔(等第)ᄒᆞ1091)리니, 오슈용우(吾雖庸愚)나 풍칙 골격이 하등【38】이 아니오, 그ᄃᆡ 투악 간악ᄒᆞᆯ디언졍 은(殷)나라 망흔 소달긔(蘇妲己)1092) 고음과 쥬(周)나라 멸흔 포스(襃姒)1093)의 미묘흔 ᄌᆞᄐᆡ를 겸ᄒᆞ여, 풍뉴댱부의 은졍을 요동홀 비오, 졔창이 다 옥딘(玉眞)1094)의 완혜(緩慧)흠과 비연(飛

소졔 분연 통히ᄒᆞᆷ믈 니긔지 못ᄒᆞ여 흔 번 소릭ᄒᆞ고 업더져 인스를 모로고 막히니, 졔 시녀와 유랑이 쟝외의 이시ᄃᆡ, 흔굿 망극 황황ᄒᆞᆷ믈 니긔지 못ᄒᆞ여 드러가 소져를 구코져 ᄒᆞ나, 태우의 위엄을 두려 능히 못ᄒᆞᄂᆞᆫ지라. 태위 오히려 잉을 노치 아니코 낭즁의 약을 ᄂᆡ여 소져의 입의 드리오니, 이윽고 양씨 슘을 니두루고 정신을 슈습ᄒᆞ거ᄂᆞᆯ, 태위 온 가지로 보ᄎᆡ려 ᄒᆞᄂᆞᆫ 고로, 시녀를 명ᄒᆞ여 ○…**결락8자**…○[대월누의 가 월하션] 봉월이 화향연 형가잉 등 스창을 불너오라 ᄒᆞ니, 슈유의 스창이 명을 응ᄒᆞ여 션삼졍의 다ᄃᆞ라, 즁계의셔 양씨긔 지빅ᄒᆞ고 감히 당의 오르지 못ᄒᆞ거ᄂᆞᆯ, 싱이 명ᄒᆞ여 당즁의 오로라 ᄒᆞ여 다 주긔 겻ᄒᆡ 안치고, 소져를 잇그러 창녀 등 우흐로 안쳐 왈,

"젹쳡 존비ᄂᆞᆫ 출혐죽 흔 고로, 창녀 등을 그ᄃᆡ도○[곤] ᄉᆞ랑ᄒᆞᄃᆡ, 그ᄃᆡ 아릭 안치고 그ᄃᆡᄂᆞᆫ 더옥 내 겻ᄒᆡ 안쳐, 우리 부뷔 갓가【174】히 안쟈 희쳡의 용화신칙(容華身彩)을 《즁졔∥등졔(等第)1046)》 ᄒᆞ리니, 오슈용위(吾雖庸愚)나 풍칙 골격이 하등이 아니오, 그ᄃᆡ 투악 간악ᄒᆞ지언졍 은(殷)나라 망흔 소달긔(蘇妲己)1047)의 고음과 쥬나라 멸흔 포스(襃姒)1048)의 미묘흔 ᄌᆞᄐᆡ를 겸ᄒᆞ여, 풍뉴쟝부의 은졍을 요동홀 비오, 졔창이 다 옥진(玉眞)1049)의 완혜(婉慧)흠과 비연(飛

1091)등졔(等第)ᄒᆞ다 : 등급을 매기다.
1092)소달긔(蘇妲己) : 중국 은나라 주왕의 비(妃). 성(姓)은 소씨(蘇氏). 흔히 '달기(妲己)'로 칭해진다. 왕의 총애를 믿어 음탕하고 포악하게 행동하였는데, 뒤에 주나라 무왕에게 살해되었다. 하걸(夏桀)의 비 매희(妹喜)와 함께 망국의 악녀로 불린다.
1093)포스(襃姒) : 중국 주(周)나라 유왕의 총희(寵姬)로 웃음이 없었다. 유왕이 그녀를 웃게 하기 위해 거짓 봉화를 올려 제후들을 소집하였다가, 뒤에 외침(外侵)을 받고 봉화를 올렸으나 제후들이 모이지 않아 왕은 죽고 포사는 사로잡혔다고 한다.
1094)옥딘(玉眞) : 옥진부인(玉眞夫人). 하늘에 있는

1046)등졔(等第)ᄒᆞ다 : 등급을 매기다.
1047)소달긔(蘇妲己) : 중국 은나라 주왕의 비(妃). 성(姓)은 소씨(蘇氏). 흔히 '달기(妲己)'로 칭해진다. 왕의 총애를 믿어 음탕하고 포악하게 행동하였는데, 뒤에 주나라 무왕에게 살해되었다. 하걸(夏桀)의 비 매희(妹喜)와 함께 망국의 악녀로 불린다.
1048)포스(襃姒) : 중국 주(周)나라 유왕의 총희(寵姬)로 웃음이 없었다. 유왕이 그녀를 웃게 하기 위해 거짓 봉화를 올려 제후들을 소집하였다가, 뒤에 외침(外侵)을 받고 봉화를 올렸으나 제후들이 모이지 않아 왕은 죽고 포사는 사로잡혔다고 한다.
1049)옥딘(玉眞) : 옥진부인(玉眞夫人). 하늘에 있는

燕)1095)의 경신(輕身)ᄒ므로 방블ᄒ여, ᄒ나토 용치 아니코, 월잉을 시로 어더 측실의 용납ᄒ미, 그ᄃᆡ 노쥬의 졍과 뎍쳡의 의를겸ᄒ니, 녜ᄉ 비ᄌᆞ와 ᄀᆞᆺ디 아냐 각별ᄒ미 이시리라."

쇼졔 분긔 막힐 ᄃᆞᆺᄒ여 욕되고 통완ᄒ미 죽어 모로고져 ᄒᄃᆡ, 부모 유쳬를 ᄎᆞ마 칼과 노1096)희 더디디 못ᄒ여, 흣갓 비분 텰골(徹骨)ᄒ미 옥면이 한상(寒霜) ᄀᆞᆺ고, 아황(蛾黃)1097)의 노긔 어리여 힘을 다ᄒ여 잡은 옷슬 ᄯᅥᆯ치고 니러나고져【39】ᄒᄂᆞᆫ디라. 태위 대로ᄒ여 ᄒᆫ 팔노 녑히 ᄶᅥ 누르미, 태산이 업누른 ᄃᆞᆺᄒ여 쇼졔 슈족을 놀닐 길히 업스니, 흣갓 분ᄒᆫ 눈믈이 화협(花頰)의 구을고, 일신이 어름 ᄀᆞᆺᄐᆞ여 긔운을 슈습디 못ᄒ나, 태위 모로ᄂᆞᆫ ᄃᆞᆺᄒ여 가디록 단단이 잡아 고개를 두로디 못ᄒ게 ᄒ고, 월잉의 손을 노치 아니며 졔챵의 옷과 손이 양시긔 닷케 ᄒ여, 쳔만 가디 욕셜이 아니 밋츤 곳이 업고, 슐이 미란(迷亂)ᄒ미 삼가는 일이 조곰도 업셔 졔챵으로 더브러 희학이 낭ᄌᆞᄒ더니, 옥쳠의 금계 싀비를 보ᄒᄂᆞᆫ디라. 월하션 등을 쥬찬을 먹여 도라 보닉고, 비로소 잉의 손을 노흔 후 양시를 더옥 홀ᄯᅳ어1098) 상요의 누【40】으며, 우어 왈,

"그ᄃᆡ 월하션 등과 월잉을 ᄶᅥ려 일침 동와ᄒᆞᆷ믈 졀박히 넉이니, 그ᄃᆡ 원을 조ᄎᆞ ᄒᆞ가디로 누어시리라."

이리 니르며 호호히 웃기를 마디 아니코, ᄯᅩ 쇼져의 낫출 ᄀᆞᆯ으쳐, ᄭᅮ디져 왈,

신선으로 옥진보황도군(玉眞保皇道君)이라 일컫는데, 옥청삼원궁(玉淸三元宮)에 산다고 한다.

1095)비연(飛燕) : 중국 전한(前漢) 성제(成帝)의 비(妃). 시호는 효성황후(孝成皇后). 가무(歌舞)에 뛰어났고 빼어난 미모로 성제의 총애를 받아 황후에까지 올랐다.

1096)노 : 노끈. 실, 삼, 종이 따위를 가늘게 비비거나 꼬아 만든 줄.

1097)아황(蛾黃) : 아황(蛾黃)은 예전에 여자들이 얼굴에 바르던 누런빛이 나는 분으로, 여기서는 분 바른 얼굴을 뜻함

1098)홀ᄯᅳ으다 : 후려 끌다. 끌어당기다.

燕)1050)의 경신(輕身)ᄒᆞᆷ므로 방블ᄒᆞ여, ᄒ나토 용우치 아니ᄒ고, 월잉을 시로이 어더 측실의 용납ᄒ미, 그ᄃᆡ 노쥬의 졍과 젹쳡의 의를 겸ᄒ니, 녜ᄉ 비ᄌᆞ와 ᄀᆞᆺ지 아냐 각별ᄒ미 잇시리라."

소졔 분뇌 막힐 ᄃᆞᆺᄒᆞ야 욕되고 통완ᄒ미 죽어 모로고져 ᄒᄃᆡ, 부모 유톄를 ᄎᆞ마 칼과 노1051)희 더지지 못ᄒᆞ여, 흣ᄀᆞᆺ 비분(悲憤)이 쳘골(徹骨)ᄒᆞᆫ미 옥면이 한상(寒霜) ᄀᆞᆺ고, 아황(蛾黃)1052)의 노긔 어리여 힘을 다ᄒ여 잡은 옷슬 ᄯᅥᆯ치고 니러나고져 ᄒᄂᆞᆫ디라. 태위 ᄃᆡ로ᄒ여 ᄒᆫ 팔을 녑회 ᄶᅥ 누르미, 태산【175】이 업누른 ᄃᆞᆺᄒ여, 소졔 슈족을 놀닐 길히 업스니, 흣갓 분ᄒᆫ 눈믈이 화험(花臉)1053)의 구을고 일신이 어름 ᄀᆞᆺᄒ여 긔운을 슈습지 못ᄒ나, 태위 모로ᄂᆞᆫ ᄃᆞᆺᄒ여 가지록 단단이 잡아 고개를 두루지 못ᄒ게 ᄒ고, 월잉의 손을 노치 아니며 졔챵의 옷과 손이 양시긔 다케ᄒ여, 쳔만가지 욕셜이 아니 밋츤 곳이 업고, 슐이 《미탕∥미란(迷亂)》ᄒ미 삼가는 일이 조곰도 업셔, 졔챵으로 더부러 희학이 낭쟈ᄒ더니, 옥쳠의 금계 싀벽을 보ᄒᄂᆞᆫ지라. 월하션 등을 쥬찬을 먹여 도라 보닉고, 비로소 《힝∥잉》의 손을 노흔 후 양씨를 더욱 홀ᄯᅳ어1054) 상요의 누우며, 우어 왈,

"그ᄃᆡ 월하션 등과 월잉을 ᄶᅥ려 일침 동와ᄒᆞᆷ믈 하1055) 졀박히 넉이니, 그ᄃᆡ 원을 좃ᄎᆞ ᄒᆞ가지로 누어시리라."

이리 니르며 호호이 웃기를 마지 아니ᄒ

신선으로 옥진보황도군(玉眞保皇道君)이라 일컫는데, 옥청삼원궁(玉淸三元宮)에 산다고 한다.

1050)비연(飛燕) : 중국 전한(前漢) 성제(成帝)의 비(妃). 시호는 효성황후(孝成皇后). 가무(歌舞)에 뛰어났고 빼어난 미모로 성제의 총애를 받아 황후에까지 올랐다.

1051)노 : 노끈. 실, 삼, 종이 따위를 가늘게 비비거나 꼬아 만든 줄.

1052)아황(蛾黃) : 아황(蛾黃)은 예전에 여자들이 얼굴에 바르던 누런빛이 나는 분으로, 여기서는 분 바른 얼굴을 뜻함

1053)화험(花臉) : 꽃처럼 예쁜 뺨. *臉의 음은 '검'.

1054)홀ᄯᅳ으다 : 후려 끌다. 끌어당기다.

1055)하; 아주. 몹시.

"미우(眉宇)히 등등훈 살긔는 사룸을 포집어1099) 죽일 둣 시브고, 안졍(眼睛)의 초독(超毒)훈 빗츤 요亽(妖邪)의 빅츌(百出)훈 거동이니, 상모(相貌)의 박복 미몰ᄒ기는 쳥츈과모(靑春寡母)로 신혼(新婚) 쳬읍(涕泣)을 면치 못훌 형상이라. 그딕 모친이 그딕를 나홀 쩍의 꿈의 므슨 독훈 즘싱을 보앗는고? 쳔년 노호(老狐)를 보디 아냐시면, 亽갈(蛇蝎) 독귀(毒鬼)를 품 속의 너흐시리라."

양시 싱의 광언잡셜(狂言雜說)을 죡가(足枷)치 아니ᄒ고, 오딕 즈긔 명되 남 ᄀᆺ디 못【41】ᄒ믈 슬허, 고딕 짜홀 파고 몸을 곰초와 이 ᄀᆺᄐ 욕을 면코져 ᄒ딕, 능히 밋디 못훌디라. 만신이 즛울ᄒ는 듯 알프미 심훌 ᄲᆫ 아니라, 시도록 심히 보쳐이여 긔운을 슈습디 못ᄒ니, 신셩(晨省)의 드러갈 길도 업술 ᄲᆫ 아니라, 태위 일침디하(一鍼之下)의 두금(兜衾)1100) 졉면(接面)ᄒ여 움죽이디 못ᄒ게 붓드러시니, 이목이 슈업고 가듕이 여루ᄒ미1101) 날이 붉은즉 대로상(大路上) 져지거리 ᄀᆺ거늘, 즈긔 태우와 ᄒ가디로 누엇는 경상이 망측히 보리 만ᄒ믈 싱각ᄒ니 참괴ᄒ미 낫출 깍고져 시븐디라. 히음업시1102) 오열비읍ᄒ믈 마디 아니ᄒ딕, 태위 요동치 아니코 양시를 온가디로 ᄭᅮ디즈며 희롱ᄒ믈 낭즈히 ᄒ【42】더니, 홍일(紅日)이 亽창(紗窓)의 명낭이 빗쵀며 ᄋ쇼(兒小) 등이 다 니러나 뎡당(正堂)과 쇼당(小堂)으로 왕ᄂᆡ호는 볼즈최 분분요요(紛紛擾擾)ᄒ니, 양시 착급ᄒ믈 니긔디 못ᄒ여 입을 여러 잠간 니러나기를 빌고져 훌 즈음의, 뎡당 태부인 명으로 시녀 젼어 왈,

"금일은 태우 부쳬 긔쳑이 업亽니 아디 못게라 신긔(身氣)1103) 블평ᄒ냐? 혹즈 통

1099)포집다 : 거듭 집다. 거듭 단단히 잡아들다.
1100)두금(兜衾) : 이불을 뒤집어 쏨. 이불로 동여 쌈.
1101)여루ᄒ다 : 열요(熱鬧)하다. 떠들썩하다.
1102)히음업시 : 하염없이.

고 ᄯᅩ 소져의 ᄂᆞᆺ출 ᄀᆞᆮ쳐 ᄭᅮ지【176】져 왈,

"미우(眉宇)히 등등훈 살긔는 亽룸을 포집어1056) 죽일 둣 시브고, 안졍(眼睛)의 표독(慓毒)훈 빗츤 요샤(妖邪)의 ᄯᅳ시 빅츌(百出)훌 거동이니, 상모(相貌)의 박복 미몰ᄒ기는 쳥츈과모(靑春寡母)로 신혼(新婚) 쳬읍(涕泣)을 면치 못훌 형상이라. 그딕 모친이 그딕를 나홀 졔 꿈의 무슴 독훈 즘싱을 보아는고? 졍녕 노호(老狐)를 보지 아냐시면 샤갈(蛇蝎) 독귀(毒鬼)를 품 속에 너허시리라."

양씨 싱의 광언잡셜(狂言雜說)을 죡가(足枷)치 아니ᄒ고 오직 즈긔 명되 남 ᄀᆺ지 못ᄒ믈 슬허ᄒ딕, 짜흘 파고 몸을 감초와 이 ᄀᆺ흔 욕을 면코져 ᄒ딕, 능히 밋지 못훌지라. 만신이 즛울ᄒ는 듯 알프미 심훌 ᄲᆫ 아니라, 시도록 심히 보쳐이여 긔운을 슈습지 못ᄒ니, 신셩의 드러갈 길도 업슬 ᄲᆫ 아니라, 태위 일침디하(一鍼之下)의 두금(兜衾)1057) 졉면(接面)ᄒ여 움죽이디 못ᄒ게 붓드러시니, 이목이 슈 업고 가【177】즁이 여루ᄒ미1058) 날이 붉은즉 딕로상(大路上) 져쟈거리 ᄀᆺ거늘, 즈긔 태우와 ᄒ가지로 누엇는 경상이 망측히 보니[리] 만ᄒ믈 싱각ᄒ니 참괴ᄒ미 ᄂᆞᆺ출 ᄭ고져 시븐지라. 히음업시1059) 오열 비읍ᄒ믈 마지 아니ᄒ딕, 태위 요동치 아니코 양씨를 온 가지로 ᄭᅮ지즈며 희롱ᄒ믈 낭즈히 ᄒ더니, 홍일(紅日)이 샤챵(紗窓)의 명낭이 빗쵀며, ᄋ소(兒小) 등이 다 니러나 뎡당과 소당으로 왕ᄂᆡ호는 발자최 분분요요(紛紛擾擾)ᄒ니, 양씨 착급ᄒ믈 이긔지 못ᄒ여 입을 여러 잠간 니러나기를 빌고져 훌 지음에, 뎡당 태부인 명으로 시녀 젼어 왈,

"금일은 태우 부쳬 긔쳑이 업亽니 아지 못게라 신긔(身氣)1060) 불평ᄒ냐? 통셰 잇

1056)포집다 : 거듭 집다. 거듭 단단히 잡아들다.
1057)두금(兜衾) : 이불을 뒤집어 쏨. 이불로 동여 쌈.
1058)여루ᄒ다 : 열요(熱鬧)하다. 떠들썩하다.
1059)히음업시 : 하염없이.

셰 잇거든 조심ᄒ여 됴리ᄒ라."

ᄒ시니, 태위 징그라오믈 니긔디 못ᄒ니
[미] 가려온 디를 긁ᄂᆫ 듯ᄒ여, 즉시 회보
답왈,

"쇼손이 통체 업ᄉ면 엇디 신셩(晨省)의
블참ᄒ여시리잇고마ᄂᆞᆫ, 작야의 우연이 먹은
거슬 다 토ᄒ고 졍신이 혼미ᄒ니, 양시ᄂᆞᆫ
시도록 구호ᄒ건 쳬 ᄒ고【43】ᄌᄃᆡ 아니
ᄒ니, 역시 알ᄂᆞᆫ디라. 이러므로 뎡당의 드러
가디 못ᄒ여시나, 원간 쇼손과 양시 다 통
셰 대단치 아니ᄒ오니 과려치 마르쇼셔."

이러ᄐᆺ 딕답ᄒ여 시녀를 도라보ᄂᆞ니, 시
네 뎡당의 나아가 쇼졔 유딜홈과 태위 ᄯᅩ
블평ᄒᆞᆷ을 알왼디, 태부인과 금후 부뷔 듯고
크게 경녀(驚慮)ᄒ여 딘부인이 ᄌᆞ부를 보려
션삼졍의 니르니라. 초시 태위 역시 시도록
광패(狂悖)를 브리노라 접목을 못ᄒ엿ᄂᆞᆫ디
라. 일신이 곤뇌ᄒᆫ 듕 쇼져를 조로고겨 니
러나디 아니코, 긴긴(緊緊)히[1104] 누어 쇼져
를 빅단으로 보치여, 일시를 못 견디도록
ᄒ여 왈

"지 엇디 이리코 누어 홍일이 ᄉ창의 오
로도록 신셩을 참예【44】치 아닛ᄂᆞᆇ? 그
디 날 써나미 ᄆᆞᄋᆞᆷ의 이디도록 어려오냐?
그디 날을 일시 써나기 슬희여 홈과 투악이
남달니 이상ᄒᆞᆷ을 보니, 만일 남ᄌᆞ ᄀᆞᆺ튼면
호싴(好色)이 쳔고의 무빵홀디라. 원간 녀ᄌᆞ
의 이부(愛夫)ᄒᆞᄂᆞᆫ 음졍(淫情)이 호탕ᄒ여,
풍뉴 남ᄋᆡ 이쳐(愛妻)ᄒᄂᆞᆫ ᄆᆞᄋᆞᆷ의 빅비
승(勝)ᄒᆞᆷ을 가히 알니로소니, 혹ᄌᆞ 싱이 블
힝ᄒ여 일즉 죽ᄂᆞᆫ 날이면 그디ᄂᆞᆫ 결단ᄒ여
졀힝을 딕희디 못ᄒ고, 다른 풍뉴 호걸을
갈희리로다."

쇼졔 태우의 실셩광패(失性狂悖)ᄒᆫ 말을
드를 젹마다, 분긔 가슴의 막히ᄂᆞᆫ 듯ᄒ더라.
스스로 명되(命途) 다쳔(多舛)[1105]ᄒᆞᆷ을 슬허
ᄒ며, 돌탄(咄嘆)ᄒ여 일누잔쳔(一縷殘喘)을

1103)신긔(身氣) : 몸의 기력.
1104)긴긴(緊緊)히 : 굳건히. 단단히.
1105)다쳔(多舛) : 어긋남이 많음

거든 조심ᄒ야 조리ᄒ라."

ᄒ시니, 태위 징그라오믈 니긔지 못ᄒ니
[미] ᄀ려온 디를 긁ᄂᆫ 듯ᄒ여 즉시 회보
답왈,

"소숙[손]이 통쳬 업ᄉ면【178】 엇지
신셩의 블참ᄒ여시리잇고마ᄂᆞᆫ 작야의 우연
이 먹은 것을 《과포ᄒ여∥다 토(吐)ᄒ여》
졍씨이 혼미ᄒ니, 양씨ᄂᆞᆫ 시도록 구호ᄒ건
쳬ᄒ고 자지 아니ᄒ니, 역시 알ᄂᆞᆫ지라. 이러
므로 뎡당의 드러가지 못ᄒ여시나 원간 소
ᄌᆞ외 양씨 다 통쳬 대단치 아니ᄒ오니 과려
치 마르쇼셔."

이러ᄐᆺ 회쥬(回奏)ᄒ여 시녀를 도라보ᄂᆞ
니, 시녀 정당에 나아가 소져와 태위 불평
ᄒᆞᆷ을 본디로 알왼디, 퇴부인과 {진부인이
며} 금후 부뷔 듯고 크게 경녀(驚慮)ᄒᆞᆷ을
마지 아냐, ○○○○[진부인이] 《션참졍∥
션삼졍》의 니를셰, 초시 퇴위 ᄯᅩᆫ 시도록
광픽(狂悖)를 부리노라, 능히 접목치 못ᄒ여
일신이 곤뇌ᄒᆫ 즁, 소져를 빅단으로 보치여
못 견디도록 ᄒ여 ᄀᆞᆯᄃᆡ,

"그디 엇지 홍일이 사창의 오르도록 신셩
을 참예치 아니ᄒᆞ나뇨? 그디 나를 써나미
이디도록 마음에 어려오냐? 만일 남ᄌᆞ ᄀᆞᆺ
트면 호싴이 쳔고의 무쌍【179】홀지라도,
녀ᄌᆞ의 위부(爲夫)ᄒᄂᆞᆫ 은졍(恩情)이 호탕ᄒ
여 풍뉴 남아의 ○[이]쳐(愛妻)ᄒ나[ᄂᆞᆫ] 마
음의 빅비나 승(勝)ᄒᆞᆷ을 가히 알니로다. 혹
ᄌᆞ 싱이 불힝ᄒ여 일즉 죽ᄂᆞᆫ 날이면, 졀힝
을 직희지 못ᄒ고 다른 풍뉴 호남ᄌᆞ를 갈
희리로다."

소졔 태우의 실셩광픽(失性狂悖)ᄒᆫ 말을
드를 젹마다, 분ᄒᆫ 긔운이 가슴에 막힐 듯
ᄒ지라. 신셰를 돌탄(咄嘆)ᄒ여 일누잔쳬
[쳔](一縷殘喘)를[을] 초기 ᄀᆞᆺ치 넉이미,
○…결락27자…○[뎡히 죽기를 바야더니, 믄
득 시녜 진부인의 친님(親臨)ᄒ시믈 고ᄒᄂᆞᆫ지

1060)신긔(身氣) : 몸의 기력.

초개ᄀᆞᆺ치 녀겨 뎡히 죽기를 【45】 ᄇᆞ야더니,
믄득 시녀 딘부인의 친님(親臨)ᄒᆞ시믈 고ᄒᆞ
ᄂᆞᆫ디라.

이 ᄯᅦ 뎡태위 션삼졍의셔 양쇼져를 빅단
으로 조로더니, 모부인의 친님ᄒᆞ시믈 듯고,
우어 왈,

"이 거동을 ᄌᆞ졍긔 뵈오미 ᄒᆡ악(駭愕)ᄒᆞ
나, ᄉᆡᆼ이 용녈ᄒᆞ여 요악흔 녀ᄌᆞ를 졔어치
못ᄒᆞ고 붓잡힌 ᄇᆡ 되어, 일신을 쥬변1106)치
못ᄒᆞ고 병 업시 누어시믈 참혹히 녁이시려
니와, 웃듬은 그ᄃᆡ 간음을 거의 짐작하실디
라."

이리 니르며 몸을 움즉일 의ᄉᆞ 업셔, 양
시를 다함1107) 미이 누르니, 양시 ᄎᆞ마 이
경상을 ᄌᆞᆫ고긔 뵈옵디 못ᄒᆞ여, 죽을디언졍
태우와 담화치 아니려 ᄒᆞ던 ᄯᅳᆺ을 곳쳐, 밧
비 눈물을 거두며 분노를 낫초와, 비러 왈,

"첩슈 【46】 블인무상(妾雖不仁無狀)1108)
이나 일즉 군ᄌᆞ긔 큰 죄를 디은 일이 업고,
귀령디시(歸寧之時)의 고치 못흔 거시 허믈
을 면치 못ᄒᆞ나, 이 ᄯᅩ 대인과 존고의 명을
밧ᄌᆞ와시니 일분 용샤ᄒᆞ실 곳이라. 엇디 ᄎᆞ
마 ᄉᆞ족 녀ᄌᆞ로ᄡᅥ 군지 임의 뉵녜(六禮) 뎡
실(正室)노 마ᄌᆞ신 조강(糟糠)을, 즐칙(叱責)
누욕(累辱)1109)ᄒᆞ시미 아니 밋ᄎᆞᆫ 곳이 업ᄉᆞ
니, 군ᄌᆞᄂᆞᆫ 이 경상을 존고긔 뵈오믈 됴흔
일ᄀᆞᆺ치 녁이시나, 첩은 실노 낫ᄎᆞᆯ ᄭᅡᆨ디 못
ᄒᆞ믈 한ᄒᆞᄂᆞ니, 군ᄌᆞ의 호ᄉᆡᆼ디덕(好生之德)
이 죽이디 말고져 ᄒᆞ시거든 첩을 노화 니러
나게 ᄒᆞ쇼셔."

태위 짐즛 양시의 비는 말을 듯고져 ᄒᆞ므
로, 모친이 오신다 ᄒᆞᄃᆡ 요동치 아니ᄒᆞ더니,
쇼져의 졀박히 니러나믈 쳥ᄒᆞᄂᆞᆫ 말을 듯고,
【47】 비로○[소] 금금(錦衾)을 열고 두 발
노 모도굴너 양시를 ᄎᆞ ᄇᆞ리고, 의건(衣巾)
을 슈렴(收斂)ᄒᆞ여 니러나니, 양시 ᄉᆡ도록

라]. 양씨 ᄎᆞ마 이 경상으로 존고긔 뵈옵지
못ᄒᆞ여, 죽을지언뎡 태우와 화(和)치 아니려
ᄒᆞ던 ᄯᅳᆺ을 곳쳐, 밧비 눈물을 거두며 분노
를 ᄂᆞᆺ초와 비러 왈,

"첩슈블인무상(妾雖不仁無狀)1061)이나 일
즉 군ᄌᆞ긔 큰 죄를 지은 일이 업고, 귀령지
시(歸寧之時)에 고치 못흔 거시 허물을 면
치 못ᄒᆞ나, 이 ᄯᅩ 대인과 존고의 명을 밧ᄌᆞ
와시니 일분 용셔ᄒᆞ실 곳이라. 엇지 ᄎᆞ마
ᄉᆞ족 녀【180】ᄌᆞ로ᄡᅥ 군지 임의 뉵녜(六
禮) 뎡실노 만ᄂᆞ신 조강을, 즐칙 구욕(驅
辱)1062)ᄒᆞ시미 아니 밋츨 곳이 업ᄉᆞ니, 군
ᄌᆞᄂᆞᆫ 이 경상을 존고긔 뵈오믈 조흔 일ᄀᆞᆺ치
녁이시나, 첩은 실노 낫츨 ᄭᅡᆨ지 못ᄒᆞ믈 흔
ᄒᆞᄂᆞ니, 군ᄌᆞ의 호ᄉᆡᆼ지덕이 죽이지 말고져
ᄒᆞ시거든, 첩을 노화 니러나게 ᄒᆞ쇼셔."

태위 짐즛 양씨의 비는 말을 듯고져ᄒᆞ여
○○○[시므로], 비로소 소져를 노코 의관
을 정돈ᄒᆞ여 모친을 뫼셔 침젼에 드르신
후, ○○[나와] 조모긔 뵈오니 ○[틱]부인
이 그 나으믈 깃거ᄒᆞ니[나], 양씨의 유질ᄒᆞ
믈 념녀ᄒᆞ여 슈히 챠셩○[케] ᄒᆞ믈 당부ᄒᆞ
더라

1106)쥬변 : 주변. 일을 주선하거나 변통함. 또는 그
  런 재주.
1107)다함 : 다만. 또한. 그저.
1108)첩슈블인무상(妾雖不仁無狀) : 첩이 비록 어질
  지 못하고 행실이 내세울 만한 것이 없지만.
1109)누욕(累辱) : 여러 차례 모욕을 줌.

1061)첩슈블인무상(妾雖不仁無狀) : 첩이 비록 어질
  지 못하고 행실이 내세울 만한 것이 없지만.
1062)구욕(驅辱) : 못 견디게 괴롭히고 모욕을 줌.

남의 업순 곡경을 당호고 쏘 흉녕(凶獰)이
치인 바의 먼니 것구러져, 무릅히 버셔디고
두골이 쓸히는 듯 정신이 어득호듸, 쳔만
강인(强忍)호여 운환(雲鬟)을 헤뽇고 의상을
바로 호더니, 임의 딘부인이 쳥하(廳下)의
다드라 계신디라. 태위 긔운을 낫초와 년망
이 하당호여 모친을 맛고, 양시 쏘흔 듕계
의 나려 죤고를 마ᄌ 입실호미, 딘부인이
ᄋᆞᄌ와 양시의 유딜호믈 듯고 ᄀᆞ장 넘녀호
여 친히 와 보미, 태우의 용화는 조곰도 슈
패(瘦敗)호미 업셔, 당당흔 혈긔와 쇄락흔
신광(身光)이 늠늠쥰미(凜凜俊邁)호여 뇽호
(龍虎)의 【48】 앙당(昂壯)흔   긔습(氣習)이
니, 좀 딜양이 그 몸을 침노치 못홀디니 가
히 근심 된 비 업스듸, 양시의 슈약(瘦弱)호
믄 일야디니(一夜之內)의 독딜(毒疾)을 어듬
ᄀᆞᆺᄐᆞ여, 정신을 출히디 못호고 알픈 거슬
디향치 못ᄒᆞᄂᆞᆫ 거동이라. 부인이 놀나고 년
인호여 상요의 편히 누어시믈 당부호고, 그
손을 잡고 머리를 집허 통쳐를 므르니, 양
시 대단치 아니므로 되답호나 깁히 블평흔
거동이라. 딘부인이 비록 총명호나 ᄋᆞᄌ의
광망패려(狂妄悖戾)호믄 오히려 아디 못호
고, 양시 므슨 듕병이나 어덧는가 우려호여,
싱다려 닐오듸,

"너는 긔운이 당셩호니 미양을 넘녀홀 비
아니로듸, 양쇼부의 거동 【49】 이 알픈 거
슬 견디디 못ᄒᆞᄂᆞᆫ 형상이니, 모로미 의약을
닐위여 착실이 티료케 ᄒᆞ라."

싱이 흔연 슈명호여, 무식○[흔] 광긔를
쁜드시 긔이니, 딘부인이 능히 아디 못호고
오딕 양시를 어로만져 됴리호믈 니르고, 날
호여 침뎐으로 도라갈ᄉᆡ, 태위 임의 누엇디
못홀 형셴 고로 모친을 뫼셔 뎡당으로 드러
가니, 양시 잠간 ᄉᆞ이라도 등의 졋던 가시
를 버슨 듯 싀훤호미 극호듸, 태우의 거동
이 ᄌᆞ긔를 괴로이 긴 날의 보취려 ᄒᆞᄂᆞᆫ 의
ᄉᆞ라. 어름의 틔 업슨 ᄆᆞ음과 범ᄉᆞ 쳐신의
녜의를 셥녑ᄒᆞ던 힝실노뼈, 비의(非義)예 거
동과 츄악흔 음졍(淫情)을 당호여, ᄌᆞ긔를
창녀와 월잉 【50】 으로 달니 되졉ᄒᆞᄂᆞᆫ 일

이 업셔, 욕셜을 긋칠 줄을 모로니 한심 츠
악ᄒ믈 형상치 못ᄒ여, 존고와 태위 나간
후 작야(昨夜) 요란이 덤벙이던 침셕(寢席)
을 거더 앗고, 시 금침(衾枕)을 포셜ᄒ고 머
리를 벼개의 더디고 몸이 니블의 말니여,
흐르ᄂᆫ 눈믈이 봉침(鳳枕)의 어롱디믈 면치
못ᄒ니, 유랑 시녀비(侍女輩) 위ᄒ여 근심ᄒ
고 슬허ᄒ되, 쇼져의 셩졍이 단엄ᄒ고 범시
안졍ᄒ여 요란ᄒ 거ᄉᆯ 깃거 아니ᄒᄂᆫ 고로,
유랑이라도 감히 태우의 광패(狂悖)ᄒ믈 드
노치 못ᄒ더니, 믄득 월잉이 장 밧긔셔 목
을 미엿다 ᄒᄂᆫ디라.

쇼졔 대경츠악ᄒ믈 니긔디 못ᄒ여 밧비
유모로 ᄒ여곰 잉의 결【51】항(結項)ᄒ 거
슬 그르라 ᄒ고, 친히 경디 속의 약을 어더
ᄀ라 잉의 입의 드리오라 ᄒ고, 쇼졔 잉을
블너 뎡식 왈,

"내 너를 져바린 일이 업거늘, 네 엇디
내 침쳐(寢處)의셔 흉ᄒ 거조를 ᄒᆯᄒ여 죽
기를 달게 넉이ᄂᆫ뇨?"

잉이 쳬읍 디왈,

"쇼비 부인의 하날 ᄀᆺ튼 은혜를 닙ᄉᆞᆸ고,
ᄒ 일도 튱의를 펴디 못ᄒ여셔, 쥬군의 핍
박ᄒ시믈 당ᄒ여 쇼져긔 ᄎᆞ마 못 뵈올 욕을
씻치고, 쇼비 쇼져의 뎍인(敵人)이 되오니,
블튱 간음이 텬하의 ᄲᅡᆨ이 업ᄉᆞ온디라. 엇디
ᄉᆞᆯ ᄯᅳ시 이시리잇고?"

쇼졔 탄왈,

"네 본디 쳥의하류(青衣下流)의 용쇽(庸
俗)ᄒ미 업셔 날노 더브러 향규마역(香閨莫
逆)1110)이 되어, 밧ᄀ로ᄂᆫ 노쥬(奴主)의 분
의(分義)【52】를 출ᄒ나, 안ᄒ로 붕우(朋
友)의 졍이 잇더니, 이졔 네 날을 져바려
쥬군의 일시 희롱으로ᄡᅥ ᄉᆞ싱을 가비야이
결ᄒ려 ᄒ니, 평일 밋던 비 아니로다. 내 널
노 더브러 일시 ᄯᅥ나디 말고, 화복길흉(禍
福吉凶)을 노놔 ᄒᆫ가디로 ᄒ고져 ᄒᄂᆫ니,
네 만일 나의 졍을 알던디, 쥬군이 너를 혹
ᄒ여 부인으로 두ᄂᆫ 디경(地境)이라도, 아딕

1110)향규마역(香閨莫逆) : 규방 안의 막역한 친구.
  여성끼리 서로 허물없이 지내는 친구.

스라 죵두(終頭)를 보는 거시 올흐니, 내 녀
다려 투긔 업스믈 주랑흐여, 딤줏 이리 니
르미 아니니, 네 듯디 아니흐랴?"

월잉이 셜우미 막힐 듯흐고, 익둘오미 무
궁흐여 체읍 딕왈,

"쇼비 실노 살 뜻이 업습더니, 쇼져의 이
러툿 니르시는 바를 추마 져바【53】리디
못흐와, 살기를 결단흐느이다."

쇼졔 잉을 지삼 위로흐여 협실의 두고,
유모와 졔 시녀를 당부흐여 작야디亽(昨夜
之事)를 아모 딕도 누셜치 말나 흐니, 추고
로 졔 비지 대(大)양부인긔도 이 쇼유를 고
치 못흐더라.

슌태부인이 태우 부부의 유딜흐믈 딘짓
병으로 아라 념녀흐믈 마디 아니흐더니, 태
위 모친을 뫼셔 침뎐의 드르신 후 조모긔
뵈오니, 태부인이 즉시 나으믈 깃거 흐나
양시 니러나디 못흐믈 근심흐여, 보긔(補氣)
홀 미듁과 아름다온 과실을 년흐여 보닉고,
슈히 추경(差境)1111)흐믈 당부흐더라.

태위 이후 년일흐여 션삼졍의 드러와 주
며 날마다 졔챵과 월잉【54】으로 병좌(竝
坐)흐여, 양쇼져를 연고 업시 욕흐고 조로
며 꾸딧고 보치기를 마디 아냐, 필경은 쇠
와 돌을 혜디 아니흐고 고요흔 밤을 당흐면
줏두다리기를 시작흐여, 양시의 일신이 흔
곳도 셩흔 곳이 업게 흐딕, 홀노 얼골을 상
히오디 아냐 방인(傍人)의 의심을 닐위디
아니흐더니, 일일은 태위 딘부의 가 술을
미란이 취흐고 션삼졍으로 드러 오더니, 창
외의셔 잠간 드르니 오읍(嗚泣)흐는 소릭
잇거늘, 죡용을 잠간 줌디흐고 문틈으로 보
니, 양시 주긔게 줏마즌 곳이 두로 셩농(成
膿)흐여 크게 덧나실 쑨 아니라, 유랑이 쇼
져를 붓들고 슬허 울기를 마디 아냐 왈,

"쇼져는 미양【55】여러 이목을 두려, 쥬
군의 힝디를 아모다려도 니르디 말나 흐시
나, 근간의 쥬군의 흐시는 거죄 측냥치 못
홀 일이 만흐니, 실노 쇼졔 보젼흐실 도리
업눈디라. 쳥컨딕 본부의 이 쇼유를 고흐고

태위 추후 연일 션삼졍에 드러와 주며,
졔챵과 잉을 유희흐며 소져를 연고 업시 조
르며 곤욕흐고 보치기를 마지 아냐, 필경은
쇠돌을 갈희지 아냐 밤을 당흐면 줏두다려
작난흐기를 시【181】작흐여 일신의 셩흔
곳이 업스딕, 홀노 면상(面上)은 상히오지
아냐 방인(傍人)의 의심을 업시흐더라.

일야는 태위 진부에 가 술을 딕취흐고 션
삼졍으로 드러 가다가 우는 소릭 잠간 들니
거늘, 죡용을 줌지흐고 드르며 문틈으로 보
니, 양씨 주가의게 줏마즌 곳이 다 덧나 셩
농홀 쑨 아녀, 유랑이 소져를 붓들고 울기
를 마지 아냐 왈,

"소져는 미양 여러 이목을 두려 상공의
힝亽를 아모다려도 니르지 말나 흐시느, 근
간 《쥬국‖쥬군》의 힝亽 측냥업서, 실노
소져 신병을 보젼키 어려오니, 본부의 이
소유를 통흐고 평계를 어더 도라가亽이다."

1111)추경(差境) : 병의 차도가 있는 형편.

평계를 어더 도라가샤이다."

쇼제 뎡식 왈,

"내 본디 셰렴(世念)이 브죡ᄒ여 죽기를 도라감ᄀᆞ치 넉이디, 부모의 싱디(生之)ᄒ신 대은을 져바리고 칼과 노호로 일명을 ᄎᆞ마 끗디 못ᄒᆞᄂᆞ니, 임의 무궁ᄒᆞᆫ 누욕과 참참ᄒᆞᆫ 곡경을 스라 견디미 나의 셩되(性度) 이완(弛緩)ᄒᆞ미라. 녀ᄌᆡ 엇디 쇼텬(所天)의 흔극(釁隙)1112)을 친졍의 고ᄒᆞ고, 내 몸이 편키를 위ᄒᆞ여 귀령을 쩌 업시 ᄒᆞ리오. 스【5 6】싱화복(死生禍福)이 하날의 미엿고 인력의 달니디 아냐시니, 어미ᄂᆞᆫ 브졀 업ᄉᆞᆫ 근심을 긋치고, 어즈러온 말노뻐 여러 사ᄅᆞᆷ이 듯게 말디니, 션미졍 져졔 날노 더브러 골육동긔(骨肉同氣)의 디극ᄒᆞᆫ 졍과 금장(襟丈)의 의(義)를 겸ᄒᆞ여, 쥬야 념녀ᄒᆞ시ᄂᆞᆫ 비 뎡군의 ᄒᆡᆼ디(行止) 용치1113) 못ᄒᆞᆷ믈[므로] 내 몸의 화익이 밋츨가 근심ᄒᆞ시ᄂᆞ니, 이런 말을 고치 말나. 가듐 졔인이 아딕 뎡군의 광패(狂悖)ᄒᆞᆷ믈 모로ᄂᆞᆫ 거시 나의 영ᄒᆡᆼ(榮幸)이니, 혹ᄌᆞ 아름답디 아닌 말이 존당의 ᄉᆞ 못ᄎᆞ 구괴 가군을 그르다 칙ᄒᆞ실딘디, 내 ᄆᆞ음의 블안ᄒᆞ미 엇더ᄒᆞ며, 금장과 일가 친쳑이 나의 셩픔을 모로ᄂᆞᆫ ᄌᆞᄂᆞᆫ, 나의 허믈이【57】듕ᄒᆞ여 댱부의게 견욕(見辱)ᄒᆞ미 잇ᄂᆞᆫ가 넉이리니, 어미ᄂᆞᆫ 브졀 업시 슬허 말고 태우의 광패ᄒᆞᆷ믈 언두(言頭)의 니르디 말나."

유랑이 더욱 슬허ᄒᆞ나, 쇼제 다시 말을 아니ᄒᆞ니 능히 다시 말을 못ᄒᆞ고 장 밧그로 믈너나니, 쇼제 고요히 쵹을 디ᄒᆞ여 두어 줄 쳥누를 쓰려 빅만 슈운(愁雲)을 아미(蛾眉)의 미즈시니, 근심ᄒᆞᆫᄂᆞᆫ 거동이 더옥 졀승ᄒᆞ여 곳이 광풍을 만나며, ᄃᆞᆯ이 흑운(黑雲)의 ᄲᅡ혓ᄂᆞᆫ 닷, 연연쳥약(軟軟靑弱)ᄒᆞ미 딘쇽(塵俗)의 무드디 아냐 우화등션(羽化登仙)홀 닷ᄒᆞ니, 태위 창외의셔 보다가 이모(愛慕)ᄒᆞᄂᆞᆫ 졍을 니긔디 못ᄒᆞ디, 남 다른 셩벽이 그 귀령을 니르디 아니ᄒᆞ고 가믈 졀통

소제 졍식 왈,

"닉 본디 죽기를 도라감 ᄀᆞ치 넉이디, 부모의 싱지 딕은을 져바리지 못ᄒᆞᄂᆞ니, 임의 무궁ᄒᆞᆫ 누욕과 참참ᄒᆞᆫ 《고졍∥곡경》을 당ᄒᆞᆷ은 나의 명【182】완(命頑)ᄒᆞ미라. 녀ᄌᆡ 소쳔의 흔단(釁端)1063)을 친졍의 고ᄒᆞ여 모씨(母氏)의[긔] 귀령(歸寧)ᄒᆞ리오. 스싱화복(死生禍福)이 하늘의 달녀시니 어미ᄂᆞᆫ 무익ᄒᆞᆫ 넘녀말고 ᄉᆞ셰(事勢) 되어가믈 보라"

유랑이 더욱 슬허ᄒᆞ나 소제 다시 말을 아니ᄒᆞ니, 기구치 못ᄒᆞ고 장 밧그로 믈너 나가니, 소제 고요히 《뎡쵸∥명촉(明燭)》를[을] 딕ᄒᆞ여 옥누(玉淚) 두어 줄이 향싀(香顋)를 젹시니, 졀승ᄒᆞᆫ 용광(容光)이 명월(明月)○[이] 흑운(黑雲)을 헛치고1064), 니화(梨花) 광풍(光風)을 맛ᄂᆞᆷ ᄀᆞᆺ튼지라.

태위 창외에서 듯기를 다 ᄒᆞ디 그 졍디

1112)흔극(釁隙) : 틈. 사이.
1113)용ᄒ다 : 용하다. 기특하고 장하다.

1063)흔단(釁端) : 서로 사이가 벌어져서 틈이 생기게 되는 실마리.
1064)헛치다 : 헤치다. 속에 든 물건을 드러나게 하려고 덮인 것을 파거나 젖히다

(切痛)ᄒᆞ여 일년이나 【58】 보치려 ᄒᆞᄂᆞᆫ 고로, 월여를 조로고 긋칠 니 업ᄂᆞ니라.

날호여 문을 열고 드러가믹, 쇼제 태우를 만나면 싀호스갈(豺虎蛇蝎)을 딕훈 ᄀᆞᆺᄐᆞ여, 슬믭기를 니긔디 못ᄒᆞ니, ᄌᆞ연 화긔 믹믹ᄒᆞ여 면모의 녈일(烈日) 한풍(寒風)을 씌엿ᄂᆞᆫ디라. 태위 드러 안ᄌᆞ 월잉을 ᄎᆞᄌᆞ니 양시 믁연이오, 졔시녜(諸侍女) 잉의 유딜ᄒᆞᆷ믈 고ᄒᆞ니, 태위 탁병(託病)인가 분노ᄒᆞ여 건장훈 시녀를 명ᄒᆞ여, 잉을 잡아 닉여 등계의 셰오고 틴지(笞之)홀ᄉᆡ, 호령이 뇌졍 ᄀᆞᆺ고 고찰이 이상ᄒᆞ되, 잉이 죽으믈 두려 아닛ᄂᆞᆫ 고로 출하리 졔 스스로 못 죽을디언졍, 핑계를 어더 죽기를 바야ᄂᆞᆫ 고로 ᄌᆞ연 말숨이 공슌치 【59】 못ᄒᆞ니, 태위 더욱 대로ᄒᆞ여 시노를 블너 잉을 형벌홀ᄉᆡ, 일장의 피육이 웃쳐디고 셩혈이 ᄯᆞ히 괴이되 가도록 고찰ᄒᆞ니, 비록 쳥의ᄎᆞ환(靑衣叉鬟)이나 고당화루(高堂華樓)의 호치(豪侈)로 ᄌᆞ라 인믈이 영오총민(穎悟聰敏)ᄒᆞ고 튱근인ᄌᆞ(忠謹仁慈)ᄒᆞᄆᆞ로 일즉 희미훈 퇴장도 당치 아냣다가, 블의예 등형을 당ᄒᆞ니 엇디 살 ᄯᅳᆺ이 이시리오마ᄂᆞᆫ, 짐짓 죽기를 죄오ᄂᆞᆫ 고로, 태우의 광패ᄒᆞ미 죄 업슨 뎡실을 참혹히 박딕ᄒᆞ며, 만시 비인졍이믈 언언이 일ᄏᆞᆮ니, 태위 분완ᄒᆞ믈 니긔디 못ᄒᆞ여 잉의 머리를 버히고져 ᄒᆞ다가, 오히려 그 ᄌᆞ식을 뉴련(留憐)ᄒᆞ여 【60】 긋치고, 등형(重刑) 일ᄎᆞ(一次)를 다 못ᄒᆞ여 잉이 긔졀ᄒᆞ여 인ᄉᆞ를 모로니, 집장노지(執杖奴子) 잉의 이죵(姨從)이니 양부로셔 온 비라. 거즛 잉을 죽다 일ᄏᆞᆺ고, 싀어 닉여 와 ᄀᆞ마니 졔 집의 두고 구호ᄒᆞ여 살오려 ᄒᆞ더라.

쇼제 잉을 죽여 싀어 닉여 가므로 아라 참연(慘然) 타루(墮淚)ᄒᆞ니, 태위 본 ᄯᅳᆺ이 월잉을 죽이려 훈 거시 아니라, 그 블슌ᄒᆞ믈 졔어코져 등형을 더엇더니, 잉의 연약ᄒᆞ미 일ᄎᆞ를 다 못ᄒᆞ여 헛되이 죽으믈 고ᄒᆞ니, 과급(過急)홀디언졍 소활(疎豁)키 심ᄒᆞ고 술이 극취(極醉)ᄒᆞ미, 아모란 상이 업셔 ᄌᆞ시 살피도 아니ᄒᆞ고 시신을 닉여 주고,

온화ᄒᆞ믈 항복ᄒᆞ나, 임의 일년이나 보치려 ᄒᆞ엿시니, 엇지 월여에 긋치리오.

《날ᄂᆞᆫ오게∥날호여》 문을 여니, 소제 싀호(豺虎) ᄉᆞ갈(蛇蝎)을 디훈 듯, ᄌᆞ연 화긔 낙막ᄒᆞ고 한상(寒霜)이 씌이ᄂᆞᆫ지라. 태위 드러 안ᄌᆞ며 월잉을 ᄎᆞᄌᆞ니, 소져ᄂᆞᆫ 묵연이오 졔 시이 유질ᄒᆞᄆᆞᆯ 고ᄒᆞ니, 태위 탁병(託病)인가 의심ᄒᆞ여 시녀로 잉을 【183】 잡아 ᄂᆞ려 즁계의 셰우고, 호령이 뇌졍 ᄀᆞᆺᄐᆞ니 잉이 죽기를 두리지 아냐, 출하리 스스로 죽든 못홀지언뎡, 평계를 어더 죽기를 ᄇᆞ라ᄂᆞᆫ 고로 말숨이 공슌치 못ᄒᆞ니, 싱이 익노ᄒᆞ여 시노를 불너 잉을 형벌홀ᄉᆡ, 일장의 피육이 ᄋᆞ쳐지고 셩혈이 ᄯᆞ히 괴이되, 잉이 본딕 쳥환(靑鬟)[1065]의 무리나 소져를 시호(侍護)ᄒᆞ여 일작 달초(撻楚)를[도] 지닉〇[보]지 못ᄒᆞ엿거늘, 엇지 이런 흉장(恟杖)을 격거시리오. 죽기를 죄오ᄂᆞᆫ 고로 태우의 무상훈 힝식 무단이 조강뎡실(糟糠正室) 구박ᄒᆞ고 스스의 비인졍이믈 닐커러, 조곰도 구속ᄒᆞ미 업스니, 태위 되로ᄒᆞ여 칼을 드러 목을 버히고져 ᄒᆞ나, 오히려 그 ᄌᆞ식(姿色)을 뉴련(留憐)ᄒᆞ여 긋치고, 즁형 일ᄎᆞ[1066]를 못 다ᄒᆞ여 잉이 긔졀ᄒᆞ여 인ᄉᆞ를 모로니, 집장시뇌(執杖侍奴) 〇[거]즛 죽엇시믈 고ᄒᆞ니, 태위 취즁이나 【184】 본졍이 소활훈 고로 미러 닉치라 ᄒᆞ니, 시뇌 잉을 구ᄒᆞ여 싱도를 어드니라.

1065) 쳥환(靑鬟) : 쳥의ᄎᆞ환(靑衣叉鬟) 곧 주인을 가까이에서 모시는 젊은 계집종.

1066) 일ᄎᆞ : 일칙. 한 바탕의 매질. *ᄎᆞ; 칙. 매질. 죄인을 신문할 때 공포감을 주어 자백을 강요할 목적으로 한바탕 가하는 매질. 또는 그러한 매질의 횟수를 세는 단위. '치'는 '笞(매질할 태)'의 원음, '태'는 그 속음(俗音)임

심하의 앗기【61】믈 마디 아니ᄒᆞ더니, 양
시의 슬허ᄒᆞ믈 보미 심홰 블니 둣ᄒᆞ여, 냥
목을 놉히 써 양시를 보며, ᄭᅮ디져 왈,

"그ᄃᆡ 잉을 온 가디로 쇠오고 다ᄅᆡ여 나
의 쳡잉으로 두디 못ᄒᆞ게 심용(心用)을 놀
니고, 그ᄃᆡ ᄆᆞ음을 맛쳐 잉을 죽엿거니와,
그ᄃᆡ 잔잉○○○○[히 여기며] 딜투(嫉妬)
ᄒᆞ믈 싱각ᄒᆞ니 통ᄒᆡ(痛駭)ᄒᆞ미 극ᄒᆞ고, 나의
증화(憎火)로ᄡᅥ 그ᄃᆡ로 빅슈동낙(白首同樂)
디 아닐 ᄲᅢ 아니라, 그ᄃᆡ 샹뫼 결단코 쳥상
(靑孀)을 면치 못ᄒᆞ리니 날을 죽이고 나리
라. 그ᄃᆡ 면죄코져 ᄒᆞ거든 일등 풍뉴호걸을
어더 도라 가라."

쇼졔 뎡식 단좌ᄒᆞ여 믁연 브답ᄒᆞ고, 태우
알오믈 ᄒᆞᆫ 실셩발광디인(失性發狂之人)ᄀᆞ치
넉여, 괴괴【62】망측ᄒᆞ여 ᄒᆞᄂᆞᆫ 거동이 현
져ᄒᆞ니, 태위 그 교만ᄒᆞ믈 더옥 대로ᄒᆞ여,
셔안(書案)을 드러 힘을 다ᄒᆞ여 쇼져의 일
신을 혜디 아니코 즛울히니[1114], 산호칙상
(珊瑚冊床)이 산산이 으스러디고 쇼져의 몸
이 크게 샹ᄒᆞ여, 옷 우흐로 젹혈이 ᄉᆞᄆᆞᆺᄎ
보기의 경참ᄒᆞ고, 쇼졔 능히 졍신을 출히디
못ᄒᆞ니, 싱이 비로소 즛울히믈 긋치고, ᄌᆞ긔
침니(寢裏)의 나아가 편히 잠드ᄂᆞᆫ 쳬 ᄒᆞ니,
유랑과 시네 장외의셔 져 경상을 보고, 태
우의 거동을 쇠호ᄉᆞ갈(豺虎蛇蝎)ᄀᆞ치 넉이
고, 쇼져의 참혹히 마즌 바를 망극 비원ᄒᆞ
ᄃᆡ 감히 드러가 구호치 못ᄒᆞ더니, 태위 잠
들믈 보고 유랑이 가마니 드러가 쇼져【6
3】를 쥐믈너 구호ᄒᆞ며 누쉬 비 오 둣ᄒᆞ더
니, ᄀᆞ장 오란 후 쇼졔 인ᄉᆞ를 출혀 니러
안고져 ᄒᆞ나, 칙상으로 마즌 곳이 살이 웃
쳐디고 ᄲᅢ 바아져 유모의게 븟들녀 디혓더
니, 이윽고 태위 거즛 ᄭᆡᄂᆞᆫ 쳬 ᄒᆞ고 니러
안ᄌᆞ, 유랑을 즐퇴ᄒᆞ고 쇼져를 븟드러 상요
의 나아가고져 ᄒᆞ니, 쇼졔 반싱반ᄉᆞ ᄒᆞᆫ 듕
에 분ᄒᆞᆫ 심장이 터딜 둣ᄒᆞ니, 태우의 손을
ᄲᆞ리치미, 밍녈ᄒᆞᆫ 거동이 셔리 ᄀᆞᆺᄐᆞ여 업슈

태위 잉을 허소이 죽이믈 뉘웃고 앗기ᄂᆞᆫ
바에, 양씨의 슬허 ᄒᆞ믈 보니 심홰 블 니둣
ᄒᆞ여, 소릭를 놉혀 소져를 만가지로 힐척
ᄒᆞ나, 소제 쳥이불문(聽而不聞)ᄒᆞ여 시쳥(視
聽)이 업ᄉᆞ ᄀᆞ트니, 태위 증화(憎火)를 것줍
지 못ᄒᆞ여 겻히 노엿든 칙상을 드러 소져의
일신을 혜아리지 아니ᄒᆞ고 즛두다리니, 산
호(珊瑚) 칙상(冊床)이 산산이 ᄇᆞ아지고, 소
져 만신의 젹혈(赤血)이 님니(淋漓)ᄒᆞ여 ᄒᆞᆫ
곳도 셩ᄒᆞ미 업ᄉᆞ니, 능히 졍신을 슈습지
못ᄒᆞ여 혼졀ᄒᆞ나, 태위 조곰도 놀나ᄂᆞᆫ 빗치
업셔 비로소 ᄆᆡ를 긋치고, 몸을 두로혀 침
셕의 구러지니, 유랑 시녀 등이 창외에셔
셔로 ᄃᆡᄒᆞ여 망극 초조ᄒᆞ믈 니긔지 못ᄒᆞ다
가, 태우 잠을 든 둣ᄒᆞ미 유랑이 바야흐
【185】로 나아가 소져를 보니, 임의 혼졀
ᄒᆞ여 인ᄉᆞ를 모로ᄂᆞᆫ지라. 급히 구호ᄒᆞ여 겨
우 슘을 두루나 인ᄉᆞ를 출히지 못ᄒᆞ니, 유
뢰 망극ᄒᆞ믈 니긔지 못ᄒᆞᄃᆡ, 이의 우름을
참아 소져를 극진 구호ᄒᆞ더니, 계명(鷄鳴)에
니르러 태위 비로소 번신(翻身)ᄒᆞ여 관셰
(盥洗)ᄒᆞ기를 맛고 신셩(晨省)에 드러가니,
태부인과 《금형휘∥금평휘》 양씨 니러나
지 못ᄒᆞ엿시믈 크게 우려ᄒᆞ여, 태우다려 그
병의 증후(症候)를 므르니, 태위 부복 ᄃᆡ
왈,

1114)즛울히다 : '즛(접사)+울히다'의 형태. 마구 휘
둘러서 때리거나 치다. '울히다'는 '우리다' '후리
다'의 옛말로 '휘둘러서 때리거나 치다'의 뜻.

히 넉이는 스식이 현현ᄒ니, 태위 월여를
양쇼져 보최기의 골몰ᄒ여, 역시 잠을 편히
못 ᄌ고 밤마다 술을 미란(迷亂)이 취ᄒ고,
녀식을 관졍(關情)ᄒ믈 측냥 업시【64】ᄒ
니, 씩씩 기운이 쇠딘(衰盡)ᄒ올 ᄃᆺ고 후
딜1115) 젹이 만흔 고로, 쇼져를 닛글녀 ᄒᆯ
젹의 쓰리치믈 당ᄒ여, 무심결의 손이 침병
(枕屛) 쇠의 다딜녀 가죽이 버셔디고 알프
기 심ᄒ니, 더욱 대로ᄒ여 금노(金爐)의 픠
엿ᄂᆫ 블을 그릇지 드러 쇼져긔 나리 뼈오
니, 양시 급히 니러나디 두로 데기를 만히
ᄒ여 갓득1116) 한 몸이 경긱의 스러질 ᄃᆺᄒ
거늘, 태위 오히려 분을 프디 못ᄒ여 즘
긔1117)의 변쉬(便水) 가득ᄒ여시믈 보고, 드
러 양시긔 마이 더디미, 월익(月額)이 마ᄌ
피 흐르고 변쉬 쇼져 일신의 가득이 져ᄌ
니, 방 듕의 블과 믈【65】이 어ᄌ러워 농
문칙화셕(龍紋彩畵席)이 남디 아니ᄒ고, 연
염(煙焰)이 ᄀ득ᄒ여 눈을 쓰디 못ᄒᄂᆫ디라.
 태위 시녀를 블너 블을 업시 ᄒ고, 져ᄌ
ᄌ리를 거더 아스며, 좌우 문을 여러 독ᄒ
니를 너여 보니며, 양시를 닛그러 ᄌ긔 ᄆ
음디로 화락고져 ᄒ딕, 쇼졔 죽기를 그음ᄒ
여 태우의 무상(無狀)ᄒᆫ ᄯᆺ을 가랍디 아니
ᄒ니, 태위 가디록 분노ᄒ여 ᄌ긔 용녁을
다 발ᄒ여 쇼져를 친근 일압(昵狎)ᄒ미 아
니 밋츤 곳이 업ᄉ니, 양시 이의 다ᄃ라ᄂᆫ
죽기를 ᄌ분(自憤)ᄒ여 익돌오미 하날을 쎄
칠 ᄃᆺᄒ딕, 태우의 긔운을 당홀 길히 업ᄉ
니 완연이 숨 잇ᄂᆫ 시신【66】이 되어, 경
긱의 딘홀 ᄃᆺᄒ딕, 태위 조곰도 념녀ᄒᄂᆫ
빗치 업셔 시도록 보최다가, 계명(鷄鳴)의
니러 관셰(盥洗)ᄒ고 신셩(晨省)의 참예ᄒ
니, 태부인과 금후 부뷔 근간 쇼양시 ᄌ로
유딜(有疾)ᄒ여, 신혼셩뎡의 블참홀 젹이 만
ᄒ니 우려ᄒ여 그 병셰를 므르니, 태위 복
슈 딕왈,

1115)후딜다 : 후들거리다. 팔다리나 몸이 자꾸 크게
  떨리다. 또는 팔다리나 몸을 자꾸 크게 떨다.
1116)갓득 : 가뜩. 가뜩이나. 그렇지 않아도 매우.
1117)즘긔 : 요강. 방에 두고 오줌을 누는 그릇. 놋쇠
  나 양은, 사기 따위로 작은 단지처럼 만든다.

"쇼손이 밤든 후 그 방의 드러가 싀비 나
오니, 그 병을 ᄌᆞ시 아디 못ᄒᆞ오나, 작야 측
듕(廁中)의 가 실죡ᄒᆞ여 니마를 닷쳣다 ᄒᆞ
더이다."
금휘 경문왈,

"양시 ᄒᆡᆼ동이 신듕 유법ᄒᆞᆫ디라. 실죡ᄒᆞ여
듕상ᄒᆞᆯ 위인이 아니니 긔 어인 일이뇨? 태
위 복슈(伏首) 무언(無言)이어ᄂᆞᆯ, 금휘 그
상쳐의 약이 【67】 나 ᄲᅡᆺ민다?"
믈른디, 태위 디왈,

"쇼지 잠이 깁허 그 상흔 ᄯᅵ를 아디 못ᄒᆞ
고 나왓ᄂᆞ이다."
공이 발연 작싴 왈,

"네 말이 상(狀) 업셔, ᄋᆞ부의 익간(額間)
을 쑬힌1118) 곡졀도 붉히 모로ᄂᆞᆫ 비어니와,
그 상쳐를 ᄌᆞ시 살펴 약을 바르디 아니ᄒᆞ고
미양 ᄌᆞᄂᆞᆫ 줌이 므어시 졉1119)더뇨? 너의
거동이 근간 안졍(眼睛)이 ᄯᅩ로 비어져 흐
르기고1120) ᄒᆡᆼ시 브졍괴려(不正乖戾)ᄒᆞ여
듕졍(中情)1121)의 쥬(主)ᄒᆞᆫ 거시 업스니, 결
단ᄒᆞ여 므슨 일을 닐 ᄃᆞᆺᄒᆞ고, 미간의 살긔
빗최여시니 슈년 너의 사ᄅᆞᆷ을 죽이고 날 ᄃᆞᆺ
ᄒᆞ니, 조심ᄒᆞ여 화망(禍網)의 걸니디 말나."
언필의 몸을 니러 션삼졍의 니르니, 태위
ᄒᆡᆼᄒᆡ 【68】 야애 ᄌᆞ긔 ᄒᆡᆼᄉᆞ를 아르실가 황
겁ᄒᆞ여, ᄲᆞᆯ니 야야를 뫼셔 션삼졍의 니르미,
양쇼졔 상셕(床席)의 몸을 바려 인ᄉᆞ를 아
디 못ᄒᆞ다가, 긔운이 막혀 슈죡이 어름 ᄀᆞᆺ
ᄐᆞ니, 유랑 시녀 등이 쇼져를 {쇼져를} 붓
들고 체읍ᄒᆞ믈 마디 아니ᄒᆞ더니, 금휘 다ᄃᆞ
라 초경을 보고 초악ᄒᆞ믈 니긔디 못ᄒᆞ여 갓
가이 나아 안ᄌ 딕후를 보려 ᄒᆞ니, 태위 부
친 압흘 당ᄒᆞ여 양시의 손을 너여 딘믹ᄒᆞᄂᆞᆫ
체 ᄒᆞ며, 부젼의 고왈,

"쇼지 양시의 병을 살펴 극딘히 구호ᄒᆞ오

"소손이 밤든 후에 나아오나 그 병을 ᄌᆞ
시 아지 못ᄒᆞ옵거니와, 양씨 작야에 측즁
(廁中)에 갓다가 실죡ᄒᆞ여 니마를 닷쳣더이
다."

니리 말ᄒᆞ나 닉심에ᄂᆞᆫ 부친이 ᄌᆞ긔 ᄒᆡᆼᄉᆞ를
아ᄅᆞ실가 황겁ᄒᆞ여 밧비 부친을 뫼셔 양시
침소에 니르니, 소졔 상셕(床席)의 몸을 ᄇᆞ
려 인ᄉᆞ를 아지 못ᄒᆞ다가, 긔운이 【186】
막혀 슈족이 어름 ᄀᆞᆺᄒᆞ니, 유뫼 붓들고 톄
읍ᄒᆞ믈 마지 아니ᄒᆞ더니, 금휘 다ᄃᆞ라 초경
을 보미 불승ᄎᆞ악(不勝嗟愕)ᄒᆞ여 그 딕후를
보려ᄒᆞ니, 태위 연망이 압흘 당ᄒᆞ여 고왈,

"소지 양씨의 병을 살펴 극진 구호ᄒᆞ오리
니 복원 대인은 과려치 말으소셔."

1118)쑬히다 : ①때리다. ②다치다. 부딪치거나 맞거
　　나 하여 신체에 상처를 입다.
1119)졉다 : 겹다. 정도나 양이 지나쳐 참거나 견뎌
　　내기 어렵다.
1120)흐르기다 : 홀기다. 눈동자를 옆으로 굴리어 못
　　마땅하게 노려보다.
1121) 듕졍(中情) : 가슴속에 품은 감정이나 생각.

리니 복원(伏願) 대인은 과려치 마르쇼셔."

공이 그 거동이 슉연치 아니믈 더옥 깃거 아냐, 미우를 삥긔【69】고 싱을 믈니치고 양시 팔흘 니여 딘빅고져 ᄒ더라.

　하회를 셕남(釋覽)ᄒ라【70】

금휘 그 거지 고이ᄒ믈 더옥 깃거 아냐, 싱을 믈니치고 진빅고져 ᄒ더라.

　양소져 ᄉ싱이 엇지 된고 차쳥ᄒ회(次聽下回)홀지어라【187】

칠십ᄉ · 오 · 뉵

어시의 금평휘 양시 팔흘 넉여 딘믹고져
ᄒᄆᆡ, 옥 ᄀᆞᄐᆞᆫ 살빗치 프르고 거머 뎍혈(赤
血)이 두로 믿치이고, 니마로브터 머리 ᄭᆡ
여져 듕상ᄒᆞ여시니, 그 몸을 보디 못ᄒᆞ되
이디도록 듕상ᄒᆞ여시믈 대경ᄒᆞ여, 즉시 쇼
져의 유모를 블너 곡절을 므르니, 유랑이
태우를 두리ᄂᆞᆫ 고로 머리를 슉이고 오릭 유
유(儒儒)ᄒᆞ니, 태위 뎡식 왈,

"네 쥬인이 작야의 실족ᄒᆞ여 샹ᄒᆞ기○
[로] 므어시 어려워 디졍이ᄂᆞ뇨1122)? 아디
못게라 측(廁) 듕(中)의 것구로 박혓더냐?"

유랑이 창졸의 ᄭᅮ밀 말을 싱각디 못ᄒᆞ여
ᄒᆞ다가 태【1】우의 말노 조ᄎᆞ 몽농이 고ᄒᆞ
디,

"쇼졔 작야의 여측(如廁)ᄒᆞ라 가 계시다
가 닷치시미니이다."

평휘 귀로 유랑의 말을 드르며 눈으로 태
우의 긔ᄉᆡᆨ을 보믹, 크게 의심ᄒᆞ되, 양시의
병이 위위(危危)ᄒᆞ여 구호ᄒᆞᄆᆡ 급흔 고로,
약믈을 년ᄒᆞ여 드리오며 겻틱 안ᄌᆞ 그 샹쳐
를 ᄌᆞ시 ᄉᆞᆯ펴 약을 쳐며, 그 ᄭᆡ기를 기다
리더니, ᄭᆡ빅 니르러 비로소 인ᄉᆞ를 출혀
눈을 ᄠᅥ 좌우를 ᄉᆞᆯ피더니, 존귀 겻틱 안ᄌᆞ
계시믈 보고 대황 참괴ᄒᆞ여 경긱의 ᄯᅡ흘 파
고 들고져 ᄒᆞ나 능히 득디 못ᄒᆞ고, ᄯᅩ 움즉
여 니러날 긔운이 업ᄂᆞᆫ디라. 다만 공구전뉼
(恐懼戰慄)ᄒᆞ여 벼개의 업딕여시니, 그 모양
이 신샹의 큰 죄【2】를 디은 ᄃᆞᆺ ᄒᆞᆫ디라.
평휘 블승이련(不勝哀憐)ᄒᆞ고 병듕 너모 조
심ᄒᆞᆷ믈 우려ᄒᆞ여, 그 손을 잡아 왈,

1122)디졍이다 : 지정거리다. 머뭇거리다. 곧장 내달
아 가지 아니하고 한곳에서 조금 머뭇거리다

어시의 금평휘 양시 팔흘 넉여 진믹코져
ᄒᆞᄆᆡ, 옥 ᄀᆞᆺᄐᆞᆫ 살빗치 프르고 거머 젹혈(赤
血)이 두로 믿치이고, 이마로브터 머리 ᄭᆡ
여져 줌상ᄒᆞ엿시니, 그 몸을 보지 못ᄒᆞ되
이디도록 줌상ᄒᆞ여시믈 딕경ᄒᆞ여, 즉시 소
져의 유모를 불너 곡졀을 므르니, 유랑이
태우를 두리ᄂᆞᆫ 고로 머리를 슉이고 오릭 유
유(儒儒)ᄒᆞ니 태위 졍식 왈,

"네 쥬인이 작야의 실족ᄒᆞ여 샹ᄒᆞ기○
[로] 무어시 어려워 지졍이ᄂᆞ뇨1067)? 아지
못게라 측쥼(廁中)에 것구로 박엿더냐?"

유랑이 창졸의 ᄭᅵ닷지 못ᄒᆞ여 ᄒᆞ다가 태
우의 말을 좃ᄎᆞ 몽농이 고ᄒᆞ디,

"소졔 작야의 여측(如廁)ᄒᆞ라 가 계시다
가 닷치시미니다."

평휘 귀로 유랑의 말을 드르며 눈으로 태
우의 긔ᄉᆡᆨ을 보미 크게 의심ᄒᆞ되, 양씨의
병이 위위ᄒᆞ여 구호ᄒᆞᄆᆡ 급흔 고로,【1】약
믈을 연ᄒᆞ여 드리오며 겻틱 안쟈 그 창쳐를
ᄌᆞ시 ᄉᆞᆯ펴 약을 쳐며, 그 ᄭᆡ기를 기다리
더니, ᄭᆡ기에 니르러 비로소 인ᄉᆞ를 추려
눈을 ᄠᅥ 좌우를 ᄉᆞᆯ피더니, 《ᄌᆞ씨∥존귀(尊
舅)》 겻틱 안ᄌᆞ 계시믈 보고 딕황 참괴ᄒᆞ
여, 경각에 ᄯᅡ흘 파고 들고져 ᄒᆞ나 능히 득
지 못ᄒᆞ고, 움작여 ▌1068)② 《 이러날 긔운
이 업ᄂᆞᆫ지라. 다만 공구 젼뉼(恐懼戰慄)ᄒᆞ여
벼기에 업딕엿시니, 그 모양이 신샹에 큰
죄를 지은 ᄃᆞᆺ ᄒᆞᆫ지라. 평휘 불승이련(不勝
哀憐)ᄒᆞ고 병쥼 너모 조심ᄒᆞᆷ믈 우려ᄒᆞ여 그

1067)지졍이다 : 지정거리다. 머뭇거리다. 곧장 내달
아 가지 아니하고 한곳에서 조금 머뭇거리다
1068)필사순서에 오류가 있다. 원문은 ▌①《니르켜-
부절업ᄂᆞ니》 - ②《이러날-양씨를》▌의 순서로
필사되어 있는데, 이를 서사문맥에 따라 ▌② -
①▌의 순서로 바로잡았다. 원문 ①은 726자, 4쪽
분량인데, ②는 368자 2쪽 분량이다 이 오류의
원인은 필사자가 원본의 책장을 잘못 넘겨 필사하
였거나, 원본 자체가 편철에 잘못이 있어 생긴 것
으로 보인다.

"셰인이 구식디간(舅息之間)을 부녀 스이와 다르다 ᄒ거니와, 윤현부로브터 여러 식뷔 친녀와 간격이 업스니, 현부의 셩효로뼈 우리 ᄉ랑을 알디라. 이런 병을 어이 은휘ᄒ리오. ᄋ뷔 근간 병이 ᄌᄌ니 우리 부뷔 우려ᄒ딘, 이 당이 ᄉ이 쁜 고로 날마다 니르러 보디 못ᄒ고, 네 가뷔 무식소활(無識疎豁)ᄒ고, 광망패려(狂妄悖戾)ᄒ여 쥬식의 침닉ᄒ니 현부의 병을 뉴렴홀 디 아니라. 금일이라도 네 고모(姑母)[1123]의 협실의 올마 병을 됴호(調護)ᄒ고, 여러 형데로 더브러 셔로 담화ᄒ여 병심을 위로홀디니, 모로미 침【3】구를 옴기라."

이리 니르며, 다시 쇼져의 답언을 기다리디 아니ᄒ고, 딘부인긔 협실을 쇄소ᄒ여 ᄋ부를 머믈게 ᄒ라 ᄒ고, 태우를 빗기 쩌 보는 눈이 십분 엄녈(嚴烈)ᄒ여 동텬(冬天) 녈일(烈日) ᄀᆺ고, 츄상(秋霜)이 번득이는 듯ᄒ더라. 태우의 튱텬댱긔(衝天壯氣)로도 부젼을 님ᄒ여는 국궁딘취(鞠躬進趨)[1124]ᄒ여 황황젼늏(惶惶戰慄)ᄒ니, 부친이 양시를 모친 협실노 옴기는 뜻이 발셔 ᄌ긔를 깁히 의심ᄒ시는 바를 씨ᄃ라, 경황젼늏(驚惶戰慄)홀 ᄲᆫ 아니라, 본듸 양시로 은이 틱과ᄒ더라. 도로혀 병이 되여 년쇼호흥(年少豪興)의 괴이히 보치미 이시나, 하로 쩌나고져 시븐 뜻이 업거늘, 깁히 협실노 올므면 얼골도 ᄌ로 못 어더 볼 바를 결【4】울ᄒ딘, ᄒᆫ 말을 못ᄒ고 국궁궤좌(鞠躬跪坐)러니, 이윽고 딘부인이 협실을 셔르져시믈 고ᄒ니, 공이 대양시를 블너 여러 시녀를 다리고 쇼양시를 붓드러 쇼교(小轎) 우히 올니미, 시녀 등으로 메여 딘부인 협실노 가라 ᄒ고, ᄌ긔는 양시의 ᄋ시녀 일인을 압셰오고 외루(外樓)로 나오니, 태위 뫼셔 나오나 놀나온 가슴이 벌덕여 일쳔 진납이[1125] 넘놀믈

손을 줍아 왈,

"셰상인이 구식지간(舅息之間)을 부녀 스이와 다르다 ᄒ거니와, 윤현부로브터 여러 식뷔 친녀와 간격이 업스니, 현부의 셩효로뼈 우리 ᄉ랑을 알지라. 이런 병을 어이 은휘ᄒ리오. ᄋ뷔 근간 병이 ᄌᄌ니 우리 부뷔 우려ᄒ딘, 이 당이 ᄉ이 쁜 고로 날마다 니르러 보지 못ᄒ고, 네 가뷔 무식소활(無識疎豁)ᄒ고, 광망픠려(狂妄悖戾)ᄒ여 쥬식에 침닉ᄒ니 현부의 병을 유렴홀 지 아니라. 금일이라도 네 고모(姑母)[1069]의 협실에 올마 병을 조호(調護)ᄒ고, 여러 형제로 더부러 셔로 담화ᄒ여 병심을 위로홀【5】지니, 모르미 침구를 옴기라"

이리 니르며 다시 소져의 답언을 기다리지 아니ᄒ고, 진부인긔 협실을 쇄소(刷掃)ᄒ여 ᄋ부를 머믈게 ᄒ라ᄒ고, 태우를 빗기 쩌 보는 눈이 십분 엄녈(嚴烈)ᄒ여 동텬(冬天) 녈일(烈日) ᄀᆺ고, 츄상(秋霜)이 번득이는 듯 ᄒ지라. 태우의 츙텬쟝긔(衝天壯氣)로도 부젼을 님ᄒ여는 국궁진퇴(鞠躬進)[1070]ᄒ여 황황젼늏(惶惶戰慄)ᄒ니, 부친이 양씨○[를) ① 니르켜 모친 협실노 옴기는 뜻이 발셔 ᄌ긔를 깁히 의심ᄒ시는 바를 씨ᄃ라, 경황 전율(驚惶戰慄)홀 ᄲᆫ 아니라, 본듸 양씨로 은이 태과ᄒ지라. 도로혀 병이 되여 년소호흥(年少豪興)에 괴이히 보치미 잇시나, 하로 쩌나고져 시븐 뜻이 업거늘, 깁히 협실노 옴기면 얼골도 ᄌ로 못 어더 볼바를 결울ᄒ딘, ᄒᆫ 말을 못ᄒ고 국궁궤좌(鞠躬跪坐)러니, 이윽고 진부인이 협실을 셔르겻시믈 고ᄒ니, 공이 대양씨를 블너 여러 시녀를 다리고 소양씨를 붓드러 소교(小轎) 우히 올니미, 시녀 등으로 메【2】여 진부인 협실노 가라 ᄒ고, ᄌ긔는 양씨의 ᄋ시녀 일인을 압셰오고 외루로 나오니, 태위 뫼셔 나오나 놀나온 가슴이 벌덕여 일쳔 진

1123)고모(姑母) : 아버지의 누이, 또는 시어머니를 이르는 말. 여기서는 '시어머니'를 말한다.
1124)국궁딘취(鞠躬進趨) : 삼가고 조심하여 허리를 굽히고 종종걸음으로 나아감.
1125)진납이 : 잔나비. 원숭이.

1069)고모(姑母) : 아버지의 누이, 또는 시어머니를 이르는 말. 여기서는 '시어머니'를 말한다.
1070)국궁진퇴(鞠躬進退) : 삼가고 조심하여 허리를 굽히고 나아가고 물러나고 함.

면치 못ᄒᆞ더니, 금평휘 청듀헌의 좌를 일우고 양시의 ᄋᆞ시녀를 계하(階下)의 꿀니고 쇼져의 상ᄒᆞᆫ 곡졀을 ᄌᆞ시 고ᄒᆞ라 ᄒᆞ니, ᄋᆞ시녀 아모리 ᄒᆞᆯ 바를 아디 못ᄒᆞ여 흔갓 눈믈만 흘니고 말을 못ᄒᆞᄂᆞᆫ디라.

평휘 엄형츄문(嚴刑推問)코져【5】ᄒᆞ디, 시녀 혼비빅산 ᄒᆞ여 ᄒᆞᆫ 미도 더으디 아냐셔 태우의 처음브터 작난ᄒᆞᆫ 바와, 작야의 ᄯᅩ 쇼져를 난타ᄒᆞ던 셜화를 셰셰히 고ᄒᆞ니, 평휘 듯ᄂᆞᆫ 말마다 한심 추악ᄒᆞ니, 도로혀 일장을 츠게 웃고 날호여 시녀를 드려 보ᄂᆡ고, 하리 노복을 명ᄒᆞ여 대월누의 가 셜니 슈창을 잡아 오라 ᄒᆞ니, 이리 ᄒᆞᆯ 즈음의 태우는 감히 당상의 잇디 못ᄒᆞ여 관영(冠纓)을 히탈ᄒᆞ고 당하의 ᄂᆞ려 명을 기다리더라.

븍공과 녜부 등은 ᄂᆡ루(內樓)로셔 갓 나오ᄆᆡ 연고를 아디 못ᄒᆞ나, 야야의 노긔를 슷치고 경황ᄒᆞᆷ을 니긔디 못ᄒᆞ여, 감히 연유를 뭇ᄌᆞᆸ디 못ᄒᆞ고 긔운을 ᄂᆞᆺ초아 뫼셧더니, 이윽고 하리(下吏) 월하션【6】 등을 미야 계하의 복명ᄒᆞ니, 금휘 쥬방의 분부ᄒᆞ여 일두쥬(一斗酒)를 가져 오라 ᄒᆞ여 태우의 알패 노코 구박ᄒᆞ여 ᄒᆞᆫ 먹음도 남기디 아니코 다 먹인 후, 뎡셩 칙 왈,

"블초지 ᄉᆞ유(士儒)의 몸으로 한원(翰苑)의 튱슈ᄒᆞ며 힝실을 삼가미 업고, 맛치 아ᄂᆞᆫ 거시 쥬싴이라. 양쇼부는 너의 뎍거뎡실(嫡居正室)노 뇨됴슉녜(窈窕淑女)니 네게 외람ᄒᆞᆫ 쳐지어ᄂᆞᆯ, 무고히 혈육이 님니(淋漓)토록 난타ᄒᆞ며, 술을 미란이 취ᄒᆞ고 창녀를 넙녑히ᄡᅧ 양쇼부의 실듕의 니르러 뎡실을 구욕(驅辱)1126)ᄒᆞ니, 여ᄎᆞ 광패 무식ᄒᆞᆫ 힝실이 어나 셩경현뎐(聖經賢傳)의 잇더뇨? 욕ᄌᆞ(辱子)와 말ᄒᆞ미 브졀 업ᄉᆞ니, 아뷔 약ᄒᆞᆫ 미를 마ᄌᆞ 보라."

ᄒᆞ고, 인ᄒᆞ여【7】 그 디답을 기다리지 아니ᄒᆞ고 시노(侍奴)를 호령ᄒᆞ여 미를 들나 ᄒᆞᆯᄉᆡ, 산장(散杖)1127) 열흘 노코 듕장(重杖)

1126)구욕(驅辱) : 못 견디도록 괴롭히고 모욕함.
1127)산장(散杖) : 죄인을 신문할 때, 위엄을 보여 협박하기 위해서 많은 형장(刑杖)이나 태장(笞杖)을

납이1071) 넘놀믈 면치 못ᄒᆞ더니, 금평휘 청쥭헌의 좌를 이루고 양씨의 ᄋᆞ시녀를 계하의 꿀니고 소져의 상ᄒᆞᆫ 곡졀을 ᄌᆞ시 고ᄒᆞ라 ᄒᆞ니, ᄋᆞ시녀 아모리 ᄒᆞᆯ 바를 아지 못ᄒᆞ여 흔갓 눈믈만 흘니고 말을 못ᄒᆞᄂᆞᆫ지라.

평휘 엄형츄문(嚴刑推問)코져 ᄒᆞ디, 시녀 혼비빅산ᄒᆞ여 ᄒᆞᆫ 미도 더으지 아냐셔 태우의 쳐음브터 작난ᄒᆞᆫ 바와, 작야의 ᄯᅩ 소져를 난타ᄒᆞ던 셜화를 셰셰히 고ᄒᆞ니, 평휘 듯ᄂᆞᆫ 말마다 한심 추악ᄒᆞ니 도로혀 일장을 츠게 웃고 날호여 시녀를 드려 보ᄂᆡ고, 하리 노복을 명ᄒᆞ여 대월누의 가 셜니 슈창을 잡아 오라 ᄒᆞ니, 이러 ᄒᆞᆯ 즈음의 태우는 감히 당상의 잇지 못ᄒᆞ여 관영을【3】히탈ᄒᆞ고 당하의 ᄂᆞ려 명을 기다리더라.

북공과 녜부 등은 ᄂᆡ루로셔 갓 나오ᄆᆡ 연고를 아지 못ᄒᆞ나, 야야의 노긔를 《슷치고 ‖슷치고》 경황ᄒᆞᆷ을 니긔지 못ᄒᆞ여 감히 연유를 뭇ᄌᆞᆸ지 못ᄒᆞ고, 긔운을 ᄂᆞᆺ초아 뫼셧더니 이윽고 하리(下吏) 월하션 등을 미야 계하의 복명ᄒᆞ니, 금휘 쥬방의 분부ᄒᆞ여 일두쥬(一斗酒)를 가져 오라ᄒᆞ여 태우의 알픠 노코 구박ᄒᆞ여 ᄒᆞᆫ 먹음도 남기지 아니코 다 먹인 후, 졍셩 칙 왈,

"블초지 ᄉᆞ유(士儒)의 몸으로 한원(翰苑)의 츙슈ᄒᆞ며 힝실을 삼가미 업고, 맛치 아ᄂᆞᆫ 거시 쥬싴이라 양 소부는 네 젹거졍실(嫡居正室)노 요조슉녜(窈窕淑女)니 네게 의탁ᄒᆞᆫ 쳐지어ᄂᆞᆯ 무고히 혈육이 님니(淋漓)토록 난타ᄒᆞ며, 슐을 미란이 취ᄒᆞ고 챵녀를 넙녑히ᄡᅧ 양소부의 실즁의 니르러 졍실을 구욕(驅辱)1072)ᄒᆞ니, 여ᄎᆞ 광픽 무식ᄒᆞᆫ【4】힝실이 어나 셩경현뎐(聖經賢傳)의 잇더뇨? 욕ᄌᆞ(辱子)와 말ᄒᆞ미 부졀 업ᄉᆞ니,》‖○[아]뷔 약ᄒᆞᆫ 미로 마ᄌᆞ보라."

ᄒᆞ고, 인ᄒᆞ여 그 디답을 기ᄃᆞ리지 아니ᄒᆞ고 시노(侍奴)를 호령ᄒᆞ여 미를 들나 ᄒᆞᆯᄉᆡ, 산장(散杖)1073) 열흘 노코 즁장(重杖)을 더

1071)진납이 : 잔나비. 원숭이.
1072)구욕(驅辱) : 못 견디도록 괴롭히고 모욕함.
1073)산장(散杖) : 죄인을 신문할 때, 위엄을 보여 협

을 더으니, 호령이 엄숙ᄒᆞ고 위엄이 녈풍(烈風) 한상(寒霜) ᄀᆞᆺᄐᆞ니, 시뇌 두려 힘을 다ᄒᆞ미 옥뷔(玉膚) 훼상(毁傷)하여 뉴혈(流血)이 님니(淋漓)1128)ᄒᆞᄃᆡ, 태우 일셩을 브동ᄒᆞ고 ᄆᆡ를 바드미 임의 칠십 장의 니르니, 븍공 등이 태우의 힝ᄉᆞᄂᆞᆫ 통히ᄒᆞ나 그 혈육이 님니ᄒᆞᄆᆞᆯ 보고, 그 살히 ᄆᆡ 나려질 적마다 ᄌᆞ긔 살히 알프믈 니긔디 못ᄒᆞᄂᆞᆫᄃᆡ라. 이의 듕계의 나려, 고두 왈,

"셰흥의 힝시 광패ᄒᆞ오믄 일빅 장칙도 오히려 경ᄒᆞ오나, 복원 야야는 혈육이 훼상ᄒᆞ믈 살피샤 관샤(寬赦)ᄒᆞ쇼셔."

금휘 쳐음은 태우를 일빅 장 안의는 긋치지 아니【8】려 ᄒᆞ더니, 그 혈육이 님니ᄒᆞ믈 보미 츄연ᄒᆞ거늘, 븍공 등의 이걸ᄒᆞ믈 드르미 샤(赦)하고, 이의 ᄉᆞ창 등을 올녀 오십 장식 밍타흔 후, 큰 바1129)흘 가져 오라 ᄒᆞ여 왈,

"블초지 아는 비 다만 쥬식이라. 노뷔 네 욕심을 치와 계창으로 일싱 흔 ᄃᆡ 잇게 ᄒᆞ노라."

ᄒᆞ고 이의 하리를 명ᄒᆞ여 태우를 셰오고, ᄉᆞ창을 젼후좌우로 흔 ᄃᆡ 동혀 가도라 ᄒᆞ니, 그 모양이 졀도ᄒᆞᆯ다라. 태위 비록 ᄌᆞ긔 허믈은 태과ᄒᆞ나 만목소시(萬目所視)의 이를 당ᄒᆞ니, 일빅장칙(一百杖責)의셔 더 슈괴(羞愧)ᄒᆞ고, 고개를 젼후좌우로 두〇[루]혈1130) 길히 업ᄉᆞ니 괴롭고 민민ᄒᆞ믈 니긔디【9】못ᄒᆞ나, 무가ᄂᆡ하(無可奈何)1131)라. 일언을 못ᄒᆞ고 가도이니라.

븍공 등이 태우의 듕장 후 편히 됴호(調護)도 못ᄒᆞ고, 창녀와 흔 ᄃᆡ 결박ᄒᆞ여 가도이믈 년셕(憐惜)ᄒᆞ나, 야야의 엄뇌 딘쳡ᄒᆞ시니 감히 다시 개구(開口)티 못ᄒᆞ더라.

ᄒᆞ니, 호령이 엄숙ᄒᆞ고 위엄이 녈풍(烈風) 한상(寒霜) ᄀᆞᆺᄐᆞ니, 시뇌 두려 힘을 다ᄒᆞ미 옥뷔(玉膚) 훼상(毁傷)하여 뉴혈(流血)이 님니(淋漓)1074)ᄒᆞᄃᆡ, 태우 일셩을 부동ᄒᆞ고 ᄆᆡ를 바드미, 임의 칠십 장의 니르니, 북공 등이 태우의 힝ᄉᆞᄂᆞᆫ 통히ᄒᆞ나 그 혈육이 님니ᄒᆞᄆᆞᆯ 보고, 그 살히 ᄆᆡ 나【6】려질 젹마다 ᄌᆞ긔 살히 알프믈 니긔지 못ᄒᆞᄂᆞᆫ지라. 이의 즁게에 나려 고두 왈,

"셰흥의 힝시 광패ᄒᆞ오믄 일빅 장칙이 오히려 경ᄒᆞ오나, 복원 야야는 혈육이 훼상ᄒᆞ믈 살피샤 관샤(寬赦)ᄒᆞ쇼셔."

금휘 쳐음은 태우를 일빅 장 안의는 긋치지 아니려 ᄒᆞ더니, 그 혈육이 님니ᄒᆞ믈 보미 《측연∥츄연(惻然)》ᄒᆞ거늘, 북공 등의 이걸ᄒᆞ믈 드르미 ᄉᆞ(赦)ᄒᆞ고, 이에 ᄉᆞ창 등을 올녀 오십 장식 밍타흔 후, 큰 바1075)흘 가져 오라 ᄒᆞ여 왈,

"블초지 아는 비 다만 쥬식이라. 노뷔 네 욕심을 치와 계창으로 일싱 흔 ᄃᆡ 잇게 ᄒᆞ노라."

ᄒᆞ고, 이에 하리를 명ᄒᆞ여 태우를 셰오고 ᄉᆞ창을 젼후 좌우로 흔 ᄃᆡ 동혀 가도라 ᄒᆞ니, 그 모양이 졀도ᄒᆞᆯ지라. 태위 비록 ᄌᆞ긔 허믈은 ᄐᆡ과ᄒᆞ나 만목소시(萬目所視)의 이를 당ᄒᆞ니, 일빅장칙(一百杖責)의셔 더 슈괴(羞愧)ᄒᆞ고, 고기를 젼【7】후 좌우로 두루혈1076) 길히 업ᄉᆞ니 괴롭고 민민ᄒᆞ믈 니긔지 못ᄒᆞ나 무가ᄂᆡ하(無可奈何)1077)라. 일언을 못ᄒᆞ고 가도이니라.

북공 등이 태우의 즁장 후 편히 조호(調護)도 못ᄒᆞ고, 창녀와 흔 ᄃᆡ 결박ᄒᆞ여 가도이믈 년셕(憐惜)ᄒᆞ나, 야야의 엄뇌 진쳡ᄒᆞ시니 감히 기구(開口)티 못ᄒᆞ더라

눈앞에 벌여 내어놓던 일.

1128)님니(淋漓) : 피, 땀, 물 따위의 액체가 흘러 흥건한 모양.

1129)바 : 삼이나 칡 따위로 세 가닥을 지어 굵다랗게 꼰 줄.

1130)두루혀다 : 돌이키다. 돌리다.

1131)무가ᄂᆡ하(無可奈何) : 어찌할 도리가 없음.

박하기 위해서 많은 형장(刑杖)이나 태장(笞杖)을 눈앞에 벌여 내어놓던 일.

1074)님니(淋漓) : 피, 땀, 물 따위의 액체가 흘러 흥건한 모양.

1075)바 : 삼이나 칡 따위로 세 가닥을 지어 굵다랗게 꼰 줄.

1076)두루혀다 : 돌이키다. 돌리다.

1077)무가ᄂᆡ하(無可奈何) : 어찌할 도리가 없음.

태위 가도이미 술은 졈졈 닉취(溺醉)ᄒᆞ이
고 쟝쳐ᄂᆞᆫ 알프미 극ᄒᆞ거ᄂᆞᆯ, ᄉᆞ창과 흔 딕
동혀시니 안ᄌᆞ려 ᄒᆞ여도 안줄 길히 업고,
머리를 두로혀랴 ᄒᆞ여도 쏨쟉홀 길히 업ᄉᆞ
니, 졔녀를 통이(寵愛)ᄒᆞ던 ᄯᅳᆺ도 간 딕 업
고, 증분이 양ᄉᆞ긔 모도 도라가 벼ᄅᆞ기를
마디 아니코, 쟝승쳐로 ᄉᆡᆺᄉᆡᆺ○[이] 셔셔 츠
야를 졉목디 못ᄒᆞ고 식와 나ᄂᆞ니라.
　츠시 태부【10】인이 양쇼져의 연연약질
(軟軟弱質)이 미풍의 날닐 ᄃᆞᆺᄒᆞ나, 힝동이
신듕ᄒᆞ니 경이히 실족홀 빅 아니어ᄂᆞᆯ, 듕상
ᄒᆞ믈 잔인[1132] 참상(慘傷)ᄒᆞ여 이련ᄒᆞᄆᆞᆯ 니
ᄅᆞ디 못ᄒᆞ더니, 금평휘 졔ᄌᆞ를 거ᄂᆞ려 드러
와 모부인긔 뵈ᄋᆞᆸ고, 태우의 광망ᄒᆞ미 양쇼
뷔 졔게 고치 아니코 귀령ᄒᆞ다 ᄒᆞ여, 월여
의 니르도록 치부ᄒᆞ여, 그리 몹시 두다리고
힝신 광패ᄒᆞ여, 창녀를 ᄭᅵ고 뎡실의 침실의
니르러 작난ᄒᆞ던 바를 고ᄒᆞ고, 광패ᄒᆞᄆᆞᆯ 몹
시ᄒᆞᆫ즉, 후일이 가려(可慮)온[1133] 고로, 약
간 쟝칙ᄒᆞ여 슈계(囚繫)ᄒᆞ믈 알왼딕, 태부인
이 태우의 힝ᄉᆞ를 경히츠【11】악ᄒᆞ여 왈,

　"셰이 년쇼 호방ᄒᆞ여 힝신 광망(狂妄)ᄒᆞ
나, 년긔 ᄎᆞ면 할연(豁然)ᄒᆞᆫ 댱뷔 되려니와,
이번 히거(駭擧)ᄂᆞᆫ 다ᄉᆞ렴즉 ᄒᆞ니, 일시 경
각(警覺)[1134]이나 ᄒᆞ여 후일 삼가미 잇게
ᄒᆞ고, 너모 듕쟝을 말 것 아니냐?"
　ᄒᆞ고, 심히 앗기더라. 금휘 모부인의 태우
과이ᄒᆞ시미 여ᄎᆞᄒᆞ시믈 보미, 이의 쥬 왈,
　"패ᄌᆞ의 힝신 극히 통히ᄒᆞᄋᆞᆸ오딕, ᄌᆞ위 열
치 아니실 바를 싱각ᄒᆞᄋᆞᆸ고, 약벌(弱罰)을
ᄒᆞ엿ᄂᆞ이다."
　ᄒᆞ더라. 이윽고 북공과 졔인이 믈너난 후
딘부인이 니르러 시좌ᄒᆞᆯᄉᆡ, 양시의 상쳬 대
단ᄒᆞᄆᆞᆯ 블승이셕(不勝哀惜)ᄒᆞ니, 셩안(星眼)
의 츄패(秋波) 어리여, 존고긔 고【12】왈,
　"양쇼뷔 디란(芝蘭) ᄀᆞᆺᄐᆞᆫ 긔딜과 빅힝(百

태위 가도이미 술은 졈졈 닉취(溺醉)ᄒᆞ이
고 쟝쳐ᄂᆞᆫ 알프미 극ᄒᆞ거ᄂᆞᆯ, ᄉᆞ창과 흔 딕
동혀시니 안ᄌᆞ랴 ᄒᆞ야도 안줄 길히 업고,
머리를 두로혀랴 ᄒᆞ여도 쏨쟉홀 길히 업ᄉᆞ
니, 졔녀를 통이(寵愛)ᄒᆞ던 ᄯᅳᆺ도 간 딕 업
고, 증분이 양씨긔 모도 도라가 벼ᄅᆞ기를
마지 아니코, 쟝승쳐로 ᄉᆡᆺᄉᆡᆺ○[이] 셔○
[셔] 죵야 졉목지 못ᄒᆞ고 식와 나ᄂᆞ니라.
　츠시 태부인이 양쇼져의 연연약질(軟軟弱
質)이 미풍에도 날닐 ᄃᆞᆺᄒᆞ나, 힝동이 신즁
ᄒᆞ니 경이히 실족홀 빅 아니어ᄂᆞᆯ, 즁상ᄒᆞ믈
잔잉[1078] 참상(慘傷)ᄒᆞ여 이련ᄒᆞᄆᆞᆯ 니기
【8】지 못ᄒᆞ더니, 금평휘 졔ᄌᆞ를 거ᄂᆞ려
드러와 모부인긔 뵈ᄋᆞᆸ고, 태우의 광망ᄒᆞ미
양쇼뷔 졔게 고치 아니코 귀령ᄒᆞ다 ᄒᆞ여 월
여의 니르도록 치부ᄒᆞ여, 그리 몹시 두다리
고 힝신 광픽ᄒᆞ여, 창녀를 ᄭᅵ고 졍실의 침
소에 니르러 작난ᄒᆞ던 바를 고ᄒᆞ고, 광픽ᄒᆞ
믈 《몹시∥물시》ᄒᆞᆫ즉, 후일이 가려(可慮)
온[1079] 고로, 약간 쟝칙ᄒᆞ여 슈계(囚繫)ᄒᆞ믈
알왼딕, 태부인이 태우의 힝ᄉᆞ를 경히 ᄎᆞ악
ᄒᆞ여 왈,

　"셰이 년소 호방ᄒᆞ여 힝신 광망(狂妄)ᄒᆞ
나 년긔 ᄎᆞ면 할연(豁然)ᄒᆞᆫ 쟝뷔 되려니와
이번 히거(駭擧)ᄂᆞᆫ 다ᄉᆞ렴즉 ᄒᆞ니, 일시 경
각(警覺)[1080]이나 ᄒᆞ여 후일 삼가미 잇게
ᄒᆞ고, 너모 즁쟝을 말 것 아니냐?"
　ᄒᆞ고, 심히 앗기더라. 금휘 모부인의 태우
과이ᄒᆞ시미 여ᄎᆞᄒᆞ시믈 보미 이의 쥬 왈,
　"《태ᄌᆞ∥패ᄌᆞ(悖子)》의 힝신 극히 통히
ᄒᆞᄋᆞᆸ오딕, ᄌᆞ위 열(悅)치 아니실 바【9】를
싱각ᄒᆞᄋᆞᆸ고 약벌(弱罰)을 ᄒᆞ엿ᄂᆞ이다."
　ᄒᆞ더라. 이윽고 북공과 졔인이 믈너난 후
진부인이 니르러 시좌ᄒᆞᆯᄉᆡ, 양씨의 상쳬 대
단ᄒᆞᄆᆞᆯ 불승이셕(不勝哀惜)ᄒᆞ니, 셩안(星眼)
의 츄픠(秋波) 어리여, 존고긔 고왈,
　"양소뷔 지란 ᄀᆞᆺᄐᆞᆫ 긔질과 빅힝 ᄉᆞ덕이

1132)잔인ᄒᆞ다 : 자닝하다. 잔잉하다. 애처롭고 불쌍
　하여 차마 보기 어렵다.
1133)가려(可慮)ᄒᆞ다 : 가히 염려스럽다.
1134)경각(警覺) : 정신을 차리고 주의 깊게 살피어
　경계하는 마음.

1078)잔잉ᄒᆞ다 : 자닝하다. 애처롭고 불쌍하여 차마
　보기 어렵다.
1079)가려(可慮)ᄒᆞ다 : 가히 염려스럽다.
1080)경각(警覺) : 정신을 차리고 주의 깊게 살피어
　경계하는 마음.

行) ᄉ덕(四德)이 겸전(兼全)ᄒ고, 겸ᄒ여 ᄒᆡᆼ동이 유법(有法) 신듕ᄒ거ᄂᆞᆯ, 그딕도록 듕상ᄒ여시니 괴이ᄒᆞᆫ 밧 슈히 츠셩ᄒᄆᆞᆯ 엇디 못ᄒᆯ가 근심ᄒᄂᆞ이다.”

태부인이 셰홍의 광망ᄒᆞᆫ ᄒᆡᆼᄉᆞ를 젼ᄒ고 ᄎᆞ탄 왈,

“텬ᄋᆞᄂᆞᆫ 호방이 심ᄒ나 뎡실을 딕졉ᄒᄆᆡ 법도를 다ᄒᄃᆞ니, 셰ᄋᆞᄂᆞᆫ 부형을 담지 아냐시니 가히 통완(痛惋)ᄒᆞᆯ디라. 양쇼뷔 빅ᄒᆡᆼ ᄉᆞ덕이 겸비ᄒ거ᄂᆞᆯ ᄒᆞᆫ 번 귀령의 니르디 아니믈 죄를 삼아, 월여 되도록 니르히 조로고 구타지경(毆打之境)의 니를 줄 어이 알니오.”

딘부인이 양시 듕상ᄒᄆᆡ 태우의 작ᄉᆡ믈 비로소 알고, 분완 통ᄒᆡᄒ【13】믈 니긔디 못ᄒ여, 태부인긔 고 왈,

“쳡이 블민ᄒᆞᄆᆞ로 셰홍 ᄀᆞᄐᆞᆫ 광망 패ᄌᆞ를 싱ᄒᆞᄋᆞ미니, 틱교치 못ᄒ오믈 싱각ᄒᆞ오미 딕인ᄒᆞᆯ 낫치 업도소이다.”

금휘 직좌(在坐)러니 미쇼 왈,

“원간 부인이 스스로 죄를 잘 아ᄂᆞᆫ도다. 우리 문호의 텬흉과 셰홍ᄀᆞᆺ치 블인 광패ᄒᆞᆫ 거시 업ᄉᆞ니, ᄎᆞᄂᆞᆫ 외가를 달므미라. 양쇼뷔 빙옥 ᄀᆞᄐᆞᆫ 셩ᄒᆡᆼ으로ᄡᅥ 광부(狂夫)의 무디ᄒᆞᆫ 욕을 보니, 만일 윤현부와 혜쥬 ᄀᆞᆺ틀딘딕, 신상을 상ᄒᆡ오며 광부를 촉노ᄒᆞᄆᆡ 그리 심치 아니리니, 양쇼뷔 빅ᄒᆡᆼ ᄉᆞ덕이 반졈 비례와 권되(權道)[1135] 업셔, 빅희(伯姬)[1136]의 고집과 결부(潔婦)[1137]의 ᄒᆡᆼ실이 잇ᄂᆞᆫ 고로, 가부의 ᄯᅳᆺ을 어【14】긔오미 만흔디라. 셰ᄋᆞ의 작난이 긋칠 날이 업슬가 ᄒᄂᆞ이다.”

1135)권되(權道) : 목적 달성을 위하여 그때그때의 형편에 따라 임기응변으로 일을 처리하는 방도.

1136)빅희(伯姬) : 중국 춘추시대 魯(노)나라 宣公(선공)의 딸. 송나라 恭公(공공)에게 시집갔다가 10년 만에 홀로 됐다. 궁궐에 불이 났을 때 관리가 피하라고 했으나 부인은 한밤에 보모 없이 집을 나설 수 없다고 고집해서 결국 불속에서 타 죽었다. 『열녀전(烈女傳)』〈정순전(貞順傳)〉'송공백희(宋恭伯姬)' 조(條)에 기사가 보인다.

1137)결부(潔婦) : 정결한 부인. 정부(貞婦). 열부(烈婦). 열녀(烈女).

겸전(兼全)ᄒ고, 겸ᄒ여 ᄒᆡᆼ동이 유법(有法) 신듕(愼重)ᄒ거ᄂᆞᆯ, 그딕도록 즁상ᄒ여시니 괴이ᄒᆞᆫ 밧, 슈히 츠셩ᄒᄆᆞᆯ 엇지 못ᄒᆞᆯ가 근심ᄒᄂᆞ이다.”

태부인이 셰홍의 광망ᄒᆞᆫ ᄒᆡᆼᄉᆞ를 젼ᄒ고 ᄎᆞ탄 왈,

“쳔ᄋᆞᄂᆞᆫ 호방이 심ᄒ나 졍실을 딕졉ᄒᆞᄆᆡ ○…결락17자…○[법도를 다ᄒᄃᆞ니, 셰ᄋᆞᄂᆞᆫ 부형을 담지 아냐] 법되 업ᄂᆞᆫ지라.○…결락52자…○[양쇼뷔 빅ᄒᆡᆼ ᄉᆞ덕이 겸비ᄒ거ᄂᆞᆯ ᄒᆞᆫ 번 귀령의 니르디 아니믈 죄를 삼아, 월여 되도록 니르히 조로고 구타지경(毆打之境)의 니를 줄 어이 알니오.]”

진부인이 쳥픠의 히연ᄒᆞᆷᄋᆞᆯ 니긔지 못ᄒ여 셰홍을 벼로더라,

딘부인이 근심ᄒ고 통히ᄒ여 팔ᄌ츈산(八
字春山)1138)의 근심이 밋쳐시ᄃᆡ, 금후ᄂᆞᆫ 태
후의게 분을 프러시므로 안식이 화평ᄒ여,
다만 부인으로 ᄒ여곰 ᄋᆞ부의 상쳐의 약을
바르게 ᄒ고, 아쥬 쇼져를 협실의 두어 소
일ᄒ게 ᄒ니, 아쥐 칠셰로ᄃᆡ ᄌᆞ식 셩힝이
츌어범뉴(出於凡類)ᄒ고, 덕긔 셩취ᄒ여 슉
녀의 몌일좌를 샤양치 아닐너라. 양쇼져와
ᄒᆞᆫ ᄃᆡ 쳐ᄒᄂᆞᆫ 졍과 위로ᄒᄂᆞᆫ 언ᄉᆡ
졀당ᄒ니, 양쇼졔 심복 이경ᄒ미 디극ᄒ더
라.

금평휘 태우와 졔창을 ᄒᆞᆫ가디로 하옥ᄒ고
긔위 츄상 ᄀᆞᆺᄐᆡ여,【15】슈히 샤홀 ᄠᅳᆺ이 업
스니 녜부 등이 십분 우려ᄒ여, 가마니 존
당의 이걸ᄒ니, 태부인이 평후를 명ᄒ여 태
우를 샤ᄒ라 ᄒ니, 평휘 모명을 역디 못ᄒ
여 태우를 샤ᄒ고 ᄉᆞ창을 기뎍(妓籍)의 일
홈을 ᄡᅥ혀 원디의 니치니, 졔인이 결박ᄒᆞᆫ
《거ᄉᆞᆯ‖거시》 플니이나, 월하션 등이 본
ᄃᆡ 쥭〇[기]로 그음ᄒ여 태우를 위ᄒ여 슈
졀ᄒ려 ᄒ더니, 블의예 풍패 니러나 몸의
듕장을 당ᄒ고 일일 하옥ᄒ엿다가 비록 노
히믈 어드나, 금평후의 엄명이 기뎍의 일홈
을 ᄡᅥ히고 원방의 니치이ᄃᆡ, 〇〇〇[ᄉᆞ창
이] ᄉᆞ싱을 그음{을}ᄒ여 태우를 져바릴 ᄠᅳᆺ
이 업ᄂᆞᆫ라. 먼니 가디 아니ᄒ고 각각 근
디(近地)의【16】이셔 가마니 뎡부 동졍을
탐디ᄒ더라.

이ᄶᅥ 태위 듕장 후 결박ᄒ이여 일쥬야를
경야(經夜)ᄒ니, 일신이 줏치ᄂᆞᆫ ᄃᆞᆺ 알프고
괴로오믈 견ᄃᆡ디 못ᄒᄃᆡ, 엄명이 졸연이 샤
ᄒ시믈 바라디 아녓더니, 쳔만 의외 샤명을
드르니 용약ᄒ여 셔지의 도라와 의관을 슈
렴ᄒ고, 태원뎐의 니르러 당하의셔 쳥죄ᄒ
니, 금후ᄂᆞᆫ 미위 츄상 ᄀᆞᆺᄐᆡ여 믁연이 말이
업고, 태부인은 밧비 승당ᄒ믈 니르나, 태위
대인의 샤명을 듯디 못ᄒᄆᆞ로 복슈유유(伏
首儒儒)ᄒ니, 태부인이 금후를 향(向) 왈,

"셰ᄋᆡ 힝ᄉᆡ 비록 광패ᄒ나 그 쟝칙이 족
히 젼과를 속ᄒ【17】엿ᄂᆞᆫ라, 그만 ᄒ여

1138)팔ᄌ츈산(八字春山) : 화쟝한 눈썹.

금평휘 태우와 졔창을 ᄒᆞᆫ가지로 하옥ᄒ고
긔위 츄상 ᄀᆞᆺᄐᆡ여 슈히 샤홀 ᄠᅳᆺ이 업스니,
녜부 등이 십분 우려ᄒ여 가마니 존당의 이
걸ᄒᆞᆫᄃᆡ, 태부인이 평후를 명ᄒ여〇…**결락18
자**…〇[태우를 샤ᄒ라 ᄒ니, 평휘 모명을 역
디 못ᄒ여] 태우를 샤ᄒ고 ᄉᆞ창을 기【10】
뎍(妓籍)의 일홈을 ᄡᅥ혀 원지에 니치니, 졔
인이 결박ᄒᆞᆫ 《거ᄉᆞᆯ‖거시》 플나나, 월하
션 등이 본ᄃᆡ 쥭기로 그음ᄒ여 태우를 〇〇
〇[위ᄒ여] 슈졀ᄒ려 ᄒ더니, 블의에 풍픽
니러나 몸의 즁장을 당ᄒ고 하옥ᄒ엿다가
비록 노히나, 금평후의 엄명이 기뎍의 일홈
을 ᄡᅥ히고 원방의 니치이ᄃᆡ, 〇〇〇[ᄉᆞ창
이] ᄉᆞ싱을 그음ᄒ여 태우를 져바릴 ᄠᅳᆺ이
업ᄂᆞᆫ지라. 먼니 가지 아니ᄒ고 각각 근지
(近地)에 이셔, 가마니 뎡부 동졍을 탐지ᄒ
더라.

이ᄶᅥ 태위 즁장 후 결박ᄒ이여 일쥬야를
경야(經夜)ᄒ니, 일신이 줏치ᄂᆞᆫ 듯 알프고
괴로오믈 견ᄃᆡ지 못ᄒᄃᆡ, 엄명이 졸연이 샤
ᄒ시믈 ᄇᆞ라지 아녓더니, 쳔만 의외 샤명을
드르미 용약ᄒ여 셔지의 도라와 의관을 슈
렴ᄒ고, 틱원젼의 니르러 당하에셔 쳥죄ᄒ
니, 금후ᄂᆞᆫ 미위 츄상 ᄀᆞᆺᄐᆡ여 믁연이 말슴
이 업고, 태부【11】인이 금후를 도라보아
갈오ᄃᆡ,

"네 임의 노모의 ᄠᅳᆺ을 조ᄎ 셰ᄋᆞ를 ᄉᆞᄒ
엿시니, 모로미 명ᄒ여 당에 오르게 ᄒ라."

샤ᄒ라."

금휘 모교를 듯ᄌ오미 마디 못ᄒ여 태우를 샤ᄒ여 오로라 ᄒ니, 태위 국궁(鞠躬) 젼뉼(戰慄)ᄒ여 당의 올나 시좌ᄒ니, 금휘 태우를 보미 일일지니의 슈쳑ᄒ미 심ᄒ엿ᄂᆫ디라. 부ᄌ의 유유(悠悠)ᄒᆫ 졍을 금치 못ᄒ여 그윽이 앗기나, 그 호방광탕(豪放狂蕩)ᄒ믈 썩지르려 ᄒ므로 언어를 일우미 업셔, 믁믁ᄒᆫ 미우의 상풍(霜風)이 늠늠ᄒ여 녈일(烈日)이 최외(崔嵬)ᄒᆫ 듯, 사름으로 ᄒ여곰 블감앙시(不敢仰視) ᄒᆯ디라. 무죄ᄒᆫ 븍공 등도 한츌쳠비ᄒ믈 면치 못ᄒ거든 ᄒᆯ며 태우의 무음을 니르리오마ᄂᆫ,

금휘 딕왈,

"불초ᄋ를 가비야이 샤치 아니려 ᄒ엿더니, ᄌ견이 면젼에 불너 보고져 ᄒ시니 소ᄌ의 뜻을 셰울 비 아닌 고로, 임의 샤ᄒ엿ᅀᆞᆸᄂᆞ니, 엇지 승당치 못ᄒ니 잇시리잇고?"

태부인이 태우를 지촉ᄒ여 당에 오르라 ᄒ니, 태우 승당의 명을 듯고 황공젼률ᄒᆫ 빗츨 씌여 이에 당상에 올나, 마음이 송황ᄒ여 침상을 님ᄒᆫ 듯ᄒ여 고요히 뫼셧시니, 금평휘 부자지졍으로 그 형용의 슈쳑ᄒ미 슈일 닉에 참혹히 되엿시믈 그윽히 앗기고, 연측ᄒ믈 니긔지 못ᄒ나, 아즉 그 마음을 잡을 날이 머럿시믈 혜아려 통한ᄒ므로, 활연(豁然)ᄒᆫ 낫빗을 뵈ᄂᆫ 비 업고, ᄒᆫ 말을 경【12】계ᄒ미 업셔, 믁믁(黙黙)ᄒᆫ 위의 삭풍(朔風)이 늠늠(凜凜)ᄒ여[고], 열일(烈日) 갓튼 긔상(氣像)이 씩씩ᄒ여 스름이 앙시(仰視)치 못ᄒ니, 태우의 마음이리오. 븍공 갓치 인덕(仁德)ᄒ고 총명(聰明) 영긔(靈氣)와 화우 돈목(和友敦睦)ᄒ미 어딕 잇스리오.

태부인이 태우를 나아오라 ᄒ여 좌하(座下)에 안치고 닐너 가ᄅᆞ디,

"네 졍실을 딕졉지 아니ᄒ고 공연이 줏두다리기를 낭ᄌ히 ᄒ여, 상한쳔류(常漢賤流)의 무식ᄒᆫ 거조를 힝ᄒ여 져의 악쳐(惡妻)로 상힐(相詰) 난타(亂打)ᄒᄂᆫ 소힝을 ᄌ임ᄒ여, 픽려ᄒᆫ 욕셜이 밋게 ᄒᄂ뇨?"

ᄒ여, 그 무식ᄒ믈 졀칙ᄒ미 셩음이 놉지 아니ᄒ나 말솜이 당연ᄒ고, ᄉ긔(辭氣) 열숙졍딕(烈肅正大)ᄒ니, 싱이 딕참(大慙) 황공ᄒ여 감히 낫츨 《도르지∥들지》 못ᄒᄂᆫ 가온딕, 오히려 싱각ᄒ되, '이난 양씨로 인ᄒ여 이러툿 부젼에 슈장(受杖)ᄒ고, 조모긔 졀칙을 듯ᄌ오미니, 분한ᄒ믈 니긔지 못ᄒ여 자【13】연이 한ᄒ고 익다르미, 마음의 젼혀 양씨에게 도라가, 통입골슈ᄒ미 조곰도 곳칠 길이 업스니, 이 또ᄒᆫ 양씨의 익히 비상ᄒᆫ 연괴러라. 엇지 태우의 마음을 돌니여 회과 ᄌ칙게 ᄒ리오.

셰홍의 사름 되오미 심디(心志) 소활(疎豁)
ᄒ고 방일(放逸)ᄒ여, 븍공의 쾌【18】히
ᄡᅵᄃ라 호일방탕(豪逸放蕩)ᄒ믈 긋쳐, 단졍
슈ᄒᆡᆼᄒᄂᆫ 총명(聰明) 영긔(靈氣)를 밋출 길
히 업스니, ᄒᆞᆫ갓 슈렴ᄒ고 두리ᄂᆫ 비 부젼
(父前)이오, 믈너난즉 발월호탕(發越豪宕)ᄒᆞᆫ
긔운을 주리잡디1139) 못ᄒ니, 엇디 부친의
흡연ᄒᆞᆫ ᄌᆞ의를 어드리오. 태부인이 태우를
나아오라 ᄒ여 경계 왈,

"네 졍실을 녜딕(禮待)치 아니ᄒ고 무고
히 구타ᄒ여, 상한쳔뉴(常漢賤流)의 취광무
식(醉狂無識)ᄒᆞᆫ 뉘 계집을 난타구욕(亂打驅
辱)ᄒᄂᆫ 힝실을 비호고, 슈ᄒᆡᆼ(修行)ᄒᆯ 줄을
모로니 ᄎᆞ후 계디(戒之)ᄒ라."

말ᄉᆞᆷ이 엄듕단졀(嚴重端切)ᄒ니 ᄉᆡᆼ이 대
참(大慙) 황공ᄒ여 감히 고개를 드디 못ᄒ
고, 조모의 쇼교ᄋ(小嬌兒)1140)로 평ᄉᆡᆼ 쳐음
칙교(責敎)를 당ᄒ니, 부젼의【19】슈장(受
杖)의 더온디라. 연이나 ᄆᆞᄋᆞᆷ을 곳치디 못
ᄒ니 양시의 익운이러라.

ᄎᆞ일 셔ᄌᆡᆨ의 도라와 태위 셕식을 블식ᄒ
고 죵야 고통ᄒ니, 입 가온딕 토ᄒᄂᆫ 거시
술믈이라. 딘상셔 영문이 와 ᄌᆞ더니 셔안의
쥬호(酒壺)를 보고 스스로 반을 쳐 거후로
고, 남은 거슬 태우긔 권 왈,

"비록 알프나 본딕 즐기는 비니 먹으라."

태위 손을 져어 왈,

"어즐ᄒ고 아니쇼아 술ᄂᆡ 맛기 심히 괴로
와 몽듕의도 ᄉᆡᆼ각이 업셰라."

딘상셰 쇼왈,

"술은 슬회여도 월하션은 ᄉᆡᆼ각이 나고 양
슈ᄂᆫ 다함1141) 치고 시브냐?"

태위 어득ᄋ[흔] 듕 미쇼 왈,

"엄젼의 ᄒᆞᆫ 번 슈장ᄒᄆᆞ로 유졍ᄒᆞᆫ 미인을
【20】니즈며, 내 몸이 괴롭게 ᄒᄂᆫ 양시
를 믜워 아니리잇가? ᄎᆞ후ᄂᆫ 아조 질너 죽
이려 ᄒᄂᆞ이다."

저 부마도위 병부 상공이 쾌히 ᄡᅵᄃ라 호
일방탕(豪逸放蕩)ᄒ믈 긋쳐, 단졍 슈ᄒᆡᆼᄒᄂᆫ
총명(聰明) 영긔(靈氣)를 밋출 길히 업스니,
ᄒᆞᆫ갓 슈렴(收斂)ᄒ고 두리ᄂᆫ 비 부젼(父前)
이오, 믈너난즉 발월호탕(發越豪宕)ᄒᆞᆫ 긔운
을 주리잡지1081) 못ᄒ니, 엇지 부친의 흡연
ᄒᆞᆫ ᄌᆞ의를 어드리오. 태부인이 태우를 나아
오라 ᄒ여 경계 왈,

"네 졍실을 녜딕(禮待)치 아니ᄒ고 무고
히 구타ᄒ여, 상한쳔뉴(常漢賤流)의 취광무
식(醉狂無識)ᄒᆞᆫ 뤼 계집을 난타구욕(亂打驅
辱)ᄒᄂᆫ 힝실을 비호고, 슈ᄒᆡᆼ(修行)ᄒᆯ 줄을
모로니 ᄎᆞ후 계지(戒之)ᄒ라."

말ᄉᆞᆷ이 엄듕단졀(嚴重端切)ᄒ니 ᄉᆡᆼ이 딕
참(大慙) 황공ᄒ여 감히 고기를 드지 못ᄒ
고,【14】 조모의 《소교으∥소교ᄋ(小嬌
兒)1082)》로 평ᄉᆡᆼ 쳐음 칙교(責敎)를 당ᄒ
니, 부젼의 슈장에 더ᄒ지라. 연이나 마음
을 곳치지 못ᄒ니 양씨의 익운일너라.

ᄎᆞ일 ○○○[셔ᄌᆡᆨ의] 도라와 태위 셕식을
불식○[ᄒ]고 죵야 고통ᄒ니, 입 가온딕 토
ᄒᄂᆫ 것이 다만 물이라. 진상셰 영문이 와
ᄌᆞ더니 셔안에 쥬효(酒肴)를 보고 스스로
반을 쳐 긔우리고 남은 거슬 태우긔 젼 왈,

"비록 알프나 본딕 즐기는 비니 먹으라."

태위 손을 져어 왈,

"어즐ᄒ고 아니쇼아 술ᄂᆡ 맛기 심히 괴로
와 몽즁의도 ᄉᆡᆼ각이 업셰라."

진상셰 쇼왈,

"슬은 슬회여도 월하션은 ᄉᆡᆼ각이 나고 양
슈ᄂᆫ 다함1083) 치고 시브냐?"

태위 어득ᄋ[흔] 즁 미소 왈,

"엄젼의 ᄒᆞᆫ 번 슈장ᄒᄆᆞ로 유졍ᄒᆞᆫ 미인을
니즈며, 내 몸이 괴롭게 ᄒᄂᆫ 양씨를 믜워
아니리잇가? ᄎᆞ후ᄂᆫ 아조 질너 죽이려 ᄒᄂᆞ
이다."

1139)주리잡다 : 줄잡다. 생각이나 기대 따위를 표준
　　보다 줄여서 헤아려보다.
1140)쇼교ᄋ(小嬌兒) : 귀여운 남자아이.
1141)다함 : 다만. 또한. 그저.

1081)주리잡다 : 줄잡다. 생각이나 기대 따위를 표준
　　보다 줄여서 헤아려보다.
1082)쇼교ᄋ(小嬌兒) : 귀여운 남자아이.
1083)다함 : 다만. 또한. 그저.

상셰 흉험타 꾸짓고, 네뷔 쏘흔 졀칙흐더라.

이러구러 십여일이 되도록 태위 상쳐 쌘 아니라, 일신이 줏치는 둣 알프미 낫디 아니틱, 금평휘 믜이 넉여 일시도 편히 누엇디 못흐게 흐여, 됴당의 가디 아닛는 날은 죵일토록 알패 두어, 셔화를 《바드틱‖밧드틱[1142]》 흔 번 낫빗출 허흐며 화히 말흐미 업셔, 비록 입으로 꾸짓디 아니나 부즈의 유유흔 졍을 펴미 업셔, 틱흔죽 안쇡이 십분 엄녈흐여 동텬녈일(冬天烈日) ᄀ고, 태우의 필톄 찬난흐여 희디(義之)[1143]【21】를 압두홀 거시오, 화법의 긔이흐미 눈을 옴기기 앗가오나 일분도 두굿기미 업셔, 딕스와 필흥이 셔법(書法)을 비호려 흔죽, 금휘 믄득 뎡쇡고 칙흐틱,

"밋친 형의 셔화를 본바들 거시 어이 이시리오."

흐고, 미○[양] 윤통지의 필톄를 주며 본바드라 흐니, 븍공의 필톄 쏘흔 녕농(玲瓏) 비무(飛舞)흐여, 사름의 눈을 현황케 흐믄 윤니부의 필톄도곤 나은 둣흐틱, 금휘 굿트여 본바드라 아니흐믄, 대개 시스(詩詞)와 필획(筆劃)의 그 사롬의 긔상이 낫타나는 고로, 븍공의 젼일(前日) 호방(豪放)흐믈 깃거 아니미러라.

츠시 양쇼져의 상톄 슈십일을 신고흐더니, 약셕(藥石)[1144]의 효【22】험으로 거의 츠셩흐믈 어드나, 태우의 광망흔 힝스를 부듕이 모로리 업고, 존귀 태우를 엄티흐믈 드르미, 불안 황공흐미 스스로 몸의 죄를 디음과 다르디 아냐 흐는디라. 태부인과 딘부인이 더욱 년익흐여 무휼흐미 강보(襁褓) ᄀ고, 금휘 더욱 이련흐믈 마디 아냐 범스의 구구셰쇄(區區細瑣)흐미 갓가오니, 양쇼

1142)밧드다 : 받들다. 공경하여 모시다.
1143)희지(義之) : 왕희지(王義之). 307~365. 중국 동진(東晉) 때 사람. 서성(書聖)으로 일컬어지는 중국 최고의 서예가.
1144)약셕(藥石) : 약과 침이라는 뜻으로, 여러 가지 약을 통틀어 이르는 말. 또는 그것으로 치료하는 일.

상셰 흉험타 꾸짓고 네뷔 쏘흔 졀칙흐【15】더라.

이러구러 십여 일이 되도록 태위 상쳐 쌘 아니라, 일신이 줏치는 둣 알프미 낫지 아니틱, 금평휘 믜워 넉여 일시도 편히 누엇지 못흐게 흐여, 죠당의 가지 아닌는 날은 죵일토록 알픠 두어 셔화를 《바드틱‖밧드틱[1084]》 흔 번 낫빗출 허흐며 화히 말숨흐미 업셔, 비록 입으로 꾸짓지 아니나 부즈의 유유흔 졍을 펴미 업셔, 틱흔죽 안쇡이 십분 엄녈흐여 동텬녈일(冬天烈日) ᄀ고, 태우의 필톄 찬난흐여 희지(義之)[1085]를 압두홀 거시오, 화법의 긔이흐미 눈을 옴기기 앗가오나, 일분도 두굿기미 업셔, 직스와 필흥이 셔법을 《양두흐려‖비호려)》흔 죽, 금휘 믄득 졍쇡고 칙흐틱,

"밋친 형의 셔화를 본바들 거시 어이 이시리오."

흐고 미양 윤충지의 필톄를 쥬며 본바드라 흐니, 북공의 필톄 쏘흔 녕농(玲瓏) 비무(飛舞)흐여, 스름의 눈을 현황【16】케 흐믄 윤니부의 필톄도곤 나으틱, 금휘 굿흐여 본바드라 아니흐믄, 틱개 시스(詩詞)와 필획(筆劃)의 그 스름의 긔상이 낫타나는 고로, 북공의 젼일(前日) 호방(豪放)흐믈 깃거 아니미러라.

츠시 양소져의 상톄 슈십 일을 신고흐더니, 약셕(藥石)[1086]의 효험으로 겨의 츠셩흐믈 어드나, 태우의 광망흔 힝스를 부즁이 모로 리 업고, 존귀 태우를 엄티흐믈 드르미 불안 황공흐미 스스로 몸의 죄를 지음과 다르지 아냐 흐는지라. 태부인과 진부인이 더욱 년익흐여 무휼흐미 강보(襁褓) ᄀ고, 금휘 더욱 이련흐믈 마지 아냐 범스의 구구셰쇄(區區細瑣)흐미 갓가오니, 양소졔 구고

1084)밧드다 : 받들다. 공경하여 모시다.
1085)희지(義之) : 왕희지(王義之). 307~365. 중국 동진(東晋) 때 사람. 서성(書聖)으로 일컬어지는 중국 최고의 서예가.
1086)약셕(藥石) : 약과 침이라는 뜻으로, 여러 가지 약을 통틀어 이르는 말. 또는 그것으로 치료하는 일.

제 구고의 이 ᄀᆞᄌᆞ오신 은덕이 아니면, 태우의 곤욕 구타를 춤고 견듸리오. 스스로 쇄신분골(碎身粉骨)ᄒᆞ나 존당 구고의 양츈혜틱을 다 갑디 못ᄒᆞᆯ가 슬허ᄒᆞ고, 목젼의 블효를 닐위디 말고져 ᄒᆞ나, ᄌᆞ긔 디란(芝蘭) ᄀᆞᆺᄐᆞᆫ 긔딜노뼈, 천인(賤人)도 능히 당치 못ᄒᆞᆯ 구타를 당ᄒᆞ여,【23】신병(身病)이 일일 쳠가(添加)ᄒᆞ니, 이우(貽憂)1145)를 증(增)ᄒᆞᆷ믈 탄ᄒᆞᄂᆞᆫ 듯, 태우의 즐언(叱言) 욕셜과 핍박 난타(亂打)ᄒᆞ미 아니 밋츤 곳이 업던 바를 싱각ᄒᆞ미, 스스로 심한골경(心寒骨驚)ᄒᆞᆷ믈 면치 못ᄒᆞᄂᆞ니라. 존고를 협실을 일야 써나디 아냐 태원던 신혼셩뎡(晨昏省定) 밧근 움ᄌᆞ길 의ᄉᆞ 업고, 더옥 ᄉᆞ실의 도라갈 ᄠᅳᆺ이 ᄉᆞ연(捨然)ᄒᆞ니, 딘부인이 ᄯᅩ흔 ᄋᆞᄌᆞ의 광패ᄒᆞᆷ믈 통ᄒᆞᆫᄒᆞ여 쇼져를 션삼졍의 보니디 아니ᄒᆞ니, 가듕인이 다 태우의 광패ᄒᆞᆷ믈 ᄭᅮ짓ᄂᆞᆫ 고로 양쇼져를 ᄉᆞ실의 보니믈 권ᄒᆞ리 업ᄉᆞ듸, 홀노 븍공이 모친긔 고 왈,

"삼데의 광망ᄒᆞᆷ믄 통히ᄒᆞ오나, 양슈의 도린즉 가부를 피ᄒᆞ여 침소를 바리고 ᄌᆞ위【24】협실의 머믈미 블가ᄒᆞ옵고, 대인이 삼데를 증염(憎念)ᄒᆞ샤 양슈(嫂)를 션삼졍의 이시믈 허치 아니시니, 쇼ᄌᆞ 등이 감히 쇼견을 고치 못ᄒᆞ오나, 싱각건듸, 셰흥의 분노를 졈졈 도도와 양슈와 크게 블화ᄒᆞᆯ 증뫼(徵兆)오, 져히 부뷔 화락ᄒᆞᆯ 길히 업ᄉᆞ리니, 셰흥이 비록 무상ᄒᆞ나 양슈긔ᄂᆞᆫ 쇼텬(所天)이니, 하날이 풍우의 위엄이 이시나, ᄯᅡ히 능히 피치 못ᄒᆞᆯ 거시오. 님군이 황음무도(荒淫無道)ᄒᆞᆯ디라도, 신ᄌᆞ의 도린즉 바리고 믈너나디 못ᄒᆞᆯ디라. 부부간을 의논컨듸, 군신디간과 다르미 업ᄉᆞ오니, 비록 대인 쳐시시나 양슈를 ᄌᆞ졍(慈庭) 협실의 곰초시믄 쇼지 그윽이 의아【25】ᄒᆞ옵ᄂᆞ니, 양슈로 ᄒᆞ여곰 졀졀이 삼데의 통히(痛駭)ᄒᆞᆫ ᄆᆞ음을 돕고, 셰흥으로뼈 양슈의 분완ᄒᆞᆫ 증화(憎火)를 도와, 남광녀강(男狂女强)1146)ᄒᆞ여 각지

의 이 ᄀᆞᆺᄐᆞᆫ 은덕이 아니면, 태우의 구타 곤욕을 춤고 견듸리오. 스스로 쇄신분골(碎身粉骨)ᄒᆞ나 존당 구고의 양츈혜틱을 다 갑지 못ᄒᆞᆯ가 슬허ᄒᆞ고, 목젼의 블효를 일위지 말고져 ᄒᆞ나, ᄌᆞ긔 지란(芝蘭) ᄀᆞᆺᄐᆞᆫ 긔딜노뼈 쳔인도 능히 당치 못ᄒᆞᆯ 구타를 당【17】ᄒᆞ여, 신병(身病)이 일일 쳠가ᄒᆞ니 이우(貽憂)1087)가 불승증(不勝增)ᄒᆞᆷ믈 탄ᄒᆞᄂᆞᆫ 줌, 태우의 즐언(叱言) 욕셜과 탕박(蕩迫)1088) 난타(亂打)ᄒᆞ미 아니 밋츤 곳이 업던 바를 싱각ᄒᆞ미, 스스로 심한골경(心寒骨驚)ᄒᆞᆷ믈 면치 못ᄒᆞᄂᆞ지라. 존고의 협실을 일야(日夜) 써나○[지] 아냐 태원젼 신혼셩졍(晨昏省定)밧ᄌᆞ1089) 움ᄌᆞ길 의ᄉᆞ 업고, 진부인이 ᄯᅩ흔 ᄋᆞᄌᆞ의 광픠ᄒᆞᆷ믈 통ᄒᆞᆫᄒᆞ여 소져를 션삼졍의 보니지 아니ᄒᆞ니, 가즁인이 다 태우의 광패ᄒᆞᆷ믈 ᄭᅮ짓ᄂᆞᆫ 고로 양소져를 ᄉᆞ실에 보니믈 권ᄒᆞ리 업ᄉᆞ듸, 홀노 븍공이 모친긔 고 왈,

"삼데의 광망ᄒᆞᆷ믄 통히ᄒᆞ오나, 양슈의 도린즉 가부를 피ᄒᆞ여 침소를 ᄇᆞ리고 협실의 머믈미 블가ᄒᆞ옵고, 대인이 삼데를 증염ᄒᆞ샤 《양씨∥양슈(嫂)》를 션삼졍의 잇시믈 허치 아니시니, 소ᄌᆞ 등이 감히 소견을 고치 못ᄒᆞ오나, 싱각건듸, 셰흥의 분노를 졈【18】졈 도도와 양슈와 크게 블화ᄒᆞᆯ 증죄오, 져히 부뷔 화락ᄒᆞᆯ 길히 업ᄉᆞ리니, 셰흥이 비록 무상ᄒᆞ나 양슈긔ᄂᆞᆫ 소텬(所天)이니, 하늘이 풍우의 위엄이 잇시나 ᄯᅡ히 능히 피치 못ᄒᆞᆯ 거시오, 임군이 황음무도(荒淫無道)ᄒᆞᆯ지라도 신ᄌᆞ의 도린즉 ᄇᆞ리고 믈너나지 못ᄒᆞᆯ지라. 부부간을 의논컨듸 군신지간과 다르미 업ᄂᆞ니, 비록 대인 쳐시시나 양슈를 ᄌᆞ젼(慈殿) 협실에 머므르시믄 소지 그윽이 의아ᄒᆞ옵ᄂᆞ니, 양슈로 ᄒᆞ여곰 졀졀이 삼데의 통히(痛駭)ᄒᆞᆫ ᄆᆞ음을 돕고, 셰흥으로뼈 양슈의 분완ᄒᆞᆫ 증화(憎火)를 도와, 남광녀강

1145)이우(貽憂) : 남에게 근심과 걱정을 끼침.
1146)남광녀강(男狂女强) : 남자는 광패(狂悖)하고 여자는 초강(超强)함.

1087)이우(貽憂) : 남에게 근심과 걱정을 끼침.
1088)탕박(蕩迫) : 음탕한 행위를 하도록 강박함. 또는 그러한 행위를 하여 못살게 굶.
1089)밧ᄌᆞ : 밖에. '그것 말고는', '그것 이외에는'의 뜻을 나타내는 조사.

기심(各在其心)1147)ᄒ니　부창부슈(夫唱婦隨)1148)ᄒᄂᆞᆫ　화긔(和氣) 업ᄉᆞᆯ가 ᄒᄂᆞ이다."

딘부인이 뎡식 왈,

"네 말이 오히려 밋친 셰흥의 어린 긔운을 돕고져 ᄒᆞ미오, 양ᄋᆞ로ᄡᅥ 일분이나 강녈ᄒᆞᆫ가 그릇 넉이미라. 골육동긔를 위ᄒᆞᆫ ᄉᆞ졍이 일편 되니, 여ᄈᆡ 엇디 양ᄋᆞ를 ᄉᆞ실의 보니여 광부 욕ᄌᆞ의 ᄆᆞᄋᆞᆷ을 맛쳐, 혈육이 님니(淋漓)ᄒᆞ게 즛두다리믈 다시 보리오."

븍공이 함쇼(含笑), 샤죄 왈,

"쇼지 블민ᄒᆞ여 ᄉᆞ졍의 구이ᄒᆞᄆᆞ로 밋친 ᄋᆞ을 편 드옵거니와, 쇼ᄌᆞ의 ᄯᅳᆺ인즉 양슈로 ᄒᆞ여곰 녀ᄒᆡᆼ(女行)【26】과 부덕(婦德)의 온젼코져 ᄒᆞ미로소이다."

뎡언간의 태위 드러오다가, 모친과 형댱의 말ᄉᆞᆷ을 다 듯고, 날호여 쟝(帳)을 들고 드러가니, 부인이 다시 말을 아니ᄒᆞ고, 븍공이 ᄯᅩᄒᆞᆫ 믁연이어ᄂᆞᆯ, 태위 빅형을 두리나 오히려 부친과 ᄀᆞᆺ디 아니ᄒᆞ고, 모친은 더옥 ᄌᆞ이ᄒᆞ시믈 밋ᄂᆞᆫᄃᆡ라. 믄득 우음을 머금고, 고 왈,

"양가 요믈을 급초샤 쇼ᄌᆞ로 ᄒᆞ여곰 환부(鰥夫)의 괴로옴과 음식디졀(飮食之節)이며 ᄃᆡ긱지졔(對客之際)의 가음알니 업게 ᄒᆞ시니, 쇼지 마디 못ᄒᆞ여 지취를 ᄒᆞ리로소이다. 지취를 구홀딘ᄃᆡ, 명문거족과 왕공후빅의 쳔금옥녀를 두고 퇴셔ᄒᆞᄂᆞᆫ ᄆᆞᄋᆞᆷ이 고산태악(高山泰岳)1149) ᄀᆞᆺᄐᆞ여【27】도, 쇼ᄌᆞ를 보ᄂᆞᄂᆞᆫ 밋치며 ᄉᆞ오납다 아니ᄒᆞ여 지취도 주고져 ᄒᆞ리 만ᄉᆞ오리니, 쇼지 ᄯᅳᆺ을 결ᄒᆞ여 일삭디ᄂᆡ(一朔之內)의 ᄉᆡᆨ덕(色德)이 가존 슉녀를 취ᄒᆞ여, 양시를 셜치(雪恥)ᄒᆞ고 금슬종고(琴瑟鐘鼓)의 화락이 무흠코져 ᄒᆞᆸᄂᆞᆫ니, 쇼지 굿ᄐᆞ여 번화로 신취(新娶)ᄒᆞᆫ가 칙디 마ᄅᆞ쇼셔."

1147)각ᄌᆡ기심(各在其心) : 그 마음이 각각임.
1148)부창부슈(夫唱婦隨) : 남편이 주장하고 아내가 이에 잘 따름. 또는 부부 사이의 그런 도리.
1149)고산태악(高山泰岳) : 높고 큰 산.

(男狂女强)1090)ᄒᆞ여　　　각ᄌᆡ기심(各在其心)1091)ᄒ니　부창부슈(夫唱婦隨)1092)　ᄒᆞᄂᆞᆫ 화긔(和氣) 업ᄉᆞᆯ가 ᄒᄂᆞ이다."

진부인이 정식 왈,

"네 말이 오히려 밋친 셰흥의 어린 긔운을 돕고져 ᄒᆞ미오, 양ᄋᆞ로ᄡᅥ 일분이나 강녈ᄒᆞᆫ가 그릇 넉이미라. 골육 동긔를 위ᄒᆞᆫ ᄉᆞ졍이 일편되니, 녀ᄈᆡ 엇지 양ᄋᆞ를 ᄉᆞ【19】실에 보니여 광픡○[흔] 욕ᄌᆞ의 마음을 맛쳐 혈육이 님니(淋漓)ᄒᆞ게 즛두다리믈 다시 보리오."

북공이 함소(含笑) 샤죄 왈,

"소지 블민ᄒᆞ와 《ᄌᆞ젼‖ᄉᆞ졍(私情)》에 구이ᄒᆞᄆᆞ로 밋친 ᄋᆞ오를 편드옵거니와, 소ᄌᆞ의 ᄯᅳᆺ인즉 양슈로 ᄒᆞ여곰 녀ᄒᆡᆼ(女行)과 부덕(婦德)의 온젼코져 ᄒᆞ미로소이다."

졍언간의 태위 드러오다가, 모친과 형쟝의 말ᄉᆞᆷ을 다 듯고 날호여 쟝(帳)을 들고 드러가니, 부인이 다시 말을 아니ᄒᆞ고, 북공이 ᄯᅩᄒᆞᆫ 믁연이어ᄂᆞᆯ, 태위 빅형을 두리나 오히려 부친과 ᄀᆞᆺ지 아니ᄒᆞ고, 모친은 더옥 ᄌᆞ이ᄒᆞ시믈 밋ᄂᆞᆫ지라. 믄득 우음을 먹음고 고 왈,

"양가 요믈을 감초샤, 소ᄌᆞ로 ᄒᆞ여곰 환부(鰥夫)의 괴로옴과 음식지졀(飮食之節)이며 ᄃᆡ긱지례(對客之際)에 ○○[가음]알니 업게 ᄒᆞ시니, 소지 마지 못ᄒᆞ여 지취를 ᄒᆞ리로소이다. 지취를 구홀진ᄃᆡ, 명문 거족과 왕공 후빅의 쳔금 옥녀를 두고 퇴【20】셔ᄒᆞᄂᆞᆫ 마음이 고산태악(高山泰岳)1093) ᄀᆞᆺᄐᆞ여도, 소ᄌᆞ를 보ᄂᆞ니ᄂᆞᆫ 밋치며 ᄉᆞ오납다 아니ᄒᆞ여 지취도 주고져 ᄒᆞ리 만ᄉᆞ오리니, 소지 ᄯᅳᆺ을 결ᄒᆞ여 일삭지ᄂᆡ(一朔之內)의 ᄉᆡᆨ덕(色德)이 가존 슉녀를 취ᄒᆞ여, 양씨를 셜치(雪恥)ᄒᆞ고 금실[슬]종고(琴瑟鐘鼓)의 화락이 무흠코져 ᄒᆞᆸᄂᆞᆫ니, 소지 굿ᄐᆞ여 번화로

1090)남광녀강(男狂女强) : 남자는 광패(狂悖)하고 여자는 초강(超强)함.
1091)각ᄌᆡ기심(各在其心) : 그 마음이 각각임.
1092)부창부슈(夫唱婦隨) : 남편이 주장하고 아내가 이에 잘 따름. 또는 부부 사이의 그런 도리.
1093)고산태악(高山泰岳) : 높고 큰 산.

부인이 발연(勃然) 즐(叱) 왈,

"네 슈빅 잉첩(媵妾)을 모화도 여뢰 알비 아니오. 네 야애(爺爺) 임의 바린 즈식으로 아라, 네 힝식 아모 디경의 밋쳐도 아른 쳬 아니려 ᄒ시니, 지취(再娶) 아냐 텬흥ᄀ치 오취(五娶)를 ᄒ여도 상공이 너를 칙홀 니 업스니, 다르니냐 더욱 너다려 므어시라 ᄒ리오. 다만 양ᄋ는 그 명빅이 보젼ᄒ믈 위ᄒ여, 너를 맛【28】겨 두디 아닛ᄂ니, 다시 양쇼부의 말을 말나."

부인이 말숨을 맛츠미 븍공이 태우를 딘목(瞋目) 즐왈,

"근간 대인이 너를 보실 젹마다 안식이 화열ᄒ실 젹이 업스니, 인즈의 ᄆ음이 황황숑늉(惶惶悚慄)홀 비어늘, 어ᄂ 결을의 지취를 싱각ᄒ리오. 네 힝식 가디록 광패ᄒ여 블가스문어타인(不可使聞於他人)이라. 부훈과 모교의 명셩(明聖)ᄒ시믈 져바리고, 스스로 광음(狂淫) 패악(悖惡)ᄒ믈 달게 넉이니, 엇디 한심치 아니리오. 대인이 관홍후덕(寬弘厚德)을 힘쓰시나 비례블법(非禮不法)은 일호도 용납디 아니시ᄂ니, 네 힝식 졈졈 광패홀딘디 결단ᄒ여 스싱을 뉴렴(留念)치 아니시리라."

태위 다시 말을 ᄒ고져 ᄒ더니, 시녜 금평후의【29】 님ᄒ시믈 고ᄒᄂ니라. 졔지 황망이 하당영디(下堂迎之)ᄒ여 침실의 니르미, 금휘 태우를 볼 젹마다 통완ᄒ미 더ᄒ여, 안모의 녈풍이 비비(飛飛)홈 ᄀ트니, 븍공 등이 역시 숑구 젼늘ᄒ더라.

이 날 태위 모친 말숨을 듯ᄌ오미 양시를 슈히 ᄉ실노 보닉디 아니실 줄 혜아리미, 심니(心裏)의 울울ᄒ믈 니긔디 못ᄒ고, 지취의 쯧이 급ᄒ여 브딕 식덕(色德)이 양시만 ᄒ 녀ᄌ를 취ᄒ여 쾌락고져 ᄒ더라.

셕양의 취운산샹의 올나 풍경을 유완(遊玩)ᄒ여 울덕ᄒ 심회를 위로코져 ᄒ더니, 홀연 눈을 드러 보미 산샹 븍편의 젹은 교ᄌ를 노코, 인가 시녀 양낭의 무리 가득ᄒ엿ᄂ디, 그 가【30】온디 일개 미인이 날난

신취흔가 칙지 마르쇼셔."

부인이 발연(勃然) 즐(叱) 왈,

"네 슈빅 잉첩(媵妾)을 모화도 녀뢰 알비 아니오. 네 야애(爺爺) 임의 ᄇ린 즈식으로 아라, 네 힝식 아모 지경의 밋쳐도 아른 쳬 아니려 ᄒ시니, 지취 아냐 텬흥ᄀ치 오취를 ᄒ여도 상공이 너를 칙ᄒ실 니 업스니, 다르니냐 더욱 너다려 므어시라 ᄒ리오. 다만 양ᄋ는 그 명빅이 보젼ᄒ믈 위ᄒ여 너를 맛겨 두지 아닛ᄂ느, 다시 양소부의 말을 말나."

부인이 말숨을 맛츠미 북공이 태우를 진목(瞋目) 즐 왈,

"근간 대인이 너를 보실 젹마다 안식이 화열ᄒ【21】실 젹이 업스니, 인즈의 마음이 황황숑률(惶惶悚慄)홀 비어늘, 어ᄂ 결을에 지취를 싱각ᄒ리오. 네 힝식 가지록 광포ᄒ여 블가스문어타인(不可使聞於他人)이라. 부훈과 모교의 명셩(明聖)ᄒ시믈 져ᄇ리고, 스스로 광음(狂淫) 《태악∥패악(悖惡)》ᄒ믈 달게 넉이니, 엇지 한심치 아니리오. 대인이 관홍후덕(寬弘厚德)을 힘쓰시나 비례불법(非禮不法)은 일호도 용납지 아니시ᄂ니, 네 힝식 졈졈 광픽홀진디 결단ᄒ여 스싱을 뉴렴(留念)치 아니시리라."

태위 다시 말을 ᄒ고져 ᄒ더니, 시녜 금평후의 님ᄒ믈 고ᄒᄂ지라. 졔지 황망이 하당영지(下堂迎之)ᄒ여 침실의 니르미, 금휘 태우를 볼 젹마다 통완ᄒ미 더ᄒ여, 안모의 녈풍(烈風)이 비비(飛飛)홈 ᄀ트니, 북공이 역시 숑구 젼률ᄒ더라.

이 날 태위 모친 말숨을 듯ᄌ오미 양씨를 슈이 ᄉ실노 도라 보닉지 아니실 줄 혜아리미, 심니(心裏)의 울울ᄒ믈 니긔지 못【22】ᄒ고, 지취의 쯧이 급ᄒ여 부디 식덕이 양씨 만ᄒ 녀ᄌ를 취ᄒ여 쾌락고져 ᄒ더라.

셕양의 취운산샹의 올나 풍경을 유완ᄒ여 울젹ᄒ 심회를 위로코져 ᄒ더니, 홀연 눈을 드러 보미 산샹 북편의 젹은 교ᄌ를 노코 인가 시녀 양낭의 무리 ᄀ득ᄒ엿ᄂ디, 그 ᄀ온디 일딕(一代) 미인이 날난 억기의 녹

엇게의 녹나삼(綠羅衫)1150)을 착(着)ᄒ고, 가는 허리의 홍금상(紅衿裳)을 두르며, 구름 ᄀ툰 녹발을 졍히 ᄲᅡ고, 쌍봉빅옥잠(雙鳳白玉簪)을 ᄭᅩᄌ시며, 면모(面貌)의 디분(脂粉)을 난만(爛漫)이 칠ᄒ여, 홀난(焜爛)ᄒᆫ1151) ᄌ티를 도으니, 놉히 비ᄒ면 딕녜(織女)1152) 오작교(烏鵲橋)1153)의 디나는 형상이오. 나디 비ᄒ면 셔시(西施)1154)의 고음과 비연(飛燕)1155)의 경신(輕身)ᄒ믈 아오라시니, 태위 가쟝 황홀ᄒ믈 니긔디 못ᄒ고, ᄌ시 살피미 이목구비와 일신톄되(一身體度) 긔긔묘묘ᄒ여 눈이 밤븨고 신혼(神魂)이 어린디라. 태위 평싱 무산(巫山)1156)과 월궁(月宮)1157)을 보아시디, 이 녀자의 아름다오미 엇디 양쇼져를 밋ᄎ리오마는, 젼셰 업원(業冤)이 듕ᄒᆫ 연고로 비로ᄉ미니, 도시 【31】 양시의 홍안디ᄒᆡ(紅顔之害)를 면치 못ᄒᆞ미라.

이 화루(華樓)는 여람빅 셩공의 가사(家舍)니, 셩공의 위인이 걸호(傑豪) 댱ᄌ(長者)로디, 일즉 금현(琴絃)이 단졀ᄒ여 ᄌ녀를 ᄀᆺ초 두고 상실(喪室)ᄒ매, 박브득이(迫

나삼(綠羅衫)1094)을 착ᄒ고, 가는 허리의 홍금상(紅衿裳)을 두르며, 구름 ᄀᆺ튼 녹발을 졍히 ᄶᅡ고, 쌍봉빅옥잠(雙鳳白玉簪)을 ᄭᅩᄌ시며, 면모(面貌)에 지분(脂粉)이[을] 난만히 칠ᄒ여 홀난(焜爛)ᄒᆫ1095) ᄌ티를 도으니, 놉히 비유ᄒ면 직녜(織女)1096) 오작교(烏鵲橋)1097)에 지나는 형상이오, 나지 비유ᄒ면 셔시(西施)1098)의 고음과 비연(飛燕)1099)의 경신(輕身)ᄒ믈 아오랏시니, 태위 ᄀᆞ쟝 황홀ᄒ믈 니긔지 못ᄒ고, ᄌ시 살피미 이목구비와 일신톄뫼(一身體貌) 긔긔묘묘ᄒ여 눈이 밤뵈고 신혼(神魂)이 어린지라. 태위 평싱 무산(巫山)1100)과 월궁(月宮)1101)을 보아시되, 【23】 이 녀ᄌ의 아름다오미 엇지 양쇼져를 밋ᄎ리오마는, 젼셰 업원이 즁ᄒᆫ 연고로 비로ᄉ미나, 도시 양씨의 홍안지ᄒᆡ(紅顔之害)를 면ᄒᆞ미라.

이 화루(華樓)는 여람빅 셩공의 가사(家舍)니, 셩공의 위인이 걸호(傑豪) 장ᄌ(長者)로디, 일즉 금현(琴絃)이 단졀ᄒ여 ᄌ녀를 ᄀᆺ초 두고 상실(喪室)ᄒ매, 박브득이(迫

1150)녹나삼(綠羅衫) : 녹색의 비단 적삼.
1151)홀난(焜爛)ᄒ다 : 혼란(焜爛)하다. 어른어른하는 빛이 눈부시게 아름답다.
1152)딕녜(織女) : 견우직녀 설화에 나오는 여자 주인공.
1153)오작교(烏鵲橋) : 까마귀와 까치가 은하수에 놓는다는 다리. 칠월 칠석날 저녁에, 견우와 직녀를 만나게 하기 위하여 이 다리를 놓는다고 한다.
1154)셔시(西施) : 중국 춘추 시대 월나라의 미인. 오나라에 패한 월나라 왕 구천이 서시를 부차에게 보내어 부차가 그 용모에 빠져 있는 사이에 오나라를 멸망시켰다.
1155)비연(飛燕) : 중국 전한(前漢) 성제(成帝)의 비(妃). 시호는 효성황후(孝成皇后). 가무(歌舞)에 뛰어났고 빼어난 미모로 성제의 총애를 받아 황후에까지 올랐다.
1156)무산(巫山) : 중국 중경시(重慶市) 동쪽에 있는 현. 무산십이봉(巫山十二峯)이 솟아 있는데 기암과 절벽으로 이루어진 경치가 아름답기로 유명하다. 소설 등에서 신선이나 선녀가 사는 선계(仙界)로 설정되는 경우가 많다. 여기서는 무산선녀를 뜻한다
1157)월궁(月宮) : 전설에서, 달 속에 있다는 궁전. 여기서는 월궁에 살고 있다는 선녀인 상아(嫦娥)를 뜻한다.

1094)녹나삼(綠羅衫) : 녹색의 비단 적삼.
1095)홀난(焜爛)ᄒ다 : 혼란(焜爛)하다. 어른어른하는 빛이 눈부시게 아름답다.
1096)딕녜(織女) : 견우직녀 설화에 나오는 여자 주인공.
1097)오작교(烏鵲橋) : 까마귀와 까치가 은하수에 놓는다는 다리. 칠월 칠석날 저녁에, 견우와 직녀를 만나게 하기 위하여 이 다리를 놓는다고 한다.
1098)셔시(西施) : 중국 춘추 시대 월나라의 미인. 오나라에 패한 월나라 왕 구천이 서시를 부차에게 보내어 부차가 그 용모에 빠져 있는 사이에 오나라를 멸망시켰다.
1099)비연(飛燕) : 중국 전한(前漢) 성제(成帝)의 비(妃). 시호는 효성황후(孝成皇后). 가무(歌舞)에 뛰어났고 빼어난 미모로 성제의 총애를 받아 황후에까지 올랐다.
1100)무산(巫山) : 중국 중경시(重慶市) 동쪽에 있는 현. 무산십이봉(巫山十二峯)이 솟아 있는데 기암과 절벽으로 이루어진 경치가 아름답기로 유명하다. 소설 등에서 신선이나 선녀가 사는 선계(仙界)로 설정되는 경우가 많다. 여기서는 무산선녀를 뜻한다
1101)월궁(月宮) : 전설에서, 달 속에 있다는 궁전. 여기서는 월궁에 살고 있다는 선녀인 상아(嫦娥)를 뜻한다.

不得已) 1158) 지취 노시 ᄒᆞ미, 노시의 위인이 무일가취(無一可取)1159)로디, 임의 취ᄒᆞᆫ 바를 바리디 못ᄒᆞ여 강인(强忍)ᄒᆞ여 부부디도(夫婦之道)를 일윗더니, 뎡문의 여익(餘厄)이 미딘ᄒᆞ여 《일∥뎡》 예빅이 일장풍파를 겻글 쎠라. 노시 일녀를 싱ᄒᆞ니 일흠은 난홰라. 우흐로 닐곱 ᄌᆞ녀를 셩취(成娶)ᄒᆞ고, 필녀(畢女) 난홰 년보(年譜) 이칠(二七)의 이용(愛容)이 졀셰ᄒᆞ고 긔딜이 아연(雅然)ᄒᆞ니, 부뫼 만늬(晚來) 필ᄋᆞ(畢兒)로 ᄉᆞ랑이 졔ᄌᆞ(諸子) 우ᄒᆡ라.

그 집이 동문 안희 이셔 취운산 풍경이 긔이(奇異)【32】ᄒᆞᆷ믈 듯고, 부모를 보쳐여 산경(山景)을 보아디라 ᄒᆞ니, 셩빅이 규슈의 힝싯 블가(不可)타 ᄒᆞ고 허치 아니ᄒᆞ고, 그 거거(哥哥) 셩한님 등이 힘뼈 말니니, 난홰 부친을 두려 취운산 경치를 보디 못ᄒᆞ엿더니, 맛춤 셩빅이 친위 셜연(設宴)ᄒᆞ여 쳥ᄒᆞᆫ디라. 셩빅이 ᄋᆞᄌᆞ를 거ᄂᆞ려 나르러 나간 ᄉᆞ이를 타, 난홰 취운산의 니르러 죵일 산경을 유완(遊玩)ᄒᆞ여 도라갈 줄 니젓더니, 뎡태우를 공교히 맛ᄂᆞᆫ디라. 아ᄅᆡᆫ 줄을 아디 못ᄒᆞ디 그 뉴디풍(柳之風)1160)과 화지용(花之容)1161)을 놀나고, 믄득 흠모ᄒᆞᄂᆞᆫ ᄆᆞᄋᆞᆷ과 뉴의(留意)ᄒᆞᄂᆞᆫ 뜻이 이시니, 몸이 셩문법가(聖門法家)의 나고 부형이 어디디, 난화ᄂᆞᆫ 각별ᄒᆞᆫ 요인(妖人)이라. 바야흐로【33】이칠(二七) 츈광(春光)이 되도록 군ᄌᆞ를 만나디 못ᄒᆞ니, 스스로 밍셰ᄒᆞ여 옥인(玉人) 영걸(英傑)을 만나디 못ᄒᆞᆫ족, 심규의셔 죵노(終老)ᄒᆞᆷ믈 원ᄒᆞ니, 셩빅과 한님 등이 규슈의 넘치상진(廉恥喪盡)ᄒᆞᆷ믈 칙ᄒᆞ디, 노시 난화를 과이ᄒᆞ여 그 뜻을 어긔오디 못ᄒᆞᄂᆞᆫ 고로, 대로(大路)를 향ᄒᆞ여 일좌(一座) 치루(彩樓)를 셰오고, 기녀(其女)를 그 곳의 두어 노듕(路中) 남ᄌᆞ 가온디 영웅 쥰걸 갈희

1158)박브득이(迫不得已) : 일이 매우 급하게 닥쳐와서 어찌할 수 없이.
1159)무일가취(無一可取) : 한 가지도 취할 만한 것이 없음.
1160)뉴디풍(柳之風) : 버들가지 같은 늘씬한 풍채.
1161)화지용(花之容) : 꽃처럼 아름다운 얼굴.

不得已) 1102) 지취 노씨 ᄒᆞ니, 노씨의 위인이 별무가취(別無可取)1103)로디, 임의 취ᄒᆞᆫ 바를 ᄇᆞ리지 못ᄒᆞ여 강잉ᄒᆞ여 부부지도를 일윗더니, 뎡문의 여익(餘厄)이 미진ᄒᆞ여 뎡녜빅이 일장풍파를 겻글 쎠라. 노씨 일녀를 싱ᄒᆞ니 일홈은 난홰라. 우흐로 일곱 ᄌᆞ녀를 셩취(成娶)ᄒᆞ고, 필녀 난홰 년보(年譜) 이칠(二七)에 이용(愛容)이 졀셰ᄒᆞ고 긔질이 아연(雅然)ᄒᆞ니 부뫼 만릭(晚來) 필ᄋᆞ(畢兒)로 ᄉᆞ랑이 졔ᄌᆞ(諸子) 우ᄒᆡ라.

그 집이 동문 안희 잇셔 취운산 풍경이 긔이(奇異)ᄒᆞᆷ믈 듯고, 부모를 보쳐여 산경(山景)을 보아지라 ᄒᆞ니, 셩【24】빅이 규슈의 힝싯 불가(不可)타 ᄒᆞ고 허치 아니ᄒᆞ고, 그 거거 셩한님 등이 힘뼈 말니니, 난홰 부친을 두려 취운산 경치를 보지 못ᄒᆞ엿더니, 마춤 셩빅이 친위 셜연(設宴)ᄒᆞ여 쳥ᄒᆞᄂᆞᆫ지라. 셩빅이 ᄋᆞᄌᆞ를 거ᄂᆞ려 나르러 나간 ᄉᆞ이를 타, 난홰 취운산의 니르러 죵일 산경을 유완(遊玩)ᄒᆞ여 도라갈 쥴 니젓더니, 뎡태우를 공교히 맛ᄂᆞᆫ지라. 아ᄅᆡᆫ 줄을 아지 못ᄒᆞ디 그 뉴지풍(柳之風)1104)과 화지용(花之容)1105)을 놀나고, 믄득 흠모ᄒᆞᆫ 마음과 유의ᄒᆞᄂᆞᆫ 뜻이 잇시니, 몸이 셩문법가(聖門法家)의 나고 부형이 어지디, 난화ᄂᆞᆫ 각별ᄒᆞᆫ 요인(妖人)이라. 바야흐로 이칠(二七) 츈광(春光)이 되도록 군ᄌᆞ를 만나지 못ᄒᆞ니, 스스로 밍셰ᄒᆞ여 옥인 영걸을 만나지 못ᄒᆞᆫ족, 심규에셔 죵노(終老)ᄒᆞᆷ믈 원ᄒᆞ니, 셩빅과 한님 등이 규슈의 넘치상진(廉恥喪盡)ᄒᆞᆷ믈 칙ᄒᆞ디, 노씨 난화를 과이ᄒᆞ여 그 뜻을 어긔오지 못【25】ᄒᆞᄂᆞᆫ 고로, 대로(大路)를 향ᄒᆞ여 일좌(一座) 치루(彩樓)를 셰오고, 기녀(其女)를 그 곳에 두어 노즁(路中) 남ᄌᆞ 가온디 영웅 쥰걸을 갈희라 ᄒᆞ니, 난홰 평일

1102)박브득이(迫不得已) : 일이 매우 급하게 닥쳐와서 어찌할 수 없이.
1103)별무가취(別無可取) : 특별히 취할 만한 것이 없음.
1104)뉴디풍(柳之風) : 버들가지 같은 늘씬한 풍채.
1105)화지용(花之容) : 꽃처럼 아름다운 얼굴.

라 ㅎ니, 난혜 평일 심상(心上)1162) 칭션ㅎ
는 주는 평댱 딘영슈와 뎡병부 듁쳥공이오,
초평후 하스매며, 남창후 윤쳥문 곤계오, 태
우 경츈긔로딕, 딘평댱은 년긔 삼십이 거의
오 냥쳐를 두어 주녜 여러히믈 드럿고, 뎡
듁쳥은 문○[양]공쥬 ᄀᆞ튼 존귀ㅎ므로도 단
장박명(斷腸薄命)을 격고, 【34】공쥬의 과
악이 드러나미 아조 금슬디졍(琴瑟之情)을
버히고 ᄉᆞ비(四妃) 십희(十姬)를 두어 화락
이 무흠(無欠)ㅎ니 다시 신취(新娶)의 ᄯᅳᆺ이
업술 줄을 듯디 아녀 알 거시오. 윤쳥문 곤
계ᄂᆞᆫ 그 가변이 측악ㅎ여 위시와 뉴시 개과
쳔션 ㅎ여시믈 아디 못ㅎ고 져 ᄀᆞ튼 거시
일시도 용납디 못ᄒᆞᆯ 줄 헤아려 능히 싱의
(生意)치 못ㅎ고, 초평후ᄂᆞᆫ 윤·연 두 부인
을 두고 다시 쳐쳡을 ᄀᆞ초디 아니려 ㅎ믈,
그 빅시 한님 쳐 됴시 뎡국공 부인의 딜녀
(姪女) 고로 주시 드럿고, 경츈긔ᄂᆞᆫ 소쥐 주
ᄉᆞ를 ㅎ여실 졔, 셩빅이 소쥐 토민의 뫼흘
아ᄉᆞ 부모의 장디(葬地)를 뎡코져 ㅎ딕, 일
이 당연치 아닌 고로 경츈긔 셩빅으로 ㅎ여
곰 그 뫼흘 못【35】쓰게 쳐결ㅎ니, 인ㅎ여
경·셩 냥개 혐극(嫌隙)이 되엿ᄂᆞᆫ 고로, 혼
인을 의논치 못ᄒᆞᆯ디라. 이러므로 난혜 져의
가긔(佳期)를 뎡치 못ㅎ고, 뎡태우도 동문으
로 디나기를 무슈히 ㅎ딕, 원간 그 위인의
죵용치 못ㅎ므로 각별이 날닌 믈을 구ㅎ여
츄풍(趨風)1163) 취우(驟雨)ᄀᆞᆺ치 달녀 왕닉ㅎ
므로, 그 얼골을 주셔히 보디 못ㅎ엿다가,
텬연이 긔구(崎嶇)ㅎ여 오날놀 셔로 닉이
본다라. 규녀의 넘치 인ᄉᆞ를 닛고 홀홀(忽
忽)히1164) 혀를 둘너 긔특이 ○○[닉이]믈
마디 아니ㅎ니, 졔시○[녀] 양낭(養娘)이 쇼
져를 다리고 왓다가 외인의 본 빅 되니, 경
황ㅎ여 급히 교즈를 알패 노코 쇼져의 들기
를 지쵹ㅎ니, 셩시 가장 괴로이 넉【36】
여, 닐오딕,

심상(心上)1106) 칭션ㅎᄂᆞᆫ 주는 평댱 진영슈
와 뎡병부 듁쳥공이오, 초평후 하스마며, 남
창후 윤쳥문 곤계오, 상태우 경츈긔로딕, 진
평쟝은 년긔 삼십이 거의 되고 냥쳐를 두어
주녜 여러히믈 드럿고, 뎡듁쳥은 문양 공쥬
ᄀᆞ튼 존귀ㅎ므로도 당장박명(斷腸薄命)을
격고, 공쥬의 과악이 드러나미 아조 금슬지
졍(琴瑟之情)을 버히고 ᄉᆞ비 십희를 두어
화락이 무흠ㅎ니, 다시 신취의 ᄯᅳᆺ이 업술
줄을 듯지 아냐 알 거시오. 윤쳥문 곤계ᄂᆞᆫ
그 가변이 측악ㅎ여 위씨와 뉴씨 기과쳔션
ㅎ여시믈 아지 못ㅎ고, 져 ᄀᆞ튼 것이 일시
도 용납지 못ᄒᆞᆯ 줄 헤아려 능히 싱의치 못
ㅎ고, 초【26】평후ᄂᆞᆫ 윤·년 두 부인을 두
고 다시 쳐쳡을 ᄀᆞ초지 아니려 ㅎ믈, 그 빅
씨 한님 쳐 죠씨 뎡국공 부인의 딜녜 고로
주시 드럿고, 경츈긔ᄂᆞᆫ 소쥐 주ᄉᆞ를 ㅎ엿실
졔 셩빅이 소쥐 토민의 뫼흘 아ᄉᆞ 부모의
장지를 졍코져 ㅎ딕, 일이 당연치 아닌 고
로 경츈긔 셩빅으로 ㅎ여곰 그 뫼흘 못쓰게
쳐결ㅎ니, 인ㅎ여 경·셩 냥개(兩家) 혐극
(嫌隙)이 되엿ᄂᆞᆫ 고로, 혼인을 의논치 못ᄒᆞᆯ
지라. 이러므로 난혜 져의 가긔를 졍치 못
ㅎ고, 뎡태우도 동문으로 지나기를 무슈히
ㅎ딕, 원간 그 위인의 죵용치 못ㅎ여 각별
이 날닌 말을 구ㅎ여 츄풍(趨風)1107) 취우
(驟雨) ᄀᆞᆺ치 달녀 왕닉ㅎ므로, 그 얼골을 주
셔히 보지 못ㅎ엿다가, 텬연이 긔구ㅎ여 오
날날 셔로 닉이 본지라. 규녀의 넘치 인ᄉᆞ
를 닛고 홀홀(忽忽)히1108) 혀를 둘너 긔특
이 닉이믈 마디 아니ㅎ니, 졔시녀 양낭【2
7】이 소져를 다리고 왓다가 외인의 본 빅
되니, 경황ㅎ여 급히 교즈를 알픠 노코 소
져의 들기를 직쵹ㅎ니, 셩씨 ᄀᆞ장 괴로이
넉여 니르딕,

1162)심상(心上) : 마음으로.
1163)츄풍(趨風) : 바람처럼 빨리 지나감. 또는 빠르
　게 지나가는 바람.
1164)홀홀(忽忽)ㅎ다 : 홀홀(忽忽)하다. 조심성이 없
　고 행동이 매우 가볍다

1106)심상(心上) : 마음으로.
1107)츄풍(趨風) : 바람처럼 빨리 지나감. 또는 빠르
　게 지나가는 바람.
1108)홀홀(忽忽)ㅎ다 : 홀홀(忽忽)하다. 조심성이 없
　고 행동이 매우 가볍다

"내 임의 산경을 보라 왓ᄂᆞᆫ디라. 쳐 보도 아니코 어이 교ᄌᆞ의 들니오."

이리 니르며, 골홈1165)의 챳던 《금연‖금녕(金鈴)1166)》을 글너 먼니 뎡태우를 향ᄒᆞ여 더디니, 시녀 등이 히연(駭然) 경악(驚愕)ᄒᆞᆷ믈 니긔디 못ᄒᆞ나, 난화의 셩되 포악ᄒᆞᆷ므로 거우기 슬회 넉여 볼만ᄒᆞᆨ고 말을 아니ᄒᆞ더라.

뎡태위 미인의 더딘 금연[녕] 일쥴이 ᄌᆞ긔 알패 나려디믈 보고, 반ᄃᆞ시 유의ᄒᆞᆷ민 줄 씨ᄃᆞ라 즉시 ᄌᆞ긔 빅옥건잠(白玉巾簪)을 ᄲᅢ� 혀 미인의게 더디려 ᄒᆞ다가, 오히려 부형의 춍명디식(聰明知識)을 품슈ᄒᆞ엿ᄂᆞᆫ디라. 심니(心裏)의 혜오ᄃᆡ,

"내 젼후의 챵믈도 만히 유졍ᄒᆞ여 보아 【37】 시ᄃᆡ, 먼니셔 귤을 더져 졍을 빗최ᄂᆞᆫ 뉴(類)도 일분이나 슈괴(羞愧)ᄒᆞᆫ 빗출 두어, 군ᄌᆞ를 어려이 넉이ᄂᆞᆫ 뉴ᄂᆞᆫ 졀을 딕희고져 ᄆᆞ음이 이셔, 월하션을 닐너도 일홈이 챵녜나 쵸의 날흘 조출 씨의 슈괴ᄒᆞᆫ 빗치 잇더니, 이졔 대인의 엄명을 만나 ᄂᆞ치시ᄃᆡ 맛춤ᄂᆡ 날을 바릴 의ᄉᆞ 업ᄉᆞ니, 쵸인의 거동과 복식은 후문(侯門) 녀ᄌᆞ ᄀᆞ트ᄃᆡ, 금연[녕]을 더디ᄂᆞᆫ 힝실은 심히 아름답디 아니ᄒᆞ니, 엇디 그 얼골과 ᄀᆞᆺ디 못ᄒᆞ고. 이졔 져런 뉴의게 신믈을 보ᄂᆡ여ᄂᆞᆫ 아름답디 아닌 말을 췌ᄒᆞ리니, 아모커나 고개 조아 금연[녕] 밧ᄂᆞᆫ 뜻을 응ᄒᆞ고, 져의 근본을 죵용이 아 【38】 라보리라."

의ᄉᆞ 이의 밋쳐ᄂᆞᆫ 금연[녕]을 거두어 ᄉᆞ매의 너코 기리 고개 조으니, 난홰 아라보고 비로소 교ᄌᆞ의 드ᄂᆞᆫ디라. 태위 오라도록 셔셔교ᄌᆞ 가ᄂᆞᆫ 디를 보니, 셩부 시녀 등이 여러 노ᄌᆞ 등을 먼니 셰윗다가, 일시의 블너 교ᄌᆞ를 메워 나ᄂᆞᆫ ᄃᆞ시 문ᄂᆡ(門內)로 향ᄒᆞ거ᄂᆞᆯ, 태위 바랄만치 ᄶᆞ라가 그 가ᄂᆞᆫ 집

"내 임의 산경을 보라 왓ᄂᆞᆫ지라 쳐 보도 아니코 어이 교ᄌᆞ의 들니오."

이리 니르며, 골홈1109)의 챳던 《금연‖금녕(金鈴)》1110)을 글너 먼니 뎡태우를 향ᄒᆞ여 더디니, 시녀 등이 히연 경악ᄒᆞᆷ믈 니긔지 못ᄒᆞ나, 난화의 셩되 포악ᄒᆞᆷ므로 거우기 슬회넉여 볼만ᄒᆞᆨ고 말을 아니ᄒᆞ더라.

뎡태위 미인의 더진 금연[녕] 일쥴이 ᄌᆞ긔 알픠 ᄲᅧ러지믈 보고, 반ᄃᆞ시 유의ᄒᆞᆷ민 줄 씨ᄃᆞ라, 즉시 ᄌᆞ긔 옥건잠(玉巾簪)을 ᄲᅢᆺ혀 미인에게 더지려 ᄒᆞ다가, 오히려 부형의 춍명지식(聰明知識)을 품슈ᄒᆞ엿ᄂᆞᆫ지라, 심니(心裏)의 혜오ᄃᆡ,

"내 젼후의 챵믈도 만히 유졍ᄒᆞ여 보아시ᄃᆡ, 먼니셔 귤을 더져 졍을 빗최ᄂᆞᆫ 뉴도 일분이나 슈괴(羞愧)ᄒᆞᆫ 빗출 두어, 군ᄌᆞ를 어려이 넉 【28】 이ᄂᆞᆫ 뉴ᄂᆞᆫ 졀을 직희고져 마음이 잇셔, 월하션을 닐너도 일홈이 챵녜나 쵸의 날흘 조출 씨의 슈괴ᄒᆞᆫ 빗치 잇더니, 이졔 대인의 엄명을 밧아 ᄂᆞ치시ᄃᆡ 맛춤ᄂᆡ 날을 ᄇᆞ릴 의ᄉᆞ 업ᄉᆞ니, 《소인‖쵸인》의 거동과 복식은 후문(侯門) 녀ᄌᆞ ᄀᆞ트ᄃᆡ, 금연[녕]을 더지ᄂᆞᆫ 힝실은 심히 아름답지 아니ᄒᆞ니, 엇지 그 얼골과 ᄀᆞᆺ지 못ᄒᆞ고? 이졔 져런 뉴의게 신믈(信物)을 보ᄂᆡ여ᄂᆞᆫ 아름답지 아닌 말을 췌ᄒᆞ리니, 아모커나 고기 조아 금연[녕] 바든 뜻을 응ᄒᆞ고 져의 근본을 죵용이 아라보리라."

의ᄉᆞ 이에 밋쳐ᄂᆞᆫ 금연[녕]을 거두어 ᄉᆞ미에 너코 기리 고기 조으니, 난홰 아라보고 비로소 교ᄌᆞ의 드ᄂᆞᆫ지라. 태위 오리도록 셔셔 교ᄌᆞ 《가온ᄃᆡ‖가ᄂᆞᆫ 디》를 보니, 셩부 시녀 등이 여러 노ᄌᆞ를 먼니 셰윗다가, 일시의 블너 교ᄌᆞ를 메워 나ᄂᆞᆫᄃᆞ시 문ᄂᆡ로 향ᄒᆞ 【29】 거ᄂᆞᆯ, 태위 바랄만치 ᄶᆞ라가 그

1165)골흠 : 고름. 옷고름. 저고리나 두루마기의 깃 끝과 그 맞은편에 하나씩 달아 양편 옷깃을 여밀 수 있도록 한 헝겊 끈.

1166)이 장면에서 성난화가 던진 패물(佩物) '금연'을 82권 32-33쪽, 99권39쪽 등에서는 금녕(金鈴)으로 말하고 있다.

1109)골흠 : 고름. 옷고름. 저고리나 두루마기의 깃 끝과 그 맞은편에 하나씩 달아 양편 옷깃을 여밀 수 있도록 한 헝겊 끈.

1110)이 장면에서 성난화가 던진 패물(佩物) '금연'을 30권 9쪽, 36권 54쪽 등에서는 금녕(金鈴)으로 말하고 있다.

을 본즉 여람빅 셩공의 가시(家舍)어늘, 듕
심의 셩빅의 녜(女)를 짐작ᄒ고 도라오니,
발셔 황혼이라.

뎡당의 드러가 셕반을 ᄎᄌ 태부인 안젼
의셔 먹고, 셔지의 도라와 금연[녕]을 어로
만져 그 ᄌᄉ(姿色)을 ᄉ상(思想)ᄒ나 그 ᄒ
실이 뎡녈(貞烈)치 못ᄒ믈 디긔ᄒ고 깁히
ᄉ렴(思念)ᄒ믄 업더라.

ᄎ시【39】난홰 부듕의 도라와 산샹(山
上)의셔 방낭ᄒ던 쇼년의 긔이ᄒ 용화를 모
친긔 고하고, 일싱을 셤기믈 원ᄒᄂ디라. 노
시 블인(不仁)ᄒ미 녀ᄋ의 블초(不肖)ᄒ믈
칙디 아니ᄒ고, 시녀를 노화 그 쇼년의 ᄌ
최를 심문(尋問)ᄒ미, 금평후 뎡공의 데삼지
오 간의태우 셰홍이라 ᄒᄂ디라. 노시 왈,

"뎡공의 문미(門楣)[1167] 놉흐미 공후 벌
열노 텬하의 밋ᄎ리 업고, 졔뎡이 다 츌뉴
ᄒ여 명문 거족으로 형셰 당당ᄒ니, 결연이
허치 아닐가 ᄒ노라."

난홰 울며 보쳐여 왈,

"뎡개 아모리 고안(高眼)이 태산 ᄀᄐ여
도 쇼녜 두렵디 아니ᄒ니, 모친이 글노[1168]
념녀치 마르시고, 쇼녀로뼈 뎡셰홍의 비쳡
디【40】녈의나 참예케 ᄒ쇼셔."

노시 진실노 아모리 홀 줄 몰나 ᄒ거늘,
난홰 결ᄒ여 뎡셰홍이 아니면 인뉸(人倫)의
튱슈(充數)치 아니렷노라 ᄒ고, 일야(日夜)
이걸ᄒ니, 노시 일계를 싱각ᄒ고 기뎨(其弟)
노귀비 황샹긔 승은ᄒ여 툥ᄒᆡᆼ(寵幸)ᄒ시ᄂ
비라. 노시 녀ᄋ의 구든 뎡심과 보쳐믈 견
듸디 못ᄒ여, 귀비긔 글을 붓쳐 뎡셰홍으로
뼈 ᄌ긔 녀ᄋ와 결승(結繩)[1169] 미ᄌ믈 쳥
ᄒ여 샤혼(賜婚)ᄒ시믈 바라니, 노귀비 죵기
언(從其言)ᄒ여 황애 ᄌ긔 침뎐의 드르시는
ᄠ를 타 이 쇼유(所由)를 쥬ᄒ니, 샹이 셰홍

_____
1167)문미(門楣) : ①문벌, 가문. ②창문 위에 가로
댄 나무. 그 윗부분 벽의 무게를 받쳐 준다.
1168)글노 : 그것으로. 그것 때문에.
1169)결승(結繩) : ①끈이나 새끼 따위로 매듭을 지
음. ②월하노인이 청실홍실을 묶어 부부의 인연을
맺어준다는 전설에서 유래한 말로, 혼인을 맺는다
는 뜻으로 쓰인다.

가는 집을 본즉 여람빅 셩공의 가시(家舍)
어늘, 즁심에 셩빅의 녜(女)를 짐작ᄒ고 도
라오니, 발셔 황혼이라.

졍당에 드러가 셕반을 ᄎᄌ 태부인 안젼
의셔 먹고, 셔지의 도라와 금연[녕]을 어로
만져 그 ᄌᄉ을 ᄉ상ᄒ나, 그 ᄒᆡᆼ실이 졀녈
(節烈)치 못ᄒ믈 지긔ᄒ고 깁히 ᄉ렴(思念)
ᄒ믄 업더라.

ᄎ시 난홰 부즁에 도라와 산샹에셔 방낭
ᄒ던 소년의 긔이ᄒ 용화를 모친긔 고ᄒ고,
일싱을 셤기믈 원ᄒᄂ지라. 노씨 불인ᄒ미
녀이 치소(嗤笑)[1111]를 초(招)ᄒ믈 칙지 아
니ᄒ고, 시녀를 노화 그 소년의 ᄌ최를 심
문(尋問)ᄒ미, 금평후 뎡공의 데슴지오, 간
의 태우 셰홍이라 ᄒᄂ지라, 노씨 왈,

"뎡공의 문미(門楣)[1112] 놉흐미 공후 벌
녈노 텬하 밋ᄎ리 업고, 졔뎡이 다 츌뉴ᄒ
여 명문 거족으로 형셰【30】당당ᄒ니, 결
연이 허치 아닐가 ᄒ노라."

난홰 울며 보쳐여 왈,

"뎡개 아모리 고안(高眼)이 태산 ᄀᄐ야
도 소녜 두렵지 아니ᄒ니, 모친이 글노 념
녀치 마르시고 소녀로뼈 뎡셰홍의 비쳡지
녈에나 참녜케 ᄒ소셔."

노씨 진실노 아모리 홀 줄 몰나 ᄒ거늘,
난홰 결ᄒ여 뎡셰홍이 아니면 인뉸의 츙슈
(充數)치 아니렷노라 ᄒ고 일야(日夜) 이걸
ᄒ니, 노씨 일계를 싱각ᄒ고 기뎨(其弟) 노
귀비 황샹이 승은ᄒ여 춍ᄒᆡᆼ(寵幸)ᄒ시ᄂ 비
라. 노씨 녀ᄋ의 구든 졍심과 보쳐믈 견듸
지 못ᄒ여, 귀비긔 글을 브쳐 뎡셰홍으로뼈
ᄌ긔 녀ᄋ와 결승(結繩)[1113] 미ᄌ믈 쳥ᄒ여
ᄉ혼(賜婚)ᄒ시믈 ᄇ라니, 노귀비 죵기언(從
其言)ᄒ여 황애 ᄌ긔 침뎐의 드르시는 ᄠ를
타 이 소유를 쥬ᄒ니, 샹이 뎡셰홍을 춍이

_____
1111)치소(嗤笑) : 비웃음. 빈정거리며 웃음.
1112)문미(門楣) : ①문벌, 가문. ②창문 위에 가로
댄 나무. 그 윗부분 벽의 무게를 받쳐 준다.
1113)결승(結繩) : ①끈이나 새끼 따위로 매듭을 지
음. ②월하노인이 청실홍실을 묶어 부부의 인연을
맺어준다는 전설에서 유래한 말로, 혼인을 맺는다
는 뜻으로 쓰인다.

을 통이ᄒᆞ시ᄂᆞᆫ디라. 이의 ᄀᆞᆯ오샤디,

"셩녜 아ᄅᆞᆷ다온즉 딤의 샤혼ᄒᆞ미 쾌ᄒᆞ거니와, 일분【41】이나 뎡셰흥의 위인을 밋디 못ᄒᆞᆯ딘디, 뎡개(鄭家) 크게 블열ᄒᆞ리라."

귀비 딜녀의 아ᄅᆞᆷ다오믈 ᄀᆞ초1170) ○[고]ᄒᆞ여 수혼ᄒᆞ시믈 간쥬(懇奏)ᄒᆞ니, 샹이 신텽ᄒᆞ샤 즉시 간의태우 뎡셰흥을 명초ᄒᆞ샤 편뎐의셔 글을 디이실시, 입번(入番) 태우와 흑ᄉ의 무리 슈십여 인을 다 ᄒᆞᆫ가디로 디이시미, 이윽고 졔 명뉘 다 작필(作筆)ᄒᆞ여 올니니, 웃듬은 뎡셰흥의 글이라. 샹이 졔 명뉴를 샹샤ᄒᆞ시고 뎡셰흥은 특별이 여람빅 셩흠의 녀로 샤혼(賜婚)ᄒᆞ여 통우ᄒᆞᄂᆞᆫ 뜻을 뵈노라 ᄒᆞ시니, 태위 블감쳥(不敢請)이언졍 고쇼원야(固所願也)로디, '샤양디심(辭讓之心)은 녜디단(禮之端)'1171)이라. 발셔 취실ᄒᆞ여【42】안히로 집을 딕회오미 타렴(他念)이 업스믈 쥬(奏)ᄒᆞ여 고샤(固辭)ᄒᆞ니, 샹이 우으시고 ᄀᆞᆯ오샤디,

"님군의 주는 바는 견마(犬馬)라도 샤양치 못ᄒᆞᄂᆞ니, ᄒᆞ믈며 졀식가인(絶色佳人)이냐? 경이 비록 취실ᄒᆞ여시나 태우(大夫)1172)는 삼쳬(三妻)라 지취(再娶) 므어시 외람ᄒᆞ여 고샤ᄒᆞᄂᆞ뇨? 딤의 ᄠᅳᆺ이 임의 뎡ᄒᆞ여시니 샤양치 말나."

ᄒᆞ시니, 태위 훌일업셔 샤은ᄒᆞ고 퇴됴ᄒᆞ여 부듕의 도라올시, 샹이 환시(宦侍)로ᄡᅥ 뎡·셩 냥부의 샤혼 젼디를 ᄂᆞ리오샤, '금평후와 여람빅이 알게 ᄒᆞ라' ᄒᆞ시니, 환시 셩부의 몬져 젼ᄒᆞ고, 버거 뎡부의 니르니, 태위 몬져 도라와 ᄎᆞᄉᆞ를 존젼의 고ᄒᆞ미, 금후는【43】뎡식(正色) 위좌(危坐)ᄒᆞ여 일언

1170) ᄀᆞ초 : 갖추. 고루 있는 대로.
1171) '샤양디심(辭讓之心)은 녜디단(禮之端)' : 사양하는 마음이 예(禮)의 출발점이라는 말.
1172) 태우(大夫) : '대부(大夫)'의 옛말. 중국에서 벼슬아치를 세 등급으로 나눈 품계의 하나. 주나라 때에는 경(卿)의 아래 사(士)의 위였다.

ᄒᆞ시ᄂᆞᆫ지라. 이의 ᄀᆞᆯ오샤디,

"셩녜 아ᄅᆞᆷ다온즉 딤의 수혼【31】ᄒᆞ미 쾌ᄒᆞ거니와, 일분이나 뎡셰흥의 위인을 밋지 못ᄒᆞᆯ진디 뎡개 크게 《불길‖불열》ᄒᆞ리라."

귀비 딜녀의 아ᄅᆞᆷ다오믈 ᄀᆞ초1114) 고ᄒᆞ여 수혼ᄒᆞ시믈 간쥬(懇奏)ᄒᆞ니, 샹이 신쳥ᄒᆞ샤 즉시 간의 태우 뎡셰흥을 명초ᄒᆞ샤 편뎐에셔 글을 지이실시, 입번(入番) 태우와 흑ᄉ의 무리 슈십여 인을 다 ᄒᆞᆫ가지로 지이시미, 이윽고 졔 명뉘 다 작필(作筆)ᄒᆞ여 올니니, 웃듬은 뎡셰흥의 글이라. 샹이 졔 명뉴를 샹ᄉᆞᄒᆞ시고 뎡셰흥은 특별이 여람빅 셩 흑ᄉ의 녀를 샤혼(賜婚)ᄒᆞ시니, 태위 불감쳥(不敢請)이언뎡 고소원애(固所願也)로디, '수양지심(辭讓之心)은 례지단(禮之端)'1115)얘라. 이에 고두 쥬 왈,

"신이 일즉 취실ᄒᆞ여 ᄒᆞᆫ 안히로 집을 직회오미 타렴이 다시 업스오니 셩의(聖意)를 거두시믈 황공 복츅(伏祝)ᄒᆞᄂᆞ이다"

ᄒᆞ고 수양ᄒᆞ온디, 샹이 우으시고 니르스디,

"임군의 쥬ᄂᆞᆫ 것은 견마(犬馬)라도 샤양치 못ᄒᆞ다 ᄒᆞᄂᆞ【32】니, 허믈며 졀식슉녀(絶色淑女)를 수양ᄒᆞ리오. 경이 비록 취실ᄒᆞ엿시나, 태우(大夫)1116)는 삼쳬(三妻)라. 지취ᄒᆞ미 무어시 어려워 수양ᄒᆞᄂᆞᆫ다? 딤이 임의 ᄠᅳᆺ을 졍ᄒᆞ엿시니 경은 다시 샤양치 말나."

태위 비로소 직비 ᄉᆞᄉᆞ(謝辭)ᄒᆞ고 퇴ᄒᆞ여 집에 도라올시, 샹이 환시(宦侍)로 ᄒᆞ여곰 뎡·셩 양가의 수혼ᄒᆞ신 은지(恩旨)를 젼ᄒᆞ여, '금평후와 여람빅이 알게 ᄒᆞ라' ᄒᆞ시니, 환시 명을 밧ᄌᆞ와 셩가에 몬져 셩지를 젼ᄒᆞ고, 버거 뎡부에 니르니, 발셔 태위 도라와 수혼지ᄉᆞ를 고ᄒᆞ엿ᄂᆞᆫ지라. 금후는 졍식

1114) ᄀᆞ초 : 갖추. 고루 있는 대로.
1115) '샤양디심(辭讓之心)은 녜디단(禮之端)' : 사양하는 마음이 예(禮)의 출발점이라는 말.
1116) 태우(大夫) : '대부(大夫)'의 옛말. 중국에서 벼슬아치를 세 등급으로 나눈 품계의 하나. 주나라 때에는 경(卿)의 아래 사(士)의 위였다.

을 아니ᄒ고, 태부인과 딘부인이 ᄋ뷔 뎍인(敵人) 만나게 되믈 근심ᄒ고 통한ᄒᄃᆡ, 샹명이라 말을 못ᄒ더니, 환시 니르러 황명을 젼ᄒ니 금휘 감히 샤양치 못ᄒ릴 줄 알고, 오딕 쥬찬으로 환시를 졉딕ᄒ여 보닐 ᄹᆡᆫ라.

ᄎ시 셩부의셔 여람빅과 셩한{한}님 형뎨 난화의 블인(不仁)ᄒ므로뼈 뎡문의 뎡친(定親)ᄒ믈 블열ᄒ나, 노시ᄂᆞᆫ 즐겨ᄒ미 비홀 ᄃᆡ 업더라.

금휘 태우를 더옥 증분(憎憤)ᄒ여 길일의 빈긱을 아니 모ᄒ랴 ᄒ더니, 대양시 쇼양시를 보고 니르ᄃᆡ,

"슉슉의 지ᄎᆔ 길일이 갓가오니 현뎨ᄂᆞᆫ 길복을 ᄀᆞᆺ초디 아니ᄒᄂᆞ뇨?"

쇼졔 미쇼 왈,【44】

"쇼뎨 투긔ᄒ미 아니라, 뎡군이 날을 욕흔 줄 합개(闔家) 모로면 죵용이 ᄉ실의셔 관복을 ○○[지어] 뎡(呈)ᄒ려니와, 일이 드러나 스긔 요란ᄒ니, 이졔 존괴 협실의 두시고 길긔 참예 말과져 ᄒ시ᄂᆞᄃᆡ, 쇼뎨 굿ᄐᆞ여 어딘 쳬 ᄒ여 ᄌ원ᄒ리잇고? 부도ᄂᆞᆫ 업스나 효봉구고(孝奉舅姑)나 ᄒ랴 ᄒᄂᆞ이다."

양부인이 칙 왈,

"고집 말고 길복을 일우라."

ᄒ니, 아쥬 쇼졔 냥인의 문답을 듯고 부모긔 ᄀᆞ마니 고ᄒ니, 금휘 웃고 왈,

"양쇼부ᄂᆞᆫ 녈일군ᄌ(烈日君子)의 풍이 잇고 ᄋ녀ᄌ의 녹녹(碌碌)ᄒ1173)미업도다. 셰흥이 비록 무상ᄒ나 길복을 아니 다스리디 못ᄒ리니, 양이 부인의 명을 기다린다 ᄒ니, 부인은 길【45】복 다스리믈 명ᄒ쇼셔."

딘부인이 마디 못ᄒ여 양쇼져를 명ᄒ여 ᄋᄌ의 길의(吉衣)를 일우믈 니르나, 일념의 셰흥의 일을 통한ᄒ과 양쇼져 잔잉ᄒ믈 니ᄀᆞᆫ디 못ᄒ더라.

ᄎ시 태위 양시의 그림ᄌ도 못 어더 보완디 슈삭의 밋ᄎᆞ니, 본ᄃᆡ 은졍이 엿디 아닌 고로 울울ᄒ믈 니ᄀᆞᆫ디 못ᄒᄃᆡ, 양쇼져 쳐변

1173)녹녹(碌碌)ᄒ다 : ①평범하고 보잘것없다. ②만만하고 상대하기 쉽다.

(正色) 위좌(危坐)ᄒ여 ○…결락66자…○[일언을 아니ᄒ고, 환시 니르러 황명을 젼ᄒ니 금휘 감히 샤양치 못ᄒ룰 줄 알고, 오딕 쥬찬으로 환시를 졉딕ᄒ여 보닐 ᄹᆡᆫ라.

ᄎ시 셩부의셔 여람빅과 셩한님 형뎨 난화의] {엇지뼈 감히} 불인(不仁)ᄒ므로뼈 뎡문에 졍친(定親)ᄒ믈 불널ᄒ나, 노씨ᄂᆞᆫ 즐기미 비홀 ᄃᆡ 업더라.

금휘 태우를 더옥 분증(憤憎)ᄒ여 길일에 빈긱을 아니 모ᄒ랴 ᄒ더니, 대양씨 소양씨를 보고 니르ᄃᆡ,

"슉슉의 지ᄎᆔ 길일이 갓가오니 현뎨ᄂᆞᆫ 길복【33】을 갓초지 아니ᄒᄂᆞ뇨?"

소졔 미소 왈,

"소뎨 투긔를 ○○[ᄒ미] 《아ᄂᆞ니라‖아니ᄂᆞ》, 뎡군이 날을 욕흔 줄 합개(闔家) 모르면 죵용이 ᄉ실에서 관복을 ○○[지어] 졍(呈)ᄒ려니와, 일이 드러나 스긔 요란ᄒ니, 이졔 존괴 협실에 두시고 길긔 참녜 말과져 ᄒ시ᄂᆞᄃᆡ, 소뎨 굿ᄒ여 어진 쳬ᄒ여 ᄌ원ᄒ리잇고? 부도ᄂᆞᆫ 업스나 효봉구고(孝奉舅姑)나 ᄒ랴 ᄒᄂᆞ이다."

양부인이 칙 왈,

"고집 말고 길복을 갓초 ○[일]우라."

ᄒ니, 아쥬 소져 양인의 문답을 듯고 부모긔 ᄀᆞ마니 고ᄒ니, 금휘 웃고 왈,

"양소부ᄂᆞᆫ 활열군ᄌ(闊烈君子)의 풍이 잇고, ᄋ녀ᄌ의 녹녹(碌碌)ᄒ1117)미 업도다. 셰흥이 비록 무상ᄒ나 길복을 아니 다스리지 못ᄒ리니, 양이 부인의 명을 기ᄃ린다 ᄒ니, 부인은 길복 다스리믈 명ᄒ소셔."

진부인이 마지 못ᄒ여 양소져를 명ᄒ여 ᄋᄌ의 길의를 일우믈 니르나,【34】 일념의 셰흥의 일을 통한ᄒ과 양소져의 잔잉ᄒ믈 니긔지 못ᄒ《ᄂᆞᆫ지라‖더라》.

태위 양씨의 그림ᄌ도 못 본 지 수삭에, 은졍이 박(薄)지 아니ᄒᄃᆡ, 양씨 쳐변이 《졍오‖영오》 민쳡ᄒ여 즁인소시(衆人所

1117)녹녹(碌碌)ᄒ다 : ①평범하고 보잘것없다. ②만만하고 상대하기 쉽다.

이 영오 민쳡ᄒᆞ여 듕목소시(衆目所視)의 태
우를 디ᄒᆞᆫ죽 현현이 피ᄆᆞᆯ 낫타ᄂᆡ디 아니
ᄒᆞ딕, 몸 ᄀᆞᆷ초믈 못 밋츨 듯 ᄒᆞ니, 딘부인이
그 ᄯᅳᆺ을 더옥 이련ᄒᆞ더니, 일야ᄂᆞᆫ 부인이
쥬부인의 쳥ᄒᆞᄆᆞᆯ 인ᄒᆞ여 낙양후 부듕의 가
밤을 디닐ᄉᆡ, 태부인이 양쇼졔 협실의 혼ᄌᆞ
【46】 이시믈 넘(念)ᄒᆞ여, 혼뎡을 파ᄒᆞᆫ 후
다시 쇼져를 블너 녈녀젼(列女傳)[1174]을 뵈
이더니, 야심 후 태부인이 몽농이 졉목ᄒᆞ니,
양쇼졔 감히 믈너나디 못ᄒᆞ고 칙을 덥고 상
하의 안줏더니, 태위 딘부의 갓다가 모친이
슉모 침소의셔 슉침ᄒᆞ시믈 보고, 용약(勇躍)
ᄒᆞ여 긔탄 업시 협실의 드러가 양시를 일장
곤욕고져 니르니 양시 업ᄂᆞᆫ디라.

시녀다려 간 곳을 므르니 태부인 명으로
뎡당의 가시믈 고ᄒᆞᄂᆞᆫ디라. 태위 즉시 태원
뎐의 니르니, 양시 태부인 상하(床下)의 단
좌ᄒᆞ여 ᄌᆞ긔를 보고 블호ᄒᆞᆫ 빗치 낫타나딕,
마디 못ᄒᆞ여 니러 맛ᄂᆞᆫ디라. 태위 눈을 드
러 보니 쇼【47】졔 상쳬 쾌히 나앗고, 쵹
영이 쇠잔ᄒᆞ딕 찬난ᄒᆞᆫ 광휘(光輝) 더옥 됴
요(照耀)ᄒᆞ여, 빅일(白日)이 만방의 빗츨 흘
니고, 명월이 벽공(碧空)의 한가ᄒᆞᆫ 듯, 빅틱
쳔광이 슈삭 보디 못ᄒᆞ엿던 눈이[을] 《현
황ᄒᆞᆫ∥현황케 ᄒᆞᄂᆞᆫ》디라. 태위 그 옥모화
딜(玉貌花質)을 디ᄒᆞ미 분노ᄒᆞ던 ᄯᅳᆺ이 츈셜
스듯ᄒᆞ고, 산ᄒᆡ듕졍(山海重情)을 것줍디 못
ᄒᆞᄂᆞᆫ디라. 년망(連忙)이 나아가 옥슈를 년
(連)ᄒᆞ니, 쇼졔 놀납고 슬믜오미[1175] ᄉᆞ갈과
쇠호를 디ᄒᆞᆫ 듯, 안싴이 변ᄒᆞᆷ믈 씌닷디 못
ᄒᆞ딕, 존젼이라 감히 일언을 못ᄒᆞ고, 싀로온
분뇌 측냥 업ᄂᆞᆫ디라.

태부인이 쳐음 문 열 ᄯᅥ의 씌여 눈을 드
러 태우를 보딕, 그 거동을 치 보려 짐즛
ᄌᆞᄂᆞᆫ 쳬ᄒᆞ더니, 양시를【48】견권(繾綣)ᄒᆞ
믈 보고 심듕의 두굿기고, 져의 부뷔 못과
져 ᄒᆞ여 잠간 기츰ᄒᆞ고 도라 누으니, 태위

視)에 태우를 디ᄒᆞᆫ죽 안싴을 낫타ᄂᆡ지 아
니ᄒᆞ딕, 몸 ᄀᆞᆷ초기로[를] 못 밋츨 다시ᄒᆞ니,
진부인이 그 ᄯᅳᆺ을 이련ᄒᆞ여 ᄒᆞᄂᆞᆫ지라. 일야
ᄂᆞᆫ 진부인이 뉴부인의 쳥ᄒᆞᄆᆞ로 낙양후 부
즁에 나아 가 밤을 지ᄂᆡ니, 태부인이 양씨
의 《혼싀∥혼ᄌᆞ》 잇시믈 념ᄒᆞ여, 《홍
졍∥혼졍》 후 ○○○○○[소져를 불너] 녈
녀젼(列女傳)[1118] 《보더니∥뵈이더니》, 야
심 후 태부인이 몽농이 조을미, 양씨 믈너
나지 못ᄒᆞ여 칙을 덥고 상하의 단좌하엿더
니, 태위 진부의 갓다가 모친이 표슉모 집
에 가신 줄 알고, 용약ᄒᆞ여 모친의 협실에
나아가 양씨를 일장 곤욕ᄒᆞ려 니르니, 양씨
업ᄂᆞᆫ지라.

시녀다려 간 곳을 무러 알고 태원【35】
뎐의 니르니, 양씨 태부인 상하(床下)에셔
태우를 보고 마지 못ᄒᆞ여 이러 맛거늘, 태
위 심즁에 그 양씨의 용홰 풍용과 식틱 찬
난ᄒᆞᆫ 광휘 더옥 조요(照耀)ᄒᆞ여, 빅일(白日)
이 만방의 빗츨 흘니고, 명월이 벽공(碧空)
에 한가ᄒᆞᆫ 듯, 빅틱 쳔광이 슈삭 보지 못ᄒᆞ
엿던 눈이 현황ᄒᆞᆫ지라, 태위 그 옥모화질
(玉貌花質)을 디ᄒᆞ미 분노ᄒᆞ던 ᄯᅳᆺ이 츈셜스
듯ᄒᆞ고, 산ᄒᆡ즁졍(山海重情)을 것잡지 못ᄒᆞ
ᄂᆞᆫ지라. 연망(連忙)이 나아가 옥슈를 년(連)
ᄒᆞ니, 소졔 놀납고 슬믜오미[1119] ᄉᆞ갈과 쇠
호를 디ᄒᆞᆫ 듯, 안싴이 변ᄒᆞᆷ믈 ᄭᆡ닷지 못ᄒᆞ
딕, 존젼이라 감히 일언을 못ᄒᆞ고, 싀로온
분뇌 측냥 업ᄂᆞᆫ지라.

태부인이 쳐음 문 열 ᄯᅥ에 씌여 눈을 드
러 태우를 보딕, 그 거동을 치 보려 짐즛
ᄌᆞᄂᆞᆫ 쳬ᄒᆞ더니, 양씨를 견권(繾綣)ᄒᆞ미 이
ᄀᆞᆺᄐᆞᆯ 보고 심즁의 두굿기고, 져【36】의
부뷔 못과져 ᄒᆞ여 잠간 기츰ᄒᆞ고, 도라 누

1174)녈녀젼(列女傳) : 중국 한(漢)나라의 유향(劉向)
　　이 지은 책. 고대로부터 한대(漢代)에 이르는, 중
　　국의 현모·열녀들의 약전(略傳), 송(頌), 도설(圖
　　說)을 엮었다.
1175)슬믜오다 : 싫고 밉다.

1118)녈녀젼(列女傳) : 중국 한(漢)나라의 유향(劉向)
　　이 지은 책. 고대로부터 한대(漢代)에 이르는, 중
　　국의 현모·열녀들의 약전(略傳), 송(頌), 도설(圖
　　說)을 엮었다.
1119)슬믜오다 : 싫고 밉다.

손을 노코 쟝외로 나가ᄂᆞ디라. 쇼졔 태위 협실의 와 광거를 브릴 줄 짐작ᄒᆞ고, 태부인긔 시침ᄒᆞ믈 쳥ᄒᆞ니, 태부인 왈,

"네 고뫼 금일 딘부의 가 ᄌᆞ니 침실을 븨오미 블가ᄒᆞ디라. 금야란 협실의 가 ᄌᆞ고 다른 날 노모의 겻틔셔 ᄌᆞ라."

쇼졔 존명을 위월치 못ᄒᆞ여 유유(儒儒)ᄒᆞ니, 태부인이 시녀를 명ᄒᆞ여 쵹을 주어 쇼져를 협실노 인도ᄒᆞ라 ᄒᆞ니, 쇼졔 홀일업셔 존고 협실노 도라갈ᄉᆡ, 태위 몬져 협실노 오다가 여측(如厠)ᄒᆞ라 나가니, 쇼졔 암희ᄒᆞ여 협실의 니르러 문을 안흐로 잠으고【49】 닙은 ᄌᆞ 누엇더니, 태위 다시 협실의 니르러 문을 열녀 ᄒᆞ라 긴긴이 잠겻ᄂᆞᆫ디라. 심니의 통한ᄒᆞ믈 니긔디 못ᄒᆞ여, 편긱(片刻)1176)의 문을 ᄎᆞ 씨여디믈 보고져 ᄒᆞᄃᆡ, 모친 침뎐이므로 감히 작난치 못ᄒᆞ고, 문 굼글 ᄯᆞᆲ고 손을 드리미러 잠은 거슬 븨틀미, 이상ᄒᆞᆫ 용녁이 슈고를 발치 아녀셔 쇄약이 ᄶᆞᆫ디거늘, 문을 열고 드러간즉, 양시이의 다ᄃᆞ라ᄂᆞᆫ 니러날 의ᄉᆡ 업셔, 닙은 우흐로 금금(錦衾)을 단단이 덥고 아조 죽은 드시 움죽이디 아니니, 싱이 분노를 니긔디 못ᄒᆞ여 침금(寢衾)을 벗겨 앗고, 양시의 옥슈를 잡아 니르혀니, 쇼졔 싴로이 심긔 아득ᄒᆞ고 증한이 쳡쳡ᄒᆞ니, 봉황미(鳳凰眉)의【50】 노분(怒憤)을 ᄯᅴ여 뎡싱의게 휘잡혀 니러 안ᄌᆞ니, 태위 집기슈(執其手) 년기슬(連其膝)ᄒᆞ여 ᄌᆞ긔를 믜워 보ᄂᆞᆫ 눈이 고ᄃᆡ 삼킬 ᄃᆞᆺ 시브니, 쇼졔 딘녁(盡力)ᄒᆞ여 손을 ᄲᅢ히고져 ᄒᆞᄃᆡ, 태위 단단이 쥐여시니 능히 ᄲᅢ힐 길히 업ᄉᆞ니, 금야의 ᄌᆞ긔 명을 ᄆᆞᄎᆞᆯ 날인 ᄃᆞᆺ, 비한(悲恨)이 가슴의 막힐 ᄃᆞᆺ 말이 업더니, 태위 찬 칼흘 ᄲᅢ혀 번득이며 ᄭᅮ디져 왈,

"요악ᄒᆞᆫ 별믈(別物)이 날노 ᄒᆞ여곰 엄젼의 듕죄를 밧ᄌᆞᆸ게 ᄒᆞ며, 한 업슨 고상(苦狀)을 당케 ᄒᆞ여, 긴 혀를 놀녀 아당(阿黨)ᄒᆞ미 아니 밋츤 곳이 업고, 므슨 의ᄉᆞ로 ᄌᆞ졍 협실의 숨어 날을 닉외(內外)ᄒᆞ며, 요언을 쥬

1176)편긱(片刻) : 삽시간. 매우 짧은 시간.

으니 태위 손을 노코 쟝외로 나가ᄂᆞᆫ지라. 소졔 태위 협실에 와 광긔를 부릴 줄 짐작ᄒᆞ고 태부인을 시침ᄒᆞ믈 쳥ᄒᆞ니, 태부인 왈,

"네 고뫼 금일 본부에 가 ᄌᆞ니, 침실을 비오미 불가ᄒᆞ지라. 금야란 협실의 가 ᄌᆞ고 다른 날 노모의 겻히셔 ᄌᆞ라."

소졔 존명을 위월치 못ᄒᆞ여 유유(儒儒)ᄒᆞ니, 부인이 시녀를 명ᄒᆞ여 쵹을 주어 소져를 협실노 인도ᄒᆞ라 ᄒᆞ니, 소졔 홀일업셔 존고 협실노 도라갈ᄉᆡ, 태위 몬져 협실노 오다가 여측ᄒᆞ라 나가니, 소졔 암희ᄒᆞ여 협실의 니르러 문을 안흐로 잠으고 닙은 치 누엇더니, 태위 다시 협실의 니르러 태위 다시 열녀 ᄒᆞ니, 긴긴이 잠겻ᄂᆞᆫ지라. 심니의 통한ᄒᆞᆷ믈 니긔지 못ᄒᆞ여 편긱(片刻)1120)의 문을 ᄎᆞ 씨여지믈 보고져 ᄒᆞ【37】ᄃᆡ, 모친 침뎐이므로 감히 작난치 못ᄒᆞ고, 문 궁글 ᄯᆞᆲ고 손을 드리미러 잠은 것슬 븨틀미 이상ᄒᆞᆫ 용녁이 슈고를 발치 아녀셔 쇄약이 ᄶᆞᆫ지거늘, 문을 열고 드러간즉 양씨 이에 다ᄃᆞ라ᄂᆞᆫ 니러날 의ᄉᆡ 업셔, 닙은 우흐로 금금(錦衾)을 단단이 덥고 아조 죽은다시 움죽이지 아니니, 싱이 분노를 니긔지 못ᄒᆞ여 침금(寢衾)을 벗겨 앗고, 양씨의 옥슈를 잡아 니르혀니, 소졔 싴로이 심긔 아득ᄒᆞ고 증한이 쳡쳡ᄒᆞ니, 봉황미(鳳凰眉)의 노분(怒忿)을 ᄯᅴ여 뎡싱에게 휘잡혀 니러 안ᄌᆞ니, 태위 집기슈(執其手) 연기슬(連其膝)ᄒᆞ여 ᄌᆞ긔를 믜워 보ᄂᆞᆫ 눈이 고ᄃᆡ 삼킬 ᄃᆞᆺ 시브니, 소졔 진녁(盡力)ᄒᆞ여 손을 ᄲᅢ이고져 ᄒᆞᄃᆡ, 태위 단단이 쥐엿시니 능히 ᄲᅢ힐 길히 업ᄉᆞ니, 금야의 ᄌᆞ긔 명을 긋츨 날인 ᄃᆞᆺ, 비한(悲恨)이[에] 가삼에[이] 《무힐∥막힐》 ᄃᆞᆺ 말이 업더니, 태위 찬 칼흘 ᄲᅢ【38】혀 번드기며 ᄭᅮ지져 왈,

"요악ᄒᆞᆫ 별물(別物)이 날노 ᄒᆞ여곰 엄젼의 즁죄를 밧ᄌᆞᆸ게 ᄒᆞ여, 긴 혀를 놀녀 아당ᄒᆞ미 아니 밋츤 곳이 업고, 무슨 의ᄉᆞ로 ᄌᆞ졍 협실의 숨어 날을 닉외(內外)ᄒᆞ며, 요언을 쥬작ᄒᆞ여

1120)편긱(片刻) : 삽시간. 매우 짧은 시간.

작호여 부즈(父子) 모즈(母子) 간 텬뉸디졍을 난상(亂傷)코져 ᄒᆞᄂᆞ뇨? 이 칼노 몬져 그 혀를 버혀 요언【51】을 놀니디 못ᄒᆞ게 ᄒᆞ리라."

양시 믄득 츠게 웃고 굴오ᄃᆡ,

"쳡이 블민 무상ᄒᆞ여 결부(潔婦)1177)의 죽으믈 효측디 못ᄒᆞ고, 군ᄌᆞ의 젼후 누언과 참욕을 드르미 그 슈를 아디 못ᄒᆞ리니, 이ᄂᆞᆫ 다 쳡의 블민흔 연괴라 므어슬 한ᄒᆞ리잇고마ᄂᆞᆫ, 원간 사ᄅᆞᆷ이 친히 드르며 보디 아닌 젼은 억탁(臆度)ᄒᆞ여 무함(誣陷)ᄒᆞ미 가치 아닌디라. 사ᄅᆞᆷ의 업슨 허믈을 일ᄏᆞᄅᆞ미 스스로 참괴홀디라. 군ᄌᆞ의 위엄이 텬하의 흔 사ᄅᆞᆷ이라 닐너도, 간ᄃᆡ로 무근디셜(無根之說)을 쥬작(做作)디 아니셤죽 ᄒᆞ다라. 쳡이 엄구와 존고긔 군ᄌᆞ의 아닌 말과 무단흔 과실을 고ᄒᆞ여 텬뉸디졍을 난상코져 홀딘ᄃᆡ, 군ᄌᆡ 친히 참쳥ᄒᆞ미 계시니잇가? 쳡이 간예ᄒᆞ미 업셔【52】도 군ᄌᆡ 엄젼의 슈장ᄒᆞ미 ᄌᆞᄌᆞ시니, 엇디 쳡의게 죄를 밀위시며, 쳡의 ᄉᆞ싱이 ᄯᅩ 군ᄌᆞ긔 달녀시나, 칼흘 빗겨 쟝흔 위엄을 뵈셔든 쳡이 별노 두릴 비 아니라. 발셔 명되(命途) 박ᄒᆞ여 군ᄌᆞ의 무궁흔 욕셜을 바드니 어이 살고져 ᄆᆞᄋᆞᆷ이 이시리잇고? 그러나 삼촌셜(三寸舌)을 연고 업시 닉와다1178) 군ᄌᆞ의 칼 솟티 버히디 아니리니, 모로미 슈신(修身) 셥힝(攝行)ᄒᆞ여 패도(悖道)를 긋치쇼셔."

언필의 닝엄흔 긔운이 일신이 셔늘케 ᄒᆞᄂᆞᆫ디라. 태위 젼일은 온 가지로 져를 구타ᄒᆞ고 모욕ᄒᆞ여도 일언을 변징(辯爭)ᄒᆞ미 업더니, 금야의 다ᄃᆞ라는 ᄌᆞ긔를 아조 광부

부ᄌᆞ 모ᄌᆞ 간 텬륜지졍을 난상(亂傷)코져 ᄒᆞᄂᆞ뇨? 이 칼노 몬져 그 혀를 버혀 요언을 놀니지 못ᄒᆞ게 ᄒᆞ리라."

양씨 믄득 츠게 웃고 굴오ᄃᆡ,

"쳡이 블민 무상ᄒᆞ여 《셜부∥결부(潔婦)1121)》의 죽으믈 효측지 못ᄒᆞ고, 군ᄌᆞ의 젼후 누언과 춤욕을 드르미 그 슈를 아지 못ᄒᆞ리니, 이ᄂᆞᆫ 다 쳡의 블민흔 연괴라 므어슬 한ᄒᆞ리 잇고마ᄂᆞᆫ, 원간 스ᄅᆞᆷ이 친히 드르며 보지 아닌 젼은 억탁(臆度)ᄒᆞ여 무함(誣陷)ᄒᆞ미 가치 아닌지라. 스ᄅᆞᆷ의 업슨 허믈을 일커르미 스스로 참괴홀지라. 군ᄌᆞ의 위엄이 텬하의 흔 스ᄅᆞᆷ【39】이라 닐너도, 간ᄃᆡ로 무근지셜(無根之說)을 쥬작(做作)지 아니셤죽 흔지라. 쳡이 엄구와 존고긔 군ᄌᆞ의 아닌 말과 무단흔 과실을 고ᄒᆞ여 텬○[뉸]지졍(天倫之情)을 난상코져 홀진ᄃᆡ, 군ᄌᆡ 친히 참쳥ᄒᆞ미 계시니잇가? 쳡이 간예ᄒᆞ미 업셔도 군ᄌᆡ 엄젼에 슈장ᄒᆞ미 계시니, 엇지 쳡에게 죄를 밀위시며 쳡의 ᄉᆞ싱이 ᄯᅩ 군ᄌᆞ긔 달녀시나, 칼흘 빗겨 《쟝하∥쟝흔》 위엄을 뵈셔든, 쳡이 별노 두릴 비 아니라. 발셔 명되(命途) 박ᄒᆞ여 군ᄌᆞ의 무궁흔 욕셜을 바드니, 어이 살고져 ᄒᆞ미잇시리잇고? 그러나 슴촌셜(三寸舌)을 연고지 업시 닉와다1122) 군ᄌᆞ의 칼 솟티 버히지 아니리니, 모로미 슈심(修心) 셥힝(攝行)ᄒᆞ여 픽도(悖道)를 긋치쇼셔."

언필에 닝엄흔 긔운이 일신이 셔늘케 ᄒᆞᄂᆞᆫ지라. 태위 젼일은 온 가지로 져를 구타ᄒᆞ고 모욕ᄒᆞ여도 일언을 변징(辯爭)ᄒᆞ【40】미 업더니, 금야의 다ᄃᆞ라는 ᄌᆞ긔를 아

1177)결부(潔婦) : 중국 춘추시대 노(魯)나라 사람 추호자(秋胡子)의 아내. 추호자는 결부와 결혼한 지 5일 만에 진(陳)나라의 관리가 되어 집을 떠났다, 5년 뒤 집으로 돌아오다가 집 근처 뽕밭에서 뽕을 따는 여인을 비례(非禮)로 유혹한 일이 있는데, 집에 돌아와 아내를 보니 조금 전 자신이 수작한 그 여인이었다. 크게 실망한 결부는 남편의 행동을 꾸짖은 뒤 강물에 몸을 던져 자결하였다. 『열녀전』에 나온다.

1178)닉와다 : 내왇+아. *내왇다; 내밀다.

1121)결부(潔婦) : 중국 춘추시대 노(魯)나라 사람 추호자(秋胡子)의 아내. 추호자는 결부와 결혼한 지 5일 만에 진(陳)나라의 관리가 되어 집을 떠났다, 5년 뒤 집으로 돌아오다가 집 근처 뽕밭에서 뽕을 따는 여인을 비례(非禮)로 유혹한 일이 있는데, 집에 돌아와 아내를 보니 조금 전 자신이 수작한 그 여인이었다. 크게 실망한 결부는 남편의 행동을 꾸짖은 뒤 강물에 몸을 던져 자결하였다. 『열녀전』에 나온다.

1122)닉와다 : 내왇+아. *내왇다; 내밀다.

(狂夫) 박힝디인(薄行之人)으로 디목(指目)ᄒᆞ믈 대로ᄒᆞᄃᆡ, 은졍이 견【53】권(繾綣)ᄒᆞᆫ 바의 다시 보칠 ᄯᅳᆺ이 업셔 타일 조로고져 ᄒᆞᄂᆞᆫ 고로, 다시 말을 아니ᄒᆞ고 ᄲᅢᆯ니 닛그러 금니(衾裏)의 나아가려 ᄒᆞ니, 쇼졔 죽기로 그음ᄒᆞ여 은ᄋᆡ(恩愛)를 막ᄌᆞ르미, 일분 인졍이 업셔 ᄆᆡ몰 싁싁ᄒᆞ미 비컨ᄃᆡ 셜샹한상(雪上寒霜) ᄀᆞᆺᄐᆞ니, 태위 반야를 힐난ᄒᆞ여 은졍을 펴고져 ᄒᆞ나, 쇼졔 젼일은 오히려 슈습ᄒᆞ미 이시나, 도금(到今)ᄒᆞ여ᄂᆞᆫ 태우의 광망ᄒᆞ미 날노 층가ᄒᆞ믈 보ᄆᆡ ᄒᆞᆫ갓 온공(溫恭)홈만 쥬ᄒᆞ디 못ᄒᆞᆯ디라. 텬ᄉᆡᆼ 강녈ᄒᆞᆫ 셩도를 ᄀᆞᆷ초디 아냐 싁싁이 거졀ᄒᆞ고 ᄂᆡᆼ담이 믈니쳐 태우의 은졍을 가랍(嘉納)디 아니니, 태위 통완ᄒᆞ믈 니긔디 못ᄒᆞ여, ○…결락8자…○[팔을 잡아 닛글녀 ᄒᆞᄆᆡ] 팔히 상ᄒᆞ여 피 나고, 머리를 잡아 병풍의 브ᄃᆡ이【54】ᄌᆞᄆᆡ 두골이 계오 완합ᄒᆞ엿더니 다시 ᄠᅳ려지고[1179], 만신이 다 상ᄒᆞ여 인ᄉᆞ를 모로ᄃᆡ 즐욕ᄒᆞ믈 긋치디 아니ᄒᆞ니, 쇼졔 태우의 구욕(驅辱)이 익익층가(益益層加)ᄒᆞ믈 보ᄆᆡ 딘실노 무ᄉᆡᆼ디긔(無生之氣)ᄒᆞ고 유ᄉᆞ디심(有死之心)ᄒᆞ니, ᄌᆞᆷ연(潛然)이 인ᄉᆞ를 모로ᄂᆞᆫ ᄃᆞᆺᄒᆞ더니, 태위 칼등으로 쇼져를 치노라 ᄒᆞᆫ 거시 그릇 칼날이 쇼져의 가ᄉᆞᆷ의 박히ᄆᆡ, 희미히 ᄒᆞᆫ 소ᄅᆡ를 ᄒᆞ고 너머디니, 그 위위(危危)ᄒᆞᆫ 경상(景狀)이 참블인견(慘不忍見)[1180]이라.

태위 도로혀 창황망극(惝怳罔極)ᄒᆞ여 급히 칼흘 ᄲᅢ히고, 년망(連忙)이 협ᄉᆞ(篋笥)의 약을 뒤여 일변 상쳐의 바르고 일변 입의 약을 드리오ᄃᆡ, 쇼졔 오ᄅᆡ도록 졍신을 출히디 못ᄒᆞ여 ᄉᆡᆼ되 망연ᄒᆞᆫ디라. 태위【55】그 낫출 졉ᄒᆞ고 실셩비읍(失性悲泣)ᄒᆞ믈 ᄭᆡᄃᆞᆺ디 못ᄒᆞ니, 흐르ᄂᆞᆫ 눈믈이 쳔항(千行)이라.

ᄎᆞ시 뎡셰흥의 거동이 긔괴망측ᄒᆞ여 양시의 딘ᄒᆞ여 가ᄂᆞᆫ 경상을 ᄎᆞ악ᄒᆞᄃᆡ, 태우의 거동인즉 화공(畵工)을 블너 ᄎᆡ필(彩筆)을

1179)ᄠᅳ려지다 : 깨어지다. 쪼개지다. 부서지다.
1180)참블인견(慘不忍見) : 참혹하여 차마 볼 수 없음.

조 광부(狂夫) 박힝지인(薄行之人)으로 지목(指目)ᄒᆞ믈 ᄃᆡ로ᄒᆞᄃᆡ, 은졍이 견권(繾綣)ᄒᆞᆫ 바의 다시 《보치ᄂᆞᆫ‖보칠》 ᄯᅳᆺ이 업셔, 타일 조르려 ᄒᆞᄂᆞᆫ 고로 다시 말을 아니ᄒᆞ고, ᄲᅢᆯ니 닛그러 금니(衾裏)의 나아가려ᄒᆞ니, 소졔 죽기로 그음ᄒᆞ여 은ᄋᆡ를 막ᄌᆞ르미, 일분 인졍이 업셔 ᄆᆡ몰 싁싁ᄒᆞ미 비컨ᄃᆡ 셜샹한상(雪上寒霜) ᄀᆞᆺᄐᆞ니, 태위 반야를 힐난ᄒᆞ여 은졍을 펴고져 ᄒᆞ나, 소졔 젼일은 오히려 슈습ᄒᆞ미 이시나, 도금(到今)ᄒᆞ여ᄂᆞᆫ 태우의 광망ᄒᆞ미 날노 층가ᄒᆞ믈 보ᄆᆡ, ᄒᆞᆫ갓 온공홈만 쥬ᄒᆞ지 못ᄒᆞᆯ지라. 텬ᄉᆡᆼ 강녈ᄒᆞᆫ 셩도를 《ᄂᆞᆷ기지‖ᄀᆞᆷ초지》 아냐 싁싁이 거졀ᄒᆞ고 ᄂᆡᆼ담이 믈니쳐 태우의 은졍을 가랍(嘉納)지 아니니, 태위 통완ᄒᆞ믈 니긔지 못ᄒᆞ여, 팔을 잡아 닛글녀 ᄒᆞᄆᆡ 팔이 상ᄒᆞ여 피 나고, 머리를 잡아 병풍의 브ᄃᆡ이 ᄌᆞᄆᆡ 두골이 계오 완합【41】ᄒᆞ엿더니 다시 ᄭᆡ혀지고, 만신이 다 상ᄒᆞ여 인ᄉᆞ를 모로ᄃᆡ 즐욕ᄒᆞ믈 긋치지 아니ᄒᆞ니, 소졔 태우의 구욕(驅辱)이 익익층가(益益層加)ᄒᆞ믈 보ᄆᆡ 진실노 무ᄉᆡᆼ지긔(無生之氣)ᄒᆞ고 유ᄉᆞ지심(有死之心)ᄒᆞ니, ᄌᆞᆷ연이 인ᄉᆞ를 모로ᄂᆞᆫ ᄃᆞᆺᄒᆞ더니, 태위 칼등으로 소져를 치노라 ᄒᆞᆫ 것시 그릇 칼날이 소져의 가ᄉᆞᆷ의 박히ᄆᆡ, 희미히 ᄒᆞᆫ 소ᄅᆡ를 ᄒᆞ고 너머지니, 그 위위ᄒᆞᆫ 경상이 참불인견(慘不忍見)[1123]이라.

태위 도로혀 창황망극(惝怳罔極)ᄒᆞ여 급히 칼흘 ᄲᅢ히고, 년망(連忙)이 협ᄉᆞ(篋笥)의 약을 뒤여 일변 상쳐의 바르고 일변 입의 약을 드리오ᄃᆡ, 소졔 오ᄅᆡ도록 졍신을 출히지 못ᄒᆞ여 ᄉᆡᆼ되 망연ᄒᆞᆫ지라. 태위 그 낫출 졉ᄒᆞ고 실셩 비읍(失性悲泣)ᄒᆞ믈 ᄭᆡᄃᆞᆺ지 못ᄒᆞ니, 흐르ᄂᆞᆫ 눈믈이 쳔항(千行)이라.

ᄎᆞ시 뎡셰흥의 거동이 긔괴 망측ᄒᆞ여 양씨의 진ᄒᆞ여 가ᄂᆞᆫ 경상을 ᄎᆞ악ᄒᆞᄃᆡ, 태우의 거【42】동인즉 화공(畵工)을 불너 ᄎᆡ필(彩筆)을 더엄즉 ᄒᆞ더라. 시녀 등이 태우의 작

1123)참블인견(慘不忍見) : 참혹하여 차마 볼 수 없음.

더엄즉 ᄒᆞ더라. 시녀 등이 태우의 작난이 이러틋 ᄒᆞᄆᆞᆯ 뎡당의 고코져 ᄒᆞ되, 태부인이 취침ᄒᆞ실 ᄲᅢᆫ 아니라 가듕 비복이 태우를 두리는 고로 감히 고치 못ᄒᆞ고, 창황실조(蒼黃失措)ᄒᆞᄆᆞᆯ 마디 아니ᄒᆞ더니, 계명(鷄鳴)의 니르러 쇼졔 슘을 닉쉬고 눈을 드러 좌우를 술피는디라.

태위 블승힝열ᄒᆞ여 스스로 ᄂᆞᆾ츨 두로혀 누흔을 업시 ᄒᆞ고, 쇼져의 손을 잡아 ᄆᆡᆨ을 보고져 ᄒᆞ니, 쇼졔 금즉ᄒᆞ고 흉히 【56】 넉여 긔운을 십분 강작ᄒᆞ여 ᄲᅳ리치미 더옥 닝담ᄒᆞ더라. 태위 갈ᄉᆞ록 구속디 아니믈 분노ᄒᆞ나, 오히려 그 ᄉᆞᆼ싱을 넘녀ᄒᆞᄆᆞ로 분을 춤고 위력으로 손을 잡아 ᄆᆡᆨ을 살피믹, ᄆᆞᆫ득 놀나온 바는 그 가온디 틱휘(胎候) 이셔 거의 삼ᄉᆞ 삭이나 된 ᄃᆞᆺ ᄒᆞ더라. 광패 무상ᄒᆞᆫ ᄆᆞᄋᆞᆷ의도 ᄌᆞ식 귀듕ᄒᆞᆷ믄 아는디라, ᄌᆞ긔 져를 보치며 구타ᄒᆞ여 틱후듕(胎候中) 히로오미 만혼가 뉘웃츠믈 니긔디 못ᄒᆞ되, 일단 고집이 틱과ᄒᆞ여 ᄌᆞ긔 허믈을 일ᄏᆞᆮ디 아니려 ᄒᆞ는디라. 겻티 이윽이 안ᄌᆞ 말이 업더니, 날호여 금금(錦衾)을 다리여[1181), 쇼져를 덥고 나오며 닐오디,

"몸을 조심ᄒᆞ여 틱를 안휴(安休)케 ᄒᆞ면 【57】 깃브려니와, 블연즉 용샤치 아니리라."

쇼졔 ᄎᆞ언을 드르믹 더옥 분노ᄒᆞ고 넘치 업시 넉이더라.

시녀 양낭의 무리 셔로 니르되, 텬하의 안면(顏面) 둣겁고 긔빅(氣魄) 됴ᄒᆞᆫ 우리 삼상공 ᄀᆞᆺᄐᆞ시 니 업다 ᄒᆞ더라.

날이 붉은 후 딘부인이 아쥬로 더브러 일 즉 도라와, 몬져 태원뎐의 드러가 존당의 신셩ᄒᆞ고 믈너 침소의 니르니, 시녀 등이 작야ᄉᆞ(昨夜事)를 일일이 고ᄒᆞ니, 부인이 쳥필(聽畢)의 블승통히(不勝痛駭)ᄒᆞ여 태우를 크게 다ᄉᆞ리고져 ᄒᆞ되, 엄뷔 지당(在堂)ᄒᆞ여 가ᄅᆞ치는 비 법도의 슉연ᄒᆞ니, ᄌᆞ모의 약셕디언(藥石之言)이 무익ᄒᆞ여 잠잠ᄒᆞ고, 다만 《약‖양》쇼져의 상쳐를 보고 평후긔 고ᄒᆞ

1181)다릭다 : 당기다. 잡아당기다.

난이 이러틋ᄒᆞᄆᆞᆯ 졍당의 고코져 ᄒᆞ되, 태부인이 취침ᄒᆞ실 ᄲᅢᆫ 아니라 가듕 비복이 태우를 두리는 고로 감히 고치 못ᄒᆞ고, 창황실조[조](蒼黃失措)ᄒᆞᄆᆞᆯ 마지 아니ᄒᆞ더니, 계명(鷄鳴)에 니르러 소졔 슘을 닉쉬고 눈을 드러 좌우를 술피는지라.

태위 불승힝열ᄒᆞ여 스스로 ᄂᆞᆾ츨 두로혀 누흔을 업시 ᄒᆞ고, 소져의 손을 잡아 ᄆᆡᆨ을 보고져ᄒᆞ니, 소졔 금즉ᄒᆞ고 흉히 넉여 긔운을 십분 강작ᄒᆞ여 ᄲᅳ리치미 더옥 닝담ᄒᆞ지라. 태위 갈ᄉᆞ록 구속지 아니믈 분노ᄒᆞ나, 오히려 그 ᄉᆞᆼ싱을 넘ᄒᆞᄆᆞ로 분을 춤고 위력으로 손을 잡아 ᄆᆡᆨ을 살피믹, ᄆᆞᆫ득 놀나온 바는 그 가온디 태휘(胎候) 이셔 거의 삼삭이나 된 ᄃᆞᆺᄒᆞ지라. 광픽 무상ᄒᆞᆫ ᄆᆞᄋᆞᆷ의도 ᄌᆞ식 귀듕ᄒᆞᆷ믄 아는지라. 【43】 ᄌᆞ긔 져를 보치며 구타ᄒᆞ여 태후즁(胎候中) 히로오미 만혼가 뉘웃츠믈 니긔지 못ᄒᆞ되, 일단 고집이 태과ᄒᆞ여 ᄌᆞ긔 허믈을 일ᄏᆞᆮ지 아니려 ᄒᆞ는지라. 겻히 이윽이 안ᄌᆞ 말이 업더니, 날호여 금금(錦衾)을 다리여[1124), 소져를 덥고 나오며 니르되,

"몸을 조심ᄒᆞ여 태를 《안유‖안휴(安休)》케 ᄒᆞ면 깃브려니와, 블연즉 용샤치 아니리라."

소졔 ᄎᆞ언을 드르믹 더옥 분노ᄒᆞ고 넘치 업시 넉이더라.

시녀 양낭의 무리 셔로 니르되, 텬하의 안면(顏面) 둣겁고 긔벽[빅](氣魄) 조ᄒᆞᆫ 우리 삼상공 ᄀᆞᆺᄐᆞ시니 업다 ᄒᆞ더라.

날이 붉은 후 진부인이 아쥬로 더브러 일 즉 도라와, 몬져 태원뎐의 드러가 존당의 신셩ᄒᆞ고 믈너 침소의 니르니, 시녀 등이 작야ᄉᆞ(昨夜事)를 일일이 고ᄒᆞ니, 부인이 쳥필의 불승통히(不勝痛駭) ᄒᆞ여 태우를 크게 다ᄉᆞ리고져 ᄒᆞ되, 엄뷔 지당(在堂)ᄒᆞ여 ᄀᆞᄅᆞ치는 비 법도【44】의 슉연ᄒᆞ니, ᄌᆞ모의 약셕지언(藥石之言)이 무익ᄒᆞ여 잠잠ᄒᆞ고, 다만 양소져의 상쳐를 보고 평후긔 고ᄒᆞ려 ᄒᆞ

1124)다릭다 : 당기다. 잡아당기다.

려 ㅎ는 고로 이의【58】협실의 니르니, 쇼
졔 혼혼(昏昏)이 소릭 업시 머리를 벼개의
더디고 금니(衾裏)의 ᄲ이여 형싴이 위위ㅎ
니, 부인이 나아아 안즈 그 상쳐를 두로 보
믹, 눈믈이 비ᄌᆞᆺ치 ᄶᅥ러디믈 면치 못ᄒᆞ여
다시 그 옥비셤슈(玉臂纖手)를 만디믹 피육
(皮肉)이 다 웃쳐디고 젹혈이 님니(淋漓)ᄒᆞ
여시니, 부인이 ᄎᆞ마 보디 못ᄒᆞ여 아쥬 쇼
져로 딕히오고 나와, 북공을 블너 태우의
작야 작난을 니르고, 양시의 명지슈유(命在
須臾)믈 금후긔 고ᄒᆞ라 ᄒᆞ딕, 북공이 모친
말숨으로 조ᄎᆞ ᄋᆞ의 광패ᄒᆞ믈 블승추악 ᄒᆞ
나, ᄎᆞᄉᆞ를 야야긔 고ᄒᆞᆫ즉 태우의 듕칙 닙
으미 반ᄃᆞᆺ홀디라. 이의 피셕 궤고 왈,

"셰홍의 ᄒᆡᆼᄉᆞ는 가ᄃᆞ록 광패 한심ᄒᆞ오나,
싱【59】각건딕 본심이 양슈를 죽이고져
ᄒᆞ미 아니라. ᄌᆞ위 나가신 ᄯᅥ를 타 양슈를
협졔(脅制)코져 ᄒᆞ미 양슈의 녈녈(烈烈)ᄒᆞ미
광부의 ᄯᅳᆺ을 용납디 아닌 연고로, 패광(悖
狂)ᄒᆞᆫ ᄋᆞ히 작난이 그 디경의 밋ᄎᆞ미. 져
히 본심인즉 양슈를 믜워ᄒᆞ미 아니오, 일시
호승으로 년쇼비의 상힐ᄒᆞ믈 엄젼의 고ᄒᆞᆫ
즉, ᄋᆞ이 필연 쟝칙을 면치 못홀디라. 셩가
길긔(吉期) 슈일이 격ᄒᆞ엿ᄉᆞ오나, 비록 깃브
디 아니ᄒᆞ오나 셩샹의 샤혼ᄒᆞ신 바로 어긔
오미 블가ᄒᆞ오니, ᄌᆞ졍이 ᄎᆞᄉᆞ를 대인긔 고
치 마르시고, 져를 보셔도 아른 쳬 마르샤
언어의 일ᄏᆞᆮ디 아니신즉, 졔 넘치 비록 상
딘(喪盡)ᄒᆞ오나 일분 두려ᄒᆞ미 이시리이다."
부인이 탄왈,【60】

"여언(汝言)이 유리ᄒᆞ거니와 너의 야야의
쳥덕과 나의 잔미(屠微)ᄒᆞᄆᆞ로 셰홍 ᄀᆞᆺᄐᆞᆫ
광패ᄒᆞᆫ 거슬 싱홀 줄 어이 알니오."
북공이 웃고 쥬 왈,

"셰홍의 ᄒᆡᆼ싴 광망(狂妄)ᄒᆞ오나 풍신 지
회 타인의 바랄 빅 아니오딕, 양슈를 보치
고 구타ᄒᆞ오믄 일편도이 져를 칙홀 빅 아니
라, 양슈의 너모 강녈ᄒᆞ신 연괸가 ᄒᆞ옵ᄂᆞᆫ,
녀ᄌᆞᄂᆞᆫ 북어인(伏於人)1182)이라. 셜ᄉᆞ 가뷔
ᄯᅳᆺ을 블합ᄒᆞᆫ들 온슌비약(溫順卑弱)1183)ᄒᆞ미

───────────
1182)북어인(伏於人) : 남[남편]의 ᄯᅳᆺ의 순종함.

───────────────────────────

는 고로 이에 협실의 니르니, 소졔 혼혼이
소릭 업시 머리를 벼기에 더지고 금니(衾
裏)의 ᄲ이여 형싴이 위위ᄒᆞ니, 부인이 나
아 안즈 그 상쳐를 두로 보믹, 눈믈이 비ᄀᆞ
치 ᄶᅥ러지믈 면치 못ᄒᆞ여, 다시 그 옥비셤
슈(玉臂纖手)를 만디믹 피육이 다 웃쳐지고
젹혈이 님니(淋漓)ᄒᆞ여시니, 부인이 ᄎᆞ마 보
지 못ᄒᆞ여 아쥬 소졔로 직히오고 나와 북공
을 불너 태우의 작야 작ᄂᆞᆫ을 니르고, 양씨
의 명지슈유(命在須臾)○[ᄒᆞ]믈 금후긔 고
ᄒᆞ라 ᄒᆞ딕, 북공이 모친 말숨으로 조ᄎᆞ 아
의 광픽ᄒᆞ믈 블승추악ᄒᆞ나, ᄎᆞᄉᆞ를 야야긔
고ᄒᆞᆫ즉 태우의 즁칙 닙으미 반ᄃᆞᆺ홀지라. 이
에 피셕 궤고 왈,

"셰홍의 ᄒᆡᆼᄉᆞ는 가지록 광픽 한심ᄒᆞ오나,
싱각건딕 본심이 양슈를 죽이고져 ᄒᆞ미 아
니라. ᄌᆞ위【45】나가신 ᄯᅥ를 타 양슈를
협졔(脅制)코져 ᄒᆞ미 양슈의 녈녈(烈烈)ᄒᆞ미
광부의 ᄯᅳᆺ을 용납지 아닌 연고로, 패광ᄒᆞᆫ
ᄋᆞ히 작난이 그 지경의 밋ᄎᆞ미라. 져히 본
심인즉 양슈를 믜워 ᄒᆞ미 아니오, 일시 호
승으로 년쇼비의 상힐ᄒᆞ믈 엄젼의 고ᄒᆞᆫ즉,
ᄋᆞ이 필연 쟝칙을 면치 못홀지라. 셩가 길
긔(吉期) 슈일이 격ᄒᆞ엿시니 비록 깃브지
아니ᄒᆞ오나, 셩샹의 샤혼ᄒᆞ신 바로 어긔오
미 블가ᄒᆞ오니, ᄌᆞ졍이 ᄎᆞᄉᆞ를 대인긔 고치
마르시고, 져를 보셔도 아른 쳬 마르샤 언
어의 일ᄏᆞᆮ지 아니신즉, 졔 넘치 비록 상딘
(喪盡)ᄒᆞ오나 일분 두려ᄒᆞ미 이시리이다."
부인이 탄왈,

"여언(汝言)이 유리ᄒᆞ거니와 너의 야야의
쳥덕과 나의 잔미(屠微)ᄒᆞᄆᆞ로, 셰홍 ᄀᆞᆺᄐᆞᆫ
광픽ᄒᆞᆫ 거슬 싱홀 줄 어이 알니오."
북공이 웃고 쥬 왈,

"셰홍의 ᄒᆡᆼ싴 광망(狂妄)ᄒᆞ오나 풍신 지
회 타인의 바랄【46】빅 아니오딕, 양슈를
보치고 구타ᄒᆞ오믄 일편도이 져를 칙홀 빅
아니라. 양슈의 너모 강녈ᄒᆞ신 연괸가 ᄒᆞ옵
ᄂᆞᆫ, 녀ᄌᆞᄂᆞᆫ 북어인(伏於人)1125)이라. 셜ᄉᆞ
가뷔 ᄯᅳᆺ의 불합ᄒᆞᆫ들 온슌비약(溫順卑

───────────
1125)북어인(伏於人) : 남[남편]의 ᄯᅳᆺ의 순종함.

디극흔 부되(婦道)어늘, 이졔 양슈는 삼데 알오믈 밋친 범과 샤갈ㄱ치 넉이며, 비록 언어 간의 박졀흐믈 낫타닉디 아니흐오나, 은은이 빗최미 잇는 고로 광망흔 ㅇ히 더옥 심화를 니오미니, 【61】 즈위는 양슈를 온슌 화열흐믈 경계흐시고, 작야ㅅ를 다시 일ㅋ디 마르쇼셔"

부인이 탄식 왈,

"녀즈 되오미 디극히 구초코 어려오믈 가히 알니로다. 양쇼부의 옥이 틔 업숨과 어름이 묽은 힝ㅅ로뼈, 어이 하즈홀 곳이 이시리오마는, 너의 ㅅ졍이 과도흐여 양으로뼈 강녈흐다 나모라 흐니, 원민치 아니리오."

븍공이 함쇼(含笑) 궤좌(跪坐)러니 날호여 고 왈,

"양슈의 병침의 쇼지 나아가오미 블가흐딕 잠간 나아가 딘빅고져 흐느이다."

부인이 즉시 븍공으로 더브러 협실의 나아가 딘빅홀식, 본딕 녜뫼 삼엄흐여 슈슉디간(嫂叔之間)의 눈을 드러 보미 업는 고로, 【62】 상쳐를 살피지 아니흐나 빅을 보미 그 듕상흐여시믈 가히 알 거시오, 또 스싱의 념녀 잇는디라. 크게 경악흔 듕 틱휘 이셔 놀나믈 과히 흐여, 안틱(安胎)흐미 어려오믈 알믹, 약 쓰미 일시 급흐디라 모친긔 고 왈,

"즈셔튼 아니흐오나 틱휘 잇는 돗 시브오니 즈위 삭슈를 아르시느니잇가?"

부인이 경왈,

"ㅇ부의 유신(有娠)흐믈 노모는 망연이 아디 못흐느니, 틱휘 분명홀진딕 필연 안틱(安胎)치 못흐리로다."

븍공이 왈,

"의치(醫治)를 잘 아라 흐온즉 틱휘 안온흐오리니 즈위는 과려치 마르쇼셔."

언파의 쎨니 나와 즈작명약(自作名藥)흐여 대양부인 【63】을 주어 쎨니 달혀 급히

弱)1126)흐미 지극흔 부도(婦道)어늘, 이졔 양슈는 삼데 아르믈 밋친 범과 ㅅ갈ㄱ치 넉이며, 비록 언어 간의 박졀흐믈 낫타닉지 아니흐오나, 은은이 빗최미 잇는 고로, 광망흔 ㅇ히 더옥 심화를 니오미니, 즈위는 양슈를 온슌 화열흐므로 경계흐시고, 작야ㅅ를 다시 일ㅋ지 마르쇼셔"

부인이 탄식 왈,

"녀즈 되오미 지극히 구초코 어려오믈 가히 알니로다. 양소부의 옥이 틔 업숨과 어름이 묽은 힝ㅅ로뼈, 어이 하즈홀 곳이 이시리오마는, 너의 ㅅ졍이 과도흐여 양으로뼈 강녈흐다 나모라 흐니, 엇지 원민치 아니리오."

북공이 함소(含笑) 궤좌(跪坐)러니 날호여 고 왈,

"양슈의 병침의 소지 나아가오미 불가【47】흐딕, 잠간 나아가 진빅고져 흐느이다."

부인이 즉시 북공으로 더브러 협실의 나아가 진빅홀식, 본딕 녜뫼 삼엄흐여 슈슉지간(嫂叔之間)의 눈을 드러 보미 업는 고로, 상쳐를 술피지 아니흐나 빅을 보미 그 즁상흐엿시믈 가히 알 거시오, 또 스싱의 념녜 잇는지라. 크게 경악흔 즁 틱휘 이셔 놀나믈 과히흐여 안틱(安胎)흐미 어려오믈 알믹, 약 쓰미 일시 급흔지라, 모친긔 고 왈,

"즈셔튼 아니흐오나 틱휘 잇는 돗 시브오니 즈위 삭슈를 아르시느니잇가?"

부인이 경왈,

"ㅇ부의 유신(有娠)흐믈 노모는 망연이 아지 못흐느니, 틱휘 분명홀진딕 필연 안틱(安胎)치 못흐리로다."

북공이 고왈,

"의치(醫治)를 잘 아라 흐온즉 틱휘 ○○[안온]흐오리니, 즈위는 과려치 마르소셔."

언파의 쎨니 나와 즈작명약(自作名藥)흐여 대양부인을 주어 쎨니 달혀 급히 쓰게

1183)온슌비약(溫順卑弱) : 온순하고 자신을 낮추고 세차지 않게 처신함.

1126)온슌비약(溫順卑弱) : 온순하고 자신을 낮추고 세차지 않게 처신함.

■ 낙선재본 명듀보월빙 권디칠십뉵   485   명쥬보월빙 권지이십팔 **박순호본** ■

쓰게 ᄒᆞ고, 샹쳐의 속(速)ᄒᆞᆫ 약을 ᄌᆞ위긔 드
려 ᄇᆞ르시게 ᄒᆞ니, 부인이 죵일 협실의 이
셔 약을 ᄇᆞ르고 구호ᄒᆞᄆᆞᆯ 디극히 ᄒᆞ니, 황
혼의 밋쳐 졍신을 출혀 듁음을 마시고, 존
고의 이러틋 ᄒᆞ시믈 불승황공ᄒᆞ여 불안ᄒᆞᄆᆡ
안식의 낫타나니, 딘부인이 쳥누(淸淚)를 나
리오고 어로만져 굴오ᄃᆡ,

"불초 패ᄌᆞ(悖子) 광망(狂妄) 무례(無禮)
ᄒᆞᄆᆡ 여ᄎᆞ(如此)ᄒᆞ여, 현부를 이러틋 구타ᄒᆞ
니 엇디 통히치 아니리오. 샹공긔 고ᄒᆞ여
크게 다스릴 줄 모로ᄂᆞᆫ 빅 아니로ᄃᆡ, 오히
려 싱각ᄒᆞᄆᆡ 이셔 고치 못ᄒᆞ나, 패ᄌᆞ의 ᄒᆡᆼ
식 엇디 분히치 아니며, 현부의 디란(芝蘭)
【64】 ᄀᆞ튼 약질이 보젼ᄒᆞᄆᆞᆯ 능히 바라리
오. 츠후 ᄋᆞ즈를 셔로 보미 이시나, 이열긔
심(以悅其心)[1184]ᄒᆞ여 신샹의 유희케 말나."

인ᄒᆞ여, 팅신(胎身)의 삭슈(朔數)를 므르
니, 쇼졔 참황 슈괴ᄒᆞ여 블감ᄃᆡ(不敢對)ᄒᆞ고
옥면이 통홍(通紅)ᄒᆞ니, 부인이 더옥 이련ᄒᆞ
고 두굿겨 옥슈를 잡고 니르ᄃᆡ,

"내 실노 현부의게 ᄌᆞ모나 다르미 업거ᄂᆞᆯ
엇디 이러틋 슈즙ᄒᆞᄆᆞᆯ 과히 ᄒᆞᄂᆞ뇨?"

쇼졔 유유(儒儒)ᄒᆞ여 분명이 아디 못ᄒᆞᄆᆞᆯ
고ᄒᆞ니, 부인 왈,

"짐작건ᄃᆡ ᄉᆞ오 삭이나 된가 ᄒᆞ노라."

쇼졔 슈괴만면(羞愧滿面)ᄒᆞ여 몽농이 ᄃᆡ
ᄒᆞ니, 부인이 보호ᄒᆞᄆᆞᆯ 츠후 더옥 여린 옥
ᄀᆞ치 ᄒᆞ고, 이 소유를 금후긔 고치 아니ᄒᆞ
니, 금평휘 쇼져를 오릭 보디 못ᄒᆞᄃᆡ 태우
의 【65】 난타 구욕ᄒᆞᆫ 아디 못ᄒᆞ고, 일일
은 부인을 ᄃᆡᄒᆞ여 므러 굴오ᄃᆡ,

"신혼 셩졍의 양쇼부를 보디 못ᄒᆞ니 유질
ᄒᆞᄆᆡ 잇ᄂᆞ니잇가?"

부인이 ᄃᆡ왈,

"양현뷔 우연이 유병ᄒᆞ니 십분 졀민ᄒᆞ여
이다."

금평휘 크게 경녀ᄒᆞ여, 아쥬로 ᄒᆞ여곰 양
시를 당부ᄒᆞ여 조심 보호ᄒᆞᄆᆞᆯ 니르라 ᄒᆞ고,
부인을 도라보아 ᄋᆞ부를 극진히 구호ᄒᆞᄆᆞᆯ
직삼 니르더라.

1184)이열기심(以悅其心) : 그 마음을 기쁘게 함.

ᄒᆞ고, 샹【48】쳐의 속(速)ᄒᆞᆫ 약을 ᄌᆞ위긔
드려 ᄇᆞ르시게 ᄒᆞ니, 부인이 죵일 협실에
이셔 약을 ᄇᆞ르고 구호ᄒᆞᄆᆞᆯ 지극히 ᄒᆞ니,
황혼의 밋쳐 졍신을 출혀 죽음을 마시고,
존고의 이러틋 ᄒᆞ시믈 불승황공ᄒᆞ여 불안ᄒᆞ
ᄆᆡ 안식의 낫타나니, 진부인이 쳥누(淸淚)를
나리오고 어로만져 굴오ᄃᆡ,

"불초 픽ᄌᆞ(悖子) 광망(狂妄) 무상(無狀)
ᄒᆞᄆᆡ 여ᄎᆞ(如此)ᄒᆞ여, 현부를 이러틋 구타ᄒᆞ
니 엇지 통히치 아니리오. 샹공긔 고ᄒᆞ여
크게 다스릴 줄 모로ᄂᆞᆫ 빅 아니로ᄃᆡ, 오히
려 싱각ᄒᆞᄆᆡ 이셔 고치 아니ᄒᆞ나, 픽ᄌᆞ의
ᄒᆡᆼ식 엇지 분히치 아니며, 현부의 지란(芝
蘭) ᄀᆞ튼 약질이 보젼ᄒᆞᄆᆞᆯ 능히 바라리오.
츠후 ᄋᆞ즈를 셔로 보미 잇시나, 이열기심
(以悅其心)[1127]ᄒᆞ여 신샹의 유희케 말나."

인ᄒᆞ여, 팅신(胎身)의 삭슈(朔數)를 므르
니 소졔 참황 슈괴ᄒᆞ여 불감ᄃᆡ(不敢對)ᄒᆞ고
옥면이 통【49】홍ᄒᆞ니, 부인이 더욱 이련
ᄒᆞ고 두굿겨 옥슈를 잡고 니르ᄃᆡ,

"내 실노 현부에게 ᄌᆞ모나 다름이 업거
ᄂᆞᆯ, 엇지 이러틋 슈습ᄒᆞᄆᆞᆯ 과히 ᄒᆞᄂᆞ뇨?"

소졔 유유(儒儒)ᄒᆞ여 분명이 아지 못ᄒᆞᄆᆞᆯ
고ᄒᆞ니, 부인 왈,

"짐작건ᄃᆡ ᄉᆞ오 삭이나 된가 ᄒᆞ노라."

소졔 슈괴만면(羞愧滿面)ᄒᆞ여 몽농이 ᄃᆡ
ᄒᆞ니, 부인이 보호ᄒᆞᄆᆞᆯ 츳후 더욱 여린 옥
ᄀᆞ치 ᄒᆞ고, 이 소유를 금후긔 고치 아니ᄒᆞ
니, 금평휘 소져를 오릭 보지 못ᄒᆞᄃᆡ 태우
의 난타 구욕ᄒᆞᆫ 아지 못ᄒᆞ고, 일일은 부
인을 ᄃᆡᄒᆞ여 무러 굴오ᄃᆡ,

"신혼 셩졍의 양소부를 보지 못ᄒᆞ니 유질
ᄒᆞᄆᆡ 잇ᄂᆞ니잇가?"

부인이 ᄃᆡ왈,

"양현뷔 우연이 유병ᄒᆞ니 십분 졀민ᄒᆞ여
이다."

금평휘 크게 경녀ᄒᆞ여, 아쥬로 ᄒᆞ여곰 양
시를 당부ᄒᆞ여 조심 보호ᄒᆞᄆᆞᆯ 니르라 ᄒᆞ고,
부인을 도라보아 ᄋᆞ부를 극진히 구【50】
호ᄒᆞᄆᆞᆯ 직삼 니르더라.

1127)이열기심(以悅其心) : 그 마음을 기쁘게 함.

초셜 슌태부인이 평일 태우의 영호(英豪)
츌뉴(出類)ᄒ고, 긔되(氣度) 늠늠ᄒ믈과이ᄒ
더니, 초시를 당ᄒ여는 도로혀 그 광패혼
힝스를 통히ᄒ미 만터니, 이 쩌 양시 상하
의 시침ᄒᄆ를 쳥ᄒᄃᆡ, 태우의 견권혼 뜻을
이련ᄒ여 허치 아니코 협실노 도라 【66】
보닉엿더니, 셰홍의 광패 무도ᄒ미 그ᄃᆡ도
록 난타 구욕홀 줄은 싱각디 못ᄒ고, 욱여
협실노 드려보닉 바를 쳔만 뉘웃쳐, 싱의
광패ᄒᄆ를 분히ᄒᄃᆡ 혼녜를 무스히 디닉기를
위ᄒ여, 평후다려 그ᄃᆞ히[1185] 말을 아니나,
식위 흔연치 아니ᄒ니, 싱이 젼일은 조모의
교의(嬌愛)를 만히 밋ᄂᆞᆫ 비러니, 도금ᄒ여는
조모로브터 합문 샹히 다 ᄌᆞ긔를 사름ᄀᆞᆺ치
넉이ᄂᆞ니 업셔, 입 밧긔 말이 난죽 광언 잡
셜노 칙오고, 몸을 움죽인죽 광부로 아라
ᄭᅮ디ᄌᆞ니 아모리 홀 줄 모로ᄂᆞᆫ 가온ᄃᆡ, 부
친의 믁믁(黙黙)ᄒ미 혼 말ᄉᆞᆷ 계ᄎᆡᆨ(戒責)ᄒ
시미 업ᄉᆞ니, 그 쥬의 장ᄎᆞᆺ 엇더 ᄒ실고?
날노 황민(惶憫) 튝쳑(蹴踖)ᄒ미 유ᄉ【67】
디심(有死之心)ᄒ고 무싱디긔(無生之氣)
ᄒ여 스스로 독뷔(毒夫) 되믈 이들나 ᄒᄂᆞᆫ
비라.

　양시를 칼노 질너 상히오고 나온 후의 삼
일이 되어, 병셰 아모란 줄을 망연이 아디
못ᄒ니, 듕심의 넘녜 비홀 곳이 업ᄉᆞᄃᆡ, 감
히 모친긔도 뭇ᄌᆞᆸ디 못ᄒ고, ᄌᆞ긔 양시를
칼노 디른 줄은 부공과 졔형이 다 모로○○
[므로] 아라 힝희ᄒᄃᆡ, 모친이 맛춤닉 긔이
디 아니실 줄 혜아려, 부친이 아르시ᄂᆞᆫ 날
이면 ᄎᆡᆨ죄(責罪)ᄒ샤미 아모 디경의 갈 줄
을 아디 못ᄒ여, 은위만복(隱憂滿腹)ᄒᄃᆡ 맛
춤닉 삼가고 조심ᄒᄂᆞᆫ 뜻이 업ᄉᆞ니, 엇디
뎡도의 나아갈 길히 머디 아냐시리오.

　이러구러 태우의 ᄌᆡ취길일(再娶吉日)이
다ᄃᆞ르니, 금평휘 슉녈과 하부인도 오라 아
니ᄒ고,【68】다만 딘부 졔인과 닌니(隣里)
졀친(切親)을 약간 쳥ᄒ고, 쥬찬을 약셜(略
設)ᄒ여 닉외 빈킥을 졉ᄃᆡ홀ᄉᆡ, 듕빈(衆賓)
이 쇼양시 좌의 업ᄉᆞᄆ를 므른ᄃᆡ, 딘부인이

<hr>

[1185]그ᄃᆞ히 : 그다지. 그렇게.

초셜 슌태부인이 평일 태우의 영호(英豪)
츌뉴(出類)ᄒ고 거죄 늠늠ᄒᄆ를 과이ᄒ더니,
초시를 당ᄒ여는 도로혀 그 광픽혼 힝스를
통히ᄒ미 만터니, 이쩌 양씨 상하의 시침ᄒ
믈 쳥ᄒᄃᆡ, 태우의 견권혼 뜻을 이련ᄒ여
허치 아니코 협실노 도라 보닉엿더니, 셰홍
의 광픽 무도ᄒ미 그ᄃᆡ도록 난타 구욕홀 줄
은 싱각지 못ᄒ고, 욱여 협실노 드려보닉
바를 쳔만 뉘웃쳐, 싱의 광픽ᄒᄆ를 분히ᄒᄃᆡ
혼녜를 무스히 지닉기를 위ᄒ여, 평후다려
구타여 말을 아니나, 식위 흔연치 아니ᄒ니,
싱이 젼일은 조모의 교의(嬌愛)를 만히 밋
ᄂᆞᆫ 비러니, 도금ᄒ여는 조모로브터 합문 샹
히 다 ᄌᆞ긔를 스롬ᄀᆞᆺ치 넉이ᄂᆞ니 업셔, 입
밧긔 말이 난죽 광언 잡셜노 칙오고, 몸을
움죽인죽 광부로 아라 ᄭᅮ지ᄌᆞ니, 아모【5
1】리 홀 줄 모로ᄂᆞᆫ 가온ᄃᆡ, 부친의 믁믁
(黙黙)ᄒ미 혼 말 계ᄎᆡᆨ(戒責)ᄒ시미 업ᄉᆞ니,
그 쥬의 장ᄎᆞᆺ 엇더 ᄒ실고? 날노 황민(惶
憫) 츅쳑(蹴踖)ᄒ미 유ᄉ지심(有死之心)ᄒ고
무○[싱]지긔(無生之氣)ᄒ여 스스로 독뷔
(獨婦) 되믈 이들나 ᄒᄂᆞᆫ 비라.

　양씨를 칼노 질너 상히오고 나온 후의 삼
일이 되어, 병셰 아모란 줄을 망연이 아지
못ᄒ니, 즁심의 넘녀 비홀 곳이 업ᄉᆞᄃᆡ, 감
히 모친긔도 뭇ᄌᆞᆸ지 못ᄒ고, ᄌᆞ긔 양씨를
칼노 지른 줄은 부공과 졔형이 다 모로므로
아라 힝희ᄒᄃᆡ, 모친이 맛춤닉 긔이지 아니
실 줄 혜아려, 부친이 아르시ᄂᆞᆫ 날이면 ᄎᆡᆨ
죄(責罪)ᄒ샤미 아모 지경의 갈 줄을 아지
못ᄒ여, 은위만복(隱憂滿腹)ᄒᄃᆡ 맛춤닉 삼
가고 조심ᄒᄂᆞᆫ 뜻이 업ᄉᆞ니, 엇지 졍도의
나아갈 길히 머지 아냐시리오.

　이러구러 태우의 ᄌᆡ취길일(再娶吉日)이
다ᄃᆞ르니, 금평휘 슉녈과 《좌‖하》부인도
오라 아니ᄒ고,【52】다만 진부 졔인과 린
니 졀친을 약간 쳥ᄒ고, 쥬찬을 약셜(略設)
ᄒ여 닉외 빈킥을 졉ᄃᆡ홀ᄉᆡ, 즁빈(衆賓)이
소양씨 좌의 업ᄉᆞᄆ를 므른ᄃᆡ, 진부인이 아미
를 빈츅ᄒ고 그 병셰 비경ᄒ여 좌의 나지

아미를 빈튝(嚬蹙)ㅎ고 그 병셰 비경(非輕)ㅎ여 좌의 나디 못ㅎ여시믈 듸ㅎ더라.

일쇽이 반오(半午)의 븍공이 태우를 다리고 닉당의 니르러 길복을 츠즈니, 부인이 니르디,

"양현비 길복을 다스리다가 괴이흔 병을 드러시니 다ㅎ여시믈 아디 못ㅎ리로다."

언파의 시녀로 ㅎ여곰 길의를 가져 오라 ㅎ니, 시녜 즉시 옥함(玉函)의 길복을 밧드러 나아오니, 부인이 식부의 침션을 좌듕의 즈랑ㅎ고, 홀연 옥면이 츄연ㅎ여 기리 탄식 냥구(良久)의, 태우를 도라보아 굴오디,【69】

"호신디벽(豪身之癖)은 탕즈의 녜시(例事)어니와, 모로미 오긔(吳起)1186)의 박힝(薄行) 패도(悖道)를 본 밧디 말고, 고인을 경듸(敬待)ㅎ며 신인을 편케 ㅎ여 가닉의 어즈러온 일이 업게 ㅎ라."

태부인이 우연(憂然) 탄왈,

"경계ㅎ며 당부ㅎ여 드를 위인이 아닌 후는 닐너 쓸 듸 업ㅎ니, 제 아비 슌셜을 허비치 아니려 ㅎ미 그르디 아닌디라. ㅎ믈며 늙은 한미와 약흔 즈모의 말을 니르리오"

태위 불승황공 ㅎ여 감히 낫츨 드디 못ㅎ더라.

날이 느즈미 존당 부모긔 하직고, 허다 위의를 거느려 셩부의 니르러 옥상(玉床)의 홍안을 젼ㅎ미, 셩한님 등이 팔 미러 좌의 나아가니, 신낭의 영풍쥰골(英風俊骨)이 늠연 쇄락ㅎ여 완연이 뎍강(謫降) 니빅(李白)1187)이라.【70】 셩빅이 흔연 이듕ㅎ고 좌긱이 쾌셔 어드믈 칭하ㅎ여 빈쥬 즐기더

1186) 오긔(吳起) : B.C.440~B.C.381. 중국 전국 시대(戰國時代)의 병법가(兵法家). '오기살처(吳起殺妻)'의 고사로 유명하다.
1187) 니빅(李白) : 중국 당나라 때의 시인. 701~762. 자는 태백(太白). 호는 청련거사(靑蓮居士). 칠언 절구에 특히 뛰어났으며, 이별과 자연을 제재로 한 작품을 많이 남겼다. 현종과 양귀비의 모란연(牧丹宴)에서 취중에 <청평조(淸平調)> 3수를 지은 이야기가 유명하다. 시성(詩聖) 두보(杜甫)에 대하여 시선(詩仙)으로 칭하여진다. 시문집에 ≪이태백시집≫ 30권이 있다.

못ㅎ여시믈 듸ㅎ더라.

일쇽이 반오(半午)에 북공이 태우를 드리고 닉당의 니르러 길복을 츠즈니, 부인이 니르디,

"양현비 길복을 다스리다가 괴이흔 병을 드러시니 다ㅎ엿시믈 아지 못ㅎ리로다."

언파의 시녀로 ㅎ여곰 길의를 가져 오라 ㅎ니, 시녜 옥함(玉函)의 길복을 밧드러 나아오니, 부인이 식부의 침션을 좌즁에 즈랑ㅎ고, 홀연 옥면이 츄연ㅎ여 기리 탄식 양구(良久)의, 태우를 도라보아 굴오디,

"호신지벽(豪身之癖)은 탕즈의 녜시어니와, 모로미 오긔(吳起)1128)의 학힝(虐行) 픽도(悖道)를 본밧지 말라. 고인을 경듸ㅎ며 신인을 편케 ㅎ【53】여 가닉의 어즈러온 일이 업게 ㅎ라."

태부인이 우연(憂然) 탄왈,

"경계ㅎ며 당부ㅎ여 드를 위인이 아닌 후는 닐너 쓸 듸 업ㅎ니, 제 아비 슌셜을 허비치 아니려ㅎ미 그르지 아닌지라. ㅎ믈며 늙은 한미와 약흔 즈모의 말을 니르리오."

태위 불승황공ㅎ여 감히 낫츨 드디 못ㅎ더라.

날이 느즈미 존당 부모긔 하직고 허다 위의를 거느려 셩부의 이르러 옥상(玉床)의 《오믈∥홍안을》 젼ㅎ미, 셩한님 등이 팔 미러 좌의 나아가니, 신낭의 영풍쥰골(英風俊骨)이 늠연 쇄락ㅎ여 완연이 젹강(謫降) 니빅(李白)1129)이라. 셩빅이 흔연 이즁ㅎ고 좌긱이 쾌셔 어드믈 칭하ㅎ여 빈쥬 즐기더

1128) 오긔(吳起) : B.C.440~B.C.381. 중국 전국 시대(戰國時代)의 병법가(兵法家). '오기살처(吳起殺妻)'의 고사로 유명하다.
1129) 니빅(李白) : 중국 당나라 때의 시인. 701~762. 자는 태백(太白). 호는 청련거사(靑蓮居士). 칠언 절구에 특히 뛰어났으며, 이별과 자연을 제재로 한 작품을 많이 남겼다. 현종과 양귀비의 모란연(牧丹宴)에서 취중에 <청평조(淸平調)> 3수를 지은 이야기가 유명하다. 시성(詩聖) 두보(杜甫)에 대하여 시선(詩仙)으로 칭하여진다. 시문집에 ≪이태백시집≫ 30권이 있다.

라.

이윽고 신뷔 샹교ᄒᄆᆡ 신낭이 슌금쇄약(純金鎖鑰)을 가져 봉교(封轎)ᄒᄀᆡ를 맛ᄎᄆᆡ, 위의를 휘동ᄒ여 부듕의 도라올ᄉᆡ, 허다 요긱(繞客)이 남취녀가(男娶女嫁)의 위의(威儀) 되어시니, 명공후빅(名公侯伯)이 젼ᄎᆞ후응(前遮後應)ᄒ여 ᄉᆞ마(駟馬)1188) ᄮᅡᆼ곡(雙曲)1189)이 대로의 몌엿고, 싱소고악(笙簫鼓樂)1190)이 하날의 드레ᄂᆞᆫ 가온ᄃᆡ, 신낭의 션풍옥골(仙風玉骨)이 슈려쇄락(秀麗灑落)ᄒ여 태양이 빗츨 아이니, 관시ᄌᆡ(觀視者) 칙칙(嘖嘖) 칭션(稱善)ᄒᄃᆞ라.

부듕의 도라와 냥 신〇[인]이 합ᄌᆞᆼ[근]교비(合卺交拜)1191)를 파ᄒᆞ고 금쥬션(錦珠扇)을 반개(半開)ᄒᆞ니, 신부의 화ᄐᆡ미딜(花態美質)이 긔긔묘묘(奇奇妙妙)ᄒ여 풍뉴호걸의 황홀ᄒᆞᆫ 졍을 닛글【71】 디라.

녜파(禮罷)의 신낭이 만면 희ᄉᆡᆨ으로 나가고 신뷔 단장을 곳쳐 존당 구고긔 폐빅(幣帛)1192)을 헌(獻)ᄒᄃᆞ라【72】

라.

이윽고 신뷔 샹교ᄒᄆᆡ 신낭이 슌금쇄약(純金鎖鑰)을 가져 봉교(封轎)ᄒᄀᆡ를 맛ᄎᄆᆡ, 위의를 휘동ᄒ여 부즁에 도라올ᄉᆡ, 허다 요긱(繞客)이 남취녀가(男娶女嫁)의 위의(威儀) 되엿시니, 명공후【54】빅(名公侯伯)이 젼ᄎᆞ후응(前遮後應)ᄒ여 ᄉᆞ마(駟馬)1130) ᄮᅡᆼ곡(雙曲)1131)이 대로의 니이고, 싱소고악(笙簫鼓樂)1132)이 하늘의 들네ᄂᆞᆫ 가온ᄃᆡ, 《양삼∥신낭》의 션풍옥골(仙風玉骨)이 슈려쇄락(秀麗灑落)ᄒ여 태양이 빗츨 아이니, 관시ᄌᆡ(觀視者) 칙칙칭션(嘖嘖稱善)《ᄒ여∥ᄒᄃᆞ라》.

부듕의 도라와 양 신인이 합ᄌᆞᆼ[근]교비(合卺交拜)1133)를 파ᄒᆞ고 금쥬션(錦珠扇)을 반기ᄒᆞ니 신부의 화ᄐᆡ미질(花態美質)이 긔긔묘묘(奇奇妙妙)ᄒ여 풍뉴호걸의 황홀ᄒᆞᆫ 졍을 닛글지라.

녜파(禮罷)의 신낭이 만면 희ᄉᆡᆨ으로 나가고 신뷔 단장을 곳쳐 존당 구고긔 폐빅(幣帛)1134)을 헌(獻)ᄒᄃᆞ라.

1188) ᄉᆞ마(駟馬) : 네 필의 말이 끄는 수레.
1189) ᄮᅡᆼ곡(雙曲) : 귀인의 행차나 혼인행렬이 지나가는 데 방해받지 않도록 잡인의 통행을 금하는 피리나 나팔 등의 악기 소리.
1190) 싱소고악(笙簫鼓樂) : 생황(笙篁)과 통소(簫), 북 등의 악기.
1191) 합근교비(合卺交拜) : 전통 혼례에서, 신랑 신부가 서로 잔을 주고받고[합근], 절을 주고받고[교배] 하는 의례.
1192) 폐빅(幣帛) : 신부가 처음으로 시부모를 뵐 때 큰절을 하고 올리는 물건. 또는 그런 일. 주로 대추나 포 따위를 올린다.

1130) ᄉᆞ마(駟馬) : 네 필의 말이 끄는 수레.
1131) ᄮᅡᆼ곡(雙曲) : 귀인의 행차나 혼인행렬이 지나는 데 방해받지 않도록 잡인의 통행을 금하는 피리나 나팔 등의 악기 소리.
1132) 싱소고악(笙簫鼓樂) : 생황(笙篁)과 통소(簫), 북 등의 악기.
1133) 합근교비(合卺交拜) : 전통 혼례에서, 신랑 신부가 서로 잔을 주고받고[합근], 절을 주고받고[교배] 하는 의례.
1134) 폐빅(幣帛) : 신부가 처음으로 시부모를 뵐 때 큰절을 하고 올리는 물건. 또는 그런 일. 주로 대추나 포 따위를 올린다.

명듀보월빙 권디칠십칠

어시의 신낭이 녜파(禮罷)의 만면 회식으로 나가고 신뷔 단장을 곳쳐 존당 구고긔 폐빅을 헌ᄒ고 팔비대례(八拜大禮)를 힝ᄒ니, 좌듕이 일시의 거안시디(擧眼視之) ᄒᄆᆡ, 신부의 홀난(焜爛)ᄒᆫ ᄌᆞ틱 홍믹화(紅梅花) 납셜(臘雪)1193)을 ᄯᅴᆫ엿ᄂᆞᆫ 듯, 무릉도원(武陵桃源)1194)의 삼식되(三色桃)1195) 이슬을 ᄯᅥᆯ친 듯, 뉵쳑신댱(六尺身長)과 일쳑셰요(一尺細腰)의 긴 단장을 ᄯᅳᆯ고, 운환(雲鬟)1196) 무빈(霧鬢)1197)의 칠보금쥬(七寶金珠)를 황홀 녕농이 ᄭᅮ며 홀난ᄒᆫ 식틱를 도으니, 딘퇴녜비(進退禮拜)의 쥬션(周旋)이 영오(穎悟)ᄒ고, 힝동이 민쳡ᄒ니 날늬미 비연(飛燕)과 흡ᄉᆞᄒ고, 아름답고 교연(嬌然)ᄒᄆᆡ 남희샹의 빗ᄂᆞ 구술 ᄀᆞᆺᄐᆞ나,【1】 별ᄀᆞᆺ튼 냥안(兩眼)의 살긔등등(殺氣騰騰)ᄒ고, 초월(初月) ᄀᆞᆺ튼 아미(蛾眉)의 암ᄉᆞ(暗邪) 음난(淫亂)ᄒᆫ 긔운이 모혀시니, 범안(凡眼)은 신부의 특이 졀묘ᄒᄆᆞᆯ 칭찬ᄒᆞ딕, 금평후의 됴심경(照心鏡) 안광(眼光)과 딘부인의 춍명으로 엇디 그 현우 션악을 모로리오.

심니(深裏)의 불승추악 ᄒ고 블힝ᄒ믈 마디 아니ᄒ딕 강인ᄒ여 식을 변치 아니ᄒ고, 태부인이 흔연ᄒᆫ 빗ᄎᆞ로 신부를 무인ᄒ여 원비 양시ᄂᆞᆫ ᄉᆞ덕이 슉딘(熟盡)ᄒ고 빅힝이 초츌ᄒ니, 셔로 화목ᄒ여 '황영(皇英)1198)의

1193) 납셜(臘雪) : 납일(臘日)에 내리는 눈. 납일은 동지 뒤 셋째 미일(未日).

1194) 무릉도원(武陵桃源) : 도연명의 <도화원기>에 나오는 말로, '이상향', '별천지'를 비유적으로 이르는 말. 중국 진(晉)나라 때 호남(湖南) 무릉의 한 어부가 배를 저어 복숭아꽃이 아름답게 핀 수원지로 올라가 굴속에서 진(秦)나라의 난리를 피하여 온 사람들을 만났는데, 그들은 하도 살기 좋아 그동안 바깥세상의 변천과 많은 세월이 지난 줄도 몰랐다고 한다.

1195) 삼식되(三色桃) : 한 나무에서 세 가지 빛깔의 꽃이 피는 복숭아나무.

1196) 운환(雲鬟) : 여자의 탐스러운 쪽 찐 머리.

1197) 무빈(霧鬢) : 안개가 서린 듯한 하얀 귀밑털.

1198) 황영(皇英) : 중국 순(舜)임금의 두 왕비이자 요(堯)임금의 두 딸인 아황(娥皇)과 여영(女英)을 함

◎1135)어시에 신낭이 례파(禮罷)에 만면 회식으로 나가고, 신뷔 단장을 곳쳐 존당구고긔 폐빅을 헌ᄒ고 팔비디례(八拜大禮)를 힝ᄒ니, 좌듕이 일시의 거안시지(擧眼視之)ᄒᄆᆡ, 신부의 홀난흔 ᄌᆞ틱 홍믹(紅梅) 납셜(臘雪)1136)을 ᄯᅴᆫ엿ᄂᆞᆫ 듯, 무릉도원(武陵桃源)1137)에 삼식되(三色桃)1138) 이슬을 ᄯᅥᆯ친 듯, 뉵쳑신댱(六尺身長)과 일쳑셰요(一尺細腰)의 긴 단장을 ᄯᅳᆯ고, 운환(雲鬟)1139) 무빈(霧鬢)1140)에【55】 칠소[보]금쥬(七寶金珠)를 황홀이 ᄭᅮ며 식틱를 도으니,〇···**결락 12자**···〇[딘퇴녜비(進退禮拜)의 쥬션(周旋)이 영오(穎悟)ᄒ고], 힝동이 민쳡ᄒ니 〇···**결락 18자**···〇[날늬미 비연(飛燕)과 흡ᄉᆞᄒ고, 아름답고 교연(嬌然)ᄒᄆᆡ] 남희샹의 빗ᄂᆞ 구술 《이 찬난ᄒ고∥ᄀᆞᆺᄐᆞ나》 양안(兩眼)의 살긔등등(殺氣騰騰)ᄒ고, 초월(初月) 갓튼 아미(蛾眉)의 암ᄉᆞ(暗邪) 음악(淫惡)ᄒᆫ 긔운이 모혓시니, 범안(凡眼)은 신부의 특이 졀묘ᄒᄆᆞᆯ 층찬ᄒᆞ딕, 금평후의 조심경(照心鏡) 안광

1135) ◎ : 필사자가 선행본의 권 경계를 나타내기 위해 앞 권에 이어 필사하는 권의 시작부분에 첨가해놓은 표점. '박본'의 필사자는 100권100책의 선행본을 35권35책으로 분책하여 필사하면서 한 책에 선행본 2-4권씩을 별도의 권 표시 없이 이어 필사하고 있다. 그 가운데 권28은 선행본 3권을 한데 묶어 필사하였는데, 그 두 번째 권과 세 번째 권의 시작부분에 이 표점을 해놓고 있다. 권30의 58쪽에도 이 표점이 있다. "◎ 어시에…"

1136) 납셜(臘雪) : 납일(臘日)에 내리는 눈. 납일은 동지 뒤 셋째 미일(未日).

1137) 무릉도원(武陵桃源) : 도연명의 <도화원기>에 나오는 말로, '이상향', '별천지'를 비유적으로 이르는 말. 중국 진(晉)나라 때 호남(湖南) 무릉의 한 어부가 배를 저어 복숭아꽃이 아름답게 핀 수원지로 올라가 굴속에서 진(秦)나라의 난리를 피하여 온 사람들을 만났는데, 그들은 하도 살기 좋아 그동안 바깥세상의 변천과 많은 세월이 지난 줄도 몰랐다고 한다.

1138) 삼식되(三色桃) : 한 나무에서 세 가지 빛깔의 꽃이 피는 복숭아나무.

1139) 운환(雲鬟) : 여자의 탐스러운 쪽 찐 머리.

1140) 무빈(霧鬢) : 안개가 서린 듯한 하얀 귀밑털.

성수(盛事)'1199)를 효측호믈 경계호니, 신뷔 나는 드시 니러 비샤슈명(拜謝受命)호나, 양시를 보디 아냐시딕 그 일큿는 말을 드르니 그으기 쇠심(猜心)이 만복(滿腹)호딕, 【2】사룸 되오미 간힐능녀(奸黠凌厲)호여 닉외 다른다라. 스식의 낫타니미 업스니 뉘 그 속의 니검(利劍)을 장(藏)흔 줄 알니오. 듕인이 년셩(連聲) 치하호여 왈,

"금일 신부는 셰샹의 무빵흔디라. 존문의 복경을 하례호ᄂ이다."

태부인과 금평후 부뷔 좌슈우응(左酬右應)의 강인(强忍) 스샤(謝辭)호더니, 일모도원(日暮途遠)호미 졔킥이 각산귀가(各散歸家)호고, 신부 슉소를 션슈졍의 뎡호여 도라보닉고, 태원던의 촉을 니으미 평후 부뷔 태부인을 뫼셔 말솜홀시, 금휘 좌우의 븍공과 닉부 밧 외인이 업스믈 보고, 믄득 탄왈,

"금일 신부를 보니 밋친 셰흥을 더옥 그릇 민들 위인이라. 엇디 경악디 아니리오."

븍【3】공이 고 왈,

"신뷔 굿틱여 긔특다 니를 거시 업고 사룸의 셩졍을 상히올 위인이로딕, 삼데의 댱원흔 상뫼 졀노뼈 길게 화락디 못호오리니, 언마 오릭리잇가?"

공이 졈두 왈,

"여언이 맛당호딕, 셰흥이 스식(邪色)을 본 일 업시 근간 광망(狂妄)흔 가온딕, 다시 요믈을 만나시니 아조 실셩키 쉬올디라. 엇디 한심 츠악디 아니리오."

태부인은 탄식 무언이오. 딘부인은 태우의 힝스를 골돌흠믈 마디 아니호더라.

츠야의 태위 신방의 니르니, 신뷔 니러

(眼光)과 진부인의 춍명으로 엇지 그 션악을 모로리오. 심니에 불승츠악호고 불힝흠믈 마지 아니호딕, 강잉호여 식을 변치 아니호고, 태부인이 흔연히 빗츠로 신부를 무이호여, 원비 양씨는 사덕이 슌직호고 빅힝 초츌호니, 황녀(皇女)1141)의 ᄌ미를 효측호라 호니, 신뷔 비샤슈명(拜謝受命)호나, 양씨를 보지 아냐시딕 그 일큿는 말을 드르니 그으기 쇠심이 만복호딕 ,사룸 되오미 간힐능이[려](奸黠凌厲)호여 닉외 다른다라. 스식의 낫타니미 업스니, 뉘 그 속에 니검(利劍)을 장흔 줄 알【56】니오. 줌인이 연셩(連聲) 치하호여 왈,

"금일 신부는 셰샹의 무빵흔지라. 존문의 복경을 하례호ᄂ이다."

태부인과 금평후 부뷔 좌슈우응(左酬右應)의 강잉 스샤호더니, 일모도원(日暮途遠)호미 졔킥이 각산귀가(各散歸家)호호고, 신부 슉소를 션슈졍의 졍호여 도라 보닉고 태원던의 촉을 니으미, 평후 부뷔 태부인을 뫼셔 말솜홀시, 금휘 좌우에 북공과 닉부 밧 외인이 업스믈 보고, 믄득 탄왈,

"금일 신부를 보니 밋친 셰흥을 더욱 그릇 민들 위인이라. 엇지 경악지 아니리오."

북공이 고 왈,

"신뷔 굿호여 긔특다 니를 거시 업고 사룸의 셩졍을 상히올 위인이로딕, 삼데의 장원흔 상뫼 져로뼈 길게 화락지 못호오리니, 얼마 오릭리잇가?"

공이 졈두 왈,

"여언이 맛당호딕, 셰흥이 스식(邪色)을 본 일 업시 근간 광망(狂妄)흔 가온딕, 다시 요믈을 만나시니 아조 실셩키 쉬【57】올지라, 엇지 한심 츠악지 아니리오."

태부인은 탄식 무언이오, 진부인은 태우의 힝스를 골돌흠믈 마지 아니호더라.

츠야에 태위 신방의 니르니, 신뷔 니러 마ᄌ미 태위 팔 미러 좌를 졍호고 촉영지하

께 이르는 말.
1199)황영(皇英)의 성수(盛事) : 요(堯)임금의 두 딸인 아황(娥皇)과 여영(女英)이 순(舜)에게 시집가서, 자매가 서로 화목하며 순임금을 잘 섬긴 일.

1141)황녀(皇女) : =황영(皇英). 중국 순(舜)임금의 두 왕비이자 요(堯)임금의 두 딸인 아황(娥皇)과 여영(女英)을 함께 이르는 말.

마즈미 태위 팔 미러 좌를 뎡ᄒ고, 쵹영디하(燭影之下)의 져를 디ᄒ미 그 션연미딜(嬋娟美質)이 취운산상의 【4】 얼프시 보고 오미(寤寐)의 밋쳣던 바, 금연[녕]의 님지라. 반가오미 극ᄒ고 무궁ᄒ 은졍이 십 솟 듯ᄒ디, 오히려 금연[녕]을 몬져 더디던 일이 측ᄒ여, 그 위인을 즈셔히 슬핀 후 화락고져 ᄒ더니, 다시 싱각ᄒ디,

"내 양시로 더브러 여산듕졍(如山重情)을 펴디 못ᄒ고, 월하션 등을 ᄂᆡ여 보ᄂᆡ고 슈월 환거(鰥居)의 괴로오미 심ᄒᆞᆫ디라. 츠인의 힝ᄉᆡ 비록 긔특디 못ᄒ나 챵녀만은 흘디라. 속담의 '츄쳐(醜妻) 악쳡(惡妾)도 승공방(勝空房)이오, 박박탁쥬(薄薄濁酒)도 승다탕(勝茶湯)이라'1200) ᄒ니, 여ᄎ 졀염을 일방의 쳐ᄒ여 남ᄋ의 졍의를 요동치 아니미 괴믈이라."

ᄒ여, 희연이 웃고 신부를 【5】향ᄒ여 골오디,

"져젹 산경을 잠간 유완코져 ᄒ 거시 피ᄎ 타문 남녀로 셔로 얼골을 디ᄒ여, 그디이 뎡여빅을 바리디 아니ᄒ려 금연[녕]으로뼈 다졍ᄒ 뜻을 뵈시니 그윽이 감샤ᄒ디, 싱이 계무소츌(計無所出)1201)ᄒ여 감히 귀쇼져로뼈 지실을 구치 못ᄒ더니, 셩은이 빗기 더으샤 샤혼(賜婚)ᄒ시ᄂᆞᆫ 영광으로 금일 그디를 마즈 도라오니, 일○[인]즉 영힝ᄒ나 그디 일싱이 날 ᄀᆞᆺ튼 빅힝 필부의 쇽ᄒ여 괴로오미 만흘가 두리노라."

난홰 념티(廉恥) 상단(喪盡)ᄒ나 금연[녕] 디ᄉ(金鈴之事)를 일ᄏᆞᄅᆞᄆᆞᆯ 보니 잠간 참괴ᄒ여 침음홀ᄉᆡ, 믄득 공교로온 의ᄉᆡ 니러나니, 금연[녕] 더 【6】 디미 졔 뜻이 아니믈 빗최고져 ᄒ여, 슈용함틱(羞容含態) 왈,

"쳡은 유튱ᄒ 쇼녀지라. 싱셰의 부형밧근 얼골을 디ᄒ 지 업더니, 브졀업시 규슈의

1200) 츄쳐(醜妻) 악쳡(惡妾)도 승공방(勝空房)이오 박박탁쥬(薄薄濁酒)도 승다탕(勝茶湯)이라 : 추처 악첩도 없는 것보다는 낫고, 아무리 맛없는 술이라도 차(茶)보다는 낫다.

1201) 계무소츌(計無所出) : 아무리 꾀를 내어도 방법이 나오지 않음.

(燭影之下)의 져를 디ᄒ미, 그 션연미질(嬋娟美質)이 취운산상에셔 얼프시 보고 오미에 밋쳣던 바 금년[녕](金鈴)의 님지라. 반가오미 극ᄒ고 무궁ᄒ 은졍이 싀암 솟 닷ᄒ디, 오히려 금년[녕]을 몬져 더지던 일이 측ᄒ여, 그 위인을 즈셔히 슬핀 후 화락고져 ᄒ더니, 다시 싱각ᄒ디,

"내 양씨로 더브러 여산듕졍(如山重情)을 펴지 못ᄒ고, 월하션 등을 ᄂᆡ여 보ᄂᆡ고 슈월 환거(鰥居)의 괴로오미 심ᄒᆞᆫ지라. 츠인의 힝ᄉᆡ 비록 긔특지 못ᄒ나 챵녀마ᄂᆞᆫ 흘지라. 속담에 닐넛시되 '○○[츄쳐(醜妻)] 악쳡(惡妾)도 승공방(勝空房)이오, 박박○[탁]쥬(薄薄濁酒)도 승다판[탕](勝茶湯)이라'1142) ᄒ니, 여ᄎ 졀넘을 일방의 쳐ᄒ여 남ᄋ의 졍의를 요 【58】 동치 아니미 괴믈이라."

ᄒ여, 희연이 웃고 셩씨를 향ᄒ여 골오디,

"져젹 산경을 잠간 유완코져 ᄒ 거시 피ᄎ 타문 남녀로 셔로 얼골을 디ᄒ여, 그디이 뎡여빅을 바리지 아니ᄒ려 금연[녕]으로뼈 다졍ᄒ 뜻을 뵈시니 그윽이 감샤ᄒ디, 싱이 계무소츌(計無所出)1143)ᄒ여 감히 귀소져로뼈 지실을 구치 못ᄒ더니, 셩은이 빗기 더으샤 ᄉᆞ혼(賜婚)ᄒ시ᄂᆞᆫ 영광으로 금일 그디를 마즈 도라오니, 일○[인]즉 영힝ᄒ나 그디 일싱이 날 ᄀᆞᆺ튼 박힝 필부의 쇽ᄒ여 괴로오미 만흘가 두리노라."

난홰 념치(廉恥) 상진(喪盡)ᄒ나 금년[녕] 지○[ᄉ](金鈴之事)를 일ᄏᆞᄅᆞᄆᆞᆯ 보니 잠간 참괴ᄒ여 침음홀ᄉᆡ, 믄득 공교로온 의ᄉᆡ 니러나니, 금년[녕] 더지미 졔 뜻이 아니믈 빗최고져 ᄒ여, 슈용함틱(羞容含態) 왈,

"쳡은 유튱ᄒ 소녀지라. 싱셰의 부형밧근 얼골을 디ᄒ 지 업더니, 부졀업시 규슈의

1142) 츄쳐(醜妻) 악쳡(惡妾)도 승공방(勝空房)이오 박박탁쥬(薄薄濁酒)도 승다탕(勝茶湯)이라 : 추처 악첩도 없는 것보다는 낫고, 아무리 맛없는 술이라도 차(茶)보다는 낫다.

1143) 계무소츌(計無所出) : 아무리 꾀를 내어도 방법이 나오지 않음.

조취 산경을 유완ᄒ다가, 의외의 외인을 만나시니 치신무디(置身無地) ᄒ거늘, 금연[녕]을 더딜 넘티 어이 이시리잇고마는, 첩의 부뫼 첩을 만ᄂᆡ(晩來)의 어든 비라. ᄌ식을 위ᄒᆞᆫ 정이 구구키를 면치 못ᄒ여 미양 팔ᄌ를 츄졈ᄒ여 복셜(卜說)을 미드미, 모일(某日)의 이인(異人)을 만나, 금연[녕]을 첩의게 젼ᄒ여 '취운산샹의 가 만나는 사람의게 젼ᄒ라.' ᄒ거늘, 첩이 ᄎ마 못홀 노로시라 ᄒ여 사양ᄒ니, 이인이 니르ᄃᆡ, '블연즉 삼오(三五)【7】를 넘디 못ᄒ고 쇽졀 업시 셰상을 니별ᄒ리라.' 져희미1202), 첩의 모친이 경동ᄒ여 위력으로 운산의 보ᄂᆡ여 이 거죄 잇게 ᄒ니, 싱각홀ᄉ록 ○○[참괴]ᄒ미 욕ᄉ무디(欲死無地)라. 쳥컨ᄃᆡ 기시(其時)를 일콧디 마르쇼셔."

언파의 붓그리는 거동이 낫 둘 곳이 업는 ᄃᆞᆺᄒ니, 셰흥이 실셩발광홀 마ᄃᆡ 곳 아니면, 혹디 아냐 젼일 춍긔 이시렷마는, 요ᄉ(妖邪)의 ᄲᅢ딜 ᄭᅵ니, 딘짓말노 듯고, 흔연 쇼어(笑語)ᄒ여 집기슈(執其手) 년기슬(連其膝)ᄒ여 니르ᄃᆡ,

"텬연이 듕ᄒ미 하날이 디시(指示)ᄒ도다. 금연[녕]이 듕미 되니 쳔고의 희한ᄒ미라, 그ᄃᆡ 엇디 슈괴(羞愧)ᄒᄂ뇨?"

언파의 촉을 믈니고 닛그러 금니(衾裏)의 나아가니, 싱의 무궁ᄒᆫ 졍과 난화【8】의 음난ᄒᆫ 졍티 비길 ᄃᆡ 업스며, 풍뉴 탕ᄌ의 《음측은욕∥음욕은 측1203)》ᄒ고 음녀의 졍이 창물(娼物)의 디난다라. 싱의 유모 셜패 규시ᄒ니, 그 아니쇼으며 음측(淫-)1204)ᄒᆫ 거동을 대강 존당의 고ᄒ니, 냥(兩) 부인이 한심코 블힝ᄒ여 ᄒ더라.

셩시 구가의 머므러 구고와 가부를 은악양션(隱惡佯善)으로 셤겨 사람의 이목을 ᄀ리오고, 금장쇼고(襟丈小姑)1205)로 간슈히 ᄉ

1202)져희다 : 저히다. 두렵게 하다. 위협하다.
1203)측ᄒ다 : 망측(罔測)하다. 추악(醜惡)하다. 언짢다.
1204)음측(淫-) : 음란하고 망측함.
1205)금장쇼고(襟丈小姑) : 동서와 시누이를 함께 이르는 말.

조취 산경을 유완ᄒ다가, 의외에 외인【59】을 만나시니 치신무지(置身無地)ᄒ거늘, 금년[녕]을 더질 넘치 어듸 잇시리잇고마는, 첩의 부뫼 첩을 만ᄂᆡ(晩來)에 어든 비라. ᄌ식을 위ᄒᆞᆫ 졍니 구구키를 면치 못ᄒ여 미양 팔ᄌ를 츄졈ᄒ여 복셜을 밋으미, 모일에 이인을 만나 금년[녕]을 첩에게 젼ᄒ여 취운산상의 가 만나는 사람에게 젼ᄒ라 ᄒ거늘, 첩이 ᄎ마 못홀 노로시라 ᄒ여 사양ᄒ니, 이인이 니르ᄃᆡ, '블연즉 삼오(三五)를 넘지 못ᄒ고 쇽졀업시 셰상을 니별ᄒ리라.' 져희미1144), 첩의 모친이 경동ᄒ여 위력으로 운산의 보ᄂᆡ여 이 거죄 잇게 ᄒ니, 싱각홀ᄉ록 참괴ᄒ미 욕ᄉ무지(欲死無地)라. 쳥컨ᄃᆡ 기시(其時)를 일ᄏ지 마르쇼셔."

언파에 붓그리는 거동이 낫 둘 곳이 업는 ᄃᆞᆺᄒ니, 셰흥이 실셩발광홀 마ᄃᆡ 곳 아니면 혹지 아냐 젼일 춍긔 잇시렷마는, 요ᄉ의 ᄲᅢ딜 ᄭᅵ니, 진짓 말노 듯고, 흔연 소어(笑語)ᄒ여 옥슈를 잡고【60】므릅홀 다혀 니르ᄃᆡ,

"텬연이 즁ᄒ미 하늘이 지시(指示)ᄒ도다. 금년[녕]이 즁미 되니 쳔고의 희한ᄒ미라, 소졔 엇지 슈괴(羞愧)ᄒᄂ뇨?"

언파에 촉을 믈니고 닛그러 금니에 나아가니, 싱의 무궁ᄒᆫ 졍과 난화의 음난ᄒᆫ 《졍의∥졍티》 비길 ᄃᆡ 업스며, 풍뉴 탕ᄌ의 《음츄 은욕∥음욕은 측1145)》ᄒ고, 음녀의 졍이 창물의 지난지라. 싱의 유모 셜패 규시ᄒ니, 그 아니쇼으며 음츄(淫醜)1146)ᄒᆫ 거동을 ᄃᆡ강 존당에 고ᄒ니, 양(兩) 부인이 한심코 블힝ᄒ여 ᄒ더라.

셩시 구가의 머므러 구고와 가부를 은악양션(隱惡佯善)으로 셤겨 사람의 이목을 ᄀ리오고, 금장소고(襟丈小姑)1147)로 간슈히

1144)져희다 : 저히다. 두렵게 하다. 위협하다.
1145)측ᄒ다 : 망측(罔測)하다. 추악(醜惡)하다. 언짢다.
1146)음츄(淫醜) : 음란하고 더러움.
1147)금장소고(襟丈小姑) : 동서와 시누이를 함께 이르는 말.

괴여 졍을 미즈나, 평후 부부와 븍공은 안치 타류와 다르니 거즛 화긔로 원망을 닐위디 아니려 ᄒ더라.

셩시 구고(舅姑) 존당(尊堂) 금장(襟丈) 슉미(叔妹)1206)의 깁혼 ᄯᅳᆺ을 모로고, 흔갓 안식을 가다듬아 뎡태우를 아조 농낙(籠絡)1207) 듕 너코져 ᄒ여, 승슌군ᄌ(承順君子)ᄒ여 그 보도랍고 아릿【9】다오며 그림지 조츤 ᄃᆞ시 ○○○[ᄯᅩ로니] 휴휴댱부(休休丈夫)1208)의 고혹(蠱惑)홀 비라.

이러므로 태위 대혹(大惑)ᄒ여, 존젼(尊前) 시참(侍參) 외의는 쥬야로 션슈졍을 ᄯᅥ나디 아니ᄃᆡ, 일념의 양시 상쳐를 우려ᄒ더니, 일삭이 디나미 양시 상쳬 븍공의 약효를 힘 닙어 상쳬 완합ᄒ고 긔븨 소셩ᄒ니, 금평휘 그 상흔 곡졀은 모로ᄃᆡ 병이 나으믈 깃거, 양시를 블너 겻틱 안치고 ᄯᅩ 셩시를 블너 면젼의 니르미, 공이 양시를 가ᄅᆞ쳐 왈,

"이 곳 ᄋᆞᄌ의 조강이라. 명문 슉녀니 금일 신뷔 쳐음으로 보는 녜를 폐치 말나. 쇼부는 양현부와 ᄌ미의 의를 미즈면 가닉 화평홀 거시로ᄃᆡ, ᄋᆞ지 무식 박힝ᄒ니 망【10】측흔 일이 만흐려니와, 양현부는 광부의 위인을 아는 빈니, 아모 괴이흔 일이 이셔도 요란치 아니리라."

셩시 태우의 원비 양시 어딜믈 드를 ᄲᅮᆫ이오, 그 얼골을 보디 못ᄒ엿더니, 금일 흔 번 보미 그 식광이 찬난슈려ᄒ여 계궁명월(桂宮明月)이오 금분(金盆)의 화왕(花王)이라. 팔쳐(八彩)1209)○[는] 셩ᄌ긔믹(聖姿氣脈)이오, 오쳐(五彩)1210) 녕농(玲瓏)ᄒ고, 톄디댱단(體肢長短)의 긔이홈과 일신 위풍이 님하

1206)슉미(叔妹) : =소고(小姑). 시누이.
1207)농낙(籠絡) : 새장과 고삐라는 뜻으로, 남을 교묘한 꾀로 휘잡아서 제 마음대로 놀리거나 이용함.
1208)휴휴댱부(休休丈夫) : 마음이 너그럽고 자잘한 일에 관심을 두지 않는 사내.
1209)팔쳐(八彩) : 눈썹의 광채. '八'은 눈썹의 모양과 같다 하여, 눈썹을 나타내는 말로 많이 쓰임.
1210)오쳐(五彩) : 파랑, 노랑, 빨강, 하양, 검정의 다섯 가지 색.

스괴여 졍을 미즈나, 평후 부부와 북공은 안치 타류와 다르니 거즛 화긔로 원망을 일위지 아니려 ᄒ더라.

셩씨 구고(舅姑) 존당(尊堂) 금장(襟丈) 슉미(叔妹)1148)의 깁혼 ᄯᅳᆺ을 모로고, 흔갓 안식을 다듬아 뎡태우를 아조 농【61】낙(籠絡)1149) 즁 너코져 ᄒ여, 승슌군ᄌ(承順君子)ᄒ여 그 브드럽고 아리ᄯᅡ오며 그림지 좃춘 다시 ○○○[ᄯᅩ로니], 휴휴장부(休休丈夫)1150)의 고혹(蠱惑)홀 비라.

이러므로 태위 디혹(大惑)ᄒ여 존젼(尊前) 시참(侍參) 외의는 쥬야로 션슈졍을 써나지 아니ᄃᆡ, 일념에 양씨 상쳐를 우려ᄒ더니, 일삭이 지나미 양씨 상쳬 북공의 약효를 닙어 상쳬 완합ᄒ고 긔븨 소셩ᄒ니, 금평휘 그 상흔 곡졀은 모로ᄃᆡ 병이 나으믈 깃거, 양씨를 불너 겻히 안치고, ᄯᅩ 셩씨를 불너 면젼의 니르미, 공이 양씨를 ᄀᆞ르쳐 왈,

"이 곳 ᄋᆞᄌ의 조강이라. 명문 슉녀니 금일 신뷔 쳐음으로 보는 례를 폐치 말나. 소부는 양현부와 ᄌ미의 의를 미즈면 가닉 화평홀 거시로ᄃᆡ, ᄋᆞ지 무식 박힝ᄒ여 망측흔 일이 만흐려니와, 양현부는 광부의 위인을 아는 빈니, 아모 괴이흔 일이 이셔도 요란치 아니리라."

셩씨 태우의 원비 양【62】씨 어질믈 드를 ᄲᅮᆫ이오, 그 얼골을 보지 못ᄒ엿더니, 금일 흔 번 보미 그 식광이 찬난 슈려ᄒ여 계궁명월(桂宮明月)이오 금분(金盆)에 화왕(花王)이라. 팔쳐(八彩)1151)○[는] 《경ᄌ‖셩ᄌ》긔믹(聖姿氣脈)이오, 오쳐(五彩)1152) 녕농ᄒ고 쳬지장단(體肢長短)의 긔이홈과 일

1148)슉미(叔妹) : =소고(小姑). 시누이.
1149)농낙(籠絡) : 새장과 고삐라는 뜻으로, 남을 교묘한 꾀로 휘잡아서 제 마음대로 놀리거나 이용함.
1150)휴휴댱부(休休丈夫) : 마음이 너그럽고 자잘한 일에 관심을 두지 않는 사내.
1151)팔쳐(八彩) : 눈썹의 광채. '八'은 눈썹의 모양과 같다 하여, 눈썹을 나타내는 말로 많이 쓰임.
1152)오쳐(五彩) : 파랑, 노랑, 빨강, 하양, 검정의 다섯 가지 색.

ᄉ군ᄌᆡ(林下士君子)오, 당당ᄒᆞᆫ 슉녜라.

성시 심듕의 대경ᄒᆞ여 싀심(猜心)을 억제치 못ᄒᆞ나, 엄구 면젼이라 강인ᄒᆞ여 공슌이 녜ᄒᆞ니, 양시 쳔연 답비의 동셔로 좌ᄒᆞ니, 윤의렬 등 졔ᄉᆞ금장(娣姒襟丈)1211)이 안항(雁行)1212)을 출혀 녈좌(列坐)ᄒᆞ니, 샹광(祥光)이 셔로 바이여 고하【11】를 뎡키 어려오ᄃᆡ, 의렬의 광휘와 한업슨 덕ᄒᆡ 웃듬이오, 각각 아름다온 긔딜이 셰샹의 드믈기ᄂᆞᆫ 《슉녈이오∥ᄋ쥬쇼졔오1213)》, 그 버금은 경부인, 쇼양이라. 대양부인은 온슌유열(溫順愉悅)을 쥬(主)ᄒᆞ여 부도를 안뎡ᄒᆞᆯ ᄯᆞᆫ이오, 강엄녈일(剛嚴烈日)ᄒᆞ미 업고, 쇼니시ᄂᆞᆫ 화슌쳥활(和順淸闊)ᄒᆞ며 쳥고인현(淸高仁賢)ᄒᆞ여 딘짓 녜부의 비필이오, 대니시ᄂᆞᆫ 식모를 의논ᄒᆞᆯ 거시 업ᄉᆞ나, 덕냥의 흠 업기ᄂᆞᆫ 거의 의렬을 ᄯᅬ올 거시오, 또 총명 달식이 의렬의 명셩ᄒᆞ믈 ᄯᅵ두ᄒᆞᆯ 거시로ᄃᆡ, 의렬은 겸공비약(謙恭卑弱)ᄒᆞ미 더ᄒᆞ고, 니부인은 쾌대활연(快大豁然)ᄒᆞ여 쥰걸의 댱부 ᄀᆞᆺᄐᆞ디라.

금휘 좌우로 고면(顧眄)○○[ᄒᆞ여] 두굿거온 입이 스스로 열니믈 ᄭᆡᄃᆞᆺ디 못【12】ᄒᆞ더라.

양쇼져를 성시 이신 후ᄂᆞᆫ 협실의 두미, 듕궤(中饋)1214)를 성시의게 도라보님 ᄀᆞᆺᄐᆞᆫ 고로, 이의 명ᄒᆞ여 왈,

"현부의 병이 이제ᄂᆞᆫ 츠셩ᄒᆞ여시니 션삼졍의 도라가 네 쇼임을 폐치 말나."

쇼졔 션삼졍의 도라가라 ᄒᆞ시믈 듯ᄌᆞ오미

1211)졔ᄉᆞ금장(娣姒襟丈) : 형제의 아내들의 손위 손아래의 여러 동서(同壻)들. '졔(娣)'는 손아래 동서, '사(姒)'는 손위 동서, 금장(襟丈) 손위·손아래 구분 없이 동서를 이르는 말.
1212)안항(雁行) : 기러기의 행렬이란 뜻으로, 남의 형제를 높여 이르는 말.
1213)'슉렬'은 윤광천의 원비 정혜주로 윤부 소속원이다. 따라서 이 자리에서 거론되는 것은 자연스럽지 못하다. 이 자리 인물 중 윤의렬 다음 미인은 금평후 정연의 만득녀인 정아주를 꼽아야 자연스럽다.
1214)듕궤(中饋) : 안살림 가운데 음식에 관한 일을 책임 맡은 여자. 늑주궤(主饋).

신 위풍이 님하ᄉ군ᄌᆡ(林下士君子)오, 당당ᄒᆞᆫ 슉녜라.

셩씨 심즁의 대경ᄒᆞ여 싀심을 억졔치 못ᄒᆞ나, 엄구 면젼이라 강잉ᄒᆞ여 공슌이 례(禮)ᄒᆞ니, 양씨 쳔연 답비의 동셔로 좌ᄒᆞ니, 윤의렬 등 졔ᄉᆞ금장(娣姒襟丈)1153)이 안항(雁行)1154)을 출혀 녈좌(列坐)ᄒᆞ니, 샹광(祥光)이 셔로 바이여 고하를 졍키 어려오ᄃᆡ, 《슉녈∥의렬》의 광휘와 한업슨 덕ᄒᆡ 웃듬이오, 각각 아름다온 긔질이 셰샹의 드믈기ᄂᆞᆫ 《의렬이오∥ᄋ쥬소졔오》, 그 버금은 경부인 소양이라. 대양부인은 온슌유열(溫順愉悅)을 쥬ᄒᆞ여 부도를 안졍ᄒᆞᆯ ᄯᆞᆫ이오, 강엄녈일(剛嚴烈日)ᄒᆞ미 업고, 소니시ᄂᆞᆫ 화슌쳥활(和順淸闊)ᄒᆞ며 쳥고인현(淸高仁賢)ᄒᆞ여 진짓 녜부의 비필이오, 대니씨ᄂᆞᆫ 식모를 의논ᄒᆞᆯ 거시【63】업ᄉᆞ나, 덕냥의 험 업시므로 가히 의렬을 ᄯᅬ올 거시오, 또 총명 달식이 의렬의 명셩ᄒᆞ믈 ᄯᆡ두ᄒᆞᆯ 거시로ᄃᆡ, 의렬은 겸공비약(謙恭卑弱)ᄒᆞ미 더ᄒᆞ고, 니부인은 쾌대활연(快大豁然)ᄒᆞ여 쥰걸의 장부 ᄀᆞᆺᄐᆞᆫ지라.

금휘 좌우를 고면(顧眄)ᄒᆞ여 두굿거온 입이 스스로 열니믈 ᄭᆡᄃᆞᆺ지 못ᄒᆞ더라.

양소져를 셩씨 잇신 후ᄂᆞᆫ 협실에 두미 듕궤(中饋)1155)를 셩씨에게 도라보님 ᄀᆞᆺᄐᆞᆫ 고로, 이에 명ᄒᆞ여 왈,

"현부의 병이 이제ᄂᆞᆫ 츠셩ᄒᆞ엿시니 션삼졍의 도라가 네 소임을 폐치 말나."

소졔 션삼졍의 도라가라ᄒᆞ믈 듯ᄌᆞ오미 놀나오미 ᄉᆞᄃᆡ를 향ᄒᆞᆷ ᄀᆞᆺᄐᆞ나, 감히 회포를 여지 못ᄒᆞ고 빅샤 슈명ᄒᆞᆯ ᄯᆞᆫ이러니, 믄득 북공이 ᄉᆞᄃᆡ로 더브러 드러와 대모긔 반일

1153)졔ᄉᆞ금장(娣姒襟丈) : 형제의 아내들의 손위 손아래의 여러 동서(同壻)들. '졔(娣)'는 손아래 동서, '사(姒)'는 손위 동서, 금장(襟丈) 손위·손아래 구분 없이 동서를 이르는 말.
1154)안항(雁行) : 기러기의 행렬이란 뜻으로, 남의 형제를 높여 이르는 말.
1155)듕궤(中饋) : 안살림 가운데 음식에 관한 일을 책임 맡은 여자. 늑주궤(主饋).

놀나오미 亽디(死地)를 향ᄒᆞᄂᆞᆫ 듯ᄒᆞ나, 감히 회포를 여디 못ᄒᆞ고, 유유히 비샤 슈명ᄒᆞᆯ ᄯᆞᆫ이러니, 믄득 북공이 졔뎨로 더브러 드러와 왕모긔 반일 존후를 뭇ᄌᆞᆸ고, 형뎨 ᄎᆞ례로 시좌ᄒᆞ니, 북공의 텬일디표(天日之表)와 농봉ᄌᆞ딜(龍鳳資質)이 물듕긔린(物中騏驎)1215)이오 쳘듕디졍(鐵中之錚)1216) 《징ǁ이》어늘, 녜부의 션풍옥골(仙風玉骨)과 태우의 옥면쥰골(玉面俊骨)이 다 진쇽(塵俗)의 무드디 아니ᄒᆞ고, 딕슈의 미려슉연(美麗肅然)【13】홈과, 필흥의 쇄락슈려(灑落秀麗)ᄒᆞ미 일인도 용상ᄒᆞᆫ 무리 아니라. 존당 부모의 두굿기미 비길 곳 업스ᄃᆡ 금휘 태우를 보미 통한ᄒᆞ미 ᄌᆞ심(滋甚)ᄒᆞᆯ이라. 츈풍 화긔 돈감ᄒᆞ여 상풍녈일(霜風烈日) ᄀᆞᆺᄐᆞ니, 졔 쇼졔 엇디 감히 존구의 긔식을 살피리오마는, 셩시 나리 쁜 가온ᄃᆡ 엄구의 식위를 알녀 간간이 앙견ᄒᆞ여 그 믜워ᄒᆞᄂᆞᆫ ᄌᆞ를 ᄭᆡᄃᆞ니, 이 곳 태위라. 듕심의 아쳐ᄒᆞ더니, 이윽고 공이 졔ᄌᆞ를 거ᄂᆞ려 나가고, 의렬 등이 태부인을 뫼셔 담화ᄒᆞ다가 흣터질ᄉᆡ, 경부인이 쇼양시를 도라보고, 잠쇼 왈,

"현뎨 션삼졍을 오릭갓만의 올므리로다."

양쇼졔 믄득 탄식 냥구의 ᄃᆡ왈,

"션삼졍이【14】디히(地下) 아니오, 亽디 아니로ᄃᆡ 갈 ᄆᆞ음이 아득 쳐연ᄒᆞ니, 능히 강인치 못ᄒᆞ리로소이다."

의렬이 탄왈,

"현뎨 ᄆᆞ음이 녕신(靈神)ᄒᆞ여 그러ᄒᆞ거니와, 셩인도 오는 익을 면치 못ᄒᆞ시니, 굿ᄐᆞ여 션삼졍이 현뎨의게 더옥 히로올 줄 어이 알니오."

양쇼졔 츄연이 말을 아니코 침구를 옴겨 슉실노 도라갈ᄉᆡ, 존고의 협실을 ᄯᅥ나미 강보유ᄋᆞ(襁褓乳兒) ᄌᆞ모의 품을 ᄯᅥ남 ᄀᆞᆺᄐᆞ니, 딘부인이 더옥 년ᄋᆡ(憐愛)ᄒᆞᆷ믈 마디 아니ᄒᆞ

긔후를 뭇ᄌᆞᆸ고 형뎨 ᄎᆞ례로 시좌ᄒᆞᆯᄉᆡ, 북공의 《텬셩ǁ텬션(天仙)》 ᄀᆞᆺᄐᆞᆫ 《의로ǁ의표》와 룡봉 ᄀᆞᆺᄐᆞᆫ 긔질은 물즁긔린(物中騏驎)1156)이오 쳘즁졍[지]징(鐵中之錚)1157)이【64】어늘, 녜부의 션풍옥골(仙風玉骨)과 태우의 《옥영ǁ옥면》쥰골(玉面俊骨)이 다 진쇽의 무드지 아니ᄒᆞ고, 직슈의 슉연미려(肅然美麗)홈과 필흥의 쇄락동탕(灑落動蕩)ᄒᆞ미 ᄒᆞ낫토 무심이 나ᄒᆞ니 업스니, 그 부모 존당에 두굿거워 ᄒᆞ미 어이 측냥ᄒᆞ리오마는, 금휘 태우를 보미 증홰(憎火) 가득ᄒᆞ여 츈풍 ᄀᆞᆺᄐᆞᆫ 화긔 변ᄒᆞ여 상셜(霜雪)이 번득임 ᄀᆞᆺ고, 웃던 얼골이 경각에 분긔를 ᄯᅴᆺ엿시니, 식부 등이 뉘 감히 존구의 긔식을 살피고져 ᄒᆞ리오마는, 셩씨 눈을 가나리 ᄯᅳᄂᆞᆫ 가온ᄃᆡ나 엄구의 식위를 보ᄃᆡ 알녀ᄒᆞᄂᆞᆫ 고로, 간간이 금후의 얼골을 앙견ᄒᆞ여 그 믜워ᄒᆞᄂᆞᆫ ᄌᆞ를 ᄭᆡᄃᆞ니, 이 곳 태위러라. ○⋯결락41자⋯○[듕심의 아쳐ᄒᆞ더니, 이윽고 공이 졔ᄌᆞ를 거ᄂᆞ려 나가고, 의렬 등이 태부인을 뫼셔 담화ᄒᆞ다가 흣터질ᄉᆡ], 경부인이 소양씨를 도라보아 '션삼졍으로 올므라' 니르ᄃᆡ, 양씨 ᄃᆡ왈,

"○⋯결락15자⋯○[션삼졍이 디히(地下) 아니오, 亽디 아니로ᄃᆡ] 갈 ᄆᆞ음이 아득 쳐연ᄒᆞ니, 능히 강잉치 못ᄒᆞ리로소이다."

○○[ᄒᆞ니], 의렬이 탄왈,

"현뎨 ᄆᆞ음이 영신(靈神)ᄒᆞ여 그러ᄒᆞ【65】거니와, 셩인도 오는 익을 면치 못ᄒᆞ시니 구ᄐᆞ여 션삼졍이 현뎨에게 더옥 히로올 줄 어이 알니오."

양소졔 츄연이 말을 아니코 침구를 옴겨 슉실노 도라갈ᄉᆡ, 존고의 협실을 ᄯᅥ나미 강보유ᄋᆞ(襁褓乳兒) ᄌᆞ모의 품을 ᄯᅥ남 ᄀᆞᆺᄐᆞ니 진부인이 더옥 년ᄋᆡ(憐愛)ᄒᆞᆷ믈 마지 아니ᄒᆞ

1215)물듕긔린(物中騏驎) : 천지만물 가운데 기린마 [천리마]처럼 뛰어남을 이르는 말
1216)쳘듕디징(鐵中之錚) : '쇠 가운데 징'이라는 뜻으로, 쇠로 만든 악기 가운데 가장 장중한 소리를 내는 징처럼, 무리 중 뛰어난 인물을 비유적으로 표현한 말.

1156)물듕긔린(物中騏驎) : 천지만물 가운데 기린마 [천리마]처럼 뛰어남을 이르는 말
1157)쳘듕디징(鐵中之錚) : '쇠 가운데 징'이라는 뜻으로, 쇠로 만든 악기 가운데 가장 장중한 소리를 내는 징처럼, 무리 중 뛰어난 인물을 비유적으로 표현한 말.

더라.

초일 태위 혼졍을 파흔 후 션삼졍의 니르러 쇼져를 보니, 양쇼졔 져를 되흔미 놀납고 금즉흔미 깅가일층이라. 쌍미 졔졔(齊齊)흐고, 쥬슌이 함믁(含黙)흐여 닝담 싁싁【15】흐미 젼즈의 더으고, 온식(慍色)이 현져흐니, 태위 져의 유신흐믈 아는 고로 젼일곳치 구타치 못흐고, 분노를 프디 못흐니 불승통한흐여 짐짓 엄녈흔 빗츨 뵈려, 허랑(虛浪) 호일(豪逸)흔 풍을 곰초고 극히 엄듕흐고 슉믁(肅默) 언건(偃蹇)흔 쳬흐여 와줌미(臥蠶眉)를 삥긔고 단봉안(丹鳳眼)을 놉히 쓰니, 그 ᄆᆞ음을 잡디 못흐여시므로 안광이 뒤룩뒤룩흐여, 밋쳐 닉두를 듯, 무러 쓰들 듯, 거디(擧止) 괴이흐믈 면치 못흐거놀, 목을 가다듬고 소릭를 디예(至禮)1217)코져 흐여, 산쳔이 울히는 듯 놉히 디르디 아니흐되, 쥬슌(朱脣)이 히룩히룩 웃는 듯, 노흐는 듯, 밋친 ᄆᆞ음을 뎡치 못흐여, 동디(動止) 괴이흔디라.

쇼져 칙흐는 말이,【16】젼혀 부힝(婦行)과 녀도(女道)를 모르고, 존당 부모의 ᄌᆞ익를 밋고 가부를 협졔(脅制)흐며, 동녈을 싀긔흐여 오릭 드러눕고 니디 아닌 바를 슈죄흘식, 혹 쑤딧는 듯 다릭는 듯, 누누이 긴 말을 시작흐여 긋칠 줄 아디 못흐니, 쇼졔 단좌(端坐)흐여 그 칙언을 귀의 머므르미 업고, 또 답흐미 업셔, 벽즈(躄者)1218)다려 조어(鳥語)1219)흠과 일반이라. 태위 엇디 져 긔식을 모로리오. 듕심의 분노흐믈 니긔디 못흐여 믄득 겻틱 나아 안즈 그 손을 잡아 굴오디,

"그딕 거동이 결단코 날을 죽이고 내 집을 망흔 후, 타문의 개젹(改籍)흐려 흐는 쥬의니, 아디 못게라 내 그딕와 므슴 슈국(讐國)1220)이뇨?"

────────────

1217)디예(至禮) : 예(禮)를 다함.
1218)벽즈(躄者) : 앉은뱅이.
1219)조어(鳥語) : ①새의 지저귀는 소리. ②알아듣지 못하게 지껄이는 말소리를 비유적으로 이르는 말.
1220)슈국(讐國) : 원수나라. 원수.

더라.

초일 태위 혼졍을 파흔 후 션삼졍의 니르러 소져를 보니, 양소졔 져를 되흔미 놀납고 금죽흔미 깅가일층이라. 쌍미(雙眉)《졔수∥졔졔(齊齊)》흐고 쥬슌(朱脣)이 함믁(含黙)흐여 닝담 싁싁흐미 젼즈의 더으고, 온식(慍色)이 현져흐니, 태위 져의 유신(有娠)흐믈 아는 고로, 젼일곳치 구타치 못흐고, 분노를 프지 못흐니 불승통한흐여 짐짓 엄녈(嚴烈)흔 빗츨 뵈려, 허랑(虛浪) 호일(豪逸)흔 풍을 곰초고 극히 엄즁흐고 슉믁(肅默) 언건(偃蹇)흔 쳬흐여 와잠미(臥蠶眉)를 삥긔고 단봉안(丹鳳眼)을 놉히 쓰니,【66】그 ᄆᆞ음을 잡지 못흐여시므로 안광이 뒤룩뒤룩흐여, 밋쳐 닉두를 듯, 무러 쓰들 듯, 거지 괴이흐믈 면치 못흐거늘, 목을 가다듬고 소릭를 지예(至禮)1158)코져 흐여 산쳔이 울히는 듯 놉히 지르지 아니흐되, 쥬슌(朱脣)이 히룩히룩 웃는 듯, 노흐는 듯, 밋친 ᄆᆞ음을 졍치 못흐여, 동지(動止) 괴이흔지라.

소졔를 칙흐는 말이 젼혀 부힝과 녀도(女道)를 모르고 존당 부모의 ᄌᆞ익를 밋고 가부를 협졔(脅制)흐며, 동녈을 싀긔흐여 오릭 드러눕고 니지 아닌 바를 슈죄흘식, 혹 쑤짓는 듯 다릭는 듯, 누누이 《길∥긴》 말을 시작흐여 긋칠 줄 아지 못흐니, 소졔 단좌흐여 그 칙언을 귀에 머므르미 업고, 또 답흐미 업셔, 벽즈(躄者)1159)다려 조어(鳥語)1160)흠과 일반이라. 태위 엇지 져 긔식을 모로리오, 즁심의 분노흐믈 니긔지 못흐여 믄득 겻틱 나아 안즈 그 손을 잡【67】아 굴오디,

"그딕 거동이 결단코 날을 죽이고 내 집을 망흔 후, 타문의 기젹(改籍)흐려 흐는 쥬의니 아지 못게라 내 그딕와 무슴 수국(讐國)1161)이뇨?"

────────────

1158)디예(至禮) : 예(禮)를 다함.
1159)벽즈(躄者) : 앉은뱅이.
1160)조어(鳥語) : ①새의 지저귀는 소리. ②알아듣지 못하게 지껄이는 말소리를 비유적으로 이르는 말.
1161)슈국(讐國) : 원수나라. 원수.

쇼제 또 입을 여디 아냐 흔【17】 말을
답디 아니니, 태위 빅단구욕(百端驅辱)ㅎ며
유세(誘說)1221)ㅎ여 상요의 나아가믈 쳥ㅎ
딕, 쇼제 흔갓 목인(木人)ᄀᆞ치 단좌ㅎ여 좌
ᄎᆞ(座次)를 요동치 아니니, 태위 심화(心火)
를 춤고 반야를 은근이 다리다가 못ㅎ여,
일장을 즐욕ㅎ고 힘을 다ㅎ여 쇼져를 붓드
러 금니(衾裏)의 나아갈ᄉᆡ, 쇼제 죽기를 그
음ㅎ여 광부의 ᄯᅳᆺ을 마치디 말고져 ㅎ딕,
태우의 광패ㅎ미 의상을 편편(片片)이 녈파
(裂破)ㅎ고, 쇠와 남글 혜디 아냐 다시 구타
홀 형상이니, 아름답디 아닌 일노 구타ㅎᄂᆞᆫ
욕을 바다 상쳐를 듕인소시(衆人所視)1222)
의 드러ᄂᆡ미 낫출 싹고 시븐다라. 침병(枕
屛)의 걸닌 장도(粧刀)를 ᄲᅢ혀 ᄌᆞ문코져 ㅎ
니, 태위 급히 아ᄉᆞ 산산이 바아【18】바리
고 위력으로 핍박ㅎ여, 금니(衾裏)의 나아가
여산듕졍(如山重情)을 펴나, 쇼제 민몰 싁싁
ㅎ미 침셕디간(寢席之間)의 더옥 닝담ㅎ니,
태위 노분(怒憤)을 억졔치 못ㅎ여, 왈,

"그딕 딘실노 교앙방ᄌᆞ(驕昂放恣)흔 ᄯᅳᆺ을
긋치디 아니 흔즉, 내 엄젼(嚴前)의 다시 장
칙을 밧ᄌᆞᆸᄂᆞᆫ 디경의 니르러도, 그딕로 더브
러 이리코 누엇기를 일삭(一朔)이나 믈논쥬
야(勿論晝夜)1223)ㅎ고 아모 ᄉᆞ괴 이셔도 움
ᄌᆞ기디 아니ㅎ리니, 그리 흔 후ᄂᆞᆫ ᄌᆞ의 ᄆᆞ
음이 흐믓거워 쾌활ㅎ미 이시리라."

쇼제 광부의 념티(廉恥) 상딘(喪盡)ㅎ믈
블승한심(不勝寒心)ㅎ고, 타인소시(他人所
視)1224)와 뎡당의 아름답디 아닌 말이 ᄉᆞ못
ᄎᆞ, 엄젼의 죄칙이 나리ᄂᆞᆫ 디경의 니르러도,
슈쟝을【19】어려이 아니 넉이ᄂᆞᆫ 고로, 금
슈(禽獸)ᄀᆞ치 쥬야믈논(晝夜勿論)ㅎ고 누어
실가 ○○[두려], 비로소 입을 여러 츄연
비읍 왈,

"첩이 십악대죄(十惡大罪)1225)를 디은 일

소제 또 입을 여지 아냐 흔 말을 답지 아
니니, 태위 빅단구욕(百端驅辱)ㅎ며 유세(誘
說)1162)ㅎ여 상요에 나아가믈 쳥ㅎ딕, 소제
흔갓 목인(木人)ᄀᆞ치 단좌ㅎ여 좌ᄎᆞ(座次)를
요동치 아니니, 태위 심화○[를] 춤고 반야
를 은근히 다리다가 못ㅎ여, 일장을 질욕ㅎ
고 힘을 다ㅎ여 소져를 붓드러 금니(衾裏)
에 나아갈ᄉᆡ, 소제 죽기를 그음ㅎ여 광부의
ᄯᅳᆺ을 맛치지 말고져 ㅎ딕, 태우의 광픽ㅎ미
의상을 편편(片片)히 녈파(裂破)ㅎ고, 쇠와
남글 혜지 아냐 다시 구타홀 형상이니, 아
름답지 아닌 일노 구타ㅎᄂᆞᆫ 욕을 바다 상쳐
를 즁인소시(衆人所視)1163)에 드러ᄂᆡ미 낫
출 싹고 시븐지라. 침병의 걸닌 장도를 ᄲᅢ
혀 ᄌᆞ문코져【68】ㅎ니, 태위 급히 아ᄉᆞ 산
산이 바아 ᄇᆞ리고, 위력으로 핍박ㅎ여 금니
에 나아가 여산즁졍(如山重情)을 펴나, 소제
민몰 싁싁ㅎ미 침셕지간(寢席之間)의 더욱
닝담ㅎ니, 태위 노분을 억졔치 못ㅎ여 왈,

"그딕 진실노 교앙방ᄌᆞ(驕昂放恣)흔 ᄯᅳᆺ을
긋치지 아니 흔즉, 내 엄젼(嚴前)에 다시 장
칙을 밧ᄌᆞᆸᄂᆞᆫ 지경의 니르러도, 그딕로 더브
러 이리코 누엇기를 일삭(一朔)이나 믈논쥬
야(勿論晝夜)1164)ㅎ고 아모 ᄉᆞ괴 잇셔도
움ᄌᆞ기지 아니ㅎ리니, 그리흔 후ᄂᆞᆫ ᄌᆞ의 ᄆᆞ
음이 흐믓거워 쾌활ㅎ미 잇시리라."

소제 광부의 념치 상진ㅎ믈 불승한심(不
勝寒心)ㅎ고, 타인소시(他人所視)1165)와 졍
당의 아름답지 아닌 말이 ᄉᆞ못ᄎᆞ, 엄젼에
죄칙이 나리ᄂᆞᆫ 지경의 니르러도, 슈쟝을 어
려이 아니 넉이ᄂᆞᆫ 고로, 금슈ᄀᆞ치 쥬야믈논
(晝夜勿論)ㅎ고 누어실가 ○○[두려], 비로
소 입을 여러 츄연 비읍 왈,

"첩이 십악대죄(十惡大罪)1166)를 지은 일

1221)유세(誘說) : 달콤한 말로 꾐.

1222)듕인소시(衆人所視) : 많은 사람들이 보도록.
1223)믈논쥬야(勿論晝夜) : 밤낮을 가리지 않고.
1224)타인소시(他人所視) : 다른 사람들이 본 바.
1225)십악대죄(十惡大罪) : 조선 시대에, 대명률(大明

1162)유세(誘說) : 달콤한 말로 꾐.

1163)듕인소시(衆人所視) : 많은 사람들이 보도록.
1164)믈논쥬야(勿論晝夜) : 밤낮을 가리지 않고.
1165)타인소시(他人所視) : 다른 사람들이 본 바.
1166)십악대죄(十惡大罪) : 조선 시대에, 대명률(大明

업스티, 군지 죽이고져 ᄒᆞ믈 일시 밧바 ᄒᆞ시니 일ᄉᆡᆼ일ᄉᆞ(一生一死)는 텬디의 덧덧ᄒᆞᆫ 일이라. 쳡이 비록 삼오(三五) 쳥츈이 늦거오나, 발셔 명되 이러ᄒᆞ니 현마 엇디ᄒᆞ리잇고? 궁극히 틈을 어더 스스로 죽어 군ᄌᆞ의 분분ᄒᆞᆫ 념녀를 ᄭᅳᆺ게 ᄒᆞ리이다."

태위 쇼져의 강녈ᄒᆞ믈 두리는 고로 혹 ᄌᆞ결(自決)ᄒᆞ미 이실가 겁ᄒᆞᄂᆞᆫ 뜻이 이시ᄃᆡ, 쇼져를 더옥 즐욕ᄒᆞ여 존당 부모의 대은을 져바리려 ᄒᆞ믈 칙ᄒᆞᄃᆡ, 쇼졔 태우의 말인족 일언도 경복(敬服)ᄒᆞ미 업ᄂᆞᆫ 고로,【20】증분을 더을 ᄯᅵᆫ이러니, 계명의 니르러는 태위 니러나디 아닐가 근심ᄒᆞ여, 화열ᄒᆞᆫ 빗ᄎᆞ로 니러나믈 쳥ᄒᆞᄃᆡ, 태위 마디 못ᄒᆞ여 쇼져를 노코 즈괴는 미조ᄎᆞ 니러나미, 죵야 힐난ᄒᆞ여 긔운이 닛븐 고로, 잠간 션슈졍의 가 쉬고져 ᄒᆞ여 셩시 침소의 니르니, 셩시 태위 드러와 취침치 아닛는 날은 ᄯᅳᆫ 눈으로 ᄉᆡ와 나는 버릇시라. 작일 닙은 옷술 그르디 아니ᄒᆞ엿다가, 싱의 드러오믈 보고 교언녕ᄉᆡᆨ(巧言令色)1226)으로 니러 마ᄌᆞ, 요음(妖淫)ᄒᆞᆫ 거동이 승어창믈(勝於娼物)이라. 태위 비록 실셩광패디인(失性狂悖之人)이나, 일단 총명달식(聰明達識)은 부형여풍(父兄餘風)이라. 양쇼져의 녈녈한슉(烈烈寒肅)ᄒᆞᆫ 슉녀(淑女) 방향(芳香)【21】을 겻더엇다가1227) 셩시를 보미 텬디 ᄉᆞ이는 앙망(仰望)이나 ᄒᆞᆯ디니, 쇼양(宵壤)이 블모(不侔)1228)ᄒᆞᆫ 슉믹블변(菽麥不辨)1229)이라도 거의 짐작홀디라. 심듕의 ᄀᆞ장 쳔누히 넉여 뎡ᄉᆡᆨ고 글오

업스티 군지【69】죽이고져 ᄒᆞ믈 일시 밧바ᄒᆞ시니, 일ᄉᆡᆼ일ᄉᆞ(一生一死)는 텬리의 ᄻᅥ ᄻᅥᆺᄒᆞᆫ 일이라. 쳡이 비록 삼오(三五) 쳥츈이 늦거오나, 발셔 명되 이러ᄒᆞ니 현마 엇지ᄒᆞ리잇고? 궁극히 틈을 어더 스스로 죽어 군ᄌᆞ의 분분ᄒᆞᆫ 념녀를 ᄭᅳᆺ게 ᄒᆞ리이다."

태위 양씨의 강녈ᄒᆞ믈 두리는 고로 혹 ᄌᆞ결ᄒᆞ미 잇실가 겁ᄒᆞᄂᆞᆫ 뜻이 잇스ᄃᆡ, 소져를 더옥 즐욕ᄒᆞ여 존당 부모의 대은을 져버리려 ᄒᆞ믈 칙ᄒᆞᄃᆡ, 소졔 태우의 말인족 일언도 경복(敬服)ᄒᆞ미 업ᄂᆞᆫ 고로 증분을 더을 ᄯᅵᆫ이러니, 계명의 니르러는 태위 니러나지 아닐가 근심ᄒᆞ여 화열ᄒᆞᆫ 빗ᄎᆞ로 니러나믈 쳥ᄒᆞᄃᆡ, 태위 미소ᄒᆞ며 소져를 노코 즈괴는 미조ᄎᆞ 니러나미, 죵야 힐난ᄒᆞ여 긔운이 닛븐 고로, 잠간 션슈졍의 가 쉬고져 ᄒᆞ여 셩씨 침소의 니르니, 셩씨 태위 드러와 취침치 아닛난 날은 ᄯᅳᆫ 눈【70】으로 ᄉᆡ와 나는 버릇시라. 작일 입은 옷슬 그르지 아니ᄒᆞ엿다가, 싱의 드러오믈 보고 교언녕ᄉᆡᆨ(巧言令色)1167)으로 니러 마ᄌᆞ, 요음(妖淫)ᄒᆞᆫ 거동이 승어창믈(勝於娼物)이라. 태위 비록 실셩광픽지인(失性狂悖之人)이나 일단 총명달식(聰明達識)은 부형여풍(父兄餘風)이라. 양소져의 녈녈한슉(烈烈寒肅)ᄒᆞᆫ 슉녀방향(淑女芳香)을 겻지엇다가1168) 셩씨를 보미, 텬디 ᄉᆞ이는 앙망(仰望)이나 ᄒᆞᆯ지니, 소양(宵壤)이 불모(不侔)1169)ᄒᆞᆫ 슉믹불변(菽麥不辨)1170)이라도 거의 짐작홀지라. 심중에 ᄀᆞ장 쳔누히 넉여 정ᄉᆡᆨ고 글오ᄃᆡ,

---

律)에 정한 열 가지 큰 죄. 모반죄(謀反罪), 모대역죄(謀大逆罪), 모반죄(謀叛罪), 악역죄(惡逆罪), 부도죄(不道罪), 대불경죄(大不敬罪), 불효죄(不孝罪), 불목죄(不睦罪), 불의죄(不義罪), 내란죄(內亂罪)를 이른다
1226)교언녕ᄉᆡᆨ(巧言令色) : 아첨하는 말과 알랑거리는 태도.
1227)겻다 : 동행하다. 더불다.
1228)불모(不侔) : '가지런하지 않다'는 말로, 차이가 크다는 뜻을 나타냄. 소양불모(宵壤不侔); 하늘과 땅처럼 큰 차이가 있음.
1229)슉믹블변(菽麥不辨) : 콩인지 보리인지를 구별하지 못한다는 뜻으로, 사리 분별을 못하고 세상 물정을 잘 모름을 이르는 말.

律)에 정한 열 가지 큰 죄. 모반죄(謀反罪), 모대역죄(謀大逆罪), 모반죄(謀叛罪), 악역죄(惡逆罪), 부도죄(不道罪), 대불경죄(大不敬罪), 불효죄(不孝罪), 불목죄(不睦罪), 불의죄(不義罪), 내란죄(內亂罪)를 이른다
1167)교언녕ᄉᆡᆨ(巧言令色) : 아첨하는 말과 알랑거리는 태도.
1168)겻다 : 동행하다. 더불다.
1169)불모(不侔) : '가지런하지 않다'는 말로, 차이가 크다는 뜻을 나타냄. 소양불모(宵壤不侔); 하늘과 땅처럼 큰 차이가 있음.
1170)슉믹불변(菽麥不辨) : 콩인지 보리인지를 구별하지 못한다는 뜻으로, 사리 분별을 못하고 세상 물정을 잘 모름을 이르는 말.

"그딕 먼니 임亽(姙姒)를 비호디 말고 원군(元君) 양시를 본바드라. 양시의 빅힝(百行) 슉덕(淑德)은 그딕의 놉흔 스싱이 되리라."

언파의 몸을 니러 나가니, 셩시 태위 양시 칭션ᄒᆞ믈 드르믹 투심(妬心)이 더옥 불니 ᄃᆞᆺᄒᆞ나, 언어로 그 ᄆᆞ음을 농낙(籠絡)디 못ᄒᆞᆯ 줄 알고, 시녀 츈교로 동심ᄒᆞ여 일야 간계를 싱각ᄒᆞ더라.

이씩 월잉을 집장ᄒᆞ던 태한이 죽어시믈 일ᄏᆞ라 시신을 쓰어닉는 쳬ᄒᆞ고, 졔 집의 다려와 디극 구호ᄒᆞ여 【22】싱도(生道)를 어드믹, 태한이 월잉을 옴겨 셩닉 양부로 다려가딕, 태위 맛츰닉 아디 못ᄒᆞ미 된디라. 잉이 그 몸이 버셔나믈 깃거ᄒᆞ나, 쇼져의 위틱ᄒᆞ믈 슬허 가마니 글을 올녀 싱존ᄒᆞ여시믈 고ᄒᆞ고, 닛다감 변복ᄒᆞ고 취운산 힝각의 왕닉ᄒᆞ여 쇼져의 평문(平問)1230)을 알고 가딕, 감히 부듕의 니르러 노쥬 반기믈 엇디 못ᄒᆞ고, 태우의 광망(狂妄) 무례(無禮)ᄒᆞ믈 골돌ᄒᆞ여 쥬인의 신셰를 근심ᄒᆞ미 발분망식(發憤忘食)기의 니르럿더라.

쇼졔 월잉의 亽라시믈 크게 깃거ᄒᆞ나, 변복ᄒᆞ고 즈로 왕닉ᄒᆞ여 졔 몸의 유히ᄒᆞᆯ 줄 닐너 오디 말나 ᄒᆞ딕, 잉이 쥬인 위흔 뎡튱이 졔【23】몸을 도라보디 아닛ᄂᆞᆫ디라. 쇼져를 닛디 못ᄒᆞ여 밧그로 즈로 와 쇼져의 평부(平否)를 알고 가딕, 요힝 태우의게 들니이디 아니ᄒᆞ니라.

화표, 어시의 댱샤 뎍거죄인(謫居罪人) 평댱亽 화무의 부인 쥬시, 취듕(取重) 과이(過愛)ᄒᆞ던 셔랑 윤광운을 경샤로 보닌 후, 여러 일월이 되도록 일즉 음신(音信)을 통ᄒᆞᆯ 길히 업고 풍편으로도 소식을 드를 길히 업ᄂᆞᆫ디라. 쥬쥬야야(晝晝夜夜)의 경샤를 쳠망

"그딕 먼니 임亽(姙姒)를 비호지 말고 원군(元君) 양씨를 본바드라. 양씨의 빅힝(百行) 슉덕(淑德)은 그딕의 놉흔 스싱이 되리라."

언파의 몸을 니러 나{아}가니, 셩씨 태위 양씨 칭션ᄒᆞᆷ믈 드르믹 투심(妬心)이 더옥 불니 ᄃᆞᆺᄒᆞ나, 언어로 그 ᄆᆞ음을 농낙(籠絡)지 못ᄒᆞᆯ 줄 알고, 시녀 츈교로 동심ᄒᆞ여 일야 간계를 싱각ᄒᆞ더라.

이【71】씩 월잉을 집장○○○[ᄒᆞ던 사졸{을} 《은만‖태한》]이 죽어시믈 일ᄏᆞ라 시신을 쓰어닉는 쳬ᄒᆞ고, 졔 집의 다려와 지극 구호ᄒᆞ여 싱도를 어드믹, 태한이 월잉을 옴겨 셩닉 양부로 드려가딕, 태위 맛츰닉 아지 못ᄒᆞ미 된지라. 잉이 그 몸이 버셔나믈 깃거ᄒᆞ나, 소져의 위틱ᄒᆞ믈 슬허 ᄀᆞ마니 글을 올녀 싱존ᄒᆞ여시믈 고ᄒᆞ고, 잇다감 변복ᄒᆞ고 취운산 힝각의 왕닉ᄒᆞ여 소져의 평문(平問)1171)을 알고 가딕, 감히 부듕의 니르러 노쥬 반기믈 엇지 못ᄒᆞ고, 태우의 광망(狂妄) 무례(無禮)ᄒᆞ믈 골돌ᄒᆞ여 쥬인의 신셰를 근심ᄒᆞ미 발분망식(發憤忘食)기의 니르럿더라.

소졔 월잉의 亽라시믈 크게 깃거 ᄒᆞ나, 변복ᄒᆞ고 즈로 왕닉ᄒᆞ여 졔 몸의 유히ᄒᆞᆯ 줄 닐너 오지 말나 ᄒᆞ딕, 잉이 쥬인 위흔 졍튱이 졔 몸으로 도라보지 아닛ᄂᆞᆫ지라. 소져를 닛지 못ᄒᆞ여 밧그로 즈로 와 소져의 평【72】부(平否)를 알고 가딕, 요힝 태우의게 들니지 아니ᄒᆞ니라.

화표, 어시의 장亽 젹거죄인(謫居罪人) 평장亽 화무의 부인 쥬씨 취즁(取重) 과이(過愛)ᄒᆞ던 셔랑 윤광운을 경소로 보닌 후, 여러 일월이 되도록 일즉 음신(音信)을 통ᄒᆞᆯ 길히 업고 풍편으로도 소식을 드를 길히 업ᄂᆞᆫ지라. 쥬쥬야야(晝晝夜夜)의 경亽를 쳠망

1230)평문(平問) : =평문(平聞). 안부(安否). 평부(平否). 어떤 사람이 편안하게 잘 지내고 있는지 그렇지 아니한지에 대한 소식. 또는 인사로 그것을 전하거나 묻는 일.

1171)평문(平問) : =평문(平聞). 안부(安否). 평부(平否). 어떤 사람이 편안하게 잘 지내고 있는지 그렇지 아니한지에 대한 소식. 또는 인사로 그것을 전하거나 묻는 일.

ᄒ여 울울(鬱鬱) 비결(悲缺)[1231]ᄒ 심스를 디향치 못ᄒ여, 화공이 혹 경샤인을 만난즉 윤광운의 부명과 거듀를 혹 아는가 므른즉 다 모로므로뻐 딕ᄒ여 알 니 업스니, 화공이 셔랑의 즈최 대ᄒᆡ(大海)의 평초(萍草) ᄀᆞᆺ트며 츄풍의 【24】 낙엽 ᄀᆞᆺ트여, 츳기 어려오믈 크게 우민ᄒ여, 관니 등이 경샤로 왕닉ᄒᄂ 편의 두 봉 셔간을 윤부의 븟쳐, 일봉은 남창후긔 셔랑의 거쳐를 뭇고, 일봉은 윤싱의게 븟쳐 ᄒ 번 올나간 후 셩식(聲息)[1232]이 ᄀ쳐시믈 일ᄏ라, 가득이 결연(缺然)ᄒ믈 베퍼 간곡ᄒ 정의 범연ᄒ 옹셔와 다른다라, 뉘 도로혀 뎡슉녈이 녀화위남(女化爲男)ᄒ여 그 동상(東床)이 되엿던 줄 알니오.

화공이 윤부의 셔간을 븟치고 답간을 기다리더니, 믄득 경샤로 조촌 샤명(赦命)이 나리고 츄밀부ᄉ(樞密府使)로 징소(徵召)ᄒ시ᄂ 영광이 뎍소의 밋ᄎ니, 본읍 태슈와 향당 ᄉ유들이 일시의 모다 화공의 이미ᄒ 죄루(罪累)를 【25】 신빅(伸白)ᄒ고 쾌ᄒ미 청현대작(淸顯大爵)으로 도라갈 바를 치하ᄒ니, 화공이 좌슈우응(左酬右應)의 흔연 ᄉ샤ᄒ더라.

샤명(使命)과 츄밀원 하리 나려오ᄃᆡ, 셔랑의 쳑ᄌ(隻字)[1233] 고문(顧問)이 업스니, 괴이코 의아ᄒ믈 마디 아니코, 즈긔 누얼을 신빅ᄒ 즈를 므르니 이 곳 평븍공 뎡병뷔라 ᄒᄂ다라, 심니의 혜오ᄃᆡ,

"윤싱이 도라갈 셕의 날을 히ᄒ 즈를 뭇거늘 위현과 님박이라 닐넛더니, 뎡텬흥이 날을 위ᄒ여 누셜(縲絏)을 쾌히 벗게 ᄒ니, 아디 못게라 윤싱과 뎡텬흥이 친쳑이 되여 쳥ᄒ미 잇던가. 그러치 아닌즉 뎡병뷔 엇디 날을 신빅ᄒ미 이딕도록 누누(屢屢)ᄒ리오[1234]. 연이나 엇디 일ᄌ셔(一字書)【26】로 우리 안부를 므르미 업ᄂ고? 가히 측냥

1231)비결(悲缺) : 슬프고 서운함.
1232)셩식(聲息) : 소식이나 소문.
1233)쳑ᄌ(隻字) : 한 글자. 또는 짧은 자구.
1234)누누(屢屢)ᄒ다 : 자세하다. 말 따위를 여러 번 반복하다.

ᄒ여 울울(鬱鬱) 비결(悲缺)[1172]ᄒ 심스를 지향치 못ᄒ여, 화공이 혹 경ᄉ인을 만난즉 윤광운의 부명과 거쥬를 혹 아ᄂ가 므른즉, 다 모로므로뻐 딕ᄒ여 알 니 업스니, 화공이 셔랑의 즈최 대ᄒᆡ(大海)의 평초(萍草) ᄀᆞᆺ트며 츄풍에 낙엽 ᄀᆞᆺ트여, 츳기 어려오믈 크게 우민ᄒ여, 관니 등이 경ᄉ로 왕닉ᄒᄂ 편의 두 봉 셔간을 윤부의 븟쳐, 일봉은 남창후긔 셔랑의 거쳐를 뭇고, 일봉은 윤싱에게 븟쳐 ᄒ 번 올나간 후 셩식(聲息)[1173]이 ᄀ쳐시믈 일ᄏ라, 가득히 결연(缺然)【73】ᄒ믈 버려 간곡ᄒ 정셩이 범연ᄒ 옹셔와 다른지라. 뉘 도로혀 뎡슉녈이 녀화위남(女化爲男)ᄒ여 그 동상이 되엿던 줄 알니오.

화공이 윤부의 셔간을 븟치고 답간을 기드리더니, 믄득 경샤로 조촌 ᄉ명(赦命)이 나리고 츄밀부ᄉ(樞密府使)로 징소(徵召)ᄒ시ᄂ 영광이 젹소의 밋ᄎ니, 본읍 태슈와 향당 ᄉ유들이 일시에 모다 화공의 이미ᄒ 죄를 신빅(伸白)ᄒ고, 쾌ᄒ미 《청텬∥청현》대작(淸顯大爵)으로 도라갈 바를 치하ᄒ니, 화공이 좌슈우응(左酬右應)의 흔연 ᄉ샤ᄒ더라.

샤명(使命)과 츄밀원 하리 나려오ᄃᆡ, 셔랑의 쳑ᄌ(隻字)[1174] 고문(顧問)이 업스니 괴이코 의아ᄒ믈 마지 아니ᄒ고, 즈긔 누얼을 신빅ᄒ 즈를 므르니 이 곳 평븍공 뎡병뷔라 ᄒᄂ지라, 심니의 혜오ᄃᆡ,

"윤싱이 도라갈 셕에 나을 히ᄒ 즈를 뭇거늘 위현과 님박이라 닐넛더니, 뎡텬흥이 날을 위ᄒ여 누셜(縲絏)을 쾌히 벗게ᄒ【74】니, 아지 못게라 윤싱과 뎡텬흥이 친쳑이 되여 쳥ᄒ미 잇던가. 그러치 아닌즉 뎡병뷔 엇지 나를 위ᄒ여 신빅ᄒ미 이딕도록 누누(屢屢)ᄒ리오[1175]. 연이나 엇지 《일ᄎ셔∥일자서(一字書)》로 우리 안부를 므르

1172)비결(悲缺) : 슬프고 서운함.
1173)셩식(聲息) : 소식이나 소문.
1174)쳑ᄌ(隻字) : 한 글자. 또는 짧은 자구.
1175)누누(屢屢)ᄒ다 : 자세하다. 말 따위를 여러 번 반복하다.

치 못홀 일이라. 쌜니 샹경ᄒ여 이셔(愛壻)의 거쳐를 듯보리라."

의식 이의 밋쳐는, 도라갈 뜻이 더옥 살ᄀᆞᆺ투니, 즉시 힝니(行李)1235)를 슈습ᄒ여 부인과 ᄌᆞ녀를 거ᄂᆞ려 황셩으로 향ᄒᆞᆯ식, 디나는 바의 쥬현과 ᄌᆞ식 먼니 와 영졉ᄒ여, 누얼을 신빅ᄒ여 즐거이 환쇄ᄒᆞᆷ믈 치하ᄒ고 위의를 도으니, 왕녀○[의] 비환(悲歡)이 니도ᄒ여 노샹의 영광이 비길 ᄃᆡ 업더라.

ᄎᆞ시 남경 포졍슈 남공이 여러 일월을 샤환(仕宦)의 분쥬ᄒᆞ여, 집을 써난 디 삼년이로ᄃᆡ 임의로 도라갈 의ᄉᆞ를 못ᄒ고, 위녀의 ᄉᆞ오나오미 회쥬를 간계로 다려가 공연이 실산ᄒᆞᆷ믈 듯고, 분완【27】통히ᄒᆞᆫ 가온ᄃᆡ, 녀ᄋᆞ의 외로온 ᄌᆞ최 어나 곳의 표락(飄落)1236)ᄒ여시믈 아디 못ᄒ니, 텬뉸 ᄌᆞ의의 디극ᄒᆞᆷ므로뼈 참연 통할ᄒᆞ미 칼홀 삼킨 듯, 신셕(晨夕)의 톄루(涕淚)를 드리워 닛디 못ᄒ니, 공지 쥬야 겻틱셔 위로ᄒ더니, 홀연 남경으로 조ᄎᆞ 하리 니르러 강공의 셔간과 회쥬의 셔간을 홈긔 올니니, 강공의 셔찰을 몬져 피열ᄒ니 대개 녀ᄋᆞ를 긔특이 만나 남경으로 다려가믈 베펏고, 쇼져의 상셔의ᄂᆞᆫ 금평후 댱녀 윤원슈 부인의 구활 대은을 닙어 삼년을 ᄒᆞᆫ가디로 잇다가, 표슉을 만나 남경으로 와시믈 고ᄒ여시니, 남공이 견필의 환힝 쾌열ᄒ여 다시 녀【28】ᄋᆞ의 ᄉᆞ싱을 녀렴(慮念)치 아니ᄒᆞ나, 위시의 간흉을 다ᄉᆞ리디 못ᄒᆞᆷ믈 신셕의 우분(憂憤)ᄒ더니, 녀ᄋᆞ의 싱존을 드른 디 슈슌이 넘디 못ᄒ여 믄득 샤명이 계샤, 남경 포졍ᄉᆞ로뼈 공부샹셔 셜영으로 비ᄒᆞ시고, ᄌᆞ긔ᄂᆞᆫ 태샹경(太常卿)을 비ᄒᆞ샤 밧비 환됴(還朝)ᄒᆞᆷ믈 지쵹ᄒᆞ시니, 남공이 작위 졈졈놉흐믈 깃거 아니ᄒᆞ나, 위녀의 죄를 발각홀 일을 깃거 포졍ᄉᆞ 인슈(印綬)를 셜공의게 젼ᄒ고 밧비 도라올식, 일쉬(日數) 잠간 더듸믈 민망이 넉이나,

미 업ᄂᆞᆫ고? 가히 측냥치 못홀 일이라. 쌜니 샹경ᄒ여 이셔(愛壻)의 거쳐를 듯보리라."

의식 이에 밋쳐는 도라갈 뜻이 더옥 살ᄀᆞᆺ투니, 즉시 힝니(行李)1176)를 슈습ᄒ여 부인과 ᄌᆞ녀를 거ᄂᆞ려 황셩으로 향ᄒᆞᆯ식, 지나는 바의 쥬현과 ᄌᆞ식 먼니 와 영졉ᄒ여, 누얼을 신빅ᄒ여 즐거이 환쇄ᄒᆞᆷ믈 치하ᄒ고 위의를 도으니, 왕녀의 비환(悲歡)○[이] 니도ᄒ여 노샹에 영광이 비길 ᄃᆡ 업더라.

ᄎᆞ시 남경 포졍슈 남공이 여러 일월을 ᄉᆞ환(仕宦)의 분쥬ᄒᆞ여, 집을 써난 지 삼년이로ᄃᆡ 임의로 도라갈 의ᄉᆞ를 못ᄒ고, 위녀의 ᄉᆞ오나오미 회쥬를 간계로 다려가 공연이 실산ᄒᆞᆷ믈 듯고, 분완 통히ᄒᆞᆫ 가온ᄃᆡ 녀ᄋᆞ의 외로온 ᄌᆞ최 어나 곳의 표【75】락(飄落)1177)ᄒ여시믈 아지 못ᄒ니, 텬뉸 ᄌᆞ의의 지극ᄒᆞᆷ므로뼈 참연 통할ᄒᆞ미 칼홀 삼킨 듯, 신셕(晨夕)의 톄루(涕淚)를 드리워 닛지 못ᄒ니, 공지 쥬야 겻틱셔 위로ᄒ더니, 홀연 남경으로 조ᄎᆞ 하리 니르러 강공의 셔간과 회쥬의 셔간을 함게 올니니, 강공의 셔찰을 몬져 피열ᄒ니 그 대긔 녀ᄋᆞ를 긔특이 만나 남경으로 다려가믈 베펏고, 소져의 상셔에ᄂᆞᆫ 금평후 댱녀 윤원슈 부인의 구활 대은을 입어 삼년을 ᄒᆞᆫ가지로 잇다가, 표슉을 만나 남경으로 왓시믈 고ᄒ여시니, 남공이 견필의 환힝 쾌열ᄒ여 다시 녀ᄋᆞ의 ᄉᆞ싱을 닉렴(內念)치 아니ᄒᆞ나, 위씨의 간흉을 다ᄉᆞ리지 못ᄒᆞᆷ믈 신셕(晨夕)의 우분(憂憤)ᄒ더니, 녀ᄋᆞ의 싱존을 드른 지 슈슌이 넘지 못ᄒ여 믄득 샤명이 계샤, 남경 포졍ᄉᆞ로뼈 공부샹셔 셜영으로 비ᄒᆞ시고, ᄌᆞ긔로뼈 태샹경을 비ᄒᆞ샤 밧비 환죠ᄒᆞᆷ믈 지쵹ᄒᆞ시니,【76】 남공이 작위 졈졈 놉흐믈 깃거 아니ᄒᆞ나, 위녀의 죄를 ○…결락13ᄌᆞ…○[발각홀 일을 깃거 포졍ᄉᆞ 인슈(印綬)를] 셜공에게 젼ᄒ고 밧비 도라올식, 일쉬 잠간 더듸믈 민망이

1235) 힝니(行李) : =행장(行裝). 행구(行具). 여행할 때 쓰는 물건과 차림.
1236) 표락(飄落) : 표령(飄零). 신세가 딱하게 되어 안착하지 못하고 이리저리 떠돌아다님.

1176) 힝니(行李) : =행장(行裝). 행구(行具). 여행할 때 쓰는 물건과 차림.
1177) 표락(飄落) : 표령(飄零). 신세가 딱하게 되어 안착하지 못하고 이리저리 떠돌아다님.

위녀의 간졍을 알고져 ᄒᆞ여 남으로 가는 ᄇᆡ
를 잡아 ᄐᆞ고 댱샤 고틱의 니르니, 위녜 발
셔 남공의 도라올 줄 디긔(知機)ᄒᆞ고 져의
【29】 간뫼(奸謀) 발각ᄒᆞ죽 《살기를∥살길
히》 업ᄉᆞᄆᆞᆯ 혜아려, 금은 보화를 거두어
쥬마 십여 필의 싯고 밤을 당ᄒᆞ여 가마니
도망ᄒᆞᆯᄉᆡ, 최 낭듕(郎中)의 셔즈 최호를 유
졍ᄒᆞ여 ᄒᆞᆫ가디로 다라나니, 그 간 바를 아
디 못ᄒᆞ더라. 초고로 남공이 집의 도라오ᄆᆡ
위녀의 그림ᄌᆞ도 업고, 조션 능침과 샤묘
(祠廟)의 졔향을 폐ᄒᆞ연 디 오릭다 ᄒᆞᄂᆞ디
라, 남공이 션능 슈호ᄒᆞᆯ 노복을 뎡ᄒᆞ여 머
르고, 다시 댱샤의 나려와 ᄉᆞ디 못ᄒᆞᆯ 형
셴 고로, 목묘(木廟)[1237]를 뫼셔 경샤로 올
나오다가 길ᄒᆡ셔 공교히 위녀를 만난 ᄇᆡ 되
니, 남공이 졀치 통한ᄒᆞ던 바의 엇디 용샤
ᄒᆞ리오. 즉시 쇠를 달화 그 일신을 디져
【30】 젼젼악ᄉᆞ를 므르니, 위녜 비록 대간
대악(大奸大惡)이나 능히 견듸디 못ᄒᆞ여, 강
부인과 다ᄉᆞᆺ ᄌᆞ녀를 죽이ᄆᆡ 다 져의 슈단이
오, 희쥬와 창징이 오히려 남아시믈 한ᄒᆞ여,
희쥬를 간계로 다려다가 오셰웅의게 보닉고
져 ᄒᆞᆫ죽, 슌히 듯디 아니커늘, 동산 알패 가
ᄌᆞᆺ두다려 ᄒᆞ더니, 홀연 신션 ᄀᆞᆺᄐᆞᆫ 쇼년 남
지 구ᄒᆞ여 가던 바를 일일이 딕초(直招)ᄒᆞ
니, 남공이 듯는 말마다 ᄎᆞ악 경희ᄒᆞ여, 만
심이 셔늘ᄒᆞᆷ은 니르디 말고, 강부인과 앗가
온 ᄌᆞ녀를 다 흉인의 독슈의 맛ᄎᆞ믈 혜아리
니, 싀로온 비회와 참통ᄒᆞ미 오닉(五內)를
싯는 듯, 경긱의 위녀를 촌참(寸斬)코져 ᄒᆞ
ᄃᆡ 곳쳐 【31】 싱각건ᄃᆡ, 위녀의 문벌이 심
상치 아니하고 그 악ᄉᆞ 범연치 아니ᄒᆞ니,
스스로 남 모로게 죽여 업시키 어려온디라.
샹경ᄒᆞ여 법부(法部)의 고ᄒᆞ고 명졍(明正)이
다스리려 ᄒᆞ므로, 위녀의 일신을 긴긴히 결
박ᄒᆞ여 믈긔 시러 급급 샹경ᄒᆞ니, 최호는
위녀의 금은을 다 가디고 줘 숨듯 도망ᄒᆞ

넉이나, 위녀의 간졍을 알고져 ᄒᆞ여 남으로
가는 ᄇᆡ를 잡아ᄐᆞ고 댱샤 고틱에 니르니,
위녜 발셔 남공의 도라올 줄 지긔ᄒᆞ고, 져
의 간뫼 발각ᄒᆞ죽 슬킈 업스믈 혜아려,
금은보픽(金銀寶貝)를 거두어 쥰마 십여 필
의 싯고 밤을 당ᄒᆞ여 가마니 도망ᄒᆞᆯᄉᆡ, 최
낭즁(郎中)의 셔즈 최호를 유졍ᄒᆞ여 ᄒᆞᆫ가지
로 다라나니, 그 간 바를 아지 못ᄒᆞ지라. 추
고로 남공이 집에 도라와 보ᄆᆡ 위녀의 그림
즈도 업고, 조션 능침과 ᄉᆞ묘(祠廟)의 졔향
을 폐ᄒᆞ연 지 오릭다 ᄒᆞᄂᆞ지라. 남공이 션
능 슈호ᄒᆞᆯ 노복을 졍ᄒᆞ여 머므르고, 다시
댱ᄉᆞ의 나려와 ᄉᆞ지 못ᄒᆞᆯ 형셴 고로, 목묘
(木廟)[1178]를 뫼셔 경ᄉᆞ로 올나오다가 길ᄒᆡ
셔 공교히 위녀를 만난 ᄇᆡ 【77】 되니, 남공
이 졀치 통한ᄒᆞ던 바의 엇지 용샤ᄒᆞ리오.
즉시 쇠를 달화 그 일신을 지져 젼젼악ᄉᆞ
(前前惡事)를 므르니, 위녜 비록 대간대악
(大奸大惡)이나 능히 견듸지 못ᄒᆞ여, 강부인
과 다ᄉᆞᆺ ᄌᆞ녀를 죽이ᄆᆡ 다 져의 슈단이오,
희쥬와 창징이 오히려 남아시믈 한ᄒᆞ여, 희
쥬를 간계로 다려다가 오셰웅에게 보닉고져
ᄒᆞᆫ죽, 슌히 듯지 아니커늘, 동산 알픠 가 줏
두다려 죽이려 ᄒᆞ더니, 홀연 신션 ᄀᆞᆺᄐᆞᆫ 쇼
년 남지 구ᄒᆞ여 가던 바를 일일히 직초(直
招)ᄒᆞ니, 남공이 듯는 말마다 ᄎᆞ악 경희ᄒᆞ
여 만심이 셔늘ᄒᆞᆷ은 니르지 말고, 강부인과
앗가온 ᄌᆞ녀를 다 흉인의 독슈의 맛ᄎᆞ믈 혜
아리니, 싀로온 비회와 참통ᄒᆞ{오}미 오닉
(五內)를 싯는 듯, 경각의 위녀를 촌참코져
ᄒᆞᄃᆡ 곳쳐 싱각건ᄃᆡ, 위녀의 문벌이 심상치
아니하고, 그 악ᄉᆡ 범연치 아니ᄒᆞ니, 스스로
남 모르 【78】게 죽여 업시키 어려온지라.
샹경ᄒᆞ여 법부(法部)의 고ᄒᆞ고 명졍(明正)이
다스리려 ᄒᆞ므로, 위녀의 일신을 긴긴히 결
박ᄒᆞ여 말게 실어 급급 샹경ᄒᆞ니, 최호는
위녀의 금은을 다 가지고 줘 숨듯 도망ᄒᆞ

1237)목묘(木廟) : 목주(木主). 죽은 사람의 위패(位
牌). 대개 밤나무로 만드는데, 길이는 여덟 치, 폭
은 두 치가량이고, 위는 둥글고 아래는 모지게 만
든다.

1178)목묘(木廟) : 목주(木主). 죽은 사람의 위패(位
牌). 대개 밤나무로 만드는데, 길이는 여덟 치, 폭
은 두 치가량이고, 위는 둥글고 아래는 모지게 만
든다.

니, 남공이 굿트여 최호는 츳즈려 아니ᄒ더라.

남태상과 화츄밀이 공교히 흔 날 샹경ᄒ니, 화부는 청션항이오 남부는 미하항이라. 남태상은 쳐첩이 업ᄂ 고로 오딕 시녀 {시녀} 등과 창딩으로 ᄒ여곰 샤묘를 뫼셔 고팃으로 가게 ᄒ고, 화츄밀은 닉권(內眷)을 청션항의【32】 안둔ᄒ고, 인ᄒ여 궐하의 샤은홀식, 일슈(日數)를 헤아리건디 화츄밀이 몬져 샹경ᄒ염죽 ᄒ디, 즈연 힝게(行車) 가비압디 아니ᄒ니 도로의 여러 날 디쳬ᄒ고, 또흔 부인과 이녜(二女) 원노 힝역의 닛브믈 니긔디 못ᄒ여, 쳔금옥보(千金玉寶)ᄀ치 넉이ᄂ 녀이 유질ᄒ믈 인ᄒ여, 윤싱을 밧비 보고져 ᄒ던 ᄆ음을 잠간 눗추어, 타인의 일일 힝흘 거슬 화공은 삼일이나 힝ᄒᄂ 연괴오, 남공은 거나린 닉힝(內行)이 업고 오딕 창딩으로 더브러 쳔니ᄆ(千里馬)를 치쳐, 일삭을 힝ᄒ여 댱샤를 단녀오디, 더딘 일이 업더라.

남공이 또흔 궐하의 슉샤(肅謝)ᄒ미, 샹이 남【33】화 냥공을 인견ᄒ샤 샤쥬(賜酒)ᄒ시고, 남공은 여러 히를 외딕의 분쥬케 ᄒ믈 위로ᄒ시고, 도라 화공을 면유(面諭)ᄒ샤 간당(奸黨)의 참언을 신쳥(信聽)ᄒ믈 뉘웃쳐 ᄒ시니, 남·화 냥공이 빅비 고두 샤은ᄒ고 이윽이 편뎐의 뫼셧더니, 남공이 피셕ᄒ여 위녀의 죄상을 고쥬(告奏) 왈,

"신이 더러온 가변을 가져 농뎐(龍殿)의 딘달(進達)ᄒ오미 외람ᄒ오디, 위녀의 쳔교만악(千狡萬惡)[1238]이 구비(具備)ᄒ오니, 셩듀의 벌죄(伐罪)ᄒ시믈 바라ᄂ 비로소이다. 슈연(雖然)이나, 위녜 젼후 살인이 무슈ᄒ오니, 살인ᄌ(殺人者) 디살(代殺)[1239]은 한고조(漢高祖)의 약법삼댱(約法三章)[1240]의도

1238) 쳔교만악(千狡萬惡) : 더할 나위 없이 교활하고 악랄함.
1239) 디살(代殺) : 살인자를 사형에 처함. 늑대명(代命).
1240) 약법삼댱(約法三章) : 중국 한(漢)나라 고조(高祖; 제1대 황제) 유방(劉邦)이 진(秦)나라 군사를 격파하고 함양(咸陽)에 들어가서 지방의 유력자들

니, 남공이 굿트여 최호는 찻지 아니ᄒ더라.

남틱상과 화츄밀이 공교히 흔 날 도경(到京)ᄒ니, 화부는 청션항이오, 남부는 미화방이라. 남틱상은 쳐첩이 업ᄂ 고로 오직 시녀 등과 창징으로 ᄒ여곰 ᄉ묘를 뫼셔 고틱으로 가게 ᄒ고, 화공은 닉권(內眷)을 청션항에 안둔ᄒ고, 궐하에 나아가 수은홀 식, 일슈(日數)를 혜아리건디, 화츄밀이 먼져 상경ᄒ염죽 ᄒ디, 힝게(行車) 가비얍지 아니ᄒ고 부인과 이녀(二女) 힝역의 여러 날 잇브믈 니긔지 못ᄒ미, 날이 즈연 쳔연ᄒ엿ᄂ지라. 화공이 즉시 궐하에 나아가 수은ᄒ고 청죄ᄒ온디,【79】상이 크게 반기샤 오릭 식외(塞外)의 ᄂ미이 바려 두시믈 누[뉘]웃치시고 텬의 간졀ᄒ시니, 화공○[이] 황공감은ᄒ믈 니긔지 못ᄒ더라. 이윽고 남공이 니르러 뎐폐레 수은 ᄒ온디, 상이 또흔 반기ᄉ 원노의 무ᄉ이 상경ᄒ믈 치위ᄒ시고, 군신이 죵용이 담화ᄒ시며 ○○○○○[남·화 냥공이] 이윽이 뎐젼에 뫼셧더니, 남공이 피셕ᄒ여 위녀의 허다 죄상을 고쥬(告奏)ᄒ여 왈,

"신이 어린 소견을 가져 농뎐(龍殿)에 진달(進達)ᄒ오미 황공ᄒ온디, {외람ᄒ외이다 ᄒ고 이윽이 뎐젼에 뫼셧더니 남공이 피셕ᄒ여 위녀의 죄상을 고쥬 왈} 위녀의 쳔교만악(千狡萬惡)[1179]이 구비ᄒ오니, 셩듀의 벌죄(伐罪)ᄒ시믈 ᄇ라ᄂ 비로소이다. 슈연이나 위녜 젼후 살인이 무슈ᄒ오니, 살인ᄌ(殺人者) 디살(代殺)[1180]은 한고조(漢高祖)의 약법삼장(約法三章)[1181]에도 든 비라. 위

1179) 쳔교만악(千狡萬惡) : 더할 나위 없이 교활하고 악랄함.
1180) 디살(代殺) : 살인자를 사형에 처함. 늑대명(代命).
1181) 약법삼당(約法三章) : 중국 한(漢)나라 고조(高祖; 제1대 황제) 유방(劉邦)이 진(秦)나라 군사를 격파하고 함양(咸陽)에 들어가서 지방의 유력자들과 약속한 세 조항의 법. 곧 ①사람을 살해한 자는 사형에 처하고, ②사람을 상해하거나 남의 물건을 훔친 자는 처벌하며, ③그 밖의 모든 진나라의 법은 폐지한다는 내용이다.

든 비라. 위녀를 버혀 슈족(手足)을 이쳐(離
處)ᄒ고져 ᄒᄂ이다."

시(是)의 텬의(天意) ᄀ장【34】 통히(痛
駭)ᄒ샤 ᄀᆯ오샤ᄃᆡ,

"ᄎᆞᄂᆞᆫ 살인쌘 아냐, ᄌᆞ녀는 디아비 골육
이어늘, 제 혈육이 아니라 ᄒᆞ여 죽인 쯧과
덕국(敵國)을 함살(咸殺)ᄒᄆᆡ 만고의 위녀ᄀᆺ
치 요음찰녀(妖淫刹女)는 업스리니, ᄲᆞᆯ니 졍
위(廷尉)1241)로 ᄒᆞ여곰 위녀의 죄를 샤힉
(查覈)ᄒᆞ여 딘뎍(眞的)ᄒᆞᄆᆡ 잇거든 쳐참(處
斬) 효슈(梟首)ᄒᆞ여 후인을 징계ᄒᆞ라."

ᄒᆞ시니, 남공이 희힝(喜幸)ᄒᆞᄆᆞᆯ 니긔디 못
ᄒᆞ더라.

날이 져믈ᄆᆡ 남·화 냥공이 퇴ᄒᆞ여 각각
집으로 도라올ᄉᆡ, 친븡 고귀 셔로 손을 니
어 반기ᄆᆡ 측냥 업셔 남·화 냥부로 닷토아
못ᄂᆞ디라. 화츄밀이 집의 도라오ᄆᆡ, 낙양후
딘공이 ᄎᆞᄌᆞ 니르니 크게 반겨 담화홀ᄉᆡ,
화공 왈,

"윤【35】 광운이란 사ᄅᆞᆷ을 아ᄂᆞ냐?"

낙양휘 쇼왈,

"형이 ᄎᆞᄌᆞ 무엇 ᄒᆞ려 ᄒᆞᄂᆢ뇨?"

화공 왈,

"윤광운은 쇼뎨의 셔랑(壻郎)이라. 밧비
ᄎᆞᆺ고져 ᄒᆞ노라."

낙양휘 대쇼 왈,

"형이 금평후 뎡윤보의 ᄯᆞᆯ을 보냐?

화공이 대경 왈,

"쇼뎨 엇디 후문(侯門) 규슈를 보리오. 형
언이 실시의외(實是意外)1242)로다."

휘 쾌쇼(快笑)ᄒᆞ고 곡졀을 히비(賅備)히
견ᄒᆞ고, 윤광운은 셔싱(書生)이 아니오, 님
셩각이 슉녈의 힝ᄉᆞ를 텬문(天門)의 고ᄒᆞ여,

녀를 버혀 슈족(手足)을 니이(離異)ᄒᆞ고져
ᄒᆞᄂᆞ이다."

시(是)에 텬【80】의 ᄀ장 통히ᄒᆞ샤 ᄀᆯᄋᆞ
샤ᄃᆡ,

"ᄎᆞᄂᆞᆫ 살인쌘 아냐 ᄌᆞ녀는 지아비 골육이
어늘, 제 혈육이 아니라 ᄒᆞ여 죽인 쯧과, 젹
국(敵國)을 함살(咸殺)ᄒᆞᄆᆡ 만고의 위녀ᄀᆺ치
요음찰녀(妖淫刹女)는 업스리니, ᄲᆞᆯ니 졍위
(廷尉)1182)로 ᄒᆞ야곰 위녀의 죄를 ᄉᆞ힉(查
覈)ᄒᆞ여 진젹(眞的)ᄒᆞᄆᆡ 잇거든 쳐참(處斬)
효슈(梟首)ᄒᆞ여 후인을 증계(懲戒)ᄒᆞ라."

ᄒᆞ시니, 남공이 희힝ᄒᆞᄆᆞᆯ 니긔지 못ᄒᆞ더
라.

날이 져믈ᄆᆡ 남·화 양공이 퇴ᄒᆞ여 각각
집으로 도라올ᄉᆡ, 친붕고귀(親朋故舊) 셔로
손을 니어 반기ᄆᆡ 측냥 업셔, 남·화 냥부
로 닷토아 못ᄂᆞᆫ지라. 화츄밀이 집에 도라오
ᄆᆡ 낙양후 진공이 ᄎᆞᄌᆞ 니르니, 크게 반겨
담화홀ᄉᆡ, 화공 왈,

"윤광운이란 샤름을 아ᄂᆞ냐?"

낙양휘 소왈,

"형이 ᄎᆞᄌᆞ 무엇ᄒᆞ려 ᄒᆞᄂᆞ뇨?"

화공 왈,

"윤광운은 소뎨의 셔랑이라 밧비 ᄎᆞᆺ고ᄌᆞ
ᄒᆞ노라."

낙양휘 대소 왈,

"형이 금평후 뎡윤보의 ᄯᆞᆯ을 보【81】
냐?

화공이 대경 왈,

"소뎨 엇지 후문(侯門) 규슈를 보리오. 형
언이 실시녀외(實是慮外)1183)로다."

휘 쾌쇼(快笑)ᄒᆞ고 곡졀을 히비히 젼ᄒᆞ고,
윤광운은 셔싱(書生)이 아니오, 님셩각이 슉
녈의 힝ᄉᆞ를 텬문(天門)에 고ᄒᆞ여, 윤광텬으
로 화시를 취ᄒᆞ여 뎡슉녈의 어딘 뜻을 겨바
리지 말나ᄒᆞ신 유지와, 화공의 환쇄(還刷)도
슉녈이 힘 쓰ᄆᆡᆫ 줄을 니르니, 화공이 어린

과 약속한 세 조항의 법. 곧 ①사람을 살해한 자
는 사형에 처하고, ②사람을 상해하거나 남의 물
건을 훔친 자는 처벌하며, ③그 밖의 모든 진나라
의 법은 폐지한다는 내용이다.
1241)졍위(廷尉) : 중국 진(秦)나라 때부터, 형벌을
맡아보던 벼슬. 구경(九卿)의 하나였는데, 나중에
대리(大理)로 고쳤다.
1242)실시의외(實是意外) : 실로 뜻밖의 일임.

1182)졍위(廷尉) : 중국 진(秦)나라 때부터, 형벌을
맡아보던 벼슬. 구경(九卿)의 하나였는데, 나중에
대리(大理)로 고쳤다.
1183)실시녀외(實是慮外) : 실로 생각 밖의 일임.

윤광텬으로 화시를 취ᄒ여 뎡숙녈의 어딘
ᄯᅳᆺ을 져바리디 말나 ᄒ신 유디(諭旨)와, 화
공의 환쇄(還刷)도 숙녈이 힘 ᄡᅳ민 줄을 니
ᄅᆞ니, 화공이 어린ᄃᆞ시 낙양후의 말을 드ᄅ
미 놀납고 괴이히 녀겨, 즈【36】긔 부뷔
무식ᄒ여 녀진 줄 ᄭᅮᆷ의도 모로고, 뎡숙녈노
ᄡᅥ 군지라 ᄒ여 동상을 삼아 두고 디극히
ᄉᆞ랑ᄒ던 일이 가쇼로올 ᄲᅢ 아니라, 숙녈이
즈긔 집의 삼년을 이시ᄃᆡ 희미히도 녀진 줄
낫토디 아니ᄒ고, 녀ᄋᆞ의 현미ᄒ믈 아라보
아 남창후긔 쳔거ᄒ여 빅년 동녈(同列)의
졍을 미즈려 쥬의(主意)런 줄 혜아리민, 긔
특고 비상ᄒ믈 니긔디 못ᄒ여 므릅흘 치고,
탄디(歎之) 칭션ᄒ여 왈,

  "쳔고의 숙녀쳘부(淑女哲婦)를 의논ᄒ민
임강(姙姜)1243) 마등(馬鄧)1244)의 디나리
업ᄉᆞ디, 《녈∥녕(令)》 딜녀 숙녈부인의 지
모디략(才謀智略)과 숙덕셩힝(淑德聖行)이
딘실노 만디의 무ᄲᅡᆼᄒ디라. 쇼뎨 연무듕(煙
霧中)의 이셔 남녀【37】를 분변치 못ᄒ여,
녕딜녀를 당당이 남진 줄 알고 블초 녀식으
로ᄡᅥ 그 건긔(巾器)를 소임케 ᄒ고 옹셔(翁
壻)의 의(義)를 미즈민 ᄉᆞ랑ᄒᄂᆞᆫ 졍이 부즈
의 감치 아니ᄒ디, 다만 그 위인이 단엄 녜
듕ᄒ여 삼년디닉의 ᄒᆞᆫ 조각 희롱된 일이 업
고, 힝시 공밍안증(孔孟顔曾)1245)의 셩덕을
효측ᄒ니 쇽인과 크게 다른디라. 쇼뎨 ᄡᅥ
ᄒ디 블초 녀식의 일싱이 영화로오믈 신명
긔 샤례ᄒ여 긔디(期待) 공경(恭敬)홀 ᄲᅢ이
러니, 뉘 평싱 이셔(愛壻) 그릇 변ᄒ여 숙녈
부인이시믈 ᄯᅳᆺᄒ여시리오. 쇼뎨 퇵셔의 슈
고를 허비치 아냐셔 윤쳥문을 ᄉᆞ회 삼ᄂᆞᆫ 영
광이 잇게 되니, 이ᄂᆞᆫ 다 숙녈 부인 은덕
【38】라. 감격ᄒ미 협골(浹骨)ᄒ니 셔어(齟

1243)임강(姙姜) : 중국 주(周) 문왕(文王)의 모친 태
    임(太姙)과 주(周) 선왕(宣王)의 비(妃) 강후(姜后)
    를 함께 이르는 말. 모두 어진 덕으로 유명하다.
1244)마등(馬鄧) : 중국 동한(東漢) 명제(明帝)의 후
    비 마후(馬后)와 동한(東漢) 화제(和帝)의 후비(后
    妃) 등후(鄧后)를 함께 이르는 말. 둘 다 후궁 가
    운데 덕이 높았다.
1245)공밍안증(孔孟顔曾) : 유학의 네 성현인 공자,
    맹자, 안회, 증삼을 아울러 이르는 말.

다시 낙양후의 말을 드르민 놀납고 괴이히
녀여, 즈긔 부뷔 무식ᄒ여 녀진 줄 ᄭᅮᆷ에도
모로고, 뎡숙녈노ᄡᅥ 군지라 ᄒ여 동상을 삼
아 두고 지극히 ᄉᆞ랑ᄒ던 일이 가소로올 ᄲᅢ
아니라, 숙녈이 즈긔 집에 삼년을 이시ᄃᆡ
희미히도 녀진 줄 낫토지 아니ᄒ고, 녀ᄋᆞ의
현미ᄒᄆᆞᆯ 아라보아 남창후긔 쳔거ᄒ여 빅년
동녈(同列)의 졍을 미즈려 쥬의(主意)런 줄
혜아리민, 긔특고 비상ᄒᄆᆞᆯ 니【82】긔지
못ᄒ여 므릅를[흘] 치고 탄지 칭션ᄒ여 왈,

  "쳔고의 숙녀쳘부(淑女哲婦)를 의논ᄒ민
임ᄉᆞ(姙似)1184) 마등(馬鄧)1185)의 지나리
업ᄉᆞ디, 영딜녀(令姪女) 숙녈부인의 지모지
략(才謀智略)과 숙덕셩힝(淑德聖行)이 진실
노 만디의 무ᄲᅡᆼᄒ지라. 소뎨 연무즁(煙霧中)
에 잇셔 남녀를 분변치 못ᄒ여, 영딜녀를
당당이 남진 줄 알고 블초 녀식으로ᄡᅥ 그
건질(巾櫛)을 소임케 ᄒ고, 옹셔(翁壻)의 의
(義)를 미즈민 ᄉᆞ랑ᄒᄂᆞᆫ 졍이 부즈의 감치
아니ᄒᄃᆡ, 다만 그 위인이 단엄 녜즁ᄒ여
삼년지닉의 ᄒᆞᆫ 조각 희롱된 일이 업고, 힝
시 공밍안증(孔孟顔曾)1186)의 셩덕을 효측
ᄒ니 쇽인과 크게 다른지라. 소뎨ᄡᅥ ᄒᄃᆡ
블초 녀식의 일싱이 영화로오믈 신명긔 ᄉᆞ
례ᄒ여 긔디(期待) 공경(恭敬)홀 ᄲᅢ이러니,
뉘 평싱 이셔(愛壻) 그릇 변ᄒ여 숙녈 부인
이시믈 ᄯᅳᆺᄒ여시리오. 소뎨 퇵셔의 슈고를
허비치 아냐셔 윤쳥【83】문을 ᄉᆞ회 삼ᄂᆞᆫ
영광이 잇게 되니, 이ᄂᆞᆫ 다 숙녈 부인 은덕
이라. 감격ᄒ미 협골(浹骨)ᄒ여셔 셔어(齟

1184)임ᄉᆞ(姙似) : 중국 주(周)나라 현모양처(賢母良
    妻)인 문왕의 어머니 태임(太姙)과 무왕(武王)의
    어머니 태사(太姒)를 함께 이르는 말.
1185)마등(馬鄧) : 중국 동한(東漢) 명제(明帝)의 후
    비 마후(馬后)와 동한(東漢) 화제(和帝)의 후비(后
    妃) 등후(鄧后)를 함께 이르는 말. 둘 다 후궁 가
    운데 덕이 높았다.
1186)공밍안증(孔孟顔曾) : 유학의 네 성현인 공자,
    맹자, 안회, 증삼을 아울러 이르는 말.

齬)히 말ᄒᆞᆯ ᄇᆡ 아니로ᄃᆡ, 다만 윤ᄉᆞ원의 ᄯᅳᆺ을 아디 못ᄒᆞ니, 날 ᄀᆞᄐᆞᆫ 용우박녈디인(庸愚薄劣之人)의 미약ᄒᆞᆫ 녀식을 신취(新娶)치 아닐가 념(念)[1246]이로다."

딘공이 쇼왈,

"ᄉᆞ원은 ᄒᆞᆫ낫 풍뉴영쥰(風流英俊)이라. 졀식 슉녀를 열히라도 샤양치 아닐 위인이니, ᄒᆞ믈며 우흐로 셩듀(聖主)의 명이 계시고, 아ᄅᆡ로 딜녜 극딘히 쥬션(周旋)ᄒᆞ니 엇디 녕녀를 취치 아니리오."

화공이 낙양후의 말을 올히 녀이나, 셔랑이 밧괴여 윤쳥문의 원비 되믈 ᄉᆡᆼ각ᄒᆞ니 심ᄉᆡ 훌연ᄒᆞ고[1247], 셰간ᄉᆡ(世間事) 이러ᄐᆞᆺ 우은 일이 만흐믈 탄ᄒᆞ여 측냥업【39】시 녀이더라.

딘공이 화공과 ᄒᆞᆫ가디로 밤을 디ᄂᆡ고, 명일의 도라가니 화공이 낙양후를 보ᄂᆡ고, ᄂᆡ당의 드러가 부인을 보고 윤광운이 남ᄌᆡ 아니오 뎡슉녈이런 줄 젼ᄒᆞᆫᄃᆡ, 쥬부인이 놀납고 셔운ᄒᆞ믈 니긔디 못ᄒᆞᆯ ᄲᅮᆫ 아니라, 녀ᄋᆞ의 젼졍이 아모리 될 줄 모로니 ᄎᆞ악ᄒᆞ믈 딘뎡치 못ᄒᆞᄂᆞᆫ디라, 공이 위로 왈,

"뎡슉녈이 결단ᄒᆞ여 녀ᄋᆞ의 신셰를 괴로이 아니ᄒᆞ리니, 화복(禍福)을 임의로 못ᄒᆞ거니와, ᄌᆞ긔 ᄆᆞᄋᆞᆷ의 뎡ᄒᆞᆫ 바ᄂᆞᆫ ᄋᆞ녀를 윤광쳔의게 쳔거ᄒᆞ여 ᄇᆡᆨ년을 동녈(同列)코져 ᄒᆞ미오, 윤광텬이 셰ᄃᆡ(世代)의 영쥰호걸(英俊豪傑)노 쳐【40】의 싊 만흐믈 ᄀᆞᆺᄐᆞ여 ᄒᆡ(害)로이 녀이ᄂᆞᆫ ᄇᆡ 업다 ᄒᆞ니, 녀ᄋᆞ의 용화긔딜이 남의 아ᄅᆡ 잇디 아닌디라. 윤개(尹家) 안고(眼高)ᄒᆞ미 무산(巫山)[1248]과 월궁(月宮)을 보앗다 닐너도 나모랄 거시 업ᄉᆞ니, 부인은 녀ᄋᆞ의 혼ᄉᆞ를 일워 그 팔ᄌᆡ 되여가믈 보고, 무익히 근심치 말디어다."

뎡언간의 시녜 고왈,

"젼일 윤상공의 셔동(書童) 홍션이 변복

1246)념(念) : 염려(念慮).

1247)훌연ᄒᆞ다 : 후련하다. 답답하거나 갑갑하여 언짢던 것이 풀려 마음이 시원하다.

1248)무산(巫山) : 중국 중경시(重慶市) 동쪽에 있는 현. 무산십이봉(巫山十二峯)이 솟아 있는데 기암과 절벽으로 이루어진 경치가 아름답기로 유명하다.

齬)히 말ᄒᆞᆯ ᄇᆡ 아니로ᄃᆡ, 다만 윤ᄉᆞ원의 ᄯᅳᆺ을 아지 못ᄒᆞ니, 날 ᄀᆞᄐᆞᆫ 용우박녈지인(庸愚薄劣之人)의 미약ᄒᆞᆫ 녀식을 신취(新娶)치 아닐가 념(念)[1187]이로다."

진공이 소왈,

"ᄉᆞ원은 ᄒᆞᆫ낫 풍뉴영쥰(風流英俊)이라. 졀식 숙녀를 열히라도 샤양치 아닐 위인이니, ᄒᆞ믈며 우흐로 셩쥬의 명이 계시고, 아ᄅᆡ로 질녜 극진히 쥬션ᄒᆞ니, 엇지 영녀를 취치 아니리오."

화공이 낙양후의 말을 올히 녀이나, 셔랑이 밧괴여 윤쳥문의 원비 되믈 ᄉᆡᆼ각ᄒᆞ니 심ᄉᆡ 훌연ᄒᆞ고[1188], 셰간ᄉᆡ(世間事) 이러ᄐᆞᆺ 우은 일이 만흐믈 탄ᄒᆞ여 측냥 업시 녀이더라.

진공이 화공과 ᄒᆞᆫ가지로 밤을 지ᄂᆡ고, 명일에 도라가니 화공이 낙양후를 보ᄂᆡ고, ᄂᆡ당의 드러가 부인을 보고 윤광운이 남ᄌᆡ 아니오 뎡【84】숙녈 이런 줄 젼ᄒᆞᆫᄃᆡ, 쥬부인이 놀납고 셔운ᄒᆞ믈 니긔지 못ᄒᆞᆯ ᄲᅮᆫ 아니라, 녀아의 젼졍이 아모리 될 줄 모로니 ᄎᆞ악ᄒᆞ믈 진졍치 못ᄒᆞᄂᆞᆫ디라, 화공이 위로 왈,

"뎡 숙녈이 결단ᄒᆞ여 ᄋᆞ녀의 《시셰‖신셰》를 괴로이 아니ᄒᆞ리니, 화복(禍福)을 임의로 못ᄒᆞ거니와, ᄌᆞ긔 마ᄋᆞᆷ의 졍ᄒᆞᆫ 바ᄂᆞᆫ ᄋᆞ녀를 윤광쳔에게 쳔거ᄒᆞ여 ᄇᆡᆨ년을 동녈(同列)코져 ᄒᆞ미오, 윤광텬이 셰ᄃᆡ의 영쥰호걸(英俊豪傑)노 쳐쳡의 싊 만흐믈 ᄀᆞᆺᄐᆞ여 ᄒᆡ로이 녀이ᄂᆞᆫ ᄇᆡ 업다 ᄒᆞ니, 녀ᄋᆞ의 용화긔질이 남의 아ᄅᆡ 잇지 아닌지라. 윤개(尹家) 안고(眼高)ᄒᆞ미 무산(巫山)[1189]과 월궁(月宮)을 보앗다 닐너도 나모랄 거시 업ᄉᆞ니, 부인은 녀ᄋᆞ의 혼ᄉᆞ를 일워 그 팔ᄌᆡ 되여가믈 보고 무익히 근심치 말지어다."

뎡언간의 시녜 고왈,

"젼일 윤상공의 셔동(書童) 홍션이 변복

1187)념(念) : 염려(念慮).

1188)훌연ᄒᆞ다 : 후련하다. 답답하거나 갑갑하여 언짢던 것이 풀려 마음이 시원하다.

1189)무산(巫山) : 중국 중경시(重慶市) 동쪽에 있는 현. 무산십이봉(巫山十二峯)이 솟아 있는데 기암과 절벽으로 이루어진 경치가 아름답기로 유명하다.

ᄒᆞ여 일개 청의로 일봉셔를 밧들고 니르러 부인긔 현알ᄒᆞ믈 고ᄒᆞᄂᆡ이다."

화공 부뷔 크게 깃거 즉시 브르라 ᄒᆞ니, 홍션이 쳥하의 다ᄃᆞ라 화공과 부인긔 비알ᄒᆞ고 부인의 봉셔를 드린듸, 쥬부인이【41】개간ᄒᆞ니 ᄒᆞ여시듸,

"쇼쳡 뎡시ᄂᆞᆫ 붓그러음과 긔망(欺罔)ᄒᆞᆫ 죄를 므릅쓰고, 쥬부인 좌하의 미셰ᄒᆞᆫ 회포를 알외ᄂᆞ이다. 쳡이 명되 긔박ᄒᆞ여 사ᄅᆞᆷ의 당치 못홀 역경을 당ᄒᆞ미, 몸 우히 살인 누얼을 시러 댱샤의 찬덕ᄒᆞ미, 블인 극악ᄒᆞᆫ 무리 쳡의 덕소도 보젼치 못ᄒᆞ게 히코져 ᄒᆞᄂᆞᆫ 고로, 구구(區區)히 목슘을 닛고져 ᄒᆞ미, 형셰 마ᄃᆡ 못ᄒᆞ여 음양을 변톄(變體)ᄒᆞ고 운교역의 잠간 머믈미, 샹공이 보시고 쳡의 잔약 누디를 그릇 남자로 아르샤, 동상을 뎡코져 ᄒᆞ시거늘 황황(惶惶)ᄒᆞ믈ᄂᆡ긔디 못ᄒᆞ여 샤양ᄒᆞ나, 득디 못ᄒᆞ고 말ᄉᆞᆷ이 간졀ᄒᆞ【42】기의 밋ᄎᆞ시니, 쳡이 어린 ᄯᅳᆺ의 싱각ᄒᆞᆫ듸 가뷔 명문 자뎨로 지화(才華) 긔딜(氣質)이 하등(下等)이 아니라. 비록 여러 쳐실이 이시나 녕ᄋᆞ 쇼져의 초군(超群) 특이(特異)ᄒᆞ믈 드르미, 외람ᄒᆞᆫ 의식 빅년동녈(百年同列)[1249]의 화복고락(禍福苦樂)을 일쳬로 ᄒᆞ고져 ᄒᆞᄂᆞᆫ 고로, 쳡이 윤가의 셩시를 비러 샹공의 후의를 밧들미, 일ᄌᆞ(一者)[1250]ᄂᆞᆫ 쳡의 의디(依支)를 어더 환쇄 젼 존부의 머믈고져 ᄒᆞ미오, 이ᄌᆞ(二者)[1251]ᄂᆞᆫ 녕ᄋᆞ 쇼져 ᄀᆞᆺ튼 슉녀명염(淑女名艶)으로 ᄒᆞ여곰 ᄎᆞ마 타문의 도라보닉디 못ᄒᆞ미오, 삼ᄌᆞ(三者)[1252]ᄂᆞᆫ 샹공의 남다르신 튱녈노뼈 원억

ᄒᆞ여 일긔 청의로 일봉셔를 밧들고 니르러 부인긔 현【85】알ᄒᆞ믈 고ᄒᆞᄂᆡ이다."

화공 부뷔 크게 깃거 즉시 브르라 ᄒᆞ니, 홍션이 쳥하에 다ᄃᆞ라 화공과 부인긔 비알ᄒᆞ고, 부인의 봉셔를 드린듸, 쥬부인이 ᄭᅵ간ᄒᆞ여니, ᄒᆞ여시듸,

"쇼쳡 뎡시ᄂᆞᆫ 붓그러음과 긔망ᄒᆞᆫ 죄를 므릅쓰고, 쥬부인 좌하에 미셰ᄒᆞᆫ 회포를 알외ᄂᆞ이다. 쳡이 명되 긔박ᄒᆞ여 사ᄅᆞᆷ의 당치 못홀 역경을 만나미, 몸 우히 살인 누명을 시러 댱ᄉᆞ의 찬젹ᄒᆞ미, 블인 극악ᄒᆞᆫ 무리 쳡의 젹소도 보젼치 못ᄒᆞ게 히코져 ᄒᆞᄂᆞᆫ 고로, 구구히 목슘을 닛고져 ᄒᆞ미 형셰 마디 못ᄒᆞ여 음양을 변체(變體)ᄒᆞ고 운교역의 잠간 머믈미, 샹공이 보시고 쳡의 잔약 누질을 그릇 남자로 아르샤, 동상을 졍코져 ᄒᆞ시거늘 황황(惶惶)ᄒᆞ믈 니긔지 못ᄒᆞ여 ᄉᆞ양ᄒᆞ나 득디 못ᄒᆞ고, 말ᄉᆞᆷ이 간졀ᄒᆞ시기의 밋ᄎᆞ니, 쳡이 어린 ᄯᅳᆺ의 싱각건디 가뷔【86】명문 자뎨로 지화 긔질이 하등이 아니라, 비록 여러 쳐실이 잇시나 영ᄋᆞ 소져의 초군(超群) 특이ᄒᆞ믈 드르미, 외람ᄒᆞᆫ 의식 빅년동녈(百年同列)[1190]의 화복고락(禍福苦樂)을 일쳬로 ᄒᆞ고져 ᄒᆞᄂᆞᆫ 고로, 쳡이 윤가의 셩씨를 비러 샹공의 후의를 밧들미, 일ᄌᆞ(一者)[1191]ᄂᆞᆫ 쳡의 의지를 어더 《환셔∥환쇄(還刷)》 젼 존부의 머물고져 ᄒᆞ미오, 이ᄌᆞ(二者)[1192]ᄂᆞᆫ 영소져 ᄀᆞᆺ튼 슉녀명염(淑女名艶)으로 ᄒᆞ여곰 ᄎᆞ마 타인 문의 도라보닉지 못ᄒᆞ미오, 삼ᄌᆞ(三者)[1193]ᄂᆞᆫ 샹공의 남다르신 츙녈노뼈 원억ᄒᆞᆫ 누얼을 시르샤 댱

1249)빅년동녈(百年同列) : 한 남자와 결혼하여 같은 아내의 지위를 갖고 함께 살아가는 여자들을 이르는 말.

1250)일ᄌᆞ(一者) : 하나. 또는 첫째. 어떤 사물, 일, 현상 따위의 여러 구성요소나 원인들 가운데 첫 번째임을 이르는 말

1251)이ᄌᆞ(二者) : 둘. 또는 둘째. 어떤 사물, 일, 현상 따위의 여러 구성요소나 원인들 가운데 두 번째임을 이르는 말

1252)삼ᄌᆞ(三者) : 셋. 또는 셋재. 어떤 사물, 일, 현상 따위의 여러 구성요소나 원인들 가운데 세 번째임을 이르는 말

1190)빅년동녈(百年同列) : 한 남자와 결혼하여 같은 아내의 지위를 갖고 함께 살아가는 여자들을 이르는 말.

1191)일ᄌᆞ(一者) : 하나. 또는 첫째. 어떤 사물, 일, 현상 따위의 여러 구성요소나 원인들 가운데 첫 번째임을 이르는 말

1192)이ᄌᆞ(二者) : 둘. 또는 둘째. 어떤 사물, 일, 현상 따위의 여러 구성요소나 원인들 가운데 두 번째임을 이르는 말

1193)삼ᄌᆞ(三者) : 셋. 또는 셋재. 어떤 사물, 일, 현상 따위의 여러 구성요소나 원인들 가운데 세 번째임을 이르는 말

흔 누얼을 시르샤 댱샤 슈쳔니의 찬덕ᄒ시민, 틱셔(擇壻)ᄒ시ᄂᆞᆫ 도리【43】 ᄆᆞ옴과 ᄀᆞ디 못ᄒ신 고로, 쳡 ᄀᆞ튼 우용쳔딜(愚庸賤質)《도ᄂ로》 동상을 유의ᄒ시니, 쳡의 가부(家夫)ᄂᆞᆫ 셜ᄉ 남의셔 낫디 못ᄒ나, 쳡의 위인으로 비컨ᄃᆡ 가장 여러가디 나으미 잇ᄂᆞᆫ 고로, 녕ᄋ 쇼져의 평칭이 헛되디 아니키를 위ᄒ미라. 엇디 도라올 ᄣ 가부(家夫)를 조ᄎ 샹경ᄒᄆᆞᆯ 고치 아니리잇고마ᄂᆞᆫ, 상공과 부인이 오히려 쳡의 ᄆᆞ옴을 치 아디 못ᄒ시고, 녕(令)쇼져의 신셰를 위ᄒ여 망단(望斷)1253)이 넉이실가, 미리 념녀를 씻치디 못ᄒ여, 여러가디로 긔망ᄒ미 되니, 싱각ᄒᆞᆯᄉᆞᆨ 참황슈괴(慙惶羞愧)ᄒ미 낫출 ᄭᆞ고져 ᄒ나 밋디 못ᄒᆞᆯ디라. 쳡이 녕ᄋ 쇼져를 남시만 ᄀᆞ디【44】 못ᄒ게 아라 가부의 뎨ᄉ부실(第四副室)노 쳔거코져 ᄒ미 아니라, 운교역의셔 상공을 만나디 아닌 젼의 남시를 만나, 임의 결약ᄌᆞ미(結約姉妹)ᄒ고 윤군의 뎨삼부실(第三副室)노 쳔거ᄒᆞᆯ ᄠᅳᆺ을 빗최여시므로, 언약을 져바리디 못ᄒ여 상공이 구혼ᄒ실 ᄣ의 삼취(三娶)가디 뎡ᄒ 곳이 이시믈 알외엿던 비라. 남시 ᄯᅩ 존부 후은을 닙어 삼년을 존부 의식을 허비ᄒ엿고, 쳡이 존부 곳 아니면 능히 보젼치 못ᄒ여시리니, 은혜 크고 덕이 듕ᄒ미 싱셰의 다 갑디 못ᄒᆞᆯ디라. 가부의 지실 딘시ᄂᆞᆫ 쳡의 표뎨(表弟)오, 녕ᄋ 쇼의게도 이종(姨從)이니, 비록 일홈이 뎍인(敵人)이나 동긔와 다【45】르미 업ᄂᆞᆫ디라. 쇼졔 윤문의 속현ᄒ시ᄂᆞᆫ 날이라도 셔의(齟齬)ᄒ 일이 업스리니, 부인은 일분도 념녀 마르시고 혼ᄉ를 일워, 녕쇼져의게 난안디ᄉᆡᆨ(赧顔之事) 업시 영화를 누리ᄂᆞᆫ 날의, 쳡의 젼후 당돌ᄒ 죄를 샤(赦)ᄒ시고 만시 텬의(天意)믈 싱각ᄒ쇼셔."

디말(紙末)의 ᄯᅩ 쇼져의게 두어 줄 글을 붓쳐시니, 비록 셔ᄉᆡ(書辭) 만치 아니나 간곡ᄒ 졍셩이 낫타나ᄂᆞᆫ디라. 화공 부뷔 견과(見罷)의 반갑고 아롬다오믈 니긔디 못ᄒ나,

시 슈쳔 니에 찬젹ᄒ시민, 틱셔(擇壻)ᄒ시ᄂᆞᆫ 도리 마음과 ᄀᆞ지 못ᄒ신 고로, 쳡 ᄀᆞ튼 우용쳔질(愚庸賤質)○[로] 동상을 유의ᄒ시니, 쳡의 가부(家夫)ᄂᆞᆫ 셜ᄉ 남의셔 낫디 못ᄒ나, 쳡의 위인으로 비컨ᄃᆡ 가장 여러 가지 나으미 잇ᄂᆞᆫ 고로, 녕ᄋ 소져의 평칭이 헛되지 아니키를 위ᄒ미라. 엇지 도라올 ᄣ 가부(家夫)를 조ᄎ 샹경【87】ᄒ믈 고치 아니리잇고마ᄂᆞᆫ, 상공과 부인이 오히려 쳡의 마음을 치 아지 못ᄒ시고, 영(令)소져의 신셰를 위ᄒ여 망단(望斷)1194)이 넉이실가, 미리 념녀를 씻치지 못ᄒ여, 여러가지로 긔망ᄒ미 되니, 싱각ᄒᆞᆯᄉᆞᆨ 참황슈괴(慙惶羞愧)ᄒ미 낫출 ᄭᆞ고져 ᄒ나 밋지 못ᄒᆞᆯ지라. 쳡이 영ᄋ 소져를 남씨만 ᄀᆞ지 못ᄒ게 아라 가부의 뎨ᄉ부실(第四副室)노 쳔거코져 ᄒ미 아니라, 운교역에셔 상공을 만나지 아닌 젼의 남씨를 만나 임의 결약져미(結約姐妹)ᄒ고, 윤군의 뎨슴부실(第三副室)노 쳔거ᄒᆞᆯ ᄠᅳᆺ을 빗최여시므로, 언약을 져ᄇᆞ리지 못ᄒ여 상공이 구혼ᄒ실 ᄣ의 삼취(三娶)신지 졍ᄒ 곳이 잇시믈 알외엿던 비라. 남씨 ᄯᅩ 존부 후은을 닙어 삼년을 존부 의식을 허비ᄒ엿고, 쳡이 존부 곳 아니면 능히 보젼치 못ᄒ엿시리니, 은혜 크고 덕이 즁ᄒ미 싱【88】셰에 다 갑지 못ᄒᆞᆯ지라. 가부의 지실 진씨ᄂᆞᆫ 쳡의 표뎨오, 영소져에게도 이종(姨從)이니, 비록 일홈이 젹인이나 동긔와 다르미 업ᄂᆞᆫ지라. 소졔 윤문의 속현ᄒ시ᄂᆞᆫ 날이라도 셔어(齟齬)ᄒ 일이 업스리니, 부인은 일분도 념녀 마르시고 혼ᄉ를 일워, 영소져에게 난안지ᄉᆡᆨ(赧顔之事) 업시 영화를 누리ᄂᆞᆫ 날의, 쳡의 젼후 당돌ᄒ 죄를 샤ᄒ시고 만시 텬의믈 싱각ᄒ쇼셔."

지말(紙末)의 ᄯᅩ 소져에게 두어 줄 글을 브쳐시니, 비록 셔ᄉᆡ(書辭) 만치 아니나 간곡ᄒ 졍셩이 낫타나ᄂᆞᆫ지라. 화공 부뷔 견과의 반갑고 아롬다오믈 니긔지 못ᄒ나, ᄌᆞ긔

1253)망단(望斷) : 바라던 일이 실패하였거나 바람이 끊겨 마음이 몹시 상함. =실망(失望).

1194)망단(望斷) : 바라던 일이 실패하였거나 바람이 끊겨 마음이 몹시 상함. =실망(失望).

ᄌᆞ긔 부뷔 젼일 남의 집 부녀(婦女)로ᄡᅥ, 분명ᄒᆞᆫ 남ᄌᆞ로 아라 셔랑을 삼아 두고, 긔경이ᄃᆡ(起敬愛待)ᄒᆞ던 바를 싱각ᄒᆞ니, 일장 실쇼ᄒᆞ믈 면치 못ᄒᆞ여 셔로 웃고, 홍션다려,

"슉녈【46】 부인의 의긔현심(義氣賢心)이 녀ᄋᆞ의 일싱을 고렴(顧念)ᄒᆞ여, 남창후의 뎨ᄉᆞ부실노 쳔거코져 ᄒᆞ시니, 감격ᄒᆞ미 이 밧 업ᄉᆞᆫ디라. 엇디 셔어ᄒᆞᆫ 언어로 다 니를 비리오.

홍션이 ᄃᆡ왈,

"쥬인이 노야(老爺)와 부인의 이휼ᄒᆞ시는 은혜를 바드미 듕ᄒᆞ나, 감히 ᄂᆡ력을 고치 못ᄒᆞ여 긔망ᄒᆞ신 허믈이 깁ᄒᆞ시니, 경샤의 올나오신 후 더욱 블안(不安) 졀민(切憫)ᄒᆞ샤, 쇼져로 ᄒᆞ여곰 윤부의 닐위실 도리를 싱각ᄒᆞ시미 궁극(窮極)기의 밋쳐 계시더니, 텬은이 빗기 더ᄋᆞ샤 노야의 찬비(竄配)를 프르시니, 이졔는 혼ᄉᆞ를 셩젼(成全)ᄒᆞ실디라. 쥬뫼 작일의 노야의 샹경ᄒᆞ시믈 드르시고 즉시 보ᄂᆡ여 문후코져 【47】ᄒᆞ시ᄃᆡ, 쥬군의 혼ᄉᆞ 결단ᄒᆞ시믈 아디 못ᄒᆞ시므로 ᄌᆞ져(趑趄)1254)ᄒᆞ시더니, 금됴의 븍공 노애 옥누항의 니르샤, 쥬군의 허락을 바드시미, 비로소 봉셔(封書)를 올니시더이다."

화공 부뷔 그 셩심을 감샤ᄒᆞ고, 홍션을 반기미 극ᄒᆞ여 쥬찬을 ᄀᆞᆺ초아 션을 ᄃᆡ졉ᄒᆞ니, 쇼져는 모친 겻ᄐᆡ 슉연 단좌ᄒᆞ여 일언을 아니ᄒᆞ나 뎡쇼져의 필뎍을 보미, 듕심의 반가오믈 니긔디 못ᄒᆞ더라.

이윽고 쥬부인이 답간을 일워 션을 도라보ᄂᆡ고, 부뷔 ᄃᆡᄒᆞ여 남창후의 풍신 용화와 지화 위덕이 쳔고의 무덕ᄒᆞᆷ믈 혜아리미,

"녀이 그 ᄉᆞ취(四娶) 되나 쇽ᄌᆞ(俗者)의 원비(元妃)도곤 낫디 아니랴."

ᄒᆞ여, 흔희(欣喜) 쾌열(快悅)ᄒᆞ더라.

ᄎᆞ시, 남태상【48】이 위녀를 졍위(廷尉)로 보ᄂᆡ고 그윽이 버히믈 죄오더니, 위녜 졍위의 나아가 졔 젼젼죄악을다 딕초(直招)

부뷔 젼일 남의 집 부녀(婦女)로ᄡᅥ 분명ᄒᆞᆫ 남ᄌᆞ로 아라 셔랑을 삼아 두고, 긔경이ᄃᆡ(起敬愛待)ᄒᆞ던 바를 싱각ᄒᆞ니, 일장 실쇼ᄒᆞ믈 면치 못ᄒᆞ여 셔로 웃고 홍션다려,

"슉녈 부인의 의긔현심(義氣賢心)이 녀ᄋᆞ의 일【89】싱을 고렴ᄒᆞ여, 남창후의 뎨ᄉᆞ부실노 쳔거코져 ᄒᆞ시니 감격ᄒᆞ미 이 밧 업ᄉᆞᆫ지라. 엇지 셔어ᄒᆞᆫ 언어로 다 니를 비리오."

홍션이 ᄃᆡ왈,

"쥬인이 노야(老爺)와 부인의 이휼ᄒᆞ시는 은혜를 바드미 즁ᄒᆞ오나, 감히 ᄂᆡ력을 고치 못ᄒᆞ여 긔망ᄒᆞ신 허믈이 깁ᄒᆞ시니, 경ᄉᆞ에 올나오신 후 더욱 불안 졀민ᄒᆞ샤, 소져로 ᄒᆞ여곰 윤부의 일위실 도리를 싱각ᄒᆞ시미 궁극(窮極)기의 밋쳐 계시더니, 쳔은이 빗기 더ᄋᆞ샤 노야의 찬비(竄配)를 《드르‖프르》시니, 이졔는 혼ᄉᆞ를 셩편(成篇)ᄒᆞ실지라. 쥬뫼 작일에 상공의 샹경ᄒᆞ시믈 드르시고, 소비를 즉시 보ᄂᆡ여 문후코져 ᄒᆞ시ᄃᆡ, 쥬군의 혼ᄉᆞ 결단ᄒᆞ시믈 아지 못ᄒᆞ시는 고로 ᄌᆞ져(趑趄)1195)ᄒᆞ시더니, 금조의 북공 노애 옥누항의 니르샤 쥬군의 허락을 바드시니, 비로소 봉셔를 올니시【90】더이다."

화공 부뷔 그 졍셩을 감ᄉᆞᄒᆞ고, 홍션을 반기미 극ᄒᆞ여 쥬찬을 갓초아 홍션을 ᄃᆡ졉ᄒᆞ니, 소져는 모친 겻ᄒᆡ 슉연 단좌ᄒᆞ여 일언을 아니ᄒᆞ나, 뎡소져의 필젹을 보미 즁심의 반가오믈 니긔지 못ᄒᆞ더라.

쥬부인이 답간을 일우워 홍션을 보ᄂᆡ고 부뷔 ᄃᆡᄒᆞ여〇⋯결락53자⋯〇[남창후의 풍신 용화와 지화 위덕이 쳔고의 무덕ᄒᆞᆷ믈 혜아리미,

"녀이 그 ᄉᆞ취(四娶) 되나 쇽ᄌᆞ(俗者)의 원비(元妃)도곤 낫디 아니랴."

ᄒᆞ여, 흔희(欣喜) 쾌열(快悅)ᄒᆞ더라.]

ᄎᆞ시 남ᄐᆡ상이 위녀를 졍위(廷尉)로 보ᄂᆡ고 그윽이 버히믈 죄오더니, 위녜 졍위의 나아가 졔 젼젼 죄악을 다 직초(直招)ᄒᆞ니,

---

1254) ᄌᆞ져(趑趄) : 자저(趑趄). 머뭇거리며 망설임. 늑주저(躊躇)

1195) ᄌᆞ져(趑趄) : 자저(趑趄). 머뭇거리며 망설임. 늑주저(躊躇)

ᄒ니, 형부상셰 텬문의 초ᄉ를 알외고 쳐참ᄒ
홀 바를 결단ᄒ여, 남공으로 니이졀혼(離異
絕婚)ᄒ고 위녀를 닉여다가 머리를 버히니,
남공이 노복을 보닉여 그 비를 ᄯ고 오장을
ᄲᆞ히며 슈족을 이(離)ᄒ여, 부인과 다ᄉᆞᆺ ᄌ
녀 죽인 원슈를 갑흐니, 원닉 위녀는 태흑
ᄉᆞ 위한의 미(妹)니, 윤부 위태부인 죵딜(從
姪)이라.

이ᅌᅥᆨ 뎡슉녈이 남·화 이공의 샹경ᄒ믈
듯고, 가마니 븍공을 보치여 남·화 냥부로
단니며 혼인을 의논ᄒ여 듕믹 되고, 호람후
와 창후의 허락을 엇게 ᄒ니, 븍공이【49】
미뎨의 어딘 ᄯ을 바다 호람후긔 고ᄒ고,
창후를 권ᄒ여 슉녀(淑女) 명염(名艶)을 샤
양치 말나 ᄒ니, 호람후ᄂᆞᆫ 슉녈의 현심 의
긔를 긔특이 넉여 일언의 쾌허ᄒ고, 창후ᄂᆞᆫ
본딕 슉녀 미희로 집을 메워 옥동화녀(玉童
花女)를 ᄲᆞᆼᄲᆞᆼ이두고져 ᄒᄂᆞᆫ ᄆᆞ음이로딕, 짐
ᄀᆞᆺ 빗싀와[1255] 니르딕,

"쇼뎨 용우ᄒ여 두 안히도 거나릴 덕이
업ᄂᆞᆫ 고로, 딘시ᄂᆞᆫ 반ᄒ여 친졍의 슙고 오
디 아니니, 규녀의 현블초(賢不肖)[1256]ᄂᆞᆫ ᄌ
시 알 길 업ᄉᆞ니, 힝혀 딘시 ᄀᆞ튼 녀ᄌ를
ᄯᅩ 어더 만난즉 엇디 불힝치 아니리오. 결
단ᄒ여 남·화 냥가의 입장(入丈)치 못ᄒ리
로다."

븍공이 쇼왈,

"내 ᄉ원으로ᄡᅥ 쾌활ᄒ혼 댱뷔라 ᄒ엿더니,
금일디언을【50】 드르니 그 심졍이 ᄀᆞ장
험피(險詖)[1257]ᄒ고 호의(狐疑) 만흔 남쥐로
다. 표믹(表妹) 디금 도라오디 못ᄒ미, 그
신상의 병이 ᄶᅥ나디 아닌 연괴(緣故)어늘,
어이 험상(險狀)흔[1258] 말을 ᄒᄂᆞ뇨? 네 표
믹를 갈구(渴求)ᄒ여 취코져 ᄒ던 일을 그
ᄉᆞ이 니졋관딕, 이졔 이런 말을 ᄒᄂᆞ냐? 남

형부 상셰 텬문의 초ᄉ를 알외고 쳐참홀 바
를 결단ᄒ여, 남공으로 니이졀혼(離異絕婚)
ᄒ고 위녀를 닉여다가 머리를 버히니, 남공
이 노복을 보닉여 그 비를 ᄯ고 오장을 ᄲᆞ
혀며 슈족을 이(離)ᄒ여, 부인과 다ᄉᆞᆺ ᄌ녀
죽인 원슈를 갑흐니, 원릭 위녀ᄂᆞᆫ 태흑ᄉᆞ
위한의 미(妹)니, 윤부 위태부인 죵딜(從姪)
이라.

이ᅌᅥᆨ 뎡슉녈【91】이 남·화 이공의 샹
경ᄒ믈 듯고, 가마니 북공을 보치여 남·화
냥부로 ᄃᆞ니며 혼인을 의논ᄒ여 즁믹 되고,
호람후와 창후의 허락을 엇게 ᄒ니, 북공이
미뎨의 어진 ᄯ을 바다 호람후긔 고ᄒ고,
창후를 권ᄒ여 슉녀 명염을 샤양치 말나 ᄒ
니, 호람후ᄂᆞᆫ 슉녈의 현심 의긔를 긔특이
넉여 일언의 쾌허ᄒ고, 창후ᄂᆞᆫ 본딕 슉녀
미희로 집을 메워 옥동화녀(玉童花女)를 ᄲᆞ
ᄲᆞᆼ이두고져 ᄒᄂᆞᆫ 마음이로딕, 짐ᄀᆞᆺ 빗ᄶᅥ
와[1196] 니르딕,

"소뎨 용우ᄒ여 두 안히도 거ᄂᆞ릴 덕이
업ᄂᆞᆫ 고로, 진시ᄂᆞᆫ 반ᄒ여 친졍의 숨고 오
지 아니니, 규녀의 현불초(賢不肖)[1197]ᄂᆞᆫ ᄌ
시 알 길 업ᄉᆞ니, 힝혀 진시 ᄀᆞ튼 녀ᄌ를
ᄯᅩ 어더 만난즉 엇지 불힝치 아니리오. 결
단ᄒ여 남·화 냥가의 입장(入丈)치 못ᄒ리
로다."

북공이 소왈,

"내 ᄉ원으로ᄡᅥ 쾌활흔【92】장뷔라 ᄒ엿
더니, 금일지언을 드르니 그 심졍이 ᄀᆞ장
험피(險詖)[1198]ᄒ고 호의(狐疑) 만흔 남쥐로
다. 표믹 지금 도라오지 못ᄒ미, 그 신상의
병이 ᄶᅥ나지 아닌 연괴(然故)어늘, 어이 험
상(險狀)흔[1199] 말을 ᄒᄂᆞ냐? 네 진믹를 갈
구(渴求)ᄒ여 취코져 ᄒ던 일을 그 ᄉᆞ이 니
졋관딕 이졔 이런 말을 ᄒᄂᆞ냐? 남·화 두

1255) 빗싀오다 : 빗새우다. '빗+새우다'의 형태. 짐짓
　　미워하다. 도도하다. 비싸게 굴다.
1256) 현블초(賢不肖) : 어짊과 못남. 또는 어진 사람
　　과 못난 사람을 아울러 이르는 말.
1257) 험피(險詖) : 사람됨이 음험하고 사특하다.
1258) 험상(險狀)ᄒ다 : 모양이나 상태가 거칠고 험하
　　다. ≒험상(險狀)궂다.

1196) 빗ᄶᅥ오다 : 빗새우다. '빗+새우다'의 형태. 짐짓
　　미워하다. 도도하다. 비싸게 굴다.
1197) 현블초(賢不肖) : 어짊과 못남. 또는 어진 사람
　　과 못난 사람을 아울러 이르는 말.
1198) 험피(險詖) : 사람됨이 음험하고 사특하다.
1199) 험상(險狀)ᄒ다 : 모양이나 상태가 거칠고 험하
　　다. ≒험상(險狀)궂다.

·화 두 쇼겨는 미뎨 즈시 아는 빈니, 슉녀 텰뷔 아니면 엇디 쳔거ᄒ리오."

호람휘 쇼왈,

"남·화 냥인 츄ᄒ믄 졔 비록 슬히여도, 내 임의 허ᄒ여시니 다시 곳치디 못ᄒᆯ디라. 챵빅은 힘뼈 듕미 되여 하쥬(賀酒)나 먹으라."

븍공이 샤례 왈,

"합하의 명이 이 ᄀᆞᆺᄐ시니 스원이 뜻 ᄀᆞᆺ디 못ᄒ여도 샤양치 못ᄒ리니, 쇼싱이 윤·남·화 삼가로 단녀 듕미【51】슈고를 당ᄒ니, 합하는 연셕의 호쥬 셩찬으로 졍표(情表)ᄒ쇼셔."

호람휘 쇼왈,

"긔 므어시 어려오리오. 당당이 슈고흔 공을 일우면, 슉녈 딜부긔 샤례 업디 아니리니, 광텬이 졔 스스로 당ᄒ리라."

좌위 개쇼(皆笑)ᄒ고, 뎡슉녈이 답간을 기다려 홍션이 도라 오니, 역시 반가오믈 니긔디 못ᄒ여 슈히 힝녜ᄒᆞ믈 권ᄒ니, 남공이 이 곡졀을 즈시 알고 감은(感恩)ᄒᆞ미 극의라. 엇디 챵후 ᄀᆞᆺᄐᆫ 긔특흔 신낭과 윤가 ᄀᆞᆺᄐᆫ 문벌을 텬하의 두로 구흔들 엇기 쉬오리오. 블감쳥(不敢請)이언졍 고소원야(固所願也)라. 뎨삼부실을 혐의치 아냐 쾌허ᄒ고, 녀ᄋᆞ를 다리라 챵딩 공ᄌᆞ를 밧비 남경으로 보ᄂᆡ고, 도【52】라올 일슈(日數)를 혜아려 퇴일ᄒ니, 삼ᄉᆞ삭이 가렷고, 화부의셔 ᄯᅩ 퇴일ᄒ여 윤부의 고ᄒ니, 공교히 남부 퇴일과 흔 날이러라.

븍공이 남·화 냥부와 옥누항의 왕ᄂᆡᄒ여 임의 퇴일가디 ᄒᆞ며, 미뎨의 쇼원을 쾌히 일우믈 깃거ᄒ고, 챵휘 흔 조각 슈고를 허비치 아냐셔 냥미슉녀(兩美淑女)를 츄케 되믈 일ᄏᆞ라, 즈긔 미뎨의 덕이라 ᄒ여 보친즉, 챵휘 거줏 호화의 뜻이 업스믈 닐너 신츄디ᄉᆞ(新娶之事) 깃브디 아니믈 답ᄒ더라.

어시의 광동 참졍 셕쥰이 국ᄉᆞ를 션티(善治)ᄒ며 빅셩을 이휼(愛恤)ᄒ고 결옥티졍(決獄治政)이 명쾌특달(明快特達)ᄒ니 안찰ᄉᆞ 계문(啓聞)[1259]의 크게 찬(讚)ᄒ여시【53】

소겨는 미뎨 즈시 아는 빈니, 슉녀 쳘뷔 아니면 엇지 쳔거ᄒ리오."

호람휘 소왈,

"남·화 냥인 츄ᄒ믄 졔 비록 슬히여도 내 임의 허ᄒ엿시니 다시 곳치지 못ᄒ지라. 챵빅은 힘뼈 줌미 되여 하쥬(賀酒)나 먹으라."

북공이 샤례 왈,

"합하의 명이 이 ᄀᆞᆺᄐ시니 스원이 뜻 ᄀᆞᆺ지 못ᄒ여도 샤양치 못ᄒ리니, 소싱이 윤·남·화 삼가(三家)로 단녀 줌미 수고를 당ᄒ니, 합하나 연셕의 호쥬 셩찬으로 졍표(情表)ᄒ소셔."

호람휘 소왈,

"거 무어시 어려오리오. 당당이 수고흔 공을 일【93】우면, 슉녈 딜부긔 샤례 업지 아니리니, 광텬이 졔 스스로 당ᄒ리라."

좌위 기소(皆笑)ᄒ고, 뎡슉녈이 답간을 기다려 홍션이 도라오니, 역시 반가오믈 니기지 못ᄒ여 슈이 힝례ᄒᆞ믈 권ᄒ니, 남공이 이 곡졀을 즈시 알고 감은ᄒᆞ미 극의라. 엇지 챵후 ᄀᆞᆺᄐᆫ 긔특흔 신낭과 윤가 ᄀᆞᆺᄐᆫ 문벌을 텬하에 두루 구흔들 엇기 쉬오리오, 불감쳥(不敢請)이언졍 고소원야(固所願也)라. 제삼 부실을 혐의치 아냐 쾌허ᄒ고, 녀ᄋᆞ를 다리라 챵징 공ᄌᆞ를 밧비 남경으로 보ᄂᆡ고, 도라올 일수를 혜아려 퇴일ᄒ니 삼ᄉᆞ삭이 가렷고 화부에셔 ᄯᅩ 퇴일ᄒ여 윤부의 고ᄒ니 공교히 남부 퇴일과 흔 날이러라.

북공이 남·화 냥부와 옥누항의 왕ᄂᆡᄒ여 임의 퇴일가지 ᄒᆞ며, 미뎨의 소원을 쾌히 일우믈 깃거ᄒ고, 챵휘 흔 조각 수고를 허비치 아냐셔 냥미슉녀(兩美淑女)를 츄【94】케 되믈 일ᄏᆞ라, 즈긔 미뎨의 덕이라 ᄒ여 보친즉, 챵휘 거줏 호화의 뜻이 업스믈 닐너 신츄디ᄉᆞ 깃브지 아니믈 답ᄒ더라.

어시의 광동 참졍 셕쥰이 국ᄉᆞ를 션티ᄒ며 빅셩을 이휼(愛恤)ᄒ고 결옥치졍(決獄治政)이 명쾌특달(明快特達)ᄒ니, 안찰ᄉᆞ 계(啓聞)[1200] 계문의 크게 찬ᄒ여시니, 상이 아니, 샹이 아름다이 넉이샤 샹태우(上大夫) 녕능후를 봉ᄒᆞ여 밧비 도라 오라 ᄒᆞ시니, 셕쥰이 여러 일월을 광동의셔 ᄉᆞ친디회(思親之懷) 간졀ᄒᆞ던 바로 급급히 환경ᄒᆞ여 궐하의 샤은ᄒᆞ고, 녈후(列侯) 복식을 ᄀᆞ초아 친젼의 봉빈(奉拜)ᄒᆞ니, 셕츄밀 부부의 반기미 비길 ᄃᆡ 업ᄂᆞᆫ디라. ᄒᆞᆫ갓 손을 잡고 써낫던 졍을 니르더니, 말이 윤시의게 밋쳐ᄂᆞᆫ 통한ᄒᆞ믈 니긔디 못ᄒᆞ니, 츄밀부뷔 디금 후경의 가도여시믈 니르고, 위·뉴 냥부인 악식 발각ᄒᆞᆫ 곡졀을 셰셰히니르니, 녕능휘 놀나디 아니ᄒᆞ고 이연(怡然)이 ᄃᆡ왈,

"위·뉴 냥인의 흉식 발각ᄒᆞ믄 됴보(朝報)로 조ᄎᆞ 아랏ᄉᆞᆸ거니와, 윤시의 요악 간【54】흉ᄒᆞ믄 젼혀 모풍(母風)이라. 쇼ᄌᆡ 실셩(失性)ᄒᆞ여 그 암밀(暗密) 샤특(邪慝)ᄒᆞ믈 아디 못ᄒᆞ고 다려와, 하마 가ᄂᆡ의 대변을 니르혈 번 ᄒᆞ오니, 뉘웃ᄎᆞ나 밋ᄎᆞ리잇가? 윤츄밀이 교디로셔 도라 왓다 ᄒᆞ오니, 져를 굿ᄐᆞ여 슈고로이 다ᄉᆞ리디 말고 윤가로 ᄶᅩᆺᄎᆞ 보ᄂᆡ면, 호람후의 쳐치 명졍ᄒᆞ리이다."

셕츄밀 부뷔 그러히 넉여 경아로 윤부로 보ᄂᆡ려 ᄒᆞ더디, 윤공이 녕능후의 도라 와시믈 듯고 즉시 셕부의 니르러, 츄밀 부ᄌᆞ를 볼ᄉᆡ, 호람휘 녕능후의 손을 잡고, 츄연 왈,

"내 널노 더브러 옹셔의 졍이 부ᄌᆞ의 감치 아니ᄒᆞ더니, 블초녀의 무상 간악ᄒᆞᆫ 연고【55】로 옹셔디의를 ᄭᅳᆫ케 되어시나, 너와 내 년치 부뎍(不適)ᄒᆞᆯ디언졍 디긔(志氣)ᄌᆞᆨ 상합(相合)ᄒᆞᆫ디라. 네 맛ᄎᆞᆷᄂᆡ 날 ᄃᆡ졉ᄒᆞ던 졍을 변치 말나."

능휘 빈샤 왈,

"쇼싱이 비록 블인무상(不仁無常)ᄒᆞ오나, 악댱의 디우(知遇)[1260]ᄒᆞ시믈 아디 못ᄒᆞ고, 녕녀의 블인간교(不仁奸巧)ᄒᆞ믈 통한(痛恨)ᄒᆞ여 악댱 우러옵던 하졍(下情)을 변ᄒᆞ리잇

1259)계문(啓聞) : 조선 시대에, 신하가 글로 임금에게 아뢰던 일. =계품(啓稟).

1260)디우(知遇) : 남이 자신의 인격이나 재능을 알고 잘 대우함.

름다이 넉이샤 상태우 녕능후를 봉ᄒᆞ여 밧비 도라 오라 ᄒᆞ시니, 셕쥰이 여러 일월을 광동에셔 ᄉᆞ친지회(思親之懷) ᄀᆞᆫ졀ᄒᆞ던 바로 급급히 환경ᄒᆞ여 궐하에 샤은ᄒᆞ고, 녈후(列侯) 복식을 ᄀᆞ초아 친젼의 봉빈(奉拜)ᄒᆞ니, 셕츄밀 부부의 반기미 비할 곳이 업ᄂᆞᆫ지라. ᄒᆞᆫ갓 손을 잡고 써낫던 졍을 니르더니, 말이 윤시에게 밋쳐ᄂᆞᆫ 통한ᄒᆞ믈 니긔지 못ᄒᆞ니, 츄밀 부뷔 디금 후경의 가도여시믈 니르고, 위·뉴 냥 부인 악식 발각ᄒᆞᆫ 곡졀을 셰셰히 【95】 니르니, 녕능휘 놀나지 아니ᄒᆞ고 이연이 ᄃᆡ왈,

"위·뉴 냥인의 흉식 발각ᄒᆞ믄 조보(朝報)로 조ᄎᆞ 아랏ᄉᆞᆸ거니와, 윤시의 요악 간흉ᄒᆞ믄 젼혀 모풍(母風)이라. 소ᄌᆡ 실셩ᄒᆞ여 그 암밀(暗密) ᄉᆞ특(邪慝)ᄒᆞ믈 아지 못ᄒᆞ고, ᄃᆞ려와 하마 가ᄂᆡ의 대변을 니르혈 번 ᄒᆞ오니, 뉘웃ᄎᆞ나 밋ᄎᆞ리잇가? 윤츄밀이 교지로셔 도라 왓다 ᄒᆞ오니, 져를 굿ᄐᆞ여 슈고로이 다ᄉᆞ리디 말고 윤가로 ᄶᅩᆺᄎᆞ 보ᄂᆡ면 호람후의 쳐치 명졍ᄒᆞ리이다."

셕츄밀 부뷔 그러히 넉여 경아로 윤부로 보ᄂᆡ려 ᄒᆞ더니, 윤공이 녕능후의 도라 와시믈 듯고 즉시 셕부의 니르러 츄밀 부ᄌᆞ를 볼ᄉᆡ, 호람휘 녕능후의 손을 잡고, 츄연 왈,

"내 널노 더브러 옹셔의 졍이 부ᄌᆞ의 감치 아니ᄒᆞ더니, 불초녀의 무상 간악ᄒᆞᆫ 연고로 옹셔지의를 ᄭᅳᆫ케 되어시나, 너와 네 년치(年齒) 부젹(不適)ᄒᆞᆯ지언졍 지긔(志氣)ᄌᆞᆨ상【96】합(相合)ᄒᆞᆫ지라. 네 맛ᄎᆞᆷᄂᆡ 날 ᄃᆡ졉ᄒᆞ던 졍을 변치 말나."

능휘 빈ᄉᆞ 왈,

"쇼싱이 비록 불민무상(不敏無常)ᄒᆞ오나, 악장의 지우(知遇)[1201]ᄒᆞ시믈 아지 못ᄒᆞ고, 녕녀의 불인간교(不仁奸巧)ᄒᆞ믈 통한(痛恨)ᄒᆞ여 악장 우러옵던 하졍(下情)을 변ᄒᆞ리잇

1200)계문(啓聞) : 조선 시대에, 신하가 글로 임금에게 아뢰던 일. =계품(啓稟).

1201)디우(知遇) : 남이 자신의 인격이나 재능을 알고 잘 대우함.

가?"

호람휘 탄식호믈 마디 아니호더니, 날호여 셕츄밀을 향호여 굴오딕,

"쇼뎨 어디디못하여 녀식을 잘 가른치디 못호 연고로, 형의 집을 어즈러이고 오부인긔 화를 깃치니, 싱각홀스록 참괴호미 형을 딕홀 낫치 업논더라. 츠고로 형이 【56】쇼뎨를 츠즈나, 쇼뎨는 즈한의 오믈 기다려 욕녀를 쳐티코져 호논 고로, 즉시 와 형을 회샤(回謝)치 못호과라."

언필의 스미로 조츠 누른 환약을 닉여 알패 노코 죄녀 보기를 구호딕, 셕츄밀이 굴오딕,

"쇼뎨 형의 녀ᄋ를 후정의 슈계(囚繫)호미 실노 형의 안면을 도라보디 못호엿논디라. 츳는 쎠를 당호니 심히 참괴호거니와, 녕녜 흔갓 뎍인(敵人)을 히홀 쑨 아니라, 디아븨 즈식을 졔 즈식이 아니라 호여 죽이려 호미, 사름의 못홀 악시라. 무스히 둔즉 다시 작악호미 이실가 호여 깁히 두엇더니, 돈이 도라와 존부로 보닉고져 호니, 그 말【57】이 올흔디라. 뎡히 거마를 출혀 보닉려 호더니, 형이 니르러 보기를 구호니 잠간 후정의 가 반기미 엇더호뇨?"

호람휘 즉시 몸을 니러 후정으로 향홀식, 녕능후와 어시 인도하여 니르니, 경이 빗업손 즈리의 머리를 벼개의 더디고 쥬야 호읍(號泣)호니, 옥용이 초고(憔枯)[1261]○○[호고] 화딜(花質)이 셤셤(纖纖)호여[1262] 경긱의 딘홀 듯, 위틱호 거동이 젼일 비록 십악대죄(十惡大罪)를 디엇다 닐너도, 부형디심(父兄之心)의 잔잉홀 비로딕, 호람휘 일호(一毫) 비쳑호 스식이 업셔, 셕부 시녀로 호여곰 흔 그릇 믈을 쎠 오라 호여, 약을 가라 알패 노코, 다만 닐오딕,

"골육상잔(骨肉相殘)이 고금의 변이오, 쉬호(豺虎)도 즈【58】식을 스랑호니, 네 아비 므삼 사름이라 텬뉸디졍(天倫之情)을 버혀 너를 죽이고져 호리오마는, 네 죄악이

1261)초고(憔枯) : 애를 태워 몸이 수척하고 마름.
1262)셤셤(纖纖)ᄒ다 : 가냘프고 여리다.

가?"

호람휘 탄식호믈 마지 아니호더라. 날호여 셕츄밀을 향호여 굴오딕,

"소뎨 어지지 못호여 녀식을 잘 ᄀ른치지 못호 연고로, 형의 집을 어쟈러이고 오부인긔 화를 깃치니, 싱각홀스록 참괴호미 형을 딕홀 낫치 업논지라. 츠고로 형이 소뎨를 츠즈나, 소뎨는 즈한의 오믈 기다려 욕녀를 쳐티코져 호논 고로, 즉시 와 형을 회샤(回謝)치 못호과라."

언필의 스미로 조츠 누른 환약을 닉여 알픽 노코 죄녀 보기를 구호딕, 셕츄밀이 굴ᄋ딕,

"소뎨 형의 녀ᄋ를 후정의 슈계(囚繫)호미 실노 형의 안면을 도라보지 못호【97】엿논지라. 츳는 쎠를 당호니 심히 참괴호거니와, 영녜 흔갓 젹인을 히홀 쑨 아니라, 지아븨 즈식을 졔 즈식이 아니라 호여 죽이려 호미 샤름의 못홀 악시라. 무스히 둔즉 다시 작악호미 잇실가 호여 깁히 두엇더니, 돈이 도라와 존부로 보닉고져 호니 그 말이 올흔지라. 경히 거마를 출혀 보닉려 호더니, 형이 니르러 보기를 구호니 잠간 후정의 가 반기미 엇더 호뇨?"

호람휘 즉시 몸을 니러 후정으로 향홀식 녕능후와 어시 인도하여 니르니, 경이 빗업손 즈리의 머리를 벼개의 더지고 쥬야 호읍(號泣)호니, 옥용이 초고(憔枯)[1202]호고, 화질(花質)이 셤셤(纖纖)호여[1203] 경각에 진홀 듯, 위틱호 거동이 젼일 비록 십악대간(十惡大奸)으로 죄를 지엇다 닐너도, 부형지심(父兄之心)에 잔잉홀 비로딕, 호람휘 일○[호](一毫) 비쳑호 스식이 업셔, 셕부 시녀로 호여곰 흔 그릇【98】믈을 쎠 오라 호여, 약을 가라 알픽 노코, 다만 니르딕,

"골육상잔(骨肉相殘)이 고금에 변이오, 쉬호(豺虎)도 즈식을 스랑호니, 네 아비 므숨 샤름이라 텬뉸지졍(天倫之情)을 버혀 너를 죽이고져 호리오마는, 네 죄악이 텬디에 관

1202)초고(憔枯) : 애를 태워 몸이 수척하고 마름.
1203)셤셤(纖纖)ᄒ다 : 가냘프고 여리다.

턴디의 관영(貫盈)ᄒᆞ니 스라시미 죽음만 ᄀᆞ
디 못ᄒᆞ여, 긴 셰월의 능히 견듸디 못ᄒᆞ리
니, 모로미 이 약을 먹고 쾌히 셰샹을 니ᄌᆞ
라."

경이 톄읍 힝뉴(行流)ᄒᆞ여 가득ᄒᆞᆫ 슬프○
[미] 심장을 믜ᄂᆞᆫ 듯ᄒᆞᆯ디언정, 감히 원억
(冤抑)ᄒᆞ며 이미(曖昧)ᄒᆞᆯ와 못ᄒᆞᆯ디라. 다만
공슌이 약 그릇술 붓드러 마시려 ᄒᆞ니, 녕
능후ᄂᆞᆫ 그 스싱 간의 요동ᄒᆞᆯ ᄆᆞ음이 업ᄂᆞᆫ
고로 묵연뎡좌(黙然正坐)로듸, 셕어싄 대경
ᄒᆞ여 호람후긔 여러 번 블가ᄒᆞᄆᆞᆯ 간ᄒᆞ듸,
듯디 아냐 왈,

"만싱이 슈블인(雖不仁)이나, 텬【59】뉸
(天倫)의 졍과 혈믹의 다리이ᄂᆞᆫ1263) ᄯᅳᆺ이
만믈디듕(萬物之衆)의 부ᄌᆞ(父子)ᄀᆞ치 듕ᄒᆞᆫ
거시 업스믈 모로디 아니ᄒᆞ듸, 제 죄상이
능히 스디 못ᄒᆞᆯ 거시오, 문호를 첨욕(添辱)
ᄒᆞ미 만ᄒᆞ니 오날늘 쾌히 죽여 그 시신을
공산(空山)의 안장(安葬)ᄒᆞ고 도라가미 나의
졍ᄒᆞᆫ ᄯᅳᆺ이라."

이리 니르며 경아의 압히 나아 안ᄌᆞ 어셔
약을 마시라 지쵹ᄒᆞ니, 셕어ᄉᆞᆫ 인현화홍
(仁賢和弘)ᄒᆞ더라. 목젼의 사ᄅᆞᆷ의 춤혹히 죽
으믈 바로 ᄎᆞ마 보디 못ᄒᆞ여, 나ᄂᆞ 드시 약
그릇술 아ᄉᆞ ᄯᅡᄒᆡ 업쳐 바리고, 호람후를
향ᄒᆞ여 샤죄 왈,

"쇼싱이 합하의 ᄯᅳᆺ을 거스려 약완(藥碗)
을 ᄯᅡᄒᆡ 업침과, 슈슈(嫂嫂)의 겻틔 나아가
미 가치 아【60】니ᄒᆞ오나, 아ᄌᆞ미 믈의 들
미 아ᄌᆞ비 건디ᄂᆞᆫ 거시 셩교(聖敎)의 허ᄒᆞ
신 빈라. 슈슈의 급ᄒᆞ신 거술 보미 밋쳐 녜
를 츨히디 못ᄒᆞ미니, 합하ᄂᆞᆫ 쇼싱의 당돌ᄒᆞᆫ
죄를 샤ᄒᆞ시고, 그윽이 도라 싱각ᄒᆞ시미 맛
당ᄒᆞ디라. 슈쉬 비록 합하 녀지시나, 쇼싱의
집의 속현(續絃)ᄒᆞ시미 이 곳 남의 집 사ᄅᆞᆷ
이니, 유죄 무죄를 논졍(論定)ᄒᆞ여 쳐티(處
置)ᄒᆞ미 쇼싱의 집의 이실 듯ᄒᆞ고, 합하긔
잇디 아니ᄒᆞ니, 원컨듸 합하ᄂᆞᆫ 샤뎨(舍弟)로
ᄒᆞ여곰 슈슈를 쳐티케 ᄒᆞ쇼셔."

공이 셕어ᄉᆞ의 말이 올흐믈 씨ᄃᆞ믈 씬 아

영(貫盈)ᄒᆞ니 스랏시미 죽음만 ᄀᆞ지 못ᄒᆞ여,
긴 셰월에 능히 견듸지 못ᄒᆞ리니, 모로미
이 약을 먹고 쾌히 셰샹을 니ᄌᆞ라."

경이 쳬읍 힝뉴(行流)ᄒᆞ여 가득ᄒᆞᆫ 슬프미
심장을 믜ᄂᆞᆫ 듯ᄒᆞᆯ지언졍, 감히 원억ᄒᆞ며 이
미ᄒᆞᆯ와 못ᄒᆞᆯ지라. 다만 공슌이 약 그릇슬
붓드러 마시려 ᄒᆞ니, 녕능후ᄂᆞᆫ 그 스싱 간
의 요동ᄒᆞᆯ 마음이 업ᄂᆞᆫ 고로, 묵연졍좌(黙
然正坐)로듸 셕어싄 대경ᄒᆞ여 호람후긔 여
러 번 불가ᄒᆞᄆᆞᆯ 간ᄒᆞ듸, 듯지 아냐 왈,

"만싱이 슈불인(雖不仁)이나, 텬륜의 졍과
혈믹의 다리이ᄂᆞᆫ1204) ᄯᅳᆺ이 만물지즁(萬物之
衆)에 부ᄌᆞᄀᆞ치 즁ᄒᆞᆫ 거시 업스믈 모로지
아【99】니 ᄒᆞ듸, 제 죄상이 능히 스지 못
ᄒᆞᆯ 거시오, 문호를 쳠욕(添辱)ᄒᆞ미 만ᄒᆞ니,
오날놀 쾌히 죽여 그 시신을 공산(空山)에
안장ᄒᆞ고 도라가미 나의 졍ᄒᆞᆫ ᄯᅳᆺ이라."

이리 니르며 경ᄋᆞ의 압히 닥아 안ᄌᆞ 어셔
약을 마시라 지쵹ᄒᆞ니, 셕어ᄉᆞᄂᆞᆫ 인현화홍
(仁賢和弘)ᄒᆞ지라. 목젼에 사ᄅᆞᆷ의 춤혹히 죽
으믈 바로 ᄎᆞ마 보지 못ᄒᆞ여, 나ᄂᆞ 드시 ᄯᅡ
히 업쳐 버리고 호람후를 향ᄒᆞ여 스죄 왈,

"소싱이 합하의 ᄯᅳᆺ슬 거스려 약완(藥碗)
을 ᄯᅡᄒᆡ 업침과 슈슈(嫂嫂)의 겻히 나아가
미 가치 아니ᄒᆞ오나, 아ᄌᆞ미 믈의 들미 아
ᄌᆞ비 건지ᄂᆞᆫ 거시 셩교의 허ᄒᆞ신 비라. 슈
슈의 급ᄒᆞ신 거술 보미 밋쳐 례를 츨히지
못ᄒᆞ미니, 합하ᄂᆞᆫ 소싱의 당돌ᄒᆞᆫ 죄를 샤ᄒᆞ
시고 그윽이 도라 싱각ᄒᆞ시미 맛당ᄒᆞ지라.
슈쉬 비록 합하 녀지시나, 소싱의 집의 속
현(續絃)ᄒᆞ시미 이 곳 남【100】의 집 샤ᄅᆞᆷ
이니, 유죄 무죄를 논졍(論定)ᄒᆞ여 쳐치ᄒᆞ미
소싱의 집에 잇실 듯ᄒᆞ고, 합하긔 잇지 아
니ᄒᆞ니, 원컨듸 합하ᄂᆞᆫ 스뎨(舍弟)로 ᄒᆞ여곰
슈슈를 쳐치케 ᄒᆞ쇼셔."

공이 셕어ᄉᆞ의 말이 올흐믈 씨ᄃᆞ믈 씬 아

1263)다리이다 : 당기다. 끌리다.

1204)다리이다 : 당기다. 끌리다.

니라, 셕어시 디셩(至誠)으로 경♀를 살오려 ᄒᆞᄆᆞᆯ 감샤ᄒᆞ【61】여, 츄연 탄식 왈,

"부녀디졍(父女之情)을 버혀 오날놀 죽이려 ᄒᆞ미[민] 아심(我心)이 어이 편ᄒᆞ리오마ᄂᆞᆫ, 간악 요믈을 살와두엇다가 죤부의 다시 어즈러오믈 닐위디 아니려 쾌히 죽이고져 ᄒᆞ엿더니, 현계(賢契) 이러툿 말녀 약 그릇슬 업쳐 바리니, 어딘 뜻을 감샤ᄒᆞ나 요녀를 죽이디 못ᄒᆞ미 일후디시 아모리 될 줄 모를디라. 젹디 아닌 근심이니 ᄌᆞ한은 내 말이 그르디 아니믈 혜아려 간녀(奸女)를 밧비 업시 ᄒᆞ라."

덩언간(停言間)의 윤니뷔(吏部) 됴당으로셔 나와 셕부의 니르러 셕츄밀을 비견ᄒᆞ고, 부친과 녕능휘 다 후졍의 드러가미 결단ᄒᆞ여 됴치 아닌 일【62】이 이시믈 혜아려, 경황ᄒᆞᄆᆞᆯ 니긔디 못ᄒᆞ여 셕츄밀노 더브러 후졍의 니르니, 녕능후와 셕어스는 년망이 하당ᄒᆞ여 부친을 맛고, 통지ᄂᆞᆫ 당의 올나 야야의반일 존후를 뭇ᄌᆞᆸ고 져져를 보미, 그 형용이 환탈ᄒᆞ여 ᄒᆞᆫ 낫 쵹뇌1264) 되엿ᄂᆞᆫ디라. 츠악 비졀ᄒᆞ여 누쉬 쩌러디믈 씌둣디 못ᄒᆞ니, 원닉 니뷔 환경ᄒᆞ연 디 여러 둘이 되어시디, 이곳의 와 져져를 보디 못ᄒᆞ미 대인 명이 엄ᄒᆞ여 녕능후 샹경ᄒᆞ기 젼은 셕부의 가디 말나 ᄒᆞᆫ 연괴러라.

셕어시 부친긔 호람휘 뎨쉬(弟嫂)를 죽이려 ᄒᆞ던 경식을 고ᄒᆞ니, 셕공이 크게 놀나, 윤공을 향ᄒᆞ여 글【63】오디,

"녕녜 비록 유죄ᄒᆞ나 죽이기의 밋츨 비 아니오. 돈이 용우ᄒᆞ나 제 안히를 제 쳐티ᄒᆞ리니, 형과 쇼뎨 아른 체 홀 일이 아니라. ᄒᆞ믈며 골육샹잔(骨肉相殘)이 그 엇던 대변이완디, 형이 츠마 놀나온 거조를 ᄒᆞ려 ᄒᆞᄂᆞ뇨? 개과쳔션은 셩인의 허ᄒᆞ신 비라. 녕녜 만일 젼ᄌᆞ의 과악을 바리고 인도(仁道)의 나아간즉 쇼뎨의 부지 엇디 감동치 아니리오."

호람휘 츄연 탄식ᄒᆞ여 믁연이 말이 업고, 녕능휘 또혼 일언을 아니ᄒᆞ더라.

1264)쵹뇌 : 쵹루(髑髏). 해골.

니라, 셕어시 지셩으로 경♀를 술오려 ᄒᆞ믈 감샤ᄒᆞ여, 츄연 탄식 왈,

"부녀지졍(父女之情)을 버혀 오늘날 죽이려 ᄒᆞ미[민] 아심(我心)이 어이 편ᄒᆞ리오마ᄂᆞᆫ, 간악 요믈을 술와두엇다가 죤부의 다시 어즈러오믈 일워지 아니려 쾌히 죽이고져 ᄒᆞ엿더니, 현계(賢契) 이러툿 말녀 약 그릇슬 업쳐 브리니, 어진 뜻을 감샤ᄒᆞ나 요녀를 죽이지 못ᄒᆞ미 일후지시 아모리 될 줄 모를지라. 젹지 아닌 근심이니 ᄌᆞ한은 내 말이 그르지 아니믈 혜아려 간녀(奸女)를 밧비 업시 ᄒᆞ라."

졍언간(停言間)의 윤니뷔(吏部) 조당으로셔 나와 셕부의 니르러 셕츄밀을 비견ᄒᆞ고, 부친과 녕능휘 다 후【101】졍의 드러가미 결단ᄒᆞ여 조치 아닌 일이 잇시믈 혜아려, 경황ᄒᆞ믈 니긔지 못ᄒᆞ여 셕츄밀노 더브러 후졍의 니르니, 녕능후와 셕어스는 연망이 하당ᄒᆞ여 부친을 맛고, 총지ᄂᆞᆫ 당의 올나 야야의 반일 존후를 뭇ᄌᆞᆸ고 져져를 보미, 그 형용이 환탈ᄒᆞ여 ᄒᆞᆫ낫 쵹뇌1205) 되엿ᄂᆞᆫ지라. 츠악 비졀ᄒᆞ여 누쉬 쩌러디믈 씌둣지 못ᄒᆞ니, 원닉 니뷔 환경ᄒᆞ연 지 여러 달이 되어시디, 이곳의 와 져져를 보지 못ᄒᆞ미, 대인 명이 엄ᄒᆞ여 녕능후 샹경ᄒᆞ기 젼은 셕부의 가지 말나 ᄒᆞᆫ 연괴러라.

셕어시 부친긔 호람휘 뎨슈(弟嫂)를 죽이려 ᄒᆞ던 경식을 고ᄒᆞ니, 셕공이 크게 놀나 윤공을 향ᄒᆞ여 글오디,

"영녜 비록 유죄ᄒᆞ나 죽이기의 밋츨 비 아니오, 돈이 용우ᄒᆞ나 제 안히를 제 쳐치ᄒᆞ리니, 형과 소뎨 아른 체 홀 일이 아니라. ᄒᆞᄆᆞᆯ【102】며 골육샹잔(骨肉相殘)이 그 엇던 대변이 완디 형이 츠마 놀나온 거조를 ᄒᆞ려 ᄒᆞᄂᆞ뇨? 개과쳔션은 셩인의 허ᄒᆞ신 비라. 녕녜 만일 젼ᄌᆞ의 악악ᄒᆞ믈 브리고 인도의 나아간즉, 소뎨의 부지 엇지 감동치 아니리오."

호람휘 츄연 탄식ᄒᆞ여 묵연이 말이 업고, 녕능휘 또혼 일언을 아니ᄒᆞ더라.

1205)쵹뇌 : 쵹루(髑髏). 해골.

윤통지(總裁) 그 져져의 거쳐 의복이 사룸의 견디기 어려온 일이 참연ᄒᆞ여, 이의 셕츄밀긔 고왈,

"아미의 과악이 호대ᄒᆞ오나, 합하의 호싱디【64】덕이 인명의 듕ᄒᆞᄆᆞᆯ 도라보샤 죽이디 아니실딘디, 살 도리를 명ᄒᆞ시미 더옥 감은ᄒᆞᆯ 비라. 아미의 형용 거쳬 은연이 대리시 죄인의 거동과 다르미 업ᄉᆞ오니, 쇼싱이 동긔디졍(同氣之情)으로뻐 참졀(慘切)ᄒᆞᄆᆞᆯ 니긔디 못ᄒᆞ와 셰쇄ᄒᆞᆫ 회포를 알외ᄂᆞ니, 옥누항의 도라 보니디 아니신즉 원문(園門)을 여러 주실딘디, 쇼싱이 ᄌᆞ로 왕닉ᄒᆞ여 누의를 보아, 그 위틱ᄒᆞᄆᆞᆯ 구ᄒᆞ고져 ᄒᆞᄂᆞ이다."

언파의 봉안의 믉은 누쉬 금포(錦袍)의 써러디믈 면치 못ᄒᆞ니, 셕공이 크게 감동ᄒᆞ여 쏘ᄒᆞᆫ 낫빗츨 곳치고 굴오딕,

"현계 이리 니르디 아냐도 우리 부지 바야흐로 의논ᄒᆞ여, 식부를 옥누항으로【65】보니려 ᄒᆞᄂᆞ니, 금일이라도 거교를 출혀 다려다가, 만일 회과칙션 ᄒᆞ미 이신즉 즉시 내 집으로 다려오리라."

윤니뷔 이의 ᄉᆞ샤(謝辭)ᄒᆞ더니, 호람휘 쥰졀이 막줄나 왈,

"쇼뎨 간녀(奸女)를 오날늘 쾌히 죽이디 못ᄒᆞᆷ, 녕낭이 간구(懇求)ᄒᆞᆯ 쑨 아니라 주한의 쳐티를 보고져 ᄒᆞ미어늘, 돈이 ᄉᆞ졍을 춤디 못ᄒᆞ○[여] 졔 누의를 다려가려 ᄒᆞ나, 쇼뎨 비위 결증겨워 일퇴의 두디 못ᄒᆞ리니, 인형(仁兄)[1265]은 인명을 앗기거든, 일간 누옥(陋屋)을 빌녀 믹반속듁(麥飯粟粥)[1266]으로 년명기죄(延命其罪)[1267]ᄒᆞ리니, 엇디 돈ᄋᆞ의 망녕된 말을 조츠리오."

셕공이 웃고 그러치 아니믈 닐너 노긔를

윤총지(總裁) 그 져져의 거쳐 의복이 샤룸의 견디기 어려온 일이 참연ᄒᆞ여, 이에 셕츄밀긔 고왈,

"아미의 과악이 호대ᄒᆞ오나, 합하의 호싱지덕이 인명의 즁ᄒᆞᄆᆞᆯ 도라보샤 죽이지 아니실딘디, 술 도리를 명ᄒᆞ시미 더옥 감은홀 비라. 아미의 형용 거쳐는 은연이 대리시 죄인의 거동과 다르미 업ᄉᆞ오니, 소싱이 동긔지졍(同氣之情)으로뻐 참졀ᄒᆞᄆᆞᆯ 니기지 못ᄒᆞ와 셰쇄ᄒᆞᆫ 회포를 알외ᄂᆞ니, 옥누항의 도라 보니지 아니신즉, 원【103】문을 여러 주실진디, 소싱이 ᄌᆞ로 왕닉ᄒᆞ여 누의를 보아 그 위틱ᄒᆞᄆᆞᆯ 구ᄒᆞ고져 ᄒᆞᄂᆞ이다."

언파의 봉안의 믉은 누쉬 금포의 써러지믈 면치 못ᄒᆞ니, 셕공이 크게 감동ᄒᆞ여 쏘ᄒᆞᆫ 낫빗츨 고치고 굴ᄋᆞ딕,

"현계 이리 니르지 아냐도 우리 부지 바야흐로 의논ᄒᆞ여, 식부를 옥누항으로 보니려 ᄒᆞᄂᆞ니, 금일이라도 거교를 출혀 드려다가, 만일 회과칙션 ᄒᆞ미 이신즉 즉시 내 집으로 다려오리라."

윤니뷔 이에 ᄉᆞ샤(謝辭)ᄒᆞ더니, 호람《이‖휘》 쥰졀이 막줄너 왈,

"소뎨 간녀를 오날늘 쾌히 죽이지 못ᄒᆞᆷ, 녕낭이 간구(懇求)ᄒᆞᆯ 쑨 아니라 주한의 쳐지를 보고져 ᄒᆞ미어늘, 돈이 ᄉᆞ졍을 춤지 못ᄒᆞ여 졔 누의를 다려가랴 ᄒᆞ나, 소뎨 비위 결증겨워 일퇴의 두지 못ᄒᆞ리니, 인형(仁兄)[1206]은 ○[인]명을 앗기거던, 일간 누옥(陋屋)을 빌녀 《빅반‖믹반》속쥭(麥飯粟粥)[1207]으【104】로 년명기죄(延命其罪)[1208]케 ᄒᆞ리니, 엇지 돈ᄋᆞ의 망녕된 말을 조츠리오."

셕공이 웃고 그럿치 아니믈 닐너 노긔를

1265)인형(仁兄) : 주로 편지글에서, 친구 사이에 상대편을 높여 이르는 이인칭 대명사.

1266)믹반속듁(麥飯粟粥) : 꽁보리밥과 좁쌀로 쑨 죽이라는 뜻으로, 식량이 없어 끼니를 잇기 어려운 사람이 연명을 위해 먹는 거친 음식을 말한다.

1267)년명기죄(延命其罪) : 겨우 목숨을 이어가며 그 죄 값을 치름.

1206)인형(仁兄) : 주로 편지글에서, 친구 사이에 상대편을 높여 이르는 이인칭 대명사.

1207)믹반속듁(麥飯粟粥) : 꽁보리밥과 좁쌀로 쑨 죽이라는 뜻으로, 식량이 없어 끼니를 잇기 어려운 사람이 연명을 위해 먹는 거친 음식을 말한다.

1208)년명기죄(延命其罪) : 겨우 목숨을 이어가며 그 죄 값을 치름.

플녀 ᄒ나, 발셔 ᄯᅳᆺ이 완뎡(完定)ᄒᄃᆡ라. 녕능후를 보아 왈,【66】

"ᄌ한이 아심(我心)을 알니니, 슈고로이 니르디 아냐 짐작ᄒ려니와, 뉴시 요믈(妖物)이 근간은 두문블츌(杜門不出)ᄒ여 ᄃᆡ인(對人)치 아니ᄆᆡ 아딕 흉계를 못ᄒ거니와, 녀식을 다려가면 흔흔(欣欣)ᄒ여 다시 블측간악(不測奸惡)1268)ᄒ리니, ᄌ한이 블초녀를 죽이디 아니커든 이곳의 일간 누옥의 머르고 오가(吾家)로 보ᄂᆡ디 말나."

능휘 궤신(跪身) 왈,

"악댱(岳丈)의 셩덕으로 실인 ᄀᆞᆺ튼 악뉴(惡類)를 나ᄒ시믄 요슌디지(堯舜之子) 블초(不肖)ᄒ미라. 싱이 실인의 간모(奸謀)를 싱각ᄒᆞᆨ 엇디 살오고져 ᄒ리잇고마ᄂᆞ, 쇼싱이 티발(齒髮)이 ᄎ 기디 못ᄒ여 졀노 더브러 결발대륜(結髮大倫)을 뎡ᄒ미, 셰ᄌᆡ(歲在) 하마 십년이라. 비록 녯 사ᄅᆞᆷ이라 니를 거시 업ᄉᆞ나, 신인(新人)이라 일ᄏᆞᆺ디 못【67】ᄒᆞᆯ 거시오. 악댱의 쇼싱 ᄉᆞ랑ᄒᆞ샤미 ᄉᆞ빈 등의 감치 아닌 바를 혜ᄋᆞ리미, 쇼싱이 ᄎᆞ마 악댱의 디우(知遇)를 져바리디 못ᄒᆞᆸᄂᆞ니, 녕녀(令女)를 옥누항으로 다려 가려 ᄒᆞ시거든 다려 가시고, 어려이 넉이실딘ᄃᆡ 후당의 머므르미 므서시 어려오리잇고? 원문을 여러 두오리니 ᄉᆞ빈의 왕ᄂᆡ란 ᄆᆞᄋᆞᆷ ᄃᆡ로 ᄒᆞ라 ᄒᆞ쇼셔, 동긔 위ᄒᆞᆫ 졍을 막디 아니ᄒ리이다."

호람휘 녕능후의 과격 엄녈ᄒᆞᄆᆞ로도 이 말이 ᄀᆞ장 의외라. 이의 탄식 왈,

"ᄌ한이 비록 관인후덕(寬仁厚德)을 힘쁘나 간녜(奸女) 회심ᄌᆞ칙(回心自責)ᄒᆞᆯ 길히 업ᄉᆞ니, 엇디 통한치 아니리오. 내 임의 져히 모녀를 죽이디 못ᄒ고, 져의 형모(形貌)를 ᄃᆡ【68】코져 아니ᄒᄂᆞ니, 그만ᄒᆞ여 나갈 거시라."

언필의 동신(動身)ᄒ여 밧그로 나가믈 쳥ᄒᆞᄃᆡ, 셕츄밀 부지 ᄒᆞᆫ가디로 일시의 나오고, 통지(總裁)ᄂᆞᆫ 머므러 져져를 붓들고 실셩톄

1268)블측간악(不測奸惡) : 간사한 악행을 헤아릴 수 없을 만큼 많이 저지를 것임.

플녀 ᄒ나, 발셔 ᄯᅳᆺ이 완젼ᄒᆞᆫ지라. 녕능후를 보아 왈,

"ᄌ한이 아심(我心)을 알니니, 슈고치 아냐 짐작ᄒ려니와, 뉴씨 요믈이 근간은 두문블츌(杜門不出)ᄒ여 ᄃᆡ인(對人)치 아니ᄆᆡ, 아직 흉계를 못ᄒ거니와, 녀식을 다려가면 흔흔(欣欣)ᄒ여 다시 블측간악(不測奸惡)1209)ᄒ리니, ᄌ한이 불초녀를 죽이지 아니커든 이곳의 일간 누옥에 머믈니고 오가로 보ᄂᆡ지 말나."

능휘 궤신(跪身) 왈,

"악쟝(岳丈)의 셩덕으로 실인 ᄀᆞᆺ튼 악뉴(惡類)를 나ᄒ시믄 요슌지지(堯舜之子) 불초ᄒᆞᆷ이라. 싱이 실인의 간모(奸謀)를 싱각ᄒᆞᆨ 엇지 슬오고져 ᄒ리잇고마ᄂᆞᆫ, 마음의 측은ᄒᆞᆫ 바ᄂᆞᆫ 쇼싱이 치발(齒髮)이 ᄎ 기지 못ᄒ여 져로 더브러 결발대륜(結髮大倫)을 졍ᄒᆞᆷ이, 셰ᄌᆡ(歲在) ᄒᆞ마 십년이라. 비록 옛 샤ᄅᆞᆷ이라 니를 거시 업ᄉᆞ나, 신인(新人)이라 일ᄏᆞᆺ지 못【105】ᄒᆞᆯ 거시오, 악쟝의 소싱 ᄉᆞ랑ᄒᆞ샤미 ᄉᆞ원 등의 감치 아닌 바를 혜아리미, 소싱이 ᄎᆞ마 악쟝의 지우(知遇)를 져바리지 못ᄒᆞᆸᄂᆞ니, 녕녀(令女)를 옥누항으로 다려가려 ᄒᆞ시거든 드려 가시고, 어려이 넉이실진ᄃᆡ 후당의 머므르미 무엇시 어려오리잇고? 원문을 여러 두오리니 ᄉᆞ빈의 왕ᄂᆡ란 마음ᄃᆡ로 ᄒᆞ라 ᄒᆞ쇼셔. 동긔 위ᄒᆞᆫ 졍을 막지 아니ᄒ리이다."

호람휘 녕능후의 과격 엄녈ᄒᆞᄆᆞ로도 이 말이 ᄀᆞ장 의외라. 이의 탄식 왈,

"ᄌ한이 비록 관인후덕(寬仁厚德)을 힘쁘나, 간녜(奸女) 회심ᄌᆞ칙(回心自責)ᄒᆞᆯ 길히 업ᄉᆞ니, 엇지 통한치 아니리오. 내 임의 져히 모녀를 죽이지 못ᄒ고, 져의 형모(形貌)를 ᄃᆡ코져 아니ᄒᄂᆞ니, 그만ᄒᆞ여 나갈 거시라."

언필의 동신(動身)ᄒ여 밧그로 나가믈 쳥ᄒᆞᄃᆡ, 셕츄밀 부지 ᄒᆞᆫ가지로 일시의 나오고, 총지ᄂᆞᆫ 머므러 져져를 붓들고 실셩톄읍(失

1209)블측간악(不測奸惡) : 간사한 악행을 헤아릴 수 없을 만큼 많이 저지를 것임.

읍(失性涕泣)ᄒᆞᄆᆞᆯ 마디 아니니, 경이 오히려 악심(惡心)이 치 플디 아니ᄒᆞ엿ᄂᆞᆫ디라. 통지ᄅᆞᆯ 디ᄒᆞ미 믜온 ᄃᆞᆺ 붓그러온 ᄃᆞᆺ 측냥치 못ᄒᆞ니, ᄒᆞᆫ갓 오열뉴체(嗚咽流涕)ᄒᆞᆯ ᄯᆞᆫ이러라.

통지 녕능후의 허락을 어더시므로 셕부 원문(園門)을 열고, 즈긔 하리 노복 등으로 후원의 어즈러온 초목을 업시 ᄒᆞ고, 옥누항의 가 됴ᄒᆞᆫ 즈리ᄅᆞᆯ 가져 오라 ᄒᆞ여, 시녀 열셥으로 ᄒᆞ여곰 방등을 쇄소(刷掃)ᄒᆞ여 그 거쳐(居處)ᄅᆞᆯ 편케 ᄒᆞ고, 됴ᄒᆞᆫ ᄉᆞᄉᆡᆨ(辭色)으로【69】미져(妹姐)ᄅᆞᆯ 쳔만 위로ᄒᆞ여, 디난 일을 ᄉᆡᆼ각디 말고 ᄉᆡ로 어딘 덕을 닷가, 부ᄒᆡᆼ(婦行)을 어그릇디 말믈 당부ᄒᆞ니, 경이 붓그려 능히 일언을 못ᄒᆞ더라.

날이 느즌 후 통지 도라갈ᄉᆡ, 녈셥을 엄칙ᄒᆞ여 쇼져ᄅᆞᆯ 조심ᄒᆞ여 뫼시라 ᄒᆞ고, 하딕 왈,

"ᄎᆞ후 쇼뎨 원문으로 조ᄎᆞ 날마다 와 뵈오리니, 져져ᄂᆞᆫ 만ᄉᆞᄅᆞᆯ 파탈(擺脫)[1269]ᄒᆞ고 심녀(心慮)ᄅᆞᆯ 안온이 ᄒᆞ쇼셔."

경이 다만 타루(墮淚)ᄒᆞ여 죽기ᄅᆞᆯ 바야더라.

니뷔(吏部) 밧긔 나와 야야ᄅᆞᆯ 뫼셔 옥누항으로 도라갈ᄉᆡ, 녕능휘 호람후ᄅᆞᆯ 공경홈과 니부ᄅᆞᆯ ᄉᆞ랑ᄒᆞ미 디극ᄒᆞ여, 젼일과 조곰도 다르미 업ᄉᆞ니 가히 댱부의 긔상이러라.

호람휘【70】간녀(奸女)ᄅᆞᆯ 죽이디 못ᄒᆞ고 부듕의 도라와, 그 초초ᄒᆞᆫ 형용과 참참(慘慘)ᄒᆞᆫ 의복 거쳐ᄅᆞᆯ ᄉᆡᆼ각ᄒᆞ미, 출하리 목젼의 죽여 공산의 뭇디 못ᄒᆞᆷᄋᆞᆯ 탄돌(歎咄)ᄒᆞ나, 태부인긔 ᄎᆞᄉᆞᄅᆞᆯ 고치 아니ᄒᆞ더라.

화셜 윤통지 날마다 셕부의 왕ᄂᆡᄒᆞ여 져져ᄅᆞᆯ보더라【71】

性涕泣)ᄒᆞ믈 마지 아니니, 경이 오히려 악심(惡心)이 치 플니지 아니 ᄒᆞ엿ᄂᆞᆫ지【106】라. 총지ᄅᆞᆯ 디ᄒᆞ미 믜온 ᄃᆞᆺ 붓그러온 ᄃᆞᆺ 측냥치 못ᄒᆞ니, ᄒᆞᆫ갓 《오녀도∥오녈》뉴쳬(嗚咽流涕)ᄒᆞᆯ ᄯᆞᆫ이러라.

총지 녕능후의 허락을 어더시므로, 셕부 원문(園門)을 열고 즈긔 하리 노복 등으로 후원의 어즈러온 초목을 업시ᄒᆞ고, 옥누항의 가 조ᄒᆞᆫ 즈리ᄅᆞᆯ 가져 오라 ᄒᆞ여 시녀 열셥으로 ᄒᆞ여곰 방즁을 슈쇄(收刷)ᄒᆞ여 그 거쳐ᄅᆞᆯ 편케ᄒᆞ고, 조ᄒᆞᆫ ᄉᆞ식으로 미져(妹姐)ᄅᆞᆯ 쳔만 위로ᄒᆞ여, 지난 일을 ᄉᆡᆼ각지 말고, ᄉᆡ로 어진 덕을 닷가 부ᄒᆡᆼ(婦行)을 어그릇지 말믈 당부ᄒᆞ니, 경이 붓그려 능히 일언을 못ᄒᆞ더라.

날이 느즌 후 총지 도라갈ᄉᆡ, 녈셥을 엄칙ᄒᆞ여 소져ᄅᆞᆯ 조심ᄒᆞ여 뫼시라 ᄒᆞ고, 《하질∥하직》왈,

"ᄎᆞ후 소뎨 원문으로 조ᄎᆞ 날마다 와 뵈오리니, 져져ᄂᆞᆫ 만ᄉᆞᄅᆞᆯ 파탈(擺脫)[1210]ᄒᆞ고 심녀ᄅᆞᆯ 안온이 ᄒᆞ쇼셔."

경이 다만 타루(墮淚)ᄒᆞ여 죽기ᄅᆞᆯ 바야더라.

니뷔 밧긔 나와 야야ᄅᆞᆯ 뫼셔【107】옥누항으로 도라갈ᄉᆡ, 녕능휘 호람후ᄅᆞᆯ 공경ᄒᆞ며 ○○○[니부ᄅᆞᆯ] 더욱 ᄉᆞ랑ᄒᆞ미 지극ᄒᆞ여, 젼일과 조곰도 다르미 업ᄉᆞ니 가히 쟝부의 긔상이러라. 호람휘 간녀(奸女)ᄅᆞᆯ 죽이지 못ᄒᆞ고 부즁의 도라와, 그 초초ᄒᆞᆫ 형용과 참참(慘慘)ᄒᆞᆫ 의복 거쳐ᄅᆞᆯ ᄉᆡᆼ각ᄒᆞ미, 출하리 목젼의 죽여 공산에 무듬만 곳지 못ᄒᆞ믈 탄돌(歎咄)ᄒᆞ나, 태부인긔 ᄎᆞᄉᆞᄅᆞᆯ 고치 아니ᄒᆞ더라.

1269)파탈(擺脫) : 어떤 구속이나 예절로부터 벗어남.

1210)파탈(擺脫) : 어떤 구속이나 예절로부터 벗어남.

명듀보월빙 권디칠십팔¹²⁷⁰⁾

츳셜 윤총지 날마다 셕부에 왕니ᄒ여 져져(姐姐)를 보며, ᄌᄀ 녹봉을 옴겨 져져의 양미(糧米)를 삼고, 찬션(饌膳)과 의복을 옥누항에셔 이워¹²⁷¹⁾ 그 의식지졀(衣食之節)에 군핍ᄒ미 업게 ᄒ고, 챵휘 ᄯ호 경ᄋ를 ᄌ로 가보디 젼일 악악던 바를 싱각지 아니코 그 신셰를 위ᄒ여 슬피 넉이니, 경이 챵후 형뎨를 볼 젹마다 참안 슈괴ᄒ미 더으고, 그 졍셩이 지극ᄒ믈 보미 일분 감샤ᄒ 의ᄉ【1】¹²⁷²⁾ 잇셔, 악심이 잠간 플리ᄂ 듯ᄒ더라.

◎¹²¹¹⁾츳셜 윤총지 날마다 셕부에 왕니ᄒ여 져져(姐姐)를 보며, ᄌᄀ 녹봉을 옴겨 져져의 양미(糧米)를 삼고, 찬션(饌膳)과 의복을 옥누항에셔 이워¹²¹²⁾ 그 의식지졀(衣食之節)에 군핍ᄒ미 업게 ᄒ고, 챵휘 ᄯ호 경ᄋ를 ᄌ로 가보디 젼일 악악던 바를 싱각지 아니코 그 신셰를 위ᄒ여 슬피 넉이니, 경이 챵후 형뎨를 볼 젹마다 참안 슈괴ᄒ미 더으고, 그 졍셩이 지극ᄒ믈 보미 일분 감샤ᄒ 의ᄉ【108】 잇셔, 악심이 잠간 플리ᄂ 듯ᄒ더라.

1270)78권은 결권인데 이를 '박순호본'으로 복원하였다. 이 복원의 타당성 여부를 밝히면, 위에서 볼 수 있는 것처럼 '낙본'은 77권 끝 문장이 "화셜 윤통지 날마다 셕부의 왕니ᄒ여 져져를 보더라." 인데, 박순호본은 이 문장이 "◎차셜 윤총지 날마다 셕부에 왕니ᄒ여 져져를 보며 ᄌᄀ 녹봉을 옴겨 져져의 양미를 삼고…"로 되어 있다. 또 '낙본' 권79는 "셜화 남챵휘 잠간 노긔를 플고 딘씨를 보니 슈심을 ᄯ여시미 긔려졀승ᄒ 틱되 더욱 보암죽 ᄒ더라."로 시작하고 있는데, '박본' 권29의 시작은 "화셜 남챵휘 잠간 노긔를 플고 진씨를 보니 슈심을 ᄯ여시미 긔려졀승ᄒ 틱되 더욱 보암죽 ᄒ지라."로 되어 있어, '낙본'과 문장이 같음을 볼 수 있다. 따라서 '낙본' 78권에 해당하는 내용은 '박본' "◎차셜 윤총지 날마다"(28권108쪽6행)로부터 29권 시작부분 "화셜 남챵휘 잠간 노긔를 플고"의 앞, 곧 28권 끝("엇지 된고 하회를 남흘지어다.")까지 임을 알 수 있다. 그 서사분량은 총 15,260여자(25자×11행×55.5쪽≒15,260자)로, 금번 이를 발굴·전사하고 교정까지를 마쳐 이 교감본과 현대어본을 편찬함으로써 권78의 복원이 완료되었다. 이로써 이제 '낙본'은 낙질본이 아닌 완질본의 새로운 지위를 갖게 된 것이다. 특히 '박본' 28권은 선행본 3권을 한데 묶어 필사하였는데, 그 두 번째 권과 세 번째 권의 시작부분에 "◎"표를 붙여놓고 있다. 따라서 이 경계를 토대로 '박본'28권과 '낙본' 76·77권을 비교해보면 그 시작과 끝 문장은 물론 그 서사내용이 완전하게 일치한다. 이 사실과 '박본'의 필사년도가 1914년("대한제국 갑인년")이라는 사실을 종합해 유추해보면, '박본' 권28은 '낙본' 76·77·78권을 전사한 것이거나, 적어도 '낙본'계열의 전사본을 저본으로 하여 전사한 것임을 알 수 있다.

1271)이우다 : 잇다. 끊어지지 않게 계속하다.

1272)매(每) 쪽의 경계는 박순호본의 쪽 경계를 그대로 따랐다.

1211)◎ : 필사자가 선행본의 권 경계를 나타내기 위해 앞 권에 이어 필사하는 권의 시작부분에 첨가해놓은 표점.

1212)이우다 : 잇다. 끊어지지 않게 계속하다.

이쎠 니부총지 초후를 노ᄒ미 줌심의 가득ᄒ니, 깁히 치부(置簿)ᄒ여 하부인긔 노를 풀고져 ᄒᄆ로, 여러 일월을 지니도록 싁싁 숙엄ᄒ여 하씨를 디ᄒᆫ 즉, 녈일(烈日) 엄숙(嚴肅)ᄒ미 츄텬(秋天)이 음익(陰靄)를 지으며 상풍(霜風)이 늠늠홈 ᄀᆺᄐ니, 하부인이 지은 허물이 업스듸 그윽이 불안 슈괴ᄒ미 깁흔지라, 총지의 위인이 비룩 심니에 불합ᄒᆫ 일이 잇셔도 굿ᄐ여 언두의 니르지 아니ᄒ고, 규니에 셰쇄ᄒᆫ 일을 알녀ᄒ미 업스며, 언소의 드믈미 존당 부모의 회열ᄒ실 바를 돕지 아니ᄒ면, 종일 입을 여지 아니ᄒ듸, 승안열친(承顔悅親)1273)을 위ᄒ여 존당 면젼에셔는 형뎨 환소(歡笑)ᄒ여 노릭ᄌ(老萊子)1274)의 반의(班衣)를 ᄉ양치 아니ᄒ듸, ᄉ실에 도라온 즉 침연(沈然) 위좌(危坐)ᄒ여 쥬순(朱脣)이 함묵(含黙)ᄒ고 위의 삼엄ᄒ여, 례(禮)와 【2】법(法)을 잡으미 공빙(孔孟)을 뫼심 ᄀᆺ고, 하쳔(下賤) 삼쳑동(三尺童)을 디ᄒ여도 《교우∥교오(驕傲)》ᄒ며 싀험(猜險)ᄒ미 업스듸, ᄌ연ᄒᆫ 위의(威儀) 일신을 둘러시니, 사름이 바라미 송연(悚然)ᄒ지라.

호람휘 총지의 마음을 아지 못ᄒ고, 가니의 다시 우괴(憂故) 업ᄉᆫ 고로, 일삭의 망일(望日)은 총지의 침구를 옴겨 칠팔일(七八日)식 하·댱 냥소져의 숙소에셔 밤을 지니라 ᄒ미, 총지 하씨를 미안ᄒ여 니루의 거쳐를 돈졀홀 ᄲᅮᆫ 아니라, 부모의 불화ᄒ시믈 크게 비졀(悲絶)ᄒ여 부뫼 상면치 아닌 젼은 ᄌ긔 부뷔 일실에 즐기지 아니려 결단ᄒ엿ᄂᆫ지라. 비룩 하·댱 등의 쳐소에 가 밤을 지니라 명을 밧ᄌ오나, 부친을 시침치 아닌 날은 소셔헌에 나와 잘지언졍 니당에 숙쳐(宿處)치 아니니, 공이 쳐음은 아지 못ᄒ더니 일월이 오리미 ᄌ연 알미 되어, 일

1273)승안열친(承顔悅親) : 어버이의 얼굴빛을 따라 때에 맞게 마음을 기쁘게 해드림.
1274)노릭ᄌ(老萊子) : 중국 춘추 시대 초나라의 은사(隱士). 70세에 색동옷을 입고 어린애 장난을 하여 늙은 부모를 위안하였다고 한다. 저서에 ≪노래자≫ 15편이 있다.

이쎠 니부총지 초후를 노ᄒ미 줌심의 가득ᄒ니, 깁히 치부(置簿)ᄒ여 하부인긔 노를 풀고져 ᄒᄆ로, 여러 일월을 지니도록 싁싁 숙엄ᄒ여 하씨를 디ᄒᆫ 즉, 녈일(烈日) 엄숙(嚴肅)ᄒ미 츄텬(秋天)이 음익(陰靄)를 지으며 상풍(霜風)이 늠늠홈 ᄀᆺᄐ니, 하부인이 지은 허물이 업스듸 그윽이 불안 슈괴ᄒ미 깁흔지라, 총지의 위인이 비룩 심니에 불합ᄒᆫ 일이 잇셔도 굿ᄐ여 언두의 니르지 아니ᄒ고, 규니에 셰쇄ᄒᆫ 일을 알녀ᄒ미 업스며, 언소의 드믈미 존당 부모의 회열ᄒ실 바를 돕지 아니ᄒ면, 종일 입을 여지 아니ᄒ듸, 승안열친(承顔悅親)1213)을 위ᄒ여 존당 면젼에셔는 형뎨 환소(歡笑)ᄒ여 노릭ᄌ(老萊子)1214)의 반의(班衣)를 ᄉ양치 아니ᄒ듸, ᄉ실에 도라온 즉 침연(沈然) 위좌(危坐)ᄒ여 쥬순(朱脣)이 함묵(含黙)ᄒ고 위의 삼엄ᄒ여, 례(禮)와 【109】법(法)을 잡으미 공빙(孔孟)을 뫼심 ᄀᆺ고, 하쳔(下賤) 삼쳑동(三尺童)을 디ᄒ여도 《교우∥교오(驕傲)》ᄒ며 싀험(猜險)ᄒ미 업스듸, ᄌ연ᄒᆫ 위의(威儀) 일신을 둘러시니, 사름이 바라미 송연(悚然)ᄒ지라.

호람휘 총지의 마음을 아지 못ᄒ고, 가니의 다시 우괴(憂故) 업ᄉᆫ 고로, 일삭의 망일(望日)은 총지의 침구를 옴겨 칠팔일(七八日)식 하·댱 냥소져의 숙소에셔 밤을 지니라 ᄒ미, 총지 하씨를 미안ᄒ여 니루의 거쳐를 돈졀홀 ᄲᅮᆫ 아니라, 부모의 불화ᄒ시믈 크게 비졀(悲絶)ᄒ여 부뫼 상면치 아닌 젼은 ᄌ긔 부뷔 일실에 즐기지 아니려 결단ᄒ엿ᄂᆫ지라. 비룩 하·댱 등의 쳐소에 가 밤을 지니라 명을 밧ᄌ오나, 부친을 시침치 아닌 날은 소셔헌에 나와 잘지언졍 니당에 숙쳐(宿處)치 아니니, 공이 쳐음은 아지 못ᄒ더니 일월이 오리미 ᄌ연 알미 되어, 일

1213)승안열친(承顔悅親) : 어버이의 얼굴빛을 따라 때에 맞게 마음을 기쁘게 해드림.
1214)노릭ᄌ(老萊子) : 중국 춘추 시대 초나라의 은사(隱士). 70세에 색동옷을 입고 어린애 장난을 하여 늙은 부모를 위안하였다고 한다. 저서에 ≪노래자≫ 15편이 있다.

일은 총죄를 면젼에 쓸니【3】고 무고히 박쳐(薄妻)ᄒᆞᄆᆞᆯ 슈죄(數罪)ᄒᆞ딕, 니뷔 믄득 츄연이 낫빗츨 곳치고, 머리를 두다려 굴오딕,

"불초지 무상ᄒᆞ오나 일분 사룸의 마음이라. 부모의 화치 못ᄒᆞ시믈 보오미 쥬야 촌장(寸腸)이 여렬(如裂)ᄒᆞ[1275]오니, 어ᄂᆞ 결을에 쳐실노 더브러 화락ᄒᆞ믈 ᄯᅳᆺᄒᆞ리잇고? 소지 엄젼에 ᄉᆞ죄를 밧ᄌᆞ올지언졍, 대인이 ᄌᆞ모로 상면치 아니신 젼은 소지 역시 쳐실을 딕면치 못ᄒᆞ리소이다."

공이 쳥필에 대로ᄒᆞ여 셔안을 박츠고 진목 질왈(叱曰),

"발부를 죽이지 못ᄒᆞᆷ믄 여부의 프러지고 흐리미어늘, 네 나의 용우(庸愚)ᄒᆞ믈 업슈히 넉여, 이졔ᄂᆞᆫ 뉴가 요녀의 얼골을 딕ᄒᆞ라 권ᄒᆞ여 금슬지졍(琴瑟之情)을 뉴련(留連)[1276] 콰져ᄒᆞ니, 엇지 히연(駭然)치 아니리오. 여뷔 찰녀로 불화ᄒᆞ믈 인ᄒᆞ여, 네 쏘하·댱 냥 식부를 딕치 아니렷노라 져히니, 부부 ᄉᆞ졍은 하늘 ᄀᆞᄐᆞᆫ 위엄이【4】라도 임의로 못ᄒᆞ리니 아모리나 ᄒᆞ려니와, ᄎᆞ후 네 나를 아비라 ᄒᆞ여 다시 얼골 볼 의ᄉᆞ를 말나"

언파에 좌우를 호령ᄒᆞ여 총죄를 등 미러 니치라 ᄒᆞ니, 창휘 황황ᄒᆞ여 체읍 간왈,

"회뎨 존명을 거역ᄒᆞ오미 죄 즁ᄒᆞ오나 져의 도린즉 당연이 올ᄉᆞ온지라. 계부(季父)와 숙모의 상면치 아니시ᄂᆞᆫ 일이 젹은 불ᄒᆡᆼ이 아니오니, 인ᄌᆞ지심(人子之心)에 엇지 쳐실을 딕ᄒᆞ여 흔흔이 즐기고져 ᄯᅳᆺ이 잇시리잇고? 원컨딕 대인은 가ᄂᆡ 화열(和悅)ᄒᆞᆯ 도리를 싱각ᄒᆞ시고, 숙모의 ᄀᆡ과칙션(改過責善)ᄒᆞ시ᄂᆞᆫ 덕을 도라보샤, 숙모를 존당(尊堂) 즁회즁(衆會中) 녜ᄉᆞ(例事)로이 나단니게 ᄒᆞ소셔."

공이 머리를 흔드러 굴오딕,

"네 아모리 닐너도, 뉴녀의 간흉극악을 싱각ᄒᆞ면 심골이 경한ᄒᆞ믈 니긔지 못ᄒᆞᄂᆞ니,

<hr>

1275)여렬(如裂)ᄒᆞ다 : 찢어지는 듯하다.
1276)뉴련(留連) : 머물고 있거나 머물게 함.

일은 총죄를 면젼에 쓸니【110】고 무고히 박쳐(薄妻)ᄒᆞᄆᆞᆯ 슈죄(數罪)ᄒᆞ딕, 니뷔 믄득 츄연이 낫빗츨 곳치고, 머리를 두다려 굴오딕,

"불초지 무상ᄒᆞ오나 일분 사룸의 마음이라. 부모의 화치 못ᄒᆞ시믈 보오미 쥬야 촌장(寸腸)이 여렬(如裂)ᄒᆞ[1215]오니, 어ᄂᆞ 결을에 쳐실노 더브러 화락ᄒᆞ믈 ᄯᅳᆺᄒᆞ리잇고? 소지 엄젼에 ᄉᆞ죄를 밧ᄌᆞ올지언졍, 대인이 ᄌᆞ모로 상면치 아니신 젼은 소지 역시 쳐실을 딕면치 못ᄒᆞ리소이다."

공이 쳥필에 대로ᄒᆞ여 셔안을 박츠고 진목 질왈(叱曰),

"발부를 죽이지 못ᄒᆞᆷ믄 여부의 프러지고 흐리미어늘, 네 나의 용우(庸愚)ᄒᆞ믈 업슈히 넉여, 이졔ᄂᆞᆫ 뉴가 요녀의 얼골을 딕ᄒᆞ라 권ᄒᆞ여 금슬지졍(琴瑟之情)을 뉴련(留連)[1216] 콰져ᄒᆞ니, 엇지 히연(駭然)치 아니리오. 여뷔 찰녀로 불화ᄒᆞ믈 인ᄒᆞ여, 네 쏘하·댱 냥 식부를 딕치 아니렷노라 져히니, 부부 ᄉᆞ졍은 하늘 ᄀᆞᆺᄐᆞᆫ 위엄이【111】라도 임의로 못ᄒᆞ리니 아모리나 ᄒᆞ려니와, ᄎᆞ후 네 나를 아비라 ᄒᆞ여 다시 얼골 볼 의ᄉᆞ를 말나"

언파에 좌우를 호령ᄒᆞ여 총죄를 등 미러 니치라 ᄒᆞ니, 창휘 황황ᄒᆞ여 체읍 간왈,

"회뎨 존명을 거역ᄒᆞ오미 죄 즁ᄒᆞ오미 져의 도린즉 당연이 올ᄉᆞ온지라. 계부(季父)와 숙모의 상면치 아니시ᄂᆞᆫ 일이 젹은 불ᄒᆡᆼ이 아니오니, 인ᄌᆞ지심(人子之心)에 엇지 쳐실을 딕ᄒᆞ여 흔흔이 즐기고져 ᄯᅳᆺ이 잇시리잇고? 원컨딕 대인은 가ᄂᆡ 화열(和悅)ᄒᆞᆯ 도리를 싱각ᄒᆞ시고, 숙모의 ᄀᆡ과칙션(改過責善)ᄒᆞ시ᄂᆞᆫ 덕을 도라보샤, 숙모를 존당(尊堂) 즁회즁(衆會中) 녜ᄉᆞ(例事)로이 나단니게 ᄒᆞ소셔."

공이 머리를 흔드러 굴오딕,

"네 아모리 닐너도, 뉴녀의 간흉극악을 싱각ᄒᆞ면 심골이 경한ᄒᆞ믈 니긔지 못ᄒᆞᄂᆞ니,

<hr>

1215)여렬(如裂)ᄒᆞ다 : 찢어지는 듯하다.
1216)뉴련(留連) : 머물고 있거나 머물게 함.

엇지 악인을 디ᄒ여 비위(脾胃)1277)를 상히
오고, 단명홀 증조(徵兆)를 ᄒ리【5】오."
이리 니르며 니부를 구박ᄒ여 문박긔 닉치
라 ᄒ니, 창휘 황황ᄒᄆᆯ 니긔지 못ᄒ여 지
삼 간ᄒ되 공이 듯지 아니니, 이ᄂᆫ 니뷔 뉴
부인 위ᄒᆫ 졍셩을 통한이 넉이미라.
총지 부친의 노긔 녈화(熱火) ᄀᆺᄐ시믈
보고 감히 머므지 못ᄒ여, 문외에 잠간 나
와 조모긔 글을 올녀, 야야(爺爺) 노긔○
[를] 두루혀시게 ᄒᆯ 이걸ᄒ니, 위 태부인
이 니부의 글을 보고 공의 고집을 두루혀기
어려오믈 근심ᄒ더니, 창휘 드러와 조모긔
뵈옵고 고왈,
"계뷔 회천을 여ᄎ여ᄎ 칙ᄒ시고 닉치시
니, 이ᄂᆫ 숙모긔 아조 미몰ᄒᄆᆯ 뵈시미라.
태뫼 쥬션(周旋)치 아니시면 계부의 마음을
두로혀기 어려올거시니, 원컨되 혼졍(昏定)
에 계뷔 드러오셔든 여ᄎ여ᄎ 계부 대인을
격동ᄒ소셔."
태부인이 졈두ᄒ고 혼졍지시를 기ᄃ리더
라.
셕식 후 공이 창후를 ᄃ리고 드러와 모친
긔 뵈【6】올식, 태부인이 ᄉ미로 ᄂᆞᆺ출 ᄀᆞ
리오고 누어 흐르ᄂᆫ 눈물이 쳔항(千行)이오,
늣기ᄂᆫ 소ᄅᆡ 긔운이 막힐 ᄃᆺᄒ니, 공이 ᄀᆞ
장 경황ᄒ여 상하(床下)에 나아가 뭇ᄌᆞ와
ᄀᆞᆯ오되,
"ᄌᆞ졍이 무ᄉᆞᆷ 일노 이디도록 비쳑ᄒ샤 셩
쳬를 상히오시ᄂᆞ니잇고?"
태부인이 기리 한숨지며 ᄀᆞᆯ오되,
"아모리 싱각ᄒ여도 나의 젼젼 과악이 하
ᄂᆞᆯ 아릭 다시업ᄉᆞᆫ1278) ᄉᆞ오나오미라. 너의
숙딜 부ᄌᆞ의 대효로 밧ᄃᆞᆯ믈 닙어 일신이 편
ᄒ나, 쎠쎠 지ᄂᆫ 일을 싱각ᄒ면 마음이 셔
늘홀 ᄲᅮᆫ 아니라, 실노 살고져 ᄯᅳᆺ이 업고, 뉴
씨 응휘각 ᄀᆞ온ᄃᆡ 두문불츌(杜門不出)ᄒ여
젼일을 붓그리고 식로 어진 덕을 닷가, 도

엇지 악인을 디ᄒ여 비위(脾胃)1217)를 상히
오고, 단명홀 증조(徵兆)를 ᄒ리【112】오."
이리 니르며 니부를 구박ᄒ여 문박긔 닉치
라 ᄒ니, 창휘 황황ᄒᄆᆯ 니긔지 못ᄒ여 지
삼 간ᄒ되 공이 듯지 아니니, 이ᄂᆫ 니뷔 뉴
부인 위ᄒᆫ 졍셩을 통한이 넉이미라.
총지 부친의 노긔 녈화(熱火) ᄀᆺᄐ시믈
보고 감히 머므지 못ᄒ여, 문외에 잠간 나
와 조모긔 글을 올녀, 야야(爺爺) 노긔○
[를] 두루혀시게 ᄒᆯ 이걸ᄒ니, 위 태부인
이 니부의 글을 보고 공의 고집을 두루혀기
어려오믈 근심ᄒ더니, 창휘 드러와 조모긔
뵈옵고 고왈,
"계뷔 회천을 여ᄎ여ᄎ 칙ᄒ시고 닉치시
니, 이ᄂᆫ 숙모긔 아조 미몰ᄒᄆᆯ 뵈시미라.
태뫼 쥬션(周旋)치 아니시면 계부의 마음을
두로혀기 어려올거시니, 원컨되 혼졍(昏定)
에 계뷔 드러오셔든 여ᄎ여ᄎ 계부 대인을
격동ᄒ소셔."
태부인이 졈두ᄒ고 혼졍지시를 기ᄃ리더
라.
셕식 후 공이 창후를 ᄃ리고 드러와 모친
긔 뵈【113】올식, 태부인이 ᄉ미로 ᄂᆞᆺ출
ᄀᆞ리오고 누어 흐르ᄂᆫ 눈물이 쳔항(千行)이
오, 늣기ᄂᆫ 소ᄅᆡ 긔운이 막힐 ᄃᆺᄒ니, 공이
ᄀᆞ장 경황ᄒ여 상하(床下)에 나아가 뭇ᄌᆞ와
ᄀᆞᆯ오되,
"ᄌᆞ졍이 무ᄉᆞᆷ 일노 이디도록 비쳑ᄒ샤 셩
쳬를 상히오시ᄂᆞ니잇고?"
태부인이 기리 한숨지며 ᄀᆞᆯ오되,
"아모리 싱각ᄒ여도 나의 젼젼 과악이 하
ᄂᆞᆯ 아릭 다시업ᄉᆞᆫ1218) ᄉᆞ오나오미라. 너의
숙딜 부ᄌᆞ의 대효로 밧ᄃᆞᆯ믈 닙어 일신이 편
ᄒ나, 쎠쎠 지ᄂᆫ 일을 싱각ᄒ면 마음이 셔
늘홀 ᄲᅮᆫ 아니라, 실노 살고져 ᄯᅳᆺ이 업고, 뉴
씨 응휘각 ᄀᆞ온ᄃᆡ 두문불츌(杜門不出)ᄒ여
젼일을 붓그리고 식로 어진 덕을 닷가, 도

1277)비위(脾胃) : 어떤 음식물이나 일에 대하여 먹
고 싶거나 하고 싶은 마음.
1278)다시업다 : 다시없다. 그보다 더 나은 것이 없
다.

1217)비위(脾胃) : 어떤 음식물이나 일에 대하여 먹
고 싶거나 하고 싶은 마음.
1218)다시업다 : 다시없다. 그보다 더 나은 것이 없
다.

금(到今)ᄒᆞ여는 인ᄉᆞ의 온순ᄒᆞ미 ᄒᆞᆫ 곳 미진ᄒᆞᆷ미 업ᄉᆞᄃᆡ, 네 언언(言言)이 뉴씨 요물(妖物)을 일ᄏᆞᆺ고, 교지(交趾)1279)로셔 도라완지 ᄉᆞ오 삭이 되여시ᄃᆡ 얼골을 ᄃᆞ티 아니니, 일퇴지샹(一宅之上)에 부뷔【7】셔로 보지 아니려 졍ᄒᆞ미, 노뫼 불평(不平) 난안(赧顔)ᄒᆞᆷ믈 어이 다 니르리오. 네 위인ᄌᆞ(爲人子)ᄒᆞ여 ᄎᆞᆷ마 노모의 극악을 니르지 못ᄒᆞ나, 마ᄋᆞᆷ의 나를 궁흉(窮凶)이 넉이미 뉴씨긔 나리미 잇시리오. 노뫼 명완(命頑) 무지(無知)ᄒᆞ여, 붕셩지통(崩城之痛)을 품고 여러 셰월에 무궁ᄒᆞᆫ 악ᄉᆞ를 힝ᄒᆞᄃᆡ, 능히 붓그러온 줄을 아지 못ᄒᆞ고, 지금가지 ᄉᆞ라시미[믈] 텬신이 오지(惡之)홀1280)지라. 출하리 폐식(廢食) 잠와(潛臥)1281)ᄒᆞ여 가ᄂᆡ 불평ᄒᆞᆫ 경상을 보지 말고, 구쳔(九泉)에 도라가 션군(先君)을 만나 죄를 쳥ᄒᆞ고, 현을 보아 뉘읏ᄂᆞᆫ 뜻을 니르리라"

공이 모친 말ᄉᆞᆷ을 드ᄅᆞ미 불승경황(不勝驚惶)하여, 낫빗츨 곳치고 소ᄅᆡ를 브드러이 ᄒᆞ여 ᄀᆞᆯ오ᄃᆡ,

"소ᄌᆞ의 불초 무상ᄒᆞ미 ᄒᆞᆫ 일도 ᄌᆞ졍의 희열ᄒᆞ실 바를 일위지 못ᄒᆞ고, 이럿툿 셩의(聖意)를 번뇌ᄒᆞ샤 《인과∥회과》ᄌᆞ칙(悔過自責)ᄒᆞ{여}시미 과도ᄒᆞ샤, ᄌᆞ손의 ᄎᆞᆷ마 듯지 못홀 말ᄉᆞᆷ을 ᄒᆞ샤, 소【8】ᄌᆞ의 마ᄋᆞᆷ이 황황(遑遑)ᄒᆞ여 《보지∥부지》소향(不知所向)1282)케 ᄒᆞ시ᄂᆞ니잇고? 뉴씨의 두문불츌ᄒᆞᆷ믈 셩심의 거리ᄭᅵ실진ᄃᆡ, ᄯᅩᄒᆞᆫ 엇지 ᄌᆞ의를 거스리잇가? 금일이라도 ᄌᆞ졍 좌하에 봉시(奉侍)케 ᄒᆞ오리니, 원컨대 셩심을 번뇌치 마르소셔."

위태부인이 비로소 니러 안ᄌᆞ 누흔을 녕엄ᄒᆞ고1283) ᄀᆞᆯ오ᄃᆡ,

1279)교지(交趾) : 중국 한(漢)나라 때에, 지금의 베트남 북부 통킹, 하노이 지방에 둔 행정 구역. 전한(前漢)의 무제가 남월(南越)을 멸망시키고 설치하였다.
1280)오지(惡之)ᄒᆞ다 : 미워하다.
1281)잠와(潛臥) : 말없이 가만히 누워 있음.
1282)부지소향(不知所向) : 가야 할 곳을 모름. 어찌해야 할 바를 알지 못함.
1283)녕엄ᄒᆞ다 : 엄적(掩迹)하다. 흔적 따위를 없애

금(到今)ᄒᆞ여는 인ᄉᆞ의 온순ᄒᆞ미 ᄒᆞᆫ 곳 미진ᄒᆞᆷ미 업ᄉᆞᄃᆡ, 네 언언(言言)이 뉴씨 요물(妖物)을 일ᄏᆞᆺ고, 교지(交趾)1219)로셔 도라완지 ᄉᆞ오 삭이 되여시ᄃᆡ 얼골을 ᄃᆞ티 아니니, 일퇴지샹(一宅之上)에 부뷔【114】셔로 보지 아니려 졍ᄒᆞ미, 노뫼 불평(不平) 난안(赧顔)ᄒᆞᆷ믈 어이 다 니르리오. 네 위인ᄌᆞ(爲人子)ᄒᆞ여 ᄎᆞᆷ마 노모의 극악을 니르지 못ᄒᆞ나, 마ᄋᆞᆷ의 나를 궁흉(窮凶)이 넉이미 뉴씨긔 나리미 잇시리오. 노뫼 명완(命頑) 무지(無知)ᄒᆞ여, 붕셩지통(崩城之痛)을 품고 여러 셰월에 무궁ᄒᆞᆫ 악ᄉᆞ를 힝ᄒᆞᄃᆡ, 능히 붓그러온 줄을 아지 못ᄒᆞ고, 지금가지 ᄉᆞ라시미[믈] 텬신이 오지(惡之)홀1220)지라. 출하리 폐식(廢食) 잠와(潛臥)1221)ᄒᆞ여 가ᄂᆡ 불평ᄒᆞᆫ 경상을 보지 말고, 구쳔(九泉)에 도라가 션군(先君)을 만나 죄를 쳥ᄒᆞ고, 현을 보아 뉘읏ᄂᆞᆫ 뜻을 니르리라"

공이 모친 말ᄉᆞᆷ을 드ᄅᆞ미 불승경황(不勝驚惶)하여, 낫빗츨 곳치고 소ᄅᆡ를 브드러이 ᄒᆞ여 ᄀᆞᆯ오ᄃᆡ,

"소ᄌᆞ의 불초 무상ᄒᆞ미 ᄒᆞᆫ 일도 ᄌᆞ졍의 희열ᄒᆞ실 바를 일위지 못ᄒᆞ고, 이럿툿 셩의(聖意)를 번뇌ᄒᆞ샤 《인과∥회과》ᄌᆞ칙(悔過自責)ᄒᆞ{여}시미 과도ᄒᆞ샤, ᄌᆞ손의 ᄎᆞᆷ마 듯지 못홀 말ᄉᆞᆷ을 ᄒᆞ샤, 소【115】ᄌᆞ의 마ᄋᆞᆷ이 황황(遑遑)ᄒᆞ여 《보지∥부지》소향(不知所向)1222)케 ᄒᆞ시ᄂᆞ니잇고? 뉴씨의 두문불츌ᄒᆞᆷ믈 셩심의 거리ᄭᅵ실진ᄃᆡ, ᄯᅩᄒᆞᆫ 엇지 ᄌᆞ의를 거스리잇가? 금일이라도 ᄌᆞ졍 좌하에 봉시(奉侍)케 ᄒᆞ오리니, 원컨대 셩심을 번뇌치 마르소셔."

위태부인이 비로소 니러 안ᄌᆞ 누흔을 녕엄ᄒᆞ고1223) ᄀᆞᆯ오ᄃᆡ,

1219)교지(交趾) : 중국 한(漢)나라 때에, 지금의 베트남 북부 통킹, 하노이 지방에 둔 행정 구역. 전한(前漢)의 무제가 남월(南越)을 멸망시키고 설치하였다.
1220)오지(惡之)ᄒᆞ다 : 미워하다.
1221)잠와(潛臥) : 말없이 가만히 누워 있음.
1222)부지소향(不知所向) : 가야 할 곳을 모름. 어찌해야 할 바를 알지 못함.
1223)녕엄ᄒᆞ다 : 엄적(掩迹)하다. 흔적 따위를 없애

"너의 효순ᄒᆞ미 어미 ᄠᅳᆺ 바드미 이 ᄀᆞᆺᄐᆞ니, 비록 노뫼 악(惡)ᄒᆞ나 족히 ᄡᅥ 조션과 션군긔 속죄ᄒᆞ리로다."

공이 ᄌᆡ삼 위로ᄒᆞ여 깃거ᄒᆞ시믈 요구ᄒᆞ고 인ᄒᆞ여 석반○[을] 진ᄒᆞ시믈 보고, 물러 듕당(中堂)의 나와 조부인긔 고왈,

"ᄌᆞ졍이 악인에게 ᄉᆞ랑을 ᄲᅢ드ᄉᆞ미 과도ᄒᆞ샤 별이(別異) ᄒᆞ시고, 희쳔이 악인을 위ᄒᆞᆫ 졍셩이 이샹(異常)ᄒᆞ여 졔 우히 소싱이 이시믈 아지 못ᄒᆞ고, 소싱이 악인 샹견치 아니믈 근심ᄒᆞ니, 소싱이 증분(憎憤)을 니긔지 못ᄒᆞ여 져를 문 밧긔 니쳣더니, ᄌᆞ졍(慈庭)이 이 일을 아ᄅᆞ시ᄂᆞ니잇【9】가?"

조부인이 ᄃᆡ왈,

"숙숙(叔叔)이 희쳔 니치시믄 비로소 쳐음 듯ᄌᆞᆸᄂᆞ니, 존괴 ᄯᅩᄒᆞᆫ 몰나 계시니이다"

공이 일마다 ᄌᆞ긔 마음과 ᄀᆞᆺ지 못ᄒᆞ여 뉴씨를 평셕(平昔)1284)ᄀᆞᆺ치 즁회 즁 나ᄃᆞᆫ니기를 졍ᄒᆞ미, 분ᄒᆞ고 통히ᄒᆞ미 비홀 곳이 업ᄉᆞ딕, 《태부인‖ᄌᆞ졍》의 ᄠᅳᆺ을 거ᄉᆞ리지 못ᄒᆞ여, 이에 시녀를 명ᄒᆞ여 총지를 불너오라 ᄒᆞ니, 슈유(須臾)에 총지 계하에 복명ᄒᆞ니, 공이 명ᄒᆞ여 오르나 ᄒᆞ나 울울불낙ᄒᆞ여 탄식ᄒᆞᆷ믈 마지 아니터니, 날호여 니르딕,

"ᄌᆞ졍이 뉴가의 두문불츌ᄒᆞᆷ믈 큰 우환으로 아르샤 셩심을 샹히오시니, 마지 못ᄒᆞ여 샤(赦)ᄒᆞ나 내 실노 져를 딕ᄒᆞ미 ᄉᆞ갈(蛇蝎) ᄀᆞᆺᄐᆞ여 놀라오미 심한골경(心寒骨驚)ᄒᆞ딕, ᄌᆞ위의 근심ᄒᆞ시믈 돕ᄉᆞᆸ지 못ᄒᆞ여, 내 함분잉통(含憤忍痛)ᄒᆞ고 뉴씨를 즁회 즁 나ᄃᆞᆫ니게 ᄒᆞᄂᆞ니, 일마다 네 ᄠᅳᆺ을 맛치ᄂᆞᆫ지라. 네 ᄯᅩ 일분 인심이 잇실진【10】딕 내 ᄠᅳᆺ을 도라1285) 싱각ᄒᆞ여, 니당에 숙식을 녜ᄉᆞ로이 ᄒᆞ여 괴거(怪擧)를 부리ᄂᆞᆫ 일이 업게 ᄒᆞ라."

니뷔(吏部) 복슈쳥교(伏首聽敎)1286)의 환

다. 지우다.

1284)평셕(平昔) : 보통 때. 평상시. 평시(平時). 평소(平素).

1285)도라 : 돌려. 바꿔.

1286)복슈쳥교(伏首聽敎) : 엎드려 어른의 말씀을 들음.

"너의 효순ᄒᆞ미 어미 ᄠᅳᆺ 바드미 이 ᄀᆞᆺᄐᆞ니, 비록 노뫼 악(惡)ᄒᆞ나 족히 ᄡᅥ 조션과 션군긔 속죄ᄒᆞ리로다."

공이 ᄌᆡ삼 위로ᄒᆞ여 깃거ᄒᆞ시믈 요구ᄒᆞ고 인ᄒᆞ여 석반○[을] 진ᄒᆞ시믈 보고, 물러 듕당(中堂)의 나와 조부인긔 고왈,

"ᄌᆞ졍이 악인에게 ᄉᆞ랑을 ᄲᅢ드ᄉᆞ미 과도ᄒᆞ샤 별이(別異) ᄒᆞ시고, 희쳔이 악인을 위ᄒᆞᆫ 졍셩이 이샹(異常)ᄒᆞ여 졔 우히 소싱이 이시믈 아지 못ᄒᆞ고, 소싱이 악인 샹견치 아니믈 근심ᄒᆞ니, 소싱이 증분(憎憤)을 니긔지 못ᄒᆞ여 져를 문 밧긔 니쳣더니, ᄌᆞ졍(慈庭)이 이 일을 아ᄅᆞ시ᄂᆞ니잇【116】가?"

조부인이 ᄃᆡ왈,

"숙숙(叔叔)이 희쳔 니치시믄 비로소 쳐음 듯ᄌᆞᆸᄂᆞ니, 존괴 ᄯᅩᄒᆞᆫ 몰나 계시니이다"

공이 일마다 ᄌᆞ긔 마음과 ᄀᆞᆺ지 못ᄒᆞ여 뉴씨를 평셕(平昔)1224)ᄀᆞᆺ치 즁회 즁 나ᄃᆞᆫ니기를 졍ᄒᆞ미, 분ᄒᆞ고 통히ᄒᆞ미 비홀 곳이 업ᄉᆞ딕, 《태부인‖ᄌᆞ졍》의 ᄠᅳᆺ을 거ᄉᆞ리지 못ᄒᆞ여, 이에 시녀를 명ᄒᆞ여 총지를 불너오라 ᄒᆞ니, 슈유(須臾)에 총지 계하에 복명ᄒᆞ니, 공이 명ᄒᆞ여 오르나 ᄒᆞ나 울울불낙ᄒᆞ여 탄식ᄒᆞᆷ믈 마지 아니터니, 날호여 니르딕,

"ᄌᆞ졍이 뉴가의 두문불츌ᄒᆞᆷ믈 큰 우환으로 아르샤 셩심을 샹히오시니, 마지 못ᄒᆞ여 샤(赦)ᄒᆞ나 내 실노 져를 딕ᄒᆞ미 ᄉᆞ갈(蛇蝎) ᄀᆞᆺᄐᆞ여 놀라오미 심한골경(心寒骨驚)ᄒᆞ딕, ᄌᆞ위의 근심ᄒᆞ시믈 돕ᄉᆞᆸ지 못ᄒᆞ여, 내 함분잉통(含憤忍痛)ᄒᆞ고 뉴씨를 즁회 즁 나ᄃᆞᆫ니게 ᄒᆞᄂᆞ니, 일마다 네 ᄠᅳᆺ을 맛치ᄂᆞᆫ지라. 네 ᄯᅩ 일분 인심이 잇실진【117】딕 내 ᄠᅳᆺ을 도라1225) 싱각ᄒᆞ여, 니당에 숙식을 녜ᄉᆞ로이 ᄒᆞ여 괴거(怪擧)를 부리ᄂᆞᆫ 일이 업게 ᄒᆞ라."

니뷔(吏部) 복슈쳥교(伏首聽敎)1226)의 환

다. 지우다.

1224)평셕(平昔) : 보통 때. 평상시. 평시(平時). 평소(平素).

1225)도라 : 돌려. 바꿔.

1226)복슈쳥교(伏首聽敎) : 엎드려 어른의 말씀을 들음.

힝(歡幸)ᄒᆞ믈 니긔지 못ᄒᆞ나, 대인 《으로∥이》 뉴부인 티ᄒᆞ믈 괴로이 넉이시거늘 ᄌᆞ긔 ᄯᅩ 그 ᄯᅳᆺ을 셰오미 만흔지라. 츌텬대효로써 부모의 화열ᄒᆞ실 바를 궁극히 계교ᄒᆞ나, 능히 화평홀 도리를 싱각ᄒᆞ나[미] 쉽지 아니코, 야야의 함분잉통ᄒᆞ시미[미] 겸겸 더ᄒᆞ여 심홰 셩(盛)ᄒᆞ실 바를 싱각ᄒᆞ니, 즁심의 졀박ᄒᆞ미 무궁흔지라. ᄯᅩ 엇지 그 명을 거역ᄒᆞ리오.

이에 복슈 ᄃᆡ왈,

"대인이 우흐로 대모의 근심을 더르샤 희열ᄒᆞ실 바를 닐위시고, 아릭로 힉ᄋᆞ(孩兒)의 황민(惶憫)흔 졍ᄉᆞ를 슬피시니, 가즁에 이만 경ᄉᆡ 업ᄉᆞᆫ지라. ᄋᆞ희 ᄯᅩ 엇지 감히 훈교를 져ᄇᆞ리와 위월(違越)ᄒᆞ리잇고?"

공이 무언 탄식이러라.

혼졍을 파ᄒᆞ고 ᄂᆡ【11】뷔 응휘각의 드러가 모친긔 뵈옵고 명일브터 존당 즁회 즁 나ᄃᆞ니시믈 고ᄒᆞ니, 뉴부인이 눈물을 ᄲᅮ려 왈,

"존괴 불초 부(婦)의 깁히 드럿시믈 미양 심우(心憂)ᄒᆞ시니, 엇지 존젼의 시봉ᄒᆞ믈 미양 폐ᄒᆞ리오마는, 붓그러온 ᄂᆞᆺᄎᆞᆯ 드러 일가지인(一家之人)과 네 대인을 ᄃᆡ치 못ᄒᆞ리니, 오ᄋᆞᄂᆞᆫ 모로미 이런 말을 니르지 말나."

총지 망단(望斷)ᄒᆞ여 ᄯᅩ흔 쳬읍 고왈,

"태태 미양 이곳에 문을 닷고 움직이지 아니시니, 소ᄌᆞ의 심장이 쥬야의 《ᄮᆞᆯᄂᆞᆫ∥ᄉᆞᆯᄂᆞᆫ》 ᄃᆞᆺᄒᆞ온지라. ᄇᆞ라건ᄃᆡ 긔거를 평상이 ᄒᆞ샤, 우흐로 태모 셩의를 밧드르시고, 아릭로 소ᄌᆞ의 졍니를 싱각ᄒᆞ소셔."

부인이 다만 쳬읍홀 ᄲᅮᆫ이오 말이 업더니, 믄득 구패 니르러 명일브터 신혼 졍셩의 참녜ᄒᆞ고 즁회 즁 나ᄃᆞ니믈 니르니, 뉴부인이 ᄯᅩ흔 감히 ᄉᆞ양치 못ᄒᆞ니, 얼골이 피곤ᄒᆞ여시나, 인믈이 슌평ᄒᆞ【12】고 마음이 어질기는 완연이 다른 사름이 되여시니, 니부의 슬허ᄒᆞ믈 보미 감동ᄒᆞ여 몽농이 존당 명을 쥰봉홀 바를 회쥬ᄒᆞ나, 붓그러온 ᄂᆞᆺᄎᆞᆯ 싹고져 ᄒᆞ더라.

니뷔 모친의 취침을 ᄒᆞ시믈 보고 소셔헌

힝(歡幸)ᄒᆞ믈 니긔지 못ᄒᆞ나, 대인 《으로∥이》 뉴부인 티ᄒᆞ믈 괴로이 넉이시거늘 ᄌᆞ긔 ᄯᅩ 그 ᄯᅳᆺ을 셰오미 만흔지라. 츌텬대효로써 부모의 화열ᄒᆞ실 바를 궁극히 계교ᄒᆞ나, 능히 화평홀 도리를 싱각ᄒᆞ나[미] 쉽지 아니코, 야야의 함분잉통ᄒᆞ시미[미] 겸겸 더ᄒᆞ여 심홰 셩(盛)ᄒᆞ실 바를 싱각ᄒᆞ니, 즁심의 졀박ᄒᆞ미 무궁흔지라. ᄯᅩ 엇지 그 명을 거역ᄒᆞ리오.

이에 복슈 ᄃᆡ왈,

"대인이 우흐로 대모의 근심을 더르샤 희열ᄒᆞ실 바를 닐위시고, 아릭로 힉ᄋᆞ(孩兒)의 황민(惶憫)흔 졍ᄉᆞ를 슬피시니, 가즁에 이만 경ᄉᆡ 업ᄉᆞᆫ지라. ᄋᆞ희 ᄯᅩ 엇지 감히 훈교를 져ᄇᆞ리와 위월(違越)ᄒᆞ리잇고?"

공이 무언 탄식이러라.

혼졍을 파ᄒᆞ고 ᄂᆡ【118】뷔 응휘각의 드러가 모친긔 뵈옵고 명일브터 존당 즁회 즁 나ᄃᆞ니시믈 고ᄒᆞ니, 뉴부인이 눈물을 ᄲᅮ려 왈,

"존괴 불초 부(婦)의 깁히 드럿시믈 미양 심우(心憂)ᄒᆞ시니, 엇지 존젼의 시봉ᄒᆞ믈 미양 폐ᄒᆞ리오마는, 붓그러온 ᄂᆞᆺᄎᆞᆯ 드러 일가지인(一家之人)과 네 대인을 ᄃᆡ치 못ᄒᆞ리니, 오ᄋᆞᄂᆞᆫ 모로미 이런 말을 니르지 말나."

총지 망단(望斷)ᄒᆞ여 ᄯᅩ흔 쳬읍 고왈,

"태태 미양 이곳에 문을 닷고 움직이지 아니시니, 소ᄌᆞ의 심장이 쥬야의 《ᄮᆞᆯᄂᆞᆫ∥ᄉᆞᆯᄂᆞᆫ》 ᄃᆞᆺᄒᆞ온지라. ᄇᆞ라건ᄃᆡ 긔거를 평상이 ᄒᆞ샤, 우흐로 태모 셩의를 밧드르시고, 아릭로 소ᄌᆞ의 졍니를 싱각ᄒᆞ소셔."

부인이 다만 쳬읍홀 ᄲᅮᆫ이오 말이 업더니, 믄득 구패 니르러 명일브터 신혼 졍셩의 참녜ᄒᆞ고 즁회 즁 나ᄃᆞ니믈 니르니, 뉴부인이 ᄯᅩ흔 감히 ᄉᆞ양치 못ᄒᆞ니, 얼골이 피곤ᄒᆞ여시나, 인믈이 슌평ᄒᆞ【119】고 마음이 어질기는 완연이 다른 사름이 되여시니, 니부의 슬허ᄒᆞ믈 보미 감동ᄒᆞ여 몽농이 존당 명을 쥰봉홀 바를 회쥬ᄒᆞ나, 붓그러온 ᄂᆞᆺᄎᆞᆯ 싹고져 ᄒᆞ더라.

니뷔 모친의 취침을 ᄒᆞ시믈 보고 소셔헌

에 나와 밤을 지닉고, 시미 바로 응휘각의
드러가니, 발셔 하·댱 등이 모다 존고의
의상을 밧드러 긔침을 ᄒᆞ시믈 기드리ᄂᆞ지
라. 니뷔 모친긔 고왈,

"ᄌᆞ위 금일 신셩브터 대모긔 문후를 폐치
못ᄒᆞ시리이다. 비록 슈고로오시나 잠간 침
셕을 물리치샤 긔침ᄒᆞ시믈 ᄇᆞ라ᄂᆞ이다."

뉴부인이 한업슨 붓그러오믈 니긔지 못ᄒᆞ
고 죄루를 므릅셔, 안연이 무ᄉᆞ히 나고져
ᄠᅳᆺ이 업ᄉᆞ딕, 니부의 지효를 아니 도라보지
못ᄒᆞ여 날호여 몸을 니러 소셰ᄒᆞ고, ᄌᆞ부를
거ᄂᆞ려 원양뎐의 드러가 태부인긔 신셩지례
(晨省之禮)를 일울ᄉᆡ, 조부 【13】 인이 뎡
숙녈과 구파로 더브러 모둣ᄂᆞ지라. 뉴부인
의 손을 잡고 흔연 왈,

"부인이 금일 존당 좌즁에 나오믈 보니
아심(我心)을 져기1287) 위로ᄒᆞ리로다. 환난
후 쳐음으로 안항(雁行)을 출혀 존고를 뫼
시니 엇지 깃부지 아니리오."

뉴부인이 츄연 딕왈,

"소뎨의 죄악이 텬디에 관영ᄒᆞᆫ지라. 진실
로 즁인공회(衆人公會)에 나가기를 붓그려
ᄒᆞ더니, 우흐로ᄂᆞᆫ 존명이 계시고 아릭로 희
ᄋᆞ의 지셩이 아니 밋츤 곳이 업ᄉᆞᆫ 고로, 낫
갓출1288) 둣거이 ᄒᆞ고 이에 나왓ᄂᆞ이다."

태부인이 위로 왈,

"노모의 과악은 그딕에셔 셰 번 더ᄒᆞ미 잇
시나 오히려 붓그러오믈 춤고 견딕ᄂᆞ니, 그
딕ᄂᆞᆫ 지난 일을 다시 니르지 말고 힝지(行
止) 쳐신(處身)을 평셕(平昔)과 달니 말라."

뉴부인이 빅샤 ᄒᆞ더니, 믄득 공이 드러와
모친긔 야릭(夜來) 존후를 뭇ᄌᆞ올ᄉᆡ, 뉴부인
이 공을 딕ᄒᆞ미 《면홍∥면홍(面紅)1289)》
이 ᄌᆞ져(自著)ᄒᆞ여1290), 경각에 ᄯᅡ흘 파고
들고 【14】 져 ᄒᆞ나 능히 밋지 못ᄒᆞ고, 황구
ᄒᆞ여 졍히 아모리 홀 줄 모로ᄂᆞ지라. 태부

에 나와 밤을 지닉고, 시미 바로 응휘각의
드러가니, 발셔 하·댱 등이 모다 존고의
의상을 밧드러 긔침을 ᄒᆞ시믈 기드리ᄂᆞ지
라. 니뷔 모친긔 고왈,

"ᄌᆞ위 금일 신셩브터 대모긔 문후를 폐치
못ᄒᆞ시리이다. 비록 슈고로오시나 잠간 침
셕을 물리치샤 긔침ᄒᆞ시믈 ᄇᆞ라ᄂᆞ이다."

뉴부인이 한업슨 붓그러오믈 니긔지 못ᄒᆞ
고 죄루를 므릅셔, 안연이 무ᄉᆞ히 나고져
ᄠᅳᆺ이 업ᄉᆞ딕, 니부의 지효를 아니 도라보지
못ᄒᆞ여 날호여 몸을 니러 소셰ᄒᆞ고, ᄌᆞ부를
거ᄂᆞ려 원양뎐의 드러가 태부인긔 신셩지례
(晨省之禮)를 일울ᄉᆡ, 조부 【120】 인이 뎡
숙녈과 구파로 더브러 모둣ᄂᆞ지라. 뉴부인
의 손을 잡고 흔연 왈,

"부인이 금일 존당 좌즁에 나오믈 보니
아심(我心)을 져기1227) 위로ᄒᆞ리로다. 환난
후 쳐음으로 안항(雁行)을 출혀 존고를 뫼
시니 엇지 깃부지 아니리오."

뉴부인이 츄연 딕왈,

"소뎨의 죄악이 텬디에 관영ᄒᆞᆫ지라. 진실
로 즁인공회(衆人公會)에 나가기를 붓그려
ᄒᆞ더니, 우흐로ᄂᆞᆫ 존명이 계시고 아릭로 희
ᄋᆞ의 지셩이 아니 밋츤 곳이 업ᄉᆞᆫ 고로, 낫
갓출1228) 둣거이 ᄒᆞ고 이에 나왓ᄂᆞ이다."

태부인이 위로 왈,

"노모의 과악은 그딕에셔 셰 번 더ᄒᆞ미 잇
시나 오히려 붓그러오믈 춤고 견딕ᄂᆞ니, 그
딕ᄂᆞᆫ 지난 일을 다시 니르지 말고 힝지(行
止) 쳐신(處身)을 평셕(平昔)과 달니 말라."

뉴부인이 빅샤 ᄒᆞ더니, 믄득 공이 드러와
모친긔 야릭(夜來) 존후를 뭇ᄌᆞ올ᄉᆡ, 뉴부인
이 공을 딕ᄒᆞ미 《면홍∥면홍(面紅)1229)》
이 ᄌᆞ져(自著)ᄒᆞ여1230), 경각에 ᄯᅡ흘 파고
들고 【121】 져 ᄒᆞ나 능히 밋지 못ᄒᆞ고, 황
구ᄒᆞ여 졍히 아모리 홀 줄 모로ᄂᆞ지라. 태

1287)져기 : 적이. 조금. 꽤 어지간한 정도로.
1288)낫갓출 : 낫갓+ ᄎᆞ+ 올. 낯가죽을. *낯가죽; 염치
　　없는 사람을 욕할 때 그런 사람의 얼굴을 이르는
　　말.
1289)면홍(面紅) : 얼굴이 붉어짐. 또는 그러한 얼굴.
1290)ᄌᆞ져(自著) : 저절로 나타남.

1227)져기 : 적이. 조금. 꽤 어지간한 정도로.
1228)낫갓출 : 낫갓+ ᄎᆞ+ 올. 낯가죽을. *낯가죽; 염치
　　없는 사람을 욕할 때 그런 사람의 얼굴을 이르는
　　말.
1229)면홍(面紅) : 얼굴이 붉어짐. 또는 그러한 얼굴.
1230)ᄌᆞ져(自著) : 저절로 나타남.

인이 ㄱ장 잔잉히 넉여, 공을 향ㅎ여 왈,
"너희 부뷔 결발대륜(結髮大倫)1291)을 졍
ㅎ연 지 이졔 하마 삼십 년이라, 피ᄎᆞ 딕ᄒᆞ
미 셔의(齟齬)홀 일이 업ᄉᆞ되, 노모의 불인
무상ᄒᆞ미 뉴씨를 그릇 민ᄃᆞ라 허다 과악의
샌지온 비 되니, 젼혀 노모의 탓시로딕,
《너희∥너의》 뉴씨를 칙망ᄒᆞ미 일편되니
뉴씨 너를 보미 싀호(豺虎)ᄀᆞᆺ치 넉이니, 모
로미 가늬 화열ᄒᆞ며 노모와 희텬 부부의 마
음이 편키를 위ᄒᆞ여 괴이흔 경식을 업게 ᄒᆞ
라."
공이 뉴부인을 먼니셔 얼프시 보미, 싀로
이 통완ᄒᆞ미 니졋던 일을 다 싱각ᄒᆞ여 분긔
를 니긔지 못ᄒᆞ나, 모친 심회를 더으지 못
ᄒᆞ여 천만 강잉ᄒᆞ여 뉴부인을 향ᄒᆞ여 쟝읍
(長揖)ᄒᆞ미, 뉴씨 연망(連忙)이 답비ᄒᆞ나 참
안(慙顔) 슈괴(羞愧)흔 거동을 니긔지 못ᄒᆞ
딕,【15】호람휘 눈을 드지 아니코 분긔 흉
격(胸膈)의 가득ᄒᆞ미 면식이 ᄌᆞ연 다르고,
또 능히 악인을 딕ᄒᆞ여 오릭 안ᄌᆞ실 마음이
업셔 즉시 니러 나가니, 총지 부친 긔식을
아라보고 졀박흔 근심을 플 날이 업ᄉᆞ되,
뉴부인이 알면 더욱 슬허홀 바를 민망ᄒᆞ여
조흔 다시 뫼셧더라.
ᄎᆞ후 뉴씨 출입지졔(出入之際)에 젼일과
다르미 업ᄉᆞ되, 공근(恭謹) 비약(卑弱)1292)
흠과 이연유열(怡然愉悅)ᄒᆞ미 흔 조각 모진
긔운이 업ᄉᆞ되, 너모 강단(剛斷) 업기에 갓
갑고, 흐리눅고 프러져 챵후 부부와 총지
부부를 본즉 두굿기니, 호람휘 모친의 긔과
칙션 ᄒᆞ신 깃부믄 능히 젹은 경ᄉᆞ로 니르지
못홀 비어늘, 뉴씨 마ᄌᆞ 회과ᄌᆞ칙ᄒᆞ여 인도
(仁道)의 도라가시믈 그윽이 살피미 심즁의
환열ᄒᆞ딕, 당초 과악을 싱각ᄒᆞ미 오히려 그
심폐를 비최 드시 알기 어려온 고로, 그 측
냥치【16】못홀 ᄉᆞ오나오미 결단코 므슨
흉계를 도모코져 이러툿 뉘웃는 체ᄒᆞ는가,
념녀 번다ᄒᆞ여 식음이 다지1293) 아니코 침

1291)결발대륜(結髮大倫): 혼인의 큰 도리.
1292)비약(卑弱): 자신을 낮추고 모자란 것처럼 함.
1293)달다: ①혀로 느끼는 맛이 꿀이나 설탕의 맛과

부인이 ㄱ장 잔잉히 넉여, 공을 향ᄒᆞ여 왈,
"너희 부뷔 결발대륜(結髮大倫)1231)을 졍
ᄒᆞ연 지 이졔 하마 삼십 년이라, 피ᄎᆞ 딕ᄒᆞ
미 셔의(齟齬)홀 일이 업ᄉᆞ되, 노모의 불인
무상ᄒᆞ미 뉴씨를 그릇 민ᄃᆞ라 허다 과악의
샌지온 비 되니, 젼혀 노모의 탓시로딕,
《너희∥너의》 뉴씨를 칙망ᄒᆞ미 일편되니
뉴씨 너를 보미 싀호(豺虎)ᄀᆞᆺ치 넉이니, 모
로미 가늬 화열ᄒᆞ며 노모와 희텬 부부의 마
음이 편키를 위ᄒᆞ여 괴이흔 경식을 업게 ᄒᆞ
라."
공이 뉴부인을 먼니셔 얼프시 보미, 싀로
이 통완ᄒᆞ미 니졋던 일을 다 싱각ᄒᆞ여 분긔
를 니긔지 못ᄒᆞ나, 모친 심회를 더으지 못
ᄒᆞ여 천만 강잉ᄒᆞ여 뉴부인을 향ᄒᆞ여 쟝읍
(長揖)ᄒᆞ미, 뉴씨 연망(連忙)이 답비ᄒᆞ나 참
안(慙顔) 슈괴(羞愧)흔 거동을 니긔지 못ᄒᆞ
딕,【122】호람휘 눈을 드지 아니코 분긔
흉격(胸膈)의 가득ᄒᆞ미 면식이 ᄌᆞ연 다르고,
또 능히 악인을 딕ᄒᆞ여 오릭 안ᄌᆞ실 마음이
업셔 즉시 니러 나가니, 총지 부친 긔식을
아라보고 졀박흔 근심을 플 날이 업ᄉᆞ되,
뉴부인이 알면 더욱 슬허홀 바를 민망ᄒᆞ여
조흔 다시 뫼셧더라.
ᄎᆞ후 뉴씨 출입지졔(出入之際)에 젼일과
다르미 업ᄉᆞ되, 공근(恭謹) 비약(卑弱)1232)
흠과 이연유열(怡然愉悅)ᄒᆞ미 흔 조각 모진
긔운이 업ᄉᆞ되, 너모 강단(剛斷) 업기에 갓
갑고, 흐리눅고 프러져 챵후 부부와 총지
부부를 본즉 두굿기니, 호람휘 모친의 긔과
칙션 ᄒᆞ신 깃부믄 능히 젹은 경ᄉᆞ로 니르지
못홀 비어늘, 뉴씨 마ᄌᆞ 회과ᄌᆞ칙ᄒᆞ여 인도
(仁道)의 도라가시믈 그윽이 살피미 심즁의
환열ᄒᆞ딕, 당초 과악을 싱각ᄒᆞ미 오히려 그
심폐를 비최 드시 알기 어려온 고로, 그 측
냥치【123】못홀 ᄉᆞ오나오미 결단코 므슨
흉계를 도모코져 이러툿 뉘웃는 체ᄒᆞ는가,
념녀 번다ᄒᆞ여 식음이 다지1233) 아니코 침

1231)결발대륜(結髮大倫): 혼인의 큰 도리.
1232)비약(卑弱): 자신을 낮추고 모자란 것처럼 함.
1233)달다: ①혀로 느끼는 맛이 꿀이나 설탕의 맛과

쉬 편치 아냐, 쥬야 울울불낙흔 빗츨 감초
지 못ᄒᆞ니, 니부와 챵후의 졀민ᄒᆞᆷ믄 뉴부인
이 응휘각에 두문불츌흔 썩에서 다르미 업
더라.

○[쏘] 춍ᄌᆡ의 냥부인 향흔 졍이 박흔가
념녀ᄒᆞ여 하·댱 등의 숙소에 ᄌᆞ로 드려보
ᄂᆞ니[고] 구파로 ᄒᆞ야곰 그 부부간 ᄉᆞ어를
탐쳥ᄒᆞ디, 니뷔 하·댱 이 부인 침소에 드
러가면 즉시 상요에 나아가 잠을 닉게 드럿
다가, 계초명(鷄初鳴)에 니르러 졍당에 신셩
ᄒᆞ려 나오니, 희미흔 언어도 듯지 못ᄒᆞᆯ 쑨
아니라, 하부인 침당에 드러간즉 더욱 ᄉᆞ식
(辭色)이 싁싁ᄒᆞ여 부부의 졍이 잇지 아님
ᄀᆞᆺᄐᆞ니, 구픠 더욱 의심ᄒᆞ고 괴이히 넉여,
니뷔 하부인 침소에 드러갈[간] 날인즉 아
니 규시ᄒᆞᄂᆞᆫ 날이 업더라.

일 【17】 야는 니뷔 존당부뫼 취침ᄒᆞ심을
보고 물너 하부인 숙소에 니르니, 부인이
촉하에서 ᄋᆞᄌᆞ를 어로만져 가추ᄒᆞ다가, 니
부를 보고 쳔연이 니러 마ᄌ 동셔 분좌ᄒᆞ
민, 챵닌이 니뷔 져를 가추ᄒᆞ미 업스ᄃᆡ 짜
르기를 이상이 ᄒᆞᄂᆞᆫ지라. 썔니 부친 므릅
이릭 나아가 니르ᄃᆡ,

"빅부는 소ᄌᆞ 등을 ᄉᆞ랑ᄒᆞ시ᄃᆡ, 야야는
엇지 미양 셩닌 사름 갓ᄐᆞ시니잇가?"

니뷔 ᄋᆞᄌᆞ의 교영츌발(喬英出拔)1294)흠과
영민특이(英敏特異)ᄒᆞᄆᆞᆯ 깃거ᄒᆞ나, 본셩이
ᄋᆞ히를 가츠치 못ᄒᆞᆯ 쑨 아니라, 하부인 미
흡흔 마음을 프지 못ᄒᆞ여시므로, 졍싁고 챵
닌을 물녀 안치니, 아히 모친 알픽 나아가
므르ᄃᆡ,

"부친은 벙어리도 아니언마는, 우리 방에
드러오시면 흔 말을 아니코 져리 셩을 닉시
ᄂᆞ고, 괴이ᄒᆞ니, 모친은 그 곡졀을 아르시ᄂᆞ
니잇가?"

소졔 민망ᄒᆞ여 역시 히ᄋᆞ를 물리치니, 챵
닌이 다시 【18】 니부 겻틱 나아가 셩닌 곡
졀을 지리히 므르니, 그 거동이 ᄉᆞ랑호오ᄃᆡ

같다. ②입맛이 당기도록 맛이 있다.
1294)교영츌발(喬英出拔) : 풍채가 헌걸차고 포부가
커 특출하게 빼어남.

쉬 편치 아냐, 쥬야 울울불낙흔 빗츨 감초
지 못ᄒᆞ니, 니부와 챵후의 졀민ᄒᆞᆷ믄 뉴부인
이 응휘각에 두문불츌흔 썩에서 다르미 업
더라.

○[쏘] 춍ᄌᆡ의 냥부인 향흔 졍이 박흔가
념녀ᄒᆞ여 하·댱 등의 숙소에 ᄌᆞ로 드려보
ᄂᆞ니[고] 구파로 ᄒᆞ야곰 그 부부간 ᄉᆞ어를
탐쳥ᄒᆞ디, 니뷔 하·댱 이 부인 침소에 드
러가면 즉시 상요에 나아가 잠을 닉게 드럿
다가, 계초명(鷄初鳴)에 니르러 졍당에 신셩
ᄒᆞ려 나오니, 희미흔 언어도 듯지 못ᄒᆞᆯ 쑨
아니라, 하부인 침당에 드러간즉 더욱 ᄉᆞ식
(辭色)이 싁싁ᄒᆞ여 부부의 졍이 잇지 아님
ᄀᆞᆺᄐᆞ니, 구픠 더욱 의심ᄒᆞ고 괴이히 넉여,
니뷔 하부인 침소에 드러갈[간] 날인즉 아
니 규시ᄒᆞᄂᆞᆫ 날이 업더라.

일 【124】 야는 니뷔 존당부뫼 취침ᄒᆞ심
을 보고 물너 하부인 숙소에 니르니, 부인
이 촉하에서 ᄋᆞᄌᆞ를 어로만져 가추ᄒᆞ다가,
니부를 보고 쳔연이 니러 마ᄌ 동셔 분좌ᄒᆞ
민, 챵닌이 니뷔 져를 가추ᄒᆞ미 업스ᄃᆡ 짜
르기를 이상이 ᄒᆞᄂᆞᆫ지라. 썔니 부친 므릅
이릭 나아가 니르ᄃᆡ,

"빅부는 소ᄌᆞ 등을 ᄉᆞ랑ᄒᆞ시ᄃᆡ, 야야는
엇지 미양 셩닌 사름 갓ᄐᆞ시니잇가?"

니뷔 ᄋᆞᄌᆞ의 교영츌발(喬英出拔)1234)흠과
영민특이(英敏特異)ᄒᆞᄆᆞᆯ 깃거ᄒᆞ나, 본셩이
ᄋᆞ히를 가츠치 못ᄒᆞᆯ 쑨 아니라, 하부인 미
흡흔 마음을 프지 못ᄒᆞ여시므로, 졍싁고 챵
닌을 물녀 안치니, 아히 모친 알픽 나아가
므르ᄃᆡ,

"부친은 벙어리도 아니언마는, 우리 방에
드러오시면 흔 말을 아니코 져리 셩을 닉시
ᄂᆞ고, 괴이ᄒᆞ니, 모친은 그 곡졀을 아르시ᄂᆞ
니잇가?"

소졔 민망ᄒᆞ여 역시 히ᄋᆞ를 물리치니, 챵
닌이 다시 【125】 니부 겻틱 나아가 셩닌
곡졀을 지리히 므르니, 그 거동이 ᄉᆞ랑호오

같다. ②입맛이 당기도록 맛이 있다.
1234)교영츌발(喬英出拔) : 풍채가 헌걸차고 포부가
커 특출하게 빼어남.

니뷔 조곰도 웃는 빗치 업셔 유모를 불너
창닌을 다려 가라 ᄒ고, 창닌를[을] 꾸지져
왈,

"나히 슈셰를 넘지 못ᄒ 거시 말 만코 반
지ᄲᆞ르미1295) 졔 표숙(表叔)의 뒤흘 쏠을지
라. 모르미 그만ᄒ여 ᄲᆞᆯ리 가라"

유뫼 창닌을 다려가랴 ᄒ죽, 닌이 모친
겻히 안ᄌ 움죽이지 아니코, 하부인도 ᄋᆞ히
를 꾸지져 닉여 보닐 의ᄉᆞ 업셔 묵연이 말
을 아니하ᄂᆞᆫ지라. 상셰 그 모ᄌᆞ의 거동을
보미, 이경(愛敬)ᄒᄂᆞᆫ 졍이 무궁ᄒ나 ᄉᆞᆷ식지
아니코, ᄌᆡ삼 꾸지져 유모를 맛져 닉여 보
닉니, 닌이 울기를 마지 아니ᄒ더라.

날호여 상요에 나아가니, 하 부인이 만ᄉᆞ
쳔연ᄒᆞᆫ 고로, 니뷔 비록 ᄌᆞ긔를 미안이 녁
이나 ᄌᆞ긔 대단ᄒᆞᆫ 허믈이 업ᄉᆞ니, 즁심에
경황(驚惶)ᄒᆞᆫ 일이 업고, 쏘 동방(洞房)의
신뷔 아니라. ᄌᆞ긔 침금(寢衾)에 닙은 치 누
【19】으니, 상셰 촉을 멸ᄒ고 부뷔 다 잠
드ᄂᆞᆫ 듯ᄒ니, 구ᄑᆡ 날이 ᄉᆡ기를 그음ᄒ여
셧더니, 하소졔 홀연 젹상(積傷)ᄒᆞᆫ 병이 발
ᄒ여, 피를 토ᄒ고 졍신이 혼혼(昏昏)ᄒ여
인ᄉᆞ를 출히지 못ᄒ니, 상셰 대경ᄒ여 야명
주(夜明珠)1296)를 닉여 노코, 단의침건(單衣
寢巾)1297)으로 안ᄌ 믹을 보고, 낭즁에 환
약(丸藥)을 닉여 삼다(蔘茶)에 화(和)ᄒ여
연속ᄒ여 드리오니, ᄀᆞ장 오릭 후 소졔 졍
신을 슈습ᄒ거ᄂᆞᆯ, 니뷔 문왈,

"부인이 ○○[어이] 불의에 엄홀(奄忽)ᄒ
여 인ᄉᆞ를 모로더뇨?"

소졔 긔운이 어득ᄒ고 일신이 알프믈 니
긔지 못ᄒ여, 계오 희미히 ᄃᆡ왈,

"쳡의 이 병이 삼년지라, 비록 보기 위급
ᄒ나 슈삼 일만 지닉면 쾌소ᄒ니 대단치 아
니니이다."

니뷔 소져의 통셰 비경ᄒᆞᆷ믈 보고, 함분

딕 니뷔 조곰도 웃는 빗치 업셔 유모를 불
너 창닌을 다려 가라 ᄒ고, 창닌를[을] 꾸
지져 왈,

"나히 슈셰를 넘지 못ᄒ 거시 말 만코 반
지ᄲᆞ르미1235) 졔 표숙(表叔)의 뒤흘 쏠을지
라. 모르미 그만ᄒ여 ᄲᆞᆯ리 가라"

유뫼 창닌을 다려가랴 ᄒ죽, 닌이 모친
겻히 안ᄌ 움죽이지 아니코, 하부인도 ᄋᆞ히
를 꾸지져 닉여 보닐 의ᄉᆞ 업셔 묵연이 말
을 아니하ᄂᆞᆫ지라. 상셰 그 모ᄌᆞ의 거동을
보미, 이경(愛敬)ᄒᄂᆞᆫ 졍이 무궁ᄒ나 ᄉᆞᆷ식지
아니코, ᄌᆡ삼 꾸지져 유모를 맛져 닉여 보
닉니, 닌이 울기를 마지 아니ᄒ더라.

날호여 상요에 나아가니, 하 부인이 만ᄉᆞ
쳔연ᄒᆞᆫ 고로, 니뷔 비록 ᄌᆞ긔를 미안이 녁
이나 ᄌᆞ긔 대단ᄒᆞᆫ 허믈이 업ᄉᆞ니, 즁심에
경황(驚惶)ᄒᆞᆫ 일이 업고, 쏘 동방(洞房)의
신뷔 아니라. ᄌᆞ긔 침금(寢衾)에 닙은 치 누
【126】으니, 상셰 촉을 멸ᄒ고 부뷔 다 잠
드ᄂᆞᆫ 듯ᄒ니, 구ᄑᆡ 날이 ᄉᆡ기를 그음ᄒ여
셧더니, 하소졔 홀연 젹상(積傷)ᄒᆞᆫ 병이 발
ᄒ여, 피를 토ᄒ고 졍신이 혼혼(昏昏)ᄒ여
인ᄉᆞ를 출히지 못ᄒ니, 상셰 대경ᄒ여 야명
주(夜明珠)1236)를 닉여 노코, 단의침건(單衣
寢巾)1237)으로 안ᄌ 믹을 보고, 낭즁에 환
약(丸藥)을 닉여 삼다(蔘茶)에 화(和)ᄒ여
연속ᄒ여 드리오니, ᄀᆞ장 오릭 후 소졔 졍
신을 슈습ᄒ거ᄂᆞᆯ, 니뷔 문왈,

"부인이 ○○[어이] 불의에 엄홀(奄忽)ᄒ
여 인ᄉᆞ를 모로더뇨?"

소졔 긔운이 어득ᄒ고 일신이 알프믈 니
긔지 못ᄒ여, 계오 희미히 ᄃᆡ왈,

"쳡의 이 병이 삼년지라, 비록 보기 위급
ᄒ나 슈삼 일만 지닉면 쾌소ᄒ니 대단치 아
니니이다."

니뷔 소져의 통셰 비경ᄒᆞᆷ믈 보고, 함분

1295)반지ᄲᆞᆯ르다 : 반질거리다. 번질거리다. 뻔질뻔질
　　하다. 성품이 매우 뻔뻔스럽고 유들유들하다.
1296)야명주(夜明珠) : 어두운 데서 빛을 내는 구슬.
　　=야광주(夜光珠).
1297)단의침건(單衣寢巾) : 속옷과 잠잘 때 머리에
　　쓰는 두건.

1235)반지ᄲᆞᆯ르다 : 반질거리다. 번질거리다. 뻔질뻔질
　　하다. 성품이 매우 뻔뻔스럽고 유들유들하다.
1236)야명주(夜明珠) : 어두운 데서 빛을 내는 구슬.
　　=야광주(夜光珠).
1237)단의침건(單衣寢巾) : 속옷과 잠잘 때 머리에
　　쓰는 두건.

(含憤)턴 마음이 업셔○[져] 낫빗치 화ᄒ여 왈,

"부인이 비상화난(非常禍亂)의 몸이 상흔 지라. 엇지 젹상흔 병이 업스리오마는, 상경(上京)ᄒ미 긔괴(奇怪)흔 지경(之境)의, 존당과【20】ᄌ위 실덕을 원망ᄒ여, 싱이 온 후도 본부에 잇기를 즐기고 우환(憂患)을 넘치 아니니, 부되(婦道) 어긔엿거늘, 초후를 식여 ᄌ위와 싱을 욕ᄒ미 아니 밋츤 곳이 업스니, 오슈용(吾雖庸)이나[1298] 초후를 구겁(懼怯)홀 비리오마는, 싱은 본듸 남을 결워 언힐(言詰)[1299]을 즐기지 아니코, ᄯ흔 져져의 안면을 보아 무궁흔 욕을 조흔 말 듯 듯ᄒ엿거니와, 나를 업슈히 넉이고, ᄯ흔 내 집 은혜를 져버려, 흔갓 ᄌ위를 누욕(累辱)홀 ᄯᄯ름이 아니라, 미져를 못 견듸도록 조르며 욕ᄒ던 바는, 윤슈빈이 싱셰의 플니지 못홀 노호미라. 만일 ᄌ뎐(慈殿)과 져져를 위흔 효위(孝友)이실진듸, 싱이 부인으로 더브러 아조 부부지의(夫婦之義)를 ᄯᄎ텨 초후에게 한을 플고져 ᄒ듸, 싱이 스스로 임의치 못ᄒ는 바는, 대인이 부인을 년이(憐愛)ᄒ시미 친싱 녀ᄋ의 넘으시고, 우리 부부간 화열키를 니르시미 근졀ᄒ샤, 셰쇄지ᄉ(細瑣之事)를【21】아니 넘녀ᄒ시는 곳이 업스시니, 인ᄌ지되(人子之道) 친의를 어긔오지 못ᄒ여, 시러곰 부인을 디졉ᄒ미 부부륜의(倫義)를 완젼ᄒ니, 초후는 셰권(勢權)을 미더, 날 ᄀᆺ튼 암녈우용지인(暗劣愚庸之人)[1300]이 자긔를 두리민가 넉이려니와, 윤슈빈도 ᄯ흔 샤롬의 마음이라. 엇지 남의 무단흔 즐욕을 감슈ᄒ리오. 악당이 것ᄎ로 초후를 칙ᄒ는 쳬ᄒ나, 그 실은 욕ᄒ는 바를 ᄀᆞ장 두굿기시니, ᄌ뎨(子弟)[1301] 교훈ᄒ시는 도리 엇지 그럴니 잇시리오. 우리는 부형이 공근겸퇴(恭謹謙退)를 힘쓰시니, 혹 ᄌ 분노흔 일이 잇셔도 방ᄌ히 즐욕지 못ᄒ

[1298]오슈용(吾雖庸)이나 : 내 비록 용렬하나.
[1299]언힐(言詰) : 말로써 트집을 잡아 따짐.
[1300]암녈우용지인(暗劣愚庸之人) : 사리에 어둡고 뒤떨어지며 어리석고 용렬한 사람.
[1301]ᄌ뎨(子弟) : 남을 높여 그의 아들을 이르는 말.

(含憤)턴 마음이 업셔○[져] 낫빗치 화ᄒ여 왈,

"부인이 비상화난(非常禍亂)의 몸이 상흔 지라. 엇지 젹상흔 병이 업스리오마는, 상경(上京)ᄒ미 긔괴(奇怪)흔 지경(之境)의, 존당과【127】ᄌ위 실덕을 원망ᄒ여, 싱이 온 후도 본부에 잇기를 즐기고 우환(憂患)을 넘치 아니니, 부되(婦道) 어긔엿거늘, 초후를 식여 ᄌ위와 싱을 욕ᄒ미 아니 밋츤 곳이 업스니, 오슈용(吾雖庸)이나[1238] 초후를 구겁(懼怯)홀 비리오마는, 싱은 본듸 남을 결워 언힐(言詰)[1239]을 즐기지 아니코, ᄯ흔 져져의 안면을 보아 무궁흔 욕을 조흔 말 듯 듯ᄒ엿거니와, 나를 업슈히 넉이고, ᄯ흔 내 집 은혜를 져버려, 흔갓 ᄌ위를 누욕(累辱)홀 ᄯᄯ름이 아니라, 미져를 못 견듸도록 조르며 욕ᄒ던 바는, 윤슈빈이 싱셰의 플니지 못홀 노호미라. 만일 ᄌ뎐(慈殿)과 져져를 위흔 효위(孝友)이실진듸, 싱이 부인으로 더브러 아조 부부지의(夫婦之義)를 ᄯᄎ텨 초후에게 한을 플고져 ᄒ듸, 싱이 스스로 임의치 못ᄒ는 바는, 대인이 부인을 년이(憐愛)ᄒ시미 친싱 녀ᄋ의 넘으시고, 우리 부부간 화열키를 니르시미 근졀ᄒ샤, 셰쇄지ᄉ(細瑣之事)를【128】아니 넘녀ᄒ시는 곳이 업스시니, 인ᄌ지되(人子之道) 친의를 어긔오지 못ᄒ여, 시러곰 부인을 디졉ᄒ미 부부륜의(倫義)를 완젼ᄒ니, 초후는 셰권(勢權)을 미더, 날 ᄀᆺ튼 암녈우용지인(暗劣愚庸之人)[1240]이 자긔를 두리민가 넉이려니와, 윤슈빈도 ᄯ흔 샤롬의 마음이라. 엇지 남의 무단흔 즐욕을 감슈ᄒ리오. 악당이 것ᄎ로 초후를 칙ᄒ는 쳬ᄒ나, 그 실은 욕ᄒ는 바를 ᄀᆞ장 두굿기시니, ᄌ뎨(子弟)[1241] 교훈ᄒ시는 도리 엇지 그럴니 잇시리오. 우리는 부형이 공근겸퇴(恭謹謙退)를 힘쓰시니, 혹 ᄌ 분노흔 일이 잇셔도 방ᄌ히 즐욕지 못ᄒ

[1238]오슈용(吾雖庸)이나 : 내 비록 용렬하나.
[1239]언힐(言詰) : 말로써 트집을 잡아 따짐.
[1240]암녈우용지인(暗劣愚庸之人) : 사리에 어둡고 뒤떨어지며 어리석고 용렬한 사람.
[1241]ᄌ뎨(子弟) : 남을 높여 그의 아들을 이르는 말.

는 픔되(品度)라. 부인이 혹 긔승(氣勝)흔 부형을 쓰라 호승(好勝)[1302]을 부리고져 흘지라도, 스빈의 졸직(拙直)흐믈 도라보아 양미토긔(揚眉吐氣)[1303]흐는 거죄 업게 흐소셔"

셜파의 스긔 엄숙흐여 오릭 함분(含憤)흐던 셜화를 펴미, 셩음이 유열흐고 난뫼(暖貌) 츈양(春陽) 굿고, 삼엄(森嚴) 졍대(正大)흔 【22】 례졀(禮節)이 일신을 둘너시니, 부인이 진실노 초후의 과격지셜(過激之說)을 즈시 아도 못흐거늘 상셔의 말이 이 굿고, 즈긔의 온슌(溫順) 효우(孝友)흐미 츌텬(出天)흐거늘 교우[오](驕傲) 호승(好勝)키로 칙오믈 보미, 여려[러]가지 분원(忿怨)흐미 잇시디, 스스에 녀즈 되오미 괴롭고 한홀 쓰름이오, 외모의 나타닉지 아냐, 쳔연이 디왈,

"쳡이 비록 불초무상(不肖無狀)흐나, 동긔(同氣)를 식여 존고와 군즈를 욕흐라 흘 인시 《잇시∥이》 리잇가마는, 군즈 억견(臆見)으로 이굿치 칙흐시나, 쳡의 이미흐미 신명(神明)의 질졍(質正)흐여○[도] 븟그럽지 아닐지라. 다만 쳡의 허물이 존당과 존고의 환휘 《이즁∥위즁》흐신 쎠를 당흐여, 미(微)흔 졍셩을 펴지 못흔 죄 젹지 아닌지라. 존문이 죽으믈 명흐셔도 감히 한치 못흐리로소이다."

언파에 일신을 괴로이 《즈동∥즈통(自痛)》흘 쓴이오, 다시 말숨의 쯧이 업스니, 상셰 그 믹후(脈候)로 조ᄎ 젹상(積傷)흔 징셰(症勢) 비경(非輕)흐믈 넘녀흐며, 【23】 그 위인의 온슌함과 쳥아(淸雅)흐믈 흠복(欽服)흐여, 누월 미안이 넉이던 뜻이 츈셜 스둧흐여, 잠간 웃고 굴오디.

"부인이 초후의 즐욕흐믈 영영 모르노라 흐니, 싱이 또흔 다 아지 못흐거니와, 녕형을 보아든 브졀업슨 거엄[1304]을 즈랑치 말

는 픔되(品度)라. 부인이 혹 긔승(氣勝)흔 부형을 쓰라 호승(好勝)[1242]을 부리고져 흘지라도, 스빈의 졸직(拙直)흐믈 도라보아 양미토긔(揚眉吐氣)[1243]흐는 거죄 업게 흐소셔"

셜파의 스긔 엄숙흐여 오릭 함분(含憤)흐던 셜화를 펴미, 셩음이 유열흐고 난뫼(暖貌) 츈양(春陽) 굿고, 삼엄(森嚴) 졍대(正大)흔 【129】 례졀(禮節)이 일신을 둘너시니, 부인이 진실노 초후의 과격지셜(過激之說)을 즈시 아도 못흐거늘 상셔의 말이 이 굿고, 즈긔의 온슌(溫順) 효우(孝友)흐미 츌텬(出天)흐거늘 교우[오](驕傲) 호승(好勝)키로 칙오믈 보미, 여려[러]가지 분원(忿怨)흐미 잇시디, 스스에 녀즈 되오미 괴롭고 한홀 쓰름이오, 외모의 나타닉지 아냐, 쳔연이 디왈,

"쳡이 비록 불초무상(不肖無狀)흐나, 동긔(同氣)를 식여 존고와 군즈를 욕흐라 흘 인시 《잇시∥이》 리잇가마는, 군즈 억견(臆見)으로 이굿치 칙흐시나, 쳡의 이미흐미 신명(神明)의 질졍(質正)흐여○[도] 븟그럽지 아닐지라. 다만 쳡의 허물이 존당과 존고의 환휘 《이즁∥위즁》흐신 쎠를 당흐여, 미(微)흔 졍셩을 펴지 못흔 죄 젹지 아닌지라. 존문이 죽으믈 명흐셔도 감히 한치 못흐리로소이다."

언파에 일신을 괴로이 《즈동∥즈통(自痛)》흘 쓴이오, 다시 말숨의 쯧이 업스니, 상셰 그 믹후(脈候)로 조ᄎ 젹상(積傷)흔 징셰(症勢) 비경(非輕)흐믈 넘녀흐며, 【130】 그 위인의 온슌함과 쳥아(淸雅)흐믈 흠복(欽服)흐여, 누월 미안이 넉이던 뜻이 츈셜 스둧흐여, 잠간 웃고 굴오디.

"부인이 초후의 즐욕흐믈 영영 모르노라 흐니, 싱이 또흔 다 아지 못흐거니와, 녕형을 보아든 브졀업슨 거엄[1244]을 즈랑치 말

[1302]호승(好勝) : 남과 겨루어 이기기를 좋아하는 성미가 있음.
[1303]양미토긔(揚眉吐氣) : '눈썹을 치켜뜨고 기를 토한다'는 뜻으로, 기를 펴고 활개를 치는 것을 이르는 말.

[1242]호승(好勝) : 남과 겨루어 이기기를 좋아하는 성미가 있음.
[1243]양미토긔(揚眉吐氣) : '눈썹을 치켜뜨고 기를 토한다'는 뜻으로, 기를 펴고 활개를 치는 것을 이르는 말.

나 니르쇼셔."

인흐여, 부인의 옥슈를 잡고 은근(慇懃) 위곡(委曲)1305)흔 언어와 견권(繾綣)흐는 졍이 비길듸 업스듸, 그 가온듸 단엄(端嚴) 침위(沈威)흐여 음일(淫佚) 경박(輕薄)흔 거죄 업고, 부화쳐슌(夫和妻順)흐미 극진흐여, 군주 슉녀의 화락이 무흠흐니, 구픠 이 거동을 보민, 인간의 희귀흔 일노 아라 두굿겁고 긔특흐믈 니긔지 못흐듸, 하소져 토혈흐는 증셰와 일신을 고통흐믈 우려흐여, 계명에 원양뎐에 도라와, 그 부부의 문답 셜화와 하씨의 젹상흔 병이 깁흐믈 태부인긔 일일이 고흐니, 태부인이 크게 두【24】굿겨 조·뉴 이 부인이 신셩의 모드민, 구파의 규시흔 말을 옴겨 젼훌시, 상셔의 남다른 효셩이 초후의 말을 노흐여 하씨에게 유감흔 뜻을 품으니, 그 셩졍의 어려옴과 위인의 아름다오믈 일크르니, 조부인은 굿투여 말이 업스듸, 뉴부인은 일마다 두굿기고 말마다 긔특이 넉여, 총직 부부 스랑흐기의 다다라는 인스를 일흐니, 엇지 젼후의 다른 사룸이 아니리오. 이윽고 챵후와 총직 존당 부모긔 신셩훌시, 구픠 웃고 왈,

"상공 형뎨 미양 신셩이 계초명(鷄初鳴)1306)이러니 금일은 엇지 느즈니잇가?"

챵휘 듸왈,

"소손은 계부긔 시침흐엿더니 계부 시도록 졉목치 못흐샤 글을 지으라 흐시거늘, 칠뉼(七律)1307)을 앗가 작필흐여 드리노라《노‖느》졋고, 스뎨는 계명에 외헌에 나와 계부를 뫼셧다가 형뎨 홈긔 드러오니이다"

구픠 상【25】셔 드려 문왈,

"뎡당 이 소져는 신셩의 드러오시듸 하소져는 엇지 신셩을 불참흐시니잇고? 상공

나 니르쇼셔."

인흐여, 부인의 옥슈를 잡고 은근(慇懃) 위곡(委曲)1245)흔 언어와 견권(繾綣)흐는 졍이 비길듸 업스듸, 그 가온듸 단엄(端嚴) 침위(沈威)흐여 음일(淫佚) 경박(輕薄)흔 거죄 업고, 부화쳐슌(夫和妻順)흐미 극진흐여, 군주 슉녀의 화락이 무흠흐니, 구픠 이 거동을 보민, 인간의 희귀흔 일노 아라 두굿겁고 긔특흐믈 니긔지 못흐듸, 하소져 토혈흐는 증셰와 일신을 고통흐믈 우려흐여, 계명에 원양뎐에 도라와, 그 부부의 문답 셜화와 하씨의 젹상흔 병이 깁흐믈 태부인긔 일일이 고흐니, 태부인이 크게 두【131】굿겨 조·뉴 이 부인이 신셩의 모드민, 구파의 규시흔 말을 옴겨 젼훌시, 상셔의 남다른 효셩이 초후의 말을 노흐여 하씨에게 유감흔 뜻을 품으니, 그 셩졍의 어려옴과 위인의 아름다오믈 일크르니, 조부인은 굿투여 말이 업스듸, 뉴부인은 일마다 두굿기고 말마다 긔특이 넉여, 총직 부부 스랑흐기의 다다라는 인스를 일흐니, 엇지 젼후의 다른 사룸이 아니리오. 이윽고 챵후와 총직 존당 부모긔 신셩훌시, 구픠 웃고 왈,

"상공 형뎨 미양 신셩이 계초명(鷄初鳴)1246)이러니 금일은 엇지 느즈니잇가?"

챵휘 듸왈,

"소손은 계부긔 시침흐엿더니 계부 시도록 졉목치 못흐샤 글을 지으라 흐시거늘, 칠뉼(七律)1247)을 앗가 작필흐여 드리노라《노‖느》졋고, 스뎨는 계명에 외헌에 나와 계부를 뫼셧다가 형뎨 홈긔 드러오니이다"

구픠 상【132】셔 드려 문왈,

"뎡당 이 소져는 신셩의 드러오시듸 하소져는 엇지 신셩을 불참흐시니잇고? 상공

1304)거엄 : 거오(倨傲)함. 거만(倨慢)함. *거오(倨傲)
하다 : 성격, 태도 따위가 거만하고 오만하다.
1305)위곡(委曲) : 자상(仔詳)함.
1306)계초명(鷄初鳴) : 첫닭이 우는 때.
1307)칠뉼(七律) : 칠언율시(七言律詩). 한시(漢詩)에
서, 한 구가 칠언으로 된 율시. 모두 8구로 이루어
진다.

1244)거엄 : 거오(倨傲)함. 거만(倨慢)함. *거오(倨傲)
하다 : 성격, 태도 따위가 거만하고 오만하다.
1245)위곡(委曲) : 자상(仔詳)함.
1246)계초명(鷄初鳴) : 첫닭이 우는 때.
1247)칠뉼(七律) : 칠언율시(七言律詩). 한시(漢詩)에
서, 한 구가 칠언으로 된 율시. 모두 8구로 이루어
진다.

은 흔가지로 밤을 지닉여 계시니 모로지 아
닐지라. 무슨 병이 잇더니잇가?"

상셰 딕왈,

"하씨 감긔 잇는가 시브더이다"

구픡 왈,

"토혈은 아니며 상공이 진믹이나 ᄒ여 보
시니잇가?"

상셰 본딕 눈을 드러 슬피는 일이 업슨지
라. 구파의 말을 치 아라 듯지 못ᄒ고 다만
딕왈,

"혹 감긔 이신들 토혈ᄒ도록 ᄒ리잇가?
그만 병에 진믹ᄒ여 므엇 ᄒ리잇고? 소손이
의슐을 모르는 고로 샤름의 믹후를 보아도
아모란 쥴 모를너이다."

구픡 소왈,

"상공이 쳔연(天然)ᄒ여 《표피(表皮)1308)
∥표리(表裏)1309)》 한가진가 아랏더니, 작
야 거동과 금조 말슴의 다다라는 간ᄉ(奸
邪)ᄒ시이다."

상셰 비로소 구파의 규시ᄒ믈 싯ᄃ라, 잠
소 딕왈,

"셰강(歲降) 속말(俗末)의 진졍 군ᄌ 업ᄉ
니, 소손의 간ᄉ킨들1310) 괴【26】이ᄒ리잇
고?"

구픡 대소 왈,

"그딕의 간ᄉᄒ믈 노신이 임의 보아시므
로 발명치 아니ᄒ거니와, 창닌을 즐퇴ᄒ며
하부인을 그딕도록 믜워홀 졔는 무슨 마음
이오[고], 하소져의 토혈ᄒ고 엄홀키에 당
ᄒ여는, 창황 초조ᄒ미 간담을 버히는 듯ᄒ
여 부인의 손을 붓들고 울고져 하는 뜻은
므슴일고."

상셰 함소 무언이러니, 날호여 굴오딕,

"조모는 츈취 뉵슌을 지나 계시딕, 브즈
런ᄒ고 다ᄉᄒ시미 이상ᄒ여, 남은 다 ᄌ는
딕 조뫼 홀노 침슈를 폐ᄒ시고, 남의 ᄉ실

1308)표피(表皮) : 겉. 표면. 생물체의 표면을 덮고
　　　있는 조직.
1309)표리(表裏) : 물체의 겉과 속 또는 안과 밖을
　　　통틀어 이르는 말.
1310)간ᄉ킨들 : '간사하긴들'의 준말. 간사하게 행동
　　　한 것인들.

은 흔가지로 밤을 지닉여 계시니 모로지 아
닐지라. 무슨 병이 잇더니잇가?"

상셰 딕왈,

"하씨 감긔 잇는가 시브더이다"

구픡 왈,

"토혈은 아니며 상공이 진믹이나 ᄒ여 보
시니잇가?"

상셰 본딕 눈을 드러 슬피는 일이 업슨지
라. 구파의 말을 치 아라 듯지 못ᄒ고 다만
딕왈,

"혹 감긔 이신들 토혈ᄒ도록 ᄒ리잇가?
그만 병에 진믹ᄒ여 므엇 ᄒ리잇고? 소손이
의슐을 모르는 고로 샤름의 믹후를 보아도
아모란 쥴 모를너이다."

구픡 소왈,

"상공이 쳔연(天然)ᄒ여 《표피(表皮)1248)
∥표리(表裏)1249)》 한가진가 아랏더니, 작
야 거동과 금조 말슴의 다다라는 간ᄉ(奸
邪)ᄒ시이다."

상셰 비로소 구파의 규시ᄒ믈 싯ᄃ라, 잠
소 딕왈,

"셰강(歲降) 속말(俗末)의 진졍 군ᄌ 업ᄉ
니, 소손의 간ᄉ킨들1250) 괴【133】이ᄒ리
잇고?"

구픡 대소 왈,

"그딕의 간ᄉᄒ믈 노신이 임의 보아시므
로 발명치 아니ᄒ거니와, 창닌을 즐퇴ᄒ며
하부인을 그딕도록 믜워홀 졔는 무슨 마음
이오[고], 하소져의 토혈ᄒ고 엄홀키에 당
ᄒ여는, 창황 초조ᄒ미 간담을 버히는 듯ᄒ
여 부인의 손을 붓들고 울고져 하는 뜻은
므슴일고."

상셰 함소 무언이러니, 날호여 굴오딕,

"조모는 츈취 뉵슌을 지나 계시딕, 브즈
런ᄒ고 다ᄉᄒ시미 이상ᄒ여, 남은 다 ᄌ는
딕 조뫼 홀노 침슈를 폐ᄒ시고, 남의 ᄉ실

1248)표피(表皮) : 겉. 표면. 생물체의 표면을 덮고
　　　있는 조직.
1249)표리(表裏) : 물체의 겉과 속 또는 안과 밖을
　　　통틀어 이르는 말.
1250)간ᄉ킨들 : '간사하긴들'의 준말. 간사하게 행동
　　　한 것인들.

을 여어 부부간 후박과 소비(少輩)의 허믈을 술피려, 체모(體貌)를 일코 창외의 식도록 셔 계시니 ᄀ장 단졍치 못ᄒ신지라. 소손이 슈도(修道)○[ᄒᄂ] 고승이 아니니 혹 부부간 친근ᄒ미 괴이치 아니커늘, 조모는 샤룸의 음힝(淫行) 실졀(失節)ᄒ믈 잡은 ᄃ시 분분(紛紛)이 셔드르시니1311) 가소로오믈 니긔지 못【27】ᄒ리소이다."

창휘 소왈,

"날 ᄀᆺᄐ면 조모의 규시ᄒ시ᄂᆫ ᄯ를 당ᄒ여, ᄒ 번 크게 놀닉여 잣바지게 홀 거슬, 샤데 너모 공근ᄒ여 조모의 녀어 보시ᄂᆫ ᄃ로 두어, 부부간 ᄉ어를 두로 젼파케 ᄒ니 엇지 분치 아니리오."

구픠 ᄯ지져 왈,

"그ᄃᆡ 뎡숙녈 부인 침소에셔 ᄒᄂᆫ 거동이 어이 측냥ᄒ리오마는, 언어 간의 능히 다 일큿지 못ᄒᄆ로 아이의1312) 니르지 아니ᄒᄂ니, 내 몃 번을 규시ᄒᆫ동1313) 알니오마ᄂᆫ, 그ᄃᆡ 아모란 줄도 모로고, 젼흥(全興)이 발양(發揚)ᄒ여 부인의 침묵 단졍ᄒ믈 괴로이 넉이니, 엇지 우읍지 아니리오."

창휘 다시 ᄃᆡ답고져 ᄒ더니, 공이 드러오니 샹셔로 더브러 하당 영지ᄒ여 태부인 침뎐에 드러가미, 공이 모친 야릭 존후를 묻줍고 인ᄒ여 시좌ᄒᆞᆯ식, 태부인이 희열ᄒ미 이날 ᄀᆺᄐᆫ 젹이 업ᄉ니, 공이 환힝ᄒ여 구파를 향【28】ᄒ여 왈,

"ᄌᆞ졍의 흔희 ᄒ시미 근간 쳐음이라. 무ᄉᆞᆷ 조흔 일이 잇ᄂᆞ니잇가?"

구픠 웃고 작야 샹셔 부부간 ᄉ어를 젼ᄒ니, 공이 만면의 츈풍이 화란(和暖)ᄒ여 두굿기믈 니긔지 못ᄒᄃᆡ, 하씨의 젹샹ᄒ 병이 깁흐믈 우려ᄒ여, 샹셔를 당부ᄒ여 왈,

"《한‖하》 현부의 지란(芝蘭) ᄀᆺᄐᆫ 약질

1311)셔드르다 : 서두르다. 일을 빨리 해치우려고 급하게 바삐 움직이다.
1312)아이의 : 아예. 일시적이거나 부분적이 아니라 전적으로. 또는 순전하게.
1313)-ㄴ동 : -ㄴ지. 막연한 의문이 있는 채로 그것을 뒤 절의 사실이나 판단과 관련시키는 데 쓰는 연결 어미.

을 여어 부부간 후박과 소비(少輩)의 허믈을 술피려, 체모(體貌)를 일코 창외의 식도록 셔 계시니 ᄀ장 단졍치 못ᄒ신지라. 소손이 슈도(修道)○[ᄒᄂ] 고승이 아니니 혹 부부간 친근ᄒ미 괴이치 아니커늘, 조모는 샤룸의 음힝(淫行) 실졀(失節)ᄒ믈 잡은 ᄃ시 분분(紛紛)이 셔드르시니1251) 가소로오믈 니긔지 못【134】ᄒ리소이다."

창휘 소왈,

"날 ᄀᆺᄐ면 조모의 규시ᄒ시ᄂᆫ ᄯ를 당ᄒ여, ᄒ 번 크게 놀닉여 잣바지게 홀 거슬, 샤데 너모 공근ᄒ여 조모의 녀어 보시ᄂᆫ ᄃ로 두어, 부부간 ᄉ어를 두로 젼파케 ᄒ니 엇지 분치 아니리오."

구픠 ᄯ지져 왈,

"그ᄃᆡ 뎡숙녈 부인 침소에셔 ᄒᄂᆫ 거동이 어이 측냥ᄒ리오마는, 언어 간의 능히 다 일큿지 못ᄒᄆ로 아이의1252) 니르지 아니ᄒᄂ니, 내 몃 번을 규시ᄒᆫ동1253) 알니오마ᄂᆫ, 그ᄃᆡ 아모란 줄도 모로고, 젼흥(全興)이 발양(發揚)ᄒ여 부인의 침묵 단졍ᄒ믈 괴로이 넉이니, 엇지 우읍지 아니리오."

창휘 다시 ᄃᆡ답고져 ᄒ더니, 공이 드러오니 샹셔로 더브러 하당 영지ᄒ여 태부인 침뎐에 드러가미, 공이 모친 야릭 존후를 묻줍고 인ᄒ여 시좌ᄒᆞᆯ식, 태부인이 희열ᄒ미 이날 ᄀᆺᄐᆫ 젹이 업ᄉ니, 공이 환힝ᄒ여 구파를 향【135】ᄒ여 왈,

"ᄌᆞ졍의 흔희 ᄒ시미 근간 쳐음이라. 무ᄉᆞᆷ 조흔 일이 잇ᄂᆞ니잇가?"

구픠 웃고 작야 샹셔 부부간 ᄉ어를 젼ᄒ니, 공이 만면의 츈풍이 화란(和暖)ᄒ여 두굿기믈 니긔지 못ᄒᄃᆡ, 하씨의 젹샹ᄒ 병이 깁흐믈 우려ᄒ여, 샹셔를 당부ᄒ여 왈,

"《한‖하》 현부의 지란(芝蘭) ᄀᆺᄐᆫ 약질

1251)셔드르다 : 서두르다. 일을 빨리 해치우려고 급하게 바삐 움직이다.
1252)아이의 : 아예. 일시적이거나 부분적이 아니라 전적으로. 또는 순전하게.
1253)-ㄴ동 : -ㄴ지. 막연한 의문이 있는 채로 그것을 뒤 절의 사실이나 판단과 관련시키는 데 쓰는 연결 어미.

이 츠마 샤롬의 견디지 못홀 화익을 겪거시
므로 고질이 되엿는지라. 지금에 그 명믹이
니엇시미 텬신의 브조(扶助)ᄒᆞ미라. 그 젹상
ᄒᆞᆷ믈 엇지 측냥ᄒᆞ리오. 모로미 의약을 일위
여 병근(病根)을 업시ᄒᆞ고 토혈ᄒᆞᄂᆞᆫ 증(症)
을 곳치게 ᄒᆞ라.”

상셰 비샤 슈명ᄒᆞ더라.

공이 날호여 니부를 드리고 하씨를 문병
코져 ᄒᆞ여, 소져 누운 곳의 드러가 믹후를
술피며 의약을 착실이 닐위니, 하소졔 엄구
의 우려ᄒᆞ시믈 더욱 황공ᄒᆞ여 강질(强
疾)1314)ᄒᆞ려 ᄒᆞ나, 젹상지질(積傷之疾)1315)
이 복발(復發)ᄒᆞᆫ즉 ᄀᆞ장 비【29】경ᄒᆞᆫ지라.
칠팔일이나 신음ᄒᆞ다가 향츠(向差)ᄒᆞ니 합
개(闔家) 대열ᄒᆞ더라.

이러구러 납월(臘月)1316) 초슌이 되고 남
·화 냥가 길일이 십여 일식 겨ᄒᆞ니, 태부
인이 진씨를 다려와 길셕(吉席)에 참녜(參
禮)케 ᄒᆞ고져 ᄒᆞ되, 진실노 참안슈괴(慙顔羞
愧)1317)ᄒᆞ여 진씨를 쳥치 못ᄒᆞ고 싱각ᄂᆞᆫ 졍
이 근졀ᄒᆞ니, 공이 모친 뜻을 알고 거교를
출혀 취운산에 보니여, 진씨의 도라오믈 명
ᄒᆞ니, 진부에셔 낙양후는 니당에 잇고 진평
댱 등이 외루에 잇다가, 거교를 보고 분완
ᄒᆞ여 셔로 의논 왈,

“위가 노흉(老凶)이 ᄯᅩ 미뎨를 다려다가,
참혹ᄒᆞᆫ 누얼을 무○[룹]뼈워 박살ᄒᆞᄂᆞᆫ 악시
업지 아니리니, 아등이 일미(一妹)를 엇지
뇽담호혈(龍潭虎穴)에 보니여 잔잉이 맛게
ᄒᆞ리오. 교뷔 왓시믈 미뎨 드르면 반ᄃᆞ시
가려 홀 거시니, 미뎨다려 니르지 말고 보
니리라.”

ᄒᆞ고, 진평댱이 남창후긔 글을 브치고 공
거(空車)를 환송(還送)ᄒᆞ니, 이씩【30】 위
태부인이 진씨의 도라오기를 기다리미 근졀

이 츠마 샤롬의 견디지 못홀 화익을 겪거시
므로 고질이 되엿는지라. 지금에 그 명믹이
니엇시미 텬신의 브조(扶助)ᄒᆞ미라. 그 젹상
ᄒᆞᆷ믈 엇지 측냥ᄒᆞ리오. 모로미 의약을 일위
여 병근(病根)을 업시ᄒᆞ고 토혈ᄒᆞᄂᆞᆫ 증(症)
을 곳치게 ᄒᆞ라.”

상셰 비샤 슈명ᄒᆞ더라.

공이 날호여 니부를 드리고 하씨를 문병
코져 ᄒᆞ여, 소져 누운 곳의 드러가 믹후를
술피며 의약을 착실이 닐위니, 하소졔 엄구
의 우려ᄒᆞ시믈 더욱 황공ᄒᆞ여 강질(强
疾)1254)ᄒᆞ려 ᄒᆞ나, 젹상지질(積傷之疾)1255)
이 복발(復發)ᄒᆞᆫ즉 ᄀᆞ장 비【136】경ᄒᆞᆫ지
라. 칠팔일이나 신음ᄒᆞ다가 향츠(向差)ᄒᆞ니
합개(闔家) 대열ᄒᆞ더라.

이러구러 납월(臘月)1256) 초슌이 되고 남
·화 냥가 길일이 십여 일식 겨ᄒᆞ니, 태부
인이 진씨를 다려와 길셕(吉席)에 참녜(參
禮)케 ᄒᆞ고져 ᄒᆞ되, 진실노 참안슈괴(慙顔羞
愧)1257)ᄒᆞ여 진씨를 쳥치 못ᄒᆞ고 싱각ᄂᆞᆫ 졍
이 근졀ᄒᆞ니, 공이 모친 뜻을 알고 거교를
출혀 취운산에 보니여, 진씨의 도라오믈 명
ᄒᆞ니, 진부에셔 낙양후는 니당에 잇고 진평
댱 등이 외루에 잇다가, 거교를 보고 분완
ᄒᆞ여 셔로 의논 왈,

“위가 노흉(老凶)이 ᄯᅩ 미뎨를 다려다가,
참혹ᄒᆞᆫ 누얼을 무○[룹]뼈워 박살ᄒᆞᄂᆞᆫ 악시
업지 아니리니, 아등이 일미(一妹)를 엇지
뇽담호혈(龍潭虎穴)에 보니여 잔잉이 맛게
ᄒᆞ리오. 교뷔 왓시믈 미뎨 드르면 반ᄃᆞ시
가려 홀 거시니, 미뎨다려 니르지 말고 보
니리라.”

ᄒᆞ고, 진평댱이 남창후긔 글을 브치고 공
거(空車)를 환송(還送)ᄒᆞ니, 이씩【137】 위
태부인이 진씨의 도라오기를 기다리미 근졀

1314)강질(强疾) : 병(病)을 참고 무리하여 거동함.
1315)젹상지질(積傷之疾) : 오랫동안 마음을 썩여 고
질병(痼疾病)이 되어버린 병.
1316)납월(臘月) : 음력 섣달(12월)을 달리 이르는
말.
1317)참안슈괴(慙顔羞愧) : 염치가 없어 얼굴을 보이
지 못할 만큼 몹씨 부끄럽다.

1254)강질(强疾) : 병(病)을 참고 무리하여 거동함.
1255)젹상지질(積傷之疾) : 오랫동안 마음을 썩여 고
질병(痼疾病)이 되어버린 병.
1256)납월(臘月) : 음력 섣달(12월)을 달리 이르는
말.
1257)참안슈괴(慙顔羞愧) : 염치가 없어 얼굴을 보이
지 못할 만큼 몹씨 부끄럽다.

ᄒᆞ여, 안ᄌᆞ락 닐낙ᄒᆞ여 능히 마음을 진졍치 못ᄒᆞ더니, 공거를 메워 헛도이 도라오니, 태부인이 낙막ᄒᆞᆷ믈 니긔지 못ᄒᆞ여, 쳬읍 왈,

"노모와 뉴식뷔 과악이 밧흘 곳이 업거니와, 진소뷔 공거를 환송ᄒᆞ고 다시 오지 아니려 ᄒᆞ믄, 노모와 뉴씨 기과ᄎᆡᆨ션ᄒᆞ엿시믄 아지 못ᄒᆞ고, 깁히 의심ᄒᆞ여 ᄯᅩ 져를 ᄃᆞ려다가 히홀가 념녀ᄒᆞ미라. 노모의 뉘웃ᄂᆞᆫ ᄯᅳᆺ을 능히 빗ᄎᆡᆯ 길히 업《ᄂᆞᆫ지라‖도다》."

공이 낫빗ᄎᆞᆯ 곳치고 모친을 화열이 위로 왈,

"진씨의 오지 아니미 반ᄃᆞ시 진가 쇼년 등의 막으미니, 거교를 다시 보ᄂᆡ여 《ᄃᆞ려올 바를‖ᄃᆞ려오리이다."》

고ᄒᆞ나, 진씨를 줏두다려 죽이려 ᄒᆞᆯ 쩌의ᄂᆞᆫ ᄌᆞ긔 교지(交趾)[1318]로 가지 아냐실 쩌언마는, 능히 딜부의 환난을 구치 못ᄒᆞ고 상셩실혼(喪性失魂)ᄒᆞᆫ 샤롬이 되엿던 줄을 싱각ᄒᆞ미, 이 다 뉴씨의【31】극악 간교ᄒᆞᆫ 탓이런 줄 더욱 분히ᄒᆞ여, 질부를 보ᄂᆡ라 ᄒᆞᆯ 낫치 업ᄂᆞᆫ지라.

이에 진평댱의 글월을 ᄎᆞ즈 보니, ᄒᆞ여시되,

"쇼미 잔○[약] 약질노 빅힝이 무일가ᄎᆔ(無一可取)[1319]라. 아시브터 군ᄌᆞ의 관관(關關)[1320]ᄒᆞᆫ 호귀(好逑)[1321] 아닌 줄 알오ᄃᆡ, 연고 업시 폐륜지인(廢倫之人)을 민ᄃᆞ지 못ᄒᆞ여, 가친이 ᄉᆞ원의 영풍쥰골(英風俊骨)을 ᄉᆞ랑ᄒᆞ시고, 텬연(天緣)의 미인 바를 역(逆)지 못ᄒᆞ여, 그ᄃᆡ의 직실을 삼으니 외람ᄒᆞᆫ지라. 열운 복이 과ᄒᆞ여 존문의 믜워믈[1322]

ᄒᆞ여, 안ᄌᆞ락 닐낙ᄒᆞ여 능히 마음을 진졍치 못ᄒᆞ더니, 공거를 메워 헛도이 도라오니, 태부인이 낙막ᄒᆞᆷ믈 니긔지 못ᄒᆞ여, 쳬읍 왈,

"노모와 뉴식뷔 과악이 밧흘 곳이 업거니와, 진소뷔 공거를 환송ᄒᆞ고 다시 오지 아니려 ᄒᆞ믄, 노모와 뉴씨 기과ᄎᆡᆨ션ᄒᆞ엿시믄 아지 못ᄒᆞ고, 깁히 의심ᄒᆞ여 ᄯᅩ 져를 ᄃᆞ려다가 히홀가 념녀ᄒᆞ미라. 노모의 뉘웃ᄂᆞᆫ ᄯᅳᆺ을 능히 빗ᄎᆡᆯ 길히 업《ᄂᆞᆫ지라‖도다》."

공이 낫빗ᄎᆞᆯ 곳치고 모친을 화열이 위로 왈,

"진씨의 오지 아니미 반ᄃᆞ시 진가 쇼년 등의 막으미니, 거교를 다시 보ᄂᆡ여 《ᄃᆞ려올 바를‖ᄃᆞ려오리이다."》

고ᄒᆞ나, 진씨를 줏두다려 죽이려 ᄒᆞᆯ 쩌의ᄂᆞᆫ ᄌᆞ긔 교지(交趾)[1258]로 가지 아냐실 쩌언마는, 능히 딜부의 환난을 구치 못ᄒᆞ고 상셩실혼(喪性失魂)ᄒᆞᆫ 샤롬이 되엿던 줄을 싱각ᄒᆞ미, 이 다 뉴씨의【138】극악 간교ᄒᆞᆫ 탓이런 줄 더욱 분히ᄒᆞ여, 질부를 보ᄂᆡ라 ᄒᆞᆯ 낫치 업ᄂᆞᆫ지라.

이에 진평댱의 글월을 ᄎᆞ즈 보니, ᄒᆞ여시되,

"쇼미 잔○[약] 약질노 빅힝이 무일가ᄎᆔ(無一可取)[1259]라. 아시브터 군ᄌᆞ의 관관(關關)[1260]ᄒᆞᆫ 호귀(好逑)[1261] 아닌 줄 알오ᄃᆡ, 연고 업시 폐륜지인(廢倫之人)을 민ᄃᆞ지 못ᄒᆞ여, 가친이 ᄉᆞ원의 영풍쥰골(英風俊骨)을 ᄉᆞ랑ᄒᆞ시고, 텬연(天緣)의 미인 바를 역(逆)지 못ᄒᆞ여, 그ᄃᆡ의 직실을 삼으니 외람ᄒᆞᆫ지라. 열운 복이 과ᄒᆞ여 존문의 믜워믈[1262]

1318) 교지(交趾) : 중국 한(漢)나라 때에, 지금의 베트남 북부 통킹, 하노이 지방에 둔 행정 구역. 전한(前漢)의 무제가 남월(南越)을 멸망시키고 설치하였다.

1319) 무일가ᄎᆔ(無一可取) : 한 가지도 취할 만한 것이 없음.

1320) 관관(關關) : 『시경(詩經)』<국풍(國風)/주남(周南)>의 '관저(關雎)'편 "관관저구(關關雎鳩; 까악 까악 우는 저구 새)"에서 따온 말로, 암수가 서로 서로 정답게 지저귀는 저구 새의 울음소리를 흉내 낸 의성어. 여기서는 '서로 화락하는' 정도의 의미로 쓰였다.

1321) 호귀(好逑) : 좋은 짝.

1258) 교지(交趾) : 중국 한(漢)나라 때에, 지금의 베트남 북부 통킹, 하노이 지방에 둔 행정 구역. 전한(前漢)의 무제가 남월(南越)을 멸망시키고 설치하였다.

1259) 무일가ᄎᆔ(無一可取) : 한 가지도 취할 만한 것이 없음.

1260) 관관(關關) : 『시경(詩經)』<국풍(國風)/주남(周南)>의 '관저(關雎)'편 "관관저구(關關雎鳩; 까악 까악 우는 저구 새)"에서 따온 말로, 암수가 서로 서로 정답게 지저귀는 저구 새의 울음소리를 흉내 낸 의성어. 여기서는 '서로 화락하는' 정도의 의미로 쓰였다.

1261) 호귀(好逑) : 좋은 짝.

바드니 망측혼 지앙이 니러나, 긔괴혼 죄루
에 싼지니 몸이 맛기도 예스롭지 아냐, 옥
즁 아스를 계오 면혼미 스원의 큰 힘을 다
ᄒ여 박살ᄒ는 환을 당혼지라. 왕스를 제긔
홀 비 아니로딕, 스원이 팔쳑 댱부로 숙녀
미희를 모흐려 홀진딕, 거지두량(車載斗
量)1323)이라도 불가승쉬(不可乘數)라. 굿ᄐ
여 잔미(屑微) 병약(病弱)혼 소미를 츠ᄌ 므
엇 ᄒ【32】리오. 임의 웅닌을 다려다가 부
ᄌ의 졍을 펴니, 소미는 화란지시(禍亂之時)
에 죽어시므로 아라 브졀업시 거교를 보닉
여 브르지 말나.”

ᄒ엿더라.

공이 견필에 참괴ᄒ미 더ᄒ여 말을 못ᄒ
더니, 창휘 나갓다가 드러와 존당 숙당의
뵈올식, 공이 진평댱의 셔간을 창후에게 더
져 왈,

“ᄌ졍이 진씨 도라오지 아니믈 크게 결연
ᄒ여 ᄒ시는 고로 거교를 출혀 취운산에 보
닉엿더니, 진영쉬 공거(空車)를 환송ᄒ고 이
셔출을 붓쳐시니, 우리집 허믈이 호대(浩大)
혼지라. 엇지 진가를 그르다 ᄒ리오.”

창휘 취운산의 거교(車轎) 갓던 줄을 아
지 못ᄒ엿다가, 계부의 말ᄉᆞᆷ을 조ᄎ 진평댱
의 글월을 보미 분개ᄒ미 널화 ᄀᆞᆺᄐ여, 견
파에 셔간을 믜치고1324) 미우(眉宇)에 셜풍
(雪風)이 은은ᄒ고 노긔 등등ᄒ여, 고왈,

“진영슈의 무상ᄒ미 진씨의 ᄉᆞ오나온 탓
시【33】라. 유지(猶子) 진씨 아니라도 환
거(鰥居)ᄒ니 업스오니, 그 요인을 츠ᄌ 므
엇 ᄒ리잇고? 진씨 일편 인심이 잇시면 대
모와 숙뫼 위악혼 질환을 지닉시니, 비록
긔별치 아니나 일츠 고문(叩門)ᄒ미 인심의
당연혼딕, 종시 오지 아니코 유지 상경 반
년에 종시 구가를 거졀ᄒ니, 대뫼 브졀업시
브르신 연고로 진영슈의 욕을 취ᄒ미니이
다.”

1322)믜워믈 : 미움을. 또는 미워함을.
1323)거지두량(車載斗量) : 수레에 싣고 말로 된다는
　　뜻으로, 물건이나 인재 따위가 많아서 그다지 귀
　　하지 않음을 이르는 말.
1324)믜치다 : 세게 찢다. 미어뜨리다.

바드니 망측혼 지앙이 니러나, 긔괴혼 죄루
에 싼지니 몸이 맛기도 예스롭지 아냐, 옥
즁 아스를 계오 면혼미 스원의 큰 힘을 다
ᄒ여 박살ᄒ는 환을 당혼지라. 왕스를 제긔
홀 비 아니로딕, 스원이 팔쳑 댱부로 숙녀
미희를 모흐려 홀진딕, 거지두량(車載斗
量)1263)이라도 불가승쉬(不可乘數)라. 굿ᄐ
여 잔미(屑微) 병약(病弱)혼 소미를 츠ᄌ 므
엇 ᄒ【139】리오. 임의 웅닌을 다려다가
부ᄌ의 졍을 펴니, 소미는 화란지시(禍亂之
時)에 죽어시므로 아라 브졀업시 거교를 보
닉여 브르지 말나.”

ᄒ엿더라.

공이 견필에 참괴ᄒ미 더ᄒ여 말을 못ᄒ
더니, 창휘 나갓다가 드러와 존당 숙당의
뵈올식, 공이 진평댱의 셔간을 창후에게 더
져 왈,

“ᄌ졍이 진씨 도라오지 아니믈 크게 결연
ᄒ여 ᄒ시는 고로 거교를 출혀 취운산에 보
닉엿더니, 진영쉬 공거(空車)를 환송ᄒ고 이
셔출을 붓쳐시니, 우리집 허믈이 호대(浩大)
혼지라. 엇지 진가를 그르다 ᄒ리오.”

창휘 취운산의 거교(車轎) 갓던 줄을 아
지 못ᄒ엿다가, 계부의 말ᄉᆞᆷ을 조ᄎ 진평댱
의 글월을 보미 분개ᄒ미 널화 ᄀᆞᆺᄐ여, 견
파에 셔간을 믜치고1264) 미우(眉宇)에 셜풍
(雪風)이 은은ᄒ고 노긔 등등ᄒ여, 고왈,

“진영슈의 무상ᄒ미 진씨의 ᄉᆞ오나온 탓
시【140】라. 유지(猶子) 진씨 아니라도 환
거(鰥居)ᄒ니 업스오니, 그 요인을 츠ᄌ 므
엇 ᄒ리잇고? 진씨 일편 인심이 잇시면 대
모와 숙뫼 위악혼 질환을 지닉시니, 비록
긔별치 아니나 일츠 고문(叩門)ᄒ미 인심의
당연혼딕, 종시 오지 아니코 유지 상경 반
년에 종시 구가를 거졀ᄒ니, 대뫼 브졀업시
브르신 연고로 진영슈의 욕을 취ᄒ미니이
다.”

1262)믜워믈 : 미움을. 또는 미워함을.
1263)거지두량(車載斗量) : 수레에 싣고 말로 된다는
　　뜻으로, 물건이나 인재 따위가 많아서 그다지 귀
　　하지 않음을 이르는 말.
1264)믜치다 : 세게 찢다. 미어뜨리다.

공이 스리로 칙왈,

"오가(吾家)에 허물이 업고 진영쉬 여츠
즉 그르거니와, 뉴씨 작악으로 여츠ᄒᆞ니, 엇
지 탄흡지 아니리오마ᄂᆞᆫ, 낙양후ᄂᆞᆫ 대체를
슝샹ᄒᆞᄂᆞᆫ 화홍댱뷔(和弘丈夫)라. 셜ᄉᆞ 분노
ᄒᆞ미 잇시나 외식(外色)[1325]에 불츌(不出)ᄒᆞ
고, 진영쉬 일쪽 불평ᄒᆞ미 업더니, 금일 진
씨 보ᄂᆞ라 ᄒᆞ기에 당ᄒᆞ여, 일미(一妹)를 익
화(厄禍)에 참녜홀가 ᄒᆞ여, ᄉᆞ셰(事勢) 괴이
치 아니커든, 너의 노긔 여츠ᄒᆞ여 내 압희
셔 셔간을 믜고[1326] 언ᄉᆞ 여츠ᄒᆞ니, 평일
【34】 너를 밋던 비 아니라. 군지 《젼실∥
졍실(正室)》 ᄃᆡ졉ᄒᆞ미 례로ᄡᅥ 홀 거시어
늘, 흔갓 우긔(愚氣)를 비양(飛揚)ᄒᆞ여 되지
못흔 말로 칙망ᄒᆞ니, 모로미 ᄎᆞ후ᄂᆞᆫ 이런
거죄 업게 ᄒᆞ라."

챵휘 쳥교에 황공 젼률(戰慄)ᄒᆞ여 ᄉᆞ죄ᄒᆞ
미, 조부인이 말을 니어 칙왈,

"진씨 너의 남힝시 당부를 닛지 아닐 ᄯᆞᆫ
더라 《화픠∥환쇄(還刷)》 젼, ᄒᆞ로도 녀모
를 ᄯᅥ나지 아니코 범ᄉᆞ의 밧드ᄂᆞᆫ 도리 너와
희쳔이라도 더흘 길히 업슬지라. 네 만일
날노ᄡᅥ 어미라 홀진ᄃᆡ 진실노 진씨를 고ᄌᆞ
(顧姿)[1327]치 아니랴?"

챵휘 ᄃᆡ왈,

"ᄌᆞ괴(慈敎) 맛당ᄒᆞ시나, 소직 환쇄ᄒᆞ여
ᄌᆞ졍긔 현알코져 ᄒᆞ여 옥화산에 나아간즉
발셔 귀령ᄒᆞ엿ᄂᆞᆫ지라. 어이 삼년지ᄂᆡ(三年
之內)에 ᄌᆞ졍 슬하를 니측지 아냣다 ᄒᆞ리잇
가?"

조부인 왈,

"원간 너ᄂᆞᆫ 므슴 일ᄏᆞᆯ름즉흔 일이 잇다
ᄒᆞ고, 쳐실을 일편도이 칙망ᄒᆞᄂᆞ뇨? 녀ᄌᆞ되
오 【35】 미 괴로온 연고로, 뎡현부로브터
진·하·댱 등의 니르히 너희 형뎨에게 긔
괴히 칙망ᄒᆞ믈 바드니 가히 원억지 아니
랴?"

챵휘 함소 ᄃᆡ왈,

[1325]외식(外色) : 밖으로 나타난 얼굴색.
[1326]믜다 : 찢다.
[1327]고ᄌᆞ(顧姿)ᄒᆞ다 : 돌아보다. 돌보다.

공이 스리로 칙왈,

"오가(吾家)에 허물이 업고 진영쉬 여츠
즉 그르거니와, 뉴씨 작악으로 여츠ᄒᆞ니, 엇
지 탄흡지 아니리오마ᄂᆞᆫ, 낙양후ᄂᆞᆫ 대체를
슝샹ᄒᆞᄂᆞᆫ 화홍댱뷔(和弘丈夫)라. 셜ᄉᆞ 분노
ᄒᆞ미 잇시나 외식(外色)[1265]에 불츌(不出)ᄒᆞ
고, 진영쉬 일쪽 불평ᄒᆞ미 업더니, 금일 진
씨 보ᄂᆞ라 ᄒᆞ기에 당ᄒᆞ여, 일미(一妹)를 익
화(厄禍)에 참녜홀가 ᄒᆞ여, ᄉᆞ셰(事勢) 괴이
치 아니커든, 너의 노긔 여츠ᄒᆞ여 내 압희
셔 셔간을 믜고[1266] 언ᄉᆞ 여츠ᄒᆞ니, 평일
【141】 너를 밋던 비 아니라. 군지 《젼실
∥졍실(正室)》 ᄃᆡ졉ᄒᆞ미 례로ᄡᅥ 홀 거시
어늘, 흔갓 우긔(愚氣)를 비양(飛揚)ᄒᆞ여 되
지 못흔 말로 칙망ᄒᆞ니, 모로미 ᄎᆞ후ᄂᆞᆫ 이
런 거죄 업게 ᄒᆞ라."

챵휘 쳥교에 황공 젼률(戰慄)ᄒᆞ여 ᄉᆞ죄ᄒᆞ
미, 조부인이 말을 니어 칙왈,

"진씨 너의 남힝시 당부를 닛지 아닐 ᄯᆞᆫ
더라 《화픠∥환쇄(還刷)》 젼, ᄒᆞ로도 녀모
를 ᄯᅥ나지 아니코 범ᄉᆞ의 밧드ᄂᆞᆫ 도리 너와
희쳔이라도 더흘 길히 업슬지라. 네 만일
날노ᄡᅥ 어미라 홀진ᄃᆡ 진실노 진씨를 고ᄌᆞ
(顧姿)[1267]치 아니랴?"

챵휘 ᄃᆡ왈,

"ᄌᆞ괴(慈敎) 맛당ᄒᆞ시나, 소직 환쇄ᄒᆞ여
ᄌᆞ졍긔 현알코져 ᄒᆞ여 옥화산에 나아간즉
발셔 귀령ᄒᆞ엿ᄂᆞᆫ지라. 어이 삼년지ᄂᆡ(三年
之內)에 ᄌᆞ졍 슬하를 니측지 아냣다 ᄒᆞ리잇
가?"

조부인 왈,

"원간 너ᄂᆞᆫ 므슴 일ᄏᆞᆯ름즉흔 일이 잇다
ᄒᆞ고, 쳐실을 일편도이 칙망ᄒᆞᄂᆞ뇨? 녀ᄌᆞ되
오 【142】 미 괴로온 연고로, 뎡현부로브터
진·하·댱 등의 니르히 너희 형뎨에게 긔
괴히 칙망ᄒᆞ믈 바드니 가히 원억지 아니
랴?"

챵휘 함소 ᄃᆡ왈,

[1265]외식(外色) : 밖으로 나타난 얼굴색.
[1266]믜다 : 찢다.
[1267]고ᄌᆞ(顧姿)ᄒᆞ다 : 돌아보다. 돌보다.

"하·댱 이슈(二嫂)는 슉녜시라. 희뎨 칙 홀 비 업스려니와, 소즈는 비록 남의셔 낫지 못ᄒᆞ오나 위인을 뎡·진 등에게 비교ᄒᆞ면 쳔층이나 아니 나으리잇가?"

구피 닉다라 챵후 형뎨의 업슨 허믈을 쥬츌ᄒᆞ여 니르고, 뎡·진·하·댱 등의 긔특ᄒᆞ믈 칭찬ᄒᆞ여, 챵후와 니뷔 닉조(內助)의 공을 닙어 힝셰의 허믈이 업스믈 니르니, 챵후와 니뷔 지좌ᄒᆞ여 굿타여 딕답지 아니나, 미미히 우을 ᄯᆞ름이러라.

조부인이 진소져에게 셔찰을 붓쳐 존당의 싱각ᄒᆞ시는 졍을 《버프고∥베프고》 공거(公車)를 환송ᄒᆞ미, 크게 낙막(落寞)히 넉이시니, 지금 도라오지 아니미 크게 도리의 어긔믈 ᄀᆞ초 베퍼, 웅닌의 유모로 ᄒᆞ야곰 진【36】부에 보니니, 진소졔 구가로 나아가고져 ᄯᅳᆺ을 두지 아니나, 공거를 환송ᄒᆞᆫ 실시녀외(實是慮外)라. 태부인의 낙막ᄒᆞ심과 합ᄉᆞ(闔舍)1328)의 미안이 넉이믈 혜여려, 불평졀민(不平切憫)ᄒᆞᆷ을 니긔지 못ᄒᆞ여, 즉시 부모긔 하직고 옥누항으로 도라가기를 쳥ᄒᆞ니, ○[낙]양휘 평댱을 불너 거픠왓던 줄 무러 알고 딕칙고, 소져를 명ᄒᆞ여 명일노 가라 ᄒᆞ니, 진씨 슈명ᄒᆞ고 존고긔 상셔를 올녀 ᄌᆞ긔ᄂᆞᆫ 거픠 왓던 줄 아지 못ᄒᆞ여, 즉시 응명치 못ᄒᆞ고 쳔질(賤疾)이 몸에 ᄯᅥ나지 아냐 오릭 믈러 잇시믈 쳥죄ᄒᆞ고, 명일 현알(見謁)홀 바를 고ᄒᆞ여시니, 조부인이 진씨의 상셔를 태부인긔 뵈옵고, 명일 진현(進見)홀 바를 고ᄒᆞ니, 태부인이 모양 업시 깃거 공의 부ᄌᆞ 슉딜을 딕ᄒᆞ여 니르고, 진씨의 셔ᄉᆞ를 옴겨 칭찬ᄒᆞ며 밤이 어셔 식기를 발아니1329), 공과【37】니뷔 깃거ᄒᆞ나 챵후는 진평댱의 셔찰을 분완ᄒᆞ여 쾌히 셜치코져 ᄒᆞ므로, 묵연이 말을 아니코 뫼셧더니, 셔헌에 믈러와 하리 십여 인을 명ᄒᆞ여 왈,

"명일 ᄎᆔ운산 진부인이 이곳으로 도라오리니, 여등이 진부인의 힝게(行車) 냥디(兩

"하·댱 이슈(二嫂)는 슉녜시라. 희뎨 칙 홀 비 업스려니와, 소즈는 비록 남의셔 낫지 못ᄒᆞ오나 위인을 뎡·진 등에게 비교ᄒᆞ면 쳔층이나 아니 나으리잇가?"

구피 닉다라 챵후 형뎨의 업슨 허믈을 쥬츌ᄒᆞ여 니르고, 뎡·진·하·댱 등의 긔특ᄒᆞ믈 칭찬ᄒᆞ여, 챵후와 니뷔 닉조(內助)의 공을 닙어 힝셰의 허믈이 업스믈 니르니, 챵후와 니뷔 지좌ᄒᆞ여 굿타여 딕답지 아니나, 미미히 우을 ᄯᆞ름이러라.

조부인이 진소져에게 셔찰을 붓쳐 존당의 싱각ᄒᆞ시는 졍을 《버프고∥베프고》 공거(公車)를 환송ᄒᆞ미, 크게 낙막(落寞)히 넉이시니, 지금 도라오지 아니미 크게 도리의 어긔믈 ᄀᆞ초 베퍼, 웅닌의 유모로 ᄒᆞ야곰 진【143】부에 보니니, 진소졔 구가로 나아가고져 ᄯᅳᆺ을 두지 아니나, 공거를 환송ᄒᆞᆫ 실시녀외(實是慮外)라. 태부인의 낙막ᄒᆞ심과 합ᄉᆞ(闔舍)1268)의 미안이 넉이믈 혜여려, 불평졀민(不平切憫)ᄒᆞᆷ을 니긔지 못ᄒᆞ여, 즉시 부모긔 하직고 옥누항으로 도라가기를 쳥ᄒᆞ니, ○[낙]양휘 평댱을 불너 거픠왓던 줄 무러 알고 딕칙고, 소져를 명ᄒᆞ여 명일노 가라 ᄒᆞ니, 진씨 슈명ᄒᆞ고 존고긔 상셔를 올녀 ᄌᆞ긔ᄂᆞᆫ 거픠 왓던 줄 아지 못ᄒᆞ여, 즉시 응명치 못ᄒᆞ고 쳔질(賤疾)이 몸에 ᄯᅥ나지 아냐 오릭 믈러 잇시믈 쳥죄ᄒᆞ고, 명일 현알(見謁)홀 바를 고ᄒᆞ여시니, 조부인이 진씨의 상셔를 태부인긔 뵈옵고, 명일 진현(進見)홀 바를 고ᄒᆞ니, 태부인이 모양 업시 깃거 공의 부ᄌᆞ 슉딜을 딕ᄒᆞ여 니르고, 진씨의 셔ᄉᆞ를 옴겨 칭찬ᄒᆞ며 밤이 어셔 식기를 발아니1269), 공과【144】니뷔 깃거ᄒᆞ나 챵후는 진평댱의 셔찰을 분완ᄒᆞ여 쾌히 셜치코져 ᄒᆞ므로, 묵연이 말을 아니코 뫼셧더니, 셔헌에 믈러와 하리 십여 인을 명ᄒᆞ여 왈,

"명일 ᄎᆔ운산 진부인이 이곳으로 도라오리니, 여등이 진부인의 힝게(行車) 냥디(兩

地)의 십오 리식 격흐여 반노(半路)에 다둣
거든, 내 말을 젼흐고 힝거를 도로혀 가라
흔죽, 반드시 좃치 아니코 나아오리니, 모로
미 쇠방픠와 큰 미로 교부와 시녀 등을 일
변 즛두다리고 교ᄌᆞᆫ 길가에 바리고 오라.
만일 나의 명을 일호나 쥰힝(遵行)치 아닌
죽 ᄉᆞ죄(死罪)를 녕(領)흐1330)리라."

흐디, 복뷔 쳥녕흐고 운산 반노에 가셔 기
다리더라.

ᄎᆞ야에 창후 슉녈비 침소에 드러가 ᄋᆞᄌᆞ
등을 유희흘ᄉᆡ, 휘 왈,

"진가 완뷔(頑婦) 도라온다 흐니 그 힝ᄉᆡ
통완치 아니리오. 존당이 거장(車帳)을 보닌
바를 불봉(不奉)흐고, 이제 므ᄉᆞᆷ 뜻으로 오
리오. 뉴가 음부(淫婦)와【38】다르미 언마
치1331)리오"

뎡슉녈이 믄득 옥면(玉面)이 쳑쳑(慽慽)흐
여 탄식 디왈,

"뉴녀의 《ᄌᆞ봉∥ᄌᆞ복(自服)1332)》을 니를
진디, 명문지녀(名門之女)로 군지긔 속현(續
絃)흐니, 그 힝지(行止) 예스로오면 샤름의
비흐시믈 엇지 노흐리잇고마는, 졔 발셔 비
부난역(背夫亂逆)1333) 찰녀(刹女)1334)로 망
측히 맛츠미 되엿거늘, 군지 표뎨로ᄡᅥ 뉴녀
의 비흐여 욕흐물 마지 아니시니, '여이 죽
으미 톳기 슬허흔다'1335) 흐니, 쳡이 표뎨
로 더브러 일쳬지인(一體之人)이라. 실노 쳡
에게 욕이 밋춤 ᄀᆞᆺ트여 군ᄌᆞ의 말ᄉᆞᆷ이 과도
흐시믈 탄흐ᄂᆞ이다."

창휘 흔연 소왈.

"교ᄋᆞᄂᆞ 샤름이오, 진씨도 샤름이라. 어이
비치 못흐리오. 슉녀(淑女)나 발부(潑婦)나

1330)녕(領)흐다 : 받다.
1331)치 : 일정한 몫이나 양.
1332)ᄌᆞ복(自服) : 저지른 죄를 자백하고 복종함.
1333)빈부난역(背夫亂逆) : 남편을 배반하고 나라에 반란을 일으킴
1334)찰녀(刹女) : 나찰녀(羅刹女). 여자 나찰. 사람의 고기를 즐겨 먹으며, 큰 바다 가운데 산다고 한다.
1335)'여이 죽으미 톳기 슬허흔다' : 여우가 죽으니까 토끼가 슬퍼한다. 같은 부류의 슬픔이나 괴로움 따위를 동정함을 비유적으로 이르는 말.

地)의 십오 리식 격흐여 반노(半路)에 다둣
거든, 내 말을 젼흐고 힝거를 도로혀 가라
흔죽, 반드시 좃치 아니코 나아오리니, 모로
미 쇠방픠와 큰 미로 교부와 시녀 등을 일
변 즛두다리고 교ᄌᆞᆫ 길가에 바리고 오라.
만일 나의 명을 일호나 쥰힝(遵行)치 아닌
죽 ᄉᆞ죄(死罪)를 녕(領)흐1270)리라."

흐디, 복뷔 쳥녕흐고 운산 반노에 가셔 기
다리더라.

ᄎᆞ야에 창후 슉녈비 침소에 드러가 ᄋᆞᄌᆞ
등을 유희흘ᄉᆡ, 휘 왈,

"진가 완뷔(頑婦) 도라온다 흐니 그 힝ᄉᆡ
통완치 아니리오. 존당이 거장(車帳)을 보닌
바를 불봉(不奉)흐고, 이제 므ᄉᆞᆷ 뜻으로 오
리오. 뉴가 음부(淫婦)와【145】다르미 언
마 치1271)리오"

뎡슉녈이 믄득 옥면(玉面)이 쳑쳑(慽慽)흐
여 탄식 디왈,

"뉴녀의 《ᄌᆞ봉∥ᄌᆞ복(自服)1272)》을 니를
진디, 명문지녀(名門之女)로 군지긔 속현(續
絃)흐니, 그 힝지(行止) 예스로오면 샤름의
비흐시믈 엇지 노흐리잇고마는, 졔 발셔 비
부난역(背夫亂逆)1273) 찰녀(刹女)1274)로 망
측히 맛츠미 되엿거늘, 군지 표뎨로뼈 뉴녀
의 비흐여 욕흐물 마지 아니시니, '여이 죽
으미 톳기 슬허흔다'1275) 흐니, 쳡이 표뎨
로 더브러 일쳬지인(一體之人)이라. 실노 쳡
에게 욕이 밋춤 ᄀᆞᆺ트여 군ᄌᆞ의 말ᄉᆞᆷ이 과도
흐시믈 탄흐ᄂᆞ이다."

창휘 흔연 소왈.

"교ᄋᆞᄂᆞ 샤름이오, 진씨도 샤름이라. 어이
비치 못흐리오. 슉녀(淑女)나 발부(潑婦)나

1270)녕(領)흐다 : 받다.
1271)치 : 일정한 몫이나 양.
1272)ᄌᆞ복(自服) : 저지른 죄를 자백하고 복종함.
1273)빈부난역(背夫亂逆) : 남편을 배반하고 나라에 반란을 일으킴
1274)찰녀(刹女) : 나찰녀(羅刹女). 여자 나찰. 사람의 고기를 즐겨 먹으며, 큰 바다 가운데 산다고 한다.
1275)'여이 죽으미 톳기 슬허흔다' : 여우가 죽으니까 토끼가 슬퍼한다. 같은 부류의 슬픔이나 괴로움 따위를 동정함을 비유적으로 이르는 말.

가벌(家閥)과 부형의 작위(爵位)는 다 흔가지 직렬(宰列)이니, 텬디(天地) 현격흔 스이 아니로디, 교오는 마음이 대역인(大逆人)인 고로 그릇되고, 부인너는 어질기로 항복흐니, 그만 알고 갈스록 션힝 숙덕을 닷글 짜름이라. 어이 말 만흐믈 취흐느【39】뇨?"

셜파에 웅닌을 다리고 상요(床褥)에 나아가니, 뎡숙녈이 진씨 지금 도라오지 아니미, 욕을 취흐민 줄 씌드라 그윽이 불평흔 뜻이 잇더라.

명일 진부인이 부모긔 하직고 거장(車帳)을 출혀 옥누항으로 나아갈시, 위·뉴 두 부인의 과악을 언두에 감히 니르지 못흐나, 그 회과 칙션흐믈 밋지 못흐니, 또 농담호혈(龍潭虎穴)의 나아가 므슨 변고를 만날고 그윽이 우려흐니, 부모의 보닉는 심식 더욱 츠악흐더라. 진소졔 힝흐여 반노(半路)에 다다라는, 남창후의 군관 엄셕이 놉히 소릭흐여 왈,

"우리 상공이 진부인 거교를 도로 본부로 가시게 흐고, 옥누항으로 뫼시지 말나 흐여시니, 모로미 부인 힝츠를 진부로 뫼시라."

거교 뒤히 쓰르던 시녜 닝소 왈,

"우리 부인이 엇지 옥누항으로 도라오고져 흐시리오마는, 조태부인이 도라오기를 직촉흐시는 고로 명령【40】을 거역지 못흐미어놀, 엄군관이 엇지 이러툿 요란이 구느뇨?"

엄셕 왈,

"내 엇지 부인 힝츠에 간셥흐리오마는, 상공 명을 밧즈와 오미니 녀랑은 괴이히 넉이지 말고, 도즁에서 긔괴흔 변고를 면흐시게, 츄운산으로 두루혀게 흐라"

시녀 교부 등이 일시의 답왈,

"부인의 힝츠에 엇지 그딕 등이 이리 무례히 구느뇨? 반노(半路)의 와 도로 가실 길히 업느니라"

흐고, 완완이 힝흐는지라. 엄셕이 고셩 왈,

"쥬군이 분부흐시딕, 즁노에 아등이 직회엿다가 부인 힝츠를 막아 본부로 힝치 못흐

가벌(家閥)과 부형의 작위(爵位)는 다 흔가지 직렬(宰列)이니, 텬디(天地) 현격흔 스이 아니로디, 교오는 마음이 대역인(大逆人)인 고로 그릇되고, 부인너는 어질기로 항복흐니, 그만 알고 갈스록 션힝 숙덕을 닷글 짜름이라. 어이 말 만흐믈 취흐느【146】뇨?"

셜파에 웅닌을 다리고 상요(床褥)에 나아가니, 뎡숙녈이 진씨 지금 도라오지 아니미, 욕을 취흐민 줄 씌드라 그윽이 불평흔 뜻이 잇더라.

명일 진부인이 부모긔 하직고 거장(車帳)을 출혀 옥누항으로 나아갈시, 위·뉴 두 부인의 과악을 언두에 감히 니르지 못흐나, 그 회과 칙션흐믈 밋지 못흐니, 또 농담호혈(龍潭虎穴)의 나아가 므슨 변고를 만날고 그윽이 우려흐니, 부모의 보닉는 심식 더욱 츠악흐더라. 진소졔 힝흐여 반노(半路)에 다다라는, 남창후의 군관 엄셕이 놉히 소릭흐여 왈,

"우리 상공이 진부인 거교를 도로 본부로 가시게 흐고, 옥누항으로 뫼시지 말나 흐여시니, 모로미 부인 힝츠를 진부로 뫼시라."

거교 뒤히 쓰르던 시녜 닝소 왈,

"우리 부인이 엇지 옥누항으로 도라오고져 흐시리오마는, 조태부인이 도라오기를 직촉흐시는 고로 명령【147】을 거역지 못흐미어놀, 엄군관이 엇지 이러툿 요란이 구느뇨?"

엄셕 왈,

"내 엇지 부인 힝츠에 간셥흐리오마는, 상공 명을 밧즈와 오미니 녀랑은 괴이히 넉이지 말고, 도즁에서 긔괴흔 변고를 면흐시게, 츄운산으로 두루혀게 흐라"

시녀 교부 등이 일시의 답왈,

"부인의 힝츠에 엇지 그딕 등이 이리 무례히 구느뇨? 반노(半路)의 와 도로 가실 길히 업느니라"

흐고, 완완이 힝흐는지라. 엄셕이 고셩 왈,

"쥬군이 분부흐시딕, 즁노에 아등이 직회엿다가 부인 힝츠를 막아 본부로 힝치 못흐

시게 ᄒᆞ고, 불연즉 거교(車轎)ᄅᆞᆯ 녈파(裂破)
ᄒᆞ고, 그ᄃᆡ 등을 결박ᄒᆞ여 부닉(府內)로 디
령ᄒᆞ라 ᄒᆞ시ᄂᆞᆫ 장령(將令)을 밧ᄌᆞ와시니,
'문장군지령(聞將軍之令)《은∥쓴》 불문텬
ᄌᆞ지죄(不聞天子之詔)'라'1336)엇지ᄒᆞ리오."

ᄒᆞ고, 시녀복부(侍女僕夫) 등을 졔졔(齊
齊)히 결박구타(結縛毆打)ᄒᆞ고 거교(車轎)ᄅᆞᆯ
녈파(裂破)ᄒᆞᄂᆞᆫ지라.

셔로 크게 ᄡᅡ화 졍히 위급ᄒᆞ엿더니, 홀연
먼니셔브터 느러진 벽졔(辟除) 소릭 나며
거긔최즁(車騎輜重)1337)이 【41】 젼ᄎᆞ후옹
(前遮後擁)1338)ᄒᆞ여 나아오니, 긔상이 슉슉
(肅肅)ᄒᆞ고 위의 엄졍ᄒᆞ니, 이ᄂᆞᆫ 곳 윤춍지
효문공이라. 츄파(秋波)ᄅᆞᆯ 드러 짓궤믈 보
니 엄셕과 졔노(諸奴) 진부인 거교ᄅᆞᆯ 녈파
(裂破)ᄒᆞ고 《불문∥분분(紛紛)》 시비(是
非)ᄒᆞᄆᆞᆯ 보믹, ᄎᆞ악경히(嗟愕驚駭)ᄒᆞ여 즉시
술위에 ᄂᆞ려, ᄌᆞ긔 ᄒᆞ리(下吏)로 엄셕 등을
결박ᄒᆞ라 ᄒᆞ고, 일변 댱ᄉᆞ마 부즁이 갓ᄀᆞ온
고로 급히 ᄒᆞ리ᄅᆞᆯ 보니여 거장(車帳)을 비
러오라 ᄒᆞ고, 일변 진부 ᄒᆞ리의 믹거슬 그
르라 ᄒᆞ여 진부인을 구호ᄒᆞ게 ᄒᆞ고, 엄셕
등을 ᄭᅮ지져 일변 다 결박ᄒᆞ니, 엄셕이 고
ᄒᆞᄃᆡ,

"소인이 진부인 힝ᄎᆞᄅᆞᆯ 엇지 감히 이러틋
ᄒᆞ리잇고마ᄂᆞᆫ, 창후 노야의 분뷔 엄ᄒᆞ시기
로 능히 위월치 못ᄒᆞ여 ᄉᆞ죄(死罪)ᄅᆞᆯ 지엇
ᄂᆞ이다."

니뷔 기빅(其伯)의 명(命)이믈 드른 후ᄂᆞᆫ
난박(難駁)1339)지 못ᄒᆞ여 프러 노코, 다만
니르ᄃᆡ,

"여등이 ᄉᆞ죄ᄅᆞᆯ 지어시니 부즁에 도라가
엄치ᄒᆞ리라."

니르며, 시녀로 ᄒᆞ여곰 슈슈(嫂嫂)의 긔운

시게 ᄒᆞ고, 불연즉 거교(車轎)ᄅᆞᆯ 녈파(裂破)
ᄒᆞ고, 그ᄃᆡ 등을 결박ᄒᆞ여 부닉(府內)로 디
령ᄒᆞ라 ᄒᆞ시ᄂᆞᆫ 장령(將令)을 밧ᄌᆞ와시니,
'문장군지령(聞將軍之令)《은∥쓴》 불문텬
ᄌᆞ지죄(不聞天子之詔)'라'1276)엇지ᄒᆞ리오."

ᄒᆞ고, 시녀복부(侍女僕夫) 등을 졔졔(齊
齊)히 결박구타(結縛毆打)ᄒᆞ고 거교(車轎)ᄅᆞᆯ
녈파(裂破)ᄒᆞᄂᆞᆫ지라.

셔로 크게 ᄡᅡ화 졍히 위급ᄒᆞ엿더니, 홀연
먼니셔브터 느러진 벽졔(辟除) 소릭 나며
거긔최즁(車騎輜重)1277)이 【148】 젼ᄎᆞ후옹
(前遮後擁)1278)ᄒᆞ여 나아오니, 긔상이 슉슉
(肅肅)ᄒᆞ고 위의 엄졍ᄒᆞ니, 이ᄂᆞᆫ 곳 윤춍지
효문공이라. 츄파(秋波)ᄅᆞᆯ 드러 짓궤믈 보
니 엄셕과 졔노(諸奴) 진부인 거교ᄅᆞᆯ 녈파
(裂破)ᄒᆞ고 《불문∥분분(紛紛)》 시비(是
非)ᄒᆞᄆᆞᆯ 보믹, ᄎᆞ악경히(嗟愕驚駭)ᄒᆞ여 즉시
술위에 ᄂᆞ려, ᄌᆞ긔 ᄒᆞ리(下吏)로 엄셕 등을
결박ᄒᆞ라 ᄒᆞ고, 일변 댱ᄉᆞ마 부즁이 갓ᄀᆞ온
고로 급히 ᄒᆞ리ᄅᆞᆯ 보니여 거장(車帳)을 비
러오라 ᄒᆞ고, 일변 진부 ᄒᆞ리의 믹거슬 그
르라 ᄒᆞ여 진부인을 구호ᄒᆞ게 ᄒᆞ고, 엄셕
등을 ᄭᅮ지져 일변 다 결박ᄒᆞ니, 엄셕이 고
ᄒᆞᄃᆡ,

"소인이 진부인 힝ᄎᆞᄅᆞᆯ 엇지 감히 이러틋
ᄒᆞ리잇고마ᄂᆞᆫ, 창후 노야의 분뷔 엄ᄒᆞ시기
로 능히 위월치 못ᄒᆞ여 ᄉᆞ죄(死罪)ᄅᆞᆯ 지엇
ᄂᆞ이다."

니뷔 기빅(其伯)의 명(命)이믈 드른 후ᄂᆞᆫ
난박(難駁)1279)지 못ᄒᆞ여 프러 노코, 다만
니르ᄃᆡ,

"여등이 ᄉᆞ죄ᄅᆞᆯ 지어시니 부즁에 도라가
엄치ᄒᆞ리라."

니르며, 시녀로 ᄒᆞ여곰 슈슈(嫂嫂)의 긔운

1336)'문장군지령(聞將軍之令) 불문텬ᄌᆞ지죄(不聞天子
之詔)' : 장군의 명령을 들을 뿐 천자의 명령은 듣
지 못한다.
1337)거긔최즁(車騎輜重) : 사람이 탄 마차(馬車)와
짐을 실은 수레.
1338)젼ᄎᆞ후옹(前遮後擁) : 여러 사람이 앞뒤에서 에
워싸고 보호하여 나아감.
1339)난박(難駁) : 비난하고 반박함.

1276)'문장군지령(聞將軍之令) 불문텬ᄌᆞ지죄(不聞天子
之詔)' : 장군의 명령을 들을 뿐 천자의 명령은 듣
지 못한다.
1277)거긔최즁(車騎輜重) : 사람이 탄 마차(馬車)와
짐을 실은 수레.
1278)젼ᄎᆞ후옹(前遮後擁) : 여러 사람이 앞뒤에서 에
워싸고 보호하여 나아감.
1279)난박(難駁) : 비난하고 반박함.

【42】을 뭇즈오니, 이쩌 진부인이 도즁에 셔 남의 업순 변을 당ᄒ여 분노ᄒ미 경각에 죽고져 ᄒ나, 오히려 싱각는 비 잇셔 통완ᄒ믈 참더니, 니부를 만나미 영힝(榮幸)이 무비(無比)ᄒ딕, 즈긔 팔지 긔박ᄒ믈 셜워 옥뉴(玉淚) 방방ᄒ더라. 니부의 문후(問候)ᄒ믈 당ᄒ여 오직 무양(無恙)ᄒ므로쎠 답ᄒ나, 분ᄒ믈 니긔지 못ᄒ더니, 이윽고 노복 등이 댱부에 가 거교를 비러 부인을 거즁에 뫼셔 옥누항으로 도라오니, 이 날 대셔헌에 셔 창휘 계부를 뫼셔 종용이 말숨ᄒ는 ᄀ온 딕, 엄셕 등이 진씨를 슈욕(數辱)ᄒ믈 싱각고 ᄀ장 징긔라와 심니에 미소ᄒ더니, 홀연 니뷔 진씨를 호힝ᄒ여 드러오믈 보고 그 셜치를 못흔가 통히(痛駭)ᄒ딕, 계부 면젼이라 ᄉ쇽지 못ᄒ더니, 공이 명ᄒ여 진씨의 거교를 바로 닉쳥(內廳)으로 드리라 ᄒ고, 즉시 원양던으로 드러가니, 니부【43】는 잠간 날호여 드러가랴 ᄒ므로 잠간 머물미, 창휘 계부의 드러가시믈 기드려 고위(告謂) 니부 왈,

"현뎨 어딕로 갓다가 진가 괴물을 호힝ᄒ여 오뇨? 내 작야에 엄셕 등을 불너 여추여 추 ᄒ라 보닉엿더니, 보지 못ᄒ엿ᄂ냐?"

니뷔 졍쉭 딕왈,

"형당의 ᄒ시는 바를 소뎨 감히 시비ᄒ비 아니로딕, 군견(君前)에도 면졀졍징(面折廷爭)1340)이 잇시니, 소뎨지심(小弟之心)의 불ᄉ(不似)ᄒ믈1341) 아니 고치 못ᄒ느니, 부부지도는 군신지간 갓투나, 군지 졍실 딕졉을 례도(禮度)로 다 ᄒ 연후에야 위엄과 법령이 셔거늘, 형댱은 과급(過急)ᄒ 노긔로 셜치(雪恥)코져 ᄒ시니, 일이 크게 광픽ᄒ고, 군관 하리 등이 쳘편 방픿로 진슈를 놀라시게 ᄒ니, 대로상 힝인의 지졈(指點)1342) 경괴(驚怪)치 아니리 업스니, 이러므로 진슈 긔 위엄이 셜길히 업는지라. 소뎨 관부(官

<hr />

1340)면졀졍쟁(面折廷爭) : 임금의 면전에서 허물을 기탄없이 직간하고 쟁론함.
1341)불ᄉ(不似)ᄒ다 : ①닮지 않은 상태에 있다. ② 꼴이 격에 맞지 않아 아니꼽다.
1342)지졈(指點) : 손가락으로 가리켜 보임.

【149】을 뭇즈오니, 이쩌 진부인이 도즁에 셔 남의 업순 변을 당ᄒ여 분노ᄒ미 경각에 죽고져 ᄒ나, 오히려 싱각는 비 잇셔 통완ᄒ믈 참더니, 니부를 만나미 영힝(榮幸)이 무비(無比)ᄒ딕, 즈긔 팔지 긔박ᄒ믈 셜워 옥뉴(玉淚) 방방ᄒ더라. 니부의 문후(問候)ᄒ믈 당ᄒ여 오직 무양(無恙)ᄒ므로쎠 답ᄒ나, 분ᄒ믈 니긔지 못ᄒ더니, 이윽고 노복 등이 댱부에 가 거교를 비러 부인을 거즁에 뫼셔 옥누항으로 도라오니, 이 날 대셔헌에 셔 창휘 계부를 뫼셔 종용이 말숨ᄒ는 ᄀ온 딕, 엄셕 등이 진씨를 슈욕(數辱)ᄒ믈 싱각고 ᄀ장 징긔라와 심니에 미소ᄒ더니, 홀연 니뷔 진씨를 호힝ᄒ여 드러오믈 보고 그 셜치를 못흔가 통히(痛駭)ᄒ딕, 계부 면젼이라 ᄉ쇽지 못ᄒ더니, 공이 명ᄒ여 진씨의 거교를 바로 닉쳥(內廳)으로 드리라 ᄒ고, 즉시 원양던으로 드러가니, 니부【150】는 잠간 날호여 드러가랴 ᄒ므로 잠간 머물미, 창휘 계부의 드러가시믈 기드려 고위(告謂) 니부 왈,

"현뎨 어딕로 갓다가 진가 괴물을 호힝ᄒ여 오뇨? 내 작야에 엄셕 등을 불너 여추여 추 ᄒ라 보닉엿더니, 보지 못ᄒ엿ᄂ냐?"

니뷔 졍쉭 딕왈,

"형당의 ᄒ시는 바를 소뎨 감히 시비ᄒ비 아니로딕, 군견(君前)에도 면졀졍징(面折廷爭)1280)이 잇시니, 소뎨지심(小弟之心)의 불ᄉ(不似)ᄒ믈1281) 아니 고치 못ᄒ느니, 부부지도는 군신지간 갓투나, 군지 졍실 딕졉을 례도(禮度)로 다 ᄒ 연후에야 위엄과 법령이 셔거늘, 형댱은 과급(過急)ᄒ 노긔로 셜치(雪恥)코져 ᄒ시니, 일이 크게 광픽ᄒ고, 군관 하리 등이 쳘편 방픿로 진슈를 놀라시게 ᄒ니, 대로상 힝인의 지졈(指點)1282) 경괴(驚怪)치 아니리 업스니, 이러므로 진슈 긔 위엄이 셜길히 업는지라. 소뎨 관부(官

<hr />

1280)면졀졍쟁(面折廷爭) : 임금의 면전에서 허물을 기탄없이 직간하고 쟁론함.
1281)불ᄉ(不似)ᄒ다 : ①닮지 않은 상태에 있다. ② 꼴이 격에 맞지 않아 아니꼽다.
1282)지졈(指點) : 손가락으로 가리켜 보임.

府)로셔 댱스마를 잠간 보고 오다가, 그 경상을 보고 엄셕【44】등을 결박ᄒᆞ여 오려다가, 형당의 명이믈 드르믹 져히 죄 아닌 고로 노핫거니와, 그런 일이 어딕 잇시리잇가?"

창휘 쳥파에 엄셕 등이 진씨 엄칙ᄒᆞ믈 알고 ᄀᆞ장 쾌ᄒᆞ여, 소왈,

"우형이 원닉 교우[오](驕傲)ᄒᆞᆫ 녀ᄌᆞᄂᆞᆫ 죽이고져 ᄒᆞᄂᆞᆫ 바를 현데 모로지 아니커늘, 엇지 이 말을 ᄒᆞᄂᆞ뇨? 엄셕 등이 진씨를 슈욕(數辱)ᄒᆞ고 ᄒᆡᆼ니(行李)를 다 상파(傷破)ᄒᆞ여시면, 져 거교(車轎)를 어딕셔 어더 드려오뇨?"

니뮈 댱부에 비러오믈 고ᄒᆞ고, 후(侯)에 [의] 쳐ᄉᆞ(處事) 만만(萬萬) 괴이ᄒᆞ믈 간ᄒᆞ니, 휘 무언이러라.

이셕 조부인이 진소져의 거장이 닉쳥(內廳)의 니르믈 보믹, 반갑고 깃거 쥬렴(珠簾)을 들고 소져를 붓드러 닉라 ᄒᆞ니, 진부 시녜 분완ᄒᆞ믈 머금고 붓드러 당상의 오르려 ᄒᆞ믹, 소제 셜풍(雪風)1343) 임한(淋汗)1344)을 당ᄒᆞᆫ즉 젹상지질(積傷之疾)이 복발(復發)ᄒᆞ거늘, ᄒᆞᄆᆞᆯ며 도듕(道中) 변고를 만나 몸이 피로ᄒᆞ나, 강잉(强仍)ᄒᆞ여1345) 거교 밧긔 나, 즁계(中階)에셔 부【45】복ᄒᆞ여 숙당에 죄를 쳥ᄒᆞᆯ씩, 공교로이 죽으므로써 핑계ᄒᆞ여 오릭 머므러 잇심과, 작일 공거(公車) 환송ᄒᆞᆫ 죄를 일ᄏᆞ라 감히 당에 오르지 못ᄒᆞ니, 태부인이 급히 니르딕,

"노모의 과악은 텬하에 업ᄉᆞᆫ지라. 발셔 다려와 노모의 회과(悔過)ᄒᆞᄆᆞᆯ 펴고져 ᄒᆞᄃᆡ, 붓그러오미 향젼(向前)ᄒᆞ여 능히 오라 말을 못ᄒᆞ다가, 작일 거장을 보닉엿더니 공환ᄒᆞ믹 눈이 ᄲᅮ러질 ᄃᆞᆺ 현망(懸望)1346)ᄒᆞ다가, 현부는 미쳐 아지 못ᄒᆞ고 진평쟝이 즁간에셔 막ᄌᆞ르는 셔ᄉᆡ(書辭) 노모의 마음을 더욱 붓그럽게 ᄒᆞ니, 감히 쳥치 못ᄒᆞ더니, 현

1343)셜풍(雪風) : 눈과 함께 부는 바람.
1344)임한(淋汗) : 땀 또는 땀이 흐름.
1345)강잉(强仍)ᄒᆞ다 :
1346)현망(懸望) : 마음을 졸이며 간절히 바람.

府)로셔 댱스마를 잠간 보고 오다가, 그 경상을 보고 엄셕【151】등을 결박ᄒᆞ여 오려다가, 형당의 명이믈 드르믹 져히 죄 아닌 고로 노핫거니와, 그런 일이 어딕 잇시리잇가?"

창휘 쳥파에 엄셕 등이 진씨 엄칙ᄒᆞ믈 알고 ᄀᆞ장 쾌ᄒᆞ여, 소왈,

"우형이 원닉 교우[오](驕傲)ᄒᆞᆫ 녀ᄌᆞᄂᆞᆫ 죽이고져 ᄒᆞᄂᆞᆫ 바를 현데 모로지 아니커늘, 엇지 이 말을 ᄒᆞᄂᆞ뇨? 엄셕 등이 진씨를 슈욕(數辱)ᄒᆞ고 ᄒᆡᆼ니(行李)를 다 상파(傷破)ᄒᆞ여시면, 져 거교(車轎)를 어딕셔 어더 드려오뇨?"

니뮈 댱부에 비러오믈 고ᄒᆞ고, 후(侯)에 [의] 쳐ᄉᆞ(處事) 만만(萬萬) 괴이ᄒᆞ믈 간ᄒᆞ니, 휘 무언이러라.

이셕 조부인이 진소져의 거장이 닉쳥(內廳)의 니르믈 보믹, 반갑고 깃거 쥬렴(珠簾)을 들고 소져를 붓드러 닉라 ᄒᆞ니, 진부 시녜 분완ᄒᆞ믈 머금고 붓드러 당상의 오르려 ᄒᆞ믹, 소제 셜풍(雪風)1283) 임한(淋汗)1284)을 당ᄒᆞᆫ즉 젹상지질(積傷之疾)이 복발(復發)ᄒᆞ거늘, ᄒᆞᄆᆞᆯ며 도듕(道中) 변고를 만나 몸이 피로ᄒᆞ나, 강잉(强仍)ᄒᆞ여1285) 거교 밧긔 나, 즁계(中階)에셔 부【152】복ᄒᆞ여 숙당에 죄를 쳥ᄒᆞᆯ씩, 공교로이 죽으므로써 핑계ᄒᆞ여 오릭 머므러 잇심과, 작일 공거(公車) 환송ᄒᆞᆫ 죄를 일ᄏᆞ라 감히 당에 오르지 못ᄒᆞ니, 태부인이 급히 니르딕,

"노모의 과악은 텬하에 업ᄉᆞᆫ지라. 발셔 다려와 노모의 회과(悔過)ᄒᆞᄆᆞᆯ 펴고져 ᄒᆞᄃᆡ, 붓그러오미 향젼(向前)ᄒᆞ여 능히 오라 말을 못ᄒᆞ다가, 작일 거장을 보닉엿더니 공환ᄒᆞ믹 눈이 ᄲᅮ러질 ᄃᆞᆺ 현망(懸望)1286)ᄒᆞ다가, 현부는 미쳐 아지 못ᄒᆞ고 진평쟝이 즁간에셔 막ᄌᆞ르는 셔ᄉᆡ(書辭) 노모의 마음을 더욱 붓그럽게 ᄒᆞ니, 감히 쳥치 못ᄒᆞ더니, 현

1283)셜풍(雪風) : 눈과 함께 부는 바람.
1284)임한(淋汗) : 땀 또는 땀이 흐름.
1285)강잉(强仍)ᄒᆞ다 :
1286)현망(懸望) : 마음을 졸이며 간절히 바람.

뷔 이졔 나아오니 영힝흐믈 니긔지 못흐ᄂ
니 엇지 쳥죄흐리오, 섈니 당에 오르라."

공이 ᄯᅩ흔 오르믈 명흐니, 소졔 비로소
원양뎐에 드러가 태부인과 존고와 공의 부
부긔 빈알흐고, 뎡·하·댱·우 ᄉ소져와
구파로 녜필(禮畢) 좌졍에, 공이 탄왈,

"현딜【46】을 보미 참괴흔지라. 왕ᄉᆞ를
ᄉᆡᆼ각흔즉 젼혀 우슉(愚叔)의 허믈이라. 연
(然)이나 임의 업친 물이니, 다시 졔긔흐여
브졀업고, 현딜의 복이 놉하 화란 즁의 방
신을 보젼흐여, 웅닌 ᄀᆞ튼 아들을 나하 오
문을 보젼케 흐니, 엇지 긔특지 아니리오"

부인이 ᄃᆡ치 못흐여셔 태부인이 붓들고
쳐연(悽然) 츌쳬(出涕)흐여 불승(不勝) 골돌
흐니1347), 진씨 그 회과흐믈 심히 깃거흐더
라.

진씨 오직 샤죄흐고 믈너 연모흐던 하졍
(下情)을 고홀ᄉᆡ, 언ᄉᆞ 부다(不多)흐나, 동쵹
(洞屬)흔 효셩이 나타나고, 동용(動容)이 안
셔(安舒)흐여 온슌(溫順) 비약(卑弱)흐나, 신
긔(神氣) 불평흐므로 ᄉᆞ식(辭色)을 작위(作
爲)치 못흐니, 태부인과 공과 조부인은 무
심흐ᄃᆡ, 뉴부인은 젼일 표리(表裏) 특간(慝
奸)1348)흐므로 남다른 총명이라. 진씨의 긔
식이 화(和)치 못흐믈 괴이히 녁여, ᄌᆞ긔 과
악을 더욱 붓그리고, 조부인과 뎡·하·댱
삼소져는【47】진씨의 거동을 ᄭᆡ다라 참잔
(慘殘)1349)흐더라.

진씨 종일 태부인과 조부인과 공의 부부
를 뫼셧더니, 혼졍(昏定) ᄯᅥ 창후 형뎨 드러
오니, 진씨 ○○[례를] 폐치 못흐여 창후를
보고 분긔 쳘골(徹骨)흐여 니러셔니, 공이
창후ᄃᆞ려 왈,

"너희 부뷔 상별(相別) 삼년에 비로소 모
드니, 피ᄎᆞ(彼此) 화란 후 쳐음이라. 엇지
즉시 아니 보뇨?"

창휘 ᄌᆞ긔 힝ᄉᆞ를 계뷔 모로시므로 각별

1347)골돌흐다 : 골똘하다. 골몰하다. 가지 일에 온
   정신을 쏟아 딴 생각이 없다.
1348)특간(慝奸) : 몹시 간사함.
1349)참잔(慘殘) : 참혹하고 애처롭게 여기다.

뷔 이졔 나아오니 영힝흐믈 니긔지 못흐ᄂ
니 엇지 쳥죄흐리오, 섈니 당에 오르라."

공이 ᄯᅩ흔 오르믈 명흐니, 소졔 비로소
원양뎐에 드러가 태부인과 존고와 공의 부
부긔 빈알흐고, 뎡·하·댱·우 ᄉ소져와
구파로 녜필(禮畢) 좌졍에, 공이 탄왈,

"현딜【153】을 보미 참괴흔지라. 왕ᄉᆞ를
ᄉᆡᆼ각흔즉 젼혀 우슉(愚叔)의 허믈이라. 연
(然)이나 임의 업친 물이니, 다시 졔긔흐여
브졀업고, 현딜의 복이 놉하 화란 즁의 방
신을 보젼흐여, 웅닌 ᄀᆞ튼 아들을 나하 오
문을 보젼케 흐니, 엇지 긔특지 아니리오"

부인이 ᄃᆡ치 못흐여셔 태부인이 붓들고
쳐연(悽然) 츌쳬(出涕)흐여 불승(不勝) 골돌
흐니1287), 진씨 그 회과흐믈 심히 깃거흐더
라.

진씨 오직 샤죄흐고 믈너 연모흐던 하졍
(下情)을 고홀ᄉᆡ, 언ᄉᆞ 부다(不多)흐나, 동쵹
(洞屬)흔 효셩이 나타나고, 동용(動容)이 안
셔(安舒)흐여 온슌(溫順) 비약(卑弱)흐나, 신
긔(神氣) 불평흐므로 ᄉᆞ식(辭色)을 작위(作
爲)치 못흐니, 태부인과 공과 조부인은 무
심흐ᄃᆡ, 뉴부인은 젼일 표리(表裏) 특간(慝
奸)1288)흐므로 남다른 총명이라. 진씨의 긔
식이 화(和)치 못흐믈 괴이히 녁여, ᄌᆞ긔 과
악을 더욱 붓그리고, 조부인과 뎡·하·댱
삼소져는【154】진씨의 거동을 ᄭᆡ다라 참
잔(慘殘)1289)흐더라.

진씨 종일 태부인과 조부인과 공의 부부
를 뫼셧더니, 혼졍(昏定) ᄯᅥ 창후 형뎨 드러
오니, 진씨 ○○[례를] 폐치 못흐여 창후를
보고 분긔 쳘골(徹骨)흐여 니러셔니, 공이
창후ᄃᆞ려 왈,

"너희 부뷔 상별(相別) 삼년에 비로소 모
드니, 피ᄎᆞ(彼此) 화란 후 쳐음이라. 엇지
즉시 아니 보뇨?"

창휘 ᄌᆞ긔 힝ᄉᆞ를 계뷔 모로시므로 각별

1287)골돌흐다 : 골똘하다. 골몰하다. 가지 일에 온
   정신을 쏟아 딴 생각이 없다.
1288)특간(慝奸) : 몹시 간사함.
1289)참잔(慘殘) : 참혹하고 애처롭게 여기다.

혼 ᄉ식을 짓지 아냐, 진씨를 향ᄒ여 례ᄒ니, 소졔 불승비분(不勝悲憤)ᄒ나 브득이 답례ᄒ니, 공이 흔흔이 깃거 웅·창 등 삼ᄋ를 슬상에 교무(交撫)ᄒ여 남은 근심이 업슨 듯ᄒᄃᆡ, 오히려 뉴씨 심졍을 치 몰나 ᄯᅩ 므슨 작변ᄒᆯ가 은위(隱憂) 잇ᄂᆞᆫ지라.

총지 진씨긔, 종일 ᄃᆡ긱(對客)으로 즉시와 문후치 못ᄒᆞᆷ믈 일ᄏᆞᆺ고, 웅ᄋ의 비상ᄒᆞᆷ믈 ᄉᆞ랑ᄒᆯ지언졍 도즁(道中) 참변은 모르ᄂᆞᆫ 듯ᄒ니, 소졔 굿터여 ᄉ식지 아나나 창후를【48】ᄃᆡᄒ여 노분이 녈화 ᄀᆞᆺᄐᆞ니, 여러 가지로 분심(忿心)이 층츌ᄒ여, 외면은 ᄐᆡ연ᄒᆞᆷ믈 지으나, 심즁에 창후를 보ᄆᆡ 엇지 마음이 평안ᄒ리오.

○…결락12자…○[이윽고 소졔 침소로 믈너오ᄆᆡ,] 믄득 젹년(積年) 허다ᄒᆞᆫ 풍파의 젹상(積傷)ᄒ 병이 일시에 발ᄒ여, 일신이 아니 알푼 곳지[1350] 업셔 졍신을 지향치 못ᄒ여[고] 혼졀ᄒᆞᆷ믈 ᄌᆞ로ᄒ여 슈습지 못ᄒᄂᆞᆫ지라. 시녀 유랑 등이 ᄃᆡ경(大驚) 망조(罔措)[1351]ᄒ여 소져를 븟들고 황황망극(遑遑罔極)ᄒᆞᆷ믈 니긔지 못ᄒ나, 감히 존당에도 고치 못ᄒ고 약을 쳐 구호ᄒ더니, 이윽고 소졔 종시 진졍치 못ᄒ여 더욱 위즁ᄒ여 만분 위약ᄒᆞᄆᆡ, 유랑 시녀 급히 ○○○[ᄂᆞ당에] 드러가 소졔 위연(偶然)이 병이 위경(危境)의 니르러시믈 고ᄒ니, 존당 구고와 호람휘 대경ᄒ여 밧비 소져 침상에 니르러 병을 뭇고, ○○○○[조부인이] 즉시 ○[뎡]소져를 다리고 진소져 침소로 가니, 공이 창후를 명ᄒ여 진씨의 병【49】을 보아 진믹ᄒ여 의치(醫治)를 잘ᄒ여 구호ᄒᆞᆷ믈 니르고, ᄀᆞ장 경녀ᄒᆞᆷ믈 마지 아니코, 다시 니르ᄃᆡ,

"진소뷔 긔질이 약ᄒ니 명약(命藥)[1352]ᄒ여 구호ᄒ라."

ᄒ고, 《이에∥이어》 ○○○○○○○○

1350)곳지 : 곳이.
1351)망조(罔措) : 망지소조(罔知所措). 너무 당황하거나 급하여 어찌할 줄을 모르고 갈팡질팡함.
1352)명약(命藥) : 약을 쓰게 하거나 약을 지어 줌.

혼 ᄉ식을 짓지 아냐, 진씨를 향ᄒ여 례ᄒ니, 소졔 불승비분(不勝悲憤)ᄒ나 브득이 답례ᄒ니, 공이 흔흔이 깃거 웅·창 등 삼ᄋ를 슬상에 교무(交撫)ᄒ여 남은 근심이 업슨 듯ᄒᄃᆡ, 오히려 뉴씨 심졍을 치 몰나 ᄯᅩ 므슨 작변ᄒᆯ가 은위(隱憂) 잇ᄂᆞᆫ지라.

총지 진씨긔, 종일 ᄃᆡ긱(對客)으로 즉시와 문후치 못ᄒᆞᆷ믈 일ᄏᆞᆺ고, 웅ᄋ의 비상ᄒᆞᆷ믈 ᄉᆞ랑ᄒᆯ지언졍 도즁(道中) 참변은 모르ᄂᆞᆫ 듯ᄒ니, 소졔 굿터여 ᄉ식지 아나나 창후를 【155】ᄃᆡᄒ여 노분이 녈화 ᄀᆞᆺᄐᆞ니, 여러 가지로 분심(忿心)이 층츌ᄒ여, 외면은 ᄐᆡ연ᄒᆞᆷ믈 지으나, 심즁에 창후를 보ᄆᆡ 엇지 마음이 평안ᄒ리오.

○…결락12자…○[이윽고 소졔 침소로 믈너오ᄆᆡ,] 믄득 젹년(積年) 허다ᄒᆞᆫ 풍파의 젹상(積傷)ᄒ 병이 일시에 발ᄒ여, 일신이 아니 알푼 곳지[1290] 업셔 졍신을 지향치 못ᄒ여[고] 혼졀ᄒᆞᆷ믈 ᄌᆞ로ᄒ여 슈습지 못ᄒᄂᆞᆫ지라. 시녀 유랑 등이 ᄃᆡ경(大驚) 망조(罔措)[1291]ᄒ여 소져를 븟들고 황황망극(遑遑罔極)ᄒᆞᆷ믈 니긔지 못ᄒ나, 감히 존당에도 고치 못ᄒ고 약을 쳐 구호ᄒ더니, 이윽고 소졔 종시 진졍치 못ᄒ여 더욱 위즁ᄒ여 만분 위약ᄒᆞᄆᆡ, 유랑 시녜 급히 ○○○[ᄂᆞ당에] 드러가 소졔 위연(偶然)이 병이 위경(危境)의 니르러시믈 고ᄒ니, 존당 구고와 호람휘 대경ᄒ여 밧비 소져 침상에 니르러 병을 뭇고, ○○○○[조부인이] 즉시 ○[뎡]소져를 다리고 진소져 침소로 가니, 공이 창후를 명ᄒ여 진씨의 병【156】을 보아 진믹ᄒ여 의치를 잘ᄒ여 구호ᄒᆞᆷ믈 니르고, ᄀᆞ장 경녀ᄒᆞᆷ믈 마지 아니코, 다시 니르ᄃᆡ,

"진소뷔 긔질이 약ᄒ니 명약(命藥)[1292]ᄒ여 구호ᄒ라."

ᄒ고, 《이에∥이어》 ○○○○○○○○

1290)곳지 : 곳이.
1291)망조(罔措) : 망지소조(罔知所措). 너무 당황하거나 급하여 어찌할 줄을 모르고 갈팡질팡함.
1292)명약(命藥) : 약을 쓰게 하거나 약을 지어 줌.

[태부인이 뉴부인을] 잇그러 진소져 침소의 니르러 기간 가감을 므르며, ○[휘(侯)] 창후를 머므르고 ○○○[나갈시], 이에 태부인이 시녀로 잘 구호ᄒᆞᆷ믈 니르고 나아가니, 니부는 공을 뫼셔 나가고 창후는 이에 머믈시, 진씨 긔싴이 찬지 ᄀᆞᆺᄐᆞᆯ믈 보고 웃옷슬 벗고 상요에 나가 잠드니, 엇지 소져를 몽니의나 구호홀 싱각이 잇시리오.

덩숙녈이 종야토록 구호ᄒᆞ며 시녀에게 도즁 변고를 드르딕, 《곡즉‖곡직(曲直)》을 뭇지 아니코 극진히 구호ᄒᆞ나, 진씨 ᄒᆞᆫ 잠을 못ᄌᆞ고 알ᄂᆞᆫ지라. 효신(曉晨)의 창휘 관셰(盥洗)ᄒᆞ고 나가딕 문병치 아닛ᄂᆞᆫ지라.

시녀 등이 도즁(道中) 셜화를 셔로 젼ᄒᆞ며 분누(憤淚)를 쓰리거놀, 진소졔 말ᄒᆞᄂᆞᆫ 시비를 ᄭᅮ짓고, 태부인과 조·뉴부인이 야간 병셰【50】를 뭇거놀 져기 나으므로ᄡᅥ 고ᄒᆞ더라.

창휘 엄셕 등을 블너 도즁 봉착(逢着)ᄒᆞ던 셜화를 뭇고, 기즁 발악ᄒᆞ던 시비의 일홈을 물어 알고, 덩숙녈의 침소에 드러가 두어 준(樽) 술을 먹고 진씨 침소에 드러가니, 진씨 죽을 먹다가 비위 아니쏘아 믈니고, 후를 보미 마음이 분ᄒᆞᆫ지라, 함구무언(緘口無言)ᄒᆞ니, 말 브치기 ᄀᆞ장 어려오딕, 《창후의‖창휘》 뇌락(磊落)ᄒᆞᆫ 위엄으로 진소져의 강항(强項)[1353]ᄒᆞᆫ 례긔(銳氣)를 《썩글너라‖썩그려 ᄒᆞ더라》.

소져는 눈을 드지 아니니 긔싴을 모로딕, 창휘 소져를 마실 듯ᄒᆞ더니, 이윽고 창호(窓戶)를 열치고 시녀를 명ᄒᆞ여 시노(侍奴)를 블너오라 ᄒᆞ니, 시비 슈명ᄒᆞ고 나가더니, 아이오, 시노 등이 드러오ᄂᆞᆫ지라. 창휘 령을 ᄂᆞ리와 형위를 ᄀᆞᆺ초라 ᄒᆞ고, 진부인 유모와 시비 칠팔인을 계하에 꿀리고, 몬져 유랑(乳娘)을 슈죄 왈,

"네 쥬인이 비록 공후지녀(公侯之女)나 녀ᄌᆞ 종부(從夫)ᄒᆞ미 빅【51】두종시(白頭終時)[1354]의 ᄯᅳᆺ을 변치 아니미 올커놀, 오

[태부인이 뉴부인을] 잇그러 진소져 침소의 니르러 기간 가감을 므르며, ○[휘(侯)] 창후를 머므르고 ○○○[나갈시], 이에 태부인이 시녀로 잘 구호ᄒᆞᆷ믈 니르고 나아가니, 니부는 공을 뫼셔 나가고 창후는 이에 머믈시, 진씨 긔싴이 찬지 ᄀᆞᆺᄐᆞᆯ믈 보고 웃옷슬 벗고 상요에 나가 잠드니, 엇지 소져를 몽니의나 구호홀 싱각이 잇시리오.

덩숙녈이 종야토록 구호ᄒᆞ며 시녀에게 도즁 변고를 드르딕, 《곡즉‖곡직(曲直)》을 뭇지 아니코 극진히 구호ᄒᆞ나, 진씨 ᄒᆞᆫ 잠을 못ᄌᆞ고 알ᄂᆞᆫ지라. 효신(曉晨)의 창휘 관셰(盥洗)ᄒᆞ고 나가딕 문병치 아닛ᄂᆞᆫ지라.

시녀 등이 도즁(道中) 셜화를 셔로 젼ᄒᆞ며 분누(憤淚)를 쓰리거놀, 진소졔 말ᄒᆞᄂᆞᆫ 시비를 ᄭᅮ짓고, 태부인과 조·뉴부인이 야간 병셰【157】를 뭇거놀 져기 나으므로ᄡᅥ 고ᄒᆞ더라.

창휘 엄셕 등을 블너 도즁 봉착(逢着)ᄒᆞ던 셜화를 뭇고, 기즁 발악ᄒᆞ던 시비의 일홈을 물어 알고, 덩숙녈의 침소에 드러가 두어 준(樽) 술을 먹고 진씨 침소에 드러가니, 진씨 죽을 먹다가 비위 아니쏘아 믈니고, 후를 보미 마음이 분ᄒᆞᆫ지라, 함구무언(緘口無言)ᄒᆞ니, 말 브치기 ᄀᆞ장 어려오딕, 《창후의‖창휘》 뇌락(磊落)ᄒᆞᆫ 위엄으로 진소져의 강항(强項)[1293]ᄒᆞᆫ 례긔(銳氣)를 《썩글너라‖썩그려 ᄒᆞ더라》.

소져는 눈을 드지 아니니 긔싴을 모로딕, 창휘 소져를 마실 듯ᄒᆞ더니, 이윽고 창호(窓戶)를 열치고 시녀를 명ᄒᆞ여 시노(侍奴)를 블너오라 ᄒᆞ니, 시비 슈명ᄒᆞ고 나가더니, 아이오, 시노 등이 드러오ᄂᆞᆫ지라. 창휘 령을 ᄂᆞ리와 형위를 ᄀᆞᆺ초라 ᄒᆞ고, 진부인 유모와 시비 칠팔인을 계하에 꿀리고, 몬져 유랑(乳娘)을 슈죄 왈,

"네 쥬인이 비록 공후지녀(公侯之女)나 녀ᄌᆞ 종부(從夫)ᄒᆞ미 빅【158】두종시(白頭終時)[1294]의 ᄯᅳᆺ을 변치 아니미 올커놀, 오

1353)강항(强項) : 올곧아 여간하여서는 굽힘이 없음.
1354)빅두종시(白頭終時) : 늙어 죽을 때까지.

1293)강항(强項) : 올곧아 여간하여서는 굽힘이 없음.
1294)빅두종시(白頭終時) : 늙어 죽을 때까지.

가(吾家)에 속현(續絃)ㅎ여 ㅅ소지익(些少之厄)이 관계팔ㅈ(關係八字)1355)ㅎ믈 모로고, 악심(惡心)을 품어 존당을 원망ㅎ미 쳘골ㅎ지라. 녀쥬(汝主)의 죄에 녀등(汝等)이 마ㅈ보라."

ㅎ고, ㅅ소의 ꞏ우짓ᄂᆞᆫ 말이 다 진부를 졀졀이 공갈(恐喝)ㅎ며, '밧비 ᄃᆞ리고 가라'ㅎ며 즁형을 더으니, 흔 미에 골뷔(骨膚) 미란(靡爛)ㅎᄂᆞᆫ지라. 소졔 심니에 닝소 왈,

"돈인(豚人)이 원ᄂᆡ 살히 인명(人命)을 슝상거니와, 흔 번 죽으면 두 번 버히ᄂᆞᆫ 법이 업ᄂᆞ니, 무어시 놀나오리오."

언파에 ꞏ양안을 드러 창후를 보고 ꞏ장 밋치게 넉여 닝○[안]경멸(冷眼輕蔑)흔 ꞏ뜻이 잇시니, 휘 유랑을 일츳의 나리지 아니려 ㅎ더니, 진씨의 초쥰강직(峭峻剛直)ㅎ믈 보미 심니(心裏)에 혜오ᄃᆡ,

"내 진씨 위인을 아랏거니와 나를 경멸ㅎ미 이럿툿 한악(悍惡)ㅎ리오. 내 살벌(殺伐)을 삼가더니, 이졔 시녀와 유랑의 머리를 참ㅎ여 진씨의 압히 더져 그 악심을 썩그리라."【52】

싱각ㅎ미, 치기를 굿치고 벽상(壁上)에 칼흘 ᄂᆡ여주며 유랑 시비 등의 머리를 버히라 ㅎ니, 시뇌(侍奴) 칼을 바다 들고 아모리 흘 줄 모르거늘, 창휘 호령이 벼락 ꞏ트여 즉각에 즛지를1356) ᄃᆞᆺㅎ고, 진씨ᄂᆞᆫ 빅골(白骨)을 마을 ᄃᆞ시 즁계에 미러 셰우라 호령이 싱풍(生風)ㅎ니, 졔시녜 위쥬(爲主) 츙심이 잇시나 넉슬 다 일흔지라.

소졔긔 명을 젼ㅎ니 소졔 못 듯ᄂᆞᆫ 듯 그림ꞏ치 안ᄌᆞ시니, 졔녜 망극 초초ㅎ여 좌우로써 붓드러 니르혀니, 소졔 분노를 참지 못ㅎ여 고ᄃᆡ 죽고져 시분지라. 부득이 즁계에 ᄂᆞ리미, 휘 취안(醉眼)을 빗기 ᄯᅳ고, 뒤

가(吾家)에 속현(續絃)ㅎ여 ㅅ소지익(些少之厄)이 관계팔ㅈ(關係八字)1295)ㅎ믈 모로고, 악심(惡心)을 품어 존당을 원망ㅎ미 쳘골ㅎ지라. 녀쥬(汝主)의 죄에 녀등(汝等)이 마ㅈ보라."

ㅎ고, ㅅ소의 ꞏ우짓ᄂᆞᆫ 말이 다 진부를 졀졀이 공갈(恐喝)ㅎ며, '밧비 ᄃᆞ리고 가라'ㅎ며 즁형을 더으니, 흔 미에 골뷔(骨膚) 미란(靡爛)ㅎᄂᆞᆫ지라. 소졔 심니에 닝소 왈,

"돈인(豚人)이 원ᄂᆡ 살히 인명(人命)을 슝상거니와, 흔 번 죽으면 두 번 버히ᄂᆞᆫ 법이 업ᄂᆞ니, 무어시 놀나오리오."

언파에 ꞏ양안을 드러 창후를 보고 ꞏ장 밋치게 넉여 닝○[안]경멸(冷眼輕蔑)흔 ꞏ뜻이 잇시니, 휘 유랑을 일츳의 나리지 아니려 ㅎ더니, 진씨의 초쥰강직(峭峻剛直)ㅎ믈 보미 심니(心裏)에 혜오ᄃᆡ,

"내 진씨 위인을 아랏거니와 나를 경멸ㅎ미 이럿툿 한악(悍惡)ㅎ리오. 내 살벌(殺伐)을 삼가더니, 이졔 시녀와 유랑의 머리를 참ㅎ여 진씨의 압히 더져 그 악심을 썩그리라."【159】

싱각ㅎ미, 치기를 굿치고 벽상(壁上)에 칼흘 ᄂᆡ여주며 유랑 시비 등의 머리를 버히라 ㅎ니, 시뇌(侍奴) 칼을 바다 들고 아모리 흘 줄 모르거늘, 창휘 호령이 벼락 ꞏ트여 즉각에 즛지를1296) ᄃᆞᆺㅎ고, 진씨ᄂᆞᆫ 빅골(白骨)을 마을 ᄃᆞ시 즁계에 미러 셰우라 호령이 싱풍(生風)ㅎ니, 졔시녜 위쥬(爲主) 츙심이 잇시나 넉슬 다 일흔지라.

소졔긔 명을 젼ㅎ니 소졔 못 듯ᄂᆞᆫ 듯 그림ꞏ치 안ᄌᆞ시니, 졔녜 망극 초초ㅎ여 좌우로써 붓드러 니르혀니, 소졔 분노를 참지 못ㅎ여 고ᄃᆡ 죽고져 시분지라. 부득이 즁계에 ᄂᆞ리미, 휘 취안(醉眼)을 빗기 ᄯᅳ고, 뒤

1355) 관계팔ㅈ(關係八字) : 타고난 운수에 매어 있음. *팔자(八字); 사람의 한평생의 운수. 사주팔자에서 유래한 말로, 사람이 태어난 해와 달과 날과 시간을 간지(干支)로 나타내면 여덟 글자가 되는데, 이 속에 일생의 운명이 정해져 있다고 본다.

1356) 즛지르다 : 짓찌르다. 무찌르다. 함부로 마구 찌르다.

1295) 관계팔ㅈ(關係八字) : 타고난 운수에 매어 있음. *팔자(八字); 사람의 한평생의 운수. 사주팔자에서 유래한 말로, 사람이 태어난 해와 달과 날과 시간을 간지(干支)로 나타내면 여덟 글자가 되는데, 이 속에 일생의 운명이 정해져 있다고 본다.

1296) 즛지르다 : 짓찌르다. 무찌르다. 함부로 마구 찌르다.

즐 왈,

"그딩 살육(殺戮)이 젹션(積善)이 아니라 하고, 날로 앙급졀샤(殃及折死)1357)를 《되 ‖ 죄》오거니와 오슈용녈(吾雖庸劣)이나 그딩 죽으믈 보고 죽으리니, 엇지 간예(奸女)의 축원을 맛츠리오. 합문(闔門)이 표악(剽惡)과 혹형(酷刑)을 슝상는다 하니 누고 그리하더뇨? 니 비록 어지지 못【53】하나 진광만치는 힝셰하고, 즈식을 나흐면 진광쳐로 못 나하 그릇 가르치든 아니리니, 그딩 유모와 졔시녀의 머리나 가지고 진광의 곳에 가, 니 흔단(釁端)을 닐러 마음딕로 하라. 진광과 쥬씨다려 니르라. 아들은 《영쥬‖영슈》오 쏠은 그딩니, 흉즈 음녀를 두어 졔집을 망하면 모르거니와, 달긔(妲己)1358) 갓튼 쏠노 니집에 드려 보니여 나의 심화를 도드는다. 날 갓튼 스회를 넘녀 말고 쏠을 아모딕나 기젹(改籍)하라 니르라."

하고, 시녀 등 버히믈 직촉하더니, 믄득 두어 시녀 쵹을 들고 뎡슉녈이 금년(金蓮)을 옴겨 나아 오는 바의 찬난한 광염이 츈화조일(春花朝日)1359)이요, 즁츄망월(中秋望月)이라. 묽은 광치○[는] 셩즈긔빅(聖姿氣脈)이오 일빅화신(一百花信)이 혜풍(蕙風)의 웃는 듯, 만고졀딕(萬古絕代)의 가인(佳人)이라. 나아와 진씨 겻히 셔미, 창휘 졔시녀를 버히라 직촉이 급하여 부인을 살피지 못한지라. 슉녈이 말하기 《단안‖난안(赧顏)》하딕【54】졔녀의 목슘이 슈유(須臾)의 급하므로, 부득이 말슴을 여러 왈,

"쳡이 군후(君侯)의 일을 알은 쳬하미 당돌하나, 표뎨(表弟)와 졔시네 무슴 딕죄(大罪)니잇고?"

휘 방석을 미러 오르믈 쳥하여 왈,

1357)앙급졀샤(殃及折死) ; 앙화(殃禍)가 요절(夭折)하기에 미침
1358)달긔(妲己) : 중국 은나라 주왕의 비(妃). 성(姓)은 소씨(蘇氏). 왕의 총애를 믿어 음탕하고 포악하게 행동하였는데, 뒤에 주나라 무왕에게 살해되었다. 하걸(夏桀)의 비 매희(妹喜)와 함께 망국의 악녀로 불린다.
1359)춘화조일(春花朝日) : 봄에 핀 꽃과 아침에 떠오른 태양.

즐 왈,

"그딩 살육(殺戮)이 젹션(積善)이 아니라 하고, 날로 앙급졀샤(殃及折死)1297)를 《되 ‖ 죄》오거니와 오슈용녈(吾雖庸劣)이나 그딩 죽으믈 보고 죽으리니, 엇지 간예(奸女)의 축원을 맛츠리오. 합문(闔門)이 표악(剽惡)과 혹형(酷刑)을 슝상는다 하니 누고 그리하더뇨? 니 비록 어지지 못【160】하나 진광만치는 힝셰하고, 즈식을 나흐면 진광쳐로 못 나하 그릇 가르치든 아니리니, 그딩 유모와 졔시녀의 머리나 가지고 진광의 곳에 가, 니 흔단(釁端)을 닐러 마음딕로 하라. 진광과 쥬씨다려 니르라. 아들은 《영쥬‖영슈》오 쏠은 그딩니, 흉즈 음녀를 두어 졔집을 망하면 모르거니와, 달긔(妲己)1298) 갓튼 쏠노 니집에 드려 보니여 나의 심화를 도드는다. 날 갓튼 스회를 넘녀 말고 쏠을 아모딕나 기젹(改籍)하라 니르라."

하고, 시녀 등 버히믈 직촉하더니, 믄득 두어 시녀 쵹을 들고 뎡슉녈이 금년(金蓮)을 옴겨 나아 오는 바의 찬난한 광염이 츈화조일(春花朝日)1299)이요, 즁츄망월(中秋望月)이라. 묽은 광치○[는] 셩즈긔빅(聖姿氣脈)이오 일빅화신(一百花信)이 혜풍(蕙風)의 웃는 듯, 만고졀딕(萬古絕代)의 가인(佳人)이라. 나아와 진씨 겻히 셔미, 창휘 졔시녀를 버히라 직촉이 급하여 부인을 살피지 못한지라. 슉녈이 말하기 《단안‖난안(赧顏)》하딕【161】졔녀의 목슘이 슈유(須臾)의 급하므로, 부득이 말슴을 여러 왈,

"쳡이 군후(君侯)의 일을 알은 쳬하미 당돌하나, 표뎨(表弟)와 졔시네 무슴 딕죄(大罪)니잇고?"

휘 방석을 미러 오르믈 쳥하여 왈,

1297)앙급졀샤(殃及折死) ; 앙화(殃禍)가 요절(夭折)하기에 미침
1298)달긔(妲己) : 중국 은나라 주왕의 비(妃). 성(姓)은 소씨(蘇氏). 왕의 총애를 믿어 음탕하고 포악하게 행동하였는데, 뒤에 주나라 무왕에게 살해되었다. 하걸(夏桀)의 비 매희(妹喜)와 함께 망국의 악녀로 불린다.
1299)춘화조일(春花朝日) : 봄에 핀 꽃과 아침에 떠오른 태양.

"작일 도즁의 군관을 보니며 진씨 힝거를 취운산으로 환송ᄒ라 ᄒᆞ엿ᄂᆞᆫ지라. 졔시녜 방ᄌᆞ히 위령(違令)ᄒᆞ니 다스리므로, 진씨 언시 《졔상∥괴상(怪狀)》 불공(不恭)ᄒᆞ미라."

ᄒᆞ디, 슉녈이 당에 오르지 아니코 화셩유어(和聲柔語)로 간 왈,

"셩후(聖候)를 범ᄒᆞ미 아니라, 셩인도 초부지언(樵夫之言)[1360]을 찰납(察納)ᄒᆞ시니, 션용(善用)ᄒᆞ고 개도(改道)를 ᄌᆞ랑ᄒᆞ엿ᄂᆞ니, 지ᄌᆞ(知者)도 열 번의 ᄒᆞᆫ 번 그르미 잇고, 우ᄌᆞ(愚者)도 일코[1361] 어드미 잇거늘, 군휘 그를 통히ᄒᆞ여 시녀를 버히려ᄒᆞ시니, 만물지즁(萬物之衆)에 인싱이 최귀(最貴)[1362]라. 만승쳔ᄌᆞ(萬乘天子)로도 일인을 죽이미 반포(頒布)ᄒᆞᄂᆞᆫ지라. 군휘 문무 즁임이 잇시니, 슈하(手下)에 누만여중(累萬旅衆)[1363]을 두어 유죄무죄(有罪無罪)를 썩은 플갓치 【55】 너일지라도, 거가(居家)의 화열(和悅)이 읏듬이라. 미말쳔녀(微末賤女)나 인명(人命)이 즁(重)ᄒᆞ니, 만일 원ᄉᆞ(寃死) 즉, 빅년 누덕(百年累德)이 되리니 군후의 셩덕의 《대음∥대흠(大欠)》이오, 표뎨 앙화(殃禍) 바들 죄오이다. ○…결락12ᄌᆞ…○[또 군후긔 앙급졀샤(殃及折死)를 죄오다] ᄒᆞ며 억뇨(臆料)[1364]ᄒᆞ시나, 부영쳐귀(夫榮妻貴)는 쳔리상ᄉᆞ(天理常事)라. 군휘 부귀ᄒᆞ시므로 쳡 등이 니상(內相)에 거ᄒᆞ여 외람ᄒᆞᆫ 영복(榮福)을 누리니, 녀ᄌᆞ의 마음이 소쳔(所天)을 만복(萬福) 츅원(祝願)이 미(微)ᄒᆞ나 졔 몸을 위ᄒᆞ미어늘, ᄎᆞ마 그런 픽셜(悖說)을 구두(口頭)에 올니시며, 표슉(表叔)은 년긔 디인 우흐로 졍(正)의 공경ᄒᆞ시리니, 쟝유유셔(長幼有序)○○[로도] 휘ᄍᆞ(諱字)를 들먹여 모욕ᄒᆞ니 불가ᄉᆞ문어타인(不可使聞於他

1360)초부지언(樵夫之言) : 미천한 나무꾼의 말.
1361)일ᄒᆞ다 : 잃다. 가졌던 물건이 자신도 모르게 없어져 그것을 갖지 아니하게 되다
1362)최귀(最貴) ; 가장 귀함.
1363)누만여중(累萬旅衆) : 수만 명의 군사.
1364)억뇨(臆料) : 억측(臆測). 이유와 근거가 없이 짐작함.

"작일 도즁의 군관을 보니며 진씨 힝거를 취운산으로 환송ᄒ라 ᄒᆞ엿ᄂᆞᆫ지라. 졔시녜 방ᄌᆞ히 위령(違令)ᄒᆞ니 다스리므로, 진씨 언시 《졔상∥괴상(怪狀)》 불공(不恭)ᄒᆞ미라."

ᄒᆞ디, 슉녈이 당에 오르지 아니코 화셩유어(和聲柔語)로 간 왈,

"셩후(聖候)를 범ᄒᆞ미 아니라, 셩인도 초부지언(樵夫之言)[1300]을 찰납(察納)ᄒᆞ시니, 션용(善用)ᄒᆞ고 개도(改道)를 ᄌᆞ랑ᄒᆞ엿ᄂᆞ니, 지ᄌᆞ(知者)도 열 번의 ᄒᆞᆫ 번 그르미 잇고, 우ᄌᆞ(愚者)도 일코[1301] 어드미 잇거늘, 군휘 그를 통히ᄒᆞ여 시녀를 버히려ᄒᆞ시니, 만물지즁(萬物之衆)에 인싱이 최귀(最貴)[1302]라. 만승쳔ᄌᆞ(萬乘天子)로도 일인을 죽이미 반포(頒布)ᄒᆞᄂᆞᆫ지라. 군휘 문무 즁임이 잇시니, 슈하(手下)에 누만여중(累萬旅衆)[1303]을 두어 유죄무죄(有罪無罪)를 썩은 플갓치 【162】 너일지라도, 거가(居家)의 화열(和悅)이 읏듬이라. 미말쳔녀(微末賤女)나 인명(人命)이 즁(重)ᄒᆞ니, 만일 원ᄉᆞ(寃死) 즉, 빅년 누덕(百年累德)이 되리니 군후의 셩덕의 《대음∥대흠(大欠)》이오, 표뎨 앙화(殃禍) 바들 죄오이다. ○…결락12ᄌᆞ…○[또 군후긔 앙급졀샤(殃及折死)를 죄오다] ᄒᆞ며 억뇨(臆料)[1304]ᄒᆞ시나, 부영쳐귀(夫榮妻貴)는 쳔리상ᄉᆞ(天理常事)라. 군휘 부귀ᄒᆞ시므로 쳡 등이 니상(內相)에 거ᄒᆞ여 외람ᄒᆞᆫ 영복(榮福)을 누리니, 녀ᄌᆞ의 마음이 소쳔(所天)을 만복(萬福) 츅원(祝願)이 미(微)ᄒᆞ나 졔 몸을 위ᄒᆞ미어늘, ᄎᆞ마 그런 픽셜(悖說)을 구두(口頭)에 올니시며, 표슉(表叔)은 년긔 디인 우흐로 졍(正)의 공경ᄒᆞ시리니, 쟝유유셔(長幼有序)○○[로도] 휘ᄍᆞ(諱字)를 들먹여 모욕ᄒᆞ니 불가ᄉᆞ문어타인(不可使聞

1300)초부지언(樵夫之言) : 미천한 나무꾼의 말.
1301)일ᄒᆞ다 : 잃다. 가졌던 물건이 자신도 모르게 없어져 그것을 갖지 아니하게 되다
1302)최귀(最貴) ; 가장 귀함.
1303)누만여중(累萬旅衆) : 수만 명의 군사.
1304)억뇨(臆料) : 억측(臆測). 이유와 근거가 없이 짐작함.

人)이라, 원컨딕 이 거조(擧措)를 긋치소
셔.”.

　언파에 진씨를 권ᄒᆞ여 승당(昇堂)ᄒᆞ라 ᄒᆞ
니, 휘 홀 말이 업셔 묵연ᄒᆞᆫ 딕 소겨ᄂᆞᆫ 불
승분노(不勝忿怒)ᄒᆞ더라.　엇지된고 하회를
○[셕]남(釋覽)홀지어다.【56】

於他人)이라, 원컨딕 이 거조(擧措)를 긋치
소셔.”.

　언파에 진씨를 권ᄒᆞ여 승당(昇堂)ᄒᆞ라 ᄒᆞ
니, 휘 홀 말이 업셔 묵연ᄒᆞᆫ 딕 소겨ᄂᆞᆫ 불
승분노(不勝忿怒)ᄒᆞ더라.　엇지된고　하회를
○[셕]남(釋覽)홀지어다.【163】

화셜 남창휘 잠간 노긔를 플고 딘시를 보니 슈심을 씌여시미 긔려졀승훈 틱되 더옥 보암즉 흐더라. 등심의 년이(憐愛)흐고 뎡 부인을 흠복이경(欽服愛敬)흐미 무궁흐더라.

이에 시노 등을 믈니치고 딘쇼져 시녀 등의 목슘을 샤(赦)훈 후 부인을 오로라1365) 쳥흐여 왈,

"싱이 무식흐나 무죄훈 조강을 하당치 못흐리니 엇디 괴로이 듕계(中階)의 셔〇[시]리오. 딘시의 초독훈 얼골과 괴강(乖强)1366)훈 언스를 드르미, 오히려 부인의 말을 조츠 시녀와 유랑을 샤(赦)흐고 금야디닉(今夜之內)로 박튝(迫逐)흐려 흐던 뜻을 긋치느니, 딘시【1】의 교앙(驕昂)흐믄 일노 조츠 더흐리로다."

슉녈이 유화히 손샤흐고 딘시를 권흐여 방듕으로 드러 가니, 창휘 굿트여 말을 아니흐딕 딘시의 노분을[은] 플닐 길히 업더라.

슉녈이 딘시의 강녈흐기로 그 신상의 유히흐믈 민망이 넉이나, 창휘 이시므로 여러 말을 아니코 침소로 도라가니, 창휘 긔동(起動)흐여 부인을 보닉고, 시녀를 다 믈너가라 훈 후 쇼져를 도라보아 그윽이 년셕(憐惜)흐는디라. 쇼졔 표연(飄然)1367) 단좌(端坐)흐여 증분통졀(憎憤痛切)《흐믈∥흐미》 죽기를 바야는디라. 휘 싱각흐딕, '졔 셩졍이 초쥰흐나 심홰 비상디난(非常之難)의 그런가.' 이리 싱각흐니, 역시 잠을 일우디 못흐더라.

ㅊ셜 호람후 윤공이 ㅈ딜【2】을 거느려 뎡당의 문안흐고 합문(閤門) 졔인이 모드딕, 창후의 작야디스를 뎡슉녈밧 알니 업는 고

<hr/>

화셜 남창휘 잠간 노긔를 플고 진씨를 보니 슈심을 씌여시미 긔려졀승훈 틱되 더옥 보암즉 흐지라. 즁심의 연이흐고 뎡 부인을 흠복이경(欽服愛敬)흐미 무궁흐더라.

이에 시노 등을 믈니치고 진소져 시녀 등의 목슘을 샤흔 후, 부인을 오르라1305) 쳥흐여 왈,

"싱이 무식흐나 무죄훈 조강을 하당치 못흐리니 엇지 괴로이 즁계의 셧시리오. 진씨의 초독훈 얼골과 괴강(乖强)1306)훈 언스를 드르미, 오히려 부인의 말을 조츠 시녀와 유랑을 샤(赦)흐고 금야지닉(今夜之內)로 박츅흐려 흐던 뜻을 긋치느니, 진씨에 교앙(驕昂)흐믄 일노 조츠 더흐리로다."

슉녈이 유화히 손샤흐고 진씨를 권흐여 방즁으로 드러가니, 창휘 굿트여 말을 아니흐딕, 진씨【1】 의 노분을[은] 플닐 길히 업더라.

슉녈이 진씨의 강녈흐기로 그 신상의 유히흐믈 민망이 넉이나, 창휘 잇스므로 여러 말을 아니코 침소로 도라가니, 창휘 긔동흐여 부인을 보닉고 시녀를 다 믈너가라 훈 후, 쇼져를 도라보아 그윽이 년셕(憐惜)흐는지라. 소졔 표연(飄然)1307) 단좌흐여 증분통셕(憎憤痛惜)흐미 죽기를 보[ㅂ]야는지라. 휘 싱각흐미 '졔 셩졍이 초쥰흐나 심홰 비상지난(非常之難)의 그런가.' 이리 싱각흐니, 역시 잠을 일우지 못흐더라.

ㅊ셜 호람후 윤공이 ㅈ딜을 거느려 정당에 문안흐고 합문(閤門) 졔인이 모드딕, 창후의 작야지스를 뎡슉녈 밧 알니 업는 고로

<hr/>

로 태부인과 공의게 고ᄒᆞ리 업ᄉᆞ니 아득히
모로니, 창휘 ᄀᆞ장 깃거ᄒᆞ더니, 홀연 운산으
로셔 쥬영이 니르러 의렬의 셔간을 드리니,
공이 셔간을 보고져 ᄒᆞ여 몬져 피봉을 ᄡᅥ허
보미, 대강 굴와시ᄃᆡ,

"아등이 텬디의 죄 어드미 듕ᄒᆞ여 나히
유치(幼稚)의, 현뎨 냥인은 밋쳐 셰샹의 나
디 못ᄒᆞ여셔, 엄정을 여희오미, 궁텬디통이
싱셰의 풀닐 길히 업고, 겸ᄒᆞ여 가변이 블
가ᄉᆞ문어타인(不可使聞於他人)이니, 우리 셰
낫 남미 사망디환(死亡之患)을 면ᄒᆞᆷ 션친
이 명명듕(冥冥中)의 보조(輔助)ᄒᆞ시미나,
도금(到今)ᄒᆞ여【3】셕ᄉᆞ를 념(念)ᄒᆞ미 심골
이 경한치 아니리오. 현뎨 등이 힝신범ᄇᆡᆨ
(行身凡百)을 남의셔 낫게 ᄒᆞ여 젼일 붓그
러오믈 ᄲᅵᄉᆞ미 당연ᄒᆞ거늘, 이졔 믄득 현뎨
과격ᄒᆞᆫ 셩을 당치 아닌 곳의 발ᄒᆞ니, ᄎᆞ는
년쇼디심(年少之心)의 위고금다(位高金多)홈
과 샹통의 늠늠ᄒᆞ샤므로 근신겸퇴(謹愼謙
退)ᄒᆞ는 도리 업ᄉᆞ니 우형의 바란 밧기오,
공후지샹이야 그런 광거(狂擧)를 엇디 ᄎᆞ마
힝홀 빈리오. 호협탕긱(豪俠蕩客)이 동누(東
樓)의 취ᄒᆞ고 셔루(西樓)의 즐기미 무궁타
가, 뎡쳐(正妻)를 만난죽 구욕난타(驅辱亂
打)ᄒᆞ는 히게(駭擧)라. 네 스스로 붓그럽디
아니랴? 슈연(雖然)이나 냥쇼고의 명되 괴
이ᄒᆞ여 현뎨 ᄀᆞᄐᆞᆫ 광부를 만낫거니와, 작일
우형이 딘부의 맛ᄎᆞᆷ 나아가니, 쥬부인의
【4】슬허 ᄒᆞ심과 현뎨의 힝ᄉᆞ를 드르미,
경히ᄒᆞ미 극고 참괴ᄒᆞ미 낫츨 싹고 시븐
다라. 흔갓 현뎨를 위ᄒᆞ여 이들을 쓴 아니
라, 우리 부모 셩덕으로 현뎨 ᄀᆞᄐᆞᆫ 패려무
힝디인(悖戾無行之人)을 두시믈 탄돌(歎咄)
ᄒᆞᄂᆞ니, 현뎨도 싱각ᄒᆞ여 보라. 야야(爺爺)
화상을 봉안ᄒᆞ옵고 됴셕의 비례ᄒᆞ여, 동쵹
ᄒᆞᆫ 졍셩이 싱시와 ᄀᆞᄐᆞᆯ스록 힝신을 조심ᄒᆞ
여, ᄒᆞᆫ 허믈도 업ᄉᆞ미 가치 아니리오. 밋친
화증을 나ᄂᆞᆫᄃᆡ로 ᄒᆞ여, 대로샹의 남ᄌᆞ녀인
(男子女人) 가온ᄃᆡ 군관 노복을 보ᄂᆡ여 돌
과 텰편을 드러 뎡실의 거교(車轎)를 ᄭᆡ치
고, 휘장을 ᄲᅵ져 참욕이 아니 밋춘 곳이 업

태부인과 공에게 고ᄒᆞ리 업ᄉᆞ니 아득히 모
로니, 창휘 ᄀᆞ장 깃거ᄒᆞ더니, 홀연 운산으로
셔 쥬영이 니르러 의렬의 셔간을 드리니,
공이 셔간을 보고져 ᄒᆞ여 몬져 봉셔를 ᄡᅥ허
보미, 대강 굴와시ᄃᆡ,

"아등이 텬디의【2】죄 어드미 즁ᄒᆞ여 나
히 유치(幼稚)의, 현뎨 양인은 밋쳐 셰샹에
나지 못ᄒᆞ여셔 엄정을 여희오미, 궁텬지통
이 싱셰의 풀닐 길히 업고, 겸ᄒᆞ여 가변이
블가ᄉᆞ문어타인(不可使聞於他人)이니, 우리
셰 낫 남미 사망지환(死亡之患)을 면ᄒᆞ오믄,
션친이 명명지즁(冥冥之中)에 보조(輔助)ᄒᆞ
시미나, 도금(到今)ᄒᆞ여 셕ᄉᆞ를 념(念)ᄒᆞ미
심골이 경한치 아니리오. 현뎨 등이 힝신범
ᄇᆡᆨ(行身凡百)을 남에셔 낫게 ᄒᆞ여 젼일 붓
그러오믈 ᄡᅵᄉᆞ미 당연ᄒᆞ거늘, 이졔 믄득 현
뎨 과격ᄒᆞᆫ 셩을 당치 아닌 곳의 발ᄒᆞ니, ᄎᆞ
는 년쇼지심(年少之心)의 위고금다(位高金
多)홈과 샹총의 늠늠ᄒᆞ시므로 근신겸퇴(謹
愼謙退)ᄒᆞ는 도리 업ᄉᆞ니, 우형의 바란 밧
기오, 공후지샹이야 그런 광거를 엇지 ᄎᆞ마
힝홀 빈리오. 호협탕긱(豪俠蕩客)이 동누(東
樓)의 취ᄒᆞ고 셔루(西樓)의 즐기미 무궁타
가 졍쳐(正妻)를 만난죽 구욕난타(驅辱亂打)
ᄒᆞ는 히게(駭擧)라. 네 스스로 붓그럽지 아
니【3】랴? 슈년(雖然)이나 낭소고의 명되
괴이ᄒᆞ여 현뎨 ᄀᆞᄐᆞᆫ 광부를 만낫거니와, 작
일 우형이 진부의 맛ᄎᆞᆷ 나아 가니 쥬부인의
슬허ᄒᆞ심과 현뎨의 힝ᄉᆞ를 드르니, 참괴ᄒᆞ
고 놀라온지라. 흔갓 현뎨를 위ᄒᆞ여 힝신을
이달나ᄒᆞ미 아니라, 우리 부모 셩덕으로 현
뎨 ᄀᆞᄐᆞᆫ 픠려무힝지인(悖戾無行之人)을 두
시믈 돌탄(咄嘆)ᄒᆞᄂᆞ니, 그윽이 싱각ᄒᆞ○○
[여 보]라. 션친 화상을 뫼셔 아춤마다 비
례ᄒᆞ고 시봉○○[함과]ᄀᆞ치 마음을 가질진
ᄃᆡ, 계칙 ᄒᆞᆫ 마ᄃᆡ 업슬스록 더욱 슈힝ᄒᆞ여,
엄정을 뫼신 다시 션디인 명풍셩덕을 ᄡᅥ르
치지 아니미 올커늘, 포려(暴戾)《싀엄‖싀
험(猜險)》ᄒᆞ여 광증을 발ᄒᆞᆫ죽 젼후를 술피
지 못ᄒᆞ고, 대로샹에 억만 ᄇᆡᆨ셩과 샹하노소
(上下老少) 즁 군관 노복을 보ᄂᆡ여 손에 도

스니, 녀즈 되오미 가히 딘데의 전후 망측
흔 화【5】곳트니 또 어디 이시리오. 청슈
약딜(淸秀弱質)의 젹샹(積傷)흔 병이 깁허
상셕(床席)을 써나디 못ᄒ고, 현뎨 도라 온
후 즉시 도라 가디 못ᄒ믄 유딜흔 연괴니,
도시 우리 집 변난 연괴라. 므슴 쾌흔 말이
나더뇨? 거교를 환송ᄒ믄 평댱 슉슉의 동긔
를 위흔 졍이 디극ᄒ여 위틱흔 곳의 나아
가 다시 화를 만날가 ᄒ미니, 그 넘녀ᄒ미
인디샹식(人之常事)어늘 므어시 그다디 분
ᄒ여 히참(駭慚)흔 경식(景色)을 힝ᄒ뇨? 나
의 셔스를 우을 거시로디, 동긔디졍으로 알
고 믈시치 못ᄒ여 젹ᄂ니, 모로미 슈신셥힝
(修身攝行)ᄒ여 군즈셩덕(君子聖德)을 힘쓰
고 힘쓰라."

ᄒ여시니, 호람휘 견필의 추악경심(嗟愕
驚心)ᄒ여, 좌우로 ᄒ여금 딘쇼져의 유모
【6】시ᄋ를 브르라 ᄒ고, 조부인으로 ᄒ여
금 의렬의 셔간을 보쇼셔 ᄒ고, 믁믁(黙黙)
식엄(色嚴)ᄒ니, 조부인의 대경ᄒ나 공이 잠
잠ᄒ니 몬져 말을 아녓더니, 딘쇼져의 시ᄋ
등이 계하의 다ᄃ라 복명ᄒ나 유랑은 오디
못흔다라. 공이 유랑의 오디 아닌 연고를
므르니, ᄋ시녀 운쇠 짐줏 창후의 작야스를
고쳐 ᄒ여 디왈,
"유랑은 듕형(重刑)을 닙어 디금 스싱을
뎡치 못ᄒᄂ이다"
공이 더옥 경히ᄒ여 문왈,
"지작일(再昨日)의 네 쇼졔 이리 올 썩
노듕의셔 므슨 변을 만나며, 유랑은 또 므
슨 일노 듕형을 바드뇨?"
시녀 셔로 도라보아 말을 못ᄒ니, 공이
크게 쑤디져{져} 왈,
"바로 알외디 아닌즉 스죄로 녕(領)1368)
○○○[ᄒ리라]."
ᄒ니, 졔녜 마디 못ᄒ여【7】졔졔히 고ᄒ
니, 도도흔 말숨이 창후의 광게(狂擧) 낫낫
치 드러나니, 만좌 히연ᄒ믈 니긔디 못ᄒ
《니‖더라》.
이 썩 창휘 즈가의 히거를 가듕이 모로믈

1368)녕(領)ᄒ다 : 다스리다.

치를 딜고 졍실의 거교(車轎)를 씨치며, 휘
쟝을 뮈쳐 그 욕이 아니 밋촌 곳이 업스
니, 딘데 녀【4】즈 되오므로 망측흔 화란
이 빙옥 신상에 스못고, 약딜의 젹샹(積傷)
ᄒ여 병이 위중커늘, 사룸의 츠마 못홀 누
욕을 무슈히 ᄒ고, 딘평댱의 셔간은 동긔
우이로 인지샹스(人之常事)어늘 그리 분노
ᄒ여, 경식이 샤룸을 무슈히 죽이려 ᄒ니
그 무슴 샤룸의 홀 비리오. 네 나의 셔간을
우울디 모로거니와, 내 알고 츠마 춤디 못
ᄒᄂ니, 모로미 슈신힝도(修身行道)ᄒ고 픽
악광망(悖惡狂妄)이 구지말나"

ᄒ엿더라. 남휘 견필에 차악경심(嗟愕驚
心)ᄒ여, 좌우로 딘쇼져 유모 시녀를 브르
니 조부인이 또 보고 히연 경악흔디, 남휘
믁연이라. 아이오 딘쇼져 유모 등이 니르거
늘, 남휘 시ᄋ 등의 아니 오믈 무른디, ○○
○[ᄋ시녀] 운이 짐줏 승간ᄒ여 작야스를
고ᄒ고 스싱이 위급ᄒ믈 쥬ᄒ니, 모다 경히
ᄒ여 지난 바르 무른디, 졔시이 면면상고ᄒ
여 머뭇기거늘, 공이 크게 쑤지져 실고
【5】ᄒ라 ᄒ니, 운이 비로소 젼 후스를
고흔디, 창후의 《간포‖강포(强暴)》ᄒ미
다 드러낫ᄂ지라. 좌위 경악히 넉이더라.

창휘 가즁이 모로믈 암희ᄒ다가, 미져의
《션간‖셔간》과 운ᄋ의 젼셜노 졀졀히 드

그윽이 다힝ᄒ더니, 미져(妹姐)의 쥰졀ᄒᆫ 셔간과 운소의 뉴슈 ᄀᆺᄐᆫ 말노 일일이 낫타나니, ᄌ참(自慚)ᄒ미 극ᄒᆫ 가온ᄃᆡ, ᄌ긔 계부를 셤기미 부형ᄀᆺ치 ᄒ던 바로, 이졔 ᄎ소의 다ᄃᆞ라ᄂᆞᆫ 쳥문이라도 ᄌ개 부친이 아니 계신 고로 삼가ᄂᆞᆫ 일이 업다 ᄒ더라. 후회막급(後悔莫及)ᄒ니 ᄐᆔᆼ텬댱긔(衝天壯氣)나 안ᄉᆡᆨ이 다ᄅᆞ믈 ᄲᅵᆺ디 못ᄒ더라.

태부인이 눈믈을 나리와, 왈,
"노뫼 셕년의 조현부로브터 광텬 형뎨 부부 죽이려 온 가디로 모히ᄒ던 일을 싱각ᄒ면, 심골이 셔늘ᄒ믈 니긔디 못ᄒ니, ᄎ후【8】일분도 불평디ᄉᆡᆨ(不平之事) 업기를 결단ᄒ엿더니, 광텬의 광패디ᄉᆡᆨ(狂悖之事) 노모의 뒤흘 니어 딘쇼부를 그디도록 보칠 줄을 ᄯᅳᆺᄒ여시리오."
호람휘 모친을 위로ᄒ고, 날호여 조부인을 향ᄒ여, 왈,
"션형(先兄)이 기셰ᄒ신 후, 광텬 등이 셰상의 나미, 쇼싱이 슉딜의 졍의로써 부ᄌ의 감치 아니ᄃᆡ, 다만 져희를 ᄃᆡᄒᆫ즉 참연비졀ᄒᆫ ᄆᆞᄋᆞᆷ이 니러나 엄히 계칙(計策)ᄒ믈 니즐 ᄲᅳᆫ 아니라, 져의 텬딜(天質)이 용우ᄒ믈 면ᄒ여 총명(聰明) 지ᄒᆞᆨ(才學)이 타류(他類)의 소ᄉᆞ나니, 쇼싱 ᄀᆺᄐᆫ 용녈ᄒᆫ 아ᄌᆞ비 ᄀᆞᄅᆞ칠 일이 업셔 흔갓 두굿길 ᄲᆞ름이오, 그르믈 아득히 모로던디라. 광텬이 쇼싱의 용우ᄒ믈 업슈히 넉이고 졔 몸이 죵댱(宗長)의 듕ᄒᆞᆷ믈 가져, 일가의【9】족당을 엄누ᄅᆞ고, 쇼싱을 유무 간의 관듕(款重)히 넉이ᄂᆞᆫ 일이 업셔, 광망흔 ᄒᆡ거를 온 가디로 힝ᄒ여, 부형이 업ᄂᆞᆫ 사름으로 두려ᄒ며 ᄭᅥ릴 거시 업ᄂᆞᆫ디라. 쇼싱이 감히 졔 아ᄌᆞ비라 ᄒ여 져를 티ᄎᆡᆨ(治責)ᄒᆞᆯ 길히 업ᄂᆞᆫ디라. 졔 ᄯᅩ 가쇼로이 넉일 비오, 쇼싱은 뉴시의 만악이 구비ᄒᆞᆷ믈 알오ᄃᆡ, 능히 ᄎᆞᆯ거치 못ᄒ여 일ᄐᆡᆨ디샹(一宅之上)의 안안무ᄉᆞ(晏晏無事)히 머믈거늘, 광텬은 쳐실의게 호령이 싱풍ᄒ고 위엄이 거룩ᄒ여, 호발(毫髮)ᄒᆫ 일이라도

제 뜻의 불합호즉 대로샹 만인소시(萬人所視)의 참욕광게(慘辱狂擧) 그 디경의 밋츠니, 딘짓 대댱부의 위엄이라. 쇼싱이 비록 슈하(手下) 주딜비(子姪輩)의 힝시나, 그 쳐실의 각별훈 호령이 이심과 싱의 용녈무디호믈 비겨 싱각건디, 【10】 참괴(慙愧)호미 치신무디(置身無地)라. 일노브터 광텬이 가니의셔 아모 힉게(駭擧) 이셔도 아른 쳬를 못호리로소이다."

언필의 노긔 가득호여 목직(目子) 딘녈(瞋烈)1369)호고 두발이 샹디(相指)호니, 원니 공이 셩졍이 엄쥰과격(嚴峻過激)훈디라. 창후의 산악을 넘뛸 호긔로도 계부의 노쉭을 보고 그 말숨을 듯주오미, 황황숑구(惶惶悚懼)호여 계부의 칙죄(責罪)호심만 바랄 ᄯᆞᆯᄅᆞᆫ이라. 조부인이 ᄋᆞ주의 광망호믈 통훈호여 츄연(惆然) 탄식 디왈,

"쳡이 고인의 틱교를 효측디 못호여, 광텬의 무상패려(無狀悖戾)호미 이 디경의 밋츠니, 이는 다 쳡의 허믈이라. 흔갓 져만 칙망호리잇고? 원간 무부디직(無父之子) 힝실이 슉연(肅然)키를 밋디 못호거늘, 쳡 곳튼 암녈디인(暗劣之人)이 밍모(孟母)의 삼【11】천디교(三遷之敎)1370)를 법(法)밧디 못호고, 오딕 주모의 약호므로써 구구(區區)년이(憐愛)홀 ᄯᆞ롬이오, 언힝만ᄉᆞ(言行萬事)를 슉슉의 가ᄅᆞ○[치]샤믈 닙엇더니, 슉슉이 과도히 주인호시므로 방일(放逸)훈 ᄋᆞ희 두릴 거시 업셔 쳡 곳튼 주모는 압두능경(壓頭凌輕)1371)호고, 흉패과급(凶悖過急)훈 셩졍이 쳐실의게 다ᄃᆞ라는 밋친 호령을 위쥬호니, 엇디 통히치 아니리잇고? 다만 슉슉이 져히 광패호믈 틱칙(治責)디 아니시면 뉘 져를 계칙(戒責)호여 뎡도의 니르게 ᄒᆞ리잇고?"

<hr>

츠 광ᄋᆞ의 가닉에 아모 일이 잇셔도 아른 쳬 못훌 소이다"

언필의 노긔 대발호여 긔운이 엄녈(嚴烈)호니, 원릭 셩졍이 과격훈지라. 창후의 북히를 넘뛸 긔운이나, 슉부의 긔식을 보고 말숨을 듯주오미 황구송연(惶懼悚然)호여 낫츨 드지 못호니, 조부인이 ᄋᆞ주의 광픽호믈 통한호여 졍식함뇌(正色含怒)러니, 슉슉(叔叔)의 말노 조츠 츄연(惆然) 왈,

"쳡이 고인의 태교를 법밧치 못호와 이 지경의 밋츠니, 이곳 쳡의 죄로소이다. 흔갓 져를 칙망호리잇가? 원간 무부지직(無父之子) 힝실이 무식호니, 쳡이 밍모(孟母)의 삼천지교(三遷之敎)1308)를 우러러 효측치 못호고, 주모의 약호므로 구구(區區)히 긍익(矜哀)홀 ᄲᅮᆫ이오, 슉슉의 명교(命敎)를 브라더니, 슉슉이 과이호시는 연고로 방약무인(傍若無人)호여, 주모【8】를 능경(凌輕)호고 흉픽(凶悖) 과악(過惡)이 쳐실에 밋쳐 호령을 위쥬호니, 어이 한심치 아니리잇고? 슉슉이 져의 광망을 치칙(治責)지 아니시면 뉘 졍도로 교화호리 잇고?"

<hr>

1369) 딘녈(瞋烈) : 몹시 성을 내어 눈을 부릅떠 엄한 기색을 띰.
1370) 삼천디교(三遷之敎) : 맹자의 어머니가 아들을 가르치기 위하여 세 번이나 이사를 하였음을 이르는 말.
1371) 압두능경(壓頭凌輕) : 억누르고 업신여기며 가벼이 여김.

1308) 삼천디교(三遷之敎) : 맹자의 어머니가 아들을 가르치기 위하여 세 번이나 이사를 하였음을 이르는 말.

호람휘 허리를 굽혀 왈,

"쇼싱이 아모리 광텬을 계칙(戒責)고져 ᄒᆞᆫ들, 제 가쇼로이 넉인 후는 니르는 말이 효험이 업고, 긔괴히 넉이믈 더을 ᄯᆞᆯ이라. 이러므로 아ᄋᆡ의[1372] 무익ᄒᆞᆫ 슌셜(脣舌)[1373]을 허비치 아니려 ᄒᆞᄂᆞ이다."

셜파【12】의 니러 밧그로 나아가니, 창휘 금일 계부의 말ᄉᆞᆷ을 듯ᄌᆞ오미, 출하리 일빅장칙(一百杖責)을 바듬만 ᄀᆞᆺ디 못ᄒᆞ여, 경황젼뉼(驚惶戰慄)ᄒᆞ여 계부를 뫼셔 외헌의 나오미, 공이 엄셕과 거장 씨친 시노 등을 ᄎᆞᆾ ᄎᆞᆾ 엄히 티죄ᄒᆞ딕, 맛ᄎᆞᆷᄂᆡ 창후다려 ᄒᆞᆫ 말이 업ᄉᆞ니, 창휘 감히 안연(晏然)이 승당치 못ᄒᆞ여, 관영(冠纓)을 히탈ᄒᆞ고 계하의 나려 죄를 쳥ᄒᆞ딕, 공이 본 체 아니ᄒᆞ고 굿ᄐᆞ여 믈너 가란 말도 아니니, ᄎᆞ시 계동(季冬)이라. 븍풍이 쎠를 블고 대셜이 셕하(碩下)ᄒᆞ니[1374], 경긱의 몸 우희 ᄌᆞ히 나리ᄂᆞᆫ디라. 니뷔 졀민초조ᄒᆞ여 부젼의 궤고 왈,

"형이 비록 일시 과거를 힝ᄒᆞ미 잇ᄉᆞ오나, 대인이 다스리시고 즉시 샤ᄒᆞ샤 슬하의 시봉케【13】ᄒᆞ시미 맛당ᄒᆞᆫ가 ᄒᆞᄂᆞ이다."

공이 즐왈,

"너히 무상ᄒᆞ미 광텬으로 다르디 아니ᄒᆞ여, 딘시의 노듕(路中) 변(變)을 알오딕, 노부를 긔이믈 못밋츨ᄃᆞ시 ᄒᆞ여, 흉패(凶悖)ᄒᆞᆫ 광텬과 동심ᄒᆞ니, 엇디 통완치 아니리오. 광텬은 노뷔 다스릴 묘리(妙理) 더옥 업고, 제 날을 아ᄌᆞ비라 ᄒᆞ여 쳥죄홀 묘리 업셔 패려ᄒᆞ미 졈졈 더ᄒᆞ니, 여뷔 비록 ᄌᆞ졍을 쎠나미 졀박ᄒᆞ나, 마디 못ᄒᆞ여 져를 피ᄒᆞ여 집을 쎠날 밧 홀 일 업ᄉᆞ니, 션형(先兄)의 셩덕녜모(盛德禮貌)로 광텬 ᄀᆞᆺ튼 탕ᄌᆞ를 두어실 줄 아라시리오. 요슌디ᄌᆞ(堯舜之子)도 블쵸(不肖)ᄒᆞ거니와, 광텬의 패려ᄒᆞ믄 도시 나의 ᄀᆞᄅ치디 못ᄒᆞᆫ 연괴니, 일마다 구쳔타일(九天他日)의 션친과 망형을 뵈올 안면이

1372)아ᄋᆡ의 : 아예. 전적으로. 순전하게.
1373)슌셜(脣舌) : ①입술과 혀를 아울러 이르는 말. ②수다스러움을 비유적으로 이르는 말.
1374)셕하(碩下)ᄒᆞ다 : 땅에 가득 차게 내리다. 눈이나 비 따위가 펑펑 쏟아져 내림.

남휘 흠신 왈,

"쇼싱이 아모리 광텬을 계칙(戒責)ᄒᆞ나 조곰도 두려오미 업고 가쇼로이 아ᄂᆞᆫ지라. 니르미 무익ᄒᆞ니이다."

언파에 츌외ᄒᆞ니, 창휘 금일을 당ᄒᆞ야 출아히[리] 일빅장칙(一百杖責)《에 지나지 아니ᄒᆞᆫ지라‖을 바듬만 ᄀᆞᆺ디 못ᄒᆞᆫ지라》. 경황젼뉼(驚惶戰慄)ᄒᆞ여 딘씨 거장 씨침과 유랑을 듕형ᄒᆞ미 뉘웃ᄎᆞ나 밋지 못ᄒᆞ거늘, 계뷔 츌외ᄒᆞ여 엄셕을 치죄ᄒᆞ디, ᄌᆞ긔ᄂᆞᆫ 아른 체 아니니, 창휘 안연(晏然)치 못ᄒᆞ여 계하에 ○○○[관영(冠纓)을] 히탈코 쳥죄ᄒᆞ나, 공이 본체 아니코 믈너가라 말도 아니ᄒᆞ니, ᄎᆞ시 납혼(臘寒)[1309]이라. 븍풍이 쎠를 《브러‖불고》 대셜이 나려 경각에 일신의 기득ᄒᆞᆫ지라. 니뷔 졀민초조ᄒᆞ여 부젼의 고왈,

"형이【9】비록 일시 과격ᄒᆞ나, 야얘 명졍기죄(明正其罪)ᄒᆞ시고, 샤죄ᄒᆞ시믈 ᄇᆞ라ᄂᆞ이다."

공이 즐 왈,

"너의 무상이 광ᄋᆞ의 우희라. 일작 도즁ᄉᆞ(道中事)를 알오딕, 나를 업슴 ᄀᆞᆺ치 긔이니, 엇지 인ᄌᆞ지되(人子之道)리오. 광텬은 내 알빅 아니니, 제 나를 아ᄌᆞ비로 알니 업ᄂᆞ니라. 내 비록 ᄌᆞ위을 니측(離側)기 결연ᄒᆞ나 부득이 져를 피ᄒᆞ여 집을 쎠나리니, 션형의 셩덕으로 광ᄋᆞ ᄀᆞᆺ튼 픽ᄌᆞ를 두어실 줄은 실시녀외(實是慮外)라. 요슌지ᄌᆞ(堯舜之子)도 블쵸ᄒᆞ거니와 광ᄋᆞ의 픽악무도는 젼혀 나의 교도(敎導)치 못ᄒᆞ미라. ᄉᆞᄉᆞ(事事)히 구쳔타일(九天他日)의 션형긔 뵈올 낫치 업도다."

1309)납혼(臘寒) : 음력 섣달의 추위. *납월(臘月) : 음력 섣달, 곧 12월을 이르는 말.

업도다."

니뷔 블【14】 승황공(不勝惶恐)ᄒ고, 창휘 계부의 말ᄉᆞᆷ을 듯ᄌᆞ오미 참황특쳑(慘惶踧踖)ᄒ여, ᄌᆞ긔 남다른 결증과 츌발(出拔)ᄒᆞᆫ 댱긔(壯氣)로뻐, 브ᄃᆡ 위풍을 셰오고 쳐실을 엄히 졔어(制御)ᄒ여 녀ᄌᆞ의 교우ᄒᆞᆷ을 썩고져 ᄒᆞᆫ 거시, 믄득 계부의 노를 만나 이ᄃᆞᆲ고 뉘웃브미 무궁ᄒ여 가득이 두리나, 강인(强忍) 지비 쳑비(慽悲) 왈,

"계부대인은 유ᄌᆞ(猶子)의 죄를 붉히 다ᄉᆞ리샤 죽기로뻐 죄를 주시고, 여ᄎᆞ 하교(下敎)를 마르쇼셔. ᄌᆞ딜의 ᄆᆞᄋᆞᆷ의 엇디 견딜 빌이잇고? 바라건ᄃᆡ 유ᄌᆞ를 용납ᄒ샤 듕티(重治)ᄒ쇼셔."

공이 츠게 우어 왈,

"내 엇디 너를 용납디 아니리오. 원간 너ᄂᆞᆫ 누ᄃᆡ(累代) 종ᄉᆞ(宗嗣)〇[를] 밧들 듕ᄒᆞᆫ 몸이【15】라. 네 날을 아ᄌᆞ비로 아디 말나. 내 집을 써나리니 너ᄂᆞᆫ ᄌᆞ힝ᄌᆞ디(自行自止)ᄒ여 남의 이목을 ᄀᆞ리와 괴로온 듸죄를 말디어다."

언파의 디게1375)를 닷고 방듕의 안ᄌᆞ 아른 체 아니니, 니뷔 ᄎᆞ마 형댱의 대셜 듕 셕고(席藁)1376)ᄒᆞᆷ을 보디 못ᄒ여, 역시 계하의 나려 풍셜의 괴로오믈 흔가디로 겻그니, 호람휘 창후의 튱텬댱긔를 아ᄂᆞᆫ 고로, 약간 장칙은 모긔 무니만 홀 줄 짐작ᄒ여, 견집(堅執)ᄒ여 그 ᄆᆞᄋᆞᆷ을 썩그려 ᄒ나, 풍셜 듕 계하의 듸죄ᄒᆞᆷ을 그윽이 념녀ᄒ여 병이 날가 근심ᄒ더라.

날이 져믈 ᄊᆡ의 하리 보왈(報曰),

"낙양후 노애 니르러 계시이다."

호람휘 즉시【16】 드러 오믈 쳥ᄒ니, 낙양휘 대셔헌의 니르러 창휘 관영을 히탈ᄒ고 대셜 가온ᄃᆡ 브복(仆伏)ᄒ여시니, 그 일신의 빅셜이 흔 ᄌᆞ히나 ᄡᅡ혀시믈 보고 대경

니뷔 블승황공(不勝惶恐)ᄒ고, 창휘 뉵니만안(恧怩滿顔)1310)의 욕ᄉᆞ무지(欲死無地)라. ᄌᆞ긔 남ᄃᆞ른 결증으로 쳐ᄌᆞ를 엄졔(嚴制)ᄒ여 녀ᄌᆞ의 교오(驕傲)를 썩그랴 ᄒ미, 믄득 슉부의 엄노를 〇〇[만나] 뉘웃ᄎᆞ미 무궁ᄒ여 《부득이∥가득이》 두리나, 강잉코 고두ᄌᆞ비(叩頭再拜)【10】ᄒ여 함쳑(含慽) 왈,

"슉부는 유ᄌᆞ(猶子)의 죄를 붉히 ᄃᆞᄉᆞ리샤 죽기로 죄를 쥬시고, 여ᄎᆞ 망극ᄒᆞᆫ 말ᄉᆞᆷ을 마르쇼셔. ᄌᆞ딜이 엇지 견딜 빌이오. 복걸(伏乞) 슉부는 유ᄌᆞ를 용납ᄒ샤 즁치(重治)ᄒ쇼셔."

공이 닝소 왈,

"내 어이 너를 용납지 아니리오. 원간 너ᄂᆞᆫ 누ᄃᆡ 봉샤홀 즁ᄒᆞᆫ 몸이니, 일가의 웃듬이라. 나를 삼촌(三寸)으로 아지 말나. 내 집을 써나리니 ᄌᆞ힝ᄌᆞ지(自行自止)ᄒ여 남의 이목을 굴히와, 괴로온 말을 말지어다."

언파의 지기1311)를 닷고 방즁에 안ᄌᆞ 아른 체 아니니, 니뷔 ᄎᆞ마 형의 대셜 즁 〇〇〇〇[셕고(席藁)1312)ᄒ고] 잇시믈 보지 못ᄒ여, 역시 부복ᄒ여 풍셜의 치우믈 ᄀᆞᆺ치ᄒ니, 공이 창후의 긔운을 아ᄂᆞᆫ 고로 흔갓 ᄐᆡ장은 젹게 넉일 바로, 대셜 한풍의 괴로오믈 《넘치 아냐∥념녀치 아니나》, ᄋᆞ지 혹ᄌᆞ 병이 날가 근심ᄒ더니, 일모에 시뇌 낙양후 니르시믈 고ᄒ니, 공이 반【11】겨 마즐ᄉᆡ, 낙양휘 대셜 즁 〇〇[창휘] 듸죄ᄒ고 ᄯᅩ 상셰 겻히 부복흔지라. 휘 나아가 몸의 눈을 셜고 손을 잡아 당에 오르기를 쳥ᄒᆞᆫᄃᆡ, 창휘 움즉이지 아니니, 딘공이 홀일업

1375)디게 : 지게. 지게문. 옛날식 가옥에서, 마루와 방 사이의 문이나 부엌의 바깥문. 흔히 돌쩌귀를 달아 여닫는 문으로 안팎을 두꺼운 종이로 싸서 바른다.

1376)셕고(席藁) : 석고대죄(席藁待罪). 거적을 깔고 엎드려서 임금의 처분이나 명령을 기다리던 일.

1310)뉵니만안(恧怩滿顔) ; 부끄러워하는 기색이 얼굴에 가득함.

1311)지기 : 지게. 지게문. 옛날식 가옥에서, 마루와 방 사이의 문이나 부엌의 바깥문. 흔히 돌쩌귀를 달아 여닫는 문으로 안팎을 두꺼운 종이로 싸서 바른다.

1312)셕고(席藁) : 석고대죄(席藁待罪). 거적을 깔고 엎드려서 임금의 처분이나 명령을 기다리던 일.

대회(大驚大駭)ᄒᆞ여, ᄯᅩ 상셔를 보니 흔가디로 대셜을 므릅떳ᄂᆞᆫ디라. 낙양휘 당의 오로기를 날회고, 창후의 겻틱 나아가 그 몸 우희 눈을 쎨고 손을 잡아 승당ᄒᆞ믈 쳥ᄒᆞ디, 창휘 움즉이디 아냐 낫츨 드디 아니니, 딘공이 홀 일 업셔 창후의 손을 노코 당의 올나, 호람후로 더브러 계오 네필의 므러 ᄀᆞᆯ오디,

"ᄉᆞ원 형데 이런 풍셜 ᄀᆞ온디 《히‖하(何)》 죄로 계하의 ᄭᅮ럿ᄂᆞ뇨? 아디 못게라, 형이 ᄌᆞ딜을 티죄홀 ᄉᆞ단이 이셔 그리 ᄒᆞ 【17】ᄂᆞ냐? 보기의 경심(驚心)ᄒᆞ니 엇디 비인졍(非人情)의 거조(擧措)를 힝ᄒᆞᄂᆞ뇨?"

호람휘 미우를 ᄲᅵᆼ긔여, 왈,

"쇼뎨 블명ᄒᆞ여 ᄌᆞ딜(子姪)을 남ᄌᆞ치 교훈치 못ᄒᆞ여, 광텬의 무디블식(無知不識)홈과 망단패려(妄斷悖戾)ᄒᆞᆷ이 광박ᄌᆞ(狂薄者)의 힝ᄉᆡ라. 내 져의 부슉인 톄를 아니ᄒᆞ거늘, 능휼(能譎)ᄒᆞᆫ 거조로 짐즛 날을 쎡그려 ᄒᆞ미오, 형이 광텬으로 더브러 옹셔(翁婿)의 의(義) 이시나, 져히 무상(無狀)ᄒᆞᆷ이 녕녀(令女)를 조로고 보치며, 형의 명호(名號)를 드ᄂᆞ화 욕셜ᄒᆞᆷ이 가히 인심이 아니라. 나는 슉딜의 졍이나 통원(痛寃)ᄒᆞᆷ이 죽이고 시브거늘, 형은 므슨 ᄆᆞ음으로 져를 넘녀ᄒᆞ미 이의 밋ᄎᆞ뇨?"

낙양휘 쳥필의 한가히 우어 왈, 【18】

"ᄌᆞ식을 잘 못 나ᄒᆞ미 그 부뫼 욕을 취ᄒᆞᆷᄂᆞᆫ ᄀᆞ장 녜ᄉᆡ라. 녀식의 블민누딜(不敏陋質)이 ᄉᆞ원의 됴흔 ᄣᅡᆨ이 아니라, 고산 ᄀᆞᆺ튼 안견(眼見)의 맛ᄀᆞ디 아니ᄒᆞ여 블호(不好)ᄒᆞ미나, 이 블과 ᄋᆞ비(兒輩)의 ᄲᅡ홈이라. 어룬이 다 아른 톄 ᄒᆞ미 심히 다ᄉᆞ(多事)혼디라. 쇼뎨 평일 형이 휴휴댱부(休休丈夫)로 만ᄉᆞ 훤츨혼가1377) ᄒᆞ엿더니, ᄌᆞ딜의게 다ᄃᆞ라ᄂᆞᆫ 가찰(苛察)ᄒᆞ1378)고 회곡(回曲)ᄒᆞ1379)미 아

1377)훤츨ᄒᆞ다 : 훤칠하다. 막힘없이 깨끗하고 시원스럽다.
1378)가찰(苛察)ᄒᆞ다 : 까다롭게 따져 가며 세세하게 살피다.
1379)회곡(回曲)ᄒᆞ다 : 휘어서 굽다.

셔 잡은 손을 놋코 승당문왈(昇堂問曰),

"ᄉᆞ원 형뎨 엄흔 풍셜에 므슨 디죄홀 일이 잇ᄂᆞ뇨? 보미 놀라오니 엇지 비인졍○○○○[의 거조(擧措)]을[를] 힝ᄒᆞᄂᆞ뇨?"

공이 요두(搖頭) 왈,

"쇼뎨 블명 용우ᄒᆞ여 ᄌᆞ딜(子姪)을 교도치 못ᄒᆞ고, 광텬의 무지블식(無知不識)홈과 광망픠악(狂妄悖惡)ᄒᆞ미 경박ᄌᆞ(輕薄者)의 소힝이라. 쇼뎨 스스로 졔 아ᄌᆞ빈 톄 아니ᄒᆞᄂᆞ니 엇지 디죄ᄒᆞ리오마는, 흉휼지견(凶譎之見)으로 풍셜에 상ᄒᆞ여 내 탓슬 삼고져 ᄒᆞ미라. 형이 광으로 《용셔‖옹서》지의(翁婿之義) 잇시나, 졔 박힝이 녕녀를 즐욕ᄒᆞ고 형의 명쓰를 드노아 무식을 ᄌᆞ칭ᄒᆞ니, 나는 슉딜간이나 분ᄒᆞ미 죽이고져 ᄒᆞ거늘, 형은 【12】 《하를‖하고로》 넘녀ᄒᆞᄂᆞ뇨?"

딘공이 쳥파에 디소ᄒᆞ고 미염(美髥)을 어로만져 왈,

"ᄶᆞᆯ은 잘못 나ᄒᆞᆫ즉 욕급문호(辱及門戶)ᄒᆞ미 상ᄉᆡ라. 약녀(弱女)의 미거ᄒᆞ미 ᄉᆞ원의 ᄶᅡᆼ이 아니니, 고산 안견의 맛ᄀᆞ지 못ᄒᆞ여 징힐이 ᄌᆞᄌᆞ니, 블과 ᄋᆞ비(兒輩)의 싸홈이라. 어룬이 아른 양ᄒᆞ리오. 쇼뎨 평일에 형을 관홍장ᄌᆞ(寬弘長者)로 아더니, ᄌᆞ딜에게 가찰(苛察)1313)이 험상(險狀)을 브리ᄂᆞ뇨?"

1313)가찰(苛察)ᄒᆞ다 : 까다롭게 따져 가며 세세하게 살피다.

니 칙망홀 일을 큰 죄를 삼느뇨? 쳥컨디 슈
원을 샤ᄒ여 한셜(寒雪) ᄀ온디 상치 아니
케 ᄒ고, 쇼뎨의 ᄆ음을 편케 ᄒ라."

호람휘 뎡히 창후 형뎨를 넘녀ᄒ던 고로,
이의 흔연이 굴오디,

"형이 광텬의 무상ᄒ믈 죡가(足枷)치 아
니코, 도로【19】혀 쇼뎨를 인졍 밧기라 ᄒ
니 가히 원통ᄒ고, 내 져다려 딕죄(待罪)ᄒ
라 ᄒ미 아니로디, 형의 디극한 넘녀를 보
미 엇디 샤(赦)치 아니리오."

이의 창후를 승당(昇堂)ᄒ라 ᄒ니, 창휘
계부의 셩음이 화열ᄒ시믈 조차 노긔를 잠
간 프르시믈 불승환희ᄒ여 당의 오를ᄉᆡ, 대
셜이 몸이[의] 화(和)ᄒ여 빙슈(氷水)가 써
러디니, ᄉ디가 져려 능히 의관을 뎡돈치
못ᄒ니, 호람휘 명ᄒ여 니헌의 드러 가 옷
슬 갈나 ᄒ니, 창휘 돈슈샤죄(頓首謝罪)ᄒ고
밧비 슉녈 침소의 니르러 옷슬 ᄀ라닙고 ᄲᆞᆯ
니 나아오니, 니뷔 ᄯᅩ흔 개복(改服)ᄒ고 나
아와, 형뎨 ᄒᆞᆫ가디로 딘공의[긔] 비례ᄒ고
말셕(末席)의 시좌(侍坐)ᄒ니, 창후의 국궁
(鞠躬) 젼뉼(戰慄)ᄒ【20】미 능히 낫츨 드
디 못ᄒ니, 조심ᄒᄂᆞᆫ 모양과 두려ᄒᄂᆞᆫ 거동
이 호람후의 ᄆ음을 감동케 ᄒ고, 완슌(婉
順)ᄒᆞᆫ 낫빗과 경근ᄒᄂᆞᆫ 녜졀이 ᄀᆞᆺ초 긔특ᄒ
여, 싱텰(生鐵)을 녹이고 셕목(石木)을 요동
홀디라. 공이 심니의 두굿기고 귀듕ᄒ미 측
냥 업스디, 그 쥰격흔 ᄆ음을 ᄭᅥ고져 ᄒ여,
짐즛 엄슉흔 빗츨 디어 딘시의 거교(車轎)
씨침과 허다 광패디셜(狂悖之說)노 뎡실을
구욕ᄒ고 무죄흔 유모를 혹형ᄒᆞᆯ믈 대언졀칙
(大言切責)ᄒ니, 위풍이 늠녈ᄒ여 요란이 장
칙ᄒᄂᆞᆫ 바의 더ᄒᆞᆯ ᄲᅮᆫ 아니라, 창후의 능변
과 튱텬댱긔로도 말을 못ᄒ고 슌슌(順順)
쳥죄(請罪)ᄒᆞᆯ ᄯᆞ름이라."

딘휘 쇼왈,

"형이 ᄌᆞ딜의게【21】유엄(有嚴)ᄒ나, 쳐
ᄌᆞ를 즐칙ᄒ여 ᄉᆞ실의셔 징난(爭亂)ᄒᄂᆞᆫ 거
슬 다 죄를 삼아 후일을 다 니ᄅᆞᄂᆞ뇨? 쇼뎨

언필에 환소(歡笑)ᄒ고 ᄌᆞ딜을 샤(赦)ᄒ여
마음이 편키를 쥬ᄒ라 ᄒ니, 공이 흔연 왈,

"형이 오딜의 광픽ᄒ믈 허믈치 아니코,
쇼뎨를 비인졍이라 ᄒ니 쇼뎨가 가히 원통
흔디라. 져ᄃᆞ려 딕죄(待罪)ᄒ라 ᄒ미 업고,
져의 힝ᄉᆞ를 칙망 아니키로 결단ᄒ엿더니,
형은 옹셔지의나 이ᄀᆞᆺ치 지극ᄒ니, 쇼뎨 슉
딜의 졍으로 샤ᄒ{오}미 무어시 어러[려]오
리오."

도라1314) 창후를 오르기를 명ᄒ고, 셔동
으로 관과 ᄲᅴ를【13】쥬니, 휘 슉부의 셩음
이 화열ᄒᄆᆞ로 조차 당에 오르려ᄒᆞᆯ ᄉᆡ, 일
신이 궐닝(厥冷)ᄒ미 져려 슈습지 못ᄒ니,
ᄲᅴ를 두르기도 어둔흔지라. 공이 ᄂᆡ당에 가
미복(微服)ᄒ고 나오라 ᄒ니, 창휘 ᄉᆞ죄ᄒ고
밧비 뎡씨 침소의 가 옷슬 가라입고 나와
딘후긔 비례ᄒ니, 창후의 국궁젼뉼(鞠躬戰
慄)ᄒ여 낫츨 드지 못ᄒ미, 공의 ᄯᅳᆺ을 감
동커늘, 완슌흔 낫빗과 겸손흔 거동이 ᄀᆞᆺ초
특이ᄒ야 싱쳘을 녹이고, 셕목(石木)이 동ᄒᆞᆯ
지라. 공이 심니의 두굿기고 귀즁ᄒ미 무비
(無比)ᄒ디, 쥰격흔 ᄯᆞᆺ을 ᄭᅥ고져 엄식으로
졍실 곤욕ᄒ미 무식 광픽ᄒ고, 무죄흔 유랑
○[을] 혹형ᄒᆞ믈 대언졀칙(對言切責)ᄒ니,
장칙(杖責)에 더ᄒᆞᆯ ᄲᅮᆫ 아니라, 츠후의 그르
미 잇슨 즉 단졍코 슉딜이 다시 보지 아니
니라 ᄒ니, 창후의 츙텬지긔(衝天之氣)로 말
을 못ᄒ고, 슌슌(順順) 쳥죄(請罪)ᄒᆞᆯ ᄲᅮᆫ이라.

딘휘 쇼【14】왈,

"형이 ᄌᆞ딜에게 유엄(有嚴)ᄒ나, 쳐ᄌᆞ와
상힐ᄒ야 ᄉᆞ실의 젹은 허믈을 죄 삼아 후일

1314)도라 : 이에. 이러하여서 곧.

금일 니르믄 녀이 유딜(有疾)타 ᄒ거놀, 잠간 보고 형으로 더브러 ᄒᆞ가디로 밤을 디니고져 풍셜을 피치 아니코 왓더니, 엇디 남의 쳔금 셔랑을 대한빙셜(大寒氷雪)의 ᄭᅮᆯ니고 슈죄(數罪)ᄒᆞᆯ 줄 알니오."

남휘 미쇼 왈,

"형은 쳔금이셔(天金愛壻)라 ᄒ거니와, 광뎐은 흉패난셜(凶悖亂說)노 형의 부녀를 욕ᄒᆞ니, 므어시 그리 귀듕ᄒ리오."

딘휘 우쇼(又笑) 왈,

"아모리ᄒᆞ다[1380] ᄒᆞ여도, 쇼뎨ᄂᆞᆫ 그 위인을 심복ᄒᆞᄂᆞ니, 져희 부뷔 언힐(言詰)ᄒᆞᄂᆞᆫ 쎠의 삼가디 못ᄒᆞᄂᆞᆫ 말을 유심(有心)ᄒ랴."

남휘 잠쇼무언(潛笑無言)이러라.

창후 형뎨 ᄂᆡ당의 드【22】와 존당과 모친긔 문안ᄒᆞ니, 태부인은 다시 쳐실게 광긔(狂氣)를 브리디 말나 ᄒ고, 조부인은 졀칙ᄒᆞ여 후일을 경계ᄒ더라.

셕식을 파ᄒᆞᆫ 후, 호람휘 창후를 명ᄒᆞ여 악댱을 인도ᄒᆞ여 딜부 침소로 드러가라 ᄒᆞ니, 창휘 불감위명(不敢違命)ᄒᆞ여 낙양후를 인도ᄒᆞ여 딘시 쳐소의 니르니, 딘쇼졔 창후를 딘노(震怒)ᄒᆞᄆᆡ 텰골(徹骨)ᄒ고 뎍샹(積傷)ᄒᆞᆫ 병이 복발(復發)ᄒᆞ여 식음을 거스리고, 침금의 몸을 더뎌 괴로이 신음홀 ᄯᅢ이러니, 야야의 드러오시믈 보고 마디 못ᄒᆞ여 소두(搔頭)[1381]를 헤ᄲᅳᆯ고[1382] 금니(衾裏)를 밀고 니러 마ᄌᆞ니, 딘공이 녀ᄋᆞ를 보믹 슈일디ᄂᆡ(數日之內)로 화용이 초췌ᄒ고 옥골이 슈븨(瘦憊)[1383]ᄒᆞ여 표연(飄然)이【23】우화(羽化)홀 ᄃᆞ시ᄒ더라.

공이 극히 념녀ᄒ고 녀ᄋᆞ의 긔식을 보니, 쇼졔 창후의 드러 오믈 보고 팔ᄌᆞ아황(八字蛾黃)의 닝녈(冷烈)ᄒᆞᆫ 노긔를 ᄭᅴ이고, 안식의 분연ᄒᆞᄆᆡ 니러나니, 초쥰(峭峻)[1384] 미몰

1380)아모리ᄒ다 : 아무러하다. 구체적으로 정하지 않은 어떤 상태나 조건에 놓여 있다.
1381)소두(搔頭) : ①비녀. ②머리를 긁음.
1382)헤ᄲᅳᆯ다 : 헤쳐 쓸다. *ᄲᅳᆯ다 : 헝클어진 머리 따위를 가볍게 쓰다듬어 가지런하게 하다.
1383)슈븨(瘦憊) : 몸이 파리하고 지쳐 있음.

을 니ᄅᆞᄂᆞ뇨? 소뎨 금일 니르믄 녀이 유질(有疾)타기로, 잠간 보고 형으로 더브러 밤을 디니려 풍셜(風雪)을 피치 아니코 오미러니, 엇지 남의 쳔금 셔랑을 대한풍셜(大寒風雪)의 ᄭᅮᆯ니고 슈죄ᄒᆞᆯ 쥴 알니오."

남휘 미소 왈,

"형은 쳔금이셔(天金愛壻)라 ᄒ거니와, ○○○[광텬은] 흉픽난셜(凶悖亂說)은[노]{광텬의 입으로} 형의 부녀를 욕ᄒᆞᄂᆞ니 무어시 그리 귀ᄒ리오."

딘휘 우소 왈,

"아모라커니[1315] 소뎨ᄂᆞᆫ 그 위인을 과즁이 여기ᄂᆞ니, 부뷔 상힐ᄒᆞᄂᆞᆫ 쎠의 말을 삼가지 못ᄒᆞᄆᆞ로 유심(有心)ᄒ랴?"

남휘 잠소무언(潛笑無言)이러라.

창후 형뎨 ᄂᆡ당의 드러와 조모와 모친긔 문안ᄒᆞ니, 태부인은 다시 쳐실에게 광거(狂擧)를 말나 ᄒ고, 모 부인은 졀칙ᄒᆞ여 후일을 경계ᄒ더라.

셕식을 파ᄒ 후, 공이 창후를 명ᄒᆞ여 딘공을 뫼셔 딘【15】씨 침소로 가라ᄒᆞ니, 휘 승명ᄒᆞ여 악장을 뫼셔 딘씨 침소에 나아가니, 소졔 창후를 졀분(切忿)ᄒᆞᄆᆡ 쳘골(徹骨)ᄒᆞ여 젹상(積傷)ᄒᆞᆫ 병이 복발(復發)ᄒᆞᄆᆡ, 침와(寢臥) 고통ᄒ더니, 부친의 님ᄒ시믈 보고 부득이 소두(搔頭)[1316]를 ᄲᅳᆯ고[1317] 니러 마ᄌᆞ니, 딘휘 녀ᄋᆞ를 보믹 슈일지ᄂᆡ(數日之內)에 화용이 초췌(憔悴)ᄒ고 옥골이 돌연(怛然)ᄒᆞ여 슈쳑(瘦瘠)ᄒᆞᄆᆡ 심ᄒᆞ니 그윽이 념녀ᄒ고, 소져ᄂᆞᆫ 창후를 보믹 팔ᄌᆞ아황(八字蛾黃)에 한긔(寒氣) 표표(飄飄)ᄒᆞ니 텬셩의 초쥰(峭峻)[1318]ᄒ믈 감초지 못ᄒᆞᄂᆞᆫ지라. 공이 녀ᄋᆞ를 겻ᄒ 안치고, 녀셔의 손을 잡고 소 왈,

1315)아모라커니 : 아무러하다 하여도. *아무러하다; 구체적으로 정하지 않은 어떤 상태나 조건에 놓여 있다.
1316)소두(搔頭) : ①비녀. ②머리를 긁음.
1317)ᄲᅳᆯ다 : 쓸다. 헝클어진 머리 따위를 가볍게 쓰다듬어 가지런하게 하다.
1318)초쥰(峭峻) : ①지세가 험하며 높고 가파르다. ②성질이 엄하고 급하여 아량이 없다.

ㅎ여1385) 말 붓치기 어려온디라. 낙양휘 녀
ᄋᆞ를 겻틱 안치고 창후의 손을 잡아, 우
어1386) ᄀᆞᆯ오디,

"노뷔 금일 녀와 셔를 디ᄒᆞ여 그 회포를
은닉디 아니ᄂᆞ니, 모로미 수원은 괴이히 넉
이디 말고, 부뷔 화동(和同)ᄒᆞ여 ᄎᆞ후나 블
평디시 업게 ᄒᆞ라. 녀ᄋᆞ의 위인(爲人)이 쳥
결단아(淸潔端雅)ᄒᆞ여 일분 비루ᄒᆞ믈 면ᄒᆞ
여시나, 맛춥니 딜녀(姪女)의 흠업시 너름과
흠업슨 깁흔 거슬 밋디 못ᄒᆞ고, 녕존당 태
부인과 슉당【24】부인 환후의 져의 도리
를 다ᄒᆞ여 구호치 못ᄒᆞᆷ은, 옥화산의 나아
가 녕당 태부인을 시봉ᄒᆞᆫ 연괴오, 수원이
도라 온 후 즉시 나아오디 못ᄒᆞᆷ은, 제 흔갓
유딜(有疾)ᄒᆞᆯ ᄲᅳᆫ 아니라, 우리 져를 권ᄒᆞ여
보닉디 못흔 허믈이라. 영슈 등의 괴이흔
탓시니 수원이 노ᄒᆞ미 어이 그르다 ᄒᆞ리오.
공거(公車)를 환송ᄒᆞ미 ᄯᅩᄒᆞᆫ 제 ᄯᅳᆺ이 아니
라. 영쉬 동긔를 ᄉᆞ랑ᄒᆞ미 도로혀 그릇 히
ᄒᆞ기의 갓가왓ᄂᆞᆫ디라. 수원이 년쇼쥰급(年
少峻急)흔 노긔를 주리잡디 못ᄒᆞ여, 군관
하리로 거교를 ᄯᅵ치고 녀ᄋᆞ를 슈죄ᄒᆞ여시
미, 노부조ᄎᆞ 드노화 슈욕(數辱)ᄒᆞ미 그 분
심(忿心)을 쾌히 플고져 ᄒᆞ미나,【25】그윽
이 싱각건디, 녀이 상님(桑林)1387의 쳔인이
아니라, 거교(車轎) ᄐᆞ미 범법이 아니어늘,
도듕의셔 쳔흔 군관과 흉녕흔 노복 등이 쇠
방치1388와 돌흘 더져 욕ᄒᆞᆷ은 몬져 히ᄒᆞ미
의셔 셰 번 더은디라. 어나 결을의 그 유모
의 슈형(受刑)한 거슬 의논ᄒᆞ리오. 연이나
녀ᄌᆞᄂᆞᆫ 복어인(伏於人)이라. 갈ᄉᆞ록 손슌유
열(遜順愉悅)ᄒᆞ미 올커늘, 녀ᄋᆞ의 초강ᄒᆞ미
스리를 모로고 수원을 본 젹마다 잉분함노
(忍憤含怒)ᄒᆞᆫ 젹디 아닌 패힝(悖行)이라.
수원이 크게 다ᄉᆞ려 흔 조각 인졍을 머므르

"내 금일 녀·셔를 디ᄒᆞ여 장단(長短)을
니르고 ᄯᅳᆺ을 은닉지 아니ᄂᆞ니, 쳥문은 웃지
말나. 너의 부뷔 ᄎᆞ후나 화동(和同)ᄒᆞ여 언
시(言事) 업기를 ᄇᆞ라노라. 오ᄋᆞᆯ(吾兒) 쳥결
단아(淸潔端雅)ᄒᆞ여 비쳔키ᄂᆞᆫ 면ᄒᆞ나, 오히
려 딜녀의 흠업시 너름과 밋지 못ᄒᆞ고, 녕
존당 딜환(疾患)에 구호치 못ᄒᆞ고,【16】조
태부인긔 시봉치 못ᄒᆞᆷ[믄] 유질ᄒᆞᆫ 연고
오, 공거(空車) 환송ᄒᆞᆷ은 《뎡쉬∥영쉬》 동
긔를 위ᄒᆞ여 ᄉᆞ랑코 앗기미 도로혀 히되여,
녀ᄋᆞᄂᆞᆫ 아지 못흔 거슬, 현셰 소년 협긔로
군관 노복을 보닉여 교ᄌᆞ를 ᄭᆡ치믄 부녀를
즐욕ᄒᆞ여 셜분ᄒᆞ미나, 념(念)컨디, 녀이 상
님(桑林)1319 쳔녜 아니니 거교 타미 범법
(犯法)이 아니라, 엇지 도ᄎᆞ에 노복을 보닉
여 돌과 쇠를 더져 욕을 밧게 ᄒᆞ니, 벌이
티과(太過)ᄒᆞ여 져의 허믈에 셰 번 더으미
잇시나, 어나 겨를의 유랑 슈형(受刑)ᄒᆞᆷ믈
허믈 ᄒᆞ리오. 연이나 부인은 복어인(伏於人)
이니, 가지로[록]1320 온슌유화(溫順柔和)ᄒᆞ
여 례경(禮敬)ᄒᆞ미 가ᄒᆞ거늘, 녀ᄋᆞ의 초강ᄒᆞ
미 스리를 모르고 가군을 본죽 함노(含怒)
ᄒᆞ니 젹지 아닌 셩악(性惡)이라. 이ᄂᆞᆫ 크게
다ᄉᆞ려도 내 한치 아닐 거시오, 녀이 종시
고집ᄒᆞ여 마음을 고치지 아니면 도리 아니
이[리]라. 원컨디 쳥【17】문은 인후관대
(仁厚寬大)ᄒᆞᆯ믈 힘써 고치고, 녀ᄋᆞ난 화슌유
열(和順愉悅)키를 쥬의(主意)ᄒᆞ여 상경상화
(相敬相和)ᄒᆞ고 부창부슈(夫唱婦隨)ᄒᆞ여 셕
년 화란과 금(金)에 히거(駭擧)를 일장고ᄉᆞ
(一場古事)로 알나."

1384)초쥰(峭峻) : ①지세가 험하며 높고 가파르다.
②성질이 엄하고 급하여 아량이 없다.
1385)믜몰ᄒᆞ다 : 인정이나 싹싹한 맛이 없고 쌀쌀맞
다.
1386)우으다 : 웃다. 우습다.
1387)상님(桑林) : 상전(桑田). 뽕밭.
1388)쇠방치 : 쇠망치. 쇠로 만든 망치.

1319)상님(桑林) : 상전(桑田). 뽕밭.
1320)가지록 : 갈수록.

디 아냐도, 노뷔 실노 한치 아닐 거시오, 녀
의 무죄흔 바의 수원이 광거(狂擧) 이신즉
이돌올디라. 금번 거교를 도듕의 씌치믄 수
원이 만만 잘 못흔 일이【26】나, 녀지 강
녈흔 후는 빅히무비(百害無比)흔 일을 녀이
오히려 씌돗디 못ᄒ니, 일공(一空)1389)이 막
혓ᄂ디라. 수원은 죵용이 관대ᄒᆞᄆᆞᆯ 쥬ᄒᆞ고
녀ᄋᆞ난 유순화열ᄒᆞᄆᆞᆯ 힘뼈, 상경상화(相敬
相和)ᄒᆞ며 부챵부슈(夫唱婦隨)ᄒᆞ여 셕년 화
란과 금번 히거를 일쟝고ᄉᆞ(一場古事)로 니
르라."

쇼져는 머리를 숙여 말이 업고, 챵휘 허
리를 굽혀 왈,

"악댱의 명괴 맛당ᄒᆞ시니 쇼싱이 엇디 밧
드디 아니리오. 녕녀의 교우강악(驕愚强惡)
홈과 오만방ᄌᆞᄒᆞᆷ은 쇼싱 ᄀᆞᆺ튼 결증 잇ᄂᆞᆫ 즈
로 ᄒᆞ여금 틱ᄒᆞ미 심화가 니러나ᄂᆞ디라. 분
두(忿頭)의 말ᄉᆞᆷ을 삼가디 못ᄒᆞᆷ은, 쏘흔 큰
허믈이라. 녕녀의 괴독요ᄉᆞ디언(怪毒妖邪之
言)을 드르미,【27】통완ᄒᆞᄆᆞᆯ 니긔디 못ᄒᆞ
여, 과연 악댱의 휘ᄯᆞᆯ 드노하 즐언ᄒᆞᆷ은
업디 아니ᄒᆞ거니와, 악댱이 아모리 관대ᄒᆞ
셔도 악뫼 만일 녕녀ᄀᆞᆺ치 패악ᄒᆞ시면, 악댱
이 친히 즛두다려 분을 플고져 ᄒᆞ시려니와,
오히려 일분 ᄉᆞ졍을 면치 못ᄒᆞ샤 녕녀는 ᄀᆞ
쟝 현슉흔 녀ᄌᆞ로 아르시고, 쇼싱은 우패
(愚悖)흔 광긱(狂客)으로 칙우시거니와, 쇼
싱이 비상변고(悲傷變故)ᄒᆞ여 ᄉᆞ경(死境)을
디ᄂᆡ고, 계오 일명을 보젼ᄒᆞ여 닙공환경(立
功還京)ᄒᆞ미, 부부디졍의 영힝(榮幸)ᄒᆞ여 즉
시 도라와 보미 녀힝(女行)의 올커ᄂᆞᆯ, 공교
로이 칭병ᄒᆞ고 쇼싱이 악모긔 비현홀 셕의
ᄂᆞᆫ 깁히 이셔 셔로보디 아니니, 쇼싱으로뼈
ᄌᆞ긔게 현알ᄒᆞ여 빌【28】과져 ᄒᆞᄂᆞᆫ ᄯᅳ시
니, 극히 쳔연치 못ᄒᆞ고, 거줏 아디 못ᄒᆞᆷ을
평계ᄒᆞ여 ○○○○○○[가형으로 ᄒᆞ여]금
쇼싱의게 욕 된 셔간을 보ᄂᆡ고 공거를 환송
ᄒᆞ니, 그 힝식 통히흔디라. 쇼싱이 만일 편
친(偏親)과 샤슉(舍叔)을 두리디 아니면, 오

소졔 념용(斂容)ᄒᆞ고, 챵휘 흠신(欠身) 틱
왈,

"악쟝의 하괴 맛당ᄒᆞ시니 엇디 ᄂᆞ즈리 잇
고? 다만 실인의 교오강악(驕傲强惡)이 쇼
싱ᄀᆞᆺ튼 결증잇ᄂᆞᆫ 즈의 심화를 도도ᄂᆞᆫ지라.
분두(忿頭)에 말을 삼가지 못ᄒᆞ여 과연 실
언ᄒᆞ미 잇시나, 악쟝이 아모리 관홍ᄒᆞ셔도
악뫼 만일 녕녀ᄀᆞᆺ치 괴독(怪毒)ᄒᆞ신즉 어이
ᄉᆞ단이 업ᄉᆞ리잇고? 오히려 ᄉᆞ졍을 면치 못
ᄒᆞ샤, 영녀는 뇨됴 슉완으로 아르시고, 소싱
은 광긱(狂客)으로 밀위시니, 소싱이 십싱
구ᄉᆞᄒᆞ여 닙공(立功) 싱환(生還)ᄒᆞ오니, 부
부간 영힝(榮幸)ᄒᆞ미 잇신즉, 즉시 도라와
조모와 슉모 위질의 구호ᄒᆞ미 부도어ᄂᆞᆯ, 간
샤히 칭병ᄒᆞ고 소셰(小壻)《이모∥악모》
긔 비현시에 거줏 아지 못ᄒᆞ【18】믈 평계
ᄒᆞ고, 가형을 촉ᄒᆞ여 욕셜을 보ᄂᆡ며 공거
(空車)를 환송ᄒᆞ니, 힝식 졀졀통완(切切痛
惋)흔지라. 싱이 만일 샤슉과 편친을 두리
지 아니면, 오긔(吳起)의 살쳐(殺妻)를 효측
지 아녀씨리잇마는, 즈졍의 ᄉᆞ랑ᄒᆞ시므로
만히 춤으미오, 거교 씌침도 큰 죄로 아르
샤 즈모(慈母)와 슉뷔(叔父) 대의로 칙ᄒᆞ시
니, 즈모와 슉부의 진노ᄒᆞ시믈 샤죄ᄒᆞ여 광
거(狂擧)를 힝흔 ᄃᆞ시 ᄒᆞ오니, 영녀의 교앙
(驕昂)ᄒᆞᆷ은 더홀소이다."

1389)일공(一空) : 하늘 젼체. 여기서는 일심(一心)
곧 마음을 뜻함.

긔(吳起)의 살쳐(殺妻)를 효측디 아니리잇
가? 도듕의 거교를 씌치미 그 죄대벌경(罪
大罰輕)ㅎ나, 샤슉과 편친이 녕녀를 과이ㅎ
시므로, 쇼싱을 티췩(治責)ㅎ시니, 모슉(母
叔)이 노ㅎ시는 바의 ᄎ마 안연치 못ㅎ여,
ᄉ죄(死罪)나 디온ᄃ시 셕고(席藁)ㅎ미 니르
니, 차후 더옥 녕녀난 교우방죵(驕愚放縱)이
더으리로소이다.”

낙양휘 희연(喜然) 쇼왈,

“내 평싱 ᄉ졍을 먼니ㅎ고 공의(公義)를
크게 넉이ᄂᆞ니, 일녀를 위ᄒᆞ여 현셔를 우패
(愚悖)히 알【29】니오. 모로미 졔가(齊家)
의 위덕(威德)을 병힝ᄒᆞ족, 아녀 ᄀᆞᆺ튼 괴독
(怪毒)ᄒᆞᆫ 위인이라도 ᄌᆞ연 감화ᄒᆞ리라.”

인ᄒᆞ여, 쇼져를 경계ᄒᆞ여 슉녀ᄉ덕(淑女
四德)1390)을 힘쓰라 ᄒᆞ고, 슉녈을 블너 면
젼의 비현(拜見)ᄒᆞ미, 흔연이 반겨 손을 잡
고 왈,

“현딜은 녀듕셩인(女中聖人)이라. 녀ᄋᆞ의
조협(躁狹) 초강(超强)ᄒᆞᆫ 곳을 ᄀᆞᄅ쳐 유슌
화평ᄒᆞᆷ을 경계ᄒᆞ고, 군ᄌᆞ로 더브러 징힐(爭
詰)ᄒᆞᄂᆞᆫ 블ᄉᆞ미 업게 ᄒᆞ라.”

슉녈이 ᄃᆡ왈,

“표뎨의 셩ᄌᆞ아딜(聖姿雅質)과 슉힝셩심
(淑行聖心)은 쇼딜의 바랄 비 아니오니, 므
어슬 ᄀᆞᄅ치리잇가?”

냥휘 쇼왈,

“ᄎ언은 현딜의 겸양(謙讓)ᄒᆞ미어니와, 원
간 녀ᄋᆞ의 용식(容色) 긔딜(氣質)을 하ᄌᆞ(瑕
疵)ᄒᆞᄂᆞᆫ 거시 아니라, 우리 삼형뎨의 ᄌᆞ딜
(子姪)이 이【30】십인 ᄀᆞ온ᄃᆡ 졀은 져 샌
이니, ᄋᆞ시로브터 귀듕홀 ᄯᆞ름이오 ᄀᆞᄅ치
미 업ᄉᆞ니, 그 교우(驕愚)ᄒᆞ미 괴이치 아닌
디라. 모로미 현딜은 디극히 가ᄅ치라.”

ᄒᆞ고, 녀ᄋᆞ의 ᄆᆡᆨ을 보고 미우를 ᄡᅵᆼ긔여
왈,

“브졀 업시 심녀(心慮)를 허비ᄒᆞ여 젹상

딘휘 환소(歡笑) 왈,

“내 평싱 ᄉ졍을 먼니ᄒᆞ고 공의(公義)를
힘쓰ᄂᆞ니, 엇지 소녀를 위ᄒᆞ여 현셔를 글니
알니오. 모로미 졔가(齊家)의 위덕(威德)이
병힝ᄒᆞ여, ᄋᆞ녀 ᄀᆞᆺ튼 초쥰(峭峻)ᄒᆞᆫ 위인을
감화ᄒᆞᆷ믈 ○○○[일우라].”

인ᄒᆞ여, 녀ᄋᆞ의 부덕을 경계ᄒᆞ더니, 뎡소
졔 나아와 비현ᄒᆞ니, 딘휘 흔연 집슈 왈,

“너는 녀즁셩현(女中聖賢)이라. ᄋᆞ녀의 조
협(躁狹)ᄒᆞ믈 ᄀᆞᄅ쳐 유슌키를 경계ᄒᆞ고,
【19】 장부로 상힐(相詰)ᄒᆞ미 블가ᄒᆞ믈 ᄀᆞ
ᄅ쳐 일공(一空)의 막힌거슬 활연 관통케ᄒᆞ
라.”

소졔 왈,

“표미의 셩ᄌᆞ아딜(聖姿雅質)과 슉뇨인품
(淑窈人品)은 소딜의 밋출 비 아니라. 무엇
을 ᄀᆞᄅ치리잇고?”

○○○[휘 쇼왈],

“이ᄂᆞᆫ 현딜의 겸샤ᄒᆞ미라. 녀ᄋᆞ의 용모
긔딜을 하ᄌᆞ(瑕疵)ᄒᆞ미 아니로다. 우리 형뎨
삼인의 ᄌᆞ딜(子姪)이 삼십 여인에, 녀이 삼
가 일네라. ᄋᆞ시로 과이홀 ᄯᆞ름이오, ᄀᆞᄅ치
미 업ᄉᆞ니, 교우(驕愚)ᄒᆞ미 괴이치 아닌지
라. 모로미 극진히 가ᄅ치라.”

ᄒᆞ고, 녀ᄋᆞ의 ᄆᆡᆨ을 슬피고 미우를 ᄡᅵᆼ긔여
왈,

“브졀 업시 심녀(心慮)ᄒᆞ여 젹상(積傷)ᄒᆞᆫ
병이 발ᄒᆞ여시니 졀녀(切慮)치 아니리오.”

1390)슉녀ᄉ덕(淑女四德) : 부녀자가 갖추어야 할 네
가지 덕목. 마음씨[婦德], 말씨[婦言], 맵시[婦容],
솜씨[婦功]를 이른다.

(積傷)혼 병이 복발(復發)ᄒ여시니, 엇디 민박(憫迫)디 아니리오."

쇼졔 나죽이 고왈,

"쇼녀 우연이 풍한의 상ᄒ미오, 굿틔여 심녀로 나미 아니오니, 대인은 쇼려ᄒ쇼셔."

낙양휘 어로만져 왈,

"녀이 노부의 넘녀를 덜고져 ᄒ거든, 혼갓 병을 됴리홀 쑨 아니라 군ᄌ를 승슌(承順)ᄒ믈 힘쓰라."

쇼졔 비샤슈명(拜謝受命)ᄒ고 다시 말 아니터니, 이윽고 딘휘 밧그로 나아 갈【31】시, 녀ᄋ와 딜녀다려 왈,

"노뷔 명효(明曉)의 도라 갈디라. 여등을 다시 못 보리니 결연ᄒ도다."

슉녈과 쇼졔 몸을 니러 비별ᄒ더라.

초야의 딘공은 호람후로 더브러 밤을 디닉고, 창후는 딘시 침소의셔 밤을 디닐시, 비록 쇼졔 즉시 도라 오디 아니믈 미온ᄒ나, 일장 과거(過擧)를 ᄒ여시디, 여산약ᄒ(如山若海)혼 둥졍이야 변홀 니 이시리오. 쇼져의 슈패(瘦敗)ᄒ믈 보미 심니의 이련ᄒ나, 외모의 낫타너디 아니코 시비 신셩 후 낙양후를 젼송ᄒ니라. 호람휘 년일 창후를 명ᄒ여 딘쇼져 침소의셔 밤을 디닉게 ᄒ더니, 이러구러 십여일의 딘 쇼졔 초경의 니르러, 존당 슉당의 신혼셩뎡을 폐【32】치 아니ᄒ더니[라].

딘소졔 부친의 넘녀ᄒ시믈 민망ᄒ여 나죽이 고 왈,

"외풍의 촉감ᄒ미오, 심녀ᄒ미 아니오나 통셰 대단치 아닌지라. 대인은 믈녀(勿慮)ᄒ쇼셔."

휘 어로만져 왈,

"아비 넘녀를 덜고져 ᄒ거든, 병을 조리ᄒ고 승【20】슌군ᄌ(承順君子)ᄒ여 유슌혼 부인이 되라."

소졔 비샤슈명(拜謝受命)ᄒ미 이셩화긔(怡聲和氣)ᄒ니 휘 몸을 니러 왈,

"내 명일 효신에 도라 가려ᄒᄂ니 녀등을 다시 못 보고 가리로다."

뎡・딘 이인이 비별홀시 결연ᄒ믈 니기지 못ᄒ더라.

창휘 악장을 뫼셔 나아오니 공이 니부로 딘공을 뫼셔 시좌ᄒ고, 창후로 딘씨 침소에 가 구호ᄒ라 ᄒ니, 휘 마지 못ᄒ여 소져 침소에 니르니, 소졔 창후 한ᄒ미 극ᄒ나 부명을 승슌ᄒ여, 녀ᄌ의 초강(超強)ᄒ미 욕을 취ᄒ믈 씨터리고[1321] 온슌ᄒ믈 힘쓰고져 ᄒ나, 지난 화란을 싱각ᄒ여 불복ᄒ니, 원닉 딘씨 창휘 ᄌ긔 취흔 곡졀을 모르더니, 뎡셰흥이 우연이 담화ᄒ다가 말이 창후에게 밋쳐는, 딘소져를 ᄉ모ᄒ여 취흔믈 니르고 우으니, 소져의 드르미 되여 후(侯)를 례즁(禮重)치 못ᄒ게 알므로, ᄉᄉ에 불복【21】ᄒ더니, 부훈을 승슌ᄒ여 니러 마ᄌ며 작일 강녈홈과 드른지라.

창휘 본디 소져를 텬상 항ᄋ(姮娥)[1322]와 작교(鵲橋)[1323] 직녀(織女)[1324]로 아라, 이

1321)씨터리다 : ①깨트리다. ②깨닫다. 여기서는 ②의 뜻.

1322)항ᄋ(姮娥) : 늑상아(嫦娥). 달 속에 있다는 전설 속의 선녀.

1323)작교(鵲橋) : 오작교(烏鵲橋). 까마귀와 까치가 은하수에 놓는다는 다리. 칠월 칠석날 저녁에, 견우와 직녀를 만나게 하기 위하여 이 다리를 놓는다고 한다.

1324)직녀(織女) : 견우직녀 설화에 나오는 여자 주

줌 견권ᄒᆞ미 범연치 아니므로, 즉시 오지 아니믈 미온ᄒᆞ야 일장풍파를 니르혀시나, 본성이야 변ᄒᆞ리오. 소제 침병(枕屛)을 의지ᄒᆞ여 신음ᄒᆞᄂᆞᆫ 거동이 긔묘졀승ᄒᆞ여, 돌이 흑운(黑雲)에 ᄲᅡ이고 솟치 광풍을 만남 ᄀᆞᆺ ᄐᆞ여 빅틱 찬난ᄒᆞ니, 무궁ᄒᆞᆫ 졍을 어이 다 니르리오마ᄂᆞᆫ, 본 쳬 아니ᄒᆞ고 상요에 나아가미, 풍셜에 얼엇던 몸이 녹아 혼곤(昏困)ᄒᆞ미 ᄌᆞᆷ을 깁히 드럿더니, 계셩을 인ᄒᆞ여 니러 관소ᄒᆞ고 나아가ᄃᆡ, 소져의 병을 뭇지 아니ᄒᆞ더라.

딘휘 남후로 밤을 지닉고 효신(曉晨)에 도라가니, 딘휘 풍셜을 므릅셔 니르믄 녀(女)·셔(婿)를 경계ᄒᆞ려 ᄒᆞ미러니, 공이 연일 창후로 딘씨 침소에 보닉여 구호【22】ᄒᆞ라 ᄒᆞ니, 휘 일일 슉딕(宿直)이 괴로오나 존명을 승슌ᄒᆞ더라.

일일은 창휘 궐즁에 드러가니 상이 좌를 갓가이 쥬시고, 녁딕흥망(歷代興亡)을 의논ᄒᆞ시니, 창후 답언이 도도ᄒᆞ여 '물이 동(東)으로 흐름'[1325] ᄀᆞᆺᄐᆞ니, 상이 ᄉᆞ랑ᄒᆞ샤 옥비(玉杯)에 향온(香醞)을 ᄉᆞ(賜)ᄒᆞ샤 무슈히 권ᄒᆞ시니, 휘 츄샤(推辭)치 못ᄒᆞ여 대취ᄒᆞ지라. 지쳑텬안(咫尺天顔)에 취안이 황공ᄒᆞ믈 쥬ᄒᆞᄃᆡ 상이 물러가라 ᄒᆞ시니, 휘 취흥을 ᄯᅴ여 부즁에 도라와 셔헌(書軒)에셔 쉬더니, 공이 젼어ᄒᆞ여 딘씨 침소에셔 됴호ᄒᆞ라 ᄒᆞ니, 휘 슈명ᄒᆞ여 관복으로 딘씨 침당에 니르니, 소제 신양(身恙)이 미ᄎᆞ(未差)ᄒᆞ나 싀하(侍下)에 병와(病臥)ᄒᆞ미 불경ᄒᆞ고, 싱의 구병으로 ᄌᆞ최 빈빈ᄒᆞ믈 괴로이 녁여, ᄌᆞ긔 병이 나은즉 져의 종젹이 넘치 아닐가 ᄒᆞ여, 남·화 냥가 길일이 불원ᄒᆞ미, 원비 홀노 근노ᄒᆞ여 두로 안심치 못ᄒᆞ【23】므로, 강질(强疾)ᄒᆞ여 장소(粧梳)ᄒᆞ고 존고긔 문안ᄒᆞᆫ 후, 슈침에 도라와 일죽 쉬려ᄒᆞ더니, 창

일일은 창휘 궐졍의 드러가 농뎐(龍殿)의셔 고금녁딕(古今歷代)와 뎨왕티란흥망(帝王治亂興亡)을 의논ᄒᆞᆯᄉᆡ, ○○○○○[창휘 언논이] 금슈(錦繡)를 드리온 듯 광활뎡대(廣闊正大)ᄒᆞ니, 샹이 시로이 통우ᄒᆞ샤 옥비의 어온(御醞)을 슈업시 권ᄒᆞ시니, 창휘 년ᄒᆞ여 밧ᄌᆞ와 거후로미 취긔 몽농ᄒᆞ니, 디쳑텬위(咫尺天威)의 황공ᄒᆞ여 믈너 부듕의 도라오나 감히 존당의 취안을 뵈디 못ᄒᆞ여, 셔헌의셔 잠간 쉬고져 ᄒᆞᆯᄉᆡ, 호람휘 창후의 어쥬를 만취(滿醉)ᄒᆞ고 도라와시믈 듯고 셔동으로 젼어 왈,

"네 임의 어사(御賜)ᄒᆞ신 술을 취ᄒᆞ여 존당의 혼뎡도 못ᄒᆞᆯ량이면, 딘시 침소의 가셔 몸을 쉬라."

창휘 역디 못ᄒᆞ여 관복【33】을 벗디 아니코 바로 쇼져 침소의 니르니, 쇼제 쳔연이 긔동ᄒᆞ여 맛거ᄂᆞᆯ 창휘 관복을 벗기라 ᄒᆞ니, 쇼제 그 겻틱 나아가믈 슬희여 시녀를 명ᄒᆞ여 벗기고져 ᄒᆞ니, 창휘 취안을 빗겨 왈,

"그딕ᄂᆞᆫ 내 옷슬 벗기미 토심(吐心)져워[1391] 못 벗기ᄂᆞ뇨?"

1391)토심(吐心)져워 : 토심(吐心)겨워. 불쾌감이 지

인공.
1325)물이 동(東)으로 흐름 : 중국은 지형 상 모든 강물이 동해 바다로 흘러드는 특성을 갖고 있는 데서 유래한 말로, '물은 아래로 흐른다'는 말처럼, 순리(順理)에 맞거나 이를 따름을 비유적으로 이르는 말.

쇼졔 그 취긔를 보고 쏘 므슴 광거(狂擧)를 볼가 그윽이 괴로와 관복을 벗기며 웃옷슬 벗기나, 안모의 분긔를 굼초디 못ᄒ니, 창휘 그윽이 우이 넉이고 벼개를 취ᄒ여 누으며, 쇼져로 슈족을 쥐므르라 ᄒ니, 쇼졔 가도록 증분ᄒ나 마디 못ᄒ여 그 손을 쥐므르니, 십디셤슈(十指纖手)의 밋그러오미 형옥(衡玉)을 다둠은 둣 부부의 살빗치 상하치 아니딕, 다만 대【34】쇼는 다ᄅ더라. 이윽고 쇼졔 혼뎡의 드러 가려 ᄒ니, 창휘 왈,

"금일 나의 취ᄒ미 스스로 즐겨ᄒ미 아니오, 계뷔 그딕 곳의 가 쉬라 ᄒ여 계시니, 모로미 나의 취후를 살펴주고, 금일 혼뎡을 아니나 존당 슉당이 허믈치 아니시리라."

쇼졔 쏘 우기디 못ᄒ여 안즈시나, 스스의 녀즛 되오미 구ᄎ로오믈 탄ᄒ더라.

야심ᄒ미 휘 션즈를 드러 블을 쯰고 쇼져를 닛그러 상요의 나아가고져 ᄒ니, 쇼졔 이의 다ᄃ라는 닝담(冷淡) 강녈(强烈)ᄒ미 밋고 씃는 둣ᄒ여, 부부의 졍을 조금도 뉴련(留連)치 아니니, 창휘 분연ᄒ여 ᄒ 번 닙써나 쇼져를 붓드러 가비야이 나위(羅幃)로 나아가니,【35】쇼졔 연연셤약ᄒ므로쎠 창후의 구졍(九鼎)을 가비야이 넉이는 용녁을 밋ᄎ리오. 임의 일침디하(一枕之下)의 은졍을 펴미 무궁ᄒᆫ 졍흥(情興)이 산비힉박(山卑海薄)ᄒ더라. 삼년 상니디심(相離之心)의 간졀흔 졍이 일필난긔(一筆難記)러라.

이 젹의 남·화 냥부 튁뎡(擇定)ᄒᆫ 길일이 다ᄃ르니, 호람휘 연셕을 개장ᄒ고 친쳑을 대회(大會)ᄒ여 신낭을 보ᄂ며 신부를 마즐식, 뎡·딘·하·댱 스쇼졔 윤의렬과 초국 부인으로 더브러 태부인과 조부인을 뫼셔 일졔히 좌ᄎ를 뎡ᄒ미, 뉴부인이 과악을 츄회ᄒ여 그윽이 즈괴(自愧)ᄒ더라.

ᄎ시 위태부인이 젼일 싀험 포려ᄒ믈 다 바리고 평【36】슌○○[ᄒ고] 너그럽기를 위쥬ᄒ미, 어딜고 슌화ᄒ여 훙포흔 거동이

───────
나쳐. *토심(吐心); 불쾌감.

휘 취안(醉顔)이 몽농ᄒ여 드러오니, 쇼졔 괴로오나 니러 맛고 좌졍ᄒ미, 휘 왈,

"싱이 금일 샤쥬(賜酒)의 취ᄒ여 곤란ᄒ니 부인이 슈고로오나 옷슬 벗겨 쥬소셔"

쇼졔 안셔히 나아가 관딕(冠帶)를 벗겨 벽상에 걸고 믈러 안즈니, 휘 앙침(鴦枕)에 비겨 안즈 보미, 빅틱쳔미(百態千美) 션연(嬋娟) 쇄락(灑落)ᄒ여, 부용(芙蓉)이 녹파(綠波)의 소스며 초월(初月)이 동령(東嶺)의 비회(徘徊)ᄒ미라. 슉시양구(熟視良久)에 왈,

"임의 야심커늘 어이 취침치 아니ᄒ느뇨?"

쇼졔 《슉용∥수용(羞容)》 부답(不答)ᄒ니, 휘 취즁 츈흥이 발양(發揚)ᄒ니 엇지 쇼져의 강밍(强猛)을 졔어치 못ᄒ리오. 근졀흔 은이로 상상슈리(床上繡裏)의 **쌍옥(雙玉)**이 완젼ᄒ여, 녹슈(綠水) 원앙이니 빅년가위(百年佳偶)오, 텬졍빅필(天定配匹)이라. 위·뉴 양악(兩惡)이 아모리 희짓고져 흔들, 남두른【24】슈복(壽福)을 탓시니, 엇지 훔○○[히(陷害)ᄒ]미 잇시리오. 구픠 합장(閤牆) 스이에셔 ○[휘] 《즉시∥딘씨》 침소를 향ᄒ믈 보고 졍당에 고ᄒ여, 희한흔 고로 두굿기더라.

니러구러 남·화 이부에 길일을 당ᄒ여, ○[대]연(大宴)을 ○○○○○○○[개장ᄒ고 신낭을] 보ᄂ여 신부를 마즐식, 윤의렬과 초휘○○[부인], 뎡·딘·하·댱 스부(四婦), ○[존]당과 조·뉴 이 부인으로 졔긱을 졉딕홀식, 뉴씨 젼과(前過)를 즈참(自慙)ᄒ여 좌즁에 나가기를 츄스(推辭)ᄒ니, 니뷔 진삼 권ᄒ여 연셕에 나아가니라.

위부인이 쏘흔 싀험 포려ᄒ미 업셔, 어질며 유화ᄒ미○…**결락13자**…○[ᄀᆞᆨ즉ᄒ고, 뉴부인 쏘흔 칙션(責善) 후는] 본성의 간힐ᄒ믈 ᄇᆞ려, 인ᄌ온슌(仁慈溫順)ᄒ미 각별홀 ᄲᅮᆫ 아

잇디 아니코, 뉴부인이 칙션(責善) 후는 인
즈온슌은 덕을 길우미, 공근비약(恭謹卑弱)
후미 각별홀 쭌 아니라, 념미(艶美)흔 즈식
은 삼오(三五) 홍옥(紅玉)을 압두후고, 충명
영오 후믄 제부인 뉴(類)의 쌘혀나니, 만좌
듕빈(滿座衆賓)이 위·뉴 냥부인의 개과쳔
션후미 그러툿 쉬오믈 이상코 긔특이 녁여,
창후 부부와 통지 부쳐의 츌텬대회(出天大
孝) 토목심장(土木心腸)을 능히 감화(感化)
후믈 불승흠복(不勝欽服)후고, 뎡·딘·하·
댱과 냥(兩) 윤부인의 면모상광(面貌祥光)이
셔로 바이니, 어디 고으며 므어시 빗난 줄
을 즈셔히 아라 고하를 뎡후리오마는, 이
ㄱ온디 윤의렬과 뎡슉녈【37】의 일월명광
(日月明光)과 츄슈졍신(秋水精神)이 셩즈긔
믹(聖姿氣脈)이오 텬디의 너른 냥을 가져,
취디여일(趣之如日)[1392]이오 망디여운(望之
如雲)[1393]후여 위의 뎡슉후고, 딘·하·댱
삼부인과 《하ǁ초국》부인의 화월염광과
빙옥긔딜이 쳥고쇄락 후여, 좌듕 홍분(紅粉)
ㄱ온디 쌘혀나니, 그 인품의 고하를 의논홀
딘디 윤 의렬과 뎡슉녈이 딘짓 디두(對頭)
홀 셩녀슉완(聖女淑婉)이오, 하부인이 다만
뎡슉녈 아리 흔 사롬이어늘, 초국부인 윤시
는 스군즈(士君子)의 긔상으로 옥안(玉顔)이
풍영쇄락(豊盈灑落)후여 츈풍이 화창흔디,
금분(金盆)의 화왕(花王)이 셩개(盛開)후며
일뉸명월(一輪明月)이 벽공(碧空)의 걸녓는
듯 어리롭고 어그러온디라. 그 쇼고(小姑)
하시로 방블흔【38】나 묽고 놉흐믄 더후
더니, 슉녈 의렬의 창히디량(蒼海之量)과 댱
쇼져의 상낭상활(爽朗爽闊)[1394]흔 긔상과
딘쇼져의 쳥아교결(淸雅皎潔)[1395]흔 틔되,
쯧글을 쩌스며 슈졍(水晶)을 닷근둣, 옥(玉)

니라, 염염(艶艶)흔 즈딜은 삼츈(三春) 홍옥
(紅玉)을 묘시(藐視)후고, 충명영오(聰明穎
悟)후믄 ○○○○○[졔부인 뉴(類)의] 츌뉴
(出類)후니, 졔인이 위·뉴의 기과칙션(改過
責善)후미 여츠후믈 보미, 창후 형뎨의 효
힝을 감탄후며, 모든 쇼져의 옥모(玉貌) 덕
힝(德行)○[을] 칙칙칭션(嘖嘖稱善)후더라.
그 즁【25】○○○○[윤의렬과] 뎡슉녈이
[의] 보감{의}명광(寶鑑明光)과 츄슈졍신
(秋水精神)이 셩즈(聖者)의 긔믹(氣脈)이오,
흉히(胸海)의 깁기와 텬디의 너른 냥을 가
져 취지여슈(趣之如水)[1326]오 망지여운(望
之如雲)[1327]후여 위의(威儀) 졍슉(貞淑)후
고, 딘·하·댱 삼 부인 화용용틴와 빙옥긔
질이 쳥아쇄락후여 좌즁 홍분(紅粉) ㄱ온디
쌘혀나니, 그 《일름ǁ인품》의 고하를 의
논홀진디, 윤의렬과 뎡슉녈이 진짓 디두홀
셩녀슉완(聖女淑婉)이오, 하부인이 다만 뎡
슉녈 아리 일인이라. 윤씨 현으는 스군즈
(士君子)의 긔상으로 옥안영풍(玉顔英風)이
쇄락후여 츈풍 긔상이러라.

1392)취디여일(趣之如日) : 취향(趣向)은 해처럼 밝고
　　정대함.
1393)망디여운(望之如雲) : 바라는 것은 구름처럼 무
　　심하여 세속에 얽매이지 않음.
1394)상낭상활(爽朗爽闊) : 시원시원하고 밝고 활달
　　함.
1395)쳥아교결(淸雅皎潔) : 맑고 우아하며 밝고 깨끗
　　함.

1326)취지여슈(趣之如水) : 취향(趣向)은 물처럼 넓고
　　맑음.
1327)망지여운(望之如雲) : 바라는 것은 구름처럼 무
　　심하여 세속에 얽매이지 않음.

무은1396) 니마와 옷 삭인 냥협(兩頰)의 효
성(曉星) 굿튼 눈삐1397)와 초월(初月) 굿튼
아미(蛾眉) 텬디졍화(天地精華)를 오로디 거
두엇고, 단스잉슌(丹砂櫻脣)과 빅셜호치(白
雪皓齒) 긔긔묘묘ᄒ여 연화(煙火)1398) 밧
사룸이라. 놉고 됴흐미 하시와 방블(彷彿)ᄒ
디 잠간 닝녈(冷烈)ᄒ미 하시의 유열(愉悅)
ᄒ믈 밋디 못ᄒ고, 댱시ᄂᆞᆫ 풍완호딜(豊婉好
質)이 니슬 먹음은 곳송이오 보름 춘 명월
이라. 화긔 삼츈(三春) 굿고 동용이 유법ᄒ
여 쇼쇼ᄋ녀ᄌᆞ(小小兒女子)의 무식용잔(無
識庸孱)ᄒ미 업스니, 담쇠(談笑) 낭낭쇄연
(朗朗灑然)【39】ᄒ고 유열흔 긔상이 ᄉᆞ좌
(四座)를 감열(感悅)ᄒ고 싁싁 쾌활ᄒ미 계
ᄎᆞ군지(笄叉君子)1399)오 결군댱뷔(結裙丈
夫)1400)라.

만좌빈긱(滿座賓客)이 홀홀(惚惚)이 넉술
일허, 뎡슉녈과 윤의렬의게 눈을 ᄲᅩ아 칭찬
ᄒ믈 마디 아니니, 태부인과 조·뉴 이부인
이 좌슈우응(左酬右應)ᄒ여 두굿기믈 니긔
디 못ᄒᄂᆞᆫ 듯, 명쳔 공이 보디 못ᄒ믈 슬허
ᄒ고, 뉴부인은 경ᄋᆞ의 블참ᄒ믈 셜워ᄒ니,
니뷔 ᄌᆞ위 ᄠᅳᆺ을 바다 미져를 다려 오고져
ᄒ나, 호람휘 경ᄋᆞ의 개과(改過) 젼은 다려
오디 못ᄒ게 ᄒ니, 초일 경이 연셕의 블참
ᄒ니라. 날이 느ᄌᆞ미 호람휘 ᄌᆞ딜 졔친과
뎡병부를 거ᄂᆞ려 ᄂᆡ당의 드러오니, 듕빈(衆
賓)은 댱ᄂᆡ(帳內)로 들고, 졀친(切親) 부인
ᄂᆡ【40】만 볼ᄉᆡ, 이 날 뎡병뷔 드러오니
태부인과 뉴부인이 피치 못ᄒ여 셔로 볼ᄉᆡ,
병뷔 녜를 맛고 넘슬뎡좌(斂膝正坐)ᄒ여 존
후를 뭇ᄌᆞ올ᄉᆡ, 그 상모(相貌) 긔위(氣威)
쥰엄동탕(俊嚴動蕩) ᄒ여 딘승상(晉丞
相)1401)의 여옥디모(如玉之貌)와 두샤인(杜

아이오 병뷔 니르러 네필에 넘슬졍좌(斂
膝正坐)ᄒ여 존후를 뭇ᄌᆞ올 ᄉᆡ, 샹모(相貌)
긔위(氣威) 쥰엄동탕(俊嚴動蕩)ᄒ여 딘승상
(晉丞相)1328) ○[의] 여옥지모(如玉之貌)와
두샤이[인](杜舍人)1329) 투귤지풍(投橘之
風)1330)이 당당ᄒ니, 쳔승을 긔필ᄒ여 위거

1396)무으다 : 만들다. 쌓다.
1397)눈삐 : 눈매.
1398)연화(煙火) : 인가에서 불을 때어 나는 연기라
　　는 뜻으로, 사람이 사는 기척 또는 '인가'나 '인간
　　세상'을 이르는 말
1399)계ᄎᆞ군지(笄叉君子) : 비녀 꽂은 남자.
1400)결군댱뷔(結裙丈夫) : 치마 두른 장부.
1401)딘승상(晉丞相) : 중국 서진(西晉)의 미남자 반
　　악(潘岳). 자는 안인(安仁). 승상을 지냈고 미남자

1328)딘승상(晉丞相) : 중국 서진(西晉)의 미남자 반
　　악(潘岳). 자는 안인(安仁). 승상을 지냈고 미남자
　　의 대명사로 쓰인다.
1329)두샤인(杜舍人) : 중국 만당(晚唐)때 시인 두목
　　지(杜舍之). 이름은 두목(杜牧). 중서사인(中書舍
　　人)에 올랐고, 중국의 대표적 미남자로 꼽힌다.
1330)투귤디풍(投橘之風) : 투귤(投橘)은 귤을 던진다
　　는 뜻으로, 예전에 두목지는 용모가 준수하고 글
　　을 잘 지어 부녀자들 사이에 인기가 대단했는데,

舍人)1402)의 투귤디풍(投橘之風)1403)이 당
당ᄒᆞ니, 쳔승(千乘)을 긔필(期必)ᄒᆞ여 위거
국공(位居國公)1404)ᄒᆞ고 작칙뉵경(爵次六
卿)1405)ᄒᆞ여 문무듕임(文武重任)을 일신의
겸ᄒᆞ니, 쳬쳬흔 위의와 존듕흔 거동이 ᄌᆞ연
외모의 드러나ᄂᆞᆫ디라. 태부인과 뉴부인이
븍공을 삼년만의 ᄃᆡᄒᆞ니, 참괴ᄒᆞ미 낫츨 깍
고져 시븐디라. 고개를 드디 못ᄒᆞ니 병븨
투목(偷目)으로 냥부인의 거동을 슉시(熟視)
ᄒᆞ고, 그 회과칙션 ᄒᆞ미 견졍(堅貞)ᄒᆞᆷ믈 보
니 창후【41】곤계(昆季)의 효를 감탄ᄒᆞ더
라.

호람휘 창후를 도라보아 왈,

"금일 남부의 가 일ᄌᆞᆨ이 마ᄌᆞ 오고 ᄯᅩ 화
부의 가 화시를 마ᄌᆞ 오라."

창휘 슈명ᄒᆞ고 길의(吉衣)를 ᄎᆞ즈니, 뎡·
딘 두 부인이 임의 길의를 일워 ᄎᆞᆺ기를 기
다리던 비라. 시녜 옥함의 관복을 밧드러
좌듕의 노ᄒᆞ니 졔 부인이 뎡·딘 이부인의
셩힝을 칭복흔ᄃᆡ, 호람휘 왈,

"뎡·딘 냥딜부의 덕힝으로ᄡᅥ 투긔 아니
며 길의 일우믈[믄] 녜ᄉᆞ라. 일ᄏᆞᆯ 거시
업ᄉᆞ니, 엇디 시쇽 부녀〇[의] 용용무식(庸
庸無識)흠과 ᄀᆞᆺ투리오. 딜이 남·화 등을
ᄎᆔᄒᆞ믄 뎡딜부의 쥬션ᄒᆞ미라. 화시를 몬져
ᄎᆔᄒᆞ여 광텬의게 쳔거ᄒᆞᆷ믄 우흐로 셩듀와
아릭로 만【42】됴ᄉᆞ셰(滿朝士庶) 모로리
업ᄂᆞᆫ디라. 딜이 그 엄안을 모로는 디통이
잇ᄂᆞᆫ디라. 뎡·딘 이인〇[은] 져의 과람흔

의 대명사로 쓰인다.

1402)두샤인(杜舍人) : 중국 만당(晚唐)때 시인 두목
지(杜牧之). 이름은 두목(杜牧). 중서사인(中書舍
人)에 올랐고, 중국의 대표적 미남자로 꼽는다.

1403)투귤디풍(投橘之風) : 투귤(投橘)은 귤을 던진다
는 뜻으로, 예전에 두목지는 용모가 준수하고 글
을 잘 지어 부녀자들 사이에 인기가 대단했는데,
그가 거리에 나서면 부녀자들이 앞 다투어 귤을
던져 그의 관심을 끌고자 했다 한다. 투귤지풍이
란 이처럼 여자들이 귤을 던질 정도로 아름다운
남자의 풍채를 비유적으로 이르는 말이다.

1404)위거국공(位居國公) : 지위가 상국(相國=재상)
공후(公侯)에 올라 있음.

1405)작칙뉵경(爵次六卿) ; 벼슬이 육조판서의 지위
에 있음.

국공(位居國公)1331)ᄒᆞ고 작직[칙]뉵경(爵次
六卿)1332)ᄒᆞ여 문무즁임(文武重任)을 일신
에 겸ᄒᆞ니, 웅위ᄒᆞ미 이날 시로 온지라. 위
【26】뉘 삼지(三載)만에 금일 쳐음 보미,
참괴ᄒᆞ여 능히 낫츨 드지 못ᄒᆞ고 말을 답지
못ᄒᆞ니, 복공이 이 냥흉을 디홀 ᄯᅳᆺ이 업ᄉᆞ
나, 남후의 쳥으로 드러와 술피니, 젼일 흉
포 간험ᄒᆞ미 업고 은악양션(隱惡佯善)ᄒᆞ미
아니라, 진짓 경복(慶福)ᄒᆞ깃더라.

공이 왈,

"냥 딜부의 츌뉴흔 샤덕(四德)으로 무엇
시 챡ᄒᆞ오리오. 딜이(姪兒) 남·화를 한낱
ᄎᆔᄒᆞᄆᆞᆫ 뎡딜부의 공이라. 딜이 엄안을 모로
는 지통이 궁텬지한(窮天之恨)으로 지극히
슬픈 인싱이라, 번수를 구ᄒᆞ리오마는 뎡·
딘 현부는 과람흔 쳐지니 타의 잇시리오.
남·화를 ᄎᆔᄒᆞᄆᆞᆫ 뎡현부의 어진 ᄯᅳᆺ을 져바
리지 못ᄒᆞ오미오, 남·화의 아름다오믄 뎡
딜부의 아는 빅어니와, 광이 이십 젼 소년
으로 만시 외람ᄒᆞ고, 여러 쳐실로 모화 번
수를 ᄎᆔᄒᆞ미 엇지 과람치 아니리오."

그가 거리에 나서면 부녀자들이 앞 다투어 귤을
던져 그의 관심을 끌고자 했다 한다. 투귤지풍이
란 이처럼 여자들이 귤을 던질 정도로 아름다운
남자의 풍채를 비유적으로 이르는 말이다.

1331)위거국공(位居國公) : 지위가 상국(相國=재상)
공후(公侯)에 올라 있음.

1332)작칙뉵경(爵次六卿) ; 벼슬이 육조판서의 지위
에 있음.

안히니 다시 번화를 취ᄒ리오마ᄂ, 뎡시의 어딘 ᄯᅳᆺ을 져바리디 못ᄒ미라. 남·화 이인의 아ᄅᆷ다오믄 뎡딜부의 본 빅어니와 광텬이 이십젼 쇼년으로 만시 과람(過濫)ᄒ고, 여러 쳐실을 모호미 그윽이 편치 아니토소이다."

좌긱이 졔셩(齊聲)ᄒ여 슉녈의 긔특ᄒ믈 경복ᄒ더라.

화시를 몬져 취ᄒ고 남시를 ᄯᅩ 우귀ᄒ려 ᄒ니, 호람휘 딘시를 도라보아 왈,

"뎡 딜부ᄂ 남·화 냥인을 쳔거ᄒ여 어딘 덕을 빗ᄂᆡ여시니, 현딜은 맛당이 길의를 닙혀 부도를 다ᄒ여 광텬 【43】 탕긱을 화(和)케 ᄒ라."

딘쇼졔 계구대인(季舅大人) 명교를 역디 못ᄒ여 나죽이 ᄇᆡ샤슈명(拜謝受命)ᄒ고 길의를 밧드러 니러셔니, 창휘 몸을 긔동ᄒ여 옷슬 닙을ᄉᆡ 듕목(衆目)이 ᄒᆫ가디로 져 부부의 거동을 보니, 창후의 텬일디표(天日之表)와 뇽봉디ᄌᆡ(龍鳳之材)ᄂ 만고를 기우리나 둘 업슨 풍신용화어늘, 딘쇼졔 긔려졀승(奇麗絶勝)ᄒᆫ 틱도를 겻디으니, 명월과 긔홰 셔로 빗츨 비양(飛揚)ᄒᄂᆞᆫ ᄃᆺ, 부부의 긔딜이 샹하(上下)치 아니터라.

딘쇼졔 죵용이 관복을 셤길ᄉᆡ, 골홈을 미며 ᄯᅴ를 두로기의 밋쳐ᄂ, 창후의 손이 옷슬 슈렴ᄒᆯ 써의 잠간 부부의 손이 다ᄒ미, 딘쇼졔 더옥 슈괴ᄒ여 팔ᄌᆞ츈산이 졔졔히 나죽ᄒ고, 【44】 츄파 졔졔히 ᄀᆞ나라 긔묘히 어엿븐 틱도를 돕ᄂᆫ디라. 창휘 쥰녈엄웅(峻烈嚴雄)ᄒᆫ 셩졍으로도 ᄋᆡ듕흠경(愛重欽敬)ᄒ믈 니긔디 못ᄒ여, 봉안을 흘녀 잇다감 보미 쇼졔 길의를 다 셤기고 믈너 좌의 든 디, 동용이 ᄒᆫ갈ᄀᆞ치 안샹(安詳)ᄒ여, 각별 블평디ᄉᆡᆨ(不平之色)이 업고 흔연이 즐기ᄂ 거동도 업셔, 츄슈빙샹(秋水氷霜) ᄀᆞᄐᆫ ᄆᆞ음이라. 존당 슉당과 조부인의 두굿기믄 니르디 말고, 졔긱이 심심칭복(深深稱福)ᄒ여, ᄋᆞ들을 두며 며나리를 두미 창후 곤계 부부 ᄀᆞᆺ기를 바라더라.

창휘 존〇[당] 슉당과 모부인긔 하딕ᄒ고

ᄉᆞ좌(四座) 졔빈이 연셩(連聲) 칭찬ᄒ【27】여 슉녈을 탄복지 아니리 업더라.

남휘 딘 소져 ᄃᆞ려 왈,

"뎡씨ᄂ 남·화를 쳔거ᄒ여 셩덕을 빗ᄂᆡ여시니, 현부ᄂ 길복을 겸겨 부도(婦道)를 다ᄒ고, 탕긱의 마음을 감화ᄒ여 다시 광망픿되(狂妄悖道) 업게 ᄒ라."

딘씨 그윽이 원치 아니나, 존명을 녁지 못ᄒ여 길복을 밧드러 옷슬 《입을‖입힐》ᄉᆡ, 즁목이 일쳠에 〇〇[창휘] 동탕ᄒᆫ 풍모와 쇄락ᄒᆫ 긔질이 만고를 기우려 무쌍ᄒ거늘, 소져의 긔모졀승ᄒᆫ 틱도를 갓가히 ᄃᆡ호미 긔화명월(奇花明月)ᄀᆞᄐᆞ여, 층등치 아니커늘, 소졔 죵용이 옷을 셤겨 골홈을 미고 ᄯᅴ를 두르기에 밋쳐, 졀셰방용(絶世芳容)이 참치(參差) 샹하(上下)ᄒ여 일월이 병닙(竝立)ᄒᆷ ᄀᆞᄐᆞ니, ᄇᆞ라미 긔운이 샹연(爽然)ᄒ더라.

휘 길복 입기를 다ᄒ미, 존당과 모든 딘

밧그로 나아올시, 뎡듀쳥이 위요(圍繞)1406)
셔 남부로 향ᄒᆞ미, 초일 남태상 부듕의 【4
5】셔 대연(大宴)을 개장ᄒᆞ여 신낭을 마ᄌ
며 신부를 보닐시, ᄂᆡ외 친쳑을 모화 쥬비
를 날니며, ᄂᆡ당의셔 쇼져를 단댱ᄒᆞ며 쳥듕
(廳中)의셔 대례를 습녜ᄒᆞ미, 쇼졔 빅틱이질
(百態異質)이 션원(仙苑)의 봉황이오, 희샹
의 명쥬ᄅᆞ라. 친쳑 졔인이 츽츽칭예(嘖嘖稱譽)
ᄒᆞ고 남공이 두굿기믈 니긔디 못ᄒᆞ여, 부인
의 보디 못ᄒᆞᆷ믈 츄연ᄒᆞ니, 챵딩 공ᄌᆞ와 쇼
져의 디통(至痛)은 비ᄒᆞᆯ 곳이 업ᄂᆞᆫ디라. 젼
일은 오히려 모친이 독질(毒疾)의 기셰ᄒᆞᆷ므
로 아랏더니, 도금ᄒᆞ여 위녀의 간뫼 발각ᄒᆞ
미 모부인이 비명(非命)의 흉인(凶人)의 독
슈(毒手)를 바다 원수ᄒᆞᆷ믈 비로소 알고, 쳡
쳡ᄒᆞᆫ 셜우미 흉【46】장(胸臟)을 씃ᄂᆞᆫ ᄃᆞᆺ
시로이 통완ᄒᆞ니, 일가디친의 부인닉 쇼져
를 붓드러 위로ᄒᆞ더니, 임의 신낭이 부문의
다ᄃᆞ라 옥상의 홍안을 젼ᄒᆞ고, 텬디의 네비
를 맛ᄎᆞ미, 남 태상의 죵딜 샹셔 챵협이 팔
미러 좌의 들시, 챵후의 동탕ᄒᆞᆫ 표치풍광이
이날 더옥 긔이ᄒᆞ니, 남태상이 됴항간(朝行
間)의 날마다 보는 빗나, 금일 옹셔디의(翁
壻之義)로 딕ᄒᆞ미, 각별ᄒᆞᆫ ᄉᆞ랑이 무비(無
比)ᄒᆞ여, 신낭의 손을 잡고 듀쳥을 도라보
아, 왈,

"만싱이 팔지 긔박하여 여러 ᄌᆞ녀를 슈인
(讐人)의게 맛고, 필경 일녀도 보젼치 못ᄒᆞ
게 되엿거ᄂᆞᆯ 녕미 슉녈부인의 하【47】날
ᄀᆞᆺ튼 의긔로 녀식의 위티ᄒᆞᆫ 목슘을 술와ᄂᆡ
고, 윤ᄉᆞ원 ᄀᆞᆺ튼 쾌셔를 만나 광치를 더으
미[니] 소망의 과의(過矣)라. 슉녈부인의 대
은을 갑흘 길히 업스니 오딕 구쳔타일(九泉
他日)의 함호결초(含琥結草)1407)를 긔약ᄒᆞ

<hr>

1406)위요(圍繞) : 혼인 때에 가족 중에서 신랑이나
　　신부를 데리고 가는 사람. 늑상객(上客). 요객(繞
　　客).
1407)함호결쵸(含琥結草) : 늑결초보은(結草報恩). 죽
　　어서 풀을 맺어 은혜를 갚는다는 뜻. 함호(含琥)는
　　반함(飯含)과 같은 뜻으로, 상례(喪禮)에서 염습할
　　때에 죽은 이의 입에 쌀이나 구슬을 물리는 것을
　　말한다. 따라서 함호는 '입에 구슬을 머금고 있다'
　　는 말로 '죽은 사람'을 뜻한다.

하직ᄒᆞ고　금안빅마(金鞍白馬)의　싱소고악
(笙蕭鼓樂)이 훤쳔(喧天)ᄒᆞ고 만조(滿朝) 요
긱(繞客)이 젼차후옹(前遮後擁)ᄒᆞ여　남부에
니르니,【28】　남공이 대연을 긔장ᄒᆞ여 신
낭을 마ᄌᆞ니, 신낭이 옥샹(玉床)에 기러기를
젼ᄒᆞ고 신부 샹교를 직쵹ᄒᆞ니, 남공이 녀셔
의　화풍경운지샹(和風慶雲之相)과　틱산암암
지풍(泰山巖巖之風)을 탐혹과익(耽惑過愛)ᄒᆞ
여 녀ᄋᆡ의 일싱이 빗나믈 깃거, 쾌셔ᄋᆞ더믈
자랑ᄒᆞ니, 졔긱이 치하를 ᄉᆞ양치 아니나, 부
인의 보지 못ᄒᆞᆷ믈 슬허ᄒᆞᆷ믈 면치 못ᄒᆞ더라.
이윽고 소졔 샹교홀시, 남공이 어르만져 경
계ᄒᆞ여 엄부의 ᄉᆞ랑이 ᄌᆞ모를 겸ᄒᆞ니, 소졔
함누 비샤ᄒᆞ고 치교에 오르니, 챵휘 봉교ᄒᆞ
고 위의를 휘동ᄒᆞ여 본부에 도라오니, 관광
지 칭찬불이(稱讚不已)러라.

느니 듁쳥은 이 말숨을 녕미긔 고ᄒ라."

북공이 허리를 굽혀 왈,

"쇼미 녕ᄋ쇼져의 특이ᄒ신 긔딜을 흠앙ᄒ여 타문의 보ᄂ기를 앗기는 고로, 스원의게 속현ᄒ여 빅년동녈(百年同列)의 졍을 펴고져 ᄒ미니, 엇디 은혜를 일ᄏᄅ샤 쇼미의 ᄆᆞ음이[을] 블안케 ᄒ시ᄂᆞ니잇고?"

남공이 함쇼ᄒ고, 이의 도라 창후의게 녀ᄋ의 평【48】싱을 부탁ᄒ미, 말숨이 간졀ᄒ며 ᄌ녀를 위ᄒᆞᆫ 졍이 타인과 다른디라. 창휘 그 부녀의 텬뉸ᄌᆞ이 각별ᄒᆞᆷ을 씨ᄃ라 흔연이 명을 밧드믈 딕ᄒ고, 날이 느ᄌᆞ믈 일ᄏ라 신부의 샹교를 지쵹ᄒ여 남쇼졔 뎡의 오로미, 창휘 봉교ᄒᆞᆷ을 맛고 샹마ᄒ여 부듕의 도라올ᄉᆡ, 명공후빅(名公侯伯)이 위외(圍繞)되여시며, 신낭의 신치 일셰의 독보ᄒ니 관시ᄌᆞ(觀視者) 칙칙 칭션ᄒ더라.

힝ᄒ여 옥누항의 니르미 화쵹하의셔 교ᄇᆡ홀ᄉᆡ, 남풍녀뫼(男風女貌) 발월ᄒ여 쥬옥이 고은 빗츨 ᄌᆞ랑ᄒ미, 보벽(寶璧)이 광치를 흘님 ᄀᆞᆺᄐ니, 좌긱이 황홀ᄒ여 칙칙 갈치ᄒ니, 태부【49】과 조부인의 깃거ᄒᆞᆷ은 지긔듕(在其中)이오, 그 폐빅을 바들ᄉᆡ 좌긱이 흘흘이 관경(觀景)ᄒ니, 신뷔 나아 오는 바의 찬난ᄒᆞᆫ 명광이, 태양의 오르며 츄월이 벽공의 한가ᄒᆞᆫ 듯, 녹파향년(綠波香蓮)이 취우(驟雨)의 잠겨시며, 효셩이 증슈(澄水)의 빗쵀고 팔ᄌᆞ츈산(八字春山)은 텬태(天態)의 화평ᄒᆞᆫ 긔운을 품슈ᄒ여, 졍졍ᄒᆞᆫ 틱되 슉녀 디풍이라. 일쳑셰요(一尺細腰)의 비봉냥익(飛鳳兩翼)이며 쳥운녹발(靑雲綠髮)의 셩졍무빈(星睛霧鬢)[1408]이 만고무비(萬古無比)ᄒ니, 태부인이 밧비 신부의 옥슈를 잡고, 왈,

"신부는 명문디녀라. 인연이 긔특ᄒ여 손ᄋ의 빅위 되니 긔딜과 용안이 노모의 바란 밧기라, 엇디 아름답디 아니리오. 손【50】의 원비는 신부로 더브러 결의져미(結義姐妹)ᄒ여 졍의디심(情誼之心)이 골육동긔 ᄀᆞᆺ다 ᄒ니, 화우(和友)ᄒᆞᆷ을 당부치 아냐도 뎡

[1408]셩졍무빈(星睛霧鬢) ; 별 같은 눈동자와 안개가 서린 듯한 하얀 귀밑털.

부문에 니르러 향연(香煙) 보쵹(寶燭)이 인도ᄒ여 냥 신인이 교ᄇᆡ를 맛고, ᄌᆞ승(紫繩)[1333]을 결히(結解)ᄒ미, 신뷔 장속(裝束)[1334]을 곳쳐 존당 구고긔 조률(棗栗)을 헌홀ᄉᆡ, 월모화안(月貌花顏)이 뇨라작약(姚娜綽約)ᄒ여 홍일(紅日)이 부상(扶桑)[1335]에 오르는 듯, 오치(五彩) 영영(盈盈)ᄒ니, 쳔고【29】졀미(千古絶美)오, 만딕(萬代) 《초싱∥초식(超色)》이라. 유한ᄒᆞᆫ 동작과 슉균(肅均)ᄒᆞᆫ 례뫼(禮貌) ᄉᆞ덕(四德)이 겸비(兼備)라. 딘·하·쟝 삼 부인으로 막상막하(莫上莫下)ᄒ니, 태부인이 신부의 옥슈를 잡고 운환을 쓰다듬어 왈,

"신부는 명문지녀라. 텬연(天然)으로 노모 슬하에 오니 ᄇᆞ라던 밧기라. 엇지 경식 아니리오. 뎡현부는 결의형뎨로 졍의 동긔 갓

[1333]ᄌᆞ승(紫繩) : 홍승(紅繩). 붉은 끈.
[1334]장속(裝束) ; 입고 매고 하여 몸차림을 든든히 갖추어 꾸밈. 또는 그런 차림새.
[1335]부상(扶桑) : ①해가 뜨는 동쪽 바다. ②중국 전설에서, 해가 뜨는 동쪽 바닷속에 있다고 하는 상상의 나무. 또는 그 나무가 있다는 곳

현비 아황(娥皇)1409)의 덕을 닥고, 신비 녀영(女英)1410)의 온슌졍결(溫順貞潔)ᄒ믈 효측ᄒ려니와, 광텬의 지실 딘시 또ᄒ 뇨됴슉완(窈窕淑婉)이라. 모로미 셔로 화우ᄒ여 가닉 츈풍 ᄀ기를 바라노라."

신비 슈명ᄒ미, 호람휘 만심환열ᄒ여 모친과 조부인긔 크게 하례ᄒ고, ᄉ좌(四座) 듕빈(衆賓)이 년셩(連聲) 티하ᄒ니 ᄌ못 분분여류(紛紛如流)ᄒ여 이로1411) 응졉(應接)디 못ᄒᆞ너라. 츠시 조부인이 연셕디시(宴席之時)를 당ᄒ여, 심회 더옥 디향치 못ᄒ여 누쉬 옷깃슬 젹시니, 의렬 등이 좌우로 위로ᄒ【51】더라.

호람휘 창후를 지쵹ᄒ여 밧비 화부의 나아가 신부를 마ᄌ 오라 ᄒ니, 창휘 비이슈명(拜而受命)ᄒ여 허다 위의를 거ᄂ려 화부의 니르니, 화츄밀이 대연을 개장ᄒ고 뎡히 신낭을 기다리더니, 창휘 홍안을 안아 옥상의 다드르미, 화공이 셔랑을 쳐음 보미 아니로ᄃᆡ 그 션풍옥골이 탈쇽(脫俗)ᄒ여 태을션군(太乙仙君)1412)이 하강ᄒᆞᆫ 듯, 팔쳑경눈(八尺徑輪)의 가득ᄒ 션ᄎᆡ(仙彩) 금당(金塘)의 일만 버들이 휘드르며, 고은 용화ᄂᆞᆫ 츈원(春園)의 일빅 화신(花神)이 므르녹음 ᄀ트니, 엄듕ᄒ 긔상과 쥰녈ᄒ 위의 구츄상텬(九秋霜天)의 놉흠과 듕산(重山)의 무거오믈 겸ᄒ고, 강하의 휀출ᄒ 긔【52】상이며 쳔츄영걸디풍(千秋英傑之風)이 셰ᄃᆡ무뎍(世代無敵)이라. 화공이 뎡슉녈을 셔랑을 삼아두고 만ᄉ의 긔특이 넉여, 언언이 공밍(孔孟) 이후 ᄒ 사람이라 ᄒ여, 긔ᄃᆡ취듕(期待取重)ᄒᄃᆡ, 너모 단엄(端嚴) 녜듕(禮重) ᄒ

티리니, 황영(皇英)1336) ᄀᆞᆺ치 화우ᄒ고, 딘씨 역시 현슉ᄒ니 화동(和同)ᄒ믈 근심치 아니ᄒ노라"

신비 비샤 슈명ᄒ니 그 온슌 화열ᄒ미 츌어 외모ᄒ지라. 남휘 만심 희열ᄒ여 모친과 조부인긔 치하ᄒ고, 즁빈이 또ᄒ 치하ᄒ니, 조부인은 경하를 당ᄒᆞᆯ소록 부뷔 즐기지 못ᄒ믈 슬허 누쉬 영영(盈盈)ᄒ니, 의렬이 비감ᄒ믈 춤고 위로ᄒ더라.

남휘 창후를 지쵹ᄒ여 화가로 보ᄂ니, 휘 위의를 거ᄂ려 화부에 니르니, 화공이 대연을 베퍼 신낭을 마ᄌᆯ 시, 창휘 홍안을 젼ᄒ니, 공이 신낭을 초견(初見)ᄒ미 아니로ᄃᆡ, 션풍옥골이 표표(表表) 탈속(脫俗)ᄒ여 션군(仙君)1337)이 하강(下降)미라. 팔쳑 신장에 풍뉴 헌앙ᄒ여【30】용화 탁월ᄒ미 츈원(春園)에 일빅 화신(花神)이 므르녹음 ᄀᆞᆺ거늘, 엄쥰ᄒ 긔상과 쥰열ᄒ 위의 구츄상쳔(九秋霜天)의 놉흠과 틴산지풍(泰山之風)을 겸ᄒ엿시니, 쳔츄영걸이오. 당셰 일인이라. 공이 슉녈노 녀셔를 삼아[으]미 만시 족의(足意)나 너모 단슉(端肅)ᄒ여 호긔로오미 젹으므로 답답이 넉이고, 너모 몱아 슈골(壽骨)이 아니믈 근심ᄒ더니, 이제 창후로 동상을 삼으미 일호 미진ᄒ미 업고 희츌망외(喜出望外)라. 신낭이 젼안(奠雁)을 맛고 좌에 들미, 공이 집슈 희열 왈,

---

1409)아황(娥皇) : 요임금의 딸로 동생 여영(女英)과 함께 순임금에게 시집가 서로 투기하지 않고 화목하게 잘 살았으며, 순임금이 창오(蒼梧)에서 죽자 함께 소상강(瀟湘江)에 빠져 죽었다.

1410)녀영(女英) : 순임금의 비(妃). 아황(娥皇)의 동생으로 자매가 함께 순임금을 섬겼다.

1411)이로 : 이루. 도저히.

1412)태을션군(太乙仙君) : =태을성군(太乙星君). 음양가에서, 북쪽 하늘에 있는 별인 태을성(太乙星)의 성군(星君)으로서 병란·재화·생사 따위를 맡아 다스린다고 하는 천상선관(天上仙官).

1336)황영(皇英) : 요임금의 두 딸, 아황(娥皇)과 여영(女英)을 함께이르는 말. 자매가 함께 순임금에게 시집가 서로 투기하지 않고 화목하게 잘 살았으며, 순임금이 창오(蒼梧)에서 죽자 함께 소상강(瀟湘江)에 빠져 죽었다.

1337)션군(仙君) : 천상선관(天上仙官).

여 영쥰호걸(英俊豪傑)의 긔습이 브죡ᄒ기
로 답답이 녁이고, 그 위인이 과히 몱아 딘
이(塵埃)의 쮜여나니, 힝혀 슈복(壽福)의 히
로올가 ᄒ더니, 금일 창후의 영쥰으로ᄡᅥ 동
상을 삼으ᄆᆡ 흔 곳 미딘(未盡)ᄒ미 업고 만
시 바란 밧기라.
　공이 만심대열(滿心大悅)ᄒ여 딘평댱 영
슈로 팔 미러 신낭을 좌의 드리고, 화공이
집슈 쾌열 왈,
　"댱샤 덕소의셔 슈원을 볼 젹의ᄂᆞᆫ 셔랑
삼으믈 몽듕의도 싱각디 아니ᄒ엿더니,【5
3】 스스로 반싱 셰간(世間)이 헛되디 아니
ᄒ여, 쳥문 ᄀᆞᆺ튼 대현(大賢)《을∥으로》 죵
용이 담화ᄒ며 딘짓 스회로 아던 윤낭은,
뎡부인이 되어 {슈원} 슈원의 조강(糟糠)이
시고, 셔랑의 친쳑으로 아라 뎡남대원슈로
위덕이 스히의 드레던 슈원으로 오ᄂᆞᆯ놀 내
집 동상(東床)을 삼으니, 근본을 니를딘ᄃᆡ
슉녈부인의 긔이ᄒ신 혜아림과 비상ᄒ신 셩
덕이라. 싱각ᄒ올ᄉᆞ록 감은(感恩)ᄒ거니와, 녀
식은 궁향(窮鄕)의셔 우용(愚庸)이 ᄌᆞ란 비
라. 빅ᄒᆡᆼ이 일ᄏᆞᆷ죽디 아니니 슈원은 관대
화홍(寬大和弘)ᄒ므로ᄡᅥ 허믈치 말나."
　창휘 몸을 굽혀 스샤ᄒᆞᆯ ᄯᆞᆫ이오, 굿ᄐᆞ여
긴 말을 시작디 아니ᄒ거ᄂᆞᆯ, 딘평댱이 웃고
화공을 향【54】여 왈,
　"이졔 슉뷔 초의 죵ᄆᆡ(從妹)로ᄡᅥ 녀진 줄
을 아디 못ᄒ시고 동상을 삼으시면[미], 슈
원 ᄀᆞᆺ튼 광부를 만나 미뎨의 평싱이 괴롭게
ᄒ려 ᄒ시미어니와, ᄯᅩᄒᆞᆫ 텬연의 듕ᄒ미라.
쇼딜은 그으ᄃᆡ 보건ᄃᆡ 슉부의 셔랑이 흔 조
각 죵요로온 마ᄃᆡ 업스니, 가히 쾌셔라 일
ᄏᆞᆺ디 못홀디라. 슉녈 죵ᄆᆡ 긔특흔 연고로
쇼ᄆᆡ와 죵ᄆᆡ가디 다 모화 광부(狂夫)의 ᄂᆡ
죠를 빗ᄂᆡ니, 웃듬은 슉녈의 덕이로ᄃᆡ, 윤
슈원의 ᄆᆞ음인죽, 졔 풍신(風神)이{나} 아름
답고 ᄌᆡ망(才望)이 놉하, 쳔고의 무빵흔 슉
녀를 ᄀᆞ초 두고 금일 ᄂᆡ로 냥쳐를 취ᄒᆞᆫ
줄노 아ᄋᆞᆸ᷀ᄂᆞ니, 슉부ᄂᆞᆫ 심ᄉᆞ를 은닉디 마르
시고 겨드려 바【55】로 니르쇼셔. 뎡ᄆᆡ의
거리낀[1413] 혼신 고로 슬ᄒᆞ시나 마디 못ᄒᆞ

　"댱샤 젹소에셔 쳥문을 볼 젹에ᄂᆞᆫ 싱관
(甥館)[1338]에 마ᄌᆞᆷ이 념외(念外)오, 흔갓 덕
망지(德望者)를 항복ᄒ며 흔 번 슈작ᄒᆞᆷ도
큰 영광으로【31】 아더니, 셰ᄉᆞ(歲事) 긔괴
ᄒ여 진짓 스회로 아던 윤낭은 쳥문의 졍실
이 되고, 졍남대원슈(征南大元帥)로 위덕(威
德)이 겸젼ᄒ여 히ᄂᆡ를 들네고, 남토셔민(南
土庶民)이 ᄌᆞ모(慈母) ᄀᆞᆺ치 브라ᄆᆡ, 내 ᄯᅩ
경복ᄒ던 쳥문이 나의 셔랑될 줄 ᄯᅳᆺ하엿시
리오. 근본인즉 슉녈 부인의 셩덕이라. 감은
ᄒᆞᆷ이 극ᄒ나 녀으는 궁향에 무용(無用)이
ᄌᆞ란 비라. 빅ᄒᆡᆼ이 무일가취(無一可取)니,
쳥문의 관홍대도(寬弘大道)로 일싱이 안한
ᄒᆞᆷ믈 브ᄅᆞ노라."
　휘 흠신 ᄉᆞ샤ᄒᆞ니, 딘평댱이 소왈,

　"슉쥐(叔主)[1339] 젼일 죵ᄆᆡ(從妹)를 남ᄋᆞ
로 아라 동상을 졍ᄒ기도, 광텬 ᄀᆞ흔 광긱
으로 화믜의 평싱을 괴롭게 ᄒ려신 연괴니,
텬연이 아니니이다. 소딜은 보건ᄃᆡ 슉쥬(叔
主)의 셔랑이 츄호 죵요로오미 업셔, 셩식
(性息)[1340]이 나면 혜일거시 업ᄂᆞ니, 잘 어
덧다 ᄒ실거슨 업스ᄃᆡ, 슉녈 죵ᄆᆡ의 긔특ᄒ
미 소ᄆᆡ와 남소져와 표ᄆᆡ(表妹)【32】ᄭᅥ지
모화 광부(狂夫)의 ᄂᆡ죠를 빗ᄂᆡ려 ᄒ미니,
도시 슉녈 미ᄌᆞ의 공덕이라. 쳥문즉 졔 ᄀᆞ
쟝 《아름다와∥아름답고》 ᄌᆡ망(才望)이

────────────────
1338)싱관(甥館) : 사위가 머무는 집. 또는 사위를 이
　　르는 말..
1339)슉쥐(叔主) : 숙부(叔父)를 달리 이르는 말.
1340)셩식(性息) : =성정(性情). 성질과 심정. 또는
　　타고난 본성.

줄 니르쇼셔. 져히 풍치는 주린 돗틔[1414]
상 ᄀᆞᆺ트여 실노 볼 곳이 업스믈 쾌히 니르
쇼셔.”

화공이 대쇼 왈,
“현딜은 스원으로 더브러 남미디의(男妹之義)를 미즈 졍이 집헌 디 오릭 거시어늘,
엇디 이러툿 찰찰(察察)이 나모라 허믈을
드러닉느뇨?”
딘평댱이 쇼왈,
“스원의 힝신이 만시 무일가취(無一可取)
라”
창휘 쇼왈,
“딘악댱은 일즉 나를 긔허(己許)ᄒᆞ샤 볼
젹마다 칭찬ᄒᆞ시ᄂᆞᆫᄃᆡ, 딘형은 쇼견이 닉도
ᄒᆞ여, 쇼뎨를 나모라미 못 밋츨 듯ᄒᆞ니, 뉴
(類) 뉴(類)를 좃고 믈이 믈을 ᄯᆞ로ᄂᆞ니, 악
댱이 주린 돗틔 상(相)을 긔특이 넉이샤, 언
언이 칭디(稱之)ᄒᆞ시ᄂᆞᆫ 칙(責)이 ᄀᆞ장【5
6】슈상ᄒᆞ도다.”
딘평댱이 크게 웃고 셔로 ᄯᅮ디져 욕셜이
긋디 아니니, 만좌듕빈이 화공의 쾌셔 어드
믈 칭하ᄒᆞ여 쥬긱의 즐기미 무궁ᄒᆞ고, 날니
는 {잔}잔이 분분(紛紛)ᄒᆞ여 스좌(四座) 극
취(極醉)ᄒᆞ니, 창휘 즉시 취ᄒᆞ여 옥면의 쥬
긔(酒氣) 편만ᄒᆞ니, 셜산(雪山)의 홍되(紅桃)
난만ᄒᆞᆫ 듯, 옥면봉목(玉面鳳目)의 광치 더욱
발월(發越)ᄒᆞ니, 화공이 어린ᄃᆞ시 그 용화를
우러러 웃는 닙을 주리디 못ᄒᆞ며, 잔을 드
러 년ᄒᆞ여 븍공을 권ᄒᆞ며 듕미ᄒᆞᆫ 공을 샤례
ᄒᆞ니, 븍공이 흔연 스샤(謝辭)ᄒᆞ고, 부친이
옥누항 연셕의 와 계시믈 일ᄏᆞ라 존젼의 취
쇡이 블경ᄒᆞᆷ믈 샤양ᄒᆞ여, 수오 비 밧근 넘
기디 아니니, 더 권【57】치 못ᄒᆞ고, 날이
느즈미 신부의 샹교를 지쵹ᄒᆞ니, 화쇼졔 뎡
의 들미 창휘 봉교(封轎)ᄒᆞ고 샹마ᄒᆞ여 부
듕의 도라 올시, 싱소고악(笙簫鼓樂){고악}

놉하, 쳔고무빵(千古無雙)ᄒᆞᆫ 쳘부슉녀(哲婦淑女)를 ᄀᆞᆺ초 어더 일일에 냥쳐를 취ᄒᆞ오
니, 슉쥬는 심스를 은휘(隱諱)치 마르샤, 뎡
미의 거릿긴[1341] 혼스를 슬ᄒᆞ나 부득이 셩
친ᄒᆞᆷ믈 니르시고, 져의 꼴은 주린 돗틔[1342]
상 ᄀᆞᆺ치 실노 볼 것시 업스믈 니르쇼셔.”
공이 대소 왈,
“현딜은 쳥문으로 남미지의(男妹之義)로
졍의(情誼) 깁흐리니 엇지 이러툿 헐ᄲᅢ리ᄂᆞ
뇨?”

평댱이 우으며 졈박기[1343]를 마지 아닌
디, 창휘 미소 왈,

“딘악댱은 나를 긔허(己許)ᄒᆞ샤 칭이(稱愛)ᄒᆞ시디, 형은 악댱과 《비도∥닉도》ᄒᆞ
여 증염ᄒᆞ미 심ᄒᆞ니, 뉴(類) 뉴(類)를 ᄯᅡ르
고 믈이 믈을 ᄯᅡ르ᄂᆞ니, 악댱이 쥬린 돗틔
상을 닐ᄀᆞ르신 양(樣)이 슈상토다.”

평댱이 ᄭᅮ짓고, 즁빈이 화공을 향ᄒᆞ여 칭
하ᄒᆞ미 분분ᄒᆞ더라. 날이【33】느즈미 신뷔
샹교ᄒᆞ니, 창휘 뎡문을 줌으고 도라올시 셩
ᄒᆞᆫ 위의 대로를 덥헛더라.

1341)거릿기다 : 거리끼다. 방해가 되다.
1342)돗ㅌ : 돝. 돼지.
1343)졈박다 : 어떤 사람의 단점 따위를 그 사람의
     인상에 남도록 들추어 말함. *졈박이 : 남에게 손
     가락질을 받아 어떤 점이 박히다시피 된 사람.

1413)거리끼다 : 거리끼다. 방해가 되다.
1414)돗ㅌ : 돝. 돼지.

은 하날을 드레고 부셩(富盛)흔 위의(威儀)
대로를 덥헛더라.

힝ᄒᆞ여 본부의 다ᄃᆞ라○[니] 쳥듕의 금연
치셕(金蓮彩席)과 긔린쵹(麒麟燭)이 휘황흔
ᄃᆡ, 냥 신인이 독좌(獨坐)1415)홀ᄉᆡ, 남치(男
彩) 발월ᄒᆞ고 녀뫼(女貌) 교교ᄒᆞ여, 뇽닌(龍
麟)과 난봉(鸞鳳)이라. ○○○[양인이] 《교
회ᄒᆞ여 ‖ 교ᄇᆡ(交拜)홀ᄉᆡ》 황금빅벽(黃金白
璧)이 ○○○○[빗츨 닷토니} 듕긱이 보는
《곳 ‖ 이》마다 황홀ᄒᆞ여 챵후의 쳐궁이 유
복ᄒᆞᆷ믈 흠탄ᄒᆞ더라.

녜파(禮罷)의 신낭이 츌외(出外)ᄒᆞ고 신뷔
단장을 곳쳐 존당 존고긔 폐빅을 헌홀ᄉᆡ,
비봉냥익(飛鳳兩翼)의 홍금젹의(紅衿赤衣)
찬난ᄒᆞ고, 뉴디셰요(柳枝細腰)의 금슈나상
(錦繡羅裳)을 쓰【58】어 팔ᄇᆡ대례(八拜大
禮)1416)를 힝ᄒᆞᄆᆡ 칠보 그림즈의 《녹 ‖ 옥
(玉)》 무은1417) 니마ᄂᆞ 반월(半月)이 오운
(五雲)의 ᄲᅡ힌듯, 아황냥미(蛾黃兩眉)1418)ᄂᆞᆫ
원산(遠山)이 희미흔 듯, 츄파냥안(秋波兩
眼)은 셩덕이 낫타나고, 단ᄉᆞ쥬슌(丹砂朱脣)
과 년화냥협(蓮花兩頰)이 무르녹으니, 션연
아딜(鮮妍雅質)이 탈딘이(脫塵埃)ᄒᆞ니, 딘퇴
녜ᄇᆡ(進退禮拜)의 쥬션(周旋)이 영오(穎悟)
ᄒᆞ고 동용안셔(動容安舒)의 ᄌᆞ유법도(自有
法度)ᄒᆞ니, 태부인 조부인이 두굿거오미 비
길 ᄃᆡ 업스ᄃᆡ, 셕ᄉᆞ를 싱각ᄒᆞ여 타루(墮淚)
ᄒᆞᆷ믈 마디 아니ᄒᆞ고, 호람휘 션형의 보디
못ᄒᆞᆷ믈 각골비통(刻骨悲痛)ᄒᆞ여 모친과 슈
슈(嫂嫂)를 위로ᄒᆞ며 뎡·딘·남·화 ᄉᆞ인
을 명ᄒᆞ여 셔로 보는 녜를 일우고, 엇게를
굴와 좌를 일우믜, ᄉᆞ인의 ᄉᆡᆨ모염광(色貌艶
光)이 흔갈ᄀᆞ치 긔이ᄒᆞ여,【59】텬화(天花)

본부에 도라와 쳥즁에 독좌(獨坐)1344)홀
ᄉᆡ, 남치(男彩) 발월ᄒᆞ고 녀뫼(女貌) 교교ᄒᆞ
여 룡닌(龍驎)과 난봉(鸞鳳)이라. 즁빈이 황
홀ᄒᆞ여 후(侯)의 쳐궁이 유복ᄒᆞᆷ믈 흠션(欽
羨)ᄒᆞ더라.

례파(禮罷)에 신뷔 단장을 곳쳐 존고긔
폐빅을 헌홀ᄉᆡ, 비봉양익(飛鳳兩翼)의 홍금
젹의(紅衿赤衣) 찬난ᄒᆞ고, 뉴지셰요(柳枝細
腰)에 금슈홍군(錦繡紅裙)을 《거러 ‖ 쓰
러》 팔ᄇᆡ디례(八拜大禮)1345)를 힝ᄒᆞᄆᆡ, 옥
ᄀᆞᆺᄐᆞᆫ 이마ᄂᆞ 원산에 안기 거덧ᄂᆞᆫ 듯, 츄파
냥안(秋波兩眼)은 셩덕이 낫타ᄂᆞ고, 단ᄉᆞ잉
슌(丹砂櫻脣)에 년화냥협(蓮花兩頰)이 무르
녹으니, 션연아질(鮮妍雅質)이 탈쇽진익(脫
俗塵埃)ᄒᆞ며 진퇴례빅(進退禮拜)의 규구준
승(規矩準繩)1346)을 조ᄎᆞ 안셔동용(安舒動
容)의 ᄌᆞ유법도(自有法度)ᄒᆞ니, 태 부인과
조부인이 두굿거오미 비길 ᄃᆡ 업스ᄃᆡ, 셕ᄉᆞ
를 싱각고 타루(墮淚)ᄒᆞ며, 남휘 션형(先兄)
의 못 보시믈 각골【34】비통ᄒᆞ여 슈슈를
위로ᄒᆞ며, 뎡·딘·남·화 ᄉᆞ인이 셔로 보
ᄂᆞᆫ 녜를 《나르고 ‖ 이루고》 좌ᄒᆞᄆᆡ, ᄉᆞ인
의 ᄉᆡᆨ모념ᄐᆡ(色貌艶態) 긔이ᄒᆞ여 텬화(天花)
네 송이 옥호(玉壺)에 곳쳣ᄂᆞᆫ 듯, 네 낫 명
월쥬(明月珠) 보광(寶光)을 먹음어 광치죠요
(光彩照耀)ᄒᆞ여 텬디졍화(天地精華)를 탈슈

1415)독좌(獨坐) : 독좌례(獨坐禮). 혼인례에서 대례
(大禮)를 달리 이른 말. 즉 신랑과 신부가 대례를
행할 때 각각의 앞에 음식을 차려 놓은 독좌상(獨
坐床)을 놓고 교배(交拜)·합근(合巹) 등의 의례를
행하는 것을 비유하여 쓴 말이다.
1416)팔비대례(八拜大禮) : 혼례(婚禮)에서 신부가 신
랑의 부모께 처음 뵙는 예(禮)인 현구고례(見舅姑
禮)를 행할 때 여덟 번 큰절을 올렸다.
1417)무으다 : 쌓다. 뭉치다. 만들다.
1418)아황냥미(蛾黃兩眉) : 화장한 두 눈썹.

1344)독좌(獨坐) : 독좌례(獨坐禮). 혼인례에서 대례
(大禮)를 달리 이른 말. 즉 신랑과 신부가 대례를
행할 때 각각의 앞에 음식을 차려 놓은 독좌상(獨
坐床)을 놓고 교배(交拜)·합근(合巹) 등의 의례를
행하는 것을 비유하여 쓴 말이다.
1345)팔비대례(八拜大禮) : 혼례(婚禮)에서 신부가 신
랑의 부모께 처음 뵙는 예(禮)인 현구고례(見舅姑
禮)를 행할 때 여덟 번 큰절을 올렸다.
1346)규구준승(規矩準繩) : ①목수가 쓰는 '그림쇠,
자, 수준기, 먹줄'을 통틀어 이르는 말. ②일상생활
에서 지켜야 할 법도.

네 송이 옥분의 꼿첫는 둧, 명월쥬(明月珠) 보광을 먹음어 광치 됴요(照耀)ᄒ여 텬디졍믹(天地正脈)이 머믄 둧, 뎡시는 취디여일(趣之如日)[1419]이오 망디여운(望之如雲)[1420]이라. 의렬이 아니면 병구(倂俱)ᄒ리 업ᄉᆞᆫ디라.

호람휘 깃브믈 니긔디 못ᄒ여 친히 잔을 드러, 뎡시를 주어, 왈,

"종부(宗婦)는 가국(家國)의 흥망이 달녓ᄂᆞ니, 녀ᄌᆞ의 덕이 호호(浩浩)ᄒ면 {크면} 국가를 흥ᄒ고 집을 챵ᄒ며 ᄌᆞ손의 여영(餘榮)이 잇고, 녀ᄌᆡ 악이 셩ᄒ면 나라히 망ᄒ고 집이 멸ᄒᄂᆞ니 가히 두렵디 아니리오. 현딜의 셩ᄒᆡᆼ슉덕은 태샤(太姒)의 남은 풍이이셔, 광텬이 문왕(文王)의 덕이 업ᄉᆞ디 현딜의 니조ᄒᆞ미 호대ᄒ여, 쥬션강후(周宣姜后)[1421]의 셰 번 더으미 잇ᄂᆞᆫ디라. 【60】 남ㆍ화 ᄀᆞᄐᆞᆫ 졀식슉녀를 일시의 닐위여, 광ᄋᆞ의 니조를 빗ᄂᆞ고 갈담풍화(葛覃風化)[1422]의 녯일을 효측ᄒᆞ니, 일노조ᄎᆞ 광이 빅ᄌᆞ쳔손(百子千孫)의 한업ᄉᆞᆫ 복녹을 보디 아냐 알디라. 웃듬은 우리 션형의 뎍심튱녈(赤心忠烈)과 슈슈(娣娒)의 인ᄌᆞ셩덕(仁慈聖德)이 널니 흘너, 드러오는 녀ᄌᆡ ᄒᆞ나토 용우치 아니미오, 버거는 현딜의 붉히 쳔거ᄒᆞᆫ 공이라. 풍상변익(風霜變厄)을 비상이 겻거시디, 츌텬대회 이ᄌᆞ(睚眦)의 원(怨)[1423]을 먹음디 아니코, 가부로 ᄒᆞ여금 셩녀슉완을 ᄀᆞᆺ초 취케 ᄒᆞ니 엇디 아름답디 아니리오. 일비하쥬(一杯賀酒)로 현딜의 덕ᄒᆡᆼ을 갑흘 거시 아니로디, 우슉의 깁흔 ᄯᅳᆺ을 표ᄒᆞ노 (奪收)ᄒᆞᆫ 즉 뎡씨는 취지여일(趣之如日)[1347]이오 망지여운(望之如雲)[1348]이라. 의렬이 아닌즉 병구(竝驅)ᄒᆞᆯ 지 뉘잇시리오.

1419)취디여일(趣之如日) : 취향(趣向)은 해처럼 밝고 정대함.

1420)망디여운(望之如雲) : 바라는 것은 구름처럼 무심하여 세속에 얽매이지 않음.

1421)쥬션강후(周宣姜后) : 중국 주나라 선왕(宣王)의 부인 강후(姜后). 위엄 있는 풍모와 덕행을 갖춘 현부(賢婦)로 유명하다.

1422)갈담풍화(葛覃風化) : 갈담의 교화. 갈담은 『시경』〈주남(周南)〉 갈담장(葛覃章)에 나오는 말로, 주나라 문왕비인 태사(太姒)의 덕을 기리는 말.

1423)이ᄌᆞ디원(睚眦之怨) : 한번 흘겨보는 정도의 원망이란 뜻으로 아주 작은 원망을 말함.

1347)취디여일(趣之如日) : 취향(趣向)은 해처럼 밝고 정대함.

1348)망디여운(望之如雲) : 바라는 것은 구름처럼 무심하여 세속에 얽매이지 않음.

라.”【61】

뎡슉녈이 년망이 꾸슈로 잔을 밧줍고, 피셕브복(避席仆伏)ᄒᆞ여 듯줍고 하셕ᄌᆡ비(下席再拜)ᄒᆞ여 블감황공(不堪惶恐)ᄒᆞ믈 일ᄏᆞᆮ니, 옥셩봉음(玉聲鳳吟)은 텬디의 화긔를 일우고, 효슌경근디녜(孝順敬謹之禮)ᄂᆞᆫ 셩현유풍을 가져시니, ᄀᆞᆺ초 긔이ᄒᆞᆫ 즈름을 블가형언이라. 의렬이 겻틔셔 웃고 슉녈을 권ᄒᆞ여 왈,

“현뎨 본ᄃᆡ 일작블음(一勺不飮)이나 계부의 주신 빈니 아니 먹디 못ᄒᆞᆯ디라. 모로미 딘음ᄒᆞ라.”

슉녈이 황공ᄒᆞ여 계오 졉구(接口)만 ᄒᆞᆯ ᄯᆞᆫ이러라. 호람휘 밧그로 나아 와 뎡병부를 각별이 술을 권ᄒᆞ여 듕미의 공을 일ᄏᆞᆮ니, 븍공이 ᄉᆞ샤ᄒᆞ고 《부치∥부친》이 직좌ᄒᆞ시므로 쥬비를 통음(痛飮)치 아니터라.

종일【62】딘환(盡歡)ᄒᆞ고 황혼의 너외 빈긱이 취ᄒᆞᆫ 거슬 붓들녀 각귀기가(各歸其家)ᄒᆞᆯᄉᆡ 금평후와 뎡국공이 흠긔 ᄌᆞ부를 거ᄂᆞ려 도라가니, 조·뉴 냥부인이 각각 녀ᄋᆞ를 훌훌이 보ᄂᆡ고, 결연ᄒᆞᆷ믈 니긔디 못ᄒᆞ더라.

호람휘 냥신부의 슉소를 뎡ᄒᆞ여 보ᄂᆡ고, 쵹을 니어 태부인을 뫼시고 ᄌᆞ딜을 거ᄂᆞ려 구파로 담화ᄒᆞᆯᄉᆡ, 뎡·딘·하·댱 등은 좌하의 시좌ᄒᆞ엿ᄂᆞᆫ디라. 호람휘 챵후를 보아 닐오ᄃᆡ,

“금일은 남시의 쳐소의 가 밤을 디ᄂᆡ고 명일은 화시의 곳의 가 밤을 머믈나. 범시 ᄎᆞ례 이실디라, 네 비록 년쇼 광패ᄒᆞ나 작위 후빅의 니르고, 가ᄂᆡ의 여러 쳐실이 이【63】셔 만시 과의(過矣)라. 스스로 조심ᄒᆞᆯ ᄯᆞᆫ 아니라, 졔가(齊家)의 위덕(威德)을 병ᄒᆡᆼᄒᆞ여 ᄋᆡ증(愛憎)을 편벽(偏僻)게 말고, 가ᄂᆡ 화열ᄒᆞᆷ믈 싱각ᄒᆞ라.”

챵휘 ᄇᆡ이슈명(拜而受命)ᄒᆞ니, 호람휘 우음을 먹음고 슉녈다려 왈,

“딜이 ᄒᆞᆫ 몸으로써 두 신방을 ᄃᆞᆫ니디 못ᄒᆞ리니, ᄎᆞ례 남시의 슉소로 갈디라. 현딜은 화시의 침소의 가 젼일 부부디의(夫婦之義)

○○[남휘] 병부를 보고 술을 부어 즁미ᄒᆞᆫ 공을 표ᄒᆞ니, 븍공이 함소 ᄉᆞ샤ᄒᆞ고 엄견이라 통음(痛飮)치 못ᄒᆞ더라.

종일 진환(盡歡)에 일모(日暮) 각산(各散)ᄒᆞ고, 금평후와 뎡국공이 ᄌᆞ부를 거ᄂᆞ려 도라 가니, 냥 신부를 슉소로 보ᄂᆡ고, 쵹을 니어 존당에 신셩ᄒᆞᆯᄉᆡ, 남휘 챵후 ᄃᆞ려 왈,

“녜 금일은 남씨 침소로 가고 명일은 화씨를 ᄎᆞ쟈, 범시 ᄎᆞ례 잇게 ᄒᆞ라. 네 비록 년소ᄒᆞ나 작위후빅에 여러 쳐실이 다 망외(望外)니, 스스로 조심ᄒᆞ여 졔가(齊家)의【35】위덕(威德)이 가족ᄒᆞ며, ᄋᆡ증을 두지 마라, ᄡᅥ 공평을 쥬(主)ᄒᆞ라.”

휘 ᄇᆡᄉᆞ슈명(拜辭受命)ᄒᆞ니, 남휘 함소 왈,

“너의 일신이 두 신방을 엇지 ᄒᆞ리오, 뎡딜부 화씨의 침소를 직희여 ○○[젼일] 부부지의(夫婦之意)로 동녈을 밧고아 빅년안

를펴고 동녈의 졍을 돗타이 ᄒᆞ여, 빅년안ᄒᆞᆼ(百年雁行)1424)의 즐거이 디닉라."

슉녈이 ᄌᆡ비슈명(再拜受命)ᄒᆞ고 옥면셩모(玉面星眸)의 유연(悠然)ᄒᆞᆫ 슈ᄉᆡᆨ(羞色)을 ᄯᅵ여시니 광염이 일비승(一倍勝)이라. 이는 호람후의 화시 취ᄒᆞᆫ 슈단을 일ᄏᆞᄅᆞᆫ 연괴라.

태부인이 상요의 나아가시믈 보온 후, 창
【64】휘 계부를 뫼셔 외헌의 나와 취침ᄒᆞ신 후, 남쇼져의 침소의 나아가니 쇼졔 셔연(徐然)이 니러 마ᄌᆞ미, 창휘 팔흘 미러 동셔분좌(東西分坐)1425)ᄒᆞ고 봉졍(鳳睛)을 더져 신부를 살피니, 텬향국ᄉᆡᆨ(天香國色)이 셕목을 농쥰(濃蠢)1426)ᄒᆞ며 금블(金佛)이 도라 셧더라. 창후의 안총(眼聰)으로ᄡᅥ 흐갓 그 ᄌᆞᄉᆡᆨ을 아름다이 넉이미 아니라, 뇨라(姚娜)ᄒᆞᆫ 셩힝과 유한ᄒᆞᆫ ᄉᆞ덕이 외모의 나타나믈 만심환열ᄒᆞ여, 흔연이 두어 말ᄊᆞᆷ을 펴미 쇼졔 슈용졍금(收容整襟)ᄒᆞ여 ᄃᆡᄒᆞ미 업ᄉᆞ나, 공경ᄒᆞ미 현츌ᄒᆞ니, 창휘 이경ᄒᆞᄂᆞᆫ 졍을 혜아리미 졍히 여산약ᄒᆡ(如山若海)ᄒᆞ여 빅년의 늦거온 졍이 이시ᄃᆡ, 【65】뎡슉녈을 향ᄒᆞᆫ 듕졍과 딘쇼져를 이ᄃᆡᄒᆞᆷ믄 텬디개벽(天地開闢)ᄒᆞ여도 변치 아닐너라.

효계창명(曉鷄唱鳴)ᄒᆞ미 쇼졔 니러 소셰ᄒᆞ고, 신셩(晨省)의 참예ᄒᆞ니, 창휘 ᄯᅩᄒᆞᆫ 니러나 관소(盥梳)를 일우고 밧그로 나아가니라.

어시의 뎡슉녈이 딘쇼져로 더브러 화쇼져 침소의 니르러 ᄒᆞᆫ가디로 밤을 디닐ᄉᆡ, 화쇼졔 뎡슉녈을 ᄃᆡᄒᆞ미 반가오미 가득ᄒᆞ나, 젼일 부부로 칭ᄒᆞ던 바를 싱각고 오히려 슈괴ᄒᆞᆫ 듕, 구가의 쳐음으로 니르러 슉녈이 비록 구면목이나, 져의 반기는 셜화를 드를디언졍 답ᄒᆞ미 업ᄉᆞ며, 딘시 비록 이종디간이

항(百年雁行)1349)의 각별ᄒᆞᆫ 뜻즐 펴게 ᄒᆞ라."

뎡씨 ᄌᆡ비슈명(再拜受命)ᄒᆞ나 옥면의 슈ᄉᆡᆨ(羞色)이 은영(隱映)ᄒᆞ니, 이 곳 화씨 취(娶)ᄒᆞᆫ 슈단으로 슈괴ᄒᆞ미러라.

태부인이 침상의 나아간 후 공이 상셔로 더브러 외헌의 나아가니, 창휘 슉부의 안휴ᄒᆞ신 후, 남씨 침소에 니르니 촉영지하에 부뷔 동셔분좌(東西分坐)1350)ᄒᆞ여, 창휘 남씨를 보미 빅미쳔ᄐᆡ(百美千態) 셕목(石木)을 농쥰(濃蠢)1351)ᄒᆞᄂᆞᆫ지라. 후의 조심경안광(照心鏡眼光)이 엇지 그 현우를 모르리오. 만심환희ᄒᆞ여 수어(數語)를 펴미 신뷔 슈용졍금(修容整襟)ᄒᆞ여 묵연부답(黙然不答)ᄒᆞ니 불승이경(不勝愛敬)ᄒᆞ여 멸쵹(滅燭) 후 소져로 상상의 나아가미, 은이 여산약ᄒᆡ(如山若海)ᄒᆞ나 【36】뎡·딘을 위ᄒᆞᄂᆞᆫ 뜻은 텬지기벽(開闢)ᄒᆞ나 불변《ᄒᆞ리라∥ᄒᆞᆯ러라》.

추야에 뎡·딘 냥인이 화씨긔 나아가 밤을 지닐ᄉᆡ, 피ᄎᆞ 반기미 극ᄒᆞ나 화씨ᄂᆞᆫ 젼일 부부로 아던 바를 슈괴(羞愧)ᄒᆞ고, 딘씨ᄂᆞᆫ 이종(姨從)으로 피ᄎᆞ 초면이나 셔어치 아니ᄃᆡ, 좌우에 윤부 시이 잇시니 지친지졍(至親之情)을 펴지 못ᄒᆞ더라.

1424)빅년안ᄒᆞᆼ(百年雁行) : 한평생을 두고 형제처럼 살아간다는 뜻으로 같은 남자와 혼인생활을 하는 여러 부인들을 이르는 말. *안ᄒᆞᆼ(雁行); 기러기의 행렬이란 뜻으로, 남의 형제를 높여 이르는 말.
1425)동셔분좌(東西分坐) : 예(禮)에서 남녀가 자리에 않을 때, 남자는 동쪽 여자는 서쪽으로 앉는다.
1426)농쥰(濃蠢) : 생각이나 욕구 따위가 왕성하게 꿈틀거림.

1349)빅년안ᄒᆞᆼ(百年雁行) : 한평생을 두고 형제처럼 살아간다는 뜻으로 같은 남자와 혼인생활을 하는 여러 부인들을 이르는 말. *안ᄒᆞᆼ(雁行); 기러기의 행렬이란 뜻으로, 남의 형제를 높여 이르는 말.
1350)동셔분좌(東西分坐) : 예(禮)에서 남녀가 자리에 않을 때, 남자는 동쪽 여자는 서쪽으로 앉는다.
1351)농쥰(濃蠢) : 생각이나 욕구 따위가 왕성하게 꿈틀거림.

나 좌우의 윤부 비비 등이 삼 셔 둣【66】
버럿는 고로, 딘쇼져로 디친의 졍의도 니르
디 못ᄒ더라.

  명됴의 냥신부와 뎡·딘·하·댱 스인이
죤당의 모드니, 태부인과 호람휘 면면이 이
듕ᄒ여 친녀와 다르미 업고, 구파의 황홀ᄒᆫ
스랑이 비길 곳이 업ᄂᆞᆫ디라. 남시ᄂᆞᆫ 동경셔
도라온 디 일슌이 못ᄒ여 대례를 힝ᄒ니,
약딜의 닛브미 무궁ᄒ나 슉녈 밧 그 ᄌᆞ븨
(滋憊)1427)를 알니 업더니, 구패 태부인긔
추ᄉᆞ를 고ᄒ니 태부인이 올히 너겨 남시를
믈너가 쉬라 ᄒ니, 슉녈이 잠간 몸을 ᄲᅢ혀
남시를 추ᄌᆞ 별뇌(別來)를 니르니, 남시 모
부인이 독슈의 맛ᄎᆞᆷ을 일ᄏᆞ라 눈믈이 화쇠
(花顋)를 젹시니, 슉녈이 츄연【67】 위로ᄒ
고 범ᄉᆞ의 졍의(情意) 친밀ᄒ미 골육동긔
ᄀᆞᆺ더라.

  초야의 창휘 화쇼져 침소의 니르니, 화시
홍군취삼(紅裙翠衫)으로 셔연(徐然)이 니러
마ᄌᆞ니, 창휘 팔 미러 좌뎡ᄒ고 봉안을 드
러 살피니, 화용이 쳥고쇄연(淸高灑然)ᄒ여
경국디ᄉᆡᆨ(傾國之色)이오 슉녀디풍(淑女之風)
이라. 스스로 쳐궁의 복 되믈 ᄌᆞ부ᄒ여, 희
연 잠쇼 왈,

  "ᄌᆞᄂᆞᆫ 댱샤 슈쳔니의 잇고 싱은 경샤의
잇ᄂᆞᆫ 사롬이라. 인연을 미즐 길히 어렵거ᄂᆞᆯ
연분이 긔특ᄒ여, 뎡시 댱샤의 죄뎍(罪謫)ᄒ
믈 인ᄒ여 괴괴ᄒᆫ 혼ᄉᆞ를 일홈ᄒ여, 오ᄂᆞᆯ놀
딘짓 부뷔 일실의 되ᄒ니, 근본을 싱각ᄒᆞᆫ즉
일장(一場) 실쇼(失笑)ᄒᆞᆯ 곳이로다. 싱은 그
윽이 다힝【68】여 ᄒᆞᄂᆞ니 ᄌᆞᄂᆞᆫ 엇더ᄒ여
ᄒᆞᄂᆞ뇨?"

  화쇼졔 쳥파의 옥면이 취홍(醉紅)ᄒ고 츄
패(秋波) 미미ᄒ여 슈괴(羞愧) 만면(滿面)ᄒ
니, 창휘 대쇼ᄒ고 답언을 지쵹ᄒᆞ되, 신뷔
단연(斷然) 브답ᄒ니 니화일디(梨花一枝) 취
우(驟雨)의 흔득이ᄂᆞᆫ 둣ᄒ더라.

  창휘 신부를 권ᄒ여 원앙금니(鴛鴦衾裏)
의 나아가니 은이 산비ᄒᆡᆨ박ᄒ고, 뎡슉녈이
화쇼져의 평싱을 졔도(濟度)ᄒ미, 창후의 졔

──────────────
1427)ᄌᆞ븨(滋憊) : 몸이 몹시 지쳐 고단하다.

  명됴에 냥 신부와 모든 소졔 신셩ᄒ미,
태부인과 공이 면면히 이즁ᄒ여 친녀와 ᄀᆞᆺ
고, 구파의 스랑이 황홀ᄒ더라. 남씨ᄂᆞᆫ 동경
셔 완지 일슌이 못ᄒ여 대례를 힝ᄒ니, 약
질이 잇브나 알 니 업더니, 구픠 태부인긔
추ᄉᆞ를 고ᄒ여 남씨를 불너 쉬게 ᄒ니, 슉
녈이 추ᄌᆞ 별회를 펼ᄉᆡ, 남씨 모친이 독슈
의 진ᄒᆞᆷ믈 닐ᄏᆞ라 쥬뤼(珠淚) 화쇠(花顋)를
젹시니, 뎡씨 츄연 위로ᄒ고 상(常)히 졍의
골육 ᄀᆞᆺ더라.

  초야의 창휘 화씨 침소의 니르니, 화시
홍군【37】취삼(紅裙翠衫)으로 셔연(徐然)
이 이러 마ᄌᆞ니, 휘 팔 미러 좌졍ᄒ고 봉안
을 드러 슬피미, 화용이 쳥고쇄연(淸高灑然)
ᄒ여 진짓 경국지식(傾國之色)이오, 슉녀지
풍이라. 쳐궁이 유복ᄒᆞᆷ믈 ᄌᆞ부ᄒ여, 잠쇼
왈,

  "부인은 댱ᄉᆞ 슈쳔니에 잇고 싱은 경ᄉᆞ
샤롬이라. 인연이 아득ᄒ거ᄂᆞᆯ 텬연이 신긔
ᄒ여 뎡씨 댱ᄉᆞ에 죄젹(罪謫)ᄒᆞᆷ믈 인ᄒ여
괴괴ᄒᆫ 혼ᄉᆞ를 일홈ᄒ여 금일 진짓 부뷔 일
실의 되ᄒ니, 근본을 싱각ᄒᆞᆫ즉 일장(一場)
실소ᄉᆞ(失笑事)라. 싱은 은근이 다 힝ᄒᆞᄂᆞ니
부인은 엇더틋 ᄒᆞᄂᆞ뇨?"

  소졔 쳥파의 옥면이 취홍(醉紅)ᄒ고 츄픠
(秋波) 미미ᄒ여 슈괴(羞愧) 만면(滿面)ᄒ니,
창휘 되소ᄒ고 답언을 지쵹ᄒ니, 단슌이 믹
믹ᄒ여 일언 불기ᄒ니, 싱이 이즁(愛重)ᄒ여
화씨로 원앙침상(鴛鴦枕上)에 나아가니, 냥
졍(兩情)이 교칠(膠漆) ᄀᆞᆺᄐᆞ여 남씨긔 ᄂᆞ리
지 아니터라.

  남·화 냥인이 인ᄒ여 구가에 머무러 죤
고를 ᄉᆡ봉(侍奉)ᄒ【38】미, 동동(洞洞)ᄒ

가(齊家)의 무흠(無欠)ᄒᆞ믈 깃거 ᄉᆞ랑ᄒᆞᄂᆞ
ᄋᆞ을 셩혼ᄒᆞᆷ ᄀᆞᆺ더라.

숙녈이 스스로 덕을 낫타ᄂᆡ디 아니나, 남
·화·딘 삼인을 동긔ᄀᆞᆺ치 거나리니, 일가
의 칭예와 창후의 듕디 여텬디무궁(如天地
無窮)ᄒᆞ고, 삼쇼져의 우럴고 바라ᄂᆞ 졍【6
9】이 태산븍두(泰山北斗) ᄀᆞᇀ여 뎡숙녈
ᄒᆡᆼᄉᆞ를 보미 일동일졍(一動一靜)을 그림ᄌᆞ
좃 ᄃᆞᆺᄒᆞ더라.

일가 문듕이 숙녈을 밀위여 녀ᄉᆞ(女士)라
탄복ᄒᆞ더라.

ᄎᆞ시 창후의 유졍ᄒᆞ엿던 창기 옥비·슈월
·취교·염낭·도화·셜미·월향·치옥·슈
잉·가월 십인이, 여러 일월의 타인을 좃디
아니코, 창후를 위ᄒᆞ여 슈졀ᄒᆞᄂᆞ 뜻이 녈부
(烈婦) 졀녀(絕女)의 다ᄅᆞ디 아니니, 동뉘
다 어려이 넉이고, 경박쇼년(輕薄少年)들이
그 용화를 흠모ᄒᆞ여, 금은보화(金銀寶貨)와
능나치단(綾羅綵緞)으로 그 ᄆᆞ음을 깃기고
유졍코져ᄒᆞᄃᆡ, 십창이 ᄒᆞᆫ갈ᄀᆞᆺ치 일제히 믈
니쳐 요동치 아니코, 의식디졀(衣食之節)의
간【70】고ᄒᆞ나, 창후의 ᄎᆞᄌᆞ믈 듕디ᄒᆞ고
타쳐의 금빅을 쓩ᄀᆞᆺ치 넉이니, 븍공이 그
졀의를 아ᄅᆞᆷ다이 넉여, 일일은 됴회길ᄒᆡ 옥
누항의 드러 가 창후를 보고 십창(十娼)의
졀의를 일ᄏᆞ라 거두믈 니르더라.
【71】

셩회 뎡·진을 ᄯᆞ로고 승슌군ᄌᆞ(承順君子)
와 화우금댱(和友襟丈)ᄒᆞ여, 남씨ᄂᆞᆫ 온슌화
열(溫順和悅)ᄒᆞ며 화씨ᄂᆞᆫ 단아인ᄌᆞ(端雅仁
慈)ᄒᆞ니, 너르고 화ᄒᆞ며 무거오믄 남씨오,
놉고 조ᄒᆞ며 ᄆᆞᆰ고 녈녈ᄒᆞ믄 화씨니, 숙미
(叔妹) 금댱(襟丈)을 화우ᄒᆞ고 일가 족친을
돈목ᄒᆞ니, 가즁의 인즁ᄒᆞᆷ은 이르지 말고 예
셩(譽聲)이 닌니(隣里)에 쟈쟈ᄒᆞ더라.

숙녈이 남화를 쳔거ᄒᆞ여 합개 경이ᄒᆞ고
후의 즁디ᄒᆞᆷ믈 보미 다ᄒᆡᆼᄒᆞ미 극ᄒᆞ나, 덕을
닷토지 아니ᄒᆞ고 투심(妬心) 업스믈 ᄌᆞ랑치
아니므로, 녀즁요슌(女中堯舜)이오, 작즁봉
황(作中鳳凰)이라, 향이 굼초나 ᄂᆡ음ᄉᆡ를
굼초지 못ᄒᆞ여, 가만ᄒᆞᆫ 즁에 예셩이 쟈쟈ᄒᆞ
니, 남·화·딘 삼인이 우러러 효측고져 ᄒᆞ
고, 윤문 졔족이 숙녈을 녀ᄉᆞ(女士)라 ᄒᆞ더
라.

창후의 유졍ᄒᆞᆫ 창기 옥비·슈월 등 십녜
여러 일월의 슈졀ᄒᆞ니, 동뉘 어러[려]이 넉
이고, 탕ᄌᆞ ᄌᆞ식을 흠모ᄒᆞ【39】야 지믈을
무슈히 가져 훼졀(毀節)고져ᄒᆞᄃᆡ, 십녜 졍심
(貞心)이 쳘셕(鐵石)이라. 의식이 간고ᄒᆞᄃᆡ
후의 ᄎᆞᆺ기를 기ᄃᆞ리고 부귀를 불원(不願)ᄒᆞ
니,

명듀보월빙 권디팔십

어시의 븍공 뎡듁쳥이 일일은 됴회길히
옥누항의 드러, 창후를 보고 닐오듸,

"슈원이 젼ᄌ의 십창으로 더브러 {언약ᄒ
여시니} 쳘셕ᄀᆺ치 말ᄒ여 쳡잉(妾媵) 항녈
의 두기를 긔약ᄒ여시니, 금ᄎᄃᆞ시(今此之
時)ᄒ여 옥비 등이 듸월누의셔 간괴(艱苦)
ᄌ심(滋甚)ᄒ듸, 슈원을 위ᄒ여 슈졀혼다 ᄒ
니, 댱부일언(丈夫一言)은 쳔년블개(千年不
改)오, 녀ᄌ 함원(含怨)은 오월비상(五月飛
霜)이라 ᄒ니, 옥비 등이 일홈이 쳔창(賤娼)
이나 졀ᄒᆡᆼ(節行)이 고인을 쏠온 후ᄂᆞᆫ, 젼일
언약을 니ᄌ면 슈원이 실신무의(失信無義)
혼 사롬이 될 거시오, 젹악(積惡)이 되리니,
【1】슈히 ᄎᄌ 빈희(嬪姬)의 슈를 치오
라."

창휘 쳥파의 민울(悶鬱)ᄒᄂᆞᆫ 빗치 업디
아나 침음ᄒ거늘, 븍공이 기의(其意)를 디긔
ᄒ고 호람ᄒ긔 나아가 비현ᄒ고, 십창의 슈
졀ᄒᄂᆞᆫ 연유를 봵히 고ᄒ여, 거두지 {아}
《아닛ᄂᆞᆫ ‖ 아니면》 브뎍션(不積善)이믈 일
ᄏᆞᆫ고 ᄯᅩ 우어 왈,

"쇼싱이 비록 동긔를 위혼 졍이 박ᄒ나,
십창이 만일 간교ᄒ여 미뎨의게 히로오미
이실딘듸, 엇디 합하긔 허ᄒ시믈 고ᄒ리잇
고마ᄂᆞᆫ, 개개히 냥션(良善)ᄒ니 가니의 머므
러도 히로오미 업술 거시오, 합하 비록 슈
원의 호ᄉᆡᆨ을 깃거 아니시나, 문왕(文王)이
셩인이샤듸 태ᄉᆞ(太姒) ᄀᆞᆺ튼 슉녀를 두시고,
삼쳔후비(三千后妃)를 ᄀᆞᆺ초신 바를 【2】혜
아리샤 허ᄒ쇼셔."

호람휘 븍공의 말인즉 언쳥계용(言聽計
用)1428) 홀 ᄲᅮᆫ 아니라, 창후의 위인이 쳐쳡
을 만히 두며 복녹이 무량홀 줄 아ᄂᆞᆫ디라.
다만 회회히우어 왈,

"창빅이 미부의 호방을 도아 녁권(力勸)
ᄒ니, 내 딜ᄋᆞ의 번ᄉᆞ를 깃거 아니나 창빅

븍공이 그 졀의를 가이(可愛)ᄒ여 후ᄃ러
왈,

"형이 옥비 등으로 졍밍(訂盟)ᄒᄆᆡ 옥비
등이 듸월누의셔 간초(艱楚)ᄒ듸 슈졀(守
節){기의}ᄒ니 쟝부 일언(丈夫一言)이 쳔년
불기(千年不改)라. 일부(一婦) 함원(含怨)이
오월비상(五月飛霜)이니, 비록 쳔인(賤人)이
나 기졍(其情)이 쳐의(悽矣)니, 브리미 가긍
(可矜)ᄒ지라. 복녹에 음희(陰害)ᄒ리니 모
로미 거두어 신임(信任)ᄒ라"

휘 그러이 넉이나 슉부를 두려 묵연ᄒ니,
븍공이 남후긔 ᄎᆞᄉᆞ를 고ᄒ며 소왈,

"쇼싱이 비록 《무신 ‖ 무식》ᄒ나 십창이
만일 간교ᄒ여 미져에 유히ᄒᄆᆡ 잇실진듸
합하긔 녁쳥(力請)ᄒ리잇가마ᄂᆞᆫ, 개개히 량
션(良善)ᄒ여 넘녀 업스리니, 합히 쳥문의
호신(豪身)을 불열ᄒ시나, 문왕(文王)이 셩
군이ᄉᆞ듸 삼쳔 후궁을 두【40】시니, 쳥문
의 긔상이 그만 쳐쳡 거ᄂᆞ리기 무관ᄒ오리
니 믈녀(勿慮)ᄒ샤 허ᄒ소셔."

남휘 븍공의 말인즉 언언쳥종(言言聽
從)1352)ᄒᄂᆞᆫ지라. 휘 소왈,

"창빅이 미부의 호방을 도아 번ᄉᆞ의 창기
를 이ᄀᆞᆺ치 권ᄒ니, 늬 딜ᄋᆞ의 호방을 불열

1428)언쳥계용(言聽計用) : 다른 사람의 말을 받아들
이고 그 계책을 씀.

1352)언언쳥종(言言聽從) : 다른 사람의 말을 말마다
다 받아들이고 따름.

의 권호믈 조추 십창을 허호느니, 추후 십
창의 잘 못호미 이시면 창빅이 당호리라."

　븍공이 대쇼호고, 도라와 옥비 등을 윤부
로 보니니, 호람휘 태부인과 조부인긔 븍공
의 호던 말을 고호고, 십창을 블너 보니, 옥
비 등이 계하(階下)의셔 빈례호고 블감승계
(不敢昇階)호니, 호람휘 등계의 오로믈 명호
고, 그 용모위【3】인 을 보건디, 개개히
졀셰묘려(絶世妙麗)호고 목직(目眥) 슌냥(順
良)호니, 호람휘 창후의 쳐쳡의 복되믈 힝
희호고, 옥비 등을 분부호여 뎍쳡존비(嫡妾
尊卑)를 명빅히 니르고, 각각 당샤를 뎡호
여 주고, 시녀 슈인식 뎡호여 주고, 뎡・딘
・남・화 스부인긔 등계의셔 빈알케 호니,
스부인이 굿트여 셩덕을 베프미 업스나, 스
긔여화(辭氣麗和)호여 츈풍 又트니, 초일노
브터 옥비 등이 의앙(依仰)호는 모음과 두
리는 뜻이 극딘호더라.
　조부인이 창후를 경계호여 왈,
　"내 　우히 년쇼브직(年少不才)로 외람이
위거후빅(位居侯伯)호니 근신겸퇴(謹愼謙退)
호여 슉야의 긍긍업업(兢兢業業)호라. 만시
외람호여 쳐쳡 십스인을 거나리게 되니, 가
니 화평키【4】를 쥬호라."
　창휘 슌슌(順順) 빈샤슈명(拜謝受命)호고
츠후 더욱 졔가(齊家)의 위덕이 슉연호여,
익증(愛憎)이 고로고 법녕이 엄슉호여 은위
(恩威) 병힝호니, 슉녈 又튼 셩녀현비(聖女
賢妃)라도 감히 모음을 노치 못호니, 호믈
며 기여(其餘)를 니르리오. 딘시 초쥰밍녈
(峭峻猛烈)호여 가부의 위풍을 간디로 두리
미 업더니, 졈졈 그 뇌졍(雷霆) 又튼 호령과
엄위호 긔상을 어려워, 스스로 뜻을 낫초와
화슌호믈 쥬호여 다시 곡경을 당치 아니라
호미, 텬싱품딜(天生稟質)과 용화식틱(容華
色態)는 슉녈의 아릭 일인으로 빅힝이 무흠

하나 창빅의 말을 조추 십창을 허호느니,
가닉에 작난호미 잇슨즉 창빅이 《알니라‖
당호리라》."
　븍공이 흠신 왈,
　"십녜 만일 악식 잇실딘디 소싱이 가식를
져 지인(知人) 못흔 죄를 쳥호오리니, 명공
은 물우호소셔."
　남휘 웃고 쾌허호니, 공이 도라가 졔녀를
윤부로 보닐디, 남휘 모친과 조부인긔 븍공
의 말을 젼호고 십녀를 블너 볼식, 십창이
계하(階下)에셔 빈례호고 블감앙시(不敢仰
視)어늘, 공이 즁계(中階)에 좌를 쥬고 보
니, 개개히 화용(花容)이 졀셰호여 안광이
슌량(順良)호며 간교치 아니니, 창후의 복
(福)을 힝열호디, 스【41】식(辭色)지 아니
코, 졔녀를 경계호여 젹쳡 존비를 착난치
말나 호고, 방샤를 졍호고 시비를 쥬어 스
후케 호며 스부인긔 현알케 호니, 십녜 빈
비 샤은호고 계하에셔 스비호니, 스소졔(四
小姐) 말이 업스나 스긔(詞氣) 츈풍(春風)이
오, 위의(威儀) 졍슉(貞淑)호니, 십녜 우러러
황공송률(惶恐悚慄)호여 퇴호다.

　조부인이 창후를 경계호여 《녀소‖년
소》혼 쥼 쳐쳡(妻妾)이 십스인이니, 위거공
후(位居公侯)에 만시 외람호믈 닐러, 공근겸
틱(恭謹謙退)호믈 당부호고, 창휘 빈샤슈명
(拜謝受命)호고, 이후 더욱 졔가(齊家)의 위
덕이 병힝호니, 슉녈 又튼 슉녀현완(淑女賢
婉)이나 마음을 놋치 못호니 기여를 니르리
오. 딘소져 초쥰밍녈(峭峻猛烈)호미 가부의
위엄을 두리미 업더니, 졈졈 닝엄(冷嚴)홈과
웅녈(雄烈)흔 긔상을 어려이 녁여, 스스로
뜻을 나초와 화슌호기를 쥬호미, 텬셩이질
(天性異質)과 용화식틱(容華色態)는 뎡씨 아
【42】릭 일인으로, 빅식(百事) 《무험‖무
흠(無欠)》호고, 남・화는 입승(入承)호미
오릭지 아니니 셔어(齟齬)호여 즁회시(衆會
時)와 스실(私室)에 딕호나 숑연공경(悚然恭
敬)호여 《여리‖여림(如臨)》박빙(薄氷)이
라.

(無欠)이오, 남·화는 셩녜ᄒᆞ미 오라디 아니
ᄒᆞ니 더욱 셔어(齟齬)ᄒᆞ여, 존당 듕회듕(衆
會中)으로브터 ᄉᆞ침(私寢)의 딕【5】ᄒᆞ나
미양 송연공경(悚然恭敬)ᄒᆞ여 년쇼상ᄋᆡ(年
少相愛)[1429]ᄒᆞ미 업ᄂᆞᆫ디라.

창휘 일삭의 삼일은 슉녈의 침소의 잇고,
슈일식은 딘·남·화 삼부인 침소의 쳐ᄒᆞ
고, 십일은 십창을 외헌의 딕슉ᄒᆞ게 ᄒᆞ여,
힝혀도 졔희당(諸姬堂)의 ᄌᆞ최 님치 아니코,
십일은 계부(季父)를 시침(侍寢)ᄒᆞ여 형뎨
광금댱침(廣衾長枕)의 힐항(頡頏)ᄒᆞᄂᆞᆫ 졍을
펴니, 공이 고당편친(高堂偏親)을 뫼셔 효를
다ᄒᆞ고, ᄌᆞ딜의 힝ᄉᆞ를 무흠이 두굿기고, 웅
·창 등 삼ᄋᆞ를 어로만져 ᄌᆞ미를 삼으나 슉
녈의 ᄋᆞᄌᆞ 일흐믈 각골비졀(刻骨悲絶)ᄒᆞ미
조부인 ᄆᆞ음과 일반이러라. 니부(吏部)ᄂᆞᆫ 일
삭의 오일식 두 부인 침소의 머므러 은ᄋᆡ딘
듕(恩愛鎭重)ᄒᆞ나, 위인이 죵용ᄒᆞᄃᆡ 삼엄녈
슉(森嚴烈肅)ᄒᆞ【6】여 말 븟치기 어렵고,
셩음이 나죽ᄒᆞ나 말ᄉᆞᆷ을 발ᄒᆞᆫ즉 뎡금미옥
(精金美玉) ᄀᆞᆺ고 녜법이 늠늠(凜凜)ᄒᆞ니, 하
·댱 냥쇼졔 조심ᄒᆞ미 여림박빙(如臨薄氷)
ᄒᆞ더라.

창휘 일삭에 삼ᄉᆞ 일은 슉녈의 침소에 잇
고, 수일식은 딘·남·화 삼부인 침소의 쳐
ᄒᆞ고, 십일은 십창을 외헌의 딕슉케 ᄒᆞ여,
힝혀도 졔희당에 ᄌᆞ최 님치 아니코, 십일은
슉부긔 쇠침ᄒᆞ여, 형뎨 광금댱침(廣衾長枕)
에 힐항지졍(頡頏之情)을 펴니, 남휘 편친을
뫼셔 ○…결락11자…○[효를 다ᄒᆞ고, ᄌᆞ딜의
힝ᄉᆞ를] 무흠이 두굿기고, 웅·창·셰 삼ᄋᆞ
를 어루만져 ᄌᆞ미 극ᄒᆞ나, 슉녈의 ᄋᆞᄌᆞ 닐
흐믈 각골비졀(刻骨悲絶)ᄒᆞ여, 조부인 심ᄉᆞ
와 일반이러라. 니부ᄂᆞᆫ 오일식 두 부인 침
소의 머므러 은ᄋᆡ진즁(恩愛鎭重)ᄒᆞ나, 위인
이 죵용ᄒᆞᆫ 즁 삼엄녈슉(森嚴烈肅) ᄒᆞ더라.
창휘 십창을 드려온 후 가ᄂᆡ에 일분이라도
불화ᄒᆞ미 잇실가 두려ᄒᆞ여, 항상 언ᄉᆡ 화열
ᄒᆞ며, 긔식이 간간(侃侃)ᄒᆞ여, 공퇴(公退)ᄒᆞᆫ
결을[1353]이면 믄져 슉부의 침소에 쇠좌(侍
坐)ᄒᆞ여【43】조졍ᄉᆞ(朝廷事)를 의논ᄒᆞᆫ 후,
물너온죽 ᄉᆞ부인과 십창으로 더브러 츄월누
에 회좌(會座)ᄒᆞ여 가ᄉᆞ를 의논ᄒᆞ며, 가ᄂᆡ
화평ᄒᆞ기를 위ᄒᆞ미 ᄌᆞ연 졍무간언(庭無間
言)[1354]ᄒᆞ더라. 이러무로 한가ᄒᆞ면 ᄉᆞ부인
과 십창으로 더브러 ᄂᆡ실에 셜연(設宴)ᄒᆞ고
쥬ᄇᆡ(酒杯)를 나와 즐기며, 화조월셕(花朝月
夕)에 가악(歌樂)을 드려 궁상(宮商)[1355] 아
담ᄒᆞᆫ 곡조를 알외여 화락이 융융(融融)ᄒᆞ니,
진짓 역양(嶧陽)[1356] 동상(桐上)[1357]에 봉

1429)년쇼상ᄋᆡ(年少相愛) : 나이어린 사람들끼리 서
　　로 사랑을 나눔.

1353)결을 : 겨를. 틈.
1354)졍무간언(庭無間言) : 집안에 이간(離間)하는 말
　　이 없음.
1355)궁상(宮商) : 오음(五音) 가운데 궁(宮)과 상(商)
　　의 소리. '음률'을 뜻하는 말로도 쓰인다
1356)역양(嶧陽) : 역산(嶧山)의 남쪽 비탈. 이곳에서
　　자란 오동나무가 가야금을 만드는데 좋은 재료로
　　알려져 있다. *역산(嶧山) : 중국 강소성(江蘇省)
　　비현(邳縣) 서남방에 있는 산 이름. 오동나무가 많
　　이 나기로 유명하다.
1357)동상(桐上) ; 오동나무 가지 위.

차시 뎡태우 셰흥이 셩시를 취 향미 은이 날이 갈스록 황홀 향여 슈유블니(須臾不離) 향니 스군찰임(事君察任)과 봉친(奉親) 여가의는 주최 셩시 방을 써나디 아니 향고, 쥬야 브잡셜화(浮雜說話)와 희학(戲謔)이 긋출 써 업스니, 셩시 쳔만교틱로 은졍을 낫고미 못 밋칠 둣 향고, 양시의 업슨 허믈과 아닌 말을 쥬츌(做出) 향여 참언(讒言)이 니음츠딕, 태위 셩시를 이듕 향나 일호(一毫) 고디 듣디 아냐, 미양 브졀 업슨 말 말고 즐기믈 니르니, 셩시 더옥 분완 향여 ○○[향고], 혹즈 【7】 태위 션삼졍의 가는 날이면 ○○[양시] 옥뫼 닝담 향고 미위 싁싁 향니, 태위 양시를 딕흔즉 노긔 발발 향여 삼킬 둣 향다가, 혹 화열흔 빗출 디어 다리고 우디져 상요의 나아 간즉, 양시 미몰 향미 죽기로 거졀 향면, 광뷔(狂夫) 간간이 박추며 입의 담디 못흘 말노 욕흘 써도 잇고, 운발(雲髮)을 쓰드러[1430] 손의 굼고 위력으로 의샹을 탈 향여, 일침디하(一枕之下)의 나아 갈 써도 이시딕, 부부의 거동이 블화(不和) 향니 셩시 의괴 향나, 구가 합문(闔門) 괴싁이 져를 마디 못 향여 흔 구셕의 두어 흔흔 의식을 공궤 향나, 심복 되리 업스니 주셔흔 곡졀을 모로고, 구고의 괴싁을 살피미 존구는 태우를 본 젹마다 현현이 믜워 【8】 향미 태우의 양시 믜워홈과 다르디 아니코, 존당과 존고는 광인으로 밀위고, 븍공은 슌슌(諄諄)[1431]이 우디져 힝실을 삼가라 향고, 딕수와 공주 등은 삼형의 힝수를 이둘나 향는 괴싁이오, 존당 구괴 양시

황(鳳凰)이 노는 둣, 광한젼(廣寒殿)[1358] 즁에 션익(仙娥) 하강흔 둣, 인간 쳥광지낙(淸光之樂)[1359]이 오히려 고금의 드믄 빅러라. 조부인이 쌔로 츄월누에 나아와 창후와 십 수인으로 혹 소담(笑談)도 시기며, 혹 고셔도 뵈이고, 종종 환연(歡宴) 향믈 마지 아니 《향더니∥향더라》.
○…결락450자…○[차시 뎡태우 셰흥이 셩시를 취 향미 은이 날이 갈스록 황홀 향여 슈유블니(須臾不離) 향니 스군찰임(事君察任)과 봉친(奉親) 여가의는 주최 셩시 방을 써나디 아니 향고, 쥬야 브잡셜화(浮雜說話)와 희학(戲謔)이 긋츨 써 업스니, 셩시 쳔만교틱로 은졍을 낫고미 못 밋칠 둣 향고, 양시의 업슨 허믈과 아닌 말을 쥬츌(做出) 향여 참언(讒言)이 니음츠딕, 태위 셩시를 이듕 향나 일호(一毫) 고디 듣디 아냐, 미양 브졀 업슨 말 말고 즐기믈 니르니, 셩시 더옥 분완 향여 향고, 혹즈태위 션삼졍의 가는 날이면 양시 옥뫼 닝담 향고 미위 싁싁 향니, 태위 양시를 딕흔즉 노긔 발발 향여 삼킬 둣 향다가, 혹 화열흔 빗츨 디어 다리고 우디져 상요의 나아 간즉, 양시 미몰 향미 죽기로 거졀 향면, 광뷔(狂夫) 간간이 박추며 입의 담디 못흘 말노 욕흘 써도 잇고, 운발(雲髮)을 쓰드러[1360] 손의 굼고 위력으로 의상을 탈 향여, 일침디하(一枕之下)의 나아 갈 써도 이시딕, 부부의 거동이 블화(不和) 향니 셩시 의괴 향나, 구가 합문(闔門) 괴싁이 져를 마디 못 향여 흔 구셕의 두어 흔흔 의식을 공궤 향나, 심복 되리 업스니 주셔흔 곡졀을 모로고, 구고의 괴싁을 살피미 존구는 태우를 본 젹마다 현현이 믜워 향미 태우의 양시 믜워홈과 다르디 아니코, 존당과 존고는 광인으로 밀위고, 븍공은 슌슌(諄諄)[1361]이 우디져 힝실을 삼가라 향고, 딕수와 공주 등은 삼형의 힝수를 이둘나 향는 괴싁이오, 존당 구괴] 양씨의 위인이 가장 온슌 향고 유화 향믈 이즁 향

1430)쓰들다 : 꺼들다. 끌어당기다. 잡아 쥐고 당겨서 추켜들다.
1431)슌슌(諄諄) : 정성껏 타이름.

1358)광한젼(廣寒殿) : 달 속에 있다는, 항아(姮娥)가 사는 가상의 궁전.
1359)쳥광지낙(淸光之樂) : 맑고 밝은 것을 즐김.
1360)쓰들다 : 꺼들다. 끌어당기다. 잡아 쥐고 당겨서 추켜들다.
1361)슌슌(諄諄) : 정성껏 타이름.

를 인듕ㅎ여 범ᄉ의 뉴렴(留念)ㅎ믈 친녀ᄀᆞᆺ치 ㅎ니, 셩시 대한(大恨)ㅎ여 일야는 싱으로 담쇼ㅎ더니, 그 즐기는 흥이 놉흐믈 보고 홀연, 탄왈,

"군ᄌᆞ는 합문긔식(闔門氣色)과 대인의 미안ㅎ시는 존의를 아디 못ㅎ시관ᄃᆡ, 거리낀 일 업시 즐기시ᄂᆞ뇨?"

싱이 믄득 답왈,

"합문긔식과 대인 존의는 그ᄃᆡ 아디 못ㅎ리니, 엇디 이 말을 날다려 ㅎᄂᆞ뇨?"

셩시 탄왈,

"첩은 신인이라 ᄌᆞ최 셔의ㅎ고[1432] ᄉᆞ고무친(四顧無親)ㅎ여 오【9】딕 군ᄌᆞ의 후ᄃᆡ만 밋거니와, 그윽이 엄안을 보온즉, 일일 십이시의 군ᄌᆞ를 보신즉 믜워ㅎ시미 욕살디(慾殺之)ㅎ시고, 졔슉이 다 실셩디인으로 치워 동긔디졍이 몽니의도 업셔 뵈고, 존당과 존괴 ᄯᅩ흔 군을 죄 업시 통회ㅎ시는 긔식이니, 샹하노쇄 ㅎ나토 졍셩되니 업ᄉᆞᆫ디라. 첩이 군을 위ㅎ여 일싱을 우ᄂᆞ는 ᄆᆞ음의, 군ᄌᆞ 친젼과 곤계의 바리인 사룸이 되믈 각골이 셜워 ㅎᄂᆞ이다."

태위 쳥파의 번연(翻然) 블쾌ㅎ여 뎡식왈,

"부ᄌᆞ텬뉸은 듕ㅎ미 만믈의 비겨 의논치 못홀 거시오, 동긔는 슈족(手足)이라 일신의 다르미 업거늘, 그ᄃᆡ ㅎ마 인ᄉᆞ를 알녀든 ᄎᆞ언을 ㅎ여【10】존당 부모와 동긔 ᄉᆞ이 흔극(釁隙)을 ㅎ니 엇디 괴이코 공교롭디 아니리오. 셰샹 사룸이 ᄌᆞ식 곤계를 귀듕치 아니리 업ᄉᆞᄃᆡ, 우리 부모 ᄌᆞ의와 동긔 우공ㅎ는 졍은 타인과 만히 다르미 잇ᄂᆞ니, 나의 힝신 광패(狂悖)ㅎ여 부젼(父前)의 그릇 넉이ᄉᆞ미 예ᄉᆡ라. 그ᄃᆡ 그런 일을 암찰ㅎ여 이돌나 ㅎ믄 가장 블가ㅎ니, 모로미 양시의 쳔연단듕(天然端重)ㅎ믈 효측ㅎ고 다언암밀(多言暗密)ㅎᆫ 졍ᄐᆡ를 업시 ㅎ라."

1432)셔의ㅎ다 : 서어(齟齬)하다. 서먹하다.

여 유렴(留念)ㅎ미 친녀ᄀᆞᆺᄐᆞ니, 셩씨 대한(大恨)ㅎ여 ○○○[일야는] 싱으로 말ᄉᆞᆷ홀ᄉᆡ, ○[그] 즐겨ㅎ믈 보고 홀연 탄왈,

"군ᄌᆞ는 대인 긔식과 혼샤 미안이○○○○○○[넉이시는 존의를] 모로시기로 거릿【44】긴 거시 업시 즐기시ᄂᆞ뇨?"

싱 왈,

"그대 어이 니런 말을 ㅎᄂᆞ뇨? 부ᄌᆞ지간은 인소난언(人所難言)[1362]이니, 말을 긋치라."

셩시 탄왈,

"첩은 신인이라 ᄌᆞ최 셔어ㅎ여[1363] 군의 후ᄃᆡ만 밋ᄂᆞ니, 그윽이 엄안을 보온즉, ○○[일일(一日)] 열두시로 군ᄌᆞ를 욕살(慾殺)코져 ㅎ시고, 모든 눈치 다 광인(狂人)으로 치워, 동긔지뎡이 몽니(夢裏)의도 업셔 ○○[뵈고], 존당과 존괴 ᄯᅩ흔 군을 죄 업시 믜워ㅎ시기로, 샹히 다 군에게 졍 두니 업ᄉᆞ니, 첩이 군을 일싱 우럿는 마음의 각골 셜워 ㅎᄂᆞ이다."

태위 쳥파의 번연(翻然) 역식(易色) 왈,

"부ᄌᆞ텬뉸은 만믈의 비겨 의논치 못ㅎ고, 동긔는 슈족(手足)이라. 인소난언(人所難言)이니, 그ᄃᆡ 거의 례(禮)를 알ᄂᆞ니, 니런 말을 다시 말나. 셰샹 사룸이 뉘○○○○○○[ᄌᆞ식과 곤계를] ᄌᆞ익치 아니리오마는, 우리 부모 ᄌᆞ익와 동긔 우익는 남의 업ᄉᆞ니, 나의 힝신 광양(勸勳)ㅎ여[1364] 부형이 그릇 넉이미라. 그ᄃᆡ 다시 니런 말을 ㅎᄌᆞᆨ 당당히 용납지 아니리니 모로미 양씨의【45】언즁(言重) 단일(端壹)ㅎ믈 효측(效則)ㅎ고 다언암밀(多言暗密)ㅎᆫ 졍ᄐᆡ를 ᄇᆞ리라."

1362)인소난언(人所難言) : 남이 말하기 어려운 것임.
1363)셔의ㅎ다 : 서어(齟齬)하다. 서먹하다.
1364)광양(勸勳)ㅎ다 : 성질이 조급하다.

언필(言畢)의 위의 씩씩ᄒ고 ᄉ긔 엄슉ᄒ니, 셩시 ᄀ장 무류ᄒ여 낫츨 븕히고 머리를 숙여 말을 못ᄒ니, 싱이 그 인믈을 블쾌ᄒ여 초일은 ᄉ매를 썰쳐 밧그로 나왓더니, 슈일 후 ᄯᅩ 드러 가니, 셩시 【11】 야ᄒ로 싱의 아니 드러 오믈 초조ᄒ여, 양시 히ᄒ올 흉계 궁극ᄒ여 시녀 츈교와 동심ᄒ고 쳔금을 주어 여러가디 요약(妖藥)을 어더 오라 ᄒ니, 츈괴 딘심(盡心)ᄒ고, 기모(其母) 노시 ᄯᆞᆯ의 흉계를 도아 금빅을 믈ᄌᆞ치 허비ᄒ여 요약을 구ᄒ고 요승(妖僧) 묘화를 ᄉ괴여, ○○[묘홰] 도봉ᄌᆞᆷ 개용단을 도ᄉᆞ의게 어더 노시긔 드리니, 노시 대열ᄒ여 만디댱화(滿紙長話)를 ᄯᆞᆯ의게 보ᄂᆡ여 ᄭᅬ를 디휘ᄒ고, 여러 가디 요약을 보ᄂᆡ니, 셩시 대열ᄒ나 태위 슈일 블ᄂᆡᄒ믈 착급(着急)ᄒ더니, 믄득 ᄉ창(紗窓)을 여는 곳의 태위 양연이 드러 오니, 반가오미 황홀ᄒᄃᆡ 슈일 졀뎍(絶迹)ᄒ믈 노ᄒ여 울기를 마디 아니니, 싱이 ᄀ장 괴이히 너겨, 【12】 우어(于於) 왈,

"그ᄃᆡ 뉘 부음(訃音)을 드럿ᄂᆞ냐? 엇디 이ᄃᆡ도록 슬허 ᄒᄂᆞ뇨?"

셩시 늣겨 왈,

"므슨 문부(聞訃)[1433]ᄒ여시리오마ᄂᆞᆫ 남의 슈히 되니, 괴롭고 셜우미 ᄒ두 일이 아니라. 삼오쳥츈(三五靑春)이 늣거오믈[1434] 모로고, 셰샹을 바려 욕급부모(辱及父母)ᄒ믈 모로고져 ᄒᄂᆞ이다."

싱이 쇼왈,

"그ᄃᆡ 남의 슈히되믈 이리 셜워 ᄒᆞᆯ딘ᄃᆡ, 그ᄃᆡ 집의셔는 부뫼 슈히 쳬ᄒ더냐?"

셩시 작식 왈,

"쳡이 엇디 부모의 슈히 되믈 한ᄒ리오. 문디고하(門地高下)를 니ᄅᆞᆯ딘ᄃᆡ 하등이 아니로ᄃᆡ, 남의 직취(再娶)되여 참욕누언(慘辱陋言)이 내 몸만 괴오올 ᄹᅢᆫ 아니라, 부모와 조션(祖先)의 밋ᄎᆞ니, 스스로 죽기를 원ᄒᄂᆞ

1433)문부(聞訃) : 사람이 죽은 소식을 듣거나 그 부고를 받음.
1434)늣거오다 : 느껍다. 어떤 느낌이 마음에 북받쳐서 벅차다.

언파(言罷)에 ᄉ긔(辭氣) 한엄(寒嚴)ᄒ고 긔위(氣威) 빙녈ᄒ니, 셩씨 ᄀ장 무류ᄒ여 낫츨 불켜 말을 못ᄒ니, 싱이 불열ᄒ여 ᄉ미를 썰쳐 나왓더니, 수일 후 ᄯᅩ 드러 가미, 셩녜 싱의 아니 오믈 초조ᄒ여 양씨를 히ᄒ랴 ᄒᆞᆯ시, 시ᄋ 츈교로 용심ᄒ야 쳔금을 주어 요약(妖藥)을 긔득(旣得)ᄒ니, 이곳 도봉ᄌᆞᆷ[1365] 개용단(개용단)[1366]이라. 셩녜 ᄃᆡ희(大喜)러니, 태위 입실ᄒ미 수일 졀젹(絶迹)ᄒ믈 흔(恨)ᄒ여 우는지라. 싱이 소왈,

"그ᄃᆡ 뉘 문부(聞訃)[1367]을 ᄒ여○○[ᄂᆞ냐]? 어이 우ᄂᆞ뇨?"

셩시 늣겨 왈,

"남의 슈히 되여 괴롭고 셜우미 ᄒ두 ᄀᆞ지 아니니, 삼오쳥츈(三五靑春)이 늣거오믈[1368] 모로고 셰샹을 ᄇᆞ리고져 ᄒᄂᆞ이다."

싱이 소 왈,

"그ᄃᆡ 슈하(手下) 되믈 셜워ᄒ면 본부에셔○[ᄂᆞᆫ] 부모긔 슈상(手上)으로 ᄒ더냐?"

셩씨 작식 왈,

"엇지 부모의 슈【46】하를 한ᄒ리오. 문

1365)도봉ᄌᆞᆷ : 사람의 마음을 변심시키는 약. 한국 고소설에서 악류들이 특정인의 마음을 변심시켜 자신들의 뜻대로 조종하기 위해 흔히 쓰는 소설적 도구.
1366)개용단(改容丹) : 자기 마음대로 얼굴을 바꿀 수 있다는 요약(妖藥)..
1367)문부(聞訃) : 사람이 죽은 소식을 듣거나 그 부고를 받음.
1368)늣거오다 : 느껍다. 어떤 느낌이 마음에 북받쳐서 벅차다.

이다."

태위 뎡식 【13】 왈,

"싱이 젼후 이런 말을 흔두 슌(巡)[1435] 듯디 아냐시되, 블과 상(常)업순[1436] 언서라 흐여 언닉(言內)[1437]를 알녀 아녓더니, 그딕 슬허흐믈 보미 거동이 복 업고 블길흐니 내 그윽이 깃거 아녓느니, 녀즈는 유슌화열(柔順和悅)흐미 웃듬이라. 의렬 빅슈(伯嫂)와 슉녈져져(姐姐) ⃝기는 그딕 십싱구스(十生九死)흐나 밋디 못흐려니와, 양시의 쳔연이 놉기와 단슉침뎡(端肅沈靜)흐믈 열히 흐나만 비화도 큰 허믈을 면흐리라. 싱과 양시 치발(齒髮)이 치 즈라디 못흐여 서로 만나, 셰직(歲在) 스년이라. 쥐쳐 젼 등과흐미 이시나, 유튱(幼沖)흐니 간간(間間) 히게(駭擧) 업디 아니나, 양시 흔 조각 미평(未平)흐미 업고, 싱이 방외(方外)[1438]의 셩식연희(聲色宴戲)로 즐기 【14】 나, 제 다만 호쥬셩찬(好酒盛饌)을 딕령흐여 가부를 승슌홀 뜨름이오, 일호 거리끼미 업셔, 청졍고결(淸靜高潔)흐미 셰속의 무드디 아냐 너모 딘틱(塵態) 업스니, 싱이 그 인믈을 시험코져 거년으로브터 보치미 아니 밋춘 곳이 업스되, 원언을 닉디 아니흐고 녜를 잡으미 녈일(烈日) ⃝ 투여 스군즈(士君子) 긔상이라. 내 져의 긔특흐믈 모로는 거시 아니오, 그딕 져와 블급흐믈 붉히 알오딕, 인정이 즈못 긔이흐여 년쇼디심의 그딕 낭연(朗然) 지긔(才氣)로오믈 딕흐면 써나기 어렵고, 싀로 드러 와 즈쵀 셔어흐믈 년셕(憐惜)흐여 딕졉흐는 졍이 양시긔 더흐니, 일홈이 지실이나 가부의 이딕흐믄 원 【15】 비(元妃)의 디나고, 듕궤(中饋)의 다스흐미 업셔 괴로온 칙망을 바들 일이 업고, 존당 부모의 인즈

미(門楣) 남의 아릭 아니로딕, 남의 지취 되여 욕이 즈신에 밋출 뿐 아니라 부모긔 밋추니 스스로 죽기를 원흐노라."

싱이 졍식 왈,

"내 니런 말을 듯고져 아냐 슌슌(巡巡)히[1369] 금흐딕, 죵시 굿디 아니코 우는 상(狀)이 블길흐니, 녀즈는 유슌화열(柔順和悅)흐미 웃듬이라. 의렬 빅슈(伯嫂)와 슉녈져져(姐姐)는 밋지 못흐나 단슉 침졍(端肅沈靜)흐믈 힘쓰면 대죄를 블범(不犯)흐리니, 싱과 양씨 만나미 네 봄이라. 쥐쳐 젼 등과는 흐엿시나 유튱(幼沖)흐여 히거(駭擧) 업지 아니나, 양씨 불평지식(不平之色)이 업셔 싱이 셩식(聲色)의[을] 즐긴즉, 제 다만 호쥬셩찬(好酒盛饌)으로 가부를 슌(順)홀 뿐이오, 거릿기미 업셔, 청졍고결(淸靜高潔)흐미 진틱(塵態) 업스니, 싱이 시험코져 보치미 밋지 아닌 곳이 업스딕, 원식(怨色)이 업고 례를 잡으미 군즈긔상(君子氣像)이라. 닉 긔이흐믈 모로미 아니오, 그딕 쏘 블급흐 【4 7】 믈 아르딕, 신졍(新情)이 미흡(未洽)흐미라. 일홈이 지실이나 딕졉은 원비에 지나고 즁임이 업셔 몸이 편커늘, 부모 관후흐샤 미말(微末) 노예(奴隷)의 니르히 셩덕(聖德) 협화(浹化)흐시느니, 흐믈며 즈부를 니르리오. 양씨의 례즁(禮重)흐미 질투 욕미흐기는 쳔니(千里) ⃝ 투니 어이 그딕를 욕흐리오. 아지 못게라, 여람빅 닉외(內外)[1370]〇〇[를 뉘] 즐욕흐더뇨? 바로 니르라."

1435)슌(巡) : 차례. 일이 일어나는 횟수를 세는 단위.
1436)상(常)업다 : 상(常)없다. 보통의 이치에서 벗어나 막되고 상스럽다.
1437)언닉(言內) : 말 가운데 담겨있는 속사정.
1438)방외(方外) : 범위의 밖.

1369)슌슌(巡巡)히 : 번번(麤麤)이. 매 때마다..
1370)닉외(內外) : 부부.

관후(仁慈寬厚)ㅎ샤미 디우하쳔(至愚下賤)의
니르히 셩덕을 베프시ᄂᆞᆫ니, ᄒᆞ믈며 ᄌᆞ부 이
휼ᄒᆞ시미[믜] 니르리오. 양시 비록 샹원(上
元)의 이시나 그 사ᄅᆞᆷ 되오미 딜투ᄂᆞᆫ 녹녹
히 녁일 빈니, 아모리 싱각ᄒᆞ여도 그ᄃᆡ를
참욕ᄒᆞ리 업ᄉᆞ니, 아디 못게라 녀람빅 ᄂᆡ외
(內外)1439)를 뉘 욕ᄒᆞ더뇨? 어려워 말고 욕
ᄒᆞ던 사ᄅᆞᆷ을 ᄌᆞ시 니르라."

성시 쳥필의 통한ᄒᆞ고 이둘오나, 변심ᄒᆞ
ᄂᆞᆫ 약이 이시니 양시 졀졔를 근심치 아니ᄒᆞ
ᄂᆞᆫ 고로, 눈믈을 거두고 ᄃᆡ왈,

"군지 쳡의 말을 밋디 아냐 이러톳 칙
【16】ᄒᆞ시니 녀ᄌᆞ의 ᄉᆞ졍을 빗췰 빈 아니
라. 추후는 쳔만 가디 괴로오미 이셔도 함
분인통(含憤忍痛)ᄒᆞ여 복녹을 길우리이다."

싱이 그 인믈이 볼 것 업ᄉᆞ믈 모로디 아
니ᄃᆡ, 은졍이 무궁ᄒᆞ니 깁히 치부ᄒᆞ여 허믈
을 다시 말 아니코, 밤을 디닐ᄉᆡ 싱이 술의
상ᄒᆞ미 만ᄒᆞ 견ᄌᆞ치 먹디 못ᄒᆞ니, 셩시 싱
의 술 츳디 아니믈 아ᄂᆞᆫ 고로 삼다의 도봉
즙을 화ᄒᆞ여, 암튝 왈,

"텬디신명은 도으샤 뎡싱의 양시 향ᄒᆞᆫ 무
음이 변ᄒᆞ여 원슈ᄀᆞ치 녁이고, 쳡으로 더브
러 빅년 금슬이 가족ᄒᆞ게 ᄒᆞ쇼셔."

ᄒᆞ고 삼다를 나와 ᄀᆞᆯ오ᄃᆡ,

"근간 군ᄌᆞ의 신【17】관1440)이 슈패ᄒᆞ
여시니 쳥컨ᄃᆡ 보긔홀 약을 나오시고, 삼다
(蔘茶)를 년딘(連進)1441)ᄒᆞ여 용뫼 윤틱게
ᄒᆞ쇼셔. 싱이 웃고 삼다를 바다 마셔 왈,

"내 본ᄃᆡ 쇼쇼ᄒᆞᆫ 병의 약을 아니 먹고,
위력으로 ᄒᆞ여도 팔십은 살 ᄃᆡᆺᄒᆞ거니와, 다
만 깁히 든 병이 이시니 긔 넘녀로다"

셩시 문왈,

"군지 싱어부귀(生於富貴)ᄒᆞ여 댱어호치
(長於豪侈)의 영귀ᄒᆞ미 졔공ᄌᆞ로 다르미 업
ᄉᆞ니, 므슴 깁히 샹ᄒᆞ신 딜양이 이시리오.
비록 신양(身恙)이 이시나 의치(義齒)를 착
실이 ᄒᆞ여 병근을 업시치 아니시ᄂᆞ뇨?"

셩씨 대한대원(大恨大怨)ᄒᆞ나, 변심○○
[ᄒᆞᄂᆞᆫ] 약이 잇시니 양씨 졀졔키 긔탄(忌
憚)업셔, 앙연(怏然) ᄃᆡ왈,

"군이 내 말을 밋지 아냐 칙ᄒᆞ시니, 녀ᄌᆞ
의 ᄉᆞ졍을 발뷜 빈 아니라. 이후 만가지 괴
로오미 잇셔도 함분잉통(含憤忍痛)ᄒᆞ여 복
녹을 길우리이다."

싱이 그 인믈이 ○○○○○[볼 것 업ᄉᆞ
믈] 알으ᄃᆡ, 다시 말을 아니코 밤을 지닐식,
싱이 술의 샹ᄒᆞ므로 삼다(蔘茶)의 도봉즙을
화(和)1371)ᄒᆞ여 암츅 왈,

"텬디신명은 졍낭(郞)의 양씨 향ᄒᆞᆫ 마음
이 원슈ᄀᆞ게 ᄒᆞ시고, 쳡으로 졔일 총ᄒᆡᆼ을
웃게1372)【48】ᄒᆞ며 양씨를 앗게1373) ᄒᆞ여
쥬옵쇼셔."

지셩으로 축슈(祝手)ᄒᆞ기를 마지 아니ᄒᆞ
며, 삼다의 도봉즙을 화ᄒᆞ여 나ᄋᆞ오니, 싱이
므르ᄃᆡ,

"이 무ᄉᆞᆷ 약이며 어이 약을 먹으라 ᄒᆞᄂᆞ
뇨?"

셩씨 교언영ᄉᆡᆨ(巧言令色)으로 ᄀᆞ장 념녜
심ᄒᆞᆫ 쳬ᄒᆞ여, 두 눈셥을 씽그며 소ᄅᆡ를 유
슌히 ᄒᆞ여 왈,

"군지 쥬비(酒杯)를 과음ᄒᆞ시미 니러므로
《승셰∥증셰》 미류(彌留)ᄒᆞ여 귀쳬 불안
ᄒᆞ시기로, 쳡이 쥬야 《우젼∥우려(憂慮)》
ᄒᆞ여 널리 방문(訪問)ᄒᆞ온즉, 이 약이 ᄀᆞ장
녕약(靈藥)이라 ᄒᆞ옵기로, 쳡이 구ᄒᆞ여 왓ᄂᆞ

1439)ᄂᆡ외(內外) : 부부.
1440)신관 : '얼굴'의 높임말.
1441)년딘(連進) : 연속하여 먹거나 마심.

1371)화(和)ᄒᆞ다 : 무엇을 타거나 섞다.
1372)웃다 : 얻다.
1373)앗다 : 빼앗다. 깎아 내다. 빼앗거나 가로채다

싱이 쇼왈,

"그딕 말이 올커니와 병근이 비경흔믄 다른 연괴 아니라. 계오 십【18】셰를 넘으며 브졀 업시 창누의 단녀 유졍직(有情者) 무슈흐니, 식반(食飯)을 실시(失時)흐고 독쥬(毒酒)로 장위(腸胃)를 치오니, 이졔눈 술을 당흐면 비위 거스려 먹디 못흐고, 긔운이 간간 후러져1442) 능히 니러 나기 어려온 쩌 만흐딕, 무고히 신혼셩졍을 폐치 못흐여 강인흐여 단니느니, 혹즉 더치면1443) 사디 못홀가 흐노라."

언파의 즈리의 쓰러져 취흔 사룸 굿더니, 이윽고 셩시를 넛그러 상요의 나아가나 죵야블믜(終夜不寐)흐고 스디빅히(四肢百骸)1444)를 아니 알는 딕 업스니, 튱텬댱긔 산악을 넘씰 쯧이 이시나, 나힌즉 십뉵이오, 몸을 삼가디 아니흐여, 호싁【19】이[의] 쥬흐고 엄부의 슈장이 즈즈 혈긔 상흐미 만코, 빅형의 스광디춍(師曠之聰)1445)이 업스니 삼다의 요약을 화흐믈 엇디 알니오.

흔 번 마시미 졍신이 아득흐고 골졀이 져려 죵야토록 즈디 못흐고, 인흐여 삼스일 션슈졍의셔 고통흐딕, 금평후와 븍공이 다 셩시로 병난 줄 통완흐여 문병흐미 업더니, 태위 스오일 후 비로소 니러 단니나, 안졍(安定)을 일코 거디(擧止) 황황흐여 실셩홈 굿트니, 븍공이 크게 념녀흐여 부젼의 고왈, '삼뎨를 쥬야 면젼의 두시믈 쳥흐나', 금휘 요두(搖頭) 왈,

"삼ᄋ의 거동이 군즈의 뎡시홀 빅 아니라, 잇다【20】감 보아도 심화를 돕거눌 엇디 갓가이 두리오."

1442)후러지다 : 지치다. 가무러지다. 정신이 가물가물해지다.
1443)더치다 : 덧나다. 병이나 상처 따위를 잘못 다루어 상태가 더 나빠지다.
1444)스디빅히(四肢百骸) : 팔 다리와 온몸을 이루고 있는 모든 뼈.
1445)스광디춍(師曠之聰) : 사광(師曠)의 총명함. 중국 춘추(春秋) 때 사광이란 사람이 소리를 잘 분변하여 길흉을 점쳤다는 고사에서 유래한 말.

이다."

흐니, 싱이 쳥파에 과연 녕약인 줄 알고, 조곰도 의심치 아니흐고 일음(一飮)에 진흐(進下)흐니1374), 셩씨 약 그릇슬 슈습흐고 흔가지로 취침흐니라.

잇튼날 싱이 거의 일즁(日中)에 니르러 계유 거두(擧頭)1375)흐고져 흐더니, 홀연 졍신이 아득흐며 신쳬 곤뇌(困惱)흐여 즁병지인(重病之人) 굿튼지라. 심즁○[에] 혜오딕, 【49】풍한에 쎄치미 즈연 곤뇌흔 줄 알고 약을 먹은 후 니러 드나나, 광인지상(狂人之狀)이니 《거개(擧家)∥거지(擧止)》 황황(遑遑)흐여○…결락12자…○[실셩홈 굿트니, 븍공이 크게 념녀흐여 부친긔 고흐여] 삼뎨를 쥬야 면젼에 두시믈 쳥흐니, 금휘 요두(搖頭) 왈,

"삼ᄋ의 거동이 군즈의 졍시홀 빅 아니라, 혹 보나 심화를 돕거눌 엇지 갓가이 두리오."

1374)진흐(進下)흐다 : 밥이나 술 따위을 먹거나 마시다.
1375)거두(擧頭) : ①머리를 듦. ②중한 병이 차도가 있어 고개를 들 수 있을 정도가 됨.

북공이 다시 고치 못ᄒ고, 스ᄉ로 칙듁헌의 쳐ᄒ여, 태우를 다리고 임의로 움죽이디 못ᄒ게 잡쥐나[1446], 북공의 다ᄉᄒ미 병부 듕임과 텬하 병마통졔와 농두각(龍頭閣)[1447] 졍ᄉ를 아오로 ○○○○[다ᄉ리미], ᄉ군찰임(事君察任)의 일시 한가치 못ᄒ여, 녜부를 당부ᄒ여 ᄌ긔 업슨 ᄶ는 태우를 딕회라 ᄒ되, 태위 도봉잠 먹은 후는 심졍이 밧괴여 다만 아는 거시 셩녀 ᄲᅵᆫ이오, 양쇼져 믜워 ᄒ미 삼킬ᄃᆺᄒ니, 형이 딕회여 션슈졍의 가디 못ᄒᆷᄆᆯ 원망ᄒ여 혹 여측(如厠) 핑계도 ᄒ여 션슈졍의 드러 오면, 냥형【21】이 아모리 블너도 칭병ᄒ고 셩시로 년기슬(連其膝) 집기슈(執其手)ᄒ여 황황(遑遑) 침닉(沈溺)ᄒ니, 셩녀는 승시ᄒ여 양쇼져 허믈을 쥬츌(做出)ᄒ여 참언이 브졀ᄒ니, 싱이 셩시 말인즉 올히 넉여 양시를 죽이고져 ᄒ더니, 일일은 북공이 태우를 브르미 다ᄉᆺ 번의 칭병ᄒ고 나오디 아니니, 북공이 통한ᄒ여 ᄒ나 실셩디인을 엄칙디 못ᄒ여, 친히 션슈졍의 드러 가 싱을 닛그러 외헌의 나오니, 싱이 낫츨 븕히고 왈,

"형댱이 비록 동긔로 광금댱침(廣衾長枕)의 힐항(頡頏)ᄒ는 졍을 펴고져 ᄒ시나, 쇼뎨 슈도ᄒ는 듕이 아니니 공연이 미쳐(美妻)를 바리고, 형댱만 뫼셔 일시도 ᄯᅥ나디【22】 못ᄒ리잇가?

북공이 그 언ᄉ 여디업시 실셩ᄒ여시믈 한심ᄒ되, ᄉᆽᆨ디 아니코 화히 쇼왈,

"쳐ᄌ는 의복 ᄀᆺ고 동긔는 슈죡 ᄀᆺᄐ니, 의복은 업셔도 삼기려니와[1448] 슈죡은 업ᄉ

1446)잡쥐다 : 잡죄다. 아주 엄하게 다잡다.
1447)농두각(龍頭閣) : 학사원(學士院)을 달리 이르는 말. 과거(科擧)에 장원급제자를 '용두(龍頭)'라 하였는데, 이들을 곧바로 직학사(直學士)에 임명하고 학사원(學士院)에 소속시켜 임금의 사명(詞命)을 짓는 일을 맡아보게 한데서 유래한 말. 학사원(學士院) : 고려 초기에, 사명(詞命) 짓는 일을 맡아보던 관아. 광종 때 원봉성을 고친 것인데, 뒤에 한림원·문한서·예문관·사림원·춘추관 따위로 고쳤다.
1448)삼기다 : 생기다. 생기게 하다. 없던 것이 새로 있게 되다.

북공이 다시 고치 못ᄒ고, ᄌ긔 치듁헌에셔 태우를 ᄃ리고 잇셔 임의로 출입치 못ᄒ게 ᄒ나, 북공의 다ᄉᄒ미 병부 즁임과 농두각(龍頭閣)[1376] 졍ᄉ를 아오러 다ᄉ리미, 일시 한가치 못ᄒ야, 녜부를 당부ᄒ여 ᄌ긔 업슨 ᄶ 태우를 직회라 ᄒ되, 태위 도봉잠 먹은 후는 심ᄉᆨ 밧괴여, 다만 아는 거시 셩씨ᄲᅥᆫ이오, 양씨는 삼키려 ᄒ니, 셩씨 쳐소에 간 후 냥형이 브르니 칭병ᄒ고 셩녀로 연기실[슬](連其膝) 집기슈(執其手)ᄒ여 침닉(沈溺)ᄒ니, 셩녀는 승간(乘間)ᄒ여 양씨《침소∥참소》를 쥬츌(做出)ᄒ면[여] 싱이 양씨를 죽이고져 ᄒ【50】더니, 일일은 북공이 싱을 쳔호만환(千呼萬喚)[1377]에 불응ᄒ미 친히 가셔 닛그러 오니, 싱이 낫츨 븕키고 왈,

"소뎨 슈도승이 아니어니 미쳐(美妻)를 ᄇ리고 《현∥형》만 뫼시리잇가?

공이 그 언ᄉ 여지업시 실셩ᄒᆷᄆᆯ 한심ᄒ여 소왈,

"안히는 의복 ᄀᆺ고 동긔는 슈족이라. 의복은 업셔도 ᄉᆷ기거니와[1378] 슈족은 업시

1376)농두각(龍頭閣) : 학사원(學士院)을 달리 이르는 말. 과거(科擧)에 장원급제자를 '용두(龍頭)'라 하였는데, 이들을 곧바로 직학사(直學士)에 임명하고 학사원(學士院)에 소속시켜 임금의 사명(詞命)을 짓는 일을 맡아보게 한데서 유래한 말. 학사원(學士院) : 고려 초기에, 사명(詞命) 짓는 일을 맡아보던 관아. 광종 때 원봉성을 고친 것인데, 뒤에 한림원·문한서·예문관·사림원·춘추관 따위로 고쳤다.
1377)쳔호만환(千呼萬喚) ; 천 번이고 만 번이고 수 없이 여러번 부름.
1378)삼기다 : 생기다. 생기게 하다. 없던 것이 새로 있게 되다.

면 다시 삼길 니 업스니, 네 홍안미쳐(紅顔美妻)만 알고 우형을[은] 모로는다? 네 니실의만 잇셔는 실셩이 점점 더ᄒᆞ리니, 잡말 말고 추후란 듀헌을 셔나디 말고 드러 갈 의ᄉᆞ를 말나."

태위 셩닌여 굴오ᄃᆡ,

"사름이 다 형댱 말ᄉᆞᆷ ᄀᆞᆺᄐᆞ면 동긔를 딕희고 쳐ᄌᆞ를 졀교ᄒᆞ리니, 그런즉 환부(鰥夫)의 괴로오믄 니르디 말고, 남녀디졍(男女之情)이 합디 못ᄒᆞ여 ᄌᆞ녀를 어더 볼 길히 이시리【23】고?"

븍공이 쇼왈,

"양ᄉᆔ 잉ᄐᆡᄒᆞ션 디 구삭(九朔)이 되엿다 ᄒᆞ니, 오라디 아냐 현데의 골육이 날 거시오, 셩ᄉᆔ ᄯᅩ흔 ᄐᆡ신(胎身)홀 ᄉᆔ(數) 이시면 졀노 이시리니, 쥬야 붓들고 안ᄌᆞ셔야 ᄌᆞ녜 션션(詵詵)ᄒᆞ리오. 네 나의 말을 듯디 아닐딘ᄃᆡ 우형이 비록 용녈ᄒᆞ나, 너를 텰삭으로 단단이 동혀 아모 ᄃᆡ도 움즉이디 못ᄒᆞ게 잡아 가도아 두리니, 모로미 괴이히 구디 말나."

태위 실셩흔 ᄀᆞ온ᄃᆡ도 븍공이 웃는 듯이나 엄쥰 셕셕ᄒᆞᆷ을 보고, 다시 닷토디 못ᄒᆞ고 고개를 숙여 말을 아니ᄒᆞ더라.

샹원일(上元日)의 금휘 븍공과 녜부를 거나리고 딘부의 니르러 담화ᄒᆞ다【24】가, 딘부 고루의셔 관등(觀燈)ᄒᆞ고 밤을 낙양후와 흔가디로 디닉니, 태위 냥형의 도라 오디 아니믈 쳔만 힝심ᄒᆞ여 급히 션슈졍의 드러가니, 셩시 바야흐로 뎡당의 단녀 나오다가 태우를 보고 반가오믈 니긔디 못ᄒᆞ여, 쵹을 붉히고 브러 굴오ᄃᆡ,

"ᄌᆡ작일(再昨日)의 빅슉이 므슨 긴급흔 ᄉᆞ고로 그리 밧비 브르시더니잇가?"

태위 허박(虛薄)히 우셔 왈,

"형댱이 ᄉᆞ리 알건 쳬ᄒᆞ고, 내 ᄆᆞ음의 업슨 일을 흔가디로 잇ᄌᆞ ᄒᆞ고 브르시미니라."

셩시 그윽이 븍공을 원망ᄒᆞ나 ᄉᆞ식디 아니ᄒᆞ고, 이날 양시 태원뎐의셔 금장(襟丈) 등과 박혁(博奕)ᄒᆞ다가, 인ᄒᆞ여 태부인을 뫼

못 살니니, 미쳬 무슨 대ᄉᆞ리오. 날과 동쳐ᄒᆞ즉 마음을 잡을 거시오, 불연즉 광긔 더ᄒᆞ리니 잡말 말고 셔나지 말나."

태위 노왈,

"형댱 말ᄉᆞᆷ ᄀᆞᆺᄐᆞ면 쳐ᄌᆞ를 머니흔즉 ᄌᆞ녀는 못 볼소이다."

븍공이 왈,

"양ᄉᆔ 조만에 싱남ᄒᆞ실 거시오, 셩수도 현마 틱긔 아니 잇시라[랴]? 네 죵시 고집흔즉 내 쳘삭으로 미여 잠가두리니 모로미 조심ᄒᆞ라."

태위 취즁이나 져슈 묵묵이러니, 샹원일(上元日)의 금휘 졔ᄌᆞ를 거느려 딘부에 가 담화ᄒᆞ더니, 고루(高樓)에셔 관등(觀燈)ᄒᆞ고 경야(經夜)ᄒᆞ민, 싱이 냥형의 아【51】니오믈 깃거 셩씨 침소에 니르니, 셩씨 반겨 왈,

"《냥슉∥댱슉(長叔)》이 무슨 일노 급히 쳥ᄒᆞ더뇨?"

싱이 환소 왈,

"댱형이 당치 못흔 말노 나를 아니 보닉더라."

셩씨 대로ᄒᆞ나 잠자코 부답이러라. 양씨 태부인○[을] 시측ᄒᆞᆷ믈 알고, 셩녜 여측ᄒᆞ믈 핑계ᄒᆞ고 나와 춘교로 개용단을 먹여 양

셔 밤【25】 디니는 줄 알고, 양시의 만니
젼졍(萬里前程)을 맞고, 뎡태우로 ᄒ여금 의
심을 일위려 ᄒ는디라. 거즛 여측ᄒ랴 {ᄒ
랴} ᄒ는 체ᄒ고, 잠간 뒤 쳥소의 나와 개
용단으로ᄡ 츈교를 먹여 양시 되기를 튝원
ᄒ니, 당하쳥의(堂下靑衣)의 간힐(奸黠)ᄒᆫ
츈피 변ᄒ여 빅ᄐᆡ긔려(百態奇麗)ᄒ며 쳔ᄐᆡ
긔이(天態奇異)ᄒᆫ 양 쇼졔 되니, 셩시 ᄒᆫ 벌
명부의 복식을 주어 쳥의를 밧고미, ᄯ 츈
교의 디아비 견악긔로 ᄒ여금 개용단을 먹
여 양부 식긔 마헌이 되게 ᄒ니, 원닉 마헌
즈의 얼골은 셩시 본 빈니, 다른 일 아니라
마헌이 문ᄌ유여(文才有餘)ᄒ고 풍쳬 헌앙
(軒昻)ᄒ니, 뎡태위 ᄉ랑ᄒ여 잇다【26】 감
부등의 다려와 ᄉ오일식 머므러 보ᄂᆞᆫ디
라. 셩시 대계(大計)를 쬐ᄒ미 마헌이 용우
치 아니믈 듯고, 밤을 당ᄒ여 궁극히 시녀
의 무리의 셧겨 나아와 마헌을 보미러라.
　츈피 셩시다려 니르ᄃᆡ,
　"쇼비는 양부인이 되고 견악긔는 마헌이
되여 장ᄎᆞᆺ 엇디 ᄒ리잇가?"
　셩시 츈교의 귀의 다혀 범ᄉ를 이리이리
ᄒ라 ᄀ르치고, 즉시 드러오니 발셔 야심ᄒ
엿ᄂᆞᆫ디라. 태위 기디게 혀 ᄀ르오ᄃᆡ,
　"금일은 신긔 블평ᄒ니 관등도 경이 업스
니 그만 ᄒ여 누을 거시라."
　ᄒ거늘 셩시 츈교의 아ᇴ 이교를 블너 금
침을 펴라 ᄒ고, 셩시 이교와 맞츤 일【2
7】이시니 안ᄌᆺ더니, 이픠 드러 와 ᄀ르오ᄃᆡ,
　"셰샹의 망측ᄒᆫ 일도 잇더이다."
　셩시 양경(佯驚) 문디(問之) 왈,
　"하유ᄉᆞ(何有事)오?"
　이픠 므어시라 가만가만 ᄒ거늘, 셩시 손
을 져어,
　"그만 긋치라. 드르니 히이(駭異)ᄒ도다.
ᄎ언이 쇼문 나면 가닉의 변이 이시리니 블
츌구외(不出口外)ᄒ라."
　이픠 우어(于於) 왈,
　"쇼문이 니러도 부인긔는 붓그러오미 업
고, ᄎ마 흉ᄒᆫ 남녀로 부인의 빙옥 ᄀᆺᄐᆫ 동
녈을 디으며, 하풍(下風)의 시(時)를 감심

씨 되니 완연ᄒᆫ지라. 셩씨 명부(命婦)의 의
복○○○○○○[을 주어 쳥의(靑衣)를] 밧
고고, 츈교의 아비 《견안긔∥견악긔》로
개용단을 먹여 문긱 마헌이 되니, 마싱 즈
는 문ᄌ 유여ᄒ고 풍쳬 헌앙ᄒ니, 태위 ᄉ
랑ᄒ여 한담ᄒ던 고로, 셩씨 마헌의 긔특다
ᄒ믈 듯고, 시녀 복식으로 나아가 그 얼골
을 ᄌ셔히 보고 계교ᄒ미라.

　츈교 왈,
　"지아비 쾌ᄒᆫ 마싱이 되여시니　엇지 ᄒ
리잇고?"
　셩씨 왈,
　"이는 관계치 아니ᄒ니 근심말나. 내 ᄌ
연 변통ᄒᆯ 도리 잇노라"
　츈교 문왈,
　"무슨 법이 잇ᄂᆞ니잇고?"
　셩녜 왈,
　"내 말ᄃᆡ로【52】 시힝ᄒ여, 너는 양씨 되
고 네 아비는 마싱 되어, 셔로 어우러져 무
슈(無數) 음희(淫戲)ᄒᆞᄃᆡ, 짐짓 우리 상공으
로 보시게 ᄒ고, 만일 상공이 보시기 곳ᄒ
면 한소○[코] ᄯ를 거시니, 너의 냥인은
ᄲᆞᆯ니 다라나 줍히지 말고, 믄득 깁히 숨어
종젹(踪迹)을 탄노케 말나. 내 ᄯ 신긔ᄒᆫ 약
이 잇시니, 일홈은 '환원단(還元丹)'이라,
'개용단(改容丹)'을 먹어 형용이 밧귄 후에
도로 본상을 웃고져 ᄒᆯ진ᄃᆡ, 환원단을 먹으
면 즉시 본상(本相)이 되ᄂᆞ니, 아모커나 여
등이 이ᄃᆡ로 힝ᄒ여 공(功)○[을] 《니르는
∥이루는》 날에 즁히 샹샤(賞賜)ᄒ리라."
　ᄒ고 언필에 드러와 싱다려 닐러 왈,

(甘心)호여 측디 아니리잇가?"

셩시 거줏 칙 왈,

"네 엇디 말을 만히 호는다? 곳비 길면
즈연 드듸1449)느니라."

이괴 비위를 것줍디 못호는 체호니, 태위
셰쇄흔 일을 아른 체 아니호는 고로, 쳐
쳐1450) 뭇디【28】아니니, 셩시 이교를 눈
주어 민망는 둣호고 침금을 포셜호더니,
이괴 곳쳐 드러와 고개줏호고 혀추 왈,

"즉금 마싱이 션삼졍 부인과 난간의셔 음
흉흔 졍을 베프느니, 부인은 보시기 측호거
니와 잠간 구경호쇼셔. 셰샹의 음흉호믈 쳐
음 보나이다."

태위 이교의 거동이 슈상호고 샹하 톄면
을 일허 문을 열고 왕니호믈 보고, 노호여
문을 밀고 소리 놉혀, 왈,

"네 므슴 말을 이리 잡되이 호는다? 내
브르디 아냐 여러 번 즈는 방의 드나드느
뇨? 뉘 마싱과 엇디 흔다 호느뇨?"

이괴 구장 황공호는 둣 년망(連忙)이 주
왈(奏曰),

"쇼비 션삼졍 양 부인과 마싱으로 통간
(通姦)호믈 보미, 놀나오믈 니긔디 못호
【29】여 쥬모긔 고호미로소이다."

태위 요약을 먹으므로○○[부터] 양시를
무단이 믜워 죽이고져 호디 이런 일을 의심
치 아니터니, 이교의 졍녕(丁寧)1451)흔 말노
딘위(眞僞)를 알녀 게얼니 니러나, 이교를
압셰오고 동원(東園) 난간의 니르니, 명월이
교교호여 낫ᄀᆺ치 빗최고, 빅셜이 어러 몱은
디라. 마헌이 제 웃옷슬 버셔 어름 우히 실
고, 양시를 닛그러 닐낙 누으락 운우디졍을
펴며, 춤마 졍을 춤디 못호여 더로온 졍틱
(情態) 블가형언(不可形言)이라. 양시의 고
은 틱되 명월하(明月下)의 더옥 긔긔묘묘흔
디라. 그 음탕호고 흉측호믈 춤마 보디 못
호니, 태위 요약 먹은 흐린 눈의 보고 분긔

"가운이 불힝호미 가니에 파측(叵測)1379)
흔 일이 잇도다."

싱이 무르니, 셩녜 간특(姦慝)흔 눈셥을
씽긔고 묵연 부답호고 창외를 가르치거늘,
보니 양씨 마싱과 희롱호니, 분긔 츙텬호여
왈,

1449)드듸다 : 디디다. 밟히다.

1450)취치다 : 채치다. 채다. 가로채다. 갑자기 세게
잡아당기다.

1451)졍녕(丁寧) : 조금도 틀림없이 꼭. 또는 더 이를
데 없이 정말로.

1379)파측(叵測) : 헤아릴 수 없음. 해괴함.

하날의 亽못츠, 흔 칼희 양시 마헌을 죽이
고져 흔【30】여 셩이 블니 둣 니를 갈고
견듸디 못ᄒᆞ여 왈,

"내 흔 칼노 음녀간부(淫女姦夫)를 죽여
분을 플니라."

ᄒᆞ며, 다라들고져 ᄒᆞᆫ즉 발셔 츈교 악긔
인젹을 보고 양시ᄂᆞᆫ 뎡당으로 가고 악긔ᄂᆞᆫ
장원을 넘어 가ᄂᆞᆫ디라. 싱이 혜오듸,

"양녀 음부ᄂᆞᆫ 갈듸 업亽니, 간부를 잡아
명일의 대인 알패 가 명빅히 ᄒᆞ리라."

의식 이의 밋쳐 스亽로 장원을 넘어 가
니, 발셔 간 듸 업ᄂᆞᆫ디라. 싱이 급히 시노를
블너 도뎍을 잡으라 ᄒᆞ니, 젼악긔ᄂᆞᆫ 발셔
졔 방의 와 외면회단(外面回丹)을 먹고 편
히 누어 ᄌᆞ다가, 태우의 소릭를 듯고 도뎍
잡으라 나오ᄂᆞᆫ 쳬ᄒᆞ니, 장원 아릭 금낭을
어더 드리니, 양쇼졔 셔간을 젼악긔 금낭
(錦囊)의【31】너허 계교ᄒᆞᆷ이라. 태위 엇디
알니오. 도뎍은 잡디 못ᄒᆞ고 음비흔 셔간을
보고 분히ᄒᆞᆷ믈 니긔디 못ᄒᆞ더니, 씨 야심ᄒᆞ
여 계셩(鷄聲)이 악악ᄒᆞ고 날이 시고져 ᄒᆞ
니, 츠시 양쇼졔 니러나 소셰ᄒᆞ고 신셩코져
ᄒᆞ나, 씨 너모 닐너시므로 촉하의 단좌ᄒᆞ여
씨를 기다리니, ᄌᆞ연 신긔(身氣) 블평ᄒᆞ여
스亽로 슈회(愁懷) 만단(萬端)흔 둣, ᄡᅡᆼ아
(雙蛾)1452)를 영빈(嚬嚬)1453)ᄒᆞ여 희허탄식
(唏噓歎息)ᄒᆞᆷ믈 마디 아니ᄒᆞ더니, 믄득 태위
만면노목으로 일쳑쾌검(一尺快劍)1454)을 손
의 들고 분연이 디게를 열치고 드러 오ᄂᆞᆫ디
라. 양시 보고 시로이 심혼이 경악ᄒᆞ여, 옥
면(玉面)을 블변ᄒᆞ고 날호여 니러 셔니, 태
위 분뇌 튱식(充塞)ᄒᆞ여 막힐 둣, 밋쳐 말을
못【32】ᄒᆞ고 ᄡᅡᆼ안이 딘녈(盡裂)ᄒᆞ여 쇼져
를 보니, 쇼졔 아모 연괸 줄 몰나 흔갓 믁
연이 셧더니, 태위 딘목녀셩(瞋目厲聲) 왈,

"음비 죄를 아ᄂᆞᆫ다?"

쇼졔 어히 업셔 신셩 씨 다듯르믈 픵계ᄒᆞ

"음녀 간부를 일금(一劍)에 참ᄒᆞ리라."

ᄒᆞ고, 지르【53】려 홀졔 남녜 다라나듸,
양씨ᄂᆞᆫ 침소로 가고 ○…결락○자…○[악긔
ᄂᆞᆫ 장원을 넘어 가ᄂᆞᆫ디라. 싱이 혜오듸,
"양녀 음부ᄂᆞᆫ 갈듸] 업ᄂᆞ니, 간부ᄂᆞᆫ[롤]
○○[잡아] 명일 대인《긔‖알패》 명빅히
《드亽리려‖드亽리리라》."

《ᄒᆞ듸‖ᄒᆞ여》 장원을 넘어 가니, 발셔
쟈최 업ᄂᆞᆫ지라. 급히 시노로 도젹을 잡으라
ᄒᆞ듸, 젼악긔 발셔 졔 방에 가 외면단(外面
丹)을 먹고 ᄌᆞ다가, 싱의 소릭를 듯고 나오
며, 장원 아릭 금낭을 으더 드리니, 이곳 양
쇼졔 젼악긔에게 흔 셔간이라. 도젹은 잡지
못ᄒᆞ고 음셔(淫書)를 보니, 분히(憤恚)ᄒᆞᆷ믈
니긔지 못ᄒᆞ더니, 야심ᄒᆞ여 날이 붉으랴 ᄒᆞ
믹, 시의 양씨 니러 소셔[셰](梳洗) ᄒᆞ고 신
셩이 이르므로 지지(遲遲)ᄒᆞ더니1380), 믄득
싱이 만면 노안(怒顔)으로 칼을 들고 돌입
ᄒᆞ거늘, 쇼졔 시로이 경악ᄒᆞ나 블변안식 이
러니, 싱이 낭안이 진녈(盡裂)ᄒᆞ여 쇼져를
보니, 쇼졔 연고를 몰나 믁연이 셧더니, 싱
이 녀셩(厲聲) 왈,

"음비 죄를 아ᄂᆞᆫ다?"

소졔 어히 업셔 말을 아니코 나아가니,
싱이 더욱 의심ᄒᆞ듸, 음비 만일 《구【54】
고‖부모》긔 고ᄒᆞᆫ즉 대ᄉᆞ(大事) 그를가 ᄒᆞ

1452)ᄡᅡᆼ아(雙蛾) : 미인의 고운 두 눈썹. *아(蛾); 미
    인의 눈썹.
1453)영빈(嚬嚬) : 괴로워 찡그림.령
1454)일쳑쾌검(一尺快劍) : 길이가 한자 쯤 되는 썩
    잘 드는 칼.

1380)지지(遲遲)ᄒᆞ다 : ①몹시 더디다. ②지체하다.
    때를 늦추거나 질질 끌다.

여 피코져 일언을 아니코 나가니, 태위 더
옥 의심ᄒᆞᄃᆡ, 음뷔 만일 대모와 부모긔 ᄉᆞ
단을 쥬ᄒᆞ여 졔죄를 발명ᄒᆞ고 날을 히ᄒᆞ면
엇디 ᄒᆞ리오. 오날 죽이미 맛당ᄒᆞ다 ᄒᆞ고
나올ᄉᆡ, ᄉᆞ창(紗窓)을 박ᄎᆞ니 산산이 바아디
ᄂᆞᆫ디라. 칼흘 들고 무슈 긔완(器玩)을 다 바
으처[1455], 쇼져를 잡고 녀셩(厲聲) 즐왈,

"녀ᄌᆞ의 탕음이 남ᄌᆞ도곤 더ᄒᆞ여, ᄌᆞ고로
남ᄋᆞᄂᆞᆫ 호식ᄒᆞᆫ즉 여러 쳐첩을 두려니와, 녀
ᄌᆞᄂᆞᆫ 노류장화(路柳墻花) 밧긔 ○○○[더ᄒᆞ
뇨]?. 뉘 집 녀지【33】동셔취긱(東西取客)
ᄒᆞ여 문긱(門客)을 ᄉᆞ통ᄒᆞ더뇨? 찰녜(刹女)
극악음난ᄒᆞ나 ᄉᆞ족(士族)이라. 송구영신(送
舊迎新)ᄒᆞ며 압문으로 드리고 뒷문으로 보
ᄂᆡᄂᆞᆫ 창녀도곤 더ᄒᆞ니, 마ᄒᆞᆫ 필부는 음부의
요식(妖色)을 혹ᄒᆞ엿거니와, 뎡여빅이 엇디
ᄎᆞ마 음녀로 일신들 칭이부부(稱而夫婦)ᄒᆞ
리오. 오날 음녀를 죽여 분을 플고 문호를
보젼ᄒᆞ리라."

언파의 칼노 디르려 ᄒᆞ니, 유모 시이 낙
담상혼(落膽喪魂)ᄒᆞ나 태우의 노긔 태산 ᄀᆞᆺ
ᄐᆞ니, 거동이 싀험포려(弑險暴戾)ᄒᆞ여 빙이
(氷厓)[1456]의 쒸ᄂᆞᆫ 범 ᄀᆞᆺᄐᆞ니, 졔녜 혼비빅
산 ᄀᆞᆺᄐᆞ여 황황망극ᄒᆞ더니, 쇼졔 하(何) 긔
괴망측ᄒᆞ여 목인(木人)ᄀᆞᆺ치 동치 못ᄒᆞ니, 일
장을 고셩즐미(高聲叱罵)ᄒᆞ고 졀치교아(切
齒咬牙)ᄒᆞ여 우즐왈(又叱曰)

"태모와 야【34】야와 ᄌᆞ졍이며 형뎨는
간음대악을 모로고 날만 그르다 ᄒᆞ시니, 음
뷔 더옥 날을 업슈히 녁이미라. 금됴의 음
부를 죽이고 마ᄒᆞᆫ을 ᄎᆞ즈 죽여 묽은 셰샹의
두디 아니리라."

셜파의 칼흘 드니, ᄎᆞ시 양쇼졔 가부긔
젼후 졸니미 ᄎᆞ마 못 견딜 경계를 만히 디
ᄂᆡ나, 오날 마ᄒᆞᆫ을 들먹여 참욕이 무궁ᄒᆞ고,
칼노 디르려 ᄒᆞ믄 쳔만 몽외라. 경악상심
(驚愕喪心)ᄒᆞ여 ᄌᆞ긔 험난ᄒᆞᆫ 명도를 셔ᄃᆞ라,
칼흘 피ᄒᆞ고 소릭○[를] 낫초아 니르ᄃᆡ,

"쳡의 ᄉᆞ싱고락이 군ᄌᆞ긔 달녀시나, 죄디

[1455]바으치다 : 부수다. 깨뜨리다.
[1456]빙이(氷厓) : 어름 낭떠러지.

여, 금일 죽이미 맛당타 ᄒᆞ여[고] ○○○
[나올ᄉᆡ], ᄉᆞ창(紗窓)을 박ᄎᆞ니 산산이 바ᄋᆞ
지ᄂᆞᆫ지라. 무슈 긔완(器玩)을 다 바ᄋᆞ고, 소
져를 잡고 즐왈,

"그ᄃᆡ의 음ᄉᆞ(淫事)ᄂᆞᆫ 노류장화(路柳墻花)
의 더으니, 임의 쾌히 알고 죽으미 기[가]
토다. 이리 니르며 죽으려 ᄒᆞ니, 밍회(猛
虎) 샤룸을 너으ᄂᆞᆫ[1381] 모양이나, 소졔 불
변 안싴고 동지(動止) 안셔(安徐)ᄒᆞ여 광언
을 못 듯ᄂᆞᆫ 듯, 구츄상월(九秋霜月)ᄀᆞᆺ고, 셜
풍미화(雪風梅花) ᄀᆞᆺᄐᆞ여, 샤룸의 졍신이 샹
연(爽然)케 ᄒᆞ니, 싱의 죽이고져 ᄒᆞᄂᆞᆫ 즁 아
름다와 혜오ᄃᆡ, '하ᄂᆞᆯ이 져런 미식을 닉여
음난을 도ᄋᆞ시니, 만일 식을 앗겨 죽이지
아닌즉 타일 화를 보리라.' ᄒᆞ여, 일장 대칰
ᄒᆞ고 칼노 지르니, 졀노 손이 져려 만히 못
지른 고로 즁샹치 아닌지라. 유뫼 급히 구
ᄒᆞ나 임의 혼졀ᄒᆞᆫ지라. 싱이 일분 싱긔 잇
ᄂᆞᆫ즉 곳쳐 지르려 ᄒᆞ더니, 복공이 신셩ᄒᆞ고
동ᄌᆞ로 싱이 어【55】ᄃᆡ 잇ᄂᆞᆫ고 아라오라
ᄒᆞ니, 시이(侍兒) 소져를 싱이 죽엿다 ᄒᆞᄂᆞᆫ
지라. 공이 경악ᄒᆞ여 급히 나아가니, 싱이
소져를 ᄯᅩ 지르려 ᄒᆞᄂᆞᆫ지라. 츠경을 보미
불승경심(不勝驚心)ᄒᆞ여 밧비 칼을 앗고, 즐
왈.

[1381]너으다 : 너흘다. 물다. 물어뜯다. 씹다.

경듕(罪之輕重)을 모로고 급살(急殺)코져 ᄒ
ᄂ뇨?"

싱이 더욱 분노ᄒᆞᄃᆡ, ᄎ인이 간교ᄒᆞ미 죄
를 발명코져 ᄒᆞ니, 마헌【35】으로 왕ᄂᆡᄒᆞ
던 셔간과 야간ᄉᆞ를 ᄌᆞ시 니르고 죽이미 늣
디 아니타 ᄒᆞ여, 칼흘 《머추고 ‖ 멈추고》
운발을 ᄊᆡ드러 방듕의 드러와 벽의 다엿 번
을 브드이ᄌᆞ니, 두골이 ᄱᆡ여져 홍혈이 돌튤
ᄒᆞᄂᆞᆫ디라. 싱이 마헌○[과] 양시 셔간을 ᄂᆡ
여 알패 밀치고, 잠미(蠶眉)를 거ᄉᆞ리며 봉
안을 브릅ᄯᅥ ᄲᅮ디져, 왈,

"그ᄃᆡ 비록 간음샤특(姦淫邪慝)ᄒᆞ나, 상문
(相門) 녀ᄌᆞ로 십여셰 쳥츈의 날을 마ᄌᆞ 그
ᄉᆞ이를 못 ᄎᆞ마 부모를 모로게 마헌을 유졍
ᄒᆞ여, 사름의 못ᄒᆞᆯ 졍젹을 낫타ᄂᆡ니, 작야의
마헌으로 여ᄎᆞ 음비디ᄉᆡ 동원하(東園下)의
셔 내 친견ᄒᆞ고, 소ᄅᆡ 디르ᄆᆡ 마헌은 장원
을 넘어 가고 음부ᄂᆞᆫ 존당으로 갓ᄂᆞ니, 그
【36】ᄃᆡ 아홉 닙[1457]과 구리 혜[1458]나 발
명(發明)치 못ᄒᆞᆯ디라. 헌이 급히 갈 졔 ᄊᆞᆫ딘
《거술 ‖ 거시오》 그ᄃᆡ 협ᄉᆞ(篋笥)의도 드
러시니, 곳비 길면 드ᄃᆡᄂᆞᆫ[1459] 환(患)이라.
그ᄃᆡ 머리를 버혀 셜분ᄒᆞ리라."

이리 니르며 죽이랴 ᄒᆞ니, 태산의 모딘
범이 사름을 ᄌᆞᆺ너ᄒᆞᄂᆞᆫ 듯ᄒᆞ니, 사름이 블감
앙시 홀 ᄇᆡ로ᄃᆡ, 양시 요동ᄒᆞ미 업셔 옥안
이 ᄌᆞ약ᄒᆞ고 ᄉᆞ긔 안졍ᄒᆞ여 광언을 듯디 못
ᄒᆞᄂᆞᆫ 듯, 동텬한월(冬天寒月)이 셜상(雪上)
의 빗최며, 옥미(玉梅) 한풍(寒風)을 ᄶᆡ인
듯, ᄊᆡᆨᄊᆡᆨ 녈일ᄒᆞ여 사름의 골졀을 브ᄂᆞᆫ 듯
ᄒᆞ더니, 오날 다ᄃᆞ라 음흉디셜(淫凶之說)을
드르니 어히 업고 가쇼로와, 옥면의 웃는

1457)아홉 닙 : '아홉 개의 입'이란 뜻으로, 아홉 개
　　의 입으로 말을 하는 것처럼 많은 말을 늘어놓는
　　것을 말함.
1458)구리 혜 : '동설(銅舌)'의 번역어. 조선조 궁중
　　악기의 하나인 '순(錞)'에 달았던 작은 방울 모양
　　의 것으로, 이것을 흔들어 소리를 냈다. 여기서는
　　방울소리처럼 유창한 말주변을 뜻한다.
1459)곳비 길면 드ᄃᆡ인다 : 고삐가 길면 밟힌다. 나
　　쁜 일을 아무리 남모르게 한다고 해도 오래 두고
　　여러 번 계속하면 결국에는 들키고 만다는 것을
　　비유적으로 이르는 말. 늑꼬리가 길면 밟힌다.

빗츠로 단스(丹砂)¹⁴⁶⁰⁾의 옥치(玉齒) 현영(現影)ᄒ니, 쳔틱만광(千態萬光)의 졀셰흔 빗치 불【37】가형언이라. 싱의 믜온 눈의도 아름다오믈 니긔디 못ᄒ여, 혜오딕,

"하날이 엇디 져런 용화로 {타인의 십비승이오} 힝실이 그딕도록 파측(叵測)¹⁴⁶¹⁾히 ᄂᆡ신고? 만일 져의 용화를 앗겨 죽이디 아닌즉 타일 환을 보리라."

의스 이의 밋쳐 일장을 크게 ᄲᅮ딧고 칼흘 드러 머리를 향ᄒ니 슈유(須臾)의 급ᄒ디라. 양시 츨히¹⁴⁶²⁾ 죽어 광부의 욕을 밧디 말고 시브딕, 잉틱 구삭이라. 분산(分産)치 못ᄒ고 죽으면 부모싱휵디은(父母生慉之恩)으로 쳔만 원억 ᄒᆞᆯ 비라[나], ᄉᆞ식을 블변ᄒ고, 칼히 님흘 즈음의 믄득 손이 져려 놀니기를 ᄆᆞ옴으로 못ᄒ여 가슴을 셔운이¹⁴⁶³⁾ 디르니, 졔 시녜 죽기로 일시의【38】울며 다라드러 쇼져를 구ᄒ나, 양시 두골을 쓸히고 가슴이 샹ᄒᆞᆷ, 만삭듕(滿朔中)의 분ᄒ고 놀나 ᄒᆞᆫ 소릭를 늦기고 것구러져 인ᄉᆞ를 모로니, 싱은 죽기를 죄오ᄂᆞᆫ디라. 졔녀를 믈니쳐 일분 싱되 이시면 곳쳐 디르려 ᄒᆞ더니, 븍공이 계초명(鷄初鳴)의 부공을 뫼셔 조모긔 문후ᄒ고, 셔동으로 션슈졍의 태위 잇ᄂᆞᆫ가 아라 오라 ᄒᆞ니, 양시 시녜 쇼져 죽이믈 고ᄒᆞᄂᆞᆫ디라. 공이 경히ᄒᆞ여 쏠니 션삼졍의 니르니 싱이 ᄯᅩ 양시를 디르고져 ᄒᆞᄂᆞᆫ 즈음이라. 두골이 씌여져 피를 흘녀 것구러져시니 놀납고 ᄎᆞ악ᄒᆞᄆᆞᆯ 니긔디 못ᄒ여, 밧비 싱의 쥔 칼흘 아ᄉᆞ 더디고, 장목(長目)【39】즐 왈,

"공연이 현쳐를 겹살(劫煞)ᄒᆞᆷ믄 엇디오? 살인ᄌᆞᄂᆞᆫ 딕살(代殺)ᄒᆞᆷᄆᆡ 한고조(漢高祖)의 약법삼장(約法三章)¹⁴⁶⁴⁾의도 면치 못ᄒᆞᄂᆞ니,

"ᄎᆞ하거죄(此何擧措)뇨? 살인쟈ᄉᆞ(殺人者死)ᄂᆞᆫ 약법삼장(約法三章)¹³⁸²⁾이니 현쳐를 죽이고 엇지려 하ᄂᆞ다?"

1460)단스(丹砂) : 붉은 연지. 여기서는 붉은 연지를 바른 입술을 가리킴.

1461)파측(叵測) : 헤아릴 수 없음.

1462)츨히 : 차라리.

1463)셔운이 : 서운히. 충분치 못하여 아쉽게.

1464)약법삼장(約法三章) : 중국 한(漢)나라 고조(高祖; 제1대 황제) 유방(劉邦)이 진(秦)나라 군사를 격파하고 함양(咸陽)에 들어가서 지방의 유력자들과 약속한 세 조항의 법. 곧 ①사람을 살해한 자

1382)약법삼장(約法三章) : 중국 한(漢)나라 고조(高祖; 제1대 황제) 유방(劉邦)이 진(秦)나라 군사를 격파하고 함양(咸陽)에 들어가서 지방의 유력자들과 약속한 세 조항의 법. 곧 ①사람을 살해한 자는 사형에 처하고, ②사람을 상해하거나 남의 물건을 훔친 자는 처벌하며, ③그 밖의 모든 진나라의 법은 폐지한다는 내용이다.

네 양슈(嫂)를 죽이고 나죵을 엇디려 ᄒᆞᄂᆞᆫ다?"

싱이 양시를 죽이디 못ᄒᆞ고 빅형을 만나니, 분긔 튱듕(撑中)ᄒᆞ여 소ᄅᆡ 딜너 왈,

"형댱이 골육동긔를 싱각디 아니코, 쳐뎨를 위ᄒᆞᆫ ᄉᆞ졍(私情)이 과ᄒᆞ여 당연이 죽일 죄인을 이리 구ᄒᆞ시니, 뎌 양필광이 형댱긔 예ᄉᆞ 빙악밧 더을 《길희∥거시》 업거늘, 양가 두리를 텬ᄌᆞᆺ치 ᄒᆞ시ᄂᆞ뇨? 녜부터 이 쳐ᄌᆞ{ᄂᆞᆫ} 빙부모 존경을 가쇼로이 넉엿더니, 형의게 당흉소이다. 엇디 긔괴치 아니리잇고? 양시를 아모리 구ᄒᆞ시나 이 셔【40】간을 보면 말을 못ᄒᆞ리이다."

ᄒᆞ고, 마ᄒᆞᆫ의 셔간을 알패 더디고 다시 칼흘 집어 양시를 히ᄒᆞ랴 ᄒᆞ거늘, 븍공이 실셩디인(失性之人)을 족가치 아니려, 양시 무죄디스를 디긔ᄒᆞ고 ᄌᆞ가긔 블공디셜(不恭之說)을 한심ᄒᆞ나, 거동이 아조 부모동긔를 모로니 아모리 티ᄎᆡᆨ(治責)ᄒᆞ나 돌흘 두다림 ᄀᆞᆺ튼디라. 여러 말이 무익ᄒᆞ여 오딕 작난을 방비코져 ᄉᆞ믜 텰삭을 어더ᄂᆡ여 싱을 긴긴히 동히고 결박ᄒᆞ니, 싱이 쳐음은 텰삭을 보고 블공디셜을 ᄒᆞ며 셔로 밀쳐 닷토더니, 븍공의 용녁이 항우(項羽)[1465]의 긔운이라, 요약의 잠겨 쥬식의 상ᄒᆞᆫ 긔운을 근심ᄒᆞ리오. 능히 운【41】신을 못ᄒᆞ여 즐욕ᄒᆞ고 망측디셜(罔測之說)이 무슈ᄒᆞ니, 븍공이 좌우로 양부인을 쳥ᄒᆞ여 그 ᄋᆞ를 구케 홀ᄉᆡ, 친히 약을 가라 구ᄒᆞ고 상쳐의 ᄇᆞᄅᆞ니, ᄌᆞ연이 시녀의 말노 태부인이 다 알고 합문이 경악ᄒᆞ미 측냥 업ᄂᆞᆫ디라. 금평휘 시녀 양낭을 거ᄂᆞ려 와 양시를 상요의 누이고, 싱의 결박ᄒᆞᆫ 거동과 양시 상쳐를 보미 즉긱의 셰

는 사형에 처하고, ②사람을 상해하거나 남의 물건을 훔친 자는 처벌하며, ③그 밖의 모든 진나라의 법은 폐지한다는 내용이다.

1465)항우(項羽) : 중국 진(秦)나라 말기의 무장(B.C.232~B.C.202). 이름은 적(籍). 우는 자(字)이다. 숙부 항량(項梁)과 함께 군사를 일으켜 유방(劉邦)과 협력하여 진나라를 멸망시키고 스스로 서초(西楚)의 패왕(霸王)이 되었다. 그 후 유방과 패권을 다투다가 해하(垓下)에서 포위되어 자살하였다.

싱이 양씨를 못 죽이고 빅씨를 만나니 분ᄒᆞ여 녀셩(厲聲) 왈,

"골육은 싱각지 아니코 쳐뎨를 ᄉᆞ졍(私情)ᄒᆞ여 당연히 죽일 음녀를 구ᄒᆞ시니, 양필광 알믈 텬ᄌᆞᆺ치 ᄒᆞ시ᄂᆞ뇨? 예ᄉᆞ 이쳐긱(愛妻客)이 빙가를 존즁ᄒᆞ믈 형댱긔 보ᄂᆞ이다. 양씨 착ᄒᆞᆫ 소ᄒᆡᆼ이 이 셔즁(書中)의 잇ᄉᆞ니, 보신즉 소뎨를 글니 아니 아르시ᄂᆞ리이다"

ᄒᆞ고, 마ᄒᆞᆫ의 셔간을 더진 후 칼노 ᄶᆞ ᄌᆞ르려 ᄒᆞ거늘, 공이 상셩지인(喪性之人)을 족가치 아니나, 부모 동긔를 모르니 ᄎᆡᆨ댱(責杖)이 돌을 두드림 ᄀᆞᆺ치 무익ᄒᆞ【56】여, 작난만 방비코져 쳘삭으로 싱을 긴긴히 동히니, 쳐음은 불공지셜(不恭之說)을 ᄒᆞ더니, 아이오 굴러지니, 공이 양부인을 쳥ᄒᆞ여 ᄋᆞ를 구ᄒᆞ게 홀시, 친히 약을 가라 구호ᄒᆞ고, 상쳐의 ᄇᆞᄅᆞ니, 태부인과 《조∥진》부인이 다 알고 대경ᄒᆞ여, 금휘 양낭으로 소져를 편히 누이고 상쳐를 보미, 즉디(卽地)에 ᄋᆞ즈를 죽여 셜분코져 ᄒᆞ되, 골육상잔(骨肉相殘)치 못ᄒᆞ여 심당(深堂)에 가두어 움작이지 못ᄒᆞ게 ᄒᆞ고, 양씨를 혹 살우지 못ᄒᆞᆯ가 착급ᄒᆞ여 어루만져 눈물이 ᄲᅥ러지니, 싱이 부친의 양씨를 친녀ᄀᆞᆺ치 ᄒᆞ시믈 ᄋᆡ들와, 작야ᄉᆞ를 고ᄒᆞ고 셔간을 ᄋᆡ와 들니니, 분긔 돌츌ᄒᆞ여 부형을 두리지 아닛ᄂᆞᆫ지라. 부공이 ᄋᆞ즈로 하여곰 입을 막으라 ᄒᆞ고, 흉셔를 불지르고, 양씨를 부인 침소로 옴겨가니, 싱이 엄부(嚴父)의 흉셔를 소화ᄒᆞ고 져【57】의 말을 드른 쳬 아냐, 양씨 옴겨가믈 분노ᄒᆞ여, 한ᄉᆞ(限死)ᄒᆞ고 양씨를 마ᄋᆞ 업시코져 ᄒᆞ되 운신치 못ᄒᆞ니, 북공이 그 여지 업시 실셩ᄒᆞᆷ믈 ᄎᆞ악ᄒᆞ여 앗기믈 마지 아니나, 슌셜이 무익ᄒᆞ여 결박ᄒᆞᆫ 치 엽헤 ᄭᅵ고 치쥭헌에 나와 죽음을 권ᄒᆞ니, 싱이 양씨를 죽여 념통을 ᄲᅢ헌 후 먹으려노라, 어ᄌᆞ라이

홍을 죽여 셜분코져 ᄒᆞ되, 골육상잔을 어려워 븍공으로 심당(深堂)의 가도아 졔 ᄆᆞ음ᄃᆡ로 ᄃᆞᆫ니디 못ᄒᆞ게 ᄒᆞ라 ᄒᆞ고, 양시를 혹ᄌᆞ 살오디 못홀가 참통비졀(慘痛悲絶)ᄒᆞ여 옥슈를 만져 눈믈이 ᄶᆞ러디니, 싱이 부친의 양시 위ᄒᆞ시미 【42】 ᄌᆞ못 친녀의 더으믈 ᄭᆡᄃᆞᆯ나 소ᄅᆡ를 놉혀 작야ᄉᆞ(昨夜事)를 고ᄒᆞ고, 두장 셔간을 외와 니르니, 분긔 하날을 ᄢᆡ칠ᄃᆞᆺ 부형을 두리디 아닛ᄂᆞᆫ디라. 금휘 말마다 ᄒᆡ연망측(駭然罔測)ᄒᆞ여 븍공으로 ᄒᆞ여금 입을 쥐여 디르라 ᄒᆞ고, 두장 흉셔를 ᄎᆞᄌᆞ 블 디르라 ᄒᆞ고, 양시를 붓드러 편히 누여 부인 침뎐으로 옴겨가니, 싱이 부친의 비례블법을 용납디 아니믈 아ᄂᆞᆫ 고로, 양시 음악디죄(淫惡之罪)를 붉히고 죽이려 ᄒᆞ거ᄂᆞᆯ, 흉셔를 블 살오고 졔 말을 드른 체 아니코, 양시를 모친 침실노 편히 다려 가니, ᄭᆡᄃᆞᆲ고 분ᄒᆞ여 죽기를 그음ᄒᆞ고 양시를 즛마아 업시코져 ᄒᆞ되, 일신이 텰삭의 【43】 동혀 움죽이디 못ᄒᆞ고, 분애(憤恚)ᄒᆞᆫ 긔운이 가슴의 막혀시니, 븍공이 그 여디업시 실셩ᄒᆞ믈 ᄎᆞ악ᄒᆞ고 근심ᄒᆞ여 앗기믈 마디 아니나, 말노 경계ᄒᆞ여 곳칠 길히 업스믈 ᄭᆡᄃᆞ라, 결박ᄒᆞᆫ 지 녑히 ᄭᆡ고 침듁당의 와 일긔 듁음을 권ᄒᆞ니, 싱이 어즈러이 브드이져 양시를 죽여 넘통을 ᄲᆞᆫ힌 후의 음식을 먹으렷노라 ᄒᆞ니, 븍공이 굿ᄐᆞ여 ᄭᅮ딧도 아니코 두 손을 단단이잡아 아모ᄃᆡ도 임의로 ᄃᆞᆫ니디 못ᄒᆞ게 막ᄌᆞ르되, 븍공이 미양 딕희디 못ᄒᆞ여 녜뷔 잇다감 손을 잡고 안ᄌᆞ시려 ᄒᆞᆫ즉, 싱의 우패(愚悖)히 구ᄂᆞᆫ 심시 심ᄒᆞ여 녜뷔 닛브믈 니긔디 못ᄒᆞ더라.

금휘 양시 【44】 를 다려와 좌우로 구호ᄒᆞ여, 반일의 양시 계오 슘을 쉬고 인ᄉᆞ를 출ᄒᆞ나 상톄 듕ᄒᆞ니, 구괴 어로만져 왈,

"네 팔지 괴이ᄒᆞ여 셰흥 ᄀᆞᆺ튼 광부의 비필이 되니 ᄯᅩᄒᆞᆫ 초년 익회(厄會)라. 한ᄒᆞ고 슬허 무익ᄒᆞ니 오딕 일이 되여 가믈 볼디라. 이제 셰흥이 허무음참디ᄉᆞ(虛無淫僭之事)를 네게 밀위여 큰 죄를 삼으미, 졔 ᄆᆞ음이 아니라 과격블명ᄒᆞᆫ ᄋᆞ히 요사ᄒᆞᆫ 쇠의

부드이지니, 공이 굿ᄐᆞ여 ᄭᅮ짓도 아니코 단단이 직히여 ᄃᆞ니지 못ᄒᆞ게 ᄒᆞ되, 광긔 일양이러라

금휘 양씨를 드려 와 구호ᄒᆞ여 반일의 슘을 니쉬고 인ᄉᆞ를 ᄎᆞ리나, 상톄 듕ᄒᆞ니 구괴 어루만져 왈,

"ᄋᆞ즈를 공연히 셩취ᄒᆞ여 네 광부의 비위 되니, ᄯᅩ 초년 익화(厄禍)라. 한ᄒᆞ미 무익ᄒᆞ니 오즉 일이 되여가믈 볼지라. 셰ᄋᆞ 실셩ᄒᆞ여 참언(讒言)에 침익(沈溺)ᄒᆞ미나, 졔 ᄯᅳᆺ이 아니라. 《과겸∥과격》ᄒᆞᆫ 인식 요악ᄒᆞᆫ 참소에 속아 너를 그릇 알미라. 다시 우

속아 공교히 너를 의심호미 히이(駭異)호니,
통히호나 우리 싱견은 졔 임의로 못호리니,
현부는 심수를 안한(安閒)이 호여 밋친 작
난을 믈외의 더디고, 풍운의 길시를 기다려
누얼을 신셜호라.

쇼졔 구고의 산은히덕【45】을 감골(感
骨)호나, 상쳐를 보아 놀나시믈 황튝(惶蹙)
호고, 머리를 숙여 딕훌 바를 모로는디라.
효슌혼 거동이 블가형언이라. 구괴 더옥 년
이호여 협실을 셔룻고 편히 누으믈 당부호
더니, 태부인이 친님호여 상쳐를 보고, 노인
의 심정의 것거질듯 눈믈을 흘니고 싱을 통
히호더라.

금휘 모친의 슬허 호시믈 민망호여, 양시
상쳬 보미 놀나오나 죽디 아닐 바를 고호
고, 과렴(過念)치 마르시믈 위로호여, 양시
침구를 옴겨 딘 부인 협실의 두고 구호호믈
여린 옥ᄀᆞ치 호고, 의약을 착실이 호니, 일
노 드듸여 양시 복ᄋᆞ를 보젼호니, 복이 셩
신을 응호다라, 여러 번 위경【46】을 당호
딕, 태휘 안안(晏晏)호니라.

셩시 음악간계(淫惡奸計)로 태우와 양시
금슬을 아조 버혀 죽기를 바라는 의시 무궁
호더니, 양시 당슈(長壽)호미 긔특호여 누셜
듕 맛디 아닐 팔진 고로, 븍공이 굿ᄐᆞ여 태
우를 치듁헌으로 잡아 가고, 양시는 딘부인
침소로 옴겨 극딘구호호여 년이호미 강보ᄋᆞ
(襁褓兒)ᄀᆞ치 호믈 ○○[보미], 심장이 터질
듯호딕 감히 ᄉᆞ식디 못호고, 다시 계교로
양시 죽이믈 싱각더라.

초셜 평희왕 굴담복이 반호여 대국을 범
호고, 위국 번왕(藩王)이 반호여 황셩을 엿
보니, 냥쳐의 표문이 텬졍의 년호여 눈 날
니 듯ᄒᆞ는디라. 샹이 냥쳐 번국의 반호믈
드르시고, 팔치농미(八彩龍眉)의 우식(憂色)
으【47】로 문화뎐의 셜됴(設朝)호시고, 냥
국 뎡벌디ᄉᆞ(征伐之事)를 므르시니, 삼공이
미급디쥬의 병부상셔 뇽두각 태흑ᄉᆞ 텬하병
마ᄉᆞ 표긔댱군 평북공 뎡텬흥과 대ᄉᆞ마 대
댱군 남창후 윤광텬이 츌반호여 ᄌᆞ원뎡벌
(自願征伐)호딕, 뎡병부는 평희를 쳥호고,

【58】리 부부 싱젼에 졔 임의로 못호리니,
현부는 안심(安心) 슈긔(守己)호여 길시를
기드리라."

소졔 구고의 산은히덕을 감골(感骨)호나,
상쳐의 놀나시미 불효를 탄호여 유유부답
(儒儒不答)호니, 구괴 더옥 년이호여 협실에
두어 편히 조호(調護)호믈 당부호더니, 태부
인이 친님호여 상쳐를 보고 놀나 눈믈을 머
금고 싱을 통히호더라.

금휘 모친의 놀나시믈 위로호여 보기에
그러호나 깁흔 넘녀 업스믈 고호더라. 양씨
를 존고 협실에셔 구호호기를 여린 옥ᄀᆞ치
호미 복ᄋᆞ를 보호호니라.

셩씨 간계(奸計)로 양씨닉외 금슬(琴瑟)을
아조 버혀 죽기를 죄오더니, 양씨 구괴 보
호호여 년이호믈 분완호딕, ᄉᆞ식지 안코 다
시 죽일 계교를 도모호더라.

초셜 졍희왕 굴삼묵이 반호여 대국을 범호
고, 위왕이 반호여 황셩을 엿보니, 【59】냥
디 표문이 니르는지라. 샹이 변보를 드르시
고 근심호샤 문화뎐에 셜조(設朝)호시고 냥
국 졍벌을 무르시니, 병부상셔 뇽두각 태흑
ᄉᆞ 졀졔ᄉᆞ 표긔댱군 평북공 뎡텬흥과 참지
졍ᄉᆞ 남창후 윤광텬이 ᄌᆞ원 츌졍훌 시, 뎡
병부는 졍희를 쳥호고 남챵후는 위국을 ᄌᆞ
원호니, 뇽안이 대열호샤 광텬으로 평위 대
원슈를 호이시고 텬흥으로 평히 대원슈를
호이샤 션봉을 ᄌᆞ모(自募)밧게[1383] 호시니,

윤스마는 위국을 주원호니, 농안이 대열호
샤 즉일 윤광텬으로 평위 대원슈를 봉호시
고, 뎡텬홍으로 평희 대원슈를 봉호샤, 션봉
이하를 주모(自募)바드라[1466] 호시니, 거긔
댱군(車騎將軍) 님셩각이 평위 부원슈를 주
원호여 윤원슈를 조초 가려 호더라.

뎡·윤 냥원쉬 교댱의 가 각각 졍병 십만
과 십원 명당을 거느려 퇵일츌뎡(擇日出征)
홀시, 일지 총총호여 우명일(又明日)【48】
이라.

샹이 냥원슈를 각각 위유(慰諭)호샤 왈,
"뎡경은 남뎡븍벌의 대공을 셰오고, 윤경
은 댱샤를 탕멸호여 공뇌 젹디 아니코, 거
년의 비로소 가변을 뎡고, 여러 형뎨 잇
디 아냐 회텬 쓴이니, 스스를 니를딘디 만
니타국(萬里他國)의 녜스 길과 다른디라. 모
로미 삼가 조심호고 군신이 즐기는 얼골노
보게 호라."

냥원수 지비슈명호고, 금인(金印)을 요하
(腰下)의 추고, 융복을 굿초아 텬졍을 써나,
뎡원슈는 급히 믈을 돌녀 운산으로 가고,
윤원슈는 옥누항으로 가 존당 슉친을 니별
홀시, 무궁흔 념녀를 니긔디 못호여 눈믈노
니별호여, 모친은 ㅇ들의 지덕을 아는 비나,
션상【49】셰 금국의 가 기셰흐믈 인호여
타국 두주를 놀나고, 천병만ㅁ를 거느려 블
모지디(不毛之地)의 가믈 경녀(驚慮)호여 심
시 버히는 둧흐디라. 합문의 화긔 변호여
우식을 쁴여시디, 뎡·딘·남·화 스인은
화긔주약(和氣自若)호고 거디안상(擧止安常)
호니, 호람휘 원슈의 손을 잡고 모친긔 고
왈,

"딜ㅇ의 츌뎡이 죡히 위덕을 탕멸홀 거시
오, 복녹디샹이 슈화(水火)의 위틱흐미 업슬
쓴 아니라, 스(四) 딜부의 만면화긔로 부귀
를 가죽이 바드리니, 원컨디 주졍은 깁히
념녀치 마르쇼셔."

태부인이 오열 왈,
"노뫼 젼일 인심이 업셔 발분망식(發憤忘

거긔장군 님셩각이 평위 부원슈를 주원호여
윤 원슈를 쏠으고져 호더라.

뎡·윤 냥원쉬 각각 졍병 십만과 십원
《즁장∥명장(名將)》을 거느려 퇵일츌졍
(擇日出征)홀시, 일지 총급호여 우명일(又明
日)이라.

샹이 각각 위유 왈,
"뎡경은 남졍븍벌에 대공을 셰우고, 윤경
은 쟝샤를 탕멸호여 공이 크나, 거년에 비
로소 가변을 졍호고 다【60】만 아히 호나
히니, 만니타국(萬里他國)에 위힝(危行)호미
모로미 조심호고 군신이 즐기게 호라."

냥원쉬 지비 슈명호고, 융복을 굿초고 금
인(金印)을 빗겨 하직고, 뎡원슈는 운산으
로 가고, 윤원슈는 옥누항으로 가 부모 긔
하직홀 시, 무궁흔 념녀를 니긔지 못호여
눈물을 흘니며, 모친은 ㅇ주의 지덕을 아
나 션군(先君)의 《젼국∥금국》의 ○[가]
믈(歿)호므로 타국 두 주를 놀나며, 천병만
마를 거느려 블모지지(不毛之地)에 가믈 근
심호여 심시 아연(啞然) 흐지라. 합문이 우
식(憂色)이로디 뎡·딘·남·화 스인은 화
긔 주약호니, 공이 원슈의 손을 잡고 모친
긔 고왈,

"딜ㅇ의 위졍(爲征)이 죡히 위젹을 탕멸
홀지라. 모든 딜부의 복록이 장원호리니 념
녀치 마르쇼셔."

태부인이 타루 왈,
"노모의 아춤 이슬이 일조(一朝)에 합연

[1466]주모(自募)받다 : 초모(招募)하다. 의병이나 군
대에 자원하여 입대할 사람을 모집하다.

[1383]주모(自募)받다 : 초모(招募)하다. 의병이나 군
대에 자원하여 입대할 사람을 모집하다.

食)의 이를 슬오고 지믈【50】 허비ᄒᆞ여 죽이기를 도모ᄒᆞ더니, 도금ᄒᆞ여 너희 셩회 악심을 화ᄒᆞ고 일퇴의 모드미 이시니, 나의 후회와 슬픈 졍이 져회를 일시 쩌나디 말고져 ᄒᆞ거늘, 싱각 밧 블모지디를 향ᄒᆞ니, 젼일 ᄀᆞᆺ트면 그 죽기를 죄올 빈로디, 비로소 인졍을 씨ᄃᆞ라 슬프미 디향 업ᄉᆞ니, 이 회포를 엇디 춤으리오."

공과 원쉬 이셩화긔로 위로ᄒᆞ고, 연인(連姻)[1467] 친쳑(親戚)을 니별ᄒᆞ여 날리는 잔이 분분ᄒᆞ여 니로 슈응(酬應)키 어려온디라. 남휘 만니 위험디디(危險之地)의 보ᄂᆞ는 ᄆᆞ음이 버히는 듯, 모친을 위ᄒᆞ여 화긔를 변치 아니코, 니뷔(吏部) 형의 지덕으로 뎡벌을 근심치 아니【51】나 존당과 모부인을 위ᄒᆞ여 결훌(缺欻)[1468]ᄒᆞᆫ 빗츨 낫토디 아니ᄒᆞ더라.

이러구러 슈일 후 발ᄒᆡᆼ홀시, 위·뉴 냥부인이 별노 슬허ᄒᆞ니, 구파 등이 셕년 극악으로 회션개과ᄒᆞᆷ믈 싱각ᄒᆞᆯ소록 신이(神異)히 넉이더라.

원쉬 조모와 모친을 지삼 위로ᄒᆞ고 부부 슈슈이 별회탐탐(別懷耽耽)ᄒᆞ니, ᄎᆞ시 슉녈이 잉퇴 팔삭이로디 합문이 모로고 태부인이 ᄯᅩᄒᆞᆫ 모로디, 원쉬 믹후로 조ᄎᆞ 아는 빈니 딘시ᄂᆞᆫ 삼삭이라. 원쉬 미미히웃고 슉녈다려 니르디,

"싱이 부인의 분산을 보디 못ᄒᆞ니 복ᄋᆞ의 남녀를 모로나 믹후로 보아는 분명이 남ᄋᆡ라. 딘시도 ᄌᆞ시 모로나 ᄯᅩᄒᆞᆫ 퇴믹이【52】○○○[이시니] 내 밋쳐 오디 못ᄒᆞ여 싱홀디라. ᄋᆞ이 이시나 {존당} 존당 슬히 뎍막ᄒᆞ니 조심ᄒᆞ여 영효를 뵈오라."

ᄒᆞ고 츌ᄒᆡᆼᄒᆞ다.

ᄎᆞ시 뎡병뷔 부모 존당을 ᄇᆡ별홀시 탐탐ᄒᆞᆫ 니회(離懷) 쳔슈만언(千愁萬言)[1469]이오,

1467)연인(連姻) : 혼인으로 맺어진 친척.
1468)결훌(缺欻) : 무엇인가를 잃은 것 같은 서운한 마음이 일어남. 훌연(欻然); 어떤 일이 생각할 겨를도 없이 급히 일어나는 모양.
1469)쳔슈만언(千愁萬言) : 천 가지 근심과 만 가지 말.

(溢然)ᄒᆞᆫ즉 광ᄋᆞ를 못 볼가 슬프도다."

남후와 원쉬 이셩화긔로【61】 위회(慰懷)ᄒᆞ고 모든 디 하직 ᄒᆞᆯ시, 별리(別離)의 분분ᄒᆞ미 ○○[니로] 응졉치 못ᄒᆞᆯ너라. 남휘 니졍이 모친을 위ᄒᆞ여 화긔를 변치 아니코, 니뷔(吏部) 형의 지덕을 근심홀 ᄇᆡ 아니나 ᄌᆞ모를 위ᄒᆞ여 니졍(離情)이 ᄎᆞ아(嗟哦) ᄒᆞ더라.

수일 후 발병(發病)ᄒᆞ미 면면 니졍이 일필난긔(一筆難記)러라. 시(時)의 슉녈이 잉신(孕身) 팔삭이로디 합개 모로고, 원쉬 믹후(脈候)로 아는 빈니 딘씨ᄂᆞᆫ 삼삭이라. 원쉬 미미 함소ᄒᆞ고 슉녈다려 왈,

"싱이 그디 분만을 보지 못ᄒᆞ니 서운ᄒᆞ나, 믹후ᄂᆞᆫ 남ᄋᆡ라. 딘씨ᄂᆞᆫ ᄌᆞ시 모로나 퇴믹이니 환가 젼 싱(生)ᄒᆞᆯ지라. ᄋᆞ히 잇시나 존당 슬히 젹막ᄒᆞ니 조심ᄒᆞ여 영효를 뵈오라."

ᄒᆞ고 츌ᄒᆞ더라.

○○[ᄎᆞ시] 뎡병뷔 부모 존당에 하직홀시 결회(訣懷) 그음 업고, 더욱 ᄋᆞᄋᆞ를 넘녀ᄒᆞ야 왈,

더옥 ᄋᆞ을 넘녀 왈,

"제 스스로 그르믈 아디 못ᄒᆞᄂᆞ니, 대인이 만일 힝디(行止)를 아른 쳬ᄒᆞ샤 티칙(治責)ᄒᆞ시미 업ᄉᆞ면 아조 바리는 작시니, 안광○[이] 졍긔를 일코 형용이 프러져 허박ᄒᆞ고 괴이ᄒᆞ미, 오라디 아냐 큰 병을 일월 ᄃᆞᆺᄒᆞ고, 병이 더친즉 회소지경(回蘇之境)이 어려오니, 바라건ᄃᆡ 간간(間間)이 그 죄를 다ᄉᆞ리시고 안젼의 용납ᄒᆞ샤 임의로 ᄃᆞᆫ니디 못ᄒᆞ게 ᄒᆞ【53】쇼셔."

금휘 탄식 왈,

"만ᄉᆞ 텬얘(天也)○[오] 명얘(命也)라. 셰ᄋᆞ의 풍치(風彩) 문한(文翰)이 하등이 아니로ᄃᆡ, ᄋᆞ시로브터 광망무식(狂妄無識)ᄒᆞ여 군ᄌᆞ의 단듕ᄒᆞ미 업더니, 형용이 졈졈 실망ᄒᆞ여 믈거픔 ᄀᆞᆺ트니, 오라디 못ᄒᆞᆯ 거동이라. 셰간의 슬하 상쳑(喪慽)이 ᄒᆞ나 둘히 아니니, 쇼부의 졍경이 잔잉ᄒᆞᆯ디언졍 죽은들 현마 엇디 ᄒᆞ리오."

말노 조ᄎᆞ ᄌᆞ연 텬눈ᄌᆞ이(天倫慈愛)로 셰흥의 그릇 됨과 상뫼(相貌) 허박ᄒᆞ여 오라디 아닐 바를 싱각ᄒᆞ니, 그옥ᄒᆞᆫ 넘녜 초창(悄愴)ᄒᆞᆷ을 면치 못ᄒᆞᄂᆞᆫ디라. 원쉬 븍공의 말ᄉᆞᆷ을 듯ᄌᆞᆸ고 더옥 ᄋᆞ의 힝ᄉᆞ를 이들나 탄식ᄒᆞᆷ을 마디 아니ᄒᆞ더라.

원쉬 다시 넘녀를 【54】두디 아니코, 임의 츌힝일의 존당 부모를 하딕ᄒᆞ고, 태부인 회푀 탐탐(耽耽)ᄒᆞᆫ 듕 금휘 홀연ᄒᆞᆫ 심시나 모친을 위로ᄒᆞ여 웃는 얼골노 ᄋᆞ즈를 니별ᄒᆞ여, 만니타국의 흉덕을 소탕ᄒᆞ고 슈히 개가(凱歌)로 도라 오믈 당부ᄒᆞ더라.

양공이 ᄯᅩᄒᆞᆫ 원슈를 니별ᄒᆞ고 졔뎡과 ᄒᆞᆫ 가디로 도라 오더니, 길히셔 태우를 만나 청ᄒᆞ여 양부의 니르니, 태위 마디 못ᄒᆞ여 양부의 가 악모를 뵈옵고 말ᄉᆞᆷᄒᆞᆯ시, 공의 부뷔 보건ᄃᆡ 태우의 화풍이 돈감ᄒᆞ고 형뫼 초쳬ᄒᆞᆷ은 니르도 말고, 냥안(兩眼)의 졍치(精彩)를 일허 비록 슈습(收拾)ᄒᆞ나 거디(擧止) 당황실조(唐慌失措)ᄒᆞ여 식ᄌᆞ로 【55】ᄒᆞ여금 가셕(可惜)ᄒᆞᆯ너라. 부인은 셔랑(壻郞)의 허랑방탕ᄒᆞᆫ 고집이 녀ᄋᆞ의 신셰 위란

"제 스스로 그르믈 아지 못ᄒᆞᄂᆞ니, 대인이 만일 치칙(治責)지 아니신죽 아조 그릇 되리【62】니, 안치 흐리고 형용이 글러 만일 병이 난죽 회소(回蘇)치 못ᄒᆞᆯ지라. 복걸(伏乞)ᄒᆞ야ᄂᆞᆫ 용납ᄒᆞ샤 츌입을 임의치 못ᄒᆞ게 ᄒᆞ소셔."

금휘 탄식 왈,

"노뷔 만ᄉᆞ를 하ᄂᆞᆯ긔 븟치ᄂᆞ니 인녁으로 밋츠리오. 삼ᄋᆞ의 풍치(風彩) 문딜(文質)이 하등이 아니로ᄃᆡ, ᄋᆞ시로 광양(劻勷)터니 장셩ᄒᆞ미 군ᄌᆞ지풍이 업ᄉᆞ니, 요쳐(妖妻)에 고흑(蠱惑)ᄒᆞ여 상셩(喪性)ᄒᆞ니, 이는 요졀ᄒᆞᆯ 증좌라. 나의 졍경(情景)은 '눈 멀미 밋ᄎᆞ나'¹³⁸⁴ 죽은들 현마 어이 ᄒᆞ리오."

말노 조ᄎᆞ 장부의 눈물이 ᄀᆞᄇᆞ야이 ᄡᅥ러지니, 원쉬 ᄋᆞ오를 이들와 복슈(伏首) 쳑비(慽悲)의 하직을 고ᄒᆞ고, 발마(發馬)ᄒᆞ니, 태부인이 셩공 개가(凱歌)ᄒᆞ여 웃는 ᄂᆞᆺᄎᆞ로 보믈 만만 당부ᄒᆞ더라.

양공이 ᄯᅩᄒᆞᆫ 원슈를 니별ᄒᆞ고 졔뎡과 ᄒᆞᆫ 가지로 도라 오더니, 도즁에셔 태우를 청ᄒᆞ여 양부의 니르니, 태위 악모긔 빈현ᄒᆞᆯ ᄉᆡ 공의 부뷔 보미 싱의 화풍이 돈감(頓減)ᄒᆞ고 형뫼 초쳬【63】ᄒᆞ여 냥안의 졍긔를 닐

1384)눈 멀미 밋ᄎᆞ나 : ᄌᆞ하(子夏)의 상명지통(喪明之痛)을 말함. * 상명지통(喪明之痛) : 눈이 멀 정도로 슬프다는 뜻으로, 아들이 죽은 슬픔을 비유적으로 이르는 말. 옛날 중국의 ᄌᆞ하(子夏)가 아들을 잃고 슬피 운 끝에 눈이 멀었다는 데서 유래한다.

홀 줄을 슬허, 주연 강인슈작(强忍酬酌)ᄒ나 안식이 변ᄒ더라.

양공이 믄득 집슈 탄식 왈,

"오슈용우(吾雖庸愚)나 엇디 주식의 션악을 모로리오. 녀ᄋ 텬셩이 쇼졸유약(小拙柔弱)ᄒ여 비록 텰부셩녀(哲婦聖女)라 니르디 못ᄒ나, 거의 간음대악(姦淫大惡)은 면홀 만ᄒ다라. 그런 음악디시 이시며 더옥 마헌을 스� 널 니 이시리오. 네 상시 마헌의 위인을 알ᄂ니 엇디 월장투향(越牆偸香)ᄒᄂᆫ 거죄(擧措)이시리오. 녀ᄋ와 마헌이 실노 이리 음황홀딘디 여ᄇᆡᆨ이 비록 관홍대량(寬弘大量)으로 관셔(寬恕)ᄒ나 내 엇디 간음ᄒᆫ 정젹을 곱초아, 묽은 셰샹을 【56】더러이리오. 당당이 죽여 션조긔 샤례(謝禮)ᄒ리니, 유죄(有罪) 즉 여ᄇᆡᆨ이 죽이고져 ᄒ미 당연ᄒ거니와, ᄋ녀ᄂᆫ 결단코 쳔누(賤陋)ᄒᆫ 힝실을 감심치 아니리니, ᄒ믈며 녕대인 명달ᄒ시므로 딘위를 모로리오. 범시 쥰급(峻急)ᄒ면 후의 뉘웃ᄂ다 ᄒ니, 현셔ᄂᆫ 너모 급히 셔도라 후의 뉘웃디 말나."

셜파의 잠쇼(潛笑)ᄒ니, 웃ᄂᆫ 가온디 싁싁ᄒ고 화ᄒᆫ 가온디 강녈ᄒ여 말 붓치기 어려오니, 부인은 눈물을 쓰려 녀ᄋ의 상시 힝ᄉ를 닐너 슬허ᄒ믈 마디 아니니, 태위 양시를 믜워 ᄒ나 악부모ᄂᆫ 긔탄ᄒ고 대양시 안면을 보아도 실셩광심(失性狂心)이나 너모 미미(浼浼)[1470]치 못ᄒ여 믁믁 손샤(遜辭)ᄒ고 니러 하딕고【57】 도라와, 그 ᄇᆡᆨ형이 가ᄂᆡ를 써나니 셩시로 즐길 줄 다힝ᄒ여 션슈졍의 드러가니, 셩시 교용함틱(巧容含態)[1471]ᄒ여, ᄆᆞᄌ 븍공의 만니젼딘(萬里戰陣)을 티위(致慰)ᄒ니, 태위 쇼왈,

"형댱의 직덕으로 이만 도덕을 근심치 아니려니와, 근일 형댱의 고체(固滯)ᄒᆫ[1472] 연

1470)미미(浼浼)ᄒ다 : 매매하다. 창피를 줄 정도로 거절하는 태도가 쌀쌀맞다.
1471)교용함틱(巧容含態) : 공교히 얼굴을 꾸미고 교태(嬌態)를 지음.
1472)고체(固滯)ᄒ다 : 성질이 편협하고 고집스러워 너그럽지 못하다.

허 비록 슈습(收拾)ᄒ나 동지 당황ᄒ지라. 부인은 녀ᄋ의 신셰를 늣겨 강잉슈작 (强忍酬酌)ᄒ나, 안식이 ᄌ로 변ᄒ더라.

양공이 싱의 손을 잡고 왈,

"오슈용위(吾雖庸愚)나 엇지 ᄌ식의 션악을 모로리오. 녀ᄋ 텬셩이 유약ᄒ여 비록 셩녀(聖女)를 밋지 못ᄒ나, 졍녈(貞烈)은 본 셩이라. 네 엇지 광양(勵勤) 혼암(昏暗)ᄒ여 졍실을 음악으로 의심ᄒ미 ᄒ연(駭然)치 아니리오마ᄂ, 네 텬셩을 닐허시니 슌셜이 무익이라. 고로, 텬셩을 춫ᄂ 날 말ᄒ리라. 만일 비ᄇᆡ간(婢輩間)의 불미지시(不美之事) 잇셔도, 노부의 셩품이 슬녀 두지 못ᄒ거든, 두르니를 닐으랴? 범시 쥰급ᄒ면 후회 잇ᄂ니라."

셜파에 웃ᄂᆫ 줌 싁싁ᄒ고, 부인은 졍식 무언이니, 싱이 광심(狂心)이나 악부모ᄂ 긔탄(忌憚)ᄒᄂᆫ 고로 손샤(遜辭)ᄒ고 도라오니, 샤ᄇᆡᆨ(舍伯)이 업스미 셩씨로 즐길 바를 다힝ᄒ여, 셩씨긔 니르니, 셩씨 함티졔【64】미(含態齊美)ᄒ여 븍공의 만니젼진(萬里戰陣)을 치위(致慰)ᄒ니, 싱이 소 왈,

"형의 고쳬(固滯)[1385]ᄒ시므로 그디를 오 리 춫지 못ᄒ니, 싱의 마음이 심히 결연ᄒ도다."

1385)고체(固滯)ᄒ다 : 성질이 편협하고 고집스러워 너그럽지 못하다.

고로 현쳐의 옥안화딜(玉顔花質)과 낭셩옥
어(朗聲玉語)를 듯디 못ᄒ여 울억ᄒ더니, 이
제는 금단ᄒ리 업ᄉ니 무던토다."

셩시 쳥파의 암희(暗喜)ᄒ나 거ᄌ 겸양
(謙讓)ᄒ더니, 싱이 아ᄌ의 양공 부부의 말
을 니ᄅ니, 셩시 왈,

"샹공은 양공의 말을 엇더케 너기시ᄂ
뇨?"

태위 왈,

"내 당당이 양녀를 죽이고져 ᄒ나, 뎡당
의 숩고 나디 아니ᄒ니 홀 일 업거니와, 그
녀【58】{녀}ᄌ긔 졍언(情言)이야 어이 니
ᄅ리오."

셩시 거ᄌ 아미를 영빈(嚬嚬) 왈,

"쳡이 뎍인(敵人) ᄉ이의 헌계(獻計)ᄒ미
블가(不可)ᄒ나, 마시 골육을 무ᄉ히 나케
ᄒ면 후환이 이시리니, 알고야 고치 아니리
잇고? 이제 양시 구고의 은이를 씌여 협실
의 웅거ᄒ니, 형셰 가비압디 아닌디라. 엇디
슈히 죽이리오. 군직 만일 슈히 멸코져 ᄒ
거든 함분잉통(含憤忍痛)ᄒ여 뉘웃는 ᄉ식
으로 존당의 알게 ᄒ면, 양시 침소로 도라
오리다."

싱이 박슬(拍膝) 칭찬 왈,

"그듸는 딘짓 녀듕 졔갈(諸葛)이로다. 나
의 우용(愚庸)ᄒ미 어이 밋ᄎ리오. 현쳐의
디혜로조차 난음찰녀(亂淫刹女)를 업시 ᄒ
여 죽일노다."

셩시 요슈(搖首) 왈,

"군주는 ᄎ언을 경셜치 말고 디모(智謀)
를 가【59】죽이 ᄒ여 대화를 졔방(制防)ᄒ
쇼셔."

싱이 올히 넉여 태원뎐의 드러가미, 모친
이 조모를 뫼셔 죵용이 말숨ᄒ거늘, 나아
가 시좌ᄒ여 졔딜을 유희ᄒ미, 조뫼 혀ᄎ
왈,

"현긔 등 특이ᄒ믈 보미 네 ᄆ음이 블으
미[1473] 업셔 양시를 딜너 죽이랴 ᄒ더냐?
노뫼 딘실노 너의 흉험ᄒ믈 보고져 아니ᄒ
노라."

1473)블으다 : 불워ᄒ다. 부러워하다.

셩씨 가지록 은총을 낙고려 공교로이 말
삼ᄒ여, 양씨를 ᄉ디에 모라녀허 싱의 광심
(狂心)을 돕ᄂ지라. 싱이 양씨를 못 죽여 심
곡에 밋친 병이 되여시나, 다만 마형의 일
이 괴이ᄒ여, 제 딘ᄌᄉ의 녀ᄋ와 상원일에
셩녜(成禮)ᄒ미 경ᄉ에 온 일이 업ᄉᄆᆯ 씌
ᄃ라 능히 측냥치 못ᄒ니, 셩씨 마현의 입
댱(入丈)ᄒ라 나간 줄은 싱각지 못ᄒ고, 계
괴 그릇되믈 이달와 ᄀ마니 싱ᄃ려 공교로
이 ᄭ우며 왈,

"양씨 죄루는 익미ᄒ고 상원일 야(夜)에
본거슨 이미망냥(魑魅魍魎)이오, 그 산월(産
月)이 금월이니 극진이 념녀ᄒᄂ 쳬ᄒ면,
존당 구괴 의심을 프르시고 뉘웃ᄎ샤, 양씨
침소로 도라 오리이다."

싱이 칭션 왈,

"그듸는【65】녀즁(女中) 졔갈(諸葛)이로
다. 나의 우용(愚庸)으로 엇지 밋ᄎ리오. 현
쳐의 지교로 음녀를 멸홀지라."

셩씨 왈,

"젼셜(傳說)치 말고 비밀히 ᄒ샤 대화(大
禍)를 졔방(制防)ᄒ쇼셔."

싱이 기연(其然)ᄒ여 졍당에 니ᄅ니, 조모
고식(姑媳)이 말숨ᄒ거늘, 시좌ᄒ여 졔딜노
유희ᄒ더니, 조뫼 혀ᄎ 왈,

"딜ᄋ 등의 특이ᄒ믈 보미 네 붋지[1386] 아
냐 양씨를 죽이려 ᄒ더냐? 노뫼 실노 너의
포려(暴戾)ᄒ믈 보고져 아닛노라."

1386)붋다 : 부러워하다.

태위 우어 왈,

"쇼손이 광패(狂悖)를 싱각홀스록 한심긔 괴호믈 싱각디 못호느니, 쇼손이 샹원일의 음흉지젹(淫凶之跡)을 보노라 흔 거시 니미 망냥(魑魅魍魎)[1474]을 보고 이미흔 쳐실을 하마 히홀 번 호오니, 그런 놀나온 일이 어디 이시리잇고? 빅형의 츌뎡 시의 양공을 추즈 보니 말이 여추호온다. 녈듕군즛(烈重君子)로 뎡【60】딕호니 결단코 허언을 아닐디라. 쇼손이 년쇼부박(年少浮薄)호오나 셰스를 경녁디 못호온 연고로, 양시를 참혹히 죽이려 호던 빈 쳔만 후회호나, 심폐(心肺)를 고홀 곳이 업손 고로 우민호믈 니긔디 못호옵느니, 그 산월(産月)이 금삭(今朔)[1475]이라. 쇼손을 분노호여 심녀를 허비호다가 분산을 무스히 못홀가 근심호오니, 대모와 즛졍은 양시다려 쇼손의 뉘웃는 뜻을 니르샤 그 ᄆᆞᄋᆞᆷ을 편케 호쇼셔."

태부인 딘부인이 경아(驚訝)호여 혹즛 만분의 일이나 뉘웃는가 넉이나, 밋브디 아냐 탄왈,

"현쳐의 슉뇨긔이(淑窈奇異)호믈 모로고, 추마 싱각디 못홀 음참흔 일을 밀위여[1476] 죽이려 호던 네 용심이 사름의【61】뜻이 아니라. 네 말과 일을 밋디 못호리로다."

싱이 웃고 지삼 샤죄호고 양시 상쳬 쾌츠흔가, 죵용이 뭇즈와 친히 딘뫼호고 분산지시의 약이나 아라 쁘기를 쳥호니, 모부인{인}이 닝쇼 왈,

"네 아모리 능휼흔 말노 ᄭᅮ며 니르나 나는 고디 듯디 아니ᄒᆞᄂᆞ니, 무익디셜(無益之說)을 말고 네 힝실이나 삼가라."

싱이 유화(柔和)히 웃고 샤죄호며, 도라 아쥬 쇼졔다려 양시 상쳬 엇더흔고, 딘졍으로 넘녀호믈 마디 아니호니, 태부인이 반신반의(半信半疑)호고 모친은 ᄭᅮ딧기를 마디 아니호더라.

싱이 우어 왈,

"실노 소손이 뉘웃쳐 ᄒᆞ옵ᄂᆞ니. 져젹 상원야에 소손이 이미망냥(魑魅魍魎)[1387]을 보고, 이미흔 양씨를 히홀 번 ᄒᆞ오니, 뉘웃ᄂᆞ이다. 양공이 소손ᄃᆞ려 여추여추 ᄒᆞ오니, 소손이 년소ᄒᆞ와 셰스를 경녁지 못흔 연고로, 현쳐를 박살ᄒᆞ미 쳔만 후회오나, 뜻을 고홀 눛치 업스므로 우민ᄒᆞ옵ᄂᆞ니, 양씨 귀에 이 말이 가게 ᄒᆞ소셔."

부인 고뷔(姑婦) 경괴(驚怪)ᄒᆞ여 혹쟈 뉘웃츠미 잇는가 ᄒᆞ【66】ᄃᆡ, 밋지 아냐 탄왈,

"현쳐의 슉뇨(淑窈)ᄒᆞ믈 모로고, 음황(淫荒)으로 밀위여[1388] 죽이랴 ᄒᆞ던 뜻이 인심이 아니라, 네 언스를 엇지 밋을 거시 잇시리오."

싱이 지삼 샤죄ᄒᆞ고 양씨 상쳬 쾌츠흔가, 죵용이 뭇ᄌᆞ와 친히 진뫼ᄒᆞ고 분산지시(分産之時)의 약이나 아라 쁘기를 쳥ᄒᆞ니, 모부인이 즐 왈,

"네 아모리 나를 쇠오려 ᄒᆞ나 고지 듯지 아니리니, 무익지셜(無益之說)을 말고 네 힝실이나 삼가라."

싱이 유화(柔和)히 웃고, 도라 아쥬ᄃᆞ려 양씨 상쳬 엇더흔고 무러, 진졍으로 넘녀ᄒᆞ믈 마지 아니니, 조모는 반신반의(半信半疑)ᄒᆞ고 모친은 ᄭᅮ짓기를 마지 아니나, 일븐 인졍인가 ᄂᆞ렴의 영힝ᄒᆞ더라.

1474) 이미망냥(魑魅魍魎) : 온갖 도깨비. 산천, 목석의 정령에서 생겨난다고 한다. 늑망량.
1475) 금삭(今朔) : 이번 달.
1476) 밀위다 : 미루다. ①일을 남에게 넘기다. ②이미 알려진 것으로써 다른 것을 비추어 헤아리다.

1387) 이미망냥(魑魅魍魎) : 온갖 도깨비. 산천, 목석의 정령에서 생겨난다고 한다. 늑망량.
1388) 밀위다 : 미루다. ①일을 남에게 넘기다. ②이미 알려진 것으로써 다른 것을 비추어 헤아리다.

이윽고 싱이 퇴흐고 금휘 드러 오미, 태부인이 셰홍의 말을 니르고 글오디,

"셰이 양공의 말을 크게 미더, 쇼부의 이미【62】를 쾌히 씨드르니 엇디 깃브디 아니리오."

금휘 ᄀ장 경히(驚駭)ᄒ여 낫빗츨 변ᄒ고, 디왈,

"패지(悖子) 졈졈 궁흉(窮凶) 능측(能測)1477)ᄒ여 양시 히흘 쯧이 급흔 고로, 짐줏 뉘웃는 체ᄒ고 합문이 양시를 위흔 넘녀를 씃춘 후, 가만흔 듕 참혹히 죽이려 ᄒ미니, 주위는 그 음흉디셜(陰凶之說)을 고디 듯디 마르쇼셔."

태부인 왈,

"내 ᄆ음도 그러ᄒ거니와, 져도 인심이니 엇디 양시 긔특흔 줄 아디 못ᄒ리오."

금휘 왈,

"셰이 아딕 인심이 드디 못ᄒ여시니, 추후 아모리 쇼부의 딘믹을 쳥ᄒ여도, 그 얼골을 보게 마르쇼셔."

도라 부인다려 왈,

"암녈(暗劣)ᄒ여 셰ᄋ의 흉휼능측(凶譎能測)ᄒ믈 아디 못ᄒ고, 양쇼부를 보젼치 못ᄒ미【63】쉬오리니, 모로미 등한이 살피디 말고 양시 분산 젼 신혼셩뎡(晨昏省定)도 마르쇼셔."

딘부인이 과연 그러히 넉여 싱의 말을 듯디 아니나, 이후 년일 태위 냥뎨를 디ᄒ여 뉘웃는 쯧을 니르고, 양시 유모를 블너 쇼져 병셰를 뭇고 산졈(産漸)이 잇거든 즉시 니르라 ᄒ며, 통완분히(痛惋憤駭)ᄒ믈 일졀 낫토디 아냐, 딘졍으로 뉘웃는 쯧을 낫타니나, 금휘 영영 밋디 아냐 더욱 살피더라.

일일은 유모를 보랴, 친히 침실의 니르니, 셜유랑이 원뉘 힝각의 잇디 아냐, 침쳐 벽슈졍의 머므러, 여러 공주를 길너 공이 듕ᄒ고 튱셩이 과인흔 고로, 태부인으로브터 합개(闔家) 다 디졉을 녜스 비주곳치 아냐, 븍공 등이 유랑을【64】편토록 디졉ᄒ니,

---

1477)능측(能測): 헤아리기를 잘함.

이윽고 싱이 퇴흐고 금휘 드러 오미 태부인이 셰홍의 말을 니르고 왈.

"셰이 양공의 말을 크게 씨쳐 소부의 이미흔믈 쾌히 씨드르니, 엇지 깃브지 아니리오."

금휘 ᄀ장 경히(驚駭)ᄒ여 변식 디왈,

"픠지(悖子) 궁흉(窮凶) 능측(能測)1389)ᄒ여 양【67】씨 히흘 쯧이 급흔 고로, 짐줏 뉘웃는 체ᄒ고 합문이 양씨를 위흔 넘녀를 긋춘 후, ᄀ만흔 즁 참혹히 죽이려 ᄒ미니, 주위는 그 광픠지셜(狂悖之說)을 밋지 마르쇼셔."

부인이 소왈,

"내 마음도 그러ᄒ미 업지 아니디, 졔들 인심이니 엇지 양씨 긔특흔 줄 씨듯지 못ᄒ리오."

휘 고왈,

"셰이 아직 졍심(定心)치 못ᄒ여시니, 추후 일졍(一定) 상면치 못ᄒ게 ᄒ쇼셔."

도라 부인다려 왈,

"셰ᄋ의 흉휼을 아지 못ᄒ고 등한이 술피다가는, 양소부를 보젼치 못ᄒ리니, 모로미 양씨 분산 젼 신혼(晨昏)에도 못나게 《ᄒ라∥ᄒ쇼셔》."

부인이 기연(其然)ᄒ여 밋지 아니나, 싱이 유모를 불너 소져의 병셰를 뭇고, 산긔 잇거든 즉시 고ᄒ라 ᄒ여 뉘웃는 쯧을 뵈니, 공이 더욱 술피더라.

유랑이 여러 공주를 보호ᄒ엿더니,

1389)능측(能測): 헤아리기를 잘함.

유모의 셰(勢) 후문(侯門) 셔패(庶牌)로 다
르미 업스니, 셜유랑이 외람코 감은ᄒᆞ믈 니
긔디 못ᄒᆞ고, 가부(家夫) 초원이 명문셔ᄌᆞ
(名門庶子)로 금후 군관이 되어, 슉식을 군
관쳥(軍官廳)의 ᄀᆞ닛ᄂᆞᆫ 날은 뎡쳐(正妻) 뉴
시 곳의 머므니, 벽슈졍의ᄂᆞᆫ ᄌᆞ로 오미 업
ᄂᆞᆫ 고로, 유랑이 여러 ᄌᆞ녀를 기르디 못ᄒᆞ
고, 일ᄌᆞ 경필은 븍공의 심복 노ᄌᆞ로 노듀
디졍(奴主之情)이 일일도 ᄠᅥ나디 못ᄒᆞ고, 동
셔로 공을 조ᄎᆞ 한가ᄒᆞ믈 엇디 못ᄒᆞ다가,
츌뎡(出征)의 ᄯᆞ라 갓ᄂᆞᆫ디라.

유랑이 경필의 외로오믈 슬허, 형(兄) 마
원졔 ᄒᆞᆫ 녀ᄌᆞ를 어더 기르다가, 거년의 부
쳬(夫妻) 구몰(俱沒)ᄒᆞ고 녀직 무탁(無託)ᄒᆞᆫ
고로, 유랑이 다려다가 길너 냥졍(兩情)의
디극ᄒᆞ미 모녀의 감치 아니코, 녀ᄌᆞ의 작
【65】인이 크게 비범ᄒᆞ여, 텬향아딜(天香
雅質)이오 폐월슈화디식(閉月羞花之色)이라.
만시 특이ᄒᆞ고 당신(藏身)ᄒᆞ미 상문규슈(相
門閨秀) ᄀᆞ트디, 츠셕ᄒᆞᆫ 그 부모를 어려
셔 실니ᄒᆞ여 근본을 아디 못ᄒᆞ미라. 비샹
(臂上) 잉혈(鸚血)노 ᄡᅳ지 이셔,

"소쳥계ᄂᆞᆫ 쇼녀(小女) 염난의 비샹(臂上)
의 글을 ᄡᅳ노라. 네 모친 양시 모년·모월
·모일·모시의 너를 나코 죽으니, 내 만니
히도(海島)의 가미, 네 싱ᄉᆞ를 뉘 보호ᄒᆞ리
오. 혹 실니디홰(失離之禍) 잇셔도 ○○○○
○[셔로 ᄎᆞᆺ도록] 부모 셩시와 너의 싱년월
일을 ᄡᅳ노라."

ᄒᆞ여시니, 년이 십이셰나 그 부친을 ᄎᆞ줄
길히 업셔, 삼오가 ᄎᆞ거든 남복으로 텬하를
두로 도라 부친을 ᄎᆞ즈려 ᄒᆞ고, 슬픈 심ᄉᆞ
를 억졔치 못ᄒᆞ니 유랑이 ᄆᆡ양 위로ᄒᆞ더니,
이날 난의 통읍비상(慟泣悲傷)ᄒᆞ믈 보고, 잔
잉【66】ᄒᆞ여 호언(好言)으로 위로홀 ᄎᆞ,
태위 문을 열고 드러 오니, 난이 창황(蒼黃)
이 협실(夾室)노 피홀 ᄉᆞ이의, ᄒᆡᆼ뵈 나는 ᄃᆞᆺ
ᄒᆞ나 나상(羅裳)이 브동(不動)ᄒᆞ고, 셰외(細
腰) 일쳑(一尺)이 못 되나 요양(搖揚)ᄒᆞ여
붓치이ᄂᆞᆫ[1478] ᄃᆞᆺ, 면모의 어른기ᄂᆞᆫ 광염(光

1478)붓치이다 : 나부끼다. 가볍게 흔들리다.

유뫼 슈양(收養)ᄒᆞᆫ ᄯᆞᆯ이 잇셔 ᄉᆡᆨ덕(色德)
이 유여(有餘)ᄒᆞᆫ지라. 태위 우연히【68】유
모 침당에셔 만ᄂᆞ니, 이곳 부모를 실니ᄒᆞᆫ
지라. 비상(臂上)○[의] 잉혈의[로] 싱월싱
시(生月生時)를 ᄡᅥ시니, 부모 셩명도 ᄯᅩ한
뼛더라.

ᄎᆞ녜 부모를 닐코 지한(至恨)이 되어, 삼
외(三五)된 후 텬하에 두로 도라 부친을 ᄎᆞ
즈려 ᄒᆞ여 년타(延拖)ᄒᆞ미, 유랑이 위로ᄒᆞ여
무인ᄒᆞ더니, 태위 문을 열고 드러오니 난이
급히 피ᄒᆞ더니, ᄒᆡᆼ뵈 나는 ᄃᆞᆺᄒᆞ나 나군(羅
裙)이 부동(不動)ᄒᆞ고 《셤채∥셤외(纖腰)》
《능츤∥요양(搖揚)》ᄒᆞ여 광염(光艶)이 실
즁에 ᄇᆡ아니[1390], 향취옹비(香臭擁鼻)라. 싱
이 힐난ᄒᆞ미 소씨 혼졀ᄒᆞ거ᄂᆞᆯ, 싱이 대경ᄒᆞ
여 회싱단을 먹이고 슈족을 쥐믈러 구ᄒᆞ니,

1390)ᄇᆡ익다 : 빛나다. 부시다. 빛이나 색채가 강렬하
여 마주 보기가 어려운 상태에 있다.

艶)이 실듕(室中)의 바이니[1479], 향긔 뉴동(流動)ᄒᆞᄂᆞ다라. 싱이 만고를 기우려도 드믄 《싱광∥ᄉᆡᆨ광(色光)》의 미인을 보고 ᄯᆞ라 드러 가니, 그 미인이 혼비ᄇᆡᆨ산(魂飛魄散)ᄒᆞ나 홀 일 업더니, 유랑이 놀나 븟드러 말니나 싱이 고집을 닉엿ᄂᆞᆫ다라. 즐퇴(叱退) 호령(號令)ᄒᆞ니, 유랑이 그 밋친 줄 아ᄂᆞᆫ다라. 막을 길히 업셔 퇴ᄒᆞ엿더니, 그 미인이 얼골이 츤 지 ᄀᆞᆺ틱여 긔졀ᄒᆞᄂᆞᆫ다라. 싱이 앗기고 놀나 급히 회싱단(回生丹)을 드리오며 친【67】히 슈족을 쥬믈너 구호ᄒᆞ니, 미인의 일신의 텬향(天香)이 《만실∥만신(滿身)》ᄒᆞ고, 십디셤쉬(十指纖手) 밋그러오미 형옥(衡玉)[1480]을 다듬은 ᄃᆞᆺ, 지삼 년이(憐愛)ᄒᆞ나 미인의 고결ᄒᆞ미 여ᄎᆞᄒᆞ니, 힝혀도 ᄯᅳᆺ을 일우디 못ᄒᆞᆯ가 초조ᄒᆞ여, 우연이 비샹을 보니 잉혈노 쓴 글이 이셔, 소쳥계의 녀ᄋᆞ 염난이 여ᄎᆞ여ᄎᆞ ᄒᆞ다 ᄒᆞ여시니, 싱이 대경대회(大驚大喜)ᄒᆞ여 싱각ᄒᆞ디,

"이 녀ᄌᆞ 반ᄃᆞ시 소계임의 ᄯᆞᆯ이오, 양시의 이죵(姨從)인가 시브니, 내 맛당이 그 부모를 ᄎᆞᄌᆞ 주고 은혜를 깃친 후, 광명뎡대(光明正大)히 취ᄒᆞ리라."

ᄒᆞ더니, 소시 인ᄉᆞ를 슈습ᄒᆞ거늘 싱이 위로 왈,

"내 그디의 근본을 아라시니 무례치 아니코【68】부모를 ᄎᆞᄌᆞ 주리니, 이러ᄐᆞᆺ 긔졀ᄒᆞ미 조비압디 아니리오."

뎡언 간의 유랑이 ᄯᅩ 니르러 말니거늘, 싱이 그 일을 니르고 브디 위로ᄒᆞ여 부모를 ᄎᆞᄌᆞ 주믈 기다리라 ᄒᆞ고 나가니, 유뫼 ᄎᆞ악ᄒᆞ여 난을 위로ᄒᆞ고, 져의 그믈의 걸닌 바를 한(恨)ᄒᆞ니, 난이 분원통이(忿怨痛哀)ᄒᆞ미 살 ᄯᅳᆺ이 몽니의도 업ᄉᆞ디, 유랑이 살피미 극ᄒᆞ고 겻틱셔 딕회여 다리니, ᄎᆞ마 다시 몸을 결치 못ᄒᆞ고 디팅(支撑)ᄒᆞ나 상셕(床席)의 누어 뉴쳬(流涕)ᄒᆞ믈 마디 아니니, 유랑이 쳑연 타루(墮淚) ᄒᆞ더라.

미인의 응디셜부(凝脂雪膚)와 쳔향국ᄉᆡᆨ(天香國色)이 만고(萬古)를 기우려 둣지 못ᄒᆞᆫ 비요, 우연이 비샹(臂上)을 보니, 잉혈노 ᄡᅥ시되 "쳥계의 소교(小嬌) 염난"이라 ᄒᆞ엿거늘, 싱이 경희(驚喜)ᄒᆞ여 혜오디,

"이 녀지 필연【69】소셰암 ᄯᆞᆯ이오, 양씨의 이죵(姨從)인가 시브니, 내 맛당이 그 부모를 ᄎᆞᄌᆞ 주어 은혜를 끼치고, 졍딕히 취ᄒᆞ리라."

ᄒᆞ더니, 소씨 인ᄉᆞ를 출히거늘, 싱이 위로 왈,

"내 그디 근본을 아라시니, 다시 무례치 《말고∥아니코》부모를 ᄎᆞᄌᆞ 주리니, 이러ᄐᆞᆺ ᄒᆞ미 좁아얍지[1391] 아니리오."

유랑이 ᄯᅩ 와 말니거늘, 싱이 수말을 니르고 부디 위호(衛護)ᄒᆞ여 부모를 ᄎᆞ기를 기다리라 ᄒᆞ고 나아가니, 유뫼 깃거 난을 위로ᄒᆞ고 져의 그믈에 걸닌 ᄇᆞ를 익돌와 ᄒᆞ니, 난이 분원통이 ᄒᆞ미 살 ᄯᅳᆺ이 업ᄉᆞ나, 유모의 직희미 극ᄒᆞ고 지셩(至誠) 위유(慰諭)ᄒᆞ니, 죽을 곳을 못 어더 향벽(向壁) 줌와(潛臥)ᄒᆞ여 식음을 젼폐ᄒᆞ니, 유뫼 타루(墮淚)ᄒᆞ더라,

---

1479)바이다 : 빛나다. 부시다. 빛이나 색채가 강렬하여 마주 보기가 어려운 상태에 있다.
1480) 형옥(衡玉) : 형산(荊山)에서 나는 옥.

1391)좁아얍다 : 조ᄇᆞ얍다. 너그럽지 못하고 옹졸하다.

싱이 난을 닛디 못ᄒᆞᆫ는 졍과 양시를 못
죽여 이쁘미 숙식을 폐ᄒᆞ고, 셩시의 요계
(妖計)로 여러 날이 되【69】도록 과급(過
急)ᄒᆞᆫ 힝ᄉᆞ를 뉘웃는 쳬ᄒᆞ여, 양시 산월이
다 닷도록 분산치 못ᄒᆞᆷ믈 그윽이 넘녀ᄒᆞ여,
션삼졍으로 옴기기를 죄오더니, 일이 공교
ᄒᆞ여 딘부인 시녀 태란이 잉틱 팔삭의 딘
부인긔 샤후ᄒᆞ더니, 밤을 당ᄒᆞ여 크게 ᄒᆞᆫ
소ᄅᆡ를 디르고 ᄉᆞ틱(死胎)ᄒᆞ니, 원ᄂᆡ 뎡문법
(鄭門法)이 시녀비 유틱(有胎)ᄒᆞ여 구삭(九
朔)이면 힝각(行閣)의 두어 분산 후 샤후(伺
候)1481)○[케]ᄒᆞ더니, 태란이 침뎐의셔 ᄉᆞ
틱ᄒᆞ니 부인이 측ᄒᆞ여 즉시 힝각의 보ᄂᆡ니,
양시 님산(臨産)ᄒᆞᄃᆡ 의외(意外) 시녀 ᄉᆞ틱
ᄒᆞ니, 태부인이 ᄉᆞ의로이1482) 넉여 ○…결
락00자…○[양시를 침소로 옮겨 분산코져
한ᄃᆡ], 젼ᄌᆞ(前者)의 ᄒᆞᆫ 슐ᄉᆡ(術士) 망긔(望
氣)1483) 왈,

"이 침뎐은 셩신을【70】웅ᄒᆞᆫ 슉녀 곳
아니면 슌산이 어려오리라."

ᄒᆞ더니, 부인은 칠ᄌᆞ녀(七子女)를 다 슌산
ᄒᆞ니, 금평휘 텬문디리를 능통ᄒᆞ여 미양 슐
ᄉᆞ의 말을 밋디 아니ᄒᆞ더니, 대개 침뎐 터
히 녯날 산흉(産凶)으로 굿겨, 니미망냥(魑
魅魍魎)이 잉부(孕婦)의 졉(接)ᄒᆞᆫ죽 무ᄉᆞ치
못ᄒᆞ더라. 딘부인긔ᄂᆞᆫ 귀미(鬼魅) 감히 범치
못ᄒᆞ고 븍공으로브터 복듕(腹中)의 이실 젹
셩신(星辰)이 호위ᄒᆞ니, 잡신(雜神)이 범치
못ᄒᆞᄂᆞᆫ더라. 금평후ᄂᆞᆫ 부인의 비상홈과 ᄌᆞ
녀의 특이ᄒᆞ믈 아라 분산 넘녀를 아녓ᄂᆞᆫ더
라. 태부인○[과] 딘부인이 태란의 ᄉᆞ틱로
인ᄒᆞ여 양쇼져를 션삼졍의 옴겨 분산코져
ᄒᆞ고, 젼【71】일 슐ᄉᆞ의 말노 넘녀ᄒᆞ여,

싱이 미일 ○○[난을] 닛지 못ᄒᆞ여 침식
을 폐ᄒᆞ고, 거즛 양씨를 못니져 ᄒᆞᄂᆞᆫ 쳬ᄒᆞ
여 침소로 오기를 죄오더니, 일이 공교ᄒᆞ여
딘부인 시녀 틱란이 잉【70】틱 팔삭에 졍
당에셔 의외(意外) ᄉᆞ틱(死胎)ᄒᆞ니, 부인이
쇼져의 산삭(産朔)이므로 미안(未安)ᄒᆞ여,
쇼져를 침소로 옴겨 분산코져 홀ᄉᆡ, 젼일
슐ᄉᆞ(術士)의 말이

"졍당은 긔이ᄒᆞᆫ 셩신(星辰)○[을] 위[웅
(應)]ᄒᆞᆫ 슉녀 아니오[면], 《번인‖범인(凡
人)》은 ᄒᆡ산(解産)치 못ᄒᆞ리라"

ᄒᆞ므로, 딘부인은 ᄌᆞ식을 다 이곳에셔 나
하시되, 쇼져ᄂᆞᆫ 조심되므로 태부인의 침소
로 옴겨 분산케 ᄒᆞ더라.

1481)샤후(伺候) : ①웃어른의 분부를 기다림. ② 웃
어른의 시중(侍中)을 듦.
1482)ᄉᆞ의롭다 : 사위롭다. 꺼림하다. *사위; 미신으
로 좋지 아니한 일이 생길까 두려워 어떤 사물이
나 언행을 꺼림.
1483)망긔(望氣) : 무속(巫俗)에서 술사(術士)가 어떤
곳에 서려있는 기운을 살펴 사악(邪惡)한 물건 따
위를 찾아 없애는 것.

태부인이 금후다려 ᄉ연을 다 니르니, 금휘
디왈,

"ᄌᆡᄀᆡ 맛당ᄒ시나, 요신잡귀(妖神雜鬼) 졉
ᄒᄂᆫ 태란 ᄀᆞ튼 쳔인의 무식디인(無識之人)
이오, 당당ᄒᆞᆫ 졍인슉녀(正人淑女)ᄀᆡ 아닐 ᄇᆡ
오니, 양쇼ᄇᆞᆯ 비록 쇼년 녀ᄌᆡ나, 남다른 졍
긔(精氣)어ᄂᆞᆯ, 요ᄉᆞ(妖邪)를 죡히 졔어ᄒᆞ리
니, 분산을 넘녀ᄒᆞ올 ᄇᆡ 아니라. 졔 고모(姑
母) 침소의셔 분산케 ᄒᆞ쇼셔."

태부인이 굿ᄐᆞ여 욱이디 아녓더니, 양평
댱 부인이 이말을 듯고 크게 넘녀ᄒᆞ여 녀ᄋᆞ
를 침소의 옴겨 분산(分産)을 식이면, ᄌᆞ긔
님시(臨時)ᄒᆞ여 구ᄒᆞᆯ 바를 딘부인ᄀᆡ 셔봉
(書封)으로 통ᄒᆞ니, 부인이 마디 못ᄒᆞ여 양
시를 옴기ᄃᆡ, 시녀【72】양낭 근신ᄒᆞᆫ 무리
십여인을 명ᄒᆞ여, 쥬야 쇼져를 딕희여 혹
싱이 니르거든 즉시 고ᄒᆞ라 ᄒᆞ니, 양시 블
가쇼원(不可所願)이나 존명을 감히 역디 못
ᄒᆞ여 침소로 올므ᄃᆡ, 금후는 아디 못ᄒᆞ더라.
【73】

최 길 용

문학박사

전북대학교 겸임교수

전북대학교 인문학연구소 전임연구원

● 논 문

〈연작형고소설연구〉외 50여편

● 저 서

『조선조연작소설연구』 등 12종

김 영 숙

문학박사

중국남경효장사범대학 전임강사

전북대학교 강사

● 논 문

〈제주도 일반 신본풀이의 신격화연구〉외 다수

校勘本 明珠寶月聘 ❹

초판 인쇄 2014년 2월 03일
초판 발행 2014년 2월 10일

교   주 | 최길용 · 김영숙
펴 낸 이 | 하운근
펴 낸 곳 | 學古房

주   소 | 서울시 은평구 대조동 213-5 우편번호 122-843
전   화 | (02)353-9907 편집부(02)353-9908
팩   스 | (02)386-8308
홈페이지 | http://hakgobang.co.kr/
전자우편 | hakgobang@naver.com, hakgobang@chol.com
등록번호 | 제311-1994-000001호

ISBN   978-89-6071-364-2   94810
         978-89-6071-360-4   (세트)

값 : 350,000원

이 도서의 국립중앙도서관 출판시도서목록(CIP)은 서지정보유통지원시스템 홈페이지(http://seoji.nl.go.kr)
와 국가자료공동목록시스템(http://www.nl.go.kr/kolisnet)에서 이용하실 수 있습니다.
(CIP제어번호: CIP2014003413)

■ 파본은 교환해 드립니다.